对某种事物特别
...ke; enjoy; be fond
...n on sports ｜ ~文
...re and art ｜ 他...
...ǎo jiù ~ jíyóu. He
...p collecting ever
...〈动 v.〉喜爱
...民 ~ 的商品。
... shìmín ~ de
...avored by citizen...
❸〈名 n.〉（种
...）对某种事物的
...by: 他的 ~ 十分
...guǎngfàn. He ha...
...｜他只有一项 ~,
...yí xiàng ~, jiùshì
...playing chess.

汉英双语学习词典

A
CHINESE-ENGLISH
DICTIONARY

HSK必备·加注汉语拼音

A must for the HSK

外文出版社
FOREIGN LANGUAGES PRESS

图书在版编目(CIP)数据

汉英双语学习词典 / 钱王驷,姚乃强主编.
北京,外文出版社,2007

ISBN 978-7-119-04840-6

Ⅰ.汉… Ⅱ.①钱… ②姚… Ⅲ.① 英语–词典 ②词典–英 Ⅳ.H316

中国版本图书馆 CIP 数字核字(2007)第 112146 号

汉英双语学习词典

主　　编：钱王驷　姚乃强
英文审定：李振国
拼音审定：贾寅淮

责任编辑：刘承忠　范淑娟　王际洲
装帧设计：姚　波
印刷监制：张国祥

ⓒ外文出版社
出版发行：外文出版社
地　　址：中国北京西城区百万庄大街24号
邮政编码：100037
网　　址：http://www.flp.com.cn
电　　话：(010)68320579/68996067(总编室)
　　　　　(010)68995844/68995852(发行部)
　　　　　(010)68327750/68996164(版权部)
电子信箱：info@flp.com.cn / sales@flp.com.cn
印　　制：北京外文印刷厂
经　　销：新华书店 / 外文书店
开　　本：787×1092　1/32
印　　张：46.75
字　　数：2000 千字
装　　别：平
版　　次：2007 年第 1 版第 1 次印刷
书　　号：ISBN 978-7-119-04840-6
定　　价：79.00 元

策 划

肖晓明　钱王驷　姚乃强　吴恂南

中文主编

钱王驷　吴恂南

编 委

王云光　郑世锃　汪祖棠　贾寅淮　吴光平
徐文渊　麦占雄　廖　频　王浣倩　李　琛

英文主编

姚乃强　李振国

副主编

赵小江　武　军

译 者

严维明　江　健　吴承义　殷　方　赵福利
陈万霞　马　嘉　李　维　赵运明　赵小江
武　军　Brendan O'kane

目　录
Contents

目录
Contents

前　言

　　近年来，随着中国经济的快速发展，世人日益关注中国，学习汉语的外国人也与日俱增。据统计，目前世界上通过各种方式学习汉语的外国人已超过 3000 万，100 多个国家的 2300 余所大学设有汉语课程。

　　外国人学习汉语首先要掌握汉语水平词汇，通过汉语水平考试(HSK)，因此对于他们来说一本以汉语水平词汇为选词依据的汉英词典是不可或缺的了。

　　《汉英双语学习词典》以汉语水平词汇为依据，收录了"汉语水平词汇"的全部词汇。考虑到"汉语水平词汇"虽按音序排列，却未像一般的汉语词典将同音字按笔画由少到多，笔画相同的按起笔的笔形排列，为了便于读者查找，本词典在排序方面作了调整。

　　在释义方面，为了使读者对每一个词汇有较全面的了解，我们不仅收列了该词条的常用义项，还收列了一些非生僻的义项和较常用的方言义项。释义力求简明、扼要，尽可能减少属于基本常识的释义，对于有关中国文化的词语则尽量作详细的解释。

　　汉语拼音是外国人学习汉语的最便捷手段，为此，本词典对词头、例词和例句均标注了汉语拼音，使之成为一本可以读出声来的词典。

例词、例句注意词语的搭配,贴近生活。例句中收录了许多常见的成语、谚语、俗语、惯用语等,对于其中从字面上难以理解的词语还作了简明的解释。

汉语一词多性对于学习汉语的外国人来说,既是十分困难又必须准确掌握的。现有的汉英词典均未标明词性,本词典参考了近年来出版的一些汉语词典的研究成果,对全部词语标注了词性。

汉语的量词也是外国人掌握汉语的一大难点。这是因为不少量词在其他的语言中很难找到对应的词,并且汉语的量词在不同的场合有不同的用法。本词典对于需要使用量词的词语注明了量词,并且根据使用的习惯排列次序。由于绝大多数量词在英语中没有对应的词,为便于使用,我们在量词后加注汉语拼音。

我们相信这本经过精心策划与精心编制的词典,对于学习中文的读者是一个好帮手,简明实用。我们也把它作为一本必备的工具书热忱推荐给意欲参加汉语水平考试者,他们定会得益匪浅。

Preface

With the speedy growth of China's economy in recent years, the world is witnessing an upsurge of interest in this country, followed by the emergence of a "fever" to learn Chinese throughout the world. It is estimated that more than 30 million foreigners are learning Chinese as a second language, and Chinese courses are offered at about 2,300 universities and colleges in over 100 countries and regions today.

For foreigners learning Chinese as a second language, particularly for those who purport to take part in the HSK (*Hanyu Shuiping Kaoshi* — Chinese Proficiency Test), it would be advisable to familiarize themselves with the basic vocabulary required by the test. Therefore, a good bilingual Chinese-English dictionary based on HSK vocabulary seems to be a necessity in their endeavors of learning the language.

A Chinese-English Dictionary: A Basic Dictionary for Chinese Language Learning, based on HSK vocabulary, contains about 8,000 Chinese words and phrases. Although the words in the "Hanyu Shuiping Cihui" (Chinese Proficiency Vocabulary) are alphabetically listed as usually done, the many homophones are not arranged, as most Chinese dictionaries do, first according to the number of strokes of the Chinese characters and then, in case that the stroke numbers of two homophones are the same, according to the calligraphic sequence of the characters. To make it convenient for the reader to look up words, we have made some necessary adjustments in the listing order to bring its configuration closer to that of other dictionaries of the same kind.

With respect to word definition, we have tried to help the reader grasp a broader range of the meaning of the words in the dictionary, by giving not only the commonly used senses of the words, but also their less frequently used senses and also senses frequently found in some dialects. Definitions are written as clearly and concisely as possible, with less space devoted to commonsensical explanations and more to words soaked in Chinese culture.

Since Hanyu Pinying system (the Chinese phonetic transcriptions) is generally considered an effective and convenient tool for learners of Chinese, the headwords and examples (either as word combinations and set phrases or as sentences) in the dictionary are all provided with Hanyu Pinyin, enabling the reader to pronounce them if he/she chooses to.

Particular attention has been paid to ensuring that examples are taken from the everyday spoken language of the Chinese people. Common idioms, set phrases, proverbs and colloquial expressions are carefully selected and incorporated into the examples. Words and phrases that are hard to understand by literary reading alone are given further explanations.

Words with multiple parts of speech constitute a distinct feature of the Chinese language. It has proved to be a great difficulty for learners of Chinese as a second language, and one they cannot afford to bypass. Unlike most Chinese-English dictionaries that simply omit the indication of parts of speech, this dictionary has made an effort to mark all the headwords with their parts of speech, basing its endeavor largely on latest research findings in the compilation of Chinese dictionaries.

Measure words in Chinese prove to be another challenge for foreign learners, partly because there are no equivalents of measure words as a part of speech in many other languages, and partly because measure words may serve different functions in different contexts. This dictionary provides a list of appropriate measure words for corresponding headwords that need such attributives and arranges them in the order of frequency in use. As the majority of measure words find no English equivalents, the Hanyu Pinyin of each measure word is given right after the Chinese character.

With all these elaborate efforts we have made on the dictionary, we are sure that learners of Chinese will find it useful, practical and resourceful, and we strongly recommend it as a must for those who intend to sit in for HSK tests.

凡 例

一、 条目安排

本词典以中国汉语水平考试(HSK)词汇大纲——《汉语水平词汇与汉字等级大纲》为依据，但对其条目做了以下调整：

1. 本词典全部条目按汉语拼音音序排列。同音字按笔画由少到多排列；笔画相同的，按起笔的笔形横(一)、竖(丨)、撇(丿)、点(、)、折(乛)排列。为此，取消了原大纲中的序号。习惯于按原序号查找的读者，可使用本词典的"汉语水平词汇检目表(按序号排列)"。

2. 将甲、乙、丙、丁四个词汇等级分别改为1、2、3、4，标注在词条的左上角。

3. 本词典将形、音相同的词立为一个条目，如67、68、69把，2451、2452、2453、2454光等均合并为一个条目。合并后按该词条的最高级别标注等级；

形同而音不同的词分立条目，如花费分立为花费 huāfèi 和花费 huāfei 两个条目，嗯分立为嗯 ńg、嗯 ňg、嗯 ǹg 三个条目；

双条目均分列条目，如英语/英文分为英语和英文两个条目，的确良/涤纶分为的确良和涤纶两个条目；

个别带儿化的单字词不另立条目，如画儿并入画条，兜儿并入兜条，等等。

经调整后，本词典合计条目为8719条，仍全部涵盖大纲的8822词。

本词典对大纲所作调整见附录："条目调整一览表"。

二、 注音

1. 全部词条及例词、例句均按《汉语拼音方案》的规定，用汉语拼音字母按照普通话读音注音，并按四声标调。为方便起见，词条不注变调和变读，例词、例句按变调和变读注音。

2. 轻声字只注音不标调。标注声调的字头，在后面所出的词条和例词、例句中读轻声时，随词条和例词、例句标注读音。

3. 有异读的字、词，一律按《普通话异读词审音表》审订的读音注音；未经审订的,按约定俗成的原则注音。

4.多音字在该字的释义完毕后,另起一行,用"☞×,p.×"注出其他读音和该字所在页码。

5.专名和姓氏注音,第一个字母大写。

6.多音词的注音中,音节界限有可能混淆的,加隔音号('),如方案fāng'àn

三、释义

1.一般只收列现代汉语普通话中常用的义项和个别的常用方言义项,不收生僻的义项。

2.逐词逐项标注词性和语类。词性包括名词、动词、助动词、形容词、数词、量词、代词、副词、介词、连词、助词、叹词、拟声词,分别用〈名〉〈动〉〈助动〉〈形〉〈数〉〈量〉〈代〉〈副〉〈介〉〈连〉〈助〉〈叹〉〈拟声〉表示。词类包括成语、俗语、惯用语、熟语、俚语、谚语、歇后语等等,分别用〈成〉〈俗〉〈惯〉〈熟〉〈俚〉〈谚〉〈歇〉等表示。词缀分别标注〈词头〉〈词尾〉。

3.具有褒贬、谦敬、爱憎等色彩的词语分别标注〈褒〉(褒义词)、〈贬〉(贬义词)、〈谦〉(谦词)、〈敬〉(敬词)、〈詈〉(骂人话)、〈婉〉(委婉语)、〈方〉(方言)、〈口〉(口语)、〈书〉(书面语)、〈外〉(外来语)等。

4.名词词条尽量注明相应的量词,放在词类的后面,用圆括号( )标注。

5.例词、例句中用波浪号"~"代替被释的字或词;用例之间用间隔号"｜"隔开;离合词在可插入其他成分的地方用双斜线"∥"表示。

A Guide to the Use of the Dictionary

I. Arrangement of Entries

A Chinese-English Dictionary: A Basic Dictionary for Chinese Language Learning takes as its basis the HSK (*Hanyu Shuiping Kaoshi* — Chinese Proficiency Test) vocabulary listed in the *Hanyu Shuiping Cihui yu Hanzi Dengji Dagang* (Syllabus for Chinese Proficiency Vocabulary and Chinese Word Levels), but with a few adjustments made as follows:

1. All entries in the dictionary are arranged alphabetically according to their pronunciations in the Hanyu Pinyin (the Chinese Phonetic System). Homophonous characters are arranged according to the stroke count, in ascending order, i.e., the characters with fewer strokes listed before those with more strokes; characters with the same number of strokes are arranged according to the initial stroke category, as follows: 一, 丨, 丿, 丶, 一. Because of this, the serial numbers of characters provided in the *Dagang* are not used. Readers accustomed to looking up words according to the original character serial numbers may use the "HSK Vocabulary Lookup Table (by character serial numbers)" provided in the dictionary.

2. The four vocabulary levels (甲 jiǎ, 乙 yǐ, 丙 bǐng, 丁 dīng) in the *Dagang* have been changed to 1, 2, 3 and 4, and are indicated at the upper left corner of the entries.

3. Polysemous characters with the same form and pronunciation are listed as a single entry — for example 67, 68 and 69 "把 bǎ" or 2451, 2452, 2453 and 2454 "光 guāng". The highest vocabulary level will be used to indicate the vocabulary level of the characters after being merged in one entry.

Characters with the same form but different pronunciations are listed separately. The word "花费", for instance, is listed under separate entries for huāfèi and huāfei; the character "嗯" is listed under three entries ńg, ňg, and ǹg.

Synonymous entries are also listed separately. For example, "英语 Yīngyǔ" and "英文 Yīngwén" and "的确良 díquèliáng" and "涤纶 dílun" are respectively listed as separate entries.

Some characters ending with the cerebral "r" are listed under the entries of the same characters, e.g., "画儿 huà(r)" is listed under "画 huà", "兜儿 dōu(r)" under "兜 dōu", and so on.

After these adjustments, the dictionary includes 8,719 entries, covering all 8,822 words listed in the original *Dagang*.

For a complete listing of revisions and adjustments to the *Dagang* made in the dictionary, see the appendix "*An Overview of Adjustments to Entry Listings.*"

II. Phonetic Transcription

1. All entries, together with illustrative words and sentences in the dictionary are transcribed according to the *Hanyu Pinyin* as read in Putonghua with tones provided. For greater ease of use, the Pinyin transcription of entries does not take the changes of tone into account, but does show tone changes in the illustrative words and sentences.

2. For characters read with the neutral tone, no tone diacritic is given. When the headwords are noted with tones, their subsequent illustrative words and sentences as read with neutral tone are transcribed as such.

3. Characters or words with variant pronunciations are, in all cases, transcribed according to *Putonghua Yiduci Shenyin Biao* (A Table of Verified Pronunciation of Characters with Variant Pronunciations in Putonghua). Characters whose variant readings are not verified in the table are transcribed according to common practice.

4. For polyphonous characters, their alternate pronunciations are provided in the next line with a note of "☞×, p.×" to indicate the appropriate page numbers for the corresponding entry.

5. In the transcriptions of proper nouns and surnames, the initial letters are capitalized.

6. Apostrophes are used in the transcriptions of polysyllabic characters to avoid possible confusion, e.g., "方案 fāng'àn".

III. Definitions

1. In most cases, only meanings of a character frequently used in modern Chinese and as read in Putonghua are given, but in specific cases, meanings oft-used in dialects are not excluded. Rarely used meanings are not included.

2. Word types or parts of speech are given to each headword and each entry. Types include nouns, verbs, auxiliary verbs, adjectives, numerals, measure words, pronouns, adverbs, prepositions, conjunctions, auxiliary words, interjections, and onomatopoeia, identified respectively as ⟨*n.*⟩, ⟨*v.*⟩, ⟨*aux.v.*⟩, ⟨*adj.*⟩, ⟨*num.*⟩, ⟨*meas.*⟩, ⟨*pron.*⟩, ⟨*adv.*⟩, ⟨*prep.*⟩, ⟨*conj.*⟩, ⟨*aux.*⟩, ⟨*interj.*⟩ and ⟨*onom.*⟩. Word categories include idiom, informal, common usage, set phrase, slang, proverb, and two-part allegorical saying, identified as ⟨*idm.*⟩, ⟨*infm.*⟩, ⟨*usg.*⟩, ⟨*s phr.*⟩, ⟨*sl.*⟩, ⟨*prov.*⟩ and ⟨*alleg.*⟩. In addition, affixes are identified by either ⟨*pref.*⟩ or ⟨*suff.*⟩.

3. Commendatory, derogatory, polite, or otherwise emotionally-charged words are annotated as ⟨*comm.*⟩, ⟨*derog.*⟩, ⟨*hum.*⟩, ⟨*pol.*⟩, ⟨*curse*⟩, ⟨*euph.*⟩, ⟨*dial.*⟩, ⟨*colloq.*⟩, ⟨*lit.*⟩ and ⟨*forg.*⟩.

4. Whenever possible, the appropriate measure words are given for noun entries. They are listed, in parentheses, at the end of type words.

5. In illustrative words and sentences, the word or words being exemplified are replaced with a wavy line (~). Examples are separated by a vertical divider (|). Divisible words are marked with double-slashes (//) where other elements can be inserted.

部首检字表
Radical Index of Chinese Characters

说明 Notes:

1 本表依据《汉字统一部首表（草案）》,结合本词典收词范围,共设部187个。按笔画数由少到多顺序排列,同画数的,按起笔笔形横（一）、竖（丨）、撇（丿）、点（、）、折（乛）顺序排列,第一笔相同的按第二笔,第二笔相同的按第三笔,依此类推。

This index is based on the *Unified Sinograph Radical Table*（*Draft*）, as applied to the words listed in this dictionary. There are 186 radicals in all, in ascending order by stroke count. Characters with the same stroke count are arranged by the first stroke of the character, with strokes categorized as horizontal（一）, vertical（丨）, leftward-slanting（丿）, rightward-slanting（、）, and hooked（乛）. Characters with the same stroke count and the same first stroke are differentiated by the second stroke; characters with the same first and second strokes are differentiated by the third stroke, and so on.

2 部首分主部首和附形部首两类,如"水"为主部首,"氵"为附形部首;"言"为主部首,"讠"为附形部首等。"部首目录"中主部首在左边标有部首序号,附形部首加圆括号,部首序号加方括号。

Radicals are divided into primary radicals and variant-form radicals. For example, "水water" exists as both a primary radical（水）and a variant-form radical（氵）; "言speech" is 言 in its primary form and 讠 in its variant form. In the "Table of Radicals", primary forms will be given along with the variant forms in parentheses and the radical code number in square brackets.

一 部首目录
Table of Radicals

（部首左边的号码是部首序号;右边的号码为检字表的页码）

（The number to the left of the radical is the radical code number;

the number to the right is the page of the index in which the radical can be found.）

二 检字表

Index

（字右边的号码为词典正文页码）

(The number to the left of the character is the page of the dictionary corresponding to the character definition.)

仿	293	俊	565	儿	266	妄	1010
伙	470	**8画**		元	1213	**5至6画**	
伪	1018	债	1240	允	1222	宙	705
伊	1167	借	531	兄	1107	变	48
似 shì	896	值	1280	光	392	京	541
sì	925	倚	1175	先	1064	享	1077
5画		倾	805	兆	1252	夜	1157
估	375	倒 dǎo	191	充	119	**7至8画**	
体	956	dào	194	克	584	弯	1000
何	426	倘	947	兑	258	哀	2
但	178	俱	558	党	185	亭	968
伸	868	倡	102	竞	548	亮	640
作	1349	候	439	兜	242	帝	215
伯	63	俯	322	竟	548	恋	638
伶	646	倍	35	兢	544	衰	915
低	205	健	506			衷	1299
你	724	**9画**		**15 匕部**		高	344
住	1311	做	1353	北	33	离	623
位	1021	偿	101	死	924	畜	1114
伴	21	偶	736	此	148	**9画以上**	
伺	144	偷	978	些	1088	毫	417
佛	316	停	968	疑	1172	烹	750
6画		偏	757			商	854
佳	492	假 jiǎ	494	**16 几部**		率 lǜ	661
侍	898	jià	496	几 jī	474	shuài	916
供	369	**10画以上**		jǐ	484	就	552
使	893	傍	22	凡	280	裹	403
例	631	储	132	秃	982	豪	417
侄	1280	催	150	凯	573	赢	1188
侦	1259	傻	849	凭	768		
侧	90	像	1081	亮	640	**18 冫部**	
侨	798	僵	508	凳	205	**1至7画**	
佩	748					习	1052
依	1169	**[12] 入部**		**[16] 几部**		冲 chōng	118
7画		入	840	风	310	chòng	121
便 biàn	50			凤	316	冰	58
pián	758	**13 勹部**				次	143
俩	633	勺	863	**17 亠部**		决	560
修	1109	勿	1044	**1至4画**		冻	241
保	26	匀	1222	亡	1007	况	600
促	149	勾	372	六	654	冷	622
俄	264	句	557	市	895	冶	1155
侮	1043	匆	144	亦	1177	净	547
俗	927	包	22	齐	778	**8画以上**	
俘	319	够	374	交	512	凄	776
信	1097			产	96	准	1324
侵	800	**14 儿部**		充	119	弱	842

土	985	填	962	茄	799	**12画以上**	
2至3画		塌	939	茎	540	蔬	912
去	814	塘	946	茅	676	蕴	1224
圣	882	墓	707	草	89	薪	1097
寺	925	塑	929	茧	500	薄 báo	24
考	577	塞	844	茶	93	bó	64
老	614	墙	797	荒	455	藏	88
地 de	199	境	549	茫	673	藤	953
dì	209	**12画以上**		荡	187	蘑	701
场	101	增	1237	荣	836		
在	1228	墨	703	荔	632	**31 寸部**	
至	1287	壁	45	药	1149		
尘	106			**7至8画**		寸	151
4画		**[29] 士部**		莲	635	对	254
坛	943			莫	703	寺	925
坏	451	士	894	荷	429	寻	1122
坝	12	吉	480	获	472	导	189
均	564	壮	1322	著	1313	寿	908
坟	307	志	1288	黄	457	封	313
坑	588	声	880	萌	694	耐	715
块	597	壶	442	萝	664	将	508
坚	497	喜	1054	菌	565	射	866
坐	1351	壹	1170	菜	85	尊	1346
5至7画		鼓	378	菊	556		
坦	944	嘉	493	萍	769	**32 廾部**	
垃	605			菠	62	开	567
幸	1105	**30 艹部**		营	1187	异	1177
坡	769			**9至11画**		弄	732
垄	656	**1至4画**		葫	442	葬	1230
型	1104	艺	1176	惹	825	弊	45
垮	596	艾	3	葬	1230		
城	113	节	524	董	237	**33 大部**	
垫	224	芝	1276	葡	773	大 dà	159
垒	620	芽	1127	葱	145	dài	169
埋 mái	670	花	444	落 là	606	**1至5画**	
mán	671	芹	802	luò	665	天	958
8至11画		芬	307	葵	602	夫	317
堵	247	苍	88	蒜	929	太	941
堆	253	劳	613	蓝	611	失	883
埠	81	芭	10	墓	707	头	978
培	747	苏	927	幕	708	夸	596
基	477	**5至6画**		蓬	751	夺	262
堕	263	苦	595	蓄	1114	夹	491
塔	939	若	842	蒙	684	尖	496
堤	206	茂	676	蒸	1266	买	671
堡	28	苹	768	蔓	673	奉	316
		苗	692	蔑	694	卖	671
		英	1186			奔 bēn	36
		范	288				

bèn	38	辉	459	呈	112	哈		408
奇	780	赏	855	呆	169	哆		262
奋	309	掌	1247	呕	736	咬		1148
6画以上				呀 yā	1126	咳 hāi		408
奏	1340	**37 口部**		ya	1128	ké		581
牵	790			吨	259	哪 nǎ		710
奖	510	口	592	吵	104	na		714
美	680	**2画**		员	1214	哟		1190
类	621	古	376	呐	713	哀		2
套	950	可	581	听	967	咨		1326
奢	864	右	1205	吩	307	**7画**		
爽	917	占	1242	吻	1030	哲		1255
奥	8	叶	1157	吹	139	哥		350
奠	225	叮	229	呜	1036	哨		863
		号	420	吧	12	哭		594
34 尤部		只 zhǐ	1276	吼	436	唤		455
尤	1195	zhǐ	1282	告	349	哼		432
龙	655	史	892	谷	376	啊 ā		1
就	552	兄	1107	含	412	a		1
		叼	225	启	782	唉		2
[34] 兀部		叫	518	君	564	**8画**		
元	1213	叨	189	**5画**		营		1187
光	392	另	650	味	1022	啦		606
		叹	945	哎	2	啄		1325
35 弋部		句	557	呵	422	啃		588
式	896	司	921	呻	869	唱		102
贰	269	召	1251	呼	439	啰		664
		加	489	鸣	698	唾		993
36 小部		台	940	呢	720	唯		1016
小	1084	**3画**		咖	566	啤		755
少 shǎo	863	吐 tǔ	986	知	1277	售		909
shào	863	tù	986	和	426	商		854
尘	106	吓	1063	命	698	**9画**		
尖	496	同	973	周	1303	喜		1054
劣	644	吊	226	**6画**		喷		749
京	541	吃	115	咸	1067	喇		606
省	881	吸	1050	哇	995	喊		414
		吗	670	哄 hòng	435	喝		423
[36] 丷部		向	1079	hòng	435	喂		1023
光	392	后	436	哑	1128	喘		136
当 dāng	181	合	423	虽	931	喉		436
dàng	186	名	695	品	762	喽		657
肖	1087	各	355	咽	1139	善		852
尚	861	**4画**		骂	670	**10画以上**		
尝	99	吞	991	哗	446	嗯 ńg		724
党	185	杏	1105	咱	1129	ňg		724
常	100	否	316	响	1078	̀ng		724

奶	714	**57 飞部**		**6 画以上**		杯	32
奴	733			珠	1306	柜	398
妄	1010	飞	296	班	16	枚	679
奸	497	**58 马部**		球	811	板	18
如	838			理	626	松	926
妇	326	马	668	望	1011	枪	795
好 hǎo	417	**2 至 5 画**		琴	802	构	373
hào	422	闯	138	琢	1348	杰	525
她	939	驮	993	斑	17	枕	1261
妈	667	驱	813	瑞	842	枣	1233
妥	993	驳	63			果	403
妙	693	驴	660	**[60] 玉部**		采	85
妖	1146	驾	495	玉	1209	**5 画**	
妨	293	驶	894	**61 无部**		某	704
5 至 7 画		驻	1313	无	1037	荣	836
妻	776	**6 画以上**				标	53
委	1019	骂	670	**[61] 旡部**		枯	594
妹	682	骄	515	既	488	柄	58
姑	375	骆	665			栋	241
姐	528	验	1140	**62 木部**		相 xiāng	1074
姓	1107	骑	781	木	705	xiàng	1080
始	893	骗	759	**1 至 2 画**		查	94
要 yāo	1146	腾	952	未	1020	柏	15
yào	1150	骤	665	末	702	柳	654
威	1012	**59 幺部**		本	36	柱	1313
耍	915			朴	774	栏	611
姿	1326	幻	454	机	474	柠	728
姜	508	幼	1205	权	816	树	913
娃	994	幽	1195	朵	262	柴	776
姥	619	**60 王部**		**3 画**		染	823
姨	1170	王	1008	杆 gān	337	架	495
娇	515	**1 至 5 画**		gǎn	337	柔	838
娱	1207	玉	1209	杠	344	**6 画**	
娘	727	主	1306	杜	248	栽	1226
8 画以上		全	817	材	83	框	601
婆	814	弄	732	村	150	桂	399
婴	1186	玖	551	杏	1105	档	188
婆	770	玩	1002	极	480	株	1306
婚	465	环	453	杨	1142	桥	798
婶	875	现	1069	束	913	桃	948
媒	680	玫	679	呆	169	格	352
嫂	847	珍	1259	床	137	桩	1320
媳	1053	玲	647			校	1087
嫉	484	珊	851	**4 画**		核	429
嫌	1067	玻	62	林	645	样	1145
嫁	496	皇	457	枝	1276	根	357
嫩	722					栗	632

柴	95
桌	1325
案	6
桑	846

7 画

梗	360
梧	1041
梢	862
梅	680
检	500
梳	910
桶	977
梨	624
渠	813
梁	639

8 画

棒	22
楼	621
棋	781
植	1281
森	847
椅	1176
棵	580
棍	400
棉	688
棚	750
棕	1336
棺	389
椭	993
集	483

9 画以上

禁	540
榆	1207
楼	656
概	334
模 mó	700
mú	704
榜	22
榨	1239
横 héng	432
hèng	433
槽	89
樱	1186
橡	1082
橘	556

[62] 木部

杀	847
杂	1225
条	936
亲	801
寨	1240

63 支部

支	1274
翅	117

64 犬部

犬	818
状	1322
哭	594
臭	123
献	1073

[64] 犭部

2 至 6 画

犯	286
狂	599
犹	1197
狐	441
狗	373
狭	1058
狮	886
独	245
狡	517
狠	431

7 画以上

获	472
狼	612
猜	82
猪	1306
猫	644
猫	674
猖	98
猛	684
猴	436
猿	1217

65 歹部

歹	169
列	643
死	924
歼	497
残	87

殖	1282

[65] ⺄部

餐	86

66 车(车)部

车	105

1 至 6 画

轧	1238
轨	398
军	563
轰	433
转 zhuǎn	1317
zhuàn	1319
斩	1241
轮	663
软	841
轻	804
载 zǎi	1227
zài	1229
轿	519
较	519
晕	1222

7 画以上

辅	323
辆	641
辈	36
辉	459
辐	321
输	911
舆	1207

67 牙部

牙	1127
邪	321
鸦	1127

68 戈部

成	109
划 huá	446
huà	448
戏	1055
戒	530
我	1033
或	471
咸	1067
威	1012

战	1243
盏	1241
栽	1226
载 zǎi	1227
zài	1229
盛 chéng	114
shèng	882
裁	84
截	527
戴	174

69 比部

比	40
毕	44
昆	602
皆	521

70 瓦部

瓦	994
瓷	141
瓶	769

71 止部

止	1282
正 zhēng	1264
zhèng	1267
此	142
步	79
武	1042
歧	780
肯	587
齿	117
些	1088
歪	995
雌	142
整	1266

72 支部

敲	798

[72] 攵部

2 至 5 画

收	902
攻	369
改	331
败	15
牧	707

放	294	昨	1348	贫	761	泛	288
政	1271	晒	849	**5画**		没	677
故	380	晓	1087	贰	269	沟	373
6画以上		晃 huǎng	458	贵	399	沉	106
致	1291	huàng	458	贱	506	**5画**	
敌	207	响	855	贴	966	浅	794
效	1088	晕	1222	贷	173	法	276
教 jiāo	515	**7画以上**		贸	676	泄	1091
jiào	519	晚	1004	费	301	河	428
救	551	替	958	贺	430	沽	1240
敏	695	暂	1229	**6画以上**		油	1197
敢	338	晴	808	贼	1235	沿	1133
散 sǎn	845	暑	912	贿	465	泡	746
sàn	845	最	1344	资	1327	注	1312
敬	548	量 liáng	639	赏	855	泻	1091
敝	102	liàng	641	赋	329	泥	724
数 shǔ	913	晾	641	赌	248	沸	300
shù	914	景	546	赔	747	沼	1251
敷	318	智	1293	赖	610	波	62
整	1266	普	774	赚	1319	泼	769
		曾	92	赛	844	治	1291
73 日(日)部		暖	734	赠	1238	**6画**	
		暗	7	赞	1230	洁	526
日	1219	题	955			洪	435
日	835	暴	31	**75 水部**		洒	844
1至3画						浇	514
旧	551	**[73] 冒部**		水	917	洞	241
早	1232			永	1191	测	90
曲 qū	812	冒	676	承	371	洗	1053
qǔ	813			尿	728	活	467
更 gēng	359	**74 贝部**		泉	818	派	740
gèng	360					洽	789
旱	415	贝	33	**[75] 氵部**		洋	1142
时	888	**2至4画**				洲	1305
旷	600	则	1234	**2至4画**		浑	465
4至6画		负	324	汁	1276	浓	732
者	1255	贡	372	汇	462	津	533
昆	602	员	1214	汉	414	**7画**	
昌	98	财	823	汗	414	涝	619
明	697	贵	1235	污	1035	酒	551
易	1178	贤	1067	江	507	涉	866
昂	7	败	15	池	116	消	1082
昏	465	账	1248	汤	946	浩	422
春	140	贩	289	汪	1007	海	409
是	899	贬	48	沥	631	涂	985
显	1067	购	374	泗	776	浴	1210
映	1189	货	472	沙	848	浮	320
星	1100	质	1290	汽	788		
		贪	942	汹	1108		

腹	330	段	251	烧	862	必	43
膀	952	般	17	烟	1128	志	1288
腿	990	毁	462	烫	947	忘	1010
10画以上		殿	225	**7画以上**		忌	488
膜	701	毅	1180	焊	415	忍	831
膝	1052			煤	680	态	942
膨	751	**91 文部**		熄	1052	忠	1297
		文	1025	熔	838	念	727
[86]月部		齐	778	燃	823	忽	440
有	1200	斑	17	爆	31	思	923
肯	587					怎	1236
肾	875	**92 方部**		**[93] 灬部**		怨	1218
肩	498	方	289	**4至8画**		急	482
背 bēi	32	放	294	杰	525	总	1336
bèi	33	房	293	点	217	怒	733
胃	1023	施	886	热	825	怠	174
脊	485	旁	744	烈	644	**6至8画**	
能	723	旅	660	烹	750	恐	590
臂	45	族	1341	煮	1310	恶	265
		旋	1116	焦	516	恩	266
87 氏部		旗	781	然	823	恋	638
昏	465			**9画以上**		恳	588
		93 火部		蒸	1266	悬	1115
88 欠部		火	468	照	1252	患	455
欠	795	**1至4画**		煎	500	悠	1195
2至7画		灭	693	熬	7	您	728
次	143	灰	458	熏	1122	惹	825
欢	452	灯	202	熊	1109	悲	32
软	841	灶	1233	熟	912	惩	114
欣	1094	灿	87	燕	1140	**9画以上**	
炊	139	灾	1226			想	1078
欲	1212	灵	646	**94 斗部**		感	339
8画以上		炒	105	斗	243	愚	1207
款	599	炊	139	料	643	愁	122
欺	777	炕	577	斜	1090	愈	1213
歇	1098	炎	1132			意	1178
歌	351	炉	657	**95 户部**		慈	142
歉	795	**5至6画**		户	443	愿	1219
		炭	945	启	782	憋	56
89 风部		炼	637	肩	498	慰	1023
风	310	炸 zhá	1238	房	293		
飘	760	zhà	1239	扁	48	**[96] 忄部**	
		炮	746	扇	852	**1至5画**	
		烂	611	雇	381	忆	1176
90 殳部		烤	578			忙	673
		烘	434	**96 心部**		怀	450
殴	736	烦	280	心	1092	忧	1195
				1至5画		快	597

性	1106	示	894	磕	580	甲	494
怕	737	票	760	磅	22	申	867
怪	384	禁	540	磨	701	电	220
6至8画				磷	646	田	961
恒	432	**[98] 礻部**				由	1196
恢	459	礼	624	**101 龙部**		**2至4画**	
恰	789	社	866			男	715
恼	719	视	898	龙	655	龟	395
恨	432	祖	1343	垄	656	亩	705
悟	1046	神	873	聋	655	画	449
悄	798	祝	1313	袭	1053	备	33
悔	461	祸	472			畏	1022
情	807	福	322	**102 业部**		胃	1023
惭	87			业	1156	界	530
悼	195	**99 甘部**		亚	1128	思	923
惊	543	甘	336	凿	1232	**5画以上**	
惦	216	某	704			畔	744
惋	1006			**103 目部**		留	651
惨	87	**100 石部**		目	706	畜	1114
惯	391	石	887	**2至7画**		略	662
9画以上		**2至5画**		盯	229	累	621
愤	309	矿	600	盲	674	番	278
慌	456	码	669	相 xiāng	1074	富	329
愣	623	岩	1132	xiàng	1080		
愉	1207	研	1133	省	881	**105 罒部**	
慎	876	砖	1317	盼	743	四	925
慢	673	砌	788	眨	1239	罗	664
慷	576	砂	849	看 kān	573	罚	276
懂	237	砍	574	kàn	574	罢	12
懒	611	砸	1226	眉	679	置	1293
		破	770	眸	1266	罪	1345
[96] 小部		**6至9画**		眯	685	罩	1254
恭	370	硅	398	眼	1135		
		硬	1189	着 zháo	1251	**106 皿部**	
97 毋部		硫	654	zhe	1258	盆	750
为母的主部首，		碍	4	zhuó	1326	盈	1187
未收词		碑	33			盏	1241
		碎	933	**8画以上**		盐	1134
primary radical of		碰	751	督	245	监	499
母, no entry		碗	1006	睡	919	盛 chéng	114
		碧	45	瞒	672	shèng	882
[97] 母部		碟	229	瞎	1057	盘	742
母	705	碱	503	瞥	761	盒	429
每	680	磋	152	瞧	798	盗	195
毒	245	磁	142	瞪	205	盖	333
		10画以上		瞻	1241		
98 示部				**104 田部**		**107 生部**	

米	686	累	621	维	1017
类	621	紫	1329	绷	39
籽	1329	絮	1114	绸	122
屎	894	繁	281	综	1335
粉	307			绿	661
料	643	**[146] 纟部**		缎	252
粘	1241			缓	454
粗	148	**2 至 4 画**		缔	216
粒	633	纠	550	编	47
粪	309	红	434	缘	1217
粥	1305	纤	1065	**10 画以上**	
粮	639	约	1219	缝 féng	315
精	544	级	480	fèng	316
糊	442	纪	487	缠	96
糖	946	纯	140	缩	934
槽	1231	纱	848	缴	518
糠	576	纲	343		
143 聿部		纳	713	**147 走部**	
		纵	1338	走	1339
肆	926	纷	307	赴	327
[143] 肀部		纸	1284	赶	337
		纺	294	起	782
肃	928	组	730	越	1221
144 艮部		**5 至 6 画**		趁	108
		线	1071	趋	831
良	638	练	637	超	103
艰	499	组	1342	趣	815
恳	588	绅	869	趟	947
[144] 彐部		细	1056		
		织	1277	**148 赤部**	
即	481	终	1297	赤	117
既	488	经	541		
145 羽部		绑	22	**149 豆部**	
		绒	836	豆	244
羽	1208	结 jié	521	壹	1170
翅	117	jiē	526	短	250
扇	852	绕	825	登	203
翘	799	绘	465	豌	1001
翠	150	给 gěi	356		
翼	1180	jǐ	485	**150 酉部**	
翻	279	绝	562	酌	1325
146 糸部		绞	517	配	748
		统	976	酝	1224
系	1055	**7 至 9 画**		酗	1114
素	928	绣	1111	酱	511
索	936	继	489	酶	680
紧	533	续	1114	酿	727
		绳	881		

酸	929
醋	149
醉	1346
醒	1105
151 豸部	
豺	492
象	1081
豪	417
152 里部	
里 lǐ	625
li	633
厘	623
重 chóng	120
zhòng	1301
野	1155
量 liáng	639
liàng	641
童	976
153 足部	
足	1341
[153] 𧾷部	
2 至 6 画	
趴	737
距	559
跃	1221
践	507
跌	228
跑	745
跨	596
跳	965
踩	263
跪	399
路	658
跟	358
7 画以上	
踌	123
踊	1192
踢	953
踏	939
踩	85
踪	1336
蹄	956
蹦	39

陆 liù	654
lù	657
阿	1
陈	108
阻	1342
附	326

6 至 8 画

陌	703
降	511
限	1071
陡	243
除	130
险	1068
院	1218
陶	949
陷	1072
陪	747

9 画以上

堕	263
随	931
隆	655
隐	1184
隔	352
障	1249
隧	933

169 金部

金	532
鉴	507

[169] 钅部

2 至 4 画

针	1258
钉 dīng	229
dìng	232
钓	226
钙	333
钞	103
钟	1298
钢	343
钥	1153
钦	800
钩	373

5 至 6 画

钱	794
钳	794
钻 zuān	1343
zuàn	1344
铀	1198
铁	966
铃	647
铅	790
铝	661
铜	976
铲	97
银	1182

7 至 8 画

铸	1314
铺	773
链	638
销	1083
锁	936
锄	131
锅	400
锈	1111
锋	315
锌	1095
锐	842
错	152
锡	1051
锣	665
锤	140
锦	535
键	507
锯	559

9 画以上

锹	798
锻	252
镀	250
镁	682
镇	1263
镜	550
镰	637
镶	1077

170 鱼部

鱼	1207
鲜	1065
鲸	546

171 革部

革	351
勒	620
靴	1118
鞋	1090
鞠	555
鞭	48

172 面部

面	689

173 骨部

骨	377

174 香部

香	1076

175 鬼部

鬼	398
魔	702

176 食部

食	892
餐	86

[176] 饣部

2 至 6 画

饥	474
饭	287
饮	1184
饱	24
饲	926
饶	824
饺	517
饼	59

7 画以上

饿	59
馅	1073

馆	389
馋	96
馒	672

177 音部

音	1182
章	1246
竟	548
意	1178

178 首部

首	907

179 鬲部

融	838

180 高部

高	344
敲	798

181 黄部

黄	457

182 麻部

麻	667
摩	701
磨	701
魔	702

183 鹿部

鹿	658

184 黑部

黑	430
墨	703
默	703

185 鼓部

鼓	378

186 鼻部

鼻	40

汉语水平词汇检目表(按序号排列)
HSK Vocabulary Lookup Table
(by character serial numbers)

H

3706 糠 kāng	576	
3707 扛 káng	576	
3708 抗旱 kàng//hàn	576	
3709 抗击 kàngjī	576	
3710 抗议 kàngyì	576	
3711 抗战 kàngzhàn	577	
3712 炕 kàng	577	
3713 考 kǎo	577	
3714 考察 kǎochá	577	
3715 考古 kǎogǔ	577	
3716 考核 kǎohé	577	
3717 考虑 kǎolǜ	577	
3718 考取 kǎo//qǔ	578	
3719 考试 kǎoshì	578	
3720 考验 kǎoyàn	578	
3721 烤 kǎo	578	
3722 靠 kào	578	
3723 靠近 kàojìn	579	
3724 棵 kē	580	
3725 磕 kē	580	
3726 颗 kē	580	
3727 颗粒 kēlì	580	
3728 科 kē	579	
3729 科技 kējì	579	
3730 科目 kēmù	579	
3731 科普 kēpǔ	579	
3732 科学 kēxué	579	
3733 科学家 kēxuéjiā	580	
3734 科学院		
kēxuéyuàn	580	
3735 科研 kēyán	580	
3736 科长 kēzhǎng	580	
3737 壳 ké	580	
3738 咳嗽 késou	581	
3739 可 kě	581	
3740 可爱 kě'ài	581	
3741 可不是		
kě bú shì	581	
3742 可歌可泣		
kěgē-kěqì	581	
3743 可观 kěguān	581	
3744 可贵 kěguì	582	
3745 可见 kějiàn	582	
3746 可靠 kěkào	582	
3747 可口 kěkǒu	582	
3748 可怜 kělián	582	
3749 可能 kěnéng	582	

3750 可怕 kěpà	582	
3751 可巧 kěqiǎo	583	
3752 可是 kěshì	583	
3753 可恶 kěwù	583	
3754 可惜 kěxī	583	
3755 可喜 kěxǐ	583	
3756 可想而知		
kěxiǎng'érzhī	583	
3757 可笑 kěxiào	583	
3758 可行 kěxíng	583	
3759 可以 kěyǐ	583	
3760 可以 kěyǐ	583	
3761 渴 kě	584	
3762 渴望 kěwàng	584	
3763 克 kè	584	
3764 克服 kèfú	584	
3765 刻 kè	585	
3766 刻 kè	585	
3767 刻苦 kèkǔ	585	
3768 客 kè	585	
3769 客车 kèchē	585	
3770 客观 kèguān	586	
3771 客气 kèqi	586	
3772 客人 kèren	586	
3773 客厅 kètīng	586	
3774 课 kè	586	
3775 课本 kèběn	587	
3776 课程 kèchéng	587	
3777 课时 kèshí	587	
3778 课堂 kètáng	587	
3779 课题 kètí	587	
3780 课文 kèwén	587	
3781 肯 kěn	587	
3782 肯定 kěndìng	587	
3783 啃 kěn	588	
3784 恳切 kěnqiè	588	
3785 恳求 kěnqiú	588	
3786 坑 kēng	588	
3787 空 kōng	588	
3788 空洞 kōngdòng	589	
3789 空话 kōnghuà	589	
3790 空间 kōngjiān	589	
3791 空军 kōngjūn	589	
3792 空气 kōngqì	589	
3793 空前 kōngqián	589	
3794 空调 kōngtiáo	589	
3795 空想 kōngxiǎng	589	

3796 空心 kōngxīn	589	
3797 空虚 kōngxū	590	
3798 空中 kōngzhōng	590	
3799 恐怖 kǒngbù	590	
3800 恐惧 kǒngjù	590	
3801 恐怕 kǒngpà	590	
3802 孔 kǒng	590	
3803 孔雀 kǒngquè	590	
3804 空 kòng	590	
3805 空白 kòngbái	591	
3806 空儿 kòngr	×	
3807 空隙 kòngxì	591	
3808 控诉 kòngsù	591	
3809 控制 kòngzhì	591	
3810 抠 kōu	591	
3811 口 kǒu	592	
3812 口岸 kǒu'àn	592	
3813 口袋 kǒudai	592	
3814 口号 kǒuhào	593	
3815 口气 kǒuqì	593	
3816 口腔 kǒuqiāng	593	
3817 口试 kǒushì	593	
3818 口头 kǒutóu	593	
3819 口语 kǒuyǔ	593	
3820 扣 kòu	593	
3821 枯 kū	594	
3822 枯燥 kūzào	594	
3823 哭 kū	594	
3824 窟窿 kūlong	594	
3825 苦 kǔ	595	
3826 苦难 kǔnàn	595	
3827 苦恼 kǔnǎo	595	
3828 库 kù	595	
3829 库存 kùcún	595	
3830 库房 kùfáng	596	
3831 裤子 kùzi	596	
3832 夸 kuā	596	
3833 夸奖 kuājiǎng	596	
3834 垮 kuǎ	596	
3835 挎 kuà	596	
3836 跨 kuà	596	
3837 块 kuài	597	
3838 筷子 kuàizi	598	
3839 快 kuài	597	
3840 快餐 kuàicān	597	
3841 快活 kuàihuo	597	
3842 快乐 kuàilè	598	

4504 名誉 míngyù	697
4505 名字 míngzi	697
4506 命 mìng	698
4507 命令 mìnglìng	699
4508 命名 mìng//míng	699
4509 命题 mìng//tí	699
4510 命运 mìngyùn	699
4511 谬论 miùlùn	699
4512 摸 mō	699
4513 摸索 mōsuǒ	700
4514 蘑菇 mógu	701
4515 模范 mófàn	700
4516 模仿 mófǎng	700
4517 模糊 móhu	700
4518 模式 móshì	700
4519 模型 móxíng	701
4520 膜 mó	701
4521 磨 mó	701
4522 摩擦 mócā	701
4523 摩托车 mótuōchē	701
4524 魔鬼 móguǐ	702
4525 魔术 móshù	702
4526 抹 mǒ	702
4527 抹杀 mǒshā	702
4528 末 mò	702
4529 莫 mò	703
4530 莫名其妙 mòmíngqímiào	703
4531 墨 mò	703
4532 墨水儿 mòshuǐr	703
4533 默默 mòmò	703
4534 陌生 mòshēng	703
4535 谋 móu	704
4536 谋求 móuqiú	704
4537 某 mǒu	704
4538 某些 mǒuxiē	704
4539 模样 múyàng	704
4540 亩 mǔ	705
4541 母 mǔ	705
4542 母亲 mǔqīn	705
4543 墓 mù	707
4544 幕 mù	708
4546 木材 mùcái	705
4547 木匠 mùjiang	706
4548 木头 mùtou	706

4549 目 mù	706
4550 目标 mùbiāo	706
4551 目的 mùdì	706
4552 目睹 mùdǔ	706
4553 目光 mùguāng	706
4554 目录 mùlù	707
4555 目前 mùqián	707
4556 目中无人 mùzhōng-wúrén	707
4557 牧场 mùchǎng	707
4558 牧民 mùmín	707
4559 牧区 mùqū	707
4560 牧业 mùyè	707
4561 穆斯林 Mùsīlín	708

N

4562 拿 ná	709
4563 拿…来说 ná…láishuō	709
4564 哪 nǎ	710
4565 哪个 nǎge	710
4566 哪里 nǎli	710
4567 哪怕 nǎpà	710
4568 哪些 nǎxiē	711
4569 那 nà	711
4570 那 nà	711
4571 那边 nàbian	711
4572 那个 nàge	711
4573 那里(那儿) nàli(nàr)	712/712
4574 那么 nàme	712
4575 那么 nàme	712
4576 那时 nàshí	713
4577 那样 nàyàng	713
4578 那样 nàyàng	713
4579 纳闷儿 nà//mènr	713
4580 纳税 nà//shuì	713
4581 哪 na	714
4582 呐 na	713
4583 乃 nǎi	714
4584 奶 nǎi	714
4585 奶粉 nǎifěn	714
4586 奶奶 nǎinai	714
4587 耐 nài	714
4588 耐烦 nàifán	714
4589 耐力 nàilì	715
4590 耐心 nàixīn	715

4591 耐用 nàiyòng	715
4592 南 nán	716
4593 南边 nánbian	716
4594 南部 nánbù	716
4595 南方 nánfāng	716
4596 南面 nánmiàn	716
4597 男 nán	715
4598 男人 nánrén(男人 nánren)	715/715
4599 男性 nánxìng	715
4600 男子 nánzǐ	716
4601 难 nán	716
4602 难道 nándào	717
4603 难得 nándé	717
4604 难度 nándù	717
4605 难怪 nánguài	717
4606 难关 nánguān	717
4607 难过 nánguò	718
4608 难堪 nánkān	718
4609 难看 nánkàn	718
4610 难免 nánmiǎn	718
4611 难受 nánshòu	718
4612 难题 nántí	718
4613 难以 nányǐ	718
4614 难 nàn	719
4615 难民 nànmín	719
4616 脑袋 nǎodai	719
4617 脑筋 nǎojīn	719
4618 脑力 nǎolì	719
4619 脑子 nǎozi	719
4620 恼火 nǎohuǒ	719
4621 闹 nào	719
4622 闹事 nào//shì	720
4623 闹笑话 nào xiàohua	720
4624 闹着玩儿 nàozhe wánr	720
4625 呢 ne	720
4626 内 nèi	721
4627 内部 nèibù	721
4628 内地 nèidì	721
4629 内阁 nèigé	721
4630 内行 nèiháng	721
4631 内科 nèikē	721
4632 内幕 nèimù	722
4633 内容 nèiróng	722
4634 内心 nèixīn	722

xiàng//yàng 1081	7048 小学 xiǎoxué 1086
7008 向 xiàng 1079	7049 小学生
7009 向导 xiàngdǎo 1080	xiǎoxuéshēng 1086
7010 向来 xiànglái 1080	7050 小子 xiǎozi 1087
7011 向往	7051 小组 xiǎozǔ 1087
xiàngwǎng 1080	7052 校徽 xiàohuī 1087
7012 象 xiàng 1081	7053 校园 xiàoyuán 1087
7013 象棋 xiàngqí 1081	7054 校长 xiàozhǎng 1087
7014 象征	7055 肖像 xiàoxiàng 1087
xiàngzhēng 1081	7056 笑 xiào 1087
7015 削 xiāo 1082	7057 笑话 xiàohua 1088
7016 销 xiāo 1083	7058 笑容 xiàoróng 1088
7017 销毁 xiāohuǐ 1084	7059 效果 xiàoguǒ 1088
7018 销路 xiāolù 1084	7060 效力 xiàolì 1088
7019 销售 xiāoshòu 1084	7061 效率 xiàolǜ 1088
7020 消 xiāo 1082	7062 效益 xiàoyì 1088
7021 消除 xiāochú 1082	7063 孝顺 xiàoshùn 1087
7022 消毒 xiāo//dú 1082	7064 些 xiē 1088
7023 消费 xiāofèi 1082	7065 歇 xiē 1089
7024 消耗 xiāohào 1082	7066 鞋 xié 1090
7025 消化 xiāohuà 1083	7067 协定 xiédìng 1089
7026 消极 xiāojí 1083	7068 协会 xiéhuì 1089
7027 消灭 xiāomiè 1083	7069 协商 xiéshāng 1089
7028 消失 xiāoshī 1083	7070 协调 xiétiáo 1089
7029 消息 xiāoxi 1083	7071 协议 xiéyì 1089
7030 晓得 xiǎode 1087	7072 协助 xiézhù 1089
7031 小 xiǎo 1084	7073 协作 xiézuò 1090
7032 小便 xiǎobiàn 1084	7074 挟持 xiéchí 1090
7033 小鬼 xiǎoguǐ 1084	7075 邪 xié 1090
7034 小孩儿 xiǎoháir 1085	7076 携带 xiédài 1090
7035 小伙子	7077 斜 xié 1090
xiǎohuǒzi 1085	7078 写 xiě 1090
7036 小姐 xiǎojiě 1085	7079 写作 xiězuò 1091
7037 小麦 xiǎomài 1085	7080 血 xiě 1091
7038 小米 xiǎomǐ 1085	7081 卸 xiè 1091
7039 小朋友	7082 泻 xiè 1091
xiǎopéngyǒu 1085	7083 泄 xiè 1091
7040 小时 xiǎoshí 1085	7084 泄露 xièlòu 1091
7041 小数 xiǎoshù 1085	7085 泄气 xiè//qì 1091
7042 小数点	7086 谢绝 xièjué 1091
xiǎoshùdiǎn 1086	7087 谢谢 xièxie 1092
7043 小说 xiǎoshuō 1086	7088 屑 xiè 1091
7044 小提琴 xiǎotíqín 1086	7089 锌 xīn 1095
7045 小心 xiǎoxīn 1086	7090 欣赏 xīnshǎng 1094
7046 小心翼翼	7091 欣欣向荣
xiǎoxīn-yìyì 1086	xīnxīn-xiàngróng 1095
7047 小型 xiǎoxíng 1086	7092 辛苦 xīnkǔ 1094

7093 辛勤 xīnqín 1094	
7094 新 xīn 1095	
7095 新陈代谢	
xīnchén-dàixiè 1095	
7096 新房 xīnfáng 1095	
7097 新近 xīnjìn 1096	
7098 新郎 xīnláng 1096	
7099 新年 xīnnián 1096	
7100 新娘 xīnniáng 1096	
7101 新人 xīnrén 1096	
7102 新生 xīnshēng 1096	
7103 新式 xīnshì 1097	
7104 新闻 xīnwén 1097	
7105 新鲜 xīnxiān 1097	
7106 新兴 xīnxīng 1097	
7107 新型 xīnxíng 1097	
7108 新颖 xīnyǐng 1097	
7109 心 xīn 1092	
7110 心爱 xīn'ài 1092	
7111 心得 xīndé 1092	
7112 心理 xīnlǐ 1092	
7113 心里 xīnli 1092	
7114 心灵 xīnlíng 1092	
7115 心目 xīnmù 1092	
7116 心情 xīnqíng 1093	
7117 心事 xīnshì 1093	
7118 心思 xīnsi 1093	
7119 心疼 xīnténg 1093	
7120 心头 xīntóu 1093	
7121 心血 xīnxuè 1093	
7122 心眼儿 xīnyǎnr 1093	
7123 心意 xīnyì 1094	
7124 心愿 xīnyuàn 1094	
7125 心脏 xīnzàng 1094	
7126 心中 xīnzhōng 1094	
7127 薪金/薪水	
xīnjīn/xīnshui 1097/1097	
7128 信 xìn 1097	
7129 信 xìn 1097	
7130 信贷 xìndài 1098	
7131 信封 xìnfēng 1098	
7132 信号 xìnhào 1098	
7133 信件 xìnjiàn 1098	
7134 信赖 xìnlài 1098	
7135 信念 xìnniàn 1098	
7136 信任 xìnrèn 1098	
7137 信息 xìnxī 1098	

A

²阿 ā〈词头 *pref.* 方 *dial.*〉用于姓、名、排行或某些称呼前面 used before surnames, names, numbers denoting order of seniority and other appellations：~蔡 *~cài* A Cai｜~华 *~huá* A Hua｜~三 *~sān* A San｜~哥 *~gē* elder brother

²阿拉伯文 Ālābówén〈名 *n.*〉同'阿拉伯语' same as '阿拉伯语 Ālābóyǔ'

²阿拉伯语 Ālābóyǔ〈名 *n.*〉通行于北非、阿拉伯半岛大部分地区和中东部分地带的一种语言 a language popularly used in Northern Africa, the most part of the Arabian Peninsula, and some part of the Middle East

²阿姨 āyí ❶〈名 *n.* 方 *dial.*〉母亲的姐妹 aunt; mother's sister：我的三~是个护士。*Wǒ de sān ~ shì ge hùshi.* My third aunt is a nurse. ❷〈名 *n.*〉称呼与母亲年龄差不多或辈分相同的妇女 auntie; form of address for women of one's mother's age or generation：张~ *Zhāng ~* Auntie Zhang｜李~ *Li ~* Auntie Li ❸〈名 *n.*〉(个 gè，名 míng、位 wèi)对保姆或保育员的称呼 form of address for housemaids or childcare workers：我想请个~帮助料理家务。*Wǒ xiǎng qǐng gè ~ bāngzhù liàolǐ jiāwù.* I'd like to find a housemaid to help me with my housework.｜她在托儿所当~。*Tā zài tuō'érsuǒ dāng ~.* She is a childcare worker in the nursery.

¹啊 ā〈叹 *interj.*〉表示惊讶或赞叹 expressing surprise or admiration：~!她晕倒了！ ~! *Tā yūndǎo le!* Oh! She's fainted. ｜~! 这个球踢得太棒了！ ~! *Zhège qiú tī de tài bàng le!* Well! An excellent kick!

☞ *a*, p. 1

¹啊 a ❶〈助 *aux.*〉用在句末，在不同的句型或语境中，表示不同的语气或不同的感情色彩 used at the end of a sentence to express different moods or feelings in different sentence patterns or contexts：这药真苦~! *Zhè yào zhēn kǔ ~!* How bitter this medicine tastes! ｜你还不快去~! *Nǐ hái bú kuài qù ~!* Why don't you hurry up? ｜你想不想听~? *Nǐ xiǎng bu xiǎng tīng ~?* Do you want to listen? ❷〈助 *aux.*〉用在句中稍作停顿，以引起对方的注意 used as a pause in the sentence so as to call one's attention：我们农民~，现在也用机器种田啦。*Wǒmen nóngmín ~, xiànzài yě yòng jīqì zhòngtián la.* We, the peasants, are using machines to farm now. ❸〈助 *aux.*〉用在列举的事项后面 used in enumerating items：食品~、日用品~、家用电器~，这家超市里样样齐全。*Shípǐn ~, rìyòng-pǐn ~, jiāyòng diànqì ~, zhè jiā chāoshì li yàngyàng qíquán.* This supermarket is well-stocked with various things, such as food, articles of everyday use and household electrical appliances.

◆助词'啊'受前一个字的韵母或韵尾的影响而发生音变；有时也可写成不同的字 Auxiliary '啊' may be pronounced differently due to the influence of the vowel or tail vowel of the former Chinese character; sometimes it can also be written as a different

A

Chinese character：

前字的韵母或韵尾 the vowel or tail vowel of the former Chinese character	'啊'的发音和写法 the pronunciation and written form of '啊'
a,e,i,o,ü	a → ia 呀
u,ao,ou	a → wa 哇
-n	a → na 哪

☞ ā, p. 1

²**哎** āi ❶〈叹 interj.〉表示惊愕 expressing surprise：~！真没想到这事是他干的。~！Zhēn méi xiǎngdào zhè shì shì tā gàn de. Why, it's really unexpected that he did it. ❷〈叹 interj.〉表示不满 showing discontent or disapproval：~！这么能行呢！~！Zhè zěnme xíng ne! Goodness, it shouldn't be this way? ❸〈叹 interj.〉表示引起注意或打招呼 used to remind sb. of sth.：~，我可有个好主意，咱们要不要试一试？~, wǒ kě yǒu ge hǎo zhǔyi, zánmen yào bu yào shì yí shì? Well, I've got a good idea. Shall we have a try?

²**哎呀** āiyā ❶〈叹 interj.〉表示惊愕 expressing surprise：~，这王莲的叶子上还能坐上一个小孩儿哪！~, zhè wánglián de yèzi shang hái néng zuò shàng yí ge xiǎoháir na! My goodness, even a baby can sit on the leave of the king lotus. ❷〈叹 interj.〉表示不快 expressing complaint：~，你怎么不早说呀！~, nǐ zěnme bù zǎo shuō ya! Well, why don't you say it earlier? ❸〈叹 interj.〉表示厌烦 showing impatience：~，你就别啰嗦啦！~, nǐ jiù bié luōsuo la! Hey, don't be so garrulous. ❹〈叹 interj.〉表示惋惜 showing pity：~，好好儿的一碗饭全给糟蹋了。~, hǎohāor de yì wǎn fàn quán gěi zāotà le. My, what an awful waste of a bowl of good rice!

³**哎哟** āiyō ❶〈叹 interj.〉表示惊愕 expressing surprise：~！都半夜了！~! dōu bànyè le! Oh, it's midnight! ❷〈叹 interj.〉表示痛苦 expressing pain：~！头疼死啦！~! tóuténg sǐ la! Oh! My head hurts terribly!

⁴**哀悼** āidào〈动 v.〉悲痛地悼念 feel and show grief for：深切地~ shēnqiè de ~ mourn deeply for｜~仪式 ~yíshì mourning ceremony｜我们沉痛~他的去世。Wǒmen chéntòng ~ tā de qùshì. We express our heartfelt condolences for his death.

⁴**哀求** āiqiú〈动 v.〉哀告请求 plead; entreat; implore：苦苦~ kǔkǔ ~ implore piteously｜她~大夫一定治好她孩子的病。Tā ~ dàifu yídìng zhìhǎo tā háizi de bìng. She pleaded with the doctor to cure her child of the disease.

²**挨** āi ❶〈动 v.〉靠近；接触 be or get close to; be next to：我们两家的院子紧~着。Wǒmen liǎng jiā de yuànzi jǐn ~zhe. Our two yards sit next to each other.｜我一~枕头就能睡着。Wǒ yì ~ zhěntou jiù néng shuì zháo. No sooner had I touched the pillow than I fell asleep. ❷〈介 prep.〉按照顺序，一个一个地 follow a regular order or sequence; do sth. by turns：~门~户 ~mén~hù from door to door｜~个儿 ~gèr by turns; one after another

☞ ái, p. 3

³**唉** āi ❶〈叹 interj.〉表示应答 a response to a call：~，我知道了。~, wǒ zhīdao le. Yeah, I know. ❷〈叹 interj.〉表示惊讶或不满 expressing surprise or complaint：~，他是怎么知道的！~, tā shì zěnme zhīdao de! Yes, how does he know it?｜，瞧你搞得这么乱！~, qiáo nǐ gǎo de zhème luàn! See, what a mess you've made! ❸〈叹 interj.〉表示呼唤或提请注意 used to call out or call one's attention：~，你来一下。~, nǐ lái yíxià. Hey, come

here. ｜~，小心点儿! | ~, xiǎoxīn diǎnr! Well, be careful! ❹〈拟声 onom.〉叹息的声音 a sighing sound：他坐在那里~~地直叹气。Tā zuò zài nàli~~de zhí tànqì. He was sitting there letting out one sigh after another.

³挨 ái ❶〈动 v.〉遭到；忍受 suffer; endure：~打 ~dǎ take a beating; get a thrashing ｜~骂 ~mà be scolded ｜~饿 ~è be hungry ❷〈动 v.〉艰难地度过（时间）struggle to pull through（hard times）：这种穷日子什么时候~到头! Zhè zhǒng qióng rìzi shénme shíhou ~ dào tóu! When can we drag out such a poor living? ❸〈动 v.〉拖延时间 delay; put off：~时间 ~shíjiān stall for time ｜大夫说他的病~不过今天晚上。Dàifu shuō tā de bìng ~ bú guò jīntiān wǎnshang. The doctor said he would not pull through tonight.
☞ ǎi, p. 2

³癌 ái〈名 n.〉恶性肿瘤 cancer or a malignant tumor：~症 ~zhèng cancer ｜肝~ gān~ liver cancer ｜食道~ shídào~ oesophagus cancer

¹矮 ǎi ❶〈形 adj.〉身材小 short stature：~个儿 ~gèr a person of small build ❷〈形 adj.〉高度小的 low：~墙 ~qiáng a low wall ｜这个凳子太~了。Zhège dèngzi tài ~ le. The stool is too low. ❸〈形 adj.〉（等级或地位）低（of grade or rank）low：他没考上大学，总觉得比别的同学一截。Tā méi kǎo shàng dàxué, zǒng juéde bǐ biéde tóngxué ~ yì jié. He failed in the college entrance examination, and always felt inferior to his classmates.

⁴艾滋病 àizībìng〈名 n.〉获得性免疫缺陷综合症。'艾滋'为英语 AIDS 的音译 acquired immune deficiency syndrome. 'æ滋' is the transliteration of the English abbreviation AIDS.

¹爱 ài ❶〈动 v.〉对人或事物有深挚的感情 love；have a strong feeling for people or things：~国 ~guó love one's motherland; be patriotic ｜~乡 ~xiāng love one's hometown ❷〈动 v.〉重视；注意保护 cherish; treasure; hold dear; take good care of：面子 ~miànzi be concerned about face-saving ｜~公物 ~gōngwù take good care of public property ❸〈动 v.〉喜欢、情愿做事 like; be fond of：~跳舞 ~tiàowǔ be fond of dancing ｜~爬山 ~páshān enjoy mountain climbing ❹〈助动 aux.v.〉容易发生的某种行为或变化 be apt to; be in the habit of：他很~发脾气。Tā hěn ~ fā píqi. He tends to lose temper. ｜她特别~笑。Tā tèbié ~ xiào. She is particularly apt to laugh. ｜这个人~开玩笑。Zhège rén ~ kāi wánxiào. This guy likes telling jokes.

⁴爱戴 àidài〈动 v.〉敬爱并拥护 love and esteem：衷心~ zhōngxīn ~ give wholehearted love and esteem to ｜他深受群众的~。Tā shēn shòu qúnzhòng de ~. He is deeply adored by the masses. ｜他是人民的~领袖。Tā shì rénmín ~ de lǐngxiù. He is a beloved leader of the people.

²爱好 àihào ❶〈动 v.〉对某种事物特别有兴趣，喜欢做某事 like; enjoy; be fond of：~体育 ~tǐyù be keen on sports ｜~文艺 ~wényì like literature and art ｜他从小就~集邮。Tā cóngxiǎo jiù ~ jíyóu. He has been fond of stamp collecting ever since his childhood. ❷〈动 v.〉喜爱 like：货架上摆着市民~的商品。Huòjià shang bǎizhe shìmín ~ de shāngpǐn. Commodities favored by citizens are displayed on shelves. ❸〈名 n.〉（种 zhǒng、个 gè、项 xiàng）对某种事物的浓厚兴趣 interest; hobby：他的~十分广泛。Tā de ~ shífēn guǎngfàn. He has a wide range of interests. ｜他只有一项~，就是下棋。Tā zhǐyǒu yí xiàng ~, jiùshì xiàqí. His only hobby is playing chess.

²爱护 àihù〈动 v.〉爱惜并保护 cherish; treasure; take good care of：~儿童 ~ értóng care for children ｜~书籍 ~shūjí take good care of books ｜学生应当尊敬老师，老师应当~学生。Xuésheng yīngdāng zūnjìng lǎoshī, lǎoshī yīngdāng ~ xuésheng. Students should respect teachers, and teachers should care for students.

A

⁴**爱面子** ài miànzi〈惯 *usg.*〉怕损伤体面，被人瞧不起 be afraid of losing face and being looked down upon：他这个人特~，再穷也不会向人借钱的。*Tā zhège rén tè ~, zài qióng yě bú huì xiàng rén jiè qián de.* He is particularly concerned about face-saving and would not borrow money from anyone no matter how poor he is.｜死~活受罪。*Sǐ ~ huó shòu zuì.* To be dead to concern about face-saving is to have a hell of a life.

²**爱情** àiqíng〈名 *n.*〉男女之间爱恋的感情 amour; love between man and woman：纯洁的~ *chúnjié de ~* pure love｜忠贞不渝的~ *zhōngzhēn-bùyú de ~* unswervingly loyal love｜他俩在工作中建立了~。*Tā liǎ zài gōngzuò zhōng jiànlì le ~.* They fell in love with each other when worked together.

¹**爱人** àiren〈名 *n.*〉丈夫或妻子，也指恋爱中男女的一方 husband or wife, spouse, also sweetheart; lover：我们家的家务都由我~操持。*Wǒmen jiā de jiāwù dōu yóu wǒ ~ cāochí.* All our family chores are taken by my wife (husband).｜她是我的~，我们准备明年结婚。*Tā shì wǒ de ~, wǒmen zhǔnbèi míngnián jiéhūn.* She is my sweetheart, and we are going to get married next year.

⁴**爱惜** àixī ❶〈动 *v.*〉因重视而不糟蹋 cherish; treasure; use prudently：~时光 *~shíguāng* make best use of one's time｜~粮食 *~liángshi* treasure food grain ❷〈动 *v.*〉疼爱；爱护 be fond of; hold dearly：全班同学对这只小鸟百般~。*Quán bān tóngxué duì zhè zhī xiǎo niǎo bǎibān ~.* All the students in our class take good care of this little bird.

⁴**碍事** I àii/shì〈动 *v.*〉造成不方便；妨碍做事 be a hindrance to; be in the way：人家那么忙，我们就别在这儿~啦。*Rénjia nàme máng, wǒmen jiù bié zài zhèr ~ la.* They are so busy. We'd better not be here to disturb them.｜碍不了事 *ài bù liǎo shì* be not in the way｜我在做功课，碍你什么事？*Wǒ zài zuò gōngkè, ài nǐ shénme shì?* I'm doing my homework. What's the trouble I give you? II àishì〈形 *adj.*〉严重（多用于否定式）(usu. used in negative) serious consequence; matter：这点儿小病不~。*Zhè diǎnr xiǎo bìng bú ~.* Such an ailment doesn't matter.

³**安** ān ❶〈形 *adj.*〉平静，稳定 calm; stable：坐立不~ *zuòlì-bù~* be restless｜心神不~ *xīnshén-bù~* be distracted ❷〈形 *adj.*〉平安；没有危险 safe; secure：治~ *zhì~* public order｜居~思危 *jū~-sīwēi* think of danger in times of safety｜转危为~ *zhuǎnwēi-wéi~* take a turn for the better and be out of danger ❸〈形 *adj.*〉安逸；安乐 peaceful; at ease：苟且偷~ *gǒuqiě-tōu~* be content with temporary ease and comfort ❹〈动 *v.*〉使安定 stabilize：~民告示 *~mín-gàoshi* a notice to reassure the public ❺〈动 *v.*〉习惯于或满足于某种状况 be content; be satisfied：随遇而~ *suíyù-ér~* feel at home wherever one is｜~于现状 *~yú-xiànzhuàng* satisfied with the existing state of affairs ❻〈动 *v.*〉使处于一个位置 place in a suitable position：~顿 *~dùn* find a place for｜~插 *~chā* assign to a job ❼〈动 *v.*〉安装；设置 install; fix：~门窗 *~ménchuāng* install windows and doors ❽〈动 *v.*〉加上 level charge against; give a nickname to; impose：~罪名 *~zuìmíng* bring charges against｜给他随便~个头衔都行。*Gěi tā suíbiàn ~ ge tóuxián dōu xíng.* It'll be all right to give him a title, whatever it is. ❾〈动 *v.*〉存有；心里怀着（多指不好的念头）(oft. of an evil intention) harbor; be up to：他到底~的是什么心？*Tā dàodǐ ~ de shì shénme xīn?* What is he up to? ❿〈副 *adv.* 书 *lit.*〉（疑问副词）interrog. pron.）怎么；哪里 how; where：覆巢之下，~有完卵？*Fù cháo zhī xià, ~ yǒu wán luǎn?* How can eggs keep intact when the nest is overturned?｜燕雀~知鸿鹄之志（一个平庸的人怎能了解一个伟人的志向）? *Yànquè ~ zhī hónghú zhī zhì (yí ge píngyōng de rén zěn néng liǎojiě yí ge wěirén de zhìxiàng)?* How could a sparrow understand the ambitions of a swan (How can a common fellow read the mind of a great man)?

³安定 āndìng ❶〈形 adj.〉平静，稳定，没有纷乱骚扰 stable; quiet; settled：社会秩序~ *shèhuì zhìxù* ~ social stability │ 生活~ *shēnghuó* ~ live a secure life; settled life ❷ 〈动 v.〉使安定 cause to stabilize：~民心 ~ *mínxīn* set people's mind at ease; reassure the public

¹安静 ānjìng ❶〈形 adj.〉没有声响 silent; quiet：房间很~。*Fángjiān hěn ~.* The room is very quiet. │ 请保持~! *Qǐng bǎochí ~!* Keep silent, please! ❷〈形 adj.〉安稳平静，没有骚扰 calm; unperturbed：直到退休后他才过了几年的生活 *Zhídào tuìxiū hòu tā cái guòle jǐ nián ~ de shēnghuó.* It was not until his retirement that he had several years' peaceful life. ❸〈形 adj.〉不急不慌：看他的神色很~，不像是出了什么事的样子。*Kàn tā de shénsè hěn ~, bú xiàng shì chūle shénme shì de yàngzi.* He looks calm, nothing seems wrong.

⁴安宁 ānníng ❶〈形 adj.〉平安稳定 peaceful; tranquil：天下~ *tiānxià* ~ a peaceful world ❷〈形 adj.〉安定宁静 calm; composed; free from worry：心情~ *xīnqíng* ~ have a calm mood

¹安排 ānpái ❶〈动 v.〉有条理地处理事物或安置人 arrange (things); assign (a person)：工作~ *gōngzuò* ~ make work arrangement │ ~食宿 ~ *shísù* arrange accommodations │ 尽力~ *jìnlì* ~ manage an arrangement │ 立即~ *lìjí* ~ arrange immediately │ 经理~我当他的秘书。*Jīnglǐ ~ wǒ dāng tā de mìshū.* The manager appointed me to be his secretary. ❷〈动 v.〉规划；改造 plan; remodel：重新~祖国的山河 *chóngxīn* ~ *zǔguó de shānhé* transform the landscape of our motherland ❸〈名 n.〉有条理、分先后作出的处理 handle things in an orderly manner or according to the precedence：适当的~ *shìdàng de* ~ proper arrangements │ 妥善的~ *tuǒshàn de* ~ appropriate arrangements │ 我们要服从学校的~。*Wǒmen yào fúcóng xuéxiào de ~.* We must comply with the decision of our school.

²安全 ānquán 〈形 adj.〉没有危险，不出事故 safe; free from (danger or accident)：人身~ *rénshēn* ~ personal safety │ ~生产 ~ *shēngchǎn* ensure safety in production │ 到达~ *dàodá* ~ arrive safely │ 起飞~ *qǐfēi* ~ take off safely │ 降落~ *jiàngluò* ~ land safely

²安慰 ānwèi ❶〈动 v.〉对别人关怀慰问 comfort; console：~病人 ~ *bìngrén* comfort a patient ❷〈名 n.〉心情舒适 feel at ease; feel relieved and encouraged：孩子考上大学，她得到不少~。*Háizi kǎo shàng dàxué, tā dédào bùshǎo ~.* She was much comforted by her child's success in the college entrance examination.

⁴安稳 ānwěn ❶〈形 adj.〉平安稳当 smooth and steady：~的日子 ~ *de rìzi* smooth and steady days │ ~的生活 ~ *de shēnghuó* peaceful life │ 他的地位相当~。*Tā de dìwèi xiāngdāng ~.* His position is quite steady. ❷〈形 adj. 方 dial.〉举止沉静稳重 (of behavior) poised; composed：这个孩子挺~的。*Zhège háizi tǐng ~ de.* The child is rather composed.

⁴安详 ānxiáng 〈形 adj.〉从容；稳重，不急不慌 serene; composed; imperturbable：举止~ *jǔzhǐ* ~ behave imperturbably │ 态度~ *tàidu* ~ in a composed manner │ ~的笑容 ~ *de xiàoróng* a serene smile │ 他~地躺在床上。*Tā ~ de tǎng zài chuáng shang.* He is lying on bed quietly.

²安心 Ⅰ ān//xīn〈动 v.〉存心；指不怀好意 harbor an intention：他~要出我的洋相。*Tā ~ yào chū wǒ de yángxiàng.* He intentionally plays the fool of me. │ 你安的是什么心？*Nǐ ān de shì shénme xīn?* What are you up to? Ⅱ ānxīn〈形 adj.〉心情安定 feel at ease; set one's mind at rest：~学习 ~ *xuéxí* be devoted to one's study

⁴安置 ānzhì〈动 v.〉安放；安顿 allocate accommodation to sb.; put sb. or sth. in place：~行李 ~ *xíngli* put away luggage │ ~复员军人 ~ *fùyuán jūnrén* the placement of demobilized servicemen｜妥善的~ *tuǒshàn de* ~ appropriate arrangements

³**安装** ānzhuāng〈动 *v.*〉按照一定的规程把机械或器材固定在一定的位置 install; fix a machine or device according to a prescribed method or regulation：~电话 ~*diànhuà* mount a telephone set｜~发电机 ~*fādiànjī* install a generator

²**岸** àn ❶〈名 *n.*〉水边的陆地 bank; coast; shore：河~ *hé*~ river bank｜海~ *hǎi*~ sea shore｜沿~ *yán*~ along the coastline｜大洋彼~ *dàyáng bǐ*~ the other side of the ocean｜回头是~。*Huítóu-shì*~. Turn the head and the shore is at hand.｜~边种着柳树。*~biān zhòngzhe liǔshù.* The river banks are willow-lined. ❷〈形 *adj.*〉身高体壮 lofty; tall and big：伟~ *wěi*~ tall and sturdy ❸〈形 *adj.* 书 *lit.*〉高傲；自高自大 proud：傲~ *ào*~ proud; self-important

²**按** àn ❶〈动 *v.*〉用手压 press; push down：~电铃 ~*diànlíng* ring an electric bell｜~手印 ~ *shǒuyìn* take the fingerprints of ❷〈动 *v.*〉压下；搁在一边 leave aside; shelve; hold：~兵不动 ~ *bīng bú dòng* hold one's troop where they are｜此事先~下不表。*Cǐ shì xiān* ~ *xià bù biǎo.* Leave this aside for the moment. ❸〈动 *v.*〉抑制，控制住 control; restrain：~下心头怒火 ~ *xià xīntóu nùhuǒ* control one's anger ❹〈介 *prep.*〉依照；遵照 according to; in compliance with：~时到达 ~*shí dàodá* arrive in time｜~质论价 ~ *zhì lùn jià* fix the price according to its quality｜~政策办事 ~ *zhèngcè bànshì* act in compliance with policy ❺〈名 *n.*〉指按语 note; comment：编者~ *biānzhě*~ editor's note

⁴**按劳分配** ànláo fēnpèi〈熟 *s phr.*〉一种分配原则。按照劳动者提供的劳动数量和质量分配生活资料，或给予报酬 a principle of distribution：allocation of means of consumption or mode of payment to laborers, according to the quantity and quality of their work

³**按期** ànqī〈副 *adv.*〉按照规定的期限；按照约定的日期 on schedule; on time：~举行 ~ *jǔxíng* begin on time｜~到达 ~ *dàodá* arrive on time｜~归还 ~*guīhuán* return sth. on time｜这项工作必须~完成。*Zhè xiàng gōngzuò bìxū* ~ *wánchéng.* The work must be finished on schedule.

²**按时** ànshí〈副 *adv.*〉依照规定的时间 in time; on time; on schedule：~完成任务 ~ *wánchéng rènwu* fulfill the task in time｜~吃药 ~ *chī yào* take the medicine on time｜他每天都~起床。*Tā měitiān dōu* ~ *qǐchuáng.* Every day he gets up on time.

²**按照** ànzhào〈介 *prep.*〉依照；根据 according to; in (the) light of; in compliance with：~规定 ~ *guīdìng* in compliance with rules｜~计划 ~ *jìhuà* according to the plan｜请~老师的要求完成作业。*Qǐng* ~ *lǎoshī de yāoqiú wánchéng zuòyè.* Please finish your assignments according to the teacher's requirement.

⁴**案** àn ❶〈名 *n.*〉狭长的桌子 desk; long table：条~ *tiáo*~ a long narrow table｜书~ *shū*~ desk｜拍~叫绝 *pāi*~*-jiàojué* slap the table and shout 'bravo' ❷〈名 *n.*〉古代进食用的木托盘 wooden saucer for serving meals used in ancient China：举~齐眉（形容夫妻相敬）*jǔ*~*-qíméi（xíngróng fūqī xiāngjìng）* hold the tray level with the brows（husband and wife treating each other with courtesy）❸〈名 *n.*〉有关诉讼或违法的事件 case：犯~ *fàn*~ commit a crime｜破~ *pò*~ crack a case｜惨~ *cǎn*~ massacre ❹〈名 *n.*〉分类保存的文件或材料 record; file：备~ *bèi*~ register for the record｜档~ *dàng*~ file｜有~可稽 *yǒu* ~ *kě jī* be documented; have records to be referred to ❺〈名 *n.*〉提出建议、计划等的文件 plan, suggestion or project submitted for consideration：方~ *fāng*~ work plan｜草~ *cǎo*~ draft｜提~ *tí*~ proposal; motion｜议~ *yì*~ bill; motion

⁴**案件** ànjiàn〈名 *n.*〉(起 qǐ、宗 zōng、桩 zhuāng、个 gè)同'案 àn'❸ same as '案 àn'❸：民

事~ *mínshì* ~ civil lawsuits | 刑事~ *xíngshì* ~ criminal case | 政治~ *zhèngzhì* ~ political case | 经济~ *jīngjì* ~ economic case | 审理~ *shěnlǐ* ~ try a case | 受理~ *shòulǐ* ~ accept the case

A

²**案情** ànqíng 〈名 n.〉案件的情节 details of a case:~复杂~ *fùzá* a complicated case | 核查~ *héchá* ~ check the case | 分析~ *fēnxī* ~ analyse a case | 隐瞒~ *yǐnmán* ~ withhold the case

²**暗** àn ❶〈形 adj.〉光线不足，不亮；黑暗（与'明'相对）dim; not bright; dark (opposite to '明 míng'):天色已~。*Tiānsè yǐ* ~. It's getting dark. | 阴~ *yīn* ~ dark ❷〈形 adj.〉隐藏的；不外露的 hidden; secret:明人不做~事。*Míngrén bú zuò* ~ *shì.* An honest man does not do anything underhand. | ~号 ~*hào* a secret signal ❸〈形 adj. 书 lit.〉糊涂，不明白 muddled; ignorant; benighted:明于知彼，~于知己。*Míng yú zhī bǐ,* ~ *yú zhī jǐ.* Have a clear mind about the opponent but a muddled idea about oneself.

³**暗暗** àn'àn 〈副 adv.〉悄悄地，不表露在外面 secretly; inwardly; to oneself:~高兴~ *gāoxìng* keep a secret pleasure | ~吃了一惊~ *chīle yì jīng* gasp inwardly | 他~下决心，一定要学好汉语。*Tā* ~ *xià juéxīn, yídìng yào xuéhǎo Hànyǔ.* He swore inwardly that he would study hard to have a good command of Chinese.

⁴**暗淡** àndàn ❶〈形 adj.〉不光明，不鲜艳 dim; gloomy:灯光~ *dēngguāng* ~ dim light | 色调~ *sèdiào* ~ a dull color | ~的月色~ *de yuèsè* dim moonlight ❷〈形 adj.〉比喻不景气；没有希望 dismal; gloomy; hopeless:前景~ *qiánjǐng* ~ bleak prospect | 心情~ *xīnqíng* ~ gloomy mood

⁴**暗杀** ànshā 〈动 v.〉暗中杀害：乘人不备进行杀害 assassinate; murder:他是被敌人~的。*Tā shì bèi dírén* ~ *de.* He was murdered by the enemy.

⁴**暗示** ànshì 〈动 v.〉用含蓄的语言和示意的举动来表示某种意思，让对方心领神会 hint; suggest:她努了努嘴，~我赶快离开。*Tā nǔle nǔ zuǐ,* ~ *wǒ gǎnkuài líkāi.* She pursed her lips at me to hint that I should leave at once. | 她扯了扯我的衣角，~我别再说了。*Tā chěle chě wǒ de yījiǎo,* ~ *wǒ bié zài shuō le.* She plucked at the lower hem of my clothes, suggesting me not to utter a word any more. | 妈妈用眼神~我，别跟爸爸顶嘴。*Māma yòng yǎnshén* ~ *wǒ, bié gēn bàba dǐngzuǐ.* Mother hinted to me with her eyes that I shouldn't argue with father.

⁴**暗中** ànzhōng ❶〈名 n.〉黑暗之中 in the dark:在~摸索着前进 *zài* ~ *mōsuǒzhe qiánjìn* grope ahead in the dark ❷〈副 adv.〉不公开地；秘密地 unopenly; secretly:~盯梢 *dīngshāo* spy on; watch secretly | ~打听~ *dǎtīng* gather information in secret | ~捣乱~ *dǎoluàn* make trouble in the dark | ~保护~ *bǎohù* protect sb. secretly

⁴**昂贵** ángguì 〈形 adj.〉价格很高；代价很高 expensive; costly:钻石戒指的价格是非常~的。*Zuànshí jièzhǐ de jiàgé shì fēicháng* ~ *de.* Diamond rings are very expensive. | 你要为你的行为付出~的代价。*Nǐ yào wèi nǐ de xíngwéi fùchū* ~ *de dàijià.* You have to pay dearly for what you have done.

⁴**昂扬** ángyáng 〈形 adj.〉情绪饱满高涨 elated; high-spirited:斗志~ *dòuzhì* ~ be full of fight | 士气~ *shìqì* ~ with high morale | ~的步伐~ *de bùfá* spirited steps

⁴**凹** āo 〈形 adj.〉周围高中间低（与'凸'相对）concave; sunken (opposite to '凸 tū'):~~ *tū bù píng* uneven; full of bumps and holes | ~透镜~ *tòujìng* concave lens | 开了一晚夜车，她的眼窝都~进去了。*Kāile yì wǎn yèchē, tā de yǎnwō dōu* ~ *jìnqu le.* She drove the whole night, and her eye sockets were sunken.

³**熬** áo ❶〈动 v.〉长时间地煮 stew for a long time:~粥~ *zhōu* make porridge | ~药 ~ *yào* decoct medicine by boiling medicinal herbs ❷〈动 v.〉勉强支撑；忍耐 endure; put

up with:~夜 ~yè stay up late at night ｜ ~了大半辈子 ~ le dà bàn bèizi drag out half of one's lifetime in misery

⁴袄 ǎo〈名 n.〉有里子的中式上衣 lined Chinese-style coat：棉~ mián~ cotton-padded jacket｜皮~ pí~ fur-lined jacket｜大花~ dà huā~ lined coat with colorful patterns

³奥秘 àomì〈名 n.〉深奥神秘；尚未被人们发现或认识的秘密 enigma; mystery：大自然的~ dà zìrán de ~ mystery of nature｜生命的~ shēngmìng de ~ mystery of life｜人们正在努力探索宇宙的~。Rénmen zhèngzài nǔlì tànsuǒ yǔzhòu de ~. People are making efforts to probe the mysteries of the universe.

B

¹ 八 bā ❶〈数 num.〉汉字的数目字，即阿拉伯数字8，大写为'捌' eight, Chinese numerical, namely the Arabic numeral 8, capitalized as '捌bā'：~个月 ~ *gè yuè* eight months｜~成 ~*chéng* eighty percent｜我最近花~万元钱买了辆小汽车。*Wǒ zuìjìn huā ~ wàn yuán qián mǎile liàng xiǎo qìchē.* I recently spent eighty thousand *yuan* to buy a car.｜~荣~耻（由中共中央总书记胡锦涛提出的社会主义荣辱观的八项内容的简称，其详细内容为：以热爱祖国为荣、以危害祖国为耻；以服务人民为荣、以背离人民为耻；以崇尚科学为荣、以愚昧无知为耻；以辛勤劳动为荣、以好逸恶劳为耻；以团结互助为荣、以损人利己为耻；以诚实守信为荣、以见利忘义为耻；以遵纪守法为荣、以违法乱纪为耻；以艰苦奋斗为荣、以骄奢淫逸为耻。）~róng~chǐ （*yóu Zhōnggòng Zhōngyāng Zǒngshūjì Hú Jǐntāo tíchū de shèhuì zhǔyì róngrǔguān de bā xiàng nèiróng de jiǎnchēng, qí xiángxì nèiróng wéi: yǐ rè'ài zǔguó wéi róng, yǐ wēihài zǔguó wéi chǐ; yǐ fúwù rénmín wéi róng, yǐ bèilí rénmín wéi chǐ; yǐ chóngshàng kēxué wéi róng, yǐ yúmèi-wúzhī wéi chǐ; yǐ xīnqín láodòng wéi róng, yǐ hàoyì-wùláo wéi chǐ; yǐ tuánjié hùzhù wéi róng, yǐ sǔnrén-lìjǐ wéi chǐ; yǐ chéngshí shǒuxìn wéi róng, yǐ jiànyì-wànglì wéi chǐ; yǐ zūnjì shǒufǎ wéi róng, yǐ wéifǎ-luànjì wéi chǐ; yǐ jiānkǔ-fèndòu wéi róng, yǐ jiāoshē-yínyì wéi chǐ.*) Eight Do's and Eight Don'ts, also known as Eight Virtues and Shames (abbr. for the eight items of 'socialist concept of honor and disgrace' put forward by Hu Jintao, the General Secretary of the Central Committee of Chinese Communist Party. i.e. Love, don't harm the motherland. Serve, don't disserve the people. Uphold science, don't be ignorant and unenlightened. Work hard, don't be lazy and hate work. Be united and help each other, don't gain benefits at the expense of other. Be honest and trustworthy, not profit-mongering at the expense of your values. Be disciplined and law-abiding instead of chaotic and lawless. Know plain living and hard struggle, don't wallow in luxuries and pleasure.）❷〈数 num.〉序数 ordinal number：我的座位在第~排。*Wǒ de zuòwèi zài dì-~ pái.* My seat is in the eighth row.｜男篮没有进入半决赛，获得第~名。*Nánlán méiyǒu jìnrù bànjuésài, huòdé dì-~ míng.* The men's basketball team failed to come into the semifinal, ranking the eighth.

⁴ 巴结 bājie〈动 v.〉奉迎讨好 fawn on; curry favor with：他总爱~有权势的人。*Tā zǒng ài ~ yǒu quánshì de rén.* He tends to curry favor with men of power.

³ 扒 bā ❶〈动 v.〉抓住可依附的东西 hold on to; cling to：老奶奶~着楼梯扶拦慢慢往上走。*Lǎonǎinai ~zhe lóutī fúlán mànman wǎng shàng zǒu.* The old granny held on to the stair rails and climbed the steps slowly. ❷〈动 v.〉挖；刨；拆 dig up; rake; pull down：~土 ~*tǔ* rake earth｜墙上给人~了个洞。*Qiáng shàng gěi rén ~ le gè dòng.* A

hole was made in the wall. │这种豆腐渣工程必须~掉重建。 *Zhè zhǒng dòufǔzhā gōngchéng bìxū ~diào chóngjiàn.* The poorly-constructed building should be pulled down to rebuild. ❸〈动 *v.*〉脱掉；剥下 strip off; take off:他竟敢~光员工的衣服搜身。 *Tā jìnggǎn ~guāng yuángōng de yīfú sōushēn.* He went so far as to strip off the employee's clothes to make a bodysearch. │老人和妇女在场上~玉米皮。 *Lǎorén hé fùnǚ zài chǎng shang ~ yùmǐpí.* The elderly and women were taking off the corn skin on the ground. ❹〈动 *v.*〉拨动 push aside:我~开草丛，找到了掉下的钥匙。 *Wǒ ~ kāi cǎocóng, zhǎodàole diào xià de yàoshi.* I pushed aside the grass, and found the lost key.
☞ pá, p. 737

⁴ **芭蕾舞** bālěiwǔ〈名 *n.* 外 *forg.*〉芭蕾为法语ballet的音译，欧洲的一种古典舞蹈 ballet; a classic European dance, name of which is from the French transliteration 'ballet': 跳~ *tiào* ~ dance ballet │中国~团成功地演出了《白毛女》、《红色娘子军》等~剧。 *Zhōngguó ~tuán chénggōng de yǎnchūle 'Báimáonǚ', 'Hóngsè Niángzǐjūn' děng ~jù.* The Chinese Ballet Troupe performed successfully such ballet-dances as *The White-Haired Girl* and *The Red Women Soldiers*, etc.

⁴ **疤** bā ❶〈名 *n.*〉（个 gè、块 kuài、道 dào、条 tiáo）伤口或疮口愈合后留下的痕迹 scar, mark left by healed wound or a skin ulcer:疮~ *chuāng* ~ scar │伤~ *shāng* ~ scar left by a wound │她脸部开刀后留下一个~。 *Tā liǎnbù kāidāo hòu liúxià yí gè ~.* The operation leaves a scar on her face. ❷〈名 *n.*〉（个 gè、块 kuài、道 dào、条 tiáo）器物上的疤痕 scar-like marks on implements:这个茶杯盖上有个~。 *Zhège chábēi gài shang yǒu gè ~.* There is a mark on the lid of the teacup.

⁴ **捌** bā〈数 *num.*〉汉字数字'八'的大写；为防止涂改，一般在票据上应采用大写 eight, capital of numeral '八bā', on bills, accounts, etc. to avoid mistakes or alterations:~仟元整 *~ qiān yuán zhěng* eight thousand *yuan* │~元~角整 *~ yuán ~ jiǎo zhěng* Eight *yuan* and Eight *jiao* only

² **拔** bá ❶〈动 *v.*〉往外抽，往外拉 pull; pull out; up-root:~草 *~cǎo* pull up weeds │~苗 *miáo* pull out seedlings，许多大树被狂风暴雨连根~起。 *Xǔduō dà shù bèi kuángfēng-bàoyǔ lián gēn ~ qǐ.* A lot of big trees were up-rooted by the storms. ❷〈动 *v.*〉攻克，夺取 capture; seize:我方连~敌人数城，敌人望风而逃。 *Wǒ fāng lián ~ dírén shù chéng, dírén wàngfēng'értáo.* Our troops captured several enemy strongholds in succession, and the enemy fled at the mere sight of our army. ❸〈动 *v.*〉突出；超出 surpass; stand out among:出类~萃 *chūlèi~cuì* surpass the ordinary │大山~地而起。 *Dàshān ~dì'érqǐ.* The mountain is towering over the land. ❹〈动 *v.*〉挑选（多指人才）choose; select; pick（talent）:选~ *xuǎn~* select talent │提~ *tí~* promote; select a person for a more important position ❺〈动 *v.*〉吸出（毒气等）suck out; draw out:这种膏药可以~毒。 *Zhè zhǒng gāoyào kěyǐ ~dú.* The plaster can remove pus（or toxic substances）.

¹ **把** bǎ ❶〈量 *meas.*〉用于有把手的物件 for object with a handle:两~刀 *liǎng ~ dāo* two knives │一~斧子 *yì ~ fǔzi* an ax │这~刀挺好用。 *Zhè ~ dāo tǐng hǎo yòng.* The knife is very handy. ❷〈量 *meas.*〉一手抓起的数量 a handful of：一~米 *yì ~ mǐ* a handful of rice │一~粉丝 *yì ~ fěnsī* a bunch of vermicelli │他抓了几~花生放在锅里煮。 *Tā zhuāle jǐ ~ huāshēng fàng zài guō lǐ zhǔ.* He put several handfuls of peanuts in the pot to stew. ❸〈量 *meas.*〉用于手的动作 indicating the hand's action:拉他一~ *lā tā yì* ~ give him a tug（or hand）│我一~抓住了他的手。 *Wǒ yì~ zhuāzhùle tā de shǒu.* I grabbed him by the hand. ❹〈量 *meas.*〉用于某些抽象的事情 for sth. abstract：大家出~力搬掉路上的大石头。 *Dàjiā chū ~ lì bāndiào lù shang de dà shítou.* Let's remove

the rock off the road. | 快加~劲儿! *kuài jiā — jìnr!* Make an extra effort please! ❺ 〈介 *prep.*〉同 "将" "使", 表示对事物、人的处置或影响 ("把"的宾语是处置或影响的对象) same as '将jiāng', '使shǐ', indicating that sth. or sb. is at the disposal or under the influence of sth. or sb. else: 差点儿误了班车, 可~他急坏了。*Chàdiǎnr wùle bānchē, kě — tā jíhuài le.* He was extremely worried when he nearly missed the regular bus. | 你离开办公室时, ~窗户关上, ~门锁上。*Nǐ líkāi bàngōngshì shí, — chuānghu guānshang, — mén suǒshang.* Close the window and lock the door when you leave the office. | 你能~屋子打扫一下吗? *Nǐ néng — wūzi dǎsǎo yíxià ma?* Would you please clean the room? ❻〈动 *v.*〉握住; 抓住 hold; grip; grasp: 文化宫的老师手~手教孩子练习钢琴。*Wénhuàgōng de lǎoshī shǒu — shǒu jiāo háizi liànxí gāngqín.* Teachers from the Cultural Palace personally instruct the children to practice the piano. ❼〈动 *v.*〉掌管; 控制 control; monopolize: 不要大小事都~着不放。*Búyào dà xiǎo shì dōu ~zhe bùfàng.* Don't monopolize every thing whatever it is. | 船长~舵。*Chuánzhǎng — duò.* The captain holds the rudder. ❽〈动 *v.*〉守卫; 看守 guard; watch: ~守 ~*shǒu* guard | 保安员~着大门。*Bǎo'ānyuán ~zhe dàmén.* The security guards watched over the front gate. ❾〈名 *n.*〉车上手握的部位 handlebar: 车~ *chē~* handlebars (of a bicycle) | 你撒~骑自行车很危险。*Nǐ sā — qí zìxíngchē hěn wēixiǎn.* It's dangerous to ride a bicycle without putting your hands on the handlebars ❿〈名 *n.*〉捆扎成的长条形物件 bundle; bunch: 草~ *cǎo~* a bundle of straw | 麦~ *mài~* a bundle of wheat stalks ⓫〈名 *n.*〉旧指结拜兄弟的关系 indicating a relationship of sworn brotherhood of old times: 拜~子 *bài~zi* become sworn brothers ⓬〈数 *num.*〉用在某些数词和量词的后面, 表示大约的数量 added to some numerals or measure words to show approximation: 百~人 *bǎi — rén* some hundred people | 个~月 *gè — yuè* a month or so

⁴ **把柄** *bǎbǐng* ❶〈名 *n.*〉器物上便于手拿的突出部分 handle ❷〈名 *n.*〉比喻可以用来要挟他人的凭证 fig. evidence or facts that can be used against sb.: 你做事总这样战战兢兢, 是不是有什么~被人抓住了? *Nǐ zuòshì zǒng zhèyàng zhànzhàn-jīngjīng, shì bú shì yǒu shénme — bèi rén zhuāzhù le?* You always do things with fear and trepidation. Does anyone hold anything against you?

⁴ **把关** *bǎ//guān* ❶〈动 *v.*〉把守关口 guard a pass ❷〈动 *v.*〉比喻根据既定的标准, 严格检查, 保证质量 fig. check against strict standards to guarantee the quality of products: 把好关 *bǎ hǎo guān* check strictly | 这本词典最后由主编负责~。*Zhè běn cídiǎn zuìhòu yóu zhǔbiān fùzé ~.* The editor-in-chief is responsible for the final check of the dictionary. | 他把不了关。*Tā bǎ bù liǎo guān.* He can't do a good job of quality control.

⁴ **把手** *bǎshou* 〈名 *n.*〉(个 gè) 器物上手拿的地方 handle; grip; knot: 大门的门~坏了, 赶快请工人来修理。*Dàmén de mén~ huài le, gǎnkuài qǐng gōngrén lái xiūlǐ.* The handle of the door is damaged. Find someone to fix it up at once.

³ **把握** *bǎwò* ❶〈动 *v.*〉握住, 拿住 hold; grasp: 下雪路滑, 司机小心地~住方向盘。*Xià xuě lù huá, sījī xiǎoxīn de — zhù fāngxiàngpán.* The road is slippery in snowing days, so drivers have to hold wheels carefully. ❷〈动 *v.*〉控制住 (多指抽象的事物) grasp (usu. abstract things): ~真理 ~ *zhēnlǐ* grasp the truth | ~原则 ~ *yuánzé* uphold the principle | ~战机 ~ *zhànjī* seize the opportunity to fight the battle ❸〈名 *n.*〉有信心把事情办成 assurance; certainty: 他有~做好这件事。*Tā yǒu — zuò hǎo zhè jiàn shì.* He has the assurance to do a satisfactory job.

⁴ **把戏** *bǎxì* ❶〈名 *n.*〉(套tào、个gè) 魔术、杂耍一类技艺的俗称 the colloquial term of acrobatics or juggling: 旧时北京天桥的~很有名。*Jiùshí Běijīng Tiānqiáo de — hěn*

yǒumíng. In the old days, Tianqiao of Beijing was very famous for the acrobatic shows. ❷〈名 *n.*〉喻指骗人的花招 *fig.* trick; swindle; deceit：你别耍~了。*Nǐ bié shuǎ ~ le.* Don't play tricks.

³ **坝** bà ❶〈名 *n.*〉（座 zuò、道 dào）筑在水边或水中用来拦水的建筑物和河工险处的护堤建筑物 dam; barrier built across a river to hold back water or protecting dykes built at dangerous places of a river：堤~ *dī* ~ dykes and dams｜长江三峡大~ *Chángjiāng Sānxiá dà*~ the great dam of the Three Gorges of the Yangtze River ❷〈名 *n.*〉中国西南地区称山地中的平地或小平原为坝子（in southwestern China）flatland or little plains in mountainous areas.

¹ **爸爸** bàba〈名 *n.* 口 *colloq.*〉称呼父亲，也说'爸' dad, also '爸 bà'：我~是个科学家。*Wǒ ~ shì gè kēxuéjiā.* My dad is a scientist.｜他~是个军官。*Tā ~ shì gè jūnguān.* His father is an officer.

³ **罢** bà ❶〈动 *v.*〉停止 stop; cease：~工 ~*gōng* go on a strike｜~课~*kè* student strike｜他不会善~甘休。*Tā bú huì shàn~gānxiū.* He won't let it go at that. ❷〈动 *v.*〉免除职务 dismiss; remove：~免~*miǎn* dismiss（from office）｜他被~了官。*Tā bèi ~le guān.* He has been dismissed from his office. ❸〈动 *v.* 方 *dial.*〉完了，结束了 end; finish：我刚吃了~饭。*Wǒ gāng chī ~ fàn.* I've just finished my meal.

³ **罢工** bà//gōng〈动 *v.*〉工人为了实现某种政治、经济要求或抗议某件事情而集体停止劳动 strike, collective work stoppage by workers for reaching an agreement on political or financial demands, or protesting against sth.：工人罢了工。*Gōngrén bàle gōng.* The workers went on strike.｜1925年'五卅运动'期间，上海二十余万工人举行了总同盟~。*Yī-jiǔ-èr-wǔ nián 'Wǔ-Sà Yùndòng' qījiān, Shànghǎi èrshí yú wàn gōngrén jǔxíng le zǒng tóngméng ~.* In the May 30th Movement in 1925, more than 200,000 workers waged a general strike in Shanghai.

⁴ **霸道** bàdào〈形 *adj.*〉蛮横不讲道理 domineering and unreasonable：他太~，不能与人合作共事。*Tā tài ~, bù néng yǔ rén hézuò gòngshì.* He is too overbearing to cooperate with others.

⁴ **霸权** bàquán〈名 *n.*〉倚仗经济、军事实力，控制、压迫弱国的强权 hegemony; supremacy, power that is used to control and oppress small and weak countries by means of economic or military strength：我们主张国与国之间应平等相待，反对以强凌弱、以大欺小的~主义。*Wǒmen zhǔzhāng guó yǔ guó zhījiān yīng píngděng xiāngdài, fǎnduì yǐqiáng-língruò, yǐdà-qīxiǎo de ~ zhǔyì.* We maintain that all nations should be treated as equals, and oppose the hegemonism of the strong coercing the weak and the big bullying the small.

⁴ **霸占** bàzhàn〈动 *v.*〉倚仗权势强行占有 seize, forcibly occupy by power and influence：这伙歹徒横行乡里，~他人田地。*Zhè huǒ dǎitú héngxíng-xiānglǐ, ~ tārén tiándì.* The group of gangsters ran amok in rural villages, seizing the farmland of the villagers.

¹ **吧** ba ❶〈助 *aux.*〉用在祈使句末，表示商量的语气 used at the end of an imperative sentence, indicating consultation：你就帮我一次~。*Nǐ jiù bāng wǒ yí cì ~.* Will you do me a favor just for once?｜你还是早点儿回来~。*Nǐ háishì zǎo diǎnr huílái ~.* You'd better come back earlier. ❷〈助 *aux.*〉用在句末表示疑问或揣测 used at the end of a sentence to indicate doubt or guess：你到这里来大概有事~? *Nǐ dào zhèlǐ lái dàgài yǒu shì ~?* Did You come here for something?｜我不妨碍你~? *Wǒ bù fáng'ài nǐ ~?* I don't disturb you, do I? ❸〈助 *aux.*〉用在'好''行''可以'等词后，表示同意或认可 used

after '好hǎo', '行xíng', '可以kěyǐ' to imply agreement or approval：那好～，现在就开会吧。Nà hǎo ～, xiànzài jiù kāihuì ba. All right, let's begin（our meeting）.｜可以～，就照你的意见办。Kěyǐ ～, jiù zhào nǐ de yìjiàn bàn. Ok, we'll follow your instructions. ❹〈助 aux.〉用在句中表示不很肯定 used in the middle of a sentence to show uncertainty：他可能来过～，我确实想不起来了 Tā kěnéng láiguo ～, wǒ quèshí xiǎng bù qǐlai le. He might have come here, but, indeed, I can't remember . ❺〈助 mod.〉用在句中停顿处，有两难的意思 used in the middle of a sentence to indicate a difficult choice：走～，路远了点儿；不走～，天又快黑了。Zǒu ～, lù yuǎnle diǎnr; bù zǒu ～, tiān yòu kuài hēi le. Going there, it's a little far; staying here, it's getting dark.

掰 bāi ❶〈动 v.〉用手把东西分开或折断 break off or divide with the hand：把玉米饼～成两半 bǎ yùmǐbǐng ~chéng liǎng bàn break the corn cake in half｜让我来帮你～这根棍子。Ràng wǒ lái bāng nǐ ~ zhè gēn gùnzi. Let me help you to break the stick. ❷〈动 v. 方 dial.〉破裂（感情等）breakup：他俩的关系早就～了。Tā liǎ de guānxi zǎo jiù ~ le. They were estranged from each other long ago.

¹ 白 bái ❶〈形 adj.〉像雪一样的颜色 white, color of snow：雪～ xuě~ snow white｜洁净～ jié~ pure white｜我的头发全～了。Wǒ de tóufa quán ~ le. My hair turns completely white. ❷〈形 adj.〉空无所有 empty; blank：空～ kòng~ blank｜期末物理考试他交了～卷。Qīmò wùlǐ kǎoshì tā jiāole ~juàn. He turned in a blank paper in the final exam of physics. ❸〈形 adj.〉明亮；耀眼 shiny; bright：～天 ~tiān day time｜广场上灯火辉煌，照耀得如同一～昼。Guǎngchǎng shang dēnghuǒ huīhuáng, zhàoyào de rútóng ~zhòu. The square is splendidly lighted, as bright as day time. ❹〈形 adj.〉把字写错或读错 wrongly written or mispronounced：写～字 xiě ~zì write the wrong word｜你又念～字了。Nǐ yòu niàn ~zì le. You mispronounced the word again. ❺〈副 adv.〉没有效果 in vain; for nothing：～费劲 ~fèijìn waste of energy｜～操心 ~cāoxīn worry about vainly｜真对不起，让你～跑一趟。Zhēn duìbuqǐ, ràng nǐ ~pǎo yí tàng. Sorry for letting you run an errand for nothing. ❻〈副 adv.〉不付代价 free of charge; gratis：～拿 ~ná take sth. for free｜人家没有请他，他却厚着脸皮去～吃～喝。Rénjia méiyǒu qǐng tā, tā què hòu zhe liǎnpí qù ~chī ~hē. He came without being invited, and cheekily ate and drank free. ❼〈动 v.〉清楚，明白 clear; plain：这件事的真相终于大白于天下了。Zhè jiàn shì de zhēnxiàng zhōngyú dà ~ yú tiānxià. The truth of this matter has finally been made clear. ❽〈动 v.〉说明；陈述 explain; state：辩～ biàn~ plead innocence｜你这样表～没有人相信。Nǐ zhèyàng biǎo ~ méiyǒu rén xiāngxìn. Nobody would take in what you explained. ❾〈名 n.〉话剧中的对话，戏曲中只说不唱的语句 soliloquy or dialogue of a modern drama; spoken lines in an opera：道～ dào~ spoken lines of an opera｜对～ duì~ dialogue ❿〈名 n.〉汉语的白话文体 vernacular：半文半～ bàn wén bàn ~ half-classical and half-vernacular

³ 白白 báibái ❶〈副 adv.〉徒然，没有效果 in vain; to no purpose; for nothing：你写的书毫无价值，～浪费纸张。Nǐ xiě de shū háowú jiàzhí, ~ làngfèi zhǐzhāng. Your book is valueless, a mere waste of paper. ｜他失约没有来，让我～等了两个小时。Tā shīyuē méiyǒu lái, ràng wǒ ~ děngle liǎng gè xiǎoshí. He didn't keep the appointment to come here, letting me wait in vain for two hours. ❷〈形 adj.〉形容颜色很白 white; fair：～净净的面孔 ~jìngjìng de miànkǒng fair and clear face

² 白菜 báicài〈名 n.〉（棵 kē）中国北方的常见蔬菜，又叫'大白菜' Chinese cabbage, a kind of vegetable commonly seen in northern China, also '大白菜 dàbáicài'：每到冬天北京市民都要储存一些。Měi dào dōngtiān Běijīng shìmín dōu yào chǔcún yìxiē ~.

When winter comes, residents of Beijing would all store some Chinese cabbages.

⁴ **白酒** báijiǔ〈名 *n.*〉用高粱、玉米、甘薯等粮食发酵蒸馏酿成的酒，没有颜色 white spirits; colorless liquor distilled from fermented sorghum, maize, sweet potato or other grains：茅台酒是中国的名牌～。*Máotáijiǔ shì Zhōngguó de míngpái ~.* Maotai is a famous Chinese liquor.

² **白天** báitiān〈名 *n.*〉指从天亮到天黑的一段时间 daytime, time between dawn and dusk：昨天晚上加班了，今天～我要补睡一会儿。*Zuótiān wǎnshang jiābān le, jīntiān ~ wǒ yào bǔ shuì yíhuìr.* I worked overtime last night, so I have to sleep in the daytime today to make up for sleep loss.

¹ **百** bǎi ❶〈数 *num.*〉汉字的数目字，即阿拉伯数字100，大写为'佰'hundred, Chinese numerical, namely the Arabic numeral 100, capitalized as '佰bǎi' ❷〈数 *num.*〉概数，表示很多 approximate number, meaning numerous; a lot of：～货 ~*huò* general merchandise｜～业－*yè* various trades｜～叶窗－*yèchuāng* jalousie｜我买了一套《中国大–科全书》。*Wǒ mǎile yí tào Zhōngguó Dà–kē Quánshū.* I bought a set of *Chinese Encyclopaedia.* ❸〈数 *num.*〉带上'把''十''来'等，表示约数，略多于一百 used with '把bǎ', '十shí', '来lái'" to form an approximate number, meaning more than a hundred：他声音洪亮，会场上～十来人都听得清清楚楚。*Tā shēngyīn hóngliàng, huìchǎng shang ~ shí lái rén dōu tīng de qīngqīng-chǔchǔ.* His voice is loud and resonant, and the audience of more than a hundred people at the meeting can hear him very clearly.

⁴ **百倍** bǎibèi〈副 *adv.*〉形容数量多或程度深 hundred-fold; a hundred times：他渴望考上重点大学，～努力地复习功课。*Tā kěwàng kǎoshang zhòngdiǎn dàxué, ~ nǔlì de fùxí gōngkè.* Longing for the enrollment into a key university, he has been making greatest effort to prepare for the entrance exams.

⁴ **百分比** bǎifēnbǐ〈名 *n.*〉用百分率来表示两个数的比例关系 percentage; rate or proportion per hundred：50个苹果中有两个苹果长了黑斑，长黑斑的苹果所占的~是百分之四。*Wǔshí gè píngguǒ zhōng yǒu liǎng gè píngguǒ zhǎngle hēibān, zhǎng hēibān de píngguǒ suǒ zhàn de ~ shì bǎi fēn zhī sì.* Two out of fifty apples have dark spots, and the proportion is four percent.

⁴ **百花齐放** bǎihuā-qífàng〈成 *idm.*〉比喻艺术上不同的形式和风格可以自由发展；也形容艺术界的繁荣景象 let a hundred flowers bloom; *fig.* the free development of different forms and styles of arts and literature, also prosperity in the world of arts and literature：现在文艺界坚定地贯彻了~的方针。*Xiànzài wényìjiè jiāndìng de guànchè le ~ de fāngzhēn.* Now the literary and art circle firmly carries on the principle of free development of different forms and styles of arts and literature.｜如今中国的戏剧舞台是一片~的景象。*Rújīn Zhōngguó de xìqù wǔtái shì yí piàn ~ de jǐngxiàng.* Today China has turned on a prosperous appearance on the theatrical stage.

³ **百货** bǎihuò〈名 *n.*〉以生活用品为主的各类商品的总称 general merchandise concerning daily-used articles：~公司 ~ *gōngsī* department store｜昨天我到~商场买了一套西装。*Zuótiān wǒ dào ~ shāngchǎng mǎile yí tào xīzhuāng.* I bought a suit in the department store yesterday.

⁴ **百家争鸣** bǎijiā-zhēngmíng〈成 *idm.*〉比喻学术上不同的学派可以自由争论 contention of a hundred schools of thought, *fig.* free academic debate of different schools of thought：真理总是愈辩愈明，我们希望学术领域里出现~的局面。*Zhēnlǐ zǒngshì yùbiàn-yùmíng, wǒmen xīwàng xuéshù lǐngyù li chūxiàn ~ de júmiàn.* The more we argue, the clearer the truth will become. We hope that there will appear a great contention

of numerous schools of thought in the academic field.

³ **柏树** *bǎishù* 〈名 *n.*〉常绿乔木 cypress, a type of evergreen tree: 北京中山公园里有许多古老的~。*Běijīng Zhōngshān gōngyuán li yǒu xǔduō gǔlǎo de ~.* There are many ancient cypress trees in Beijing's Zhongshan Park.

¹ **摆** *bǎi* ❶〈动 *v.*〉安放，陈设 lay; put; set in order; place: ~好碗筷 *hǎo wǎn kuài* set the table │ 大家把桌椅一整齐! *Dàjiā bǎ zhuōyǐ ~ zhěngqí!* Set the chairs and tables in order. ❷〈动 *v.*〉列举，陈述 set forth; state: 你应该~事实，讲道理，以理服人。*Nǐ yīnggāi ~ shìshí, jiǎng dàolǐ, yǐlǐ-fúrén.* You should present the facts and reason things out so as to convince people. ❸〈动 *v.*〉摇动 sway; swing; wave: ~手 *shǒu* wave one's hand │ 摇~*yáo~* sway; swing │ 土家族人喜欢跳~手舞。*Tǔjiāzú rén xǐhuan tiào ~shǒuwǔ.* The people of Tujia ethnic group enjoy hand-waving dance. ❹〈动 *v.*〉炫耀，故意做给人看 assume; show off one's wealth │ 你别~臭架子了! *Nǐ bié ~ chòujiàzi le!* Stop putting on airs! ❺〈名 *n.*〉(个 *gè*) 钟表、仪器上用来控制摆动频率的装置 device on a timepiece or an instrument for controlling the frequency of swings: 钟~*zhōng~* pendulum │ ~轮 *lún* balance wheel

⁴ **摆动** *bǎidòng* 〈动 *v.*〉摇动；摇摆 swing; sway: 杨柳枝迎风轻微~。*Yángliǔzhī yíngfēng qīngwēi ~.* The willow twigs swayed gently in the wind.

³ **摆脱** *bǎituō* 〈动 *v.*〉脱离；甩掉 shake off; cast off; break away from; free oneself from: ~困境 *kùnjìng* extricate oneself from a predicament │ ~束缚 *shùfù* cast off the yoke │ 他~了敌人的跟踪。*Tā ~le dírén de gēnzōng.* He shook off the pursuit of the enemy. │ 这个穷山村终于~了贫困。*Zhège qióng shāncūn zhōngyú ~le pínkùn.* The poor mountain village has finally got rid of poverty.

² **败** *bài* ❶〈动 *v.*〉使失败；打败 defeat: 击~来犯之敌 *jī ~ lái fàn zhī dí* beat back the invaders │ 大~敌军 *dà ~díjūn* inflict a crushing defeat on enemy troops ❷〈动 *v.*〉在战争或竞赛中失利（与'胜'相对）be defeated; lose（opposite to '胜shèng'）: 转~为胜 *zhuán ~wéishèng* turn defeat into victory │ 敌人彻底~了。*Dírén chèdǐ ~ le.* The enemy was completely defeated. ❸〈动 *v.*〉损坏；毁坏 spoil; ruin: 一~坏 *huài* ruin; corrupt │ 身~名裂 *shēn ~míngliè* lose all standing and reputation │ 他吸上毒，把家产都~得精光。*Tā xī shàng dú, bǎ jiāchǎn dōu ~ de jīngguāng.* He has become a drug addict and dissipated all his family property. ❹〈动 *v.*〉做事没有成功（与'成'相对）fail（as opposite to '成chéng'）: 失~*shī* fail │ 成~*chéng* succeed or fail ❺〈形 *adj.*〉腐烂；衰落 decayed; withered: 腐~*fǔ* spoiled; decomposed │ 这个贵族家庭衰~了。*Zhège guìzú jiātíng shuāi ~ le.* The noble family fell into a decline. ❻〈动 *v.*〉消减；祛除（病痛）relieve; eliminate: ~毒 *dú* alleviate internal heat │ ~火 *huǒ* relieve inflammation or internal heat

⁴ **败坏** *bàihuài* ❶〈动 *v.*〉损害；破坏 ruin; undermine; corrupt: 你别~他人名誉。*Nǐ bié ~ tārén míngyù.* Stop undermining others' reputation. │ 我们不能让这些黄色书籍~社会风气。*Wǒmen bùnéng ràng zhèxiē huángsè shūjí ~ shèhuì fēngqì.* We can't allow these pornographic books to undermine our social morals. ❷〈形 *adj.*〉腐败；恶劣 rotten; corrupted: 道德~*dàodé* morally degenerate

⁴ **拜** *bài* ❶〈动 *v.*〉见面行礼时表示祝贺 congratulatory greeting: ~年 *nián* pay a New Year's call │ ~寿 *shòu* present birthday greetings（to an elderly person）│ ~节 *jié* extend good wishes on a festive occasion. ❷〈动 *v.*〉跟人交往时表示敬意或客气的话 show respect or politeness in the association of people: ~见 *jiàn* pay a courtesy visit │ ~客 *kè* call on sb. │ 大作已经~读。*Dàzuò yǐjīng ~dú.* I've had the pleasure of

B

reading your remarkable book. ❸〈动 *v.*〉敬仰；尊崇 worship; revere：~服 ~*fú* admire greatly; worship｜我们的语文老师博古通今，我很~他。 *Wǒmen de yǔwén lǎoshī bógǔ-tōngjīn, wǒ hěn chóng~ tā.* I feel great reverence for our Chinese teacher, who has extensive knowledge of both past and present. ❹〈动 *v.*〉通过一定仪式结成某种关系 enter into a relationship through certain ceremony：~师 ~*shī* acknowledge as one's teacher｜结~为兄弟 *jié~ wéi xiōngdì* become sworn brothers ❺〈动 *v.*〉中国古时一种表示敬意的礼节 an ancient Chinese etiquette to show one's respect: 跪~ *guì~* a formality with one's kneels and forehead touching the ground to show respect, worship, etc.｜叩~ *kòu~* kowtow ❻〈动 *v.*〉古时授官，封爵 confer title in ancient times; appoint to office：~相 ~*xiàng* appoint the Prime Minister｜~将 ~*jiàng* confer the rank of general

³ 拜访 bàifǎng〈动 *v.* 敬 *pol.*〉恭敬地访问他人 pay a visit; call on：登门~ *dēngmén~* call at sb's house｜我明天要~一个多年不见的老同学。 *Wǒ míngtiān yào ~ yí gè duōnián bújiàn de lǎo tóngxué.* I'm going to pay a visit to an old classmate tomorrow whom I haven't seen for many years.

³ 拜会 bàihuì 〈动 *v.*〉访问见面（现多用于外交场合）(often used on diplomatic occasions) pay an official visit; call on：~贵宾 ~ *guìbīn* pay an official visit to a distinguished guest｜中国驻美国大使~了美国国务卿。 *Zhōngguó zhù Měiguó dàshǐ ~ le Měiguó guówùqīng.* The Chinese ambassador to the United States paid an official visit to the secretary of state.

⁴ 拜年 bài/nián〈动 *v.*〉中国习俗，春节时晚辈拜亲中尊长，亲友间互相祝贺（现已延用到公历元旦）one of the Chinese conventions at the Spring Festival, wishing a happy New Year to the elders of the family by the younger generations, or paying a New Year's call among relatives or friends（Now this custom has been extended to the New Year's Day in the Gregorian calendar）：春节那天，我去外婆家~。 *Chūn Jié nà tiān, wǒ qù wàipó jiā ~.* In the Spring Festival, I paid a New Year's call to my grandmother's house.｜给大家拜个早年。 *Gěi dàjiā bài gè zǎo nián.* Let me wish everyone a happy New Year in advance.

⁴ 扳//bān ❶〈动 *v.*〉用力使一端固定的东西改变方向或转动 turn or change the direction of a fixed object by force：~闸门 ~*zhámén* pull the switch｜~道岔 ~*dàochà* pull railway switches ❷〈动 *v.*〉扭转局面 turn defeat into victory; turn the tables：他改变棋路，终于~回败局。 *Tā gǎibiàn qílù, zhōngyú ~huí bàijú.* He changed his tactics in chess playing, and finally turned defeat into victory.

¹ 班 bān ❶〈名 *n.*〉（个 *gè*）按学习、工作等需要编成的组织 class, unit organized for work or study：学习~ *xuéxí~* training class｜这是个电工作业~。 *Zhè shì gè diàngōng zuòyè ~.* This is an electrical work team. ❷〈名 *n.*〉（个 *gè*）工作按时间分成的段落 shift; duty：早~ *zǎo~* morning shift｜交~ *jiāo~* hand over to the next shift｜换~ *huàn~* change shift｜我上晚~，白天在家休息。 *Wǒ shàng wǎn~, báitiān zài jiā xiūxi.* I'm on night shift, so I take rest at daytime. ❸〈名 *n.*〉（个 *gè*）军队编制的基层单位，在排以下 squad, smallest tactical unit, subdivision of a platoon：他是三排一~的新兵 *Tā shì sān pái yī ~ de xīnbīng.* He is a recruit of squad one, platoon three. ❹〈名 *n.*〉旧时称剧团 theatrical troupe of the old times：戏~ *xì~* theatrical troupe｜~主 ~*zhǔ* head of a theatrical troupe ❺〈量 *meas.*〉用于人群 used to denote a group of people：这~年轻人真有干劲。 *Zhè ~ niánqīngrén zhēn yǒu gànjìn.* These young people are full of energy. ❻〈量 *meas.*〉用于定时运行的交通工具 used for scheduled：你等下一~车走吧。 *Nǐ*

děng xià yì ~ chē zǒu ba. You'd better wait for the next bus. ❼〈动 *v.*〉(军队) 调回 (of troops) withdraw; move back：~师 *~shī* withdraw troops from the front

⁴ **班机** bānjī 〈名 *n.*〉有固定航线并定期飞行的飞机 airliner, regular air service; shuttle flights：他准备乘后天的~去上海。 *Tā zhǔnbèi chéng hòutiān de ~ qù Shànghǎi.* He is to fly to Shanghai the day after tomorrow.

² **班长** bānzhǎng ❶〈名 *n.*〉指军队基层单位和按学习、工作需要编成的班组的领导 squad leader; monitor：他是这个作业班的~。 *Tā shì zhège zuòyèbān de ~.* He is the head of this work team. ❷〈名 *n.*〉借指一个单位领导班子中的主要负责人 referring to the chief person taking charge in the leadership：毛泽东曾把党委书记比作党委会 '一班人' 的。 *Máo Zédōng céng bǎ dǎngwěi shūjì bǐ zuò dǎngwěihuì 'yì bān rén' de ~.* Mao Zedong once compared the secretary of a Party committee to the monitor of the Party committee.

⁴ **班子** bānzi 〈名 *n.*〉(个 gè、套 tào) 指为进行某项工作而成立的组织 group organized to accomplish a specific task：这个~是专为打击犯罪分子设立的。 *Zhège ~ shì zhuān wèi dǎjī fànzuì fènzǐ shèlì de.* The group is especially formed to crack down on criminals.

³ **般** bān ❶〈助 *mod.*〉样；种类 kind; sort：万~ *wàn~* various kinds | 你这一模样真难看。 *Nǐ zhè ~ múyàng zhēn nánkàn.* You look very ugly in this appearance. ❷〈助 *aux.*〉一样；似的 same as; just like：暴风雨~的掌声 *bàofēngyǔ ~ de zhǎngshēng* stormy (or thunderous) applause

⁴ **颁布** bānbù 〈动 *v.*〉领导机关向下公布 (法令、条例等) issue (decrees, regulations, etc.)：~命令 *~ mìnglìng* issue order | 加入世贸组织后，中国政府最近~了一些贸易管理条例。 *Jiārù Shìmào Zǔzhī hòu, Zhōngguó zhèngfǔ zuìjìn ~le yìxiē màoyì guǎnlǐ tiáolì.* After joining the WTO, the Chinese Government recently issued some trade regulations.

⁴ **颁发** bānfā ❶〈动 *v.*〉发布命令、指示等 issue (order, instruction, etc.)：市政府对劳动模范~了嘉奖令。 *Shìzhèngfǔ duì láodòng mófàn ~le jiājiǎnglìng.* The municipal government issued an order of commendation to model workers. ❷〈动 *v.*〉赐给；授予 give; award：~奖状 *~ jiǎngzhuàng* award certificate of merit | 校长为品学兼优的学生~奖学金。 *Xiàozhǎng wèi pǐnxué-jiānyōu de xuésheng ~ jiǎngxuéjīn.* The president of the university awarded scholarship to those students with excellent moral characters and academic achievements.

⁴ **斑** bān ❶〈名 *n.*〉斑点；斑纹 spot; speck; stripe：她脸上长了一些雀~。 *Tā liǎn shang zhǎngle yìxiē què~.* She has some freckles on her face. ❷〈名 *n.*〉比喻在整体中有代表性的部分 fig. the representative part of sth.：我们可从一~窥见全貌。 *Wǒmen kě cóng yì ~ kuījiàn quánmào.* We can conjure up the whole thing through seeing a part of it. ❸〈形 *adj.*〉有斑点或斑纹的 spotted; striped：~马 *~mǎ* zebra | ~竹 *~zhú* mottled bamboo ❹〈形 *adj.*〉杂色 particolored; varicolored; motley：河边台阶上苔藓~驳，小心滑倒。 *Hé biān táijiē shang táihén ~ bó, xiǎoxīn huádǎo.* The steps on the river bank are moss-mottled. Be careful not to slip.

¹ **搬** bān ❶〈动 *v.*〉把东西移到另外的位置 move; change the location：把这些椅子~到会议桌旁。 *Bǎ zhèxiē yǐzi ~ dào huìyì zhuō páng.* Move the chairs close to the meeting table. ❷〈动 *v.*〉迁移 move from one place to another：他最近买了一套两居室房子，马上要~家了。 *Tā zuìjìn mǎile yí tào liǎng jūshì fángzi, mǎshàng yào ~jiā le.* Recently he bought a two-room apartment, and is going to move into it very soon. ❸〈动 *v.*〉移用；套用 apply mechanically; copy indiscriminately：建设有中国特色的社会主义，不能生~

硬套别国的经验。*Jiànshè yǒu Zhōngguó tèsè de shèhuì zhǔyì, bùnéng shēng~-yìngtào biéguó de jīngyàn.* It won't do to copy mechanically and apply indiscriminately foreign experiences in our endeavor to build socialism with Chinese characteristics.

⁴ **搬运** bānyùn 〈动 v.〉搬动，运送 transport sth. from one place to another：这些笨重的东西可以找搬家公司~。*Zhèxiē bènzhòng de dōngxi kěyǐ zhǎo bānjiā gōngsī ~.* You may get the house-moving company to move those heavy things.

B

板 bǎn ❶（~儿）〈名 n.〉（块 kuài）片状的木头；较硬的片状物体 board; plank; thin piece of hard material：木~ *mù~* wooden plank │ 石~ *shí~* slabstone │ 这是条石~小路。*Zhè shì tiáo shí~xiǎolù.* It's a slabstone-paved footpath. ❷〈名 n.〉（副 fù）店铺的板 shutter; blind：商店都上了，你明天去买东西吧。*Shāngdiàn dōu shàng ~ le, nǐ míngtiān qù mǎi dōngxi ba.* The shops have all put up the shutters, and you'd better go shopping tomorrow. ❸〈名 n.〉打节拍用的一种民族乐器，也指打出的节拍 clappers used to beat time in Chinese national music, also referring to rhythm or tempo in music：打竹~ *dǎ zhú~* beat the bamboo clappers │ 走~ *zǒu~* be off the beat (in traditional Chinese operas) ❹〈形 adj.〉不灵活；少变化 stiff; rigid：呆~ *dāi~* stiff │ 你做事不灵活，太死~。*Nǐ zuòshì bù línghuó, tài sǐ~.* You are not flexible in dealing with things, but rather rigid. ❺〈动 v.〉面部表情严肃 put on a grave expression：他~着脸，很不高兴。*Tā ~zhe liǎn, hěn bù gāoxìng.* He pulled a straight face and was rather unhappy. ❻〈量 meas.〉用于乒乓球比赛中计算扣球的数量 (used in table tennis game) times of smashing the ball：连扣十几~。*Lián kòu shíjǐ ~.* Smash the ball for a dozen times.

⁴ **版** bǎn ❶〈名 n.〉（块 kuài）有文字或图形供印刷用的底版 solid plate of type or graphics for printing：铜~ *tóng~* copper plate │ 胶~ *jiāo~* offset plate │ 排~ *pái~* typeset ❷〈名 n.〉书籍版本、电影拷贝 version; film copy：英文~ *Yīngwén~* English version │ 日文~ *Rìwén~* Japanese version ❸〈名 n.〉照相的底片 photographic plate：底~ *dǐ~* negative ❹〈量 meas.〉书籍每排印一次为一版（一版可包括多次印刷）edition, one of several printings of the same book：初~ *chū~* the first edition │ 再~ *zài~* the second edition ❺〈量 meas.〉报纸的一面 page of a newspaper：这份报纸的第四~登载国际新闻。*Zhè fèn bàozhǐ de dì-sì~ dēngzài guójì xīnwén.* World news is published on page 4 of this newspaper.

¹ **办** bàn ❶〈动 v.〉处理 do; handle; manage; attend to：~理 *~lǐ* manage │ ~事 *~shì* handle affairs │ ~进关手续 *~ jìn guān shǒuxù* go through import formalities ❷〈动 v.〉经营；创建 set up; operate：~学 *~xué* run a school │ 这家工厂是街道~的。*Zhè jiā gōngchǎng shì jiēdào ~ de.* The factory is operated by the neighborhood service. ❸〈动 v.〉大批购置 purchase in a large quantity：他已专程到外地去~货。*Tā yǐ zhuānchéng dào wàidì qù ~ huò.* He has made a special trip elsewhere to purchase goods. ❹〈动 v.〉处罚 punish (by law)：惩~ *chéng~* bring (an offender) to justice │ 法~ *fǎ~* punish according to law │ 税收部门查一批偷逃税款的纳税大户。*Shuìshōu bùmén chá~ yì pī tōutáo shuìkuǎn de nàshuì dàhù.* The tax department investigated and punished a number of chief taxpayers who evaded taxes.

¹ **办法** bànfǎ 〈名 n.〉（个 gè、套 tào、种 zhǒng）解决问题的方法 way; means; method; approach to deal with problems：做事要动脑筋想~。*Zuòshì yào dòng nǎojīn xiǎng ~.* You have to use your brain to find a way of doing things. │ 这孩子不学好，我毫无~。*Zhè háizi bù xué hǎo, wǒ háo wú ~.* The child doesn't want to be good, and I can't do anything about it.

² **办公** bàn//gōng 〈动 n.〉处理公务 handle official business; work (usu. in an office)：营

业所九点才开始~。 *Yíngyèsuǒ jiǔ diǎn cái kāishǐ ~.* The office starts business at nine o'clock. │ 办完公我们去喝咖啡。 *Bànwán gōng wǒmen qù hē kāfēi.* We may go for coffee after work.

³ **办公室** bàngōngshì ❶〈名 *n.*〉(间 jiān、个 gè)办公的房间 office, room for handling official matters ❷〈名 *n.*〉(个 gè)机关、企事业等单位内处理行政事务的部门 department of institutes or enterprises that handles administrative affairs：系~ *xì* the department office │ 校长~ *xiàozhǎng* the president's office

³ **办理** bànlǐ〈动 *v.*〉承办或处理某种业务 handle; manage; deal with：~手续 *shǒuxù* go through formality │ ~证件 *zhèngjiàn* apply for certification papers │ 此事请你秉公~。 *Cǐ shì qǐng nǐ bǐnggōng ~.* Please handle the matter justly.

³ **办事** bàn//shì〈动 *v.*〉做事情 handle affairs; work：这位小姐~很麻利。 *Zhè wèi xiǎojiě ~ hěn máll.* The girl is very efficient in work. │ 他~能力很强。 *Tā ~ nénglì hěn qiáng.* He is very capable of handling things. │ 他为家乡的人民办了许多好事 *Tā wèi jiāxiāng de rénmín bànle xǔduō hǎoshì.* He has done many good things for the people of his hometown.

⁴ **办学** bàn//xué〈动 *v.*〉兴办学校 run a school：许多侨胞捐资在故乡~。 *Xǔduō qiáobāo juān zī zài gùxiāng ~.* Many overseas Chinese offer money to build schools in their hometowns. │ 大学毕业后，他便回到家乡办起了学。 *Dàxué bìyè hòu, tā biàn huídào jiāxiāng bànǐle xué.* He went to run a school in his hometown after graduation from university.

¹ **半** bàn ❶〈数 *num.*〉二分之一 half：~票 *~piào* half fare │ ~个月 *~ gè yuè* a half month; half a month │ 我花了~天时间收拾这间屋子。 *Wǒ huāle ~ tiān shíjiān shōushi zhè jiān wūzi.* I spent half a day to clean the house. ❷〈数 *num.*〉同量词连用，表示很少（used with measure word）very little; the least bit：做这件事我~点儿把握都没有。 *Zuò zhè jiàn shì wǒ ~ diǎnr bǎwò dōu méiyǒu.* I have the least certainty of success in dealing with this matter. │ 他~句话都不说。 *Tā ~ jù huà dōu bù shuō.* He didn't say even a word. ❸〈形 *adj.*〉在…中间 in the middle：~路 *~lù* halfway; midway │ 我在~山腰碰上了他。 *Wǒ zài ~shānyāo pèngshàngle tā.* I met him on the midway up the hill. ❹〈副 *adv.*〉不完全 partly; about half：他家的大门~开着，好像家里有人。 *Tā jiā de dàmén ~ kāizhe, hǎoxiàng jiā li yǒu rén.* The door of his home was half open. It seemed that someone was in it. │ 你煮的饭~生不熟。 *Nǐ zhǔ de fàn ~shēng-bùshóu.* The rice you cooked is underdone.

¹ **半边天** bànbiāntiān ❶〈名 *n.*〉天空的一部分 part of the sky：乌云遮盖了~。 *Wūyún zhēgài le ~.* The dark clouds covered part of the sky. ❷〈名 *n.*〉喻指广大妇女，形容妇女的力量大，能顶半边天 *fig.* women, figuratively used to describe women's strength that is powerful enough to hold up half of the sky：我们应该发挥~的作用。 *Wǒmen yīnggāi fāhuī ~ de zuòyòng.* We should give full play to the 'halfsky's' role.

² **半导体** bàndǎotǐ〈名 *n.*〉导电能力介于导体和绝缘体之间的物质，有时也泛指半导体收音机 semi-conductor, substance with electrical conductivity halfway between that of a conductor and an insulator, sometimes also referring to semi-conductor radio in general：我出差时总要随身带着小巧的~。 *Wǒ chūchāi shí zǒng yào suíshēn dàizhe xiǎoqiǎo de ~.* I always bring with me the pocket radio when I am on business trips.

³ **半岛** bàndǎo〈名 *n.*〉三面临水，一面与大陆相连的陆地 peninsula, protrusion of land surrounded on three sides by water and connected with a larger body by an isthmus：中国的辽东~伸入渤海和黄海之间 *Zhōngguó de Liáodōng ~ shēnrù Bóhǎi hé Huánghǎi*

zhī jiān. China's Liaodong Peninsula protrudes between the Bohai Sea and the Yellow Sea.

⁴ 半截 bànjié (~儿)〈名 n.〉一件事物的一半;半段 half (a section):~筷子 ~ kuàizi a half section of chopstick | 他总说~话,让人听不明白。*Tā zǒng shuō ~ huà, ràng rén tīng bù míngbai.* He is always halfway through his speech, and makes other people feel puzzled.

B

⁴ 半径 bànjìng〈名 n.〉从圆心到圆周上任意一点的线段叫圆的半径,从球心到球面上任意一点的线段叫球的半径 radius, line segment extending from the center of a circle to the curve; line segment extending from the center of a sphere to the surface:这个圆池的~是3米。*Zhège yuán chí de ~ shì sān mǐ.* The round pool is 3 meters in radius.

² 半拉 bànlǎ〈名 n. 方 dial.〉半个;一半 half:~西瓜 ~ xīguā half a water melon | 这块地里的小麦还剩下~没有收割。*Zhè kuài dì li de xiǎomài hái shèngxia ~ méiyǒu shōugē.* Half of the wheat in this field is left unreaped.

⁴ 半路 bànlù (~儿)❶〈名 n.〉路途中间 midway; halfway:我走到~才想起家里的煤气灶上还烧着水呢。*Wǒ zǒu dào ~ cái xiǎngqǐ jiā li de méiqìzào shang hái shāozhe shuǐ ne.* When going halfway from home I suddenly remembered that water was heated on the gas stove. ❷〈名 n.〉比喻事情正在进行中 *fig.* in progress:这项工程已到关键时刻,你怎能~退出呢? *Zhè xiàng gōngchéng yǐ dào guānjiàn shíkè, nǐ zěn néng ~ tuìchū ne.* How can you back out when the project has reached its crucial period?

⁴ 半数 bànshù〈名 n.〉一半的数字 half the number:投票要过~才能生效。*Tóupiào yào guò ~ cái néng shēngxiào.* The polls should be over half the number before they become effective. | 这些产品~有毛病。*Zhèxiē chǎnpǐn ~ yǒu máobìng.* Half of the products have defects.

¹ 半天 bàntiān ❶〈名 n.〉白天的一半 half the day:上~ shàng~ morning | 下~ xià~ afternoon ❷〈名 n.〉指很长一段时间 long time; quite a while:这道算术题很难,他想了~还是没想出答案来。*Zhè dào suànshù tí hěn nán, tā xiǎngle ~ háishì méi xiǎng chū dá'àn lái.* The math question was so difficult that he failed to work it out after thinking for a long time.

⁴ 半途而废 bàntú'érfèi〈成 idm.〉事情中途停止,比喻办事有头无尾 give up halfway; leave sth. unfinished:做学问一定要持之以恒,切不可~。*Zuò xuéwèn yídìng yào chízhīyǐhéng, qiè bù kě~.* Perseverance is essential in doing research. Never give it up halfway.

² 半夜 bànyè ❶〈名 n.〉一夜的一半 half the night:前~ qián~ the first half of the night | 后~ hòu~ the latter half of the night ❷〈名 n.〉夜的中间,指夜里十二点左右 around midnight:这个工地深更~还在施工。*Zhège gōngdì shēngēng-~ hái zài shīgōng.* Construction is still underway deep in the night.

⁴ 半真半假 bànzhēn-bànjiǎ〈成 idm.〉真的假的搀和在一起 half true and half false:这人说话~,让人难辨真假。*Zhè rén shuōhuà ~, ràng rén nán biàn zhēn jiǎ.* As his words are specious, it is difficult to tell the true from the false.

⁴ 扮 bàn ❶〈动 v.〉修饰容貌;演员化装成某个角色 make up; dress up as; play the part of:打~ dǎ~ make up | 他在戏里~小丑。*Tā zài xì li ~ xiǎochǒu.* He plays the clown in the drama. ❷〈动 v.〉脸部做出某种表情 put on (an expression):~脸 ~ guǐliǎn grimace; make faces | 他~出一副不以为然的样子。*Tā ~ chū yí fù bùyǐwéirán de yàngzi.* He put on careless airs.

⁴ 扮演 bànyǎn〈动 v.〉演员化装成某个人物出场表演 play the role of; act:他在《西游记》里~猪八戒很成功。*Tā zài 'Xīyóujì' li ~ Zhūbājiè hěn chénggōng.* He successfully

played the part of Zhubajie in *The West Pilgrimage*.

⁴ **伴** bàn ❶〈动 v.〉陪同 go with sb.; escort：陪~ péi~ stay with sb. | ~随 ~suí go along with | 他~我走了半个中国。*Tā ~ wǒ zǒule bànge Zhōngguó.* I have travelled with him around half part of China. ❷〈动 v.〉从旁配合 accompany：~读 ~dú assist one's study | ~唱 ~chàng vocal accompaniment ❸〈~儿〉〈名 n.〉同在一起并相互关照的人 companion; partner：我们结~去旅游。*Wǒmen jié ~ qù lǚyóu.* We travelled together.

⁴ **伴侣** bànlǚ〈名 n.〉关系亲密的同伴，有时专指夫妻 companion; mate; partner：终身~ zhōngshēn ~ lifelong companion | 我们俩一起到西藏旅游，结成好~。*Wǒmen liǎ yìqǐ dào Xīzàng lǚyóu, jié chéng hǎo ~.* We travelled together in Tibet, and became good companions.

⁴ **伴随** bànsuí〈动 v.〉跟着；随同；和某事同时发生 accompany; follow：~着生产的发展，人民生活将逐步得到改善。*~ zhe shēngchǎn de fāzhǎn, rénmín shēnghuó jiāng zhúbù dédào gǎishàn.* With the development of production, the people's life will improve gradually.

⁴ **伴奏** bànzòu〈动 v.〉歌唱、跳舞或独奏时用器乐演奏配合 musical accompaniment for song, dance or instrumental solo：一些著名的京剧表演艺术家都有专门的琴师为他们~。*Yìxiē zhùmíng de Jīngjù biǎoyǎnyìshùjiā dōu yǒu zhuānmén de qínshī wèi tāmen ~.* Some famous Peking Opera performers have their own musicians for musical accompaniment.

⁴ **拌** bàn ❶〈动 v.〉搅和 mix：我半夜起来为牲口~饲料。*Wǒ bànyè qǐlái wèi shēngkou ~ sìliào.* I got up at midnight to mix fodder for draught animals. ❷〈动 v.〉争吵 quarrel：他为一点儿小事跟我~了几句。*Tā wèi yìdiǎnr xiǎoshì gēn wǒ ~le jǐ jù.* He squabbled with me over some trivial stuff.

³ **瓣** bàn〈~儿〉❶〈名 n.〉(个 gè、片 piàn、块 kuài) 植物的花、种子、果实或球茎上可以分开的小片或小块 petal; segment or section (of a seed, fruit or corm)：几片花~儿 jǐ piàn huā~r several petals ❷〈名 n.〉整体的东西分成的部分 fragment; part of the whole：盘子给摔成了两~。*Pánzi gěi shuāichéngle liǎng ~.* The plate was broken into halves. ❸〈量 meas.〉用于可以分开的物体 used for separable parts：两~儿橘子 liǎng ~r júzi two cloves of orange

² **帮** bāng ❶〈动 v.〉替人尽力 help; assist; aid：~忙 ~máng give a hand; do a favor | ~助 ~zhù assist; aid | 请你~把手挪挪这个大柜子。*Qǐng nǐ ~ bǎ shǒu nuónuo zhège dà guìzi.* Could you please lend a hand to move that big cabinet? ❷〈动 v.〉帮人干活以获取报酬 be hired to work for others so as to make money：~短工 ~duǎngōng hired to do odd job | 她在我家~工，做些家务活。*Tā zài wǒ jiā ~gōng, zuò xiē jiāwùhuó.* She is hired in my house to help with the chores. ❸〈名 n.〉物体两旁或周围的部分 side; edge：船~ chuán~ side of a boat | 这堆白菜~子洗一洗还可以吃。*Zhè duī báicài ~zi xǐ yì xǐ hái kěyǐ chī.* The outer leaves of these cabbages are still edible when washed clean. ❹〈名 n.〉(个 gè) 群；团伙 gang; band; clique：匪~ fěi~ bandit gang | 搭~结伙 dā~jiéhuǒ gang up, recruit people to form a faction ❺〈量 meas.〉用于成群成伙的人 a group of：这~孩子太顽皮了。*Zhè ~ háizi tài wánpí le.* This group of children are too naughty. | 这~车匪路霸大约有十多人。*Zhè ~ chēfěi-lùbà dàyuē yǒu shí duō rén.* This gang of highway robbers consists of more than ten members.

² **帮忙** bāng//máng〈动 v.〉出力协助别人做事，也指别人困难时给予帮助 make an effort to help others; assist sb. in a time of need：孤寡老人有困难，你们年轻人得~。*Gūguǎ lǎorén yǒu kùnnán, nǐmen niánqīngrén děi ~.* You young people should help those lone old people when they are in difficulties. | 这事我可帮不上你的忙。*Zhè shì*

wǒ kě bāng bú shàng nǐ de máng. I can do nothing for you on this matter.

1 帮助 bāngzhù 〈动 v.〉给人物质、精神等方面支援 provide material or emotional support to sb.:~贫困学生～*pínkùn xuéshēng* assist the needy students ｜这位老职工经常~新同事熟悉业务。*Zhè wèi lǎo zhígōng jīngcháng ~ xīn tóngshì shúxī yèwù.* The senior worker often helps new colleagues become familiar with their work.｜几个同学～我补课。*Jǐ gè tóngxué ~ wǒ bǔkè.* Some of my classmates help me make up the missed lessons.

B

3 绑 bǎng 〈动 v.〉用绳带缠捆 bind or tie with strings, ropes, etc.:捆~ *kǔn~* bind（up）｜扎~ *zā* tie up ｜你的行李最好用绳子~结实。*Nǐ de xíngli zuì hǎo yòng shéngzi ~ jiēshí.* You'd better tie up your luggage with rope.

4 绑架 bǎngjià 〈动 v.〉用暴力把人劫走 kidnap; take a person by force：老板被暴徒~了。*Lǎobǎn bèi bàotú ~ le.* The boss was kidnapped by the gansters.

2 榜样 bǎngyàng 〈名 n.〉（个 gè）值得学习效法的人或事 example; model for others to follow:~的力量是无穷的。*~ de lìliàng shì wúqióng de.* The model's influence is infinite.｜学习鲁迅的，做一个不畏强权、有骨气的中国人。*Xuéxí Lǔ Xùn de ~, zuò yí gè búwèi-qiángquán, yǒu gǔqì de Zhōngguórén.* Take Lu Xun as an example, and try to become a Chinese with strong character, fearing no powers.

3 棒 bàng ❶〈名 n.〉较粗较短的棍子 stick, club, cudgel：木~ *mù~* wooden stick ｜棍~ *gùn~* cudgel ❷〈名 n.〉形状像棒的东西 a long thin piece:~冰~ *bīng~* ice-lolly; popsicle ｜~针~ *zhēn* knitting needle ❸〈形 adj. 方 dial.〉体力强；能力高；成绩好 strong; capable; excellent：这小伙子的身体~极了。*Zhè xiǎohuǒzi de shēntǐ ~jí le.* The young man is extremely strong.｜他的字写得很~。*Tā de zì xiě de hěn ~.* His handwriting is quite good. ❹〈量 meas.〉用于计量接力赛跑的棒次或棒球击球的次数 part or section（in relay race）; hit（in baseball match）:他跑第二～。*Tā pǎo dì-èr ~.* He runs the second section.｜他连打了三~。*Tā lián dǎle sān ~.* He got three continuous hits.

4 棒球 bàngqiú ❶〈名 n.〉球类运动项目之一 baseball, one of the ball games：打~ *dǎ~* play baseball ｜他打~很出色。*Tā dǎ ~ hěn chūsè.* He is excellent at baseball game. ❷〈名 n.〉棒球运动使用的球 ball used in baseball game

2 傍晚 bàngwǎn 〈名 n.〉天快黑的时候 toward evening; at nightfall; at dusk:我每天~都要到附近的公园里去散步。*Wǒ měitiān ~ dōu yào dào fùjìn de gōngyuán li qù sànbù.* I take a walk in the nearby park every evening.

3 磅 bàng ❶〈量 meas. 外 forg.〉英语pound的音译，英美制重量单位 pound; unit of weight of the British and US system：我买了两~牛奶。*Wǒ mǎile liǎng ~ niúnǎi.* I bought two pounds of milk. ❷〈名 n.〉指磅秤，一种台式称量器具 scales ❸〈动 v.〉用磅秤称重量 weigh on a scale:我刚~过体重。*Wǒ gāng ~guo tǐzhòng.* I just weighed myself.

2 包 bāo ❶〈动 v.〉用纸、布等裹住东西 wrap in paper, cloth, etc.:~书 *~shū* cover a book with paper ｜~装~ *zhuāng* packaging ｜你把这些东西~起来放在角落里。*Nǐ bǎ zhèxiē dōngxi ~ qǐlái fàng zài jiǎoluò li.* Wrap up these things and put them in the corner. ❷〈动 v.〉围拢 surround; encircle; envelop:从敌人后面和两侧~抄过去。*Cóng dírén hòumiàn hé liǎngcè ~chāo guòqu.* Surround the enemy from the rear and flanks. ❸〈动 v.〉总揽，负全责 take sole charge of; undertake the entire task:一办 ~*bàn* take full responsibility for everything ｜承~ *chéng~* contract for ｜剩下的活我~了。*Shèng xià de huó wǒ ~ le.* I'm in sole charge of the remaining work. ❹〈动 v.〉约定专用 hire;

charter：~场 ~*chǎng* book a whole theatre or cinema｜~车 ~*chē* hire a car｜我们~了一条游艇。*Wǒmen ~le yì tiáo yóutǐng.* We chartered a yacht. ❺〈动 *v.*〉总括在一起 include; contain：~括 ~*kuò* include｜无所不~ *wúsuǒbù~* all-embracing; all-inclusive｜他毕竟还年轻，有不对的地方希望你~容。*Tā bìjìng hái niánqīng, yǒu búduì de dìfang xīwàng nǐ ~róng.* He is still young, and if he has done something wrong, please forgive him. ❻〈动 *v.*〉担保，保证 assure; guarantee：我~他不会出错。*Wǒ ~ tā bú huì chūcuò.* I guarantee that he will not make any mistake.｜本店出售的商品如有质量问题，~退~换。*Běn diàn chūshòu de shāngpǐn rú yǒu zhìliàng wèntí, ~ tuì ~ huàn.* If there is any defect in the products our shop has sold, it's guaranteed to change and return. ❼〈名 *n.*〉裹起来的东西 bundle; package; pack; parcel：邮~ *yóu~* postal parcel｜药~ *yào~* packet of medicine ❽〈名 *n.*〉装东西的袋子 bag; sack：书~ *shū~* schoolbag｜行李~ *xínglǐ~* luggage pack ❾〈名 *n.*〉物体或身体上凸出来的疙瘩 swelling; lump：头上长了一个~。*Tóu shang zhǎngle yí gè ~.* There is a swelling on the head. ❿〈名 *n.*〉圆状、半圆状像包的物体 circular protuberance：蒙古~ *měnggǔ~* Mongolian yurt｜坟~ *fén~* grave mound ⓫〈名 *n.*〉对人的昵称或蔑称 an intimate or a despising term for people：淘气儿 *táoqì~r* mischievous imp｜草~ *cǎo~* good-for-nothing; idiot; blockhead ⓬〈量 *meas.*〉计算成包的东西 package; bundle：一~书 *yì ~ shū* a package of books｜两~衣服 *liǎng ~ yīfu* two bundles of clothes

⁴**包办** bāobàn ❶〈动 *v.*〉负责承办 take sole charge of; take full responsibility for sth.：这事就由我~了吧。*Zhè shì jiù yóu wǒ ~ le ba.* Let me do the whole thing myself. ❷〈动 *v.*〉不跟人商量，不让人参与，独自作主办理 decide and implement without consulting or cooperating with others：在偏远的农村还存在父母~子女婚姻的陋习。*Zài piānyuǎn de nóngcūn hái cúnzài fùmǔ ~ zǐnǚ hūnyīn de lòuxí.* There still exists the undesirable custom of arranged marriage by parents in the outlying countryside.

³**包袱** bāofu ❶〈名 *n.*〉（个 gè）用布包起来的包 bundle wrapped in a piece of cloth：他背起两个~急匆匆赶往火车站。*Tā bēiqǐ liǎng gè ~ jícōngcōng gǎn wǎng huǒchēzhàn.* He put on his back two bundles and hurried to the railway station. ❷〈名 *n.*〉比喻某种负担 *fig.* load; weight; burden：放下思想~ *fàngxià sīxiǎng ~* set one's mind at ease ❸〈名 *n.*〉中国曲艺术语，指相声等曲艺中的笑料 joke or laughing-stock in Chinese comic dialogue：抖~ *dǒu~* crack jokes; say the funny parts

⁴**包干儿** bāogānr 〈动 *v.*〉保证按时完成所承担的一定范围的工作 undertake a certain job until it is completed：这项工程采取分片~的办法，完成得又快又好。*Zhè xiàng gōngchéng cǎiqǔ fēnpiàn ~ de bànfǎ, wánchéng de yòu kuài yòu hǎo.* By dividing up the work among different contractors, we finished the project quickly and satisfactorily.

⁴**包裹** bāoguǒ ❶〈名 *n.*〉（件 jiàn、个 gè）捆扎成件的包儿 parcel; bundle; package：这两件~随身带吧。*Zhè liǎng jiàn ~ suíshēn dài ba.* Take these two parcels along with you. ❷〈动 *v.*〉把东西包捆成件 wrap up; bind up：把这些衣服~好寄出去。*Bǎ zhèxiē yīfu ~ hǎo jì chūqù.* Wrap up these clothes and send them off by post.

³**包含** bāohán 〈动 *v.*〉里面含有 include; contain; embody：他的总结~三层意思。*Tā de zǒngjié ~ sān céng yìsi.* There are three layers of meaning contained in his summary.

²**包括** bāokuò 〈动 *v.*〉容纳在内，总括 include; consist of; comprise：这个报告~四个部分，最后部分是结论性的意见。*Zhège bàogào ~ sì gè bùfen, zuìhòu bùfen shì jiélùnxìng de yìjiàn.* The report consists of four parts, and the last one is a conclusion.

³**包围** bāowéi ❶〈动 *v.*〉四面围住 surround; encircle：这间小屋被参天大树~了。*Zhè jiān xiǎo wū bèi cāntiān dà shù ~ le.* The little house is encircled by imposingly tall trees.

B

❷〈动 v.〉军事术语，指围歼敌人的行动 military term, surround the enemy and wipe them out：我军把这股敌人~得水泄不通，他们只好投降了。*Wǒ jūn bǎ zhè gǔ dírén ~ de shuǐxièbùtōng, tāmen zhǐhǎo tóuxiáng le.* Our troops tightly surrounded this group of enemy, who had no choice but to surrender.

⁴ 包装 bāozhuāng ❶〈动 v.〉把商品用纸和其他专用材料包起来 wrap in paper or other special wrapping materials：这些商品都~得很漂亮。*Zhèxiē shāngpǐn dōu ~ de hěn piàoliang.* These goods are all beautifully packed. ❷〈动 v.〉借指对人或物体的外表进行装扮、美化 package, try to make a person or thing seem attractive or interesting：自然景观无须~。*Zìrán jǐngguān wúxū ~.* There is no need to prettify the natural scenery. ❸〈名 n.〉指包装商品用的纸、盒子、瓶等 paper, box, bottle, etc. used for packing：这个~盒子既好看还实用。*Zhège ~ hézi jì hǎokàn hái shíyòng.* This packing box is pretty and practical as well.

² 包子 bāozi 〈名 n.〉有馅的食物 stuffed food：上海的小笼~很好吃。*Shànghǎi de xiǎolóng ~ hěn hǎochī.* The small steamed buns of Shanghai are very delicious.

³ 剥 bāo 〈动 v.〉去掉皮壳 shell; peel; skin：我晚上一边看电视一边~花生吃。*Wǒ wǎnshang yìbiān kàn diànshì yìbiān ~ huāshēng chī.* In the evening, I shell and eat peanuts while watching TV.

⁴ 雹子 báozi 〈名 n.〉冰雹的通称 hailstone：雷阵雨夹着~，把庄稼都打坏了。*Léizhènyǔ jiāzhe ~, bǎ zhuāngjia dōu dǎhuài le.* The crops have been ruined by thunderstorms accompanied by hailstones.

² 薄 báo ❶〈形 adj.〉厚度小 thin; filmsy：被 ~bèi thin quilt｜~饼 ~bǐng wafer; waffle｜~脆是北京市民爱吃的一种早点。*~cuì shì Běijīng shìmín ài chī de yì zhǒng zǎodiǎn.* Crisp fritter is a popular breakfast of Beijing residents. ❷〈形 adj.〉土地贫瘠 infertile; poor：这块地土质~，产量低。*Zhè kuài dì tǔzhì ~, chǎnliàng dī.* The land here is infertile, so the yield is low. ❸〈形 adj.〉感情冷淡 cold; lack of warmth：在'文化大革命'的动乱年代，有些人感到世态炎凉，人情~如纸。*Zài 'Wénhuà Dàgémìng' de dòngluàn niándài, yǒu xiē rén gǎndào shìtài-yánliáng, rénqíng ~ rú zhǐ.* During the chaotic period of 'the cultural revolution', some people felt the coldness of the world and the flimsiness of human feelings which were as thin as a sheet of paper. ❹〈形 adj.〉味淡 weak; light; bland：酒味很~。*Jiǔ wèi hěn~.* The liquor is rather bland.

¹ 饱 bǎo ❶〈形 adj.〉吃足（与'饿'相对）be full; having eaten enough（opposite to '饿è'）：~食终日 ~shí-zhōngrì do nothing but eat all day｜~汉不知饿汉饥（比喻处境好的人不能理解处境不好的人的难处）。*~ hàn bù zhī è hàn jī (bǐyù chǔjìng hǎo de rén bù néng lǐjiě chǔjìng bù hǎo de rén de nánchù).* The well-fed do not understand the suffering of the starving（fig. Those in comfortable circumstances do not understand the bitterness of the misfortune）. ❷〈形 adj.〉丰满（与'瘪'相对）full; plump（opposite to '瘪 biě'）：颗粒~满。*Kēlì ~mǎn.* The grains are very plump. ❸〈副 adv.〉充足，充分 fully; to the full：~受痛苦 ~shòu tòngkǔ endure countless hardships｜老人的脸是一张~经风霜的脸。*Lǎorén de liǎn shì yì zhāng ~jīng fēngshuāng de liǎn.* The old man has a weather-beaten face. ❹〈动 v.〉使满足 satisfy：我乘船游览长江三峡，一路上大~眼福。*Wǒ chéng chuán yóulǎn Chángjiāng Sānxiá, yí lù shang dà~yǎnfú.* I took a pleasure trip by ship along the Yangtze River, feasting my eyes on the beautiful scenery of the Three Gorges.

⁴ 饱和 bǎohé ❶〈动 v.〉在一定温度和压力下，溶液所含溶质的量达到最大限度，或空气中所含水蒸气达到最大限度 saturation; stage at which no more of a substance can be absorbed into a solution, or vapor in the air reaches saturation point ❷〈动 v.〉泛指事物发展到最高限度 point at which no more can be absorbed or accepted：电视机的价格在下降，因为市场已经~。Diànshìjī de jiàgé zài xiàjiàng，yīnwèi shìchǎng yǐjīng ~. TV price is dropping as a result of saturation of the market.

⁴ **饱满** bǎomǎn ❶〈形 adj.〉形容籽粒丰满 full; plump：玉米长得很~。Yùmǐ zhǎng de hěn ~. The corn grains are plump. ❷〈形 adj.〉充满活力 full of vigor：这些年轻人个个精力充沛，精神~。Zhèxiē niánqīngrén gègè jīnglì chōngpèi, jīngshén ~. These young people are all energetic and vigorous.

³ **宝** bǎo ❶〈名 n.〉玉石、玉器的统称，泛指贵重的东西 a general term for jade or jade ware, generally referring to treasure or valuable things：~石~shí precious stone｜瑰~ guī ~ gem｜大熊猫是中国的国~。Dàxióngmāo shì Zhōngguó de guó~. Panda is the national treasure of China. ❷〈形 adj.〉名贵的；珍贵的 valuable; treasured：~刀~dāo treasured knife｜~剑~jiàn a double-edged sword｜~岛台湾是中国领土不可分割的一部分。~dǎo Táiwān shì Zhōngguó lǐngtǔ bù kě fēngē de yí bùfen. The treasure island Taiwan is an inalienable part of China. ❸〈形 adj. 敬 pol.〉旧时多用于称呼对方的家属、店铺等 an old respectful term referring to other people's family members, shops, etc.：~眷~juàn your family｜~店~diàn your shop ❹〈名 n.〉中国古代货币或充当货币的金、银 ancient Chinese currency; gold or silver currency：通~tōng~ gold or silver currency of ancient China｜元~ yuán~ gold or silver ingot

⁴ **宝贝** bǎobèi ❶〈名 n.〉（件 jiàn、个 gè）珍贵的东西 precious things：他爱好集邮，那五本厚厚的邮票册可算是他身边的一件~。Tā àihào jíyóu, nà wǔ běn hòuhòu de yóupiàocè kě suàn shì tā shēnbiān de yí jiàn ~. He loves stamp collecting, and these five thick stamp albums are regarded as his treasures. ❷〈名 n.〉（个 gè）对小孩儿的爱称；有时也把人比作珍爱的东西 endearment for young child; darling; dear; sweetheart：~儿 ~r My dear｜这个穷木匠好不容易娶个媳妇儿，当然看做是~了。Zhège qióng mùjiàng hǎo bù róngyì qǔ ge xífur, dāngrán kànzuò shì ~ le. It's rather difficult for the poor carpenter to get a wife. No wonder he treats her as his darling.

² **宝贵** bǎoguì ❶〈形 adj.〉可贵；极有价值 valuable; rare; precious：那些艺术品极为~。Nàxiē yìshùpǐn jí wéi ~. Those works of art are extremely precious.｜你的经验很~。Nǐ de jīngyàn hěn ~. Your experiences are very valuable. ❷〈动 v.〉当作珍宝看待；重视 cherish; treasure; value：革命的友谊值得~。Gémìng de yǒuyì zhídé ~. The revolutionary friendship is worth valuing.

⁴ **宝剑** bǎojiàn〈名 n.〉（把 bǎ、口 kǒu、柄 bǐng）原指稀有珍贵的剑，现泛指一般的剑（formerly）rare, valuable double-edged sword; now generally referring to sword：我游武当山时买了一把~。Wǒ yóu Wǔdāng Shān shí mǎile yì bǎ ~. I bought a double-edged sword when I was touring in Wudang Mountains.

⁴ **宝库** bǎokù〈名 n.〉（个 gè、座 zuò）储藏珍贵物品的库房；（用在抽象方面）比喻某种处所或事物内涵丰富珍贵 treasure house; (used in abstract sense) fig. place or thing with rich and valuable connotations：文化~wénhuà ~ cultural treasure-house｜理论~lǐlùn ~ theoretical treasure-house｜敦煌莫高窟是中国现存规模最大、内容最丰富的一座石窟艺术~。Dūnhuáng Mògāokū shì Zhōngguó xiàn cún guīmó zuì dà, nèiróng zuì fēngfù de yí zuò shíkū yìshù ~. Mogao Grottoes in Dunhuang are the largest and richest existing treasure-house of grotto art in China.

³ **宝石** bǎoshí〈名 n.〉（颗 kē、粒 lì、块 kuài）一种色泽美丽，透明度和硬度较高的贵重矿石，可制装饰品等 precious stone, a hard transparent rare ore with beautiful color,

that can be used to make adornments：慈禧太后的袍子上缀满了~。*Cíxǐ tàihòu de páozi shang zhuìmǎnle ~.* Empress Dowager Cixi's long gown was studded with jewels.

² **保** bǎo ❶〈动 v.〉护卫，不让受到损害 protect; defend；~安 ~ān ensure public security│~护 ~hù protect ❷〈动 v.〉承担责任，一定做到 guarantee; ensure：旱涝~收 hànlào~shōu ensure stable yields despite drought or excessive rain│我们一定~质~量完成任务。*Wǒmen yídìng ~zhì~liàng wánchéng rènwù.* We shall finish the task with quality and quantity assured. ❸〈动 v.〉维持原状，不使发生变化 keep; maintain; preserve：~命 ~mìng save one's life│~温 ~wēn keep warm│~住优势 ~zhù yōushì maintain one's superiority ❹〈动 v.〉养育；抚养 bring up; rear：~养 ~yǎng take good care of one's health│~育 ~yù child care ❺〈名 n.〉承担某个责任的人 guarantor：作~ zuò~ be one's guarantor│取~ qǔ~ go bail for sb.

² **保持** bǎochí〈动 v.〉维持事物原来的状态，不使消失或减弱 keep; maintain：~稳定 ~wěndìng maintain stability│水土~ shuǐtǔ~ water and soil conservation│我们要~良好的学风。*Wǒmen yào ~ liánghǎo de xuéfēng.* We must live up to the good academic tradition.

² **保存** bǎocún〈动 v.〉使事物或某些抽象的性质、意义等持续存在下去 preserve; conserve; keep; sustain the existence of abstract, quality, significance, etc.：~实力 shílì conserve one's strength│~民族特色 ~mínzú tèsè preserve national characteristics│这种食物可以~一年。*Zhè zhǒng shíwù kěyǐ ~ yì nián.* This kind of food can be preserved for a year.

³ **保管** bǎoguǎn ❶〈动 v.〉保藏和管理 take care of; store and manage：~粮食 ~liángshi store the grain│~财物 ~cáiwù take care of one's property│你要~好这些重要证据。*Nǐ yào ~ hǎo zhèxiē zhòngyào zhèngjù.* You have to take good care of the evidence. ❷〈副 adv.〉表示肯定；完全有把握 for certain; assure：他是个守信用的人，~会来。*Tā shì gè shǒu xìnyòng de rén, ~ huì lái.* As a man of his word, he is sure to come. ❸〈名 n.〉做保管工作的人 store keeper; storeman：仓库~ cāngkù~ warehouse keeper

² **保护** bǎohù ❶〈动 v.〉保存和维护（多指自然资源）preserve and protect（natural resources）：自然~区 zìrán ~qū natural reserve ❷〈动 v.〉防护，使不受到损害 protect; keep from harm：~眼睛 ~yǎnjing protect one's eyes│爱我长城~长城。*Ài wǒ Chángchéng ~ Chángchéng.* Love our Great Wall, and protect our Great Wall.│~名胜古迹人人有责。*~ míngshèng gǔjì rénrén yǒu zé.* It's everyone's duty to protect the scenic spots and historical sites. ❸〈名 n.〉指人或物得到保护 protection（of people or animals）：妇女、儿童的权益受到很好的~。*Fùnǚ, értóng de quányì shòu dào hěn hǎo de ~.* Women and children's rights and interests are well safeguarded.

⁴ **保健** bǎojiàn〈动 v.〉保护身体和心理的健康 protect physical and mental health：妇幼~ fùyòu~ health care for both women and children│劳动~ láodòng~ health care at work

² **保留** bǎoliú ❶〈动 v.〉保存下来，不加改变 retain; keep; maintain：古建筑的修缮应修旧如旧，尽可能~原来的样子。*Gǔ jiànzhù de xiūshàn yīng xiū jiù rú jiù, jìn kěnéng ~ yuánlái de yàngzi.* Ancient buildings should be restored to their former state. Try to keep their original appearances as much as possible.│~优良的传统和作风 ~yōuliáng de chuántǒng hé zuòfēng keep good tradition and excellent working style ❷〈动 v.〉留下，不给别人 retain; withhold; keep to oneself：过去艺人授徒往往~一手，不轻易把看家本领教给徒弟。*Guòqù yìrén shòu tú wǎngwǎng ~ yìshǒu, bù qīngyì bǎ kānjiā běnlǐng jiāo gěi túdì.* In the past, craftsmen usually withheld something from their

apprentices. They would never easily pass their special skills to them. ❸〈动 v.〉留着，不解决、不处理 shelve; lay aside for future solution; put on hold：你有不同意见可以～，但在行动上要按多数通过的决议办。Nǐ yǒu bùtóng yìjiàn kěyǐ ～, dàn zài xíngdòng shang yào àn duōshù tōngguò de juéyì bàn. You may hold on to your disagreement, but you have to act according to the resolution approved by the majority.

³ **保密** bǎo//mì〈动 v.〉保守秘密，不使泄漏出去 keep secret：这事暂时～，不能让外界知道。Zhè shì zànshí ～, bùnéng ràng wàijiè zhīdào. This is confidential. Keep the public in dark for the time being. │ 这事已尽人皆知，还保什么密。Zhè shì yǐ jìnrénjiēzhī, hái bǎo shénme mì. It has already been known to all; there is no need to keep it secret.

⁴ **保姆** bǎomǔ〈名 n.〉（个 gè、位 wèi）受雇于人照管儿童、老人、病人或从事家庭劳务的女性 housemaid; housekeeper; female servant employed to care for children, old or sick people or to do housework：我家雇了个～照顾八十多岁的老母亲。Wǒ jiā gùle ge ～ zhàogù bāshí duō suì de lǎo mǔqīn. We hired a housemaid to look after my mother who is more than eighty years old.

³ **保守** bǎoshǒu ❶〈动 v.〉保住，使不失去 keep：大家都应该～国家机密。Dàjiā dōu yīnggāi ～ guójiā jīmì. We must keep state secrets. ❷〈动 v.〉保卫坚守 guard：～住重要关口 ～ zhù zhòngyào guānkǒu guard the important pass ❸〈形 adj.〉因循守旧；维持现状，不思进取 conservative; tending or disposed to maintain status quo; unenterprising：你的思想太～，已跟不上形势 Nǐ de sīxiǎng tài ～, yǐ gēnbushàng xíngshì. You are too conservative to keep up with the changing situation. ❹〈副 adv.〉最低限度地 to lowest degree; at the minimum：～估计 ～ gūjì conservative estimate

² **保卫** bǎowèi〈动 v.〉努力保护，使不受侵犯或损害 defend; safeguard：～家乡 ～ jiāxiāng defend one's hometown │ ～祖国是每个公民应尽的义务。～ zǔguó shì měige gōngmín yīngjìn de yìwù. It's every citizen's obligation to defend his motherland.

⁴ **保温** bǎowēn〈动 v.〉通过隔热层保持温度 maintain temperature through insulation：这个～杯～性能很好。Zhège ～bēi ～ xìngnéng hěn hǎo. This thermos mug is excellent in keeping temperature steady.

³ **保险** bǎoxiǎn ❶〈形 adj.〉安全可靠；不会出意外 safe and reliable; unable to cause accident：～丝 ～sī fuse; fuse-wire │ ～箱 ～xiāng safe │ 这些名画存放在银行的～箱里，很～。Zhèxiē mínghuà cúnfàng zài yínháng de ～ xiāng li, hěn ～. It's very safe to keep these famous paintings in the bank's strongbox. ❷〈名 n.〉（项 xiàng、种 zhǒng、类 lèi）一种社会保障措施，参保者在遇到天灾人祸时，能获得一定的补偿 insurance, a social security measure for indemnifying those insured individuals who have suffered natural or man-made disasters：医疗～ yīliáo ～ medical insurance │ 人寿～ rénshòu ～ life insurance ❸〈名 n.〉保障安全的装置或物品 safety device or object：这里经常停电，你最好在冰箱的插座上安个～。Zhèli jīngcháng tíngdiàn, nǐ zuìhǎo zài bīngxiāng de chāzuò shang ān gè ～. It's often blacked out here. You'd better fix a fuse in the socket of the refrigerator. ❹〈副 adv.〉有把握；必定 certain; for sure：这个扳子～好用。Zhège bānzi ～ hǎo yòng. The spanner is certainly good for use. ❺〈动 v.〉担保 assure：～你会安全抵达目的地。～ nǐ huì ānquán dǐdá mùdìdì. I assure you reach the destination safely.

⁴ **保养** bǎoyǎng ❶〈动 v.〉保护调理 take good care of one's health：这位老人很～。Zhè wèi lǎorén hěn huì ～. The old man takes good care of himself. ❷〈动 v.〉保护修理 maintain; service：这辆汽车～得不错。Zhè liàng qìchē ～ de búcuò. This car has been well-maintained.

B

³ **保障** bǎozhàng ❶〈动 v.〉保护（生命、财产、权利等）事物，不使受到损害 protect (life, property, rights, etc.) from damage：~公民的基本权利 – *gōngmín de jīběn quánlì* protect citizens' basic rights｜发展生产，~供给。*Fāzhǎn shēngchǎn, ~ gōngjǐ.* Develop production and ensure supply.｜后勤部门要~前线部队的给养和供给。*Hòuqín bùmén yào ~ qiánxiàn bùduì de jǐyǎng hé gōngjǐ.* The logistic service should guarantee food and ammunition supply for the troops on the front. ❷〈名 n.〉起到保障作用的事物 guarantee：失去~ *shīqù* – lose guarantee｜这笔钱对他晚年的生活是个~。*Zhè bǐ qián duì tā wǎnnián de shēnghuó shì gè ~.* This sum of money is the guarantee for his life in later years.

² **保证** bǎozhèng ❶〈动 v.〉担保，有充分的把握会实现 guarantee; ensure; pledge：厂方~产品质量没有问题。*Chǎngfāng ~ chǎnpǐn zhìliàng méiyǒu wèntí.* The factory promised that the quality of its products was impeccable. ❷〈名 n.〉能起到保证作用的事物或条件 something or condition that guarantees：安定团结是实现改革开放和发展经济的~。*Āndìng tuánjié shì shíxiàn gǎigé kāifàng hé fāzhǎn jīngjì de ~.* Stability and unity are the guarantees for the development of economy and the success of reform and opening-up.

⁴ **保重** bǎozhòng〈动 v.〉（希望别人）注意身体健康 to express concern about another's health, take care of oneself：你年事已高，请多~! *Nǐ niánshì yǐ gāo, qǐng duō ~!* You are in advanced age. Take good care of yourself please.

⁴ **堡垒** bǎolěi ❶〈名 n.〉（座 zuò、个 gè）坚固的防御工事 fort; fortress; stronghold：山头上到处都是敌人修筑的~。*Shāntóu shang dàochù dōu shì dírén xiūzhù de ~.* The enemy's strongholds were built everywhere on the top of the hill. ❷〈名 n.〉（个 gè）比喻不易攻破的难关 hard nut to crack; *fig.* difficulties hard to overcome：精神~ *jīngshén* ~ spiritual fortress｜只有攻克前进路上的一个个~，才能登上科学的高峰。*Zhǐyǒu gōngkè qiánjìn lù shang de yí gègè ~, cái néng dēng shàng kēxué de gāofēng.* Only when we overcome one difficulty after another can we climb atop the mountain of science. ❸〈名 n.〉（个 gè）比喻顽固守旧的人 diehard, *fig.* an obstinate and conservative person：他是个不能与时俱进的顽固~。*Tā shì gè bùnéng yǔshíjùjìn de wángù* ~. He is a diehard, refusing to advance with the times.

¹ **报** bào ❶〈名 n.〉（份 fèn、张 zhāng、种 zhǒng）一种传播媒体 newspaper; a medium of communication：~纸 ~*zhǐ* newspaper｜画~ ~*huà* pictorial｜周~ ~*zhōu*~ weekly｜我每天都要读书看~。*Wǒ měitiān dōu yào dú shū kàn ~.* I read books and newspapers everyday. ❷〈名 n.〉传递的某种信息 information conveyed：情~ ~*qíng*~ information; intelligence｜台风警~ *táifēng jǐng*~ the warning of typhoon｜气象部门每天都要发布气象预~。*Qìxiàng bùmén měitiān dōu yào fābù qìxiàng yù*~. Everyday the weather service announces weather forecast. ❸〈名 n.〉特指电报 esp. telegram; cable：~务员 ~*wùyuán* telegraph operator｜收发~ *shōu fā* ~ receive and send telegram ❹〈动 v.〉告诉 report; announce：汇~ *huì*~ give an account of｜~信 ~*xìn* report｜重大事情的处置要向上级请示~告。*Zhòngdà shìqing de chǔzhì yào xiàng shàngjí qǐngshì ~gào.* The handling of important issues should be reported to the higher authorities. ❺〈动 v.〉回答；回应 reply; respond：回~ *huí*~ return; redound｜~应 ~*yìng* retribution; due punishment｜我们现在发奋学习，以便将来~效祖国。*Wǒmen xiànzài fāfèn xuéxí, yǐbiàn jiānglái ~xiào zǔguó.* We have to study hard now so as to serve our country in the future.

³ **报仇** bào//chóu〈动 v.〉采取行动打击仇敌 revenge; avenge：他要~。*Tā yào ~.* He

wants to revenge. | 他终于报了仇。 *Tā zhōngyú bàole chóu.* He finally avenged himself.

³ **报酬** bàochou 〈名 *n.*〉使用别人的劳动或物品后，给以酬谢 pay; reward, pay for a service or use of an object：这是你应得的劳动~。 *Zhè shì nǐ yīng dé de láodòng ~.* This is what you should get for the work you've done. | 这是义务劳动，不给~。 *Zhè shì yìwù láodòng, bù gěi ~.* This is voluntary service, and no reward would be paid.

⁴ **报答** bàodá 〈动 *v.*〉用行动或实物表示感谢 repay with action or goods：我以后一定会~你的资助的。 *Wǒ yǐhòu yídìng huì ~ nǐ de zīzhù de.* I will repay your assistance. | 我要以实际行动~人民对我的培养。 *Wǒ yào yǐ shíjì xíngdòng ~ rénmín duì wǒ de péiyǎng.* I will take concrete steps to reward the people who have nurtured me.

² **报导** bàodǎo 同'报道' same as '报道 bàodào'

² **报到** bào//dào 〈动 *v.*〉报告自己已经到了 report for duty; check in; register：每年9月1日新生到校~。 *Měinián jiǔ yuè yī rì xīnshēng dào xiào ~.* Every September 1, new students get registered at school. | 我已经报了到。 *Wǒ yǐjīng bàole dào.* I have already registered.

² **报道** bàodào ❶ 〈动 *v.*〉通过媒体向大众传播新闻 report（news）to the public through media：这样重要的新闻，这家报纸怎能不~呢? *Zhèyàng zhòngyào de xīnwén, zhè jiā bàozhǐ zěnnéng bú ~ ne?* Why does this newspaper not report such an important news? | 各种媒体及时~了台风过境的消息。 *Gè zhǒng méitǐ jíshí ~le táifēng guòjìng de xiāoxi.* All the media timely reported the news of the oncoming typhoon. ❷ 〈名 *n.*〉（篇 piān、组 zǔ）发表在媒体上的稿件 news report; broadcast：这篇~严重失实。 *Zhè piān ~ yánzhòng shīshí.* This report is seriously inconsistent with the facts.

³ **报复** bàofù ❶ 〈动 *v.*〉对伤害或批评过自己的人进行打击 make reprisals; retaliate against those who have hurt or criticised one：你不能搞打击~。 *Nǐ bùnéng gǎo dǎjī ~.* You can't make reprisals. | 他爱~人。 *Tā ài ~ rén.* He is keen on retaliating. ❷ 〈名 *n.*〉指报复的行动或措施 reprisal; retaliation：他受到~心里不好受。 *Tā shòudào ~ xīnli bù hǎo shòu.* He felt rather uncomfortable after being retaliated against.

² **报告** bàogào ❶ 〈动 *v.*〉正式向上级或群众陈述所做的事情或意见 report; make a presentation of one's deed or opinion to a superior or the public：厂长向全体工人~了一年来的生产情况。 *Chǎngzhǎng xiàng quántǐ gōngrén ~le yì nián lái de shēngchǎn qíngkuàng.* The factory director made a yearly report of the production to all the workers. ❷ 〈名 *n.*〉（份 fèn、篇 piān、个 gè）用书面或口头形式向上级或群众所做的正式陈述 written or oral presentation made to a superior or the public：这份总结~很有说服力。 *Zhè fèn zǒngjié ~ hěn yǒu shuōfúlì.* The summing-up report is very persuasive. ❸ 〈名 *n.*〉（场 chǎng、个 gè）讲演 lecture; speech：他作了一场高水平的学术~。 *Tā zuòle yì chǎng gāo shuǐpíng de xuéshù ~.* He gave a high-level academic lecture.

³ **报刊** bàokān 〈名 *n.*〉（份 fèn）报纸和刊物的总称 a general term for newspapers and periodicals：阅览室里摆了很多~，供大家阅览。 *Yuèlǎnshì li bǎile hěnduō ~, gōng dàjiā yuèlǎn.* There are many newspapers and periodicals placed for reference in the reading room.

⁴ **报考** bàokǎo 〈动 *v.*〉报名投考 sign up for an examination：~重点中学 ~ zhòngdiǎn zhōngxué register for the entrance exam of key middle schools | 我明年准备~北京大学。 *Wǒ míngnián zhǔnbèi ~ Běijīng Dàxué.* I'm going to register for the entrance examinations to Peking University.

² **报名** bào//míng 〈动 *v.*〉向主管单位报上自己的名字，表示愿意参加某项活动或组织 sign up; give one's name to the organization or institute in charge to express one's

willingness to attend some activities or join an organization：哥哥~参军了。*Gēge ~ cānjūn le.* My brother has registered for the army.｜你先替我报个名。*Nǐ xiān tì wǒ bào ge míng.* Sign up for me.

³ **报社** bàoshè〈名 n.〉(家 jiā、所 suǒ) 编印发行报纸的机构 news agency; an office responsible for editing and issuing newspapers：我是一家~的记者。*Wǒ shì yì jiā ~ de jìzhě.* I'm a reporter from a news agency.

B

报销 bàoxiāo ❶〈动 v.〉把领用款项的开支情况向财务部门报告核销 submit an expense account to the financial department for reimbursement：~差旅费 ~ *chāilǚfèi* reimburse travel expenses ❷〈动 v.〉引申为某些人或物被消灭了（含谐意）wipe out;destroy (humorous)：他狼吞虎咽，把桌上的菜全~了。*Tā lángtūn-hǔyàn, bǎ zhuō shang de cài quán ~ le.* He devoured all the dishes on the table. ❸〈动 v.〉把破损不能用的物品报废销账 report damaged or unusable articles so that they can be struck off the list：这张破桌子早该~了。*Zhè zhāng pò zhuōzi zǎo gāi ~ le.* This broken table should have been discarded earlier.

² **报纸** bàozhǐ〈名 n.〉(份 fèn、张 zhāng) 定期向公众发布国内外新闻的散页印刷品，有日报、晚报、周报等 newspaper, printed loose leaf pages issued periodically containing domestic and international news, including daily, evening paper, weekly, etc.：订~ *dìng~* subscribe to a newspaper｜我每天都要看两三份，多方面获取消息。*Wǒ měitiān dōu yào kàn liǎng-sān fèn ~, duō fāngmiàn huòqǔ xiāoxi.* Everyday I would read two or three newspapers to get information from various sources.

¹ **抱** bào ❶〈动 v.〉用两手臂围住；环绕 embrace; hold or carry in arms：~头痛哭 *~tóu-tòngkū* weep in each other's arms｜群山环~ *qúnshān huán~* be surrounded by mountains｜女排姑娘们获胜后高兴得拥~在一起。*Nǚpái gūniangmen huòshèng hòu gāoxìng de yōng~zài yìqǐ.* The women volleyball players were so happy that they embraced together after they won the game. ❷〈动 v.〉心里怀有（想法或意见）；身上带有（疾病）cherish; harbor; carry (disease)：~憾终身 *~hàn zhōngshēn* be tormented by lifelong regret or resentment｜你别~什么幻想。*Nǐ bié ~ shénme huànxiǎng.* You have to give up any illusion.｜他经常~病工作。*Tā jīngcháng ~bìng gōngzuò.* He often continues to work despite his illness. ❸〈动 v.〉得到或领养（孩子）adopt (a child)：她~了别人的一个孩子。*Tā ~le biéren de yí gè háizi.* She adopted a child.｜老太太快要~孙子了。*Lǎotàitai kuài yào ~ sūnzi le.* The grandma is going to have a grandchild. ❹〈动 v. 方 dial.〉保持一致 hang together; band up：大家~成一团齐心协力，一定能把工作做好。*Dàjiā ~chéng yì tuán qíxīn-xiélì, yídìng néng bǎ gōngzuò zuòhǎo.* By banding up with each other we are sure to get the work accomplished with concerted efforts. ❺〈动 v.〉孵 hatch; brood：这只母鸡正在~窝呢。*Zhè zhī mǔjī zhèngzài ~wō ne.* The hen is brooding. ❻〈量 meas.〉用于两臂合围的量 armful：一~草 *yí ~ cǎo* an armful of straw｜这棵树有两~粗。*Zhè kē shù yǒu liǎng ~ cū.* The tree is as thick as two arms length.

⁴ **抱负** bàofù〈名 n.〉远大的志向 aspiration; ambition：~不凡 *~bùfán* entertain lofty aspirations｜他从小就有报效祖国的~。*Tā cóngxiǎo jiù yǒu bàoxiào zǔguó de ~.* He cherished extraordinary ideals to render service to his country when he was a child.

² **抱歉** bàoqiàn〈形 adj.〉心里不安，感到对不起人 be sorry; regret：我来迟了，很~。*Wǒ lái chí le, hěn ~.* Sorry, I'm late.

⁴ **抱怨** bàoyuàn〈动 v.〉内心不满，埋怨别人 complain; grumble; grouse：你做错了事应从主观方面多找原因，不要~别人。*Nǐ zuòcuòle shì yīng cóng zhǔguān fāngmiàn duō zhǎo yuányīn, búyào ~ biéren.* You have to find out the causes on your own part for the

mistakes you've made instead of grumbling about other people.

⁴ **暴动** bàodòng 〈动 v.〉为反抗当时的统治制度、社会秩序而采取的武装行动 revolt; rebellion; uprising：中国历史上有许多次大规模的农民~。*Zhōngguó lìshǐ shang yǒu xǔduō cì dà guīmó de nóngmín ~.* There were many large-scale peasant uprisings in the history of China.

⁴ **暴风骤雨** bàofēng-zhòuyǔ 〈成 idm.〉来势凶猛的大风大雨，常形容声音势浩大的群众运动 violent storm; hurricane; tempest; *fig.* gigantic mass movement：这场~毁坏了许多房屋。*Zhè chǎng ~ huǐhuàile xǔduō fángwū.* The violent storm destroyed many buildings. ｜太平天国农民运动一般地席卷了大半个中国。*Tàipíng Tiānguó nóngmín yùndòng ~ bān de xíjuǎnle dà bàn gè Zhōngguó.* The peasant movement of the Taiping Heavenly Kingdom swept across the greater part of China with the force of a tempest.

⁴ **暴力** bàolì ❶ 〈名 n.〉凶狠残酷的强力 violence; force：施以~ shī yǐ ~ use violence ｜恐怖组织的~行为危害极大。*Kǒngbù zǔzhī de ~ xíngwéi wēihài jí dà.* The violence conducted by the terrorist group is pernicious. ❷ 〈名 n.〉特指国家的强制力量 esp. the coercive force of the state：对于敌对阶级来说，军队、警察、法庭等国家机器是压迫的工具，是~。*Duìyú díduì jiējí lái shuō, jūnduì, jǐngchá, fǎtíng děng guójiā jīqì shì yāpò de gōngjù, shì ~.* State machines such as army, police and court are the means of oppression or the organs of force against hostile classes.

³ **暴露** bàolù 〈动 v.〉显露出隐藏着的问题或事物 expose; reveal; lay bare：~无遗 ~ wúyí be thoroughly exposed ｜他的本来面目~了。*Tā de běnlái miànmù ~ le.* He laid bare his nature.

³ **暴雨** bàoyǔ 〈名 n.〉（场 cháng、阵 zhèn）突发性的大而急的雨 downpour; rainstorm; torrential rain：~成灾 ~ chéng zāi the flooding rainstorm ｜连续两天的~，这个地区山洪暴发了。*Liánxù liǎng tiān de ~, zhège dìqū shānhóng bàofā le.* Two days' successive heavy rain triggered flash flood in this area.

⁴ **爆** bào ❶ 〈动 v.〉猛然炸开或进出 explode; burst：车胎~了。*Chētāi ~ le.* The tire has burst. ｜铁镐砸到石头上，~出许多火星。*Tiěgǎo zádào shítou shang, ~chū xǔduō huǒxīng.* The pickaxe smashed against the rock in a burst of sparks. ❷ 〈动 v.〉突然出现；意外发生 appear or occur unexpectedly; crop up：乒乓球头号种子选手被淘汰了，~出大冷门。*Pīngpāngqiú tóuhào zhǒngzi xuǎnshǒu bèi táotàile, ~chū dà lěngmén.* The top seed of the table tennis match was washed out. It was an unexpected turn of the event. ｜那个国家的政坛又~大丑闻。*Nàge guójiā de zhèngtán yòu ~ dà chǒuwén.* Another big scandal has cropped up in the political circle of that country. ❸ 〈动 v.〉一种烹调方法，用滚油快煎再加作料 quick fry：~肚片 ~ dǔpiàn quick-fry tripe

³ **爆发** bàofā 〈动 v.〉突然发作、发生 break out; erupt：暴乱突然~。*Bàoluàn tūrán ~.* The riot suddenly broke out. ｜满腔愤怒~出来了。*Mǎnqiāng fènnù ~ chūlái le.* A burst of anger was released.

⁴ **爆破** bàopò 〈动 v.〉用炸药炸毁物体 blow up; demolish; dynamite; blast：经过连续~，这座大楼轰然倒地。*Jīngguò liánxù~, zhè zuò dàlóu hōngrán dǎo dì.* After successive blasts, the whole building crumbled.

³ **爆炸** bàozhà 〈动 v.〉物体体积急剧膨胀，使周围气压发生强烈变化并产生巨大声响 explode; blast; detonate：1964年10月16日，中国成功地~了第一颗原子弹。*Yī-jiǔ-liù-sì nián shí yuè shíliù rì, Zhōngguó chénggōng de ~le dì-yī kē yuánzǐdàn.* On October 16, 1964, China successfully exploded its first atom bomb. ｜一颗地雷突然~。*Yì kē dìléi tūrán ~.* A mine suddenly exploded.

B

⁴ **爆竹** bàozhú〈名 n.〉(个 gè、枚 méi、挂 guà) 用多层纸把火药卷严实,点燃引线后会爆裂发声的东西 (多在节日或庆典时燃放) firecracker, gunpowder rolled into paper that explodes with a bang when its fuse is lit (usu. used on festive occasions or celebration):除夕夜晚,孩子们喜欢燃放烟花、~。*Chúxī yèwǎn, háizimen xǐhuan ránfàng yānhuā, ~.* On the New Year's Eve, children like to light fireworks and firecrackers.│许多孩子放~炸伤了眼睛。*Xǔduō háizi fàng ~ zhàshāngle yǎnjing.* Many children hurt their eyes when they set off firecrackers.

¹ **杯** bēi ❶〈名 n.〉用来装饮料或其他液体的小器皿 cup, small vessel used for drinks or other liquids:茶~ *chá~* teacup │举~ *jǔ ~* raise one's cup │他们大吃大喝后,桌上~盘狼藉。*Tāmen dàchī-dàhē hòu, zhuō shang ~pán-lángjí.* When they finished dining and wining, the dinner table was strewn with plates and glasses. ❷〈名 n.〉杯状的奖品 (prize) cup; trophy:奖~ *jiǎng~* prize cup │中国女子乒乓球队又荣获团体冠军,捧起了考比伦~。*Zhōngguó nǚzǐ pīngpāngqiú duì yòu rónghuò tuántǐ guànjūn, pěngqǐle kǎobǐlún~.* The women's table tennis team of China, winning the team championship once more, was awarded the Marcel Gorbillon Cup. ❸〈量 meas.〉以杯量的容量 a cup of:一~咖啡 *yì ~ kāfēi* a cup of coffee │两~啤酒 *liǎng ~ píjiǔ* two glasses of beer

¹ **杯子** bēizi〈名 n.〉(个 gè、只 zhī、套 tào) 装饮料或其他液体的小器皿 cup; glass, vessel for drinks or other liquids:我刚买了一套玻璃~。*Wǒ gāng mǎile yí tào bōli ~.* I just bought a set of glasses. │这个紫砂~小巧玲珑。*Zhège zǐshā ~ xiǎoqiǎo-línglóng.* The boccaro cup is small and exquisite.

⁴ **卑鄙** bēibǐ〈形 adj.〉形容人的言语行为恶劣,不道德 (of language or behavior) base; mean; contemptible; despicable:这家伙太~了。*Zhè jiāhuo tài ~ le.* This guy is rather mean and shameless.

² **背** bēi ❶〈动 v.〉人用脊背驮 (东西) carry on the back:~行李 *~xíngli* carry luggage on one's back │他~了一麻袋粮食。*Tā ~le yì mádài liángshi.* He carried a sack of grain on his back. ❷〈动 v.〉喻指负担、承受 shoulder; bear:他~了一身债。*Tā ~le yì shēn zhài.* He is saddled with debts.
☞ bèi, p. 33

³ **悲哀** bēi'āi〈形 adj.〉极度哀伤 (与'喜悦''高兴'相对) sad; sorrowful (opposite to '喜悦xǐyuè', '高兴gāoxìng'):他俩为孩子的去世感到~。*Tā liǎ wèi háizi de qùshì gǎndào ~.* Both of them were grieved over the death of the child.

⁴ **悲惨** bēicǎn〈形 adj.〉因遭受重大苦难、损失,令人伤心、痛苦 bitter; miserable; tragic:看到地震后村子里的~景象,心里很难过。*Kàn dào dìzhèn hòu cūnzi li de ~ jǐngxiàng, xīn li hěn nánguò.* I felt really sad when I saw the miserable scences in the earthquake-stricken village.

⁴ **悲愤** bēifèn〈形 adj.〉又悲伤又愤怒 sorrowful and resentful:~交集 *~jiāojí* be sorrowful and resentful at once │鲁迅先生满怀~,痛斥杀害学生的当权者。*Lǔ Xùn xiānsheng mǎnhuái ~, tòngchì shāhài xuésheng de dāngquánzhě.* Overwhelmed with grief and anger, Mr. Lu Xun denounced those in power who had killed the students.

³ **悲观** bēiguān〈形 adj.〉悲哀的观念,对事物的发展失去信心 (与'乐观'相对) pessimistic, gloomy and doubtful about the development of sth. (opposite to '乐观lèguān'):我对企业扭亏的前景感到~。*Wǒ duì qǐyè niǔkuī de qiánjǐng gǎndào ~.* I am pessimistic about the prospect of the enterprise turning loss into profit.

⁴ **悲剧** bēijù ❶〈名 n.〉(出 chū、幕 mù、场 chǎng) 戏剧的一种,通常以悲惨的结局告终 (与'喜剧'相对) tragedy, a dramatic form, usu. with a sad ending (opposite to '喜

剧 xìjù'）：越剧《梁山伯与祝英台》是一出有名的~。*Yuèjù 'Liáng Shānbó yǔ Zhù Yīngtái' shì yì chū yǒumíng de* ~. The Shaoxing opera *Liang Shanbo and Zhu Yingtai* is a famous tragedy. ❷〈名 *n.*〉比喻不幸的遭遇 *fig.* sad event：恋爱~ *liàn'ài* ~ love tragedy｜我们不能让历史的~重演。*Wǒmen bùnéng ràng lìshǐ de ~ chóngyǎn.* We must not let the historical tragedy repeat itself.

⁴ **悲伤** bēishāng〈形 *adj.*〉伤心难过 sad; sorrowful; broken-hearted and distressed：她~地流下了眼泪。*Tā ~ de liúxiàle yǎnlèi.* She shed tears in sorrow.

⁴ **悲痛** bēitòng〈形 *adj.*〉悲伤痛心 sorrowful; grieved：对死者最好的悼念是化~为力量。*Duì sǐzhě zuì hǎo de dàoniàn shì huà ~ wéi lìliàng.* The best way to mourn for the deceased is to turn sorrow into strength.

² **碑** bēi〈名 *n.*〉（块 kuài、个 gè、座 zuò）在石块上镌刻文字或图画，立作纪念物或标志 stele; upright stone tablet engraved with characters or images, used as a mounument or a symbol：纪念~ *jìniàn*~ mounument｜树~立传 shù~*lìzhuàn* erect a mounument for sb. and write his biography｜这块墓~的~文记叙了死者的生平经历。*Zhè kuài mù~ de ~ wén jìxùle sǐzhě de shēngpíng jīnglì.* The inscription on the tombstone gives a brief account of the deceased person's life.

¹ **北** bēi ❶〈名 *n.*〉方向之一 north：城~ *chéng*~ north of the city｜~国风光 *~guó fēngguāng* the landscape typical of the north｜~风劲吹。*~fēng jìn chuī.* The north wind blew hard. ❷〈动 *v.* 书 *lit.*〉即古'背'字，背向对方，败逃的意思 same as '背 bèi' in ancient Chinese, meaning turning back and retreating in defeat：败~ *bài*~ suffer defeat

¹ **北边** bēibian〈名 *n.*〉指方向，北 northern part of the country：朝~走 *cháo ~ zǒu* head for the north｜江苏扬州、镇江两座城市矗立在长江边上，一在~，一在南边。*Jiāngsū Yángzhōu, Zhènjiāng liǎng zuò chéngshì chùlì zài Chángjiāng biān shang, yī zài ~, yī zài nánbian.* The cities of Yangzhou and Zhenjiang of Jiangsu Province are situated by the Yangtze River, one in the north and the other in the south.

² **北部** bēibù〈名 *n.*〉指某地域范围内靠北的部分 the northern part of an area：河北省位于华北平原的~。*Héběi Shěng wèiyú Huáběi Píngyuán de ~.* Hebei Province lies in the north of the North China Plain.

² **北方** bēifāng ❶〈名 *n.*〉指方向，北 northern part of the country ❷〈名 *n.*〉北部地区 northern area：小麦、玉米是中国~地区的主要粮食作物。*Xiǎomài, yùmǐ shì Zhōngguó ~ dìqū de zhǔyào liángshi zuòwù.* Wheat and corn are the main crops in the northern part of China.

² **北面** bēimiàn〈名 *n.*〉朝北的一面 northern side：这三间居室的窗户都朝~，采光较差。*Zhè sān jiān jūshì de chuānghu dōu cháo ~, cǎiguāng jiào chà.* The windows of these three rooms all face north, so the rooms are poorly lit.

⁴ **贝壳** bèiké〈名 *n.*〉（个 gè）贝类的介壳 shell (of shellfish)：大家在海边沙滩上拣~。*Dàjiā zài hǎibiān shātān shang jiǎn ~.* Everybody was picking shells on the beach.

⁴ **备用** bèiyòng〈动 *v.*〉储存起来供以后使用 reserve; store, keep sth. for a later occasion or special use：你要买些汽车零件在路上~。*Nǐ yào mǎi xiē qìchē língjiàn zài lù shang ~.* You have to buy some motor spare parts for emergency use on the road.

² **背** bèi ❶〈名 *n.*〉身体的一部分，与胸腹相对 back, part of one's body opposite the chest and stomach：后~ *hòu*~ back｜擦~ *cā* ~ rub one's back with a towel｜我们劳动了一会儿，弄得汗流浃~。*Wǒmen láodòngle yíhuìr, nòng de hànliú-jiā~.* We worked for a while, and got soaked with sweat. ❷〈名 *n.*〉物体的反面或后部 back of an object：刀~ *dāo*~ back of a knife｜脚~ *jiǎo*~ instep｜腹~受敌 *fù*~*shòudí* be exposed to attacks from

the front and the rear｜语文老师德高望重，我们不能望其项~. *Yǔwén lǎoshī dégāo-wàngzhòng, wǒmen bùnéng wàngqíxiàng~*. We can hardly be comparable with our Chinese teacher who is both of good moral standing and undisputed reputation. ❸ 〈动 v.〉用背部对着（与'向'相对）with one's back toward (opposite to '向 xiàng')：人心向~ *rénxīn-xiàng~* whether the people are for or against｜~水一战（比喻拼死决战）~ *shuǐ-yízhàn（bǐyù pīnsǐ juézhàn）* fight with one's back to the river *fig.* fight a desperate battle｜~着我们的那个人是英语老师。*~zhe wǒmen de nàge rén shì Yīngyǔ lǎoshī.* The person with his back toward us is an English teacher. ❹〈动 v.〉离开；躲避；有意背着 depart; evade; do sth. behind sb.'s back：他从小就~井离乡去海外谋生。*Tā cóngxiǎo jiù ~jǐng-líxiāng qù hǎiwài móushēng.* He left his native place to make a living abroad in his childhood.｜他做什么事从不~着我。*Tā zuò shénme shì cóng bú ~zhe wǒ.* He never does anything behind my back. ❺〈动 v.〉凭记忆念出文句 recite from memory：~书~ *shū* recite texts｜她的理解力差，却有死记硬~的本领。*Tā de lǐjiělì chà, què yǒu sǐjì-yìng~ de běnlǐng.* Although poor in comprehension, she has the ability to learn by rote. ❻〈动 v.〉违反；不遵守 act against; break; violate：违~ *wéi~* violate｜~主求荣 *~zhǔ-qiúróng* betray one's master to pursue high position and great wealth｜~信弃义 *~xìn-qìyì* faithless｜我们不能~离为人民服务的方向。*Wǒmen bùnéng ~lí wèi rénmín fúwù de fāngxiàng.* We should not deviate from our aim to serve the people. ❼〈动 v.〉两手放在身后 put one's hands behind：爸爸~着手在院子里走来走去。*Bàba ~zhe shǒu zài yuànzi li zǒu lái zǒu qù.* Father was strolling in the yard with his hands behind his back. ❽〈形 adj. 口 colloq.〉倒霉；不顺利 unlucky：这两天手气太~，打麻将总是输。*Zhè liǎng tiān shǒuqì tài ~, dǎ májiàng zǒngshì shū.* I have bad luck these days, losing all my mahjong games. ❾〈形 adj. 口 colloq.〉听觉不灵 hard of hearing：老爷爷的耳朵有点儿~. *Lǎo yéye de ěrduo yǒu diǎnr ~.* The old grandpa is a little hard of hearing. ❿〈形 adj. 口 colloq.〉偏僻 out-of-the-way：他住的地方很~，远离闹市。*Tā zhù de dìfang hěn ~, yuǎn lí nàoshì.* He lives in an outlying place, far away from the downtown area.
☞ bēi, p. 32

³ **背包** bēibāo 〈名 n.〉背在肩上或背上的包 knapsack; rucksack：许多学生喜欢背'双肩背'的~. *Xǔduō xuéshēng xǐhuan bēi 'shuāngjiānbēi' de ~.* Many students like to carry double-strapped knapsacks on their backs.

² **背后** bèihòu ❶〈名 n.〉后面 back side：颐和园万寿山的~十分幽静。*Yíhéyuán Wànshòushān de ~ shífēn yōujìng.* The back of the Longevity Hill in the Summer Palace is very secluded and quiet. ❷〈名 n.〉背地里 behind sb.'s back：有话当面说，不要在~乱议论。*Yǒu huà dāngmiàn shuō, búyào zài ~ luàn yìlùn.* Speak out if you have anything to say. Don't make irresponsible remarks behind.

³ **背景** bèijǐng ❶〈名 n.〉舞台或影视片中起衬托作用的布景；图画、摄影中衬托主体的景物 stage setting; backdrop, setting or scenery on a stage or for a film or TV series; setting or scenery used to set off the subject in a picture or photograph ❷〈名 n.〉指对人物、事件有影响的历史环境或现实环境 background; historical or realistic circumstance that has an effect on a person or an event：社会~ *shèhuì ~* social background｜你应该详细说明这件事的~情况。*Nǐ yīnggāi xiángxì shuōmíng zhè jiàn shì de ~ qíngkuàng.* You should explain in detail the background of this event. ❸〈名 n.〉指背后有靠山 background support; patron：她有~. *Tā yǒu ~.* She has a behind-the-scene sponsor.

⁴ **背面** bèimiàn 〈名 n.〉跟正面相反的另一面（与'正面'相对）back; reverse side; wrong side (opposite to '正面 zhèngmiàn')：这些纸太薄，在正面写字都能透到~

Zhèxiē zhǐ tài báo, zài zhèngmiàn xiězì dōu néng tòu dào ~. Because these pieces of paper are too thin, words written on them can be seen from the reverse side.

⁴ **背叛** bèipàn 〈动 v.〉反叛；叛变 betray; forsake：他甘心投敌，~了自己的祖国。*Tā gānxīn tóudí, ~le zìjǐ de zǔguó.* He went over to the enemy willingly and betrayed his own country.

³ **背诵** bèisòng 〈动 v.〉凭记忆朗读念过的文句 recite; repeat from memory：我每天早晨都要~学过的英语单词和课文。*Wǒ měitiān zǎochen dōu yào ~ xuéguo de Yīngyǔ dāncí hé kèwén.* Every morning I recite English words and texts that I have learnt.

³ **背心** bèixīn 〈名 n.〉(件 jiàn) 一种没有袖子和领子的上衣 sleeveless garment; waistcoat; vest：在赛场上两队运动员穿的~的颜色不一样。*Zài sàichǎng shang liǎng duì yùndòngyuán chuān de ~ de yánsè bù yíyàng.* Members of the two teams wear vests of different colors on the sports ground.

¹ **倍** bèi ❶〈量 meas.〉用在数词后，表示照原数等加上，某数的几倍就是用几去乘那个数 times; fold, used after numerals, indicating number equal to the original; n times a number meaning to multiply it by n：2的3~是6。*Èr de sān ~ shì liù.* Three times two is six. ❷〈副 adv.〉更加；格外 more; exceptionally：我们久别重逢~感亲切。*Wǒmen jiǔbié chóngféng ~ gǎn qīnqiè.* We were exceptionally close to each other after such a long separation.

⁴ **倍数** bèishù 〈名 n.〉一个数可以被另一数除尽，这个数就是另一数的倍数 multiple, a number that can be divided by another number with no remainder：9是3的~。*Jiǔ shì sān de ~.* Nine is multiple of three.

¹ **被** bèi ❶〈介 prep.〉用于被动句，引进动作行为的施事者 used in passive voice to introduce the doer：我~经理批评了一顿。*Wǒ ~ jīnglǐ pīpíngle yí dùn.* I was criticized by the manager. │ 包围我们的敌人，又~我们层层反包围起来了。*Bāowéi wǒmen de dírén, yòu ~ wǒmen céngcéng fǎn bāowéi qǐlái le.* The enemies that had besieged us were surrounded tightly by us again. ❷〈助动 aux.v.〉用在动词前，构成被动词组(不必或不能指出施事的主体) used before verbs to form passive verb phrase：孩子~害了。*Háizi ~ hài le.* The child was murdered. │ 她~吓得脸色煞白。*Tā ~ xià de liǎnsè shàbái.* She became pale-faced with fear. ❸〈名 n.〉(条 tiáo, 床 chuáng) 睡觉时盖在身上的保暖物 quilt, cover for one's body when one is asleep：晚上我只盖一条毛巾~。*Wǎnshang wǒ zhǐ gài yì tiáo máojīn~.* I only have a towel coverlet over my body at night. ❹〈动 v. 书 lit.〉遮盖 cover：~覆 ~fù cover; blanket │ 绿草~径。*Lù cǎo ~ jìng.* The path is covered by green grass. ❺〈动 v. 书 lit.〉遭受 suffer：~灾 ~zāi suffer from disaster │ ~难 ~nàn be hit by catastrophe

³ **被动** bèidòng ❶〈形 adj.〉受到外力推动才行动 passive; inactive unless pushed by external forces：他干家务活很~，总是拨一拨动一动。*Tā gàn jiāwùhuó hěn ~, zǒngshì bō yì bō dòng yí dòng.* Reluctant to do the housework, he always stays away from it unless prompted. ❷〈形 adj.〉无法使事情按自己意图发展，比较为难 thrown into passivity; unable to steer the course of events：这件突发事弄得我措手不及，陷入~。*Zhè jiàn tūfā shì nòng de wǒ cuòshǒu-bùjí, xiànrù ~.* Caught unprepared by such an unexpected incident, I was thrown into passivity.

⁴ **被告** bèigào 〈名 n.〉(名 míng、个 gè) 在民事诉讼中被控告的一方 defendant, person accused or sued in a legal case：~人 ~rén the accused │ ~没有出庭。*~ méiyǒu chūtíng.* The accused failed to appear in the court.

³ **被迫** bèipò 〈动 v.〉受外界逼迫勉强做某事 be forced; be compelled; be constrained：~

投降 ~ *tóuxiáng* be forced to surrender｜受经费限制,这项试验~停止了。*Shòu jīngfèi xiànzhì, zhè xiàng shìyàn ~ tíngzhǐ le.* Due to the shortage of funds, this experiment has to be stopped.

² **被子** *bèizi* 〈名 *n.*〉(条 tiáo、床 chuáng) 床上用品,睡觉时盖身体 quilt, bedding used to cover one's body when sleeping:这床~比较厚,盖在身上很暖和。*Zhè chuáng ~ bǐjiào hòu, gài zài shēn shang hěn nuǎnhuo.* The quilt is rather thick, and you will feel very warm under it.

³ **辈** *bèi* ❶〈名 *n.*〉辈分;家族世系相传的代序 generational hierarchy; rank or position in a family:前 ~ *qián~* forebears; elder generation｜长 ~ *zhǎng~* elders; seniors｜我在出版界是个晚。~。*Wǒ zài chūbǎnjiè shì gè wǎn~.* I am a junior in the publishing world. ❷〈名 *n. 书 lit.*〉同一类的人 people of a certain kind; the like:鼠 ~ *shǔ~* mean creatures; rascals｜无能之~ *wúnéng zhī~* incompetent; incapable person｜此人绝非等闲之~。*Cǐ rén jué fēi děngxián zhī ~.* He is by no means ordinary. ❸〈名 *n. lit.*〉表示人称的复数 plural form of pronoun:我~ *wǒ~* people of our group｜汝~ *rǔ~* you (plural) ❹〈量 *meas.*〉一生,一世 lifetime; lifelong:我为自己这~子虚度年华而悔恨。*Wǒ wèi zìjǐ zhè ~zi xūdù niánhuá ér huǐhèn.* I feel regret for wasting my lifetime.

³ **奔** *bēn* ❶〈动 *v.*〉急跑 run quickly; dash; (of a horse) gallop:飞~ *fēi~* gallop｜狂~ *kuáng ~* run wildly｜喜讯传来,人们~走相告。*Xǐxùn chuán lái, rénmen ~zǒuxiānggào.* When the good news came, people lost no time in telling each other. ❷〈动 *v.*〉出逃 escape; run away; flee:出~ *chū~* leave｜私~ *sī~* elope｜东~西窜 *dōng~~xīcuàn* flee in all directions ❸〈动 *v.*〉紧赶 hurry; hasten; rush:~波 ~*bō* dash about; hurry back and forth｜~丧 ~*sāng* hasten home for the funeral of one's parent or grandparent｜你一会儿一个主意,弄得人家疲于~命,无所适从。*Nǐ yíhuìr yí gè zhǔyi, nòng de rénjia píyú ~mìng, wúsuǒshìcóng.* Your ever-changing mind kept other people on the run without knowing what to do.

☞ *bèn*, p. 38

⁴ **奔驰** *bēnchí* 〈动 *v.*〉(车马) 急驰 speed; run fast; dash:赛车~而过。*Sàichē ~ ér guò.* The racing car sped over.

³ **奔跑** *bēnpǎo* 〈动 *v.*〉很快地跑动 run quickly; race:兔子~的速度很快。*Tùzi ~ de sùdù hěn kuài.* Rabbits run very quickly.

⁴ **奔腾** *bēnténg* 〈动 *v.*〉群马跳跃奔跑;江河滔急流淌 gallop; surge forward; roll on in waves:万马~。*wànmǎ~.* Thousands of horses gallop forward.｜黄河从青藏高原上~而下。*Huánghé cóng Qīngzàng Gāoyuán shang ~ ér xià.* The Yellow River surges onward like ten thousand horses galloping from the Qinghai-Tibet Plateau.

¹ **本** *běn* ❶〈名 *n.*〉册子 booklet:书~ *shū~* book｜账~ *zhàng~* account book; ledger｜学生的书包里装满了课~、笔记。*Xuésheng de shūbāo li zhuāngmǎnle kè~, bǐjì~.* The students' schoolbags are packed with textbooks and notebooks. ❷(~儿)〈名 *n.*〉做生意原有的钱 capital; principal:小~儿经营 *xiǎo ~r jīngyíng* a small-scale business｜现在连~儿都赔进去了。*Xiànzài lián ~r dōu péi jìnqù le.* Now all the money including the original capital has been lost. ❸〈名 *n.*〉草木的根或茎、干;泛指事物的本源 root or stem of a plant; generally referring to the origin of the matter:追~溯源 *zhuī~~sùyuán* trace back to the source; get to the bottom of｜你不要忘~。*Nǐ búyào wàng~.* You shouldn't forget your past. ❹〈名 *n.*〉图书的版本及装帧形式 version; edition and book binding:普及~ *pǔjí~* common version｜缩印~ *suōyìn~* miniature edition｜《红楼梦》的手抄~十分珍贵。'*Hónglóumèng' de shǒuchāo~ shífēn zhēnguì.* The scribal copy of *Dream of Red*

Mansions is very precious. ❺ 〈量 *meas.*〉书籍、簿册的计量 used to indicate the copy of books：两~账 *liǎng ~ zhàng* two account books | 我买了三~书。*Wǒ mǎile sān shū.* I bought three books. ❻〈代 *pron.*〉指自己或自己方面的 one's own; native：~店 *~ diàn* our shop | ~校今年招生已满。*~xiào jīnnián zhāoshēng yǐ mǎn.* Our school has reached its annual enrollment capacity. ❼〈代 *pron.*〉指当前的 current; this; present：~世纪 *~ shìjì* this century | ~年度工厂已扭亏为盈。*~ niándù gōngchǎng yǐ niǔkuīwéiyíng.* This year the factory has turned loss into profit. ❽〈代 *pron.*〉这（用在当事人或主管人说话时）(used by the person involved or in charge) this：~书 *~ shū* this book | ~次列车正点发出。*~cì lièchē zhèngdiǎn fāchū.* This train is to leave on schedule. ❾〈副 *adv.*〉原来；初始 originally; initially：~来 *~lái* originally | 他~应早来了，可是现在还不见踪影。*Tā ~yīng zǎo lái le, kěshì xiànzài hái bú jiàn zōngyǐng.* He should have arrived a long time ago, but he is nowhere to be found. ❿〈形 *adj.*〉主要的；中心的 main; chief; central：大~营 *dà~yíng* headquarters; base camp | 校~部 *xiào ~bù* the major campus ⓫〈形 *adj.*〉原来的；固有的 original; intrinsic：~意 *~yì* original intention | 这个人的~性难改。*Zhège rén de ~xìng nán gǎi.* It is difficult to change his nature. ⓬〈介 *prep.*〉依照；根据 according to; based on：~着规章制度办事 *~zhe guīzhāng zhìdù bànshì* handle affairs according to rules and regulations

² **本来** **běnlái** ❶〈形 *adj.*〉原先的；起始的 original：这件衣服褪色了，~的颜色是灰的。*Zhè jiàn yīfu tuìsè le, ~ de yánsè shì huī de.* The original color of the coat was grey and it now faded. | 他终于暴露了~的面目。*Tā zhōngyú bàolùle ~ de miànmù.* He finally revealed his true colors. ❷〈副 *adv.*〉原先；先前 originally; at first：我~不认识他。*Wǒ ~ bú rènshi tā.* I did not know him before. ❸〈副 *adv.*〉表示理所当然 as a matter of course; naturally：你~就应当当天完成作业。*Nǐ ~ jiù yīnggāi dāngtiān wánchéng zuòyè.* In fact, you should finish your assignment of the day.

² **本领** **běnlǐng** 〈名 *n.*〉能力；技能 ability; skill：有~ *yǒu~* be capable of | ~大 *~ dà* be of great ability | 他把看家~都拿出来了。*Tā bǎ kānjiā ~ dōu ná chūlái le.* He brought into play his special skill in doing it.

⁴ **本能** **běnnéng** ❶〈名 *n.*〉（种 *zhǒng*）人与动物先天性的行为 instinct, (of human or animals) natural ability or tendency to act in a certain way：婴儿吸吮母乳是一种~。*Yīng'ér xīshǔn mǔrǔ shì yì zhǒng ~.* It is the baby's instinct to suck its mother's breast. ❷〈名 *n.*〉（种 *zhǒng*）不自觉的、下意识的行为 instinctive, unconscious reaction or behavior：他一抬手，我出于~急忙躲闪。*Tā yì tái shǒu, wǒ chūyú ~ jímáng duǒshǎn.* When he raised his hand, I ducked out of instinct.

⁴ **本钱** **běnqián** ❶〈名 *n.*〉用来做生意、赌博等的原有资金 capital; principal used to do business or gamble：这家小店没多少~。*Zhè jiā xiǎo diàn méi duōshao ~.* The small shop sustains on a limited capital base. ❷〈名 *n.*〉比喻可以凭借的条件等 *fig.* qualification that one can rely on; asset：健康的身体是完成学业的~。*Jiànkāng de shēntǐ shì wánchéng xuéyè de ~.* Good health is the basic asset for finishing school.

³ **本人** **běnrén** ❶〈代 *pron.*〉指说话人自己 I; myself：~才疏学浅，请大家多帮助。*~ cáishū-xuéqiǎn, qǐng dàjiā duō bāngzhù.* With little talent and less learning, I sincerely beg your help. ❷〈代 *pron.*〉指当事人自己或前面提到的人自己 oneself：你不要越俎代庖，还是由她~决定吧。*Nǐ búyào yuèzǔ-dàipáo, háishì yóu tā ~ juédìng ba.* You shouldn't exceed your duty and meddle in her affairs. Let her decide for herself.

³ **本身** **běnshēn** 〈代 *pron.*〉人或事物自身 oneself; itself：事实胜于雄辩，事实~最能说明问题。*Shìshí shèngyú xióngbiàn, shìshí ~ zuì néng shuōmíng wèntí.* Facts speak louder

than words, and the facts themselves are most convincing.

² **本事** běnshi 〈名 n.〉本领；能耐 skill; ability; capability: 没 *méi* ~ be incompetent | 魔术师玩儿魔术的～很高明。*Móshùshī wánr móshù de ～ hěn gāomíng.* The magician is very skillful in playing magic tricks.

⁴ **本性** běnxìng 〈名 n.〉人与事物固有的性质和个性 innate nature; inherent quality: 他已经七十多岁了，还像个老顽童，不失天真的～。*Tā yǐjīng qīshí duō suì le, hái xiàng gè lǎo wántóng, bù shī tiānzhēn de ～.* Although he is more than 70 years old, he still maintains an innocent charm just like an old imp.

⁴ **本着** běnzhe 〈介 prep.〉指出动作所遵循的准则 in line with; in accordance (or conformity) with: ～学校的有关规定，这个学生今年应该留级。*～ xuéxiào de yǒuguān guīdìng, zhège xuésheng jīnnián yīnggāi liújí.* In line with the school's relevant regulations, this student should re-take the year's courses. | 我～赏罚分明的原则，分别对这两个孩子进行了表扬和批评。*Wǒ ～ shǎngfá-fēnmíng de yuánzé, fēnbié duì zhè liǎng gè háizi jìnxíng biǎoyáng hé pīpíng.* I treated the two children respectively with praise and criticism in accordance with the principle of being fair in giving out rewards and punishments.

² **本质** běnzhì 〈名 n.〉人或事物具有的根本属性 essence; nature; innate character of a person or a thing: 透过现象看～ *tòuguò xiànxiàng kàn ～* see through the appearance to get at the essence of the matter | 这些学生的～还是好的。*Zhèxiē xuésheng de ～ háishì hǎo de.* These students are essentially upright.

¹ **本子** běnzi ❶ 〈名 n.〉（个 gè）一种文化用品，把一定数量的纸张装订成册 book; notebook; sheets of paper bound together: 我在小～上记下了班主任对这次活动的要求。*Wǒ zài xiǎo ～ shang jìxiàle bānzhǔrèn duì zhècì huódòng de yāoqiú.* I wrote down in the small notebook the head teacher's requirement regarding this activity. ❷ 〈名 n.〉（个 gè、种 zhǒng）版本 edition:《红楼梦》有好几种～。*'Hónglóumèng' yǒu hǎo jǐ zhǒng ～.* There are several editions of Dream of Red Mansions.

³ **奔** bèn ❶ 〈动 v.〉径直朝着目标去 dash; rush; go straight for: 我走进校门就直～教室。*Wǒ zǒu jìn xiàomén jiù zhí ～ jiàoshì.* I went straight for the classroom when I entered the school gate. ❷ 〈动 v.〉接近某个年龄段（of one's age）approach; get close to; be getting on for: 你已是快～30岁的人了，怎么做事还这样毛糙呢？*Nǐ yǐ shì kuài ～ sānshí suì de rén le, zěnme zuòshì hái zhèyàng máocāo ne?* As a man getting close to 30, how can you act so rashly? ❸ 〈介 prep.〉朝；向 toward to; in the direction of: ～西走 = *xī zǒu* go westward | 我们不能光～钱去工作，总还得讲点儿贡献。*Wǒmen bùnéng guāng ～ qián qù gōngzuò, zǒng hái děi jiǎng diǎnr fèngxiàn.* Instead of working solely for money, we sometimes should have a sense of sacrifice.

    ☞ bēn, p. 36

² **笨** bèn ❶ 〈形 adj.〉不聪明；领悟能力差 stupid; foolish; silly: 愚～ *yú~* dull-witted | ～头～脑 *～tóu-～nǎo* slow; slow-witted | 他并不～。*Tā bìng bú ～.* He is not stupid. ❷ 〈形 adj.〉不灵巧；动作能力差 clumsy; awkward: ～手～脚 *～shǒu-~jiǎo* be clumsy; be gawky | 我的嘴～，不太会表达。*Wǒ de zuǐ ～, bú tài huì biǎodá.* With a slow tongue I'm not good at expressing myself. ❸ 〈形 adj.〉庞大；粗重 cumbersome; bulky: 有些楼房像一个个火柴盒，盖得很～。*Yǒuxiē lóufáng xiàng yígègè huǒcháihé, gài de hěn ～.* Some buildings which look like a cluster of matchboxes are awkwardly shaped.

⁴ **笨蛋** bèndàn 〈名 n.〉（个 gè）愚蠢的人（多用来骂人）(curse) fool; idiot; dunce: 这样简单的活都不会做，你真是个～。*Zhèyàng jiǎndān de huó dū búhuì zuò, nǐ zhēn*

shì gè ~. You are such a fool that you can't do such an easy job.

⁴ **笨重** bènzhòng ❶〈形 *adj.*〉庞大沉重 heavy, cumbersome; unwieldy：这些~的家具该淘汰了。*Zhèxiē* ~ *de jiājù gāi táotài le.* These pieces of heavy, cumbersome furniture should be replaced. ❷〈形 *adj.*〉很费力；很繁重 arduous and strenuous：过去码头工人从事~的体力劳动。*Guòqù mǎtóu gōngrén cóngshì* ~ *de tǐlì láodòng.* In the past, dockers were engaged in heavy and strenuous physical labor.

⁴ **笨拙** bènzhuō〈形 *adj.*〉笨；迟钝；不灵巧 clumsy; awkward; stupid：他得过脑血栓，走路有点儿~。*Tā déguo nǎoxuèshuān, zǒulù yǒudiǎnr* ~. Having suffered cerebral thrombus, he walks rather clumsily. ｜那个孩子动作很~。*Nàge háizi dòngzuò hěn* ~. That child acts rather awkwardly.

⁴ **崩溃** bēngkuì ❶〈动 *v.*〉坍塌；毁坏 collapse; destroy：大堤~了。*Dàdī* ~ *le.* The dike collapsed. ❷〈动 *v.*〉完全破坏；彻底垮台（多指国家政权、军队、经济等）(usu. of state power, military, economy, etc.) collapse; break down; crumble; fall apart：敌军全线~。*Díjūn quánxiàn* ~. The enemy were routed all over the front. ｜她经受不住这种沉重打击，精神完全~了。*Tā jīngshòu bú zhù zhèzhǒng chénzhòng dǎjī, jīngshén wánquán* ~ *le.* Unable to stand such a heavy blow, She has a mental breakdown.

⁴ **绷** bēng ❶〈动 *v.*〉拉紧；张紧 stretch tight; strain：别把弦~得太紧。*Bié bǎ xián* ~ *de tài jǐn.* Don't wind too tight (*fig.* take it easy or be relaxed)。｜我长胖了，衣服都~在身上了。*Wǒ zhǎng pàng le, yīfu dōu* ~ *zài shēn shang le.* I have gained so much weight that my clothes are tight on me. ❷〈动 *v.*〉物体猛然弹出 spring; bounce：爆竹炸裂时，往往~出火星伤人。*Bàozhú zhà liè shí, wǎngwǎng* ~*chū huǒxīng shāng rén.* When the firecrackers explode, bouncing sparks always cause injuries. ❸〈动 *v.*〉粗粗缝上几针 baste; pin; tack; make rough stitches：~上几针 ~ *shàng jǐ zhēn* tack; make rough stitches

⁴ **绷带** bēngdài〈名 *n.*〉(条 tiáo、卷 juǎn) 包扎伤口或患处的纱布 bandage, a piece of gauze for dressing a wound or an infected part：护士用一卷~替伤员包扎伤口。*Hùshì yòng yì juǎn* ~ *tì shāngyuán bāozā shāngkǒu.* The nurse bandaged the wounds of a wounded soldier.

³ **甭** béng〈副 *adv.* 方 *dial.*〉'不用'的合音合义字 (composite tone and meaning of '不用' búyòng) don't：这事你~管。*Zhè shì nǐ* ~ *guǎn.* You don't have to bother about the matter.

⁴ **蹦** bèng〈动 *v.*〉跳跃 jump; spring; leap：秋后的蚂蚱~不了几天了 (比喻离死已不远了)。*Qiū hòu de màzha* ~ *bù liǎo jǐ tiān le* (*bǐyù lí sǐ yǐ bù yuǎn le*). The grasshopper can not jump about for long in late autumn (*fig.* not far from death)。

² **逼** bī ❶〈动 *v.*〉强迫；威胁 force; compel; press; coerce：威~利诱 *wēi*~*lìyòu* combine threats with inducements ｜形势~人。*Xíngshì* ~ *rén.* The situation is pressing. ｜你怎么~我做坏事！*Nǐ zěnme* ~ *wǒ zuò huàishì!* How can you force me to do bad things? ❷〈动 *v.*〉逼近；靠近 press on toward; approach; close in on：这幅肖像画~肖真人。*Zhè fú xiāoxiànghuà* ~*xiào zhēn rén.* The portrait is the very image of the person. ｜敌军步步为营，一步一步地~过来。*Díjūn bùbù wéiyíng, yí bù yí bù de* ~ *guòlái.* The enemy consolidated at every step and pressed on closer and closer. ❸〈动 *v.*〉强行索取 press for; extort：~债 ~*zhài* press for debt repayment; dun ｜旧时地主经常向农民~租。*Jiùshí dìzhǔ jīngcháng xiàng nóngmín* ~ *zū.* In the past, landlords usually pressed for rent payment from the peasants.

⁴ **逼近** bījìn〈动 *v.*〉紧追而接近 bear down on; close in on：敌人渐渐向我们~了。*Dírén jiànjiàn xiàng wǒmen* ~ *le.* The enemy gradually closed in on us.

B

⁴ **逼迫** bīpò〈动 v.〉施压迫使 force; compel; coerce：你不能~他认错，要用道理说服他。*Nǐ bùnéng ~ tā rèncuò, yào yòng dàolǐ shuōfú tā.* Instead of forcing him to admit his mistake, you have to convince him with reasons.

⁴ **鼻涕** bítì〈名 n.〉鼻子里黏膜分泌的液体 nasal mucus; snivel, liquid secreted by the 鼻 nasal cavity：我一伤风就流~。*Wǒ yì shāngfēng jiù liú ~.* I get a running nose whenever I catch cold.

¹ **鼻子** bízi〈名 n.〉人和其他高等动物的嗅觉与呼吸器官 nose, olfactory and respiratory organ of humans and higher animals：高~是白种人的一个特征。*Gāo ~ shì báizhǒngrén de yí gè tèzhēng.* High nose is one of the features of the white people.

¹ **比** bǐ ❶〈介 prep.〉用来比较事物的性质、状态和程度的差别 than, used to compare the difference in nature, state, degree, etc.：我~他矮。*Wǒ ~ tā ǎi.* I'm shorter than he. | 你的弟弟~你勤奋。*Nǐ de dìdi ~ nǐ qínfèn.* Your little brother works harder than you. | 我学得~你慢。*Wǒ xué de ~ nǐ màn.* I'm slower in learning than you. | 狗有时跑得~马快。*Gǒu yǒushí pǎo de ~ mǎ kuài.* Sometimes a dog runs faster than a horse. ❷〈介 prep.〉数词'一'加量词，在'比'前后重复，表示程度的累进 used between two numeral-classifier compounds headed by '一yī' to indicate the increase of degree：秋天到了，天气一天~一天凉快。*Qiūtiān dào le, tiānqì yì tiān ~ yì tiān liángkuai.* Autumn is here, and it's getting cooler and cooler. | 亩产量一年~一年高。*Mǔchǎnliàng yì nián ~ yì nián gāo.* The yield per *mu* increases year by year. | 战斗一分钟~一分钟激烈。*Zhàndòu yì fēnzhōng ~ yì fēnzhōng jīliè.* The battle became more and more intensified with the passing of each minute. ❸〈动 v.〉比较；较量 compare; compete：评~ *píng~* appraise through comparison | 对~ *duì~* contrast; make a comparison | 你们俩可以~一~高低。*Nǐmen liǎ kěyǐ ~ gāodī.* You may compete with each other to decide who is better. ❹〈动 v.〉仿照 copy; model after：他~着猫画老虎，这不是胡来吗？*Tā ~zhe māo huà lǎohǔ, zhè bú shì húlái ma?* He drew a tiger with a cat as a model. Wasn't it ridiculous? ❺〈动 v.〉设喻 compare to; draw an analogy：大家都把黄河、长江~作母亲河。*Dàjiā dōu bǎ Huánghé, Chángjiāng ~zuò mǔqīnhé.* The Yellow River and the Yangtze River are compared to the Mother River. ❻〈动 v.〉比画 gesture; gesticulate：我连说带~才说清楚这个问题。*Wǒ liánshuō-dài~ cái shuō qīngchu zhège wèntí.* I made the question clear with words and gestures. ❼〈动 v.〉同类事物在数量上构成的一种比较关系 ratio; proportion; the comparative relationship between two similar things（esp. in numbers）：百分~ *bǎifēn~* percentage | 反~ *fǎn~* inverse ratio | 5~3 *wǔ~sān* five to three ❽〈动 v.〉比得上 match; be similar to; be like：~美 *~měi* compare favorably with; rival | 现在的生活不~以前差。*Xiànzài de shēnghuó bù ~ yǐqián chà.* The living condition now is no worse than that of the past. ❾〈动 v. 书 *lit.*〉紧挨着 be close together; be next to：马路两旁高楼大厦鳞次栉~。*Mǎlù liǎng páng gāolóu dàshà líncì-zhì~.* There are rows upon rows of high buildings along both sides of the road. ❿〈动 v. 书 *lit.*〉勾结 depend on; collude with：朋~为奸 *péng~-wéijiān* gang up to do evil

³ **比方** bǐfang ❶〈名 n.〉（个 gè）指用类似的事物来说明另一事物的做法 act of illustrating one thing through comparing it with a similar thing：我可以打个浅显的~来解说深刻的道理。*Wǒ kěyǐ dǎ gè qiǎnxiǎn de ~ lái jiěshuō shēnkè de dàolǐ.* I can draw a plain analogy to explain the profound principle. ❷〈动 v.〉用类似的事物说明另一事物，通常用浅显的说明难懂的 compare to; draw an analogy between; use some easily understandable thing to illustrate the meaning of a difficult one：人们常用松、竹、梅~一个人的高风亮节 *Rénmen cháng yòng sōng, zhú, méi ~ yí gè rén de gāofēng-liàngjié.*

Pine, bamboo and plum are often used to symbolize a person's exemplary deed or noble character. ❸〈动 *v.*〉用来举例 take for instance or example：现在出现的一些新名词我都不太懂，~期市、股市、债市等 *Xiànzài chūxiàn de yìxiē xīn míngcí wǒ dōu bú tài dǒng, ~ qīshì, gǔshì, zhàishì děng.* I can hardly understand some of the newly-coined words, such as '期市 qīshì future market', '股市 gǔshì stock market', and '债市 zhàishì bond market'. ❹〈连 *conj.*〉假如（带试探性）if; suppose; provided that：~说，我今天下午就去上海，你不会反对吧。*~shuō, wǒ jīntiān xiàwǔ jiù qù Shànghǎi, nǐ bú huì fǎnduì ba.* If I leave for Shanghai this afternoon, you wouldn't disagree, would you?

⁴ **比分** bǐfēn 〈名 *n.*〉比赛双方的得分对比 score; points scored by competitors：现在场上的~是7比3，我方暂时领先。*Xiànzài chǎng shang de ~ shì qī bǐ sān, wǒfāng zànshí lǐngxiān.* Now the score of the match is 7:3 in our favor temporarily. ｜女排姑娘经过顽强拼搏终于战胜了古巴队，~是3比2。*Nǚpái gūniang jīngguò wánqiáng pīnbó zhōngyú zhànshèngle Gǔbā duì, ~ shì sān bǐ èr.* The young players of the women's volleyball team exerted full strength and finally defeated the team of Cuba with the score 3:2.

⁴ **比价** bǐjià 〈名 *n.*〉不同商品的价格比率或不同货币的币值比率 price ratio; rate of exchange：粮油~ *liáng yóu ~* price ratio between grain and oil ｜人民币和美元的~ *Rénmínbì hé Měiyuán de ~* the rate of exchange between the RMB and the US dollar

¹ **比较** bǐjiào ❶〈副 *adv.*〉表示达到相当的程度 comparatively; relatively; fairly; rather：校园里~安静。*Xiàoyuán li ~ ānjìng.* The campus is rather quiet. ❷〈动 *v.*〉在类似事物间进行对比，区别异同或高下 compare; contrast, tell the difference or differences among similar things：这两个施工方案~下来，还是第一方案报价低、工期短。*Zhè liǎng gè shīgōng fāng'àn ~ xiàlái, háishì dì-yī fāng'àn bàojià dī, gōngqī duǎn.* Of the two construction plans, the first one is lower in quoted price and takes less time. ❸〈介 *prep.*〉引入对比的事物，借以区别性状和程度的差别 than, used to introduce the second element of a comparison to distinguish respective nature and degree：这个企业的产品质量~上个月有明显的提高。*Zhège qǐyè de chǎnpǐn zhìliàng ~ shàng gè yuè yǒu míngxiǎn de tígāo.* The quality of the products of this enterprise improved obviously in comparison with that of the previous month.

² **比例** bǐlì 〈名 *n.*〉同类事物在数量上构成的比较关系 proportion; scale, a relationship between similar things with respect to comparative quantity：现在轻重工业~失调的问题已得到解决。*Xiànzài qīng zhòng gōngyè ~ shītiáo de wèntí yǐ dédào jiějué.* Now the disproportionality between the heavy and light industries has been adjusted. ｜代表中妇女所占的~是百分之十。*Dàibiǎo zhōng fùnǚ suǒ zhàn de ~ shì bǎi fēn zhī shí.* Women take the proportion of 10 percent of the representatives.

² **比如** bǐrú 〈连 *conj.*〉用来举例 for example; such as：今年北京市政府承诺要为老百姓办60件实事，~修建住房、改造道路、治理污染、绿化环境等。*Jīnnián Běijīng Shì zhèngfǔ chéngnuò yào wèi lǎobǎixìng bàn liùshí jiàn shíshì, ~ xiūjiàn zhùfáng, gǎizào dàolù, zhìlǐ wūrǎn, lǜhuà huánjìng děng.* This year the Beijing municipal government promised to embark upon 60 programs beneficial to the people, such as housing, road renovation, pollution control and tree planting.

¹ **比赛** bǐsài ❶〈动 *v.*〉比较本领、技能的优劣、高低 have a competition to testify greater ability or skill：听说你的棋艺已有长进，咱们~一下？*Tīngshuō nǐ de qíyì yǐ yǒu zhǎngjìn, zánmen ~ yíxià?* It's said that you've made progress in chess game. Shall we have a match? ❷〈名 *n.*〉（场 chǎng、次 cì）指赛事活动 match; contest; competition：这场篮球~真精彩。*Zhè chǎng lánqiú ~ zhēn jīngcǎi.* The basketball game is wonderful.

B

⁴ **比喻** bǐyù ❶ 〈名 n.〉打比方的修辞方法 metaphor; analogy; figure of speech, a method of comparing one thing to another:《诗经》中经常运用的修辞手法就是~,因此写景状物比较形象、生动.'*Shījīng*' zhōng jīngcháng yùnyòng de xiūcí shǒufǎ jiùshì ~, yīncǐ xiějǐng zhuàngwù bǐjiào xíngxiàng, shēngdòng. The most frequently used figures of speech in *Poetry* is metaphor, so the descriptions of scenes and objects are rather concrete and vivid. ❷ 〈动 v.〉打比方;根据事物之间的相似点,用熟知的事物形容、描述另一事物 draw analogy; illustrate sth. with familiar things focusing on their similarities:大家用《西游记》中的'白骨精'~那个阴险狡诈的女人.Dàjiā yòng '*Xīyóujì*' zhōng de '*Báigǔjīng*' ~ nèige yīnxiǎn jiǎozhà de nǚrén. People compare that insidious and deceitful woman to the White-Bone Demon of the *Westward Pilgrimage*.

⁴ **比重** bǐzhòng ❶ 〈名 n.〉物理学术语,指物体所受重力与其体积的比值 specific gravity a physical term, ratio between the volume of an object and its gravity ❷ 〈名 n.〉事物在整体中所占的分量 proportion; amount of sth. in its entirety:非公有制经济在中国国民经济中已占相当~.Fēigōngyǒuzhì jīngjì zài Zhōngguó guómín jīngjì zhōng yǐ zhàn xiāngdāng ~. Private economy has taken a considerable proportion in China's national economy.

⁴ **彼** bǐ ❶ 〈代 pron.〉那;那个（与'此'相对）that; those（opposite to '此 cǐ'）:顾此失~ gùcǐ-shī~ try to avoid one fault but fall into another | 由此及~ yóucǐ-jí~ from this to that ❷ 〈代 pron.〉他;对方（与'己'相对）other party; one's opponent（opposite to '己 jǐ'）:知己知~ zhījǐ-zhī~ know both one's opponent and oneself | ~进我退.~jìn wǒtuì. As the adversary matches forward, I retreat.

³ **彼此** bǐcǐ ❶ 〈代 pron.〉指这个人和那个人;双方 each other; one another:他们两个人很要好,~互相关心,互相照顾.Tāmen liǎng gè rén hěn yàohǎo, ~ hùxiāng guānxīn, hùxiāng zhàogù. They, on very good terms, care for each other and look after each other. ❷ 〈代 pron.〉彼此重叠使用,作为一种套语,表示双方一个样 used in reduplication as a fixed expression to indicate that both sides are about the same:咱俩的酒量~~.Zán liǎ de jiǔliàng ~ ~. We are of the same capacity for liquor.

¹ **笔** bǐ ❶ 〈名 n.〉（支 zhī、枝 zhī、管 guǎn、杆 gǎn）写字、画图的文具 tool for writing or drawing:钢~ gāng~ pen | 铅~ qiān~ pencil | 毛~ máo~ writing brush | 签字~ qiānzì~ signing pen ❷ 〈名 n.〉指汉字的笔画 stroke of Chinese characters:他的名字'丁一',一共才3~.Tā de míngzi 'Dīng Yī', yígòng cái sān ~. There are only three strokes in his name '丁一Ding Yi'. ❸ 〈名 n.〉写字、画画或写文章的笔法、技巧 calligraphy or drawing; technique of writing:败~ bài~ flaw in a good piece of writing | 伏~ fú~ foreshadowing | 他把这件事描绘得惟妙惟肖,真是妙~生花.Tā bǎ zhè jiàn shì miáohuì de wéimiào-wéixiào, zhēnshì miào~shēnghuā. The vivid description of the event is remarkably true to life under his wonderful pen. ❹ 〈量 meas.〉用于书画、款项等的计量 used to indicate painting, calligraphy or money:我还有两~款没收回.Wǒ hái yǒu liǎng ~ kuǎn méi shōuhuí. I still have two sums of money to take back. | 他能写一~好字.Tā néng xiě yì ~ hǎo zì. He can write a good hand. ❺ 〈动 v.〉用笔写 write:请你代~写封信.Qǐng nǐ dài~ xiě fēng xìn. Please write a letter for me. | 法庭上书记员~录了原告、被告双方的辩论.Fǎtíng shang shūjìyuán ~lùle yuángào, bèigào shuāngfāng de biànlùn. At the court the secretary wrote down the debate between the prosecutor and the accused. ❻ 〈形 adj.〉像笔那样直 as straight as a pen:他穿了件一挺的西装.Tā chuānle jiàn ~tǐng de xīzhuāng. He is dressed in an immaculate Western-style suit.

² **笔记** bǐjì ❶ 〈名 n.〉（份 fèn、本 běn）听课、读书时做的记录 note（of lectures and

readings)：我专心听课，认真做~。*Wǒ zhuānxīn tīngkè, rènzhēn zuò ~.* I listen to the lecture attentively and take down notes carefully. ❷〈名 *n.*〉(篇 piān)一种以随笔记录为主的文章体裁 pen jottings; sketches：许多历史~存有不少史料，可补正史的不足。*Xǔduō lìshǐ ~ cúnyǒu bùshǎo shǐliào, kě bǔ zhèngshǐ de bùzú.* Many historical sketches contain a lot of historical materials that can be used to complement the inadequacy of official histories.

⁴ **笔迹** bǐjì 〈名 *n.*〉每个人写的字所特具的形象与风格 handwriting; personal writing style：鉴定一下~，查清是谁写的匿名诬告信。*Jiàndìng yíxià ~, chá qīng shì shuí xiě de nìmíng wūgào xìn.* Identify the handwriting to find out who wrote the anonymous letter of false accusation.

³ **笔试** bǐshì 〈名 *n.*〉书面测试的方法 written examination, an examination method in which written answers are required：竞争上岗的人员正在进行~。*Jìngzhēng shànggǎng de rényuán zhèngzài jìnxíng ~.* Those who compete for the posts are having the written examination now.

³ **笔直** bǐzhí 〈形 *adj.*〉像笔那样直；很直 straight as a pen; very straight：这条通往新建小区的大道宽敞~。*Zhè tiáo tōngwǎng xīnjiàn xiǎoqū de dàdào kuānchang ~.* The road to the newly-built residential area is wide and straight.

³ **币** bì 〈名 *n.*〉交换商品的货币 money; currency：纸~ zhǐ~ bank note; bill｜金~ jīn~ gold coin｜人民~ Rénmín~ RMB, renminbi

³ **必** bì 〈副 *adv.*〉一定；一定要 certainly; surely：言~信，行~果。*Yán ~ xìn, xíng ~ guǒ.* Be true in words and resolute in deeds.｜我们~胜，敌人~败。*Wǒmen ~ shèng, dírén ~ bài.* We are bound to win and the enemies are certain to be defeated.

³ **必定** bìdìng ❶〈副 *adv.*〉表示极有把握的估计 undoubtedly; definitely：明晨~有大雾。*Míng chén ~ yǒu dà wù.* There will surely be a heavy fog tomorrow morning. ❷〈副 *adv.*〉表示意志的坚定 resolutely：我~如期完成任务。*Wǒ ~ rúqī wánchéng rènwù.* I'm certain to finish the work on schedule. ❸〈副 *adv.*〉表示必然 inevitably; certainly; surely：他饭后~要吸一支烟。*Tā fàn hòu ~ yào xī yì zhī yān.* He smokes a cigarette after each meal without fail.

⁴ **必将** bìjiāng 〈副 *adv.*〉一定会 certainly; surely：我们的目标~实现。*Wǒmen de mùbiāo ~ shíxiàn.* Our aim will certainly be achieved.

² **必然** bìrán ❶〈副 *adv.*〉表示合乎规律，一定会这样 certainly; necessarily：你平时不用功，~影响学业。*Nǐ píngshí bú yònggōng, ~ yǐngxiǎng xuéyè.* You are not hard working at ordinary times, which will certainly affect your study. ❷〈形 *adj.*〉表示从事理上是确定不移的（与'偶然'相对）inevitably（opposite to '偶然 ǒurán'）：先进的生产力取代落后的生产力，是社会发展的~要求。*Xiānjìn de shēngchǎnlì qǔdài luòhòu de shēngchǎnlì, shì shèhuì fāzhǎn de ~ yāoqiú.* It's the inevitable demand of social development that the advanced productivity（should）replace the backward one. ❸〈名 *n.*〉哲学术语，指不以人的意志为转移的客观规律 a philosophical term, objective law of development independent of man's will

³ **必修** bìxiū 〈动 *v.*〉学生按照学校的规定必须学的（区别于 '选修'）required; obligatory; compulsory; mandatory（different from '选修 xuǎnxiū'）：这门课是~的，那门课可以选修。*Zhè mén kè shì ~ de, nà mén kè kěyǐ xuǎnxiū.* This subject is mandatory while that one is optional.

¹ **必须** bìxū 〈副 *adv.*〉表示必要 necessarily：你~参加明天的考试。*Nǐ ~ cānjiā míngtiān de kǎoshì.* You must attend the exam tomorrow.｜学外语~下苦功夫。*Xué wàiyǔ ~ xià*

kǔ gōngfu. One has to take pains to learn a foreign language. ｜抗洪抢险这种大事~第一把手亲自指挥。*Kànghóng qiǎngxiǎn zhè zhǒng dàshì ~ dì-yī bǎ shǒu qīnzì zhǐhuī.* The chief of a leading group must be personally responsible for directing the struggle against flood and dealing with emergency.

³ **必需** bìxū 〈动 v.〉一定要有 be essential; be indispensable：鱼儿~水。*Yú'ér ~ shuǐ.* Water is essential to fish. ｜庄稼~肥料。*Zhuāngjia ~ féiliào.* Fertilizer is indispensable to crops.

² **必要** bìyào ❶ 〈形 adj.〉不可缺少的；非这样不行的 necessary; essential; indispensable：这是一项~的手续。*Zhè shì yí xiàng ~ de shǒuxù.* This is a necessary procedure. ｜调整你的工作是~的。*Tiáozhěng nǐ de gōngzuò shì ~ de.* It's necessary to change your work. ｜~时我会来看你的。*~ shí wǒ huì lái kàn nǐ de.* I'll come to see you when necessary. ❷ 〈名 n.〉做某种事情所具有的重要意义 necessity：我看完全有这种~。*Wǒ kàn wánquán yǒu zhè zhǒng ~.* It's absolutely necessary as I see it. ｜我觉得现在有写点儿东西的~了。*Wǒ juéde xiànzài yǒu xiě diǎnr dōngxi de ~ le.* I feel the necessity to write some articles now.

³ **毕竟** bìjìng ❶ 〈副 adv.〉指出最关键之点 after all; anyhow：他~年轻，办事还不够周到。*Tā ~ niánqīng, bànshì hái búgòu zhōudào.* Anyhow, he is still young and not thoughtful in doing things. ｜谎言~是谎言，总有一天要被揭穿的。*Huǎngyán ~ shì huǎngyán, zǒng yǒu yì tiān yào bèi jiēchuān de.* A lie is after all a lie, and it will be laid bare someday. ❷ 〈副 adv.〉到底；终于 at last; finally; in the end：天~放晴了，人们可以自由自在地到户外活动了。*Tiān ~ fàngqíng le, rénmen kěyǐ zìyóu-zìzài de dào hùwài huódòng le.* The weather finally cleared up, and people could freely go for their out-door activities.

² **毕业** bì//yè 〈动 v.〉学习期满，达到规定要求 graduate; finish school, completing one's term of study at school or training course：我1965年在清华大学~。*Wǒ yī-jiǔ-liù-wǔ nián zài Qīnghuá Dàxué ~.* I graduated from Tsinghua University in 1965. ｜他两门功课不及格，今年毕不了业。*Tā liǎng mén gōngkè bù jígé, jīnnián bì bù liǎo yè.* Because of his failure in two subjects, he can't graduate this year.

² **闭** bì ❶ 〈动 v.〉关上；合上 shut; close：~门造车（不顾客观实际，想当然地办事）~ mén-zàochē（búgù kèguān shíjì, xiǎngdāngrán de bànshì）make a cart behind closed doors（meaning to work all along without reference to actual need or shut oneself off from reality）｜~关锁国 ~ guān-suǒguó close the country to the rest of the world ｜猫头鹰经常睁一只眼~一只眼。*Māotóuyīng jīngcháng zhēng yì zhī yǎn ~ yì zhī yǎn.* Owls always keep one eye open and the other closed. ❷ 〈动 v.〉堵住；塞住 stop up; obstruct：在水中潜游要~住气。*Zài shuǐ zhōng qián yóu yào ~zhù qì.* One needs to hold one's breath when swimming under water. ❸ 〈动 v.〉停止；结束 stop; end：大会~幕了。*Dàhuì ~ mù le.* The conference ended. ｜这家工厂破产倒~了。*Zhè jiā gōngchǎng pòchǎn dǎo ~ le.* The factory went bankrupt and was closed.

³ **闭幕** bì//mù 〈动 v.〉演出结束落下帷幕；也借指会议、展览等结束 lower the curtain（when a show, a performance, a conference or an exhibition ends）：展览会今天就要~，你赶快去。*Zhǎnlǎnhuì jīntiān jiùyào ~, nǐ gǎnkuài qù.* The exhibition is going to close today so you'd better hurry up to see it. ｜这个展览会暂时闭不了幕，观众实在太多了。*Zhège zhǎnlǎnhuì zànshí bì bù liǎo mù, guānzhòng shízài tài duō le.* The exhibition will not be closed for the time being for there are still too many visitors.

⁴ **闭幕式** bìmùshì 〈名 n.〉会议、展览、文艺、体育等活动结束时举行的仪式 closing

ceremony held when a conference, an exhibition, an artistic performance or a sports event ends：大会～在人民大会堂举行。*Dàhuì ~ zài Rénmín Dàhuìtáng jǔxíng.* The closing ceremony of the conference is to be held in the Great Hall of the People.

⁴ **闭塞** bìsè ❶〈形 *adj.*〉交通不便；消息不灵 out-of-the-way; inaccessible; ill-informed：这个小村地处深山，十分～。*Zhège xiǎo cūn dì chǔ shēn shān, shífēn ~.* The small village is quite out-of-the-way, lying deep in the mountains. ❷〈动 *v.*〉堵住了；不通 stop up; block：我家的下水道经常～。*Wǒ jiā de xiàshuǐdào jīngcháng ~.* The sewer pipe of my home often blocks.

⁴ **碧绿** bìlǜ〈形 *adj.*〉翠绿色 dark green：～的大草原伸向天边。*~ de dà cǎoyuán shēn xiàng tiānbiān.* The dark green prairie stretches far beyond the horizon.

⁴ **弊病** bìbìng〈名 *n.*〉害处；毛病 drawback; malady; ill：一些国有企业还存在不适应市场经济的～。*Yìxiē guóyǒu qǐyè hái cúnzài bú shìyìng shìchǎng jīngjì de ~.* Inability to adapt to the market economy is a malady of some state-owned enterprises.

⁴ **弊端** bìduān〈名 *n.*〉因为工作上、体制上的缺陷而产生的漏洞或问题 flaw or problem in work or system; abuse：我们必须解决改革开放后出现的一些社会～。*Wǒmen bìxū jiějué gǎigé kāifàng hòu chūxiàn de yìxiē shèhuì ~.* We must eliminate some social abuses which have emerged since the introduction of the reform and opening-up policy.

³ **壁** bì ❶〈名 *n.*〉墙 wall：墙～qiáng~ wall｜断垣残～duànyuán-cán~ crumbling walls｜飞檐走~fēiyán-zǒu~ leap onto roofs and vault over walls｜我的那位邻居穷得家徒四~。*Wǒ de nà wèi línjū qióng de jiātúsì~.* My neighbor was so poor that he had nothing but the bare walls in his house. ❷〈名 *n.*〉陡峭的山崖 cliff; steep wall of the mountain：绝～jué~ precipice｜你开车小心点儿，公路外侧就是悬崖峭~。*Nǐ kāichē xiǎoxīn diǎnr, gōnglù wàicè jiùshì xuányá-qiào~.* Be careful in driving. The outer side of the road is the perilous cliff. ❸〈名 *n.*〉营垒 barrier：森严～垒 sēnyán-~lěi be strongly fortified｜抗日根据地群众用坚～清野的办法对付侵略军。*Kàngrì gēnjùdì qúnzhòng yòng jiān~-qīngyě de bànfǎ duìfù qīnlüèjūn.* People in anti-Japanese base areas fought the aggressors by strengthening defense works and clearing the fields. ❹〈名 *n.*〉像墙壁一样的东西 wall-like thing：井～jǐng~ wall of a well｜炉～lú~ boiler wall ❺〈名 *n.*〉边 side：半~江山沦陷了。*Bàn~-jiāngshān lúnxiàn le.* Half of the country was occupied by the enemy. ❻〈名 *n.*〉二十八宿之一 *bi*, one of the 28 constellations into which the celestial sphere was divided in ancient Chinese astronomy

² **避** bì ❶〈动 *v.*〉躲开；回避 avoid; keep away from：～雨 ~yǔ take shelter from the rain｜～风~fēng take shelter from the wind｜对他的提问我～而不答。*Duì tā de tíwèn wǒ ~érbùdá.* I avoided his questions. ❷〈动 *v.*〉防止；设法免除 prevent; keep away：～孕~yùn contraception｜房顶上要安～雷针。*Fángdǐng shang yào ān ~léizhēn.* The top of the building should be installed with a lightning rod.

² **避免** bìmiǎn〈动 *v.*〉设法防止，不让某种事情发生 refrain from; prevent sth. from happening：你最好～和他正面冲突。*Nǐ zuìhǎo ~ hé tā zhèngmiàn chōngtū.* You'd better avoid direct conflicts with him.｜意见和分歧是难以～的。*Yìjiàn hé fēnqí shì nányǐ ~ de.* It's hard to avoid differences in opinions.

⁴ **臂** bì〈名 *n.*〉胳膊，从肩到腕的部分 arm, the part from one's shoulder to wrist：上～shàng~ the upper arm｜战争年代他的右～受过伤。*Zhànzhēng niándài tā de yòu ~ shòuguo shāng.* He was wounded in the right arm during the war time.

¹ **边** biān ❶〈名 *n.*〉物体的外缘 the outer edge of an object：桌～儿zhuō ~r the edge of a

table｜这里太挤了，你靠一站吧。Zhèli tài jǐ le, nǐ kào ~ zhàn ba. It is so crowded here, you'd better stand aside. ❷〈名 n.〉物体的近旁 the place next to sb. or sth.：身~ shēn~ at or by one's side｜河~ hé~ by the riverside｜马路两~商店林立。Mǎlù liǎng ~ shāngdiàn línlì. The street is lined with shops on both sides. ❸〈名 n.〉交界的地方 border area; boundary：~界 ~jiè boundary line｜一支部队在西部~境屯垦戍~。Yì zhī bùduì zài xībù ~jìng túnkěn shù~. A troop was stationed at the western border to guard and cultivate the frontier. ❹〈名 n.〉抽象的界线 edge (used in abstract sense)：一眼望不到~ yì yǎn wàng bú dào ~ stretch as far as one can see｜天~ tiān~ horizon; ends of the earth ❺〈名 n.〉一方；方面 part; side：两拨人进行拔河比赛，这~赢了，那~输了。Liǎng bō rén jìnxíng báhé bǐsài, zhè ~ yíng le, nà ~ shū le. Two teams of people played tug-of-war. This side beat the other side . ❻〈名 n.〉数学术语，几何图形上构成角的线段 a mathematical term, indicating lines that form a geometrical figure：三角形的~ sānjiǎoxíng de ~ lines of a triangle ❼(~儿)〈名 n.〉物体边缘上的装饰物 decoration fixed or drawn on the edge of an object：她的上衣袖口镶了花~儿。Tā de shàngyī xiùkǒu xiāngle huā~r. The cuffs of her dress are decorated with laces. ❽〈词尾 suff.〉用在方位词后 used after nouns of direction：里~ lǐ~ inside｜外~ wài~ outside｜会议厅的后~就是餐厅。Huìyìtīng de hòu~ jiùshì cāntīng. The dining-room is located at the backside of the auditorium.

² **边…边…** biān…biān… 〈副 adv.〉嵌入两个动词，表示动作同时进行 used before verbs to indicate that two actions happen at the same time：~唱~跳 ~chàng~tiào dance while singing｜~走~看 ~zǒu~kàn look while walking｜咱们先去吃饭吧，在饭桌上还可以~吃~谈。Zánmen xiān qù chīfàn ba, zài fànzhuō shang hái kěyǐ ~chī~tán. Let's go and have our dinner first, and then we can talk over the table.

³ **边防** biānfáng 〈名 n.〉为保卫国家安全在边境地区设置的防务 frontier or border defense of a country：~部队 ~bùduì frontier troop｜~工事 ~gōngshì frontier works

³ **边疆** biānjiāng 〈名 n.〉国界线附近的领土 border area, land near the dividing line of two countries：农垦部队为保卫~、建设~做出了很大贡献。Nóngkěn bùduì wèi bǎowèi ~, jiànshè ~ zuòchūle hěn dà gòngxiàn. Reclamation troops have made great contributions to the defense and construction of frontier regions.

³ **边界** biānjiè 〈名 n.〉地区与地区（省、县）间、国与国间的界线（national, provincial or county boundary）line dividing two regions：两省的~地带成了两不管地方。Liǎng shěng de ~ dìdài chéngle liǎngbùguǎn dìfang. The border area between the two provinces has become a place that comes within nobody's jurisdiction.｜两国解决了~争端。Liǎng guó jiějuéle ~ zhēngduān. The two countries have settled their boundary dispute.

⁴ **边境** biānjìng 〈名 n.〉地区与地区、国家与国家毗邻的地方 border, area near the line dividing two regions or countries：两国为互通有无开放了~贸易。Liǎng guó wèi hùtōng yǒuwú kāifàngle ~ màoyì. The two countries opened border trade to meet each other's needs.

³ **边缘** biānyuán ❶〈名 n.〉沿边的部分 margin; edge; fringe; verge; brink; periphery：城市~ chéngshì~ city periphery｜森林~ sēnlín ~ the fringe of a forest｜一些~地区经济还欠发达。Yìxiē ~ dìqū jīngjì hái qiàn fādá. The economy of some outlying areas is still underdeveloped. ❷〈名 n.〉比喻事物发展到了极限处 fig. the point at which sth. reaches its limit; margin：战争~ zhànzhēng~ on the verge of war｜旧时代中国人民在饥饿、死亡的~上挣扎 Jiù shídài Zhōngguó rénmín zài jī'è, sǐwáng de ~ shang zhēngzhá. In the old times, the Chinese people struggled at the edge of hunger and death.

❸ 〈形 *adj.*〉靠近界限的；同多方面有关联的 peripheral; connected to two or more areas：物理化学、生物化学等都是新兴的~学科。*Wùlǐ huàxué, shēngwù huàxué děng dōu shì xīnxīng de ~ xuékē.* Physical chemistry and biochemistry are new interdisciplinary branches of science.

² **编** biān ❶〈动 *v.*〉编写；创作；从事文字的加工处理 write; compose; edit：~书 ~ *shū* edit a book | ~报纸 ~ *bàozhǐ* edit a newspaper | 这本词典是他们五个人~著的。*Zhè běn cídiǎn shì tāmen wǔ gè rén ~zhù de.* The dictionary was compiled by five of them. | 我已把那篇小说改~成电视剧。*Wǒ yǐ bǎ nà piān xiǎoshuō gǎi~ chéng diànshìjù.* I've adapted that novel into a television drama. ❷〈动 *v.*〉按一定规矩组合、排列 organize or arrange according to a certain order：~队 ~*duì* organize into teams | ~组 ~*zǔ* group; organize people into groups | 刚出版的这本书~排得有点儿乱。*Gāng chūbǎn de zhè běn shū ~pái de yǒudiǎnr luàn.* This newly-published book is somewhat not well-organized. ❸〈动 *v.*〉用细长的东西(竹篾、柳条、麦秸等)交叉织成器物 weave; plait; create by interweaving thin and long materials (such as bamboo strips, twigs and wheat straw)：~草帽 ~ *cǎomào* weave a straw hat | 用柳条~箩筐 yòng liǔtiáo ~ luókuāng weave a basket with wickers ❹〈动 *v.*〉杜撰；虚构 fabricate; concoct; make up：你写文章不能胡~乱造。*Nǐ xiě wénzhāng bù néng hú~luànzào.* You should not fabricate false statements in your article. ❺〈名 *n.*〉指机构的组织形式、人员设置等，即编制 referring to organizational structure, personnel setup, etc. same as '编制biānzhì'：在~ *zài~* be on the permanent staff | 扩~ *kuò~* augment the staff | ~余人员 ~*yú rényuán* not included in the regular payroll; non-staff member ❻〈名 *n.*〉成本的书，多作书名 book, oft. used in the titles of books：《中国历史简~》 '*Zhōngguó Lìshǐ Jiǎn~*' *A Concise History of China* ❼〈量 *meas.*〉书的一部分(以编为单位划分) part; chapter (division of a book)：这本书分上、下两~。*Zhè běn shū fēn shàng, xià liǎng ~.* This book consists of Book I and Book II.

⁴ **编号** biānhào ❶〈名 *n.*〉给事物编定的序号 the serial number of things：每张电影票上都有~，请大家对号入座。*Měi zhāng diànyǐngpiào shang dōu yǒu ~, qǐng dàjiā duìhào-rùzuò.* Every film ticket has a seat number on it. Be seated according to the number please. ❷〈动 *v.*〉给事物排定顺序，编出序码 place in order and assign the number to：图书馆的新书上架前都得先~。*Túshūguǎn de xīn shū shàng jià qián dōu děi xiān ~.* The newly-acquired books in the library should be numbered before being put on the bookshelves.

³ **编辑** biānjí ❶〈动 *v.*〉对文章和书稿作加工处理，以达到发表、出版的要求 edit articles and manuscripts for publication：科学出版社最近~出版了一套科普读物。*Kēxué Chūbǎnshè zuìjìn ~ chūbǎnle yí tào kēpǔ dúwù.* The Science Publishing House recently published a set of popular science readings. ❷〈名 *n.*〉(位 wèi、名 míng、个 gè)从事编辑工作的人 (an) editor：他是一位资深~。*Tā shì yí wèi zīshēn ~.* He is a senior editor.

⁴ **编者按** biānzhě'àn 〈名 *n.*〉(篇 piān、条 tiáo、段 duàn)编辑人员在所发文章或消息的前面写的按语(表达编者的看法、评论等) (a piece of or a paragraph of) editor's note or editorial note that precedes an article or a piece of news (expressing editor's opinion, review, etc.)：这条~写得很好，对读者有启迪作用。*Zhè tiáo ~ xiě de hěn hǎo, duì dúzhě yǒu qǐdí zuòyòng.* This well-written editor's note will enlighten the readers.

³ **编制** biānzhì ❶〈动 *v.*〉制订计划、方案等 work out programs, plans, etc.：每到年底财务部门就要~明年的预算。*Měi dào niándǐ cáiwù bùmén jiù yào ~ míngnián de yùsuàn.*

The financial department will make next year's budget at the end of each year. ❷ 〈动 *v.*〉用法与‘编’❸ 同 used as '编biān' ❸：这都是竹篾~成的生活用具。*Zhè dōu shì zhúmiè ~ chéng de shēnghuó yòngjù.* These utensils are made of bamboo strips. ❸ 〈名 *n.*〉用法与‘编 biān’❺ 同 used as '编biān' ❺：我们单位的~已经满了。*Wǒmen dānwèi de ~ yǐjīng mǎn le.* The positions of our unit are fully occupied.

⁴ **鞭策** biāncè ❶ 〈动 *v.*〉鞭和策都是赶马用的工具，现在经常用来比喻严格地督促，使人上进 use a whip to urge a horse on. *fig.* spur on; urge on：革命先烈为革命英勇献身的精神~着我们前进。*Gémìng xiānliè wèi gémìng yīngyǒng xiànshēn de jīngshén ~zhe wǒmen qiánjìn.* We are spurred to go forward by the revolutionary martyrs' spirit of heroically sacrificing their lives to revolution. ❷ 〈名 *n.*〉促人努力的举措 words or actions that spur people to work hard; incentive; encouragement：非常感谢您对我的~。*Fēicháng gǎnxiè nín duì wǒ de ~.* Thanks for your encouragement.

⁴ **鞭炮** biānpào 〈名 *n.*〉(个 gè、枚 méi、挂 guà) 爆竹的统称，也专指成串的小爆竹 a general term for firecrackers, also referring to a string of small firecrackers：一些城市明令禁止燃放烟花，~。*Yìxiē chéngshì mínglìng jìnzhǐ ránfàng yānhuā, ~.* Fireworks and firecrackers are banned in some cities.

⁴ **鞭子** biānzi 〈名 *n.*〉(根 gēn、条 tiáo) 驱赶牲畜的用具 whip used to urge on draft animals：老人只是拿~晃了晃，听话的黄牛马上拉着车往前走了。*Lǎorén zhǐshì ná ~ huàngle huàng, tīnghuà de huángniú mǎshàng lāzhe chē wǎng qián zǒu le.* The old man just waved his whip and the tame ox pulled the cart forward immediately.

⁵ **贬低** biǎndī 〈动 *v.*〉故意压低对人或事的评价 deliberately underestimate people or things：他总是~别人，以显示自己的高明。*Tā zǒngshì ~ biérén, yǐ xiǎnshì zìjǐ de gāomíng.* He always belittles others to show his brilliance.

⁴ **贬义** biǎnyì 〈名 *n.*〉说话或文字中含有不好、否定的意思 derogatory sense; pejorative meaning in speeches or words：你的文章里用的~词太多了。*Nǐ de wénzhāng li yòng de ~cí tài duō le.* You have used too many derogatory terms in your article.

⁴ **贬值** biǎnzhí ❶ 〈动 *v.*〉指货币购买力下降 (of the purchasing power of a currency) decrease：钞票发得太多，必然要~。*Chāopiào fā de tài duō, bìrán yào ~.* If banknotes are overissued, devaluation of the currency will certainly appear. ❷ 〈动 *v.*〉泛指事物的价值降低 (of the value or price of sth.) decrease：知识~。*Zhīshi ~.* Knowledge has diminished in value. ❸ 〈动 *v.*〉本国单位货币的含金量降低或本国货币与外币的比价降低 (与‘升值’相对) depreciate; devalue; devaluate; reduce the value of national currency or lower the exchange rate of national currency in relation to other currencies (opposite to '升值shēngzhí')：在'亚洲金融危机'期间，许多国家的货币~。*Zài 'Yàzhōu jīnróng wēijī' qījiān, xǔduō guójiā de huòbì ~.* During the Asian financial crisis, the currency of many countries devaluated.

² **扁** biǎn ❶ 〈形 *adj.*〉物体薄平而宽大 (of objects) flat and thin：一张难看的~脸 *yì zhāng nánkàn de ~ liǎn* an ugly flat face | 好儿的一个洋娃娃被压得~~的。*Hǎohāor de yí gè yángwáwa bèi yā de ~ ~ de.* A perfectly good doll was pressed flat. ❷ 〈形 *adj.*〉轻视人 underestimate：你别从门缝里看人，把人看~了。*Nǐ bié cóng ménfèng li kàn rén, bǎ rén kàn~ le.* Never look at people through the door crack and underestimate their ability. ❸ 〈动 *v.*〉使成扁形 make sth. flat：老太太~着嘴笑了笑。*Lǎo tàitai ~zhe zuǐ xiàole xiào.* The old lady smiled with closed lips.

¹ **变** biàn ❶ 〈动 *v.*〉事物的性质、状况、形态等跟原来不一样了 change, alter the nature, state or form of sth. to make it different：~化 ~huà change | 改~ gǎi~ alter; make

sth. different | 巨~jù ~ change greatly | 没有想到家乡大~样了。Méiyǒu xiǎngdào jiāxiāng dà ~yàng le. I've never expected the big changes in my hometown. ❷〈动 v.〉使改变 change; turn; transform：~被动为主动 ~ bèidòng wéi zhǔdòng change passive status into active one |~落后为先进。~ luòhòu wéi xiānjìn. The backward has now become the advanced. | 我的话还没有讲完，她就~脸了。Wǒ de huà hái méiyǒu jiǎng wán, tā jiù ~liǎn le. Hardly had I finished my words when she turned nasty. ❸〈动 v.〉表演魔术 perform magic：~把戏 ~ bǎxì play tricks; juggle |~戏法 ~ xìfǎ conjure; juggle | 他的手上明明捧着一只鸽子，一霎功夫~了麻雀。Tā de shǒu shang míngmíng pěngzhe yì zhī gēzi, yíshà gōngfu ~le máquè. He was seen holding a dove in his hands, but in a twinkling of eye, the dove became a sparrow. ❹〈动 v.〉灵活处置 be flexible; make changes according to specific conditions：通权达~ tōngquán-dá ~ be flexible and untrammeled by convention; adapt oneself to circumstances | 随机应~suíjī-yìng ~ act according to circumstances ❺〈名 n.〉突然发生的非常事件 emergency; unexpected event：事~ shì~ incident | 政~ zhèng~ coup | 1937年7月7日，日本侵略军大举入侵中国，史称‘七七事~’。Yī-jiǔ-sān-qī nián qī yuè qī rì, Rìběn qīnlüèjūn dàjǔ rùqīn Zhōngguó, shǐchēng 'Qīqī Shì~'. Japanese troops invaded China on a large scale on July 7, 1937, which is historically called July 7th Incident. ❻〈形 adj.〉能够变化的；变出来的 changeable; changed：~种 ~zhǒng variety; mutation | 她的心理有些~态。Tā de xīnlǐ yǒuxiē ~tài. She is somewhat psychologically abnormal.

变成 biànchéng〈动 v.〉一种东西转变成为另一种东西 change into; change from one to the other：经过农垦部队几年的艰苦努力，这块沙漠终于~绿洲。Jīngguò nóngkěn bùduì jǐ nián de jiānkǔ nǔlì, zhè kuài shāmò zhōngyú ~ lǜzhōu. This part of the desert has been turned into an oasis after years' hard work of reclamation troops.

变动 biàndòng ❶〈动 v.〉变化改动 change; alter：你的工作~了，安排你去做别的工作。Nǐ de gōngzuò ~ le, ānpái nǐ qù zuò bié de gōngzuò. Your work has changed. You are assigned to do other things. ❷〈名 n.〉指变化改动的情况 changed situation：今年学校人事方面有些~。Jīnnián xuéxiào rénshì fāngmiàn yǒuxiē ~. Some changes have been made in the personnel assignment of our school this year.

变革 biàngé ❶〈动 v.〉变旧革新（多指改变制度、法度等）(mostly of systems, laws and decrees, etc.) transform：建立社会主义市场经济必须~现在的经济体制。Jiànlì shèhuì zhǔyì shìchǎng jīngjì bìxū ~ xiànzài de jīngjì tǐzhì. In order to establish the socialist market economy, we must reform the current economic system. ❷〈名 n.〉指变旧革新的情况 transformation; change：这是一项伟大的~。Zhè shì yí xiàng wěidà de ~. This is a great change.

变更 biàngēng ❶〈动 v.〉变动更改 change; alter; modify：我们要~现在的作息时间，让大家中午多休息一会儿。Wǒmen yào ~ xiànzài de zuòxī shíjiān, ràng dàjiā zhōngwǔ duō xiūxi yíhuìr. We'll change the current time schedule to give everybody a longer noon break. ❷〈名 n.〉指变更的情况 change：原计划有~。Yuán jìhuà yǒu ~. There is a change in the original plan.

变化 biànhuà ❶〈动 v.〉事物的形态和性质有改变 change (in the state or nature of sth.)：秋冬之交气候~很大。Qiū dōng zhī jiāo qìhòu ~ hěn dà. Weather changes dramatically during the transition from autumn to winter. | 事情正在起~。Shìqíng zhèngzài qǐ ~. The situation is changing now. ❷〈名 n.〉事物产生的新状况 new occurrence：她禁不起金钱的诱惑，思想渐渐发生~。Tā jīnbuqǐ jīnqián de yòuhuò, sīxiǎng jiànjiàn fāshēng ~. Unable to resist the temptation of money, she changes gradually in her ideas.

B

⁴ **变换** biànhuàn 〈动 v.〉改变更换 vary; alternate：部队进行队列训练时经常～队形，一会儿纵队，一会儿横队。Bùduì jìnxíng duìliè xùnliàn shí jīngcháng ～ duìxíng, yíhuìr zòngduì, yíhuìr héngduì. In the formation drill, troops often change their formation, sometimes in column and sometimes in line.

⁴ **变迁** biànqiān ❶〈动 v.〉事物的变化转移 change or shift：我们工厂几经～，才成为今天这样一个大型的现代化企业。Wǒmen gōngchǎng jǐ jīng ～, cái chéngwéi jīntiān zhèyàng yí gè dàxíng de xiàndàihuà qǐyè. Having experienced many twists and turns, our factory has finally grown into a large modern enterprise of today's scale. ❷〈名 n.〉指变迁的状况 vicissitudes：新中国的成立，是中国历史上划时代的～。Xīn Zhōngguó de chénglì, shì Zhōngguó lìshǐ shang huàshídài de ～. The founding of New China marked an epoch-making change in the Chinese history.

⁴ **变形** biàn//xíng 〈动 v.〉物体外形发生变化 turn into a different form：你的自行车前车轮有点儿～。Nǐ de zìxíngchē qián chēlún yǒudiǎnr ～. The front wheel of your bike is somewhat out of shape. ｜用特殊钢材制作的这个零件变不了形。Yòng tèshū gāngcái zhìzuò de zhège língjiàn biàn bù liǎo xíng. This spare part made of special steel can hardly be deformed.

⁴ **变质** biàn//zhì 〈动 v.〉指人的思想或事物的性质向坏的方面发生了根本性变化 (of people's thought or the nature of things) become worse：在改革开放的大潮中，有些人蜕化～了。Zài gǎigé kāifàng de dàcháo zhōng, yǒuxiē rén tuìhuà ～ le. Some people have become morally degenerate in the great movement of reform and opening-up. ｜我从超市买来的这盘熟肉已经变了质。Wǒ cóng chāoshì mǎilái de zhè pán shóuròu yǐjīng biànle zhì. This plate of cooked meat that I bought in the supermarket has gone bad.

² **便** biàn ❶〈副 adv.〉用在表示时间的词语后，表示该时间早、快或短 used after words expressing time, to show sth. happening in an early or short period, or very quickly：刚刚半天工夫，一层薄雪～融化得无影无踪了。Gānggāng bàn tiān gōngfu, yì céng báo xuě ～ rónghuà de wúyǐng-wúzōng le. Hardly had a half day passed when a thin coat of snow melted into nothing. ｜下午我到医院看望病人，四点以前～可以回来。Xiàwǔ wǒ dào yīyuàn kànwàng bìngrén, sì diǎn yǐqián ～ kěyǐ huílái. I will go to the hospital to see a patient this afternoon, and come back before four o'clock. ❷〈副 adv.〉表示相继发生的动作 soon after (wards)：你们先回去，我随后～来。Nǐmen xiān huíqù, wǒ suíhòu ～ lái. You go back first, and I will follow you right away. ｜他病刚好，～上班去了。Tā bìng gāng hǎo, ～ shàngbān qù le. He went back to work as soon as he recovered from his illness. ❸〈副 adv.〉在某种条件、情况、原因下，顺应发生的动作 then; in that case：没有平等，～没有友谊。Méiyǒu píngděng, ～ méiyǒu yǒuyì. No equality, no friendship. ｜你喜欢哪个，～拿哪个。Nǐ xǐhuan něige, ～ ná něige. You may take whichever you like. ❹〈副 adv.〉表示事情正是这样 just; right：这～是我说的那本书。Zhè ～ shì wǒ shuō de nà běn shū. This is the exact book that I mentioned. ‖'便'作副词，意义、用法与'就'大致相同。When '便biàn' is used as an adverb, it has the same meaning and function as '就jiù'. ❺〈连 conj.〉即使；即便 even if：我那时不了解她，～是现在也不十分了分了。Wǒ nà shí bù liǎojiě tā, ～ shì xiànzài yě bù shífēn liǎojiě. I did not know her very well at that time, and I don't even now. ❻〈形 adj.〉顺利；容易；适宜 smooth; handy; convenient：不～ bú～ inconvenient ｜自～ zì～ act at one's convenience; do as one pleases ｜请你在方便的时候来一趟。Qǐng nǐ zài fāng～ de shíhòu lái yí tàng. Please come at your convenience. ❼〈形 adj.〉简单的；平常的 simple; ordinary：我就在家中设一宴招待几个老同学。Wǒ jiù zài jiā zhōng shè ～yàn zhāodài jǐ gè lǎo tóngxué.

I gave an informal dinner for my old schoolmates at home. ❽〈名 n.〉合适的时候 convenient time：你在假期中得~练练字。*Nǐ zài jiàqī zhōng dé~ liànliàn zì.* You may practise your handwriting whenever it is convenient for you in holidays. ❾〈名 n.〉屎尿 shit or piss; stool or urine：粪 ~fèn~ excrement; night soil │ 大 ~ dà~ shit ❿〈动 v.〉排泄屎尿 defecate; empty bowels：~ 溺 ~nì urinate or defecate; relieve oneself │ ~ 秘 ~mì constipation │ ~所 ~suǒ lavatory; toilet │ ~盆 ~pén bedpan

⁴ **便道** biàndào ❶〈名 n.〉马路两边的人行道 pavement; sidewalk：你不能在~上骑自行车。*Nǐ bùnéng zài ~ shang qí zìxíngchē.* You cannot ride bike on the pavement. ❷〈名 n.〉就近的小路 shortcut：我经常抄~回家。*Wǒ jīngcháng chāo ~ huíjiā.* I often take a shortcut to go home.

³ **便利** biànlì ❶〈形 adj.〉方便；没有困难或障碍 convenient; without difficulty or obstacle：新买的住房虽在郊区，但交通还算~。*Xīn mǎi de zhùfáng suī zài jiāoqū, dàn jiāotōng hái suàn ~.* Although my new house is in the suburbs, the traffic here is still quite convenient. ❷〈动 v.〉使便利 facilitate：为~居民看病，一些社区开始建立医疗保健站。*Wèi ~ jūmín kàn bìng, yìxiē shèqū kāishǐ jiànlì yīliáo bǎojiànzhàn.* Some communities begin to setup medicare centers for the convenience of the residents.

² **便条** biàntiáo 〈名 n.〉(张 zhāng) 随手记事的纸条；非正式的通知或信件 note; informal notice or letter：我在一张~上记下了明天要办的几件事 *Wǒ zài yì zhāng ~ shang jìxiàle míngtiān yào bàn de jǐ jiàn shì.* I wrote down several things for tomorrow in a note.

³ **便于** biànyú 〈动 v.〉容易做某件事 be easy to do; be convenient for sth.：为了~孩子上学，她暂时租了学校附近的一套房子居住。*Wèile ~ háizi shàngxué, tā zànshí zūle xuéxiào fùjìn de yí tào fángzi jūzhù.* For the convenience of her child's education, she temporarily rented an apartment near the school.

¹ **遍** biàn ❶〈量 meas.〉同数词组成数量短语，表示动作从头到尾全过程的次数 forming the numerical classifier phrases with numerals, indicating the repetition of an action from beginning to end：我又从头读了一~。*Wǒ yòu cóngtóu dúle yí ~.* I read it again from beginning. │ 这篇文章我已读过好多~。*Zhè piān wénzhāng wǒ yǐ dúguo hǎo duō ~.* I've read the article several times. ❷〈形 adj.〉全；广泛；到处 complete; all over; everywhere：漫山~野 mànshān~yě all over the hills and dales │ 他被打得~身是伤。*Tā bèi dǎ de ~shēn shì shāng.* He was beaten black and blue. ❸〈动 v.〉到处布有 spread all over; be found everywhere：我们的朋友~天下。*Wǒmen de péngyou ~ tiānxià.* Our friends are everywhere in the world.

⁴ **遍地** biàndì 〈名 n.〉处处；满地 everywhere; all over the place：~开花 ~ kāihuā blossom everywhere; fig. spring up all over the place │ 草原上~是牛羊。*Cǎoyuán shang ~ shì niú yáng.* Cattle and sheep are all over the grassland.

⁴ **辨别** biànbié 〈动 v.〉区别，把不同的事物区分开 differentiate; distinguish; tell... from...：现在市面上出现假钞，你能~吗？*Xiànzài shìmiàn shang chūxiàn jiǎchāo, nǐ néng ~ ma?* Can you tell the fake banknotes that have found their ways into the market? │ 他是个色盲，有些颜色~不清。*Tā shì gè sèmáng, yǒuxiē yánsè ~ bù qīng.* He is color-blind and cannot distinguish some of the colors.

⁴ **辨认** biànrèn 〈动 v.〉根据事物不同特点加以区别并确认某个事物 identify; distinguish something through its character：刑侦人员正在~房间里的脚印。*Xíngzhēn rényuán zhèngzài ~ fángjiān li de jiǎoyìn.* The criminal investigators are identifying the footprints in the room.

B

⁴ **辩护** biànhù ❶ 〈动 v.〉申述理由以保护自己或他人的观点、行为 defend; argue to protect one's or other's opinion or behavior：他确实做错了事，你为什么要替他～呢？*Tā quèshí zuòcuòle shì, nǐ wèishénme yào tì tā ～ ne?* He did make mistakes. Why do you defend him? ❷ 〈动 v.〉法律用语，被告人为自己申辩或辩护人为被告人申辩 legal term (of a defendant) defend himself; (of a defender) defend a defendant：法庭～ fǎtíng ～ the defense in the court of law ｜律师为被告～。*Lǜshī wèi bèigào ～.* The lawyer came to the defense of the accused person.

⁵ **辩解** biànjiě 〈动 v.〉对别人的批评、指责作辩护解释 argue or explain for what has been criticized or blamed; try to defend oneself：他听到批评后总要想方设法为自己～。*Tā tīngdào pīpíng hòu zǒng yào xiǎngfāng-shèfǎ wèi zìjǐ ～.* He always tries to defend himself when criticized. ｜他越～越引起人们反感。*Tā yuè ～ yuè yǐnqǐ rénmen fǎngǎn.* The more he defends himself the greater aversion he may receive.

³ **辩论** biànlùn ❶ 〈动 v.〉争论；用讲道理、分析事实的办法说服他人 argue; debate; persuade or convince sb. by arguing or analyzing facts：你们唇枪舌战地～了一上午，有没有辩出个结果来？*Nǐmen chúnqiāng-shézhàn de ～le yí shàngwǔ, yǒu méiyǒu biànchū gè jiéguǒ lái?* Have you got any result after a whole morning's intense debate? ｜双方在会上虽然～得很激烈，但没有伤感情。*Shuāngfāng zài huì shang suīrán ～ de hěn jīliè, dàn méiyǒu shāng gǎnqíng.* Although they argued fiercely at the meeting, both sides bore no grudges against each other. ❷ 〈名 n.〉指辩论的行为 debate; arguement：这场～效果不太好，主要是说理不够。*Zhè chǎng ～ xiàoguǒ bú tài hǎo, zhǔyào shì shuōlǐ búgòu.* The outcome of the debate was not very good, chiefly because there was not enough reasoning.

⁴ **辩证** biànzhèng ❶ 〈形 adj.〉用对立统一的规律分析事物；合乎辩证法的 dialectical：我们应该用～的方法分析矛盾，解决矛盾。*Wǒmen yīnggāi yòng ～ de fāngfǎ fēnxī máodùn, jiějué máodùn.* We should analyse and solve the problem with dialectical method. ❷ 〈动 v.〉辩析证明 investigate; authenticate：这批古玉是否有假，我还要一～下。*Zhè pī gǔyù shìfǒu yǒu jiǎ, wǒ hái yào yí ～ xià.* I have to make a close examination before I can verify whether these ancient jade artworks are real or not.

⁴ **辩证法** biànzhèngfǎ 〈名 n.〉哲学术语，关于事物矛盾的运动、变化和发展的一般规律的哲学学说 philosophical term, dialectics; philosophic science about the general law of motion, change and development in contradictions of things：'相反相成'这句成语是符合～的。*'Xiāngfǎn-xiāngchéng' zhè jù chéngyǔ shì fúhé ～ de.* The idiom, 'Two opposites could be complementary to each other', is in agreement with dialectics.

⁴ **辫子** biànzi ❶ 〈名 n.〉（条 tiáo、根 gēn）一种发型，把头发分股交叉编成长条形状 plait; braid; pigtail, a hairstyle that is done by twisting together bands of hair into one string or strings：这位姑娘的两条长～快拖到后腰了。*Zhè wèi gūniang de liǎng tiáo cháng ～ kuài tuōdào hòu yāo le.* The girl's wears two long braids almost reach down to her waist. ｜旧时满族的习俗，男子自头顶后半部蓄发束成一条长～垂于脑后。*Jiùshí Mǎnzú de xísú, nánzǐ zì tóudǐng hòu bàn bù xùfà shù chéng yì tiáo cháng ～ chuí yú nǎo hòu.* According to the old Manchu custom, a man had to wear long hair plaited into a braid hanging down from the back top of his head. ❷ 〈名 n.〉比喻易被人抓住的把柄 fig. handle or excuse given to others for attack; mistake or shortcoming：请大家畅所欲言发表意见，不会抓～、打棍子的。*Qǐng dàjiā chàngsuǒyùyán fābiǎo yìjiàn, bú huì zhuā ～, dǎ gùnzi de.* Please speak your mind freely. No one will catch you in the wrong and attack you. ❸ 〈名 n.〉比喻事情的条理 fig. order; proper arrangement：你先把这个单

位存在的问题梳理~，然后按轻重缓急的原则一个个加以解决。*Nǐ xiān bǎ zhège dānwèi cúnzài de wèntí shūshū ~, ránhòu àn qīngzhòng-huǎnjí de yuánzé yí gègè jiāyǐ jiějué.* You'd better sort out the existing problems in the organization, and then solve them one after another according to their importance and urgency.

⁴ **标 biāo** ❶〈动 v.〉做记号；用文字或其他方式表明 label; mark sth. with words or by other means：你们各人的行李都要~上记号。*Nǐmen gèrén de xíngli dōu yào ~shàng jìhào.* Everyone's luggage has to be marked.｜我用红笔在一段文字下面划上道道，~明这是重点。*Wǒ yòng hóng bǐ zài yí duàn wénzì xiàmiàn huàshàng dàodao, ~míng zhè shì zhòngdiǎn.* I underlined the passage with a red pen to mark out the key point. ❷〈名 n.〉事物的枝节或表象（与'本'相对）the minor aspect or outward sign of sth.（opposite to '本 běn'）：与其治~，不如治本。*Yǔqí zhì ~, bùrú zhìběn.* Seek a permanent cure rather than a temporary solution. ❸〈名 n.〉旗帜；泛指给竞赛优胜者的奖品 silk banner; generally referring to prize given to the winner in competition：在产品质量竞赛中，我们厂夺了~。*Zài chǎnpǐn zhìliàng jìngsài zhōng, wǒmen chǎng duóle ~.* In the competition of the quality of products, our factory won the prize. ❹〈名 n.〉记号 mark; sign: ~志 = zhì mark; sign; symbol｜商~ shāng~ trademark｜你随时看看路口的路~，不要走错路。*Nǐ suíshí kànkan lùkǒu de lù~, búyào zǒu cuòlù.* You have to check the road sign from time to time so as not to go the wrong way. ❺〈名 n.〉用比价方式承包工程或买卖货物时各竞争方标出的价格 bid; tender, price offered by a rivaling side in a bid for a contract or deal：西区商品房建设工程昨天投~，我们公司中了~。*Xīqū shāngpǐnfáng jiànshè gōngchéng zuótiān tóu ~, wǒmen gōngsī zhòng~ le.* Tendering for the commercial housing project in the Western District began yesterday, and our company won the bid. ❻〈名 n.〉计划达到的要求 standard; quota; target; norm：指~ zhǐ~ quota｜一些体育运动项目我已达~。*Yìxiē tǐyù yùndòng xiàngmù wǒ yǐ dá~.* I have already reached the standard in some sports items. ❼〈形 adj.〉美好 beautiful; handsome：她长得很~致。*Tā zhǎng de hěn ~zhì.* She is very beautiful. ❽〈量 meas.〉用于队伍 used on troops：杀出来一~人马。*Shā chūlái yì ~ rénmǎ.* A detachment of troops charged out.

⁴ **标本 biāoběn** ❶〈名 n.〉（个 gè、件 jiàn）经过处理，供学习、研究用的动物、植物和矿物样品 sample; specimen; processed animals, plants or ores used as examples for research and study：动物~ dòngwù~ animal specimen｜地质工作者在野外采集到许多矿石~。*Dìzhì gōngzuòzhě zài yěwài cǎijí dào xǔduō kuàngshí ~.* The geologists collected many ore samples in the wild. ❷〈名 n.〉标和本，即枝节和根本 root cause and symptoms of disease：环境保护工作要~兼治。*Huánjìng bǎohù gōngzuò yào ~ jiān zhì.* Enviromental protection should be done with both temporary solution and permanent cure. ❸〈名 n.〉（个 gè）特指医学上用来化验或研究的实物 samples used for medical test or study：血液~ xuèyè~ blood sample.

² **标点 biāodiǎn** ❶〈名 n.〉（个 gè）即标点符号 punctuation mark：他做校对工作很仔细，连~符号都不放过。*Tā zuò jiàoduì gōngzuò hěn zǐxì, lián ~fúhào dōu bú fàng guò.* He is very careful in proof-reading, and even punctuation marks are never overlooked.｜每一个字，每一句话，以至每一个~，我们当编辑的都要认真对待。*Měi yí gè zì, měi yí jù huà, yǐzhì měi yí gè ~, wǒmen dāng biānjí de dōu yào rènzhēn duìdài.* We editors should seriously deal with every word, every sentence and even every punctuation mark. ❷〈动 v.〉给没有标点符号的文章加上标点符号 punctuate; add punctuation marks to unpunctuated writings：这家出版社请了几位专家学者~一些古书。*Zhè jiā chūbǎnshè qǐngle jǐ wèi zhuānjiā xuézhě ~ yìxiē gǔ shū.* The press has invited

B

some specialists to punctuate these classic works.

⁴ **标题** biāotí 〈名 n.〉（条 tiáo、个 gè）写在文章或段落前,扼要说明内容的文字 title; heading; headline, words written before an article or a paragraph to briefly describe the content:这条~写得好,起了画龙点睛的作用。*Zhè tiáo ~ xiě de hǎo, qǐle huàlóng-diǎnjīng de zuòyòng.* The title is so well written that it adds life to the whole article. │ 这篇文章眉目不太清楚,加些小~就好了。*Zhè piān wénzhāng méimù bú tài qīngchu, jiā xiē xiǎo ~ jiù hǎo le.* The structure of this article is not clear-cut. It would be better with some subtitles.

³ **标语** biāoyǔ 〈名 n.〉（条 tiáo、幅 fú）张贴或悬挂的具有宣传作用的口号 slogan; poster, posted or hung-up short phrases for advertising or propaganda:张贴 ~ zhāngtiē ~ post a slogan │ 人们举着'整顿市容'的满幅~,在街头开展宣传活动。*Rénmen jǔzhe 'zhěngdùn shìróng' de mǎn fú ~, zài jiētóu kāizhǎn xuānchuán huódòng.* People held up the banner which said 'rectifying the appearance of the city' in the street to start the publicity campaign.

³ **标志** biāozhì ❶〈动 v.〉说明某种特征 symbolize, indicate a certain attribute:高高耸立的纪念碑象征着先烈们的丰功伟绩,~着全国人民对先烈的怀念。*Gāogāo sǒnglì de jìniànbēi xiàngzhēngzhe xiānlièmen de fēnggōng-wěijì, ~zhe quánguó rénmín duì xiānliè de huáiniàn.* The towering monument symbolizes the glorious exploits and feats of the martyrs, and the remembrance of the people all over the country for them. ❷〈名 n.〉（个 gè、种 zhǒng）标有特征的记号 sign; mark:飞机一到上空,人们马上点燃地上的草堆,作为空投的~。*Fēijī yí dào shàngkōng, rénmen mǎshàng diǎnrán dì shang de cǎoduī, zuòwéi kōngtóu de ~.* When the plane was flying overhead, people began to set fire on the hay stalks as a sign for airdrop.

² **标准** biāozhǔn ❶〈名 n.〉（条 tiáo、项 xiàng、个 gè）评价、权衡事物的准则 standard; criterion; code:实践是检验真理的唯一~。*Shíjiàn shì jiǎnyàn zhēnlǐ de wéiyī ~.* Practice is the sole criterion for judging truth. ❷〈形 adj.〉合乎准则的 conforming to a standard:一些外国人说汉语不太~。*Yìxiē wàiguórén shuō Hànyǔ bú tài ~.* Some of the foreigners do not speak standard Chinese.

¹ **表** biǎo ❶〈名 n.〉（块 kuài、只 zhī）便于携带的计时器具 watch, a portable instrument that tells the time:手~ shǒu~ wristwatch │ 怀~ huái~ pocket watch │ 我的电子~不走了,明天要去换电池。*Wǒ de diànzǐ~ bù zǒu le, míngtiān yào qù huàn diànchí.* My electronic watch has stopped. I will replace a new battery for it tomorrow. ❷〈名 n.〉（张 zhāng）分类分项排列记录事项的书面材料或表格 table; form, a written document with facts and figures arranged in columns and rows:报~ bào~ report forms │ 年~ nián~ annual chronological table │ 列车时刻~ lièchē shíkè~ train timetable │ 请你填一下这张学生登记~。*Qǐng nǐ tián yíxià zhè zhāng xuésheng dēngjì ~.* Please fill in this registration form for students. ❸〈名 n.〉（个 gè）测定某种数据的器具 meter; gauge:煤气~ méiqì~ gas meter │ 水~ shuǐ~ water meter │ 现在每家都使用磁卡式电~,用不着每个月查~了。*Xiànzài měi jiā dōu shǐyòng cíkǎ shì diàn~, yòngbùzháo měi gè yuè chá ~ le.* It's unnecessary to read the kilowatt-hour meter every month, because now each house uses an electric meter operated by a magnetic card. ❹〈名 n.〉外面（与'里'相对） surface; outside; external （opposite to '里 lǐ'）:外~ wài~ appearance │ ~层~ céng surface │ 他待人坦诚,~里如一。*Tā dàirén tǎnchéng, ~lǐ-rúyī.* He is sincere to the others, and behaves and thinks in the same way. ❺〈名 n.〉榜样 example; model:为人师~ wéirénshī~ be an exemplary teacher │ 希望你在各方面都作~率。*Xīwàng nǐ zài ge*

fāngmiàn dōu zuò ~shuài. You are expected to set a good example in every aspect to the others. ❻ 〈名 n.〉中表亲戚;与祖父、父亲的姐妹所生子女和祖母、母亲的兄弟姐妹所生子女之间的亲戚关系 cousin; cousinship, the relationship between the children or grandchildren of a brother and sister or of sisters: 姨～ *yí~* maternal cousins | 姑～ *gū~* paternal cousins | ～姐 *~jiě* female cousin | ～弟 *~dì* male cousin ❼ 〈动 v.〉说出来;把意思感情显示出来 show; demonstrate, express one's view, feeling, etc.: ～白 *~bái* explain; clarify | ～态 *~tài* make known one's position; show one's attitude | 这点儿薄礼,聊~我们一点儿心意。 *Zhè diǎn báolǐ, liáo ~ wǒmen yìdiǎn xīnyì.* This small gift is just a token. ❽ 〈动 v.〉表示 indicate; refer to:书籍、铅笔、笔记本、玩具等都是~事物的名词。 *Shūjí, qiānbǐ, bǐjìběn, wánjù děng dōu shì ~ shìwù de míngcí.* Book, pencil, notebook and toy are all nouns referring to things.

² **表达** biǎodá 〈动 v.〉把思想、感情等表示出来 express (one's ideas or feelings); convey; voice: 善于～ *shànyú* be good at expressing oneself | ～得不好 *~de bù hǎo* express oneself poorly | 你没有把老师的讲话精神~出来。 *Nǐ méiyǒu bǎ lǎoshī de jiǎnghuà jīngshén ~ chūlái.* You didn't convey the main ideas of the teacher's speech.

² **表面** biǎomiàn 〈名 n.〉物体的外部层面;也指事物的外在现象 surface; face; outside; appearance, outer part of a subject:这张桌子的~很光滑。 *Zhè zhāng zhuōzi de ~ hěn guānghuá.* The surface of the table is very smooth. | 不要被~现象迷惑。 *Búyào bèi ~ xiànxiàng míhuò.* Don't be confused by the surface of things. | 你还是实在点儿好,不要总做些~文章给人看。 *Nǐ háishì shízài diǎn hǎo, búyào zǒng zuò xiē ~ wénzhāng gěi rén kàn.* You'd better do practical things. Don't care too much for mere show .

² **表明** biǎomíng 〈动 v.〉明白表示 make known; make clear; state clearly; indicate:~心迹 *~xīnjì* bare one's heart | 大家都应该旗帜鲜明地~自己的观点。 *Dàjiā dōu yīnggāi qízhì xiānmíng de ~ zìjǐ de guāndiǎn.* Everyone should unequivocally express one's own ideas.

³ **表情** biǎoqíng ❶ 〈名 n.〉(种 zhǒng 、副 fù) 通过面部或姿态表现出来的感情 facial expression, feeling shown by one's body posture: 妈妈的脸上流露出兴奋的~。 *Māma de liǎn shang liúlòu chū xìngfèn de ~.* Excitement is shown on mother's face. | 一种恐怖的~在她的脸上出现了。 *Yì zhǒng kǒngbù de ~ zài tā de liǎn shang chūxiàn le.* A horrified expression appeared on her face. ❷ 〈动 v.〉从面部或姿态的变化上表达内心的思想感情 express one's feeling by facial expression or body posture: 她经常用那双会~的眼睛,爱慕地看着他。 *Tā jīngcháng yòng nà shuāng huì ~ de yǎnjing, àimù de kànzhe tā.* She often gazed at him lovingly with her expressive eyes.

¹ **表示** biǎoshì ❶ 〈动 v.〉用外在的语言、行动示意某种思想、感情和态度 express one's idea, feeling or attitude with verbal expressions or acts: 大家为她没有考上大学~惋惜。 *Dàjiā wèi tā méiyǒu kǎo shang dàxué ~ wǎnxī.* Everyone felt sorry for her failure in college entrance examinations. | 他耸耸肩~无可奈何? *Tā sǒngsǒng jiān ~ wúkěnàihé.* He shrugged his shoulders to show helplessness. ❷ 〈动 v.〉显示某种意义 show the meaning of sth.: 黄色~色情淫秽 *Huángsè ~ sèqíng yínhuì.* The word 'yellow' stands for pornography or obscenity.

¹ **表现** biǎoxiàn ❶ 〈动 v.〉显现出来 show; display; manifest:在这些礼节性、交际性的活动中他~得很随和。 *Zài zhèxiē lǐjiéxìng, jiāojìxìng de huódòng zhōng tā ~ de hěn suíhé.* He behaves very amiable on those ceremonial and social occasions. ❷ 〈动 v.〉故意显现 (含贬义) (derog.) show off: 有些人喜欢在领导面前~自己。 *Yǒuxiē rén xǐhuan zài lǐngdǎo miànqián ~ zìjǐ.* Some people like to show off before their superiors.

❸〈名 n.〉显现出来的行为或作风 behavior; performance：自由主义是机会主义的一种～。*Zìyóu zhǔyì shì jīhuì zhǔyì de yì zhǒng ～.* Liberalism is an expression of opportunism.

¹表演 biǎoyǎn ❶〈动 v.〉演员演出节目 act; play; perform：现在有些外国朋友也能～京戏。*Xiànzài yǒuxiē wàiguó péngyou yě néng ～ jīngxì.* Now some foreign friends can also play Peking Opera. ❷〈动 v.〉做示范动作 demonstrate：消防队员在～如何扑灭煤气灶的火情。*Xiāofáng duìyuán zài ～ rúhé pūmiè méiqìzào de huǒqíng.* A fireman is demonstrating how to put out flames from the gas stove. ❸〈名 n.〉指文艺演出活动 performance, entertainment given by actors (or actresses)：京剧演员的精彩～赢得了阵阵掌声。*Jīngjù yǎnyuán de jīngcǎi ～ yíngdéle zhènzhèn zhǎngshēng.* The excellent performance of Peking Opera actors won bursts of applause. ❹〈名 n.〉喻指做作的行动；不好的行为 fig. affected action; unacceptable behavior：他的拙劣～令人反感。*Tā de zhuōliè ～ lìngrén fǎngǎn.* His awkward behavior is rather disgusting.

¹表扬 biǎoyáng 〈动 v.〉公开赞扬好人好事 praise, say or write sth. to praise sb. in public：老师在班上～了几个优秀同学。*Lǎoshī zài bān shang ～le jǐ gè yōuxiù tóngxué.* The teacher praised some outstanding students in the class.

⁴表彰 biǎozhāng 〈动 v.〉隆重地表扬（先进人物、模范事迹等）commend, praise sb. formally for exemplary deeds：团委召开大会，～在抗洪斗争中立功的青年。*Tuánwěi zhàokāi dàhuì, ～ zài kànghóng dòuzhēng zhōng lìgōng de qīngnián.* The Youth League Committee commended the youths who had rendered meritorious service in the fight against floods.

⁴憋 biē ❶〈动 v.〉极力堵住、抑制住，不让流露出来 suppress; hold back：母亲心里～着许多话，想找个人说说。*Mǔqīn xīn li ～zhe xǔduō huà, xiǎng zhǎo gè rén shuōshuo.* With so many words in her heart, my mother wanted to get them off her chest. ❷〈动 v.〉呼吸不通；压抑 suffocate; feel oppressed：我突然感觉～得难受，透不过气来。*Wǒ tūrán gǎnjué ～ de nánshòu, tòu bú guò qì lái.* I suddenly felt so suffocated that I could hardly breathe.

¹别 bié ❶〈副 adv.〉用于祈使句，表示劝阻或禁止 (used in imperative sentences) don't; had better not：～谢了！这是我应该做的嘛！*～ xiè le! zhè shì wǒ yīnggāi zuò de ma!* You are welcome!　This is what I should do. | 对待孩子～和对待成人一样，一定要给充足的时间玩耍。*Duìdài háizi ～ hé duìdài chéngrén yíyàng, yídìng yào gěi chōngzú de shíjiān wánshuǎ.* Children should ～ be given enough time to play, and should not be treated as grown-ups. ❷〈副 adv.〉表示揣测，常与'是'合用，句尾多有'吧' usu. used with '是shì' in the sentence ended with '吧ba', indicating conjecture of sth.：～是来兴师问罪的吧。*～ shì lái xīngshī-wènzuì de ba.* Shouldn't they come to denounce me in public for my wrong doings? | ～是妈妈回来了吧？*～ shì māma huílái le ba?* I hope that my mother won't come back. ❸〈副 adv.〉在一些熟语、成语中表示'另''另外'的意思 (used in idioms or idiomatic phrases) other; another：～具一格～jù-yìgé have a distiguished style | ～是一番滋味在心头。*～ shì yìfān zīwèi zài xīntóu.* Another different feeling comes up in my heart. | 除了会点儿外语，我是个～无所长的人啊！*Chúle huì diǎnr wàiyǔ, wǒ shì gè ～wúsuǒcháng de rén a!* With only a smattering of foreign language, I'm good at nothing else. ❹〈动 v.〉分开；离开 part; leave：告～ gào～ say goodbye to sb. | 生离死～ shēnglí-sǐ～ never to meet again; part for ever | 我俩十多年不见了，久～重逢分外高兴。*Wǒ liǎ shí duō nián bú jiàn le, jiǔ～chóngféng fènwài gāoxìng.* We haven't met with each other for more than 10 years. Both of us are extremely happy for the meeting after such a long separation. ❺〈动 v.〉用针或针状物把东西固定 pin; fasten sth. with a pin：受到表彰的人胸前衣服上都~了朵红花。*Shòudào biǎozhāng de rén xiōng qián yīfu shang dōu ~le duǒ hónghuā.* A red flower is pinned on the chest of each of those who have been cited. ❻〈动 v.〉区分；分辨 differenciate; distinguish：区~ qū differenciate | 辨~ biàn~ differenciate | 这张国画请你鉴~一下真伪。*Zhè zhāng guóhuà qǐng nǐ jiàn~ yíxià zhēnwěi.* Would you please tell whether this traditional Chinese painting is authentic? ❼〈名 n.〉差异；分类 difference; distinction：男女有~。*Nán nǚ yǒu ~.* There is difference between man and woman. | 他的级~很高。*Tā de jí~ hěn gāo.* He is of high rank. | 按内外有~的原则，这件事暂时还不能公开。*Àn nèiwài yǒu ~ de yuánzé, zhè jiàn shì zànshí hái bùnéng gōngkāi.* The event has to be kept in secret temporarily according to the principle of distinguishing between the insiders and the outsiders. ❽〈代 pron.〉另外的 other; another：~名 ~míng another name | ~称 ~chēng alternative name | 不要告诉~人。*Búyào gàosù ~rén.* Don't tell the others. ❾〈形 adj.〉特殊；非同一般 special; unusual：他是个很特~的人。*Tā shì gè hěn tè~ de rén.* He is rather special.

别处 biéchù〈名 n.〉其他地方 other place; elsewhere：~的环境也许比这里要好。*~ de huánjìng yěxǔ bǐ zhèli yào hǎo.* The environment elsewhere may be better than what we have here. | 你可以到~另谋职业。*Nǐ kěyǐ dào ~ lìng móu zhíyè.* You can find a job in other places.

¹ **别的 biéde**〈代 pron.〉另外的、其他的（人或事）other; another：你可以用~方法试一试。*Nǐ kěyǐ yòng ~ fāngfǎ shì yí shì.* You can try it by other means. | 明天的活动改在~时间行吗? *Míngtiān de huódòng gǎi zài ~ shíjiān xíng ma?* Is it acceptable to reschedule tomorrow's activity?

¹ **别人 biéren**〈代 pron.〉（两个或多个中的）另一个人或另一些人；叙述主体以外的人 other people; others：~能做到的，你一定也能做到。*~ néng zuòdào de, nǐ yídìng yě néng zuòdào.* You surely can do what other people are capable of. | 把困难留给自己，把方便让给~。*Bǎ kùnnan liú gěi zìjǐ, bǎ fāngbiàn ràng gěi ~.* Leave the difficulty to oneself and offer the convenience to others.

³ **别字 biézì**〈名 n.〉写、读错了的字 incorrectly written or mispronounced character; malapropism：这篇文章~连篇，读起来真费劲。*Zhè piān wénzhāng ~ liánpiān, dú qǐlái zhēn fèijìn.* This article is full of misused characters, making it rather difficult to read. | 他不认识的字就瞎念，经常念~。*Tā bú rènshi de zì jiù xiā niàn, jīngcháng niàn ~.* He often reads aloud new characters offhand, so usually mispronounces them.

⁴ **别扭 bièniu** ❶〈形 adj.〉不顺心；不舒畅 awkward; difficult; uncomfortable：工作没有做好，心里挺~。*Gōngzuò méiyǒu zuòhǎo, xīn li tǐng ~.* I feel rather awkward when I fail to do a good job. ❷〈形 adj.〉彼此意见不投，影响关系；脾气古怪难相处（of people）in compatible; at odds：他俩见了面不说话，可能又闹~了。*Tā liǎ jiànle miàn bù shuōhuà, kěnéng yòu nào ~ le.* They are probably at odds again for they don't speak with each other when they meet. | 这人真~，最好少理他。*Zhè rén zhēn ~, zuì hǎo shǎo lǐ tā.* This guy is rather difficult to deal with. We'd better leave him alone. ❸〈形 adj.〉文句不通（of speech or writing）unnatural; awkward：这句话有点儿~，影响上下文贯通。*Zhè jù huà yǒudiǎnr ~, yǐngxiǎng shàng xià wén guàntōng.* The sentence is somewhat awkward, affecting the coherence of the context.

² **宾馆 bīnguǎn**〈名 n.〉（家 jiā）接待来宾住宿的馆舍 hotel; guesthouse, a building used to accommodate guests：北京友谊~是一家专门接待外国朋友的~。*Běijīng Yǒuyì ~ shì*

yì jiā zhuānmén jiēdài wàiguó péngyou de ~. Beijing Friendship Hotel is a guesthouse exclusively for foreign friends.

² **冰** bīng ❶〈名 n.〉(块 kuài、层 céng）水在摄氏零度及零度以下凝结成的固体 ice, solid form of water at or below zero degree centigrade：一块 ~*kuài* ice block｜一层 ~ *yì céng* ~ a layer of ice｜门前的小河结了～。*Mén qián de xiǎo hé jié ~ le.* The brook in front of our house has frozen over. ❷〈名 n.〉形状像冰或跟冰有关的东西 sth. resembling ice：~糖 ~*táng* crystal sugar｜~箱 ~*xiāng* refrigerator｜~鞋 ~*xié* ice-skates ❸〈动 v.〉用冰或其他冷的东西使物体变凉 ice, make sth. cold（or cool）by putting ice or cold things over it：赶快把这些鱼放进冰箱～起来。*Gǎnkuài bǎ zhèxiē yú fàngjìn bīngxiāng* ~ *qǐlái.* Put the fish into the frige quickly and freeze it up. ❹〈动 v.〉因接触凉的东西而感到冷 feel cold when touching cold things：早春时节河水还～腿。*Zǎo chūn shíjié hé shuǐ hái* ~ *tuǐ.* In early spring the water in the river is still icy-cold to the skin. ❺〈形 adj.〉冷；凉 cold; cool：水太～了，大家不太愿意涉水过河。*Shuǐ tài* ~ *le, dàjiā bú tài yuànyì shè shuǐ guò hé.* The water is so cold that nobody wants to wade across the river on foot.

³ **冰棍儿** bīnggùnr〈名 n.〉(支 zhī、根 gēn）一种冷食，用糖、水或加牛奶、果汁等冷冻制成，有一根小木棍作把儿 popsicle; ice-sucker, frozen food made of sugar, water, milk, fruit juice, etc. on a stick：小孩儿喜欢吃～。*Xiǎoháir xǐhuan chī* ~. Children like ice-suckers. ｜以前只要花三分钱就能买一根～。*Yǐqián zhǐyào huā sān fēn qián jiù néng mǎi yì gēn* ~. An ice-sucker cost only 3 *fen* in the past.

⁴ **冰淇淋** bīngqílín〈名 n. 外 forg.〉(份 fèn、客 kè）英语ice-cream的半意译半音译词，也写作'冰激凌'。一种冷食，用牛奶、鸡蛋、糖和果汁等搅拌冷冻而成 a term borrowed from English 'ice-cream', also written as '冰激凌bīngjīlíng' a kind of frozen food made of milk, egg, sugar or fruit juice：这家快餐店的～种类很多，我们要哪一种，要几份？*Zhè jiā kuàicāndiàn de* ~ *zhǒnglèi hěn duō, wǒmen yào nǎ yì zhǒng, yào jǐ fèn?* The snack bar serves many kinds of ice-cream. Which kind do we have, and how many helpings?

² **兵** bīng ❶〈名 n.〉士兵；军队 soldier; army; troops：一种 ~*zhǒng* armed services｜步兵 bù~ infantry｜铁道 ~ *tiědào* ~ railway corps｜我是一个～。*Wǒ shì yí gè* ~. I'm a soldier. ❷〈名 n.〉指军事，战争；跟军事有关的 military; war：一荒马乱 ~*huāng-mǎluàn* turmoil and chaos of war｜一祸连结 ~*huò-liánjié* continuous war disasters｜《孙子～法》是中国古代最著名的一部～书。*'Sūnzǐ* ~ *fǎ' shì Zhōngguó gǔdài zuì zhùmíng de yí bù* ~ *shū.* Sun Tzu's *The Art of War* is the most famous war book in ancient China. ❸〈名 n.〉武器 arms; weapon：~器 ~*qì* weapon｜一工厂 ~*gōngchǎng* arsenal｜敌我双方短~相接，展开了激烈的白刃战。*Díwǒ shuāngfāng duǎn* ~ *xiāngjiē, zhǎnkāile jīliè de báirènzhàn.* We fought at close quarters with the enemy, beginning the fierce bayonet charges.

³ **丙** bīng〈名 n.〉天干的第三位（天干有甲、乙、丙、丁等十个字，丙列第三）；中国传统用于排列顺序 third of the 10 Heavenly Stems（There are 10 Heavenly Stems from '甲jiǎ' to '癸guǐ', and '丙' is the third one）；third in order：他是~班班长。*Tā shì* ~ *bān bānzhǎng.* He is the monitor of the third class.

⁴ **秉性** bǐngxìng〈名 n.〉本性；性格 nature; temperament; disposition：他的一些缺点改起来也难，~难移嘛。*Tā de yìxiē quēdiǎn gǎi qǐlái yě nán,* ~ *nán yí ma.* It's difficult to correct some of his mistakes, simply because a person's disposition is hard to alter. ｜这个小伙子~善良。*Zhège xiǎohuǒzi* ~ *shànliáng.* The young man is kind in nature.

³ **柄** bǐng ❶〈名 n.〉器具上便于手拿的把儿 handle of sth.：伞~折断了。*Sǎn* ~ *zhéduàn*

le. The handle of the umbrella is broken. | 塑料刀~不结实。Sùliào dāo~bù jiēshi. The plastic handle of this knife is not durable. ❷〈名 n.〉植物的花、叶、果实跟茎、枝相连的部分（of flower, leaf or fruit）the part that grows from the twig or branch：花~ huā~ stem of a flower | 瓜~ guā~ stem of a melon ❸〈名 n.〉比喻可被人抓住的不当言行 fig. improper speech or action affording an advantage or a pretext for an opponent：人们经常在茶余饭后闲谈他的一些笑~。Rénmen jīngcháng zài cháyú-fànhòu xiántán tā de yìxiē xiào~. People often talk about him as a laughing stock over a cup of tea or after meal. | 你说话留点儿神，别让人抓住话~。Nǐ shuōhuà liú diǎnr shén, bié ràng rén zhuāzhù huà~. Be careful of your words, otherwise the others will seize the opportunity to ridicule you. ❹〈名 n. 书 lit.〉指权力 power; authority：权~ quán~ power | 国~ guó~ national power ❺〈动 v. 书 lit.〉指执掌权力 control：他~政多年，政绩甚好。Tā ~ zhèng duō nián, zhèngjì shèn hǎo. He has held political power for many years with an excellent administrative record. ❻〈量 meas.〉用于某些带把的东西（used of things with a handle）：一~伞 yì ~ sǎn an umbrella

³ 饼 bǐng ❶〈名 n.〉（张 zhāng、块 kuài、个 gè）扁圆形的熟制面食品 cake, a flat round food made by baking：馅~ xiàn~ stuffed cake | 大~ dà~ big cake | 在中秋节，大家一边赏月一边吃月~。Zài zhōngqiūjié, dàjiā yìbiān shǎng yuè yìbiān chī yuè~. In the Moon Festival, people enjoy the bright full moon while eating moon cakes. ❷〈名 n.〉样子与饼相似的东西 sth. shaped like a cake：铁~ tiě~ discus | 柿~ shì~ dried persimmon | 豆~是猪饲料。Dòu~ shì zhū sìliào. Soya bean cake is a kind of fodder for pigs.

² 饼干 bǐnggān〈名 n.〉（块 kuài、片 piàn）一种烘烤制作的片状食品，用面粉加糖、鸡蛋、牛奶等制成 biscuit; cracker, a type of baked flat food made of flour with sugar, egg, milk, etc：我喜欢吃巧克力~。Wǒ xǐhuan chī qiǎokèlì~. I like chocolate biscuits.

² 并 bìng ❶〈副 adv.〉与单音节词连用，表示对不同的人、物同样对待，或几个人、物同时动作（used with monosyllabic word）side by side; equally; simultaneously：本刊对各方来稿一视同仁 Běn kān duì gè fāng láigǎo yíshì-tóngrén, zhùmíng rénwù yǔ wúmíng rénwù ~zhòng. Our magazine will treat article contributions equally regardless of their authors, famous persons or minor ones. | 房间里两部电话的铃声同时~响。Fángjiān li liǎng bù diànhuà de língshēng tóngshí ~ xiǎng. The two telephones in the room ring at the same time. ❷〈副 adv.〉用在否定词前，强调事实不是人们可能想象的那样（used before negative words for emphasis）actually; definitely：作品的价值~不决定于字数的多少。Zuòpǐn de jiàzhí ~ bù juédìng yú zìshù de duōshǎo. The value of a writing is not necessarily decided by the number of its words. | 艰苦的斗争~没有改变他好动活泼的性格。Jiānkǔ de dòuzhēng ~ méiyǒu gǎibiàn tā hàodòng huópó de xìnggé. His active and lively nature has not been changed by the hard struggle. ❸〈动 v.〉平排着；平列着；紧挨着（of two or more things）stand or place side by side：荷塘中的荷叶肩~肩地挨着。Hétáng zhōng de héyè jiān ~ jiān de āizhe. The lotus leaves grow side by side in the lotus pond. | 两人~排坐在一张长椅子上。Liǎng rén ~ pái zuò zài yì zhāng cháng yǐzi shang. They two sat side by side on a long bench. ❹〈动 v.〉合在一起 combine; merge; incorporate：合~ hé~ merge | 秦始皇兼了东方六国，终于一统天下。Qínshǐhuáng jiān~le dōngfāng liù guó, zhōngyú yìtǒng tiānxià. Emperor Qin Shi Huang finally united the whole country by annexing six eastern states. ❺〈连 conj.〉更进一层 and; besides：李四光的地质学说已经~将进一步证明，中华大地上的石油储量很大。Lǐ Sìguāng de dìzhì xuéshuō yǐjīng ~ jiāng jìnyíbù

zhèngmíng, Zhōnghuá dàdì shang de shíyóu chǔliàng hěn dà. Li Siguang's geological theory has proved and will further prove that the vast land of China is rich in oil. ❻〈介 *prep.*〉连同 with; together：这个花园~前面的几间房子一起卖给了人家。*Zhège huāyuán ~ qiánmiàn de jǐ jiān fángzi yìqǐ mài gěi le rénjia.* The garden together with the houses in front of it was sold.

⁴ 并存 bìngcún〈动 *v.*〉共同或同时存在 coexist; exist side by side：中国大陆实行社会主义制度，香港、澳门保留资本主义制度，两种社会制度~。*Zhōngguó dàlù shíxíng shèhuì zhǔyì zhìdù, Xiānggǎng, Àomén bǎoliú zīběn zhǔyì zhìdù, liǎng zhǒng shèhuì zhìdù ~.* China's mainland adopts the socialist system while Hong Kong and Macao maintain the capitalist system. The two social systems coexist in one country.

⁴ 并非 bìngfēi〈副 *adv.*〉并不是 not：他临时有事,~不想来聚会。*Tā línshí yǒu shì, ~ bù xiǎng lái jùhuì.* It's not that he doesn't want to come to the party, but that he has a last-minute change.

⁴ 并列 bìngliè〈动 *v.*〉并行排列,不分主次 stand side by side; juxtapose：这两个分句~。*Zhè liǎng gè fēnjù ~.* These two clauses are coordinate. │姐妹俩~书法竞赛第三名。*Jiěmèi liǎ ~ shūfǎ jìngsài dì-sān míng.* The two sisters tied for third place in the calligraphy contest.

⁴ 并排 bìngpái〈副 *adv.*〉不分前后地排在一条线上 side by side; next to each other：几个人~走在人行道上。*Jǐ gè rén ~ zǒu zài rénxíngdào shang.* Several people walked side by side on the pavement. │两辆汽车~行驶。*Liǎng liàng qìchē ~ xíngshǐ.* The two cars were running abreast.

² 并且 bìngqiě〈连 *conj.*〉连接并列的双音节动词、形容词等,也可以连接分句,表示进一层关系（used between disyllabic verbs or adjectives, also used to connect two coordinate clauses, indicating two actions that are carried out at the same time or successively）and; besides; moreover; furthermore：你应该~必须在一星期内完成任务。*Nǐ yīnggāi ~ bìxū zài yì xīngqī nèi wánchéng rènwù.* You should and must finish the task in a week. │他变得非常热情、诚恳~谦逊了。*Tā biàn de fēicháng rèqíng, chéngkěn ~ qiānxùn le.* He becomes very enthusiastic, sincere and modest. │她和她妹妹一样地学技术,~水平几乎不相上下。*Tā hé tā mèimei yíyàng de xué jìshù, ~ shuǐpíng jīhū bùxiāng-shàngxià.* She learns the skills just as her sister does, and they are almost comparable in proficiency.

¹ 病 bìng ❶〈名 *n.*〉(场 chǎng、种 zhǒng)生物体发生不健康的现象 disease; illness; sickness, unhealthy physical condition of living beings：疾~ *jí~* disease; illness; sickness │~人~*rén* patient │这场~几乎要了我的命。*Zhè chǎng ~ jīhū yàole wǒ de mìng.* The sickness almost killed me. ❷〈名 *n.*〉比喻缺点;错误;弊端 *fig.* fault; defect：你的这些毛~应该改一改。*Nǐ de zhèxiē máo~ yīnggāi gǎi yì gǎi.* These bad habits of yours should be kicked. │这句话有语~。*Zhè jù huà yǒu yǔ~.* There is sth. wrong in the wording of the sentence. │这几个计划经济时代的老厂都存在一些通~。*Zhè jǐ gè jìhuà jīngjì shídài de lǎo chǎng dōu cúnzài yìxiē tōng~.* These old factories built in the period of planned economy have some defects in common. ❸〈名 *n.*〉比喻遭遇不幸或痛苦 *fig.* pain; suffering：我们同是天涯沦落人,真可谓'同~相怜'。*Wǒmen tóng shì tiānyá lúnluòrén, zhēn kě wèi 'tóng~-xiānglián'.* We are both unfortunates wandering at the far corners of the earth. So, as so-called 'fellow sufferers', we commiserate with each other. ❹〈动 *v.*〉生病 fall ill; get ill：我爹~着,无法下地干活。*Wǒ diē ~zhe, wúfǎ xià dì gànhuó.* My father is so ill that he can not work in the fields. │他~得不轻。*Tā ~ de bù*

qīng. He is seriously ill. ❺ 〈动 v. 书 lit.〉祸害；责备 do harm to; injure; criticize; disapprove of:~国殃民 ~guó-yāngmín wreck the country and ruin the people | 诟~ gòu~ censure; denounce; condemn

B

⁴ **病虫害** bìngchónghài 〈名 n.〉病害和虫害的合称 a combined term for plant diseases and insect pests: 现在提倡用生物防治的办法防治~. _Xiànzài tíchàng yòng shēngwù fángzhì de bànfǎ fángzhì ~._ Now biological prevention and treatment of plant diseases and insect pests are advocated.

³ **病床** bìngchuáng 〈名 n.〉(张 zhāng)住院(医院或疗养院)病人的床铺 hospital bed; sickbed, beds for patients at a hospital or sanatorium:这家医院共设有300张~。Zhè jiā yīyuàn gòng shè yǒu sān bǎi zhāng ~. There are 300 sickbeds in the hospital. | 他要等到医院空出~后才能住院。Tā yào děngdào yīyuàn kòngchū ~ hòu cái néng zhùyuàn. He has to wait until the hospital has a free bed to accomodate him.

⁴ **病毒** bìngdú ❶〈名 n.〉比病菌更小的病原体 virus, a pathogen smaller than bacteria: 流行性感冒是由~引起的。Liúxíngxìng gǎnmào shì yóu ~ yǐnqǐ de. Influenza is caused by virus. ❷〈名 n.〉特指计算机病毒 particularly referring to computer virus

² **病房** bìngfáng 〈名 n.〉(间 jiān)医院、疗养院里供病人住的房间 sickroom; ward of a hospital or sanatorium: 他住的是单间~. Tā zhù de shì dānjiān ~. He is in a single sickroom.

⁴ **病号** bìnghào 〈名 n.〉(位 wèi、个 gè)军队中的有病人员；泛指一般有病的人 sick personnel in military units; patients in general: 炊事班专门为~做了~饭. Chuīshìbān zhuānmén wèi ~ zuòle ~ fàn. The kitchen team made special food for patients. | 他有慢性病，是个老~. Tā yǒu mànxìngbìng, shì gè lǎo ~. He suffers from a chronic disease and is an invalid.

² **病菌** bìngjūn 〈名 n.〉能使人或其他生物致病的细菌 pathogenic bacteria, germs that cause human beings or other living beings to fall ill: 经常用香皂洗洗手能消灭一部分~. Jīngcháng yòng xiāngzào xǐxǐ shǒu néng xiāomiè yí bùfen ~. Washing hands regularly with toilet soap can get rid of some germs.

³ **病情** bìngqíng 〈名 n.〉疾病变化的情况 state of illness; patient's condition:经过治疗我的~已得到控制。Jīngguò zhìliáo wǒ de ~ yǐ dédào kòngzhì. My illness has been controlled through medical treatment.

² **病人** bìngrén 〈名 n.〉(位 wèi、个 gè)患病的人；就医的人 patient; sick person; invalid; person receiving medical treatment:~不要讳疾忌医。~ búyào huìjí-jìyī. Patients shouldn't hide their illnesses for fear of treatment. | 对癌症~来说，保持乐观的精神状态尤其重要。Duì áizhèng ~ láishuō, bǎochí lèguān de jīngshen zhuàngtài yóuqí zhòngyào. For cancer patients, it's particularly important to maintain an optimistic mind-set.

³ **拨** bō ❶〈动 v.〉用手脚或棍棒等移动东西 move or adjust with one's hand, foot or a stick:~弦 ~ xián play the string | ~电话 ~ diànhuà dial the phone | 你把壁钟~到七点。Nǐ bǎ bìzhōng ~dào qī diǎn. Adjust the wall clock to seven. ❷〈动 v.〉比喻分开；推开；挑动 fig. part; separate; push away; stir up:~开云雾见青天 ~ kāi yúnwù jiàn qīngtiān see the blue sky by dispelling the clouds and mist | 挑~离间 tiǎo~-líjiàn sow discord; foment dissension | ~弄是非 ~nòng shìfēi stir up troubles ❸〈动 v.〉分配；调配 assign; allocate:那边工程吃紧，你~几个人去支援一下。Nàbiān gōngchéng chījǐn, nǐ ~ jǐ gè rén qù zhīyuán yíxià. The project there is pressing. You'd better sent some people to support them. | 银行刚刚划~一笔款子过来。Yínháng gānggāng huà~ yì bǐ kuǎnzi guòlái. The bank has just allocated a sum of money. ❹〈动 v.〉掉转过来 turn round:经

过~乱反正，中国才走上改革开放的康庄大道。*Jīngguò ~luàn-fǎnzhèng, zhōngguó cái zǒu shang gǎigé kāifàng de kāngzhuāng-dàdào.* Only after setting things right, did China embark on the road of reform and opening-up. ❺ 〈~儿〉〈量 *meas.*〉用于分批的人或物（for people or things）group; batch: 你把这些人分成三～，日夜三班轮换。*Nǐ bǎ zhèxiē rén fēn chéng sān ~, rìyè sān bān lúnhuàn.* You have to divide these people into three groups, and make them work on three shifts day and night.

B

⁴ **拨款 bō//kuǎn** ❶ 〈动 *v.*〉（政府或上级）下拨款项（of the government or higher authorities）allocate（funds）: 上级~25万元盖了这幢楼。*Shàngjí ~ èrshíwǔ wàn yuán gàile zhè zhuàng lóu.* The higher authorities allocated 250,000 *yuan* for the construction of the building. | 财政厅有没有拨下款来？*Cáizhèngtīng yǒu méiyǒu bōxià kuǎn lái?* Has the provincial financial department allocated the funds? ❷ 〈名 *n.*〉指拨下的款项 appropriation: 财政~要专款专用，不能挪用。*Cáizhèng ~ yào zhuān kuǎn zhuān yòng, bù néng nuóyòng.* The financial appropriation is earmarked for the specific purpose only and shouldn't be used for any other purpose.

⁴ **波动 bōdòng** ❶ 〈动 *v.*〉像水波一样起伏不定；不稳定 undulate; fluctuate, rise and fall like waves; flicker: 情绪~qíngxù ~ mood swings | 物价~wùjià ~ price fluctuation | 他听完报告后思想~得很厉害。*Tā tīngwán bàogào hòu sīxiǎng ~ de hěn lìhai.* He was terribly upset after listening to the report. ❷ 〈名 *n.*〉不稳定的状态 fluctuation: 这桩事激起大家很大的~。*Zhè zhuāng shì jī qǐ dàjiā hěn dà de ~.* The event caused a great stir among the public.

³ **波浪 bōlàng** 〈名 *n.*〉江河湖海的水面在外力作用下呈起伏不平状 wave; disturbance on the surface of a river, lake or sea: 一刮风，我家门口的小河会起~。*Yì guā fēng, wǒ jiā ménkǒu de xiǎo hé huì qǐ ~.* When the wind blows, waves will appear on the river in front of my house.

⁴ **波涛 bōtāo** 〈名 *n.*〉大的波浪 huge waves; billows: 长江从束缚它的峡谷中冲了出来~滚滚，一泻千里。*Chángjiāng cóng shùfù tā de xiágǔ zhōng chōngle chūlái ~ gǔn gǔn, yíxièqiānlǐ.* The Yangtze River rushes out from the restraint of the gorges and flows down in big waves for thousands of miles.

² **玻璃 bōli** 〈名 *n.*〉（块 kuài）一种脆硬透明的建筑、装饰材料 glass, hard and brittle transparent building or decorating material: ~门~mén glass door | ~窗~chuāng glass window | 我的办公桌上压了块厚~板，既保护桌面又光洁大方。*Wǒ de bàngōngzhuō shang yāle kuài hòu ~ bǎn, jì bǎohù zhuōmiàn yòu guāngjié dàfang.* My desk is covered with a thick piece of glass to protect the surface and give it a smooth and decent look.

³ **剥削 bōxuē** ❶ 〈动 *v.*〉凭借拥有的生产资料或权势不公平地占有他人的劳动或产品；不劳而获 exploit, seize unfairly others' labor or products through private ownership of the means of production or power; reap without sowing: 地主~农民。*Dìzhǔ ~ nóngmín.* The landlord exploited the peasants. | 人类社会终将消灭人~人的现象。*Rénlèi shèhuì zhōng jiāng xiāomiè rén ~ rén de xiànxiàng.* The human society will eventually wipe out exploitation. ❷ 〈名 *n.*〉指剥削的行为 exploitation: 残酷的~cánkù de ~ cruel exploitation | 有~就会有反抗。*Yǒu ~ jiù huì yǒu fǎnkàng.* Where exists exploitation, there is resistance.

³ **菠菜 bōcài** 〈名 *n.*〉（棵 kē、株 zhū）一种常见蔬菜 spinach, a common vegetable: ~炒鸡蛋是家常菜。*~ chǎo jīdàn shì jiāchángcài.* Stir-fried spinach with scrambled eggs is a homely dish.

³ **播 bō** ❶ 〈动 *v.*〉撒种子 sow: 春~chūn ~ spring sowing | 用~种机~种 yòng ~zhǒngjī

~*zhǒng* sow with a seeder｜用飞机为大片荒山~下树种 *yòng fēijī wèi dà piàn huāngshān ~ xià shù zhǒng* to forest the large barren mountainous areas by aerial sowing of tree seeds ❷〈动 *v.*〉传送；传扬 broadcast; spread: 新闻联~ *xīnwén lián*~ newscast｜现场直~ *xiànchǎng zhí*~ live broadcast｜这篇重要文章电台已~了好几遍。*Zhè piān zhòngyào wénzhāng diàntái yǐ ~le hǎo jǐ biàn.* This important article has been broadcast over the radio several times.

⁴ **播放** *bōfàng*〈动 *v.*〉通过广播电视等放送、放映 show; screen; run: 电台定时~流行歌曲。*Diàntái dìngshí ~ liúxíng gēqǔ.* The radio broadcasts pop songs at regular hours.｜电视台~足球比赛实况。*Diànshìtái ~ zúqiú bǐsài shíkuàng.* The TV station is broadcasting a live telecast of the soccer match.

³ **播送** *bōsòng*〈动 *v.*〉通过无线电波和有线电缆传送 broadcast; transmit, send out (or broadcast) through radio or cable: ~新闻 *~ xīnwén* broadcast news｜电台正在~你的器乐作品。*Diàntái zhèngzài ~ nǐ de qìyuè zuòpǐn.* The radio is broadcasting your instrumental music.

⁴ **播音** *bō//yīn*〈动 *v.*〉用无线电波和有线电缆将文字、音乐等播送给听众 transmit; to send (words, music, etc.) by wire or radio: 请准备好，现在立即~。*Qǐng zhǔnbèi hǎo, xiànzài lìjí ~.* Get ready please. We shall transmit right now.｜他播的音十分动听。*Tā bō de yīn shífēn dòngtīng.* His voice over the radio is very pleasant.

⁴ **播种** *bōzhòng*〈动 *v.*〉指种植物的全过程 grow; plant: 这块地~玉米，那块地~油菜。*Zhè kuài dì ~ yùmǐ, nà kuài dì ~ yóucài.* This field grows corn, and that one is planted with green rape.

² **伯伯** *bóbo*〈名 *n.*〉同'伯父' same as '伯父 *bófù*'

² **伯父** *bófù* ❶〈名 *n.*〉称呼父亲的哥哥，也叫'伯伯'uncle, father's elder brother, also '伯伯*bōbo*': 我大~在抗日战争时期牺牲了。*Wǒ dà ~ zài kàngrì zhànzhēng shíqī xīshēng le.* My senior uncle sacrificed his life during the War Against Japanese Aggression. ❷〈名 *n.*〉尊称跟父亲同辈而年长的男子 uncle, an honorable term of address for men of one's father's generation who are older than one's father: 邻居张~很有学问。*Línjū zhāng ~ hěn yǒu xuéwèn.* My neighbor uncle Zhang is very learned.

² **伯母** *bómǔ* ❶〈名 *n.*〉伯父的妻子 aunt, wife of father's elder brother: 大~待我很好，视同己出。*Dà ~ dài wǒ hěn hǎo, shì tóng jǐ chū.* My eldest aunt is very kind to me as if I were her own child. ❷〈名 *n.*〉尊称跟母亲同辈而年长的女子 aunt, an honorable term of address for women of one's mother's generation who are older than one's mother: 赵~ *zhào ~* Aunt Zhao｜王~，您慢走！*Wáng ~, nín màn zǒu!* Aunt Wang, mind how you go!

⁴ **驳斥** *bóchì*〈动 *v.*〉严厉批驳错误的言论、意见 refute (a fallacy); rebut: ~谬论 *~ miùlùn* refute (a fallacy)｜我~了他的造谣中伤。*Wǒ ~le tā de zàoyáo zhòngshāng.* I refuted his slanderous rumors.

² **脖子** *bózi*〈名 *n.* 口 *colloq.*〉头和躯干连接的部位，即颈部 neck, the part of the body connecting the head and the trunk: 他踮着脚、伸长了~看露天戏台上的精彩节目。*Tā diǎnzhejiǎo, shēnchángle ~ kàn lùtiān xìtái shang de jīngcǎi jiémù.* He stood on tiptoes and stretched his neck to watch the excellent programs acted on the outdoor stage.

⁴ **博览会** *bólǎnhuì*〈名 *n.*〉（个 *gè*、次 *cì*、届 *jiè*）大型的产品展览会 fair, large-scale exhibition of products: 北京农业展览馆经常举办有各省、市参展的农产品~。*Běijīng Nóngyè Zhǎnlǎnguǎn jīngcháng jǔbàn yǒu gè shěng, shì cān zhǎn de nóngchǎnpǐn ~.* Fairs of farm produce are often held in Beijing Agricultural Exhibition Hall with the

participation of different provinces and cities.

³ **博士** bóshì 〈名 n.〉（位 wèi 、个 gè）博学之士；特指学位的最高一级 doctor, the highest of academic degrees：他是个年轻的~。*Tā shì gè niánqīng de ~.* He is a young man with a doctoral degree.

³ **博物馆** bówùguǎn 〈名 n.〉（座 zuò 、家 jiā 、个 gè）负责搜集、保藏、研究、展示有关历史、文化、艺术、科学、技术等方面的文物资料或标本的机构 museum, institution dedicated to the collection, store, research, display and exhibition of cultural and historic relics or specimens concerning art, science and technology, etc.：自然~ zìrán ~ natural museum｜军事~ jūnshì ~ military museum｜中国国家~收藏并陈列着从原始人类到 1919年五四运动时期的珍贵历史文物 *Zhōngguó Guójiā ~ shōucáng bìng chénlièzhe cóng yuánshǐ rénlèi dào yī-jiǔ-yī-jiǔ nián Wǔ-Sì Yùndòng shíqī de zhēnguì Lìshǐ wénwù.* The National Museum of China collects and displays precious historic relics from primitive society to the May 4th Movement in 1919.

⁴ **搏斗** bódòu 〈动 v.〉空手或用器械激烈地对打；也泛指激烈地争夺或竞争 fight fiercely with bare hands or weapons; also struggle or compete：他徒手和持枪歹徒展开殊死~。*Tā túshǒu hé chíqiāng dǎitú zhǎnkāi shūsǐ ~.* He had a desperate fight with bare hands against the gunman.｜陕北榆林地区人民与风沙顽强~，终于出现人进沙退的局面。*Shǎnběi yúlín dìqū rénmín yǔ fēngshā wánqiáng ~, zhōngyú chūxiàn rén jìn shā tuì de júmiàn.* People in Yulin, Shaanxi Province, staged an indomitable fight against sandstorms, forcing the desert to retreat eventually.

⁴ **薄膜** bómó 〈名 n.〉（张 zhāng 、块 kuài 、层 céng）像纸、皮一样薄的东西 film; thin coating, sth. as thin as paper or skin：塑料~ sùliào ~ plastic film｜长在耳朵里的一层~叫鼓膜。*Zhǎng zài ěrduo li de yì céng ~ jiào gǔmó.* In the ear, there is a membrane called eardrum.

³ **薄弱** bóruò 〈形 adj.〉不强的；不足或不好的 weak; frail; vulnerable to setbacks：懦弱，是意志力~的表现。*Nuòruò, shì yìzhìlì ~ de biǎoxiàn.* Cowardliness is an expression of being weak-willed.｜这种责任心~的坏习惯，必须改正才好。*Zhè zhǒng zérènxīn ~ de huài xíguàn, bìxū gǎizhèng cáihǎo.* The bad habit of lacking responsibility should be corrected.

⁴ **卜** bǔ ❶ 〈动 v.〉占卜（中国古代用龟甲等物预测吉凶的活动）divine; tell fortunes (a kind of practice of discovering one's destiny through things like turtle's shells in acient China)：旧时迷信的人常到寺庙里去求签问~。*Jiùshí míxìn de rén cháng dào sìmiào li qù qiúqiān wèn ~.* In the old times, superstitious people usually went to the temple to draw lots for soothsaying. ❷ 〈动 v.〉预料；估计 foretell; predict：有几个人在深山老林里失踪了，至今生死未~。*Yǒu jǐ gè rén zài shēnshān lǎolín li shīzōng le, zhìjīn shēngsǐ wèi ~.* Several people got lost in the heavily-wooded mountains, and up to now their survival or death remains unknown.

² **补** bǔ ❶ 〈动 v.〉把破损的地方加上材料修理好 mend; patch; repair：修~ xiū ~ repair｜我昨天去医院~了一颗牙。*Wǒ zuótiān qù yīyuàn ~le yì kē yá.* I went to the hospital to fill a tooth yesterday.｜衣服破了~一~还能穿。*Yīfu pòle ~ yì ~ hái néng chuān.* Worn-out clothes are still wearable after mending. ❷ 〈动 v.〉把不足或缺少的部分充实、添上 fill (a vacancy); supply; make up for：填~ tián ~ fill in｜工地上现在缺人，赶快~几个临时工。*Gōngdì shang xiànzài quē rén, gǎnkuài ~ jǐ gè línshígōng.* The construction site is short of workers. Find some odd jobbers to fill in please.｜我们彼此应该取长~短，这样才能不断进步。*Wǒmen bǐcǐ yīnggāi qǔcháng-~duǎn, zhèyàng*

cáinéng búduàn jìnbù. We should learn from each other so as to make continuous progress. ❸〈动 v.〉滋养 nourish; enrich：~品 ~*pǐn* nourishing food｜~养 ~*yǎng* take a tonic or nourishing food to build up one's health｜你身体很瘦弱, 赶快吃点儿营养品~~身子。*Nǐ shēntǐ hěn shòuruò, gǎnkuài chī diǎnr yíngyǎngpǐn ~~ shēnzi.* You look very thin and weak. You'd better take some nourishing food to build up your health. ❹〈动 v.〉益处；用处 benefit; help：你这样做无~于事 *Nǐ zhèyàng zuò wú~-yúshì.* It's of no help even if you do so.

B

² **补偿** bǔcháng〈动 v.〉补足；偿还 compensate; offset; make up：你要~学校的损失。*Nǐ yào ~ xuéxiào de sǔnshī.* You have to make up for the school's losses of. ｜我中学时代碰上'文化大革命', 现在要发奋学习来~那一段缺陷。*Wǒ zhōngxué shídài pèng shang 'Wénhuà Dàgémìng', xiànzài yào fāfèn xuéxí lái ~ nà yí duàn quēxiàn.* I got caught up in the 'cultural revolution' when I was in the middle school, and now I have to study even harder to make up for the loss.

² **补充** bǔchōng ❶〈动 v.〉将原有不足或缺失增添充实 replenish; complement：这家医院最近~了一些设备, 医疗条件比以前好多了。*Zhè jiā yīyuàn zuìjìn ~le yìxiē shèbèi, yīliáo tiáojiàn bǐ yǐqián hǎoduō le.* This hospital has recently replenished some medical equipment, and its medical condition is better than before. ❷〈动 v.〉在主要部分之外再增加 add; supplement：老师一再~课外作业, 学生负担实在太重。*Lǎoshī yízài ~ kèwài zuòyè, xuéshēng fùdān shízài tài zhòng.* Teachers have increased the assigments again and again, adding a heavy burden to the students.

² **补救** bǔjiù〈动 v.〉出了问题、差错, 及时设法弥补挽救 remedy, take action to correct errors or mistakes and to reverse unfavorable situations：~措施 ~ *cuòshī* remedy (or measure)｜赶快~ *gǎnkuài* ~ make up quickly｜要想办法~公司的损失。*Yào xiǎng bànfǎ ~ gōngsī de sǔnshī.* Measures should be devised to compensate the loss of the company.

² **补课** bǔ//kè ❶〈动 v.〉老师补教、学生补学缺下的课程 make up a missed lesson：老师给我们几个请假的学生~。*Lǎoshī gěi wǒmen jǐ gè qǐngjià de xuéshēng ~.* The teacher made up a missed lesson for the students who had asked for leave. ｜我缺课太多了, 星期天补了一天的课。*Wǒ quē kè tài duō le, xīngqītiān bǔle yì tiān de kè.* I have to make up for the missed lessons the whole Sunday because I had missed too many of them. ❷〈动 v.〉比喻重做某些没有做好的事情 *fig.* do sth. badly done over again：他有两门功课不及格, 假期里还得~。*Tā yǒu liǎng mén gōngkè bù jígé, jiàqī li hái děi ~.* He failed in two subjects, so he had to learn the lessons again during the vacation. ｜我过去在学校里没学好英语, 现在只好在工作中~了。*Wǒ guòqù zài xuéxiào li méi xuéhǎo Yīngyǔ, xiànzài zhǐhǎo zài gōngzuò zhōng ~ le.* I didn't learn English well at school, and what I can do now is to learn English again at work.

² **补贴** bǔtiē ❶〈动 v.〉贴补；对欠缺部分加以补足 subsidize; help (out) financially：妈妈外出带短工, 挣点儿钱~家用。*Māma wài chū bāng duǎngōng, zhèng diǎnr qián ~ jiā yòng.* Mother went out to do some odd jobs to help out with the family expenses. ❷〈名 n.〉贴补的费用 subsidy; allowance：政府要给事业单位一些财政~ *Zhèngfǔ yào gěi shìyè dānwèi yìxiē cáizhèng~.* The government is to allocate some financial subsidy to public institutions. ｜今年的福利~费增加了。*Jīnnián de fúlì ~ fèi zēngjiā le.* This year the supplementary welfare allowance has increased.

² **补习** bǔxí〈动 v.〉在业余或课外的时间补充学习欠缺的知识 take lessons after school or work in order to catch up on certain kinds of knowledge; take a make-up

B

course:~汉语~*Hànyǔ* take a Chinese tutoring class │我参加两个~班，~英语和法律。*Wǒ cānjiā liǎng gè ~ bān, ~ Yīngyǔ hé fǎlǜ.* I attend two remedial classes to make up for my English and Law.

⁴ **补助** bǔzhù ❶ 〈动 v.〉从经济上对人帮助 (一般指集体对个人) help financially; subsidize (oft. from an organization to an individual):~一笔钱 ~ *yì bǐ qián* subsidize │厂工会定期~生活困难的职工。*Chǎng gōnghuì dìngqī ~ shēnghuó kùnnan de zhígōng.* The trade union of the factory will regularly subsidize those who have difficulty in their lives. ❷ 〈名 n.〉补助的钱物 subsidy：生活~ *shēnghuó* ~ living subsidy │受灾群众都拿到了~金。*Shòu zāi qúnzhòng dōu nádàole ~ jīn.* The afflicted people all got subsidies.

² **捕** bǔ 〈动 v.〉捉；抓住 catch; capture, seize; arrest:~获 ~*huò* capture │搜~ ~ *sōu*~ search for; hunt │杀人凶手终被公安部门逮~归案。*Shā rén xiōngshǒu zhōng bèi gōng'ān bùmén dǎi ~ guī'àn.* The murderer was at last caught by the police.

⁴ **捕捞** bǔlāo 〈动 v.〉捕捉捞取水生动植物 fish for (aquatic animals or plants); catch：这一网~到上百斤鱼虾。*Zhè yì wǎng ~ dào shàng bǎi jīn yú xiā.* This time we have netted more than a hundred *jin* of fish and prawns.

⁴ **捕捉** bǔzhuō 〈动 v.〉捉拿 catch; seize; capture：警察~小偷。*Jǐngchá ~ xiǎotōu.* The police catches the thief. │啄木鸟能~钻在树里的虫子。*Zhuómùniǎo néng ~ zuān zài shù li de chóngzi.* The woodpecker can catch worms hidden in the trees.

¹ **不** bù ❶ 〈副 adv.〉表示否定 (用在动词、形容词、助动词或个别副词前) used before verb, adjective, aux. verb, and certain adverbs to indicate negation：你~该喝酒。*Nǐ ~ gāi hē jiǔ.* You shouldn't drink alcohol. │你又喝了~少的酒。*Nǐ yòu hēle ~ shǎo de jiǔ.* You've drunk too much liquor again. │我的身体~太好。*Wǒ de shēntǐ ~ tài hǎo.* I'm not very well. │~调查，~研究，提起笔来'硬写'，这就是~负责任的态度。*~ diàochá, ~ yánjiū, tíqǐ bǐ lái 'yìng xiě', zhè jiù shì ~ fù zérèn de tàidù.* It's an irresponsible attitude to pick up a pen to force yourself to write without investigation or research. ❷ 〈副 adv.〉单用，表示否定对方的话或提问 used by itself as a negative answer to a statement or question：他知道这件事吧？~，他不知道。*Tā zhīdào zhè jiàn shì ba? ~, tā bù zhīdào.* Does he know it? No, he doesn't. │你是学数学的吗？~，我是学化学的。*Nǐ shì xué shùxué de ma? ~, wǒ shì xué huàxué de.* Do you major in math? No, I major in chemistry. ❸ 〈副 adv.〉用在动词及其补语之间，表示达不到那个结果 used between a verb and its complement to indicate that sth. is impossible：我忍~住，便放声大笑起来。*Wǒ rěn ~ zhù, biàn fàngshēng dàxiào qǐlái.* I can't help laughing aloud. │他跳~高。*Tā tiào ~ gāo.* He can't jump high. ❹ 〈副 adv.〉'A不A'(A代表名词、动词或形容词) 与'什么''不管'等连用，表示A是无关紧要的 used together with '什么shénme', '不管 bùguǎn' in the structure A 不 A (A stands for noun, verb or adjective) indicating careless or indifference：什么条件~条件的，你们完全可以创造条件嘛。*Shénme tiáojiàn ~ tiáojiàn de, nǐmen wánquán kěyǐ chuàngzào tiáojiàn ma.* Whatever conditions there might be, you could very well create conditions yourselves. │不管愿意~愿意，大家都得服从分配。*Bùguǎn yuànyì ~ yuànyì, dàjiā dōu děi fúcóng fēnpèi.* Whether you like it or not, we all should obey the assignment. ❺ 〈副 adv.〉'A不A'(A代表动词、形容词或助动词)，是正反疑问句 used in A 不 A structure (A stands for verb, adjective or aux. verb) indicating an affirmative negative question：道德是~是永恒的？*Dàodé shì ~ shì yǒnghéng de?* Is morality eternal? │想托你办点儿事，不知你方便~方便？*Xiǎng tuō nǐ bàn diǎnr shì, bù zhī nǐ fāngbiàn ~ fāngbiàn?* I wonder whether you are convenient if I have something to trouble you. ❻ 〈副 adv.〉与'就'配合使用，表示非

此即彼 used with '就jiù' to indicate alternation：我~写文章就看书。*Wǒ ~ xiě wénzhāng jiù kànshū.* I would either write an article or read a book. ❼〈助 *aux.*〉用在句末，表示疑问 used at the end of a sentence to indicate interrogation：你知道~? *Nǐ zhīdào ~?* Do you know it? ❽〈助 *aux.*〉用来加强语气 used to emphasize：这气势好~吓人！*Zhè qìshì hǎo ~ xiàrén!* The momentum is very frightening.

◆在去声字前，'不' 读作阳平声（第二声），如 '不必búbì' '不错búcuò' '不会búhuì' 等。本词典为简便起见，条目中的'不'字，均注去声（第四声）。例词、例句中仍按读音规则标注声调。'不' said in rising tone when followed by words with falling tone, e.g. '不必búbì' '不错búcuò' '不会búhuì', the word '不' in this dictionary is labelled with falling tone for convenience, and the word '不' in example words and sentences is still labelled with tone according to the pronunciation rules.

³ **不安** bù'ān ❶〈形 *adj.*〉不安宁；不稳定 restless, not peaceful; unstable：我在他那里感到挺别扭，有点儿坐立~。*Wǒ zài tā nàli gǎndào tǐng bièniu, yǒudiǎnr zuòlì~.* I felt rather uncomfortable to be there with him and began to fidget about. ❷〈形 *adj.*〉表示歉意的客套话 expressing regret or sorry：多有打扰，深感~。*Duō yǒu dǎrǎo, shēn gǎn ~.* I'm sorry to trouble you.

⁴ **不卑不亢** bùbēi-bùkàng〈成 *idm.*〉既不自卑，也不高傲；指对人的态度分寸恰当 neither haughty nor humble; neither supercilious nor obsequious; neither overbearing nor servile; natural and proper：他在对外交涉中~，据理力争。*Tā zài duìwài jiāoshè zhōng ~, jùlǐ-lìzhēng.* He argued strongly on just grounds, and was neither haughty nor humble in diplomatic negotiations.

³ **不比** bùbǐ ❶〈动 *v.*〉比不上 be incomparable with; be no match for：你~年轻人，劳动时要量力而为。*Nǐ ~ niánqīngrén, láodòng shí yào liànglì'érwéi.* Unlike the young people, you should do what your strength allows. ❷〈动 *v.*〉不同于 be unlike; be different from：出门~在家，多少总有些不便。*Chūmén ~ zài jiā, duōshǎo zǒng yǒuxiē búbiàn.* Being away from home is unlike staying at home, for it could always bring inconvenience to you.

² **不必** bùbì〈副 *adv.*〉表示不需要；用不着 need not; be unnecessary; not have to：~打扰他们了，反正我很快就要回来。*~ dǎrǎo tāmen le, fǎnzhèng wǒ hěn kuài jiù yào huílái.* You've no need to trouble them because anyhow I'll come back soon. | 你~害怕别人背后说闲话。*Nǐ ~ hàipà biéren bèihòu shuō xiánhuà.* You've no need to be afraid of what others may talk behind you.

³ **不曾** bùcéng〈副 *adv.*〉'曾经' 的否定形式，表示从来没有 negative form of '曾经 céngjīng', never：他是个粗人，~读过书，~做过细致的工作，只会干干粗活。*Tā shì gè cūrén, ~ dúguo shū, ~ zuòguo xìzhì de gōngzuò, zhǐ huì gàngan cūhuó.* He is an illiterate man, having received no educatin and finished no refined work, only capable of some unskilled work.

⁴ **不辞而别** bùcí'érbié〈成 *idm.*〉不告辞就离开了 leave without saying goodbye：你这样~不太好。*Nǐ zhèyàng ~ bú tài hǎo.* It's not good for you to leave without saying goodbye. | 我搞不清楚他为什么要~? *Wǒ gǎo bù qīngchu tā wèishénme yào ~?* I don't know why he left without saying goodbye.

¹ **不错** bùcuò ❶〈形 *adj.* 口 *colloq.*〉好 good; not bad; correct; right：他汉语说得相当~。*Tā Hànyǔ shuō de xiāngdāng ~.* His Chinese is very good. | 他的木工活做得~。*Tā de mùgōnghuó zuò de ~.* He is very skillful in carpentry. ❷〈形 *adj.*〉对 right; yes：~，我同意他先走的。*~, wǒ tóngyì tā xiān zǒu de.* Yes, I agree to let him go first.

B

² **不大** bùdà 〈副 *adv.*〉'不很''不怎么'的意思，表示程度不深 almost not, indicating a low degree：老实说吧，让你去做这个工作我是~放心的。*Lǎoshi shuō ba, ràng nǐ qù zuò zhège gōngzuò wǒ shì ~ fàngxīn de.* To tell the truth, I can hardly set my mind at ease to let you do the job. │ 他是个~爱动气的人。*Tā shì gè ~ ài dòngqì de rén.* He is a person who seldom becomes angry.

¹ **不但** bùdàn ❶ 〈连 *conj.*〉不只；用在复句中，与'而且''也''还'等呼应，表示递进的意思 not only, used in the complex sentence that is progressive in meaning, and correlated with conjunctives like '而且érqiě', '也yě', '还hái'：他这双手~细巧，而且灵活。*Tā zhè shuāng shǒu ~ xìqiǎo, érqiě línghuó.* His hands are not only slim but also nimble. │ 这个学术问题，~在学校内，在国内外也有不同观点。*Zhège xuéshù wèntí, ~ zài xuéxiào nèi, zài guónèiwài yě yǒu bùtóng guāndiǎn.* This academic problem is controversial not only on campus but also around the world. ❷ 〈连 *conj.*〉与'反而''反倒'等呼应，表示前后意思相反 used with '反而fǎn'ér', '反倒fǎndǎo' to indicate opposite meanings of the two clauses：我请她们帮帮忙，她们~不管，反而哈哈地笑我。*Wǒ qǐng tāmen bāngbang máng, tāmen ~ bùguǎn, fǎn'ér hāhā de xiào wǒ.* I asked them to do me a favor. They laughed aloud at me instead of helping me.

⁴ **不当** bùdàng 〈形 *adj.*〉不妥当；不适当 unsuitable; improper; inappropriate：文中如有~之处，请你指正。*Wén zhōng rú yǒu ~ zhī chù, qǐng nǐ zhǐzhèng.* Please point out my mistakes if there are any in my article. │ 你说话~才使他生了气。*Nǐ shuōhuà ~ cái shǐ tā shēngle qì.* It's your inappropriate words that made him angry.

⁴ **不得** bùde 〈词尾 *suff.*〉用在动词后表示不可以 used after a verb to indicate disallowance or forbiddance：看~ *kàn* ~ not to see │ 摸~ *mō* ~ not to touch │ 这件事可出~半点儿差错 *Zhè jiàn shì kě chū ~ bàndiǎnr chācuò.* This matter does not allow for any mistake.

² **不得不** bùdébù 〈副 *adv.*〉不能不；必须 have to; must：下大雨，来的人太少了，座谈会~改期。*Xià dà yǔ, lái de rén tài shǎo le, zuòtánhuì ~ gǎiqī.* Because of the heavy rain, only a few people showed up, so the forum had to be postponed. │ 上面限定时间交工，我们~连夜加班。*Shàngmiàn xiàndìng shíjiān jiāogōng, wǒmen ~ liányè jiābān.* The delivery time is quite limited so we have to work overtime the whole night.

² **不得了** bùdéliǎo ❶ 〈形 *adj.*〉表示情况很严重 (of situations) terrible; horrible; desperately serious：~! 闯下大祸了！*~! Chuǎngxià dà huò le!* How awful! You've made terrible mistakes! │ 这项工程出了差错可~。*Zhè xiàng gōngchéng chūle chācuò kě ~.* It would be terrible if anything goes wrong with the project. ❷ 〈副 *adv.*〉表示程度很深 (多用在形容词或动词后，中间必用助词'得') (of degrees) extremely; exceedingly (usu. used after an adjective or a verb with an aux. verb '得 de' in between)：他找不到飞机票急得~。*Tā zhǎo bú dào fēijīpiào jí de ~.* He can't find his plane ticket and becomes extremely worried. │ 大家听到这个好消息都高兴得~。*Dàjiā tīng dào zhège hǎo xiāoxi dōu gāoxìng de ~.* Everyone is extremely happy to hear this good news.

⁴ **不得已** bùdéyǐ 〈形 *adj.*〉迫于外部原因，不能不这样 out of necessity; without alternative; but to：这是~的办法。*Zhè shì ~ de bànfǎ.* This is only a last resort. │ 没有想到事情了结得这样顺当，可能是对方~的妥协。*Méiyǒu xiǎngdào shìqing liǎojié de zhèyàng shùndang, kěnéng shì duìfāng ~ de tuǒxié.* It's unimaginable that the problem is solved so smoothly. It's probably that the opponents have no choice but to compromise.

⁴ **不等** bùděng 〈形 *adj.*〉（大小、数量、规模等）不一样；不齐 (of size, number,

scale）various; different：这个班学生的水平高低~。*Zhège bān xuéshēng de shuǐpíng gāodī ~.* The students in this class vary in proficiency. ｜这三箱橘子数量~，价格也~。*Zhè sān xiāng júzi shùliàng ~, jiàgé yě ~.* The three cases of oranges vary in quantity as well as in price.

⁴ **不定** bùdìng〈副 *adv.*〉表示猜测；不肯定（多与表示疑问的词或正反疑问式配合）indicating guess or uncertainty（usu. used with interrogatives or affirmative negative questions）：他出去散步还没有回来，一遇见什么人聊天了。*Tā chūqù sànbù hái méiyǒu huílái, ~ yùjiàn shénme rén liáotiān le.* He hasn't come back from his walk outside. It's probable he is chatting with someone he meets. ｜他今天~来不来，可是明天一定来。*Tā jīntiān ~ lái bù lái, kěshì míngtiān yídìng lái.* It's uncertain whether he will come or not today, but he will surely come tomorrow.

² **不断** bùduàn〈副 *adv.*〉不停地；不间断 unceasingly; incessantly：他的讲话诙谐幽默，听众~地发出笑声。*Tā de jiǎnghuà huīxié yōumò, tīngzhòng ~ de fāchū xiàoshēng.* His speech was quite humorous and the audience laughed constantly. ｜演员要~丰富和提高自己的艺术表现能力。*Yǎnyuán yào ~ fēngfù hé tígāo zìjǐ de yìshù biǎoxiàn nénglì.* Actors should continuously enrich and improve their artistic performing ability.

³ **不对** bùduì ❶〈形 *adj.*〉错 wrong; incorrect：报表上有几个数字~。*Bàobiǎo shang yǒu jǐ gè shùzì ~.* There are several incorrect figures in the report form. ｜我有什么~，请你及时提醒。*Wǒ yǒu shénme ~, qǐng nǐ jíshí tíxǐng.* Please remind me on time in case I should do something wrong. ❷〈形 *adj.*〉不正常；不对头 abnormal; amiss：她这几天神色~，怕是家里出的事吧。*Tā zhè jǐ tiān shénsè ~, pà shì jiā li chūle shì ba.* She didn't look quite herself these days. Maybe there is something wrong with her family. ❸〈形 *adj.*〉彼此不和睦 in disagreement; at odds：他俩一直~。*Tā liǎ yìzhí ~.* The two of them have always been at odds.

⁴ **不法** bùfǎ〈形 *adj.*〉违法的 illegal; against law：公安、工商部门联合行动查处~分子制假、售假的~活动。*Gōng'ān, gōngshāng bùmén liánhé xíngdòng cháchǔ ~ fènzǐ zhìjiǎ, shòujiǎ de huódòng.* The public security bureau together with the admimstration for industry and commerce carried out a joint operation against the law breakers engaged in the production and selling of counterfeits.

⁴ **不妨** bùfáng ❶〈副 *adv.*〉可以这么做，没有什么妨碍 there is no harm in; might as well：你~先看看，看准了再做。*Nǐ ~ xiān kànkan, kànzhǔnle zài zuò.* You might as well take a look at it first and make sure before you continue. ｜你~把你的想法讲给大家听听。*Nǐ ~ bǎ nǐ de xiǎngfǎ jiǎng gěi dàjiā tīngting.* You might as well tell us your idea. ❷〈动 *v.*〉没关系 never mind：你尽管说，说错了也~。*Nǐ jǐnguǎn shuō, shuōcuòle yě ~.* You can say whatever you want to say, and it doesn't matter even if you are wrong.

² **不敢当** bùgǎndāng〈惯 *usg.*〉（对他人给自己的信任、赞扬、款待等）表示担当不起的客套话 you flatter me; I don't deserve it（a polite expression used in reply to a trust, compliment, entertainment, etc.）：这样盛情款待，实~。*Zhèyàng shèngqíng kuǎndài, shí ~.* I really don't deserve this hospitality. ｜你过奖了，愧~。*Nǐ guòjiǎng le, kuì ~.* You flatter me. I'm much obliged.

⁴ **不公** bùgōng〈形 *adv.*〉不公平；欠公道 unjust; unfair：判决~。*pànjué ~* unfair in judgement｜分配~是当今一个社会问题。*Fēnpèi ~ shì dāngjīn yígè shèhuì wèntí.* Right now the unfairness in distribution is a social problem. ｜这件事处理得太~了。*Zhè jiàn shì chǔlǐ de tài ~ le.* This matter has been handled rather unfairly.

³ **不够** bùgòu〈形 *adj.*〉离要求还差些 not enough; insufficient; inadequate：~老练 ~

lǎoliàn inexperienced｜~标准~ *biāozhǔn* not up to standard｜事实上你工作做得还很，千万不要自满。*Shìshí shang nǐ gōngzuò zuò de hái hěn~, qiānwàn búyào zìmǎn.* Actually what you have done is far from being enough, and you must not be self-content.

³ **不顾** bùgù ❶〈动 *v.*〉不关照；不照管 disregard; not concerned with: 不要~国家利益，只顾个人得失。*Búyào~ guójiā lìyì, zhǐ gù gèrén déshī.* Don't just think of personal gain and loss without consideration for the national interests. ❷〈动 *v.*〉故意无视或不考虑 ignore purposely; neglect: ~事实 ~ *shìshí* disregard the facts｜~安危 ~ *ānwēi* ignore the safety and danger｜他~个人身单力薄，死死抓住匪徒不放手。*Tā ~ gèrén shēndān-lìbáo, sǐsǐ zhuāzhù fěitú bú fàngshǒu.* He firmly grabbed the gangster and refused to let go, regardless of the fact that he was alone.

² **不管** bùguǎn〈连 *conj.*〉表示在任何条件下都不会改变(后面常用'都''也'等副词和它呼应) indicating that sth. will never change in any case（usu. correlated with adverbs like '都dōu' and '也yě'）: 不多累，他都坚持去补习英语。~ *duō lèi, tā dōu jiānchí qù bǔxí Yīngyǔ.* He insisted on taking English remedial lessons no matter how tired he was.｜有多忙，他也不肯放弃每晚七点听新闻联播。~ *yǒu duō máng, tā yě bù kěn fàngqì měi wǎn qī diǎn tīng xīnwén liánbō.* He will not miss the 7 pm news broadcast, no matter how busy he is.

² **不过** bùguò ❶〈连 *conj.*〉连接分句，表示转折(对前面的话加以补充、修正) used in compound sentences to indicate a change in meaning（to supplement or modify the preceding statement）: 这里又发生了一次泥石流，~这次规模不大。*Zhèli yòu fāshēng le yí cì níshíliú, ~ zhè cì guīmó bú dà.* Landslide took place in this area again, but it is of a small scale.｜他不善辞令，~他才华横溢，聪明过人。*Tā bú shàn cílìng, ~ tā cáihuá-héngyì, cōngming guòrén.* He is not eloquent, but endowed with talents and extraodinary intelligence. ❷〈副 *adv.*〉'只是'的意思，表示把事情往小处说 only; merely, implying relative smallness: 他还~是个孩子。*Tā hái ~ shì gè háizi.* He is only a child.｜我~随便说说，你不要计较。*Wǒ ~ suíbiàn shuōshuo, nǐ búyào jìjiào.* Don't mind what I have said because I said it without thinking. ❸〈副 *adv.*〉用在形容性词语后表示程度高 used after an adjective to indicate a high degree: 再好~ *zài hǎo ~* can't be better｜她是个聪明~的孩子。*Tā shì gè cōngming ~ de háizi.* She is most clever child.

² **不好意思** bùhǎoyìsi ❶〈俗 *infm.*〉害羞 shy; embarrassed; feel ill at ease: 她~见生人。*Tā ~ jiàn shēngrén.* She is shy before strangers.｜我~向人借钱。*Wǒ ~ xiàng rén jièqián.* I feel embarrassed to borrow money from others. ❷〈俗 *infm.*〉由于面子关系只能怎样或不便怎样 have no choice but; be inappropriate to do sth. due to one's feelings: 他盛情邀请，我~推辞。*Tā shèngqíng yāoqǐng, wǒ ~ tuīcí.* He invited me with great hospitality, and I found it difficult to decline.｜这是集体活动，我~单独行动。*Zhè shì jítǐ huódòng, wǒ ~ dāndú xíngdòng.* It's a collective activity, and I find it inappropriate to act alone. ❸〈俗 *infm.*〉表示歉意或感激的客套话 expressing regrets or thanks: 我把你心爱的东西拿走了，真有点儿~。*Wǒ bǎ nǐ xīn'ài de dōngxi názǒu le, zhēn yǒudiǎnr ~.* I feel somewhat apologetic for taking away your favorite things.

³ **不见** bùjiàn ❶〈动 *v.*〉不见面 not see; not meet: 一日~，如隔三秋。*Yí rì ~, rú gé sān qiū.* One day apart seems like three years.｜多日~了，过得挺好的吧。*Duō rì ~ le, guò de tǐng hǎo de ba.* We haven't seen each other for ages, and how are you getting along these days? ❷〈动 *v.*〉见不到 be unable to see: ~兔子不撒鹰(比喻没有把握的事不干)。~ *tùzi bù sā yīng（bǐyù méiyǒu bǎwò de shì bú gàn）.* Don't unleash the eagle to catch the rabbit unless the rabbit appears (*fig.* not do uncertain things).｜这是一间~阳

光的黑屋子。*Zhè shì yì jiān ~ yángguāng de hēi wūzi.* This is a dark room with no sunlight. │ 一会儿工夫就~他的踪影了。*Yíhuìr gōngfu jiù ~ tā de zōngyǐng le.* He disappeared in a little while.

⁴ **不见得** bùjiàndé 〈副 *adv.*〉不一定 not necessarily; not likely：你买的那件衣服~好看。*Nǐ mǎi de nà jiàn yīfu ~ hǎokàn.* It seems that the dress you bought is not likely to be goodlooking. │ 洋的~就比土的好。*Yáng de ~ jiù bǐ tǔ de hǎo.* Foreign things are not necessarily better than local ones.

⁴ **不解** bùjiě ❶ 〈动 *v.*〉不明白；不可理解 not understand or comprehend：你写的文章莫名其妙，大家都~其意。*Nǐ xiě de wénzhāng mòmíngqímiào, dàjiā dōu ~ qí yì.* Your article is so strange that no one can understand it. │ 他突然做出这种出格的事情，我百思~。*Tā túrán zuò chū zhè zhǒng chūgé de shìqing, wǒ bǎisī ~.* In spite of much thought, I remained perplexed by the improper thing that he had suddenly done. ❷ 〈动 *v.*〉解不开；难以解释 be hard or difficult to explain：我俩结下了~之缘。*Wǒ liǎ jiéxiàle ~zhīyuán.* The two of us have entered into an indissoluble bond. │ 中国历史上有许多事件至今还是~之谜。*Zhōngguó lìshǐ shang yǒu xǔduō shìjiàn zhìjīn háishì ~zhīmí.* Many incidents in the Chinese history remain a mystery that cannot be explained even now.

³ **不禁** bùjīn 〈副 *adv.*〉不由自主；情不自禁 cannot help doing sth.; cannot refrain from：~热泪盈眶 ~ rèlèi-yíngkuàng cannot refrain from tears │ 接到北京大学的录取通知书，我的心~怦怦地跳动起来。*Jiēdào Běijīng Dàxué de lùqǔ tōngzhīshū, wǒ de xīn ~ pēngpēng de tiàodòng qǐlái.* My heart couldn't help beating hard when I received the admission notice of Peking University. │ 看到此情此景，我~想起好多往事。*Kàn dào cǐqíng-cǐjǐng, wǒ ~ xiǎngqǐ hǎoduō wǎngshì.* Seeing this scene, I couldn't help recollecting many past events.

² **不仅** bùjǐn ❶ 〈连 *conj.*〉同'不但' same as '不但 búdàn'：他~能说，而且能做。*Tā ~ néng shuō, érqiě néng zuò.* He is not only good at words but also at deeds. │ 中国的长城~闻名全国，也享誉世界。*Zhōngguó de Chángchéng ~ wénmíng quánguó, yě xiǎngyù shìjiè.* The Great Wall of China is well known not only at home but also abroad. │ 这几年北京夏天~热得出奇，而且潮湿闷人。*Zhè jǐ nián Běijīng xiàtiān ~ rè de chūqí, érqiě cháoshī mēnrén.* In recent years, the weather in the summer in Beijing is not only extremely hot, but also humid and stuffy. ❷ 〈副 *adv.*〉不止；不光 not the only one：这~是我个人的主张。*Zhè ~ shì wǒ gèrén de zhǔzhāng.* I am not the only one who holds this opinion.

¹ **不久** bùjiǔ 〈名 *n.*〉离某个时间不远；没过多长时间 soon; before long; not long ago：他刚走~。*Tā gāng zǒu ~.* He just left a moment ago. │ ~以前这里还是一片荒地。*~ yǐqián zhèli háishì yí piàn huāngdì.* Not long ago this place was a piece of wasteland. │ ~以后那里将建成一个高新技术开发区。*~ yǐhòu nàli jiāng jiànchéng yí gè gāoxīn-jìshù kāifāqū.* A new hi-tech development zone will soon be built there.

³ **不觉** bùjué 〈副 *adv.*〉没有察觉；没有感到；想不到 not aware of; not feel; not conscious of：我们边走边谈，~已走出四五里地。*Wǒmen biān zǒu biān tán, ~ yǐ zǒu chū sì-wǔ lǐ dì.* We talked and walked, unaware that we had walked for four or five *li*. │ 我埋头写作，一个月下来~已写出二十多万字了。*Wǒ máitóu xiězuò, yí gè yuè xiàlái ~ yǐ xiěchū èrshí duō wàn zì le.* I was lost in writing, not knowing that I had finished more than 200,000 words in one month. │ 我们在一起闲聊，两个小时~就过去了。*Wǒmen zài yìqǐ xiánliáo, liǎng gè xiǎoshí ~ jiù guòqù le.* We chatted for two hours without knowing it.

B

⁴ **不堪** bùkān ❶ 〈动 v. 书 lit.〉禁受不住 cannot bear; cannot stand：~一击 ~yìjī cannot withstand a single blow; collapse at the first blow｜~歧视 ~ qíshì cannot bear discrimination｜他~山上群猴的袭击、骚扰，只得搬到山下来住了。Tā ~ shān shang qún hóu de xíjī, sāorǎo, zhǐdé bāndào shān xià lái zhù le. He cannot bear the attack and harassment from the monkeys in the mountain, and has to move down to the mountain's foot. ❷ 〈动 v. 书 lit.〉不能接受（多用于不好或不愉快的方面）cannot accept（usu. referring to sth. unpleasant undesirable）：~忍受 ~ rěnshòu cannot tolerate｜回首话当年。~ huíshǒu huà dāngnián. It's unbearable to look back and talk about the past.｜他的卧室脏乱极了，简直~入目。Tā de wòshì zāng luàn jí le, jiǎnzhí ~rùmù. His bedroom is too dirty and disordered to look at. ❸ 〈形 adj.〉表示程度很深 extremely：忙碌~máng lù ~ extremely busy｜一场暴雨把他们浇得狼狈~。Yì cháng bàoyǔ bǎ tāmen jiāo de lángbèi~. A rainstorm drenched them like a drowned mouse.

³ **不可** bùkě ❶ 〈助动 aux.v.〉不可以；不可能 cannot; should not：~理解 ~ lǐjiě cannot understand｜这个人~理喻。Zhè gè rén ~ lǐyù. This man is rude and unreasonable.｜他的话~不信又~全信。Tā de huà ~ bú xìn yòu ~ quán xìn. His words can neither be disbelieved nor be fully believed. ❷ 〈助动 aux.v.〉决不能 could not; by no means：她犯这样的错误~宽恕。Tā fàn zhèyàng de cuòwù ~ kuānshù. She will never be forgiven for making such a mistake. ❸ 〈助 aux.〉与'非'连用，组成'非…不可'，表示必须或一定 used with '非fēi', referring to the necessity or certainty：今天下午的谈判，他非参加~。Jīntiān xiàwǔ de tánpàn, tā fēi cānjiā ~. He simply must attend the negotiation this afternoon.｜难得同学聚会，你非去~。Nándé tóngxué jùhuì, nǐ fēi qù ~. The alumni gathering is so rare that you must attend.

⁴ **不愧** bùkuì 〈副 adv.〉当得起（某种荣誉或称号）worthy of; deserve（some honor or title）：徐老师~为人类灵魂工程师。Xú lǎoshī ~ wéi rénlèi línghún gōngchéngshī. Teacher Xu is worthy of the title of an engineer of human soul.｜他真~是个大律师，说话一针见血。Tā zhēn ~ shì gè dà lǜshī, shuōhuà yìzhēn-jiànxiě. His words are right to the point, and he deserves to be called a great lawyer.

³ **不利** bùlì 〈形 adj.〉没好处；不顺当 unfavorable; disadvantageous：对他~。Duì tā ~. It's disadvantageous to him.｜我队连失两球，形势很~。Wǒ duì lián shī liǎng qiú, xíngshì hěn ~. The situation was very unfavorable when our team lost two goals one after another.｜我们应该设法改变这种~局面。Wǒmen yīnggāi shèfǎ gǎibiàn zhèzhǒng ~ júmiàn. We have to take measures to change this unfavorable situation.

⁴ **不良** bùliáng 〈形 adj.〉不好的 bad; harmful; unhealthy：~作风 ~ zuòfēng bad working style｜存心~ cúnxīn ~ harbor evil intentions｜抽烟是一种~嗜好。Chōuyān shì yì zhǒng ~ shìhào. Smoking is a harmful hobby.｜银行要抓紧清理~债务。Yínháng yào zhuājǐn qīnglǐ ~ zhàiwù. Banks should take time to write off the bad debts.

³ **不料** bùliào 〈副 adv.〉出乎意料 unexpectedly; to one's surprise：他正在台上高谈阔论，~台下却走得只剩五六个人了。Tā zhèngzài tái shang gāotán-kuòlùn, ~ tái xià què zǒu de zhǐ shèng wǔ-liù gè rén le. He was talking volubly on the platform, and surprisedly found that only five or six of his audience remained.｜这句话却~让旁边的孩子听见，一下子就传开了。Zhè jù huà què ~ ràng pángbiān de háizi tīngjiàn, yíxiàzi jiù chuánkāi le. The children around unexpectedly heard these words, and spread them quickly.

² **不论** bùlùn ❶ 〈连 conj.〉同'不管'，但比'不管'书面化 same as '不管bùguǎn', but more formal：~怎么劝说，他都不听。~ zěnme quànshuō, tā dōu bù tīng. No matter how

to persuade him, he didn't listen. ｜~是谁，都动摇不了我的决心。~ *shì shuí, dōu dòngyáo bù liǎo wǒ de juéxīn.* No one can ever shake my determination. ❷〈动 v.〉不讨论；不说 not discuss; not argue：我对那些流言蜚语置之~。*Wǒ duì nàxiē liúyán-fēiyǔ zhì zhī ~.* I keep silent to those rumors and slanders.

³ **不满** bùmǎn ❶〈动 v.〉不够；不满足；未盛满 be not enough; be not satisfied with; be not full of：水缸里的水~。*Shuǐ gāng li de shuǐ ~.* The vat is not full of water. ｜他~现状。*Tā ~ xiànzhuàng.* He is not satisfied with the current situation. ｜你还~十八岁，没有选举权。*Nǐ hái ~ shíbā suì, méiyǒu xuǎnjǔquán.* You are under eighteen and have no right to vote. ❷〈形 adj.〉不满意 resentful; discontented; dissatisfied：我对他的表现很~。*Wǒ duì tā de biǎoxiàn hěn ~.* I am very dissatisfied with his performance.

³ **不免** bùmiǎn〈副 adv.〉不可避免地 inevitably：刚到新单位工作，我心中~有点儿紧张。*Gāng dào xīn dānwèi gōngzuò, wǒ xīn zhōng ~ yǒudiǎnr jǐnzhāng.* Just arriving at a new organization, I cannot help feeling a little bit nervous. ｜她不大爱说话，可是在父亲跟前就~撒点儿娇。*Tā bú dà ài shuōhuà, kěshì zài fùqīn gēnqián jiù ~ sā diǎnr jiāo.* As a rather shy girl, she quite naturally acts spoiled at the presence of her father.

² **不平** bùpíng ❶〈形 adj.〉不平整 not smooth：这条路坑坑洼洼~一点儿都~。*Zhè tiáo lù kēngkēng-wāwā yìdiǎnr dōu ~.* This road is very rough with bumps and dips. ❷〈形 adj.〉不公平；不满或愤慨 unfair; dissatisfied; indignant：他看到社会上种种~现象，心中愤愤~。*Tā kàndào shèhuì shang zhǒngzhǒng ~ xiànxiàng, xīn zhōng fènfèn ~.* He is very resentful to those unfair practices in society. ❸〈名 n.〉不公平的事；产生的不满或愤慨情绪 injustice; unfairness; discontent or indignation：他受到不公正的处分，我为他抱~。*Tā shòudào bù gōngzhèng de chǔfèn, wǒ wèi tā bào ~.* I feel indignant at the unfair punishment he has received. ｜我到哪里去诉说胸中的~呢？*Wǒ dào nǎli qù sùshuō xiōng zhōng de ~ ne?* Where can I pour out the resentment in my heart?

² **不然** bùrán ❶〈连 conj.〉用在前后分句间，表示如果不是上分句所说的情况，就发生或可能发生下分句所说的情况 or else; otherwise; if not (used between two compound sentences to indicate an alternative)：多亏打了预防针，~的话，孩子一定会传染上那个病。*Duōkuī dǎle yùfángzhēn, ~ de huà, háizi yídìng huì chuánrǎn shàng nà ge bìng.* Thanks to the preventive inoculation, or the child would have caught that disease. ｜外面很冷，你多穿点儿衣服，~会伤风的。*Wàimiàn hěn lěng, nǐ duō chuān diǎnr yīfu, ~ huì shāngfēng de.* It's very cold outside. You'd better put on more clothes, or you will catch cold. ❷〈连 conj.〉表示选择，如果不是这种情况，就是那种情况（前面常加'再'，后面用'就'呼应）if not this case, then the other (used to mean selection, usu. preceded by '再zài', and followed by '就jiù')：我们常常一面赏月，一面闲谈，再~就下下棋。*Wǒmen chángcháng yímiàn shǎngyuè, yímiàn xiántán, zài ~ jiù xiàxià qí.* We often enjoy the bright moon while chatting, or playing chess. ❸〈形 adj.〉不是这样；不对 not so; not correct：你说的话听起来有点儿道理，其实~。*Nǐ shuō de huà tīng qǐlái yǒudiǎnr dàolǐ, qíshí ~.* Your words sound reasonable, but it's not the case.

⁴ **不容** bùróng〈动 v.〉不允许；不能容忍 not allow; not tolerate：他~我分说就作了决定。*Tā ~ wǒ fēnshuō jiù zuòle juédìng.* He made the decision without allowing me to say anything. ｜这件事~耽搁，得马上去办。*Zhè jiàn shì ~ dāngē, děi mǎshàng qù bàn.* It should be done immediately without delay. ｜他的奇装异服为世所~。*Tā de qízhuāng-yìfú wéi shì suǒ ~.* His bizarre clothes are not accepted by the public.

¹ **不如** bùrú ❶〈动 v.〉比不上 be not equal to; be inferior to：你应该亲自去看看，百闻~一见嘛。*Nǐ yīnggāi qīnzì qù kànkan, bǎi wén ~ yí jiàn ma.* You should go and see

personally, after all seeing is believing. | 谁也~你能干。*Shuí yě ~ nǐ nénggàn.* Nobody is more capable than you. | 当官太累了，还~回家去种田。*Dāng guān tài lèi le, hái ~ huíjiā qù zhòngtián.* To be a government official is so tiring and strenuous that it's no better than to be a farmer at home. ❷〈连 *conj.*〉用以引出说话人认为比较好的作法，有时与'与其''如其'连用，前面是舍弃的一面，后面是选取的一面 indicating a better practice, sometimes used with '与其*yǔqí*' or '如其*rúqí*', the former being discarded, and the latter being selected：说这些话有什么用呢？~谈点儿别的。*Shuō zhèxiē huà yǒu shénme yòng ne? ~ tán diǎnr bié de.* What is the use of saying these words? You'd better talk something else. | 与其派他去，还~派我去顶用。*Yǔqí pài tā qù, hái ~ pài wǒ qù dǐngyòng.* It would be better to send me instead of him. | 他俩就要分手了，与其说他们喝的是酒，~说他们咽下的是泪。*Tā lǎ jiùyào fēnshǒu le, yǔqí shuō tāmen hē de shì jiǔ, ~ shuō tāmen yànxià de shì lèi.* They are bidding farewell to each other with drinks, but rather with tears.

² **不少** bùshǎo〈形 *adj.*〉数量大 in great numbers：今天来的客人真~。*Jīntiān lái de kèrén zhēn ~.* Guests turning up today are really in great numbers. | 今年大学招生的名额增加了。*Jīnnián dàxué zhāoshēng de míng'é zēngjiāle ~.* This year student enrollment by universities has increased greatly. | 她整了容，仿佛年轻了~。*Tā zhěng-le róng, fǎngfú niánqīngle ~.* She has a cosmetic surgery and looks much younger than before.

⁴ **不时** bùshí ❶〈副 *adv.* 书 *lit.*〉时时；有间断（而连续）地 from time to time; frequently; often：他~发出咳嗽声。*Tā ~ fāchū késòu shēng.* He coughed from time to time. | 他的肝病~发作，经常捂着肚子工作。*Tā de gān bìng ~ fāzuò, jīngcháng wǔzhe dùzi gōngzuò.* He often suffers from liver pain, and presses his side while working. | 住在乡下，~会听到狗叫声。*Zhù zài xiāngxia, ~ huì tīngdào gǒu jiào shēng.* Living in the countryside, you may hear dogs barking occasionally. ❷〈形 *adj.* 书 *lit.*〉不定什么时候 at any time; at an unexpected moment：你一路上多带些吃的，以备~之需。*Nǐ yí lù shang duō dài xiē chī de, yǐ bèi ~zhīxū.* Bring with you more food in case of emergency needs.

³ **不是……而是** bùshì……érshì…… 嵌入词语或分句，表示是此不是彼，有对比的意思 used in phrases or compound sentences to affirm this one and negate the other with the meaning of contrast：~我不愿意告诉你，~他不让我告诉你。*~ wǒ bú yuànyì gàosu nǐ, ~ tā bú ràng wǒ gàosu nǐ.* It is not that I am unwilling to tell you, but that he doesn't allow me to. | 他如今再~什么小商小贩，~一家公司的经理了。*Tā rújīn zài ~ shénme xiǎoshāng-xiǎofàn, ~ yì jiā gōngsī de jīnglǐ le.* He is not a small businessman any more, but the manager of a company.

³ **不是……就是** bùshì……jiùshì…… 嵌入名词、动词、短语或分句，表示二者必居其一 either...or..., used between nouns, verbs, phrases or compound sentences meaning either one or the other：~东风压倒西风，~西风压倒东风。*~ dōngfēng yādǎo xīfēng, ~ xīfēng yādǎo dōngfēng.* Either the East Wind prevails over the West Wind, or vice versa. | 雨下个不停，~大雨，~小雨，哪里也去不了。*Yǔ xià gè bù tíng, ~ dà yǔ, ~ xiǎo yǔ, nǎli qù bù liǎo.* It rains continously, either a downfall or a drizzle, so I can go nowhere. | 他游手好闲，每天~跳舞~打牌。*Tā yóushǒu-hàoxián, měitiān ~ tiàowǔ ~ dǎpái.* He idles about all day and spends time either dancing or playing cards.

² **不是吗** bùshìma 以反问的方式加强肯定的语气 emphasizing the affirmative mood by tag question：你汉语学得相当不错，~? *Nǐ Hànyǔ xué de xiāngdāng búcuò, ~?* Your

Chinese is quite good, isn't? | 科学技术是第一生产力，难道~? *Kēxué jìshù shì dì-yī shēngchǎnlì, nándào ~*? Science and technology constitute the primary productive force, don't they?

³ **不是** bùshi 〈名 *n.*〉错误 fault：你们说说到底是谁的~? *Nǐmen shuōshuo dàodǐ shì shuí de ~*? Would you tell whose fault it is? | 这就是你的~啦 *Zhè jiùshì nǐ de ~ la*. This is your fault. | 这是你捅的漏子，赶快赔~吧 *Zhè shì nǐ tǒng de lòuzǐ, gǎnkuài péi ~ ba*. It's you that stirred up the trouble, say sorry in no time at all.

² **不停** bùtíng 〈副 *adv.*〉不停顿；不间断 incessantly; continuously：他思考问题时就~地踱来踱去 *Tā sīkǎo wèntí shí jiù ~ de duó lái duó qù*. He will pace up and down without stop when he is pondering over problems. | 婴儿一醒就~地哭 *Yīng'ér yì xǐng jiù ~ de kū*. When waking up, the baby cried ceaselessly.

¹ **不同** bùtóng 〈形 *adj.*〉不相同；不一样 not the same; different; unlike：兄弟俩长得相似，性格却~ *Xiōngdì liǎ zhǎng de xiāngsì, xìnggé què ~*. The two brothers look alike, but are different in character. | 中国是个多民族国家，~的民族有~的风俗习惯 *Zhōngguó shì gè duō mínzú guójiā, ~ de mínzú yǒu ~ de fēngsú xíguàn*. China is a country of many ethnic minorities, each of which has different traditions and customs.

⁴ **不惜** bùxī 〈动 *v.*〉不顾；不吝惜 not stint; not spare：出版社不能~工本出书 *Chūbǎnshè bùnéng ~ gōngběn chū shū*. The publishing house can't publish books regardless of the costs. | 他~纸墨洋洋洒洒写了十多万字 *Tā ~ zhǐmò yángyáng-sǎsǎ xiěle shí duō wàn zì*. He spared no paper and ink to write a voluminous book of more than a hundred thousand words. | 为了事业，为了理想，我~奉献一切 *Wèile shìyè, wèile lǐxiǎng, wǒ ~ fèngxiàn yíqiè*. I will spare no effort to dedicate all I have to my career and ideal.

⁴ **不相上下** bùxiāng-shàngxià 〈成 *idm.*〉分不出高低、胜负、好坏，形容程度水平相近 equally matched; about the same; almost on a par：我们两人年纪~ *Wǒmen liǎng rén niánjì ~*. We two are almost of the same age. | 他俩的棋艺~ *Tā liǎ de qíyì ~*. They two are equally matched in their skill of playing chess. | 两人的比赛成绩~，并列第三名 *Liǎng rén de bǐsài chéngjì ~, bìngliè dì-sān míng*. The two of them got almost the same result in the competition, sharing the third place.

³ **不像话** bùxiànghuà 〈形 *adj.*〉言行不合情理；不好 unreasonable：他蛮横无理，太~了 *Tā mánhèng wúlǐ, tài ~ le*. He is imperious and unreasonable. That's too terrible. | 你不务正业，真~ *Nǐ búwù-zhèngyè, zhēn ~*. You don't do honest work, it's really intolerable. | 你的作业错误太多，有点儿~ *Nǐ de zuòyè cuò de tài duō, yǒudiǎnr ~*. It is rather shocking that you've made so many mistakes in your homework.

² **不行** bùxíng ❶ 〈形 *adj.*〉不可；不许（表示断然否定）not be allowed; will not do (indicating firm negation)：你这样蛮干可~ *Nǐ zhèyàng mángàn kě ~*. To act recklessly like this won't do. | 随地吐痰，当然~ *Suídì tǔ tán, dāngrán ~*. To spit everywhere is surely not allowed. ❷ 〈形 *adj.*〉没有能力，做不了 incapable; unattainable：要说画画儿，还是他行，你~ *Yào shuō huà huàr, háishi tā xíng, nǐ ~*. As for painting, he is capable of it, but you are not. ❸ 〈形 *adj.*〉不好 not good：这条围巾的料子~ *Zhè tiáo wéijīn de liàozi ~*. The material of this scarf is not good. ❹ 〈形 *adj.*〉快要死了 dying：他病得~了 *Tā bìng de ~ le*. He is so ill that he looks like dying. ❺ 〈形 *adj.*〉表示程度深（用在'得'后）awfully; extremely (used after '得de')：累得~ *lèi de ~* awfully tired | 忙得~ *máng de ~* extremely busy | 疼得~ *téng de ~* terribly painful

² **不幸** bùxìng ❶ 〈形 *adj.*〉倒霉；使人丧心、痛苦的 unfortunate; tragic and painful：~的

消息 ~ de xiāoxi tragic news | 他一生坎坷真是~。Tā yìshēng kǎnkě zhēn shì ~. It is unfortunate that he has led a frustrated life. | ~得很，他骑自行车跌伤了。~ de hěn, tā qí zìxíngchē diē shāng le. It was rather unfortunate that he hurt himself by falling off the bike. ❷〈副 adv.〉(对不希望发生而终于发生的事)表示惋惜 unfortunately; regret-tably: 他~牺牲了。Tā ~ xīshēng le. To our great sorrow he died. ❸〈名 n.〉指灾祸等不幸事 disaster: 国家的~就是人民的~。Guójiā de ~ jiùshì rénmín de ~. The disaster that a country suffers is the disaster of its people.

B

* 不朽 **bùxiǔ** ❶〈动 v.〉不腐烂 not decay: 楠木是上好的建筑材料，经百年而~。Nánmù shì shànghǎo de jiànzhù cáiliào, jīng bǎi nián ér ~. Machilus nanmu is an excellent building material that will last for hundreds of years without decaying. ❷〈动 v.〉永不磨灭；永远存在 be immortal; exist for ever: 他在艺术上的贡献是~的。Tā zài yìshù shang de gòngxiàn shì ~ de. His artistic contribution is immortal. | 革命先烈永垂~！Gémìng xiānliè yǒngchuí~~! Eternal glory to revolutionary martyrs!

² 不许 **bùxǔ**〈动 v.〉不允许 disallow; ban; forbid: 考试~作弊。Kǎoshì ~ zuòbì. Cheating is forbidden in exams. | 宴请外宾~喝烈性酒。Yànqǐng wàibīn ~ hē lièxìng jiǔ. It is not allowed to treat foreign guests with strong liquor at dinner parties.

⁴ 不言而喻 **bùyán'éryù**〈成 idm.〉不需要解释就能明白，形容极为明显 it goes without saying; it is self-evident: 这样~的道理你怎么会不懂呢？Zhèyàng ~ de dàolǐ nǐ zěnme huì bù dǒng ne? How is it possible that you don't understand such a self-evident truth?

¹ 不要 **bùyào** ❶〈副 adv.〉用于祈使句，同'别'❶的用法 used in imperative sentences, same as '别biè'❶: 大家~说话，保持安静。Dàjiā ~ shuōhuà, bǎochí ānjìng. Don't speak and keep silent please. | 你们~争论了，还是请教老师吧。Nǐmen ~ zhēnglùn le, háishì qǐngjiào lǎoshī ba. You stop arguing. Let's go to consult our teacher. ❷〈助动 aux.v.〉'要'有时是'必须'的意思，是助动词，其否定形式是'不要''要' yào sometimes same as '必须bìxū' an auxiliary with a negative form of '不要': 做事~着急。Zuòshì ~ zháojí. Don't hasten in doing things.

² 不要紧 **bùyàojǐn** ❶〈惯 usg.〉没有妨碍；无关紧要 it does not matter; never mind: 我的身体还好，走这么一段路~。Wǒ de shēntǐ hái hǎo, zǒu zhème yí duàn lù ~. I am still in sound health, and it doesn't matter to walk this distance. | 你买空调价钱贵点儿~，但质量要有保证。Nǐ mǎi kōngtiáo jiàqián guì diǎnr ~, dàn zhìliàng yào yǒu bǎozhèng. When you buy an air-conditioner, it doesn't matter if its price is a bit higher, but its quality should be guaranteed. ❷〈惯 usg.〉表面上似乎没什么事，其实不然(下文有转折) it may appear all right, but...: 他这一哭~，好多人都过来围观了。Tā zhè yì kū ~, hǎoduō rén dōu guòlái wéiguān le. It was all right for him to cry, but many people came around to have a look.

² 不一定 **bùyídìng**〈惯 usg.〉表示不能确定 not sure: 今晚~下雨。Jīn wǎn ~ xià yǔ. It may not rain tonight. | 我明天~会来。Wǒ míngtiān ~ huì lái. I may not come tomorrow. | 这封匿名信~就是他写的。Zhè fēng nìmíngxìn ~ jiùshì tā xiě de. This anonymous letter may not have been written by him.

⁴ 不宜 **bùyí**〈副 adv.〉不适宜；不适合做某事 not suitable; inadvisable: 这块盐碱地~耕种。Zhè kuài yánjiǎndì ~ gēngzhòng. This saline and alkaline land is not suitable for farming. | 上学的孩子~泡网吧。Shàngxué de háizi ~ pào wǎngbā. It is inadvisable for young students to spend long hours in the Internet bar.

¹ 不用 **bùyòng**〈副 adv.〉不需要(也可以单用) need not: 你~说了，那件事我早就知道。Nǐ ~ shuō le, nà jiàn shì wǒ zǎo jiù zhīdào. No need to say anything about that

matter, I know it already. | 你和他都~去帮忙。*Nǐ hé tā dōu ~ qù bāngmáng.* There is no need for you and him to give help. | 对这种人~讲客气。*Duì zhè zhǒng rén ~ jiǎng kèqi.* Don't be too kind to such a person. | 明天一早我们到车站去送你。~了，你们都挺忙的。*Míngtiān yìzǎo wǒmen dào chēzhàn qù sòng nǐ. ~ le, nǐmen dōu tǐng máng de.* We will see you off at the station tomorrow morning. Thanks, but no need, for you are all quite busy.

³ **不由得** bùyóude ❶〈副 *adv.*〉表示禁不住、自然而然地 naturally; cannot but; cannot help: 我看到这儿，~笑出声来。*Wǒ kàndào zhèr, ~ xiàochū shēng lái.* When I read this part, I couldn't help laughing. | 雨还在下，他~焦急起来。*Yǔ hái zài xià, tā ~ jiāojí qǐlái.* It is still raining. He cannot help becoming anxious. | 大家都这么说，~我不信。*Dàjiā dōu zhème shuō, ~ wǒ bú xìn.* Everybody says so. I cannot help being convinced. ❷〈副 *adv.*〉不容 cannot help: 他说得活灵活现，~人们不相信。*Tā shuō de huólínghuóxiàn, ~ rénmen bù xiāngxìn.* He said it so vividly that people couldn't help believing him.

³ **不在乎** bùzàihu 〈惯 *usg.*〉无所谓；不放心上 not mind; not care: 我~别人怎么议论。*Wǒ ~ biérén zěnme yìlùn.* I don't care what others may say. | 他走或不走，我毫~。*Tā zǒu huò bù zǒu, wǒ háo ~.* I don't mind whether he will go or not. | 他~钱多少，只要喜欢的东西就买。*Tā ~ qián duōshǎo, zhǐyào xǐhuan de dōngxi jiù mǎi.* He will buy whatever he likes without considering its price.

³ **不怎么样** bùzěnmeyàng 〈惯 *usg.*〉不太好 not so good; not satisfactory: 他的表现可~。*Tā de biǎoxiàn kě ~.* His behavior is not up to much. | 有些景点吹得挺好，其实却~。*Yǒuxiē jǐngdiǎn chuī de tǐng hǎo, qíshí què ~.* Some of the scenic spots are boasted in the most fantastic terms. In reality, they are just so so.

⁴ **不正之风** bùzhèngzhīfēng 〈惯 *usg.*〉不好的社会风气（多指以权谋私和一些违反社会道德准则的不正当风气）unhealthy social tendency（mostly referring to ill practices such as abusing power for private interest and other immoral social conduct）：纠正~ jiūzhèng ~ rectify unhealthy social tendency | 人们对以权谋私的~都深恶痛绝。*Rénmen duì yǐquán-móusī de ~ dōu shēnwù-tòngjué.* People show great hatred toward the unhealthy tendency of abusing power for personal gain.

⁴ **不知不觉** bùzhī-bùjué 〈成 *idm.*〉没有察觉到；没有意识到 without knowing; be unconscious of; be not aware of: 大家走在路上说说笑笑，~已到学校了。*Dàjiā zǒu zài lù shang shuōshuō-xiàoxiào, ~ yǐ dào xuéxiào le.* On our way to school, we talked and laughed and got there without knowing it. | ~他已长高了不少。*~ tā yǐ zhǎnggāole bùshǎo.* He has unnoticeably grown quite tall.

³ **不止** bùzhǐ ❶〈动 *v.*〉不停止（放在动词后面，'不止'后不能再带其他成分）not stop（used after verbs and cannot be followed by other elements）：他大笑~。*Tā dà xiào ~.* He roared on and on with laughter. | 大江之水奔流~。*Dà jiāng zhī shuǐ bēnliú ~.* The great river flows incessantly. ❷〈动 *v.*〉超出一定范围、数目 exceed（a range or number）：我已经~一次警告你了。*Wǒ yǐjīng ~ yí cì jǐnggào nǐ le.* I have warned you more than once. | 他恐怕~60岁了。*Tā kǒngpà ~ liùshí suì le.* I'm afraid that he is probably over 60 years old. | 这个班受到表扬的~我们两个人。*Zhège bān shòudào biǎoyáng de ~ wǒmen liǎng gè rén.* The two of us are not the only ones who have been praised in our class.

³ **不只** bùzhǐ 〈连 *conj.*〉同'不但'same as '不但búdàn'：他~是我的同事，也是我的同学。*Tā ~ shì wǒ de tóngshì, yě shì wǒ de tóngxué.* He is not only my colleague, but also

B

my classmate. | 他成天泡在会议中，还拖进一批人陪着。~ *tā chéngtiān pào zài huìyì zhōng, hái tuōjìn yì pī rén péizhe.* He is not only engaged in meetings all the time, but also drags quite a number of people with him.

⁴ **不至于** bùzhìyú 〈副 *adv.*〉表示不会达到（某种不利的、不希望的情况）cannot go so far; be unlikely to reach（some disadvantageous or unexpected situation）：我的眼睛再不济，也~分不出男女呀! *Wǒ de yǎnjing zài bújì, yě ~ fēn bù chū nán nǚ ya!* No matter how poor my eyesight is, it's unlikely that I may fail to tell male from female. | 家中再添个把人，还~揭不开锅吧。*Jiā zhōng zài tiān gèbǎ rén, hái ~ jiē bù kāi guō ba.* Even if the family has one or two more people, it will not go so far as to have nothing to eat. | 他还~不明事理。*Tā hái ~ bù míng shìlǐ.* He is not likely to have no common sense.

² **不住** bùzhù 〈副 *adv.*〉不停地；连续地 ceaselessly; continuously：火车徐徐地开动了，她在站台上~地招手。*Huǒchē xúxú de kāidòng le, tā zài zhàntái shang ~ de zhāoshǒu.* When the train started to move slowly, she waved her hand ceaselessly on the platform. | 他听我说话，~点头表示同意。*Tā tīng wǒ shuōhuà, ~ diǎntóu biǎoshì tóngyì.* While listening, he kept nodding his head in agreement.

³ **不足** bùzú ❶ 〈形 *adj.*〉不充足；不够数 not enough; insufficient; be short of：准备~*zhǔnbèi* ~ not fully prepared | 睡眠~*shuìmián* ~ have not enough sleep | 斤两~*jīnliǎng* ~ short in weight | 已经九点了，来开会的人还~一百人。*Yǐjīng jiǔ diǎn le, lái kāihuì de rén hái ~ yìbǎi rén.* It's nine o'clock, but less than 100 people have come for the meeting. ❷ 〈动 *v.* 书 *lit.*〉不能；不值得 should not; cannot; be not worth：~为训 *~wéixùn* not fit to serve as a model | 出现这种局面~为虑。*Chūxiàn zhè zhǒng júmiàn ~ wéilǜ.* Such a situation is not worth worrying about. | 这人罪大恶极，不杀~以平民愤。*Zhè rén zuìdà-èjí, bù shā ~ yǐ píng mínfèn.* The man is guilty of the most heinous crimes, and the popular indignation will not be appeased unless he is sentenced to death.

¹ **布** bù ❶ 〈名 *n.*〉（匹 pǐ、幅 fú、块 kuài）棉、麻、人造纤维等织成的，可做衣服或其他物件的材料 cotton cloth; cloth woven from cotton, hemp or artificial fibers, used for making clothes and other objects：棉~*mián* ~ cotton cloth | 麻~*má* ~ linen | 塑料~*sùliào* ~ plastic sheet | ~匹 *~pǐ* cloth | 这块桌～式样新颖。*Zhè kuài zhuō~ shìyàng xīnyǐng.* This table cloth is of new style. | 你用这匹~的一头做件短袖衬衫正合适。*Nǐ yòng zhè pǐ ~ de yì~tóu zuò jiàn duǎnxiù chènshān zhèng héshì.* The remaining part of this bolt of cloth is the just thing for you to make a short-sleeved shirt. ❷ 〈名 *n.*〉中国古代的一种钱币 a kind of money used in ancient China ❸ 〈动 *v.*〉宣告，向公众公开说明 declare; announce; publish; proclaim：~告～*gào* public notice | 颁~*bān*~ issue | 他公开宣~要辞去经理的职务。*Tā gōngkāi xuān~ yào cíqù jīnglǐ de zhíwù.* He declared that he would resign his position as manager. ❹ 〈动 *v.*〉流传开；铺开 spread; disseminate：~满 *~mǎn* cover | 遍~*biàn* ~ spread all over | 散~*sàn* ~ scatter; distribute | 天上乌云密~，快要下雨了。*Tiān shang wūyún mì~, kuài yào xià yǔ le.* The sky is overcast and it is going to rain. ❺ 〈动 *v.*〉安排；陈设 arrange; decorate; fix up：~防 *~fáng* station troops | ~局 ~*jú* overall arrangement; layout | 公安部门~下天罗地网追拿逃犯。*Gōng'ān bùmén ~ xià tiānluó-dìwǎng zhuī ná táofàn.* The public security department has set up a tight encirclement to capture the criminals.

³ **布告** bùgào 〈名 *n.*〉（张 zhāng、份 fèn）张贴出来通告公众的文件 notice; bulletin; proclamation：学校贴出一张~，通知全体学生于本周进行体格检查。*Xuéxiào tiēchū yì zhāng~, tōngzhī quántǐ xuésheng yú běn zhōu jìnxíng tǐgé jiǎnchá.* Our school has put out a notice to inform the students that there will be a physical examination this week.

⁴ **布局** bùjú ❶ 〈动 v.〉对事物进行总体安排、设计 make an overall arrangement or design：他下棋时针对对手特点慎重～。 Tā xià qí shí zhēnduì duìshǒu tèdiǎn shènzhòng ～. When playing chess, he is cautious in overall arrangement in dealing with his adversary's tactics. | 他画画儿善于～ Tā huà huàr shànyú ～. He is good at the structure of a painting. ❷ 〈名 n.〉指总体安排后事物的格局 overall arrangement; structure; composition：北京市的工业～比较合理。 Běijīng Shì de gōngyè ～ bǐjiào hélǐ. The industrial structure of Beijing is quite reasonable. | 这片住宅小区的～很别致 Zhè piàn zhùzhái xiǎoqū de ～ hěn biézhì. The layout of this residential area is very unique.

² **布置** bùzhì ❶ 〈动 v.〉装饰、安排、陈设各种物件 fix up; arrange; decorate：明天召开全厂大会，派几个人去～一下会场。 Míngtiān zhàokāi quán chǎng dàhuì, pài jǐ gè rén qù ～ yíxià huìchǎng. There will be a meeting for all workers of the factory. Send some people to arrange the assembly hall. | 这间客厅～得简洁、优雅。 Zhè jiān kètīng ～ de jiǎnjié, yōuyǎ. The living room is decorated simply and elegantly. ❷ 〈动 v.〉分派、安排工作（活动）assign; make arrangement for; give instructions to：～作业 ～ zuòyè assign homework | 经理每天早上九点召集部门主管开会～工作。 Jīnglǐ měitiān zǎoshang jiǔ diǎn zhàojí bùmén zhǔguǎn kāihuì ～ gōngzuò. At 9 o'clock every morning, the manager would call all the department heads together to assign work.

² **步** bù ❶ 〈名 n.〉脚步；行走时两脚之间的距离 step; pace：寸～难行 cùn～nánxíng be unable to move even a single step | 一～一个脚印（比喻做事踏实）yí ～ yí gè jiǎoyìn (bǐyù zuòshì tāshi) leave a footprint after a step (fig. be steadfast in doing sth.) ❷ 〈名 n.〉阶段；事情进行的程序 stage; procedure：逐～进行 zhú～ jìnxíng continue sth. step by step | 我们做这件事没有经验，只能走一～看一～。 Wǒmen zuò zhè jiàn shì méiyǒu jīngyàn, zhǐnéng zǒu yí ～ kàn yí ～. We have no experience in dealing with the matter, and have to do it step by step. ❸ 〈名 n.〉处境；地步 situation; condition; state：他不幸得很，竟落到这～境地。 Tā búxìng de hěn, jìng luòdào zhè ～ jìngdì. He is so unfortunate that has got to such a state. ❹ 〈动 v.〉用脚行走 walk; go on foot：散～ sàn～ stroll; take a walk | 望而却～ wàng'érquè～ hang back at the sight of sth. dangerous or difficult | 闲庭信～ xiántíng-xìn～ take an easy walk in the garden ❺ 〈动 v.书 lit.〉踩踏；跟随 tread; follow：～人后尘 ～rén-hòuchén follow one's steps | 他～岳飞〈写怀〉词的韵赋词一首。 Tā ～ Yuè Fēi 〈xiě huái〉cí de yùn fù cí yì shǒu. He wrote a poem in the ryhme scheme of Yue Fei's Recalling With Emotion. ❻ 〈量 meas.〉旧时长度单位，五尺为一步 old unit of length, one bu is equal to five feet：五十～笑百～（缺点、错误的性质相同，只有程度的差别）。 Wǔshí bù xiào bǎi bù (quēdiǎn, cuòwù de xìngzhì xiāngtóng, zhǐyǒu chéngdù de chābié). The one who retreats fifty paces mocks the other who retreats a hundred steps (the pot calls the kettle black).

⁴ **步兵** bùbīng 〈名 n.〉陆军中徒步作战的兵种 infantry; foot soldier：我在某部～连服役。 Wǒ zài mǒu bù ～ lián fúyì. I serve in an infantry company. | ～紧跟在坦克后面向敌方阵地推进。 ～ jǐn gēn zài tǎnkè hòumiàn xiàng dífāng zhèndì tuījìn. Closely following the tanks, the infantry men pressed onto the enemy position.

⁴ **步伐** bùfá 〈名 n.〉指队伍行进时脚步的大小和节奏的快慢；也比喻事情进行的速度 step; pace (fig. the speed of the advancement of sth.)：～整齐 ～ zhěngqí march in step | 运动员方队迈着矫健的～通过观礼台 Yùndòngyuán fāngduì màizhe jiǎojiàn de ～ tōngguò guānlǐtái. The athletes in square formation are marching past the ceremonial platform with vigorous strides. | 我们必须加快改革开放的～。 Wǒmen bìxū jiākuài gǎigé kāifàng de ～. We must quicken the steps of reform and opening-up.

⁴ 步行 bùxíng 〈动 v.〉徒步行走 go on foot; walk：我~到他家只要五分钟。*Wǒ ~ dào tā jiā zhǐyào wǔ fēn zhōng.* It only takes me five minutes to go to his house on foot.

³ 步骤 bùzhòu 〈名 n.〉办事情的程序 step; procedure：这项任务按既定的~逐步完成。*Zhè xiàng rènwu àn jìdìng de ~ zhúbù wánchéng.* The task should be finished according to fixed procedures step by step. | 中国对国有企业分阶段、有~地进行改革。*Zhōngguó duì guóyǒu qǐyè fēn jiēduàn, yǒu ~ de jìnxíng gǎigé.* China will reform all state-owned enterprises in stages step by step.

⁴ 步子 bùzi 〈名 n.〉一步跨出的距离；也比喻工作（活动）进展的速度 the distance spanned by a step; pace（*fig.* the speed of the advancement of sth.）：他的~很大，我跟都跟不上。*Tā de ~ hěn dà, wǒ gēn dōu gēn bú shàng.* He walks with such a big stride that I cannot follow him. | 你们的工作再不加快~就要拖后腿了。*Nǐmen de gōngzuò zài bù jiākuài ~ jiù yào tuō hòutuǐ le.* If you don't speed up your work, you will lag behind.

² 部 bù ❶ 〈名 n.〉整体中的一部分；部位 section; part：腰~yāo~ waist | 外~wài~ outer part | 不久就要开发西~地区了。*Bùjiǔ jiù yào kāifā Xī~dìqū le.* The western region will be developed before long. ❷ 〈名 n.〉政府机关和军队内部的机构名称；企事业中按业务而分的单位 unit; ministry; department：商业~shāngyè~ the Ministry of Commerce | 铁道~tiědào~ the Ministry of Railways | 作战~zuòzhàn~ the operations department | 后勤~hòuqín~ the logistics department | 编辑~biānjí~ the editorial department ❸ 〈名 n. 书 lit.〉军队 army; troop：团长率~到大堤上抗洪抢险。*Tuánzhǎng shuài ~ dào dàdī shang kànghóng qiǎngxiǎn.* The regimental commander led the army to fight the flood on the dyke. | 他劝旧~弃暗投明。*Tā quàn jiù ~ qì'àn-tóumíng.* He persuaded his former subordinates to forsake darkness for light. ❹ 〈动 v. 书 lit.〉统率；安排 lead; head; preside：~署~shǔ deploy | 将军~十万兵马奔赴前线。*Jiāngjūn ~ shí wàn bīngmǎ bēnfù qiánxiàn.* The general led 100 thousand forces to the frontline. ❺ 〈量 meas.〉用于车辆、机器、影片和书籍的计量 measure word for vehicles, machines, films and books：两~汽车 liǎng ~ qìchē two cars | 一~中国通史 yí ~ *Zhōngguó Tōngshǐ* A copy of *General History of China*

² 部队 bùduì 〈名 n.〉（支 zhī）军队的泛称 army; armed forces：~必须做好拥政爱民的工作。*~ bìxū zuòhǎo yōngzhèng-àimín de gōngzuò.* The army must do a good job of supporting the government and cherishing the people. | 这是一支地方~。*Zhè shì yì zhī dìfāng ~.* This is a local armed force. | 中国人民解放军驻港~是一支威武之师。*Zhōngguó Rénmín Jiěfàngjūn zhù Gǎng ~ shì yì zhī wēiwǔ zhī shī.* The PLA armed force stationed in Hong Kong is mighty and powerful.

¹ 部分 bùfen 〈名 n.〉（个 gè）整体中的一部分；局部 part; section; individual part in an integral whole：太阳系只是茫茫宇宙中的一个极小~。*Tàiyángxì zhǐshì mángmáng yǔzhòu zhōng de yí gè jí xiǎo ~.* The solar system is only a small part of the vast universe. | 暑假里北京大学的~学生参加登山活动。*Shǔjià li Běijīng Dàxué de ~ xuésheng cānjiā dēngshān huódòng.* Some students of Peking University took part in mountain-climbing in the summer vacation. | 我的~工资要供儿子上大学。*Wǒ de ~ gōngzī yào gōng érzi shàng dàxué.* A considerable part of my salary will be used for my son's college education.

⁴ 部件 bùjiàn 〈名 n.〉（个 gè）由若干零件装配成的机器上的一个构件 component; part：把这个老掉牙的~卸下，换个新的。*Bǎ zhège lǎodiàoyá de ~ xièxià, huàn gè xīn de.* Replace this worn-out component with a new one. | 这辆汽车经常出故障，是不是有的~损坏了？*Zhè liàng qìchē jīngcháng chū gùzhàng, shì bù shì yǒu de ~ sǔnhuài le?*

There is always something wrong with the car. Is it because some of its components have been damaged?

² **部门** bùmén 〈名 n.〉（个 gè）大的机构里按职能划分的小单位 unit; department; branch：后勤 ~ hòuqín ~ logistics department ｜ 外事 ~ wàishì ~ department in charge of foreign affairs ｜ 你开支的这笔钱可以到财务~报销 Nǐ kāizhī de zhè bǐ qián kěyǐ dào cáiwù ~ bàoxiāo. The money you spent can be reimbursed at the finiancial department. ｜ 我现在去行政~领办公用品。Wǒ xiànzài qù xíngzhèng ~ lǐng bàngōng yòngpǐn. I'm going to the administrative department to get some stationery.

³ **部署** bùshǔ ❶ 〈动 v.〉安排人力、物力去完成某项任务 organize; deploy; assign; arrange manpower and material resources to accomplish a task：部队已~完毕。Bùduì yǐ ~ wánbì. The armed forces have been deployed. ｜ 为缓解黄河下游的干旱，水利部统一一~了调水行动。Wèi huǎnjiě Huánghé xiàyóu de gānhàn, Shuǐlìbù tǒngyī ~le diàoshuǐ xíngdòng. In order to relieve the drought in the lower reaches of the Yellow River, the Ministry of Water Resources has made unified arrangements for water diversion. ❷ 〈名 n.〉指做出的安排、布置 arrangement; disposal：落实西部大开发的战略~ luòshí Xībù dà kāifā de zhànlüè ~ carry out the strategic plan of developing the western region ｜ 经理所作的工作~十分详细、缜密。Jīnglǐ suǒ zuò de gōngzuò ~ shífēn xiángxì, zhěnmì. The work plan made by the manager is very meticulous.

⁴ **部位** bùwèi 〈名 n.〉（个 gè）整体中的某个具体位置（多用于人的身体）place; position; part (usu. of human body)：他腹部的病变~已有好转。Tā fùbù de bìngbiàn ~ yǐ yǒu hǎozhuǎn. The diseased part of his belly has improved. ｜ 我的右上臂~有两处伤疤。Wǒ de yòu shàng bì ~ yǒu liǎng chù shāngbā. There are two scars on the upper part of my right arm.

² **部长** bùzhǎng 〈名 n.〉（位 wèi、名 míng、个 gè）政府部门中各部的最高领导；有些称部的单位的领导 minister; leader of the highest rank in government departments or other organizations：农业部~ nóngyèbù ~ minister of agriculture ｜ 外交部~ wàijiāobù ~ foreign minister ｜ 这位副~快要提升为~了。Zhè wèi fù ~ kuài yào tíshēng wéi ~ le. This vice minister will soon be promoted to the position of minister. ｜ 团中央学生部~来我校召开座谈会征求意见。Tuánzhōngyāng xuéshēngbù ~ lái wǒ xiào zhàokāi zuòtánhuì zhēngqiú yìjiàn. The student secretary of the Central Committee of the Communist Youth League of China came to our university to convene a forum to seek opinions.

⁴ **埠** bù ❶ 〈名 n.〉船舶停靠的码头 port; wharf; pier：船~ chuán~ wharf ｜ 轮~ lún~ dock; wharf ｜ 船已抵~。Chuán yǐ dǐ ~. The ship has arrived at the port. ❷ 〈名 n.〉通商的口岸和城镇 port; commercial port：本~ běn~ this port city ｜ 外~ wài~ out of town ｜ 开~ kāi ~ open a commercial port ｜ 1840年鸦片战争后，上海等五个城市被迫开放为商~。Yī-bā-sì-líng nián Yāpiàn Zhànzhēng hòu, Shànghǎi děng wǔ gè chéngshì bèipò kāifàng wéi shāng~. After the Opium War that broke out in 1840, Shanghai and four other cities were forced to become commercial ports open to foreigners.

C

¹ **擦 cā ❶**〈动 v.〉用手、布等揩拭 wipe with hand or rag：~汗 ~ *hàn* wipe the sweat｜~皮鞋 ~ *píxié* polish the shoes｜~桌子 ~ *zhuōzi* wipe the table **❷**〈动 v.〉涂抹 apply; spread on：~口红 ~ *kǒuhóng* apply lipstick｜~药膏 ~ *yàogāo* apply ointment **❸**〈动 v.〉摩擦 rub：摩拳~掌(准备战斗或跃跃欲试的样子) *móquán~-zhǎng* (*zhǔnbèi zhàndòu huò yuèyuèyùshì de yàngzi*) rub one's fists and palms (be ready to fight; be eager to have a go)｜~火柴 ~ *huǒchái* strike a match｜~破了皮 ~ *pòle pí* bruise the skin **❹**〈动 v.〉贴近或靠近 come close to or touch：刚才我和他~肩而过。*Gāngcái wǒ hé tā ~jiān ér guò.* I brushed past him just now.｜蜻蜓~着水面飞来飞去。*Qīngtíng ~zhe shuǐmiàn fēilái-fēiqù.* The dragonflies patrol and skim over the water surface. **❺**〈动 v.〉将瓜果放在礤床上来回磨擦，使成为细丝 grate a vegetable or fruit into shreds：~土豆丝 ~ *tǔdòu sī* shred potatoes

² **猜 cāi ❶**〈动 v.〉(根据某种现象)推想；推测 engage in a course of reasoning (based on certain evidence); speculate：~谜语 ~ *míyǔ* solve a riddle｜~测 ~*cè* guess｜你~看这场球哪个队能赢？*Nǐ ~~ kàn zhè chǎng qiú nǎge duì néng yíng?* Can you predict which team will win the match? **❷**〈动 v.〉怀疑；起疑心 suspect; have doubts about：两小无~ *liǎngxiǎo-wú~* (of a boy and a girl) be intimate childhood playmates｜我~他不会善罢甘休。*Wǒ ~ tā bú huì shànbà-gānxiū.* I guess that he won't leave the matter at that.

⁴ **猜测 cāicè**〈动 v.〉凭想象估计；推测 reach an opinion based on imagination; infer：相互~ *xiānghù ~* be suspicious of each other｜引起~ *yǐnqǐ ~* arouse suspicion｜这件事的结果很难~。*Zhè jiàn shì de jiéguǒ hěn nán ~.* It is hard to guess the result of this matter.

³ **猜想 cāixiǎng ❶**〈动 v.〉推测；料想 infer; anticipate：我~他是不会错过这种机会的。*Wǒ ~ tā shì bú huì cuòguò zhè zhǒng jīhuì de.* I don't suppose he will let go of this kind of opportunity. **❷**〈名 n.〉推测或料想的结果 conclusion reached by reasoning：这只是我的~，还没有证实。*Zhè zhǐshì wǒ de ~, hái méiyǒu zhèngshí.* This is only my guess, and it has yet to be proved.

¹ **才 cái ❶**〈副 adv.〉表示新发生的情况 indicating that sth. new has happened：她来了电话，我~知道她已经在公司上班了。*Tā láile diànhuà, wǒ ~ zhīdào tā yǐjīng zài gōngsī shàngbān le.* I had no idea that she had been working in the company until she called me.｜这首歌我是来中国后~学会的。*Zhè shǒu gē wǒ shì lái Zhōngguó hòu ~ xué huì de.* I learned this song after I came to China. **❷**〈副 adv.〉表示事情发生或结束得晚 indicating that sth. has taken place or finished later than the usual lapse of time：大家都快走了，他~来。*Dàjiā dōu kuài zǒu le, tā ~ lái.* He did not turn up until we were about to leave.｜雨下了三天~停。*Yǔ xiàle sān tiān ~ tíng.* The rain didn't stop until three days

later. ❸〈副 adv.〉表示时间短 indicating a short period of time: 他走了~三天。*Tā zǒu le ~ sān tiān.* He has been away for only three days. ❹〈副 adv.〉表示在某种条件下出现某种结果 indicating that sth. happens only on certain conditions: 他答应参加这个会，我~来的。*Tā dāying cānjiā zhège huì, wǒ ~ lái de.* I would not have come if he hadn't promised to take part in this meeting. ❺〈副 adv.〉表示数量少 indicating that sth. is less in quantity: 我们班~十个学生。*Wǒmen bān ~ shí gè xuésheng.* There are only ten students in our class. ❻〈副 adv.〉表示强调（句尾常带'呢'）(usu. followed by '呢 ne') indicating an emphatic tone: 他~不老实呢! *Tā ~ bù lǎoshi ne!* He never behaves himself! ❼〈名 n.〉才能 talent; ability: ~干~gàn competence | 德~兼备 dé~-jiānbèi have both ability and integrity | 多~多艺 duō~-duōyì versatile; all-round ❽〈名 n.〉有才能的人 a capable person: 英~ yīng~ person of outstanding talent | 干~ gàn~ person of experience and ability | 将~ jiàng~ person with leadership and military talent

⁴ **才干** cáigàn 〈名 n. 褒 comm.〉才能；办事的能力 competence; capability: 这个人很有~。*Zhège rén hěn yǒu ~.* He is very able. | 你要在工作中不断地增长~。*Nǐ yào zài gōngzuò zhōng búduàn de zēngzhǎng ~.* You should enhance your abilities continuously through your work.

³ **才能** cáinéng 〈名 n.〉知识和能力 learning and ability: 施展~ shīzhǎn ~ make use of one's ability | 组织~ zǔzhī ~ organizational skills | 管理~ guǎnlǐ ~ managerial ability | 他有很强的领导~。*Tā yǒu hěn qiáng de lǐngdǎo ~.* He shows great talent for leadership.

⁴ **才智** cáizhì 〈名 n.〉才能和智慧 ability and wisdom: ~过人 ~ guòrén exceptionally capable and perceptive | 这是你发挥~的好机会。*zhè shì nǐ fāhuī ~ de hǎo jīhuì.* This is a good opportunity to give full play to your ability and wisdom.

² **材料** cáiliào ❶〈名 n.〉可制成成品的东西，如木材、棉纱、砖瓦等 material from which the finished product is made, e.g. timber, cotton yarn, bricks and tiles, etc.: 建筑~ jiànzhù ~ building materials; construction materials | 保温~ bǎowēn ~ thermal insulation material ❷〈名 n.〉(份 fèn、个 gè、类 lèi、批 pī)可供参考或作为素材的事物 facts for reference or information used in writing: 档案~ dàng'àn ~ archival material | 他正在为写论文搜集~呢。*Tā zhèngzài wèi xiě lùnwén sōují ~ ne.* He is collecting data for his paper. ❸〈名 n.〉比喻适合做某件事情的人才 fig. talent who is good at certain things: 这孩子身段好，是跳舞的~。*Zhè háizi shēnduàn hǎo, shì tiàowǔ de ~.* With a good figure, this child has the makings of a successful dancer.

⁴ **财** cái 〈名 n.〉金钱或物资的总称 general term for money and property: ~产 ~chǎn property | ~宝 ~bǎo money and valuables; treasure | 理~ lǐ~ manage finances | 发~ fā~ make a fortune | 人~两空 rén~-liǎngkōng sustain both human and material loss

³ **财产** cáichǎn 〈名 n.〉(笔 bǐ、份 fèn)指拥有的金钱、物资、房屋、土地等物质财富 material wealth owned, such as money, goods, real estate, land, etc.; assets: 私人~ sīrén ~ private property | 国家~ guójiā ~ state property | 拥有~ yōngyǒu ~ in possession of property | 没收~ mòshōu ~ confiscate the property

³ **财富** cáifù 〈名 n.〉对人有价值的东西 things of value: 物质~ wùzhì ~ material wealth | 精神~ jīngshén ~ spiritual wealth | 创造~ chuàngzào ~ create wealth | 共同的~ gòngtóng de ~ common wealth

⁴ **财经** cáijīng 〈名 n.〉财政和经济的合称 combined form for finance and economics: ~专业 ~ zhuānyè specialty of finance and economics | ~工作 ~ gōngzuò financial and economic work | 他是~方面的专家。*Tā shì ~ fāngmiàn de zhuānjiā.* He is an expert in finance and economics.

⁴ **财会** cáikuài 〈名 n.〉财务和会计的合称 combined form for bookkeeping and accounting：~人员 ~ rényuán bookkeepers and accountants│~工作 ~ gōngzuò bookkeeping and accounting work│~制度 ~ zhìdù bookkeeping and accounting system

⁴ **财力** cáilì 〈名 n.〉经济力量，多指资金 economic resources, usu. referring to capital or funds：充足的 chōngzú de ~ plentiful financial resources│缺乏 ~ quēfá ~ lack of financial resources

⁴ **财务** cáiwù 〈名 n.〉有关财产的管理和经营，以及现金出纳等方面的事务 affairs concerning the management or operation of financial assets, and receipt and payment of cash：~监督 jiāndū financial supervision│~人员 rényuán financial personnel│~制度 zhìdù financial system

³ **财政** cáizhèng 〈名 n.〉国家对资财收支的管理活动 government activity of managing money, debt, credit and investment：~部 ~ bù Ministry of Finance│~收入 ~ shōurù revenue│~支出 zhīchū expenditure│~赤字 chìzì financial deficits

⁴ **裁** cái ❶〈动 v.〉用刀或剪将纸、布等片状物分成若干部分 cut a piece of paper, cloth, etc. into parts with a knife or scissors：~衣服 ~ yīfu cut out garments│~纸 ~ zhǐ cut a sheet of paper│对~（整张的二分之一）duì ~ (zhěng zhāng de èr fēn zhī yī) folio (division of standard-size printing paper) ❷〈动 v.〉削减 reduce; cut down：~军 ~jūn reduce military forces│~员 ~yuán lay off; redundant people ❸〈动 v.〉判断；鉴别 judge; differentiate：~判 ~pàn referee│~决 ~jué make a ruling│~定 ~dìng adjudicate ❹〈动 v.〉控制；抑制 control; check：制~ zhì~ sanction│独~ dú~ dictate; exercise absolute power ❺〈动 v.〉安排取舍 arrange and make one's choice：别出心~ biéchū-xīn~ adopt an original approach ❻〈名 n.〉文章的体制、格式 style, form of writing：体~ tǐ~ style

³ **裁缝** cáiféng 〈动 v.〉裁剪缝制衣服 make a garment by cutting and sewing cloth：这件衣服~得体。Zhè jiàn yīfu ~détǐ. This garment is well tailored.
☞ cáifeng, p. 84

³ **裁缝** cáiféng 〈名 n.〉(个 gè、名 míng、位 wèi)以做衣服为职业的人 person whose job is to make clothes：这位~的技术很好。Zhè wèi ~ de jìshù hěn hǎo. He is a highly skilled tailor.
☞ cáiféng, p. 84

⁴ **裁决** cáijué ❶〈动 v.〉考虑并作出决定 decide after consideration：这起纠纷主管部门已经作出~。Zhè qǐ jiūfēn zhǔguǎn bùmén yǐjīng zuòchū ~. The authority in charge has made a ruling on this dispute. ❷〈名 n.〉经过考虑作出的决定 decision reached after consideration：他不服法院的~，决定提出上诉。Tā bù fú fǎyuàn de ~, juédìng tíchū shàngsù. He decided to appeal against the verdict of the court.

⁴ **裁军** cáijūn 〈动 v.〉裁减军队和军事装备 reduce the armed personnel and the number of weapons：~谈判 ~ tánpàn disarmament negotiation│~协议 ~ xiéyì disarmament agreement

³ **裁判** cáipàn ❶〈动 v.〉法院根据法律对案件作出决定 (for the court) make decision on a case according to the law：这个案子终于得到了公正的~。Zhège ànzi zhōngyú dédàole gōngzhèng de ~. The court eventually delivered an impartial verdict on the case. ❷〈动 v.〉根据体育运动的竞赛规则，对运动员竞赛的成绩和竞赛中发生的问题作出评判 judge the outcome of sports contest and render a decision when a dispute arises according to the rules of the game：你的~不够公正。Nǐ de ~ búgòu gōngzhèng. You were not fair enough in refereeing the game. ❸〈名 n.〉(名 míng、位 wèi、个 gè)体育竞赛中担任评判的人，又称'裁判员' official who acts as referee, umpire or judge in

sports，also'裁判员cáipànyuán'：体操~ *tǐcāo* ~ gymnastics judge｜国际~ *guójì* ~ international referee (umpire, judge)

² 采 cǎi ❶〈动 v.〉摘 pick; pluck; gather：~茶 ~ *chá* pick tea leaves｜~花 ~ *huā* pluck flowers ❷〈动 v.〉开采 mine; quarry; extract：~掘 ~*jué* excavate｜~矿 ~*kuàng* mine ❸〈动 v.〉搜集；收集 gather; collect：~集 ~*jí* gather｜~风 ~*fēng* collect folk songs ❹〈动 v.〉选取；选择 choose; select：~购 ~*gòu* make purchases｜~取 ~*qǔ* adopt ❺〈名 n.〉精神；神色 spirit; complexion：神 ~ *shén*~ look; air; appearance｜兴高~烈 *xìnggāo-~liè* in high spirits

⁴ 采访 cǎifǎng ❶〈动 v.〉搜集寻访 gather material and make inquiries：新闻~ *xīnwén*~ give journalist interviews｜他到外地~去了。 *Tā dào wàidì* ~ *qù le.* He went out of town to gather news. ❷〈名 n.〉对人或事进行采访的工作 the job of collecting information concerning people or things：这次对优秀企业家的~很有意义。 *Zhè cì duì yōuxiù qǐyèjiā de* ~ *hěn yǒu yìyì.* The interview with the outstanding entrepreneur is of great significance.

² 采购 cǎigòu ❶〈动 v.〉选择购买（多指机关和企业）(usu. government agency and enterprise) make purchases; procure：~文具 ~*wénjù* purchase stationery｜~建筑材料 *jiànzhù cáiliào* purchase building materials ❷〈名 n.〉(名 míng)担任采购工作的人，又称'采购员 cǎigòuyuán'：person whose job is to purchase materials, also'采购员 cǎigòuyuán'：他在我们公司当~。 *Tā zài wǒmen gōngsī dāng* ~. He works as a purchaser in our company.

⁴ 采集 cǎijí〈动 v.〉收集；搜罗 collect; gather：~标本 ~ *biāoběn* collect specimens｜~种子 ~ *zhǒngzi* gather seeds

⁴ 采纳 cǎinà〈动 v.〉接受建议、意见、要求等 accept suggestion, opinion, requests, etc.：我的建议未被~。 *Wǒ de jiànyì wèi bèi* ~. My suggestion was not accepted.

² 采取 cǎiqǔ ❶〈动 v.〉选择施行 take(a course of action) by choice; adopt：~措施 ~ *cuòshī* adopt a measure｜~攻势 ~ *gōngshì* take the offensive｜~积极的态度 *jījí de tàidù* adopt a positive attitude ❷〈动 v.〉取 take：~指纹 ~ *zhǐwén* take sb.'s fingerprints

² 采用 cǎiyòng〈动 v.〉认为合适而使用 adopt sth. as suitable：~先进技术 ~ *xiānjìn jìshù* introduce advanced technology｜我的书稿已被出版社~。 *Wǒ de shūgǎo yǐ bèi chūbǎnshè* ~. The publisher has decided to publish my manuscript.

² 彩色 cǎisè〈名 n.〉各种颜色 multicolor; color：~缤纷 ~ *bīnfēn* multicolored｜~照片 *zhàopiàn* color photo｜~胶卷 ~ *jiāojuǎn* color film｜~电视 ~ *diànshì* color television｜~插图 ~ *chātú* color illustration

² 踩 cǎi ❶〈动 v.〉脚底接触地面或踏在物体上 touch the ground or some object with the sole of a foot：~了一脚稀泥 ~*le yì jiǎo xīní* step into mud｜~高跷 ~ *gāoqiāo* walk on stilts｜~油门 ~ *yóumén* step on the gas ❷〈动 v.〉比喻贬低、蔑视 *fig.* belittle; disparage：把一切困难都~在脚下。 *Bǎ yíqiè kùnnan dōu* ~ *zài jiǎoxià.* Trample all the difficulties underfoot.

¹ 菜 cài ❶〈名 n.〉蔬菜；供作副食品的植物 vegetable; plant grown for non-staple food：~园 ~*yuán* vegetable garden｜野 ~ *yě*~ edible wild herbs｜这是刚从地里摘下来的新鲜~。 *Zhè shì gāng cóng dì li zhāi xiàlai de xīnxiān* ~. There are fresh vegetables just picked from the garden. ❷〈名 n.〉(盘 pán，道 dào，个 gè)经过烹调的、供下饭下酒用的荤素食物 meat and vegetable prepared to go with staple food or wine：荤 ~ *hūn*~ meat dish｜素 ~ *sù*~ vegetable dish｜点 ~ *diǎn* ~ order dishes｜她非常会做~。 *Tā fēicháng huì zuò* ~. She is very good at cooking. ❸〈名 n.〉特指油菜 rape：~油 ~*yóu*

rapeseed oil

菜单 càidān ❶〈~儿〉〈名 n.〉(张 zhāng、份 fèn、个 gè)开列各种菜肴名称的单子, 也说 '菜单子' list of dishes served at a meal; menu, also '菜单子 càidānzi': 请把~递给我。Qǐng bǎ ~ dì gěi wǒ. Please hand me the menu. ❷〈名 n.〉电子计算机软件选单的俗称 menu, popular name for computer software

¹**参观** cānguān〈动 v.〉实地观察 visit on the spot: ~展览 ~ zhǎnlǎn visit an exhibition | ~农场 ~ nóngchǎng visit a farm | 游览 ~ yóulǎn ~ visit places of interest; go sightseeing | 谢绝~。Xièjué ~. No visitors allowed.

¹**参加** cānjiā ❶〈动 v.〉加入某种组织或活动 join a group or take part in an activity: ~游行 ~ yóuxíng take part in a demonstration | ~合唱队 ~ héchàngduì join the choir | ~植树活动 ~ zhíshù huódòng take part in tree planting ❷〈动 v.〉提出意见 offer advice: 关于这项提案, 请您~意见。Guānyú zhè xiàng tí'àn, qǐng nín ~ yìjiàn. Please give your opinion on this proposal.

¹**参军** cānjūn〈动 v.〉参加军队 join the army; enlist: 他18岁就参了军。Tā shíbā suì jiù cānle jūn. He joined the army at the age of 18.

³**参考** cānkǎo ❶〈动 v.〉为了解、学习和研究而查阅、利用有关资料 consult relevant material in order to find some information for study or research: 为写好这篇论文, 他~了国内外许多文献。Wèi xiěhǎo zhè piān lùnwén, tā ~le guó nèiwài xǔduō wénxiàn. He consulted a lot of literature published at home and abroad in order to write this paper. | ~书 ~shū reference book | 仅供~ jǐn gòng ~ for reference only ❷〈动 v.〉注释用语, 让读者查看别处的有关部分作为参考 (used in notes) see, referring the reader to other relevant parts

³**参谋** cānmóu ❶〈名 n.〉(名 míng、位 wèi、个 gè)军队中参与指挥和制定作战计划的干部 staff officer appointed to assist a commander in administrative matters and war planning: ~长 ~zhǎng chief of staff | ~部 ~bù general staff | 高级 ~ gāojí ~ high-ranking staff officer ❷〈名 n.〉指代出主意的人 person who gives advice: 我是外行, 你给我当~吧。Wǒ shì wàiháng, nǐ gěi wǒ dāng ~ ba. I'm not professional. I would like to have your advice. ❸〈动 v.〉泛指代人出主意 give advice: 这件事你可以找他一下。Zhè jiàn shì nǐ kěyǐ zhǎo tā ~ yíxià. You may seek his advice on this matter.

⁴**参议院** cānyìyuàn〈名 n.〉某些国家两院制议会的上议院 upper house of the bicameral legislature of certain countries; senate

⁴**参与** cānyù〈动 v.〉参加并一起活动, 也作 '参预' take part in, also '参预 cānyù': ~制定 ~ zhìdìng participate in formulating | ~设计 ~ shèjì participate in designing | 他确曾~其事。Tā què céng ~ qí shì. He was indeed involved in this matter.

⁴**参阅** cānyuè〈动 v.〉参看 refer to: 我为了写好这篇文章, ~了大量的图书资料。Wǒ wèi le xiěhǎo zhè piān wénzhāng, ~le dàliàng de túshū zīliào. To write this paper, I consulted a lot of books and materials.

⁴**参照** cānzhào〈动 v.〉参考仿照(经验、办法、规定等) consult (an experience, method, regulation, etc.) and follow suit: ~执行 ~ zhíxíng follow the example of precedents

⁴**餐** cān ❶〈动 v.〉吃饭 eat: 聚~ jù~ have a dinner party | 会~ huì~ dine together | 野~ yě~ picnic ❷〈名 n.〉饭食 food; meal: 早~ zǎo~ breakfast | 午~ wǔ~ lunch | 中~ zhōng~ Chinese food | 西~ xī~ Western food ❸〈量 meas.〉一顿饭为一餐 of meals: 一日三~ yírì-sān~ three meals a day

餐车 cānchē〈名 n.〉列车上专为旅客供应饭食的车厢 dining car; restaurant car; a carriage on a train where passengers can have a meal: ~在列车的中间。~ zài lièchē de *zhōngjiān.* The dining car is in the middle of the train.

² 餐厅 cāntīng ❶〈名 *n.*〉(个 gè、家 jiā、间 jiān)供吃饭用的房间 room in which meals are served ❷〈名 *n.*〉用做饭馆的名称 used as part of a restaurant's name：活鱼~ *Huóyú* – Live Fish Restaurant｜莫斯科~ *Mòsīkē* – Moscow Restaurant

⁴ 残 cán ❶〈形 *adj.*〉凶恶 cruel; ferocious; savage：~酷 *~kù* ruthless｜~忍 *~rěn* brutal ❷〈动 *v.*〉伤害；毁坏 injure; damage：~害 *~hài* brutally injure or kill｜摧 *~cuī* wreck; beat cruelly ❸〈形 *adj.*〉残缺；不完整 deficient; incomplete：~品 *~pǐn* defective goods｜~疾人 *~jírén* disabled person｜~破不全 *~pò-bùquán* broken and incomplete ❹〈形 *adj.*〉剩余的；将尽的 remaining; about to come to an end：~敌 *~dí* remnants of enemy troops｜~局 *~jú* endgame; final phase of a chess game｜~冬 *~dōng* last days of winter

⁴ 残暴 cánbào〈形 *adj.*〉残忍凶暴 cruel and ferocious; savage：~成性 *~chéngxìng* cruel by nature｜~的敌人 *~de dírén* brutal enemy｜~的统治 *~de tǒngzhì* ruthless rule｜~地镇压 *de zhènyā* ruthless repression

⁴ 残疾 cánjí〈名 *n.*〉身体某部分或其生理功能方面的缺陷 physical or functional defect; deformity：~人 *~rén* handicapped person｜他患脑溢血后落下了~。*Tā huàn nǎoyìxiě hòu làoxiàle ~.* He suffered a cerebral haemorrhage and was left paralyzed.

³ 残酷 cánkù〈形 *adj.*〉凶残冷酷 brutal and ruthless：~无情 *~wúqíng* relentless｜~的镇压 *de zhènyā* brutal suppression｜~的剥削 *de bōxuē* cruel exploitation｜~的折磨 *de zhémó* cruel tormentation

⁴ 残忍 cánrěn〈形 *adj.*〉残暴狠毒 cruel and merciless：~的敌人 *~de dírén* cruel enemy｜~的手段 *~de shǒuduàn* brutal means｜村子里的妇女儿童也被敌人~地杀害了。*Cūnzi li de fùnǚ értóng yě bèi dírén ~ de shāhài le.* The women and children of the village were also cruelly slaughtered by the enemy.

⁴ 残余 cányú ❶〈名 *n.*〉在消灭或淘汰过程中残留下来的人、事物、思想意识等 people, things or ideology left after an elimination process：封建~ *fēngjiàn ~* vestiges of feudalism｜肃清~ *sùqīng ~* mop up remnants｜清除~ *qīngchú ~* eliminate remnants ❷〈动 *v.*〉残留;剩余 remain; leave：~势力 *~shìlì* remaining forces

³ 蚕 cán〈名 *n.*〉家蚕、柞蚕等的统称，通常指家蚕 generic term for the domestic silkworm, tussah, etc., usu. referring to the domestic silkworm：养~ *yǎng ~* rear silkworm｜~丝 *~sī* silk

³ 惭愧 cánkuì〈形 *adj.*〉因有缺点或错误而感到羞愧不安 ashamed because of one's shortcoming or fault：~的目光 *~ de mùguāng* shamed look｜~的心情 *de xīnqíng* shamed feelings｜对我所犯的错误感到十分~。*Duì wǒ suǒ fàn de cuòwù gǎndào shífēn ~.* I felt extremely ashamed for my mistake.

³ 惨 cǎn ❶〈形 *adj.*〉凄惨;悲惨 tragic; miserable：~案 *~àn* massacre; disastrous incident｜~不忍睹 *~bùrěndǔ* so appalling that one cannot bear the sight｜~绝人寰 *jué-rénhuán* tragic beyond compare in this human world ❷〈形 *adj.*〉程度深；严重 to a serious degree; severe：~重 *~zhòng* heavy; disastrous｜~败 *~bài* crushing defeat ❸〈形 *adj.*〉凶狠 savage and cruel：~无人道 *~wúréndào* very cruel and inhuman ❹〈形 *adj.*〉暗淡无光 dark and dull：~淡 *~dàn* somber; bleak

³ 灿烂 cànlàn〈形 *adj.*〉光彩鲜明耀眼 bright and shiny：阳光~ *yángguāng ~* sunny and cheerful｜~辉煌 *~ huīhuáng* glorious and resplendent｜~的文化 *de wénhuà* glorious culture｜~的生活 *~ de shēnghuó* bright life｜~的前程 *de qiánchéng* bright future or prospect

⁴ 仓促 cāngcù〈形 *adj.*〉匆忙 hurried; hasty：~应战 *~yìngzhàn* put up a flurry of

resistence | ~决定 ~ *juédìng* hasty decision | ~上阵 ~ *shàngzhèn* go into a battle in haste | 由于时间~，我没跟你商量就去了 *Yóuyú shíjiān ~, wǒ méi gēn nǐ shāngliang jiù qù le.* Since I was in a hurry, I went there without consulting you.

³ **仓库** cāngkù 〈名 *n.*〉(个 gè 、所 suǒ 、间 jiān 、座 zuò) 贮放大量粮食或其他物资的建筑物 building used for storing grains or other things in large quantities: 食品 ~ *shípǐn* ~ granary | 军火 ~ *jūnhuǒ* ~ arsenal | 清理 ~ *qīnglǐ* ~ make an inventory of warehouse stocks

³ **苍白** cāngbái ❶〈形 *adj.*〉青白色 light in color and almost white: 面色 ~ *miànsè* ~ pale face | ~的须发 ~ *de xūfà* white beard and hair ❷〈形 *adj.*〉形容缺乏旺盛的生命力 lacking lively or exciting qualities: 这部小说里的人物形象 ~无力 *Zhè bù xiǎoshuō li de rénwù xíngxiàng ~ wúlì.* The characters in this novel are lifeless.

³ **苍蝇** cāngying 〈名 *n.*〉(个 gè 、只 zhī 、群 qún) 昆虫的一种，能传染痢疾、霍乱等疾病 fly, a small flying insect which transmits diseases such as dysentery, cholera, etc.

³ **舱** cāng 〈名 *n.*〉船或飞机上分隔开来载人或载物的空间 one of the separate spaces into which ship or aeroplane is divided for occupancy by people or cargo: 货 ~ *huò* ~ cargo hold | 驾驶 ~ *jiàshǐ* ~ cockpit | 客 ~ *kè* ~ passenger cabin | 密封 ~ *mìfēng* ~ airtight cabin | 头等 ~ *tóuděng* ~ first-class cabin | 经济 ~ *jīngjì* ~ economy class

² **藏** cáng ❶〈动 *v.*〉隐蔽 hide: 躲 ~ *duǒ* ~ hide | 隐 ~ *yǐn* ~ conceal | 埋 ~ *mái* ~ bury | 暗 ~ *àn* ~ conceal ❷〈动 *v.*〉储存 store: 收 ~ *shōu* ~ collect | 冷 ~ *lěng* ~ refrigerate | 珍 ~ *zhēn* ~ cherish

⁴ **操** cāo ❶〈名 *n.*〉体操 gymnastics: 广播 ~ *guǎngbō* ~ exercises to radio music | 健美 ~ *jiànměi* ~ callisthenics | 早 ~ *zǎo* ~ morning exercises ❷〈名 *n.*〉品行 behavior: ~行 ~ *xíng* behavior or conduct (usu. of a student) | ~守 ~ *shǒu* personal integrity | 情 ~ *qíng* ~ sentiment ❸〈动 *v.*〉拿在手里 grasp: ~刀 ~ *dāo* grab a knife | 他一起一根棍子冲出屋去。*Tā ~qǐ yì gēn gùnzi chōngchū wū qù.* He grabbed a stick and stormed out of the room. ❹〈动 *v.*〉从事；做 engage oneself in; do: 重~旧业 *chóng~jiùyè* go back to one's old profession | ~作 ~*zuò* operate ❺〈动 *v.*〉掌握；控制 hold; control: 稳~胜券 *wěn~shèngquàn* be sure to win | ~纵 ~*zòng* manipulate | ~生杀大权 ~ *shēngshā-dàquán* wield power of life and death ❻〈动 *v.*〉操练 drill: 出~ *chū*~ perform a drill ❼〈动 *v.*〉用某种语言或方言说话 speak a language or dialect: 他能~多种欧洲语言。*Tā néng ~ duō zhǒng Ōuzhōu yǔyán.* He speaks many European languages.

¹ **操场** cāochǎng 〈名 *n.*〉(个 gè 、片 piàn) 体育锻炼或军事操练的场地 outdoor area used for physical exercises or military drills

⁴ **操劳** cāoláo 〈动 *v.*〉辛勤努力地工作；费心地照料 work hard; take care of: 日夜~ *rìyè* ~ work day and night | ~过度 ~ *guòdù* overwork oneself | 她为了这几个孩子~了一辈子。*Tā wèile zhè jǐ gè háizi ~le yíbèizi.* Her whole life has been devoted to taking care of her children.

⁴ **操练** cāoliàn 〈动 *v.*〉学习、练习军事或体育等技能 learn and practice military or athletic skills: 军事 ~ *jūnshì* ~ perform military training | 队列 ~ *duìliè* ~ drill formation | 仪仗队正在广场上~呢。*Yízhàngduì zhèngzài guǎngchǎng shang ~ ne.* The guard of honor is having a drill on the square.

³ **操心** cāoxīn 〈动 *v.*〉费心；劳神 worry; take pains: 你都长大了，不能事事让妈妈~。*Nǐ dōu zhǎngdà le, bù néng shìshì ràng māma ~.* You are a grown-up now and should no longer put your mother to so much trouble. | 她为了这个孩子可操碎了不少心。*Tā wèile zhège háizi kě cāole bùshǎo xīn.* She went to a lot of trouble for this child. | 你也该为这

自己的婚事操操心了。*Nǐ yě gāi wèi nǐ zìjǐ de hūnshì cāo cāo xīn le.* It is high time you gave some thought to your marriage.

³ **操纵** cāozòng ❶〈动 v.〉控制、开动机械或仪器等 control or operate machinery, equipment, etc.：远距离 ~ *yuǎn jùlí* ~ remotely control ｜ 自如 ~ *zìrú* operate with skill ｜ ~台 *tái* control panel ❷〈动 v. 贬 derog.〉把持；支配 rig; manipulate：~议会 ~ *yìhuì* manipulate the parliament ｜ ~选举 ~ *xuǎnjǔ* manipulate the election ｜ ~经济命脉 ~ *jīngjì mìngmài* manipulate the economic lifelines ｜ 幕后 ~ *mùhòu* ~ manipulate from behind the scenes

³ **操作** cāozuò ❶〈动 v.〉按一定的程序和技术要求进行活动 act according to a certain procedure and technical requirements：~规程 ~ *guīchéng* operating rules ｜ 全自动 ~ *quánzìdòng* ~ operate automatically ｜ 高空 ~ *gāokōng* ~ aerial operation ｜ 独立 ~ *dúlì* operate by oneself ❷〈动 v.〉泛指进行工作 work：你提的方案虽然不错，但不易。*Nǐ tí de fāng'àn suīrán búcuò, dàn bú yì* ~. Your plan sounds all right, but it may not be workable.

⁴ **槽** cáo ❶〈名 n.〉（只 zhī、个 gè）盛饲料喂牲口的长方形器具 open rectangular box in which feed for livestock is placed：牲口 ~ *shēngkou* ~ trough; manger ❷〈名 n.〉（个 gè）存水、酿酒用的长方形器具 rectangular container for holding water or making wine：水 ~ *shuǐ* ~ sink; gutter; flume; gullet ｜ 酒 ~ *jiǔ* ~ wine cask barrel ❸〈名 n.〉（个 gè）道 dào）两边高中间凹下的物体，凹下的部分称为槽 a deep line cut into a surface：河 ~ *hé* ~ riverbed; tunnel ｜ 渡 ~ *dù* ~ aqueduct bridge ｜ 在木板上挖一道 ~ *zài mùbǎn shang wā yí dào* ~ make a groove in the board

¹ **草** cǎo ❶〈名 n.〉（棵 kē、株 zhū、根 gēn、丛 cóng）树木、蔬菜、谷物以外，茎秆柔软的高等植物的统称 generic term for soft-stemmed higher plants, except trees, vegetables and grains：青 ~ *qīng* ~ green grass ｜ 野 ~ *yě* ~ wild grass; weed ｜ ~坪 ~ *píng* lawn ❷〈名 n.〉用作燃料、饲料等的植物的茎、叶 stalks and leaves used as fuel, fodder, etc.：柴 ~ *chái* ~ firewood ｜ ~料 ~ *liào* fodder ｜ ~篮ɹ ~ *lánr* straw basket ❸〈名 n.〉汉字字体的一种（in calligraphy）a style of Chinese characters：~书 ~ *shū* cursive script; grass style ｜ 狂 ~ *kuáng* ~ highly cursive script ❹〈名 n.〉文章、文件的初稿（of articles, documents）first rough form：起 ~ *qǐ* ~ draw up ❺〈动 v.〉撰写文章、文件的初稿 make a draft of (article or document)：~拟 ~ *nǐ* draw up; sketch out ❻〈形 adj.〉非正式的；初步的 informal; not final：~案 ~ *àn* draft（of a plan, law, etc.）｜ ~约 ~ protocol ｜ ~签 ~ *qiān* initial ｜ ~稿 ~ *gǎo* rough draft ❼〈形 adj.〉不细致；不认真 careless; hasty：~率 ~ *shuài* perfunctory; slapdash ｜ 潦 ~ *liǎo* ~ illegible（handwriting）; sloppy; slovenly ❽〈形 adj.〉雌性的（家禽、家畜）female（of domestic fowls or animals）：~鸡 ~ *jī hen* ｜ ~驴 ~ *lú* female donkey; jenny

³ **草案** cǎo'àn〈名 n.〉（个 gè、份 fèn、项 xiàng）未经正式审定或只是公布试行的法令、规章、条例等 draft（of a decree, regulation, rule, etc.）that has not been passed or promulgated but is on a trial basis：婚姻法 ~ *hūnyīnfǎ* ~ draft marriage law ｜ 决议 ~ *juéyì* ~ draft resolution

² **草地** cǎodì〈名 n.〉（片 piàn、块 kuài）铺草皮或长野草的地方 grassland; lawn：请勿践踏 ~。*Qǐng wù jiàntà* ~. Keep off the grass.

⁴ **草率** cǎoshuài〈形 adj.〉不认真；不细致；敷衍了事 careless; sloppy; perfunctory：~收兵 ~ *shōubīng* call off a battle perfunctorily ｜ ~从事 ~ *cóngshì* take hasty action ｜ 这么重大的事情，你擅自作决定，未免太 ~ 了。*Zhème zhòngdà de shìqing, nǐ shànzì zuò juédìng, wèimiǎn tài* ~ *le.* It was hasty of you to make a decision by yourself on such an

important matter.

² **草原** cǎoyuán〈名 n.〉（片 piàn）杂草丛生的大片土地，间或有耐旱的树木生长 grassland; prairie; large area covered with grass, sometimes with scattered drought-hardy trees: 广阔的 ~ *guǎngkuò de* ~ vast grassland｜一望无际的 ~ *yíwàng-wújì de* ~ a boundless prairie

² **册** cè ❶〈量 meas.〉书的数量 copy: 这套丛书共有十 ~. *Zhè tào cóngshū gòng yǒu shí* ~. This set of books is in 10 volumes. ❷〈名 n.〉中国古代用皮条编串好的竹简，后指书册和簿子 bamboo slips strung together with narrow strips of leather in ancient China, later referring to book or notebook: 画 ~ *huà* ~ art book｜手 ~ *shǒu* ~ handbook; manual｜相 ~ *xiàng* ~ photo album｜纪念 ~ *jìniàn* ~ souvenir album｜花名 ~ *huāmíng* ~ roster; muster roll ❸〈动 v. 书 lit.〉皇帝封爵的命令（imperial order）to confer a title: ~ 封 ~ *fēng* confer a title of nobility on sb.

² **厕所** cèsuǒ〈名 n.〉（个 gè、间 jiān）供人大小便的地方 toilet; restroom; a place used for getting rid of the body's waste matter: 公共 ~ *gōnggòng* ~ public restrooms｜男 ~ *nán* ~ men's room (or toilet)｜女 ~ *nǚ* ~ women's room (or toilet)｜上 ~ *shàng* ~ go to the toilet｜清扫 ~ *qīngsǎo* ~ clean up the toilet

³ **侧** cè ❶〈名 n.〉旁边（区别于'正'）side(different from '正zhèng'): ~ 面 ~ *miàn* side｜街道的两 ~ 都是商店。*Jiēdào de liǎng* ~ *dōu shì shāngdiàn.* The street is lined with stores on both sides. ❷〈动 v.〉向旁边歪斜 incline; lean: ~ 目而视 ~ *mù'érshì* look askance at sb.｜~ 耳倾听 ~ *ěr qīngtīng* incline the head and listen｜他 ~ 身走了进来。*Tā* ~ *shēn zǒu le jìnlai.* He came in sideways.

⁴ **侧面** cèmiàn〈名 n.〉旁边的一面（区别于'正面 zhèngmiàn'）side; flank (different from '正面 zhèngmiàn'): 他的为人究竟如何，还是要从 ~ 了解一下。*Tā de wéirén jiūjìng rúhé, háishi yào cóng* ~ *liǎojiě yíxià.* We should learn from indirect resources what kind of man he is.｜从 ~ 看她还是挺美的。*Cóng* ~ *kàn tā háishi tǐng měi de.* She has a beautiful profile.

³ **测** cè ❶〈动 v.〉量，用仪器确定时间、空间、温度、速度、功能等的数值 measure, determine the time, space, temperature, speed, capacity, etc. using instruments: ~ 量 ~ *liáng* gauge｜勘 ~ *kān* ~ survey｜~ 风向 ~ *fēngxiàng* find out the direction of the wind｜~ 速度 ~ *sùdù* measure the speed｜~ 体温 ~ *tǐwēn* take sb. 's temperature｜~ 血压 ~ *xuèyā* measure the blood pressure ❷〈动 v.〉推测 infer; imagine: 天有不 ~ 风云（随时都可能发生不可预料的灾祸）*tiān yǒu bú* ~ *fēng yún (suíshí dōu yǒu kěnéng fāshēng bùkě yùliào de zāi huò)* a sudden storm may arise at any moment (something unexpected may happen at any time)｜变化莫 ~ *biànhuà-mò* ~ change unpredictably｜高深莫 ~ *gāoshēn-mò* ~ unfathomable

⁴ **测定** cèdìng〈动 v.〉经过勘查测量后确定 determine through surveying or measuring: ~ 方向 ~ *fāngxiàng* determine the direction｜~ 高度 ~ *gāodù* measure and decide the altitude｜~ 温度 ~ *wēndù* measure the air temperature｜~ 水质 ~ *shuǐzhì* measure the water quality

³ **测量** cèliáng ❶〈动 v.〉用仪器确定时间、空间、温度、速度、功能等的数值 determine the time, space, temperature, speed, capacity, etc.: ~ 流速 ~ *liúsù* measure the velocity of flow｜水文 ~ *shuǐwén* ~ hydrologic survey ❷〈动 v.〉关于地形、物体位置的测定 determine the physical features of an area or the location of an object: ~ 地形 ~ *dìxíng* survey the topography｜地质 ~ *dìzhì* ~ geological survey

³ **测试** cèshì〈动 v.〉对人的知识、技能进行考查 measure sb.'s knowledge or ability:

我昨天通过了专业~。*Wǒ zuótiān tōngguòle zhuānyè* ~. I passed the exam of my course I major in yesterday. ❷〈动 *v.*〉对机械、仪器、电器等的性能等进行检测试验 measure and test the performance of machinery, instrument or electrical appliance：~灵敏度 ~ *língmǐndù* measure the sensitivity │ ~清晰度 ~ *qīngxīdù* measure the definition │ 每一台电视都要经过~才能出厂。*Měi yì tái diànshì dōu yào jīngguò* ~ *cái néng chū chǎng*. Every TV set is checked over before leaving the factory.

⁴ **测算** cèsuàn ❶〈动 *v.*〉测量计算 measure and calculate：~面积 ~ *miànjī* measure the area │ ~产值 ~ *chǎnzhí* calculate the production value │ 所有的数据必须经过仔细~。*Suǒyǒu de shùjù bìxū jīngguò zǐxì* ~. All the figures must be calculated carefully. ❷〈动 *v.*〉推算 estimate; calculate：经过~，我们的计划是可以实现的。*Jīngguò* ~，*wǒmen de jìhuà shì kěyǐ shíxiàn de.* The result of calculation shows that we can fulfill our plan.

² **测验** cèyàn ❶〈动 *v.*〉用仪器或其他方法检验 measure by means of instrument or other methods：~机器性能 ~ *jīqì xìngnéng* test the performance of the machine ❷〈动 *v.*〉考查学习成绩等 examine knowledge in a particular subject：今天要~一下大家的汉语听力。*Jīntiān yào* ~ *yíxià dàjiā de Hànyǔ tīnglì.* Today you are going to be tested on Chinese listening comprehension. ❸〈名 *n.*〉考查学习成绩等的一种方法 a means of examining the knowledge in a subject：数学~ *shùxué* ~ math exam │ 智力~ *zhìlì* ~ IQ test │ 最近我通过了汉语水平~。*Zuìjìn wǒ tōngguòle Hànyǔ shuǐpíng* ~. I've just passed HSK-Chinese language proficiency test.

⁴ **策划** cèhuà 〈动 *v.*〉筹划；谋划 plan; plot; scheme：~阴谋 ~ *yīnmóu* hatch a plot │ 政变 ~ *zhèngbiàn* plot a coup │ ~图书选题 ~ *túshū xuǎntí* select the topic and decide what to publish │ 精心~ *jīngxīn* ~ elaborately scheme │ 周密~ *zhōumì* ~ carefully plot │ 这件事是他在幕后一手~的。*Zhè jiàn shì shì tā zài mùhòu yìshǒu* ~ *de.* He plotted the whole thing behind the scenes.

² **策略** cèlüè ❶〈名 *n.*〉计策；谋略 tactics：要战胜强大的敌人，必须讲究斗争~。*Yào zhànshèng qiángdà de dírén, bìxū jiǎngjiu dòuzhēng* ~. We must choose fighting tactics with care in order to defeat the powerful enemy. ❷〈形 *adj.*〉方式方法灵活；讲究斗争艺术 flexible in doing things; particular about the art of struggle：我们再和对方谈判的时候，说话要~一点儿。*Wǒmen zài hé duìfāng tánpàn de shíhòu, shuōhuà yào* ~ *yìdiǎnr.* In the next round of negotiations with the other party, we should be tactful in what we say.

¹ **层** céng ❶〈量 *meas.*〉用于重叠的、分项的、分步的事物 anything that can be arranged one above another; component part in a sequence：双~床 *shuāng~chuáng* double-deck bed │ 十~楼 *shí* ~ *lóu* ten-storey building │ 我的话有两~含义。*Wǒ de huà yǒu liǎng* ~ *hányì.* What I said had two levels of meaning. │ 我也就只能做到这一~了。*Wǒ yě jiù zhǐnéng zuòdào zhè yì* ~ *le.* That's all I can do. ❷〈量 *meas.*〉用于覆盖在物体表面的东西 sth. spread over sth. else：一~薄膜 *yì* ~ *bómó* a thin layer of plastic film │ 脱了一~皮 *tuōle yì* ~ *pí* a patch of skin peeled off ❸〈动 *v.*〉重叠；重复 overlap; overlay：~出不穷 ~ *chū-bùqióng* emerge in an endless stream │ ~峦叠嶂 ~ *luán-diézhàng* range upon range of mountains ❹〈名 *n.*〉重叠的东西；重叠事物的一部分 layer; one of several overlapping tiers：高~建筑 *gāo* ~ *jiànzhù* high-rise │ 臭氧~ *chòuyǎng* ~ ozone layer │ 基~ *jī* ~ basic level; grassroots

⁴ **层出不穷** céngchū-bùqióng 〈成 *idm.*〉连续不断地，反复地出现 appear one after another：好人好事~。*Hǎorén hǎoshì* ~. Kind people and meritorious deeds appear one after another.

⁴ **层次 céngcì ❶**〈名 n.〉内容的次序 arrangement or sequence of ideas：~然 ~*jǐngrán* well-organized and orderly｜他的文章条理清楚，~分明。*Tā de wénzhāng tiáolǐ qīngchu, ~ fēnmíng.* His article is coherent and well-organized. **❷**〈名 n.〉事物因大小、高低等不同而形成的区别 different grades according to size or level：这家出版社出版各种图书，以满足不同年龄~的读者的需要。*Zhè jiā chūbǎnshè chūbǎn gèzhǒng túshū, yǐ mǎnzú bùtóng niánlíng ~ de dúzhě de xūyào.* This publishing house publishes a great variety of books to cater to the needs of readers from different age groups.｜文化~不同，爱好自然不同。*Wénhuà ~ bùtóng, àihào zìrán bùtóng.* It's only natural that people with different education backgrounds have different hobbies. **❸**〈名 n.〉(个 gè)相属的各级机构 various levels of an organization：政府部门要精简机构，减少~，提高效率。*Zhèngfǔ bùmén yào jīngjiǎn jīgòu, jiǎnshǎo ~, tígāo xiàolǜ.* Government departments should streamline administrative structure, cut down the overlapping levels and improve efficiency.

² **曾 céng**〈副 adv.〉表示动作、行为、情况发生在过去 indicating that an action, behavior or situation happened in the past：似~相识 sì ~ xiāngshí look familiar but can't come up with names｜未~ wèi ~ have not; never｜几年前，我~在香港经商。*Jǐ nián qián, wǒ zài Xiānggǎng jīngshāng.* I was doing business in Hongkong a few years ago.

² **曾经 céngjīng**〈副 adv.〉表示过去有过某种行为或情况 indicating that an action happened in the past or a state once existed：我~去过欧洲的许多国家。*Wǒ ~ qùguo Ōuzhōu de xǔduō guójiā.* I have been to many European countries.｜我和她~相恋过。*Wǒ hé tā ~ xiāngliànguo.* I was once in love with her.

⁴ **蹭 cèng ❶**〈动 v.〉擦；磨 scratch; scrape; rub：把刀在石头上~几下 bǎ dāo zài shítou shang ~ jǐ xià grind the knife on the stone｜我的腿给~破了。*Wǒ de tuǐ gěi ~ pò le.* I got a scratch on my leg. **❷**〈动 v.〉擦过并沾上 brush against sth. and get smeared：~了一身灰 ~le yì shēn huī get smeared with dirt all over｜衣服~上了油漆 yīfu ~shàngle yóuqī smear one's clothes with paint **❸**〈动 v.〉拖延 dawdle; loiter; dillydally：磨~ mó ~ dawdle｜一步一步往前~ yí bù yí bù wǎng qián ~ inch one's way forward; drag oneself along inch by inch **❹**〈动 v. 方dial.〉不花钱而获得 get sth. free of charge; scrounge：昨天他~了一顿饭。*Zuótiān tā ~le yí dùn fàn.* He had a free meal yesterday.｜~车 ~ chē get a free ride｜~戏 ~ xì go to the theater without buying a ticket

⁴ **叉 chā ❶**〈动 v.〉用叉取物 work with a fork：~鱼 ~yú harpoon fish; spear fish **❷**〈动 v.〉大拇指和其余四指分开撑着 separate the thumb and the other four fingers：~腰 ~yāo with arms akimbo **❸**〈名 n.〉叉子，一端有两个以上的长齿，另一端有柄，可以挑起或扎取东西 fork; an implement that consists of two or more long prongs on the end of a handle, used to pick or pierce things：钢~ gāng~ steel fork｜鱼~ yú~ harpoon; spear｜西方人吃饭用刀~，中国人用筷子。*Xīfāngrén chīfàn yòng dāo ~, Zhōngguórén yòng kuàizi.* Westerners use knives and forks to eat while Chinese use chopsticks. **❹**〈名 n.〉叉形符号，形状是'×'，用来表示错误或删除 a mark like an ×, indicating a mistake or sth. to be deleted：对的打钩，错的打~。*Duì de dǎgōu, cuò de dǎ~.* Put a tick over the correct one and put a cross over the wrong one.

² **叉子 chāzi**〈名 n.〉(把 bǎ)小叉 fork：吃西餐要用刀子和~。*Chī xīcān yào yòng dāozi hé ~.* Knives and forks are used to eat a Western meal.

³ **差别 chābié**〈名 n.〉(个 gè、种 zhǒng)形式或内容上的不同 difference in form or content：城乡~ chéngxiāng ~ the gap between the city and the countryside｜年龄~ niánlíng ~ disparity of age; age difference｜缩小~ suōxiǎo ~ reduce the difference;

narrow the gap ｜他们俩的汉语水平有明显的～. *Tāmen liǎ de Hànyǔ shuǐpíng yǒu míngxiǎn de ～.* There is a remarkable difference between their mastery of Chinese.

⁴ **差错** chācuò ❶〈名 n.〉错误；失误 mistake; error: 发生～ *fāshēng* ～ error occurs ｜避免～ *bìmiǎn* ～ avoid mistakes ｜严重的～ *yánzhòng de* ～ serious mistake; blunder ｜他工作不认真，经常出～ *Tā gōngzuò bú rènzhēn, jīngcháng chū ～.* He is so careless in his work that he often makes mistakes. ❷〈名 n.〉意外的变故（多指灾祸）(usu. a disaster) unexpected event: 老年人上街要特别小心，万一有个～，可不得了 *Lǎoniánrén shàngjiē yào tèbié xiǎoxīn, wànyī yǒu gè ～, kě bùdéliǎo.* The elderly should be extremely careful when they take a walk in the street, because it would be disastrous in case any mishap happened to them.

⁴ **差距** chājù 〈名 n.〉事物之间的差别程度；距离某种标准的差别程度 difference between objects; disparity from a certain standard: 缩小～ *suōxiǎo* ～ narrow the gap ｜明显的～ *míngxiǎn de* ～ obvious disparity ｜我和他在能力上有很大的～ *Wǒ hé tā zài nénglì shang yǒu hěn dà de ～.* There is a great disparity between his capabilities and mine. ｜我们学习先进人物，首先要找出和他们的～ *Wǒmen xuéxí xiānjìn rénwù, shǒuxiān yào zhǎochū hé tāmen de ～.* When learning from the pace-setter, we should first find out where we fall short.

⁴ **差异** chāyì 〈名 n.〉差别；不同 difference; diversity; divergence: 我俩性格上的～很大 *Wǒ liǎ xìnggé shang de ～ hěn dà.* We two have very different personalities.

¹ **插** chā ❶〈动 v.〉把细长或薄片状的东西放进、扎进、刺进别的物体里 put, stick or pierce sth. long and thin into sth. else: 将一面国旗～到了山峰上 *Jiāng yí miàn guóqí ～ dàole shānfēng shang.* A national flag was planted on top of the mountain. ｜把花～在花瓶里 *Bǎ huā ～ zài huāpíng li.* Put flowers in a vase. ❷〈动 v.〉从中间加进去；加入到里面 interpose; insert: 安～ *ān* ～ assign to a job; plant ｜～曲 *～qǔ* episode; interlude ｜别人说话时，不要随便～嘴 *Biéren shuōhuà shí, búyào suíbiàn ～zuǐ.* Don't interrupt people when they are talking. ❸〈动 v.〉栽种 plant; grow: ～秧 *～yāng* transplant rice seedlings ｜～条 *～tiáo* transplant a cutting

³ **插秧** chā//yāng 〈动 v.〉把育好的水稻秧苗栽插到水田里 transplant rice seedlings from the seedling bed to the paddy field: ～机～ *jī* rice-transplanting machine ｜我从小生长在城市里，从来没有插过秧 *Wǒ cóngxiǎo shēngzhǎng zài chéngshì li, cónglái méiyǒu chāguo yāng.* Since I grew up in the city, I have never transplanted rice seedlings.

¹ **插嘴** chā//zuǐ 〈动 v.〉在别人说话的时候插进去说 break the flow of speech of sb. by saying sth.; interrupt; cut in: 我们谈我们的事，请你别～! *Wǒmen tán wǒmen de shì, qǐng nǐ bié ～!* This is a private conversation. Please don't butt in! ｜他俩正谈得热闹，我想说也插不上嘴 *Tā liǎ zhèng tán de rènao, wǒ xiǎng shuō yě chā bú shàng zuǐ.* They two are having a lively conversation. It's impossible for me to chip in a word.

¹ **茶** chá ❶〈名 n.〉茶树，常绿灌木，嫩叶加工后就是茶叶 tea tree; a kind of evergreen bush, the tender leaves of which are processed into tea ❷〈名 n.〉茶叶 tea; tea leaves: 龙井～ *Lóngjǐng* ～ Dragon Well tea, famous green tea produced in Hangzhou, Zhejiang Province ｜花～ *huā* ～ scented tea ｜红～ *hóng* ～ black tea ｜绿～ *lǜ* ～ green tea ❸〈名 n.〉用茶叶沏成或煮成的饮料 drink made by adding hot water to tea leaves or boiling water with tea leaves: 沏一壶～ *qī yì hú* ～ make a pot of tea ｜～馆～ *guǎn* teahouse ｜品～ *pǐn* ～ sip tea ❹〈名 n.〉某些糊状食品 certain kinds of liquid food: 杏仁～ *xìngrén* ～ almond tea ｜果～ *guǒ* ～ fruit tea ❺〈名 n.〉像浓茶的颜色 the color of strong tea: ～色玻璃～ *sè bōli* dark brown glass ❻〈名 n.〉指山茶 camellia: ～花 *～huā* camellia flower ❼

〈名 *n.*〉指油茶树 oil-tea camellia：~油 ~*yóu* tea oil

³ **茶馆** cháguǎn〈名 *n.*〉(家 jiā、个 gè)卖茶水的店铺 teahouse; restaurant where tea and light meals are served：湖边有好几家~。*Hú biān yǒu hǎo jǐ jiā ~.* There are several teahouses along the lake.

³ **茶话会** cháhuàhuì　〈名 *n.*〉(个 gè、次 cì)备有茶点的座谈会 tea party; a social gathering at which tea and other refreshments are served：春节~ *Chūnjié* ~ Lunar New Year Tea Party｜新年~ *Xīnnián* ~ New Year Tea Party｜举行~ *jǔxíng* ~ hold a tea party

³ **茶叶** cháyè〈名 *n.*〉经过加工可做饮料的茶树嫩叶 tea; cured tender tea leaves used to make drinks：中国的~世界闻名。*Zhōngguó de ~ shìjiè wénmíng.* Chinese tea enjoys worldwide fame.｜请你给我拿一两。*Qǐng nǐ gěi wǒ ná yì liǎng ~.* Please pack up one *liang* of tea for me.

¹ **查** chá ❶〈动 *v.*〉仔细验看 examine carefully：盘~ *pán*~ interrogate and examine; question｜检~ *jiǎn*~ inspect; examine｜~账 ~*zhàng* audit accounts｜~电表 ~*diànbiǎo* read the electricity meter ❷〈动 *v.*〉仔细了解情况 look into; investigate：调~ *diào*~ investigate｜侦~ *zhēn*~ investigate (a crime)｜普~ *pǔ*~ carry out a general survey｜事出有因,~无实据。*Shì chū yǒu yīn, ~ wú shí jù.* There must be something behind it, but investigation revealed no evidence. ❸〈动 *v.*〉翻检 look up; consult：阅 ~*yuè* consult｜~字典 ~*zìdiǎn* look up a word in the dictionary｜~数据 ~*shùjù* consult the data

⁴ **查处** cháchǔ　〈动 *v.*〉查明错误后加以处理 investigate and deal with accordingly：严肃~ *yánsù*~ investigate and deal with in a serious manner｜~案件 ~*ànjiàn* investigate the case and deal with accordingly｜税务局对这家公司的偷漏税行为进行了~。*Shuìwùjú duì zhè jiā gōngsī de tōu-lòushuì xíngwéi jìnxíngle ~.* The tax bureau has investigated and dealt with this company's tax evasions.

⁴ **查获** cháhuò〈动 *v.*〉经搜查或侦查后获得 hunt down and seize; ferret out; track down：~罪犯 ~ *zuìfàn* track down a criminal｜~赃款 ~ *zāngkuǎn* trace and confiscate illicit money｜~走私物品 ~*zǒusī wùpǐn* track down and seize smuggled goods｜海关在边境~了大量毒品。*Hǎiguān zài biānjìng ~le dàliàng dúpǐn.* The customs tracked down and seized a large amount of drugs near the border.

⁴ **查明** chámíng〈动 *v.*〉调查清楚 find out through investigation：我们一定要认真~事故的原因。*Wǒmen yídìng yào rènzhēn ~ shìgù de yuányīn.* We must find out the cause of the accident.

⁴ **查阅** cháyuè〈动 *v.*〉查找翻阅(书刊、资料等) consult (books, periodicals, data, etc.)：~有关文献 ~*yǒuguān wénxiàn* consult relevant literature

⁴ **岔** chà ❶〈名 *n.*〉由主干分出来的山、水流或道路 mountain range, waterway or road that branch off from a main one：山~ *shān*~ a fork in the mountain｜河~ *hé*~ a fork in the river｜三~路口 *sān* ~*lùkǒu* fork in the road; junction of roads ❷〈动 *v.*〉转移话题或打断别人的话 change the topic of a conversation or butt in：正议论着他,见他进来,大家忙把话~开了。*Zhèng yìlùnzhe tā, jiàn tā jìnlái, dàjiā máng bǎ huà ~kāi le.* We were talking about him but had to change the subject immediately after he came in.｜打~ *dǎ*~ diverge; interrupt ❸〈动 *v.*〉把时间错开,避免冲突 stagger time to avoid conflict：学校里电脑不多,大家上机的时间只能~开。*Xuéxiào lǐ diànnǎo bù duō, dàjiā shàng jī de shíjiān zhǐnéng ~kāi.* You have to stagger your time to use computer since the school does not have enough terminals for everyone. ❹〈动 *v.*〉离开原来的方向偏到另一边 turn off from the original direction：走~了路 *zǒu*~*le lù* branch off into a wrong path ❺〈名 *n.*〉偏差；事故 deviation; accident：出了~子。*Chūle ~zi.* Something has gone

wrong.

⁴ **刹那** chànà〈名 n.〉瞬间；极短的时间 instant; a split second：一~ yí ~ in an instant; in a flash │~间，洪水淹没了整个城市。~ jiān, hóngshuǐ yānmòle zhěnggè chéngshì. The flood submerged the whole city in an instant.

⁴ **诧异** chàyì〈动 v.〉感到惊奇 feel surprised：~的目光 ~ de mùguāng astonished look │ 这突如其来的消息使大家都非常~。Zhè tūrú-qílái de xiāoxi shǐ dàjiā dōu fēicháng ~. We were all astonished at the unexpected news.

¹ **差** chà ❶〈形 adj.〉不好；不合标准 inferior; not up to standard：质量~ zhìliàng ~ of inferior quality │ ~劲 ~jìn no good; disappointing; mean ❷〈形 adj.〉差错 wrong; mistaken：他回答得一点儿也不~。Tā huídá de yìdiǎnr yě bú ~. His answer is by no means wrong. ❸〈形 adj.〉不相同；不相合（用于口语）different from; short of (used in colloquial Chinese)：~不离 ~bùlí almost; nearly │ ~得远 ~ de yuǎn fall far short of ❹ 〈动 v.〉欠缺；缺少 want; fall short of：~五分十点 ~ wǔ fēn shí diǎn five to ten │ 还~两 道题就完了。Hái ~ liǎng dào tí jiù wán le. I've finished all but the last two questions.

² **差不多** chàbuduō ❶〈形 adj.〉相差很小；相仿 about the same; similar：他俩的个头~。 Tā liǎ de gètóu ~. They two are of about the same height. ❷〈形 adj.〉（后面加'的'）大 多数的；一般的（followed by '的 de'）average; ordinary; major：工厂里~的活，他都会 干。Gōngchǎng li ~ de huó, tā dōu huì gàn. He is capable of performing almost all kinds of tasks in the factory. │ 这样的工作，~的人还干不了呢。Zhèyàng de gōngzuò, ~ rén hái gàn bù liǎo ne. A person of average ability cannot take over a job like this. ❸ 〈副 adv.〉接近；几乎 almost; nearly：电影~快放映了。Diànyǐng ~ kuài fàngyìng le. The movie is about to begin.

² **差点儿** chàdiǎnr ❶〈副 adv.〉表示某种情况接近实现而没有实现（含庆幸或惋惜的意 思）(with a sense of being lucky or sympathy) indicating that sth. comes near to happening but has not happened：我~上了他的当。Wǒ ~ shàngle tā de dàng. I was almost taken in by him. │ 她~就考上舞蹈学院了。Tā ~ jiù kǎoshàng wǔdǎo xuéyuàn le. She almost passed the entrance exam to the dancing academy. ❷〈副 adv.〉表示某种希 望实现的事情勉强实现（动词要用否定式）(negative verb) indicating that the speaker's wish has come true at last：我~没赶上班车。Wǒ ~ méi gǎnshàng bānchē. I nearly missed the bus. ❸〈形 adj.〉稍次；不够好 a little bit inferior; not good enough：这种车 的性能不错，就是外观~。Zhè zhǒng chē de xìngnéng búcuò, jiùshì wàiguān ~. The performance of this model of car is quite satisfactory. It is only not so good in appearance.

² **拆** chāi ❶〈动 v.〉把合在一起的东西打开或分开 tear open or take sth. apart：~信 ~ xìn open a letter │ ~毛衣 ~máoyī unravel a sweater │ ~船 ~ chuán dismantle a ship ❷〈动 v.〉特指拆毁建筑物 pull down, demolish or dismantle buildings：~房子 ~ fángzi pull down a house │ ~桥 ~ qiáo dismantle a bridge

⁴ **柴油** cháiyóu〈名 n.〉（桶 tǒng）石油加工而成的燃料油，用于内燃机 diesel oil; fuel produced from petroleum and used in an internal combustion engine

⁴ **掺** chān〈动 v.〉混合 mix together：~水 ~ shuǐ dilute with water │ ~假 ~jiǎ adulterate │ ~杂 ~zá mix up; mingle │ ~沙子（比喻向有抱团儿倾向的人群中安插新成员）~ shāzi （bǐyù xiàng yǒu bàotuánr qīngxiàng de rénqún zhōng ānchā xīn chéngyuán）mix sand into cement (fig. place other people to a monolithic group)

⁴ **搀** chān ❶〈动 v.〉用手轻轻架着别人的手和胳膊 help by the arm; support with one's hand：他~着老人进了医院。Tā ~zhe lǎorén jìnle yīyuàn. He helped the old man into the

hospital. ❷〈动 v.〉将一种东西混合到另一种东西里去 mix one thing into another：酒里～了水。*Jiǔ li ~le shuǐ.* The liquor has been diluted.

⁴ **谗言** chányán 〈名 n.〉诽谤或挑拨离间的话 libel or words that sow discord between people：轻信～ *qīngxìn ~* give ready credence to false accusation｜卑鄙的～ *bēibǐ de ~* contemptible slander｜切不可听信～。*Qiè bùkě tīngxìn ~.* Never give credence to false accusations.

⁴ **馋** chán ❶〈动 v.〉看见好吃的食物就想吃；专爱吃好的 want to eat whatever delicious food one sets eyes upon; partial to delicious food：上年纪的人可不能嘴～。*Shàng niánjì de rén kě bù néng zuǐ~.* Those who are getting on in years shall not be fond of delicacies. ❷〈动 v.〉羡慕；见到好的东西就想得到 envy; wish to take as one's own when seeing sth. one likes：他新买了一台手提电脑，可让人眼～了。*Tā xīn mǎile yì tái shǒutí diànnǎo, kě ràng rén yǎn~ le.* He has just bought a brand-new laptop much to everyone's envy.

⁴ **缠** chán ❶〈动 v.〉绕；围绕 twine; wind：～线 ~ *xiàn* wind a thread｜头上～着绷带。*Tóu shang ~ zhe bēngdài.* The head was bandaged. ❷〈动 v.〉不停地搅扰 harass incessantly; pester：纠～ *jiū ~* pester｜胡搅蛮～ *hújiǎo-mán~* pester sb. endlessly; harass sb. with endless demands ❸〈动 v.〉随身携带 carry sth. with oneself：腰～万贯 *yāo~-wànguàn* wallow in wealth; very rich ❹〈动 v. 方 dial.〉对付 deal with：他这个人忒难～！*Tā zhège rén tuī nán~!* This guy is really hard to deal with!

⁴ **蝉** chán 〈名 n.〉(只 zhī、个 gè) 一种昆虫。雄的腹部有发音器，发出很强的噪声 cicada; a kind of insect, the male having a sound-producing organ in its abdomen that makes a loud high-pitched sound

⁴ **产** chǎn ❶〈动 v.〉(人或动物)从母体中分离出幼体 give birth to (babies or cubs); deliver; bear：～妇 ~*fù* lying-in woman｜临～ *lín~* about to give birth; parturient｜～卵 ~ *luǎn* lay eggs; spawn; oviposit ❷〈动 v.〉出产 yield; produce：新疆盛～葡萄。*Xīnjiāng shèng~ pútáo.* Xinjiang produces grapes in abundance.｜～煤 ~ *méi* produce coal ❸〈动 v.〉生产；创造物质或精神财富 produce; create material or spiritual wealth：增～ *zēng~* increase production｜投～ *tóu~* put into production｜多～作家 *duō~ zuòjiā* prolific writer ❹〈名 n.〉生产或出产的东西 product; produce：水～ *shuǐ~* aquatic product｜矿～ *kuàng~* minerals; mineral resources; mineral products｜特～ *tè~* special local product ❺〈名 n.〉指拥有的金钱、房屋、土地、物资等 possessions such as money, house, land, goods, materials, etc.：财～ *cái~* property｜房～ *fáng~* real estate｜破～ *pò~* bankrupt; 不动～ *búdòng~* immovable property｜倾家荡～ *qīngjiā-dàng~* lose all one's property; become homeless and penniless

⁴ **产地** chǎndì 〈名 n.〉物品出产的地方 place of production：世界咖啡的主要～是巴西。*Shìjiè kāfēi de zhǔyào ~ shì Bāxī.* Brazil is the major supplier of coffee in the world.｜你到～去买会便宜不少呢。*Nǐ dào ~ qù mǎi huì piányi bù shǎo ne.* This would be much less expensive if you bought it in the place of production.

² **产量** chǎnliàng 〈名 n.〉产品的数量 number of things produced; output; turnout：棉花的～ *miánhuā de ~* yield of cotton｜煤炭的～ *méitàn de ~* coal output｜日～ *rì~* daily output｜月～ *yuè~* monthly output｜我们厂的～逐年提高。*Wǒmen chǎng de ~zhúnián tígāo.* The output of our factory has been increasing year by year.

² **产品** chǎnpǐn 〈名 n.〉(件 jiàn、个 gè、种 zhǒng、批 pī) 生产出来的物品 product; produce：农～ *nóng~* farm produce｜矿～ *kuàng~* mineral product｜工业～ *gōngyè~* industrial product｜优质～ *yōuzhì~* quality product｜名牌～ *míngpái~* famous brand

product｜我们厂年年要推出新~。*Wǒmen chǎng niánnián yào tuīchū xīn ~.* Our factory puts out with new products every year.

⁴ **产区** chǎnqū〈名 *n.*〉物品出产的地区 place of production：中国的东北地区是大豆的主要~。*Zhōngguó de dōngběi dìqū shì dàdòu de zhǔyào ~.* The northeastern part of China is a major soybean belt.

² **产生** chǎnshēng〈动 *v.*〉从已有的事物中生出的新事物；出现 give rise to; bring about; evolve; emerge; come into being：~感情 ~ *gǎnqíng* take a liking to sb.｜~兴趣 ~ *xìngqù* take interest in｜~疑问 ~ *yíwèn* become doubtful｜委员会由代表选举~。*Wěiyuánhuì yóu dàibiǎo xuǎnjǔ ~.* The committee is elected by the representatives.｜中国历史上曾经~过无数的优秀人物。*Zhōngguó lìshǐ shang céngjīng ~guo wúshù de yōuxiù rénwù.* A great many outstanding figures emerged throughout the Chinese history.

³ **产物** chǎnwù〈名 *n.*〉在一定条件下产生的事物 things produced under certain conditions; outcome：时代的~ *shídài de* ~ outcome of the times｜历史的~ *lìshǐ de* ~ historical result｜必然~ *bìrán* ~ inevitable result

⁴ **产业** chǎnyè ❶〈名 *n.*〉指土地、房屋、工厂等私有财产 private property such as land, house, factory, etc.：过去他们家的~可大了。*Guòqù tāmen jiā de ~ kě dà le.* Their family used to have quite a large property. ❷〈名 *n.*〉生产事业，特指工业 activities involved in making a particular product; industry：~革命 ~ *gémìng* Industrial Revolution｜~工人 ~ *gōngrén* industrial worker

³ **产值** chǎnzhí〈名 *n.*〉在一定的时期内，以货币计算的产品的价值量 value of products calculated in currency within a specified period; output value：年~ *nián* ~ annual value of product｜工业总~ *gōngyè zǒng* ~ total industrial output value

³ **铲** chǎn ❶〈名 *n.*〉铲子，一种长把的用以撮取或清除东西的器具 shovel; a tool with a long handle, used for lifting or moving things：锅~ *guō* ~ spatula; turner; slice｜煤~ *méi* ~ coal shovel ❷〈动 *v.*〉用锹或铲撮取、削平或清除东西 lift, level or move things with a spade or shovel：我们把一座土丘给~平了。*Wǒmen bǎ yí zuò tǔqiū gěi ~píng le.* We leveled a hillock with shovel. ❸〈量 *meas.*〉计量用铲撮取的东西 used to measure things lifted by shovel：一~煤 yì ~ *méi* a shovel of coal｜两~土 liǎng ~ *tǔ* two shovels of dirt

⁴ **阐明** chǎnmíng〈动 *v.*〉讲明白；说清楚 make clear; expound; clarify：~主张 ~ *zhǔzhāng* make clear one's view｜~立场 ~ *lìchǎng* clarify one's position｜明确~ *míngquè* ~ make clear｜进一步~ *jìnyíbù* ~ further expound｜我在会上~了我的观点。*Wǒ zài huì shàng ~le wǒ de guāndiǎn.* I explained my view at the meeting.

⁴ **阐述** chǎnshù〈动 *v.*〉论述 expound; elaborate：详尽地~ *xiángjìn de* ~ elaborate on sth. in great detail｜全面地~ *quánmiàn de* ~ expound comprehensively｜他把自己的观点~得非常透彻。*Tā bǎ zìjǐ de guāndiǎn ~ de fēicháng tòuchè.* He gave a very clear explanation of his view.｜我国代表在会议上明确地~了我国政府的立场。*Wǒ guó dàibiǎo zài huìyì shang míngquè de ~le wǒ guó zhèngfǔ de lìchǎng.* The representative from China explained clearly Chinese government's position at the meeting.

⁴ **颤** chàn〈动 *v.*〉短促而频繁地振动；抖动 shake with repeated quick, small movements; quiver; tremble：他气得全身发~。*Tā qì de quánshēn fā~.* He quivered all over with rage.｜我冻得浑身直打~。*Wǒ dòng de húnshēn zhí dǎ~.* I shivered all over with cold.

颤动 chàndòng〈动 *v.*〉短促而频繁地振动 shake with repeated quick, small movements：微微地~ *wēiwēi de* ~ tremble slightly｜剧烈地~ *jùliè de* ~ tremble violently｜他吓得浑身~。*Tā xià de húnshēn ~.* He trembled all over with fear.

³ **颤抖** chàndǒu 〈动 v.〉发抖；哆嗦 shake; shiver：寒风吹来，他冻得全身~。*Hánfēng chuīlái, tā dòng de quánshēn ~.* A gust of cold wind set him shivering all over.

⁴ **昌盛** chāngshèng 〈形 adj.〉兴旺；兴盛 prosperous; flourishing：繁荣~的国家 *fánróng ~ de guójiā* a prosperous country ｜ 兴旺~的景象 *xīngwàng ~ de jǐngxiàng* a scene of affluence and prosperity

⁴ **猖狂** chāngkuáng 〈形 adj.〉狂妄；肆无忌惮 fierce; unruly; outrageous：~的敌人 *~ de dírén* ferocious enemy ｜ ~地挑衅 *~ de tiǎoxìn* reckless provocation ｜ ~地破坏 *~ de pòhuài* recklessly undermine ｜ 打退了敌军的~进攻。*Dǎtuìle díjūn de ~ jìngōng.* The enemy's reckless attack was beaten back.

长 cháng ❶〈形 adj.〉时间或空间两点之间的距离大（和'短'相对）length between two points in terms of time or distance (opposite to '短duǎn')：~期投资 *~qī tóuzī* long-term investment ｜ ~途运输 *~tú yùnshū* long-distance transport ｜ 健康~寿 *jiànkāng ~shòu* healthy and long-lived ｜ 爷爷的胡子又白又~。*Yéye de húzi yòu bái yòu ~.* Grandpa has a long white beard. ｜ 她穿了一条~~的裙子 *Tā chuānle yì tiáo ~ ~ de qúnzi.* She was dressed in a full-length skirt. ❷〈名 n.〉长度 length：京九铁路全~2,397 公里。*Jīngjiǔ tiělù quán ~ èrqiān sānbǎi jiǔshíqī gōnglǐ.* Beijing-Kowloon Railway is 2,397 kilometres long. ❸〈名 n.〉特长；专长 strong points; forte：取~补短 *qǔ~-bǔduǎn* make up one's deficiencies by learning from other's strong points ｜ 他的绘画吸收了各家之~。*Tā de huìhuà xīshōule gè jiā zhī ~.* His paintings draw on the strong points of different schools. ❹〈动 v.〉对某事做得特别好 be strong in; be good at：她~于歌舞 *Tā ~ yú gēwǔ.* She is good at singing and dancing. ❺〈副 adv.〉经常；永远 constantly; forever：细水~流 *xìshuǐ~liú* plan for the long term to avoid running short-work persistently ｜ 友谊~存 *yǒuyì ~cún* friendship lasts forever

☞ zhǎng, p. 1247

⁴ **长处** chángchu 〈名 n.〉优点；特长 merit; strong point; forte：每个人都有自己的~。*Měi gè rén dōu yǒu zìjǐ de ~.* Everyone has his own strengths. ｜ 我们应当学习别人的~。*Wǒmen yīngdāng xuéxí biéren de ~.* We shall learn from others' strong points.

⁴ **长度** chángdù ❶〈名 n.〉两点之间的距离 distance between two points：这根绳子的~为四米。*Zhè gēn shéngzi de ~ wéi sì mǐ.* This rope is 4 metres long. ❷〈名 n.〉纵向的距离（与'宽度'相对）distance from one end to another (opposite to '宽度kuāndù')：这张桌子的~是85公分，宽度是1.5米。*Zhè zhāng zhuōzi de ~ shì bāshíwǔ gōngfēn, kuāndù shì yìdiǎnwǔ mǐ.* This table is 85 cm in length and 150 cm in breadth.

⁴ **长短** chángduǎn ❶（~儿）〈名 n.〉长度；尺寸 length; size：这条裙子的~儿合适。*Zhè tiáo qúnzi de ~r héshì.* This skirt is just the right length. ❷〈名 n.〉死亡等意外的变故 accident; mishap such as loss of life：他万一有个~，他的孩子怎么办？*Tā wànyī yǒu gè ~, tā de háizi zěnme bàn?* What is his child going to do if anything should happen to him? ❸〈名 n.〉好坏；是非 merits and demerits; right and wrong：她总喜欢在背后议论人家的~。*Tā zǒng xǐhuan zài bèihòu yìlùn rénjia de ~.* She is fond of gossiping about people behind their backs.

³ **长久** chángjiǔ 〈形 adj.〉时间很长 lasting a long time：靠别人接济过日子，总不是~之计。*Kào biéren jiējì guò rìzi, zǒng búshì ~ zhī jì.* One can only live off others on a temporary basis. ｜ 经过~的观察，我认为他是一个值得信赖的人。*Jīngguò ~ de guānchá, wǒ rènwéi tā shì yí gè zhídé xìnlài de rén.* After observing him for a long time, I believe that he is trustworthy.

² **长期** chángqī 〈名 n.〉长时期（与'短期'相对）long-term (opposite to '短期duǎnqī')

~贷款 ~ dàikuǎn long-term loan｜~投资 ~ tóuzī long-term investment｜~计划 ~ jìhuà long-term plan｜希望我们能够~合作。Xīwàng wǒmen nénggòu ~ hézuò. Hope we can establish long-term cooperation.

⁴ **长寿** chángshòu 〈形 adj.〉寿命长 enjoying a long life：健康~ jiànkāng ~ healthy and long-lived

² **长途** chángtú ❶〈形 adj.〉长距离的；路途遥远的 long-distance; far：~旅行 ~ lǚxíng long trip｜~跋涉 ~ báshè make a long, difficult journey ❷〈名 n.〉指长途电话或长途汽车 long-distance call or bus：昨天我给她挂了个~。Zuótiān wǒ gěi tā guàle gè ~. Yesterday I made a long-distance call to her.｜到那里你可以乘火车，也可以搭~。Dào nàlǐ nǐ kěyǐ chéng huǒchē, yě kěyǐ dā ~. You can get there either by train or by coach.

⁴ **长远** chángyuǎn 〈形 adj.〉指将来很长的时间 long-term; long range：~规划 ~ guīhuà long-term programme｜~打算 ~ dǎsuàn long-term plan｜~的利益 ~ de lìyì long-term interest（or benefit）｜从~的眼光看，中国的西部是大有发展前途的。Cóng ~ de yǎnguāng kàn, Zhōngguó de xībù shì dà yǒu fāzhǎn qiántú de. The western part of China has an enormous potential for development in the long run.

⁴ **长征** chángzhēng ❶〈动 v.〉长途旅行；长途出征，比喻漫长艰苦的革命历程和建设事业 take a long trip; go on an expedition; start a long march; fig. long and difficult course of revolution and cause of construction：我们又开始了新时期的新的~。Wǒmen yòu kāishǐle xīnshíqí de xīn de ~. Once again we are embarking upon a new kind of long march in the new era. ❷〈名 n.〉特指中国共产党领导的中国工农红军1934-1935年由江西转移至陕北的二万五千里长征 Long March of the Chinese Workers' and Peasants' Red Army, which set off from Jiangxi in 1934 and finally succeeded in reaching northern Shaanxi in 1935 after traversing 25,000 li under the leadership of the Chinese Communist Party.

³ **肠** cháng ❶〈名 n.〉（段 duàn、节 jié）人和高等动物消化器官的一部分，上通胃，下连肛门 part of the digestive organ of human beings or higher animals connecting the stomach with the anus; intestine：~胃 ~wèi intestines and stomach｜~炎 ~yán enteritis ❷〈名 n.〉比喻心思、感情 fig. mood; emotion; sentiment：愁~ chóu~ pent-up feelings of sadness｜衷~ zhōng~ heart-felt remarks ❸（~儿）〈名 n.〉（根 gēn）在肠衣里塞进肉或鱼、淀粉、作料等制成的食品 food made by stuffing a casing with meat, fish, starch, condiments, etc.：香~ xiāng~ sausage｜鱼~ yú~ fish sausage

² **尝** cháng ❶〈动 v.〉试着吃一点；辨别滋味 try some food; taste：品~ pǐn~ taste; sample｜~一~咸淡 ~yì~ xián dàn try a bit to see if it tastes just right ❷〈动 v.〉试；试探 try; probe or explore：~试 ~shì attempt; have a go at｜浅~辄止 qiǎn~-zhézhǐ put away the cup after taking a sip（make a superficial study only）❸〈动 v.〉经历；感受 experience; be aware of：备~艰辛 bèi~-jiānxīn go through all the hardships｜我~到了学习汉语的甜头。Wǒ ~dàole xuéxí Hànyǔ de tiántou. I have become aware of the benefits of learning Chinese. ❹〈副 adv.〉曾经 ever; once：我何~不想到中国去旅游呢。Wǒ hé~ bù xiǎng dào Zhōngguó qù lǚyóu ne. I always want to travel in China, only that I can't make it.｜这是一种未~有过的感觉。Zhè shì yì zhǒng wèi~ yǒuguo de gǎnjué. Never have I had this kind of feeling before.

⁴ **尝试** chángshì ❶〈动 v.〉试验；试探 try; have a go at：大胆地~ dàdǎn de ~ make a bold attempt｜这种方法是否可行，我要亲自~一下。Zhè zhǒng fāngfǎ shìfǒu kěxíng, wǒ yào qīnzì ~ yíxià. I will try this method myself to see whether it works. ❷〈名 n.〉指试验的活动 activities involved in the experiment：大胆的~ dàdǎn de ~ bold attempt｜

可喜的~ *kěxǐ de* ~ encouraging experiment｜他在科学种田方面做了有益的~。*Tā zài kēxué zhòngtián fāngmiàn zuòle yǒuyì de* ~. He carried out valuable experiments in the scientific methods of farming.

¹ **常** cháng ❶〈副 *adv.*〉经常；时常 often; frequently; usually：~来～往 *~lái~wǎng* exchange frequent visits; pay frequent calls on each other｜我们不～见面。*Wǒmen bù ~ jiànmiàn.* We don't see each other very often. ❷〈副 *adv.*〉在一定时期里保持原状的 remain in the original state within a certain period：~绿树 *~lùshù* evergreen trees｜~设机构 *~shè jīgòu* standing body; permanent organization ❸〈形 *adj.*〉普通的；一般的 ordinary; common; normal：人之~情 *rénzhī~qíng* human nature; normal practice｜~识 *~shí* common sense; general knowledge ❹〈形 *adj.*〉经久不变的 constant; invariable：~温 *~wēn* normal atmospheric temperature｜~数 *~shù* constant ❺〈名 *n.*〉普通的事 ordinary things：家～ *jiā*~ daily trifle of a family; domestic trivia｜习以为~ *xíyǐwéi*~ be accustomed to; in the habit of ❻〈名 *n.*〉纲纪；规律 order and discipline; regularity：三纲五~ *sāngāng wǔ ~* the Three Cardinal Guides and the Five Constant Virtues (in Confucian ethics)｜天行有~。*Tiānxíng yǒu ~.* Nature has its own laws.

¹ **常常** chángcháng〈副 *adv.*〉行为、动作多次发生，且时间间隔不久 (occurrence of action) more than once, and at short intervals; often; frequently; usually; generally：那时候他～来我家。*Nà shíhou tā ~ lái wǒ jiā.* He used to call on me quite often at that time.

⁴ **常规** chángguī ❶〈名 *n.*〉经常实行的规矩、规则 common practice; routine; rule; convention：按～ *ànzhào ~* follow the routine｜打破～ *dǎpò ~* break with conventions ❷〈形 *adj.*〉一般的；普通的 common; ordinary：~武器 *~wǔqì* conventional weapons (or weaponry) ❸〈名 *n.*〉医学上指经常使用的处理方法 regular practice followed in medical examination：血～ *xiě~* routine blood test｜尿～ *niào~* routine urine test

⁴ **常见** chángjiàn ❶〈动 *v.*〉经常见面 see often：我们大家都忙，所以不～。*Wǒmen dàjiā dōu máng, suǒyǐ bù ~.* Since all of us are quite busy, we don't see each other very often. ❷〈形 *adj.*〉经常看到的或遇到的 often seen or met：感冒是一种～病。*Gǎnmào shì yì zhǒng ~ bìng.* Cold is a common disease.｜这种现象是不～的。*Zhè zhǒng xiànxiàng shì bù ~ de.* This kind of phenomena is rare.

⁴ **常年** chángnián ❶〈名 *n.*〉终年；一年到头 all the year round; year in and year out：他～坚持体育锻炼。*Tā ~ jiānchí tǐyù duànliàn.* He keeps doing physical exercises all the year round.｜山上～积雪。*Shān shang ~ jī xuě.* The mountain is topped with snow all the year round. ❷〈名 *n.*〉平常的年份(区别于'丰年') average year (different from '丰年 fēngnián')：一棵橘子树~的产量也就是二三百斤。*Yì kē júzi shù ~ de chǎnliàng yě jiùshì èr-sānbǎi jīn.* The yield of a tangerine tree in an average year is from 200 to 300 jin.

³ **常识** chángshí〈名 *n.*〉普通的知识；一般的知识 common sense; general knowledge：生活~ *shēnghuó ~* common sense in everyday life｜卫生~ *wèishēng ~* general knowledge of sanitation｜缺乏~ *quēfá ~* lack common sense｜他非常欠缺法律方面的~。*Tā fēicháng qiànquē fǎlǜ fāngmiàn de ~.* His general knowledge of law is far from enough.

⁴ **常务** chángwù〈形 *adj.*〉主持日常工作的；处理日常事务的 in charge of day-to-day business; dealing with routine work：~委员会 *~wěiyuánhuì* standing committee｜~副部长 *~fùbùzhǎng* executive vice minister｜~理事 *~lǐshì* executive council member

⁴ **常用** chángyòng ❶〈形 *adj.*〉经常使用的 frequently used：现代汉语的~字有3,500个。*Xiàndài Hànyǔ de ~zì yǒu sānqiān wǔbǎi gè.* There are 3,500 most frequently used

characters in modern Chinese. ❷〈动 v.〉经常使用 frequently use: 他虽是外国人，却~筷子吃饭。 *Tā suī shì wàiguórén, què ~ kuàizi chīfàn.* Although he is a foreigner, he often uses chopsticks to eat.

⁴ **偿 cháng** ❶〈动 v.〉归还；抵补 repay; redeem; compensate: ~还 ~ *huán* repay; redeem ｜ 补 ~ *bǔ*~ compensate ｜ 抵 ~ *dǐ*~ make up for ｜ 赔 ~ *péi*~ compensate; indemnify; pay for ｜ 得不~失 *débù*~*shī* the loss outweighs the gain; win a Pyrrhic victory ❷〈动 v.〉（愿望）得到满足 meet the need of; grant the wish; satisfy; fulfill: 如愿以~。 *Rúyuànyǐ*~. One's wish is fulfilled. ❸〈名 n.〉报酬；代价 reward; pay; price; cost: 有~服务 *yǒu fúwù* paid service ｜ 无~援助 *wú ~ yuánzhù* free aid

⁴ **偿还 chánghuán** 〈动 v.〉归还（所欠的债）repay; pay back: 如数~ *rú shù* ~ pay back the required amount ｜ 按期~ repay a debt as scheduled ｜ 银行发放贷款时必须考虑借方的~能力。 *Yínháng fāfàng dàikuǎn shí bìxū kǎolǜ jièfāng de ~ nénglì.* The bank must take debtor's solvency into consideration when granting loans.

⁴ **厂房 chǎngfáng** ❶〈名 n.〉（间 jiān、座 zuò）工厂的房屋；工厂的整个建筑 factory building; premises of a factory: 我们工厂的~可大了。 *Wǒmen gōngchǎng de ~ kě dà le.* Our factory building is quite large. ❷〈名 n.〉特指工厂里的车间 workshop of a factory

⁴ **厂家 chǎngjiā** 〈名 n.〉（个 gè、家 jiā）指工厂 factory: 这个小镇上大大小小的~有几十家。 *Zhège xiǎo zhèn shang dàdà-xiǎoxiǎo de ~ yǒu jǐshí jiā.* There are dozens of factories of all sizes in this small town. ｜ 这种收音机是哪个~生产的？ *Zhè zhǒng shōuyīnjī shì nǎge ~ shēngchǎn de?* Which factory produces this kind of radio?

⁴ **厂商 chǎngshāng** 〈名 n.〉（家 jiā、个 gè）厂家；厂主 factory; factory owner: 上千家~参加了这次展销会。 *Shàng qiān jiā ~ cānjiāle zhè cì zhǎnxiāohuì.* Over a thousand factories took part in this exhibition fair.

⁴ **厂长 chǎngzhǎng** 〈名 n.〉（位 wèi、个 gè、名 míng）工厂的主要负责人 person in charge of the factory; factory manager; factory director

¹ **场 chǎng** ❶〈名 n.〉有专门用途的比较开阔的场所 open space used for a specific purpose: 机~ *jī*~ airport ｜ 广~ *guǎng*~ square ｜ 靶~ *bǎ*~ shooting range ｜ 会~ *huì*~ meeting place ｜ 剧~ *jù*~ theatre ｜ 坟~ *fén*~ graveyard; cemetery ｜ 市~ *shì*~ market ❷〈名 n.〉特定的地点或范围 specific place for or scope of a certain activity: 官~ *guān*~ officialdom ｜ 名利~ *mínglì*~ vanity fair ❸〈名 n.〉发生某种情况或事件的地方 spot; scene: 当~ *dāng*~ on the spot ｜ 一定要保护好作案的现~。 *Yídìng yào bǎohù hǎo zuò'àn de xiàn*~. Crime scene must be carefully preserved. ❹〈名 n.〉特指演出的舞台或比赛的场地 stage for performance or site of contest: 出~ *chū*~ appear on the stage ｜ 上~ *shàng*~ enter stage ｜ 粉墨登~ *fěnmò-dēng*~ make oneself up and go on stage; embark upon a political venture ❺〈名 n.〉指表演或比赛的全过程 whole course of a performance or game: 开~ *kāi*~ beginning ｜ 终~ *zhōng*~ ending ❻〈名 n.〉有一定规模的生产单位 production unit of a considerable size: 农~ *nóng*~ farm ｜ 牧~ *mù*~ ranch ｜ 林~ *lín*~ forestry farm ❼〈名 n.〉物质存在的一种基本形态 basic form of existence of matter; field: 磁~ *cí*~ magnetic field ｜ 电~ *diàn*~ electric field ｜ 引力~ *yǐnlì*~ gravitational field ❽〈量 meas.〉用于文娱体育活动 used as an indefinite article or together with a quantity in entertainment and sports: 踢了一~足球 *tīle yì ~ zúqiú* played a football game ｜ 看了一~电影 *kànle yì ~ diànyǐng* watched a movie ❾〈量 meas.〉戏剧中较小的段落 small section in one act; scene: 三幕五~话剧 *sān mù wǔ ~ huàjù* modern drama with five scenes in three acts

³ **场地 chǎngdì** 〈名 n.〉空地；进行文体活动或施工、试验等的地方 space; place; site for

recreation and sports, construction or experiment：演出~ *yǎnchū* ~ performance place ｜ 施工~ *shīgōng* ~ building-site

³ **场合** chǎnghé〈名 *n.*〉某一时间、地点或情况 occasion; situation：公共~ *gōnggòng* ~ public occasion ｜ 社交~ *shèjiāo* ~ social occasion ｜ 他这个人说话总是不分~，信口开河。*Tā zhège rén shuōhuà zǒngshì bù fēn ~, xìnkǒu-kāihé.* He always talks off the top of his head regardless of the occasion.

³ **场面** chǎngmiàn ❶〈名 *n.*〉泛指一定场合下的情景 spectacle; occasion; scene：热烈的~ *rèliè de* ~ manifestation of enthusiasm and excitement ｜ 激动人心的~ *jīdòng rénxīn de* ~ exciting scene ❷〈名 *n.*〉表面的排场 appearance; facade; ostentation：撑~ *chēng* ~ keep up appearances ｜ 摆~ *bǎi* ~ go in for ostentation and extravagance; be ostentatious; put on a show

⁴ **场所** chǎngsuǒ〈名 *n.*〉活动的处所 place (for an activity)：公共~ *gōnggòng* ~ public place ｜ 娱乐~ *yúlè* ~ place of entertainment ｜ 提供~ *tígōng* ~ provide a place

⁴ **敞开** chǎngkāi ❶〈动 *v.*〉打开；大开 open; open wide：~大门 ~ *dàmén* leave the door open ❷〈动 *v.*〉比喻暴露(内心的想法) *fig.* bare one's thoughts：~思想 ~ *sīxiǎng* speak up; get things off one's chest ❸〈副 *adv.*〉放开；不加限制 without limit：~价格 ~ *jiàgé* deregulate the prices ｜ ~供应 ~ *gōngyìng* supply without limit

⁴ **畅谈** chàngtán〈动 *v.*〉尽情地谈；痛快地谈 chat or talk freely and cheerfully：委员们在会上~了考察的观感。*Wěiyuánmen zài huì shang ~le kǎochá de guāngǎn.* The committee members talked freely about their impression of the visit.

⁴ **畅通** chàngtōng〈动 *v.*〉无阻碍地通行或通过 pass through or along without being blocked：道路~ *dàolù* ~ normal road traffic ｜ 航道~。*Hángdào ~.* The river is open to navigation. ｜ ~无阻。~ *wúzǔ.* Road traffic is going smoothly.

⁴ **畅销** chàngxiāo〈动 *v.*〉货物销售快 (of goods) sell well; have a ready market：~商品 ~ *shāngpǐn* goods in great demand ｜ ~书 ~ *shū* best-seller ｜ 中国制造的电视机~世界各国。*Zhōngguó zhìzào de diànshìjī ~ shìjiè gè guó.* The TV sets made in China sell well in many countries of the world.

⁴ **倡议** chàngyì ❶〈动 *v.*〉发起；首先建议 launch; be the first to propose：~书 ~ *shū* written proposal; proposal ｜ 这次募捐活动是她~的。*Zhè cì mùjuān huódòng shì tā ~ de.* It was her who launched the donation campaign. ❷〈名 *n.*〉首先提出的建议 first proposal：募捐的~得到各界人士的支持。*Mùjuān de ~ dédào gèjiè rénshì de zhīchí.* The proposal of donation won the support from all walks of life.

¹ **唱** chàng ❶〈动 *v.*〉依照音律发出声音 utter a series of sounds in musical tones; sing：~歌 ~*gē* sing a song ｜ ~戏 ~*xì* sing in an opera; put on a theatrical performance ｜ 演~ *yǎn~* sing in a performance ｜ 说~ ~ *shuō* genre of popular entertainment consisting mainly of talking and singing such as comic dialogue, etc. ; rap ｜ 合~ *hé~* sing in chorus ❷〈动 *v.*〉大声地念或叫 call; cry：~票 ~*piào* call out the names of candidates while counting ballots ❸〈名 *v.*〉歌曲；戏曲唱词 song; singing part of a Chinese opera：渔家小~ *yújiā xiǎo* ~ ditty or popular tune of fishermen ｜ ~本 ~*běn* libretto or script of a ballad-singer

² **抄** chāo ❶〈动 *v.*〉照原文或底稿誊写 copy; transcribe：手~ *shǒu~* copy by hand ｜ ~笔记 ~ *bǐjì* copy sb. 's notes ❷〈动 *v.*〉把别人的作品、词句、作业等抄下来当作自己的 lift the works, expressions, homework of others as one's own; copy; plagiarize：他总是整段整段地~我的作业。*Tā zǒngshì zhěngduàn zhěngduàn de ~ wǒ de zuòyè.* He always copies whole paragraphs from my homework. ｜ 天下文章一大~。*Tiānxià wénzhāng yí*

C

dà ~. All writings in the world are copyings. ❸〈动 *v.*〉从侧面绕过去或走近道 outflank; take a shortcut: 包~ *bāo*~ outflank; envelop | ~近道 ~ *jìndào* take a shortcut ❹〈动 *v.*〉搜查并没收 search and confiscate: 他的家被~了。*Tā de jiā bèi ~ le.* The property of his family was confiscated. ❺〈动 *v.*〉抓；拿 grab; take: 他~起一根棍子冲出门去。*Tā ~qǐ yì gēn gùnzi chōngchū mén qù.* He grabbed a stick and stormed out of the door. ❻〈动 *v.*〉两手交叉置于胸前或后背，或套在袖筒里 fold (one's hands) in the front or at the back, or in the sleeves: 他双手~在胸前看人踢球。*Tā shuāngshǒu ~ zài xiōng qián kàn rén tīqiú.* With folded hands in the front, he watched others play football. | 他把手~在背后，在院子里走来走去。*Tā bǎ shǒu ~ zài bèihòu, zài yuànzi li zǒulái-zǒuqù.* With folded hands at the back, he paced to and fro in the courtyard.

² **抄写** chāoxiě〈动 *v.*〉照原文誊写 copy by hand: 请你把这份文件~下来。*Qǐng nǐ bǎ zhè fèn wénjiàn ~ xiàlai.* Please make a copy of this document. | 请你以后把作业~得清楚一点。*Qǐng nǐ yǐhòu bǎ zuòyè ~ de qīngchu yìdiǎnr.* Please copy your homework in a clear handwriting in the future.

³ **钞票** chāopiào ❶〈名 *n.*〉(张 zhāng、沓 dá、叠 dié) 纸币 paper money; banknote ❷〈名 *n.* 方 dial.〉钱 money: 他蛮有~的。*Tā mán yǒu ~ de.* He has quite a lot of money.

² **超** chāo ❶〈动 *v.*〉从后面赶到前面；胜过 surpass; exceed: ~车 ~ *chē* overtake other vehicles on the road | ~过 ~ *guò* overtake; outstrip; surpass ❷〈动 *v.*〉超过规定的限度和通常的程度 exceed (the specified limit or normal level): ~标 ~ *biāo* surpass the set standard; exceed a quota | ~产 ~ *chǎn* overfulfill a production target or quota | ~额 ~ *é* overfulfill or exceed a quota ❸〈动 *v.*〉不受某种约束；超出某种范围 go beyond (a certain limit); transcend: ~俗 ~ *sú* free from vulgarity or banality; not inhibited by convention; unconventional | ~自然 ~ *zìrán* supernatural ❹〈形 *adj.*〉不同寻常的；突出的 extraordinary; outstanding: ~群 ~ *qún* preeminent | 高~ *gāo*~ superb; excellent

⁴ **超产** chāochǎn〈动 *v.*〉超过预期的或原定的产量 exceed a production target or quota: 今年石油将~百分之十。*Jīnnián shíyóu jiāng ~ bǎi fēn zhī shí.* The oil output of this year will exceed the production quota by 10 per cent.

⁴ **超出** chāochū〈动 *v.*〉越出（一定的数量或范围）go beyond (a certain quantity or limit); exceed: 他这样做是~我们的预料的。*Tā zhèyàng zuò shì ~wǒmen de yùliào de.* What he did went beyond our expectation.

³ **超额** chāo'é〈动 *v.*〉超过定额 overfulfill or exceed the quota: 我们~完成了任务。*Wǒmen ~ wánchéngle rènwù.* We overfulfilled the task.

² **超过** chāoguò ❶〈动 *v.*〉从后面赶到前面 pass after catching up with; overtake; outstrip: 5号选手已经~了其他的选手，跑在了最前面。*Wǔ hào xuǎnshǒu yǐjīng ~le qítā de xuǎnshǒu, pǎo zài le zuì qiánmian.* The No. 5 athlete has overtaken others and gained the lead in the race. ❷〈动 *v.*〉高于…之上 exceed: 洪峰已经~了警戒线。*Hóngfēng yǐjīng ~le jǐngjièxiàn.* The flood peak has exceeded the warning level. | 她已经~了退休年龄。*Tā yǐjīng ~le tuìxiū niánlíng.* She is above the age of retirement.

⁴ **超级** chāojí〈形 *adj.*〉超越一般等级的 beyond ordinary: ~明星 ~ *míngxīng* superstar | ~大国 ~ *dàguó* superpower | ~市场 ~ *shìchǎng* supermarket

⁴ **超越** chāoyuè〈动 *v.*〉超出；越过 go beyond; overstep; transcend; surpass; outdo: ~障碍 ~ *zhàng'ài* surmount an obstacle | ~权限 ~ *quánxiàn* overstep or exceed one's authority | 他的影响已经~国界。*Tā de yǐngxiǎng yǐjīng ~ guójiè.* His influence has gone beyond the national boundary. | 他这样做是~职权范围的。*Tā zhèyàng zuò shì ~ zhíquán fànwéi de.* What he did was beyond his authority.

¹ **朝** cháo ❶〈介 prep.〉向，表示动作的方向 towards; indicating the direction of a movement：~我走来 *wǒ zǒulái* come towards me｜~办公室走去 *bàngōngshì zǒuqù* walk towards the office｜他正~你挥手呢。*Tā zhèng ~ nǐ huīshǒu ne.* He is waving at you. ❷〈动 v.〉面向着；正对着 face：~阳 *~yáng* face the sun｜坐北~南的房子 *zuòběi-~nán de fángzi* a house facing the south ❸〈名 n.〉朝廷 court：上~ *shàng~* go to court; hold court｜退~ *tuì~* withdraw after having an audience with an emperor｜野上下 *~yě shàngxià* at court and among the populace ❹〈名 n.〉朝代 dynasty：改~换代 *gǎi~huàndài* dynasty changes｜清~ *Qīng~* Qing Dynasty｜三~元老 *sān ~ yuánlǎo* senior minister who serves more than two reigns of a dynasty; elderly politician who survives more than two administrations ❺〈名 n.〉比喻执政的地位 fig. the position of being in power：在~党 *zài ~ dǎng* party in power; ruling party ❻〈动 v.〉臣子拜见君主；教徒参拜神佛（of subjects）have an audience with a monarch;（of followers）make a pilgrimage and pay homage to god or Buddha：~觐 *~jìn* have an audience with a monarch｜~圣 *~shèng* make a pilgrimage to a sacred place

⁴ **朝代** cháodài〈名 n.〉（个 gè）建立国号的帝王世代相传的整个时代 dynasty; reign; ruling period of the founder of a country and the succession of rulers from the same family line：北京曾是中国明、清两个~的首都 *Běijīng céngshì Zhōngguó Míng, Qīng liǎng gè ~ de shǒudū.* Beijing used to be the capital city of the Ming and Qing Dynasties.｜西安和开封曾经是中国几个~的国都 *Xī'ān hé Kāifēng céngjīng shì Zhōngguó jǐ gè ~ de guódū.* Xi'an and Kaifeng used to be the capital cities of several dynasties.

⁴ **嘲笑** cháoxiào〈动 v.〉用言词取笑、挖苦别人 ridicule; jeer at; laugh at; make fun of：~的目光 *~de mùguāng* mocking look｜无情地~ *wúqíng de ~* relentlessly ridicule｜恶毒地~ *èdú de ~* maliciously laugh at｜别人的生理缺陷你怎么可以~呢! *Biéren de shēnglǐ quēxiàn nǐ zěnme kěyǐ ~ ne!* How could you make fun of other's physical defects?

³ **潮** cháo ❶〈名 n.〉海洋水面定时涨落的现象，早上叫潮，晚上叫汐 regular rising and ebbing of sea water; morning tide is '潮cháo', night tide is '汐xī'：涨~ *zhǎng ~* rising tide; flood tide｜退~ *tuì ~* ebbing tide ❷〈名 n.〉比喻有涨有落的现象 fig. rise and fall：心~ *xīn~* surge of emotion｜思~ *sī~* surging thoughts｜革命高~ *gémìng gāo~* revolutionary upsurge ❸〈名 n.〉潮流 trend; current：新~ *xīn~* new trend or fashion ❹〈形 adj.〉湿 wet; humid; damp：返~ *fǎn~* get damp｜受~ *shòu ~* be affected by dampness

⁴ **潮流** cháoliú ❶〈名 n.〉（股 gǔ）海水受潮汐的影响而产生的流动 tidal current ❷〈名 n.〉（股 gǔ）比喻社会变动发展的趋势 fig. trend of social change or development：革命的~不可阻挡。*Gémìng de ~ bùkě zǔdǎng.* Revolutionary trend is irresistible.｜改革开放是时代发展的~。*Gǎigé kāifàng shì shídài fāzhǎn de ~.* Reform and opening up to the outside world is the trend of the times.

³ **潮湿** cháoshī〈形 adj.〉含有的水分超过正常的含量 damp; moist; humid：地面，小心滑倒。*Dìmiàn, xiǎoxīn huádǎo.* The ground is damp; watch your steps.｜我不喜欢~阴冷的天气。*Wǒ bù xǐhuan ~ yīnlěng de tiānqì.* I don't like damp gloomy cold day.

² **吵** chǎo ❶〈形 adj.〉声音杂乱扰人（of sound）noisy and disturbing：~得慌 *~de huāng* terribly noisy｜这里的环境~极了。*Zhèli de huánjìng ~jí le.* It's very noisy here. ❷〈动 v.〉搅扰 disturb：别把奶奶~醒了。*Bié bǎ nǎinai ~xǐng le.* Don't wake grandma up. ❸〈动 v.〉打嘴仗；口角 quarrel; squabble; have words with; argue：~得鸡犬不宁 *~de jīquǎn-bùníng* argue so heatedly that even fowls and dogs are not left in peace｜你们俩别~了，行不行？*Nǐmen liǎ bié ~ le, xíng bù xíng?* Can't you stop arguing with each

other?

³ **吵架** chǎo//jià 〈动 v.〉剧烈地争吵 quarrel or argue vehemently; bicker: 这对夫妻三天两头~。Zhè duì fūqī sāntiān-liǎngtóu ~ . This couple quarrel with each other almost every day. | 他俩一见面就~。Tā liǎ yí jiànmiàn jiù ~ . They will quarrel with each other whenever they meet. | 我和他吵了一架。Wǒ hé tā chǎole yí jià. I had a quarrel with him. | 她和别人从来没有吵过架。Tā hé biéren cónglái méiyǒu chǎoguo jià. She never quarrels with other people.

⁴ **吵闹** chǎonào ❶〈动 v.〉大声争吵 quarrel in a loud voice; wrangle; kick up a row: ~不休 ~ bù xiū quarrel on and on ❷〈形 adj.〉喧嚷；嘈杂 noisy; bustling: 市场上~极了。Shìchǎng shang ~ jí le. There is a great deal of hustle and bustle in the market.

⁴ **吵嘴** chǎo//zuǐ 〈动 v.〉争吵；口角 quarrel; wrangle; bicker: 小夫妻~了。Xiǎo fūqī liǎ ~ le. The young couple had a quarrel. | 昨天我和他吵了几句嘴。Zuótiān wǒ hé tā chǎole jǐ jù zuǐ. We had words with him yesterday.

³ **炒** chǎo ❶〈动 v.〉把食物放在锅里加热并反复翻动使熟 stir-fry; fry; put the food in the hot wok or pan, stir quickly until it is done: ~鸡蛋 ~ jīdàn scrambled eggs | 一菜 ~ cài stir-fry; stir-fried dish ❷〈动 v.〉用反复买进卖出的办法谋取利益 make a profit by repeated buying and selling: ~股 ~ gǔ speculate in stocks | ~地皮 ~ dìpí speculate in real estate; speculate in building land ❸〈动 v.〉为取得某种效果而反复操作 repeat doing sth. in order to achieve a certain effect: ~新闻 ~ xīnwén repeated coverage of news ❹〈动 v. 方 dial.〉解雇 sack; fire: 他给老板~了。Tā gěi lǎobǎn ~ le. He was sacked by the boss.

¹ **车** chē ❶〈名 n.〉在陆地上行驶的，有轮子的交通运输工具 means of transport with wheels running on land; vehicle: 汽~ qì~ automobile; motor vehicle | 自行~ zìxíng~ bicycle; bike | ~辆 ~ liàng vehicle ❷〈名 n.〉利用轮轴转动进行工作的器械 tool with wheel and axle: 纺~ fǎng~ spinning wheel | 绞~ jiǎo~ winch; windlass | 缆~ lǎn~ cable car ❸〈名 n.〉泛指机器 machine: ~间 ~ jiān workshop | 试~ shì~ trial run; test run (of machine) ❹〈动 v.〉用车床进行加工 lathe; turn: ~零件 ~ língjiàn lathe a machine part ❺〈动 v.〉用水车取水 lift water by waterwheel: ~水 ~ shuǐ lift water by waterwheel ❻〈动 v. 方 dial.〉用缝纫机缝制衣服 sew by sewing machine: ~衣 ~ yī make garments on a sewing machine ❼〈量 meas.〉用于计量用车运载的人或物 used to measure the number of people or the amount of things carried by vehicle: 一~兵 yì ~ bīng a truckload of soldiers | 五~水果 wǔ ~ shuǐguǒ five truckloads of fruit

⁴ **车床** chēchuáng 〈名 n.〉（台 tái）一种切削机床 lathe; machine which is used for shaping metal

² **车间** chējiān 〈名 n.〉（个 gè）工厂内完成生产过程中某道工序或单独生产某种产品的单位 workshop; unit that produces certain parts in a production process or manufactures some products by itself: 组装~ zǔzhuāng ~ assembly shop | 胶印~ jiāoyìn ~ offset printing shop

³ **车辆** chēliàng 〈名 n.〉各种车的总称 general term for different kinds of vehicles; vehicle; automobile: 步行街禁止~通行。Bùxíngjiē jìnzhǐ ~ tōngxíng. Vehicle access is restricted in pedestrian mall. | 行人要注意来往~。Xíngrén yào zhùyì láiwǎng ~ . Pedestrians should look out for the passing vehicles.

³ **车厢** chēxiāng ❶〈名 n.〉（节 jié、个 gè）火车用来载人或装载货物的部分 railway carriage used to carry passengers or freight: 硬席~ yìngxí ~ hard-seat carriage | 软卧~ ruǎnwò ~ soft-sleeper carriage ❷〈名 n.〉有些汽车单独成形的载重部分也叫车厢 (of

a car) separate part used to carry a load: 这辆客车的~太脏了。*Zhè liàng kèchē de ~ tài zāng le.* The inside of this bus is too dirty.

车站 chēzhàn 〈名 *n.*〉(个 gè、座 zuò) 为乘客上下车的停车地点；供车辆装卸货物的场所 station; stop; place where public vehicles regularly stop so that passengers can get on and off; depot; place where goods can be loaded unto or unloaded from a vehicle: 火~ *huǒ~* railway station | 汽~ *qì~* bus stop; bus station | 长途~ *chángtú~* long-distance bus station; coach station | 前方停车站是北京~。*Qiánfāng tíngchēzhàn shì Běijīng ~.* The next stop is Beijing Railway Station.

³ **扯** chě ❶〈动 *v.*〉拉；牵 pull; drag: 拉~ *lā~* drag; tug | 牵~ *qiān~* involve; embroil; drag in; implicate | ~住不放 *zhù bú fàng* grab sb. or sth. and do not let go ❷〈动 *v.*〉撕；撕下 tear; tear off: 衣服给~破了。*Yīfu gěi ~pò le.* The dress was torn and ripped. ❸〈动 *v.*〉漫无边际地闲谈 chat; gossip: 胡~ *hú~* talk irresponsibly; gossip | 闲~ *xián~* chat; twaddle | 东拉西~ *dōnglā-xī~* drag in all sorts of irrelevant matters; talk at random; ramble ❹〈动 *v.*〉买 (布、线一类的东西) buy (cloth, thread, etc.): ~上二尺红头绳 *~shang èr chǐ hóng tóushéng* buy two *chi* of red hair string ❺〈动 *v.*〉比喻使足劲放开 fig. summon the strength and give oneself over to sth.: ~着嗓子喊 *~zhe sǎngzi hǎn* call at the top of one's voice

² **彻底** chèdǐ 〈形 *adj.*〉一直到底；毫无保留；深而透 thorough; without reserve; deep and penetrating: ~追查 *~zhuīchá* carry out full investigation | ~解决 *~jiějué* solve (a problem) once and for all | ~改变 *~gǎibiàn* make a radical change | ~消灭 *~xiāomiè* wipe out | ~的爱国者 *~de àiguózhě* a perfect patriot

³ **撤** chè ❶〈动 *v.*〉退；向后转移 withdraw; retreat: ~到大后方 *~dào dàhòufāng* withdraw to the vast rear area ❷〈动 *v.*〉除去；取消 remove; call off: ~掉 *~diào* remove | ~去路障 *~qù lùzhàng* remove the road block ❸〈动 *v.*〉解除职务 remove sb. from post: 董事会决定~了他副总经理的职务。*Dǒngshìhuì juédìng ~le tā fùzǒngjīnglǐ de zhíwù.* The board decided to remove the assistant general manager from his office.

⁴ **撤退** chètuì 〈动 *v.*〉军队退出原有的阵地或占领的地区 (of troops) abandon a position or occupied area; withdraw; evacuate; retreat: 敌人慌乱地~了。*Dírén huāngluàn de ~ le.* The enemy troops withdrew in haste. | 我军决定有计划地~。*Wǒ jūn juédìng yǒu jìhuà de ~.* We decided to withdraw our troops in a planned way.

⁴ **撤销** chèxiāo 〈动 *v.*〉取消；除去 cancel; rescind; revoke: ~职务 *~zhíwù* dismiss sb. from a post | ~合同 *~hétong* abandon a contract | ~处分 *~chǔfen* rescind or annul a punishment | 我们这个部门被~了。*Wǒmen zhège bùmén bèi ~ le.* Our department has been dissolved.

⁵ **尘土** chéntǔ 〈名 *n.*〉飞扬的或附在物体上的灰土 fine particles that float in the air or get stuck to an object; dust: 大路上车轮滚滚，~飞扬。*Dà lù shang chēlún gǔngǔn, ~ fēiyáng.* The vehicles passed one after another on the road, producing clouds of dust. | 桌面上积满了厚厚的一层~。*Zhuōmiàn shang jīmǎnle hòuhòu de yì céng ~.* There is a thick layer of dust on the surface of the table.

⁶ **沉** chén ❶〈动 *v.*〉在水中往下落 (与 '浮' 相对) sink (in water) (opposite to '浮fú'): ~船 *~chuán* sunken ship | 石~大海 *shí~ dàhǎi* (disappear) like a stone dropped into the sea ❷〈动 *v.*〉物体向下陷 subside; sink: 地基下~ *dìjī xià~* settling of the foundation ❸〈动 *v.*〉使精神专注，不受外界影响 absorb oneself in; be free from distractions: 他真得住气，别人闹成那样，他还照样看他的书。*Tā zhēn ~ de zhù qì, biéren nàochéng nàyàng, tā hái zhàoyàng kàn tā de shū.* The depth of his concentration is really amazing.

He can still read his book despite the noise made by people around him. ❹〈动 v.〉比喻 作色 fig. show signs of anger：他~下了脸。Tā ~xiàle liǎn. He put on a stern expression. ❺〈动 v.〉陷入某种境地 drift into a situation：~于酒色 ~ yú jiǔsè be excessively fond of wine and woman; be addicted to drinking and womanizing ❻〈形 adj.〉重量大 heavy：这只箱子挺~。Zhè zhī xiāngzi tǐng ~. This suitcase is quite heavy. ❼〈形 adj.〉(情绪等)低落 in low spirits：消~xiāo ~ downhearted; depressed｜低~ dī ~ low-spirited; downcast ❽〈形 adj.〉感觉沉重 (不舒服) heavy or uncomfortable：脑袋~ nǎodai ~ feel dizzy ❾〈副 adv.〉(程度)深 (of degree) deeply; profoundly：~睡 ~shuì fast asleep ｜~醉 ~zuì become intoxicated

⁴ **沉淀** chéndiàn ❶〈动 v.〉溶液中难以溶解的物质沉到溶液的底层 (of insoluble substances in solution) form a sediment at the bottom of a solution; precipitate：水垢在 壶底。Shuǐgòu ~ zài hú dǐ. The scale settles at the bottom of the pot. ❷〈名 n.〉沉到溶 液底层的物质 sediment; insoluble substances at the bottom of solutions：水里有~，不能 喝。Shuǐ li yǒu ~, bù néng hē. There are sediments in the water. You cannot drink it.

⁴ **沉静** chénjìng ❶〈形 adj.〉寂静 quiet; tranquil：夜深了，大路上异常~。Yè shēn le, dà lù shang yìcháng ~. It was late at night and the main street was unusually quiet. ❷〈形 adj.〉性格、神色等沉稳安静；平静 (of temperament, facial expression, etc.) calm; serene; placid：她性格~。Tā xìnggé ~. She is quiet by temperament.

⁴ **沉闷** chénmèn ❶〈形 adj.〉环境使人感到压抑烦闷 (of surroundings) depressing and suffocating; dreary：~的天气 ~ de tiānqì oppressive weather｜会场上的气氛令人感到 窒息。Huìchǎng shang ~ de qìfēn lìngrén gǎndào zhìxī. The depressing atmosphere at the meeting is suffocating. ❷〈形 adj.〉性格不爽朗；情绪郁闷 (of character) not outgoing; in a mood：他一向~，不苟言笑。Tā yíxiàng ~, bùgǒu yánxiào. He has always been withdrawn and reticent. ｜这几天他的心情一直非常~。Zhè jǐ tiān tā de xīnqíng yìzhí fēicháng ~. He felt very depressed these days. ❸〈形 adj.〉声音响而低沉 (of sound) loud and deep：远处传来~的炮声。Yuǎnchù chuánlái ~ de pàoshēng. The boom of guns came from afar.

² **沉默** chénmò ❶〈动 v.〉不爱说笑 taciturn; reticent; quiet：~寡言 ~guǎyán taciturn; of few words ❷〈动 v.〉不出声；不说话 remain silent：他坐在沙发上久久地~着。Tā zuò zài shāfā shang jiǔjiǔ de ~zhe. He sat in the sofa and lapsed into a long silence. ｜对于这 种损人利己的行为我们决不能保持~。Duìyú zhè zhǒng sǔnrén-lìjǐ de xíngwéi wǒmen jué bù néng bǎochí ~. We should never remain silent in front of such a kind of selfish deed.

³ **沉思** chénsī〈动 v.〉深刻的思考 contemplate; muse; meditate; ponder：~良久 ~ liángjiǔ be lost in thought for a long time｜陷入了~ xiànrùle ~ be immersed in contemplation

⁴ **沉痛** chéntòng ❶〈形 adj.〉深深的悲痛 deeply grieved; sorrowful：表示~的哀悼 biǎoshì ~ de āidào express profound condolences ❷〈形 adj.〉深刻而令人痛切 profound; bitter; severe; deeply felt：我们应当吸取~的教训。Wǒmen yīngdāng xīqǔ ~ de jiàoxùn. We should learn a bitter lesson from this experience.

³ **沉重** chénzhòng〈形 adj.〉分量大；程度深 heavy; to a great extent：~的打击 ~ de dǎjī a heavy blow｜~的包袱 ~ de bāofu a heavy burden｜~的代价 ~ de dàijià a high price｜ 人们迈着~的脚步走进墓地。Rénmen màizhe ~ de jiǎobù zǒujìn mùdì. People walked with heavy steps into the cemetery.

⁴ **沉着** chénzhuó〈形 adj.〉不慌不忙；从容不迫 composed; cool-headed; steady; calm：~ 应战 ~ yìngzhàn meet an attack calmly｜一定要~冷静，遇事不慌。Yídìng yào ~

lěngjìng, yù shì bù huāng. Be sure to stay calm and never act in haste should an emergency arise.

⁴ **陈旧** chénjiù 〈形 *adj.*〉过时的；旧的 old; outdated; obsolete：设备~ *shèbèi* ~ outdated equipment ｜ 式样~ *shìyàng* ~ unfashionable design ｜ ~的观念 ~ *de guānniàn* outmoded notion ｜ 屋里放着几件~的家具。*Wū li fàngzhe jǐ jiàn ~ de jiājù.* There are several pieces of old furniture in the room.

³ **陈列** chénliè 〈动 *v.*〉将物品摆开来供人观看 exhibit; display; set out：~品 ~*pǐn* exhibit ｜ 他将收藏的各种打火机一一~出来。*Tā jiāng shōucáng de gèzhǒng dǎhuǒjī yīyī ~ chūlai.* He set out various kinds of lighters he had collected. ｜ 展览大厅里~着近年来的新产品。*Zhǎnlǎn dàtīng li ~zhe jìn nián lái de xīn chǎnpǐn.* New products developed in recent years are displayed in the exhibition hall.

⁴ **陈述** chénshù 〈动 *v.*〉有条理地说出 state in a clear, organized way; enunciate：~理由 ~ *lǐyóu* give one's reasons; reason things out ｜ ~观点 ~ *guāndiǎn* set out one's views ｜ ~主张 ~ *zhǔzhāng* make clear one's position ｜ 他在会上详细地~了自己的见解。*Tā zài huì shang xiángxì de ~le zìjǐ de jiànjiě.* He explained his opinions in great detail at the meeting.

² **衬衫** chènshān 〈名 *n.*〉(件 *jiàn*) 穿在里面的西式单衣 Western-style, unlined inner clothes; shirt; blouse：长袖~ *chángxiù* ~ long-sleeved shirt ｜ 短袖~ *duǎnxiù* ~ short-sleeved shirt ｜ 丝绸~ *sīchóu* ~ silk shirt

² **衬衣** chènyī 〈名 *n.*〉(件 *jiàn*) 穿在里面的单衣 unlined inner clothes; shirt; blouse：花~ *huā* ~ bright-colored blouse ｜ 亚麻~ *yàmá* ~ linen blouse

⁴ **称心** chèn//xīn 〈动 *v.*〉满意；符合心意 be content with; find sth. gratifying：~如意 ~ *rúyì* after one's own heart ｜ 她找了一个~的对象。*Tā zhǎole yí gè ~ de duìxiàng.* She was dating a man she fancied. ｜ 这件事办得称你的心了吧! *Zhè jiàn shì bàn de chèn nǐ de xīn le ba!* You are satisfied with what has been done regarding this matter, aren't you?

² **趁** chèn ❶ 〈介 *prep.*〉利用时间、条件或机会 take advantage of time, situation, or opportunity：~年轻，多学点儿东西。*~ niánqīng, duō xué diǎnr dōngxi.* Acquire more knowledge while you are still young. ｜ 咱们~凉快赶紧走吧。*Zánmen ~ liángkuai gǎnjǐn zǒu ba.* Let's set out right now while it is still cool. ｜ 我刚煮好面条，你~热吃吧。*Wǒ gāng zhǔhǎo miàntiáo, nǐ ~ rè chī ba.* I just cooked the noodles. Help yourself while they are still hot. ❷ 〈形 *adj.* 方 *dial.*〉富有 rich：她挺~的。*Tā tǐng ~ de.* She is quite wealthy. ❸ 〈动 *v.* 方 *dial.*〉拥有 have; own：他还~一辆汽车呢。*Tā hái ~ yí liàng qìchē ne.* He even has a car.

² **称** chēng ❶ 〈动 *v.*〉叫；叫做 call; name as：大家~他为文坛泰斗。*Dàjiā ~ tā wéi wéntán tàidǒu.* People call him a leading figure in the literary world. ❷〈动 *v.*〉用言语表示肯定或赞扬 approve or praise：~颂 ~*sòng* extol; eulogize; pay tribute to ｜ ~道 ~*dào* speak approvingly of; commend ❸ 〈动 *v.*〉用言语或动作表示自己的意见或感情 use words or actions to express one's opinions or emotions：声~ *shēng*~ claim; declare ｜ 拍手~快 *pāishǒu*~*kuài* clap and cheer with great satisfaction ❹ 〈动 *v.*〉测量物体的轻重 weigh：给我~五斤桃子。*Gěi wǒ ~ wǔ jīn táozi.* Five jin of peach, please. ｜ ~一~这个西瓜有多重。*~ yì ~ zhège xīguā yǒu duō zhòng.* See how much the watermelon weighs. ❺ 〈名 *n.*〉对人或事物的叫法 name; title：统~ *tǒng*~ general term ｜ 简~ *jiǎn*~ abbreviation ｜ 职~ *zhí*~ professional title ｜ 俗~ *sú*~ popular name

⁴ **称号** chēnghào 〈名 *n.*〉赋予的称号 title conferred (on a person, work unit or event)：授予~ *shòuyǔ*~ confer a title ｜ 他获得了多面手的~。*Tā huòdéle duōmiànshǒu de ~.* He

won the title of Jack of all trades. ｜我们班得到了先进集体的~。*Wǒmen bān dédàole xiānjìn jítǐ de ~.* Our class won the title of model collective.

³ **称呼** chēnghu ❶〈动 v.〉叫 call; address：孩子们都亲切地~他妈妈。*Háizimen dōu qīnqiè de ~ tā māma.* All of the children call her mom endearingly. ❷〈名 n.〉对人的称谓，如先生、小姐、同志、师傅等 term of address, such as Mister, Miss, Comrade, Master, etc.

³ **称赞** chēngzàn〈动 v.〉夸奖；表扬 praise; acclaim; commend：他的发明得到厂长的极口~。*Tā de fāmíng dédào chǎngzhǎng de jíkǒu ~.* His invention was highly praised by the factory manager.

³ **撑** chēng ❶〈动 v.〉用手抵住 support with hand：双手~着下巴 *shuāngshǒu ~zhe xiàba* hold one's chin with both hands ｜他用力~着快要倒下的支架 *Tā yònglì ~zhe kuài yào dǎoxià de zhījià.* He propped with all his might the stand which was about to fall down. ❷〈动 v.〉用篙抵住河底使船前进 propel a boat by setting bamboo pole against the bottom of a river and pushing; punt：~船~ *chuán* punt a boat; move a boat with a pole ❸〈动 v.〉张开 open; unfurl：~伞 ~*sǎn* unfurl an umbrella ｜~开口袋 ~*kāi kǒudài* hold open a bag ❹〈动 v.〉勉强支持 maintain with difficulty; hold out：这个烂摊子我实在~不下去了。*Zhège làntānzi wǒ shízài ~ bú xiàqù le.* To tell the truth, I can't manage this mess any more. ｜这个家全靠她~着。*Zhège jiā quán kào tā ~zhe.* She is the sole provider of the family. ❺〈动 v.〉装得过满；吃的过饱 fill to the point of bursting; overeat：把口袋给~破了。*bǎ kǒudài gěi ~pò le.* The bag was stuffed so full that it burst open. ｜吃~了 *chī~ le* be full up; be bursting at the seams

¹ **成** chéng ❶〈动 v.〉办事达到预期的效果（与'败'相对）achieve the expected effect; finish; succeed; accomplish（opposite to '败bài'）：大功告~。*Dàgōng-gào~.* The great mission has been accomplished. ｜这事没办~。*Zhè shì méi bàn~.* I didn't make it. ❷〈动 v.〉变成；成为 turn into; become：点石~金 *diǎnshí~jīn* turn stone into gold with a touch; turn sth. worthless into sth. valuable ｜百炼~钢。*Bǎiliàn~gāng.* Constant smelting turns iron into steel. ｜他~了一名专家。*Tā ~le yì míng zhuānjiā.* He became an expert. ❸〈动 v.〉帮助人达到目的 help sb. achieve a goal：君子~人之美。*Jūnzǐ ~rénzhīměi.* A gentleman is always ready to help others attain their goals. ❹〈动 v.〉生长、发展到成熟的阶段 grow or develop into maturity：长大~人 *zhǎng dà ~ rén* have grown up; become an adult ❺〈动 v.〉达到一定的数量单位 reach a certain quantity：~千上万 *~qiān-shàngwàn* tens of thousands ｜~年 ~*nián* all the year round ❻〈量 meas.〉十分之一叫一成 one tenth; one out of ten：她穿了件八~新的衣服。*Tā chuānle jiàn bā ~ xīn de yīfu.* She was dressed in an eighty-percent new clothes. ｜利润五五分~。*Lìrùn wǔ wǔ fēn~.* The profit is divided into two halves. ❼〈名 n.〉成果；成就 achievement; result; yield：坐享其~ *zuòxiǎng-qí~* reap where one has not sown; do nothing and enjoy the results achieved by others ❽〈形 adj.〉现成的；定形的 ready-made; finished：~品 ~*pǐn* end or finished product ｜~药 ~*yào* ready-made medicine; patent medicine ❾〈形 adj.〉表示肯定或满足 showing approval or satisfaction：~，我听你的。*~, wǒ tīng nǐ de.* OK. I will take your advice. ｜~了，再喝就醉了。*~ le, zài hē jiù zuì le.* That's it. You will get drunk if you drink more. ❿〈形 adj.〉表示有能力 able; capable：你不~，还是让他去干吧。*Nǐ bù ~, háishi ràng tā qù gàn ba.* You are not adequate for this job. Let him do it.

³ **成本** chéngběn〈名 n.〉生产一种产品所消耗的全部费用 total cost to manufacture a product：直接~ *zhíjiē* ~ direct cost ｜间接~ *jiànjiē* ~ indirect cost

² **成分** chéngfèn ❶〈名 n.〉(种 zhǒng、个 gè)组成事物的各种物质或因素 composition;

elements or ingredients that constitute an object: 化学~ *huàxué* ~ chemical composition | 土壤~ *tǔrǎng* ~ composition of the soil ❷ 〈名 n.〉个人或家庭早先的主要经历或职业 main experiences or profession of a person; status; identity: 学生~ *xuésheng* ~ student identity | 家庭~ *jiātíng* ~ class status of one's family

² **成功** chénggōng ❶ 〈动 v.〉达到预期的目的；获得希望的结果（与'失败'相对）reach the expected objective; achieve the desired result (opposite to '失败 shībài'): 经过十年努力，他终于~了。*Jīngguò shí nián nǔlì, tā zhōngyú ~ le.* He finally succeeded after ten years of hardwork. | 失败是~之母。*Shībài shì ~ zhī mǔ.* Failure is the mother of success. ❷ 〈形 adj.〉结果圆满 successful; with satisfactory result: ~的经验 ~ *de jīngyàn* successful experience | 这次试车非常~。*Zhè cì shìchē fēicháng ~.* The test run is a great success.

² **成果** chéngguǒ 〈名 n.〉（项 xiàng、个 gè、批 pī）学习、工作、研究、事业等的收获 achievement in one's study, work, research, career, etc.: 辉煌~ *huīhuáng* ~ remarkable achievement | 突出的~ *tūchū de* ~ outstanding achievement | 丰硕的~ *fēngshuò de* ~ great success; substantial achievement | 窃取~ *qièqǔ* ~ grab the fruits of other people's labor | 这些年的科研工作出了一大批~。*Zhè xiē nián de kēyán gōngzuò chūle yí dà pī ~.* There have been a great many achievements in scientific research in recent years. | 他辛辛苦苦地干了一年却毫无~。*Tā xīnxīn-kǔkǔ de gànle yì nián què háowú ~.* He worked hard throughout the year but achieved nothing.

¹ **成绩** chéngjì 〈名 n.〉学习、工作所取得的收获 fruits of study or work; result: ~优良 ~ *yōuliáng* good marks | 取得显著的~ *qǔdé xiǎnzhù de* ~ make notable achievement

² **成交** chéngjiāo 〈动 v.〉双方达成交易 strike a bargain; conclude a transaction; clinch a deal: 拍板~ *pāibǎn* ~ strike a bargain | ~额 ~*é* volume of business | 这次交易会~的金额达到100亿美元。*Zhè cì jiāoyìhuì ~ de jīn'é dádào yìbǎi yì měiyuán.* The volume of business at this trade fair reached 10 billion dollars.

² **成就** chéngjiù ❶ 〈名 n.〉事业上的成绩 achievement in one's career; accomplishment; attainment: 辉煌的~ *huīhuáng de* ~ glorious achievement | 惊人的~ *jīngrén de* ~ astonishing achievement | 突破性的~ *tūpòxìng de* ~ breakthrough achievement ❷ 〈动 v.〉成全；完成 help sb. fulfill his wishes; accomplish: 伯父~了他俩的婚事。*Bófù ~ le tā liǎ de hūnshì.* The uncle helped bring about their marriage.

² **成立** chénglì ❶ 〈动 v.〉组织或机构等筹备成功，开始存在 (of an organization, institution, etc.) start to exist as a result of successful preparation; establish: 北京大学~于1898年。*Běijīng Dàxué ~ yú yī-bā-jiǔ-bā nián.* Peking University was founded in 1898. ❷ 〈动 v.〉观点、意见等有根据，站得住脚 (of view or opinion) hold ground; hold water; be tenable: 他的观点论据不足，不能~。*Tā de guāndiǎn lùnjù bùzú, bù néng ~.* His view cannot stand for lack of argument.

⁴ **成品** chéngpǐn 〈名 n.〉（件 jiàn、个 gè、批 pī）加工完成，可以向外供应的产品 end or finished product available to the market: 半~ *bàn* ~ semi-finished product | 我厂的~合格率达到百分之百。*Wǒ chǎng de ~ hégélǜ dádào bǎi fēn zhī bǎi.* The end products manufactured by our factory have a 100 per cent acceptance rate.

³ **成千上万** chéngqiān-shàngwàn 〈成 idm.〉形容数量极多 tens of thousands; thousands upon thousands: ~的球迷涌上街头狂欢。*~ de qiúmí yǒngshàng jiētóu kuánghuān.* Thousands of football fans spilled onto the streets for revelry.

⁴ **成人** chéngrén ❶ 〈名 n.〉成年的人 grown-up; adult: ~教育 ~ *jiàoyù* adult education ❷ 〈动 v.〉发育成熟 grow up; become full-grown: 孩子长大~了。*Háizi zhǎngdà ~ le.* The

child has grown up. ❸〈动 v.〉成器;成才 grow up to be a useful person; become an accomplished person: 她含辛茹苦了一辈子，孩子终于成了人。Tā hánxīn-rúkǔle yíbèizi, háizi zhōngyú chéngle rén. She endured all kinds of hardships in her life and finally brought her child up.

² **成熟** chéngshú ❶〈动 v.〉生物体发育到完备的阶段 (of living things) mature: 发育~了 fāyù ~ grow to maturity | 果子~了。Guǒzi ~ le. The fruits are ripe. ❷〈形 adj.〉发展到完善的地步 reaching the stage of perfection: 时机尚未~。Shíjī shàngwèi ~. The time is not ripe yet. | 条件已经~。Tiáojiàn yǐjīng ~. The conditions are ripe.

⁴ **成套** chéng//tào〈动 v.〉配合起来成为一整套 complement each other to form a complete set: ~设备 ~ shèbèi a complete set of equipment | 我不喜欢穿~的衣服。Wǒ bù xǐhuan chuān ~ de yīfu. I don't like to be dressed in suit. | 你拿走了这张邮票，这套邮票就成不了套了。Nǐ názǒule zhè zhāng yóupiào, zhè tào yóupiào jiù chéng bù liǎo tào le. If you take away this stamp, this set will be incomplete.

³ **成天** chéngtiān〈副 adv. 口 colloq.〉整天 all day long; all the time: 他~东奔西跑，也不知忙些什么！Tā ~ dōngbēn-xīpǎo, yě bù zhī máng xiē shénme! He bustles about all day. God knows what keeps him so busy! | 这孩子~玩儿电子游戏，都影响学习了。Zhè háizi ~ wánr diànzǐ yóuxì, dōu yǐngxiǎng xuéxí le. The child plays video games all the time, leaving him no time to study.

² **成为** chéngwéi〈动 v.〉变成;成了 become; turn into: 他已~一名优秀教师。Tā yǐ ~ yì míng yōuxiù jiàoshī. He has become a top-notch teacher. | 我的梦想已经~现实。Wǒ de mèngxiǎng yǐjīng ~ xiànshí. My dreams have come true.

⁴ **成效** chéngxiào〈名 n.〉功效;好的效果 effect; positive result: 初见~ chū jiàn ~ show initial effects | ~显著 ~ xiǎnzhù achieve remarkable success; produce an obvious effect | 一年来他坚持体育锻炼，如今已经取得明显的~。Yì nián lái tā jiānchí tǐyù duànliàn, rújīn yǐjīng qǔdé míngxiǎn de ~. He has been doing physical exercises for a whole year and now his effort has yielded remarkable results.

⁴ **成心** chéngxīn ❶〈形 adj.〉有意识的 deliberate: 他这样做是~的。Tā zhèyàng zuò shì ~ de. What he has done is deliberate. ❷〈副 adv.〉故意;存心 intentionally; on purpose; deliberately: 他~跟我过不去。Tā ~ gēn wǒ guòbuqù. He was deliberately making things difficult for me.

³ **成语** chéngyǔ〈名 n.〉(条 tiáo、个 gè〉长期习用的、简短精辟的固定词组或短语。汉语的成语大多由四个字组成，一般有出处，大多来源于古代寓言、历史故事、古典文学作品或民间口语 idiom; concise set phrase or short expression that has been in popular use. Most Chinese idioms consist of four characters and have their respective origins, most of which are ancient parables, historical anecdotes, classic literature or folk tongue: 她的汉语学得非常好，就连~也能应用自如。Tā de Hànyǔ xué de fēicháng hǎo, jiù lián ~ yě néng yìngyòng-zìrú. Her mastery of Chinese is so good that she can use idioms with ease.

³ **成员** chéngyuán〈名 n.〉(名 míng、个 gè〉团体、组织、家庭等的一分子 member of a group, organization, or family: 家庭~ jiātíng ~ family member | ~国 ~ guó member state

³ **成长** chéngzhǎng ❶〈动 v.〉生长成熟 grow to maturity; grow up: 茁壮~ zhuózhuàng ~ grow up sturdy and strong | 孩子们正在健康地~。Háizimen zhèngzài jiànkāng de ~. The children are growing healthily. ❷〈动 v.〉向成熟的阶段发展 develop into maturity: ~的过程 ~ de guòchéng the process of development | ~的道路 ~ de dàolù the

course of development｜这些大学毕业生~得很快，已经成为我们的骨干。*Zhèxiē dàxué bìyèshēng ~ de hěn kuài, yǐjīng chéngwéi wǒmen de gǔgàn.* These college graduates have adapted themselves to the new situation very quickly and are playing a major role here.

⁴ **呈** chéng ❶〈动 v.〉显出某种颜色或形状 appear in certain color or take certain shape：橘子的果实~扁圆形。*Júzi de guǒshí ~ biǎn yuán xíng.* The tangerine is oval in shape.｜大海~深蓝色。*Dàhǎi ~ shēn lán sè.* The color of the ocean is deep blue. ❷〈动 v.〉恭敬地献上 submit or present sth. with respect：面~miàn ~ hand in or deliver (a letter, etc.) in person｜谨~jǐn ~ respectfully submit｜~上一束鲜花~shàng yí shù xiānhuā present a bouquet of flowers ❸〈名 n.〉呈文 official document submitted to a superior; memorial; petition：辞~cí ~ resignation; letter of resignation

⁴ **呈现** chéngxiàn〈动 v.〉显示出；显露出 take on; appear; present; emerge：到处~一派繁荣景象。*Dàochù ~ yípài fánróng jǐngxiàng.* Everywhere there is a scene of prosperity.｜一片碧绿的湖水~在我们眼前。*Yípiàn bìlǜ de húshuǐ ~ zài wǒmen yǎnqián.* An expanse of green lake water came into our view.

² **诚恳** chéngkěn〈形 adj.〉真诚恳切 honest and sincere：他为人很~。*Tā wéirén hěn ~.* He is a man of honesty and sincerity.｜他的态度十分~。*Tā de tàidù shífēn ~.* His attitude is very sincere.｜他~地做了检讨。*Tā ~ de zuòle jiǎntǎo.* He made a self-criticism sincerely.

² **诚实** chéngshí〈形 adj.〉不虚假；老老实实 unaffected; honest：作风~zuòfēng ~ honest working style｜~的态度~de tàidù honest attitude｜他是一个~的孩子。*Tā shì yí gè ~ de háizi.* He is an honest child.

⁴ **诚心诚意** chéngxīn-chéngyì〈成 idm.〉诚恳的心意 earnest intention：~请求~qǐngqiú request in all sincerity｜~欢迎~huānyíng sincerely welcome｜我~地邀请您到我校任教。*Wǒ ~ de yāoqǐng nín dào wǒ xiào rènjiào.* I'd like to invite you in all sincerity to teach in our school.

⁴ **诚意** chéngyì〈名 n.〉真心；诚心 good faith; bona fides：缺乏~quēfá ~ lack good faith｜毫无~háowú ~ absence of good faith｜一片~yípiàn ~ a heart full of sincerity

⁴ **诚挚** chéngzhì〈形 adj.〉诚恳真挚 sincere; cordial：~的友谊~de yǒuyì genuine friendship｜两国首脑在~友好的气氛中进行了会谈。*Liǎng guó shǒunǎo zài ~ yǒuhǎo de qìfēn zhōng jìnxíng le huìtán.* The talks between the two heads of state proceeded in a cordial and friendly atmosphere.

⁴ **承办** chéngbàn〈动 v.〉接受办理 undertake; sponsor; host：~大型婚宴~dàxíng hūnyàn undertake grand wedding feasts｜~来料加工~láiliào jiāgōng undertake the processing of materials supplied by clients

³ **承包** chéngbāo〈动 v.〉按照议定的条件负责某个工厂、商店、工程、土地等的生产经营 take charge of production or management activities of a factory, store, engineering project, land, etc. on a contracted basis：~的条件~de tiáojiàn contract terms｜~的期限~de qīxiàn term of a contract｜他~了这一片山林。*Tā ~le zhè yí piàn shānlín.* He contracted to manage this stretch of woods on the hill.

³ **承担** chéngdān〈动 v.〉担当；担负 bear; undertake; assume：~责任~zérèn assume (take or bear) responsibility｜~后果~hòuguǒ accept responsibility for the consequences｜她主动地~起全部家务。*Tā zhǔdòng de ~ qǐ quánbù jiāwù.* She undertook all the housework of her own will.｜来华访问的一切费用由我方~。*Lái Huá fǎngwèn de yíqiè fèiyòng yóu wǒfāng ~.* We will bear all the expenses incurred by your visit to China.

² 承认 chéngrèn ❶〈动 v.〉认可；同意 admit; acknowledge; consent：他~这些事是他干的。*Tā ~ zhèxiē shì shì tā gàn de.* He admitted to doing these things. │ 做错了事，要勇于~错误。*Zuòcuòle shì, yào yǒngyú ~ cuòwù.* One should have the courage to admit his/her mistake. ❷〈动 v.〉国际上指认可某个国家、某个政权的法律地位 recognize the legal status of a country or government：日本政府~中华人民共和国政府是中国的唯一合法政府。*Rìběn zhèngfǔ ~ Zhōnghuá Rénmín Gònghéguó zhèngfǔ shì Zhōngguó de wéiyī héfǎ zhèngfǔ.* The Japanese government recognizes the People's Republic of China as the sole legal government of China.

⁴ 承受 chéngshòu ❶〈动 v.〉接受；禁受 bear; endure：~痛苦 ~ *tòngkǔ* endure the pain │ ~打击 ~ *dǎjī* bear the blow │ 这个小板凳可~不住你这个大块头的分量。*Zhège xiǎo bǎndèng kě ~ bú zhù nǐ zhège dàkuàitóu de fènliàng.* The small wooden stool can by no means bear the weight of someone as tall and bulky as you. ❷〈动 v.〉继承（财产等）inherit(property, etc.)：他~了父亲留下的家产。*Tā ~le fùqīn liúxià de jiāchǎn.* He inherited the family property left by his father.

¹ 城 chéng ❶〈名 n.〉城墙 city wall：万里长~ *wànlǐ Cháng~* the Great Wall │ 众志成~ *zhòngzhì-chéng~* the united will of the masses is like a fortress; unity is strength ❷〈名 n.〉城墙以内的地方 the area within the city wall：南~ *nán~* southern part of the city │ ~区 *~qū* city proper ❸〈名 n.〉都市（与'乡'相对）city; town; urban area（opposite to '乡xiāng'）：京~ *jīng~* capital city │ 山~ *shān~* mountain city │ ~乡差别 *~xiāng chābié* difference between city and country ❹〈名 n.〉比喻空间较大、专售某一种商品的商业点 fig. a spacious business quarter where a particular type of goods is for sale：美食~ *měishí~* gourmet city │ 家具~ *jiājù~* furniture city

¹ 城市 chéngshì〈名 n.〉（座 zuò、个 gè）人口密集、工商业发达的地方 city; densely populated area with developed industry and commerce：古老的~ *gǔlǎo de ~* ancient city │ 现代化的~ *xiàndàihuà de ~* modern city │ 美丽的~ *měilì de ~* beautiful city │ 这是一座新兴的~。*Zhè shì yí zuò xīnxīng de ~.* This is a new and developing city.

⁴ 城镇 chéngzhèn〈名 n.〉城市和集镇 cities and towns：~居民 ~ *jūmín* urban dwellers │ 繁华的~ *fánhuá de ~* prosperous cities and towns

² 乘 chéng ❶〈动 v.〉搭坐交通工具 ride; take a journey by means of transport：搭~ *dā~* travel by（plane, train, ship, etc.）│ ~车 *~chē* ride in a car │ ~船 *~chuán* go by boat │ ~飞机 *~fēijī* travel by air ❷〈动 v.〉算术的运算方法 multiply, a method of calculation in arithmetic：2~2等于4。*Èr ~ èr děngyú sì.* Two times two is four. ❸〈动 v.〉利用 take advantage of; avail oneself of：~人之危 *~rénzhīwēi* take advantage of sb.'s precarious position │ 有机可~ *yǒujī-kě~* opportunity to take advantage of; loophole that can be exploited ❹〈介 prep.〉趁着（take action when one is）in a better position：~虚而入 ~ *xū'érrù*, break through at a weak point; infiltrate by taking advantage of the enemy's unpreparedness │ ~胜追击 *~shèng zhuījī* continue one's triumphant pursuit; exploit victories through hot pursuit ❺〈名 n.〉佛教的教义或教派 teachings or main division of Buddhism：大~ *dà~* Mahayana │ 小~ *xiǎo~* Hinayana

⁴ 乘机 chéngjī ❶〈副 adv.〉趁着机会；利用时机 seize the chance or opportunity：~破坏 ~ *pòhuài* seize the chance and sabotage │ ~逃脱 ~ *táotuō* seize the chance and flee │ 最近功课不忙，我~看了几本小说。*Zuìjìn gōngkè bù máng, wǒ ~ kànle jǐ běn xiǎoshuō.* There has not been so much schoolwork recently so I seize this opportunity to read a few novels. ❷〈动 v.〉搭乘飞机 go by plane：我们~前往北京。*Wǒmen ~ qiánwǎng Běijīng.* We left for Beijing by plane.

³ **乘客** chéngkè〈名 n.〉（名 míng、个 gè、位 wèi）搭乘车、船、飞机的人 passenger; person travelling by automobile, boat or plane

⁴ **乘务员** chéngwùyuán〈名 n.〉（名 míng、个 gè、位 wèi）在公交车、火车、轮船、飞机上从事服务工作的人员 person providing service on a public bus, train, ship or plane; conductor or conductress; steward or stewardess; attendant

³ **盛** chéng ❶〈动 v.〉用容器装东西 put things in a container; fill; ladle: ~饭 ~ fàn fill a bowl with rice │ ~菜 ~ cài fill a plate with dish │ ~汤 ~ tāng ladle soup（into a bowl）│ 这个坛子是用来~酒的。Zhège tánzi shì yònglái ~ jiǔ de. This jug is used for holding wine. ❷〈动 v.〉装入；容纳 put things in; hold; contain: 你可以拿这个网兜~水果。Nǐ kěyǐ ná zhège wǎngdōu ~ shuǐguǒ. You can use this string bag to put fruit in. │ 这个口袋~不下20斤面。Zhège kǒudài ~ bù xià èrshí jīn miàn. This bag is not big enough to hold 20 jin of wheat flour.
☞ shèng, p. 882

² **程度** chéngdù ❶〈名 n.〉文化、教育、知识、能力等的水平（of literacy, education, knowledge, capability, etc.）level; degree: 文化~ wénhuà ~ degree of literacy; level of education │ 觉悟~ juéwù ~ level of political consciousness │ 他的外语不高。Tā de wàiyǔ ~ bù gāo. His level of the foreign language is not high. │ 这个班的~相当整齐。Zhège bān de ~ xiāngdāng zhěngqí. The scholastic attainments of this class are quite even. ❷〈名 n.〉事物变化达到的状况 extent or degree to which sth. undergoing change reaches: 满意的~ mǎnyì de ~ level of satisfaction │ 新旧的~ xīn jiù de ~ to what extent sth. is new or old │ 无可挽回的~ wúkě-wǎnhuí de ~ to an irretrievable extent │ 不可救药的~ bùkě-jiùyào de ~ to a hopeless degree │ 白热化的~ báirèhuà de ~ turn white hot

³ **程序** chéngxù〈名 n.〉（套 tào、种 zhǒng、道 dào）办事的规则；事情进行的先后次序 rules of doing things; sequence of doing things; procedure; programme: 工作~ gōngzuò ~ working procedure │ 会议~ huìyì ~ procedure of a meeting │ 法律~ fǎlù ~ legal procedure │ 计算机~ jìsuànjī ~ computer program │ 简单的~ jiǎndān de ~ simple procedure │ 固定的~ gùdìng de ~ set procedure │ 严格的~ yángé de ~ rigorous procedure │ 我们必须按~办事。Wǒmen bìxū àn ~ bànshì. We must follow the set procedure in doing things.

⁴ **惩** chéng ❶〈动 v.〉处罚 punish; penalize: ~办 ~bàn mete out punishment │ 严~ yán~ severely punish │ 奖~分明 jiǎn~fēnmíng be fair in handing out rewards and punishments ❷〈动 v.〉警戒 warn; guard against: ~前毖后 ~qián-bìhòu learn from past mistakes to avoid future ones

⁴ **惩办** chéngbàn〈动 v.〉处罚；治罪 punish; penalize: ~凶手 ~ xiōngshǒu punish the murderer │ ~罪犯 ~ zuìfàn punish the criminal │ 严厉~ yánlì ~ mete out severe punishment │ 对于各种犯罪分子必须严加~。Duìyú gèzhǒng fànzuì fēnzǐ bìxū yánjiā ~. Tough punishment must meted out to all kinds of criminals.

⁴ **惩罚** chéngfá〈动 v.〉严厉地处罚 punish severely; chastise: 严厉地~ yánlì de ~ severely punish │ 狠狠地~ hěnhěn de ~ rigorously punish │ 犯罪分子受到了应有的~。Fànzuì fēnzǐ shòudàole yīng yǒu de ~. The criminals were duly punished.

⁴ **澄清** chéngqīng ❶〈动 v.〉弄清楚（问题、认识等）clarify（a problem, subject, etc.）: ~事实 ~ shìshí clarify the facts │ ~观点 ~ guāndiǎn make clear one's view │ ~问题 ~ wèntí clear up a problem │ 我们之间的误会终于得到了。Wǒmen zhījiān de wùhuì zhōngyú dédàole ~. Our misunderstanding was finally cleared up. ❷〈形 adj.〉清亮 clear and bright; limpid: 池水碧绿~。Chí shuǐ bìlù ~. The water in the pond is green and

limpid.

⁴秤 chèng 〈名 n.〉（杆 gǎn、台 tái、个 gè）测定物体重量的器具；特指中国的杆秤 a piece of equipment used for weighing things; esp. steelyard used in China：台 ~ tái ~ platform scale｜杆 ~ gǎn ~ steelyard; lever scale｜地 ~ dì ~ weighbridge｜弹簧 ~ tánhuáng ~ spring scale｜电子 ~ diànzǐ~ electronic scale｜人人心里有杆 ~ 都有自己的是非标准。Rénrén xīn li yǒu gǎn ~ (yù zhǐ měi gè rén dōu yǒu zìjǐ de shìfēi biāozhǔn). There is a steelyard in everyone's mind　(fig. Everyone has his/her own criteria of right and wrong).

¹吃 chī **❶**〈动 v.〉把食物等放到嘴里经过咀嚼咽下去（包括吸、喝）put food into one's mouth, chew and swallow（including suck and drink）; eat：~饭~fàn eat a meal｜~零食 ~ língshí take snacks between meals｜夜宵 ~ yèxiāo take midnight snack｜药 ~ yào take medicine **❷**〈动 v.〉在某个地方吃；按某种标准吃 eat at a certain place; eat by a certain standard：~食堂 ~ shítáng dine in a canteen｜~饭馆 ~ fànguǎn eat at an eating-house; dine out｜~小灶（比喻享受特殊待遇）~ xiǎozào (bǐyù xiǎngshòu tèshū dàiyù) eat at a small mess where better food is prepared and served for a restricted number of diners（fig. enjoy some privilege）**❸**〈动 v.〉凭借某种事物或依靠某种人生活 live on sth. or live off sb.：靠山~山，靠水~水（比喻依靠现成的条件生存和发展）。Kàoshān ~ shān, kàoshuǐ ~ shuǐ (bǐyù yīkào xiànchéng de tiáojiàn shēngcún hé fāzhǎn). Those living in a mountain live on the mountain and those living by a river get a living from the water（fig. to subsist on what resources are available）.｜~老本 ~ lǎoběn live off one's past gains or achievements｜~利息 ~ lìxī live on interest｜~救济 ~ jiùjì live on relief｜~父母 ~ fùmǔ live off one's parents **❹**〈动 v.〉消灭（多用于打仗或下棋）wipe out; annihilate（mostly in war or a chess game）：我~了他的一个车。Wǒ ~le tā de yí gè jū. I took his chariot.｜我军~掉了敌人的一个师。Wǒ jūn ~diàole dírén de yí gè shī. Our troops wiped out a division of the enemy force. **❺**〈动 v.〉吸收（多为液体）absorb（mostly liquid）：这种纸不~墨。Zhè zhǒng zhǐ bù ~ mò. This kind of paper does not absorb ink.｜茄子挺~油，要多放点~油。Qiézi tǐng ~ yóu, yào duō fàng diǎnr yóu. Put more oil because the eggplant can absorb a lot of oil.｜化纤料子太~土。Huàxiān liàozi tài ~ tǔ. Chemical fibre absorbs too much dust. **❻**〈动 v.〉领会；掌握 understand; grasp：~透会议的精神 ~tòu huìyì de jīngshén grasp the essence of the meeting｜我还~不准他的想法。Wǒ hái ~bùzhǔn tā de xiǎngfǎ. I'm not sure what's in his mind. **❼**〈动 v.〉承受；接受 endure; withstand; take：~苦 ~kǔ bear hardships｜~惊 ~jīng be taken aback; be surprised; be shocked｜~不消 ~buxiāo be unable to bear｜~不住 ~buzhù not strong enough to sustain heavy weight｜~了一个哑巴亏 ~le yí gè yǎbakuī swallowed a bitter pill in silence; had to keep one's grievances to oneself **❽**〈动 v.〉耗费 consume; exhaust：~力 ~lì laborious; strenuous｜~劲 ~jìn energy-consuming

²吃惊 chī//jīng 〈动 v.〉受惊；感到惊讶 be startled; feel surprised：令人~的举动 lìngrén ~ de jǔdòng surprising behavior｜吃了一惊 chīle yì jīng be taken aback｜大吃一惊 dà chī yì jīng be greatly surprised; jump out of one's skin｜听了这个消息，我们都感到非常~。Tīngle zhège xiāoxi, wǒmen dōu gǎndào fēicháng ~. We felt very surprised at the news.

³吃苦 chī//kǔ 〈动 v.〉经受艰难困苦 bear hardships; suffer：~耐劳 ~ nàiláo bear hardships and hard work; be used or inured to hardship and toil｜吃大苦，耐大劳 chī dà kǔ, nài dà láo bear great hardship and exceedingly hard work｜吃了一辈子苦 chīle yíbèizi kǔ suffer throughout one's life｜吃不了苦 chī bù liǎo kǔ be unable to bear hardships｜吃尽了苦 chījìnle kǔ suffered from all kinds of hardships｜怕~ pà~ be unwilling to bear any hardship

³ 吃亏 chī/kuī ❶〈动 v.〉受损失 suffer losses: ~上当 ~ shàngdàng suffer losses and be taken in｜我不会让你~的。Wǒ búhuì ràng nǐ ~ de. I will not let you suffer any loss.｜吃了大亏 chīle dà kuī suffer a great loss｜他上了朋友的当，吃了一个哑巴亏。Tā shàngle péngyou de dàng, chī le yí gè yǎbakuī. He was taken in by one of his friends. Despite the losses he had suffered, he did not dare to speak out. ❷〈动 v.〉处于不利的地位；不利的条件 be at a disadvantage; be in an unfavorable situation: 他没被录取，是吃了不懂电脑的亏。Tā méi bèi lùqǔ, shì chīle bù dǒng diànnǎo de kuī. Because of his computer illiteracy, he was not employed.｜这场球没踢好，是吃了客场的亏。Zhè chǎng qiú méi tīhǎo, shì chīle kèchǎng de kuī. The away game put them at a disadvantage and explained their poor performance.

³ 吃力 chīlì ❶〈形 adj.〉费力(常指能力不够) strenuous; painstaking (usu. referring to lack of ability): 他学习挺~的。Tā xuéxí tǐng ~ de. He studies with considerable difficulty.｜我干这活一点儿也不~。Wǒ gàn zhè huó yìdiǎnr yě bù ~. I did not feel any strain when I was doing the job.｜不讨好 ~ bù tǎohǎo do a thankless job; spare no pains but get no gains ❷〈形 adj. 方 dial.〉疲劳；累 exhausted; tired: 他干了一天活，觉得很~。Tā gànle yì tiān huó, juéde hěn ~. He felt worn out after a day's work.

³ 池 chí ❶〈名 n.〉水塘；积水的坑 pond; pool: 养鱼~ yǎngyú~ fish pond｜荷花~ héhuā~ lotus pond｜游泳~ yóuyǒng~ swimming pool ❷〈名 n.〉指某些四周高中间低洼的地方 depression; low-lying land; place that resembles a pool: 舞~ wǔ~ dance floor｜乐~ yuè~ orchestra pit｜洗脸~ xǐliǎn~ washing stand｜便~ biàn~ toilet bowl; urinal｜花~ huā~ flower bed ❸〈名 n. 书 lit.〉护城河 moat: 城~ chéng~ city｜城门失火，殃及~鱼(比喻无端受牵连而遭祸殃)。Chéngmén-shīhuǒ, yāngjí~yú (bǐyù wúduān shòu qiānlián ér zāo huòyāng). When the city gate is on fire, the fish in the moat will suffer (fig. innocent people often fall victim to what others do; be a scapegoat for someone else's wrongdoing).

⁴ 池塘 chítáng 〈名 n.〉(个 gè、片 piàn、处 chù) 蓄水的洼地 pond; pool; an area of water surrounded by land: 我家的院子后面有一片~。Wǒ jiā de yuànzi hòumiàn yǒu yípiàn ~. There is a pond at the back of the courtyard of my house.

³ 迟 chí ❶〈形 adj.〉慢；缓慢 slow; tardy: ~缓 ~huǎn slow; sluggish｜事不宜~。shìbùyí~. The matter brooks no delay. ❷〈形 adj.〉比规定的时间或合适的时间晚 late; after the time that is arranged or proper: 我今天上班~了十分钟。Wǒ jīntiān shàngbān ~le shí fēnzhōng. I was ten minutes late for work today.｜午饭吃得太~了。Wǔfàn chī de tài ~ le. The lunch was rather late. ❸〈形 adj.〉久 long: ~~不作答复 ~~ bú zuò dáfù fail to give a reply after a long delay

¹ 迟到 chídào 〈动 v.〉到得比规定的时间晚 arrive after the arranged time: 今天我~了。Jīntiān wǒ ~ le. I was late today.｜这是一条~的消息。Zhè shì yì tiáo ~ de xiāoxi. This is a piece of belated news.

⁴ 迟缓 chíhuǎn 〈形 adj.〉缓慢；不迅速 sluggish; not prompt: 行动~ xíngdòng ~ act slowly｜动作~ dòngzuò ~ dodder｜进展~ jìnzhǎn ~ make little progress｜语调~ yǔdiào ~ slow tone｜工程的进度非常~。Gōngchéng de jìndù fēicháng ~. The pace of the project is very slow.

⁴ 迟疑 chíyí 〈动 v.〉犹豫；拿不定主意 hesitate; have difficulty making up one's mind: ~不决 ~bùjué hesitate when making a decision｜~的目光 ~ de mùguāng hesitant look｜

他~了片刻，还是答应了我的要求。*Tā ~le piànkè, háishì dāyìngle wǒ de yāoqiú.* He hesitated for a moment before agreeing to my request.│他~了半天，最后还是买下了这台电脑。*Tā ~le bàntiān, zuìhòu háishì mǎixiàle zhè tái diànnǎo.* He hesitated for a long time and finally bought the computer.

³ **持久** chíjiǔ〈形 *adj.*〉保持长久 lasting; enduring; protracted：~战 ~ *zhàn* protracted warfare│和平 ~ *hépíng* lasting peace│~的合作 ~ *de hézuò* enduring cooperation│经过~的努力，他终于成了一名专家。*Jīngguò ~ de nǔlì, tā zhōngyú chéngle yì míng zhuānjiā.* He finally became an expert after making persistent effort.

⁴ **持续** chíxù ❶〈副 *adv.*〉连续不断地 continuously：~发展 ~ *fāzhǎn* continue to develop│~下降 ~ *xiàjiàng* continue to decrease│~高温 ~ *gāowēn* continuing high temperature│我们要保持~增长的势头。*Wǒmen yào bǎochí ~ zēngzhǎng de shìtóu.* We should maintain the momentum of sustained growth. ❷〈动 *v.*〉延续；继续 last; continue：暴雨~了三个小时。*Bàoyǔ ~le sān gè xiǎoshí.* The rainstorm lasted 3 hours.

² **尺** chǐ ❶〈名 *n.*〉中国使用的市尺的通称 general term for *chi*, unit of length used in China ❷〈名 *n.*〉(把 *bǎ*) 量长度的工具 tool for measuring length; ruler：卷~ *juǎn~* tape measure; band tape│皮带~ *pídài~* tape measure; tape ❸〈名 *n.*〉(把 *bǎ*) 绘图的工具 tool for drawing：放大~ *fàngdà~* pantograph│丁字~ *dīngzì~* T-square ❹〈名 *n.*〉中医学术语尺中的简称，指寸口脉的一部分 abbr. for *chizhong*, one of the three pulse-taking points on the wrist in traditional Chinese medicine ❺〈量 *meas.*〉中国使用的市制长度单位，合1/3米 *chi*, one third of a metre; unit of length used in China：我买了五~布。*Wǒ mǎile wǔ ~ bù.* I bought five *chi* of cloth.

³ **尺寸** chǐcùn〈名 *n.*〉长度（一般指可以用尺量的不太长的长度）(usu. referring to those which are not too long to be measured by ruler) length; size：你这条裤子的~不合适。*Nǐ zhè tiáo kùzi de ~ bù héshì.* Your trousers are of the wrong size.│你就照这件衣服的~给我做吧。*Nǐ jiù zhào zhè jiàn yīfu de ~ gěi wǒ zuò ba.* Make a garment for me according to the measurement of this one.│沙发的~ *shāfā de ~* the size of the sofa│电视机的~ *diànshìjī de ~* the size of the TV set

³ **尺子** chǐzi〈名 *n.*〉(把 *bǎ*) 量长度的器具 ruler; instrument for measuring length：我买了一把~。*Wǒ mǎile yì bǎ ~.* I bought a ruler.│你的~准确不准确？*Nǐ de ~ zhǔnquè bù zhǔnquè?* Is your ruler accurate?

⁴ **齿轮** chǐlún〈名 *n.*〉(个 *gè*) 有齿的轮状机件 gear; toothed machine part shaped like a wheel：~是机器上最常用的一种零件。*~ shì jīqì shang zuì chángyòng de yì zhǒng língjiàn.* Gear is the most frequently used part in a machine.

³ **赤道** chìdào〈名 *n.*〉环绕地球表面距离南北两极相等的圆周线 equator; imaginary line around the surface of the earth equidistant from its poles：~把地球分成了南北两个半球。*~ bǎ dìqiú fēnchéngle nán běi liǎng gè bàn qiú.* Equator divides the earth into the southern and northern hemispheres.│~国家 ~ *guójiā* equatorial country

⁴ **赤字** chìzì〈名 *n.*〉支出超过收入，余额为负数 deficit; the amount by which the money spent is more than the money received; the negative number of the remaining sum：财政~ *cáizhèng ~* financial deficit│出现~ *chūxiàn ~* be in the red│~预算 ~ *yùsuàn* deficit budget

² **翅膀** chìbǎng ❶〈名 *n.*〉(对 *duì*、副 *fù*、双 *shuāng*、个 *gè*、只 *zhī*) 鸟类、昆虫的飞行器官 wing; one of the organs by which a bird or insect flies：蜻蜓用~飞行。*Qīngtíng yòng ~ fēixíng.* Dragonfly flies by wings.│展开~ *zhǎnkāi ~* stretch out wings ❷〈名 *n.*〉物体上形状或作用像翅膀的部分 part of the object that looks or functions like a wing：

飞机~ *fēijī* ~ wings of a plane ❸〈名 n.〉比喻能力 fig. ability; capability：他的~硬了，再也不听我的话了。*Tā de ~ yìng le, zài yě bù tīng wǒ de huà le.* As he has grown able, he no longer heeds my advice.

² 冲 chōng ❶〈动 v.〉朝特定的方向或目标快速猛闯 make a quick charge in a specified direction or towards a goal：横~直撞 *héng~zhízhuàng* dash around like mad; jostle and elbow one's way; rampage｜~出重围 *~chū chóngwéi* break loose from heavy enemy encirclement ❷〈动 v.〉用开水沏 pour boiling water on：~茶 *~chá* make tea｜~咖啡 ~ *kāfēi* make coffee ❸〈动 v.〉冲洗；冲击 rinse; wash away; flush：把茶杯~干净 bǎ *chábēi ~ gānjìng* rinse the tea cup｜洪水~垮了堤岸。*Hóngshuǐ ~kuǎle dī'àn.* The flood breached the dyke. ❹〈动 v.〉碰撞；触犯 clash; offend：~突 *~tū* conflict｜~撞 *~zhuàng* give offence to; offend ❺〈动 v.〉向上升；向上顶 move upward：怒气~天 *nùqì~tiān* be in a towering rage｜怒发~冠 *nùfà~guān* bristle with anger ❻〈动 v.〉使显影 make the latent image visible; develop：~胶卷 *~jiāojuǎn* develop a film｜~扩 ~ *kuò* develop and enlarge｜~印 *~yìn* develop and print ❼〈动 v.〉收支相互抵消 offset; strike a balance in revenue and expenditure：~账 *~zhàng* balance an account ❽〈动 v.〉迷信指化凶为吉 (superstition) turn ill luck into good luck：~喜 *~xǐ* happy event arranged in the hope that this joyous occasion might ward off the evil spirits and bring a seriously ill person back to health ❾〈名 n.〉通行的大道 thoroughfare：要~ *yào~* hub (of transport); place of strategic importance

☞ chòng, p. 121

⁴ 冲锋 chōngfēng〈动 v.〉在战场上迅猛地冲向敌人，进行近距离的战斗 charge at the enemy in a sweeping manoeuvre and fight at close quarters：~陷阵 *~xiànzhèn* charge against the enemy line; charge ahead in battle; fight bravely｜我军向敌阵地发起了猛烈的~。*Wǒ jūn xiàng dí zhèndì fāqǐle měngliè de ~.* Our troops launched a fierce attack on the enemy position.

³ 冲击 chōngjī ❶〈动 v.〉(水流等)撞击物体(of water currents, etc.) break against an object; collide with; pound; lash：巨浪~着海岸。*Jùlàng ~zhe hǎi'àn.* Huge waves lashed the beach. ❷〈动 v.〉冲锋 charge; assault：向敌人发起~ *xiàng dírén fāqǐ* ~ launch an attack against the enemy ❸〈动 v.〉打击；使受到打击 strike a blow; suffer a blow：他在运动中受过很大的~。*Tā zài yùndòng zhōng shòuguo hěn dà de ~.* He suffered a huge blow in the movement. ❹〈动 v.〉大的干扰或影响 have a great damaging effect on or exert a great influence on：我们的教学工作受到了~。*Wǒmen de jiàoxué gōngzuò shòudàole ~.* Our teaching activities were affected.｜新的思想不断地~着旧的传统。*Xīn de sīxiǎng búduàn de ~zhe jiù de chuántǒng.* New ideas constantly challenge the traditional ones.

⁴ 冲破 chōngpò〈动 v.〉突破某种状态、限制等 break through (a certain situation, limitation, etc.)：~黑暗 ~ *hēi'àn* penetrate the darkness｜~封锁 ~ *fēngsuǒ* break through or breach a blockade｜~阻力 ~ *zǔlì* break through the obstruction｜~障碍 ~ *zhàng'ài* surmount an obstacle｜~束缚 ~ *shùfù* throw off the shackles｜~禁区 *jìnqū* break into a forbidden zone

³ 冲突 chōngtū ❶〈动 v.〉矛盾尖锐化，发生激烈的争斗 (of conflict) intensify; engage in intense fighting：边境~ *biānjìng ~* border clashes｜武装~ *wǔzhuāng ~* armed conflict｜双方~起来了。*Shuāngfāng ~qǐlái le.* The two sides began to fight against each other. ❷〈动 v.〉互相矛盾或抵触 contradict; conflict; clash：这两个会议的时间~了。*Zhè liǎng gè huìyì de shíjiān ~ le.* The two meetings clash with each other.｜你的论点前后

了。*Nǐ de lùndiǎn qiánhòu ~ le*. Your arguments are inconsistent. ❸〈名 *n.*〉尖锐的、表面化的矛盾 acute, apparent contradiction：我们之间没有根本利害的~。*Wǒmen zhījiān méiyǒu gēnběn lìhài de ~*. There is no fundamental conflict of interests between us. │ 双方的~已经不可避免。*Shuāngfāng de ~ yǐjīng bùkě bìmiǎn*. The conflict between the two sides is unavoidable.

⁴ **充当** chōngdāng 〈动 *v.*〉临时取得某种身份或担任某项职务 serve as; act as; play the part or assume office on a temporary basis：~向导 *~ xiàngdǎo* act as a guide │ 翻译~ *fānyì ~* act as an interpreter │ ~调解人 *~ tiáojiěrén* act as a mediator │ 司机病了，我就临时~你的司机吧。*Sījī bìng le, wǒ jiù línshí ~ nǐ de sījī ba*. The driver is ill. Let me drive you for the time being.

² **充分** chōngfèn ❶〈形 *adj.*〉足够 sufficient; enough; ample：理由~ *lǐyóu ~* well-justified reasons │ 论据~ *lùnjù ~* well-grounded arguments │ 营养~ *yíngyǎng ~* sufficient nutrition │ 他的准备工作做得很~。*Tā de zhǔnbèi gōngzuò zuò de hěn ~*. He has made sufficient preparations. ❷〈副 *adv.*〉尽量；尽可能 to the best of one's ability or knowledge; as far as possible：~发挥 *~ fāhuī* give full play to │ ~依靠 *~ yīkào* rely on sb. as far as possible │ ~利用 *~ lìyòng* make full use of │ ~满足 *~ mǎnzú* meet the demand of sb. to the best of one's ability │ 你要~调动大家的积极性。*Nǐ yào ~ diàodòng dàjiā de jījíxìng*. You should fully mobilize the initiative of everybody.

² **充满** chōngmǎn ❶〈动 *v.*〉填满；布满；塞满 cram; be full of; be filled with：眼睛里~了泪水。*Yǎnjing li ~ le lèishuǐ*. Eyes are filled with tears. │ 屋子里~了火药味(比喻气氛紧张)。*Wūzi li ~le huǒyàowèi (bǐyù qìfēn jǐnzhāng)*. The room is permeated with a smell of gunpowder (*fig*. The atmosphere in the room is confrontational). │ 礼堂里~了欢歌笑语。*Lǐtáng li ~ le huāngē-xiàoyǔ*. The auditorium was filled with merry singing and laughter. ❷〈动 *v.*〉充分具有 be full of; be imbued with; be brimming with：~活力 *~ huólì* be full of vigor; vigorous │ ~自豪 *~ zìháo* be brimming with pride │ ~艰辛 *~ jiānxīn* be full of hardships │ 我们对前途~信心。*Wǒmen duì qiántú ~ xìnxīn*. We are absolutely confident of the future.

⁴ **充沛** chōngpèi 〈形 *adj.*〉充足；旺盛 plentiful; abundant; energetic：精力~ *jīnglì ~* energetic │ 感情~ *gǎnqíng ~* passionate feelings │ 雨水~ *yǔshuǐ ~* abundant rainfall │ ~的创作激情 *~ de chuàngzuò jīqíng* boundless enthusiasm for creation

³ **充实** chōngshí ❶〈形 *adj.*〉丰富；充足 rich; abundant; substantial：内容~ *nèiróng ~* substantial content │ 材料~ *cáiliào ~* abundant material │ 思想~ *sīxiǎng ~* rich in thought │ 我们的生活过得非常~。*Wǒmen de shēnghuó guòde fēicháng ~*. We live a very fruitful life. ❷〈动 *v.*〉使充足；加强 substantiate; strengthen：我们要不断地~自己的知识。*Wǒmen yào búduàn de ~ zìjǐ de zhīshi*. We shall enrich our knowledge continuously. │ 我们要录用一批研究生来~我们的技术力量。*Wǒmen yào lùyòng yì pī yánjiūshēng lái ~ wǒmen de jìshù lìliang*. We are going to employ several postgraduates to strengthen our technical force.

² **充足** chōngzú 〈形 *adj.*〉充分；足够 sufficient; enough：水分~ *shuǐfèn ~* rich in water │ 阳光~ *yángguāng ~* abundant sunlight │ 库存~ *kùcún ~* sufficient stock │ 经费~ *jīngfèi ~* ample fund │ 货源~ *huòyuán ~* an ample supply of goods │ 你的理由不够~。*Nǐ de lǐyóu búgòu ~*. Your reasons are not sufficient.

² **虫子** chóngzi 〈名 *n.*〉(条 tiáo、只 zhī、个 gè)昆虫和类似昆虫的小动物 insect or insect-like small creature：菜地里长~了。*Càidì li zhǎng ~ le*. The vegetable garden is infested with insects. │ 别怕，这种~不咬人。*Biépà, zhè zhǒng ~ bù yǎo rén*. Don't

panic. This kind of insect does not sting.

² **重** chóng ❶〈副 *adv.*〉再；又 again; once more：~写 ~*xiě* rewrite ｜旧地~游 *jiù dì* ~ *yóu* revisit a place ｜~建家园 ~*jiàn jiāyuán* rebuild one's homeland ｜请你~说一遍。*Qǐng nǐ* ~ *shuō yí biàn.* Please repeat what you have said. ❷〈量 *meas.*〉相当于'层'layer, the equivalent of '层 céng'：万~山 *wàn* ~ *shān* endless ranges of mountains ｜双~领导 *shuāng*~ *lǐngdǎo* dual leadership ｜~~包围 ~~ *bāowéi* layer after layer of encirclement ❸〈动 *v.*〉重复 repeat：这本字典买~了。*Zhè běn zìdiǎn mǎi~ le.* (I) bought another copy of the same dictionary by mistake. ❹〈动 *v.*〉重叠；重合 overlap; pile up：这两条线印得~在一起了。*Zhè liǎng tiáo xiàn yìn de ~ zài yìqǐ le.* The two lines were printed in a way that they overlapped each other.

☞ zhòng, p. 1301

² **重叠** chóngdié ❶〈动 *v.*〉相同的东西一层层堆积在一起（of the same objects）pile up; overlap：山峦 ~ *shānluán* ~ range upon range of mountains ｜机构 ~ *jīgòu* ~ administrative organs overlap one another ❷〈动 *v.*〉重复发出（相同的语音）utter again (the same speech sounds)：~式 ~*shì* repeat pattern ｜汉语的有些动词和形容词可以~，称为'~式'，动词的~式为ABAB，如'考虑考虑'，形容词的~式为AABB，如'大大方方'。*Hànyǔ de yǒuxiē dòngcí hé xíngróngcí kěyǐ ~, chēngwéi '~shì', dòngcí de ~shì wéi ABAB, rú 'kǎolǜ-kǎolǜ', xíngróngcí de ~shì wéi AABB, rú 'dàdà-fāngfāng'.* In Chinese language, some verbs and adjectives can be repeated, which is called 'repeat pattern'. In the case of verbs, the pattern is ABAB, such as '考虑考虑 kǎolǜ-kǎolǜ (consider)'. In the case of adjectives, the pattern is AABB, such as '大大方方 dàdà-fāngfāng (natural)'.

² **重复** chóngfù ❶〈动 *v.*〉再一次做（相同的事情）do (the same thing) once again：请把你刚才的话~一遍。*Qǐng bǎ nǐ gāngcái de huà ~ yíbiàn.* Please repeat what you have just said. ❷〈形 *adj.*〉（同样的事物）再次出现（of the same thing）repetitive：你这两段话的内容是~的。*Nǐ zhè liǎng duàn huà de nèiróng shì ~ de.* Your second paragraph repeats the main idea of your first paragraph.

⁴ **重申** chóngshēn〈动 *v.*〉再一次申述；一次申明 reaffirm; restate：~立场 ~*lìchǎng* reaffirm one's stand ｜~观点 ~*guāndiǎn* reiterate one's view ｜~意见 ~*yìjiàn* restate one's opinions ｜~理由 ~*lǐyóu* restate one's reasons ｜我现在向大家~一下课堂纪律。*Wǒ xiànzài xiàng dàjiā ~ yíxià kètáng jìlù.* I'd like to restate the class discipline to you.

² **重新** chóngxīn ❶〈副 *adv.*〉再一次 again; once more：病愈后，他又~走进了教室。*Bìngyù hòu, tā yòu ~ zǒujìnle jiàoshì.* He came back to the classroom to resume teaching after his recovery from illness. ｜这部小说我又~阅读了一遍。*Zhè bù xiǎoshuō wǒ yòu ~ yuèdúle yíbiàn.* I reread the novel. ❷〈副 *adv.*〉从头另开始（改变方法或内容）(in terms of method or content)(start) afresh：我又把房间~布置了一下。*Wǒ yòu bǎ fángjiān ~ bùzhìle yíxià.* I rearranged the room. ｜脱胎换骨，~做人 tuōtāi-huàngǔ, ~ zuòrén thoroughly remould oneself and turn over a new leaf

⁴ **崇拜** chóngbài〈动 *v.*〉钦佩；敬仰 admire; respect; worship：~领袖 ~*lǐngxiù* worship the leader ｜~偶像 ~*ǒuxiàng* worship an idol ｜~英雄 ~*yīngxióng* worship the hero ｜~专家 ~*zhuānjiā* respect the expert ｜~名人 ~*míngrén* idolize the celebrity ｜由衷地~ *yóuzhōng de* ~ sincerely admire ｜盲目地~ *mángmù de* ~ blindly worship ｜狂热地~ *kuángrè de* ~ feverishly worship

² **崇高** chónggāo〈形 *adj.*〉最高的；最高尚的 lofty; sublime; high; noble：~的理想 ~*de lǐxiǎng* lofty ideal ｜~的品质 ~*de pǐnzhì* noble character ｜~的事业 ~*de shìyè* noble

cause | ~的友谊 ~ *de yǒuyì* noble friendship | 人品~ *rénpǐn* ~ of virtuous character | 致以~的敬礼 *zhì yǐ* ~ *de jìnglǐ* extend to you my highest salutations | 表示~的敬意 *biǎoshì* ~ *de jìngyì* express to you the assurances of my highest consideration

⁴ **崇敬** chóngjìng 〈动 *v.*〉推崇和尊敬 hold sb. in high esteem; respect; revere: 我们怀着~的心情来到烈士陵园。*Wǒmen huáizhe* ~ *de xīnqíng lái dào lièshì língyuán.* We came to the cemetery of revolutionary martyrs with a feeling of great reverence. | 英雄的高尚品质令人~。*Yīngxióng de gāoshàng pǐnzhì lìngrén* ~. The hero's noble attributes are held in high esteem.

³ **冲** chòng ❶〈动 *v.* 口 colloq.〉正对着某个方向 face a certain direction: 大门~北。*Dà mén* ~ *běi.* The gate faces the north. | 窗户~南。*Chuānghu* ~ *nán.* The window faces the south. ❷〈动 *v.*〉冲压 punch; press: ~床 ~*chuáng* punching machine ❸〈介 *prep.*〉对着；向着 towards; against: 别~我发火！*Bié* ~ *wǒ fāhuǒ!* Don't vent your anger on me! | 他~着我微笑。*Tā* ~*zhe wǒ wēixiào.* He smiled at me. ❹〈介 *prep.*〉凭；根据 because of; on the basis of: ~你这点儿钱，也想开个公司？ ~ *nǐ zhè diǎnr qián, yě xiǎng kāi gè gōngsī?* With your small amount of money, how can you expect to start your own company? | ~你的面子，我一定帮他的忙。 ~ *nǐ de miànzi, wǒ yídìng bāng tā de máng.* I will help him for sure out of consideration for your feelings. ❺〈形 *adj.*〉力气大；劲头足 strong; vigorous: 他这个人有一股子~劲儿。*Tā zhège rén yǒu yìgǔzi* ~*jìnr.* He is a man with plenty of dash. | 你说话太~了。*Nǐ shuōhuà tài* ~ *le.* You speak too bluntly. ❻〈形 *adj.*〉气味浓烈 (of smell) strong and pungent: 这泡菜的味儿太~了。*Zhè pàocài de wèir tài* ~ *le.* The pickled vegetables smell too strong.

☞ chōng, p. 118

¹ **抽** chōu ❶〈动 *v.*〉把夹在中间的东西取出来 take out from in between; draw: 她从钱包里~出一张钱来。*Tā cóng qiánbāo li* ~*chū yì zhāng qián lái.* She took a banknote from her purse. ❷〈动 *v.*〉从总体里拿出一部分 take a part from the whole: ~样调查 ~ *yàng diàochá* sample survey; sampling | 他~了几个人来支援我们。*Tā* ~*le jǐ gè rén lái zhīyuán wǒmen.* He transferred a few people to assist us. ❸〈动 *v.*〉吸 obtain by drawing: ~水 ~*shuǐ* pump water | ~烟 ~*yān* smoke a cigarette | ~血 ~*xiě* draw blood ❹〈动 *v.*〉打(多用长条形的东西)(mostly with strip-like objects) lash; whip; thrash; flog: ~了一鞭子 ~*le yì biānzi* give a whip | ~了两个嘴巴 ~*le liǎng gè zuǐba* slap sb. across his/her face twice ❺〈动 *v.*〉(某些植物体)长出 (of certain plants) put forth; grow: ~芽 ~*yá* put forth buds | ~穗 ~*suì* be in the ear; ear ❻〈动 *v.*〉收缩 shrink: 这块布下水后~了一大截。*Zhè kuài bù xià shuǐ hòu* ~*le yí dà jié.* The cloth shrank a lot in the wash. | 年过六十，人也越长越~~了。*Nián guò liùshí, rén yě yuè zhǎng yuè* ~~ *le.* People grow shorter after reaching sixty.

⁴ **抽空** chōu // kòng 〈动 *v.*〉挤出时间(做别的事)manage to find time (to do other things): ~学习 ~ *xuéxí* manage to find time to study | ~干家务 ~ *gàn jiāwù* find time to do housework | 我~回了趟家。*Wǒ* ~*huíle tàng jiā.* I managed to find time to go home. | 这两个星期我忙得抽不出一点儿空来。*Zhè liǎng gè xīngqī wǒ máng de chōu bù chū yìdiǎnr kòng lái.* In these two weeks I was so busy that I had no time to spare.

⁴ **抽屉** chōuti 〈名 *n.*〉家具中可以抽拉出来盛放东西的部分 drawer; movable container in a piece of furniture: 磁盘放在上面的~里。*Cípán fàng zài shàngmiàn de* ~ *li.* The floppy disks are put in the upper drawer. | 你的~该整理一下了。*Nǐ de* ~ *gāi zhěnglǐ yíxià le.* It's high time you tidied your drawer.

² **抽象** chōuxiàng ❶〈形 *adj.*〉空洞的；笼统的；不能具体体验到的 abstract; general; not

applicable or practical：~思维 ~ *sīwéi* abstract thought｜~概念 ~ *gàiniàn* abstract concept｜这篇文章写得太~了，没有什么实际的内容。*Zhè piān wénzhāng xiě de tài ~ le, méiyǒu shénme shíjì de nèiróng.* The essay is full of vague generalizations and lacks practical content. ❷〈动 *v.*〉从许多事物中，抽出共同的、本质的属性 derive the common nature or essence from a number of things：从客观事物中~出概念来。*Cóng kèguān shìwù zhōng ~ chū gàiniàn lái.* Derive concepts from things that exist independent of human consciousness.

² **抽烟** chōu//yān〈动 *v.*〉同'吸烟' same as '吸烟xīyān'

³ **仇** chóu ❶〈名 *n.*〉强烈的恨 intense hatred：苦大~深 *kǔdà-~shēn* have suffered bitterly and nurse deep hatred｜血海深~ *xuèhǎi-shēn* huge debt of blood; intense and inveterate hatred｜新~旧恨 *xīn-~jiùhèn* new hatred piled on old; both old and new score｜深~大恨 *shēn~-dàhèn* bitter and deep-seated hatred; profound enmity｜报~雪恨 *bào~-xuěhèn* avenge or wipe out a grievance; pay off old scores｜恩将~报 *ēnjiāng~bào* return evil for good; requite kindness with enmity｜公报私~ *gōngbàosī~* avenge a personal wrong in the name of public interests; use one's official position to punish sb. for a private grudge ❷〈名 *n.*〉仇人；敌人 enemy; foe：嫉恶如~ *jí'èrú~* hate evil like an enemy; detest evil｜同~敌忾 *tóng~-díkài* share a bitter hatred of the enemy; burning with a common hatred for the enemy｜亲痛~快 *qīntòng-~kuài* sadden one's friends and gladden one's enemies

³ **仇恨** chóuhèn ❶〈动 *v.*〉强烈地憎恨 hate bitterly or intensely：人人都~无耻的卖国贼。*Rénrén dōu ~ wúchǐ de màiguózéi.* Everyone hates bitterly the shameless traitor to the motherland. ❷〈名 *n.*〉深刻的怨恨 bitter or intense hatred; hostility：满腔~ *mǎnqiāng ~* be filled with hatred｜民族~ *mínzú ~* national hatred｜刻骨~ *kègǔ ~* deep-seated hatred｜~的怒火 ~ *de nùhuǒ* flames of hatred｜~的种子 ~ *de zhǒngzi* seed of hatred

⁴ **绸子** chóuzi〈名 *n.*〉（块 kuài、匹 pǐ）薄而软的丝织品 fine, soft silk fabric：~面料 ~*miànliào* surface fabric made of silk｜~衬衫 ~*chènshān* silk shirt

⁴ **稠密** chóumì〈形 *adj.*〉又多又密 great in number as well as dense：人口~ *rénkǒu ~* dense population｜院子里花草长得十分~。*Yuànzi li huācǎo zhǎng de shífēn ~.* The courtyard is thick with flowers.｜这些年沿海地区建起了~的高速公路网。*Zhèxiē nián yánhǎi dìqū jiànqǐle ~ de gāosù gōnglùwǎng.* In recent years dense expressway networks have been built along the coastal regions.

² **愁** chóu ❶〈动 *v.*〉担忧；苦闷 be worried; feel low：不~吃，不~穿 *bù ~ chī, bù ~ chuān* not have to worry about food or clothing｜~得吃不下饭，睡不着觉 ~ *de chī búxià fàn, shuì bù zháo jiào* so worried that one loses both appetite and sleep｜孩子不学好，让他~白了头。*Háizi bù xué hǎo, ràng tā ~báile tóu.* He was so worried by his child, who had picked up bad habits, that his hair turned white. ❷〈名 *n.*〉悲伤的情绪 melancholy; sadness; sorrow：离~ *lí~* sorrow at parting｜乡~ *xiāng~* homesickness

⁴ **筹备** chóubèi〈动 *v.*〉事先计划和准备 make plan and preparation：~会议 ~*huìyì* make preparations for a meeting｜~工作 ~*gōngzuò* preparatory work｜~展览 ~ *zhǎnlǎn* make preparations for an exhibition｜~委员会 ~ *wěiyuánhuì* preparatory committee｜积极~ *jījí ~* actively prepare for（an event）｜一切~就绪。*Yíqiè ~ jiùxù.* All the preparations are well under way.

⁴ **筹建** chóujiàn〈动 *v.*〉策划建立 prepare to construct or establish：~学校 ~ *xuéxiào* make preparations to establish a school｜~公司 ~ *gōngsī* prepare to set up a company

~工厂 ~ *gōngchǎng* make preparations for the construction of a factory | ~铁路 ~ *tiělù* make preparations for the construction of a railroad

⁴ 踌躇 chóuchú ❶ 〈动 v.〉犹像；拿不定主意 hesitate; have difficulty making up one's mind: ~不决 ~ *bùjué* hesitant and irresolute | ~了半天，他还是决定不去。~*le bàntiān, tā háishì juédìng bú qù.* He finally decided against going there after hesitating for a long time. | 这事让我颇费~。*Zhè shì ràng wǒ pō fèi ~.* This matter took me a lot of consideration. ❷ 〈形 adj. 书 lit.〉得意的样子 self-satisfied; complacent: ~满志 ~ *mǎnzhì* elated with one's success

³ 丑 chǒu ❶ 〈形 adj.〉相貌或样子难看（与'美'相对）unpleasant in appearance; ugly-looking (opposite to '美měi'): ~陋 ~*lòu* ugly; hideous | 她长得很 ~. *Tā zhǎng de hěn ~.* She is ugly. ❷ 〈形 adj.〉令人厌恶或令人鄙视的 causing dislike or contempt; detestable: ~态百出 ~*tài-bǎichū* cut a despicable figure; put on an abnominable show | 当场出~ *dāngchǎng chū~* make a spectacle of oneself | ~剧 ~*jù* farce | ~闻 ~*wén* scandal | ~行 ~*xíng* scandalous conduct; misdemeanor | 家~不可外扬。*Jiā ~ bùkě wài yáng.* Domestic shame should not be made public. / Don't wash dirty linen in public. ❸ 〈名 n.〉中国戏曲角色行当之一，扮演滑稽人物，有文丑、武丑之分。由于鼻梁上抹一块白粉，俗称'小花脸'。扮演女性人物称'丑旦'、'丑婆子' comedian; clown; comic role in traditional Chinese opera, subdivided into civil and martial clown. As there is a patch of white paint on the bridge of the nose, the clown is popularly referred to as '小花脸 xiǎohuāliǎn (small flowery face).' Those who play the role of a woman are called '丑旦 chǒudàn','丑婆子 chǒupózi (female clown)'. ❹ 〈名 n.〉地支的第二位（地支有子、丑、寅、卯等十二个字，丑列第二）；用于顺序的第二；中国旧时用干支（天干和地支的合称）来表示年、月、日和时的次序 second of the twelve Earthly Branches; Each Heavenly Stem pairs up alternatively with each of the Earthly Branches to form 60 pairs that are used in a recurrent cycle to designate years, months and dates

⁴ 丑恶 chǒu'è 〈形 adj.〉丑陋；恶劣（与'美好'相对）ugly; hideous; repulsive (opposite to '美好měihǎo'）: ~的灵魂 ~ *de línghún* ugly soul | ~的面目 ~ *de miànmù* repulsive features | ~的行为 ~ *de xíngwéi* disgusting behavior | ~现象 ~*xiànxiàng* scandalous phenomenon | ~的思想 ~ *de sīxiǎng* evil thought | 极端~ *jíduān* ~ extremely repulsive | 我们一定要揭开他的~嘴脸。*Wǒmen yídìng yào jiēkāi tā de ~ zuǐliǎn.* We must expose his hideous nature.

² 臭 chòu ❶ 〈形 adj.〉气味难闻（与'香'相对）smelly; stinky; foul (opposite to '香 xiāng'）: ~气熏天 ~*qì-xūntiān* stink to the sky | ~不可闻 ~*bùkěwén* unbearably stinky | 出了一身~汗 *chūle yì shēn ~ hàn* break out in a smelly sweat ❷ 〈形 adj.〉令人生厌的；丑恶的 disgusting; ugly: ~美 ~*měi* showing off unabashedly（about one's good looks or talent）; immensely pleased with oneself | ~架子 ~*jiàzi* disgusting airs | ~德性 ~ *déxing* repulsive manner or behavior | ~毛病 ~*máobìng* bad habit | ~名远扬 ~*míng-yuǎnyáng* be notorious far and wide | ~味相投 ~*wèi-xiāngtóu* be birds of a feather; be two of a kind ❸ 〈形 adj.〉低劣的 inferior; poor; bad: ~棋 ~*qí* bad move | 你就别给他支~招儿啦！*Nǐ jiù bié gěi tā zhī ~ zhāor la!* You'd better quit offering him poor advice. | 这球踢得真~！*Zhè qiú tī de zhēn ~!* The footballers' performance in this game is really poor! ❹ 〈副 adv.〉狠狠地 severely; harshly; relentlessly: 一顿~打 *yí dùn ~ dǎ* a good beating | 我把他~骂了一通。*Wǒ bǎ tā ~ màle yítòng.* I gave him a good dressing-down.

¹ 出 chū ❶ 〈动 v.〉从里面到外面（与'进''入'相对）proceed from inside to outside

(opposite to '进jìn', '入rù'）：~门 ~mén go out; be away from home │ ~国 ~guó go abroad │ ~境 ~jìng leave the country │ ~城 ~chéng go out of town ❷〈动 v.〉显露；显现 become conspicuous; emerge：~头露面 ~tóu-lòumiàn make a public appearance; be in the limelight │ ~名 ~míng become famous │ ~丑 ~chǒu make a fool of sb. or oneself ❸〈动 v.〉发出；发泄；生出 put forth; release; emit：~汗 ~hàn sweat │ ~了一口气 ~le yìkǒuqì breathe a sigh of relief; give vent to one's anger │ ~芽 ~yá sprout │ ~疹子 ~zhěnzi have measles ❹〈动 v.〉往外拿 give; offer：~钱 ~qián offer money │ ~力 ~lì exert oneself; make great efforts │ ~主意 ~zhǔyi offer advice; make suggestions │ ~节目 ~jiémù give a performance ❺〈动 v.〉超出；超过 exceed; go beyond：~轨 ~guǐ derail │ ~众 ~zhòng be out of the ordinary; be outstanding │ ~乎意料 ~hū yìliào go beyond one's expectations; be contrary to one's expectations │ 不~三天他准会来找你。Bù ~ sān tiān tā zhǔn huì lái zhǎo nǐ. He is bound to visit you within three days. ❻〈动 v.〉出产；产生；发生 produce; give rise to; happen：~石油 ~shíyóu produce oil │ ~问题 ~wèntí go wrong; go amiss; get into trouble │ ~事故 ~shìgù accident happens │ 今天上午真~活儿的。Jīntiān shàngwǔ tǐng ~huór de. I've been quite efficient this morning. ❼〈动 v.〉来到 come; arrive; be present：~席 ~xí attend │ ~场 ~chǎng come on the stage; enter the arena or sports ground │ ~庭 ~tíng appear in court ❽〈动 v.〉出自；源出 be quoted from; 语~《论语》。Yǔ ~ 'Lúnyǔ'. It's a quotation from the Analects of Confucius. │ 这幅画~自名家手笔。Zhè fú huà ~ zì míngjiā shǒubǐ. This painting was drawn by a master. ❾〈动 v.〉支出 spend; expend：量入为~ liàngrù-wéi~ live within one's means; keep one's expenditure within the limits of one's income │ 入不敷~ rùbùfū~ be unable to make both ends meet; one earns less than one spends; go beyond one's means │ ~纳 ~nà receive and pay out money or bills ❿〈动 v.〉出版 publish：这家出版社每年~书上千种。Zhè jiā chūbǎnshè měinián ~ shū shàng qiān zhǒng. The press publishes over one thousand titles of book every year. ⓫〈动 v.〉用在动词后表示向外、显露或完成 used after a verb to indicate the outward movement, appearance or completion of sth.：走~门外 zǒu~ mén wài go out of the door │ 露~真相 lòu~ zhēnxiàng reveal one's true colors │ 做~成绩 zuò~ chéngjì make achievement │ 选~代表 xuǎn~ dàibiǎo select a representative ⓬〈动 v.〉用在形容词后表示超过 used after an adjective to indicate the excess of sth.：质量高~同类产品。Zhìliàng gāo~ tónglèi chǎnpǐn. The quality of this product is superior to that of the same kind. 多~了五块钱。Duō~le wǔ kuài qián. There is five yuan too much. ⓭〈量 meas.〉中国戏曲的一个独立剧目叫一出 a separate program of a Chinese opera; play：今晚将演三~戏。Jīn wǎn jiāng yǎn sān ~ xì. Three plays will be performed this evening.

² **出版** chūbǎn〈动 v.〉将图书报刊印出来；将音像制品制作出来 edit and publish book, newspaper or periodical; produce audio and visual products：图书~ túshū ~ book publication │ 音像~ yīnxiàng ~ publish audio and visual products │ ~商 ~shāng publisher │ 禁止~ jìnzhǐ ~ forbid to publish │ 非法~ fēifǎ ~ illegally publish

³ **出差** chū//chāi〈动 v.〉短时间到外地办理公事 go on a business trip：我的工作需要经常~。Wǒ de gōngzuò xūyào jīngcháng ~. My job involves frequent travels. │ 上个月我到上海出了一趟差。Shàng gè yuè wǒ dào Shànghǎi chūle yí tàng chāi. I went to Shanghai on business last month. │ 我还要出几天差。Wǒ háiyào chū jǐ tiān chāi. I have to make a business trip which will take me a few days.

⁴ **出产** chūchǎn ❶〈动 v.〉天然生长或人工生产 produce naturally or manufacture：中东~石油。Zhōngdōng ~ shíyóu. The Middle East produces oil. │ 我们家乡~茶叶。

Wǒmen jiāxiāng ~ cháyè. Our hometown produces tea. ❷〈名 n.〉出产的物品 things that are produced: 我的家乡~丰富。*Wǒ de jiāxiāng ~ fēngfù.* My hometown is rich in produce.

出动 chūdòng ❶〈动 v.〉(部队)外出活动 (of troops) set out: 大部队已经做好准备，待命~。*Dà bùduì yǐjīng zuòhǎo zhǔnbèi, dàimìng ~.* The main force is ready and awaiting order to set out. ❷〈动 v.〉派遣; 派出 send out; dispatch: ~坦克 ~ tǎnkè dispatch tanks | ~轰炸机 ~ hōngzhàjī dispatch bombers | 当局~大批军警镇压骚乱。*Dāngjú ~ dàpī jūnjǐng zhènyā sāoluàn.* The authority sent out massive military troops and police force to suppress the riot. ❸〈动 v.〉(大批人为某事)行动起来 (of many people) get into action: 全校同学~参加植树活动。*Quán xiào tóngxué ~ cānjiā zhíshù huódòng.* All the students of the school took part in planting trees.

出发 chūfā ❶〈动 v.〉从原来所在的地方前往别的地方 leave the original location for another place; set off; set out: 我们很快就要~去边疆采访了。*Wǒmen hěnkuài jiù yào ~ qù biānjiāng cǎifǎng le.* We are about to leave for the border area to gather material for a report. ❷〈动 v.〉以某一点作为考虑或处理问题的着眼点 consider or handle an issue from a certain perspective: 我们必须从实际~考虑问题。*Wǒmen bìxū cóng shíjì ~ kǎolù wèntí.* We must keep the reality in mind while considering issues. | 我们所做的一切应当从人民的根本利益~。*Wǒmen suǒ zuò de yíqiè yīngdāng cóng rénmín de gēnběn lìyì ~.* We should keep the fundamental interests of the people in mind while performing our duties.

出发点 chūfādiǎn ❶〈名 n.〉路程的起点 starting point of a journey: 从~到终点的距离是十公里。*Cóng ~ dào zhōngdiǎn de jùlí shì shí gōnglǐ.* The distance from the starting point to the destination is ten kilometers. ❷〈名 n.〉最根本着眼的地方 most essential point of emphasis: 我们的~是使广大的人民富裕起来。*Wǒmen de ~ shì shǐ guǎngdà de rénmín fùyù qǐlái.* Our intention is to make it possible for the broad masses to get rich.

出访 chūfǎng 〈动 v.〉到外国访问 go abroad on an official visit: 我们将~东南亚。*Wǒmen jiāng ~ Dōngnányà.* We are going to visit Southeast Asia.

出境 chū//jìng ❶〈动 v.〉离开国境 leave the country: 驱逐~qūzhú ~ deport | 限期~xiànqī ~ leave the country within a time limit | 请到机场办理~手续。*Qǐng dào jīchǎng bànlǐ ~ shǒuxù.* Please go through exit formalities at the airport. ❷〈动 v.〉离开某个地区 leave an area: 过了这座大桥，就出了北京的境了。*Guòle zhè zuò dàqiáo, jiù chūle Běijīng de jìng le.* We are out of Beijing once we cross the bridge.

出口 Ⅰ chū//kǒu 〈动 v.〉说出话来 speak; utter: 你不要~伤人。*Nǐ búyào ~ shāngrén.* Don't you ever speak ill of me. | 他挺有才的，~成章。*Tā tǐng yǒu cái de, ~ chéngzhāng.* He is so talented that words flow from his mouth as from the pen of a master. ❷〈动 v.〉本国或本地区的货物运销出去 (of goods) transport out of a country or locality: ~货 ~huò export goods | ~税 ~shuì export duty | 这批电视机是~美国的。*Zhè pī diànshìjī shì ~ Měiguó de.* This shipment of TV sets is to go to the United States. Ⅱ chūkǒu 〈名 n.〉(个gè)从建筑物或场地出去的门或口儿 (与 '入口' 相对) exit (opposite to '入口rùkǒu'): 我在电影院的~等你。*Wǒ zài diànyǐngyuàn de ~ děng nǐ.* I'm waiting for you at the exit of the cinema.

出来 chū//lái 〈动 v.〉从里面到外面来 move from inside to outside: 请~一下，我想跟你商量件事。*Qǐng ~ yíxià, wǒ xiǎng gēn nǐ shāngliang jiàn shì.* Would you please come out for a moment? I have something to talk over with you. | 今晚有场电影，你出得来出不来? *Jīn wǎn yǒu chǎng diànyǐng, nǐ chū de lái chū bù lái?* Can you come out and go to the movie this evening? ❷〈动 v.〉出现；产生 appear; emerge; come out：化验的结果还没~。Huàyàn de jiéguǒ hái méi ~. The laboratory test result has not come out yet.｜太阳~了，该起床啦！Tàiyáng ~ le, gāi qǐchuáng la! The sun has come out. Time to get up!｜由于我考虑不周到，问题~了。Yóuyú wǒ kǎolǜ bù zhōudào, wèntí ~ le. Problems arose because I failed to take everything into consideration. ❸〈动 v.〉用在动词的后面，表示 used after a verb to indicate：a) 行为动作由里向外朝着说话的人 an act directed from inside a place towards the speaker：他从院子里走~。Tā cóng yuànzi li zǒu ~. He came out of the courtyard.｜他从兜里拿出两张票来。Tā cóng dōu li náchū liǎng zhāng piào lái. He took two tickets out of his pocket. b) 由隐蔽到显露 the change from a hidden state to emergence：我已经认不出他来了。Wǒ yǐjīng rèn bù chū tā lái le. I am unable to recognize him.｜我想~了一个好办法。Wǒ xiǎng ~le yí gè hǎo bànfǎ. I came up with a good method. c) 动作完成或实现 the completion or realization of an action：创造~ chuàngzào~ (sth.) has been invented｜生产~ shēngchǎn~ (sth.) has been produced｜我们研制~一种新的产品。Wǒmen yánzhì ~ yì zhǒng xīn de chǎnpǐn. We have developed a new product.

³ **出路** chūlù ❶〈名 n.〉〈条 tiáo、个 gè〉通向外面的路 way out：这是这座山村通向外界的唯一一条~。Zhè shì zhè zuò shāncūn tōngxiàng wàijiè de wéiyī yì tiáo ~. This is the only way which connects the mountain village to the outside world. ❷〈名 n.〉〈条 tiáo、个 gè〉比喻发展的道路或生存的机会 fig. means of development or opportunity for survival：改恶从善是犯罪分子的唯一一~。Gǎi'è-cóngshàn shì fànzuì fènzǐ de wéiyī ~. The only way out for criminals is to atone for their crimes and turn over a new leaf.｜不改革开放就没有~。Bù gǎigé kāifàng jiù méiyǒu ~. The only way out is to reform and open up to the outside world. ❸〈名 n.〉〈条 tiáo、个 gè〉销售货物的市场或去处 market or sales outlet for commodities：请你帮我们给这种产品找个~吧。Qǐng nǐ bāng wǒmen gěi zhè zhǒng chǎnpǐn zhǎo gè ~ ba. Please help us find a market for this kind of product.

³ **出卖** chūmài ❶〈动 v.〉出售 sell; offer for sale：这家商店~名家字画。Zhè jiā shāngdiàn ~ míngjiā zìhuà. This store sells calligraphy and paintings of accomplished masters.｜国家文物不许~。Guójiā wénwù bù xǔ ~. Selling national cultural relics is forbidden. ❷〈动 v.〉为了个人的利益，作出有利于敌人，使国家、民族或朋友受到损害的事情 do sth. in the service of the enemy for personal interests at the expense of the state, nation, or friends：~民族利益 ~ mínzú lìyì betray national interests｜~灵魂 ~ línghún sell one's soul｜~朋友 ~ péngyou betray one's friend｜~情报 ~ qíngbào sell intelligence

³ **出门** chū//mén ❶〈动 v.〉外出 go out：你来得真不巧，他刚~。Nǐ lái de zhēn bù qiǎo, tā gāng ~. Unfortunately, he'd just gone out before you came. ❷〈动 v.〉离家远行 leave home for a long journey：你一个人~在外，一切要格外小心。Nǐ yí gè rén ~ zài wài, yíqiè yào géwài xiǎoxīn. Take extra care of yourself when you are away from home.｜下个月我要出趟远门。Xià gè yuè wǒ yào chū tàng yuǎn mén. I will take a long trip next month.

⁴ **出面** chū//miàn 〈动 v.〉以某种名义或身份做某件事 act in the name of a person or in one's own capacity：这事还要你~帮助说句话才好。Zhè shì hái yào nǐ ~ bāngzhù shuō jù huà cái hǎo. With regard to this matter, it is necessary that you come forward to put in a word for us.｜如果你肯出个面，事情就好办多了。Rúguǒ nǐ kěn chū gè miàn, shìqing jiù hǎo bàn duō le. This could be done much more easily if you agreed to

intervene personally. │ 这件事可以由学校~交涉。*Zhè jiàn shì kěyǐ yóu xuéxiào ~ jiāoshè.* The school can be the negotiator for this matter.

³ **出名** chū//míng 〈动 *v.*〉有名的；声名远扬 be famous; be well-known; make one's mark：他是我们学校~的才子。*Tā shì wǒmen xuéxiào ~ de cáizǐ.* He is a famous talented student in our school. │ 他可是个出了名的淘气包。*Tā kě shì gè chūle míng de táoqìbāo.* He is a well-known mischievous imp. │ 人怕~猪怕壮(猪长肥了就会被宰杀，比喻人出名后会招致麻烦)。*Rén pà ~ zhū pà zhuàng(zhū zhǎngféile jiù huì bèi zǎishā, bǐyù rén chūmíng hòu huì zhāozhì máfan).* It's bad for a man to become famous and for a pig to grow fat (fat pig will be slaughtered for its meat. *fig.* People will get into trouble when they become famous).

³ **出难题** chū nántí〈动 *v.*〉提出问题，故意使人为难 pose a difficult question; put sb. in a difficult situation：他的麻烦够多的了，别再给他~了。*Tā de máfan gòu duō de le, bié zài gěi tā ~ le.* He has already run into a lot of trouble. Don't pose any difficult question to him. │ 你让我三天完成任务，可真是给我出了个大难题。*Nǐ ràng wǒ sān tiān wánchéng rènwù, kě zhēnshì gěi wǒ chūle gè dà nántí.* You put me in a really difficult situation by asking me to finish the task within three days.

⁴ **出品** chūpǐn 〈名 *n.*〉生产出来的物品 things produced; product：我厂的~都是经过严格检验的。*Wǒ chǎng de ~ dōu shì jīngguò yángé jiǎnyàn de.* All the products made by our factory have passed strict quality tests. │ 不合格的~一律报废。*Bù hégé de ~ yílǜ bàofèi.* Any product which is not up to standard must be discarded.

¹ **出去** chū//qù ❶〈动 *v.*〉由里往外去 go from inside to outside：咱们~走走吧。*Zánmen ~ zǒuzǒu ba.* Let's go out and take a walk. │ **出得去** chū de qù be able to go out │ **出不去** chū bú qù be unable to go out ❷〈动 *v.*〉用在动词的后面，表示行为动作由里向外离开说话的人 used after a verb to indicate a movement away from the speaker：走~ *zǒu ~* go out │ 赶~ *gǎn ~* drive out │ 豁~ *huō ~* go ahead at any price; be ready to risk everything │ 送~ *sòng ~* see sb. out, send sth. off │ 他从家里搬~了。*Tā cóng jiā li bān ~ le.* He moved out of his home.

⁴ **出入** chūrù ❶〈动 *v.*〉出去和进来 go out and come in：自由~ *zìyóu ~* free passage │ 禁止~。*Jìnzhǐ ~.* Passage Forbidden. │ 公园不准车辆~。*Gōngyuán bù zhǔn chēliàng ~.* The park is closed to traffic. ❷〈名 *n.*〉不一致、不相符的地方 inconsistency; discrepancy：这篇报道和事实有很大的~。*Zhè piān bàodào hé shìshí yǒu hěn dà de ~.* This report is inconsistent with the facts in many ways. │ 你们两个说的没有太大的~。*Nǐmen liǎng gè shuō de méiyǒu tài dà de ~.* There is little discrepancy between what you two have said. │ 现金和账目有点儿~。*Xiànjīn hé zhàngmù yǒu diǎnr ~.* Cash on hand somewhat does not tally with the figure in the accounts.

⁴ **出色** chūsè〈形 *adj.*〉特别好；超出一般的 excellent; extremely good; outstanding：~的表演 ~ *de biǎoyǎn* excellent performance │ ~的成绩 ~ *de chéngjì* remarkable achievement │ 她是一位~的舞蹈家。*Tā shì yí wèi ~ de wǔdǎojiā.* She is an outstanding dancer. │ 你做得非常~。*Nǐ zuò de fēicháng ~.* You did an excellent job.

³ **出身** chūshēn ❶〈动 *v.*〉生长于 be born and brought up：他~于一个艺术世家。*Tā ~ yú yí gè yìshù shìjiā.* He was born and brought up in an artists' family. ❷〈名 *n.*〉个人的早期经历或由家庭经济、社会地位所决定的个人身份 one's identity as related to one's early experience or family background, esp. financial and social status：家庭~ *jiātíng ~* family background │ 学生~ *xuésheng ~* student identity │ 工人~ *gōngrén ~* have a working-class background

C

⁴ **出神** chū // shén 〈动 v.〉因精神过于专注而发呆 be spellbound as a result of the concentration of mind：看得~ kàn de ~ watch with rapt attention｜想得~ xiǎng de ~ be lost in thought｜钢琴家的出色演奏使她听得出了神。Gāngqínjiā de chūsè yǎnzòu shǐ tā tīng de chūle shén. She listened to the pianist's excellent performance with rapt attention.｜他~地望着窗外的美景。Tā ~ de wàngzhe chuāng wài de měijǐng. He stared at the beautiful view outside the window in a trance.

² **出生** chūshēng 〈动 v.〉胎儿从母体分离出来 (of a baby) come out of its mother's body：我~在美国。Wǒ ~ zài Měiguó. I was born in the U. S.｜~地 ~dì birthplace｜~日期 ~rìqī date of birth

⁴ **出世** chūshì ❶〈动 v.〉出生 be born：我~没几天，母亲就去世了。Wǒ ~ méi jǐ tiān, mǔqīn jiù qùshì le. My mother died a few days after I was born. ❷〈动 v.〉产生 come into being：新制度刚刚~，要有一个完善的过程。Xīn zhìdù gānggāng ~, yào yǒu yí gè wánshàn de guòchéng. The new system has just come into existence. It has to be improved before it becomes perfect.

³ **出事** chū // shì 〈动 v.〉发生事故 meet with a mishap; have an accident：昨天煤矿~了，发生了瓦斯爆炸 Zuótiān méikuàng ~ le, fāshēngle wǎsī bàozhà. An accident happened in the coal mine yesterday. There was a gas explosion.｜出了大事。Chūle dà shì. Something terrible has happened.｜出了点儿事。Chūle diǎnr shì. Something has happened.｜出不了事 Chū bù liǎo shì. Nothing will go wrong.｜出了什么事? Chūle shénme shì? What's up?

⁴ **出售** chūshòu 〈动 v.〉卖 sell; offer for sale：这家商场专门~电脑。Zhè jiā shāngchǎng zhuānmén ~ diànnǎo. Only computers are sold in this market.｜高价~ gāojià ~ sell sth. at a high price｜削价~ xiāojià ~ sell sth. at a reduced price｜廉价~ liánjià ~ sell cheap

² **出席** chū // xí 〈动 v.〉参加会议或聚会 attend; be present at a meeting or party：这是一次重要的会议，请代表们务必准时~。Zhè shì yí cì zhòngyào de huìyì, qǐng dàibiǎomen wùbì zhǔnshí ~. This is an important meeting. Every delegate should attend on time.｜昨天的聚会就他没~。Zuótiān de jùhuì jiù tā méi ~. He is the only one who did not come to yesterday's party.｜出不了席 chū bù liǎo xí be unable to attend｜出了席 chūle xí attended (a meeting, etc.)

³ **出息** chūxī 〈名 n.〉指发展前途或志气 prospect or aspiration：这个孩子将来肯定有~。Zhège háizi jiānglái kěndìng yǒu ~. The child is bound to have a bright future.｜这点儿小便宜你也要占，真没~! Zhè diǎnr xiǎo piányi nǐ yě yào zhàn, zhēn méi ~! You even want to gain an advantage as petty as this. Shame on you!

¹ **出现** chūxiàn 〈动 v.〉显露；产生 appear; arise：最近我们班~了一些不正常的现象。Zuìjìn wǒmen bān ~le yìxiē bú zhèngcháng de xiànxiàng. Some unusual phenomena have taken place in our class recently.｜改革开放后中国~了欣欣向荣的局面。Gǎigé kāifàng hòu Zhōngguó ~le xīnxīn-xiàngróng de júmiàn. The policy of reform and opening-up to the outside world has brought about a scene of prosperity in China.｜~漏洞 ~ lòudòng a loophole appears｜~问题 ~ wèntí a problem arises｜~变化 ~ biànhuà a change takes place

³ **出洋相** chū yángxiàng ❶〈惯 usg.〉做出引人发笑的动作 perform an action which makes people laugh：他这个人就爱~。Tā zhège rén jiù ài ~. He is fond of giving a funny performance to make others laugh. ❷〈动 v.〉出丑 闹笑话 be held up for mockery; make a laughing stock of oneself：昨晚他喝得醉醺醺的，出尽了洋相。Zuó wǎn tā hē de zuìxūnxūn de, chūjìnle yángxiàng. He got so drunk last night that he made

an exhibition of himself in every possible way. | 让我登台表演，不是存心出我的洋相吗！ *Ràng wǒ dēngtái biǎoyǎn, búshì cúnxīn chū wǒ de yángxiàng ma*! Asking me to give a performance on stage is nothing but to make a fool of me on purpose.

² **出院** chū // yuàn 〈动 v.〉住院病人离开医院 (of an inpatient) be discharged from hospital; leave hospital：~手续 ~ *shǒuxù* hospital discharge formalities | 再过几天他就可以~了。*Zài guò jǐ tiān tā jiù kěyǐ ~ le.* He can leave hospital in a few days. | 他刚出了院就又投入了紧张的工作。*Tā gāng chūle yuàn jiù yòu tóurùle jǐnzhāng de gōngzuò.* He once again threw himself into the intense work as soon as he was released from hospital.

³ **出租** chūzū 〈动 v.〉收取一定的租金，让别人暂时使用 give sth. to sb. for temporary use in return for rent; let; rent out：~光盘 ~ *guāngpán* rent out disks | 房屋~。*Fángwū ~.* House to let.

¹ **出租汽车** chūzū qìchē 〈名 n.〉(辆liàng、部bù) 按里程或时间收费的，供人临时雇用的小汽车，也叫'计程车' taxi; cab, car for hire for payment charged by the mileage or hour, also called '计程车 *jìchéngchē*'，他是一名~司机。*Tā shì yì míng ~ sījī.* He is a taxi driver. | 坐~到那里也就花十元钱。*Zuò ~ dào nàli yě jiù huā shí yuán qián.* It takes only ten *yuan* to go there by taxi.

² **初** chū ❶〈形 adj.〉开始的；起头的 beginning; initial：~冬 ~*dōng* early winter | ~始 ~*shǐ* initial; inaugural ❷〈形 adj.〉第一个 first：~稿 ~*gǎo* first draft | ~伏 ~*fú* first day of the first period of the hot season (falling usu. in mid-July); first of three ten-day periods of the hot season | ~版 ~*bǎn* first edition ❸〈形 adj.〉原来的 original：~衷 ~*zhōng* original intention | ~愿 ~*yuàn* original wish ❹〈形 adj.〉最低的 elementary：~等 ~*děng* elementary; primary | ~级阶段 ~*jí jiēduàn* primary or preliminary stage ❺〈副 adv.〉第一次；刚开始 for the first time; only just begun：~次 ~*cì* for the first time | ~学 ~*xué* begin to learn | ~来乍到 ~*lái-zhàdào* newly arrived; new (to a job or place) | ~学乍练 ~*xué-zhàliàn* practice for the first time what one has just learned ❻〈名 n.〉开始的一段时间 the beginning of; the early part of：年~ *nián*~ at the beginning of the year | 清末民~ *Qīng mò Mín* ~ the end of the Qing Dynasty and the beginning of the Republic of China ❼〈名 n.〉原来的状态 original state：和好如~ *héhǎorú*~ be reconciled; become as good as before; get back together ❽〈词头 pref.〉用在'一'至'十'的前面，表示中国农历一个月的前十天的次序 used before one to ten to indicate the order of the first ten days of a lunar month in China：正月~一是中国的春节。*Zhēngyuè ~yī shì Zhōngguó de Chūn Jié.* The first day of the first lunar month is China's Spring Festival. | 腊月~八 *làyuè* ~ *bā* the eighth day of the twelfth lunar month

² **初步** chūbù 〈形 adj.〉开始阶段的；尚不完备的 of the initial stage; not final or complete：~看法 ~ *kànfǎ* tentative opinion | ~计划 ~ *jìhuà* tentative plan | ~意见 ~ *yìjiàn* tentative comment | ~了解 ~ *liǎojiě* make an initial investigation | ~印象 ~ *yìnxiàng* initial impression | ~成果 ~ *chéngguǒ* preliminary achievement | 我~打算下个星期回国。*Wǒ ~ dǎsuàn xià gè xīngqī huíguó.* My initial plan is to return to my native land next week. | 这个问题已经得到~的解决。*Zhège wèntí yǐjīng dédào ~ de jiějué.* Initial solution of the problem has been achieved.

² **初级** chūjí 〈形 adj.〉开始或最低阶段的 of the beginning or elementary stage：~班 ~*bān* junior class; elementary course | ~小学 ~ *xiǎoxué* junior primary school | ~读本 ~ *dúběn* primer | ~产品 ~ *chǎnpǐn* primary product | ~程度 ~ *chéngdù* elementary level | ~形态 ~ *xíngtài* elementary form | 社会主义~阶段 *shèhuì zhǔyì* ~ *jiēduàn* primary or

initial stage of socialism

³ **初期** chūqī 〈名 *n.*〉开始的一个时期 beginning period：建国~ *jiànguó* ~ the beginning of the founding of the nation｜战争~ *zhànzhēng* ~ the early phase of the war｜世纪~ *shìjì* ~ the beginning of the century｜癌症~ *áizhèng* ~ the early stage of cancer｜肺病的~症状是咳嗽和盗汗。*Fèibìng de* ~ *zhèngzhuàng shì késòu hé dàohàn.* The initial symptoms of the lung disease are coughing and night sweat.

³ **初中** chūzhōng 〈名 *n.*〉初级中学的简称 abbr. for junior middle school：~文化程度~ *wénhuà chéngdù* educational level of junior middle school｜~毕业 ~ *bìyè* graduate from junior middle school｜她是我的~同学。*Tā shì wǒ de* ~ *tóngxué.* She is my schoolmate in junior middle school.

² **除** chú ❶〈动 *v.*〉去掉；清除 remove; get rid of：根~ *gēn* ~ root out｜铲~ *chǎn* ~ eradicate｜排~ *pái* ~ exclude; eliminate｜为人民~害 *wèi rénmín* ~ *hài* rid the people of a scourge ❷〈动 *v.*〉算术的运算方法之一 one of the methods of arithmetic calculation; divide：二÷八等于四。*Èr* ÷ *bā děngyú sì.* Eight divided by two is four. ❸〈介 *prep.*〉表示所说的不计算在内 not including what has been mentioned：~此之外 ~ *cǐ zhī wài* apart from this｜~了他，谁都没去。*~le tā, shéi dōu méi qù.* No one went there except him. ❹〈介 *prep.*〉跟'还''也''只'连用，表示在此之外还有别的 used correlatively with '还hái', '也yě', '只zhǐ' to indicate that there is sth. more besides what has been mentioned; in addition to：~了你，我还请了几个朋友。*~le nǐ, wǒ hái qǐngle jǐ gè péngyou.* I've invited a few friends besides you.｜~了唱歌，我也喜欢跳舞。*~le chànggē, wǒ yě xǐhuan tiàowǔ.* In addition to singing, I also like dancing.｜他的房间里~了床只有书了。*Tā de fángjiān li ~le chuáng zhǐ yǒu shū le.* There is nothing but books in his room except for the bed. ❺〈介 *prep.*〉跟'就是'连用，表示非此即彼 used correlatively with '就是jiùshì' to indicate either this or that：暑假里，我~了睡觉就是游泳，别的啥事都不想干。*Shǔjià li, wǒ* ~ *le shuìjiào jiùshì yóuyǒng, bié de shá shì dōu bù xiǎng gàn.* During the summer break, I either sleep or swim. I'm not in a mood to do anything else.

⁴ **除此之外** chú cǐ zhī wài ❶表示所说的不计算在内 not including what has been said：他就爱喝点儿酒，~没有别的嗜好。*Tā jiù ài hē diǎnr jiǔ,* ~ *méiyǒu bié de shìhào.* He has no addictive vices other than a liking for alcohol. ❷跟'还''也''只'连用，表示在此之外还有别的 used correlatively with '还hái', '也yě', '只zhǐ' to indicate that there is sth. more besides what has been mentioned：我爱唱歌、跳舞，~还喜欢下棋、打扑克。*Wǒ ài chànggē, tiàowǔ,* ~ *, hái xǐhuan xiàqí, dǎ pūkè.* I like singing and dancing. Besides, I also enjoy playing chess and poker.

³ **除非** chúfēi ❶〈连 *conj.*〉常跟'否则''不然''才'连用，表示唯一的条件 usu. used correlatively with '否则fǒuzé', '不然bùrán', '才cái' to indicate a premise; only when; only if; unless：~你去请他，否则他决不会来。*~ nǐ qù qǐng tā, fǒuzé tā jué bú huì lái.* He will not come unless you invite him in person.｜他向我道歉，不然我决不原谅他。~ *tā xiàng wǒ dàoqiàn, bùrán wǒ jué bù yuánliàng tā.* I will never forgive him unless he apologizes to me.｜你去，他才肯去。~ *nǐ qù, tā cái kěn qù.* He agrees to go only if you keep his company. ❷〈连 *conj.*〉常跟'要''如果'连用，表示想要达到某种结果 usu. used correlatively with '要yào', '如果rúguǒ' to indicate a desired result：若要人不知，~己莫为。*Ruò yào rén bù zhī,* ~ *jǐ mò wéi.* If you want to keep people in the dark, you'd better not do it in the first place.｜如果想提高产品质量，~引进先进的设备。*Rúguǒ xiǎng tígāo chǎnpǐn zhìliàng,* ~ *yǐnjìn xiānjìn de shèbèi.* Only by introducing

advanced equipment can we improve the quality of products.

¹ **除了…以外** chú le…yǐ wài ❶ 表示所说的不计算在内 not including what has been said; except; except for: ~我~，谁都不同意你当班长。~ *wǒ* ~, *shuí dōu bù tóngyì nǐ dāng bānzhǎng.* No one agrees with your being the monitor except me. ❷ 跟'还''也' '只'连用，表示在此之外还有别的 used correlatively with '还hái', '也yě', '只zhǐ' to indicate that there is sth. more besides what has been mentioned: ~能写一手好字~，他的绘画水平也不低。~ *néng xiě yìshǒu hǎo zì* ~, *tā de huìhuà shuǐpíng yě bù dī.* He is quite good at painting besides calligraphy.

⁴ **除外** chúwài〈动 v.〉表示不计算在内 not include: 这个活动大家都要参加，老弱病残者~。*Zhège huódòng dàjiā dōu yào cānjiā, lǎo-ruò-bìng-cánzhě* ~. Everybody must take part in this activity except the old, weak, sick and disabled. │人人都可以参加抽奖，主持人~。*Rénrén dōu kěyǐ cānjiā chōujiǎng, zhǔchírén* ~. Everyone except the master of ceremony can draw tickets to determine the prize-winners.

⁴ **除夕** chúxī〈名 n.〉一年最后一天的晚上，也泛指一年的最后一天 New Year's Eve; last day of the year: 每年一家人要吃团圆饭。*Měinián* ~ *yìjiārén yào chī tuányuán fàn.* The family have a reunion dinner on every New Year's Eve. │~联欢会 ~ *liánhuānhuì* New Year's Eve party

² **厨房** chúfáng〈名 n.〉(间 jiān、个 gè)烧饭、做菜的地方 place where rice and dishes are cooked; kitchen: 她每天下~。*Tā měitiān xià* ~. She cooks everyday. │她把~收拾得干干净净。*Tā bǎ* ~ *shōushi de gāngān-jìngjìng.* She tidied up the kitchen.

⁴ **厨师** chúshī〈名 n.〉(名 míng、位 wèi、个 gè)擅长烹饪并以此为职业的人 person who is good at cooking and does it as occupation; cook; chef: 他是一位有名的~。*Tā shì yí wèi yǒumíng de* ~. He is a famous chef. │特级~ *tèjí* ~ special-grade chef

⁴ **锄** chú ❶〈名 n.〉松土和除草用的农具 farm tool used to loosen the soil and to weed; hoe: 我买了一把新~。*Wǒ mǎile yì bǎ xīn* ~. I bought a new hoe. ❷〈动 v.〉锄松土、除草等 loosen the soil and weed with a hoe: 他在田里~草呢。*Tā zài tián li* ~ *cǎo ne.* He is hoeing up weeds in the field. ❸〈动 v.〉铲除 uproot; eliminate; wipe out: ~奸 ~ *jiān* ferret out traitors and spies

² **处** chǔ ❶〈动 v.〉跟人交往 get along with: 他这个人跟谁都~得来。*Tā zhège rén gēn shéi dōu* ~ *de lái.* He can get along with everybody. │她挺不好~的。*Tā tǐng bù hǎo* ~ *de.* He is difficult to get along with. ❷〈动 v.〉置身于 be situated in; be in a certain condition: 身~逆境 shēn ~ *nìjìng* be in adverse circumstances │地~山区 dì ~ *shānqū* be in the mountainous area │于开创阶段 ~yú kāichuàng jiēduàn be in the stage of initiation │~于劣势 ~yú lièshì be at a disadvantage ❸〈动 v.〉安排；办理 arrange; deal with; handle: 他很会~事。*Tā hěn huì* ~*shì.* He is very good at handling various situations. │裁~ cái~ judge and handle │论~ lùn~ decide on sb.'s punishment ❹〈动 v.〉惩罚 punish; sentence: 判~ pàn~ condemn │~死 ~sǐ put to death; execute │~以极刑 ~ *yǐ jíxíng* sentence to capital punishment

☞ chù, p. 133

⁴ **处罚** chǔfá〈动 v.〉处分犯错误的人；惩治犯罪的人 discipline sb. for a wrongdoing; punish sb. for a crime: ~只是手段，教育才是目的。~ *zhǐshì shǒuduàn, jiàoyù cáishì mùdì.* Punishment is the means, and education is the end. │贪污犯受到了应有的~。*Tānwūfàn shòudàole yīngyǒu de* ~. The embezzler was duly punished.

⁴ **处方** chǔfāng ❶〈名 n.〉(张 zhāng、个 gè)医生给病人开出的药方 prescription; an order for medicine written by the doctor: 凭~到药房取药。*Píng* ~ *dào yàofáng qǔ yào.*

Take prescription to the pharmacy to get medicine. ❷〈动 v.〉给病人开药方 write out a prescription; prescribe: 他不是正式医生，没有~权。*Tā bú shì zhèngshì yīshēng, méiyǒu ~ quán.* He is not a regular doctor and has no right to prescribe to a patient.

² **处分** chǔfèn ❶〈动 v.〉给犯错误或犯罪的人以处罚 punish sb. for wrongdoing or crime: 学校~了几名违反纪律的学生。*Xuéxiào ~le jǐ míng wéifǎn jìlǜ de xuésheng.* The school punished several students who had violated discipline. ❷〈名 n.〉犯错误或犯罪的人所受到的处罚 punishment inflicted on sb. for wrongdoing or crime: 警告~ *jǐnggào ~* disciplinary warning ｜ 留校察看 *liú xiào chákàn ~* retain student status on probationary basis as disciplinary measure ｜ 撤职~ *chèzhí ~* remove sb. from office as disciplinary measure ｜ 撤销~ *chèxiāo ~* rescind or annul a penalty

⁴ **处境** chǔjìng〈名 n.〉所处的境地(多指不好的)(mostly unfavourable) circumstances: ~不妙 *bú miào* be in a disagreeable situation ｜ ~危险 *wēixiǎn* be in danger ｜ ~孤立 *gūlì* be in a helpless situation ｜ ~恶劣 *èliè* be in adverse circumstances ｜ 他的~非常困难。*Tā de ~ fēicháng kùnnan.* He is in a very difficult situation.

⁴ **处决** chǔjué ❶〈动 v.〉执行死刑 put to death; execute: 杀人凶犯已被~。*Shārén xiōngfàn yǐ bèi ~.* The murderer has been executed. ❷〈动 v.〉处理决定 deal with and decide: 重大问题要由常委会~。*Zhòngdà wèntí yào yóu chángwěihuì ~.* The important issues should be dealt with by the standing committee.

² **处理** chǔlǐ ❶〈动 v.〉安排；解决 arrange; solve; deal with: ~案件 *ànjiàn* handle the case ｜ ~日常事务 *rìcháng shìwù* handle routine work ｜ ~纠纷 *jiūfēn* settle disputes ｜ 妥善~ *tuǒshàn* properly handle ｜ 这件事他~得很圆满。*Zhè jiàn shì tā ~ de hěn yuánmǎn.* He dealt with this matter to everyone's satisfaction. ❷〈动 v.〉处分；惩治 discipline; punish: 对于为首的滋事分子必须严加~。*Duìyú wéishǒu de zīshì fènzǐ bìxū yánjiā ~.* Those who first stirred up trouble must be severely punished. ❸〈动 v.〉降价销售 sell at a reduced price: ~积压商品 *jīyā shāngpǐn* dispose of old stock ❹〈动 v.〉加工工件或产品，使之具有某种性能 treat a workpiece or product to add a required property to it: 热~ *rè* heat treatment ｜ 冷~ *lěng* cold treatment ❺〈名 n.〉处置的情况 punishment: 学校对他的~过重了。*Xuéxiào duì tā de ~ guò zhòng le.* The punishment inflicted on him by the school is too severe.

³ **处于** chǔyú〈动 v.〉处在某种状态 be in a certain state: 病人正~昏迷状态。*Bìngrén zhèng ~ hūnmí zhuàngtài.* The patient is in a coma. ｜ ~优势 *yōushì* be at an advantage ｜ ~劣势 *lièshì* be at a disadvantage ｜ ~我的地位，你也会这样做。*~ wǒ de dìwèi, nǐ yě huì zhèyàng zuò.* You would do the same thing if you were in my position.

⁴ **处置** chǔzhì ❶〈动 v.〉处理；解决 manage; solve: ~得当 *dédàng* deal with a problem properly ｜ ~适当 *shìdāng* handle a situation appropriately ｜ 迅速~ *xùnsù* deal with promptly ｜ 妥善~ *tuǒshàn* manage appropriately ❷〈动 v.〉惩治 punish: 依法~ *yīfǎ* punish according to the law ｜ 严厉~ *yánlì* severely punish

⁴ **储备** chǔbèi ❶〈动 v.〉将物资、金钱等储存起来，以备需要时使用 store up materials, money, etc. for use in times of need: 国家每年要~大量的粮食。*Guójiā měi nián yào ~ dàliàng de liángshi.* The country stores up a large amount of grain every year. ❷〈名 n.〉储存的物资和金钱 materials or money laid up for use; reserve: 黄金~ *huángjīn* gold reserve ｜ 石油~ *shíyóu* oil reserve

⁴ **储藏** chǔcáng〈动 v.〉保存；贮藏 save and preserve; store; keep: 工具都放在~室里。*Gōngjù dōu fàng zài ~shì li.* Put all the tools in the storeroom. ｜ 酿好的酒都~在地窖里。*Niànghǎo de jiǔ dōu ~ zài dìjiào li.* The brewed wine is stored in the cellar. ❷〈动 v.〉蕴

藏 contain; hold in store：海底~着大量的石油。*Hǎidǐ ~zhe dàliàng de shíyóu.* The seabed is rich in oil.

⁴ **储存** chǔcún〈动 *v.*〉将物资、金钱、资料等存放起来备用 put away materials, money or literature for later use：~粮食 *- liángshi* store up grain｜~信息 *- xìnxī* store information｜~资料 *- zīliào* store literature｜~数据 *- shùjù* store data

⁴ **储蓄** chǔxù ❶〈动 *v.*〉将暂时不用的钱存入银行 deposit money in the bank for later use：他月月花光，从不~。*Tā yuèyuè huāguāng, cóng bù ~.* Every month he spends every penny in his pocket and deposits nothing in the bank. ❷〈名 *n.*〉存银行里的钱 money deposited in the bank; savings：定期~ *- dìngqī ~* fixed deposit｜活期~ *- huóqī ~* current deposit｜~所 *- suǒ* savings bank

⁵ **处** chù ❶〈名 *n.*〉地方 place：住~ *- zhù ~* living quarters｜去~ *- qù ~* whereabouts｜近~ *- jìn ~* vicinity; place nearby｜远~ *- yuǎn ~* distance; distant place｜密林深~ *- mì lín shēn ~* deep in the forest｜存车~ *- cúnchē~* bicycle parking lot｜售票~ *- shòupiào~* ticket office; booking office; box office ❷〈名 *n.*〉事物的方面或部分 aspect or part of a matter：好~ *- hǎo~* benefit; advantage｜坏~ *- huài~* harm; disadvantage｜长~ *- cháng~* strong point; merit｜短~ *- duǎn~* weak point; weakness｜大~着眼，小~着手 *dà ~ zhuóyǎn, xiǎo ~ zhuóshǒu* take into consideration important issues but start by solving problems at hand ❸〈名 *n.*〉某些机关、团体的名称；机关中按业务划分的单位 name of certain administrative organ or organization; business division in an administrative organ; office; department：工商管理~ *- gōngshāng guǎnlǐ* administrative department of industry and commerce｜教务~ *- jiàowù~* dean's office｜外事~ *- wàishì~* foreign affairs department｜总务~ *- zǒngwù~* general affairs department｜财务~ *- cáiwù~* finance department ❹〈量 *meas.*〉用于计量处所 used to count the number of sites：一~风光 *yí - fēngguāng* a beautiful view｜几~村落 *jǐ - cūnluò* a few villages ❺〈量 *meas.*〉计量事物的一部分 used to count the part of a matter：他的身上多~受伤。*Tā de shēn shang duō ~ shòushāng.* He got several wounds on his body.｜这篇文章里有三~问题。*Zhè piān wénzhāng li yǒu sān ~ wèntí.* There are three problems in this essay.

☞ chù, p. 131

³ **处处** chùchù〈副 *adv.*〉各个地方；各个方面 everywhere; in all respects：老年人~受到人们的关怀和照顾。*Lǎoniánrén ~ shòudào rénmen de guānhuái hé zhàogù.* The elderly receive care and attention in every aspect of their life.｜公园里~是鲜花和草地。*Gōngyuán li ~ shì xiānhuā hé cǎodì.* Flowers and lawns are everywhere in the park.｜节日里，~洋溢着欢乐的气氛。*Jiérì li, ~ yángyìzhe huānlè de qìfēn.* Joyous atmosphere is permeated everywhere during the holidays.

⁴ **触** chù ❶〈动 *v.*〉碰到；挨上 touch; contact：~电 *- diàn* get an electric shock｜接~ *- jiē~* come into contact｜一~即发 *yí - jífā* may be triggered at any moment; be on the verge of breaking out ❷〈动 *v.*〉因受外界的刺激而引起（情绪变化）cause the change of feelings due to the external stimulus; touch; move：~怒 *- nù* enrage; infuriate｜感~ *- gǎn~* thoughts and feelings (aroused by what one sees or hears)｜~景生情 *- jǐng-shēngqíng* the sight strikes a chord in one's heart

⁴ **触犯** chùfàn〈动 *v.*〉言语行动冲撞对方；侵犯 offend sb. by speech or action; infringe：~众怒 *- zhòng nù* incur public anger｜~尊严 *- zūnyán* hurt sb.'s pride｜~法律 *- fǎlǜ* break the law｜~厂规 *- chǎngguī* violate the factory's regulations｜~群众的利益 *- qúnzhòng de lìyì* encroach upon the interests of the people

川流不息 chuānliú-bùxī〈成 *idm.*〉像河水一样流个不停，比喻人群、车船来来往往连

续不断 flow past in an endless stream; *fig.* (of crowd, vehicles or vessels) come and go one after another：行人~. *Xíngrén* ~. Pedestrians come and go in an endless stream. | 车辆~. *Chēliàng* ~. Vehicles come and go in an endless stream. | 超市里顾客~. *Chāoshì lǐ gùkè* ~. The supermarket is crowded with customers.

¹ 穿 chuān ❶〈动 v.〉把衣服、鞋袜套在身体上 wear clothes, shoes, or socks：~运动衣 ~ *yùndòngyī* put on sportswear | ~裤子 ~ *kùzi* put on trousers | ~裙子 ~ *qúnzi* wear a skirt | ~靴子 ~ *xuēzi* wear boots ❷〈动 v.〉通过 go through; pass through; cross：~过人群 ~ *guò rénqún* thread one's way through the crowd | ~街过巷 ~ *jiē guò xiàng* cross streets and lanes | ~针 ~ *zhēn* thread a needle ❸〈动 v.〉刺、凿或钻，使形成孔洞 pierce, chisel or drill sth. to form a hole：子弹~过胸膛。*Zǐdàn ~guò xiōngtáng.* The bullet shot through the chest. | 在墙上~一个洞 zài qiáng shang ~ yí gè dòng make a hole in the wall | 水滴石~(坚持不懈就能成功)。*Shuǐdī-shí~* (jiānchí-búxiè jiù néng chénggōng). Dripping water wears through a rock (Constant effort brings success). ❹〈动 v.〉把物体串联起来 string together：~糖葫芦 ~ *tánghúlu* string suger-coated haws on a stick | 一串项链 ~ *yí chuàn xiàngliàn* thread (the beads) to make a necklace ❺〈动 v.〉用在某些动词后，表示通透、显露等 used after certain verbs to indicate thoroughness, penetration or exposure：拆~ *chāi* ~ expose; unmask; debunk | 戳~ *chuō* ~ pierce; expose | 看~ *kàn* ~ see through | 说~ *shuō* ~ expose; disclose | 射~ *shè* ~ shoot through | 揭~ *jiē* ~ expose; lay bare

² 传 chuán ❶〈动 v.〉由一方交给另一方；有上代交给下代 pass from one to another; hand down from one generation to the next：把球~给前锋 *bǎ qiú ~ gěi qiánfēng* pass the ball to the forward | 这份房产是祖父~下来的。*Zhè fèn fángchǎn shì zǔfù ~ xiàlái de.* The houses were handed down from grandfather. | 祖~ *zǔ* ~ handed down from one's forefathers | 遗~ *yí* ~ inheritance ❷〈动 v.〉传授 (学问、技艺等) teach (knowledge, skill, etc.)：师傅把自己的全部技术~给了徒弟。*Shīfu bǎ zìjǐ de quánbù jìshù ~ gěi le túdì.* The master passed all his skills on to his apprentice. | 过去这种秘方只~男不~女的。*Guòqù zhè zhǒng mìfāng zhǐ ~ nán bù ~ nǚ de.* The secret recipe used to be passed on only to a son instead of a daughter. ❸〈动 v.〉广泛散布 spread far and wide；宣~ *xuān* ~ publicize | 谣言在全校~开了。*Yáoyán zài quánxiào ~kāi le.* The rumor spread all over the school. | 喜讯~遍了大街小巷。*Xǐxùn ~biàn le dàjiē-xiǎoxiàng.* The good news spread across every street and lane. ❹〈动 v.〉命令别人来 demand the presence of sb.; summon：~ 证人 ~ *zhèngrén* summon the witness | ~被告 ~ *bèigào* summon the defendant ❺〈动 v.〉电、热等从物体的一部分流通到另一个部分 (of electricity, heat, etc.) transmit from one part of the object to the other：~热 ~ *rè* heat conductive | ~电 ~ *diàn* transmit electricity | 用双层玻璃窗，街上的声音就~不进来了。*Yòng shuāngcéng bōlichuāng, jiē shang de shēngyīn jiù ~ bú jìnlái le.* The noise of the street can not come through if the double window is installed. ❻〈动 v.〉表达；流露 convey; express：~神 ~ *shén* vivid; lifelike | 眉目~情 méimù-~qíng make sheep's eyes; cast amorous glances ❼〈动 v.〉传染 infect; be contagious：小心别把这种病~给孩子。*Xiǎoxīn bié bǎ zhè zhǒng bìng ~gěi háizi.* Be careful not to give the disease to the child. | 这种病是从外国~来的。*Zhè zhǒng bìng shì cóng wàiguó ~lái de.* This disease came from other countries.

☞ zhuàn, p. 1319

² 传播 chuánbō〈动 v.〉广泛散布；广泛宣扬 spread far and wide; publicize widely：~文化 ~ *wénhuà* spread the culture | ~科学知识 ~ *kēxué zhīshi* spread the scientific knowledge | ~先进经验 ~ *xiānjìn jīngyàn* publicize advanced experience | ~小道消息

xiǎodào xiāoxi spread hearsay | ~种子 ~ *zhǒngzi* spread seeds | ~花粉 ~ *huāfěn* spread pollen | ~病菌 ~ *bìngjūn* spread germs

³ **传达** chuándá ❶〈动 v.〉把一方的意思告诉另一方 pass on the message of one party to another; convey: 今天下午开会~文件。*Jīntiān xiàwǔ kāihuì ~ wénjiàn.* A meeting will be held this afternoon to relay an official document. | ~报告 ~ *bàogào* relay a report | ~指示 ~ *zhǐshì* relay instructions (from higher authorities) | 及时~ *jíshí* ~ relay promptly | 准确~ *zhǔnquè* ~ relay accurately ❷〈名 n.〉机关单位里承担文件报纸收发和来宾登记引导的工作，或从事此项工作的人 (at an organizational unit) the job of receiving and dispatching documents and newspapers, registering and guiding the visitors; or the person who does this job; receptionist

⁴ **传单** chuándān〈名 n.〉(张 zhāng、份 fèn) 印成单张向外散发的宣传品 single sheet of printed matter given free to the public as publicity material; leaflet; handbill: 印发~ *yìnfā* ~ print and distribute leaflets | 派发~ *pàifā* ~ dispatch and distribute leaflets | 张贴~ *zhāngtiē* ~ post handbills

⁴ **传递** chuándì〈动 v.〉一个接一个送过去；传送 give sth. from one party to another; relay; deliver: ~信件 ~ *xìnjiàn* deliver mail | ~消息 ~ *xiāoxi* transmit information | 快速~ *kuàisù* ~ deliver quickly

³ **传染** chuánrǎn ❶〈动 v.〉病原体从有病的生物体侵入其他的生物体内 (of pathogen from a diseased organic body) invade the other organic body; infect: ~病 ~*bìng* infectious disease | 预防~ *yùfáng* ~ prevention of infection | 这种病很容易~，必须立即隔离。*Zhè zhǒng bìng hěn róngyì ~, bìxū lìjí gélí.* This disease spreads easily. The patient must be isolated immediately. ❷〈动 v.〉比喻某种情绪、感情、风气、习气影响别人 fig. be influenced by certain mood, feelings, way of doing things or bad habit: 欢乐的情绪很快地~给了在场的每一个人。*Huānlè de qíngxù hěn kuài de ~gěile zài chǎng de měi yí gè rén.* The cheerfulness soon infected everyone present. | 他的这些恶习都是他的狐朋狗友~给他的。*Tā zhèxiē èxí dōu shì tā de húpéng-gǒuyǒu ~ gěi tā de.* These pernicious habits of his were contracted from his bad company.

⁴ **传授** chuánshòu〈动 v.〉把知识、技能教给别人 pass on knowledge, skill, etc. to others: ~知识 ~*zhīshi* impart knowledge; teach | ~技术 ~ *jìshù* pass on a skill | ~经验 ~ *jīngyàn* share one's experience | 他毫无保留地把自己的手艺~给了他的徒弟。*Tā háowú bǎoliú de bǎ zìjǐ de shǒuyì ~ gěi le tā de túdì.* He imparted to his apprentice his craftsmanship without reserve.

³ **传说** chuánshuō ❶〈动 v.〉辗转述说 relay; pass from mouth to mouth: 广为~ *guǎngwéi* ~ widely circulate | ~的事情并不可信。~ *de shìqíng bìng bù kěxìn.* Hearsay is not credible. ❷〈名 n.〉(个 gè) 民间口头流传的某种说法或故事 narration or story circulated by word of mouth; legend: 古老的~ *gǔlǎo de* ~ ancient legend | 民间~ *mínjiān* ~ folklore | 这个美丽的~在我们乡亲已经流传了上千年。*Zhège měilì de ~ zài wǒmen jiāxiāng yǐjīng liúchuánle shàng qiān nián.* This beautiful legend has been circulating in our hometown for over a thousand years.

⁴ **传送** chuánsòng〈动 v.〉将物品、信件、消息等送到别处 deliver or transmit goods, mail, message, etc. from one place to another: ~文件 ~ *wénjiàn* deliver documents | ~情报 ~ *qíngbào* transmit information | 热水由这根管子~过来。*Rèshuǐ yóu zhè gēn guǎnzi ~ guòlái.* The hot water comes through this pipe.

² **传统** chuántǒng ❶〈名 n.〉世代相传的精神、制度、风俗、艺术、道德、思想等社会因素 tradition; social factors carried forward from generation to generation, such as spirit,

system, customs, arts, ethics, ideology, etc.：民族~ *mínzú* ~ national tradition｜优秀~ *yōuxiù* ~ fine tradition｜光荣~ *guāngróng* ~ splendid tradition｜发扬~ *fāyáng* ~ carry on a tradition｜继承~ *jìchéng* ~ carry forward a tradition ❷〈形 *adj.*〉历史悠久的；世代相传的 age-old; long-standing; passed from generation to generation：~观念~ *guānniàn* traditional ideas｜~剧目~ *jùmù* traditional drama or opera｜~医学~ *yīxué* traditional medicine ❸〈形 *adj.*〉守旧的；保守的；跟不上时代的 conservative; traditionalistic; old-fashioned：我妈妈思想挺~的，决不会同意这件婚事。*Wǒ māma sīxiǎng tǐng ~ de, jué bú huì tóngyì zhè jiàn hūnshì.* My mother is quite conservative. She will never consent to the marriage.

传真 chuánzhēn〈名 *n.*〉通过有线电或无线电装置将图片、书信等的真迹传送到远方的通讯方式 fax; facsimile transmission; telecommunication system used to copy pictures, letters, etc. by sending information through wired or wireless means and receive copies that are sent in this way：~机 ~*jī* fax machine｜请你用~给我发过来。*Qǐng nǐ yòng ~ gěi wǒ fā guòlái.* Please fax it to me.

¹ **船** chuán〈名 *n.*〉（条 *tiáo*、只 *zhī*、艘 *sōu*、个 *gè*）水上的主要交通运输工具 boat; ship; principal means of transport on water：轮~ *lún* ~ steamboat; steamship｜汽~ *qì* ~ steamship; steamer｜帆~ *fān* ~ sailboat｜渡~ *dù* ~ ferry boat｜驳~ *bó* ~ barge｜~坞 ~*wù* dock; shipyard

⁴ **船舶** chuánbó〈名 *n.*〉各种船只的总称 general term for vessels of all kinds; shipping：海湾里停泊着无数的~。*Hǎiwān li tíngbózhe wúshù de ~.* Numerous ships are lying at anchor in the bay.｜~工业~ *gōngyè* ship-building industry

⁴ **船只** chuánzhī〈名 *n.*〉船的总称 general term for vessels：来来往往的~ *láilái-wǎngwǎng de* ~ ships sailing to and fro

³ **喘** chuǎn ❶〈动 *v.*〉急促的呼吸 breathe heavily; gasp for breath; pant：他~着气跑进门来。*Tā ~zhe qì pǎojìn mén lái.* He ran into the door breathlessly.｜你让我~口气再说。*Nǐ ràng wǒ ~ kǒu qì zài shuō.* Let me take a breathe before I tell you everything. ❷〈名 *n.*〉呼吸困难的症状 symptom of breathing difficulty：哮~ *xiào* ~ have a fit of asthma；cough and gasp for breath｜气~ *qì* ~ asthma

³ **串** chuàn ❶〈动 *v.*〉连接贯通 string together：贯~ *guàn* ~ run through; penetrate；permeate｜把珠子~起来 *bǎ zhūzi* ~ *qǐlái* string the beads together ❷〈动 *v.*〉暗中勾结；沟通 conspire; communicate：~供 ~*gòng* act in collusion to make each other's confessions tally (so as to cover up sth.)｜~通 ~*tōng* collaborate; collude; get in touch with｜~联 ~*lián* establish ties for concerted action ❸〈动 *v.*〉错误的连接 connect wrongly：电话~线 *diànhuà* ~ *xiàn*（of telephone lines）get crossed｜你念~行了。*Nǐ niàn ~ xíng le.* You read the wrong line. ❹〈动 *v.*〉随处走动 go from place to place; go about：走街~巷 *zǒujiē-~xiàng* go about streets and lanes（peddling stuff）｜~亲戚 ~*qīnqi* call on a relative｜~门儿 ~*ménr* drop in; call on sb. ❺〈动 *v.*〉两种东西混杂在一起，改变了原有的特点（of two kinds of things）mix together and alter the original properties：~种 ~*zhǒng* hybridize｜茶叶最容易~味儿。*Cháyè zuì róngyì ~wèir.* Tea may get tainted in flavor very easily. ❻〈动 *v.*〉扮演 play a part（in a performance）; act：反~ *fǎn* ~ play a role one is not trained for｜客~ *kè* ~ be a guest performer｜这部戏由他~演主角。*Zhè bù xì yóu tā ~ yǎn zhǔjué.* He plays the leading role in the movie. ❼〈量 *meas.*〉用于贯穿起来的东西 string; bunch; cluster：一~念佛珠 *yí* ~ *niànfózhū* rosary used by Buddhists; a string of beads｜两~糖葫芦 *liǎng* ~ *tánghúlú* two strings of sugar-coated haws ❽（~儿）〈名 *n.*〉贯穿起来的东西 things strung together：烤羊肉~儿*kǎo*

yángròu~r mutton shish kebab │ 钱~子 *qián~zi* string running through the square holes of copper coins

⁴ **疮** chuāng ❶〈名 *n.*〉皮肤或黏膜上发生溃烂的疾病 ulcer of skin or mucous membrane; sore: 口~ *kǒu~* aphtha │ 冻~ *dòng~* chilblain; frostbite │ 头上长~，脚底流脓（比喻坏透了）*tóu shang zhǎng ~, jiǎo dǐ liú nóng*（*bǐyù huàitòu le*）with the head growing boils and feet running with pus (fig. rotten to the core) ❷〈名 *n.* 书 *lit.*〉外伤 wound: 金~逆裂 *jīn~bèngliè* cut by a metal weapon

¹ **窗** chuāng〈名 *n.*〉（扇 *shàn*）房屋、车船上通气透光的装置 window; a structure of the house, vehicle or vessel used to let in light and air: 玻璃~ *bōli~* glass window │ 纱~ *shā~* screen window │ 车~ *chē~* car window │ 天~ *tiān~* skylight │ 明几净 *míng-jǐjìng* with bright windows and clean tables; bright and clean

¹ **窗户** chuānghu〈名 *n.*〉（扇 *shàn*、个 *gè*）房屋、车船上通气透光的装置 window; a structure of the house, vehicle or vessel used to let in light and air: 请你把~打开一下。*Qǐng nǐ bǎ ~ dǎkāi yíxià.* Would you please open the window? │ 这面墙上有两扇~。*Zhè miàn qiáng shang yǒu liǎng shàn ~.* There are two windows on the wall.

³ **窗口** chuāngkǒu ❶〈名 *n.*〉窗子跟前 the area in front of the window: 到~去写字，那里光线好。*Dào ~ qù xiězì, nàli guāngxiàn hǎo.* Go and write in front of the window where it is brighter. ❷〈名 *n.*〉银行、医院、影剧院等在墙上开的窗形的洞，通过窗口进行业务活动 an opening shaped like a window in the wall of a bank, hospital or movie theater through which business transaction is carried out: 售票~ *shòupiào ~* ticket window │ 挂号~ *guàhào ~* registration window │ 请到5号~取药。*Qǐng dào wǔ hào ~ qǔ yào.* Please get medicine at No. 5 window. ❸〈名 *n.*〉计算机显示屏上划分的用以显示和处理某类信息，让使用者进行直观操作的区域 an area of the computer screen where certain information is displayed and processed and users can operate directly

³ **窗帘** chuānglián〈名 *n.*〉（块 *kuài*、幅 *fú*、个 *gè*）遮挡窗户的帷幔 piece of material hung in front of windows in order to prevent people from seeing in or keep light out; curtain; drape: 纱~好看不挡光。*Shā ~ hǎokàn bù dǎngguāng.* Gauze curtain looks pretty but cannot keep light out.

³ **窗台** chuāngtái〈名 *n.*〉托着窗框的平面部分 window sill; ledge or sill supporting the window frame: ~上摆着两盆花。*~ shang bǎizhe liǎng pén huā.* There are two pots of flowers on the window sill.

¹ **床** chuáng ❶〈名 *n.*〉（张 *zhāng*、个 *gè*）供人睡卧的家具 bed; a piece of furniture that people lie on when they sleep: 木~ *mù~* wooden bed │ 铁~ *tiě~* iron bed │ 折叠~ *zhédié~* folding bed ❷〈名 *n.*〉像床一样能起承托作用的东西 sth. used to hold or support sth. else like a bed: 车~ *chē~* lathe │ 机~ *jī~* machine tool │ 河~ *hé~* riverbed │ 矿~ *kuàng~* mineral deposit ❸〈量 *meas.*〉用于被褥等 used for quilt, cotton padded mattress, etc.: 一~被子 *yì ~ bèizi* one quilt │ 两~毛毯 *liǎng ~ máotǎn* two wollen blankets

³ **床单** chuángdān〈名 *n.*〉（条 *tiáo*）铺在床上的布单子 a piece of cloth spread on the bed; bed sheet: 单人~ *dānrén~* bed sheet for single bed │ 双人~ *shuāngrén~* bed sheet for double bed

⁴ **床铺** chuángpù〈名 *n.*〉（张 *zhāng*、个 *gè*）床和用板子搭成的铺的总称 general term for bedding and bed made of planks: 这间房里可以放三张~。*Zhè jiān fáng li kěyǐ fàng sān zhāng ~.* Three beds can be placed in this room. │ ~已经铺好，早点儿休息吧。*~ yǐjīng pūhǎo, zǎodiǎnr xiūxi ba.* The bedding is ready. Go to bed early.

⁴ **床位** chuángwèi〈名 n.〉(个 gè、张 zhāng)医院、旅馆、学校、车船等为住宿者设置的床铺 bed for patient in hospital, traveler in hotel, student in school or passenger on vehicles and vessels: 这家医院有500个~。Zhè jiā yīyuàn yǒu wǔbǎi gè ~. The hospital has 500 beds.

² **闯** chuǎng ❶〈动 v.〉猛冲 charge, dash: 横冲直~ héngchōng-zhí ~ charge about furiously; run amuck | 突然从外面一进一个人来。Tūrán cóng wàimian ~jìn yí gè rén lái. Suddenly someone rushed in from outside. ❷〈动 v.〉为了一定的目的，四处奔走活动 go from place to place in order to accomplish certain goals; be busy running about: 走南~北 zǒunán-~běi journey north and south; travel widely | 他决心独自到外面去~一番。Tā juéxīn dúzì dào wàimian qù ~ yìfān. He decided to leave home to make a living. ❸〈动 v.〉惹出；招来 incur; get into or bring on: ~祸 ~huò get into trouble | 这下子他可~出了个大乱子。Zhè xiàzi tā kě ~chūle gè dà luànzi. This time he got himself into a big trouble.

² **创** chuàng ❶〈动 v.〉第一次做；开始做 do sth. for the first time; start doing sth. : 开~ kāi~ initiate; pioneer; set up | 首~ shǒu~ launch; originate; invent | ~纪录 ~jìlù set a new record ❷〈动 v.〉通过经营等活动而获取 gain sth. through management of business, etc. : ~汇 ~huì earn foreign exchange from exports | ~收 ~shōu increase income (by providing paid services, etc.) | ~利 ~lì make a profit | ~税 ~shuì generate tax revenue ❸〈形 adj.〉前所未有的；独到的 unprecedented; original: ~举 ~jǔ pioneering work or undertaking | ~见 ~jiàn original idea; creative thinking

⁴ **创办** chuàngbàn〈动 v.〉开始办 begin to do sth. ; establish; set up: ~工厂 ~ gōngchǎng set up a factory | ~学校 ~ xuéxiào set up a school | ~农场 ~ nóngchǎng set up a farm | ~刊物 ~ kānwù start a publication

⁴ **创建** chuàngjiàn〈动 v.〉创立；第一次建立 found; establish; initiate: 这家公司~于1900年。Zhè jiā gōngsī ~ yú yī-jiǔ-líng-líng nián. This company was founded in 1900. | 这位老华侨在他的故乡~了一所大学。Zhè wèi lǎo huáqiáo zài tā de gùxiāng ~ le yì suǒ dàxué. The old overseas Chinese founded a university in his hometown.

³ **创立** chuànglì〈动 v.〉首次建立 initiate; found for the first time: ~新学科 ~ xīn xuékē initiate a new branch of learning | ~学说 ~ xuéshuō initiate a theory | ~思想体系 ~ sīxiǎng tǐxì initiate an ideological system | ~学派 ~ xuépài establish a school of thought | ~新政权 ~ xīn zhèngquán found a new government

³ **创新** chuàngxīn〈动 v.〉抛弃旧的，创造新的 discard the old and introduce the new; blaze a new trail: 艺术的生命在于不断地~。Yìshù de shēngmìng zàiyú búduàn de ~. The life of the art lies in constant breaking new paths. | 勇于~ yǒngyú ~ be bold in blazing new trails | 大胆~ dàdǎn~ be daring in innovation | 追求~ zhuīqiú~ pursue innovation

⁴ **创业** chuàngyè〈动 v.〉开创事业 start an undertaking; do pioneering work: 艰苦~ jiānkǔ~ pioneer an undertaking with arduous efforts | 发扬~精神 fāyáng ~ jīngshén keep up the pioneering spirit | ~者 ~ zhě pioneer | ~史 ~ shǐ history of pioneering work

² **创造** chuàngzào ❶〈动 v.〉做出前人没有做出的 bring about sth. that has never been achieved; create; produce: 劳动~世界。Láodòng ~ shìjiè. Labor creates the world. | ~纪录 ~jìlù set a new record | ~奇迹 ~ qíjì work wonders; create miracles | ~财富 ~ cáifù create wealth | ~条件 ~ tiáojiàn bring about certain conditions | ~经验 ~ jīngyàn produce experience ❷〈名 n.〉新方法、新理论、新事物 new method, theory or thing: 伟大的~ wěidà de ~ great invention | 这种管理方法是一种~。Zhè zhǒng guǎnlǐ fāngfǎ

shì yì zhǒng ~. This method of management is an invention.

² **创作** chuàngzuò ❶〈动 v.〉创造文学艺术作品 create literary and artistic work：这位作家近年来~了多部电视剧。*Zhè wèi zuòjiā jìnnián lái ~le duō bù diànshìjù.* The writer has produced many TV dramas in recent years. │ ~经验 ~ *jīngyàn* experience of artistic creation │ ~技巧 ~ *jìqiǎo* artistic technique; craftsmanship │ ~手法 ~ *shǒufǎ* method of artistic creation ❷〈名 n.〉(部 bù)文学艺术作品 works of literature and art：这是一部划时代的~。*Zhè shì yí bù huàshídài de ~.* This is an epoch-making work.

¹ **吹** chuī ❶〈动 v.〉合拢嘴唇用力出气 blow or puff by forcing breath out between lips：~灭了蜡烛 ~*miè le làzhú* blow out the candle │ ~口哨 ~ *kǒushào* whistle ❷〈动 v.〉空气流动 (of air current) blow：~来一阵凉风 ~ *lái yí zhèn liángfēng* a cool breeze blows │ 风~草动 (比喻发生动荡、变故的迹象) *fēng~cǎodòng (bǐyù fāshēng dòngdàng,biàngù de jīxiàng)* rustle of grass in the wind (a sign of disturbance or trouble; sign of anything untoward brewing) ❸〈动 v.〉吹气演奏 play (wind instruments)：~喇叭 ~ *lǎba* play the trumpet │ ~笛子 ~ *dízi* play the flute │ ~黑管 ~ *hēiguǎn* play the clarinet ❹〈动 v. 口 colloq.〉说大话 boast; brag：自~自擂 zì~-zìléi blow one's own trumpet │ ~得天花乱坠 ~ *de tiānhuā-luànzhuì* boast in most fantastic terms │ ~得神乎其神 ~ *de shénhūqíshén* laud sb. or sth. to the skies ❺〈动 v. 口 colloq.〉(感情) 破裂；(事情) 不成功 (of relationship or sth.) break up; fail：他跟他的女朋友~了。*Tā gēn tā de nǚ péngyou ~ le.* He broke up with his girlfriend. │ 你托我的那件事~了。*Nǐ tuō wǒ de nà jiàn shì ~ le.* I failed to do what you entrusted me to do.

⁴ **吹牛** chuī/niú〈动 v.〉说大话；夸海口 也说'吹牛皮'talk big; brag, also '吹牛皮' chuīniúpí：他就会~，没什么真本事 *Tā jiù huì ~, méi shénme zhēn běnshì.* He is only good at bragging and has no real ability. │ 我可从来没吹过牛。*Wǒ kě cónglái méi chuī guo niú.* I have never bragged.

⁴ **吹捧** chuīpěng〈动 v.〉吹嘘捧场 flatter; extol; lavish praise on：你们别相互~啦！*Nǐmen bié xiānghù ~ la!* You'd better quit flattering each other. │ 极力~ *jílì* ~ laud sb. to the skies │ 无耻~ *wúchǐ* ~ shameless fawning

⁴ **炊事员** chuīshìyuán〈名 n.〉(个 gè、名 míng、位 wèi) 在机关、学校等单位的食堂里做饭、做菜的工作人员 kitchen staff in administrative organ, school, etc.：我们学校的食堂有20名~。*Wǒmen xuéxiào de shítáng yǒu èrshí míng ~.* We have 20 cooks in our school's canteen.

³ **垂** chuí ❶〈动 v.〉物体的一头向下 (of one end of an object) hang down; droop：~柳 ~ *liǔ* weeping willow │ ~钓 ~ *diào* fish with a hook and line; go angling ❷〈动 v.〉从上往下落 fall down：~泪 ~ *lèi* shed tears; weep │ ~涎 ~ *xián* drool; salivate; slaver; covet ❸〈动 v.〉低下 (头)；放下 (手) lower one's head; put down one's hands：~头丧气 ~*tóu-sàngqì* crestfallen; dejected; downcast │ ~手侍立 ~ *shǒu shìlì* stand beside sb. with great reverence ❹〈动 v.〉留传 go down in history; hand down：名~青史 *míng~-qīngshǐ* one's name will go down in the annals of history; be forever remembered and revered by posterity │ 永~不朽 *yǒng~-bùxiǔ* be immortal; live forever ❺〈副 adv.〉将要；将近 near：~死挣扎 ~*sǐ zhēngzhá* put up a last-ditch struggle; be in one's death throes │ 病人已经~危了。*Bìngrén yǐjīng ~wēi le.* The patient is gravely ill.

³ **垂直** chuízhí〈动 v.〉两条直线、两个平面或一条直线与一个平面相交成直角 (of two straight lines, two planes, or a straight line and a plane) be perpendicular to each other to form a right angle：~倒立 ~ *dàolì* stand on one's head │ ~天线 ~ *tiānxiàn* vertical antenna │ ~俯冲 ~ *fǔchōng* steep dive; nose dive

⁴ **捶** chuí〈动 v.〉用拳头或棍棒等敲打 punch with the fist or a club: ~腰 ~ yāo pound sb.'s waist (as in massage)｜~背 ~ bèi pound sb.'s back (as in massage)｜用棒槌~衣服 yòng bàngchui ~ yīfu beat laundry with a wooden club

⁴ **锤** chuí ❶〈名 n.〉敲东西的工具 pounding tool; hammer: 铁~ tiě~ iron hammer｜汽~ qì~ steam hammer｜钉~ dīng~ nail hammer; claw hammer ❷〈名 n.〉中国古代的一种兵器，木柄上有一个金属圆球 mace; ancient Chinese weapon consisting of a wooden handle and a round metal head ❸〈名 n.〉穿有细绳的金属块，是中国杆秤的一个部分 a block of metal with a string running through it as part of Chinese steelyard ❹〈动 v.〉用锤子敲打 hammer into shape; knock with a hammer: 千~百炼 qiān~-bǎiliàn thoroughly tempered

¹ **春** chūn ❶〈名 n.〉春季 spring: 大地回~ dàdì-huí~ spring returns to the earth｜暖花开~ nuǎn-huākāi spring has come and the flowers are in bloom｜满园~色 mǎnyuán-~sè signs of spring are visible everywhere in the garden ❷〈名 n.〉比喻生机 fig. life; vitality: 妙手回~ miàoshǒu-huí~ (of a doctor) cure a patient of a serious disease｜青~ qīng~ youth; youthfulness ❸〈名 n.〉情欲 love; lust: ~心 ~xīn ardent desire for love｜怀~ huái ~ long for love

⁴ **春耕** chūngēng〈名 n.〉春季农作物播种前，翻松土地的工作 ploughing before sowing in spring: ~大忙季节 ~ dà máng jìjié the busy season of spring ploughing

³ **春季** chūnjì〈名 n.〉一年四季的第一季，中国习惯指立春至立夏的三个月时间，也指中国农历正、二、三三个月 spring, the first season in a year; in China means the three months between the Beginning of Spring (February 3, 4 or 5) and the Beginning of Summer (May 5, 6 or 7), or the three months of the first, the second and the third month in Chinese lunar calendar: ~是播种的季节。~ shì bōzhòng de jìjié. Spring is the sowing season.

² **春节** Chūn Jié〈名 n.〉中国的传统节日，指中国农历的正月初一，也指从正月初一至十五这一段日子 Spring Festival, the first day of the first month of the Chinese lunar calendar; also the period from the first day to the fifteenth day in the first lunar month: ~是中国人全家团圆的日子。~ shì Zhōngguórén quánjiā tuányuán de rìzi. Spring Festival is the time of family reunion for Chinese people.

¹ **春天** chūntiān ❶〈名 n.〉春季 spring: ~来了，柳树发出了新的枝芽。~ lái le, liǔshù fāchūle xīn de zhīyá. The spring comes and the willow trees shoot out new buds. ❷〈名 n.〉比喻生机勃勃、充满希望的时代 fig. an age full of life and promise: 我们终于迎来了祖国的~。Wǒmen zhōngyú yíngláile zǔguó de ~. Finally came the spring of our country which we had been longing for.｜科学技术发展的~ Kēxué jìshù fāzhǎn de ~. the spring for the development of science and technology

³ **纯** chún ❶〈形 adj.〉成分单一的；不含杂质的 pure; unadulterated; unmixed: ~金 ~ jīn pure gold｜单~ dān~ unsophisticated｜提~ tí~ purify; refine｜~白 ~ bái pure white ❷〈形 adj.〉熟练 skilful: 功夫不~ gōngfu bù ~ not very skilful｜炉火~青(比喻技艺达到完美的程度) lúhuǒ-~qīng (bǐyù jìyì dádào wánměi de chéngdù) pure blue flame in the stove (high degree of technical or professional proficiency; perfection) ❸〈副 adv.〉完全 completely; entirely: ~系虚构 ~ xì xūgòu completely fictitious｜~属造谣 ~ shǔ zàoyáo completely fabricated

⁴ **纯粹** chúncuì ❶〈形 adj.〉纯一的；不含别的成分的 pure; unadulterated: 他能说一口~的北京话。Tā néng shuō yì kǒu ~ de Běijīnghuà. He can speak pure Beijing dialect. ❷〈副 adv.〉完完全全的 completely; entirely: 你~是胡说八道。Nǐ ~ shì húshuō-bādào.

What you said is utterly nonsense. ｜ 这种想法~是痴心妄想。*Zhè zhǒng xiǎngfǎ ~ shì chīxīn-wàngxiǎng.* This idea is sheer illusion.

³ 纯洁 chúnjié ❶ 〈形 *adj.*〉纯正清白；没有污点 pure and honest; with a spotless reputation：~的友谊 *~ de yǒuyì* pure friendship ｜ 她的心地非常~。*Tā de xīndì fēicháng ~.* She is pure of heart. ❷ 〈动 *v.*〉使纯洁 purify; cleanse：~组织 *~ zǔzhī* purify an organization ｜ ~思想 *~ sīxiǎng* purify one's thoughts ｜ ~队伍 *~ duìwu* cleanse the ranks (or force)

⁴ 蠢 chǔn ❶ 〈形 *adj.*〉愚笨；笨拙 stupid; clumsy：~人 *~rén* fool; blockhead ｜ ~材 *~cái* idiot; fool ｜ ~话 *~huà* stupid remark; foolish words ｜ ~货 *~huò* idiot; dingbet ❷ 〈形 *adj.*〉形容虫子爬动的样子，比喻坏人进行活动 (of worms) wriggling; *fig.* evil persons who engage in sabotage：~~欲动 *~~-yùdòng* ready to start wriggling; be restless and about to create disturbances

¹ 词 cí ❶ 〈名 *n.*〉(个 gè、条 tiáo) 语言里最小的、有一定意义的、可以独立运用的单位 smallest unit of a language that can be used independently to convey a meaning：名~ *míng~* noun ｜ 动~ *dòng~* verb ｜ 实~ *shí~* notional word ｜ 虚~ *xū~* function word ｜ ~序 *~xù* word order ｜ 这个~儿你用得不恰当。*Zhège ~r nǐ yòng de bú qiàdàng.* You didn't use this word in a proper way. ❷ 〈名 *n.*〉说话、文章、诗歌、戏剧中的语句 words in speech, article, poem, or play：台~ *tái~* actor's lines ｜ 誓~ *shì~* oath; vow; pledge ｜ 义正~严 *yìzhèng-~yán* speak sternly out of a sense of justice ｜ 理屈~穷 *lǐqū-~qióng* fall silent on finding oneself bested in argument; be unable to advance any further arguments to justify oneself ❸ 〈名 *n.*〉(阕 què、首 shǒu、句 jù) 中国古代的一种韵文形式，由五言诗、七言诗和民歌发展而来，起于唐代，盛于宋代 *ci*; ancient Chinese rhymed verse based on five- or seven- character lines and folk rhymes, originating in the Tang Dynasty (618-907) and fully developed in the Song Dynasty (960-1279)：唐诗宋~ *Táng shī Sòng ~* poetry of the Tang Dynasty and *ci* of the Song Dynasty ｜ 填~ *tián ~* compose a ci poem ❹ 〈名 *n.*〉戏曲、歌曲配合曲调唱出的语言部分 words sung to a given melody in a play or song：歌~ *gē~* words of a song ｜ 唱~ *chàng~* libretto; words

¹ 词典 cídiǎn 〈名 *n.*〉(本 běn、部 bù) 收集词汇，按一定的顺序编排并加以解释，供认查考的工具书 dictionary; reference book that lists words in a certain order and provides explanations for their meanings：《现代汉语~》*'Xiàndài Hànyǔ ~'* A Contemporary Chinese Dictionary ｜ 汉英~ *Hàn-Yīng ~* Chinese-English Dictionary ｜ 每个学生都必须学会查~。*Měi gè xuésheng dōu bìxū xué huì chá ~.* Every student must learn how to use a dictionary.

³ 词汇 cíhuì ❶ 〈名 *n.*〉一种语言里所使用的词的总称 vocabulary; all the words of a language：汉语~ *Hànyǔ ~* Chinese vocabulary ｜ 英语~ *Yīngyǔ ~* English vocabulary ｜ 法语~ *Fǎyǔ ~* French vocabulary ｜ ~手册 *~ shǒucè* vocabulary handbook ｜ 我掌握的汉语~还很少。*Wǒ zhǎngwò de Hànyǔ ~ hái hěn shǎo.* My Chinese vocabulary is still very poor. ｜ 学习语言必须要努力扩大~量。*Xuéxí yǔyán bìxū yào nǔlì kuòdà ~ liàng.* One must try to enlarge his vocabluary in order to learn a language. ❷ 〈名 *n.*〉一个作家或一部作品所使用的词语 vocabulary of a writer or a literary work：莎士比亚的~是十分丰富的。*Shāshìbǐyà de ~ shì shífēn fēngfù de.* Shakespeare has a very rich vocabulary.

⁴ 词句 cíjù 〈名 *n.*〉词和句子 words and sentences：优美的~ *yōuměi de ~* beautiful words ｜ 动人的~ *dòngrén de ~* moving words ｜ ~通顺 *~ tōngshùn* fluent language

³ 瓷 cí ❶ 〈名 *n.*〉用高岭土等烧制成的制品 product made of kaolin clay, etc.; porcelain or china：~碗 *~ wǎn* china bowl ｜ ~瓶 *~píng* porcelain vase ｜ 细~ *xì ~* fine china ｜ ~器

是中国的古代发明之一。~qì shì Zhōngguó de gǔdài fāmíng zhī yī. Porcelain is one of the ancient inventions of China. | 景德镇是中国的著名~都。Jǐngdézhèn shì Zhōngguó de zhùmíng ~ dū. Jingdezhen of Jiangxi Province is the famous capital of procelain in China. ❷〈俚 sl.〉形容关系特别密切 (of relationship) extremely close: 他俩特~。Tā liǎ tè ~ . They two are on very close terms.

⁴辞 cí ❶〈动 v.〉告别 take leave; bid farewell; take one's leave: ~别 ~bié say goodbye | 不~而别 bù~érbié leave without saying goodbye | ~旧迎新 ~jiù-yíngxīn bid farewell to the old and usher in the new ❷〈动 v.〉主动要求解除职务 resign; give up one's position of one's own accord: ~职 ~zhí resign; hand in one's resignation | ~呈 ~chéng letter of resignation | 他~去了公司总裁的职务。Tā ~ qùle gōngsī zǒngcái de zhíwù. He resigned his position as the president of the company. ❸〈动 v.〉解雇;辞退 dismiss; lay off; discharge: 他被公司~了。Tā bèi gōngsī ~ le. He was dismissed by the company. ❹〈动 v.〉推托 shirk; elude; dodge; decline: 不~劳苦 bù~láokǔ make light of hardships; take pains | 义不容~ yìbù~róng be duty bound ❺〈名 n.〉文辞;言辞;优美的语言 diction; wording; refined language: 修~ ~xiū~ rhetoric | ~藻 ~zǎo ornate diction | 我这个人不善~令。Wǒ zhège rén bú shàn ~lìng. I am not good at speech. ❻〈名 n.〉中国古典文学的一种体裁 genre of classical Chinese literature: 楚~ Chǔ~ The Elegies of Chu | ~赋 ~fù special form of rhapsodic poem

⁴辞职 cí/zhí 〈动 v.〉主动要求解除自己的职务 resign; give up one's position of one's own accord: ~报告 ~ bàogào resignation report | 我已经向总经理提出了~申请。Wǒ yǐjīng xiàng zǒngjīngǐ tíchūle ~ shēnqǐng. I have handed in my resignation to the general manager. | 你怎么无缘无故就辞了职呢? Nǐ zěnme wúyuán-wúgù jiù cíle zhí ne? Why did you resign for no reason at all?

⁴慈爱 cí'ài 〈形 adj.〉(年长者对年幼者) 慈祥和爱护 (of a senior person to a junior person) kind and caring: ~的母亲 ~ de mǔqīn loving mother | ~的目光 ~ de mùguāng kind eyes | 我永远忘不了那一双充满~的眼睛。Wǒ yǒngyuǎn wàng bù liǎo nà yì shuāng chōngmǎn ~ de yǎnjing. I can never forget those eyes filled with kindness.

⁴慈祥 cíxiáng 〈形 adj.〉(老年人的神色、态度) 慈爱和善 (of an old person's bearing and expression) kind and gentle: ~的目光 ~ de mùguāng kind eyes | ~的笑容 ~ de xiàoróng kind smile | ~的老人 ~ de lǎorén a kind old man | 爷爷~地望着小孙子。Yéye ~ de wàngzhe xiǎo sūnzi. The grandfather looked at his youngest grandson with fondness.

¹磁带 cídài 〈名 n.〉(盒 hé、盘 pán) 一种涂有氧化铁粉等磁性物质的塑料带子, 可记录声音、影像、数据等电信号 tape; strip of plastic coated with magnetic materials such as ferric oxide powder, used to record electrical signals such as sound, image, data, etc.: 汉语录音~ Hànyǔ lùyīn ~ tape recorded with Chinese language | 音乐~ yīnyuè ~ music tape

⁴磁铁 cítiě 〈名 n.〉(块 kuài) 用钢或合金钢经磁化制成的磁体, 也叫 '吸铁石' '磁石' magnet; magnetized steel or alloy steel, also '吸铁石 xītiěshí' or '磁石 císhí': 她像一块~一样, 吸引着班里的男孩子。Tā xiàng yí kuài ~ yíyàng, xīyǐnzhe bān li de nán háizi. She attracts the boys in her class like a magnet.

⁴雌 cí 〈形 adj.〉生物中能产生卵细胞的 (与 '雄' 相对) female; of creature that produces eggs (opposite to '雄 xióng'): ~兔 ~tù female rabbit | ~蕊 ~ruǐ pistil

²此 cǐ ❶〈代 pron.〉这;这个 this: ~时 ~shí this moment | ~地 ~dì this place; here | 厚此薄彼 hòu~-bóbǐ favor one and discriminate against the other | ~人很可靠。~ rén hěn kěkào. This person is quite reliable. | ~物不容易得到。~ wù bù róngyì dédào. This is hard to obtain. ❷〈代 *pron.*〉这会儿；这里 now; here：从~以后你别来了。*Cóng~ yǐhòu nǐ bié lái le.* You don't have to come here from now on. | 由~向前走500米就到了。*Yóu ~ xiàng qián zǒu wǔbǎi mǐ jiù dào le.* From here walk straight ahead for 500 meters and you will get there. | 咱们这个会就到~为止吧。*Zánmen zhège huì jiù dào ~ wéi zhǐ ba.* Let's put an end to our meeting now. ❸〈代 *pron.*〉这样 this：长~以往可不是个办法。*Cháng~yǐwǎng kě bú shì gè bànfǎ.* It will not work if things go on like this. | 他的水平也不过如~。*Tā de shuǐpíng yě búguò rú~.* His ability is just so-so.

⁴ **此后** cǐhòu ❶〈连 *conj.*〉从那以后 after this：上星期我和他拌了几句嘴，~她就没给我来过电话。*Shàng xīngqī wǒ hé tā bànle jǐ jù zuǐ, ~ tā jiù méi gěi wǒ láiguo diànhuà.* I had a quarrel with her last week and she hasn't called me ever since then. ❷〈连 *conj.*〉从今以后 from now on; henceforth：今天的事就算了，~不得再犯。*Jīntiān de shì jiù suàn le, ~ bùdé zài fàn.* You won't be held accountable for what you did today. Henceforth, you should be careful not to repeat the mistake.

³ **此刻** cǐkè〈名 *n.*〉这时候 this moment：此时~cǐshí ~ at this very moment | 大家的心情都非常沉重。~dàjiā de xīnqíng dōu fēicháng chénzhòng. At this moment all of us feel very sad. | ~的情景令人难忘。~ de qíngjǐng lìngrén nánwàng. The scene of this moment is unforgettable.

² **此时** cǐshí〈名 *n.*〉这时候 this moment：~他的心情不好，别去打搅他。~tā de xīnqíng bù hǎo, bié qù dǎjiǎo tā. He is in a bad mood now. So don't disturb him. | 他该到达目的地了。~ tā gāi dàodá mùdìdì le. By now he should have reached the destination.

² **此外** cǐwài〈连 *conj.*〉除了上面说的情况和事物以外 in addition (to what has been mentioned); besides：今天我们主要是讨论工作计划，~还要研究一下招聘人员的问题。*Jīntiān wǒmen zhǔyào shì tǎolùn gōngzuò jìhuà, ~ hái yào yánjiū yíxià zhāopìn rényuán de wèntí.* Today we will mainly discuss the work schedule. Besides, we will also consider the recruitment of new employees. | 院子里有一个葡萄架，~还种了一些花草。*Yuànzi li yǒu yí gè pútáo jià, ~ hái zhòngle yìxiē huācǎo.* There is a grape trellis in the courtyard. Besides, there are also some flowers and plants.

¹ **次** cì ❶〈量 *meas.*〉用于可以反复出现的事物或动作 used for repeated occurrences or acti-ons：初~合作 chū ~ hézuò cooperate for the first time | 我是第一~来中国。*Wǒ shì dì-yī ~ lái Zhōngguó.* This is my first visit to China. | 这种药每日三~，每~两片。*Zhè zhǒng yào měi rì sān ~, měi ~ liǎng piàn.* Take two pills each time and three times a day. ❷〈形 *adj.*〉质量差；品质差 of inferior quality; shoddy：~货~huò inferior goods | ~品 ~ pǐn sub-standard products | 以~充好 yǐ ~ chōng hǎo pass inferior stuff off as quality goods | 这个人的人品太~了。*Zhège rén de rénpǐn tài ~ le.* He is a very mean person. ❸〈数 *num.*〉第二 second：~日 ~rì next day | ~子 ~zǐ second son ❹〈名 *n.*〉顺序 order; sequence：名~míng~ position in a name list; place in a competition | ~序 ~xù order; sequence | 车~ chē~ train number | 依~入场 yī ~rùchǎng enter in due order; come in one at a time

⁴ **次品** cìpǐn〈名 *n.*〉（件 jiàn、个 gè、批 pī）质量不符合标准的产品 sub-standard product; defective goods：这家工厂由于管理不善，生产了大量的~。*Zhè jiā gōngchǎng yóuyú guǎnlǐ bú shàn, shēngchǎnle dàliàng de ~.* Due to the mismanagement, the factory turned out a lot of sub-standard products.

⁴ **次数** cìshù〈名 *n.*〉动作、事件重复出现的回数 number of times or occurrences：他练习这个动作的~已不下万次。*Tā liànxí zhège dòngzuò de ~ yǐ bú xià wàn cì.* He has practiced this movement for at least 10,000 times. | 今年他旷工的~已经超过了10次

Jīnnián tā kuànggōng de ~ yǐjīng chāoguòle shí cì. He has been absent from work for over ten times this year.

⁴ **次序** cìxù 〈名 n.〉排列的先后顺序 order; sequence：先后~ *xiānhòu* ~ from first to last ｜ 打乱~ *dǎluàn* ~ disrupt the sequence ｜ 颠倒~ *diāndǎo* ~ reverse the order ｜ 安排~ *ānpái* ~ arrange the order ｜ 调整~ *tiáozhěng* ~ readjust the order ｜ 请按~入场，不要拥挤。*Qǐng àn ~ rùchǎng, búyào yōngjǐ.* Please enter in proper order. Don't push.

³ **次要** cìyào 〈形 adj.〉重要性较差的；不起主要作用的 less important; secondary; minor：~地位 *dìwèi* a less important position ｜ ~问题 *wèntí* a minor problem ｜ ~矛盾 *máodùn* secondary contradiction ｜ ~人物 *rénwù* people of less importance ｜ ~因素 *yīnsù* secondary element ｜ 他在这个戏里只是扮演一个~的角色。*Tā zài zhège xì li zhǐshì bànyǎn yí gè ~ de juésè.* He only played a secondary role in the drama.

⁶ **伺候** cihou 〈动 v.〉在人身边照料饮食起居；服侍 wait upon; serve：~老人 *lǎorén* take care of the old ｜ ~病人 *bìngrén* nurse the patient ｜ 精心~ *jīngxīn* ~ meticulous care ｜ 耐心~ *nàixīn* ~ wait upon with great patience ｜ 她把婆婆~得舒舒服服。*Tā bǎ pópo ~ de shūshu-fūfu.* Her mother-in-law quite enjoys herself under her care. ｜ 你这个人可真难~。*Nǐ zhège rén kě zhēn nán ~.* You are so hard to please.

² **刺** cì ❶ 〈动 v.〉尖锐的东西扎入或穿引物体 (of pointed object) stab or pierce; prick; thrust：~伤 *shāng* stab and wound ｜ ~透 *tòu* pierce; penetrate ｜ ~破 *pò* pierce ❷ 〈动 v.〉刺激 irritate; stimulate：~耳的噪音 *ěr de zàoyīn* harsh noise ｜ ~鼻的臭味 *bí de chòuwèi* pungent foul smell ｜ ~骨的寒风 *gǔ de hánfēng* biting cold wind ｜ ~眼的灯光 *yǎn de dēngguāng* dazzling lamplight ｜ ~人的话 *rén de huà* sarcastic remarks ❸ 〈动 v.〉暗杀 assassinate：遇~ *yù* be assassinated ｜ 行~ *xíng* assassinate ｜ ~客 *kè* assassin ❹ 〈动 v.〉讥讽 ridicule; criticize：讽~ *fěng* satirize ❺ 〈动 v.〉暗中打听 make secret inquiries; spy; pry：~探情报 *tàn qíngbào* pry for information ❻ 〈名 n.〉像针一样尖锐的东西 pointed object like a needle：鱼~ *yú* fishbone ｜ 骨~ *gǔ* spur, a bone outgrowth ❼ 〈~儿〉〈名 n.〉比喻尖刻的话 fig. sting; biting remark：说话别带~儿。*Shuōhuà bié dài ~r.* Stop talking with sting.

³ **刺激** cìjī ❶ 〈动 v.〉外界事物作用于生物体 (of external object) produce an effect on an organism; stimulate; excite：~神经 *shénjīng* stimulate the nerves ｜ ~食欲 *shíyù* whet one's appetite ｜ ~皮肤 *pífū* irritate the skin ｜ 强光~眼睛 *qiángguāng ~ yǎnjing* harsh light dazzles the eyes ｜ 她的精神受了很大的~。*Tā de jīngshén shòule hěn dà de ~.* She was greatly upset. ❷ 〈动 v.〉推动事物，使发生积极的变化 give incentive to sth. so as to bring about positive change; stimulate：~购买力 *gòumǎilì* stimulate the purchasing power ｜ ~生产力的发展 *shēngchǎnlì de fāzhǎn* stimulate the development of the productivity ｜ ~文艺创作的繁荣 *wényì chuàngzuò de fánróng* boost literary and artistic creation ❸ 〈名 n.〉人的精神受到的打击或挫折 blow; frustration：高考落榜给了他很大的~。*Gāokǎo luòbǎng gěile tā hěn dà de ~.* He was very frustrated when he failed the college entrance examination.

⁴ **匆匆** cōngcōng 〈形 adj.〉急急忙忙的样子 (of appearance) hasty; hurried：来去~ *láiqù* ~ come and go in haste ｜ 他行色~地离开了宾馆，形迹十分可疑。*Tā xíngsè ~ de líkāile bīnguǎn, xíngjì shífēn kěyí.* He left the hotel in great haste and looked very suspicious. ｜ 他取了几件衣服就~离开了宿舍。*Tā qǔle jǐ jiàn yīfu jiù ~ líkāile sùshè.* He left the dormitory in a hurry after fetching a few items of clothing.

³ **匆忙** cōngmáng 〈形 adj.〉急急忙忙 hasty：时间~，我都没来得及和他告别。*Shíjiān ~, wǒ dōu méi láidejí hé tā gàobié.* I left in a hurry and didn't have time to say goodbye

to him. | ～之间，我忘了锁上抽屉就出来了。 ～ *zhījiān, wǒ wàngle suǒshang chōutì jiù chūlái le.* I came out in such a hurry that I forgot to lock the drawer. | 他匆匆忙忙地赶到医院。 *Tā cōngcōng-mángmáng de gǎndào yīyuàn.* He hurried to the hospital.

4 **葱 cōng ❶**〈名 *n.*〉（根 gēn、棵 kē、段 duàn）多年生草本植物，是普通的蔬菜和调味品 onion; perennial herbal plant used as a common vegetable and seasoning: 大～ *dà~* scallion; green Chinese onion | ～花 *~huā* chopped green onion | ～末 *~mò* onion powder ❷〈形 *adj.*〉青绿色 green: ～绿 *~lù* lush green; verdant | ～翠 *~cuì* fresh green; luxuriantly green

2 **聪明 cōngming**〈形 *adj.*〉智力高，天资好，记忆和理解力强 intelligent, talented, quick in learning and understanding; clever: ～能干 *~nénggàn* bright and capable | ～伶俐 *~línglì* bright and clever | ～过人 *~guòrén* unusually bright | 这个孩子～绝顶。 *Zhège háizi ~ juédǐng.* This child is exceedingly bright. | 他也就会耍点小～。 *Tā yě jiù huì shuǎ diǎnr xiǎo ~.* He is only good at resorting to clever tricks. | ～反被～误。 *~ fǎn bèi ~ wù.* Clever people may be their own victims./ Cleverness may overreach itself.

1 **从 cóng ❶**〈介 *prep.*〉表示时间、处所或范围等的起点 from (a time, place or degree): ～早到晚 *~ zǎo dào wǎn* from the early morning to the evening | ～古到今 *~ gǔ dào jīn* from the ancient times to the present | ～南到北 *~ nán dào běi* from the south to the north | ～头到尾 *~ tóu dào wěi* from the beginning to the end | 她是～法国来的。 *Tā shì ~ Fǎguó lái de.* She is from France. | ～我做起，现在做起。 *~ wǒ zuòqǐ, ~ xiànzài zuòqǐ.* I will do it now. | ～群众中来，到群众中去。 *~ qúnzhòng zhōng lái, dào qúnzhòng zhōng qù.* Come from the masses and go to the masses. ❷〈介 *prep.*〉表示经过的路线 (of route) via; through; past (a place): ～门前经过 *~ mén qián jīngguò* past the front of the door | ～门缝往里看 *~ ménfèng wǎng lǐ kàn* peer through the crack of the door | 我是～高速公路开车过来的。 *Wǒ shì ~ gāosù gōnglù kāichē guòlái de.* I drove here via expressway. ❸〈介 *prep.*〉表示依据、凭借 according to; used to introduce a basis or proof: 这次派你去完全是～工作出发的。 *Zhè cì pài nǐ qù wánquán shì ~ gōngzuò chūfā de.* The decision to dispatch you is made out consideration for the actual work. | ～各种迹象看，罪犯会在今晚动手。 *~ gèzhǒng jìxiàng kàn, zuìfàn huì zài jīn wǎn dòngshǒu.* According to various signs, it is believed that the criminal will do it this evening. ❹〈副 *adv.*〉一向；向来（用于否定词前）(used before a negative) ever: 他～不抽烟。 *Tā ~ bù chōuyān.* He never smokes. | 我～未见过他。 *Wǒ ~ wèi jiànguo tā.* I've never met him. ❺〈动 *v.*〉听从；依顺 comply with; obey: 服～ *fú~* obey; submit oneself to | 言听计～ *yántīng-jì~* act upon whatever sb. says; always follow sb.'s advice | 恕不～命 *shù bù ~ mìng* forgive me for not complying with your wishes ❻〈动 *v.*〉从事；参加 be engaged in; join: ～军 *~jūn* join the army | ～政 *~zhèng* enter politics; embark on a political career | ～艺 *~yì* be engaged in performing arts | 他～教50年了。 *Tā ~jiào wǔshí nián le.* He has been teaching for 50 years. ❼〈动 *v.*〉依照；采取 act in a certain manner or according to a certain principle: 稿酬～优 *gǎochóu ~ yōu* offer preferable payment to author of an article or book | 一切～简 *yíqiè ~ jiǎn* dispense with all unnecessary formalities ❽〈动 *v.*〉跟随 follow: ～师学艺 *~ shī xué yì* be apprenticed to a master worker ❾〈名 *n.*〉跟随的人 follower: 随～ *suí~* attendant; retinue | 侍～ *shì~* servant ❿〈形 *adj.*〉附属的；次要的 accessory; secondary: ～犯 *~fàn* accessory criminal

2 **从不 cóngbù**〈副 *adv.*〉从过去到现在都不 never: 我～喝酒。 *Wǒ ~ hē jiǔ.* I never drinks. | 他～说假话。 *Tā ~ shuō jiǎ huà.* He never lies.

2 **从…出发 cóng…chūfā ❶**以…为起点动身 set off from a starting point: ～家里～骑车

到学校要20分钟。~ jiālǐ ~ qíchē dào xuéxiào yào èrshí fēnzhōng. It takes twenty minutes to bicycle from home to the school. ❷ 考虑或处理问题的出发点 point of view (in considering or dealing with matters)：~实际情况 ~ shíjì qíngkuàng ~ proceed from the actual situation｜~工作 ~ gōngzuò ~ out of consideration for the actual work

¹ **从此** cóngcǐ 〈连 conj.〉从这个时候起 from then on; from now on：去年我和他一起参加夏令营，~我们成了好朋友。Qùnián wǒ hé tā yìqǐ cānjiā xiàlìngyíng, ~ wǒmen chéngle hǎo péngyou. Last year he and I took part in the summer camp and we became good friends from then on.

从…到 cóng…dào… 起点到终点(用于距离、时间、范围等) from ... to ... (in terms of distance, time, scope, etc.)：~北京~广州 ~ Běijīng ~ Guǎngzhōu from Beijing to Guangzhou｜~早~晚 ~ zǎo ~ wǎn from the early morning to the evening｜这家超市~吃的~用的样样都有。Zhè jiā chāoshì ~ chī de ~ yòng de yàngyàng dōu yǒu. The supermarket has a great variety of goods ranging from foods to daily necessities.｜他~小~大就没吃过苦。Tā ~ xiǎo ~ dà jiù méi chīguo kǔ. He has never suffered any hardship ever since he was a child.

² **从而** cóng'ér 〈连 conj.〉上文是原因、方法，下文是结果、目的 (connecting reasons or methods with results or purposes) thus; thereby; hence：农村实行了承包制，~调动了广大农民的积极性。Nóngcūn shíxíngle chéngbāozhì, ~ diàodòngle guǎngdà nóngmín de jījíxìng. The system of contracted responsibility was instituted in the countryside, thus arousing the enthusiasm of the majority of the farmers.

⁴ **从…看来** cóng…kànlái 以~为依据来预计或分析 estimate or analyze on a basis of sth.：~会议讨论的情况，这个提案可能被否决。~ huìyì tǎolùn de qíngkuàng, zhège tí'àn kěnéng bèi fǒujué. This motion might be voted down in light of the discussions at the meeting.｜~你介绍的情况，他还是一个很不错的人选。~ nǐ jièshào de qíngkuàng ~, tā háishi yí gè hěn búcuò de rénxuǎn. He seems to be a pretty suitable candidate according to your introduction.

² **从来** cónglái 〈副 adv.〉从过去到现在都如此 always; from the past to the present; at all times：她~就爱干净。Tā ~ jiù ài gānjìng. She has always been in the habit of keeping everything neat and tidy.｜我~就不相信他。Wǒ ~ jiù bù xiāngxìn tā. I never trust him.

² **从没** cóngméi 〈副 adv.〉同'从不' same as '从不cóngbù'

¹ **从…起** cóng…qǐ 表示开始 used to indicate the beginning：~今天~我们就是同事了。~ jīntiān ~ wǒmen jiù shì tóngshì le. We will be colleagues starting from today.｜这条街~，北面就是新建的科技园区。~ zhè tiáo jiē ~, běimiàn jiùshì xīn jiàn de kējì yuánqū. North to this street is the newly built park of science and technology.

¹ **从前** cóngqián 〈名 n.〉过去的时候；以前 past：~这里有一条河。~ zhèlǐ yǒu yì tiáo hé. There used to be a river here.｜~他是个演员。~ tā shì gè yǎnyuán. He used to be an actor.｜他的脾气和~可大不一样了。Tā de píqi hé ~ kě dà bù yíyàng le. His temperament is vastly different from what it used to be.

³ **从容** cóngróng ❶〈形 adj.〉不慌不忙；情绪平稳、稳定 unhurried; calm and leisurely：~不迫 ~búpò composed and steady; calm and unhurried｜~就义 ~ jiùyì go to one's death unflinchingly; meet one's death like a hero｜神色~ shénsè ~ calm expression｜举止~ jǔzhǐ ~ carry oneself with ease ❷〈形 adj.〉紧迫；宽裕 plentiful; ample：时间还很~，我们去喝杯咖啡吧。shíjiān hái hěn ~, wǒmen qù hē bēi kāfēi ba. There is plenty of time yet. Let's go and have a cup of coffee.｜最近我的手头不太~。Zuìjìn wǒ de shǒutóu bú tài ~. I have been short of money recently.

⁴ **从容不迫** cóngróng-búpò 〈成 *idm.*〉不慌不忙，沉着镇静 calm and unhurried; self-possessed：无论遇到多大的难事，他总能~地应付。*Wúlùn yùdào duō dà de nánshì, tā zǒng néng ~ de yìngfù.* He can always deal with difficulties in a leisurely manner no matter how great they are.

² **从事** cóngshì ❶ 〈动 *v.*〉投身于(某项工作或事业) engage oneself in(a task or career); pursue; go in for：~教育事业 ~ jiàoyù shìyè engage in a teaching career ｜文学创作 ~ wénxué chuàngzuò engage in literary and artistic creation ｜医疗工作 ~ yīliáo gōngzuò go in for medical work ❷ 〈动 *v.*〉(按某种方法)处理 deal with (in certain way)：谨慎~ jǐnshèn ~ deal with prudence ｜小心~ xiǎoxīn ~ act with care ｜草率~ cǎoshuài ~ act carelessly ｜鲁莽~ lǔmǎng ~ act rashly ｜军法~ jūnfǎ ~ deal with according to military law; court-martial

⁴ **从头** cóngtóu ❶ 〈副 *adv.*〉从最初开始 from the beginning：这件事我得~慢慢跟你说。*Zhè jiàn shì wǒ děi ~ mànmàn gēn nǐ shuō.* I must tell you everything in detail from the beginning. ｜请你把这课课文~念一遍。*Qǐng nǐ bǎ zhè kè kèwén ~ niàn yí biàn.* Please read the text from the very beginning. ❷ 〈副 *adv.*〉重新 anew; afresh; once again：我没听清楚你的话，请你~说一遍。*Wǒ méi tīng qīngchu nǐ de huà, qǐng nǐ ~ shuō yí biàn.* I didn't hear clearly what you said. Please repeat.

⁴ **从未** cóngwèi 〈副 *adv.*〉从过去到现在都没有 never：我~见过这么美的风景。*Wǒ jiànguo zhème měi de fēngjǐng.* I've never seen such beautiful scenery. ｜我~拒绝过他的任何要求。*Wǒ ~ jùjuéguo tā de rènhé yāoqiú.* I've never rejected any of his request.

⁴ **从小** cóngxiǎo 〈副 *adv.*〉从幼小的时候 from childhood：她~就爱跳舞。*Tā ~ jiù ài tiàowǔ.* She has been fond of dancing from childhood. ｜他~住在上海。*Tā ~ zhù zài Shànghǎi.* He has been living in Shanghai ever since he was a child.

⁴ **从中** cóngzhōng 〈副 *adv.*〉在某事或某些人中间 out of; from among; therefrom：你应该~吸取教训。*Nǐ yīnggāi ~ xīqǔ jiàoxùn.* You should draw a lesson from this. ｜这件事是他在~作梗。*Zhè jiàn shì shì tā zài ~ zuògěng.* It was he who placed obstacles in the way. ｜他~赚了一大笔钱。*Tā ~ zhuànle yí dà bǐ qián.* He made a large sum of money out of this. ｜这事还要请您~斡旋一下。*Zhè shì hái yào qǐng nín ~ wòxuán yíxià.* You are invited to mediate between the two sides regarding this matter.

³ **丛** cóng ❶ 〈名 *n.*〉生长在一起的草木 grass or trees growing together：草~ cǎo~ a thick growth of grass ｜树~ shù~ grove; thicket; shrubbery ｜花~ huā~ flowering shrubs; flowers in clusters ❷ 〈名 *n.*〉聚集在一起的人或物 crowd (of people); collection：人~ rén~ crowd of people ｜刀~ dāo~ forest of bayonets (very dangerous situation) ｜~书 shū~ series of books; set of books issued in the same format by a publisher ❸ 〈动 *v.*〉聚集在一起 crowd together：杂草~生 zácǎo ~ shēng be overgrown with weeds ❹ 〈量 *meas.*〉用于丛生在一起的植物 clump; thicket; grove; used for plants growing together：一~青草 yì ~ qīngcǎo a thick growth of green grass ｜几~灌木 jǐ ~ guànmù a few groves of shrubbery ｜一~~绿叶 yì ~~ lǜyè patches of green leaves

³ **凑** còu ❶ 〈动 *v.*〉聚集；将零碎的放在一起 gather together (odds and ends); pool; collect：东拼西~ dōngpīn-xī~ scrape together; knock together ｜七拼八~ qīpīn-bā~ put together ｜大家~了点儿钱买了一台电脑。*Dàjiā ~le diǎnr qián mǎile yì tái diànnǎo.* We chipped in to buy a computer. ｜毕业后，我们班同学再~在一起的机会就不多了。*Bìyè hòu, wǒmen bān tóngxué zài ~ zài yìqǐ de jīhuì jiù bù duō le.* Our classmates have fewer opportunities to get together after graduation. ❷ 〈动 *v.*〉挨近；靠拢 move close to; press near：~到跟前 ~dào gēnqián press near sb. or sth. ｜~到耳边 ~dào ěrbiān move close to

sb. 's ear | ~着鼻子 ~zhe bízi press sth. to one's nose ❸〈动 v.〉遇上；碰上 come across; run into：~巧 ~qiǎo luckily

⁴ 凑合 còuhe ❶〈动 v.〉聚集；会合 gather together; assembly：每逢校庆我们老同学就会~在一起。*Měi féng xiàoqìng wǒmen lǎo tóngxué jiù huì ~ zài yìqǐ.* Whenever it is the anniversary of the founding of the Alma Mater, our old classmates will get together. **❷**〈动 v.〉拼凑 piece together; improvise：他俩刚结婚，这些用具都是大伙儿临时~的。*Tā liǎ gāng jiéhūn, zhèxiē yòngjù dōu shì dàhuǒr línshí ~ de.* They are newly married. We have scraped together these utensils for them. **❸**〈动 v.〉将就 make do：过日子可不能瞎~。*Guò rìzi kě bù néng xiā ~.* You can't always make do when it comes to housekeeping. | 这件衣服我没穿几次，你拿去~着穿吧。*Zhè jiàn yīfu wǒ méi chuān jǐ cì, nǐ ná qù ~zhe chuān ba.* I only wore this clothes a few times. You can make do with it. **❹**〈形 adj.〉过得去 so-so; passable：这些年他的日子过得还~。*Zhèxiē nián tā de rìzi guò de hái ~.* His life in recent years is not too bad.

⁴ 凑巧 còuqiǎo〈副 adv.〉表示正是时候或正遇上所希望或所不希望的事情 luckily; fortunately; as luck would have it：你来得真~，我们正要给你打电话呢。*Nǐ lái de zhēn ~, wǒmen zhèng yào gěi nǐ dǎ diànhuà ne.* As luck would have it, you turned up when we were about to call you. | 我们昨天去郊游，~遇上个大好天。*Wǒmen zuótiān qù jiāoyóu, ~ yùshang gè dà hǎotiān.* We went on an outing yesterday. Fortunately, the weather was very good. | 真不~，他刚出门。*Zhēn bú ~, tā gāng chūmén.* As luck would have it, he just left.

² 粗 cū ❶〈形 adj.〉条状物的横切面大（与'细'相对）wide (in diameter); thick (opposite to '细xì')：~绳子 ~shéngzi thick rope | 这根柱子挺~。*Zhè gēn zhùzi tǐng ~.* This column is quite thick. **❷**〈形 adj.〉形容比较宽的线条或线条形的东西（与'细'相对）wide (in breadth); thick; broad (opposite to '细xì')：~线条 ~xiàntiáo thick lines | 他的眉毛长得很~。*Tā de méimao zhǎng de hěn ~.* He has quite heavy eyebrows. **❸**〈形 adj.〉颗粒较大（与'细'相对）coarse; crude; rough (opposite to '细xì')：~沙子 ~shāzi coarse sand; grit | ~盐 ~yán bay salt **❹**〈形 adj.〉声音大而低沉（与'细'相对）gruff; husky (opposite to '细xì')：~嗓门儿 ~sǎngménr husky voice | 他说话从来都是那么~声~气的。*Tā shuōhuà cónglái dōu shì nàme ~shēng~qì de.* He always speaks in a deep, gruff voice. **❺**〈形 adj.〉不精细；毛糙（与'细'相对）not refined; coarse (opposite to '细xì')：~茶淡饭 ~chá-dànfàn plain tea and simple food; homely meal | ~粮 ~liáng coarse food grain **❻**〈形 adj.〉不周密；不细心；不礼貌（与'细'相对）careless; negligent; rude(opposite to '细xì')：~心大意 ~xīn-dàyì careless; negligent | ~话 ~huà vulgar language | 他是个~人，但人不坏。*Tā shì gè ~rén, dàn rén bú huài.* He is a blunt person of a good nature. **❼**〈副 adv.〉略微 roughly; slightly; a little：这项工程已经~具规模。*Zhè xiàng gōngchéng yǐjīng ~ jù guīmó.* This project is roughly in shape. | 他~通汉语。*Tā ~ tōng Hànyǔ.* He has a smattering of Chinese.

⁴ 粗暴 cūbào〈形 adj.〉鲁莽；暴躁 rough and hot-tempered; rude and violent; savage：态度~ ~tàidù ~ rude attitude | 性格~ xìnggé ~ be rude and brutal in temperament | 作风~ zuòfēng ~ crude style of work | ~地干涉 ~de gānshè grossly interfere with | ~的侵犯 ~de qīnfàn wantonly infringe upon | 大家一致批评了他的~行为。*Dàjiā yízhì pīpíngle tā de ~ xíngwéi.* All of us criticized his uncouth behavior.

⁴ 粗粮 cūliáng〈名 n.〉中国人一般将大米、白面以外的食粮称为粗粮，如玉米、高粱、豆类等（与'细粮'相对）coarse food grain; Chinese term for grains other than wheat and rice, e. g. maize, sorghum, beans, etc. (opposite to '细粮xìliáng')：许多~有很高的营养

价值，应当和细粮搭配着吃。*Xǔduō ~ yǒu hěn gāo de yíngyǎng jiàzhí, yīngdāng hé xìliáng dāpèizhe chī.* Many coarse food grains have very high nutritional value and should be eaten with the refined grain.

⁴ **粗鲁** cūlǔ 〈形 *adj.*〉粗暴鲁莽 rough; rude; impolite; boorish; rash：性格~ *xìnggé* ~ boorish in disposition │ 动作~ *dòngzuò* ~ rough action │ 言语~ *yányǔ* ~ coarse language │ 他说话太~了，真让人反感。*Tā shuōhuà tài ~ le, zhēn ràng rén fǎngǎn.* He has a very coarse mouth which is really annoying.

⁴ **粗细** cūxì ❶〈名 *n.*〉粗细的程度（degree of）thickness：这样~的笔给孩子用正合适。*Zhèyàng ~ de bǐ gěi háizi yòng zhèng héshì.* Pen of this size is suitable for child use. │ 妈妈有各种~不同的毛衣针。*Māma yǒu gèzhǒng ~ bùtóng de máoyīzhēn.* Mother has knitting needles of various sizes. │ 碗口~的 *wǎnkǒu ~ de* as big as the mouth of a bowl │ 手指头~的 *shǒuzhītou ~ de* as thick as a finger ❷〈名 *n.*〉粗糙和细致的程度 crudeness or fineness; degree of finish：内行人一眼就能看出活儿~来。*Nèiháng rén yì yǎn jiù néng kàn chū huór de ~ lái.* The professional can tell the quality of the work at first sight.

³ **粗心** cūxīn 〈形 *adj.*〉不细心；不认真（跟'细心'相对）careless; thoughtless（opposite to '细心xìxīn'）：你做事怎么总是这么~! *Nǐ zuòshì zěnme zǒngshì zhème ~!* Why are you so careless in doing everything? │ 我是个~的人。*Wǒ shì gè ~ de rén.* I am a careless person.

³ **粗心大意** cūxīn-dàyì 〈成 *idm.*〉马虎草率；不认真；不细心 careless and rash; negligent; inadvertent：这是人命关天的大事，千万不可~。*Zhè shì rénmìng-guāntiān de dà shì, qiānwàn bùkě ~.* This is a matter of life and death. You can not be too careless.

⁴ **促** cù ❶〈动 *v.*〉催；推动 urge; promote：~工作 ~ *gōngzuò* push work forward │ ~效益 ~ *xiàoyì* promote efficacy │ ~团结 ~ *tuánjié* promote unity │ ~人奋进 ~ *rén fènjìn* urge people to forge ahead courageously ❷〈形 *adj.*〉急迫；匆忙 urgent; hurried：短~ *duǎn* ~ short │ 仓~ *cāng* ~ hasty │ 门外传来了急~的脚步声。*Mén wài chuánláile jí ~ de jiǎobù shēng.* Quick footsteps could be heard outside the door. ❸〈形 *adj.*〉靠近 close to; near：~膝谈心 ~ *xī tánxīn* sit knee to knee in a cosy tete-a-tete; have a heart-to-heart talk

² **促进** cùjìn 〈动 *v.*〉推动向前发展 promote; advance; boost; encourage：~工作 ~ *gōngzuò* give impetus to work │ ~友谊 ~ *yǒuyì* promote friendship │ ~团结 ~ *tuánjié* strengthen unity │ ~派 ~ *pài* promoter of progress; progressive │ 技术改造~了生产的发展。*Jìshù gǎizào ~ le shēngchǎn de fāzhǎn.* The technological innovation has promoted the development of productivity. │ 改革开放有力地~了中国经济的发展。*Gǎigé kāifàng yǒulì de ~ le Zhōngguó jīngjì de fāzhǎn.* The policy of reform and opening-up to the outside world has greatly promoted the development of Chinese economy.

³ **促使** cùshǐ 〈动 *v.*〉推动使发生变化 promote（so as to bring about change）; impel; urge; spur：他的成功~我下决心也到外边去闯一闯。*Tā de chénggōng ~ wǒ xià juéxīn yě dào wàibian qù chuǎng yi chuǎng.* His success prompted me to make a living away from home. │ 我们要尽一切力量~问题的尽早解决。*Wǒmen yào jìn yíqiè lìliàng ~ wèntí de jìnzǎo jiějué.* We should spare no efforts in bringing about a solution to this problem as early as possible.

² **醋** cù ❶〈名 *n.*〉有酸味的液体调料 vinegar; acidic-tasting liquid used as seasoning：米~ *mǐ* ~ rice vinegar │ 熏~ *xūn* ~ fumigate with vinegar │ 老陈~ *lǎochén* ~ mature vinegar ❷〈名 *n.*〉比喻妒忌的情绪（多用于男女关系上）fig. jealousy（mostly in love affairs）：~意 ~ *yì* feeling of jealousy │ ~劲儿 ~ *jìnr* jealousy │ 我约她出去谈个事，你就吃~啦! *Wǒ yuē tā chūqù tán gè shì, nǐ jiù chī ~ la!* How could you feel jealous when I

asked her out to have a talk?

³ **窜 cuàn ❶**〈动 v.〉乱逃；乱窜 flee; scurry: 抱头鼠~ *bàotóu-shǔ*~ cover the head and scurry away like a rat | 东奔西~ *dōngbēn-xī*~ flee in all directions | 上~下跳 *shàng*~*xiàtiào* run and jump all over the place (run around on sinister errands) | 吓得敌人四处逃~。*Xià de dírén sìchù táo*~. The enemy were so scared that they fled in all directions | 野猪在林子里乱~。*Yězhū zài línzi li luàn*~. The wild boar scurried about in the woods. **❷**〈动 v.〉改动(文字或意思) change (the wording or meaning); alter: ~原文 *~gǎi yuánwén* alter the original text | 你为什么~改我的意思？ *Nǐ wèishénme ~gǎi wǒ de yìsī?* Why did you distort my meaning?

C

² **催 cuī ❶**〈动 v.〉使赶快行动；促使 urge; hurry; press: 妈妈~我赶快完成作业。*Māma ~ wǒ gǎnkuài wánchéng zuòyè.* Mother urged me to finish my homework as early as possible. | 出版社来信向我~稿。*Chūbǎnshè lái xìn xiàng wǒ ~ gǎo.* The publishing house sent me a letter, urging me to submit my manuscript. **❷**〈动 v.〉促使事物的发展变化加快 hasten; expedite; speed up: ~产 *~ chǎn* expedite (child) delivery; hasten parturition | ~肥 *~féi* fatten

⁴ **摧残 cuīcán**〈动 v.〉使受到严重损害 cause severe damage; wreck; destroy; devastate: ~人才 *~ réncái* persecute the talents | ~文化 *~ wénhuà* cause the culture to wither | 任意~ *rènyì* ~ destroy wantonly | 严重~ *yánzhòng* ~ cause severe damage to | 酗酒~了他的健康。*Xùjiǔ ~le tā de jiànkāng.* Excessive drinking wrecked his health.

³ **摧毁 cuīhuǐ**〈动 v.〉彻底地毁坏 destroy; wreck: ~工事 *~ gōngshì* destroy the defence works | ~房屋 *~ fángwū* destroy houses | 一举~ *yìjǔ* ~ destroy at one stroke | 彻底~ *chèdǐ* ~ completely destroy | 战争~了这座城市。*Zhànzhēng ~le zhè zuò chéngshì.* The war devastated the city. | 疾病没有~他的意志。*Jíbìng méiyǒu ~ tā de yìzhì.* His illness did not wreck his willpower.

⁴ **脆 cuì ❶**〈形 adj.〉易断易碎(与'韧'相对) brittle; fragile (opposite to '韧 rèn'): 这种纸太~，不宜画画儿。*Zhè zhǒng zhǐ tài ~, bùyí huà huàr.* This type of paper is too fragile to be used for painting. **❷**〈形 adj.〉物酥松(of food) crisp and crunchy: 这种薯片又香又~。*Zhè zhǒng shǔpiàn yòu xiāng yòu ~.* This kind of potato chips is crisp and delicious. | 这种萝卜又甜又~。*Zhè zhǒng luóbo yòu tián yòu ~.* This kind of radish is crisp as well as sweet. **❸**〈形 adj.〉声音清亮悦耳(of voice) clear and melodious: 她的嗓音又~又甜。*Tā de sǎngyīn yòu ~ yòu tián.* Her voice is clear and sweet. **❹**〈形 adj.〉受挫折后易动摇 indecisive (after experiencing setback): 他这个人很~。*Tā zhège rén hěn ~ruò.* He is a man of weak will. **❺**〈形 adj. 方 dial.〉说话做事利落(of speech and action) clear-cut; neat: 干~利索 *gān~ lìsuo* crisp; frank and straightforward | 他这件事办得很干~。*Tā zhè jiàn shì bàn de hěn gān~.* He did this job neatly.

⁴ **脆弱 cuìruò**〈形 adj.〉经不起挫折；不坚强 fragile; weak; frail: 意志~ *yìzhì* ~ be weak-willed | 性格~ *xìnggé* ~ of weak character | 身体~ *shēntǐ* ~ weak; frail | 她是一个感情非常~的人。*Tā shì yí gè gǎnqíng fēicháng ~ de rén.* She is very sentimental.

⁴ **翠绿 cuìlǜ**〈形 adj.〉像翡翠那样的绿色 emerald green; bluish green: 田野里一片~。*Tiányě li yípiàn ~.* The field is green with crops. | 雨后的竹林显得格外~。*Yǔ hòu de zhúlín xiǎnde géwài ~.* The bamboo thicket looked especially fresh and green after the rain.

³ **村庄 cūnzhuāng**〈名 n.〉(座 zuò、个 gè)农民聚居的地方 village; hamlet: 他是在江南的一座富饶的~里长大的。*Tā shì zài jiāngnán de yí zuò fùráo de ~ li zhǎngdà de.* He grew up in a affluent village south of the Yangtze River. | 贫穷的~ *pínqióng de ~*

impoverished village | 幽静的~ *yōujìng de* ~ quiet village

³ **村子** cūnzi 〈名 *n.*〉〈座 zuò、个 gè〉农民聚居的地方 village; hamlet: 这个小小的~只有三户人家。*Zhège xiǎoxiǎo de* ~ *zhǐyǒu sān hù rénjiā.* There are only three households in this small village.

² **存** cún ❶〈动 *v.*〉存在;生存(与'亡'相对) exist; live; survive (opposite to '亡 *wáng*'): 生~ *shēng*~ exist; subsist | 名~实亡 *míng*~*shíwáng* cease to exist but in name | 荡然无~ *dàngrán-wú*~ all gone; with nothing left ❷〈动 *v.*〉储存; 积蓄 store; keep; accumulate: 家家有~款，户户有~粮。*Jiā jiā yǒu* ~*kuǎn, hù hù yǒu* ~*liáng.* Every family has bank savings and every household has grains in store. ❸〈动 *v.*〉特指存款 deposit: 零~整取 *líng* ~ *zhěng qǔ* monthly small deposits for lump sum withdrawal at a specified time | 这是十万元~定期。*Zhè shì shíwàn yuán* ~ *dìngqī.* This is a fixed deposit of 100,000 *yuan.* ❹〈动 *v.*〉寄放 leave (for safekeeping); check: ~车处 ~*chē chù* bicycle park | 行李寄~处 *xínglǐ jì*~*chù* checkroom ❺〈动 *v.*〉怀着; 记在心里 harbour; cherish; nurse: ~心不良 ~*xīn bù liáng* harbor evil intentions | 他对你还心~幻想呢。*Tā duì nǐ hái xīn* ~ *huànxiǎng ne.* He still cherishes illusion about you. ❻〈动 *v.*〉保留下来 retain: ~档 ~*dàng* place on file | ~根 ~*gēn* counterfoil; stub | 去伪~真 *qùwěi*~*zhēn* discard the sham and retain the true | 求同~异 *qiútóng*~*yì* seek common ground while shelving the differences

⁴ **存放** cúnfàng 〈动 *v.*〉寄存;存入 leave in sb.'s care; leave with: 他将贵重物品~在保险柜里。*Tā jiāng guìzhòng wùpǐn* ~ *zài bǎoxiǎnguì li.* He left his valuables in the safe. | 把钱~在银行里。*Bǎ qián* ~ *zài yínháng li.* Deposit the money in the bank.

⁴ **存款** cúnkuǎn ❶〈名 *n.*〉〈笔 bǐ〉存在银行里的钱 bank savings; deposit: 老人在银行里有一笔不小的~。*Lǎorén zài yínháng li yǒu yì bǐ bù xiǎo de* ~. The old man has a deposit of a large sum of money in the bank. ❷〈动 *v.*〉钱存到银行里(与'取款'相对) deposit money in a bank (opposite to '取款 qǔkuǎn'): 他到银行~去了。*Tā dào yínháng* ~ *qù le.* He went to the bank to deposit some money.

² **存在** cúnzài ❶〈动 *v.*〉事物持续占据着时间和空间;实际上有，还没有消失 be; exist; remain; have been in space and time and continue to be: 这家公司~不少问题。*Zhè jiā gōngsī* ~ *bùshǎo wèntí.* This company has many problems. | 中小学里普遍~着学生学习负担过重的现象。*Zhōngxiǎoxué li pǔbiàn* ~*zhe xuéshēng xuéxí fùdān guòzhòng de xiànxiàng.* The problem of students overburdened with their study in primary and high schools is quite common. ❷〈名 *n.*〉指客观世界 being; substance; objective world: ~决定意识。~ *juédìng yìshí.* Man's social being determines his consciousness.

² **寸** cùn ❶〈量 *meas.*〉中国使用的市制长度单位，10寸为一尺 *cun*, a unit of length used in China(1/30 meter) that equals 1/10 *chi* ❷〈形 *adj.*〉形容极短或极小 very short; very little; small: ~步难行 ~*bù-nánxíng* be unable to move even a single step; be in an extremely difficult situation | ~土必争 ~*tǔ-bìzhēng* refuse to give up a little land | 鼠目~光 *shǔmù*~*guāng* a mouse can see only an inch; see only what is under one's nose; lack foresight | ~草不留 ~*cǎo-bùliú* not leave even a blade of grass (total destruction)

³ **搓** cuō 〈动 *v.*〉两手相对反复摩擦，或用手来回揉擦别的东西 rub with the hands: 冻得他直~手。*Dòng de tā zhí* ~*shǒu.* It was so cold that he kept rubbing his hands. | 你帮我~背。*Nǐ bāng wǒ* ~~ *bèi.* Please scrub my back for me. | 领子和袖口很脏，要多~几下。*Lǐngzi hé xiùkǒu hěn zāng, yào duō* ~ *jǐ xià.* Give the collar and sleeves more scrubbings as they are quite dirty. | 他给我~了一根草绳。*Tā gěi wǒ* ~*le yì gēn cǎoshéng.* He made a straw rope for me.

⁴ **磋商** cuōshāng 〈动 v.〉互相交换意见；反复商量 exchange views; hold discussions; consult：通过~ *tōngguò* ~ through consultation ｜ 进行~ *jìnxíng* ~ hold discussions ｜ 双方经过几轮~，达成了一致的意见。*Shuāngfāng jīngguò jǐ lún* ~，*dáchéngle yízhì de yìjiàn.* After several rounds of discussions, the two sides finally reached an agreement. ｜ 两国政府就边界问题进行了多次~。*Liǎng guó zhèngfǔ jiù biānjiè wèntí jìnxíngle duō cì* ~. The governments of the two countries held several discussions over the border dispute.

³ **挫折** cuòzhé ❶〈名 n.〉失败；失利 defeat; setback：重大~ *zhòngdà* ~ major setback ｜ 暂时的~ *zànshí de* ~ temporary setback ｜ 严重的~ *yánzhòng de* ~ serious setback ｜ 他从~中吸取了教训。*Tā cóng* ~ *zhōng xīqǔle jiàoxùn.* He drew a lesson from his setback. ❷〈动 v.〉压制；损伤 suppress; subdue; inflict casualty on：这场战斗大大地~了敌人的锐气。*Zhè chǎng zhàndòu dàdà de* ~*le dírén de ruìqì.* The battle checked the enemy's drive to a great extent. ｜ 不要~孩子们的积极性。*Búyào* ~ *háizimen de jījíxìng.* Don't throw cold water on child's enthusiasm.

² **措施** cuòshī 〈名 n.〉（项 xiàng）为解决某重大问题而采取的办法 measure or step taken to deal with a major issue：采取~ *cǎiqǔ* ~ take measures ｜ 落实~ *luòshí* ~ decide on the measure to be taken ｜ 制定~ *zhìdìng* ~ draw up measures ｜ 相应的~ *xiāngyìng de* ~ appropriate measure ｜ 重大~ *zhòngdà* ~ major step ｜ 有力的~ *yǒulì de* ~ strong measure

¹ **错** cuò ❶〈形 adj.〉不正确 not correct; wrong：做~了事，要努力改正。*Zuò* ~*le shì, yào nǔlì gǎizhèng.* Try to correct the mistake that you have made. ｜ 你~怪他了。*Nǐ* ~*guài tā le.* You wronged him. ❷〈形 adj.〉坏；差（只用于否定式）(used only in the negative) bad; poor：他歌唱得不~。*Tā gē chàng de bú* ~. He sings quite well. ｜ 今年的收成~不了。*Jīnnián de shōuchéng* ~ *bù liǎo.* The harvest of this year is sure to be good. ❸〈动 v.〉相互行动时避开 make out of the way：~过了机会 ~*guòle jīhuì* miss the opportunity ｜ ~车 ~*chē* (of a vehicle) make way for another vehicle ❹〈动 v.〉互相交叉；杂乱 interlock; intermesh：犬牙交~ *quǎnyá-jiāo* ~ jigsaw-like; interlocking ｜ ~综复杂 ~*zōng-fùzá* intricate; complex ｜ ~落有致 ~*luò-yǒuzhì* apparently scattered about but properly spaced ❺（~儿）〈名 n.〉过失 mistake; fault; error：千万别出~儿。*Qiānwàn bié chū* ~*r.* Try to avoid making any mistake. ｜ 你就会挑人的~儿。*Nǐ jiù huì tiāo rén de* ~*r.* You are only good at picking others' faults. ｜ 你这样做是~上加~。*Nǐ zhèyàng zuò shì* ~*shàngjiā* ~. What you did only makes things worse.

¹ **错误** cuòwù ❶〈名 n.〉不正确的事物、行为等 mistake; error; blunder; fault：犯~ *fàn* ~ make a mistake; commit an error ｜ 承认~ *chéngrèn* ~ admit one's mistake ｜ 纠正~ *jiūzhèng* ~ correct a mistake ｜ 坚持~ *jiānchí* ~ cling to one's mistake ｜ 避免~ *bìmiǎn* ~ avoid making mistakes ｜ 我们一定要坚持真理，修正~。*Wǒmen yídìng yào jiānchí zhēnlǐ, xiūzhèng* ~. We must hold firmly to the truth and correct our mistake. ❷〈形 adj.〉不正确 wrong; incorrect：你的这种说法是~的。*Nǐ de zhè zhǒng shuōfǎ shì* ~ *de.* Your view is incorrect. ｜ ~的观点 ~*de guāndiǎn* mistaken idea ｜ ~的理论 ~*de lǐlùn* erroneous theory ｜ ~的方法 ~*de fāngfǎ* wrong method

³ **错字** cuòzì 〈名 n.〉（个 gè）书写或刻印错误的字 wrongly written character; misprint：注意别写~。*Zhùyì bié xiě* ~. Be sure to write every character correctly. ｜ 这本书里~连篇。*Zhè běn shū li* ~ *lián piān.* The book is full of misprints.

D

² **搭** dā ❶〈动 v.〉架设；支起 put up; prop up; build：铺路~桥 pūlù ~qiáo pave roads and build bridges; pave the way for｜~台演戏 ~ tái yǎnxì prop up a stage for the performance｜这个戏台~得很结实 *Zhège xìtái ~ de hěn jiēshi.* The stage is solidly built. ❷〈动 v.〉把柔软的物品、手等放在可以支撑的东西上 put a soft object, hand, etc. over some support：把床单~在竹竿上 *Bǎ chuángdān ~ zài zhúgān shang.* Hang the sheet on a bamboo pole.｜他的手轻轻地~在她的肩膀上 *Tā de shǒu qīngqīng de ~ zài tā de jiānbǎng shang.* He put his hand gently over her shoulder. ❸〈动 v.〉连接；重叠 join; overlap：前言不~后语 qiányán bù ~ hòuyǔ utter words that are not coherent｜关系~上了 *Guānxi ~shang le.* The relationship is established.｜别把两床棉被~在一起 *Bié bǎ liǎng chuáng miánbèi ~ zài yìqǐ.* Don't put one quilt on top of the other. ❹〈动 v.〉凑上；加上 gather together; add：把这些钱~上就够了 *Bǎ zhèxiē qián ~shang jiù gòu le.* It will be enough if this sum of money is added.｜他差点儿连命也给~上了 *Tā chàdiǎnr lián mìng yě gěi ~shang le.* He nearly lost his life in doing this. ❺〈动 v.〉搭配；配合 pair one thing or person up with another：粗粮细粮~着吃 *Cūliáng xìliáng ~ zhe chī.* Fine food grain should be eaten with coarse food grain.｜大的小的~着卖 *Dà de xiǎo de ~zhe mài.* The big must be sold with the small.｜好的差的~着用 *Hǎo de chà de ~zhe yòng.* The good must be used with the bad. ❻〈动 v.〉共同抬起 lift sth. together：两人~轿子 *Liǎng rén ~ jiàozi.* Two persons lift a sedan-chair together.｜这么重的箱子,我怎么~也~不起来 *Zhème zhòng de xiāngzi, wǒ zěnme ~ yě ~ bù qǐlái.* The box was so heavy that I could not lift it no matter how hard I tried. ❼〈动 v.〉乘、坐(车、船、飞机等) take (a car, ship, plane, etc.); travel by：~下一班火车 ~ xià yì bān huǒchē take the next train｜~船去上海 ~ chuán qù Shànghǎi go to Shanghai by ship ❽〈动 v.〉赔 stand a loss：~上一条老命 ~shang yì tiáo lǎomìng lose one's old life｜管了几天账, ~了三百块钱 *Guǎnle jǐ tiān zhàng, ~le sān bǎi kuài qián.* Keeping accounts for a few days, I stood a loss of three hundred *yuan*.

⁴ **搭配** dāpèi ❶〈动 v.〉按一定标准和要求进行安排分配 arrange in pairs or groups according to certain requirements：按粗细荤素~食谱 *Àn cū xì hūn sù ~ shípǔ.* Arrange a menu by pairing coarse food up with fine food and meat with vegetables.｜应该大小、强弱~、好坏~,总之要合理~ *Yīnggāi dàxiǎo ~, qiángruò ~, hǎohuài ~, zǒngzhī yào hélǐ ~.* The big should be paired up with the small, the strong with the weak and the good with the bad. In a word, there must be a proper arrangement. ❷〈动 v.〉相称 match; suit：这两种颜色放在一起不~ *Zhè liǎng zhǒng yánsè fàng zài yìqǐ bù ~.* The two colors do not match well.｜这套服装上下挺~ *Zhè tào fúzhuāng shàng xià tǐng ~.*

The suit matches well up and down. | 他俩很~。*Tā liǎ hěn ~.* The two match very well. ❸〈动 *v.*〉互相配合 cooperate; coordinate：他俩~默契。*Tā liǎ ~ mòqì.* They both are well coordinated.

² **答应** dāying ❶〈动 *v.*〉应声回答 answer; reply; respond：我喊你，为什么不~？*Wǒ hǎn nǐ, wèishénme bù ~?* I was calling you. How come you didn't answer? | 我都一两遍了，你怎么还是没听见？*Wǒ dōu ~ liǎng biàn le, nǐ zěnme háishì méi tīngjiàn?* I answered twice. How come you didn't hear? ❷〈动 *v.*〉应允；同意 agree; promise：她开头不~，后来~了。*Tā kāitóu bù ~, hòulái ~ le.* She did not agree at first but did later. | 这件事我再三考虑，不能~。*Zhè jiàn shì wǒ zàisān kǎolǜ, bù néng ~.* I can not agree, for I have to think it over.

³ **达** dá ❶〈动 *v.*〉通 extend; go through：四通八~ *sìtōng-bā~* extend in all directions | 从上海直~北京 *cóng Shànghǎi zhí~ Běijīng* go straight to Beijing from Shanghai ❷〈动 *v.*〉达到 amount to; reach：赈灾捐款已~3亿元。*Zhènzāi juānkuǎn yǐ ~3yì yuán.* Disaster donations have amounted to 300 million *yuan*. | 他在水中漂流已~三天三夜。*Tā zài shuǐ zhōng piāoliú yǐ ~ sān tiān sān yè.* He has been drifting about in the water for three days and three nights. ❸〈动 *v.*〉通晓；明白 understand thoroughly：知书~理 *zhīshū~~lǐ* educated and reasonable | 通权~变 *tōngquán~~biàn* adapt oneself to circumstances ❹〈动 *v.*〉告知 communicate; inform：下~通知 *xià~ tōngzhī* issue a notice | 转~意见 *zhuǎn~ yìjiàn* pass on one's opinions | 传~报告 *chuán~ bàogào* relay a report ❺〈动 *v.*〉表达 express：词不~意。*Cíbù~yì.* The words fail to express the meaning. ❻〈形 *adj.*〉心胸开阔 open-minded：豁~大度 *huò~~dàdù* open-minded and magnanimous | 旷~不羁 *kuàng~~bùjī* broad-minded and unruly ❼〈形 *adj.*〉地位高；名声大 high in position; eminent：~官贵人 *~guān-guìrén* prominent officials and eminent personages | 穷则独善其身，~则兼济天下。*Qióng zé dúshànqíshēn, ~ zé jiānjìtiānxià.* The unwise only look after themselves while the wise help the world as well as themselves.

³ **达成** dá//chéng〈动 *v.*〉达到；得到（多指商谈后得到某种结果）reach; obtain（often referring to certain result after consultations）：~谅解 *~ liàngjiě* reach an understanding | 一致意见 *~yízhì yìjiàn* reach an agreement | 虽经双方努力，还是达不成协议。*Suī jīng shuāngfāng nǔlì, háishì dá bù chéng xiéyì.* The two parties made much effort but still couldn't reach an agreement.

² **达到** dá//dào〈动 *v.*〉到（多指抽象事物或程度）reach; achieve（often referring to an abstract thing or degree）：~要求 *~yāoqiú* live up to one's expectations | ~目的 *~ mùdì* attain the goal | ~顶点 *~ dǐngdiǎn* reach the apex | ~谅解 *~ liàngjiě* reach an understanding | ~团结 *~tuánjié* achieve unity | 他的百米成绩~一级国家运动员水平。*Tā de bǎimǐ chéngjì ~ yījí guójiā yùndòngyuán shuǐpíng.* He has reached the level of a first-class athlete of the state in the 100-meter race. | 产品质量达不到标准的，一律不得上市。*Chǎnpǐn zhìliàng dá bú dào biāozhǔn de, yīlǜ bùdé shàngshì.* The products that have not come up to the standard in quality are not allowed to go into the market.

² **答** dá ❶〈动 *v.*〉用口说、笔写或行动回应对方 reply in oral or written form or in action：你问我~。*Nǐ wèn wǒ ~.* You ask and I answer. | 这些题，全能~出来吗？*Zhèxiē tí, quán néng ~ chūlái ma?* Can you answer all these questions? | 你们要~得认真、~得快、~得清楚。*Nǐmen yào ~ de rènzhēn, ~ de kuài, ~ de qīngchu.* You must answer seriously, quickly and clearly. ❷〈动 *v.*〉回报别人给自己的好处 return（the kindness one has received）：~谢 *~xiè* express appreciation（for one's kindness）| 报~ *bào~* repay sb. for his kindness

²答案 dá'àn 〈名 n.〉对问题所作的解答 answer; solution：没有现成的~ *méiyǒu xiànchéng de* ~ no ready solution｜要寻找~，研究~。*Yào xúnzhǎo* ~, *yánjiū* ~. You must find and study an answer.｜~对了，还是错了？~ *duì le, háishì cuò le?* Is the answer correct or wrong?｜我终于找到了满意的~。*Wǒ zhōngyú zhǎodàole mǎnyì de* ~. I have found a satisfactory answer at last.

⁴答辩 dábiàn 〈动 v.〉答复别人的指责、控告、问难；为自己的行动或论点辩护 reply (to an accusation, charge or question); defend (one's own action or argument)：被告人在法庭上为自己做了~。*Bèigàorén zài fǎtíng shang wèi zìjǐ zuòle* ~. The accused pleaded for himself in court.｜毕业生进行论文~。*Bìyèshēng jìnxíng lùnwén* ~. The graduates are defending their theses.｜他通过了~，~得很成功。*Tā tōngguòle* ~, ~ *de hěn chénggōng.* He passed his defense, which is very successful.

³答复 dáfù ❶〈动 v.〉对问题或要求给以回答 answer; reply (to a question or requirement)：对于提案~得及时，~得快，~得干脆，实在令人满意。*Duìyú tí'àn* ~ *de jíshí,* ~ *de kuài,* ~ *de gāncuì, shízài lìngrén mǎnyì.* It is quite satisfactory to have got a timely, quick and clear answer to the proposal.｜对所提问题能~就~，不能~就不~。*Duì suǒ tí wèntì néng* ~ *jiù* ~, *bù néng* ~ *jiù bù* ~. Answer those questions if you can and don't if you can't. ❷〈名 n.〉对别人提出的问题和要求所做的回答 an answer or reply (to a question or requirement other people have raised)：对大家的要求，领导虽然做了~，但这个~不是令人满意的。*Duì dàjiā de yāoqiú, lǐngdǎo suīrán zuòle* ~, *dàn zhège* ~ *búshì lìngrén mǎnyì de.* Although the leaders replied to the inquiry, people are not satisfied with the reply.｜这样的~，正是学生们所期待的。*Zhèyàng de* ~, *zhèng shì xuéshengmen suǒ qīdài de.* Such a reply was just the one expected by the students.

²答卷 Ⅰ dá//juàn 〈动 v.〉解答考卷 answer the questions in a test paper：同学们正在认真~。*Tóngxuémen zhèngzài rènzhēn* ~. The students are answering the questions in the test paper attentively.｜我会努力答好这张卷的。*Wǒ huì nǔlì dáhǎo zhèzhāng juàn de.* I'll do my best to complete the answer sheet well. Ⅱ dájuàn ❶〈名 n.〉(份 fēn、张 zhāng)对试题作解答的卷子 a test paper for writing down the answers：老师发~，同学做~。*Lǎoshī fā* ~, *tóngxué zuò* ~. The teacher handed out the answer sheets and the students wrote down the answers on them.｜有的~要求书面解答，有的~则要求口头回答。*Yǒu de* ~ *yāoqiú shūmiàn jiědá, yǒu de* ~ *zé yāoqiú kǒutóu huídá.* Some of the answer sheets are required to complete in written form and some in oral form. ❷〈名 n.〉比喻人们对重大问题表明立场和态度 fig. the standpoint and attitude that people show to important questions：学生交了一份令人满意的人生~。*Xuésheng jiāole yí fèn lìngrén mǎnyì de rénshēng* ~. The students handed out a satisfactory answer sheet in life.

¹打 dǎ ❶〈动 v.〉用手或凭借工具、武器击打 strike; hit; knock (with a hand, tool or weapon)：敲锣~鼓 *qiāo luó* ~ *gǔ* beat drums and gongs｜执仗~狗 *zhí zhàng* ~ *gǒu* beat the dog with a stick ❷〈动 v.〉(器皿、蛋类等)被触击而破碎 (of a utensil, egg, etc.) be smashed; be broken：我不小心把热水瓶给~了。*Wǒ bù xiǎoxīn bǎ rèshuǐpíng gěi* ~ *le.* I was careless enough to break a thermos bottle.｜他~破了一个盘子。*Tā* ~*pòle yí gè pánzi.* He smashed a plate. ❸〈动 v.〉斗殴；攻击 fight; attack：~架 ~*jià* fight｜仗 ~ *zhàng* fight a battle｜他俩~成了一团。*Tā liǎ* ~*chéngle yìtuán.* The two were entangled in a fight. ❹〈动 v.〉表示某些动作，'打'的后面的宾语需要和什么动作搭配，'打'就表示什么动作 used with an object to express a related action：~(捕)鱼 ~(*bǔ*) *yú* catch fish｜~(砍)柴 ~(*kǎn*) *chái* gather firewood｜~(做)工 ~(*zuò*) *gōng* do manual work｜~(撑)伞 ~(*chēng*) *sǎn* hold up an umbrella｜~(织)毛衣 ~(*zhī*) *máoyī* knit a sweater | ~(制造)家具~(zhìzào) jiājù make furniture | ~(玩)扑克~(wán) pūkè play cards | ~(挖)井~(wā) jǐng dig a well | ~(拨动)方向盘~(bōdòng) fāngxiàngpán turn a steering wheel | ~(发送)信号~(fāsòng) xìnhào send a signal | ~(捆绑)行李~(kǔnbǎng) xíngli pack one's luggage | ~(系)领带~(jì) lǐngdài wear a tie | ~(涂)蜡~(tú) là wax the floor | ~(奠定)基础~(diàndìng) jīchǔ lay a foundation | ~(办理)离婚~(bànlǐ) líhūn get divorced | ~(买或舀)酒~(mǎi huò yǎo) jiǔ buy or ladle wine | ~(写)草稿~(xiě) cǎogǎo work out a draft | ~(除去)蛔虫~(chúqù) huíchóng get rid of roundworms | ~(练习)拳~(liànxí) quán practice boxing | ~(加盖)公章~(jiāgài) gōngzhāng affix the official stamp ❺〈动 v.〉跟某些表示动作变化或性质状态的单音节词结合，构成双音节词 used with a single-syllable character to form a two-syllable word to show the change of action or the property and state: ~扮~bàn make up | ~倒~dǎo knock down | ~滑~huá slip | ~开~kāi open ❻〈介 prep.〉自;从;沿 from; since; along: 他~前天起就病倒了。Tā ~ qiántiān qǐ jiù bìngdǎo le. He has been ill since the day before yesterday. | 我~广州来。Wǒ ~ Guǎngzhōu lái. I came from Guangzhou. | ~河边过去近多了。~ hébiān guòqu jìnduō le. It is much nearer to go along the river.

³ **打败** dǎ//bài ❶〈动 v.〉战胜(敌人、对手) defeat; beat (an enemy or opponent): 侵略者~ qīnlüèzhě defeat the aggressors | 甲队一定打得败乙队。Jiǎduì yídìng dǎ de bài yǐduì. Team A is sure to beat Team B. | 这是一支打不败的队伍。Zhè shì yì zhī dǎ bú bài de duìwu. This is an invincible army. ❷〈动 v.〉在争斗或竞赛中失败 suffer a defeat in a struggle or competition: 这一仗~了不要紧，我们最终一定会战胜敌人的。Zhè yí zhàng ~le bú yàojǐn, wǒmen zuìzhōng yídìng huì zhànshèng dírén de. The defeat in this battle counts little. We are sure to beat the enemy finally. | 听到中国队~的消息，球迷都哭了。Tīngdào Zhōngguóduì ~ de xiāoxi, qiúmí dōu kū le. On hearing that China suffered a defeat in the game, the fans cried.

² **打扮** dǎban ❶〈动 v.〉使容貌或衣着好看; 装饰 dress up; make up: ~得很认真~ de hěn rènzhēn dress up carefully | 过节了, 应该给孩子~~。Guòjié le, yīnggāi gěi háizi ~~. The children should be dressed up for the festival. | 节日的天安门~得更加美丽。Jiérì de Tiān'ānmén ~ de gèngjiā měilì. Tian'anmen is decorated all the more beautifully during the festival. ❷〈名 n.〉打扮出来的样子 style of dressing: 他一身农民~。Tā yì shēn nóngmín ~. He is dressed up like a farmer. | 他的~像个教师。Tā de ~ xiàng gè jiàoshī. He is dressed up like a teacher. | 你这样~可难看了。Nǐ zhèyàng ~ kě nánkàn le. You are dressed up in an ugly way.

² **打倒** dǎ//dǎo ❶〈动 v.〉击倒在地 knock to the ground: 一拳把他~ yì quán bǎ tā ~ knock him to the ground at one blow ❷〈动 v.〉攻击使之垮台; 推翻 overthrow: 不能想~谁就~谁。Bù néng xiǎng ~ shéi jiù ~ shéi. We can not overthrow anyone at will. | 必须坚决~一切恶势力。Bìxū jiānjué ~ yíqiè è shìlì. All evil forces must be wiped out.

⁴ **打发** dǎfa ❶〈动 v.〉派(出去) send; dispatch: 我已~人找他去了。Wǒ yǐ ~ rén zhǎo tā qù le. I have sent some people out to look for him. | 你赶紧~汽车去接站吧。Nǐ gǎnjǐn ~ qìchē qù jiēzhàn ba. Dispatch a coach to get the arrivals at the station immediately. ❷〈动 v.〉使离去 send away: 为了让我安心写作, 她把孩子~出去玩儿了。Wèile ràng wǒ ānxīn xiězuò, tā bǎ háizi ~ chūqù wánr le. In order to let me keep my mind on writing, she has sent the children away to play. | 我好说歹说才把他~走。Wǒ hǎoshuō-dǎishuō cái bǎ tā ~ zǒu. I sent him away only through plenty of persuasion. ❸〈动 v.〉消磨时间 while away (one's time): 退休之后, 他整天下棋~时光。Tuìxiū zhī hòu, tā zhěngtiān xiàqí ~ shíguāng. He kills his time by playing chess all day long after retirement. | 这样~

D

日子，真不是滋味。Zhèyàng ~ rìzi, zhēn bú shì zīwèi. I really feel bad to while away my days this way.

³ **打击** dǎjī ❶〈动 v.〉敲打；撞击 hit; strike: ~乐器 ~ yuèqì percussion instrument | 头部受到~，阵阵剧痛。Tóubù shòudào ~, zhènzhèn jùtòng. I feel a fit of pain in the head as a result of a hit. ❷〈动 v.〉攻击；使受挫折 attack; suffer a setback: ~侵略者 ~ qīnlüèzhě launch an attack on the aggressors | 不要~他的情绪。Búyào ~ tā de qíngxù. Don't hurt his feelings. | 坚决、彻底地~一切黑势力。Jiānjué, chèdǐ de ~ yíqiè hēi shìlì. Crack down on all dark forces firmly and thoroughly. | 你心坦荡，就不怕别人~。Nǐ xīnxiōng tǎndàng, jiù búpà biéren ~. If you are open-minded and aboveboard, you will not fear other people's retaliation.

⁴ **打架** dǎ//jià〈动 v.〉互相争执殴打 come to blows: 有事好儿商量，千万别~。Yǒushì hǎohāor shāngliang, qiānwàn bié ~. Anything can be solved through discussion. Never come to blows. | 校园里竟然出现了打群架的现象，必须坚决制止。Xiàoyuán li jìngrán chūxiànle dǎqúnjià de xiànxiàng, bìxū jiānjué zhìzhǐ. To think that a gang fight took place in the school. It must firmly be prevented. | 姐姐和妹妹昨晚又打了一架。Jiějie hé mèimei zuó wǎn yòu dǎle yí jià. The two sisters came to blows again yesterday evening. | 玩儿得好好儿的，为什么又打起架来了？Wánr de hǎohāor de, wèishénme yòu dǎ qǐ jià lái le? How come that you began to fight, when you were playing nicely?

³ **打交道** dǎ jiāodào〈惯 usg.〉交际；来往；联系 come into contact with; have dealings with: 我常和他们~。Wǒ cháng hé tāmen ~. I often come into contact with them. | ~多了，你会发现他是个老实人。~ duō le, nǐ huì fāxiàn tā shì gè lǎoshi rén. You will know that he is an honest man if you have more contact with him. | 你跟他~尽管放心。Nǐ gēn tā ~ jǐnguǎn fàngxīn. You may set your mind at ease when you have dealings with him. | 跟他打不打交道不要紧，这事他都会去办的。Gēn tā dǎ bù dǎ jiāodào bú yàojǐn, zhè shì tā dōu huì qù bàn de. It does not matter if you come into contact with him or not. He will deal with the matter all the same.

³ **打量** dǎliang ❶〈动 v.〉察看；审视 size up; look sb. up and down: 她~着久别的亲人。Tā ~zhe jiǔbié de qīnrén. She looked her long-parted dear one up and down. | 他把我上下认真地~了一番。Tā bǎ wǒ shàngxià rènzhēn de ~le yì fān. He looked me up and down carefully. | 他仔细~着刚粉刷的房子。Tā zǐxì ~zhe gāng fěnshuā de fángzi. He had a close look at the just whitewashed house. ❷〈动 v.〉以为；估计 think; suppose: 他~我不知道，至今还瞒着这件事呢。Tā ~ wǒ bù zhīdào, zhìjīn hái mánzhe zhè jiàn shì ne. He thinks that I don't know so he has not told me about it yet. | 我~她病了准不会来，可她还是来了。Wǒ ~ tā bìngle zhǔn bú huì lái, kě tā háishì lái le. I thought she would not come for illness, but she nevertheless appeared. | 我~你今天在家才来的。Wǒ ~ nǐ jīntiān zài jiā cái lái de. I came here because I assume you are at home today.

⁴ **打猎** dǎ//liè〈动 v.〉在野外捕捉鸟、兽 go hunting: 以~为生 yǐ ~ wéi shēng make a livelihood by hunting | 我进山打过一回猎。Wǒ jìn shān dǎguo yì huí liè. I went hunting once in the mountains. | 我枪都不会用，还打什么猎？Wǒ qiāng dōu bú huì yòng, hái dǎ shénme liè ya? I don't even know how to use a gun. How could I go hunting? | 进山~是最快活的事。Jìn shān ~ shì zuì kuàihuo de shì. It is a great pleasure going hunting in the mountains.

³ **打破** dǎ//pò ❶〈动 v.〉突破原有的局面、纪录、拘束、限制等 break (status quo, a record, restraint, restriction, etc.): ~僵局 ~ jiāngjú break a deadlock | ~世界纪录 ~ shìjiè jìlù break a world record | ~框框 ~ kuàngkuang throw convention into the winds

|～情面 ~ *qíngmiàn* without sparing anyone's sensibilities |～界限 ~ *jièxiàn* break the bounds | 打得破，打不破纪录不要紧，关键在于战胜自我。*Dǎ de pò, dǎ bú pò jìlù bú yàojǐn, guānjiàn zàiyú zhànshèng zìwǒ.* It does not matter whether you can or cannot break the record. What does matter is that you surpass yourself. ❷〈动 *v.*〉击碎；摔破 smash; break:～杯子 ~ *bēizi* break a cup | 玻璃打得破，铁板打不破。*Bōli dǎ de pò, tiěbǎn dǎ bú pò.* Glass is breakable, but an iron plate is not.

² **打扰** dǎrǎo ❶〈动 *v.*〉扰乱；搅扰 disturb; trouble: 午休时间，请勿～! *Wǔxiū shíjiān, qǐng wù* ~! Time for nap. No disturbance! | 多有～，很不好意思。*Duō yǒu* ~, *hěn bù hǎo yìsi.* Sorry to have bothered you so much. | 不是避免～，而是不要～。*Bú shì bìmiǎn* ~, *érshì búyào* ~. It is not a question of avoiding trouble, but one of not making trouble. ❷〈动 *v.* 婉 *euph.*〉受招待或麻烦人后表示歉意。也说'打搅' receive treatment, also '打搅dǎjiǎo':～多时，非常感谢! ~ *duō shí, fēicháng gǎnxiè*! Thank you very much for so much treatment!

³ **打扫** dǎsǎo 〈动 *v.*〉扫除；清理 sweep; clean:～卫生 ~ *wèishēng* do cleaning | 先～教室，后～院子。*Xiān* ~ *jiàoshì, hòu* ~ *yuànzi.* Sweep the classroom first and then the courtyard. | 节假日之前都要进行一次彻底～。*Jiéjiàrì zhīqián dōu yào jìnxíng yí cì chèdǐ* ~. We must do a thorough cleaning before every festival or holiday.

¹ **打算** dǎsuan ❶〈动 *v.*〉考虑；计划 intend; plan: 你有什么～没有? *Nǐ yǒu shénme* ~ *méiyǒu?* Are you planning to do anything? | 我～去中国进修汉语。*Wǒ* ~ *qù Zhōngguó jìnxiū Hànyǔ.* I intend to go to China to improve my Chinese. | 我～给中国的朋友写一封信。*Wǒ* ~ *gěi Zhōngguó de péngyou xiě yì fēng xìn.* I am planning to write to my Chinese friends. ❷〈名 *n.*〉（个 *gè*）（关于行动的方向、方法等的）想法、念头 plan; intention（about the direction, way, etc. of one's action）: 你的这个～真好。*Nǐ zhège* ~ *zhēn hǎo.* Your plan is very nice. | 我和你的～完全一样。*Wǒ hé nǐ de* ~ *wánquán yíyàng.* Your intention is exactly the same as mine. | 谁说咱们的～不能实现? *Shéi shuō zánmen de* ~ *bù néng shíxiàn?* Who will say that our plan cannot be fulfilled?

² **打听** dǎtīng 〈动 *v.*〉探问；了解 ask about; inquire about:～情况 ~ *qíngkuàng* ask about sth. |～消息 ~ *xiāoxi* inquire about sb. or sth. |～下落 ~ *xiàluò* inquire about sb.'s whereabouts |～通讯地址 ~ *tōngxùn dìzhǐ* inquire about sb.'s address |～一下，去上海的飞机有几个航班? ~ *yíxià, qù Shànghǎi de fēijī yǒu jǐ gè hángbān?* Can you tell me how many flights there are to Shanghai? | 这件事，～起来有一定难度。*Zhè jiàn shì,* ~ *qǐlái yǒu yídìng nándù.* It is somewhat difficult to inquire about this matter. | 这事儿一～就清楚啦!*Zhè shìr yì* ~ *jiù qīngchu la*! You will know clearly if you make some inquiry.

³ **打仗** dǎ//zhàng 〈动 *v.*〉进行战争；进行战斗 wage a war; fight a battle: 要和平，不要～。*Yào hépíng, bú yào* ~. We want peace, not war. | 准备好～，仗反倒可能打不起来。*Zhǔnbèi hǎo* ~, *zhàng fǎndào kěnéng dǎ bù qǐlái.* If you are prepared for war, war may possibly not break out. | 前方～，后方支援。*Qiánfāng* ~, *hòufāng zhīyuán.* Soldiers fight at the front and civilians provide support in the rear. | 以前我们打过许多仗，眼下，经济建设也是一场大仗。*Yǐqián wǒmen dǎguo xǔduō zhàng, yǎnxià, jīngjì jiànshè yě shì yì chǎng dà zhàng.* We have fought many a battle before and economic construction is also a great battle at present. | 我们要在西部建设中打一个漂亮仗。*Wǒmen yào zài Xībù jiànshè zhōng dǎ yí gè piàoliang zhàng.* We must fight a brilliant battle in the construction of the Western Regions.

³ **打招呼** dǎ zhāohu ❶〈动 *v.*〉用语言或动作示意表示问候 greet sb. with words or gesture: 遇到熟人要主动～。*Yùdào shúrén yào zhǔdòng* ~. You must say hello when

you come across some acquaintance. │ ~可以用嘴问候，也可以打手势。 ~ *kěyǐ yòng zuǐ wènhòu, yě kěyǐ dǎ shǒushì.* You may greet sb. either with words or gesture. │ 天天见面，也应该打打招呼。 *Tiāntiān jiànmiàn, yě yīnggāi dǎdǎ zhāohu.* You should say hello to sb. even if you see him every day. ❷〈动 v.〉（事前或事后）就某项事情或某种问题予以通知（before or after an event）notify; let sb. know: 结婚大事，应跟亲朋好友~。 *Jiéhūn dàshì, yīng gēn qīnpéng-hǎoyǒu ~.* Wedding is an important thing. You should let your relatives and good friends know about it. │ 你有事提前离开，要跟主任打个招呼。 *Nǐ yǒu shì tíqián líkāi, yào gēn zhǔrèn dǎ gè zhāohu.* If you want to leave early for some reason, you should notify your director. │ 明天的课程安排改了，要早跟同学们~。 *Míngtiān de kèchéng ānpái gǎi le, yào zǎo gēn tóngxuémen ~.* The students must be notified early of the change in the class schedule tomorrow.

²**打针** dǎ//zhēn 〈动 v.〉把液体药物用注射器注射到身体内 give an injection: 人病了要~吃药。 *Rén bìngle yào ~ chī yào.* A person, when ill, must have an injection and take medicine. │ 孩子怕~，一见要~就哭闹起来。 *Háizi pà ~, yí jiàn yào ~ jiù kū nào qǐlái.* Children are afraid of having an injection and will cry out at the sight of it. │ 他已经打三针了还不见好转。 *Tā yǐjīng dǎ sān zhēn le hái bú jiàn hǎozhuǎn.* He has been given three injections but still not turned for the better.

¹**大** dà ❶〈形 adj.〉事物在规模、数量、力量、强度等方面超过一般或所比较的对象（与'小'相对）big; large; great (in scale, quantity, force, strength, etc.)(opposite to '小 xiǎo'): ~院子 ~ *yuànzi* big yard │ ~队人马 ~ *duì rénmǎ* a large contingent of troops │ 这场雪真~。 *Zhè cháng xuě zhēn ~.* The snow is falling heavily indeed. ❷〈形 adj.〉表示强调 for emphasis: 出~力，流~汗 *chū ~ lì, liú ~ hàn* exert great effort and sweat a lot of sweat │ ~清早 ~ *qīngzǎo* early in the morning │ 那间房子有这间两个~。 *Nà jiān fángzi yǒu zhè jiān liǎng gè ~.* That room is twice as big as this one. ❸〈形 adj.〉表示排行第一 first in an order: ~哥 ~ *gē* eldest brother │ ~姨 ~ *yí* mother's eldest sister; aunt │ 他是老~。 *Tā shì lǎo~.* He is the eldest. │ ~叔 ~ *shū* uncle │ ~妈 ~ *mā* aunt (sometimes neither for an order nor for respect, just expressing growing or becoming bigger) ~姑娘 ~ *gūniang* big girl │ ~小子 ~ *xiǎozi* big boy ❹〈形 adj.〉敬称跟对方有关的事物 politely calling sth. that has something to do with the other party; your: ~作 ~*zuò* your writing │ 尊姓~名 zūnxìng ~*míng* your name ❺〈形 adj.〉重大的；不平常的 important; unusual: 立~志，做~事 *lì ~ zhì, zuò ~ shì* have lofty aim and make great achievement ❻〈副 adv.〉表示程度深 deep in degree: ~有余地 ~ *yǒu yúdì* have much room │ ~动干戈 ~ *dòng-gāngē* get into a serious fight │ ~红~紫 ~*hóng~zǐ* colorful; *fig.* (of people) at the height of influence or popularity ❼〈副 adv.〉用在'不'后，表示程度浅或次数少（'大'等于'很'或'太'）used after '不 bú' to express shallow in degree or small in number ('大' is equivalent to '很 hěn' or '太 tài'): 不~好 bú ~ *hǎo* not very good │ 不~明白 bú ~ *míngbai* not quite clear │ 不~舒服 bú ~ *shūfu* not feel very well │ 不~爱花钱 bú ~ *ài huāqián* not like spending money │ 不~看书 bú ~ *kàn shū* not like reading ❽〈名 n.〉方 dial.〉指父亲或指伯父、叔父 father or uncle: 俺~今年七十了。 *Ǎn ~ jīnnián qīshí le.* My father is 70 years old this year.

³**大半** dàbàn ❶〈名 n.〉多半部分 the greater part: 在座的~是妇女。 *Zàizuò de ~ shì fùnǚ.* More than half of those present are women. │ 咱班美国人占~。 *Zán bān Měiguórén zhàn ~.* The American students make up the greater part of our class. │ 这学期已经过了一~了。 *Zhè xuéqī yǐjīng guòle yí ~ le.* The greater part of the term has passed. ❷〈副 adv.〉表示较大的可能性 expressing greater possibility: 天都黑了，今儿

他~ㄦ不来了。*Tiān dōu hēi le*，*jīnr tā ~r bù lái le.* It is dark. Most likely he will not come. │ 她~喜欢听古典乐曲。*Tā ~ xǐhuan tīng gǔdiǎn yuèqǔ.* She is most probably fond of classic music.

⁴ **大包大揽** dàbāo-dàlǎn〈惯 *usg.*〉不顾条件，把事情、任务全部或大部兜揽下来 take on everything or most of it regardless of conditions：此人办事独断专行，~。*Cǐ rén bànshì dúduàn-zhuānxíng*，~. That man acts arbitrarily and takes on everything. │ 既然他~了，我们还操什么心？*Jìrán tā ~ le*，*wǒmen hái cāo shénme xīn?* Now that he has taken on everything, why need we worry? │ 他作风民主，处事从不~。*Tā zuòfēng mínzhǔ*，*chǔshì cóng bù ~.* He has a democratic working style and never takes on everything.

³ **大便** dàbiàn ❶〈名 *n.*〉屎 stool; faeces：拉~ *lā* ~ have a bowel movement │ 解~ *jiě* ~ defecate │ ~干燥 *~gānzào* constipation │ 这种药丸是通~的。*Zhè zhǒng yàowán shì tōng ~ de.* This herbal medicine eases constipation. ❷〈动 *v.*〉拉屎 have a bowel movement：每天最好定时~。*Měitiān zuì hǎo dìngshí ~.* It is better to defecate at a fixed time every day.

⁴ **大臣** dàchén〈名 *n.*〉（名 míng、位 wèi）君主国家的高级官员 minister of a monarchy：钦差~ *qīnchāi* ~ imperial commissioner │ 内务~ *nèiwù* ~ minister for internal affairs │ 他是外交~。*Tā shì wàijiāo ~.* He is minister for external affairs.

³ **大大** dàdà〈副 *adv.*〉极大地（强调数量、程度、范围、规模等方面的变化）greatly (used to emphasize the change in amount, degree, scope, scale, etc.)：~增加 ~ *zēngjiā* increase greatly │ ~缩小 ~ *suōxiǎo* shrink enormously │ ~改善 ~ *gǎishàn* improve greatly │ 今年西瓜产量~超过往年，价格~下降了。*Jīnnián xīguā chǎnliàng ~ chāoguò wǎngnián*，*jiàgé ~ xiàjiàng le.* Watermelons rise enormously in yield this year, but fall greatly in price.

² **大胆** dàdǎn〈形 *adj.*〉有胆量；不畏缩 bold; daring：~发言 ~ *fāyán* bold enough to speak │ ~的行动 ~ *de xíngdòng* a bold action │ ~创造 ~ *chuàngzào* a bold creation │ ~设计 ~ *shèjì* an audacious design │ ~指挥 ~ *zhǐhuī* daring command │ 大家信任你，你就~工作。*Dàjiā xìnrèn nǐ*，*nǐ jiù ~ gōngzuò.* We all trust you so much that you can take up the job boldly. │ ~干不是盲目干，更不是蛮干。*~gàn bú shì mángmù gàn*，*gèng bú shì mángàn.* Acting boldly does not mean acting aimlessly or rashly.

³ **大道** dàdào ❶〈名 *n.*〉（条 tiáo）宽阔平坦的道路 broad and level road：笔直的~ *bǐzhí de* ~ straight road │ 幸福的~ *xìngfú de* ~ a happy road │ 充满阳光的~ *chōngmǎn yángguāng de* ~ a sunny road │ 他们走在林荫~上。*Tāmen zǒu zài línyīn ~ shang.* They walked along the tree-lined road. │ 顺着这条~往前走就是幸福村了。*Shùnzhe zhè tiáo ~ wǎng qián zǒu jiùshì Xìngfúcūn le.* You will reach Xingfu Village if you walk ahead along this road. ❷〈名 *n.* 书 *lit.*〉正理；常理 the way of justice or reason：他的所作所为合乎~。*Tā de suǒzuò-suǒwéi héhū ~.* His action and behavior comply with reason. │ 不违~者昌。*Bù wéi ~ zhě chāng.* Those who do not act against justice prosper. ❸〈名 *n.*〉古代指政治上的最高理想，大公无私之道 the highest political ideals in ancient times; selflessness：~之行也，天下为公。*~ zhī xíng yě*，*tiānxià-wéigōng.* When the Great Tao prevails, the whole world is one community.

³ **大地** dàdì ❶〈名 *n.*〉广大的山川土地 earth; land：春回~，万象更新。*Chūn huí ~*，*wànxiàng gēngxīn.* Spring returns to the earth and everything looks new and fresh. │ 茫茫~一片雪白。*Mángmáng ~ yí piàn xuěbái.* The vast land is covered with snow. │ 金秋洒满阳光。*Jīnqiū ~ sǎmǎn yángguāng.* The sun illuminates every corner of the land in

golden autumn. ❷〈名 n.〉有关地球的 concerning the earth: ~测量 ~ cèliáng geodesy │~植被 ~ zhíbèi vegetation

³ **大都** dàdū〈副 adv.〉绝大部分;基本上 for the most part; mostly: 这书店卖的书,~是外文书籍。Zhè shūdiàn mài de shū, ~ shì wàiwén shūjí. The bookstore sells mostly in foreign languages. │这个班的学生,~来自欧洲。Zhège bān de xuésheng, ~ láizì Ōuzhōu. The students in this class come mostly from Europe. │这批产品~不合格。Zhè pī chǎnpǐn ~ bù hégé. These products are mostly below standard.

³ **大队** dàduì ❶〈名 n.〉(个 gè)队伍的一种编制 brigade: 警卫~由三个中队组成。Jǐngwèi ~ yóu sān gè zhōngduì zǔchéng. The brigade of guards is composed of three detachments. │缉毒~查获一批毒品。Jīdú ~ cháhuò yì pī dúpǐn. The anti-drug brigade searched and found a batch of drugs. ❷〈名 n.〉(个 gè)军队中相当于营或团的一级组织 a military unit corresponding to battalion or regiment: 各兵种以~为单位进行演练。Gè bīngzhǒng yǐ ~ wéi dānwèi jìnxíng yǎnliàn. All the forces carry on military exercises by the regiment. │飞行~今晚有紧急任务。Fēixíng ~ jīn wǎn yǒu jǐnjí rènwu. The flight group is going to perform an emergency task tonight. ❸〈名 n.〉(个 gè)中国少年先锋队编制中的一级组织: brigade, an echelon in the Chinese Young Pioneers. 她是我们学校的~辅导员。Tā shì wǒmen xuéxiào de ~ fǔdǎoyuán. She is a brigade counsellor of the Young Pioneers in our school. ❹〈名 n.〉泛指人数较多的队伍 large body of: ~人马 ~ rénmǎ large body of marchers, paraders, etc.

⁴ **大多** dàduō〈副 adv.〉绝大部分;基本上 mostly; for the most part: 这个班~是女生。Zhège bān ~ shì nǚshēng. This class is composed mostly of girl students. │这个书店卖的书~是经济类的。Zhège shūdiàn mài de shū ~ shì jīngjì lèi de. The bookstore sells economic books for the most part. │地里的西瓜~成熟了。Dì li de xīguā ~ chéngshú le. Most of the waterelons in the field are ripe.

² **大多数** dàduōshù〈名 n.〉超过半数以上很多的数量 great majority; many/much more than half: ~同学及格,个别不及格。~ tóngxué jígé, gèbié bù jígé. The great majority of the students have passed and only few failed. │投他票的是~。Tóu tā piào de shì ~. The vast majority of people voted for him. │超市里卖的~是真货。Chāoshì li mài de ~ shì zhēnhuò. Most of the commodities that the supermarket sells are genuine. │这些题~我都会做。Zhèxiē tí ~ wǒ dōu huì zuò. I can answer the majority of these questions.

³ **大方** dàfang ❶〈形 adj.〉对于财物不吝啬,不计较 generous; liberal: 他出手~。Tā chūshǒu ~. He gives out generously. │他可~了。Tā kě ~ le. He is very generous. ❷〈形 adj.〉言谈举止自然,无拘束 (of speech and manner) natural; unrestrained: 她说话~,动作~,总之,样样都很~。Tā shuōhuà ~, dòngzuò ~, zǒngzhī, yàngyàng dōu hěn ~. She is natural in speech and action. In a word, she is natural in everything. │小伙子言谈举止要~点儿。Xiǎohuǒzi yántán-jǔzhǐ yào ~ diǎnr. Young man, you should be a bit easy in speech and manner. ❸〈形 adj.〉颜色、式样等不俗气 (of color, style, etc.) in good taste: 她的穿戴很~,家里的摆设也很~。Tā de chuāndài hěn ~, jiā li de bǎishè yě hěn ~. Her dress is very tasteful. So are the decorations in her house. │她那~的服饰,人见人爱。Tā nà ~ de fúshì, rén jiàn rén ài. Her dress is so tasteful that everybody who sees it likes it.

¹ **大概** dàgài ❶〈形 adj.〉不很详细;不很准确 not in great detail; not very accurate: 我向大家介绍一个~的情况。Wǒ xiàng dàjiā jièshào yí gè ~ de qíngkuàng. I am going to give you a general idea of the situation. │我对他只有一个~的印象。Wǒ duì tā zhǐyǒu yí gè ~ de yìnxiàng. I have only a broad idea about him. ❷〈名 n.〉指大致的内容或情况

（of contents or a situation）rough; approximate: 刚才介绍的只是这里的一个~。 *Gāngcái jièshào de zhǐshì zhèli de yí gè ~.* I have just given you a brief introduction of the things here. ｜那件事，我只知道个~。 *Nà jiàn shì, wǒ zhǐ zhīdào gè ~.* I only have a rough picture of that matter. ❸〈副 *adv.*〉表示有较大的可能 probably; most likely: 今天这个会~开不起来来。 *Jīntiān zhège huì ~ kāi bù qǐlái le.* Most likely, today's meeting won't be held. ｜天都黑了，他~不会来了。 *Tiān dōu hēi le, tā ~ bú huì lái le.* It is dark now. He probably will not come. ｜我的情况，你~还不知道吧？ *Wǒ de qíngkuàng, nǐ ~ hái bù zhīdào ba?* You probably don't know anything about my position?

³ **大哥** dàgē ❶〈名 *n.*〉（个 gè、位 wèi）男性中排行最大的 eldest brother: 我是~，有两个妹妹、三个弟弟。 *Wǒ shì ~, yǒu liǎng gè mèimei, sān gè dìdi.* I am the eldest brother. I have two younger sisters and three younger brothers. ｜~比我大好几岁。 *~ bǐ wǒ dà hǎo jǐ suì.* My eldest brother is several years older than I. ❷〈名 *n.*〉（个 gè、位 wèi）尊称年纪和自己相仿的男子（多用于口语）elder brother（a polite form of address for a man about one's own age, used mostly in speech）: 这位~贵姓？ *Zhè wèi ~ guìxìng?* What's your name, elder brother?

⁴ **大公无私** dàgōng-wúsī〈成 *idm.*〉指一心为大家，不谋个人利益；处事公正，不偏袒任何一方 just and unselfish; without any personal considerations; perfectly impartial: 他办事~，你放心。 *Tā bànshì ~, nǐ fàngxīn.* Set your heart at ease for he does things without any personal considerations. ｜新领导~，得到大家的拥护。 *Xīn lǐngdǎo ~, dédào dàjiā de yōnghù.* Being just and unselfish, the new leadership has won our support. ｜我们要做一个~的人。 *Wǒmen yào zuò yí gè ~ de rén.* We must be just and unselfish.

⁴ **大锅饭** dàguōfàn ❶〈名 *n.*〉供多数人吃的普通伙食 ordinary food prepared for the majority of people; mess: 集体食堂吃的是~。 *Jítǐ shítáng chī de shì ~.* The cafeteria provides ordinary food. ｜学校食堂的~做得不好吃。 *Xuéxiào shítáng de ~ zuò de bù hǎo chī.* The food provided by the school canteen is not very tasteful. ❷〈名 *n.*〉比喻不论有无贡献、成就大小都给一样的生活福利待遇 *fig.* get the same reward or benefit as everyone else regardless of one's contributions or achievements: 老吃~，效益上不去，大家也没有积极性。 *Lǎo chī ~, xiàoyì shàng bú qù, dàjiā yě méiyǒu jījíxìng.* Always eating from the same big pot would result in low benefit and no enthusiasm. ｜吃久了，人就懒散了。 *~ chījiǔ le, rén jiù lǎnsǎn le.* Eating from the same big pot for long, people will become lazy and idle.

² **大会** dàhuì ❶〈名 *n.*〉机关、团体、单位、部门等召开的全体会议 plenary session or general meeting held by governmental departments, organizations, etc.: 联合国~ *Liánhéguó ~* the General Assembly of the United Nations ｜妇女~ *fùnǚ ~* women's conference ｜学校召开师生员工~。 *Xuéxiào zhàokāi shīshēng-yuángōng ~.* The school holds a plenary session of teachers, students and administrative staff. ｜工厂召开先进工作者~。 *Gōngchǎng zhàokāi xiānjìn gōngzuòzhě ~.* The factory convenes a congress of model workers. ❷〈名 *n.*〉人数众多的群众集会 mass meeting; mass rally: 在天安门广场举行建国50周年庆祝~。 *Zài Tiān'ānmén Guǎngchǎng jǔxíng jiànguó wǔshí zhōunián qìngzhù ~.* A mass meeting was held on the Tian'anmen Square in celebration of the 50th anniversary of the founding of the People's Republic. ｜主席宣布~开幕。 *Zhǔxí xuānbù ~ kāimù.* The chairman declared the mass meeting open. ❸〈名 *n.*〉全体与会者都参加的会议（区别于'小会'）plenary session attended by all participants（different from '小会 xiǎohuì'）: 今天上午~作工作报告，下午小会分组讨论。 *Jīntiān shàngwǔ ~ zuò gōngzuò bàogào, xiàwǔ xiǎohuì fēn zǔ tǎolùn.* The work report is to be

given this morning and discussed in small groups in the afternoon.

² 大伙儿 dàhuǒr 〈代 *pron.* 口 *colloq.*〉一定范围内的所有人，也说 '大家伙儿' all the people within a certain scope, also '大家伙儿dàjiāhuǒr'：只要~同心协力，这事一定能办成。*Zhǐyào ~ tóngxīn-xiélì, zhè shì yídìng néng bànchéng.* As long as we work together, it can surely be completed. | 今晚我请~吃饭。*Jīn wǎn wǒ qǐng ~ chīfàn.* I invite you all to dinner this evening. | 我们~要帮他一把。*Wǒmen ~ yào bāng tā yì bǎ.* Let us all give him a helping hand. | ~都去上课了，你还呆在宿舍干什么？*~ dōu qù shàngkè le, nǐ hái dāi zài sùshè gàn shénme?* Everybody has gone to class. Why do you stay in the dormitory?

¹ 大家 dàjiā ❶〈代 *pron.*〉指某个范围里所有的人 all the people within a certain scope：~的事~办。*~ de shì ~ bàn.* Everybody's business should be done by everybody. | 我讲个笑话给~听。*Wǒ jiǎng gè xiàohuà gěi ~ tīng.* I'd like to tell a joke to you all. | 后天咱们~一齐登长城。*Hòutiān zánmen ~ yìqí dēng Chángchéng.* Let us all go to the Great Wall the day after tomorrow. ❷〈名 *n.*〉(位 wèi、名 míng) 著名专家 a great master：齐白石是国画~。*Qí Báishí shì guóhuà ~.* Qi Baishi was a great master of Chinese traditional painting. | 这不愧是~手笔。*Zhè búkuì shì ~ shǒubǐ.* This work is worthy of a great master. ❸〈名 *n.*〉世家望族 a distinguished family：她是~闺秀。*Tā shì ~-guīxiù.* She is from a good family. | 他出生于~门第。*Tā chūshēng yú ~ méndì.* He was born in a well-known family.

² 大街 dàjiē 〈名 *n.*〉(条 tiáo) 路面较宽，繁华的街道 main street; broad, busy street：一条~ *yì tiáo ~* a main street | 逛~ *guàng ~* stroll around the streets | ~两旁尽是商店。*~ liǎngpáng jìn shì shāngdiàn.* The street is lined with shops. ❷〈名 *n.*〉用于某些专有名称 used in certain proper names：北京前门~和王府井~ *Běijīng Qiánmén ~ hé Wángfǔjǐng ~* Qianmen Street and Wangfujing Street in Beijing

⁴ 大局 dàjú 〈名 *n.*〉本指棋盘上双方摆的棋子的大体阵势，泛指整个的局面；总的形势 general positions of both parties on the chessboard; overall situation：事关~ *shì guān ~* an issue that concerns the overall situation | 顾全~ *gùquán ~* consider the situation as a whole | 以~为重 yǐ ~ *wéi zhòng* regard the interests of the whole as of first importance | 为~着想 wèi ~ *zhuóxiǎng* think about the interests of the whole | 从~出发 cóng ~ *chūfā* take the overall situation as the starting point in consideration | 有利于~ *yǒulìyú* be favorable to the overall situation | ~已定。*~ yǐdìng.* The outcome is a foregone conclusion. | ~动荡。*~ dòngdàng.* The overall situation is in turmoil. | 经济建设必须有稳定的~。*Jīngjì jiànshè bìxū yǒu wěndìng de ~.* A stable general situation is a must to economic construction.

⁴ 大理石 dàlǐshí 〈名 *n.*〉结晶的石灰岩或白云岩，可作装饰品、雕刻或建筑材料。中国云南省大理地区出产的最有名，故称大理石。纯白的大理石称为汉白玉 marble (a crystalline form of limestone or dolomite, used in decoration, carving or as building material. The marble produced in the Dali region in Yunnan Province is best known in China, hence the name. White marble is called '汉白玉hànbáiyù')：人民大会堂用了大量~装饰。*Rénmín Dàhuìtáng yòngle dàliàng ~ zhuāngshì.* The Great Hall of the People is decorated with a large amount of marble. | 市中心的塑像是用~雕刻的。*Shì zhōngxīn de sùxiàng shì yòng ~ diāokè de.* The statue in the center of the city is carved out of marble.

³ 大力 dàlì ❶〈副 *adv.*〉用很大的力量；尽最大的努力 energetic; vigorous：~推广 ~ *tuīguǎng* vigorous promotion | ~支援 ~ *zhīyuán* energetic support | ~培育 ~ *péiyù*

vigorous cultivation ｜ ~举办 ~ *jǔbàn* conduct energetically ｜ ~整顿 ~ *zhěngdùn* rectify vigorously ｜ ~发展旅游事业 ~ *fāzhǎn lǚyóu shìyè* devote much effort to develop tourism ❷〈名 n.〉大的力量（多用称赞别人的力量）great effort (often used to praise sb.'s great help): 仰仗您的~，我们公司才得以发展。*Yǎngzhàng nín de ~, wǒmen gōngsī cái déyǐ fāzhǎn.* It is due to your great help that our company has developed.

² **大量** dàliàng ❶〈形 adj.〉数量大 a large number; a great quantity: ~工作 ~ *gōngzuò* a great deal of work ｜ ~时间 ~ *shíjiān* much time ｜ ~事实 ~ *shìshí* a great number of facts ｜ ~地生产 ~ *de shēngchǎn* a large amount of production ｜浪费~的人力物力，实在太可惜了！*Làngfèi ~ de rénlì wùlì, shízài tài kěxī le!* It is a great pity that so much manpower and material resources have been wasted! ❷〈形 adj.〉气量大 magnanimous; generous: 此人宽宏~。*Cǐ rén kuānhóng~~.* That man is quite magnanimous. ｜待人要~，不要为小事斤斤计较。*Dài rén yào ~, bú yào wèi xiǎoshì jīnjīn-jìjiào.* Be generous towards others and never haggle over small things.

³ **大陆** dàlù ❶〈名 n.〉地球上除岛屿外的广大的陆地 continent, any vast land on earth except the islands: 欧洲 ~ *Ōuzhōu* ~ the European continent ｜美洲新 ~ *Měizhōu xīn* ~ the American new continent ❷〈名 n.〉特指中国的大陆地区，与台湾、港澳等地区相对而言 Mainland of China (opposite to the regions of Taiwan, Hong Kong, Macao, etc.): 台湾同胞赴 ~探亲。*Táiwān tóngbāo fù ~ tànqīn.* The Taiwan compatriots come to the mainland to visit their relatives. ｜他由~迁居香港。*Tā yóu ~ qiānjū Xiānggǎng.* He has moved to Hong Kong from the mainland. ｜很多台胞回 ~寻根问祖。*Hěnduō Táibāo huí ~ xúngēn-wènzǔ.* Many Taiwan compatriots return to the mainland to find their roots.

² **大妈** dàmā ❶〈名 n.〉伯父的妻子 aunt, wife of father's elder brother: ~特别疼我。~ *tèbié téng wǒ.* Aunt loves me most. ❷〈名 n.〉对年长女子的尊称（affectionate or respectful form of address for an elderly woman）aunt: 邻居~是个热心人。*Líjū ~ shì gè rèxīn rén.* The aunt next door to us is a warm-hearted woman.

³ **大米** dàmǐ 〈名 n.〉（斤 jīn、袋 dài）稻的子实脱壳后叫大米。现在一般指好大米 husked rice (generally referring to quality rice nowadays): 东北~ *Dōngběi* ~ northeast China rice ｜一袋~ *yí dài* ~ a bag of rice ｜~一斤多少钱？~ *yì jīn duōshǎo qián?* How much is a *jin* of rice? ｜中国南方人爱吃~。*Zhōngguó nánfāngrén ài chī ~.* Southerners in China like rice.

⁴ **大拇指** dàmǔzhǐ 〈名 n.〉手和脚的第一个指头，也叫'拇指' thumb, the first digit of the human hand or foot, also '拇指 mǔzhǐ': 他竖着~大加称赞。*Tā shùzhe ~ dàjiā chēngzàn.* He held up his thumb to express much praise. ｜他左手~让机器给切掉了二分之一。*Tā zuǒ shǒu ~ ràng jīqì gěi qiēdiàole èr fēn zhī yī.* Half of his left thumb was cut off by the machine.

³ **大脑** dànǎo 〈名 n.〉中枢神经系统中最重要的部分，位于颅腔内 cerebrum, the most important part of the central nervous system, located in the skull: 人的~最发达。*Rén de ~ zuì fādá.* Human cerebrum is most developed. ｜~是思维器官。~ *shì sīwéi qìguān.* Cerebrum is a thinking organ. ｜想问题要通过~。*Xiǎng wèntí yào tōngguò ~.* Thinking is performed by cerebrum. ｜他的~有些迟钝。*Tā de ~ yǒuxiē chídùn.* He is a little dull.

² **大娘** dàniáng 〈名 n.〉同'大妈' same as '大妈 dàmā'

⁴ **大炮** dàpào ❶〈名 n.〉（门 mén、尊 zūn）大口径的炮 artillery; heavy-caliber gun: 一门~有几百斤重。*Yì mén ~ yǒu jǐ bǎi jīn zhòng.* A piece of artillery is several hundred *jin* heavy. ｜那些~是从敌人那里缴获来的。*Nàxiē ~ shì cóng dírén nàli jiǎohuò lái de.*

These big guns were captured from the enemy. ❷〈名 n. 口 colloq.〉〈个 gè〉比喻好说大话或好发表激烈意见的人 fig. one who speaks boastfully or expresses sharp opinions：他是个~，一开腔，就弄得领导下不了台。Tā shì gè ~, yì kāiqiāng, jiù nòng de lǐngdǎo xià bù liǎo tái. He is sharp-tongued and puts the leaders on the spot as soon as he opens his mouth. | 他就爱放，说话没准儿。Tā jiù ài fàng, shuōhuà méi zhǔnr. He always speaks boastfully so you can never be certain about what he says.

² **大批** dàpī〈形 adj.〉数量多 large amounts（numbers, quantities）：~水果上市了。~ shuǐguǒ shàngshì le. Large quantities of fruit go on the market. | ~货物到了。~ huòwù dào le. Large amounts of goods have arrived. | 救灾物资~运往灾区。Jiù zāi wùzī ~ yùn wǎng zāiqū. Large amounts of relief materials are being transported to the disaster-stricken area. | 外国人来中国学习汉语。~ wàiguórén lái Zhōngguó xuéxí Hànyǔ. Large numbers of foreigners are coming to China to learn Chinese.

⁴ **大气压** dàqìyā ❶〈名 n.〉压强的一种常用单位，也作‘大气压强’，简称‘气压’ atmospheric pressure, a unit of intensity of pressure, also ‘大气压强 dàqìyāqiáng’, shortened to ‘气压 qìyā’：高空的~比地面的小。Gāo kōng de ~ bǐ dìmiàn de ~ xiǎo. The atmospheric pressure in high altitude is smaller than on the ground. | 水面上，~的差异引起空气流动。Shuǐmiàn shang, ~ de chāyì yǐnqǐ kōngqì liúdòng. The difference of atmospheric pressure on the water surface results in the flow of air. ❷〈名 n.〉〈个 gè〉指标准的大气压 standard atmosphere：看一下仪表，现在有几个~? Kàn yíxià yíbiǎo, xiànzài yǒu jǐ gè ~? Look at the instrument to see how many standard atmospheres there are now.

² **大人** dàren ❶〈名 n.〉指成年人（区别于‘小孩儿’）adult; grown-up（different from ‘小孩儿 xiǎoháir’）：~说话，小孩儿别插嘴。~ shuōhuà, xiǎoháir bié chāzuǐ. A child should not interrupt when an adult speaks. | 这孩子长得真快，快跟~一般高了。Zhè háizi zhǎng de zhēn kuài, kuài gēn ~ yìbān gāo le. The child grows up very quickly and is now almost as tall as an adult. ❷〈名 n.〉古时称地位高的官；今对官员的戏称或诙称（in ancient times）used to address the officials, Your or His Excellency；（in modern times）used to address an official comically or in flattery：巡抚~ xúnfǔ ~ His Excellency the Inspector | 局长~ júzhǎng ~ Your Excellency the Bureau Director

³ **大嫂** dàsǎo ❶〈名 n.〉〈个 gè、位 wèi〉大哥的妻子 wife of one's eldest brother：大哥~是一对好夫妻。Dàgē ~ shì yíduì hǎo fūqī. My eldest brother and his wife is a good couple. | 家务事全靠~料理。Jiāwùshì quán kào ~ liàolǐ. Household duties are all handled by my eldest brother's wife. ❷〈名 n. 敬 pol.〉〈个 gè、位 wèi〉尊称年龄和自己相仿的妇人 an honorific address for a woman about one's own age：请问这位~贵姓？Qǐng wèn zhè wèi ~ guìxìng? May I ask what surname this elder sister is? | ~你慢慢走。~ nǐ mànmàn zǒu. Walk slowly, elder sister.

⁴ **大厦** dàshà ❶〈名 n.〉〈座 zuò、幢 zhuàng〉高大的建筑物，多指高楼 large building, esp. tall building：高楼~平地起。Gāolóu ~ píngdì qǐ. Tall buildings rise from the ground. | 我市30层以上的~就有好几十座。Wǒ shì sānshí céng yǐshàng de ~ jiù yǒu hǎo jǐshí zuò. There are dozens of buildings more than 30 stories high in our city. | 数这幢~最漂亮。Shǔ zhè zhuàng ~ zuì piàoliang. This building is the most beautiful. ❷〈名 n.〉高大建筑的名称 used in the names of large buildings：这是上海~。Zhè shì Shànghǎi ~. This is the Shanghai Mansion. | 在河边的那座是华侨~。Zài hébiān de nà zuò shì Huáqiáo ~. That building across the river is the Overseas Chinese Mansion.

¹ **大声** dàshēng〈形 adj.〉发出的声音大 loud; aloud：收音机太~了，关小点儿。

Shōuyīnjī tài ~ le, guān xiǎo diǎnr. The radio is too loud. Please turn it lower. | 他耳朵背，不～听不见。*Tā ěrduo bèi, bú ~ tīng bú jiàn.* He is a bit hard of hearing and can not hear you if you are not loud enough. | 有话好好儿说，～嚷嚷有什么用？*Yǒu huà hǎohāor shuō, ~ rāngrang yǒu shénme yòng?* If you have anything to say, say it properly. What is the use raising such a cry? | 他～地朗读者。*Tā ~ de lǎngdúzhe.* He is reading aloud.

³ **大使** dàshǐ〈名 n.〉(位 wèi、名 míng) 由一国派驻在他国或国际组织的最高一级外交代表，全称是'特命全权大使' ambassador, a diplomat sent by a state as its highest representative in another state or an international organization, the full name is '特命全权大使 tèmìng quánquán dàshǐ' (ambassador extraordinary and plenipotentiary)：英国新任驻中国～ *Yīngguó xīn rèn zhù Zhōngguó ~* the new British ambassador to China | 他是中国驻联合国～。*Tā shì Zhōngguó zhù Liánhéguó ~.* He is Chinese ambassador to the United Nations. | 三个国家～向国家主席递交国书。*Sān gè guójiā ~ xiàng guójiā zhǔxí dìjiāo guóshū.* The ambassadors from three countries presented their credentials to the state chairman. | 他是一位十分出色的～。*Tā shì yí wèi shífēn chūsè de ~.* He is a distinguished ambassador.

² **大使馆** dàshǐguǎn〈名 n.〉(个 gè) 由一国设在他国的最高级别的外交办公机构 embassy, the highest diplomatic office of one country in another country：这是加拿大驻中国～。*Zhè shì Jiānádà zhù Zhōngguó ~.* This is the Canadian Embassy to China. | 我去澳大利亚～办签证。*Wǒ qù Àodàlìyà ~ bàn qiānzhèng.* I went to the Australian Embassy for my visa. | 这些～盖得都很有特色。*Zhèxiē ~ gài de dōu hěn yǒu tèsè.* These embassies are built with distinctive features. | 他在～工作五年了。*Tā zài ~ gōngzuò wǔ nián le.* He has been working in the embassy for five years.

⁴ **大肆** dàsì〈副 adv.〉毫无顾忌地（多指做坏事）without restraint（generally in doing bad things)：～鼓吹 ~ gǔchuī noisily advocate | ～吹嘘 ~ chuīxū boast without restraint | ～宣扬 ~ xuānyáng indulged in unbridled propaganda for | ～诬蔑 ~ wūmiè slander wantonly | ～挥霍国家钱财 ~ huīhuò guójiā qiáncái squander the state money wantonly | ～进行煽动性宣传 ~ jìnxíng shāndòngxìng xuānchuán indulged in unbridled provocative propaganda | ～进行人身攻击 ~ jìnxíng rénshēn gōngjī launch an all-out personal attack | ～进行破坏活动 ~ jìnxíng pòhuài huódòng carry on sabotage wantonly

⁴ **大体** dàtǐ ❶〈副 adv.〉大概，就主要方面或多数情况来说 approximately; on the whole：收支～平衡。*Shōuzhī ~ pínghéng.* Income and expenditure roughly balance. | 这事，我～知道一些。*Zhè shì, wǒ ~ zhīdào yìxiē.* I have a general idea of it. ❷〈名 n.〉大略 roughly：从发生的这件事，就可以知道这个人的～。*Cóng fāshēng de zhè jiàn shì, jiù kěyǐ zhīdào zhège rén de ~.* We can know roughly about the man from what has happened. ❸〈名 n.〉重要的道理 cardinal principle：顾大局，识～ gù dàjú, shí ~ have the cardinal principle in mind and take the overall situation into account | 这个～，是要弄明白的。*Zhège ~, shì yào nòng míngbai de.* This general interest must be understood.

⁴ **大同小异** dàtóng-xiǎoyì〈成 idm.〉大体相同，稍有差异 essentially the same though differing in minor points：大家的意见～。*Dàjiā de yìjiàn ~.* Our opinions are essentially the same though differing in minor points. | 这两个方案～。*Zhè liǎng gè fāng'àn ~.* The two plans bear great resemblance with only small differences. | 这两篇文章～，看了乏味。*Zhè liǎng piān wénzhāng ~, kànle fáwèi.* These two articles are almost alike and do not read well.

⁴ **大无畏** dàwúwèi〈形 adj.〉非常勇敢，不畏艰险 dauntless; be not afraid of difficulty, danger, etc.：～的革命精神 ~ de gémìng jīngshén dauntless revolutionary spirit | ～的英

雄气概 ~ de yīngxióng qìgài indomitable heroism │ 这种~的精神值得大家学习。Zhèzhǒng ~ de jīngshén zhíde dàjiā xuéxí. This fearless spirit deserves our emulation.

² **大小** dàxiǎo ❶〈名 n.〉指大小的程度 big or small in degree：这批衣服不论~，价钱都一样。Zhè pī yīfu búlùn ~, jiàqián dōu yíyàng. These clothes are the same in price regardless of size. │ 这顶帽子~正合适。Zhè dǐng màozi ~ zhèng héshì. That hat fits well. ❷〈名 n.〉指辈分的高低 high or low in seniority：村里的酒席按~入座。Cūn li de jiǔxí àn ~ rùzuò. People take seats at the village banquet in order of seniority. │ 他们家规矩多，~分得清清楚楚。Tāmen jiā guīju duō, ~ fēn de qīngqīng-chǔchǔ. Their family has a lot of rules and does everything strictly according to seniority. ❸〈名 n.〉大人和小孩儿 adult and child：他一家~六口。Tā yìjiā ~ liù kǒu. There are six people in his family. ❹〈副 adv.〉或大或小，表示还能算得上 big or small; can be counted as：人家~是个官儿，总比咱们见识多些。Rénjia ~ shì gè guānr, zǒng bǐ zánmen jiànshi duō xiē. He is an official after all and has experienced more than we. ❺〈形 adj.〉大的和小的 big and small：这个小镇子上~饭馆就有十几家。Zhège xiǎo zhènzi shang ~ fànguǎn jiù yǒu shíjǐ jiā. There are a dozen restaurants, big and small, in this little town.

² **大型** dàxíng〈形 adj.〉形体或规模比较大的 large in form or scale：~客机 ~ kèjī giant airliner │ ~歌舞 ~ gēwǔ a large song and dance program │ ~庆典活动 ~ qìngdiǎn huódòng a big cerebration │ ~设备 ~ shèbèi large facilities │ ~工程 ~ gōngchéng a big project │ 这个~建设项目是刚从外国引进的。Zhège ~ jiànshè xiàngmù shì gāng cóng wàiguó yǐnjìn de. This big construction project is introduced from abroad. │ 这套~语言工具书，新华书店有售。Zhè tào ~ yǔyán gōngjùshū, Xīnhuá Shūdiàn yǒu shòu. This set of full-length language reference books is on sale in Xinhua Bookstore.

¹ **大学** dàxué ❶〈名 n.〉(所 suǒ、个 gè) 实施高等教育的学校 university or college, an institution that implements higher education：外国语言文化~ Wàiguó Yǔyán Wénhuà ~ University of Foreign Languages and Culture │ 中国科技~ Zhōngguó Kējì ~ the Chinese University of Science and Technology │ 清华、北大是两所有名的~。Qīnghuá, Běidà shì liǎng suǒ yǒumíng de ~. Tsinghua University and Peking University are two famous universities. │ 他上全日制~本科，我业余上成人~专科。Tā shàng quánrìzhì ~ běnkē, wǒ yèyú shàng chéngrén ~ zhuānkē. He takes an undergraduate course in a full-time university while I go to a part-time adult college for vocational training. │ 我退休以后，在老龄~学习书法和国画。Wǒ tuìxiū yǐhòu, zài lǎolíng ~ xuéxí shūfǎ hé guóhuà. After retirement, I studied calligraphy and traditional painting at the old people's university. │ 明年~毕业后，打算留在中国工作吗？Míngnián ~ bìyè hòu, dǎsuàn liú zài Zhōngguó gōngzuò ma? Do you intend to stay and work in China after you graduate from the university next year? ❷ (Dàxué)〈名 n.〉中国古书《礼记》中的一个篇名。宋代理学家、教育家朱熹把《大学》、《中庸》、《论语》、《孟子》合称"四书"。这"四书"成为历代学子修身洁行的必读书 the name of a piece in the Chinese classics The Book of Rites (《礼记Lǐjì》). Zhu Xi, a rationalistic Confucian philosopher and educator in the Song Dynasty, called The Great Learning (《大学Dàxué》), The Doctrine of the Mean (《中庸 Zhōngyōng》), The Analects of Confucius (《论语Lúnyǔ》) and The Mencius (《孟子 Mèngzǐ》) the Four Books (四书 Sì shū), which scholars of later generations must read in cultivating their moral characters

⁴ **大雁** dàyàn〈名 n.〉(只 zhī、群 qún) 一种候鸟，也叫'鸿雁' wild goose, a migratory bird, also '鸿雁 hóngyàn'：一群群~飞往南方，预示着冬天来了。Yìqúnqún ~ fēi wǎng nánfāng, yùshìzhe dōngtiān lái le. Lines of wild geese are flying to the south, signifying

the arrival of winter. | ~喜欢吃植物的种子、鱼和虫子。 ~ *xǐhuan chī zhíwù de zhǒngzi, yú hé chóngzi.* Wild geese feed on the seeds of plants, fish and insects.

² **大爷** dàye ❶〈名 n.〉伯父 uncle, father's elder brother：他是我~。 *Tā shì wǒ* ~ . He is my uncle. ❷〈名 n.〉对年长男人的尊称（a respectful form of address for men around one's father's age）uncle：~，您知道附近有银行吗？ ~，*nín zhīdào fùjìn yǒu yínháng ma?* Uncle, do you know whether there is bank nearby?

² **大衣** dàyī〈名 n.〉(件 jiàn) 较长的外套 overcoat, a long coat：皮~ *pí* ~ fur overcoat | 棉~ *mián* ~ cotton-padded overcoat | 呢子~ *nízi* ~ woolen overcoat | 外面冷，赶快穿上~。 *Wàimian lěng, gǎnkuài chuānshang* ~ . Put on your overcoat for it is cold outside. | 屋里热，先把~脱了。 *Wū li rè, xiān bǎ* ~ *tuō le.* Take off your overcoat for it is warm in the house.

³ **大意** dàyì〈名 n.〉主要的意思；大概的意思 general idea; gist：他把这次开会的~告诉大家。 *Tā bǎ zhè cì kāihuì de* ~ *gàosù dàjiā.* He told us the main ideas of this meeting. | 你先写出文章段落的~。 *Nǐ xiān xiěchū wénzhāng duànluò de* ~ . Write down the gist of the paragraphs of the article first. | 他演讲的~是学汉语要多练习。 *Tā yǎnjiǎng de* ~ *shì xué Hànyǔ yào duō liànxí.* The main point of his speech is that you should pay much attention to practice when learning Chinese.

　　☞ dàyi, p. 168

³ **大意** dàyi〈形 adj.〉疏忽；不注意 careless; negligent：事关重大，千万别粗心~。 *Shì guān zhòngdà, qiānwàn bié cūxīn~~.* It is such a matter of great importance that you should never be careless. | 你这样做，也太~了。 *Nǐ zhèyàng zuò, yě tài* ~ *le.* You were too negligent in doing it this way. | 夜间开车千万不要~。 *Yèjiān kāichē qiānwàn bú yào ~.* Never be careless when driving a car at night.

　　☞ dàyì, p. 168

⁴ **大有可为** dàyǒu-kěwéi〈成 idm.〉事情有发展前途，很值得去做 a promising undertaking which is worth doing：青年人在西部开发中~。 *Qīngniánrén zài Xībù kāifā zhōng* ~ . Young people are able to bring their talents into full play in the development of the western regions. | 科学种田，~。 *Kēxué zhòngtián,* ~ . Scientific farming is a promising undertaking.

⁴ **大于** dàyú〈动 v.〉比某事物大或发展快 be bigger in size; increase more rapidly：电视机供~求。 *Diànshìjī gōng* ~ *qiú.* The supply of TV sets exceeds the demand. | 他的年龄~她的年龄。 *Tā de niánlíng* ~ *tā de niánlíng.* He is older than she. | 人口增长的速度~社会财富增加的速度。 *Rénkǒu zēngzhǎng de sùdù* ~ *shèhuì cáifù zēngjiā de sùdù.* The population grows more rapidly than social wealth.

² **大约** dàyuē ❶〈副 adv.〉表示对数量、时间等不很精确的估计（of amount, time, etc.）approximately; about：今天到会的~有三十来个人。 *Jīntiān dào huì de* ~ *yǒu sānshí lái gè rén.* About 30 people attended the meeting today. | 这起交通事故~发生在七点半钟。 *Zhè qǐ jiāotōng shìgù* ~ *fāshēng zài qī diǎn bàn zhōng.* The traffic accident happened at about half past seven. | 箱子里的东西~有30公斤。 *Xiāngzi li de dōngxi* ~ *yǒu sānshí gōngjīn.* The things in the box weigh approximately 30 kilograms. ❷〈副 adv.〉表示对情况的推测；有很大的可能：她没来上课，~病了。 *Tā méi lái shàngkè,* ~ *bìng le.* She is absent from class. She is probably ill. | 托他办事，~办不成。 *Tuō tā bànshì,* ~ *bàn bù chéng.* He will probably fail to do it if you ask him to.

³ **大致** dàzhì ❶〈形 adj.〉粗略的；大体的 rough; approximate：对这件事我只了解个~情况。 *Duì zhè jiàn shì wǒ zhǐ liǎojiě ge* ~ *qíngkuàng.* I have got only a rough idea of the

matter. ❷〈副 *adv.*〉大概；大约 approximately; about：那篇文章我～看了看。*Nà piān wénzhāng wǒ ~ kànle kàn.* I have roughly read that article. │这两天的会议安排～相同。*Zhè liǎng tiān de huìyì ānpái ~ xiāngtóng.* The schedule of the meeting is about the same for the two days. │这件事的经过我～清楚。*Zhè jiàn shì de jīngguò wǒ ~ qīngchǔ.* I know roughly the process of the incident. │我～晚上11点才睡觉。*Wǒ ~ wǎnshang shíyī diǎn cái shuìjiào.* I do not go to bed until approximately 11 p. m.

³ **大众** dàzhòng〈名 *n.*〉广大群众 the masses; the people：~丛书 ~ cóngshū popular series │~语言 ~ yǔyán popular language │~的愿望和要求 ~ de yuànwàng hé yāoqiú wishes and demands of the public │人民～是文艺创作的源泉。*Rénmín ~ shì wényì chuàngzuò de yuánquán.* The people are the source of literary and artistic creation. │领导干部要紧紧地依靠～，团结～，时刻不能脱离～。*Lǐngdǎo gànbù yào jǐnjǐn de yīkào ~, tuánjié ~, shíkè bù néng tuōlí ~.* The leaders must rely closely on, unite with and never cut themselves off from the mass at any time.

³ **大自然** dàzìrán〈名 *n.*〉泛指自然界（常指山水景物）nature (often referring to the scenery of mountains and rivers)：热爱～ rè'ài ~ love nature │征服～ zhēngfú ~ conquer nature │到～中去陶冶情操 dào ~ zhōng qù táoyě qíngcāo go to nature and mould one's temperament │～是人类赖以生存的基础，我们一定要爱护～，美化～。*~ shì rénlèi làiyǐ shēngcún de jīchǔ, wǒmen yídìng yào àihù ~, měihuà ~.* We must protect and beautify nature for it is the basis of human existence. │乱砍滥伐是对～的破坏，必然会受到～的惩罚。*Luànkǎn-lànfá shì duì ~ de pòhuài, bìrán huì shòudào ~ de chéngfá.* Severe deforestation does damage to nature and is bound to be punished.

² **呆** dāi ❶〈形 *adj.*〉呆滞；不灵活 dull; slow-witted：~头~脑 ~tóu~nǎo stupid-looking │他不是有点儿～而是很～。*Tā bú shì yǒudiǎnr ~ érshì hěn ~.* He is not a little dull, but very dull. ❷〈形 *adj.*〉表情或动作死板；发愣 (of expression or movement) blank; wooden：看他那～～的样子，把我们都吓了。*Kàn tā nà ~~ de yàngzi, bǎ wǒmen dōu xià ~ le.* We are shocked to see him look so still. │他～～地站在那里，一句话也说不出来。*Tā ~~ de zhàn zài nàli, yí jù huà yě shuō bù chūlái.* He stood there stupefied and unable to utter a word. ❸〈动 *v.*〉停留；居留 stay; live：我一直～在上海。*Wǒ yìzhí ~ zài Shànghǎi.* I always live in Shanghai. │你老～在家里干什么？*Nǐ lǎo ~ zài jiā li gàn shénme?* Why do you always stay at home? │她在家～了一年了，快～出病来了！*Tā zài jiā ~le yì nián le, kuài ~chū bìng lái le!* She has stayed at home for a year and is about to fall ill as a result.

⁴ **歹徒** dǎitú〈名 *n.*〉（个 gè、名 míng、帮 bāng、伙 huǒ、群 qún）歹人；坏人（多指强盗）scoundrel; evildoer (often referring to bandit)：一个持枪～ yí gè chíqiāng ~ an armed bandit │一伙杀人～ yì huǒ shārén ~ a gang of killers │民警抓获一帮抢劫的～。*Mínjǐng zhuāhuò yì bāng qiǎngjié de ~.* The people's policemen caught a gang of looters.

¹ **大夫** dàifu〈名 *n.* 口 *colloq.*〉（位 wèi、名 míng、个 gè）医生 doctor; physician：主治～ zhǔzhì ~ physician-in-charge │专科～ zhuānkē ~ medical specialist │值班～ zhíbān ~ doctor on duty │内科～ nèikē ~ physician │住院部～ zhùyuànbù ~ doctor of the inpatient department │～查房去了。*~ chá fáng qù le.* The doctor has gone to make the rounds of the wards. │孩子病了，快找儿科～看看。*Háizi bìng le, kuài zhǎo érkē ~ kànkan.* The child is ill. Take him to the paediatrician immediately. │这位～是有名的妇科专家。*Zhè wèi ~ shì yǒumíng de fùkē zhuānjiā.* This doctor is a well-known specialist in gynaecology.

² **代** dài ❶〈动 *v.*〉代替；代理 be in place of; take the place of：~课 ~kè take over a class

for an absent teacher ｜ ~笔 ~*bǐ* write (a letter, etc.) for sb. ｜ ~买 ~ *mǎi* be commissioned to buy sth. ｜ ~校长 ~ *xiàozhǎng* acting principal ｜ 请你~我拟一份工作计划。*Qǐng nǐ ~ wǒ nǐ yí fèn gōngzuò jìhuà.* Please draft a work plan for me. ❷〈名 *n.*〉历史的分期 historical period：年~ *nián~* age; era ｜ 近~ *jìn~* modern times ｜ 唐~ *Táng~* the Tang Dynasty ｜ 当~劳模 *dāng~ láomó* contemporary model worker ｜ 古~英雄 *gǔ~ yīngxióng* ancient hero ｜ 现~作家 *xiàn~ zuòjiā* modern writer ❸〈名 *n.*〉世系的辈分 generation：子孙后~ *zǐsūn-hòu~* future generations; ｜ 我们这一~要关心下一~的成长。*Wǒmen zhè yí ~ yào guānxīn xià yí ~ de chéngzhǎng.* Our generation must take care of the growth of the next generation. ❹〈名 *n.*〉地质年代 (geological) era：新 生~ *xīnshēng~* the Cenozoic Era ｜ 中生~ *zhōngshēng~* the Mesozoic Era

³ **代办** dàibàn ❶〈名 *n.*〉一国以外交部长的名义派驻另一国的外交代表 charge d'affaires, a state's diplomatic representative in another country：~处 ~*chù* Office of the Charge d'Affaires ❷〈名 *n.*〉大使或公使不在任时,临时代理大使或公使工作的负责人 charge d'affaires, the man in charge of the ambassador or envoy's work when the latter is away：他是我国驻贵国临时~。*Tā shì wǒ guó zhù guìguó línshí ~.* He is our country's charge d'affaires in your country. ❸〈动 *v.*〉替别人代行办理事务 do sth. for sb.：~护照 ~ *hùzhào* get the passport ready for sb. ｜ ~邮购 ~ *yóugòu* place mail-order on sb.'s behalf ｜ ~托运 ~ *tuōyùn* consign sth. for sb.

¹ **代表** dàibiǎo ❶〈名 *n.*〉(个gè、位wèi、名míng) 被选举出来或受委托、指派替别人、集体、组织等办事或表达意见的人 representative, a person elected or appointed to act or speak for another, a group, an organization, etc.：学生~ *xuésheng* ~ students' representative ｜ 教师~ *jiàoshī* ~ teachers' representative ｜ 选举~ *xuǎnjǔ* ~ elect a representative ｜ 她是妇女界~。*Tā shì fùnǚ jiè ~.* She is a representative of women. ｜ 人民的~反映人民的意志。*Rénmín de ~ fǎnyìng rénmín de yìzhì.* The people's representatives reflect the will of the people. ❷〈名 *n.*〉显示同一类共同特征的人或事物 representative, a person or thing reflecting the common characteristics of the kind：她是科技界的~人物。*Tā shì kējìjiè de ~ rénwù.* She is a representative figure of the scientific and technological circles. ｜《阿Q正传》是鲁迅先生的~作之一。'*Ā Q Zhèngzhuàn*' *shì Lǔ Xùn xiānsheng de ~zuò zhī yī.* The Story of Ah Q is one of Lu Xun's representative works. ❸〈动 *v.*〉替别人、集体或组织等办事或发表意见 on behalf of; in the name of：他~我们班上台表决心。*Tā ~ wǒmen bān shàng tái biǎo juéxīn.* He went onto the platform to express the determination in the name of our class. ｜ 我们的意见他很难~。*Wǒmen de yìjiàn tā hěn nán ~.* He can hardly speak in our name. ｜ 他~校领导向外籍教师表示感谢。*Tā ~ xiào lǐngdǎo xiàng wàijí jiàoshī biǎoshì gǎnxiè.* He expressed thanks to the foreign teachers on behalf of the school leaders. ❹〈动 *v.*〉人或事物表示某种意义或象征某种概念 (of a person or thing) represent; stand for：鸽子~和平。*Gēzi ~ hépíng.* The dove stands for peace. ｜ 红灯~禁止通行。*Hóngdēng ~ jìnzhǐ tōngxíng.* The red light means stop.

⁴ **代号** dàihào 〈名 *n.*〉为简便或保密而用来代替正式名称的字母、编号或别名 code name, the letter (s), number or nickname used for convenience or secrecy instead of the formal name：企业~ *qǐyè* ~ the code name of an enterprise ｜ 机关~ *jīguān* ~ the code name of an organ ｜ 这批新产品的~定为CBA。*Zhè pī xīn chǎnpǐn de ~ dìng wéi CBA.* These products are given the code name of CBA. ｜ 警卫部队的~是8341。*Jǐngwèi bùduì de ~ shì bā-sān-sì-yāo.* The code name of the guards is 8341. ｜ 这次~为 '雄鹰' 的战斗演习将在某地进行。*Zhè cì ~ wéi 'Xióngyīng' de zhàndòu yǎnxí jiāng zài mǒu dì jìnxíng.*

This military exercise coded-named 'The Eagle' will take place somewhere.

³ **代价** dàijià ❶〈名 n.〉为获得某种东西而付出的钱 price paid for sth.: 付出~ fùchū pay the price | 不惜~ bùxī ~ pay any price | ~巨大 ~ jùdà pay a huge price | 他动脑筋想办法，用最小的~换得最大的收益。Tā dòng nǎojīn xiǎng bànfǎ, yòng zuì xiǎo de ~ huàndé zuì dà de shōuyì. He managed to gain the maximum benefit at the minimum price. | 这件国宝是用高额的~从国外赎回来的。Zhè jiàn guóbǎo shì yòng gāo'é de ~ cóng guówài shú huílái de. A high price was paid to redeem the national treasure from abroad. ❷〈名 n.〉泛指为实现某一目标或完成某项任务所耗费的物力或精力 cost, the materials or energy spent to achieve a purpose or complete a task: 他为事业的成功付出了极大的~。Tā wèi shìyè de chénggōng fùchūle jí dà de ~. He paid a great cost to the success of the undertaking. | 要不惜任何~抢救这个女孩儿的生命。Yào bùxī rènhé ~ qiǎngjiù zhège nǚháir de shēngmìng. The girl must be saved at any cost.

³ **代理** dàilǐ ❶〈动 v.〉暂时担任某职务 acting: ~校长 ~ xiàozhǎng acting principal | ~班主任 ~ bānzhǔrèn acting class director | 院长外出期间由副院长~。Yuànzhǎng wàichū qījiān yóu fùyuànzhǎng ~. The vice principal will act on behalf of the principal when the latter is away. ❷〈动 v.〉接受委托，代表某人或单位进行活动 be commissioned to do sth.: 我们~出版社发行图书业务。Wǒmen ~ chūbǎnshè fāxíng túshū yèwù. We are commissioned by the publishing house to sell its books. | 我不在的时候，公司的业务由你全权~。Wǒ bú zài de shíhou, gōngsī de yèwù yóu nǐ quánquán ~. You are fully authorized to handle the company business when I am away.

⁴ **代数** dàishù 〈名 n.〉代数学的简称 algebra, short for '代数学 dàishùxué': 今天上午有~课。Jīntiān shàngwǔ yǒu ~ kè. There is an algebra class this morning. | 我喜欢~，这科成绩每学期都在90分以上。Wǒ xǐhuan ~, zhè kē chéngjì měi xuéqī dōu zài jiǔshí fēn yǐshàng. I like algebra so much that my marks exceed 90 points every term for this subject.

² **代替** dàitì 〈动 v.〉用一事物替换另一事物，并起另一事物的作用 substitute A for B; replace B with A: 中医用针麻~麻醉药。Zhōngyī yòng zhēnmá ~ mázuìyào. In Chinese medicine, acupuncture anaesthesia can take the place of medical anaesthetics. | 他突然病了，请你~他去参加上午的会。Tā tūrán bìng le, qǐng nǐ ~ tā qù cānjiā shàngwǔ de huì. He is suddenly ill. Please go and attend the meeting this morning in his place. | 现代化车间里很多活儿都让机器人~了。Xiàndàihuà chējiān li hěnduō huór dōu ràng jīqìrén ~ le. Much work is done by robots instead of men in modern workshops.

¹ **带** dài ❶〈动 v.〉随身拿着；携带 take; bring; carry: ~一本字典。~ yì běn zìdiǎn. Take a dictionary along. | 别~书包。Bié ~ shūbāo. Don't carry your satchel. | ~上行李 ~shang xíngli take one's luggage | 不~干粮 bú ~ gānliang not bring one's food ❷〈动 v.〉捎带做某事 do sth. incidentally: 请你帮我~个口信儿。Qǐng nǐ bāng wǒ ~ gè kǒuxìnr. Please pass on a message for me. ❸〈动 v.〉含有 have; contain: 她说话常~刺儿。Tā shuōhuà cháng ~ cìr. She speaks often sarcastically. | 这葡萄甜中~点儿酸。Zhè pútáo tián zhōng ~ diǎnr suān. The grape is sourish sweet. | 这墨水兰里~点儿黑。Zhè mòshuǐ lán li ~ diǎnr hēi. The ink is blackish blue. ❹〈动 v.〉显露；呈现 show; appear: 她整日面~愁容。Tā zhěngrì miàn ~ chóuróng. She wears a worried look all day long. | 她脸上常~着微笑。Tā liǎn shang cháng ~zhe wēixiào. She often wears a smile. ❺〈动 v.〉连带；附带 having sth. attached; simultaneous: 连说~笑 lián shuō ~ xiào speaking and laughing | 连蹦~跳 lián bèng ~ tiào hopping and skipping | ~叶子的荔枝真新鲜。~ yèzi de lìzhī zhēn xīnxiān. The litchi with leaves is fresh indeed. | 玫瑰好看，但~刺。Méiguī hǎokàn,

dàn ~ cì. Roses are good-looking but thorny. ❻ 〈动 v.〉带领；引导 lead; direct: ~兵 ~ *bīng* command troops | ~路 ~*lù* lead the way | ~操 ~ *cāo* lead the exercises | ~徒弟 *túdì* take on an apprentice | ~队 ~ *duì* head a team ❼〈动 v.〉带动 spur on; bring along: 以点~面 *yǐdiǎn~miàn* fan out from point to area | 把全班同学的热情都~起来了。*Bǎ quán bān tóngxué de rèqíng dōu ~ qǐlái le.* The whole class is brought along. ❽〈动 v.〉佩挂 wear: 身上~着手枪 *shēn shang ~zhe shǒuqiāng* wear a pistol | ~剑 ~ *jiàn* wear a sword ❾〈动 v.〉关闭(仅限于门) close (only a door): 走的时候请把门~上。*Zǒu de shíhou qǐng bǎ mén ~ shang.* Please close the door when you go out. ❿ (~儿)〈名 n.〉(条 tiáo、根 gēn）带子或像带子的长条物 belt; a belt-shaped long thing: 皮~ *pí~* leather belt | 鞋~儿 *xié~r* shoestring | 录像~ *lùxiàng~* tape | 彩~ *cǎi~* ribbon | 传送~ *chuánsòng~* conveyer belt | ~鱼 ~*yú* belt fish ⓫〈名 n.〉轮胎 tire: 汽车里外~ *qìchē lǐ wài ~* the inner and outer tires of a car | 自行车~ *zìxíngchē~* bicycle tire ⓬〈名 n.〉地带；区域 area; zone: 亚热~ *yàrè~* sub-tropical zone | 寒~ *hán~* frigid zone | 沿海一~ *yánhǎi yí ~* coastal area

³ 带动 *dàidòng* ❶〈动 v.〉由动力牵引而动起来 drive; power: 马达~水车。*Mǎdá ~ shuǐchē.* The water-mill is driven by a motor. | 这些机器全靠电力~。*Zhèxiē jīqì quán kào diànlì ~.* These machines are all powered by electricity. | 通过传送带~齿轮。*Tōngguò chuánsòngdài ~ chǐlún.* The gear is driven by a conveyer belt. ❷〈动 v.〉引导着前进 bring along: ~生产 ~ *shēngchǎn* give an impetus to production | ~全局干部 *quánjú gànbù* bring along all the staff members of the bureau | ~群众 ~ *qúnzhòng* bring along the masses of the people | 学习好的同学~学习差的同学。*Xuéxí hǎo de tóngxué ~ xuéxí chà de tóngxué.* The more advanced students bring along the less advanced. | 用点上的经验~面上的工作。*Yòng diǎn shang de jīngyàn ~ miàn shang de gōngzuò.* The experience of the selected units is used to promote the work in the entire area.

⁴ 带劲 *dàijìn* ❶ (~儿)〈形 adj.〉有力量；有劲头儿 forceful; energetic: 他干活真~。*Tā gànhuó zhēn ~.* He works very energetically. | 老大娘跳起秧歌舞多~。*Lǎodàniáng tiào qǐ yānggewǔ duō ~.* The old aunt performs the *yangge* energetically. ❷〈形 adj.〉能引起兴趣 able to arouse one's interest: 她就是跳舞，别的一概没兴趣。*Tā jiùshì tiàowǔ，bié de yígài méi xìngqù.* She is interested in nothing but dancing. | 昨晚魔术表演，可~了！*Zuó wǎn móshù biǎoyǎn，kě ~ le!* The magic performance yesterday evening was simply wonderful.

³ 带领 *dàilǐng* ❶〈动 v.〉在前带头使后面的跟随着 lead; guide: 他~新来的同学去见班主任老师。*Tā ~ xīn lái de tóngxué qù jiàn bānzhǔrèn lǎoshī.* He took the new student to the class director. | 阿姨~小朋友们过马路。*Āyí ~ xiǎopéngyǒumen guò mǎlù.* The nurse guided the children across the street. | 他~车队穿过雪山。*Tā ~ chēduì chuānguò xuěshān.* He led the caravan through the snowy mountains. ❷〈动 v.〉领导；指挥 lead; command: ~群众 ~ *qúnzhòng* lead the masses | 部队领导~战士们抢险救灾。*Bùduì lǐngdǎo ~ zhànshìmen qiǎngxiǎn-jiùzāi.* The soldiers rushed to deal with the emergency and disaster relief under the command of the officers. | 老师~同学去校外实习。*Lǎoshī ~ tóngxué qù xiào wài shíxí.* The teacher took the students on a field trip outside the school compound.

³ 带头 *dài/tóu* 〈动 v.〉首先行动起来带动别人；领头 take the lead; take the initiative: ~致富 ~ *zhìfù* take the lead in becoming rich | ~学习 ~ *xuéxí* take the lead in study | 班长要在学习上起模范~作用。*Bānzhǎng yào zài xuéxí shang qǐ mófàn ~ zuòyòng.* The monitor must play a leading role in studies. | 她在班上带了个好头。*Tā zài bān shang*

dàile ge hǎo tóu. She has set a good example in the class. │ 这回你就带个头儿吧。*Zhè huí nǐ jiù dài ge tóur ba.* Please take the initiative this time.

⁴ **贷** dài ❶〈动 v.〉借入或借出 borrow or lend：企业向银行~款。*Qǐyè xiàng yínháng ~ kuǎn.* The enterprise borrows money from the bank. │ 银行给果农~了一笔款。*Yínháng gěi guǒnóng ~le yì bǐ kuǎn.* The bank lends a sum of money to the fruit growers. ❷〈动 v.〉推卸（责任）shift（responsibility）：责无旁~。*Zé wú páng~.* There is no shirking of responsibility. ❸〈动 v.〉原谅；饶恕 pardon; forgive：宽~ *kuǎn~* pardon │ 严惩不~ *yánchéng-bú~* be punished severely without any leniency ❹〈名 n.〉借出或借入的款项 the money lent or borrowed; loan：高利~ *gāolì~* usurious loan │ 信~ *xìn~* credit │ 还~ *huán~* repay a loan │ 这是一笔无息的~款。*Zhè shì yì bǐ wú xī de ~kuǎn.* This is an interest-free loan.

⁴ **贷款** I dài//kuǎn 〈动 v.〉甲国借钱给乙国；银行等机构借钱给用钱的部门或个人 provide a loan（Country A lends money to Country B; the bank, etc. lends money to an organization or individual）：世界银行为中国环保工程~50万美元。*Shìjiè Yínháng wèi Zhōngguó huánbǎo gōngchéng ~wǔshí wàn Měiyuán.* The World Bank granted a loan of US$500,000 to the project of environmental protection in China. │ 中国银行向贫困学生贷了一笔款。*Zhōngguó Yínháng xiàng pínkùn xuésheng dàile yì bǐ kuǎn.* The Bank of China made an advance to the poor students. II dàikuǎn 〈名 n.〉甲国贷给乙国的款项；银行等机构贷给用钱的部门或个人的款项 loan（the money Country A lends to Country B or the bank, etc. lends to an organization or individual）：那笔~还清了没有？*Nà bǐ ~ huánqīngle méiyǒu?* Have you repaid that loan? │ 退耕还林的~必须专款专用。*Tuìgēng-huánlín de ~bìxū zhuānkuǎn-zhuānyòng.* The loan for reafforestation must be used for that specific purpose.

² **待** dài ❶〈动 v.〉招待；对待 treat; deal with：~客 *~ kè* entertain a guest │ 优~ *~ yōu~* give preferential treatment │ ~人接物 *~rén-jiēwù* the way one gets along with people │ 礼貌~人 *lǐmào~rén* treat people politely │ 你要好好儿~他。*Nǐ yào hǎohāor ~ tā.* You must treat him well. ❷〈动 v.〉等候 wait for; await：~机 *~jī* await an opportunity │ ~查 *~chá* need checking │ ~定 *~dìng* not decided yet │ 以逸~劳 *yǐyì-~láo* rest well in order to work well │ 严阵以~ *yánzhèn-yǐ~* be well prepared to meet the challenge │ 这件事有~进一步调查。*Zhè jiàn shì yǒu ~ jìnyíbù diàochá.* This matter needs further investigation. ❸〈动 v.〉打算；将要 about to; going to：~要上街，朋友来了。*~ yào shàngjiē, péngyou lái le.* I was about to go to town when a friend came. ❹〈动 v.〉需要 need：~申辩 *~ shēnbiàn* need explaining oneself │ 自不~言 *zìbú~yán* speak for itself

⁴ **待业** dàiyè〈动 v.〉等待就业 job-waiting：~人员 *~rényuán* job-waiting people │ 下岗~ *xiàgǎng~* be laid off and wait for a new job │ 在家~ *zài jiā* stay at home, waiting for employment │ ~职工有基本生活保障。*~ zhígōng yǒu jīběn shēnghuó bǎozhàng.* Unemployed people are guaranteed a basic life. │ 民营企业吸纳了不少~青年。*Mínyíng qǐyè xīnàle bù shǎo ~ qīngnián.* Civilian-run enterprises have hired many job-waiting young people.

³ **待遇** dàiyù ❶〈名 n.〉指在社会上享有的权利、义务 rights and obligations that one enjoys in society：政治~ *zhèngzhì~* political treatment │ 物质~ *wùzhì~* material treatment │ ~明显降低 *~míngxiǎn jiàngdī* one's treatment obviously lowers │ 十分特殊~ *shífēn tèshū* very particular treatment ❷〈名 n.〉指工资福利等物质报酬 material remuneration such as pay, benefits, etc.：留学生回国工作，享有优厚~。*Liúxuéshēng huíguó gōngzuò, xiǎngyǒu yōuhòu~.* Returned students who come back to work enjoy

excellent pay. | 你的工资福利~比我的高。*Nǐ de gōngzī fúlì ~ bǐ wǒ de gāo.* Your salary and fringe benefits are higher than mine. | 这里丰厚的~吸引了许多人。*Zhèli fēnghòu de ~ xīyǐnle xǔduō rén.* The high salaries here attract many people. ❸〈名 n.〉对待人的态度、方式、情况等 the attitude, way, etc. of treating people: 冷淡的~ *lěngdàn de ~* cold reception | 不寻常的~ *bù xúncháng de ~* unusual reception | 非人的~ *fēirén de ~* inhuman treatment | 贵宾式的~ *guìbīn shì de ~* VIP treatment ❹〈动 v. 书 lit.〉对待;接待 treat; receive: ~宾客甚厚 *~ bīnkè shèn hòu* treat the guests well

⁴ **怠工** dài//gōng 〈动 v.〉有意降低工作效率;消极对待工作 lower work efficiency intentionally; go slow: 为避免~,公司采取了很多措施。*Wèi bìmiǎn ~, gōngsī cǎiqǔle hěnduō cuòshī.* The company takes many measures to prevent the workers from slowing down. | 工人对企业主有意见,消极地怠起工来。*Gōngrén duì qǐyèzhǔ yǒu yìjiàn, xiāojí de dài qǐ gōng lái.* Having complaints about the employer, the workers go slack in work.

⁴ **怠慢** dàimàn ❶〈动 v.〉待人冷淡 slight; neglect: 千万不能~客户。*Qiānwàn bù néng ~ kèhù.* See that the customers are never neglected. | 他对谁都不~。*Tā duì shuí dōu bú ~.* He cold-shoulders nobody. ❷〈动 v.〉待人不周的客套话(polite term) be a poor host: 主人拱着手对客人说:~,~! *Zhǔrén gǒngzhe shǒu duì kèrén shuō: ~, ~!* The host made a cupped-hand salute, saying, 'I'm afraid I have been a poor host.' | 不巧,那天我不在家,多有~,失礼了! *Bùqiǎo, nà tiān wǒ bú zài jiā, duō yǒu ~, shīlǐ le!* As luck would have it, I was away that day. Pardon me for my being a poor host. | ~之处,请多包涵! *~ zhī chù, qǐng duō bāohán!* Please excuse my negligence if there is any. ❸〈形 adj.〉懈怠 slack: 不敢~ *bùgǎn ~* dare not slack off | 岂敢~? *Qǐgǎn ~?* How dare I slack off?

² **袋** dài ❶(~儿)〈名 n.〉(只 zhī、个 gè、条 tiáo)口袋 bag; sack: 一个钱~ *yí gè qián~* a money bag | 三个塑料~ *sān gè sùliào ~* three plastic bags | 这~是纸做的,不能泡水。*Zhè ~ shì zhǐ zuò de, bù néng pào shuǐ.* This bag is made of paper and therefore must be put away from water. ❷(~儿)〈量 meas.〉袋装东西的数量 for contents in a bag: 两~面粉 *liǎng ~ miàn* two sacks of flour | 三~奶粉 *sān ~ nǎifěn* three bags of milk powder | 四~沙子 *sì ~ shāzi* four sacks of sand | 五~石灰 *wǔ ~ shíhuī* five sacks of lime | 救灾物资装了整整300~。*Jiùzāi wùzī zhuāngle zhěngzhěng sān bǎi ~.* Relief materials are packed exactly in 300 bags. | 修这房子得用20~水泥。*Xiū zhè fángzi děi yòng èrshí ~ shuǐní.* 20 sacks of cement are needed to repair the house. ❸〈量 meas.〉用于水烟、旱烟、烟斗 for smoking a water pipe, a long-stemmed Chinese pipe or a pipe: 他愁眉苦脸地蹲在那儿一连抽了五~烟。*Tā chóuméi-kǔliǎn de dūn zài nàr yì lián chōule wǔ ~ yān.* He squatted there gloomily, smoking five pipes of tobacco in succession.

³ **逮捕** dàibǔ 〈动 v.〉捉拿;arrest; take into custody: ~逃犯 *~ táofàn* arrest a runaway criminal | 犯罪嫌疑人已~归案。*Fànzuì xiányírén yǐ ~ guī'àn.* The suspect is brought to justice. | 他身受重伤,不幸被敌人~。*Tā shēn shòu zhòngshāng, búxìng bèi dírén ~.* Seriously wounded, he was unfortunately arrested by the enemy. | 他是因经济问题而被~的。*Tā shì yīn jīngjì wèntí ér bèi ~ de.* He was arrested for economic reasons.

¹ **戴** dài ❶〈动 v.〉为满足一定的需要,把东西加在身体的特定部位 put on; wear: ~呢帽子 *~ ní màozi* put on a woolen hat | ~花纱巾 *~ huā shājīn* wear a bright-colored gauze kerchief | ~棉手套 *~ mián shǒutào* wear cotton-padded gloves | ~红袖章 *~ hóng xiùzhāng* wear a red arm band | ~手表 *~ shǒubiǎo* wear a wrist-watch | ~眼镜 *~ yǎnjìng* wear a pair of glasses | ~校徽 *~ xiàohuī* wear a school badge | ~项链 *~ xiàngliàn* wear a

necklace │ ~胸花 ~ *xiōnghuā* wear a brooch │ ~发卡 ~ *fàqiǎ* wear a hairpin │ ~耳环 ~ *ěrhuán* wear earrings ❷〈动 v.〉尊敬;拥护 respect; support: 爱~ *ài*~ love and esteem │ 拥~ *yōng*~ support │ 感~ *gǎn*~ feel gratitude and respect for sb. ❸〈动 v.〉头上顶着;承当着 carry on one's head; bear: ~罪立功 ~*zuì-lìgōng* atone one's crimes by good deeds │ 披星~月（形容不分昼夜地工作或赶路）*pīxīng-~yuè*（*xíngróng bùfēn zhòuyè de gōngzuò huò gǎnlù*）work laboriously under the moon and the stars, or travel on a journey right through the night │ 不共~天（形容仇恨极深）*búgòng-~tiān*（*xíngróng chóuhèn jí shēn*）hate to live under the same sky（absolutely irreconcilable）

¹ **丹 dān** ❶〈名 n.〉依配方制成的颗粒状或粉末状的中药（古时道家炼药多用朱砂,所以称为'丹'）（Chinese medicine）pellet or powder made according to some prescription（Taoists in olden days did that often with cinnabar, hence the name '丹'）: ~方 ~*fāng* folk prescription │ 九散膏 ~ *wán-sǎn-gāo*~ balls, pellets, plaster and powder │ 灵~妙药 *líng*~*-miàoyào* panacea │ 一粒仙 ~ *yí lì xiān* ~ a pellet of elixir ❷〈名 n.〉专指丹砂 cinnabar ❸〈形 adj.〉红色的 red: ~唇 ~ *chún* red lips │ 秋日~枫 *qiū rì* ~ *fēng* a flaming maple in the autumn days │ 对祖国一片~心 *duì zǔguó yí piàn ~xīn* a loyal heart to the motherland

³ **担 dān** ❶〈动 v.〉用肩挑 carry on a shoulder pole: ~柴 ~ *chái* carry firewood │ 两筐土到大院里 ~ *liǎng kuāng tǔ dào dàyuàn li* carry two baskets of earth to the courtyard ❷〈动 v.〉担负;承担 bear; take on: ~一项任务 ~ *yí xiàng rènwu* take on a task │ ~一个罪名 ~ *yí gè zuìmíng* bear a charge │ ~一回风险 ~ *yì huí fēngxiǎn* take a risk │ 这责任领导不~谁? *Zhè zérèn lǐngdǎo bù ~ shéi* ? Who but the leaders should bear the responsibility? │ 这事全~在他身上。*Zhè shì quán ~zài tā shēn shang.* He takes full responsibility for it.

☞ *dàn*, p.179

⁴ **担保 dānbǎo**〈动 v.〉表示完全负责和承担责任;保证办到 assume full responsibility; guarantee: 借他这么一大笔钱, 谁~? *Jiè tā zhème yí dà bǐ qián, shéi ~?* Who will vouch for it when we lend such a big sum to him? │ 由他~, 你还有什么不放心的? *Yóu tā ~, nǐ háiyǒu shénme bú fàngxīn de?* With him as the guarantor, what do you have to worry about?

³ **担负 dānfù**〈动 v.〉承担（工作、费用、责任等）take on（a job）; bear（expenses）; shoulder（responsibility）: ~领导工作 ~ *lǐngdǎo gōngzuò* shoulder the responsibility of leadership │ 上学的费用全由他叔~。*Shàngxué de fèiyòng quán yóu tā shū ~.* His uncle paid all the expenses when he went to school. │ 教师要~起教育下一代的责任。*Jiàoshī yào ~ qǐ jiàoyù xiàyídài de zérèn.* Teachers must assume the responsibility for the education of the younger generations. │ 他们~着十分保密的工作。*Tāmen ~zhe shífēn bǎomì de gōngzuò.* They are charged with very secret work.

² **担任 dānrèn** 〈动 v.〉担当某种职务或某种工作任务 hold the post of; take on a job: ~校长 ~ *xiàozhǎng* be the president（of a university）│ ~班主任 ~ *bānzhǔrèn* be a class director │ 翻译工作全部由在校学生~。*Fānyì gōngzuò quánbù yóu zài xiào xuéshēng ~.* The undergraduates are charged with all the interpretation work. │ 她已经~三年主编了。*Tā yǐjīng ~ sān nián zhǔbiān le.* She has been editor-in-chief for three years.

² **担心 dān//xīn** 〈动 v.〉有顾虑, 放不下心 worry; feel anxious: ~她~她妈的病。*Tā ~ tā mā de bìng.* She is worried about her mother's illness. │ 孩子整夜没有回家真让人担起心来。*Háizi zhěngyè méiyǒu huíjiā zhēn ràng rén dānqǐ xīn lái.* It worried us a lot that the child was away all night. │ 孩子都大了, 你还担什么心? *Háizi dōu dà le, nǐ hái dān*

shénme xīn? The children have grown up. What do you have to worry about？│他们是集体行动，用不着你~。 *Tāmen shì jítǐ xíngdòng, yòngbuzháo nǐ ~.* You don't have to feel anxious for they are engaged in some group activity.

⁴担忧 dānyōu〈动 v.〉发愁；忧虑 worry; feel anxious：一家人都在为老人的病~。*Yì jiā rén dōu zài wèi lǎorén de bìng ~.* The whole family are worried about the old man's illness.│孩子一路上有人照应，你用不着~。 *Háizi yílùshang yǒu rén zhàoyìng, nǐ yòngbuzháo ~.* You have nothing to worry about, for the child is well looked after all his way.

²单 dān ❶〈形 adj.〉单个；一个（与'双'相对）one; single (opposite to '双 shuāng')：~独一人~dú yì rén one alone│~杠比赛 ~gàng bǐsài horizontal bar competition│~枪匹马 ~qiāng-pǐmǎ single-handed│~刀直入 ~dāo-zhírù come straight to the point│~相思 ~xiāngsī unrequired love│~行本 ~xíngběn offprint ❷〈形 adj.〉奇数的（与'双'相对）odd (opposite to '双 shuāng')：~日~rì odd days│大街的东边门牌都是~号，西边门牌都是双号。 *Dàjiē de dōngbian ménpái dōu shì ~ hào, xībian ménpái dōu shì shuāng hào.* Odd numbers are all on the east side of the street and even numbers, all on the west side.│一、三、五、七、九都是~数。 *Yī, sān, wǔ, qī, jiǔ dōu shì ~shù.* One, three, five, seven and nine are all odd numbers. ❸〈形 adj.〉（衣物等）只有一层的 with one layer only; thin：天都冷了，他还穿~衣~裤。 *Tiān dōu lěng le, tā hái chuān ~yī ~kù.* It is cold but he is still thinly clad.│这件风雨衣是~的。 *Zhè jiàn fēngyǔyī shì ~ de.* This is an unlined mackintosh. ❹〈形 adj.〉不复杂；项目或种类少 not sophisticated; monotonous：现在农村生活不~调了。 *Xiànzài nóngcūn shēnghuó bù ~diào le.* Life in the countryside is no longer monotonous now.│这孩子还比较~纯。 *Zhè háizi hái bǐjiào ~chún.* The child is still very simple. ❺〈形 adj.〉瘦弱 thin; weak：身~力薄 shēn~-lìbó be weak│她病了一场，身子还很~薄。 *Tā bìngle yì chǎng, shēnzi hái hěn ~bó.* She fell ill and is still thin and frail. ❻〈副 adv.〉仅；只 only; alone：~说不练 ~shuō-búliàn make promise only without practice│不能~凭经验办事 bù néng ~ píng jīngyàn bànshì can not act solely by relying on one's experience│~靠你一个人，能行吗？ ~ kào nǐ yí gè rén, néng xíng ma? Will it do that you act alone? ❼〈儿〉〈名 n.〉登记人名或记事用的纸片 a piece of paper for registering names or jotting down something：名~ míng~ name list│菜~儿 cài~r menu│账~儿 zhàng~r bill│提货~ tíhuò~ bill of lading ❽〈名 n.〉铺盖用的单层大幅的布 large cloth cover on a bed：床~ chuáng~ (bed) sheet│被~ bèi~ (bed) sheet

³单纯 dānchún ❶〈形 adj.〉简单纯一；不复杂 simple; not complicated：孩子的想法很~。 *Háizi de xiǎngfǎ hěn ~.* A child is pure in mind.│他~得可爱也~得可笑。*Tā ~ de kě'ài yě ~ de kěxiào.* He is lovably and ridiculously simple. ❷〈形 adj.〉单一；单单 alone; only：学校不能~追求升学率。 *Xuéxiào bù néng ~ zhuīqiú shēngxuélǜ.* A school cannot merely pursue the proportion of students entering schools of a higher grade.│~注重外表是一种偏向。 *~ zhùzhòng wàibiǎo shì yì zhǒng piānxiàng.* It is an erroneous tendency to pay attention to appearance alone.│~地惩罚是不解决问题的。 *~ de chéngfá shì bù jiějué wèntí de.* Mere punishment solves no problem.

²单词 dāncí ❶〈名 n.〉（个 gè）单纯词；词（区别于'词组'）simple-morpheme word; word (different from '词组 cízǔ')：汉语的构词法有它自己的规律。 *Hànyǔ ~ gòucífǎ yǒu tā zìjǐ de guīlǜ.* The word formation in Chinese has its own rules.│~和~可以组成词组。 *~ hé ~ kěyǐ zǔchéng cízǔ.* Several words can form a phrase. ❷〈名 n.〉一个个的词 word：汉语~ Hànyǔ ~ individual Chinese character│我一天要背30个~。 *Wǒ* *yì tiān yào bèi sānshí gè*. I have to memorize 30 new words every day.

² **单调 dāndiào** 〈形 *adj.*〉简单、重复而没有变化 monotonous; dull：生活太~了！*Shēnghuó tài ~ le!* Life is too dull! ｜现在中国人的服饰再也不~了。*Xiànzài Zhōngguórén de fúshì zài yě bù ~ le.* The Chinese are no longer dressed drably. ｜流水线上的工人整天~地重复着同一个动作。*Liúshuǐxiàn shang de gōngrén zhěngtiān ~ de chóngfùzhe tóng yí gè dòngzuò.* Workers on the assembly line monotonously repeat the same movement all day long. ｜这部电影的剧情，看起来没味道。*Zhè bù diànyǐng de jùqíng, kàn qǐlái méi wèidào.* The story of the film is dull and uninteresting.

³ **单独 dāndú** 〈形 *adj.*〉不跟别的合在一起；独自 alone; on one's own：我想和你~谈谈。*Wǒ xiǎng hé nǐ ~ tántan.* I'd like to have a talk with you alone. ｜他~一人关在屋里。*Tā ~ yì rén guān zài wū li.* He shut himself in the room. ｜这个词不能~作谓语。*Zhège cí bù néng ~ zuò wèiyǔ.* This word alone can not serve as predicate. ｜这个试验是他~完成的。*Zhège shìyàn shì tā ~ wánchéng de.* The experiment is completed all by him.

² **单位 dānwèi** ❶〈名 *n.*〉（个 gè）计算事物标准量的名称 unit (as a standard of measurement)：长度的~ *chángdù de ~* a unit of length ｜时间的~ *shíjiān de ~* a unit of time ｜温度的~ *wēndù de ~* a unit of temperature ｜重量的是吨、公斤、市斤等。*Zhòngliàng de ~ shì dūn, gōngjīn, shìjīn děng.* Ton, kilogram, *jin*, etc. are units of weight. ❷〈名 *n.*〉（个 gè）指机关、团体或它所管的部门 unit (as an department, organization, etc.)：这个~从成立到撤销只有一年时间。*Zhège ~ cóng chénglì dào chèxiāo zhǐyǒu yì nián shíjiān.* This unit existed for only one year from its foundation to dissolution. ｜我们科是全局的先进~。*Wǒmen kē shì quán jú de xiānjìn ~.* Our section is a model unit in the bureau. ｜我们校园里大大小十几个~。*Wǒmen xiàoyuán li dàdà-xiǎoxiǎo yǒu shí jǐ gè ~.* There are a dozen units, big and small, in our school compound.

⁴ **单元 dānyuán** ❶〈名 *n.*〉（个 gè）整体中相对独立的部分（of a textbook, house, etc.）unit; a self-contained section：学完这个~接着学下一个。*Xuéwán zhège ~ jiēzhe xué xià yí gè.* Proceed with the next unit after finishing this one. ｜我和他同住一个~。*Wǒ hé tā tóng zhù yí gè ~.* He and I live in the same unit. ❷〈量 *meas.*〉用于教材、房屋等（of a textbook, house, etc.）unit (as a standard of measurement)：本楼共有三个~，第一~是教师住的，二、三~是学生住的。*Běn lóu gòng yǒu sān gè ~, dì-yī ~ shì jiàoshī zhù de, èr, sān ~ shì xuésheng zhù de.* There are three units in the building, the first as the teachers' living quarters and the second third as the students' living quarters. ｜这学期共五个~的课，第一~是总论，第二到第四~是分论，最后一个~是总结。*Zhè xuéqī gòng wǔ gè ~ de kè, dì-yī ~ shì zǒnglùn, dì-èr dào dì-sì ~ shì fēnlùn, zuìhòu yí gè ~ shì zǒngjié.* There are five units in this term's course. Unit One is introduction; Unit Two to Unit Four is elaboration; and the last unit is conclusion.

³ **耽误 dānwù** 〈动 *v.*〉因拖延或错过时机而误事 hold things up as a result of delay or missing an opportunity：因为母亲的病，他还是把婚事~下来了。*Yīnwèi mǔqīn de bìng, tā háishi bǎ hūnshì ~ xiàlái le.* His marriage was held up as a result of his mother's illness. ｜我看这件事不能再~下去了。*Wǒ kàn zhè jiàn shì bù néng zài ~ xiàqù le.* I don't think it can be delayed any longer. ｜真糟糕！事情全让他给~了。*Zhēn zāogāo! shìqing quán ràng tā gěi ~ le.* Too bad!　He held up the whole thing.

³ **胆 dǎn** ❶〈名 *n.*〉胆囊的通称 gallbladder：鱼的~很苦。*Yú de ~ hěn kǔ.* The gallbladder of the fish is very bitter. ｜人的~在什么部位？*Rén de ~ zài shénme bùwèi?* Where does the human gallbladder lie? ｜用~字可造很多词组，比如赤~忠心、明目张~、提心吊~等。*Yòng ~ zì kě zào hěnduō cízǔ, bǐrú chì~-zhōngxīn, míngmù-zhāng ~,*

tíxīndiào~ děng. Many phrases are formed with the character 胆, such as '赤胆忠心 *chìdǎn-zhōngxīn*' (whole-hearted), '明目张胆*míngmù-zhāngdǎn*' (throw all scruples to the air) and '提心吊~*tíxīn-diàodǎn*' (have one's heart in one's mouth). ❷〈名 n.〉胆量, 勇气 guts; courage: 壮一壮~儿 *zhuàng yí zhuàng* ~r build up one's courage │ ~大心细~*dà-xīnxì* brave but cautious │ 大~泼辣 dà ~ pōlà bold and vigorous │ 闻风丧~ *wénfēng-sàng~* lose courage at hearing it ❸〈名 n.〉(个 gè) 装在器物内部, 可以容纳水、空气等东西 a bladder-shaped inner container (for holding water, air, etc.): 暖瓶~ *nuǎnpíng~* the glass liner of a vacuum flask │ 这是一个球~.*Zhè shì yí gè qiú~.* This is a bladder of a ball.

⁴ **胆量** dǎnliàng〈名 n.〉指敢作敢为, 对危险无所畏惧的精神和勇气 courage; guts; pluck: 这人有~, 什么事都敢闯 *Zhè rén yǒu ~, shénme shì dōu gǎn chuǎng.* This man is very brave and not afraid of anything. │ 不像个男子汉, 这点儿~也没有。*Bú xiàng gè nánzǐhàn, zhè diǎnr ~ yě méiyǒu.* He lacks such a little amount of guts that he is not like a man.

⁴ **胆怯** dǎnqiè〈形 adj.〉胆小; 畏缩 cowardly; timid: 他理亏, 所以显得十分~.*Tā lǐkuī, suǒyǐ xiǎnde shífēn ~.* He is not on a solid ground, so he looks very timid. │ 夜里连那条小路也不敢走, 你也太~了.*Yè li lián nà tiáo xiǎolù yě bù gǎn zǒu, nǐ yě tài ~ le.* You are so cowardly that you even dare not take that path at night. │ 他在困难面前, 从不~.*Tā zài kùnnan miànqián, cóng bù ~.* He never fears any difficulty.

⁴ **胆子** dǎnzi〈名 n.〉胆量; 勇气 courage; guts: 他的~真不小, 七级大风敢在高空走钢丝! *Tā de ~ zhēn bù xiǎo, qī jí dàfēng gǎn zài gāokōng zǒu gāngsī!* He is so bold that he dares to walk on so high a wire against the force 7 wind. │ 好大的~, 竟敢在光天化日之下偷东西! *Hǎo dà de ~, jìng gǎn zài guāngtiān-huàrì zhīxià tōu dōngxi!* What a nerve! You dare to steal in the broad daylight! │ ~这么小, 将来什么大事也办不成。*~ zhème xiǎo, jiānglái shénme dàshì yě bàn bù chéng.* You are so timid that you will never make any important achievement in the future.

² **但** dàn ❶〈连 conj.〉在句子中表示转折关系, 相当于'可是''不过' but; yet, same as '可是kěshì', '不过búguò': 英雄牺牲了, ~他永远活在我们心中。*Yīngxióng xīshēng le, ~ tā yǒngyuǎn huó zài wǒmen xīn zhōng.* The hero died, but he will remain in our hearts forever. │ 尽管试验多次失败, ~他仍不灰心。*Jǐnguǎn shìyàn duō cì shībài, ~ tā réng bù huīxīn.* In spite of the fact that the experiment failed repeatedly, he is still not discouraged. │ 要充分认识不利因素, ~也要看到有利的条件。*Yào chōngfèn rènshi búlì yīnsù, ~ yě yào kàndào yǒulì de tiáojiàn.* We should fully be aware of the disadvantages, yet we must also see the advantages. ❷〈副 adv.〉仅; 只 only; merely: 不求有功, ~求无过。*Bù qiú yǒu gōng, ~ qiú wú guò.* Not dare to hope for great achievements, but only to be free from mistakes. │ ~愿你健康快乐。*~yuàn nǐ jiànkāng kuàilè.* Wish you good health and happiness.

¹ **但是** dànshì〈连 conj.〉在句子中表示转折关系, 用在后半句, 往往与'虽然''固然''尽管'等相呼应, 后面常有'却''也''仍然'等 but; yet; still (used in the second half of a sentence, often together with '虽然suīrán', '固然gùrán', '尽管jǐnguǎn', etc. and followed by '却què', '也yě', '仍然réngrán', etc.): 虽然他来中国才两年, ~他的汉语水平已经相当不错。*Suīrán tā lái Zhōngguó cái liǎng nián, ~ tā de Hànyǔ shuǐpíng yǐjīng xiāngdāng búcuò.* Although he has stayed in China only for two years, he can speak Chinese very well. │ 固然试验多次失败, ~他却仍不灰心。*Gùrán shìyàn duō cì shībài, ~ tā què réng bù huīxīn.* The experiments failed repeatedly, yet he was not

discouraged. ｜尽管她身患重病，~她仍然在顽强地攻读. *Jǐnguǎn tā shēn huàn zhòng bìng, ~ tā réngrán zài wánqiáng de gōngdú.* Though she is seriously ill, she still keeps studying tenaciously.

⁴ **担 dàn ❶** 〈量 *meas.*〉用于计算成担的东西 shoulder-pole load: 一~水 *yí ~ shuǐ* a shoulder-pole load of water ｜两~柴 *liǎng ~ chái* two shoulder-pole loads of firewood ｜从一棵桃树上摘了八~桃子 *cóng yì kē táoshù shang zhāile bā ~ táozi* eight shoulder-pole loads of peaches picked from a peach tree ｜他挑一~泥土一口气上了山. *Tā tiāo yí ~ nítǔ yìkǒuqì shàngle shān.* He went up the hill in one breath, carrying two baskets of earth. **❷** 〈量 *meas.*〉重量单位，100市斤为1市担 a unit of weight (1 *dan* =100 *jin*): 棉花计划生产30万~，实际生产40万~. *Miánhuā jìhuà shēngchǎn sānshí wàn ~, shíjì shēngchǎn sìshí wàn ~.* The planned output of cotton was 300,000 *dan* but the actual output is 400,000 *dan.* **❸** 〈名 *n.*〉挑在肩上的东西; 担子 the loads on a carrying pole; load: 荷~ *hè ~* carry a load on one's shoulder ｜货郎~ *huòláng~* street vendor's load ｜扁~ *biǎn ~* carrying pole; shoulder-pole **❹** 〈名 *n.*〉比喻肩负的责任 *fig.* task; responsibility: 革命重~ *gémìng zhòng~* a heavy revolutionary task ｜家庭重~ *jiātíng zhòng~* family burden

☞ dān, p. 175

⁴ **担子 dànzi ❶** 〈名 *n.*〉比喻所担负的责任和工作 *fig.* responsibility; task: 过去，革命的~落在青年人的肩上; 现在，建设的~还是落在青年人的肩上. *Guòqù, gémìng de ~ luò zài qīngniánrén de jiān shang; xiànzài, jiànshè de ~ háishì luò zài qīngniánrén de jiān shang.* The young people shouldered the revolutionary loads in the past. They still shoulder the loads of construction today. ｜校长有领导的~，教师有教学的~，学生有学习的~，每个人的~都不轻. *Xiàozhǎng yǒu lǐngdǎo de ~, jiàoshī yǒu jiàoxué de ~, xuésheng yǒu xuéxí de ~, měi gè rén de ~ dōu bù qīng.* The president performs the task of leadership, the teachers do the one of teaching and the students do the one of studying. All of them are heavy with their tasks. **❷** 〈名 *n.*〉指扁担和挂在两头的东西 the loads on both ends of a shoulder-pole: ~太重了，我挑不动~. *~ tài zhòng le, wǒ tiāo bú dòng.* The load is too heavy for me to carry. ｜~把他的肩膀给压红了. *~ bǎ tā de jiānbǎng gěi yā hóng le.* His shoulder is red with the load.

⁴ **诞辰 dànchén** 〈名 *n.*〉生日（多用于长辈和所尊敬的人）birthday (often referring to one of the seniors or respected people): 明年的今天是我爷爷90周年~. *Míngnián de jīntiān shì wǒ yéye jiǔshí zhōunián ~.* Today next year is the 90th birthday of my grandfather. ｜纪念鲁迅先生~100周年. *Jìniàn Lǔ Xùn xiānsheng ~ yìbǎi zhōunián.* Lu Xun's 100th birthday was commemorated.

³ **诞生 dànshēng ❶** 〈动 *v.*〉人出生 (of a man) born: 我~在贫苦的农民家里. *Wǒ ~ zài pínkǔ de nóngmín jiā li.* I was born in a poor farmer's family. ｜鲁迅~在浙江绍兴. *Lǔ Xùn ~ zài Zhèjiāng Shàoxīng.* Lu Xun was born in Shaoxing, Zhejiang Province. **❷** 〈动 *v.*〉比喻事物产生 *fig.* (of a thing) born; come into being: 从新中国~的那一天起，中国人民就站起来了. *Cóng xīn Zhōngguó ~ de nà yì tiān qǐ, Zhōngguó rénmín jiù zhàn qǐlái le.* Since the birth of New China, the Chinese people have stood up. ｜这部文学巨著~于清朝末年. *Zhè bù wénxué jùzhù ~ yú Qīngcháo mònián.* This monumental literary work was born in the late Qing Dynasty.

² **淡 dàn ❶** 〈形 *adj.*〉液体或气体中所含的某种成分少; 稀薄（与'浓'相对）without much amount of a certain element in liquid or gas; light (opposite to '浓 *nóng*'): ~墨 *~ mò* light ink ｜~装素裹 *~zhuāng-sùguǒ* lightly dressed ｜君子之交~如水. *Jūnzǐ zhī jiāo*

~ *rú shuǐ.* The friendship between gentlemen is insipid as water. ❷〈形 *adj.*〉颜色浅（与'深'相对）(of color) light; pale (opposite to '深 **shēn**')：~绿~ *lǜ* light green | 窗帘是~黄色的。*Chuānglián shì ~ huángsè de.* The curtain is light yellow. | 她穿的衣服颜色太~了。*Tā chuān de yīfu yánsè tài ~ le.* She is too lightly dressed. ❸〈形 *adj.*〉(味道)不浓；不咸 (of taste) bland; not salty：粗茶~饭 *cūchá-~fàn* plain tea and simple food | 我口~。*Wǒ kǒu ~.* I like bland food. | 你尝尝这汤~不~，~了加点儿盐。*Nǐ chángchang zhè tāng ~bú ~, ~le jiā diǎnr yán.* Please try the flavor of the soup. Add some salt if it is too bland. ❹〈形 *adj.*〉冷淡；不热心 cold; indifferent：他对朋友并不~。*Tā duì péngyou bìng bú ~.* He does not slight his friends. | 两口子结婚没多久，不知为什么感情~了。*Liǎngkǒuzi jiéhūn méi duō jiǔ, bù zhī wèishénme gǎnqíng ~ le.* I don't know why the couple are so detached since they have not been married for long. | 他把权和利看得很~。*Tā bǎ quán hé lì kàn de hěn ~.* He is rather indifferent towards power and wealth. ❺〈形 *adj.*〉经营不旺盛 (of business) slack：~季~ *jì* slack season | 生意如此清~，真是难以为继。*Shēngyi rúcǐ qīng~, zhēn shì nányǐ-wéijì.* The business is so dull that I find it hard indeed to carry on. ❻〈形 *adj.*〉无聊 senseless; stupid：~话连篇 *~huà-liánpiān* senseless talk | ~文乏味 *~wén-fáwèi* tasteless writings ❼〈名 *n.*〉无聊的话 meaningless; trivial：扯~ *chě~* talk nonsense | 胡扯~ *húchě~* sheer nonsense

⁴ **淡季** dànjì〈名 *n.*〉(个 gè) 营业不旺盛的季节或某种东西出产少的季节（与'旺季'相对）slack season in business or for certain product (opposite to '旺季 wàngjì')：现在正是水果旺季，而蔬菜是~。*Xiànzài zhèng shì shuǐguǒ wàngjì, ér shūcài shì ~.* It is a fruit season, but an off season for vegetables. | 冬天是旅游~。*Dōngtiān shì lǚyóu ~.* Winter is a slack season for tourism. | 十一月是销售的~。*Shíyī yuè shì xiāoshòu de ~.* November is a slack season in business. | 要开动脑筋想些办法，做到~不淡。*Yào kāidòng nǎojīn xiǎng xiē bànfǎ, zuò dào ~ bú dàn.* We must use our brains and strive for an ample supply in the off season.

⁴ **淡水** dànshuǐ〈名 *n.*〉含盐分极少的水 fresh water, water that contains little amount of salt：~养殖~ *yǎngzhí* freshwater aquiculture | ~湖 *~hú* freshwater lake | 中国南海诸岛~奇缺。*Zhōngguó Nánhǎi zhū dǎo ~ qíquē.* Fresh water is in great shortage on the Chinese islands in the South China Sea. | 多挖井，解决~供应的问题。*Duō wā jǐng, jiějué ~ gōngyìng de wèntí.* The supply of fresh water is provided through digging many wells.

⁴ **弹** dàn ❶（~儿）〈名 *n.*〉小弹子 ball; pellet：~丸~ *wán* pellet | 铁~儿 *tiě~r* iron ball | 弓~ *~gōng* slingshot ❷〈名 *n.*〉内装爆炸物，可发射或投掷的具有破坏力、杀伤力的东西 a ball or pellet that contains explosive with a destructive force：枪~ *qiāng~* bullet | 炮~ *pào~* shell | 炸~ *zhà~* bomb | 燃烧~ *ránshāo~* incendiary bomb | 信号~ *xìnhào~* signal flare | 原子~ *yuánzǐ~* atomic bomb | 巡航导~ *xúnháng dǎo~* cruise missile | ~药库 *~yàokù* ammunition depot | 枪林~雨 *qiānglín-~yǔ* a storm of shells and bullets | ~痕累累 *~hén-lěilěi* be riddled with bullet

☞ tán, p. 944

⁴ **弹药** dànyào〈名 *n.*〉(包 bāo、箱 xiāng、批 pī）枪弹、炮弹、手榴弹、炸弹、地雷等具有杀伤力或其他特殊作用的爆炸物的统称 ammunition, a general name for bullet, shell, grenade, bomb, mine and other explosives with a destructive force：一箱~ *yì xiāng ~* a case of ammunition | 两座~库 *liǎng zuò ~kù* two ammunition depots | 阵地上堆满了~。*Zhèndì shang duīmǎnle ~.* The positions are piled with ammunition. | ~用完了就和敌人拼刺刀。*~ yòngwánle jiù hé dírén pīn cìdāo.* A bayonet combat with the enemy took place when the ammunition was used up.

D

² **蛋 dàn** ❶〈名 n.〉(个 gè、只 zhī) 鸟类和龟、蛇等产的卵 egg (of birds, snakes, etc.)：乌龟~ *wūguī* ~ tortoise egg | ~黄 *~huáng* egg-yellow | 咸鸭~ *xián yā* ~ salted duck egg | ~炒饭 *~chǎofàn* stir-fried rice with egg | 鹌鹑~营养高。*Ānchún* ~ *yíngyǎng gāo.* Quail eggs are very nourishing. ❷〈名 n.〉形状像蛋（球形）的东西 an egg-shaped thing：山药~ *shānyào* ~ potato | 驴粪~ *lúfèn* ~ donkey droppings | 小脸~儿 *xiǎo liǎn* ~*r* the face of a small child ❸〈名 n. 方 dial.〉指人或某些动物的睾丸 testicle; testis（*pl.* testes）❹〈名 n.〉比喻具有某些特点的人（含贬义）referring to certain kind of person (derog.)：糊涂~ *hútu* ~ muddle-headed blunderer | 穷光~ *qióngguāng* ~ poor wretch; pauper | 笨~ *bèn* ~ fool; blockhead ❺〈词尾 suff.〉放在某些动词后面组成含贬义的动词短语 put after some verbs to form derogatory verb phrases：滚~ *gǔn* ~ Get away! | 搞~捣~ make a trouble

³ **蛋白质 dànbáizhì**〈名 n.〉天然的高分子有机化合物，是生命的基础 protein, a class of organic macromolecular compounds which are an essential part of all living organisms：鱼、蛋富含~。*Yú, dàn fù hán* ~. Fish and eggs are rich in protein. | 这种营养品含有多种~。*Zhè zhǒng yíngyǎngpǐn hányǒu duō zhǒng* ~. This nutriment contains many kinds of protein.

² **蛋糕 dàngāo** ❶〈名 n.〉(个 gè、块 kuài) 用鸡蛋和面粉加糖、油制成的松软食品 cake, a kind of soft food made of egg and flour with sugar and oil：牛奶~ *niúnǎi* ~ cream cake | 生日~ *shēngrì* ~ birthday cake | 这家食品店的~现做现卖。*Zhè jiā shípǐndiàn de* ~ *xiàn zuò xiàn mài.* This bakery makes and sells cakes on the spot. | 烤箱里的~烤焦了！*Kǎoxiāng li de* ~ *kǎojiāo le!* The cakes in the oven are burnt! ❷〈名 n.〉比喻共有的社会财富、利益等 fig. commonly shared wealth or interest：要努力把公共福利这块~做大、切好。*Yào nǔlì bǎ gōnggòng fúlì zhè kuài* ~ *zuòdà, qiēhǎo.* Try our best to make the cake of public welfare bigger and have it fairly divided.

⁴ **氮 dàn**〈名 n.〉一种非金属元素，符号N nitrogen (N), a nonmetallic element：~气约占空气总体积的五分之四。~*qì yuē zhàn kōngqì zǒng tǐjī de wǔ fēn zhī sì.* Nitrogen accounts approximately for four fifths of the total volume of the air. | ~是制造~肥的主要原料。~ *shì zhìzào ~féi de zhǔyào yuánliào.* Nitrogen is a chief material for making nitrogenous fertilizer.

¹ **当 dāng** ❶〈介 prep.〉表示事情发生的时间，后面有'的时候'或'时'相配合 when; while (used together with '的时候 de shíhou' or '时 shí' that follows)：~我第一次踏上中国这块土地的时候，心中不知有多高兴！~ *wǒ dì-yī cì tàshang Zhōngguó zhè kuài tǔdì de shíhou, xīn zhōng bù zhī yǒu duō gāoxìng!* When I first set my foot on the soil of China, how glad I was! | ~老师走进教室时，全班同学起立向老师敬礼。~ *lǎoshī zǒu jìn jiàoshì shí, quán bān tóngxué qǐlì xiàng lǎoshī jìnglǐ.* When the teacher entered the classroom, the whole class stood up and gave a salute to him. | ~我还在上小学的时候，父亲就已经远渡重洋到国外谋生去了。~ *wǒ hái zài shàng xiǎoxué de shíhou, fùqīn jiù yǐjīng yuǎn dù chóng yáng dào guówài móushēng qù le.* When I was at primary school, my father had traveled across the oceans to seek a livelihood abroad. ❷〈介 prep.〉正在那时候或那地方 just then; just there：~务之急 *~wùzhījí* the most pressing matter of the moment | ~场拍板 *~chǎng pāibǎn* make decision on the spot | 悔不~初悔不~出 regret for what one did then | 明月~空照，清风扑面来。*Míngyuè* ~ *kōng zhào, qīngfēng pū miàn lái.* The bright moon shines in the sky and a cool breeze caresses my face. ❸〈介 prep.〉面对着；朝着；向着 to sb.'s face; in sb.'s presence：~众表演 ~ *zhòng biǎoyǎn* perform before others | ~机立断 *~jī-lìduàn* make a quick decision as

required of the occasion | 大敌~前 *dàdí~~qián* faced with powerful enemies | 首~其冲 *shǒu~qíchōng* be the first to bear the brunt | ~头一棒 *~tóu yí bàng* a head-on blow ❹ 〈动 v.〉担任；充当 be; work as; serve as: 今年他~班主任。*Jīnnián tā ~ bānzhǔrèn.* He is a class director this year. | 毕业后想~教师。*Bìyè hòu tā xiǎng ~ jiàoshī.* She wants to be a teacher after graduation. | 他给作家代表团~翻译。*Tā gěi zuòjiā dàibiǎotuán ~ fānyì.* He serves as an interpreter for the writers' delegation. ❺〈动 v.〉承当；承受 bear; deserve: 我~不起这样的责任。*Wǒ ~ bù qǐ zhèyàng de zérèn.* I can not bear such a responsibility. | 你是~之无愧的。*Nǐ shì ~ zhīwúkuì de.* You just deserve it. ❻〈动 v.〉主持；执掌 direct; be in charge of: 我们家是妈妈~家。*Wǒmen jiā shì māma ~jiā.* Mother manages the household affairs in our family. | 人民~家做了主人。*Rénmín ~jiā zuòle zhǔrén.* The people have become the masters of the country. | 他~政，人民拥护。*Tā ~zhèng, rénmín yōnghù.* The people support him to be in power. ❼〈动 v.〉对着；对等 equal: 这两个队是旗鼓相~。*Zhè liǎng gè duì shì qígǔ-xiāng~.* The two teams are well matched in strength. | 他和她是门~户对。*Tā hé tā shì mén~-hùduì.* And he and she are well matched for the marriage. ❽〈动 v. 书 lit.〉阻挡；抵挡 stop; resist: 螳臂~车（比喻自不量力）*tángbì~~chē (bǐyù zìbùliànglì)* mantis shanks to stop a carriage (overestimate one's own strength not matched) | 锐不可~ *ruìbùkè~* be irresistible ❾〈助动 aux. v.〉应当；应该 ought to; should: 理~赔偿 *lǐ ~ péicháng* paid for as it should be | ~省则省，~用则用。*~ shěng zé shěng, ~ yòng zé yòng.* Save what you can, but use what you must. ❿〈名 n. 书 lit.〉顶端 top: 瓦~ *wǎ~* the end of a tile ⓫〈拟声 onom.〉金属器物撞击声 the clashing sound of metalware: 大街上响起了~~的锣声。*Dàjiē shang xiǎngqǐle de luóshēng.* The sound of gongs is heard from the street.

☞ *dàng*, p. 187

⁴ **当场** dāngchǎng〈副 adv.〉事情发生的那个地方和那个时候 on the spot; there and then: ~讲授 *~ jiǎngshòu* give a lecture on the spot | ~出丑 *~ chūchǒu* make a fool of oneself before others | ~抓获 *~ zhuāhuò* catch red-handed | 她买了张~电影票。*Tā mǎile zhāng ~ diànyǐngpiào.* She bought a ticket for the film that was shown there and then. | 他~给我们演示。*Tā ~ gěi wǒmen yǎnshì.* He made a demonstration there and then.

³ **当初** dāngchū〈名 n.〉泛指从前或特指过去发生某件事情的时候 originally; at that time: ~这里还是一片农田。*~ zhèli háishì yí piàn nóngtián.* It used to be a farmland. | ~我并不认识她。*~ wǒ bìng bú rènshi tā.* I did not know her at that time. | ~我就想来中国。*~ wǒ jiù xiǎng lái Zhōngguó.* I wanted to come to China then. | ~我一句汉语都听不懂。*~ wǒ yí jù Hànyǔ dōu tīng bù dǒng.* Originally I did not know a single word of Chinese.

³ **当代** dāngdài〈名 n.〉目前面临的时代 the contemporary era; the present age: 他是~文学奠基人。*Tā shì ~wénxué diànjīrén.* He is the founder of contemporary literature. | 他是~英雄。*Tā shì ~ yīngxióng.* He is a hero of the present age. | 这是~青年的责任。*Zhè shì ~ qīngnián de zérèn.* It is the duty of contemporary youth. | ~社会面临的问题是什么？*~ shèhuì miànlín de wèntí shì shénme?* What problems is the contemporary society confronted with?

² **当…的时候** dāng…de shíhou 在…的时候 when; while: ~春天降临，万物开始苏醒。*~ chūntiān jiànglín ~, wànwù kāishǐ sūxǐng.* With the advent of spring, all things come to life. | ~我踏上中国这块土地，这里的一切都让我兴奋陶醉。*~ wǒ tà shang Zhōngguó zhè kuài tǔdì ~, zhèli de yíqiè dōu ràng wǒ xīngfèn táozuì.* When I set my foot on the soil

of China, I was excited and intoxicated with everything here. │ ~我第一次走进这里的讲堂，我的心嘭嘭直跳。 ~ *wǒ dì-yī cì zǒu jìn zhèli de jiǎngtáng* ~, *wǒ de xīn pēngpēng zhí tiào.* When I stepped into this classroom for the first time, my heart throbbed with excitement.

² **当地** dāngdì〈名 n.〉本地；人、物所在或事情发生的那个地方 the place in question：~人习惯吃大米。~ *rén xíguàn chī dàmǐ.* The local people are used to eating rice. │~主要农作物是小麦。~ *zhǔyào nóngzuòwù shì xiǎomài.* Wheat is the main crop in this place. │你们要尊重~的风俗习惯。*Nǐmen yào zūnzhòng* ~ *de fēngsú xíguàn.* You must respect the local customs and habits. │我不熟悉~的环境。*Wǒ bù shúxī* ~ *de huánjìng.* I am not familiar with the local environment.

³ **当家** dāng//jiā ❶〈动 v.〉主持家务 manage household affairs：妈妈很会~。*Māma hěn huì* ~. My mother is good at managing household affairs. │要当好这个家实在不容易。*Yào dāng hǎo zhège jiā shízài bù róngyì.* It is not an easy job indeed to be the head of this family. ❷〈动 v.〉掌握大权 hold important powers：人民群众~作主。*Rénmín qúnzhòng* ~ *zuòzhǔ.* The masses of the people have become masters. │千万别辜负了大家的期望，一定要把这个家当好。*Qiānwàn bié gūfùle dàjiā de qīwàng, yídìng yào bǎ zhège jiā dāng hǎo.* Never fail our expectations and do a good job as our leader.

⁴ **当局** dāngjú ❶〈名 n.〉指政府、学校等方面的掌权者 the authorities (of the government, the school, etc.)：政府~ *zhèngfǔ* ~ the government authorities │有关~ *yǒuguān* ~ related authorities │学校~的决定是正确的。*Xuéxiào* ~ *de juédìng shì zhèngquè de.* The decision of the school authorities is correct. │~的命令必须执行。~ *de mìnglìng bìxū zhíxíng.* The order of the authorities must be implemented. ❷〈动 v.〉身当其事 interested parties; person concerned：从旁议论容易，~者就不那么简单了。*Cóng páng yìlùn róngyì,* ~*zhě jiù bú nàme jiǎndān le.* It is easy for the onlookers to make a comment; it is not so for the person related. │~者迷，旁观者清。~*zhě mí, pángguānzhě qīng.* The spectators see the game better than the players.

³ **当面** dān/miàn〈动 v.〉在面前；当着对方的面（做某事）in sb.'s presence；(doing sth.) face to face (with the interested party)：这本书请你~交给他。*Zhè běn shū qǐng nǐ* ~ *jiāo gěi tā.* Please hand this book to him personally. │有话~讲，不要背后说。*Yǒu huà* ~ *jiǎng, bú yào bèihòu shuō.* If you have something to say, say it in my presence, not behind my back. │现款要~点清。*Xiànkuǎn yào* ~ *diǎnqīng.* Cash should be counted on the spot. │这件事你应当当着大家的面说清楚。*Zhè jiàn shì nǐ yīngdāng dāngzhe dàjiā de miàn shuō qīngchǔ.* You ought to straighten the matter out in our presence.

² **当年** dāngnián ❶〈名 n.〉指从前的某个时候 at a certain time in the past：这是红军~走过的地方。*Zhè shì Hóngjūn* ~ *zǒuguo de dìfāng.* This is a place that the Red Army passed through in those days. │~到你家来的时候，你奶奶还健在呢！~ *dào nǐ jiā lái de shíhou, nǐ nǎinai hái jiànzài ne!* When I visited your family at that time, your grandmother was still alive. │这里~流传着很多民间故事。*Zhèli* ~ *liúchuánzhe hěnduō mínjiān gùshì.* Many folk tales spread here in those years. ❷〈动 v.〉正处于身强力壮的时期 the prime of life：你现在正~，应该加倍努力。*Nǐ xiànzài zhèng* ~, *yīnggāi jiābèi nǔlì.* You are in the prime of your time and should make double efforts. │趁正~的时候，多学些本领。*Chèn zhèng* ~ *de shíhou, duō xué xiē běnlǐng.* While you are in your prime, you should learn more. │你现在干起活儿来还是不减~啊！*Nǐ xiànzài gàn qǐ huór lái háishì bù jiǎn* ~ *a!* You work as you did in your prime!

² **当前** dāngqián ❶〈名 n.〉目前；现阶段 present; current：认清~的形势 *rènqīng* ~ *de*

xíngshì get a clear understanding of the present situation | 我们~的任务是发展经济。 *Wǒmen ~de rènwu shì fāzhǎn jīngjì.* Our present task is to develop economy. | 你们不能光看~的利益，还要兼顾长远的利益。*Nǐmen bù néng guāng kàn ~ de lìyì, háiyào jiāngù chángyuǎn de lìyì.* You can not just care for the current interests, but should also take account of the long-term interests. ❷〈动 *v.*〉摆在面前 before one; facing one: 一事~，首先要想到国家的利益。*Yí shì ~, shǒuxiān yào xiǎng dào guójiā de lìyì.* Whenever something crops up, one should first think of the interests of the state. | 大敌~，万众一心。*Dàdí ~, wànzhòng-yīxīn.* Confronted with a strong enemy, millions of people are of one mind. | 危难~，决不能后退。*Wēinàn ~, jué bù néng hòutuì.* Never step backward in face of a crisis.

¹ **当然** dāngrán ❶〈形 *adj.*〉应当如此 natural: 同学间团结互助是~的事。*Tóngxué jiān tuánjié hùzhù shì ~ de shì.* Unity and mutual help among the classmates is a natural thing. | 他是我们班的~代表。*Tā shì wǒmen bān de ~ dàibiǎo.* He is the *ex officio* representative of our class (non-elected or specially invited). ❷〈副 *adv.*〉事理或情理的必然结果，无可怀疑（也可单用或回答问题）certainly; without doubt (it can also be used separately or in answering a question): 同学聚会你可一定要来哟！——~！*Tóngxué jùhuì nǐ kě yídìng yào lái ya!* ——~! The classmates are going to hold a party. Be sure to come! —— Certainly. | 发生这么大事故，你是第一把手，~要负领导责任。*Fāshēng zhème dà shìgù, nǐ shì dìyībǎshǒu, ~ yào fù lǐngdǎo zérèn.* You are the No. 1 man, therefore you should bear the leadership responsibility when such a serious accident happened. ❸〈副 *adv.*〉用在分句的开头，承接上文，有退一步补充说明的作用 when used at the beginning of a clause, it functions as a further explanation to the preceding text: 这件事大家都有责任，~，我应负最大的责任。*Zhè jiàn shì dàjiā dōu yǒu zérèn, ~, wǒ yīng fù zuì dà de zérèn.* We all are responsible for the matter, but no doubt, I should take the lion's share of responsibility.

² **当时** dāngshí〈名 *n.*〉指过去发生某件事情的时候 at that time; then: ~她来中国，才20岁。*~ tā lái Zhōngguó, cái èrshí suì.* When she came to China at that time, she was just 20. | 这个班~才十多个学生。*Zhège bān ~ cái shí duō gè xuésheng.* There were only a dozen students in the class then. | ~他还是个学生，可现在是这个学校的校长啦！*~ tā háishi gè xuésheng, kě xiànzài shì zhège xuéxiào de xiàozhǎng la!* He was then a student but is now the headmaster of the school.

⁴ **当事人** dāngshìrén ❶〈名 *n.*〉〈个 *gè*〉法律用语，指参加诉讼的一方（自诉人、被告人）(in law) party to a lawsuit (the accuser or the accused): 他俩是这个案件的~。*Tā liǎ shì zhège ànjiàn de ~.* The two are the litigants to the case. | 在法庭上~各自诉说理由。*Zài fǎtíng shang ~ gèzì sùshuō lǐyóu.* Both parties made out their own case at the court. ❷〈名 *n.*〉〈个 *gè*〉跟事情直接有关的人 interested party: 这件事应找~了解。*Zhè jiàn shì yīng zhǎo ~ liǎojiě.* You should see the interested party and find out about the matter. | ~要如实反映情况。*~ yào rúshí fǎnyìng qíngkuàng.* An interested party must tell the truth.

⁴ **当心** dāngxīn ❶〈动 *v.*〉注意；留心 take care; be careful; look out: ~脚下有电线。*~ jiǎo xià yǒu diànxiàn.* Be careful. There is a wire on the ground. | 要特别~过马路的小朋友。*Yào tèbié ~ guò mǎlù de xiǎopéngyou.* Special care must be taken of the small children walking across the street. | 水已结冰，~滑倒！*Shuǐ yǐ jié bīng, ~ huádǎo!* There is ice on the ground. Mind your steps! ❷〈名 *n.*〉胸部正中，泛指正中间 the center of the chest; center: ~一枪，夺了他的性命。*~ yì qiāng, duóle tā de xìngmìng.* A

shot right in the center of his chest killed him. ｜ 院子~，摆放着一盆花。Yuànzi ~ bǎifàngzhe yì pén huā. Right in the middle of the courtyard stands a pot of flowers.

⁴ **当选** dāngxuǎn〈动 v.〉选举时被选上 be elected：他~为班长。Tā ~ wéi bānzhǎng. He is elected monitor. ｜ 她再次~学生会主席。Tā zàicì ~ xuéshēnghuì zhǔxí. She is elected again the chairman of the students' union. ｜ 按规定，选票超过半数的，才能~。Àn guīdìng, xuǎnpiào chāoguò bànshù de, cái néng ~. According to the regulations, the election is valid only by the majority.

³ **当中** dāngzhōng ❶〈名 n.〉正中间的位置上 in the middle; in the center：老师坐在同学~。Lǎoshī zuò zài tóngxué ~. The teacher sat in the middle of the students. ｜ 坐在~的是我的母亲。Zuò zài ~ de shì wǒ de mǔqīn. The woman who sits in the center is my mother. ｜ 广场~有个英雄纪念碑。Guǎngchǎng ~ yǒu gè yīngxióng jìniànbēi. There is a monument to the heroes in the center of the square. ❷〈名 n.〉中间；之内 among：领导干部应该深入到人民群众~。Lǐngdǎo gànbù yīnggāi shēnrù dào rénmín qúnzhòng ~. Leading cadres should go deep among the masses. ｜ 同班同学~数我年龄最大。Tóngbān tóngxué ~ shǔ wǒ niánlíng zuì dà. I am the oldest among my classmates. ｜ 我们~只有她出过国。Wǒmen ~ zhǐyǒu tā chūguo guó. Only she among us has been abroad.

² **挡** dǎng ❶〈动 v.〉拦住；抵挡 block; keep off：一道 ~dào block the way ｜ 风沙 ~fēngshā keep off the wind and sand ｜ 一辆卡车~住了路口。Yí liàng kǎchē ~zhùle lùkǒu. A truck blocked the entrance of the road. ｜ 只穿一件毛衣，能~寒吗？Zhǐ chuān yí jiàn máoyī, néng ~ hán ma? Is it enough to ward off the cold by wearing only a woolen sweater? ❷〈动 v.〉遮蔽 get in the way of; block：乌云~不住太阳（比喻黑暗终究挡不住光明）。Wūyún ~ bú zhù tàiyáng (bǐyù hēi'àn zhōngjiū dǎng bú zhù guāngmíng). Dark clouds can't shut out the sun (*fig.* darkness cannot shut off light after all; the righteous will certainly prevail over the evil). ｜ 拉上窗帘 ~。Lāshang chuānglián ~. Draw the window curtains to shut out the light. ｜ 他~在前面，我看不见。Tā ~ zài qiánmian, wǒ kàn bú jiàn. I cannot see for he gets in my way. ❸ (~儿)〈名 n.〉遮挡用的东西 fender; blind：炉~儿 lú~r fire fender ｜ 窗户~儿 chuānghù ~r window blind ｜ 门~儿 mén~r door shade ❹〈名 n.〉汽车排挡 gear (of a car)：挂 ~ guà ~ get into gear ｜ 挂几~？Guà jǐ ~? Get into which gear? ｜ 现在你应该挂倒~! Xiànzài nǐ yīnggāi guà dào~! Now you should shift to the reverse gear!

² **党** dǎng ❶〈名 n.〉(个 gè) 泛指各种政党组织 political party; party：共产~gòngchǎn~ communist party ｜ 国民~ guómín~ nationalist party ｜ 民主~ mínzhǔ~ democratic party ｜ 国大~ guódà~ national congress ｜ 工~ gōng~ labor party ❷〈名 n.〉在中国特指中国共产党 (in China) the Communist Party of China：中国社会主义革命和建设离不开~的领导。Zhōngguó shèhuì zhǔyì gémìng hé jiànshè lí bù kāi ~ de lǐngdǎo. Socialist revolution and construction in China will not do without the leadership of the Party. ｜ 我写了入~志愿书。Wǒ xiěle rù ~ zhìyuànshū. I wrote an application for Party membership. ❸〈名 n.〉为了私利而结成的小集团 clique; faction; gang：结~营私 jié~-yíngsī form a clique to pursue one's own interests ｜ 死~ sǐ~ diehard followers ｜ 狐群狗~ húqún-gǒu~ a gang of scoundrels ❹〈名 n. 书 lit.〉指亲族 kinsfolk; relatives：父~ fù~ father's kinsfolk ｜ 妻~ qī~ wife's kinsfolk ❺〈动 v.〉偏袒 be partial; be biased：君子不~。Jūnzǐ bù ~. A gentleman is not biased.

³ **党派** dǎngpài 〈名 n.〉(个 gè) 各政党或政党中各派别的统称 political parties and groups; party groupings：各~参加民主协商。Gè ~ cānjiā mínzhǔ xiéshāng. All political

parties and groups participate in the democratic consultation. | 他很早就参加进步~。*Tā hěn zǎo jiù cānjiā jìnbù ~.* He joined a progressive party long ago. | 他是一个无~民主人士。*Tā shì yí gè wú ~ mínzhǔ rénshì.* He is a democratic personage without party affiliation.

³ **党委** dǎngwěi 〈名 n.〉政党各级委员会的简称。在中国特指中国共产党的各级委员会，如中央委员会、省委、县委 committees of a political party at different levels; (in China) committees of the Communist Party of China at different levels, such as the Party Central Committee, Provincial Party Committee and County Party Committee: 各级~的职能不同。*Gèjí ~ de zhínéng bùtóng.* Party committees at different levels perform different functions. | ~号召党员站在抗洪救灾第一线。*~ hàozhào dǎngyuán zhàn zài kànghóng jiùzāi dìyīxiàn.* Party members are called on to stand at the front of flood-fighting and disaster relief.

⁴ **党性** dǎngxìng 〈名 n.〉政党阶级性最高、最集中的表现；特指中国共产党的党性 party spirit, the supreme and concentrated expression of the class nature of a political party; (in China) the party spirit of the Chinese Communist Party: 我们书记的~很强。*Wǒmen shūjì de ~ hěn qiáng.* Our secretary has a strong Party spirit. | 这人完全丧失了~。*Zhè rén wánquán sàngshīle ~.* This man has lost the Party spirit completely. | 全党要增强~。*Quán dǎng yào zēngqiáng ~.* All members of the Party must enhance the Party spirit.

² **党员** dǎngyuán 〈名 n.〉(名 míng、个 gè、位 wèi) 政党的成员；在中国特指中国共产党党员 member of a political Party; (in China) member of the Chinese Communist Party: 他是一名~。*Tā shì yì míng ~.* He is a Party member. | 今天支部开会讨论发展~。*Jīntiān zhībù kāihuì tǎolùn fāzhǎn ~.* A branch meeting was held today to discuss the recruitment of new Party members. | 在困难面前~始终走在前头。*Zài kùnnan miànqián ~ shǐzhōng zǒu zài qiántou.* In face of difficulties, Party members are always at the forefront.

⁴ **党章** dǎngzhāng 〈名 n.〉一个政党的章程；在中国特指中国共产党的章程 charter of a political party; (in China) the Charter of the Chinese Communist Party: 中国共产党~是在党的全国代表大会上通过的。*Zhōngguó Gòngchǎndǎng ~ shì zài dǎng de quánguó dàibiǎo dàhuì shang tōngguò de.* The Charter of the Chinese Communist Party was ratified at the national congress of the Party. | 每个党员都要认真地学习~，按~的要求规范自己的行动。*Měi gè dǎngyuán dōu yào rènzhēn de xuéxí ~, àn ~ de yāoqiú guīfàn zìjǐ de xíngdòng.* Every Party member must study the Party's charter conscientiously and conform his or her own action to it.

⁴ **党中央** dǎngzhōngyāng 〈名 n.〉一个政党的领导核心—党的中央委员会；在中国特指中国共产党中央委员会 the leading core of a political party — its central committee; (in China) the Central Committee of the Chinese Communist Party: 全党要积极响应~的号召。*Quán dǎng yào jījí xiǎngyìng ~ de hàozhào.* All Party members must respond actively to the call of the Party Central Committee. | ~即将召开全体会议。*~ jíjiāng zhàokāi quántǐ huìyì.* The Party Central Committee is about to convene a plenary session. | 总书记代表~向灾区人民发出慰问电。*Zǒngshūjì dàibiǎo ~ xiàng zāiqū rénmín fāchū wèiwèn diàn.* The general secretary sent the people in the disaster-stricken area a telegram expressing sympathy on behalf of the Party Central Committee.

² **当** dàng ❶〈动 v.〉抵得上 be equal to; match: 以一~十 *yǐ yī ~ shí* one being equal to ten | 一块钱~两块钱花。*Yí kuài qián ~ liǎng kuài qián huā.* One yuan is spent as two

put together. ❷〈动 v.〉作为；当作 treat as; regard as; take for：开句玩笑，千万别~真。*Kāi jù wánxiào, qiānwàn bié ~zhēn.* It is just a joke. Don't treat it seriously. │我把她~妹妹看待。*Wǒ bǎ tā ~ mèimei kàndài.* I regard her as my younger sister. ❸〈动 v.〉认为 think：你~我不知道？*Nǐ ~ wǒ bù zhīdào?* Do you think that I don't know? │我~你不来了。*Wǒ ~ nǐ bù lái le.* I thought you wouldn't come. ❹〈动 v.〉抵押 pawn：这金戒指只~了300元钱。*Zhè jīn jièzhǐ zhǐ ~le sānbǎi yuán qián.* The gold ring was pawned only for 300 *yuan*. │连房契也拿去~了。*Lián fángqì yě ná qù ~ le.* Even the title deed for the house was put in pawn. │家里凡能~的都~了。*Jiāli fán néng ~ de dōu ~ le.* Everything that can be pawned is put in pawn. ❺〈形 adj.〉恰当；合宜 proper; suitable：用词不~ *yòngcí bú~* not properly worded │这个比喻倒挺恰~。*Zhège bǐyù dào tǐng qià~.* This metaphor is appropriately used. │这事办得十分顺~。*Zhè shì bàn de shífēn shùn~.* This matter is done smoothly and properly. │那事处理得很不得~。*Nà shì chùlǐ de hěn bù dé ~.* That matter is not properly handled. ❻〈名 n.〉圈套 trick; trap：女孩子容易受骗上~。*Nǚháizi róngyì shòupiàn-shàng~.* Girls are easily fooled. │你上了他的大~。*Nǐ shàngle tā de dà ~.* You have fallen into his trap. ❼〈名 n.〉押在当铺里的实物 the thing in pawn; pawn：把项链做押~。*Bǎ xiàngliàn zuò yā~.* Put the necklace in pawn. │赶紧拿钱去赎~。*Gǎnjǐn ná qián qù shú ~.* Take money and redeem the pawn at once. ❽〈介 prep.〉指事情发生的那个时间 that very (day, etc.)：~天 *~tiān* that very day │~月 *~yuè* that very month │~年 *~nián* the same year │她~时就同意了。*Tā ~shí jiù tóngyì le.* She agreed there and then. │~晚我什么也没看见。*~wǎn wǒ shénme yě méi kànjiàn.* I saw nothing that very night.

☞ **dāng**, p. 181

⁴当天 dàngtiān〈名 n.〉某件事发生的那一天（就在同一天）that very day; the same day：~布置的作业~全做完了。*~ bùzhì de zuòyè ~ quán zuò wán le.* The assignments were finished on the very day. │他~就走了。*Tā ~ jiù zǒu le.* He left that very day. │去天津交通方便多了，~可以跑两个来回。*Qù Tiānjīn jiāotōng fāngbiàn duō le, ~ kěyǐ pǎo liǎng gè láihuí.* Traffic to Tianjin is much convenient now. You can travel there twice on the same day.

²当做 dàngzuò〈动 v.〉认为；作为；看成 regard as; treat as; take for：我一直把你~大哥。*Wǒ yìzhí bǎ nǐ ~ dàgē.* I have always regarded you as my elder brother. │注意别把好人~坏人。*Zhùyì bié bǎ hǎorén ~ huàirén.* Be careful not to take a good person for a bad one. │客厅可以~会议室。*Kètīng kěyǐ ~ huìyìshì.* The parlor can serve as a meeting room. │大家都把班长~自己学习的榜样。*Dàjiā dōu bǎ bānzhǎng ~ zìjǐ xuéxí de bǎngyàng.* Everybody looks upon the monitor as an example of his own emulation.

⁴荡 dàng ❶〈动 v.〉动摇，摆动 swing; wave：秋千~来~去。*Qiūqiān ~ lái ~ qù.* The swing sways to and fro. │让我们一起划桨。*Ràng wǒmen ~ qǐ shuāng jiǎng.* Let's pull on the oars. │树叶随风飘~。*Shùyè suí fēng piāo~.* The tree leaves swing in the wind. │社会动~不安。*Shèhuì dòng~bù'ān.* The society is in turmoil. ❷〈动 v.〉无目的走来走去；闲逛 loaf about purposelessly; wander：夜深了，他还在街上闲~。*Yè shēn le, tā hái zài jiē shang xián~.* It was late in the night but he was still wandering in the street. │他属于那种闯~江湖的人。*Tā shǔyú nà zhǒng chuǎng~ jiānghú de rén.* He is one who makes a living wandering from place to place. │他到南方游~了几个月。*Tā dào nánfāng yóu~le jǐ gè yuè.* He wandered in the south for several months. ❸〈动 v.〉全部清除；弄光 clear away; sweep off：他已经倾家~产。*Tā yǐjīng qīngjiā-~chǎn.* He has ruined his family and dissipated his fortune. │敌人进村大扫~。*Dírén jìn cūn dà sǎo~.* The enemy

D

went into the village and made a mopping-up operation. ❹〈动 v.〉洗涤 rinse: ~涤 ~dí~ clean up | 涤~dí~ wash away ❺〈形 adj.〉放纵；放任 loose in morals: 狂~kuáng~ unrestrained | 淫~yín~ loose in morals | ~妇~fù a loose woman | 她是一个放~的女人。Tā shì yí gè fàng~ de nǚrén. She is an unruly woman. ❻〈名 n.〉水汇聚成的浅湖或池沼 a shallow lake; marsh: 鱼~yú~ fish pond | 芦苇~lúwěi~ reed marsh ❼〈名 n.〉水坑 pool; puddle: 水~shuǐ~ water pool | 粪~fèn~ manure pit

³ **档案 dàng'àn**〈名 n.〉(份fèn) 分类保存以备查考的各种文件、材料和音像记录 files; archives: 人事~rénshì~ personal files | 业务~yèwù~ business records | 病历~bìnglì~ medical records | ~整理工作~zhěnglǐ gōngzuò the work of sorting files | 他在~馆从事~管理工作。Tā zài ~guǎn cóngshì ~ guǎnlǐ gōngzuò. He works as an archivist in the archives. | 把这份~送到~室归档。Bǎ zhè fèn ~ sòng dào ~shì guīdàng. Send it to the filing room for placing it on file.

⁴ **档次 dàngcì**〈名 n.〉(个 gè) 按一定标准排列的等级次序 grade: 产品的~是高是低有一定的标准。Chǎnpǐn de ~ shì gāo shì dī yǒu yídìng de biāozhǔn. There are certain standards to decide whether the products belong to a high or low grade. | 产品质量分几个~。Chǎnpǐn zhìliàng fēn jǐ gè ~. The products are divided into several grades in quality. | 拉开工资的~，可以调动积极性。Lā kāi gōngzī de ~, kěyǐ diàodòng jījíxìng. Widening the difference between the wage brackets may arouse the enthusiasm of the workers. | 这种汽车的~太低，不好卖。Zhè zhǒng qìchē de ~ tài dī, bù hǎo mài. It is such a low-grade car that it does not sell well.

¹ **刀 dāo** ❶〈名 n.〉(把 bǎ、口 kǒu) 一种兵器 sword, a weapon: 一把大~yì bǎ dà~ a broadsword | ~枪剑戟~qiāng-jiànjǐ sword, spear, sabre and halberd | 笑里藏~xiàolǐ-cáng~ hide a dagger in a smile | 借~杀人 jiè~-shārén kill with a borrowed sword ❷〈名 n.〉(把 bǎ、口 kǒu) 切、割、削、砍、铡、拉的工具 knife, a tool for slicing, cutting, peeling, chopping, etc.: 菜~cài~ kitchen knife | 镰~lián~ sickle | 柴~chái~ firewood chopper | 铡~zhá~ hand cutter | 刻~kè~ carving knife | 一~两断 yì~-liǎngduàn cut into two at one stroke of the knife | 用~把西瓜切成几块。Yòng ~ bǎ xīguā qiēchéng jǐ kuài. The watermelon was cut into several slices with a knife. ❸〈名 n.〉形状像刀的东西 sth. shaped like a knife: 冰~bīng~ ice skates | 瓦~wǎ~ (bricklayer's) cleaver ❹〈名 n.〉中国古代钱币名，形状像刀 a knife-shaped coin in ancient China: ~布之币~bù-zhībì a knife-shaped coin ❺〈量 meas.〉纸张的计算单位 a unit for measuring paper: 100张纸为一~。Yìbǎi zhāng zhǐ wéi yì ~. A dao of paper is equal to 100 sheets. | 抄这本书他足足用了10~稿纸。Chāo zhè běn shū tā zúzú yòngle shí ~ gǎozhǐ. He used up 10 full dao of writing paper for copying the book.

⁴ **刀刃 dāorèn** ❶〈名 n.〉刀口 the edge of a knife: 这把刀~十分锋利。Zhè bǎ dāo ~ shífēn fēnglì. This knife is very sharp. | 注意别把~给砍崩了。Zhùyì bié bǎ ~ gěi kǎn bēng le. Be careful not to break the edge of the knife while chopping. | 这把菜刀~已经很钝了，要好好儿磨磨。Zhè bǎ càidāo ~ yǐjīng hěn dùn le, yào hǎohāor mómo. You must sharpen the kitchen knife for it is very blunt. ❷(~儿)〈名 n.〉比喻最能发挥作用或取得效益的地方 fig. where a thing can be put to the best use or the best benefit can be achieved: 这笔经费没有花在~儿上，太可惜了！Zhè bǐ jīngfèi méiyǒu huā zài ~r shang, tài kěxī le! What a pity that the money was not spent at the right place!

² **刀子 dāozi**〈名 n.〉(把 bǎ) 刀；小刀子 small knife; pocketknife: 这把~刚买不久。Zhè bǎ ~ gāng mǎi bù jiǔ. It is a newly bought knife. | 这把~送给你，留作纪念。Zhè bǎ ~ sòng gěi nǐ, liú zuò jìniàn. This pocketknife is for you as a souvenir. | 这把~

切水果、蔬菜的~，那把是切熟肉的~。*Zhè bǎ shì qiē shuǐguǒ, shūcài de ~, nà bǎ shì qiē shóuròu de ~.* This knife is for cutting fruit and vegetable and that one for cutting cooked meat.

⁴叨唠 dāolao〈动 v. 口 colloq.〉叨叨；没完没了地说，也说'唠叨' chatter away; talk on and on, also '唠叨 láodao'：老人爱~。*Lǎorén ài ~.* Old people are fond of endless talk. | 半年没见面，妈妈见了我就~个没完。*Bàn nián méi jiànmiàn, māma jiànle wǒ jiù ~ gè méi wán.* Having not met me for half a year, mother chattered away at the sight of me. | 她没完没了地~，实在烦人。*Tā méiwán-méiliǎo de ~, shízài fánrén.* It is boring indeed listening to her talking on and on.

³导弹 dǎodàn〈名 n.〉（枚 méi）装有弹头和动力装置并能制导的高速飞行武器 missile, a high-speed flying weapon with warheads, self-propelled or directed by remote control：我国能自主研发、生产各种类型的~，有地对地~、地对舰~、地对空~、空对空~、空对舰~、舰对舰~等等。*Wǒguó néng zìzhǔ yánfā, shēngchǎn gèzhǒng lèixíng de ~, yǒu dì duì dì ~, dì duì jiàn ~, dì duì kōng ~, kōng duì kōng ~, kōng duì jiàn ~, jiàn duì jiàn ~ děngděng.* Our country is able to develop and produce all kinds of missiles on its own, such as surface-to-surface, surface-to-ship, surface-to-air, air-to-air, air-to-ship, and ship-to-ship missiles. | 按射程，导弹可分为近程~、中程~、远程~和洲际~。*Àn shèchéng, dǎodàn kě fēn wèi jìnchéng ~, zhōngchéng ~, yuǎnchéng ~ hé zhōují ~.* Missiles can be divided into short-range, medium-range, long-range and intercontinental ones according to their ranges.

⁴导航 dǎoháng〈动 v.〉利用航行标志、雷达、无线电装置等引导飞机或轮船等航行 navigation, directing the route or course of a ship, aircraft or other means of transport by using instruments, etc.：~方式有好几种，有指挥塔~、灯塔~、无线电~和雷达~。*~ fāngshì yǒu hǎo jǐ zhǒng, yǒu zhǐhuītǎ ~, dēngtǎ ~, wúxiàndiàn ~ hé léidá ~.* There are many ways of navigation, such as control tower navigation, beacon navigation, radio navigation and radar navigation. | 设备和~技术很复杂。*~ shèbèi hé ~ jìshù hěn fùzá.* Navigation facilities and techniques are very complicated. | 在没有~设备的情况下，也可以用手势或手旗给轮船~。*Zài méiyǒu ~ shèbèi de qíngkuàng xià, yě kěyǐ yòng shǒushì huò shǒuqí gěi lúnchuán ~.* When there are no navigational facilities, navigation can also be accomplished by gestures or hand-flags.

³导师 dǎoshī ❶〈名 n.〉（名 míng、位 wèi）高等院校或研究机构中指导别人进行学习、进修或写作论文的人 tutor, a teacher in a university or research institution, responsible for the teaching or the writing of papers of assigned students：学院为每个研究生指定了~。*Xuéyuàn wèi měi gè yánjiūshēng zhǐdìngle ~.* The college has assigned a tutor to each graduate. | 我的~的学术水平和名望都很高。*Wǒ de ~ de xuéshù shuǐpíng hé míngwàng dōu hěn gāo.* My tutor enjoys a very high academic level and reputation. ❷〈名 n.〉在大事业、大运动中建立理论、指示方向、掌握原则的领导者 guide of a great cause; teacher：他是改变我国人民命运的一位伟大的革命~。*Tā shì gǎibiàn Zhōngguó rénmín mìngyùn de yí wèi wěidà de gémìng ~.* He was a great revolutionary teacher in the change of the Chinese people's fate. | 他是这场改革运动的伟大~。*Tā shì zhè chǎng gǎigé yùndòng de wěidà ~.* He is a great teacher in this reform movement.

⁴导体 dǎotǐ〈名 n.〉（个 gè）能够传导电流或热的物体 conductor, an object that conducts electricity or heat：非~ *fēi~* nonconductor | 超~ *chāo~* superconductor | 半~ *bàn~* semiconductor | 一般金属都是~。*Yìbān jīnshǔ dōu shì ~.* Generally speaking, metals are conductors.

³ **导演** dǎoyǎn ❶〈动 v.〉排演戏剧、戏曲、大型演出或拍摄影视等时,组织指挥演出工作 direct (a play, traditional opera, important performance or film):他~的电影获得奥斯卡奖。 *Tā ~ de diànyǐng huòdé Àosīkǎ jiǎng.* The film directed by him won an Oscar. ❷〈动 v. 贬 *derog.*〉比喻幕后指挥 *fig.* direct behind the scene:这场离婚闹剧是他一手~的。 *Zhè chǎng líhūn nàojù shì tā yìshǒu ~ de.* He directed this farce of divorce. ❸〈名 n.〉(名 míng、位 wèi、个 gè)担任导演工作的人 director:他是春节联欢晚会的总~。 *Tā shì Chūnjié Liánhuān Wǎnhuì de zǒng~.* He is the general director of the Spring Festival Evening Gala. │ 我大哥在人民艺术剧院当~。 *Wǒ dàgē zài Rénmín Yìshù Jùyuàn dāng ~.* My eldest brother works as a director in the People's Art Theater.

⁴ **导游** dǎoyóu ❶〈动 v.〉带领并指导旅游者参观游览 conduct a sightseeing tour:今天参观西湖, 由她负责~。 *Jīntiān cānguān Xīhú, yóu tā fùzé ~.* We visited the West Lake today, with her as our guide. │ 中外游客普遍反映,她~得很有特色。 *Zhōng wài yóukè pǔbiàn fǎnyìng, tā ~ de hěn yǒu tèsè.* Tourists both from home and abroad are of the opinion that she is a distinguished guide. │ 到北京以后, 我给大家~。 *Dào Běijīng yǐhòu, wǒ gěi dàjiā ~.* I served as a guide when we arrived in Beijing. ❷〈名 n.〉(名 míng、位 wèi、个 gè)担任导游工作的人 tourist guide:这十几年,她一直当~。 *Zhè shíjǐ nián, tā yìzhí dāng ~.* She has worked as a tourist guide in the past dozen years. │ 她是一名很出色的~。 *Tā shì yì míng hěn chūsè de ~.* She is an excellent tourist guide.

³ **导致** dǎozhì〈动 v.〉由此引起;造成(不好的结果)lead to; bring about:一根小烟头,~了一场大火。 *Yì gēn xiǎo yāntóu, ~le yì chǎng dà huǒ.* A small cigarette butt led to this big fire. │ 这场车祸,~五死三伤。 *Zhè chǎng chēhuò, ~ wǔ sǐ sān shāng.* The traffic accident resulted in five dead and three wounded.

² **岛** dǎo ❶〈名 n.〉(个 gè、座 zuò)海洋、江河或湖泊里被水环绕,面积小于大陆的陆地 island, a piece of land surrounded by water on the sea, the river, or lake with an area smaller than the continent:浙江省有个千~湖。 *Zhèjiāng Shěng yǒu gè Qiān~ Hú.* There is a Thousand-Island Lake in Zhejiang Province. │ 杭州西湖中间还有个湖心~。 *Hángzhōu Xī Hú zhōngjiān hái yǒu gè Húxīn~.* There is a Mid-lake Island in the middle of the West Lake in Hangzhou. │青海湖里有个小~, 成千上万的候鸟栖息在~上,叫鸟~。 *Qīnghǎi Hú li yǒu gè xiǎo ~, chéngqiān-shàngwàn de hòuniǎo qīxī zài ~ shang, jiào Niǎo~.* There is a small island on the Qinghai Lake, inhabited by tens of thousands of birds, hence the name of the Birds' Island. ❷〈名 n.〉比喻像岛一样的处所 *fig.* an island-like place:交通~ *jiāotōng~* traffic island │ 环~ *huán~* round island │ 安全~ *ānquán~* safety island

³ **岛屿** dǎoyǔ〈名 n.〉(个 gè、座 zuò)岛的总称 a general name for islands; islands and islets:中国南海的西沙群岛、中沙群岛、南沙群岛由许许多多~组成。 *Zhōngguó Nánhǎi de Xīshā Qúndǎo, Zhōngshā Qúndǎo, Nánshā Qúndǎo yóu xǔxǔ-duōduō ~ zǔchéng.* The Xisha Islands, the Zhongsha Islands and the Nansha Islands on the Nanhai Sea in China are composed of many many islands. │ 渔民常到这些~进行渔业生产。 *Yúmín cháng dào zhèxiē ~ jìnxíng yúyè shēngchǎn.* Fishermen often come to these islands for production.

⁴ **捣** dǎo ❶〈动 v.〉用棍棒的一端向下撞击;舂 pound with one end of a rod; pestle:~米 *~ mǐ* husk rice with mortar and pestle │ ~蒜 *~ suàn* pound garlic into paste │ ~药 *~ yào* pound medicinal substances into powder ❷〈动 v.〉捶击 beat:~衣衫 *~ yīshān* beat clothes (in washing) │ 把肉~碎 *bǎ ròu ~suì* pound meat to pieces ❸〈动 v.〉攻击;打击 smash; attack:一举~毁贩毒团伙 *yìjǔ ~huǐ fàndú tuánhuǒ* smash up a narcotics gang at

one stroke｜直~敌巢 zhí ~ dí cháo launch a direct attack on the enemy headquarters ❹〈动 v.〉打扰；故意制造 disturb; intentionally make trouble：故意~乱 gùyì ~luàn intentionally create a disturbance｜你可别~鬼！Nǐ kě bié ~guǐ! Don't play tricks!

⁴ **捣蛋** dǎo//dàn〈动 v. 口 colloq.〉无理取闹，给人添麻烦 make trouble; cause trouble：他太调皮~了。Tā tài tiáopí ~ le. He is very mischievous.｜安静点儿，你在图书馆捣什么蛋！Ānjìng diǎnr, nǐ zài túshūguǎn dǎo shénme dàn! Be quiet and don't be making trouble in the library!｜真是个~鬼，把我的抽屉全翻乱了。Zhēn shì gè ~guǐ, bǎ wǒ de chōutì quán fānluàn le. You have made a mess of my drawers. What a trouble-maker you are!

⁴ **捣乱** dǎo//luàn ❶〈动 v.〉添乱；找麻烦 create a disturbance; make trouble：我正忙着赶稿子呢，你别~。Wǒ zhèng mángzhe gǎn gǎozi ne, nǐ bié ~. Don't interrupt me! I'm busy rushing an article.｜大家都在听讲，你捣什么乱！Dàjiā dōu zài tīngjiǎng, nǐ dǎo shénme luàn! Don't make a lot of noise, we are listening to a lecture. ❷〈动 v.〉扰乱；破坏 harass; sabotage：常有几个坏孩子到学校来~。Cháng yǒu jǐ gè huài háizi dào xuéxiào lái ~. Some bad children often come to the school to create disturbances.｜时刻警惕，防止坏人的破坏和~。Shíkè jǐngtì, fángzhǐ huàirén de pòhuài hé ~. Be on the alert all the time against the bad elements' disruption and sabotage.

¹ **倒** dǎo ❶〈动 v.〉人或竖立的东西横躺下来；倒塌 (of a person or vertical thing) fall flat; topple：老人跌~了。Lǎorén diē~ le. The old man fell over.｜电线杆被大风刮~了。Diànxiàngān bèi dàfēng guā~ le. The gale toppled the wire pole.｜房屋被洪水冲~了。Fángwū bèi hóngshuǐ chōng~ le. The houses toppled down in the floods. ❷〈动 v.〉失败；垮台 fail; collapse：企业三年连续亏损，就要~了。Qǐyè sān nián liánxù kuīsǔn, jiù yào ~ le. Having incurred loss for three successive years, the enterprise is on the verge of bankruptcy.｜由于内阁总理一台，造成政局不稳，看来本届政府也快~了。Yóuyú nèigé zǒnglǐ ~tái, zàochéng zhèngjú bù wěn, kànlái běn jiè zhèngfǔ yě kuài ~ le. The government seems about to collapse after the downfalls of the cabinet and the prime minister have brought about political unstableness. ❸〈动 v.〉(戏曲演员的嗓子)变哑 (of the voice of an actor) become hoarse：这位演员的嗓子~了。Zhè wèi yǎnyuán de sǎngzi ~ le. The actor has lost his voice. ❹〈动 v.〉某些器官变得不正常 (of an organ) become abnormal：节目真差，让人看了~胃口。Jiémù zhēn chà, ràng rén kànle ~ wèikǒu. The performance is so bad that we have no stomach for it.｜葡萄太酸了，吃了~牙。Pútáo tài suān le, chīle ~ yá. The grape is so sour that it puts our teeth on edge. ❺〈动 v.〉转移；转换；腾挪 change; exchange; make room for：~粮食 ~ liángshí transfer the grain from one place to another｜上午的课~到下午上。Shàngwǔ de kè ~ dào xiàwǔ shàng. The class in the morning is shifted to the afternoon.｜我们公司是两班~。Wǒmen gōngsī shì liǎng bān ~. We work in two shifts in our company. ❻〈动 v.〉出售；买进卖出 sell up; resell at a profit：~山货 ~ shānhuò resell mountain products at a profit｜他把水果~出去。Tā bǎ shuǐguǒ ~ chūqù. He resells fruit.｜他~汇，赚了不少钱。Tā ~ huì, zhuànle bùshǎo qián. He has made quite a lot of money by reselling foreign exchanges. ❼〈名 n.〉(个 gè、位 wèi) 指贩子 profiteer：他把红枣倒到南方去，把茶叶倒到北方来，算是一个老~。Tā bǎ hóngzǎo dǎo dào nánfāng qù, bǎ cháyè dǎo dào běifāng lái, suàn shì yí gè lǎo ~ le. He resells red dates to the south and tea to the north. He can be counted as an old profiteer.

☞ dào, p. 194

⁴ **倒闭** dǎobì〈动 v.〉指企业或商店因亏本而停业 (of an enterprise or shop) close down;

go bankrupt: 由于经营不善，这家商店就要~了。*Yóuyú jīngyíng bú shàn, zhè jiā shāngdiàn jiù yào ~ le.* The shop is about to close down as a result of poor management. | 经济萧条使得不少企业~，银行也~了好几家。*Jīngjì xiāotiáo shǐ de bù shǎo qǐyè ~, yínháng yě ~le hǎo jǐ jiā.* Economic depression has led to the bankruptcy of quite a few enterprises. Even some banks have closed down.

³ **倒霉** dǎo//méi〈动 v.〉遭遇不好或不顺 have bad luck; be down on one's luck: 没带伞，淋成落汤鸡，~透了。*Méi dài sǎn, línchéng luòtāngjī, ~ tòu le.* What lousy luck! Without an umbrella, I am soaked through. | 只顾付款，忘了拿买的东西，只好自认~了。*Zhǐ gù fùkuǎn, wàngle ná mǎi de dōngxi, zhǐhǎo zì rèn ~ le.* Concentrated on the payment, I forgot to take what I had bought. I have to accept the bad luck without complaint. | 最近我家尽出~的事。*Zuìjìn wǒ jiā jìn chū ~ de shì.* My family has been out of luck lately. | 今天我丢了钱包，又丢了手机，真是倒了大霉! *Jīntiān wǒ diū le qiánbāo, yòu diūle shǒujī, zhēn shì dǎole dà méi!* What a bad luck I had today! I lost my purse first and then my mobile phone.

³ **倒腾** dǎoteng ❶〈动 v. 口 colloq.〉翻腾；挪动 move; shift: 就几件家具~了一下午。*Jiù jǐ jiàn jiājù ~le yí xiàwǔ.* I spent the whole afternoon just moving some furniture. | 柜子太乱，该~~了。*Guìzi tài luàn, gāi ~ ~ le.* The cabinet is in a terrific mess. I ought to rearrange it. | 越~越乱，我看还是别~了。*Yuè ~ yuè luàn, wǒ kàn háishì bié ~ le.* The more you arrange it, the greater a mess it becomes. I think you'd better leave it at that. ❷〈动 v. 口 colloq.〉买进卖出；贩卖东西 buy and sell; traffic: ~木材 ~ mùcái deal in timber | ~文物 ~ wénwù buy and sell cultural relics | 上半年~水果，下半年~蔬菜。*Shàng bàn nián ~ shuǐguǒ, xià bàn nián ~ shūcài.* I deal in fruit in the first half of the year and vegetables in the second. | 你说我瞎~吧，还真赚了大钱了! *Nǐ shuō wǒ xiā ~ ba, hái zhēn zhuànle dà qián le!* You say I deal foolishly but I really have made a lot of money! ❸〈动 v. 口 colloq.〉调换；分派 arrange, assign: 工作太多，人手~不开了。*Gōngzuò tài duō, rénshǒu ~ bù kāi le.* There's so much work that we're a bit short-handed.

⁴ **倒爷** dǎoyé〈名 n.〉(个 gè) 从事倒买倒卖活动的人, 特指无经营执照或投机倒把的人 profiteer, especially one who deals without a business license or speculates: 他下岗之后当起~来了。*Tā xiàgǎng zhīhòu dāngqǐ ~ lái le.* He became a profiteer after he was laid off. | 这个~靠倒卖汽车发了横财。*Zhège ~ kào dǎomài qìchē fāle hèngcái.* The profiteer made a fortune by speculating in cars.

¹ **到** dào ❶〈动 v.〉到达；达到 reach; arrive: 飞机正点~。*Fēijī zhèngdiǎn ~.* The plane arrived on schedule. | 孩子~七周岁才能入学。*Háizi ~ qī zhōusuì cái néng rùxué.* A child can not go to school until he reaches 7. | 商店不~九点不开门。*Shāngdiàn bú ~ jiǔ diǎn bù kāimén.* The shop does not open until 9. ❷〈动 v.〉去；往 go to; leave for: ~外公家去 ~ wàigōng jiā qù leave for the grandfather's home | 从北京~天津只用两小时。*Cóng Běijīng ~ Tiānjīn zhǐ yòng liǎng xiǎoshí.* It takes only two hours to get to Tianjin from Beijing. ❸〈动 v.〉表示到达某地某处所(做动词的补语) return to a certain place (used as a verb complement): 他回~广州老家。*Tā huí ~ Guǎngzhōu lǎojiā.* He has returned to his native place in Guangzhou. | 把这些书送~图书阅览室。*Bǎ zhèxiē shū sòng~ túshū yuèlǎnshì.* Return these books to the reading room. | 他跑~了学校。*Tā pǎo~ le xuéxiào.* He ran to the school. ❹〈动 v.〉表示动作继续到什么时间(做动词的补语) up to; up until (used a verb complement): 这场雨一直下~晚上九点。*Zhè cháng yǔ yìzhí xià ~ wǎnshang jiǔ diǎn.* The rain did not stop until 9 in the evening. | 等~明年开

春我再来北京。*Děng~ míngnián kāichūn wǒ zài lái Běijīng.* I will come to Beijing again early next spring. ❺〈动 v.〉表示动作有了结果（做动词的补语）used a verb complement to the result of an action: 我见~他了。*Wǒ jiàn~ tā le.* I have seen him. | 你听~什么了？*Nǐ tīng~ shénme le?* What have you heard of? ❻〈形 adj.〉周全；周到 considerate; thoughtful: 他想得很周~。*Tā xiǎng de hěn zhōu~.* He is very thoughtful. | 不~之处请多原谅！*Bú ~zhī chù qǐng duō yuánliàng!* Please excuse me if I have been inconsiderate in any way.

²**到处** dàochù 〈名 n.〉各处；处处 everywhere; at all places: 公园里~是绿树鲜花。*Gōngyuán li ~ shì lùshù xiānhuā.* There are green trees and fresh flowers throughout the park. | 我~打听他的下落。*Wǒ ~ dǎting tā de xiàluò.* I am inquiring about his whereabouts here, there, and everywhere.

²**到达** dàodá 〈动 v.〉抵达某一地点某一阶段 arrive; reach（a certain point or stage）: 两个代表团同机~北京。*Liǎng gè dàibiǎotuán tóng jī ~ Běijīng.* The two delegations arrived at Beijing by the same flight. | 这班船中午12点准时~天津港。*Zhè bān chuán zhōngwǔ shí'èr diǎn zhǔnshí ~ Tiānjīngǎng.* The ship reached the Tianjin Harbor at noon on schedule. | 这批学生已平安~目的地。*Zhè pī xuésheng yǐ píng'ān ~ mùdìdì.* These students have reached their destination safe and sound.

²**到底** Ⅰ dào//dǐ 〈动 v.〉到尽头；到终点 to the end; to the finish: 决心战斗~ *juéxīn zhàndòu ~* be determined to fight to the end | 将调查研究工作进行~。*Jiāng diàochá yánjiū gōngzuò jìnxíng ~.* Carry out the research and investigation through to the end. | 水不深，已经到了底。*Shuǐ bù shēn, yǐjīng dàole dǐ.* The water is not deep and it is already the bottom. Ⅱ dàodǐ ❶〈副 adv.〉用在陈述句中表示对某一状况的肯定，确认，相当于'毕竟' used in a statement to show the affirmation or confirmation of a situation, same as '毕竟 bìjìng': ~是研究生，水平就是高。*~ shì yánjiūshēng, shuǐpíng jiùshì gāo.* Being a graddate, he has a higher academic level. | ~还是年轻人能干。*~ háishi niánqīngrén nénggàn.* Young people are more competent after all. | ~还是集体力量大。*~ háishi jítǐ lìliàng dà.* A collective has greater strength after all. ❷〈副 adv.〉表示经过种种变化曲折，最终实现，相当于'终于' at last; finally, same as '终于 zhōngyú': 这项课题~研究成功了。*Zhè xiàng kètí ~ yánjiū chénggōng le.* The research on this subject has succeeded at last. | 他~还是考上了北京大学。*Tā ~ háishi kǎoshàngle Běijīng Dàxué.* He was admitted to Peking University in the end. | 同学们~还是把他盼来了。*Tóngxuémen ~ háishi bǎ tā pànlái le.* The classmates were looking forward to his arrival and he arrived at last. ❸〈副 adv.〉用在问句里，表示进一步追究，相当于'究竟' used in a question for emphasis, same as '究竟 jiūjìng': 他~是谁？*Tā ~ shì shéi?* Who on earth is he? | 里面装的~是什么东西？*Lǐmian zhuāng de ~ shì shénme dōngxi?* What in the world is in this bag? | 昨天老师留的思考题你~搞清楚了没有？*Zuótiān lǎoshī liú de sīkǎotí nǐ ~ gǎo qīngchule méiyǒu?* Have you really got a clear understanding of the question that the teacher assigned yesterday?

⁴**到来** dàolái 〈动 v.〉来到；来临（多用于事物）(usually of things) come; arrive: 国庆节快要~了。*Guóqìngjié kuài yào ~ le.* National Day is approaching. | 一个新的时期已经~。*Yí gè xīn de shíqī yǐjīng ~.* A new era has arrived. | 同学们列队迎接外国参观团的~。*Tóngxuémen lièduì yíngjiē wàiguó cānguāntuán de ~.* The students lined up to welcome the arrival of a visiting group from abroad.

⁴**到期** dào//qī 〈动 v.〉到了规定的期限 become due; expire: 国债已经~，银行还本付息。*Guózhài yǐjīng ~, yínháng huánběn fùxī.* The national debt is due and the bank is

repaying the principal with the interest. │借的书~不还，要受处罚的。*Jiè de shū ~ bù huán, yào shòu chǔfá de.* You will be fined if you do not return the book when it is due. │你借的参考材料已经到了期，该还了。*Nǐ jiè de cānkǎo cáiliào yǐjīng dào le qī, gāi huán le.* You ought to return the reference materials since they are due.

³ **到…为止** dào…wéizhǐ 把到达的某一点作为结束，表示截止到某时间、某地点或某种程度 up to (a certain time, place or extent)：今天的课就讲~这里。*Jīntiān de kè jiù jiǎng ~ zhèlǐ.* That is all for today's lecture. │~目前，我已经学习掌握了300个单词。 *~ mùqián, wǒ yǐjīng xuéxí zhǎngwòle sānbǎi gè dāncí.* I have mastered 300 words so far. │~下月5日~，他来中国整两年了。*~ xià yuè wǔ rì ~, tā lái Zhōngguó zhěng liǎng nián le.* He will have been in China for full two years on the fifth next month.

² **倒** dào ❶〈动 v.〉倾倒出来 pour; tip：竹筒~豆子（比喻彻底交待问题）*zhútǒng ~ dòuzi (bǐyù chèdǐ jiāodài wèntí)* pour out the beans from a bamboo tube (fig. state outright)│她忙着给客人~茶。*Tā mángzhe gěi kèrén ~ chá.* She is busy pouring tea for the guests. │爸爸到楼外~垃圾去了。*Bàba dào lóu wài ~ lājī qù le.* Father is out tipping rubbish. ❷〈动 v.〉比喻倾吐 fig. say what is on one's mind without reservation：把心里话全~出来。*Bǎ xīnlǐhuà quán ~ chūlái.* Unbosom yourself. │把你的苦~给我们听听 *Bǎ nǐ de kǔ ~ gěi wǒmen tīngting.* Unburden yourself of your grievances to us. ❸〈动 v.〉颠倒 put upside down：书的页码装~了。*Shū de yèmǎ zhuāng~ le.* The pages are bound in an inverse order. │画儿挂~啦。*Huàr guà~ la.* The picture hangs upside down. ❹〈动 v.〉向后退或向相反方向移动 move backward or in an opposite direction：车~不过来 *Chē ~ bú guòlái.* I cannot back the car. │再往后一~一 *Zài wǎng hòu ~ yí ~.* Move a little backward. │他每天晨练练习~着走 *Tā měitiān chénliàn liànxí ~zhe zǒu.* He practices backward steps every morning. ❺〈副 adv.〉表示跟事实相反，有反说或责怪的语气 indicating contrast：说得~轻松，可做起来并不是那么回事 *Shuō de ~ qīngsōng, kě zuò qǐlái bìng bú shì nàme huí shì.* It is easier said than done. │说得~容易，汉语不是那么好学的。*Shuō de ~ róngyì, Hànyǔ bú shì nàme hǎo xué de.* It is easier said than done in learning Chinese. │想得~美，这衣服哪有那么便宜。*Xiǎng de ~ měi, zhè yīfu nǎ yǒu nàme piányi.* It is just nice thinking. The garment is not that cheap. ❻〈副 adv.〉表示跟一般情理相反；反而；反倒 indicating contrast with reason; on the contrary; instead：没吃药，病~好了。*Méi chī yào, bìng ~ hǎo le.* He did not take medicine, but he recovered. │六月天，~飘起雪来了。*Liù yuè tiān, ~ piāoqǐ xuě lái le.* It is June, but it is snowing. │弟弟~比哥哥高。*Dìdi ~ bǐ gēge gāo.* The younger brother is taller than the elder brother instead. ❼〈副 adv.〉表示转折；让步 indicating concession：这部小说，故事很简单，文笔~流畅。*Zhè bù xiǎoshuō, gùshì hěn jiǎndān, wénbǐ ~ liúchàng.* The novel is simple in its plot, but fluent in its style. │衣服的式样~喜欢，就是尺寸不合适。*Yīfu de shìyàng ~ xǐhuan, jiùshì chǐcùn bù héshì.* I like the style of the garment, but it does not fit me. │我跟他~认识，就是平时没什么来往。*Wǒ gēn tā ~ rènshí, jiùshì píngshí méi shénme láiwǎng.* I know him, but I have no dealings with him ordinarily. ❽〈副 adv.〉表示出乎意料 indicating unexpectedness：本想省点儿钱，没想~费钱了。*Běn xiǎng shěng diǎnr qián, méi xiǎng ~ fèi qián le.* I intended to save some money and never expected I would actually have spent more. │平时不用功，假期~忙起来了。*Píngshí bú yònggōng, jiàqī ~ máng qǐlái le.* He does not study hard ordinarily, but becomes busy during the vacation. │她学习比我差，可期末考试成绩~比我好。*Tā xuéxí bǐ wǒ chà, kě qīmò kǎoshì chéngjì ~ bǐ wǒ hǎo.* She did not do so well in her studies as I, but she achieved better results in the final examination. ❾〈副 adv.〉表

示追问或催促 used to press or urge sb. : 你~表态呀! *Nǐ ~ biǎotài ya!* Can't you say which side you are on! | 你~走啊! *Nǐ ~ zǒu a!* Why won't you go! | 时间不早了,你们~快准备呀! *Shíjiān bù zǎo le, nǐmen ~ kuài zhǔnbèi ya!* It is getting late. Can't you get prepared quickly! ❿〈副 *adv.*〉表示舒缓的语气 used to make the tone mild: 这孩子学习~不用我催促。*Zhè háizi xuéxí ~ bú yòng wǒ cuīcù.* As for his studies, I won't have to press the child. | 家务事有人管, ~用不着我去操心。*Jiāwùshì yǒu rén guǎn, ~ yòngbuzháo wǒ qù cāoxīn.* I don't have to bother about the household duties, for there are people who take care of them. ‖ ❺- ❿ 也说'倒是' ❺-❿ also '倒是dàoshì' ☞ dào, p. 191

⁴ **倒退** dàotuì 〈动 *v.*〉往后退;退回（后面的地方、过去的年代、以往的阶段）go backwards (to the place at the back, the past time, or the former stage): 生产~到20世纪80年代水平。*Shēngchǎn ~ dào èrshí shìjì bāshí niándài shuǐpíng.* The production went back to the level of the 1980s. | 两国的关系有明显~。*Liǎng guó de guānxì yǒu míngxiǎn ~.* Relations between the two countries have gone obviously backwards. | 我们不希望~,是没有出路的。*Wǒmen bù xīwàng ~, ~ shì méiyǒu chūlù de.* We do not want retrogression; retrogression leads to the blind alley.

⁴ **盗** dào ❶ 〈动 *v.*〉偷窃;窃取 steal: 监守自~ *jiānshǒu-zì~* steal what is entrusted to one's care | 掩耳~铃 (比喻自欺欺人) *yǎn'ěr-~líng* (*bíyù zìqī-qīrén*) stuff one's ears when stealing a bell (*fig.* deceive oneself and deceive others) | 窃贼从古墓里~走了珍贵文物。*Qièzéi cóng gǔmù li ~zǒule zhēnguì wénwù.* Thieves stole valuable historical relics from the ancient tombs. ❷〈名 *n.*〉偷或抢夺财物的人 thief; robber: 贼~ *zéi* robber | 海~ *hǎi~* pirate

⁴ **盗窃** dàoqiè 〈动 *v.*〉用不合法手段秘密地取得 steal by illegal means: 不法分子不择手段地~经济情报。*Bùfǎ fènzǐ bùzéshǒuduàn de ~ jīngjì qíngbào.* Lawless persons steal economic information by hook or by crook. | 他是一个屡教不改的~犯。*Tā shì yí gè lǚjiào-bùgǎi de ~fàn.* He is a diehard thief. | 这是一个罪大恶极的~团伙。*Zhè shì yí gè zuìdà-èjí de ~ tuánhuǒ.* It is a gang of thieves guilty of the most heinous crimes.

⁴ **悼念** dàoniàn 〈动 *v.*〉哀悼怀念死者 mourn; grieve over: ~烈士 *~ lièshì* mourn the martyrs | ~亲人 *~ qīnrén* mourn the dear ones | 表示沉痛地~ *biǎoshì chéntòng de ~* mourn with deep grief | 发表~文章 *fābiǎo ~ wénzhāng* publish a memorial article

¹ **道** dào ❶〈量 *meas.*〉用于门、墙、关口、防线等 for doors, wall, strategic pass, defence line, etc. : 三~门 *sān ~ mén* three successive doors | 两~墙 *liǎng ~ qiáng* two successive walls | 一~关口 *yí ~ guānkǒu* a pass | 两~防线 *liǎng ~ fángxiàn* two defence lines ❷〈量 *meas.*〉用于江、河和某些长条形的东西 for rivers and other linear things: 一~河 *yí ~ hé* a river | 一~闪电 *yí ~ shǎndiàn* a flash of lightning | 两~裂缝 *liǎng ~ lièfèng* two cracks | 金光万~ *jīnguāng-wàn~* myriad of golden rays ❸〈量 *meas.*〉用于命令、题目等 for orders, questions, problems, etc. : 一~命令往下传。*Yí ~ mìnglìng wǎng xià chuán.* An order was passed downward. | 我做了八~语文题,九~数学题。*Wǒ zuòle bā ~ yǔwéntí, jiǔ ~ shùxuétí.* I answered 8 questions for Chinese and 9 questions for mathematics. | 这几~题都特别难,一~比一~难。*Zhè jǐ ~ tí dōu tèbié nán, yí ~ bǐ yí ~ nán.* All these problems are particularly difficult, with one more difficult than another. ❹〈量 *meas.*〉次（用于某些分程序的动作）for time (used to describe the procedures of some action): 几~工序 *jǐ ~ gōngxù* several working procedures | 比过去少了一~手续 *bǐ guòqù shǎole yí ~ shǒuxù* one procedure fewer than in the past | 多刷了三~漆 *duō shuā le sān ~ qī* apply three more coats of paint | 上大菜之前先上一~汤,吃完饭上一~

水果。*Shàng dàcài zhīqián xiān shàng yì ~ tāng, chīwán fàn shàng yì ~ shuǐguǒ.* Soup is served before the main course and fruit after the dinner. ❺〈动 *v.*〉说 say; talk; speak:说三－四 *shuōsān-~sì* make irresponsible remarks ｜ ~出心里话 *~chū xīnlihuà* unbosom oneself ｜ 能说会~ *néngshuō-huì~* be good at talking ｜ 一语~破 *yìyǔ~pò* lay bare the truth with one remark ❻〈动 *v.*〉用语言表示心意、情意 say polite words: ~谢 *~xiè* express one's thanks ｜ ~喜 *~xǐ* express one's congratulations ｜ ~歉 *~qiàn* apologize ｜ ~别 *~bié* say good-bye ❼〈动 *v.*〉以为；认为 expect;think: 一觉醒来，我~是天亮了，原来是凌晨四点。*Yí jiào xǐnglái, wǒ ~ shì tiānliàng le, yuánlái shì língchén sì diǎn.* I thought it was daylight when I woke up, but it was actually 4 o'clock early in the morning. ｜ 听到海涛声，我~是外面刮风下雨了。*Tīngdào hǎitāo shēng, wǒ ~ shì wàimian guāfēng xiàyǔ le.* At the sound of the waves, I thought it was wind and rain outside. ❽〈名 *n.*〉(条 tiáo)道路；通道 road;way: 水~ *shuǐ~* waterway ｜ 车~ *chē~* driveway ｜ 近~ *jìn~* shortcut ｜ 林荫~ *línyīn~* tree-lined road ｜ 这条~滑，那条~黑，都不好走。*Zhè tiáo ~ huá, nà tiáo ~ hēi, dōu bù hǎo zǒu.* This way is slippery and that way is dark. It is difficult to take either of them. ❾〈名 *n.*〉水流的途径；山中或地下凿通的路径 course;way through a mountain or underground: 下水~ *xiàshuǐ~* sewer ｜ 隧~ *suì~* tunnel ｜ 地~ *dì~* tunnel ❿〈名 *n.*〉线条；细长的痕迹 line; thin trace: 横~ *héng~* horizontal line ｜ 斜~ *xié~* slanting line ｜ 黑~ *hēi~* black streak ｜ 你画的深一~浅一~，粗一~细一~的，不合标准。*Nǐ huà de shēn yì ~ qiǎn yì ~, cū yí ~ xì yí ~ de, bù hé biāozhǔn.* Your painting is not up to the standard, with one line dark and another light, one line thick and another thin. ⓫〈名 *n.*〉方向；方法；道理；学术或宗教的思想体系 direction; method; reason; academic or religious school of thought: 志同~合 *zhìtóng~hé* cherish the same ideals and follow the same course ｜ 生财有~ *shēngcái-yǒu~* have a way of making money ｜ 头头是~ *tóutóu-shì~* closely reasoned and well argued ⓬〈名 *n.*〉指技艺 skill;art: 棋~ *qí~* skill in playing chess ｜ 医~ *yī~* medical skill ⓭〈名 *n.*〉属于道教的；道教徒 belonging to Taoism;Taoist: ~观 *~guàn* Taoist temple ｜ ~姑 *~gū* Taoist nun ⓮〈名 *n.*〉指某些反动迷信组织 some reactionary superstitious organizations: 会～门 *huì~mén* superstitious sects and secret societies ｜ 一贯~ *Yíguàn~* the Yiguan Sect ⓯〈名 *n.*〉中国历史上行政区划的名称。唐代的道相当于现在的省，清代和民国初年在省的下面设道 the name of an administrative area in Chinese history. *Dao* in the Tang Dynasty was equivalent to today's province, but an administrative unit under the province in the Qing Dynasty or in the early days of the Republic of China ⓰〈名 *n.*〉朝鲜等国行政区划的名称，道相当于省 the name of an administrative area in Korea and other countries, equivalent to province

² **道德** dàodé ❶〈名 *n.*〉人们共同生活及其行为的准则和规范 morals; ethics, a person's standards and principles of behavior: 体育~ *tǐyù ~* sportsmanship ｜ 公共~ *gōnggòng ~* public morals ｜ ~高尚 *~gāoshàng* morally noble ｜ ~败坏 *~bàihuài* morally degenerate ｜ 提高~修养 *tígāo ~ xiūyǎng* improve moral accomplishment ｜ 增强~观念 *zēngqiáng ~ guānniàn* enhance moral concepts ｜ 讲求职业~ *jiǎngqiú zhíyè~* stress professional ethics ❷〈形 *adj.*〉合乎行为准则和规范的 moral; in compliance with the standards and principles of behavior: 这样做很不~。*Zhè yàng zuò hěn bú ~.* It is rather unethical to do it this way. ｜ 不~的行为要制止。*Bú ~ de xíngwéi yào zhìzhǐ.* Immoral behaviors must be stopped.

¹ **道理** dàolǐ ❶〈名 *n.*〉(个 gè)事物的规律、原理 rule of the things; principle: 生命在

于运动是科学的～。*Shēngmìng zàiyú yùndòng shì kēxué de～*. It is a scientific truth that life exists in exercise. │ 你能说出太阳能发电的～吗？*Nǐ néng shuō chū tàiyángnéng fādiàn de～ma*? Can you explain the theory of solar-power? ❷〈名 *n.*〉理由；情理 reason; sense: 你就不能听听人家讲的～? *Nǐ jiù bù néng tīngtīng rénjiā jiǎng de～*? Why couldn't you listen to their arguments? 把人家说得一无是处，也太没～了。*Bǎ rénjiā shuō de yīwúshìchù, yě tài méi～le*. It is very unreasonable to make others out to be without a single merit. │ 我们提倡摆事实讲～。*Wǒmen tíchàng bǎi shìshí jiǎng～*. We advocate presenting the facts and reasoning things out.

² **道路** dàolù ❶〈名 *n.*〉(条 tiáo) 陆地上供行人车马通行的路 road (for the passage of people and traffic): 这条～一直通到县城。*Zhè tiáo～yīzhí tōng dào xiànchéng*. This road leads directly to the county town. │ 这里的～四通八达。*Zhèli de～sìtōng-bādá*. The roads here extend in all directions. ❷〈名 *n.*〉途径(包括陆路、水路) road; way: ～十分遥远 *～shífēn yáoyuǎn* a very long way to go ❸〈名 *n.*〉借指遵循的途径，路线 the way that one follows: 走这条共同富裕的～。*Zǒu zhè tiáo gòngtóng fùyù de～*. Take the road of common prosperity. │ ～是曲折的，前途是光明的。*～shì qūzhé de, qiántú shì guāngmíng de*. The way is arduous but the future is bright. │ 在人生的～上会遇到许许多多困难。*Zài rénshēng de～shang huì yùdào xǔduō xǔduō kùnnan*. A person comes across many difficulties on his way of life. │ 创业的～充满着苦和乐。*Chuàngyè de～chōngmǎnzhe kǔ hé lè*. The way of a pioneer is filled with joys and sorrows.

² **道歉** dào//qiàn〈动 *v.*〉向人表示歉意或向人认错 make an apology; admit one's mistake: 这是我不对，特向你～。*Zhè shì wǒ búduì, tè xiàng nǐ～*. I am in the wrong. Please accept my apology. │ 你去向人家道个歉就没事了。*Nǐ qù xiàng rénjiā dào gè qiàn jiù méi shì le*. Go and make an apology to her and everything will pass. │ 赶快向她道一个歉。*Gǎnkuài xiàng tā dào yí gè qiàn*. Make an apology to her at once.

⁴ **稻子** dàozi〈名 *n. colloq.*〉(株 zhū、棵 kē) 稻，一年生草本植物，中国重要粮食作物之一 rice, an annual herb, that is one of the important grain crops in China: 中国南方各省多数种，有的省一年种两季。*Zhōngguó nánfāng gè shěng duōshù zhòng～, yǒu de shěng yì nián zhòng liǎng jì～*. Most of the provinces in the southern part of China grow rice, some twice a year. │ 今年的～长势很好，可望丰收。*Jīnnián de～zhǎngshì hěn hǎo, kě wàng fēngshōu*. Rice is growing well this year. A bumper harvest is in sight.

¹ **得** dé ❶〈动 *v.*〉得到；获得(与'失'相对) get; obtain; gain (opposite to '失shī'): 一举两～ *yìjǔ-liǎng～* double gain │ 如鱼～水 *rúyú-～shuǐ* like fish in water │ ～寸进尺 *～cùn-jìnchǐ* reach out for a yard after taking an inch │ 我～了全班第一名。*Wǒ～le quán bān dì-yī míng*. I got the first in the whole class. ❷〈动 *v.*〉计算或演算产生结果 (of a calculation) result in: 2加2～4。*èr jiā èr～sì*. 2 and 2 is 4. ❸〈动 *v.* 口 *colloq.*〉表示许可或禁止 expressing approval or prohibition: ～，就这么办。*～, jiù zhème bàn*. All right, it is settled. │ 军事要地，未经许可不～入内！*Jūnshì yàodì, wèi jīng xǔkě bù～rù nèi*! Military Installation. No Admittance without Permission! ❹〈动 *v.*〉完成 be finished; be ready: 衣服洗～了。*Yīfu xǐ～le*. The washing is finished. │ 饭～了没有？*Fàn～le méiyǒu*? Is dinner ready? ❺〈动 *v.*〉适合 proper; suitable: ～用 *～yòng* fit for use │ 一体～tǐ appropriate │ 各～其所。*Gè～qísuǒ*. Each is in his proper place. ❻〈动 *v.* 口 *colloq.*〉表示无可奈何 expressing helplessness or frustration: ～，这批货泡汤了！～, zhè pī huò pàotāng le! Look! The goods fell through. │～，这门功课考砸了！～, zhèmén gōngkè kǎozá le! Look! I have failed in the examination of this subject. ❼〈动 *v.*〉'得'前后有'不'，表示客观情况迫使这样做；万不得已；应该(with '不bù' before and after) be

forced to; have to; ought to: 他的确很困难,学校不~不给他一些助学金。*Tā díquè hěn kùnnan, xuéxiào bù~bù gěi tā yìxiē zhùxuéjīn.* The school has to grant him some stipend, for he is really in financial difficulty. | 前面塌方,我们不~不绕道走。*Qiánmian tāfāng, wǒmen bù~bú ràodào zǒu.* There is a landslide ahead and we have to make a detour.

☞ de, p. 201; děi, p. 202

³ **得病** dé//bìng 〈动 v.〉生病 fall ill; contract a disease: 快终考了,千万别~。*Kuài zhōngkǎo le, qiānwàn bié ~.* The final examination is approaching. You must not fall ill. | 他得了什么病? *Tā déle shénme bìng?* What disease has he contracted? | 去年我得了一场大病。*Qùnián wǒ déle yì cháng dà bìng.* I was seriously ill last year.

⁴ **得不偿失** débùchángshī 〈成 idm.〉得到的抵不上失去的 the loss overweighs the gain: 跑那么远去看一场电影,~! *Pǎo nàme yuǎn qù kàn yì chǎng diànyǐng, ~!* It is not worth it to go so far to see a film. | 以后的工程不能再接了。*Yǐhòu ~ de gōngchéng bù néng zài jiē le.* We should no longer take in any project if we lose more than we gain.

¹ **得到** dé//dào 〈动 v.〉取得;获得 get; obtain; receive: 他~了来中国学习的机会。*Tā ~ le lái Zhōngguó xuéxí de jīhuì.* He got an opportunity to come and study in China. | 我~了一笔奖学金。*Wǒ ~le yì bǐ jiǎngxuéjīn.* I obtained a scholarship. | 这个建议,~全班同学的支持。*Zhège jiànyì, ~ quán bān tóngxué de zhīchí.* The proposal won the support of the whole class. | 这一次得不到提职,下一次有可能~。*Zhè yí cì dé bú dào tízhí, xià yí cì yǒu kěnéng ~.* Not being promoted this time, I may have the chance next time.

⁴ **得力** délì ❶〈形 adj.〉做事能干;坚强有力 capable; competent: 他是我们校长的~助手。*Tā shì wǒmen xiàozhǎng de ~ zhùshǒu.* He is a competent assistant to our headmaster. | 不是他不行,而是他手下的那几个人不~。*Bú shì tā bùxíng, érshì tā shǒu xià de nà jǐ gè rén bù ~.* Not that he lacks ability, but that those under him are incompetent. ❷〈动 v.〉受益,借助(某种)力量 benefit from; be assisted by: 救灾工作的顺利完成~于四方的支援。*Jiùzāi gōngzuò de shùnlì wánchéng ~ yú sìfāng de zhīyuán.* The success of the relief work was largely due to the assistance from every quarter.

³ **得了** déliǎo 〈形 adj.〉表示情况严重,用于反问或否定式 (used in rhetorical questions or negative sentences) really serious: 这孩子成天在外边闲逛,长大了还~? *Zhè háizi chéngtiān zài wàibian xiánguàng, zhǎngdàle hái ~?* The child is out idling away his time all day long. What would become of him when he grows up? | 都一个星期没来上班了,也不请假,这还~吗? *Dōu yí gè xīngqī méi lái shàngbān le, yě bù qǐngjià, zhè hái ~ ma?* He has not come to work for a week without asking for leave. Isn't it awful?

⁴ **得以** déyǐ 〈助动 aux. v.〉(由于这个)使之可以;能够 (so that) . . . can/may: 老师和同学们不分昼夜地试验,这个课题~研究成功。*Lǎoshī hé tóngxuémen bù fēn zhòuyè de shìyàn, zhège kètí ~ yánjiū chénggōng.* The teachers and students carried on the experiment day and night so that the research topic could succeed. | 经过医生精心治疗,我才~重见光明。*Jīngguò yīshēng jīngxīn zhìliáo, wǒ cái ~ chóng jiàn guāngmíng.* The doctor gave me meticulous treatment so that I could recover my eyesight.

³ **得意** déyì Ⅰ〈形 adj.〉符合心意的;令人感到满意的 favorite; be proud of: ~生~门生 *ménshēng* favorite pupil | 这篇小说是他的~之作。*Zhè piān xiǎoshuō shì tā de ~ zhī zuò.* The short story is his favorite work. Ⅱ dé//yì 〈动 v.〉心愿、志愿得以满足 triumphant; pleased with oneself: 事情还没有办成,别~得太早! *Shìqing hái méiyǒu bàn chéng, bié ~ de tài zǎo!* Don't be pleased with yourself too early for the task is not yet completed. | 老师看到每个学生都考得这么好,十分~。*Lǎoshī kàndào měigè xuésheng dōu kǎo de zhème hǎo, shífēn ~.* The teacher is pleased to see that every

student has done so well in his or her examination. |他挨了批评，你得个什么意? *Tā áile pīpíng, nǐ dé gè shénme yì?* He was criticized. What are you pleased for?

⁴ **得罪** **dézuì** 〈动 *v.*〉冒犯了别人，使别人生气或怀恨 offend; displease: ~顾客 ~ *gùkè* displease the customer |你把老师也给~了。*Nǐ bǎ lǎoshī yě gěi ~ le.* You offended even the teacher. |你那坏脾气, ~的人还少哇? *Nǐ nà huài píqì, ~ de rén hái shǎo wa?* You have such a bad temper that you have offended too many people. |我心直口快,~人了还不知道呢! *Wǒ xīnzhí-kǒukuài, ~ rén le hái bù zhīdào ne!* Being outspoken and straightforward, I don't know when I give offence!

² **德文** **Déwén** 〈名 *n.*〉同'德语'same as '德语 Déyǔ'

² **德语** **Déyǔ** 〈名 *n.*〉日耳曼语 German: 我到德国学~. *Wǒ dào Déguó xué ~.* I went to Germany to study German. |他~说得很流利. *Tā ~ shuō de hěn liúlì.* He speaks German fluently. |你~阅读能力相当强. *Nǐ ~ yuèdú nénglì xiāngdāng qiáng.* You can read German quite well. |他说~我一句也听不懂. *Tā shuō ~ wǒ yí jù yě tīng bù dǒng.* I don't know a single word of it when he speaks German.

D

¹ **地** **de** ❶〈助 *aux.*〉用在动词、形容词或名词后构成状语 used after a verb, an adjective or a noun to form an adverbial adjunct: 雨不停~下。*Yǔ bù tíng ~ xià.* It is raining continuously. |我有说不出~烦恼. *Wǒ yǒu shuō bù chū ~ fánnǎo.* I am vexed beyond description. ❷〈助 *aux.*〉用在形容词后构成状语修饰动词或形容词 used after an adjective to form an adverbial to modify verb or adjective: 强烈~抗议 *qiángliè ~ kàngyì* protest strongly |顽强~拼搏 *wánqiáng ~ pīnbó* struggle stubbornly |异常~兴奋 *yìcháng ~ xīngfèn* be extremely excited ❸〈助 *aux.*〉用在名词后构成状语修饰动词 used after a noun to form an adverbial to modify verb: 历史~分析 *lìshǐ ~ fēnxī* analyze from a historical point of view |科学~判断 *kēxué ~ pànduàn* judge scientifically ☞ dì, p. 210

¹ **的** **de** ❶〈助 *aux.*〉用在作定语的名词后面, 表示定语修饰中心语名词 used after an attributive noun to indicate that the attributive modifies the head noun: 上午~课 *shàngwǔ ~ kè* the morning classes |周末~体育比赛 *zhōumò ~ tǐyù bǐsài* the weekend's sports competitions |大家~捐助 *dàjiā ~ juānzhù* everybody's donations ❷〈助 *aux.*〉用在作定语的人称代词或名词后面, 表示定语和中心语之间是领属关系 used after the personal pronoun or noun which serves as attributive to indicate the relations of possession between the attributive and the head word: 他~爷爷 *tā ~ yéye* his grandfather |我们班~老师 *wǒmen bān ~ lǎoshī* our class's teachers |学校~试验室 *xuéxiào ~ shìyànshì* laboratory of the school ❸〈助 *aux.*〉用在作定语的动词或动词性词组后面, 表示定语修饰中心语 used after the verb or verbal phrase that serves as an attributive, to indicate that the attributive modifies the head word: 写~字 *xiě ~ zì* the written character |新买~电脑 *xīn mǎi ~ diànnǎo* a newly bought computer |研究~课题 *yánjiū ~ kètí* the studied topic ❹〈助 *aux.*〉用在作定语的形容词后面, 表示定语修饰中心语, 并且加强语气 used after an adjective that serves as attributive to indicate that the attributive modifies the head word and to achieve emphasis: 安静~教室 *ānjìng ~ jiàoshì* a quiet classroom |优美~校园 *yōuměi ~ xiàoyuán* an elegant school compound |优秀~学生 *yōuxiù ~ xuésheng* an excellent student ❺〈助 *aux.*〉用在作定语的拟声词后面, 表示定语修饰中心语 used after an onomatope which serves as attributive to indicate that the attributive modifies the head word: 窗外传来呼呼~风声. *Chuāng wài chuánlái hūhū ~ fēngshēng.* The whisltling of the wind is heard from the window. |嘎吱~一声, 门打开了. *Gāzhī ~ yì shēng, mén dǎkāi le.* The door creaked open. ❻〈助 *aux.*〉用来构成'的'

字结构，代替上文中心语名词所指的人或具体事物 used to form a 的-structure to replace the person or thing that the head noun describes above: 这是我的笔，那是你~。 *Zhè shì wǒ de bǐ, nà shì nǐ ~.* This is my pen and that is yours. │ 我的笔坏了，借你~用用。 *Wǒ de bǐ huài le, jiè nǐ ~ yòngyòng.* My pen is broken. May I borrow yours? ❼〈助 *aux.*〉与限制性或分类性修饰语构成‘的’字结构，代替上文中心语名词所指的事物 used to form a 的-structure with restrictive or divisive modifiers to replace the thing that the head word describes above: 我们公司有职工20人，大学毕业~有18个，中专毕业~只有两个。 *Wǒmen gōngsī yǒu zhígōng èrshí rén, dàxué bìyè ~ yǒu shíbā gè, zhōngzhuān bìyè ~ zhǐyǒu liǎng gè.* There are 20 employees in our company, among whom 18 are university graduates and only 2 are secondary vocational school graduates. │ 牡丹开了，有白~，有粉红~，还有黑~。 *Mǔdān kāi le, yǒu bái ~, yǒu fěnhóng ~, háiyǒu hēi ~.* The peony flowers are in bloom. There are white ones, pink ones as well as black ones. ❽〈助 *aux.*〉用来构成‘的’字结构作谓语，表示领属关系、质地、品性、情绪 等 used to form 的-structure as predicate to indicate the relations of possession, quality, character, emotion, etc.: 这件衣服，他~。 *Zhè jiàn yīfu, tā ~.* This is his dress. │ 这衣柜，复合板~。 *Zhè yīguì, fùhébǎn ~.* This wardrobe is made of compound plank. │ 这苹果，酸~。 *Zhè píngguǒ, suān ~.* This apple is sour. │ 屋里的人哭哭啼啼~。 *Wū li de rén kūkū-títí ~.* The people in the room are crying. ❾〈助 *aux.*〉用来构成‘的’字结构作补语，表示结果的情态 used to form 的-structure as complement to express result: 躺得横七竖八~ *tǎng de héngqī-shùbā ~* lie this way and that │ 喝得东倒西歪~ *hē de dōngdǎo-xīwāi ~* drink till stumbling │ 画得乱七八糟~。 *Huà de luànqī-bāzāo ~.* The painting is all in a muddle. ❿〈助 *aux.*〉用在句末，表示加强肯定的语气 used at the end of a sentence to emphasize an affirmative tone: 这件事他会做~。 *Zhè jiàn shì tā huì zuò ~.* This he will do. │ 这件事他知道~。 *Zhè jiàn shì tā zhīdào ~.* This he knows. │ 今天的会她会来~。 *Jīntiān de huì tā huì lái ~.* She will come to today's meeting. ⓫〈助 *aux.*〉用在句末，表示已经发生的事情 used at the end of sentence to express what has already happened: 他坐车走~。 *Tā zuò chē zǒu ~.* She left by car. │ 我们一块儿上课去~。 *Wǒmen yīkuàir shàngkè qù ~.* We went to class together. ⓬〈助 *aux.*〉‘的’字前后用相同的动词或形容词，并用用这样的结构，表示有这样的，有那样的 used with the same verb or adjective before and after and repeating such a structure to express 'some... others...': 吃~吃，喝~喝 *chī ~ chī, hē ~ hē* some eating, others drinking │ 大~大，小~小 *dà ~ dà, xiǎo ~ xiǎo* some big, others small ⓭〈助 *aux.*〉在指人的名词或代词后面加‘的’，插在某些动宾短语中间，表示某人是动作的对象 used after a personal noun or pronoun in the midst of some verb-object phrases to express that one is the target of action: 打班长~主意 *dǎ bānzhǎng ~ zhǔyi* think of the monitor │ 挨老师~批评 *āi lǎoshī ~ pīpíng* be criticized by the teacher │ 开你~玩笑 *kāi nǐ ~ wánxiào* play a joke on you ⓮〈助 *aux.*〉在某些句子的谓语动词和宾语中间加‘的’，强调已发生的动作的施事者、受事者、时间、地点、方式等 used between the predicative verb and object of some sentences to emphasize the doer, acceptor, time, place, method, etc.: 他打~报告。 *Tā dǎ ~ bàogào.* It was he who made the application. │ 他昨天到~上海。 *Tā zuótiān dào ~ Shànghǎi.* It was yesterday that he arrived at Shanghai. │ 我们按自己的愿望填~志愿。 *Wǒmen àn zìjǐ de yuànwàng tián ~ zhìyuàn.* We filled in the application out of our own wish. ⓯〈助 *aux.*〉在跟主语相同的人称代词后面加‘的’，插在某些句子的谓语动词与宾语或补语中间，表示涉及的事跟这个人无关或这事跟别人无关 used after the personal pronoun of the subject between the predicative verb and object or complement of some sentences to express that the related thing has nothing to do with the person or others: 这件事由别人替你办,明天你照常出你~差。 *Zhè jiàn shì yóu biérén tì nǐ bàn, míngtiān nǐ zhàocháng chū nǐ ~ chāi.* This will be done by others for you. You go on the business trip as planned tomorrow. | 甭等他们了,我们吃我们~饭。 *Béng děng tāmen le, wǒmen chī wǒmen ~ fàn.* Don't wait for them. Let's have our meal. ⑯〈助 aux. 口 colloq.〉用在句首某些词语的后面,强调原因、条件、情况等 used after some words at the beginning of a sentence to emphasize cause, condition, situation, etc.: 这是发~(电影票),干吗不去看? *Zhè shì fā ~ (diànyǐngpiào), gànmá bú qù kàn?* This is a free film ticket. Why don't we go? | 无缘无故~,你发什么愁? *Wúyuán-wúgù ~, nǐ fā shénme chóu?* Why are you worried without any reason? | 刚才还好好儿~,怎么变成这样了! *Gāngcái hái hǎohāor ~, zěnme biànchéng zhèyàng le!* How could it have become this, for everything was all right just now! ⑰〈助 aux.〉用在并列的词语后面,表示'等等'之类,跟'什么的'同义 used after juxtaposed words to express '等等 děngděng' and similar usage, synonymous to '什么的shénmede': 缝缝补补~,从早忙到晚。 *Féngféng-bǔbǔ ~, cóng zǎo máng dào wǎn.* Sewing and mending, she is busy from morning till night. | 张三李四~,他的朋友不知有多少个。 *Zhāngsān-Lǐsì ~, tā de péngyou bù zhī yǒu duōshao gè.* Here are Zhang San and Li Si. Who knows how many friends he has. ⑱〈助 aux. 口 colloq.〉用在两个数量词之间,表示这两个数量词相加、相乘(限于面积或体积) used between two numbers to express their relations of addition or multiplication (limited to area or volume): 这两件衣服80块~90块,一共170块钱。 *Zhè liǎng jiàn yīfu bāshí kuài ~ jiǔshí kuài, yígòng yìbǎi qīshí kuài qián.* The two garments cost 80 and 90 yuan respectively, 170 yuan altogether. | 那房间不小,4米~5米,是20平方米。 *Nà fángjiān bù xiǎo, sì mǐ ~ wǔ mǐ, shì èrshí píngfāngmǐ.* That room is not small, with a floorage of 4 m × 5 m, that is, 20 square meters. ⑲〈助 aux. 口 colloq.〉用在两个数量词之间,表示列举 used between two numbers to express enumeration: 磁盘的价格不等,一块二~一块四~都有。 *Cípán de jiàgé bùděng, yí kuài èr ~ yí kuài sì ~ dōu yǒu.* Disks are sold at different prices, some at 1.2 *yuan* and others at 1.4 *yuan*.

² …的话 …dehuà 〈助 aux.〉用在表示假设的分句后面,引起下文 used after a suppositional clause to introduce the part below: 你们最好一块儿参加,不然~,这个事研究不起来。 *Nǐmen zuìhǎo yíkuàir cānjiā, bùrán ~, zhège shì yánjiū bù qǐlái.* You'd better join us, otherwise the discussion would be hard to proceed. | 你讲的故事要是真~,那太动人了! *Nǐ jiǎng de gùshi yào shì zhēn ~, nà tài dòngrén le!* If your story was real, it would be very exciting. | 你务必在明天中午前到北京,要不~就赶不上开幕式了。 *Nǐ wùbì zài míngtiān zhōngwǔ qián dào Běijīng, yàobù ~ jiù gǎn bú shàng kāimùshì le.* You must get to Beijing before noon tomorrow or you will miss the opening ceremony.

¹ 得 de ❶〈助 aux.〉用在动词或形容词后面,连接表示程度或结果的补语 used after a verb or adjective to connect a complement of degree or result: 你别光说~好听。 *Nǐ bié guāng shuō ~ hǎotīng.* Don't talk nice words only. | 这衣服洗~真干净。 *Zhè yīfu xǐ ~ zhēn gānjìng.* The garment is cleanly washed. | 天气闷~透不过气来。 *Tiānqì mēn ~ tòu bú guò qì lái.* The weather is suffocating. ❷〈助 aux.〉用在动词和补语之间,表示可能,否定式是把'得'换成'不' used between a verb and complement to express possibility (replaced by '不bù' in a negative sentence): 抬~动 tái ~ dòng be able to raise it | 吃~下 chī ~ xià be able to eat it | 办~到 bàn ~ dào can be done | 来~了 lái ~ liǎo can come | 举~起来 jǔ ~ qǐlái be able to lift it ❸〈助 aux.〉用在动词后面,表示可

能‚否定式是‘不得’ used after a verb to express possibility（replaced by ‘不得 bùde’ in a negative sentence）：他去～‚我为什么就去不得？*Tā qù ～‚wǒ wèishénme jiù qù bù de?* If he can go‚ why can't I? ❹〈助 *aux.*〉用在动宾结构的词语后面‚连接表示程度或结果的补语 used after a verbal phrase to link a complement which describes the cause or result：他玩ㄦ电脑玩ㄦ～入了迷。*Tā wánr diànnǎo wánr ～ rùle mí.* He plays with the computer till he is obsessed with it.｜他看小说看～忘了吃饭。*Tā kàn xiǎoshuō kàn ～ wàngle chīfàn.* He read the novel so concentratedly that he forgot to eat.

☞ dé‚p. 197；děi‚p. 202

¹ …得很 …dehěn 用在形容词后面‚表示程度高 used after an adjective to express a high degree：去年冬天冷～‚今年夏天热～。*Qùnián dōngtiān lěng ～‚jīnnián xiàtiān rè ～.* It was very cold last winter and is very hot this summer.｜去那里的路远～。*Qù nàli de lù yuǎn ～.* It is very far to go there.｜要把汉语完全掌握运用好‚还早～呢。*Yào bǎ Hànyǔ wánquán zhǎngwò yùnyòng hǎo‚hái zǎo ～ ne.* There is still a long way to go before you master Chinese.

¹ 得 děi ❶〈助动 *aux. v.* 口 *colloq.*〉表示需要；必须 need；have to；must：学习汉语‚至少～五年。*Xuéxí Hànyǔ‚zhìshǎo ～ wǔ nián.* It takes at least five years to learn Chinese.｜这事～大家商量。*Zhè shì ～ dàjiā shāngliang.* This matter needs discussion.｜这个柜子～四个人抬。*Zhège guìzi ～ sì gè rén tái.* It needs four people to lift the cabinet.｜这部词典～有十多个人合作编写。*Zhè bù cídiǎn ～ yǒu shí duō gè rén hézuò biānxiě.* This dictionary needs a dozen people's cooperative work. ❷〈助动 *aux. v.*〉会；推测必然如此 will；certainly will：今晚准～下雨。*Jīnwǎn zhǔn ～ xiàyǔ.* It will certainly rain this evening.｜他没带雨伞‚非～淋雨不可。*Tā méi dài yǔsǎn‚fēi ～ lín yǔ bùkě.* He will certainly get wet in the rain since he has not taken an umbrella with him. ❸〈形 *adj.* 方 *dial.*〉舒适‚得意 snug；complacent：小日子过得挺～。*Xiǎorìzi guò de tǐng ～.* They lead a snug life.｜你可真～‚自个ㄦ在这里喝上了。*Nǐ kě zhēn ～‚zìgèr zài zhèli hēshang le.* You are carefree indeed‚ drinking here by yourself.

☞ dé‚p. 197；de‚p. 202

¹ 灯 dēng〈名 *n.*〉（盏 zhǎn、个 gè）发光的器具‚用于照明、加热等 lamp；light：花～ *huā～* festival lantern｜常明～ *chángmíng～* ever-burning altar lamp｜酒精～ *jiǔjīng～* spirit lamp｜塔～ *tǎ～* lighthouse｜节约用电‚随手关～。*Jiéyuē yòng diàn‚suíshǒu guān ～.* Turn off the light as you go out to save electricity.｜红～亮了停一停‚绿～亮了往前行。*Hóng～ liàngle tíng yì tíng‚lǜ～ liàngle wǎng qián xíng.* Stop at the red light and move at the green.

³ 灯火 dēnghuǒ〈名 *n.*〉泛指灯的亮光‚也指明亮的灯 light of a lamp；lights：～通明 *～tōngmíng* be brightly lit｜万家～ *wànjiā～* lights of myriad families｜实行～管制 *shíxíng ～guǎnzhì* enforce a blackout｜人民大会堂～辉煌。*Rénmín Dàhuìtáng ～ huīhuáng.* The Great Hall of the People is ablaze with lights.

³ 灯笼 dēnglong〈名 *n.*〉（个 gè、只 zhī）中国传统的一种照明用具‚里面用蜡烛或电灯做光源‚外面用细竹或铁丝做骨架‚外表糊上纸或绢纱‚可手提或悬挂 lantern‚ a traditional Chinese lamp with a case protecting the flame or electric bulb and having a handle by which it can be carried or hung：门口挂着～。*Ménkǒu guàzhe ～.* A lantern hangs at the doorway.｜元宵节闹花灯‚孩子们手里提着各式各样的～。*Yuánxiāojié nào huādēng‚háizimen shǒuli tízhe gèshì-gèyàng de ～.* The children carried all kinds of lanterns to celebrate the Lantern Festival.｜节庆日子‚中国的大街小巷大红～高高挂。*Jiéqìng rìzi‚Zhōngguó de dàjiē-xiǎoxiàng dà hóng ～ gāogāo guà.* During the festivals‚

big red lanterns hang high in the streets and lanes in China.

⁴灯泡 dēngpào 〈~儿〉〈名 *n.*〉（只 *zhī*、个 *gè*）电灯泡的通称 bulb; electric bulb: 装~ *zhuāng* ~ fix a bulb | ~不亮了。~ *bú liàng le.* The bulb went out. | ~坏了。~ *huài le.* The bulb is broken. | 25瓦的~光线太暗。*Èrshíwǔ wǎ de ~ guāngxiàn tài àn.* A 25W bulb is too dim.

²登 dēng ❶〈动 *v.*〉人由低处上到高处 ascend; mount; scale: 山~ *shān* climb a mountain | ~机~ *jī* board a plane | ~岸~ *àn* go ashore | ~上天安门城楼 *~shang Tiān'ānmén chénglóu* ascend the rostrum of Tian'anmen | 一步~天（比喻一下子达到极高的境界或地位）*yíbù~tiān*（*bǐyù yíxiàzi dádào jí gāo de jìngjiè huò dìwèi*）reach heaven at a single bound（*fig.* attain the highest level or position in one step） ❷〈动 *v.*〉记载；刊登 publish; record: 广告 ~ *guǎnggào* advertise | ~报 publish in the newspaper | ~消息 ~ *xiāoxi* publish a piece of news | ~户口 ~ *hùkǒu* register one's residence | 你的名字~上光荣榜啦! *Nǐ de míngzi ~shang guāngróngbǎng la!* Your name appears on the honor roll! ❸〈动 *v.*〉踩踏 tread; step on: ~着梯子往上爬 *~zhe tīzi wǎng shàng pá.* Step on the ladder and climb up. | 这沙发全让孩子给~脏了。*Zhè shāfā quán ràng háizi gěi ~zāng le.* The sofa is dirty with the treading of the children. ❹〈动 *v.* 方 *dial.*〉穿（鞋、裤等）put on（shoes, trousers, etc.）: 他赶紧~上裤子去开门。*Tā gǎnjǐn ~ shang kùzi qù kāimén.* He put on trousers hurriedly to open the door. | 他一个大皮靴，在雪地里走。*Tā ~ gè dà píxuē, zài xuědì li zǒu.* He wore a pair of leather shoes and walked in the snow. | 这鞋紧，不使劲~穿不进去。*Zhè xié jǐn, bù shǐjìn ~chuān bú jìnqù.* The shoes are so tight that you have to exert great strength to put them on. ❺〈动 *v.*〉旧时科举考试中选 pass the civil-service examinations in imperial times: ~科~ *kē* pass imperial civil examinations ❻〈动 *v.*〉（谷物）成熟 (of grain) ripen: 五谷丰~ *wǔgǔ-fēng~* bumper harvest of all the cereals

²登记 dēngjì 〈动 *v.*〉把有关事项填写在一定的表册上以备查考 register; check in: ~册 ~ *zàocè* compile a register | ~表报 ~ *biǎobào* register statistical tables and reports | ~名单 ~ *míngdān* enter one's name | 住宿~ *zhùsù* ~ check in at a hotel | 户口 ~ *hùkǒu* ~ residence registration | 结婚~ *jiéhūn* ~ marriage registration | 物品~ *wùpǐn* ~ objects registration

⁴登陆 dēng/lù ❶〈动 *v.*〉从水域登上陆地;特指作战部队登入敌方的陆地 land; (esp. of troops) land on the enemy land: ~舰艇 ~ *jiàntǐng* landing ships and craft | 台风~ *táifēng* ~ the landing of the typhoon | ~作战 ~ *zuòzhàn* landing operations | 大部队从海上~，特种部队空降~。*Dà bùduì cóng hǎi shang ~, tèzhǒng bùduì kōngjiàng ~.* The main troops landed from the sea and the special forces from the air. | 在一片喊杀声中战士们登了陆。*Zài yí piàn hǎn shā shēng zhōng, zhànshìmen dēngle lù.* The soldiers went ashore in the midst of battle cries. ❷〈动 *v.*〉比喻外来的事物或人进入某个领域 (of foreign things) come into: 德国的这种新式空调已经~中国市场。*Déguó de zhè zhǒng xīnshì kōngtiáo yǐjīng ~ Zhōngguó shìchǎng.* The new type of Germany-made air-conditioner has entered the market in Chima | 他成了第一个~NBA的中国选手。*Tā chéngle dì-yī gè ~ NBA de Zhōngguó xuǎnshǒu.* He has become the first Chinese basketball player who is playing in NBA. ❸〈动 *v.*〉进入网站或网页 connect or log on (in) the Internet: ~谷歌可以查阅各种资料。~ *gǔgē kěyǐ cháyuè gèzhǒng zīliào.* Various kinds of information may be retrieved by logging on the google.

³蹬 dēng ❶〈动 *v.*〉腿和脚向脚底方向用力运动 press down with the foot; pedal: ~三轮车比一自行车费劲儿。~ *sānlúnchē bǐ ~ zìxíngchē fèijìnr.* It takes more strength to pedal a tricycle than a bicycle. ｜坡度太大，~不动了。*Pōdù tài dà, ~ bú dòng le.* The ground slopes so sharply here that it is no longer possible to pedal a bike. ｜她使劲~了我一脚。*Tā shǐjìn ~le wǒ yì jiǎo.* She trod fiercely on me. ❷〈动 v.〉踩；踏 tread; step: 别把脚在床上。*Bié bǎ jiǎo ~ zài chuáng shang.* Don't put your foot on the bed. ❸〈动 v.〉穿（鞋）wear, put on: 他~着一双大皮靴噔噔地走进门来。*Tā ~zhe yì shuāng dà píxuē dēngdēng de zǒujìn mén lái.* He came thumping into the door, wearing a pair of big boots. ❹〈动 v. 口 colloq.〉决裂；抛弃（of relationship）break up: 他俩终于~了。*Tā liǎ zhōngyú ~ le.* They two finally parted with each other. ｜她老公把她给~了。*Tā lǎogōng bǎ tā gěi ~ le.* Her husband deserted her.

¹ 等 děng ❶〈动 v.〉等候；等待；等到 wait; await: 我在这儿~人。*Wǒ zài zhèr ~ rén.* I am waiting here for somebody. ｜我~他~得不耐烦了。*Wǒ ~ tā ~ de búnàifán le.* I waited for him till I lost my patience. ｜我们在路口儿~车。*Wǒmen zài lùkǒur ~ chē.* We are waiting for the bus at the crossing. ｜我上完了课再找你。*~ wǒ shàngwánle kè zài zhǎo nǐ.* I will go and see you after the class is over. ❷〈动 v.〉等同（程度和数量相同）equal (in degree, number, etc.): 这两件衣服的尺寸大小不~，长短相~。*Zhè liǎng jiàn yīfu de chǐcùn dàxiǎo bù ~, chángduǎn xiāng ~.* These two garments are different in size but equal in length. ｜我班和你班的课程进度大抵相~。*Wǒ bān hé nǐ bān de kèchéng jìndù dàdǐ xiāng~.* The courses in our class and yours are more or less the same in the rate of progress. ❸〈量 meas.〉等级 class; rank; grade: 我享受甲~奖学金。*Wǒ xiǎngshòu jiǎ ~ jiǎngxuéjīn.* I enjoy Class A scholarship. ｜他在部队荣立二~功。*Tā zài bùduì róng lì èr ~ gōng.* He was awarded a Class Two Commendation in the army. ｜喝的是上~花茶。*Hē de shì shàng~ huāchá.* We drink the first-grade scented tea. ❹〈助 aux.〉表示列举未尽 and so on; etc.: 我最近出游了瑞典、法国、西班牙、挪威、丹麦~国。*Wǒ zuìjìn chūyóule Ruìdiǎn, Fǎguó, Xībānyá, Nuówēi, Dānmài ~ guó.* Recently I traveled to Sweden, France, Spain, Norway, Denmark, etc. ｜比赛项目有田径、体操、足球、排球~~。*Bǐsài xiàngmù yǒu tiánjìng, tǐcāo, zúqiú, páiqiú ~ ~.* The competition events cover track and field, gymnastics, football, volleyball, and so on. ❺〈助 aux.〉列举后煞尾 indicating the end of an enumeration: 中国把笔、墨、纸、砚等四项文具称为文房四宝。*Zhōngguó bǎ bǐ, mò, zhǐ, yàn děng sì xiàng wénjù chēngwéi wénfáng sìbǎo.* Writing brush, inkstick, paper and inkslab are regarded as the four treasures of the study in China. ｜参加这次划艇比赛的有中国的北京大学，清华大学，英国的剑桥大学，美国的哈佛大学~四所院校的代表队。*Cānjiā zhècì píhuátíng bǐsài de yǒu Zhōngguó de Běijīng Dàxué, Qīnghuá Dàxué, Yīngguó de Jiànqiáo Dàxué, Měiguó de Hāfó Dàxué ~ sì suǒ yuànxiào de dàibiǎoduì.* The participants in this canoeing competition are teams from Peking University and Tsinghua University of China, Oxford University of Britain and Harvard University of the United States. ❻〈名 n.〉种；类 sort; kind: 堂堂学府居然发生这~伤风败俗的事情，真是丢人！*Tángtáng xuéfǔ jūrán fāshēng zhe ~ shāngfēng-bàisú de shìqing, zhēn shì diūrén!* Such a sort of scandal should have occurred in a dignified institution of higher learning. What a shame it is! ❼〈名 n. 书 lit.〉用在人称代词或指人的名词后面，表示复数：尔~不可轻敌。*ěr~ bùkě qīngdí.* You can't underestimate the enemy. ｜我~不能错失良机。*Wǒ~ bù néng cuòshī-liángjī.* We should never miss this chance.

² 等待 děngdài〈动 v.〉等所期望的人、事物或情况的出现 await; wait (for sb. or sth.): ~远方的朋友 *yuǎnfāng de péngyou* wait for a friend from afar ｜~机会 *jīhuì* await an opportunity ｜~回信 *huíxìn* wait for a reply ｜~分配工作 *fēnpèi gōngzuò* wait for an assignment ｜耐心地~ nàixīn de ~ wait patiently ｜不知要~到什么时候? Bù zhī yào ~ dào shénme shíhòu? I don't know how long I have to wait.

³ **等到** děngdào〈连 conj.〉表示事情发生的条件和机会 by the time; when: ~明年, 你的汉语水平一定会提高很多. ~ míngnián, nǐ de Hànyǔ shuǐpíng yídìng huì tígāo hěn duō. By next year, your Chinese will have improved greatly. ｜爸爸休假了, 我们全家出去旅游. ~ bàba xiūjià le, wǒmen quánjiā chūqù lǚyóu. When Father has a holiday, our family will go travelling.

³ **等候** děnghòu〈动 v.〉等待(用于具体对象) wait; await; expect (sb. or sth. concrete): ~客人 ~ kèrén wait for a guest ｜~命令一下, 我们就出发. ~ mìnglìng yí xià, wǒmen jiù chūfā. The moment the order arrives, we will start off. ｜我在这里~处理. Wǒ zài zhèlǐ ~ chǔlǐ. I am waiting here for punishment. ｜大家高兴地~新同学的到来. Dàjiā gāoxìng de ~ xīn tóngxué de dàolái. Everybody is joyfully expecting the arrival of new classmates.

³ **等级** děngjí〈名 n.〉(个 gè) 按照一定标准所确定的差别等次(指质量、程度、地位等) grade; rank; class (in quality, degree, position, etc.): 不同的商品都有不同的~标准, 同一种商品按质量还分好几个~. Bùtóng de shāngpǐn dōu yǒu bùtóng de ~ biāozhǔn, tóng yì zhǒng shāngpǐn àn zhìliàng hái fēn hǎo jǐ gè ~. There are different standards for different commodities. Even commodities of the same kind are divided into several grades. ｜打破~是有条件的. Dǎpò ~ shì yǒu tiáojiàn de. Breaking the classes is conditional. ｜这是一条高~公路. Zhè shì yì tiáo gāo ~ gōnglù. This is a first-class highway.

² **等于** děngyú ❶〈动 v.〉一数量跟另一数量相等 equal to; equivalent to (in number): 三加三~六. Sān jiā sān ~ liù. Three and three is six. ｜一公斤~两市斤. Yì gōngjīn ~ liǎng shìjīn. One kilogram is equal to two jin. ｜今年粮食总产量~去年的两倍. Jīnnián liángshi zǒngchǎnliàng ~ qùnián de liǎng bèi. The total grain output this year is twice as much as last year. ❷〈动 v.〉差不多就是 amount to; be tantamount to: 他刚才说的~没有回答我的问题. Tā gāngcái shuō de ~ méiyǒu huídá wǒ de wèntí. What he said just now is tantamount to no reply to my question. ｜学了汉语不用, ~白学. Xuéle Hànyǔ bú yòng, ~ báixué. Learning Chinese but not using it amounts to nothing.

³ **凳子** dèngzi〈名 n.〉(个 gè、张 zhāng、条 tiáo) 没有靠背的坐具 stool: 我家有六个大大小小的~. Wǒ jiā yǒu liù gè dàdà-xiǎoxiǎo de ~. There are six stools, big and small, in my house. ｜那张竹~是赶集时买的. Nà zhāng zhú ~ shì gǎnjí shí mǎi de. That bamboo stool was bought when I went to the fair. ｜这个长条~能坐三个人. Zhège chángtiáo ~ néng zuò sān gè rén. This long stool can seat three people. ｜爷爷坐矮~不方便, 赶快拿把椅子给他坐. Yéye zuò ǎi ~ bù fāngbiàn, gǎnkuài ná bǎ yǐzi gěi tā zuò. The low stool is not convenient for Grandfather. Bring him a chair at once.

³ **瞪** dèng ❶〈动 v.〉用力睁大(只与'眼睛'搭配) open wide with great effort (used only with '眼睛 yǎnjing') stare; glare: 她~着一双大眼睛, 直发愣. Tā ~zhe yì shuāng dà yǎnjing, zhí fālèng. She stared blankly, eyes wide open. ｜他~着眼睛说瞎话. Tā ~zhe yǎnjing shuō xiāhuà. He told a barefaced lie. ❷〈动 v.〉瞪大眼睛注视(耍态度, 发脾气) glower: 他不高兴时, 老爱用眼睛~人. Tā bù gāoxìng shí, lǎo ài yòng yǎnjing ~ rén. He always glowers at people when he is unhappy. ｜她把小朋友给~哭了. Tā bǎ xiǎopéngyǒu gěi ~kū le. She glowered at the child till it cried.

¹ **低** dī ❶〈形 adj.〉表示上下距离小; 离地面近(与'高'相对) low (expressing 'short from top to bottom' or 'near the ground') (opposite to '高 gāo'): 这房子太~. Zhè

fángzi tài ~. The house is too low. │飞机在~空盘旋。*Fēijī zài ~kōng pánxuán.* The plane is circling at low altitude. ❷〈形 *adj.*〉在标准或平均程度之下（与'高'相对）low (below the standard or average level)（opposite to '高 gāo'）：他眼高手~。*Tā yǎngāo-shǒu~.* He has high aim but low ability. │我的中文水平比你~。*Wǒ de Zhōngwén shuǐpíng bǐ nǐ ~*. My level in Chinese is lower than yours. ❸〈形 *adj.*〉等级在下的（与'高'相对）low in grade（opposite to '高 gāo'）：今天上午一年级同学外出参观。*Jīntiān shàngwǔ ~ niánjí tóngxué wàichū cānguān.* The junior students will go out on a visit this morning. │~工资收入的要多照顾。*~ gōngzī shōurù de yào duō zhàogù.* The low-income people should be given more consideration. │这是最~的价钱了。*Zhè shì zuì ~ de jiàqián le.* This is the lowest price. ❹〈动 *v.*〉下垂；下降 lower; hang down：姑娘不好意思地~下了头。*Gūniang bù hǎoyìsi de ~xiàle tóu.* The girl felt embarrassed and lowered her head. │我们不能向邪恶势力~头。*Wǒmen bù néng xiàng xié'è shìlì ~ tóu.* We should never bow to the evil forces.

⁴ **低级** dījí ❶〈形 *adj.*〉初步的；形式简单的（与'高级'相对）elementary; simple in form (opposite to '高级 gāojí')：~动物 *~ dòngwù* lower animal │~阶段 *~ jiēduàn* primary stage │~形式 *~ xíngshì* simple form │~水平 *~ shuǐpíng* low level ❷〈形 *adj.*〉趣味不高的；庸俗的 low; vulgar：他是个脱离了~趣味的人。*Tā shì gè tuōlíle ~ qùwèi de rén.* He is a man who has broken away from low interests. │这个节目很~。*Zhège jiémù hěn ~.* This program is very vulgar. │此人品质恶劣，~下流。*Cǐ rén pǐnzhì èliè, ~ xiàliú.* This guy is base and vulgar.

⁴ **低劣** dīliè〈形 *adj.*〉（质量）很不好（of quality）inferior; low-grade：产品~ *chǎnpǐn ~* inferior products │质量~ *zhìliàng ~* inferior in quality │商品不准出售。*~ shāngpǐn bù zhǔn chūshòu.* Low-grade commodities are forbidden on the market. │~的书刊和~的食品一样，都会害死人的。*~ de shūkān hé ~ de shípǐn yíyàng, dōu huì hàisǐ rén de.* Low-grade books will do people great harm, just as inferior food.

⁴ **低温** dīwēn〈名 *n.*〉较低的温度 low temperature：~气候 *~ qìhòu* microthermal climate │~处理 *~ chǔlǐ* be processed in low temperature │食品要在~下保存。*Shípǐn yào zài ~ xià bǎocún.* Food must be preserved in low temperature. │热带植物移到~下很难生长。*Rèdài zhíwù yídào ~ xià hěn nán shēngzhǎng.* It is hard for tropical plants to grow when they are transplanted to the low-temperature areas.

⁴ **低下** dīxià ❶〈形 *adj.*〉（数量、质量、程度、水平等）在一般标准之下（of quantity, quality, degree, standard, etc.）below the normal standard：生产水平一直~。*Shēngchǎn shuǐpíng yìzhí ~.* The production level has been low. │他智力~，成绩很差。*Tā zhìlì ~, chéngjì hěn chà.* Of low intelligence, he does not do well in his studies. │他虽然是一个地位~的人，但很聪明，很有人格。*Tā suīrán shì yí gè dìwèi ~ de rén, dàn hěn cōngming, hěn yǒu réngé.* Although he is low in status, he is very intelligent and has a noble character. ❷〈形 *adj.*〉（品质、格调）低俗（of character or style）vulgar：此人趣味~，朋友很少。*Cǐ rén qùwèi ~, péngyou hěn shǎo.* Being of vulgar taste, the guy has few friends. │这样格调~的作品，不值一看。*Zhèyàng gédiào ~ de zuòpǐn, bù zhí yí kàn.* A book in such a vulgar style is not worth reading.

³ **堤** dī〈名 *n.*〉（条 tiáo、道 dào）沿着江、河、湖、海岸边用土、石等材料修筑的防水建筑物 dyke; embankment, a low wall built of earth, stone or other materials along a river, lake or sea against floods：这里低洼，必须修~。*Zhèli dīwā, bìxū xiū ~.* A dyke must built here for it is a low-lying land. │我的家门前就是一条防洪大~。*Wǒ de jiā mén qián jiùshì yì tiáo fánghóng dà ~.* There is a big embankment against floods right in front

of my house. | 每到雨季，就有军民组成的防洪大军守护在~上。*Měi dào yǔjì, jiù yǒu jūnmín zǔchéng de fánghóng dà jūn shǒuhù zài ~ shang.* Whenever the rainy season arrives, a flood-fighting contingent of troops and civilians will keep guard on the embankment.

² **滴** dī ❶〈量 *meas.*〉液体一点称一滴 drop（of liquid）：几~泪水 *jǐ ~ lèishuǐ* several drops of tear | 一~血 *yì ~ xiě* a drop of blood | 两~药水 *liǎng ~ yàoshuǐ* two drops of liquid medicine ❷〈动 *v.*〉液体一点一点往下落（of liquid）drip；make（liquid）drip：~ 水成冰 *~ shuǐ-chéngbīng*（so cold that）dripping water freezes at once | ~眼药水 *~ yǎnyàoshuǐ* apply eyedrops ❸〈名 *n.*〉一点一点落下来的液体；水点 liquid that drips；water drops：汗~ *hàn~* sweat | 泪~ *lèi~* tears | 雨~ *yǔ~* rainwater

² **的确** díquè　〈副 *adv.*〉表示肯定的强调语气；完全确实 indeed; really（used to emphasize the certainty）：她工作~很出色。*Tā gōngzuò ~ hěn chūsè.* She does a really remarkable job. | ~，这意见很中肯。*~, zhè yìjiàn hěn zhòngkěn.* Indeed, this opinion is to the point. | 这件衣服~漂亮。*zhè jiàn yīfu ~ piàoliang.* The garment is beautiful indeed. | 这的的确确不是他的过错。*zhè dídí-quèquè bú shì tā de guòcuò.* Indeed, it is not his fault.

⁴ **的确良** díquèliáng〈名 *n.*〉涤纶的纺织物，也说'涤纶' Dacron, also '涤纶 dílún'：~做的衣服耐磨、不走样、容易洗、干得快。*~ zuò de yīfu nàimó, bù zǒuyàng, róngyì xǐ, gān de kuài.* Dacron clothing wears well, does not lose shape, is easy to wash and dries quickly. | 这衣服很挺，面料是毛~的。*Zhè yīfu hěn tǐng, miànliào shì máo ~ de.* The garment is very neat because woolen dacron is used as its outside. | 便宜是便宜，就是不怎么透气。*~ piányi shì piányi, jiùshì bù zěnme tòuqì.* Dacron is cheap but a bit stuffy.

⁴ **敌** dí ❶〈名 *n.*〉敌人 enemy; foe：仇~ *chóu~* enemy | 分清~我 *fēnqīng ~wǒ* distinguish between friend and foe | 与~交战 *yǔ ~ jiāozhàn* fight against the enemy | 消灭顽~ *xiāomiè wán~* eliminate the stubborn enemy ❷〈动 *v.*〉对抗；抵挡 oppose; resist：寡不~众 *guǎbù~zhòng* a few cannot oppose a multitude | 万夫莫~ *wànfū-mò~* so brave that even ten thousand men cannot resist him | 北京队不~国家队。*Běijīngduì bù ~ guójiāduì.* The Beijing team is no match for the state team. ❸〈动 *v.*〉不分上下；力量相等 match; equal：势均力~ *shìjūn-lì~* match each other in strength ❹〈形 *adj.*〉互相敌对的 hostile to each other：~人 *~rén* foe | ~意 *~yì* hostility

⁴ **敌对** díduì〈形 *adj.*〉有利害冲突不能相容；仇视而对抗 hostile; antagonistic：~行为 *~xíngwéi* a hostile act | ~分子 *~fēnzǐ* a hostile element | ~势力 *~ shìlì* hostile forces | ~的局面 *~ de júmiàn* a hostile situation | 消除~情绪 *xiāochú ~ qíngxù* eliminate hostilities | 要化解矛盾，千万别使双方~起来。*Yào huàjiě máodùn, qiānwàn bié shǐ shuāngfāng ~ qǐlái.* Remove the contradictions and never antagonize the two parties.

² **敌人** dírén〈名 *n.*〉敌对的人；敌对的方面 enemy; the enemy side：朋友和~在一定条件下是可能转变的。*Péngyou hé ~ zài yídìng tiáojiàn xià shì kěnéng zhuǎnbiàn de.* Friend and foe can change under certain circumstances. | 这两个人矛盾很大，形同~。*Zhè liǎng gè rén máodùn hěn dà, xíngtóng ~.* The two persons are in great conflict as if they were enemies. | 对~的猖狂进攻，我们要坚决予以回击。*Duì ~ de chāngkuáng jìngōng, wǒmen yào jiānjué yǔyǐ huíjī.* We must fight back firmly against the enemy's fierce attack.

⁴ **敌视** díshì〈动 *v.*〉把对方当做敌人看待；仇视 regard the other party as one's enemy; be hostile to：对新生事物不能抱~的态度。*Duì xīnshēng shìwù bù néng bào ~ de tàidù.*

We can not take a hostile attitude towards the new things. | 不能用~的眼光看待一切事物。*Bù néng yòng ~ de yǎnguāng kàndài yíqiè shìwù.* We cannot look at everything with a hostile eye. | 不应为区区小事而互相~。*Bù yīng wèi qūqū xiǎoshì ér hùxiāng ~.* We should not be hostile to each other just for trifling things.

⁴ **涤纶** díilún〈名 *n.*〉同'的确良' same as '的确良díquèliáng'

⁴ **笛子** dízi〈名 *n.*〉（枝 zhī、支 zhī、管 guǎn）一种横吹管乐器，也叫'横笛' bamboo flute, also '横笛 héngdí'：~是中国民间的一种乐器。*~ shì Zhōngguó mínjiān de yì zhǒng yuèqì.* The bamboo flute is a folk musical instrument in China. | ~可以独奏，也可以伴奏。*~ kěyǐ dúzòu, yě kěyǐ bànzòu.* The bamboo flute can be used either for solo or for accompaniment. | ~的音色悠扬。*~ de yīnsè yōuyáng.* The tone of the bamboo flute is melodious.

³ **抵** dǐ ❶〈动 *v.*〉顶住；支撑 prop；support：用木棍把门~住。*Yòng mùgùn bǎ mén ~zhù.* Prop a wooden stick against the door. | 她两手~着下巴颏儿。*Tā liǎng shǒu ~zhe xiàbàkēr.* She supported her chin with both hands. ❷〈动 *v.*〉抵消 balance；set off：本月收支两~。*Běnyuè shōuzhī liǎng ~.* Revenue and expenditure are balanced this month. | 生意不好，入不~出。*Shēngyi bù hǎo, rù bù ~ chū.* The revenue can not set off the expenditure because of slack business. ❸〈动 *v.*〉抵抗；抵挡；抵制 resist；withstand：~敌于国门之外。*~ dí yú guó mén zhī wài.* Withstand the enemy at the border of the country. | 我班战士~住了敌人的疯狂进攻。*Wǒ bān zhànshì ~zhùle dírén de fēngkuáng jìngōng.* The soldiers in our squad withstood the fierce attack of the enemy. ❹〈动 *v.*〉抵偿 compensate for：杀人要~命。*Shārén yào ~ mìng.* You have to pay with your own life for murder. | 这个损失是任何东西都无法相~的。*Zhège sǔnshī shì rènhé dōngxi dōu wúfǎ xiāng~ de.* There is no compensating for this loss. ❺〈动 *v.*〉抵押 mortgage：把房产~给银行，才得到了这笔贷款。*Bǎ fángchǎn ~ gěi yínháng, cái dédàole zhè bǐ dàikuǎn.* Only by mortgaging the house to the bank did I obtain this loan. ❻〈动 *v.*〉相当；顶替 be equal to：家书~万金。*Jiāshū ~ wàn jīn.* A letter from home is worth ten thousand pieces of gold. | 老将出马，一个~仨。*Lǎojiàng chūmǎ, yí gè ~ sā.* When the old-timer goes into action, he can do the work of three. ❼〈动 *v.* 书 *lit.*〉到达 reach；arrive at：与会代表今日~京。*Yǔ huì dàibiǎo jīnrì ~ Jīng.* The participating delegates will arrive at Beijing today. ❽〈动 *v.* 书 *lit.*〉用角顶；对立 resist with one's horn：~触 chù contradict

⁴ **抵达** dǐdá〈动 *v.*〉到达 reach；arrive：火车正点~。*Huǒchē zhèngdiǎn ~.* The train arrived on time. | 代表陆续~首都。*Dàibiǎo lùxù ~ shǒudū.* The delegates arrived at the capital one after another. | 他因故不能按时~。*Tā yīngù bù néng ànshí ~.* He was unable to arrive in time for some reason.

³ **抵抗** dǐkàng〈动 *v.*〉用力量抵御抗拒 resist：~侵略者 ~ qīnlüèzhě resist the aggressors | 丧失了~能力 sàngshīle ~ nénglì lose one's resistance | ~微生物的侵袭 ~ wēishēngwù de qīnxí resist the invasion of microorganisms

⁴ **抵制** dǐzhì〈动 *v.*〉抗拒、阻止有害事物，使不侵入或发生作用 resist（sth. harmful）：~腐朽思想的侵蚀 ~ fǔxiǔ sīxiǎng de qīnshí resist the corrosive influence of decadent ideas | 不正之风受到有力地~。*Búzhèngzhīfēng shòudào yǒulì de ~.* The unhealthy tendency was vigorously resisted. | 对错误言行，一定要坚决~。*Duì cuòwù yánxíng, yídìng yào jiānjué ~.* We must resist wrong words and deeds.

³ **底** dǐ ❶〈名 *n.*〉物体最下部 the bottom/base of an object：海~捞月（比喻白费力气）*hǎi~-lāoyuè (bǐyù báifèi lìqi)* try to fish out the moon from the bottom of the sea (*fig. a*

useless effort）│鞋~儿破了。*Xié ~r pò le.* The sole of the shoe was torn. │锅~漏了。*Guō ~ lòu le.* The bottom of the pot leaks. ❷〈名 *n.*〉一年、一月、一旬的末尾几天 the last days of a year, a month, or a ten-day period：年~ *nián~* the end of the year │月~ *yuè~* the end of the month │旬~ *xún~* the end of the ten-day period ❸（~儿）〈名 *n.*〉（个 gè）原样；草样 original；draft：这是一份~稿。*Zhè shì yí fèn ~gǎo.* This is a manuscript. │发出的信要留个~儿。*Fā chū de xìn yào liú gè ~r.* Keep a copy of each letter sent out. ❹（~儿）〈名 *n.*〉（个 gè）事情的根源或内情 the heart of a matter; ins and outs：家~儿 *jiā~r* family property accumulated over a long time │刨根问~儿 *páogēn-wèn~r* inquire into the root of the matter │这事你要先摸摸~儿。*Zhè shì nǐ yào xiān mōmo ~r.* First of all, you have to find out the real situation of the matter. ❺（~儿）〈名 *n.*〉衬托花纹图案或文字的背景 background; ground：她穿蓝~白花的裙子。*Tā chuān lán ~ bái huā de qúnzi.* She wears a skirt with white flowers on a blue background. │他们打着红~黄字的横幅。*Tāmen dǎzhe hóng ~ huáng zì de héngfú.* They carried banners with yellow characters on a red background. ❻（~儿）〈名 *n.*〉最后一部分剩余物 remainder, leftover：我这里就剩下一点儿货~儿了。*Wǒ zhèli jiù shèngxià yìdiǎnr huò ~r le.* I only have got the remainder of stock here.

³ **底片** dǐpiàn〈名 *n.*〉（张 zhāng、卷 juǎn）泛指未拍摄或拍摄过的玻璃质干片或胶片，也叫‘底版’ photographic plate; negative, also‘底版 dǐbǎn’：这是国产~还是柯达~? *Zhè shì guóchǎn ~ háishi Kēdá ~?* Is this a home-made photographic plate or a Kodak one? │还剩几张~，拍完算了。*Hái shèng jǐ zhāng ~, pāiwán suàn le.* There are a few negatives left. Let's shoot them all. │这是十几年前照的~，早没有了。*Zhè shì shí jǐ nián qián zhào de, ~ zǎo méiyǒu le.* This picture was taken a dozen years ago. The negative was lost long ago.

² **底下** dǐxia ❶〈名 *n.*〉下面 under; below; beneath：玻璃板~压着一张照片。*Bōlibǎn ~ yāzhe yì zhāng zhàopiàn.* There is a photo under the glass plate. │桌子~乱七八糟。*Zhuōzi ~ luànqī-bāzāo.* It's a mess under the table. │树~坐着几个人在乘凉。*Shù ~ zuòzhe jǐ gè rén zài chéngliáng.* Some people sat under the tree, enjoying the cool. ❷〈名 *n.*〉比喻出自人的能力 fig. out of one's ability：我手~没有多少钱了。*Wǒ shǒu ~ méiyǒu duōshao qián le.* I haven't much money left on hand. │他笔~有点儿功夫。*Tā bǐ ~ yǒudiǎnr gōngfu.* He can write quite well. ❸〈名 *n.*〉属下；下级；基层 subordinates; the lower level; the grassroots：他~管着七八十人呢！*Tā ~ guǎnzhe qī-bāshí rén ne!* There are seventy or eighty people under him. │他~还有两个科室。*Tā ~ hái yǒu liǎng gè kēshì.* There are two sections subordinate to him. ❹〈名 *n.*〉以后 next; afterwards：我要走了，~的工作就交给你了。*Wǒ yào zǒu le, ~ de gōngzuò jiù jiāogěi nǐ le.* I am leaving, the work thereafter is consigned to you. │虽然快到期末，~的课程还不少呢！*Suīrán kuài dào qīmò, ~ de kèchéng hái bù shǎo ne!* Although the term is coming to an end, there are still quite a lot of lessons left.

¹ **地** dì ❶〈名 *n.*〉（块 kuài、片 piàn、亩 mǔ）大地；田地；地面 land; field; ground：~层 ~*céng* stratum │耕~ *gēng~* cultivated land │一片低洼 ~ *yí piàn dīwā* a piece of low-lying land │水泥~ *shuǐní~* cement floor ❷〈名 *n.*〉地点 place; locality：全国各~ *quánguó gè ~* every place in the nation │人生~不熟 *rén shēng ~ bù shú* unfamiliar with the people and the place │你是本~人。*Nǐ shì běn~ rén.* You are a native. │你在原~等我。*Nǐ zài yuán~ děng wǒ.* Wait for me in the same place. ❸（~儿）〈名 *n.*〉底子（花纹或文字的衬托面）background：墙上挂的是白~红字的招牌。*Qiáng shang guà de shì bái ~ hóng zì de zhāopai.* On the wall hangs a signboard with red characters on a white

background. │ 她穿一件白~蓝花的上衣。*Tā chuān yí jiàn bái ~ lán huā de shàngyī.* She wears a jacket with blue flowers on a white ground. ❹〈名 n.〉中国省、自治区所辖行政区的简称 prefecture, short for the administrative areas under the jurisdiction of the provinces and autonomous regions in China: 省~两级干部 *shěng ~ liǎng jí gànbù* officials at provincial and prefectural levels ❺〈名 n.〉指地方（与'军'相对）civil; civilian(opposite to '军 jūn'): 军~两用人才 *jūn ~ liǎng yòng réncái* servicemen trained to be competent for both military and civilian services ❻〈名 n.〉人所处的位置 position: 设身处~ *shèshēn-chù~* place oneself in another's position │ 易~工作 *yì-gōngzuò* work in another's place ❼〈名 n.〉境地；地步 circumstance; situation: 留有余~ *liúyǒuyú* allow for unforeseen circumstances │ 无~自容 *wú~-zìróng* feel too ashamed to show one's face │ 斯文扫~ *sīwén-sǎo~* have one's scholarly dignity swept into the dust │ 置于死~ *zhìyú sǐ~* put sb. in a fatal position ❽〈名 n.〉见识；心意 calculation; kindly feelings: 颇有见~ *pō yǒu jiàn~* have keen insight │ 心~善良 *xīn~-shànliáng* kind-hearted ❾〈名 n.〉路程（用于里数、站数后）distance traveled (used after *li* or stops): 二十里~ *èrshí lǐ ~* twenty li away │ 三站~ *sān zhàn ~* three stops away ❿〈名 n.〉领土 territory: 割~赔款 *gē~-péikuǎn* cede territory and pay indemnities ⓫(~儿)〈名 n.〉（个 gè、块 kuài）坐或立的地方；容纳人或物的地方 room; place: 你一个人怎么占俩~儿? *Nǐ yígè rén zěnme zhàn liǎ ~r?* You are single, but why do you take the place for two? │ 这屋得腾出块~儿来放书架 *Zhè wū děi téng chū kuài ~r lái fàng shūjià.* Make room for bookshelfs in the house.

☞ de, p. 199

³ **地板** dìbǎn〈名 n.〉（块 kuài）地面上铺设的东西 floor: 木~比塑料~好。*Mù ~ bǐ sùliào ~ hǎo.* Wooden floor is better than plastic floor. │ 他躺在~上睡着了。*Tā tǎng zài ~ shang shuìzháo le.* He lay on the floor and fell asleep. │ 老房子了，一走路~就嘎吱嘎吱地响。*Lǎo fángzi le, yì zǒulù ~ jiù gāzhī-gāzhī de xiǎng.* It is an old house. The floor creaks when you walk on it.

³ **地步** dìbù ❶〈名 n.〉处境；景况（多指不好的）condition; situation (often referring to a bad one): 他落到这种~，不是偶然的 *Tā luòdào zhè zhǒng ~, bú shì ǒurán de.* It is not accidental that he got into such a mess. │ 学习成绩到了这种~，再不努力怎么行呢? *Xuéxí chéngjì dàole zhè zhǒng ~, zài bù nǔlì zěnme xíng ne?* He is in such a plight in his study that it will not do if he still does not work hard. │ 事情闹到这种~，你让我怎么收场? *Shìqing nàodào zhè zhǒng ~, nǐ ràng wǒ zěnme shōuchǎng?* The matter has got into such a mess. How can I wind it up? ❷〈名 n.〉达到的程度 extent: 他爱跳舞竟到了神魂颠倒的~。*Tā ài wǔdǎo jìng dàole shénhún-diāndǎo de ~.* He loves dancing so much that he is entirely carried away. │ 病到这样的~，还去上班，你简直是疯了。*Bìngdào zhè yàng de ~, hái qù shàngbān, nǐ jiǎnzhí shì fēng le.* You are so seriously ill that you are out of your mind if you insist on going to work. ❸〈名 n.〉周转回旋的余地 room for action: 做事别太绝了，要给自己留一点儿~。*Zuòshì bié tài jué le, yào gěi zìjǐ liú yìdiǎnr ~.* Don't go to extremes. Give yourself some elbowroom.

² **地带** dìdài〈名 n.〉具有某种性质或范围的一片地方 a place with some characteristics; area; district; zone; region: 沙漠 ~ *shāmò ~* a desert region │ 开阔 ~ *kāikuò ~* open ground │ 王府井是北京的繁华~。*Wángfǔjǐng shì Běijīng de fánhuá ~.* Wangfujing is a busy district in Beijing. │ 穿过这片树林，就到了安全~。*Chuānguò zhè piàn shùlín, jiù dàole ānquán ~.* Go through this forest and you will reach the safe zone. │ 这里是狼群经常出没的危险~。*Zhèlǐ shì lángqún jīngcháng chūmò de wēixiǎn ~.* This is a dangerous

zone that packs of wolves often haunt.

³ **地道** dìdao ❶〈形 *adj.*〉纯正 pure: 他的汉语说得真~，一点儿没有洋味儿。*Tā de Hànyǔ shuō de zhēn ~, yìdiǎnr méiyǒu yángwèir.* He speaks pure Chinese without any foreign flavor. | 她在中国进修了五年，汉语能不~吗? *Tā zài Zhōngguó jìnxiūle wǔ nián, Hànyǔ néng bú ~ ma?* She studied for five years in China. No wonder she can speak idiomatic Chinese. | 他说一口~的北京话。*Tā shuō yì kǒu ~ de Běijīnghuà.* He speaks pure Beijing dialect. ❷〈形 *adj.*〉真正（与'冒牌'相对）genuine; authentic (opposite to '冒牌 màopái'): 这是~的中国货。*Zhè shì ~ de Zhōngguó huò.* This is a genuine Chinese product. ❸〈形 *adj.*〉实在; 好; 够标准 honest; good; up to standard: 这人很~。*Zhè rén hěn ~.* He is an honest man. | 这人太不~了，你帮了他的忙，他却在背后骂你。*Zhè rén tài bú ~ le, nǐ bāngle tā máng, tā què zài bèihòu mà nǐ.* This guy is not so honest that he speaks ill of you behind your back, though you helped him. | 这大衣做工够~的。*Zhè dàyī zuògōng gòu ~ de.* This overcoat is well made.

² **地点** dìdiǎn〈名 *n.*〉（个 gè）所在的地方 place; site: 集合~在学校东门口。*Jíhé ~ zài xuéxiào dōng ménkǒu.* The assembly place is to be the east entrance of the school. | 这个~不错，买东西方便。*Zhège ~ búcuò, mǎi dōngxi fāngbiàn.* It is a wonderful place, for shopping is very convenient. | 建实验楼的~至今还没有选好。*Jiàn shíyànlóu de ~ zhìjīn hái méiyǒu xuǎnhǎo.* The site for the laboratory building is not decided yet.

² **地方** dìfāng ❶〈名 *n.*〉省、市、县等各级行政区划的统称（与'中央'相对）locality; administrative area at provincial, municipal, county or lower levels (opposite to '中央 zhōngyāng'): ~服从中央。*~fúcóng zhōngyāng.* The locality must submit to the central administration. | 中央领导到~检查工作。*Zhōngyāng lǐngdǎo dào ~ jiǎnchá gōngzuò.* The leaders of the central government come down to inspect the work of the localities. ❷〈名 *n.*〉指地方上（非军事部门、团体等，区别于'军队'）local non-military departments, organizations, etc. (different from '军队 jūnduì'): 每年都有大批军队干部转到~工作。*Měi nián dōu yǒu dàpī jūnduì gànbù zhuǎndào ~ gōngzuò.* Large numbers of army officers are demobilized to work in civilian departments every year. | 军队和~共建文明社区。*Jūnduì hé ~ gòng jiàn wénmíng shèqū.* Servicemen and civilians build the civilized community together. ❸〈名 *n.*〉本地（多用于指方位的名词'上'的前面）local place (mostly used before '上 shang' which denotes directions): ~上的事情很多很复杂。*~shang de shìqíng hěn duō hěn fùzá.* Many things in local places are very complicated. | 他对~上的贡献是有目共睹的。*Tā duì ~ shang de gòngxiàn shì yǒumù-gòngdǔ de.* His contributions to the locality are obvious to all. | 中国几乎每个省都有~戏。*Zhōngguó jīhū měi gè shěng dōu yǒu ~xì.* Almost every province in China has its local opera.

☞ dìfang, p. 211

¹ **地方** dìfang ❶〈名 *n.*〉（个 gè）区域、空间或部位 place; space; room: 苏州那~太美了。*Sūzhōu nà ~ tài měi le.* Suzhou is an extremely beautiful place. | 教室太小，坐二十几个学生就没有~了。*Jiàoshì tài xiǎo, zuò èrshí jǐ gè xuésheng jiù méiyǒu ~ le.* The classroom is so small that there will be no room left if it seats twenty-odd students. | 你哪个~不舒服? *Nǐ nǎge ~ bù shūfu?* Where do you feel uncomfortable? ❷〈名 *n.*〉（个 gè）部分 part; respect: 这本书突出写两个~。*Zhè běn shū tūchū xiě liǎng gè ~.* Stress is laid on two respects in this book. | 书中有的~写得好，有的~写得不怎么好。*Shū zhōng yǒu de ~ xiě de hǎo, yǒu de ~ xiě de bù zěnme hǎo.* Some parts of the book are well written and others are not.

☞ dìfang, p. 211

D

³ **地理** dìlǐ ❶〈名 n.〉地球上的自然环境及社会经济因素等的情况 natural environment, socioeconomic factors, etc. on earth: ~位置 ~ wèizhì geographical position | ~条件 ~ tiáojiàn geographical conditions | ~环境 ~ huánjìng geographical environment | 天文 ~ tiānwén ~ astronomical geography ❷〈名 n.〉地理学 geography: 学~ xué ~ learn geography | 教~ jiāo ~ teach geography

² **地面** dìmiàn ❶〈名 n.〉地的表面 the earth's surface: ~温度 ~ wēndù surface temperature | 这里~坑坑洼洼。Zhèlǐ ~ kēngkeng-wāwā. The ground is full of bumps and hollows. | ~下沉了20公分。~ xiàchénle èrshí gōngfēn. The ground sank 20 centimeters. ❷〈名 n.〉建筑物内外地上铺设的表面 floor; ground: 这~铺的是实木地板。Zhè ~ pū de shì shímù dìbǎn. The ground is paved with solid board. | 这了是大理石~,而屋里是瓷砖~。Zhè tīng shì dàlǐshí ~, ér wū li shì cízhuān ~. The hall is floored with marble while the rooms are with ceramic tiles. ❸〈名 n. 口 colloq.〉地区（多指行政区域）region; area（usually referring to an administrative area）: 长途车进入天津~。Chángtúchē jìnrù Tiānjīn ~. The long-distance bus drove into Tianjin. | 过了山海关,就到东北~了。Guòle Shānhǎiguān, jiù dào Dōngběi ~ le. Northeast China lies beyond the Shanhai Pass. ❹（~儿）〈名 n. 口 colloq.〉当地；某地区内 local place; neighborhood: 这~儿上的人我都很熟。Zhè ~r shang de rén wǒ dōu hěn shóu. I am familiar with everyone in this place. | 他在这~儿谁不认识？Tā zài zhè ~r shéi bú rènshi? Who does not know him here? ❺〈名 n.〉地上（区别于'空中'）ground（different from '空中' kōngzhōng'）: ~部队和空降兵汇合了。~ bùduì hé kōngjiàngbīng huìhé le. The ground troops and the paratroops joined forces.

² **地球** dìqiú〈名 n.〉（个 gè）人类居住的星球 the earth, the globe, the planet that mankind inhabits: ~的形状像球而偏平。~ de xíngzhuàng xiàng qiú ér piān píng. The earth looks like a flat ball. | 月亮是~的一个卫星。Yuèliang shì ~ de yí gè wèixīng. The moon is a satellite of the earth. | 环境污染可能导致~的毁灭。Huánjìng wūrǎn kěnéng dǎozhì ~ de huǐmiè. Environmental pollution may lead to the destruction of the earth.

² **地区** dìqū ❶〈名 n.〉（个 gè）地理上的大区域 geographical region: 北美~Běiměi ~ the North American region | 南亚~Nányà ~ the South Asian region ❷〈名 n.〉（个 gè）指较大范围的地方 a fairly large place; area; region: 沿海~yánhǎi ~ coastal area | 高原~gāoyuán ~ highland | 亚热带~yàrèdài ~ subtropical region | 我在川藏~工作过。Wǒ zài Chuānzàng ~ gōngzuò guò. I once worked in the Sichuan-Tibetan region. ❸〈名 n.〉（个 gè）指未获独立的殖民地、托管地等 colony, trustee territory, etc. that has not yet won independence ❹〈名 n.〉（个 gè）指中国省、自治区设立的下属行政区域,一般包括若干县、市（旧称'专区'）administrative area under the jurisdiction of a province or autonomous region in China, usually consisting of several counties and cities（formerly called '专区 zhuānqū': 河北省保定~Héběi Shěng Bǎodìng ~ Baoding Prefecture, Hebei Province | 山东省德州~Shāndōng Shěng Dézhōu ~ Dezhou Prefecture, Shandong Province ❺〈名 n.〉指一个国家内的某一地方 a place in a country: 台湾~Táiwān ~ the Taiwan region | 港澳~Gǎng-Ào ~ the Hong Kong and the Macao region | 来自一百多个国家和~的代表参加了这次会议。Láizì yìbǎi duō gè guójiā hé ~ de dàibiǎo cānjiāle zhè cì huìyì. Representatives from more than one hundred countries and regions attended the conference.

³ **地势** dìshì〈名 n.〉（种 zhǒng）地面高低起伏的走势 physical features of a place; terrain: 山海关~险要。Shānhǎiguān ~ xiǎnyào. The Shanhai Pass is strategically situated and difficult of access. | 华北地区~平坦。Huáběi dìqū ~ píngtǎn. The terrain in North China

is smooth. │中国的~是西高东低。 *Zhōngguó de ~ shì xī gāo dōng dī.* The terrain in China is high in the west and low in the east. │居住与生产都要认真考察，科学利用~。 *Jūzhù yǔ shēngchǎn dōu yào rènzhēn kǎochá ~, kēxué lìyòng ~.* Terrain must be carefully investigated and scientifically exploited both for living and production.

³ **地毯** dìtǎn 〈名 n.〉(块 kuài) 铺在地上的毯子 carpet; rug：有羊绒~、羊毛~和化纤~。 *yǒu yángróng ~, yángmáo ~ hé huàxiān ~.* There are cashmere carpets, woolen carpets and chemical fibre carpets. │有手工织的和机器织的。 *~ yǒu shǒugōng zhī de hé jīqì zhī de.* There are hand-woven and machine-made carpets. │中国新疆的手工~很有名。 *Zhōngguó Xīnjiāng de shǒugōng ~ hěn yǒumíng.* Xinjiang in China is well known for its hand-woven rugs.

⁴ **地铁** dìtiě ❶〈名 n.〉地下铁道的简称 underground railway; subway, short for '地下铁道 dìxià tiědào'：修建~ xiūjiàn ~ build a subway │环城~ huánchéng ~ belt subway │由汽车、轻轨和~组成城市的交通网。 *Yóu qìchē, qīngguǐ hé ~ zǔchéng chéngshì de jiāotōngwǎng.* The urban traffic network consists of bus lines, light rails and subways. ❷〈名 n.〉指地铁列车 underground train：乘坐~快速、安全。 *Chéngzuò ~ kuàisù, ānquán.* It is quick and safe to travel by subway. │我通常坐~上下班。 *Wǒ tōngcháng zuò ~ shàng xià bān.* I usually go to work by subway.

² **地图** dìtú〈名 n.〉(张 zhāng、幅 fú、本 běn、册 cè) 说明地球表面的各种事物和现象分布情况的图 map; picture that shows the distribution of things and phenomena on the earth：地图种类有很多，有世界~、中国~、分省~和军用~等。 *Dìtú zhǒnglèi yǒu hěnduō, yǒu shìjiè ~, Zhōngguó ~, fēn shěng ~ hé jūnyòng ~ děng.* There are all kinds of maps, such as the map of the world, the map of China, the map of the provinces and the military map. │出行别忘了带~。 *Chūxíng bié wàngle dài ~.* Don't forget to take a map with you when you travel. │到一个地方先买一张当地最新的交通~。 *Dào yí gè dìfang xiān mǎi yì zhāng dāngdì zuìxīn de jiāotōng ~.* Whenever you get to a new place, buy a local traffic map in the latest edition first.

² **地位** dìwèi ❶〈名 n.〉(个 gè) 所处地理位置 geographical position：台湾海峡连接东海和南海，~重要。 *Táiwān Hǎixiá liánjiē Dōnghǎi hé Nánhǎi, ~ zhòngyào.* Taiwan Straits that links the East China Sea and the South China Sea occupies an important position. │中东毗邻欧非，又盛产石油，~显要。 *Zhōngdōng pílín Ōu Fēi, yòu shèngchǎn shíyóu, ~ xiǎnyào.* The Middle East that borders on Europe and Africa and is rich in oil enjoys a conspicuous position. ❷〈名 n.〉国家在国际关系中的所处的位置 position/status of a country in international relations：中国的国际~不断提高。 *Zhōngguó de guójì ~ búduàn tígāo.* China's position in the world is growing steadily. ❸〈名 n.〉人或团体(包括其经济、学术、名誉等)在社会关系中所处的位置 place of a person or organization in social relations (in economy, learning, reputation, etc.)：他在企业界有相当的~。 *Tā zài qǐyèjiè yǒu xiāngdāng de ~.* He enjoys a remarkable place in the business circles. │这个学会在医学界的~是数一数二的。 *Zhège xuéhuì zài yīxuéjiè de ~ shì shǔyī-shǔ'èr de.* This society ranks very high in the medical circles. │他在国际同行中享有很高的名誉和~。 *Tā zài guójì tóngháng zhōng xiǎngyǒu hěn gāo de míngyù hé ~.* He enjoys a very high reputation and place among his counterparts.

² **地下** dìxià ❶〈名 n.〉地面之下，地层内部 underground; subterranean：北京~铁路有东西线和环形线。 *Běijīng ~ tiělù yǒu dōngxīxiàn hé huánxíngxiàn.* The underground railway system in Beijing consists of the east-west line and the belt line. │我们饮用的是~水。 *Wǒmen yǐnyòng de shì ~ shuǐ.* We drink ground water. │~蕴藏着丰富的矿产。 *~*

yùncángzhe fēngfù de kuàngchǎn. There is a rich storage of mineral ores underground. ❷〈名 n.〉秘密；不公开的；非法经营的 secret；not open；run illegally：他过去是党的~交通员。Tā guòqù shì Dǎng de ~ jiāotōngyuán. He was an underground liaison man for the Party. | 对~工厂、~歌舞厅以及~网吧要清理取缔。Duì ~ gōngchǎng, ~ gēwǔtīng yǐjí ~ wǎngbā yào qīnglǐ qǔdì. Underground factories, entertainment halls and cyber cafes must be banned.

³ **地形** dìxíng ❶〈名 n.〉地球表面的形貌、轮廓、起伏、斜面等状态 topography：这里~低凹，那里~高凸。Zhèlǐ ~ dī'āo, nàlǐ ~ gāotū. The topography is low here and high there. | 这一带~开阔平坦，那一带~就复杂了。Zhè yídài ~ kāikuò píngtǎn, nà yídài ~ jiù fùzá le. The topography is open and flat here but rather complicated there. ❷〈名 n.〉（军事上指用于作战的）地面形势 terrain（a military term）：这里~于我十分有利。Zhèlǐ ~ yú wǒ shífēn yǒulì. The terrain here is rather favorable to us. | 要充分利用这一带的~地物，做好战斗的准备。Yào chōngfēn lìyòng zhè yídài de ~ dìwù, zuòhǎo zhàndòu de zhǔnbèi. We must make full use of the terrain here and get ready for battle.

³ **地震** dìzhèn〈名 n.〉（场 cháng、次 cì）地壳的震动 earthquake：按照发生的原因，~有三种—陷落、火山和构造。Ànzhào fāshēng de yuányīn, ~ yǒu sān zhǒng — xiànluò、huǒshān hé gòuzào. According to the causes, there are three kinds of earthquake: depression earthquake, volcanic earthquake and tectonic earthquake. | 中国政府十分重视~的预测和抗震救灾工作。Zhōngguó zhèngfǔ shífēn zhòngshì ~ de yùcè hé kàngzhèn jiùzāi gōngzuò. The Chinese government pays great attention to the detection of earthquake and relief work.

² **地址** dìzhǐ ❶〈名 n.〉（个 gè）（人或团体）居住或通信的地方 address（of a person or organization）place of residence；mailing address：请告诉我你家的~。Qǐng gàosu wǒ nǐ jiā de ~. Please tell me the address of your home. | 你的通信~和邮编别漏填了。Nǐ de tōngxìn ~ hé yóubiān bié lòu tián le. Don't leave out your address and postcode. | ~写不清楚，寄去的信就收不到。~ xiě bù qīngchu, jì qù de xìn jiù shōu bú dào. If the address is not clear, the letter sent out can not reach the receiver. ❷〈名 n.〉互联网上一台计算机的特殊标识符 Internet address, website ❸〈名 n.〉指电子邮件地址 e-mail address

³ **地质** dìzhì ❶〈名 n.〉地壳的成分和结构 geology, composition and structure of the earth's crust：中国十分重视~普查工作。Zhōngguó shífēn zhòngshì ~ pǔchá gōngzuò. China pays much attention to the general survey of geology. | ~工作者常年在野外勘探调查。~ gōngzuòzhě chángnián zài yěwài kāntàn diàochá. Geologists are engaged in survey and investigation in the open country year in and year out. ❷〈名 n.〉研究地质现象的学科，即地质学 geology：我是学~的。Wǒ shì xué ~ de. I majored in geology.

³ **地主** dìzhǔ ❶〈名 n.〉（个 gè、名 míng）占有土地，并依靠出租土地或收取地租为主要生活来源的人 landlord：他爷爷是~。Tā yéye shì ~. His grandfather was a landlord. | 俺村过去有三个~。Ǎn cūn guòqù yǒu sān gè ~. There were three landlords in our village. ❷〈名 n.〉（区别于外来客人的）居住本地的主人 host：你们是远方来客，我当尽~之谊。Nǐmen shì yuǎnfāng lái kè, wǒ dāng jìn ~ zhī yì. You are guests from afar. I should play the host.

¹ **弟弟** dìdi ❶〈名 n.〉（个 gè）同父母（含同父异母或同母异父）而年纪比自己小的男子 younger brother, a younger man or boy who has the same parents as, or shares a parent with, oneself：我有两个~，大~是研究生，二~是大学生。Wǒ yǒu liǎng gè ~, dà ~ shì yánjiūshēng, èr ~ shì dàxuéshēng. I have two younger brothers. One is a graduate; the other a university student. ❷〈名 n.〉（个 gè、位 wèi）亲戚中同辈而年纪比自己小

的男子 a younger man or boy in the same generation among one's relatives: 这位是我的叔伯~. *Zhè wèi shì wǒ de shūbai* ~. This is my younger (male) cousin on the paternal side. | 那位是我的姑表~. *Nà wèi shì wǒ de gūbiǎo* ~. That is my younger (male) cousin (his father and my mother being brother and sister). | 他是我的姨表~. *Tā shì wǒ de yíbiǎo* ~. He is my younger (male) cousin on the maternal side. ❸〈名 n.〉(个 gè、位 wèi) 朋友中年纪小的男子 a younger man or boy among one's friends: 你的年纪比我大，当然我是你~了。*Nǐ de niánjì bǐ wǒ dà, dāngrán wǒ shì nǐ ~ le.* Of course, I am your younger brother, for you are older than I.

³ **弟兄** dìxiong〈名 n.〉(个 gè) 弟弟和哥哥 brother: 我有一个姐姐，没有~(不包括本人)。*Wǒ yǒu yí gè jiějie, méiyǒu ~ (bù bāokuò běnrén).* I have an elder sister but no brother (not including myself). | 我们是亲~(包括本人)。*Wǒmen shì qīn ~ (bāokuò běnrén).* We are blood brothers (including myself). ❷〈名 n.〉旧时军队中对伙伴特别是对属下(士兵)的称呼 a way addressing one's pals, especially subordinates (soldiers) in an old army: ~们, 辛苦啦! *~men, xīnkǔ la!* Brothers, you have been working hard. | ~们, 冲啊! *~men, chōng a!* Brothers, charge! ❸〈名 n.〉比喻亲如弟兄人 fig. people dear as brothers: 农民~受灾, 我们要大力支援。*Nóngmín ~ shòu zāi, wǒmen yào dàlì zhīyuán.* The peasant brothers were hit by a natural disaster. We must give them great support. | 工人~有困难, 我们应该伸出援手。*Gōngrén ~ yǒu kùnnan, wǒmen yīnggāi shēnchū yuánshǒu.* The worker brothers are in need. We should lend them a hand.

D

⁴ **帝国** dìguó ❶〈名 n.〉(个 gè) 君主制或君立宪制的国家;版图很大的、有殖民地的君主制国家;向外扩张的非君主国家, 有时也称为帝国 empire (usually referring to a large country or a country with colonies, but sometimes also to a non-monarchical state that expanded overseas): 中国历史上有个大清~. *Zhōngguó lìshǐ shang yǒu gè Dàqīng ~.* There was a Great Qing Empire in Chinese history. | 罗马~的光辉时代已经一去不复返。*Luómǎ ~ de guānghuī shídài yǐjīng yíqùbúfùfǎn.* The magnificent age of the Roman Empire is gone forever. | 希特勒的第三~早已彻底灭亡。*Xītèlè de Dìsān ~ zǎo yǐ chèdǐ mièwáng.* Hitler's Third Reich met with complete destruction long ago. ❷〈名 n.〉比喻实力强大的垄断企业集团 empire, *fig.* powerful monopolistic corporation: 汽车~ *qìchē ~* motor empire

⁴ **帝国主义** dìguó zhǔyì〈名 n.〉资本主义发展的最高阶段; 也指帝国主义国家 imperialism, the highest stage of development of capitalism; an imperialist country: 我们反对~向外扩张。*Wǒmen fǎnduì ~ xiàng wài kuòzhāng.* We oppose imperialist expansion. | ~的侵略行径遭到全世界人民的反对。*~ de qīnlüè xíngjìng zāodào quánshìjiè rénmín de fǎnduì.* Imperialist aggression meets with the resistance of the world people.

² **递** dì ❶〈动 v.〉传送;传递;投递 hand over; pass; send: 邮政速~ *yóuzhèng sù* ~ postal express | 我说把酒~给我, 他却把茶~了给我。*Wǒ shuō bǎ jiǔ ~ gěi wǒ, tā què bǎ chá ~ gěile wǒ.* I asked him to pass me the wine, but he handed the tea over to me instead. | 她给他~了个眼神儿。*Tā gěi tā ~ le gè yǎnshénr.* She winked at him. ❷〈副 adv.〉顺着次序 in the proper order: 每人工资~增5%. *Měirén gōngzī ~zēng bǎi fēn zhī wǔ.* The wage increased by 5% each, in the proper order. | 他被~补进了国家队。*Tā bèi ~bǔ jìn le guójiāduì.* He was allowed to fill a vacancy in the state team in the proper order.

⁴ **递交** dìjiāo〈动 v.〉当面送交 present personally: 新任大使~国书. *Xīn rèn dàshǐ ~ guóshū.* The new ambassador presented his credentials. | 他向校方~了一份困难补助申

请。*Tā xiàng xiàofāng ~le yí fèn kùnnan bǔzhù shēnqǐng.* He presented an application to the school authorities for subsidy. | 他代表社区居民们一封环保建议信~到市长手里。*Tā dàibiǎo shèqū jūmín bǎ yì fēng huánbǎo jiànyìxìn ~ dào shìzhǎng shǒu li.* He presented a letter of suggestion about environmental protection to the mayor on behalf of the residents in the community.

⁴ **递增** dìzēng 〈动 *v.*〉一次比一次增加 increase progressively：学生总数年年~。*Xuésheng zǒngshù niánnián ~.* The total number of students increases year by year. | 生产的各项指标月月~。*Shēngchǎn de gèxiàng zhǐbiāo yuèyuè ~.* Each production quota increases month by month. | 外籍教师来华讲学每年~10%。*Wàijí jiàoshī lái Huá jiǎngxué měinián ~ bǎifēnzhī shí.* The number of overseas teachers who come to teach in China increases by 10% each year.

第 dì ❶〈词头 *pref.*〉用在整数的数词前面，表示次序 used before an integer to express order：我这是~一次到中国来。*Wǒ zhè shì ~yī cì dào Zhōngguó lái.* This is the first time that I come to China. | 她考了全班~二名。*Tā kǎole quán bān ~èr míng.* She ranked the second place in the examination. | 报告的~一部分讲国际形势。*Bàogào de ~yī bùfen jiǎng guójì xíngshì.* The first part of the report deals with the world situation. | ~三课在书的~32页。*~sān kè zài shū de ~ sānshí'èr yè.* Lesson 3 is on the 32nd page of the book. ❷〈名 *n.*〉古代官僚、贵族的大宅子 big houses or mansions of senior court officials, princes and lords：府~ *fǔ~* mansions of high-ranking officials | 宅~ *zhái~* mansion, mansion house ❸〈名 *n.*〉中国古代科举榜上的排列等级 degrees in the imperial examinations in ancient China：及~ *jí~* pass or succeed in the imperial examinations | 落~ *luò~* fail in the imperial examinations

⁴ **缔结** dìjié 〈动 *v.*〉订立（条约、同盟等）conclude (a treaty); form (an alliance)：中俄两国~了友好条约。*Zhōng-É liǎng guó ~le yǒuhǎo tiáoyuē.* China and Russia concluded a treaty of friendship. | 德法等国家~了盟约。*Dé-Fǎ děng guójiā ~le méngyuē.* Germany, France, etc. formed an alliance. | 中日两国~了贸易协定。*Zhōng-Rì liǎng guó ~le màoyì xiédìng.* China and Japan concluded a treaty of trade.

⁴ **掂** diān 〈动 *v.*〉用手托着东西上下晃动来估计轻重；估量 weigh in hand; appraise：你~~看，这西瓜有几斤？*Nǐ ~~ kàn, zhè xīguā yǒu jǐ jīn?* Weigh the watermelon in hand and feel how heavy it is. | 我~着这西瓜足有10斤重。*Wǒ ~zhe zhè xīguā zú yǒu shí jīn zhòng.* I estimate that the watermelon weighs fully 10 *jin*. | 你有什么资格代表全班同学到全校大会上发言，也不~~自己的分量！*Nǐ yǒu shénme zīgé dàibiǎo quán bān tóngxué dào quán xiào dàhuì shang fāyán, yě bù ~~ zìjǐ de fènliàng!* What right do you have to speak at the school meeting on behalf of the whole class? You should have a proper estimation of yourself!

⁴ **颠簸** diānbǒ 〈动 *v.*〉上下震动；起伏摇动 jolt; toss; bump：汽车在崎岖的山路上~着前进。*Qìchē zài qíqū de shānlù shang ~zhe qiánjìn.* The truck bumped along the steep mountain path. | 飞机遇上强气流，在高空突然~起来。*Fēijī yù shang qiáng qìliú, zài gāokōng tūrán ~qǐlái.* The plane came across a strong current and was tossed in the high altitude all of a sudden. | 船小风大，~得厉害。*Chuán xiǎo fēng dà, ~ de lìhai.* The small boat was tossed violently in the strong wind. | 他年老体弱，一路上受不了这样的~。*Tā niánlǎo-tǐruò, yílùshang shòubùliǎo zhèyàng de ~.* Being old and weak, he could not stand the hardship on the way.

⁴ **颠倒** diāndǎo ❶〈动 *v.*〉上下、前后跟原有的位置相反 put upside down; transpose：这两行字排~了。*Zhè liǎng háng zì pái ~ le.* These two lines are transposed. | 这幅画让

了。*Zhè fú huà guà ~ le.* This picture hangs upside down. ❷〈动 *v.*〉错乱；混乱 confuse; disorder: 他神魂~的，好像有什么心事 *Tā shénhún ~ de, hǎoxiàng yǒu shénme xīnshì.* He is in such a confused state that he seems to have something on his mind. │ 历史是不容~的。*Lìshǐ shì bù róng ~ de.* History allows no reversal.

⁴ **颠覆** diānfù 〈动 *v.*〉采用阴谋手段从内部推翻合法政府 overturn; overthrow a legal government from inside by conspiratorial means: 有人密谋~新政府。*Yǒurén mìmóu ~ xīn zhèngfǔ.* Some people are plotting to overthrow the new government. │ 我们和敌人之间展开了一场~与反~的斗争 *Wǒmen hé dírén zhījiān zhǎnkāile yì cháng ~ yǔ fǎn ~ de dòuzhēng.* An overturning and counter-overturning struggle is going on between us and the enemy. │ 他们粉碎了这次~的阴谋。*Tāmen fěnsuìle zhè cì ~ de yīnmóu.* They smashed this plot of overthrowing the government.

³ **典礼** diǎnlǐ 〈名 *n.*〉(个 gè) 郑重、隆重举行的仪式 ceremony; celebration: 开学~ *kāixué ~* school-opening ceremony │ 通车~ *tōngchē ~* 'open to traffic' ceremony │ 举行~ *jǔxíng ~* hold a ceremony │ 我们去参加班主任的结婚~ *Wǒmen qù cānjiā bānzhǔrèn de jiéhūn ~.* We are going to attend the wedding ceremony of our class director. │ 由于天气的原因，~改为后天上午举行 *Yóuyú tiānqì de yuányīn, ~ gǎiwéi hòutiān shàngwǔ jǔxíng* Due to the weather, the date for the ceremony is changed to the morning the day after tomorrow.

³ **典型** diǎnxíng ❶〈名 *n.*〉(个 gè) 具有某种代表性的人物或事件 typical person or case: 他是村里科技脱贫的~。*Tā shì cūn li kējì tuōpín de ~.* He is a typical example of shaking off poverty through science and technology. ❷〈名 *n.*〉文学艺术中能够反映一定社会本质而又具有鲜明个性的艺术形象 a model in literature and art that can reflect some social essence while possessing an artistic image with sharp character: 阿Q是鲁迅先生塑造的一个栩栩如生的艺术~。*Ā Q shì Lǔ Xùn xiānsheng sùzào de yí gè xǔxǔ-rúshēng de yìshù ~.* Ah Q is an artistic model, true to life, created by Mr. Lu Xun. ❸〈形 *adj.*〉有代表性的 typical; representative: ~事例 *~shìlì* typical case; typical example │ ~人物 *~rénwù* typical personage or figure

¹ **点** diǎn ❶(~儿)〈名 *n.*〉液体的小滴；小水珠 drop (of liquid); water drop: 雨~稀稀拉拉地下个不停。*Yǔ ~xīxī-lālā de xià gè bù tíng.* Raindrops keep on falling sporadically. │ 玻璃窗上的水~还没有擦干净。*Bōlichuāng shang de shuǐ~ hái méiyǒu cā gānjìng.* Some beads of water on the glass window are not yet wiped off. ❷〈名 *n.*〉小的痕迹 spot; speck: 这种新的洗涤剂特好使，什么污~、斑~一洗就掉。*Zhè zhǒng xīn de xǐdíjì tè hǎoshǐ, shénme wū~、bān~ yì xǐ jiù diào.* This new detergent is very effective, able to wash up any stain and speck. ❸〈名 *n.*〉时间单位（一昼夜的二十四分之一）o'clock (one twenty-fourth of a day): 上午8~上班。*Shàngwǔ bā ~ shàngbān.* We go to work at 8 o'clock in the morning. │ 火车12~始发。*Huǒchē shí'èr ~ shǐ fā.* The train departs at 12 o'clock. │ 飞机14~30分到京。*Fēijī shísì ~ sānshí fēn dào Jīng.* The plane arrives at Beijing at 14:30. ❹〈名 *n.*〉规定的钟点 appointed time: 火车晚~进站。*Huǒchē wǎn~ jìnzhàn.* The train arrived late. │ 飞机正~起飞。*Fēijī zhèng~ qǐfēi.* The plane took off on time. ❺(~儿)〈名 *n.*〉(个 gè) 汉字的笔画之一，形状是'、'dot stroke in Chinese characters that is in the way of '、': '太'的这一~写得太大了。*'Tài' de zhè ~r xiě de tài dà le.* The dot stroke in the character 太 is too big. ❻〈名 *n.*〉事物的某些方面或某个部分 aspect; part: 这个学生优~很多，但缺~也不少。*Zhège xuésheng yōu~ hěn duō, dàn quē~ yě bù shǎo.* The student has many merits, but he also has quite a lot of demerits. │ 这篇课文的重~在第二部分。*Zhè piān kèwén de zhòng~ zài dì-èr*

bùfen. The focal point of the text lies in the second part. ｜这个班搞教学改革试~。 **Zhège bān gǎo jiàoxué gǎigé shì~.** This class is carrying on a pilot project on educational reform. ❼〈名 n.〉小数点 decimal point：数学成绩是九十五~五分。**Shùxué chéngjì shì jiǔshíwǔ ~ wǔ fēn.** The mark for mathematics is 95.5. ｜今年粮食增产百分之十二~三。**Jīnnián liángshi zēngchǎn bǎi fēn zhī shí'èr ~ sān.** The grain output grew by 12.3% this year. ❽〈名 n.〉几何学上把没有长、宽、厚而只有位置的几何图形叫做点 point (in geometry)：三~成一线。**Sān ~ chéng yí xiàn.** A line is formed by connecting three points. ❾〈名 n.〉所在的地方或程度的标志 place；point；extent：据~ jù~ stronghold ｜起~ qǐ~ starting point ｜终~ zhōng~ terminal point ｜沸~ fèi~ boiling point ｜冰~ bīng~ freezing point ｜饱和~ bǎohé~ saturation point ｜空白~ kòngbái~ blank point ❿〈名 n.〉特定的地方 specific place：在沿海选定几个城市实行改革开放，以这些~辐射全国。**Zài yánhǎi xuǎndìng jǐ gè chéngshì shíxíng gǎigé kāifàng, yǐ zhèxiē ~ fúshè quánguó.** Select some coastal cities and practise reform and opening there so as to radiate throughout the country from these places. ⓫（~儿）〈名 n.〉敲击锣鼓发出的音响节奏 rhythm in which gongs and drums are beat：他们打的锣鼓~儿有板有眼。**Tāmen dǎ de luógǔ ~r yǒubǎn-yǒuyǎn.** They beat gongs and drums rhythmically. ⓬〈名 n.〉点心 pastry；light refreshments：早~ zǎo~ breakfast ｜西~ xī~ Western-style pastry ｜茶~ chá~ refreshments ｜细~ xì~ fine pastry ⓭〈量 meas.〉表示少量（表示事物的部分而非整体），前面只能加数词'一'，或不加数词 a little；a bit；some (describing a part, not the whole, of a thing；used with the number '一yì' only before it or without any number)：一~儿小事 yì ~ r xiǎoshì a trivial matter ｜一~儿时间 yì ~r shíjiān some time ｜往前走一~儿 wǎngqián zǒu yì ~r go a bit forward ｜这事跟我有~儿关系。**Zhè shì gēn wǒ yǒu ~r guānxì.** This matter has something to do with me. ⓮〈量 meas.〉用于事项（意见、建议、希望）for items (of opinions, suggestions and hopes)：两~意见 liǎng ~ yìjiàn two opinions ｜一~补充 yì ~ bǔchōng an addition ｜归纳起来一共有三~。**Guīnà qǐlái yígòng yǒu sān ~.** There are three points in all. ⓯〈量 meas.〉用于计时 for time：现在是凌晨四~钟。**Xiànzài shì língchén sì ~ zhōng.** It is now 4 o'clock early in the morning. ⓰〈动 v.〉用笔加上点儿 place/put a dot with a pen：印度妇女在眉心~的红点儿称为吉祥痣。**Yìndù fùnǚ zài méixīn ~ de hóng diǎnr chēngwéi jíxiángzhì.** The Indian women put a red dot between the eyebrows, which is called a luck mole. ⓱〈动 v.〉（头或手）向下稍微动一动，立即恢复原位 (of a head or hand) lower a little and then restore its original position immediately：我冲他~了~头。**Wǒ chòng tā ~le ~ tóu.** I nodded at him. ｜你要是同意就~~头。**Nǐ yàoshi tóngyì jiù ~~ tóu.** Nod if you agree. ⓲〈动 v.〉引着火 light；ignite：屋里~着灯。**Wū li ~zhe dēng.** A lamp is burning in the house. ｜蜂窝煤~了半天也没~着。**Fēngwōméi ~le bàntiān yě méi ~zháo.** I failed to kindle the briquette though I tried a long time. ⓳〈动 v.〉一个一个地查对数目 check one by one：她忙着~货上柜。**Tā mángzhe ~ huò shàng guì.** She is busy checking over the goods for the counter. ｜这么多硬币~半天也~不完。**Zhème duō yìngbì ~ bàntiān yě ~ bù wán.** There are so many coins that it will take me a long time to count them. ⓴〈动 v.〉使液体一滴一滴往下落 drip：我一天~三次眼药水。**Wǒ yì tiān ~ sān cì yǎnyàoshuǐ.** I put drops in the eyes three times a day. ㉑〈动 v.〉触到物体立即离开 touch on very briefly：竹篙轻轻一~，小船箭也似的离开了岸了。**Zhúgāo qīngqīng yì ~, xiǎochuán jiàn yě shìde lí àn le.** With a shove of the pole, the boat left the shore like an arrow. ㉒〈动 v.〉启发；指点 hint；point out：这道题请老师给~一~。**Zhè dào tí qǐng lǎoshī gěi ~ yì ~.** Ask the teacher for some hints on this question. ｜老师一下子把我的问题给~透了。**Lǎoshī yíxiàzi bǎ** *wǒ de wèntí gěi ~tòu le*. The teacher made my question clear at one hint. ❷〈动 v.〉在许多人或事物中指定 choose; select：你们不自告奋勇，我就只能～将了。*Nǐmen bú zìgào-fènyǒng, wǒ jiù zhǐnéng ~jiàng le*. If there is no volunteer, I have to pick someone out. | 今天我请客，你们～菜。*Jīntiān wǒ qǐngkè, nǐmen ~ cài*. You order the dishes and I'll pay the bill today. | 他们特地为老师～唱了一首歌。*Tāmen tèdì wèi lǎoshī ~chàngle yì shǒu gē*. They selected a song especially for their teacher. ❷❹〈动 v.〉播种的一种方法，每隔一定距离挖一小坑，放入种子 dibble seeding：～了花生又～豆子，一天下来～得腰都直不起来了。*~le huāshēng yòu ~ dòuzi, yì tiān xiàlái ~ de yāo dōu zhí bù qǐlái le*. I couldn't straighten up after dibbling peanuts and peas all day.

⁴ **点火** diǎn//huǒ ❶〈动 v.〉点燃；操纵燃烧装置 light a fire; operate an igniter：我～你做饭。*Wǒ ~ nǐ zuòfàn*. I'll light a fire and you'll make the meal. | 柴火太潮湿，点不着火。*Cháihuo tài cháoshī, diǎn bù zháo huǒ*. The firewood is too damp to light. | 火箭～升空。*Huǒjiàn ~ shēngkōng*. The rocket was ignited and launched into the air. ❷〈动 v.〉比喻挑起是非，制造事端 *fig.* stir up trouble：他这个人整天煽风，破坏大家的团结。*Tā zhège rén zhěngtiān shānfēng-~, pòhuài dàjiā de tuánjié*. He is always stirring up trouble to disrupt unity.

⁴ **点名** diǎn//míng ❶〈动 v.〉一个个地查对已到的人员 call the roll：每次上课前，老师都要～。*Měicì shàngkè qián lǎoshī dōu yào ~*. The teacher always calls the roll before he starts a lesson. | 你来晚了，老师已经点过名了。*Nǐ lái wǎn le, lǎoshī yǐjīng diǎnguo míng le*. You are late. The teacher has called the roll. ❷〈动 v.〉指名 mention sb. by name：教授～要你当他的助手。*Jiàoshòu ~ yào nǐ dāng tā de zhùshǒu*. The professor named you as his assistant. | 老师在班上～批评了他。*Lǎoshī zài bān shang ~ pīpíngle tā*. The teacher criticized him by name in class.

⁴ **点燃** diǎnrán 〈动 v.〉使燃烧、点着 light; ignite; kindle：～篝火 ~ gōuhuǒ light a campfire | 柴火有点儿湿，好不容易才～起来。*Cháihuo yǒu diǎnr shī, hǎo bù róngyì cái ~ qǐlái*. The firewood is somewhat damp. I had a hard time to ignit it. | 他重新～心中的希望之火。*Tā chóngxīn ~ xīn zhōng de xīwàng zhī huǒ*. He re-kindled the fire of hope in his heart.

¹ **点心** diǎnxin ❶〈名 n.〉（块 kuài、盒 hé、匣 xiá）糕饼之类的干食品 pastry; dry food like biscuits：小孩儿爱吃～。*Xiǎoháir ài chī ~*. Children like pastries. | 我的早餐是一杯牛奶加几块～。*Wǒ de zǎocān shì yì bēi niúnǎi jiā jǐ kuài ~*. I have a cup of milk and several pastries for my breakfast. ❷〈名 n.〉正餐之外的食物 food apart from the three major meals：喝了酒以后，再吃一点儿～。*Hēle jiǔ yǐhòu, zài chī yì diǎnr ~*. Have some light refreshments after drinking wine. | 午夜的～是汤圆、水饺或者馄饨。*Wǔyè de ~ shì tāngyuán, shuǐjiǎo huòzhě húntun*. The light refreshments at midnight are dumplings made of glutinous rice flour, dumplings with meat and vegetable stuffing or dumpling soup.

¹ **点钟** diǎnzhōng 〈名 n.〉表示整点的时间 o'clock：每天上午8～上课，12～下课。*Měitiān shàngwǔ bā ~ shàngkè, shí'èr ~ xiàkè*. The class starts at 8 o'clock and ends at 12 o'clock every morning. | 现在已经6～，该起床了。*Xiànzài yǐjīng liù ~, gāi qǐchuáng le*. It's 6 o'clock now. It's time to get up. | 下午4～开班会。*Xiàwǔ sì ~ kāi bānhuì*. There is a class meeting at 4 o'clock in the afternoon. | 晚上11～熄灯睡觉。*Wǎnshang shíyī ~ xīdēng shuìjiào*. We turn off the light and go to bed at 11 o'clock in the evening.

⁴ **点缀** diǎnzhuì ❶〈动 v.〉加以衬托或装饰，使更好看 adorn; ornament; embellish：红花～绿叶。*Hónghuā ~ lǜyè*. The green leaves are embellished with red flowers. | 节日的

天安门广场被鲜花、彩灯和喷泉~得格外漂亮。Jiérì de Tiān'ānmén Guǎngchǎng bèi xiānhuā, cǎidēng hé pēnquán ~ de géwài piàoliang. Decorated with fresh flowers, colorful lanterns and springs, the Tian'anmen Square looks all the more beautiful during the festival. | 她穿一身黑色的晚礼服,胸前~了一朵银白色的饰花,显得更加光彩照人。Tā chuān yì shēn hēisè de wǎnlǐfú, xiōng qián ~le yì duǒ yínbáisè de shìhuā, xiǎnde gèngjiā guāngcǎ-zhàorén. Wearing a black evening dress and a silvery brooch, she looks all the more dazzling. ❷〈名 n.〉比喻起装点门面作用的人或事物 a person or a thing used merely for show: 我这个顾问只不过是公司的~而已,从来是不顾不问的。Wǒ zhège gùwèn zhǐ búguò shì gōngsī de ~ éryǐ, cónglái shì bú gù bú wèn de. Appointed as the consultant of the company, I have done nothing at all, only for show.

⁴ **点子** diǎnzi ❶〈名 n.〉(个 gè) 液体的小滴 drop (of liquid): 雨~ yǔ ~ raindrop | 水~ shuǐ ~ water drop ❷〈名 n.〉小的痕迹 speck; spot: 泥~ ní ~ mud speck | 油~ yóu ~ grease spot | 白布上有两个黑~。Báibù shang yǒu liǎng gè hēi ~. There are two black spots on the white cloth. ❸〈名 n.〉打击乐器的节拍 beat (of percussion instruments): 老妈妈老大爷踩着锣鼓~扭起秧歌来。Lǎo māma lǎo dàye cǎizhe luógǔ ~ niǔqǐ yāngge lái. Grannies and grandpas started performing the yangge to the beat of gongs and drums. ❹〈名 n.〉关键所在 key point: 他这话还真说到~上了。Tā zhè huà hái zhēn shuōdào ~ shang le. His remark got to the heart of the matter. ❺〈名 n.〉计谋;主意;办法 idea; pointer: 这人善于出~。Zhè rén shànyú chū ~. This person is good at making suggestions. | 你就会出馊~。Nǐ jiù huì chū sōu ~. You are only capable of making stupid suggestions.

¹ **电** diàn ❶〈名 n.〉(度 dù) 物质的一种能 electricity: ~是一种重要能源。~ shì yì zhǒng zhòngyào néngyuán. Electricity is a type of important energy. | 我们要节约用~。Wǒmen yào jiéyuē yòng ~. We must economize on electricity. ❷〈名 n.〉电报、电讯 telegram; cable; telegraphic dispatch: 急~ jí ~ urgent cable | 新华社~ Xīnhuáshè ~ cable from Xinhua News Agency ❸〈名 n.〉电器的简称 electric appliances, short for '电器 diànqì': 电视机、电冰箱、洗衣机等都属家~产品。Diànshìjī, diànbīngxiāng, xǐyījī děng dōu shǔ jiā ~ chǎnpǐn. TV sets, refrigerators, washing machines, etc. are all electric appliances. ❹〈动 v.〉触电 get an electric shock: 小心,别~着! Xiǎoxīn, bié ~zhe! Be careful not to get an electric shock! ❺〈动 v.〉打电报 telegraph; cable: 已~上级请示 yǐ ~ shàngjí qǐngshì have telegraphed the higher authorities for instructions

² **电报** diànbào ❶〈名 n.〉(份 fèn、封 fēng) 用电信号传递文字、照片、图表的通信方式 telegram/cable, a way of transmitting words, photos and graphs with electric signals: 电报分有线~和无线~两种。Diànbào fēn yǒuxiàn ~ hé wúxiàn ~ liǎng zhǒng. Telegrams are divided into wire telegrams and wireless telegrams. ❷(份 fèn、封 fēng) 用电信号传递的文字、照片、图表等 a copy of message sent by telegraph: 妈妈发来一封加急~,说爸爸病了。Māma fālái yì fēng jiājí ~, shuō bàba bìng le. Mother sent me an urgent telegram, saying that father was ill.

² **电冰箱** diànbīngxiāng〈名 n.〉(个 gè、台 tái) 一种用电带动的冷藏器具,又叫'冰箱' refrigerator; fridge; freezer, also '冰箱 bīngxiāng': 我家最近又买了一台新式的~。Wǒ jiā zuìjìn yòu mǎile yì tái xīnshì de ~. We bought a new-type refrigerator recently. | ~能使食品保持较长时间不变质。~ néng shǐ shípǐn bǎochí jiào cháng shíjiān bú biànzhì. Refrigerators can preserve food for a fairly long time.

¹ **电车** diànchē〈名 n.〉(辆 liàng) 用电做动力的公共交通工具 trolley-bus, an electric-powered vehicle: 北京的有轨~早被无轨~代替了。Běijīng de yǒuguǐ ~ zǎo bèi wúguǐ ~

dàitì le. Streetcars in Beijing gave place to trolley-buses long ago. ｜~既经济又没有污染。*~ jì jīngjì yòu méiyǒu wūrǎn.* Trolley-buses are both economical and pollution-free.

³ **电池** diànchí〈名 n.〉(节 jié、个 gè、对 duì）将化学能或光能等转变为电能的装置 cell; battery：~有干~、蓄~、太阳能~等多种。*~ yǒu gān ~, xù ~, tàiyángnéng ~ děng duō zhǒng.* There are many kinds of cells, such as dry cells, storage battery, solar cells, etc. ｜~没电了，要充电或更换新的。*~ méi diàn le, yào chōngdiàn huò gēnghuàn xīn de.* The battery is dead. It has to be recharged or replaced. ｜随便丢弃~会污染环境。*Suíbiàn diūqì ~ huì wūrǎn huánjìng.* Throwing away cells at random will pollute the environment.

¹ **电灯** diàndēng〈名 n.〉(个 gè、只 zhī、盏 zhǎn）利用电能发光用于照明的灯 electric lamp; electric light：~亮了。*~ liàng le.* The electric lights are on. ｜25瓦~太暗。*Èrshíwǔ wǎ ~ tài àn.* A 25W bulb is too dim. ｜天黑了，快把~打开。*Tiān hēi le, kuài bǎ ~ dǎkāi.* Turn on the light for it is getting dark. ｜我们村通电了，家家户户都安上了~。*Wǒmen cūn tōng diàn le, jiājiā-hùhù dōu ānshàng le ~.* Electricity has come to our village. Every household is fixed with electric lamps.

⁴ **电动机** diàndòngjī〈名 n.〉(台 tái）把电能变成机械能的机器，通称'马达' motor, commonly called '马达 mǎdá'：这是一台新的~。*Zhè shì yì tái xīn de ~.* This is a new motor. ｜这台~功率大。*Zhè tái ~ gōnglǜ dà.* This motor is very powerful. ｜电冰箱、洗衣机等家用电器里都有~。*Diànbīngxiāng, xǐyījī děng jiāyòng diànqì li dōu yǒu ~.* Refrigerators, washing machines and other household electric appliances are all fixed with motors.

² **电风扇** diànfēngshàn〈名 n.〉(台 tái、个 gè）利用电能产生风的器具，又叫'电扇' electric fan, also'电扇diànshàn'：~有落地式、台式和吊挂式等多种。*~ yǒu luòdìshì, táishì hé diàoguàshì děng duō zhǒng.* There are many kinds of electric fans, such as standard fans and ceiling fans. ｜质量好坏主要看它的电动机。*~ zhìliàng hǎohuài zhǔyào kàn tā de diàndòngjī.* The motor decides the quality of an electric fan. ｜这台~噪音太大，吹起来沙沙响。*Zhè tái ~ zàoyīn tài dà, chuī qǐlái shāshā xiǎng.* This electric fan makes too much noise, and rustles when it moves.

¹ **电话** diànhuà ❶〈名 n.〉以电磁波为载体，进行远距离通话的通讯方式 telephone; phone：有线~ yǒuxiàn ~ wired telephone ｜无线~ wúxiàn ~ wireless phone ｜~业务有本市~、国内长途~、国际长途~和热线~等等。*~ yèwù yǒu běnshì ~, guónèi chángtú ~, guójì chángtú ~ hé rèxiàn ~ děngděng.* Telephone business includes local calls, domestic long-distance calls, international long-distance calls and hotline calls. ❷〈名 n.〉(部 bù、个 gè、门 mén）指电话机 telephone; phone：录音~ lùyīn ~ telephone message recorder ｜投币~ tóubì ~ coin call ｜现在有可视~了。*Xiànzài yǒu kěshì ~ le.* Now there have appeared videophones. ｜我最早用的~是手摇的。*Wǒ zuì zǎo yòng de ~ shì shǒu yáo de.* The earliest phone that I used was a hand phone. ❸〈名 n.〉用电话装置传送的话 phone call：有你的~。*Yǒu nǐ de ~.* You are wanted on the phone. ｜快接~去。*Kuài jiē ~ qù.* Go and answer the phone at once.

³ **电力** diànlì〈名 n.〉用做动力用的电 electric power; power：强大~ qiángdà ~ strong electric power ｜~不足 ~ bùzú shortage of electric power ｜华东地区建设了发达的~网。*Huádōng dìqū jiànshèle fādá de ~ wǎng.* A well-developed power network is established in the east China region. ｜三峡工程既是水利工程也是~工程。*Xiánxiá Gōngchéng jì shì shuǐlì gōngchéng yě shì ~ gōngchéng.* The Three Gorges Project is both a water conservancy project and an electric power project.

³ **电铃** diànlíng 〈名 n.〉(个 gè) 利用电磁铁特性，通电后使铃发出音响信号的装置 electric bell: 很多人的家门口都安了~。*Hěn duō rén de jiā ménkǒu dōu ānle ~.* Many houses are fixed with electric bells at the door. | ~响了，上课了。*~ xiǎng le, shàngkè le.* The electric bell is ringing for class.

³ **电流** diànliú 〈名 n.〉(安培 ānpéi、安 ān) 流动的电荷；电流强度的简称 electric current; current intensity: ~突然断了，机器立即停止运转。*~ tūrán duàn le, jīqì lìjí tíngzhǐ yùnzhuǎn.* All of a sudden, electricity was off and the machine stopped. | 电视机~声太大，影响收视效果。*Diànshìjī ~ shēng tài dà, yǐngxiǎng shōushì xiàoguǒ.* The electric current is so noisy from the TV set that it affects the receiving effect. | 强大的~把他打昏过去。*Qiángdà de ~ bǎ tā dǎhūn guòqù.* The strong electric current struck him faint.

³ **电炉** diànlú 〈名 n.〉(座 zuò、个 gè) 利用电能产生热量的设备 electric stove; hot plate: 用~做饭 *yòng ~ zuòfàn* cook food with an electric stove | 这楼还没有暖气，只好用~取暖。*Zhè lóu hái méiyǒu nuǎnqì, zhǐhǎo yòng ~ qǔnuǎn.* This building is not yet fixed with heating facilities, so people have to warm themselves with hot plates. | 烧~少污染但耗电大。*Shāo ~ shǎo wūrǎn dàn hào diàn dà.* Using electric stoves reduces pollution but consumes a lot of electricity.

⁴ **电路** diànlù 〈名 n.〉(个 gè、条 tiáo) 电流在电器装置中的通路 electric circuit: 检查~ *jiǎnchá* ~ check the electric circuit | ~断了，赶快接通~。*~ duàn le, gǎnkuài jiētōng ~.* The circuit has broken off. Connect it immediately. | 修家用电器先要学会看~图。*Xiū jiāyòng diànqì xiān yào xué huì kàn ~ tú.* You must learn to read the circuit diagram before repairing household electrical appliances.

³ **电脑** diànnǎo 〈名 n.〉(台 tái、部 bù) 电子计算机的俗称 a common name for electronic computers: 这是一台新买的~。*Zhè shì yì tái xīn mǎi de ~.* This is a newly bought computer. | ~已逐步走进中国的百姓家庭 *~ yǐ zhúbù zǒujìn Zhōngguó de bǎixìng jiātíng.* Computers have gradually entered into the ordinary homes in China. | 中国的~市场很有发展前途。*Zhōngguó de ~ shìchǎng hěn yǒu fāzhǎn qiántú.* The computer market in China has a bright future.

⁴ **电钮** diànniǔ 〈名 n.〉(个 gè) 电器上用手操作，用于开关或调节的部分 push button; button: 你别把~按错了。*Nǐ bié bǎ ~ àn cuò le.* Don't press the wrong button. | 这个~坏了，赶快找人修。*Zhège ~ huài le, gǎnkuài zhǎo rén xiū.* The button is out of order. Find someone to fix it immediately.

⁴ **电气** diànqì 〈名 n.〉有电荷存在和电荷变化的现象；即'电'本身 electric; electricity: 我老家那个村，已实现~化。*Wǒ lǎojiā nàge cūn, yǐ shíxiàn ~huà.* The village in my hometown has been electrified. | 要实现国家的现代化离不开~化。*Yào shíxiàn guójiā de xiàndàihuà lí bù kāi ~huà.* Modernization of a country is inseparable from electrification. | 好几条铁路用的是~火车。*Hǎo jǐ tiáo tiělù yòng de shì ~ huǒchē.* Electric trains are running on many of the railroad lines.

³ **电器** diànqì 〈名 n.〉(台 tái、套 tào、件 jiàn) 用电的机器或设备 electrical appliance/ equipment: 你买什么~? *Nǐ mǎi shénme ~?* What electrical appliance are you going to buy? | 现在，中国的家庭很多都有一台甚至几台家用~。*Xiànzài, Zhōngguó de jiātíng hěn duō dōu yǒu yì tái shènzhì jǐ tái jiāyòng ~.* Many Chinese families have one or more household electric appliances now. | 中国的~市场，特别是家用~市场非常大。*Zhōngguó de ~ shìchǎng, tèbié shì jiāyòng ~ shìchǎng fēicháng dà.* There is a big market in China for electrical appliances, especially for household electrical appliances.

¹ **电视** diànshì ❶〈名 n.〉(台 tái) 把电视信号复原为声音和图像的设备 television (set):

黑白~看了十几年。*Hēibái ~ kànle shíjǐ nián.* We watched black-and-white television for more than ten years. ｜现在彩色~相当普及。*Xiànzài cǎisè ~ xiāngdāng pǔjí.* Color television is rather popular now. ❷〈名 *n.*〉电视机中的节目 television program：北京可收到四五十个~频道。*Běijīng kě shōudào sì-wǔshí gè ~ píndào.* People in Beijing can receive forty or fifty channels on television. ｜每天晚上我都要看~新闻。*Měitiān wǎnshang wǒ dōu yào kàn ~ xīnwén.* I watch TV news every evening.

²**电视台** diànshìtái〈名 *n.*〉(个 gè、家 jiā) 摄制和播送电视节目的场所和机构 television station：电视节目是由~发射出来的。*Diànshì jiémù shì yóu ~ fāshè chūlái de.* TV programs are transmitted by television stations. ｜邀请你参加下一期'实话实说'的节目。~ yāoqǐng nǐ cānjiā xià yì qī 'Shíhuà-shíshuō' de jiémù. The television station invites you to take part in the next 'Talk Straight' show. ｜他是中央~著名节目主持人。*Tā shì Zhōngyāng ~ zhùmíng jiémù zhǔchírén.* He is a well-known anchorman on CCTV.

²**电台** diàntái ❶〈名 *n.*〉(部 bù) 发射和接收无线电波信号的装置，又叫'无线电台' transmitter-receiver; transceiver, also '无线电台 wúxiàn diàntái'：侦察队配备了一部。*Zhēncháduì pèibèile yí bù ~.* The scouting team is equipped with a transceiver. ｜收到了海上求救信号。~ *shōudàole hǎi shang qiújiù xìnhào.* The transceiver received an SOS call from the sea. ❷〈名 *n.*〉用无线电波向外播送新闻、文艺等节目的场所和机构，又叫'广播电台' broadcasting/ radio station, also '广播电台 guǎngbō diàntái'：中央人民广播~现在开始播音。*Zhōngyāng Rénmín Guǎngbō ~ xiànzài kāishǐ bōyīn.* The Central People's Broadcasting Station now begins its programs. ｜今晚上海广播~实况转播全国足球赛。*Jīnwǎn Shànghǎi Guǎngbō ~ shíkuàng zhuǎnbō quánguó zúqiúsài.* Shanghai Broadcasting Station will broadcast the national football match live tonight.

²**电梯** diàntī〈名 *n.*〉(部 bù) 建筑物中用电做动力的升降装置 lift; elevator：有垂直升降~和梯式~。~ *yǒu chuízhí shēngjiàng ~ hé tīshì ~.* 'Electric ladders' include lifts and escalators. ｜每座楼有两三部~，轮换使用。*Měi zuò lóu yǒu liǎng sān bù ~, lúnhuàn shǐyòng.* Two or three lifts are installed in every building and used in turn. ｜我很少乘~，每天上下走楼梯，为的是锻炼身体。*Wǒ hěnshǎo chéng ~, měitiān shàng xià zǒu lóutī, wèi de shì duànliàn shēntǐ.* I seldom take a lift. I walk up and down the staircase for physical exercises every day.

³**电线** diànxiàn〈名 *n.*〉(根 gēn、段 duàn) 传送电力的导线 (electric) wire：这是一根铜质~。*Zhè shì yì gēn tóngzhì ~.* This is a copper wire. ｜有不同规格型号，不能随便用。~ *yǒu bùtóng guīgé xínghào, bù néng suíbiàn yòng.* There are various standards and types of wire. They can not be used at will. ｜为安全，室内~要预埋，尽量不拉明线。*Wèi ānquán, shìnèi ~ yào yù mái, jǐnliàng bù lā míngxiàn.* For safety's sake, wires in a room must be pre-installed and not exposed as far as possible.

³**电压** diànyā〈名 *n.*〉(伏 fú、伏特 fútè) 静电场或电路中两点间的电位差 voltage, an electromotive force or potential difference expressed in volts：这里的~时高时低。*Zhèli de ~ shí gāo shí dī.* The voltage here is sometimes high and sometimes low. ｜~高了或~低了都会损坏电器。~ *gāole huò dīle dōu huì sǔnhuài diànqì.* Both high and low voltage will do harm to electrical appliances. ｜电灯忽明忽暗说明~不稳。*Diàndēng hū míng hū àn shuōmíng ~ bù wěn.* The light, now bright and now dim, shows that the voltage is not stable. ｜安一个稳压器可以解决~不稳的问题。*Ān yí gè wěnyāqì kěyǐ jiějué ~ bù wěn de wèntí.* The problem of unstable voltage can be solved by fixing a voltage-stabilizer.

¹**电影** diànyǐng ❶〈名 *n.*〉一门综合性的艺术，用摄影机将人物或其他被摄体的活动影像拍摄在条状胶片上，经处理后，通过放映机在银幕上再现所摄的活动影像

movie; film; motion picture：这里是~拍摄的现场。*Zhèli shì ~ pāishè de xiànchǎng.* Here is the film-shooting location. ❷〈名 n.〉(部 bù、个 gè、场 chǎng、集 jí)指放映的电影 a film or movie：我小时候看过无声~和黑白~。*Wǒ xiǎoshíhou kànguo wúshēng ~ hé hēibái ~.* I saw silent films and black-and-white films when I was a child. ｜ 现在~品种多了，有彩色~、宽银幕~、立体~等。*Xiànzài ~ pǐnzhǒng duō le, yǒu cǎisè ~, kuānyínmù ~, lìtǐ ~ děng.* Now there is a variety of movies: colored ones, widescreen ones, three-dimensional ones, etc. ｜ 影院这场放映的是中法合拍的~。*Yǐngyuàn zhè chǎng fàngyìng de shì Zhōng-Fǎ hépāi de ~.* The film that is on in that cinema is made by China and France jointly.

² **电影院** diànyǐngyuàn〈名 n.〉(个 gè、座 zuò、家 jiā)专供放映电影用的场所 cinema：我家附近有家~，放映各种国产片和进口大片。*Wǒ jiā fùjìn yǒu jiā ~, fàngyìng gèzhǒng guóchǎnpiàn hé jìnkǒu dàpiàn.* There is a cinema near our house, which show all kinds of homemade films as well as imported ones. ｜ 现在家家有电视，上~看电影的人少了。*Xiànzài jiājiā yǒu diànshì, shàng ~ kàn diànyǐng de rén shǎo le.* Every family has television nowadays, so fewer people go to the cinema.

⁴ **电源** diànyuán〈名 n.〉(个 gè)把电能供给电器的装置 power supply; power source：没有~，家用电器无法工作。*Méiyǒu ~, jiāyòng diànqì wúfǎ gōngzuò.* Household electrical appliances can not work without power supply. ｜ 出现火警，赶快切断~。*Chūxiàn huǒjǐng, gǎnkuài qiēduàn ~.* Cut off the power source immediately when there is a fire alarm. ｜ 那个~开关坏了，换上这个新买的。*Nàge ~ kāiguān huài le, huàn shang zhège xīn mǎi de.* The button for the mains is out of order. Replace it with the newly bought one.

³ **电子** diànzǐ〈名 n.〉构成原子的一种基本粒子，围绕原子核运动 electron：我手上带的是~表。*Wǒ shǒu shang dài de shì ~ biǎo.* I wear a quartz watch. ｜ 这座~石英钟，计时误差极小。*Zhè zuò ~ shíyīngzhōng, jìshí wùchā jí xiǎo.* This quartz clock reckons by time with very close tolerances. ｜ 现在市场上~的产品越来越多了。*Xiànzài shìchǎng shang ~ de chǎnpǐn yuèláiyuè duō le.* There are more and more electronic products on the market now.

² **店** diàn ❶〈名 n.〉(个 gè、家 jiā)商店 shop; store：前面有一个小饭~。*Qiánmian yǒu yí gè xiǎo fàn~.* There is a small restaurant ahead. ｜ 这家是副食，那家是百货~。*Zhè jiā shì fùshí~, nà jiā shì bǎihuò~.* This is a grocer's; that is a department store. ❷〈名 n.〉(个 gè、家 jiā)客店 hotel; inn：今天先在这个~住下吧。*Jīntiān xiān zài zhège ~ zhùxia ba.* Let's spend the night in this hotel today. ｜ 这家~虽小，但干净，房价也便宜。*Zhè jiā ~ suī xiǎo, dàn gānjìng, fángjià yě piányi.* This hotel is small, but clean and cheap.

⁴ **店员** diànyuán〈名 n.〉(个 gè、名 míng、位 wèi)商店、服务行业的职工 shop assistant; sales clerk：妹妹是百货商店的~。*Mèimei shì bǎihuò shāngdiàn de ~.* My younger sister is a shop assistant in a department store. ｜ 那家饭馆招聘~。*Nà jiā fànguǎn zhāopìn ~.* That restaurant is recruiting attendants. ｜ 那个~服务态度很好。*Nàge ~ fúwù tàidù hěn hǎo.* That sales clerk provides good service. ｜ 要对~进行专业培训。*Yào duì ~ jìnxíng zhuānyè péixùn.* Vocational training must be given to shop assistants.

³ **垫** diàn ❶〈动 v.〉用东西衬或铺，使之加高、加厚或起隔离作用 put sth. under sth. else to make it higher or thicker, or to keep two things apart：桌子矮了，桌腿下要~几块砖。*Zhuōzi ǎi le, zhuōtuǐ xià yào ~ jǐ kuài zhuān.* The table is too low. Some bricks should be put under its legs. ｜ 路面老积水，要~些砂土。*Lùmiàn lǎo jīshuǐ, yào ~ xiē*

shātǔ. Water always collects on the road. We should put some sand on it. | 衣服上面~一块布，这样不会熨坏衣服。*Yīfu shàngmian ~ yí kuài bù, zhèyàng bú huì yùn huài yīfu.* Put a piece of cloth over the garment so that you won't damage it when you iron it. ❷ 〈动 v.〉暂时代人付款 pay for sb. and expect to be paid back afterwards: 买机票的钱，我先替你~上。*Mǎi jīpiào de qián, wǒ xiān tì nǐ ~shang.* I'll pay the air ticket for you. You can pay me back later. | 我身上没带钱，你先~一~。*Wǒ shēn shang méi dài qián, nǐ xiān ~ yí ~.* I haven't any money on me. Would you mind paying for me? I'll pay you back later. ❸ (~儿)〈名 n.〉作衬垫或垫子用的东西 pad; cushion: 棉~儿 *mián ~r* cotton cushion | 鞋~儿 *xié ~r* shoe-pad | 草~儿 *cǎo ~r* straw mat

淀粉 diànfěn 〈名 n.〉一种碳水有机化合物，俗称'团粉' starch; amylum, commonly called '团粉 tuánfěn': 土豆和红薯含~多。*Tǔdòu hé hóngshǔ hán ~ duō.* Potatoes and sweet potatoes are rich in amylum. | 肉片加点~干~拌匀，炒起来肉嫩。*Ròupiàn jiā diǎnr gān ~ bànyún, chǎo qǐlái ròu nèn.* Mix the sliced meat with some starch. It would be tenderer when stir-fried. | ~吃多了，人容易发胖。*~ chīduō le, rén róngyì fā pàng.* People would gain weight if they eat too much amylum.

惦记 diànjì 〈动 v.〉(对人或事物) 心里常思念着，放不下心 keep thinking about/be concerned about (sb. or sth.): 刚到中国的时候，老~着家。*Gāng dào Zhōngguó de shíhou, lǎo ~zhe jiā.* When I came to China, I kept thinking about my family at the beginning. | 我经常~我的妈妈。*Wǒ jīngcháng ~ wǒ de māma.* I am often concerned about my mother. | 事情过去那么久了，你怎么还~它呀？*Shìqing guòqù nàme jiǔ le, nǐ zěnme hái ~ tā ya?* It has passed for such a long time. Why are you still thinking about it?

奠定 diàndìng 〈动 v.〉使稳定而牢固 establish; settle: 为新世纪大厦~基石。*Wèi Xīnshìjì Dàshà ~ jīshí.* A cornerstone is laid for the New Century Tower. | 为以后的工作新局面~了坚实的基础。*Wèi yǐhòu de gōngzuò xīn júmiàn ~le jiānshí de jīchǔ.* A solid foundation is laid for the new phase of work in the future. | 为世界的和平与发展~了新的格局。*Wèi shìjiè de hépíng yǔ fāzhǎn ~le xīn de géjú.* A new pattern is established for peace and development in the world.

殿 diàn ❶〈名 n.〉(座 zuò) 高大的房屋，特指供奉神佛或封建帝王受朝理政或举行大典的房屋 palace, especially temple or royal palace: 五台山上的佛~一个比一个大。*Wǔtái Shān shang de fó ~ yí gè bǐ yí gè dà.* One Buddhist temple on the Wutai Mountain exceeds another in size. | 故宫中的三大~是中国古代房屋建筑中最宏伟壮观的。*Gùgōng zhōng de sān dà ~ shì Zhōngguó gǔdài fángwū jiànzhù zhōng zuì hóngwěi zhuàngguān de.* Of all the ancient buildings in China, the three great palaces in the Palace Museum are the most magnificent. ❷〈动 v.〉在最后 at the rear: 大队伍走在前面，你们~后。*Dà duìwǔ zǒu zài qiánmian, nǐmen ~ hòu.* The main force will march ahead and you'll bring up the rear.

刁 diāo 〈形 adj.〉狡猾；奸诈 sly; tricky; rascally: 待人处事不能要~。*Dàirén-chǔshì bù néng shuǎ ~.* Don't play tricks when dealing with people. | 不许在老师面前放~。*Bùxǔ zài lǎoshī miànqián fàng~.* Don't act in a rascally manner before your teacher. | 走私犯再~，也逃不过检查站。*Zǒusīfàn zài ~, yě táo bú guò jiǎncházhàn.* No matter how sly the smugglers may be, they cannot slip through the inspection station.

叼 diāo 〈动 v.〉用嘴衔住(物体的一部分) hold in the mouth: 他嘴上~着根香烟。*Tā zuǐ shang ~zhe gēn xiāngyān.* He has a cigarette between his lips. | 我家的鸡被黄鼠狼~走了。*Wǒ jiā de jī bèi huángshǔláng ~zǒu le.* A weasel ran off with our chick in its mouth.

D

³雕刻 diāokè ❶〈动 v.〉在木、石等材料上刻出文字或形象 carve/engrave（characters or images on wood, stone, etc.）：这是一枚用玉石~的私章 *Zhè shì yì méi yòng yùshí ~ de sīzhāng.* This is a personal seal carved out of jade. │ 他~的奔马栩栩如生。*Tā ~ de bēnmǎ xǔxǔ-rúshēng.* The horses that he carves are extremely lifelike. **❷**〈名 n.〉（件 jiàn）雕刻成的艺术品 carving：那件是大理石~。*Nà jiàn shì dàlǐshí ~.* That is a marble carving. │ 这件~是稀世珍品 *Zhè jiàn ~ shì xīshì zhēnpǐn.* This carving is an extremely rare treasure.

⁴雕塑 diāosù ❶〈动 v.〉雕刻和塑造 carve and mould：她把英雄的内心世界给~出来了。*Tā bǎ yīngxióng de nèixīn shìjiè gěi ~ chūlai le.* She depicted the hero's innermost being to the full. **❷**〈名 n.〉（尊 zūn、件 jiàn、座 zuò、个 gè）雕塑的形象（艺术作品）sculpture：这尊~是鲁迅的头像。*Zhè zūn ~ shì Lǔ Xùn de tóuxiàng.* This sculpture is Lu Xun's head. │ 一座巨型的~矗立在广场的中央。*Yí zuò jùxíng de ~ chùlì zài guǎngchǎng de zhōngyāng.* A giant statue stands in the center of the square.

²吊 diào ❶〈动 v.〉悬挂 hang; suspend：商店门口~zhe 对大红灯笼。*Shāngdiàn ménkǒu ~zhe yí duì dà hóng dēnglong.* There are two big red lanterns hanging over the door of the store. **❷**〈动 v.〉向上提或向下放 lift up or let down：大吊车把建筑材料~上~下。*Dà diàochē bǎ jiànzhù cáiliào ~ shàng ~ xià.* The crane lifts up and lets down building materials. **❸**〈动 v.〉收回（执照、证件等）revoke/withdraw（license; certificate, etc.）：这家商店被~销了营业执照。*Zhè jiā shāngdiàn bèi ~xiāole yíngyè zhízhào.* The business license of the store was revoked. **❹**〈动 v.〉祭奠死者或慰问遭到丧事的人家、团体 condole; mourn：他们凭~故去的亲人。*Tāmen píng ~ gùqù de qīnrén.* They mourn their deceased dear ones. **❺**〈动 v.〉安慰；怜悯 express sympathy or grief：形影相~（形容十分孤单）*xíngyǐng-xiāng~（xíngróng shífēn gūdān）* only body and shadow comforting each other（exfremely lonely）**❻**〈动 v.〉将球从网上轻轻地打到对方不易接到的位置 hit the ball where one's opponent（s）find it hard to retrieve：~球 *~ qiú* make a drop shot **❼**〈量 meas.〉中国旧时的钱币单位，一千个制钱或铜钱为一吊 a coin unit in ancient China（a *diao* = a string of 1,000 cash）

²钓 diào ❶〈动 v.〉用钓竿等工具捉鱼或捉其他水生动物 angle（fish or other aquatic animals）; fish with a hook and line：我小时候就喜欢~鱼。*Wǒ xiǎoshíhou jiù xǐhuan ~ yú.* I liked fishing from childhood. │ 了半天，一条鱼也没~上来，却~上了一只乌龟。*~le bàntiān, yì tiáo yú yě méi ~ shànglái, què ~shàngle yì zhī wūguī.* I angled for a long time and caught no fish but a tortoise. │ ~不同的鱼，~竿、~钩、~饵都有讲究。*~ bùtóng de yú, ~gān、~gōu、~ěr dōu yǒu jiǎngjiu.* There is an art to the pole, hook and bait in angling different fishes. **❷**〈动 v.〉用不正当的手段骗取 angle for; attempt to get（fame or wealth）by artful means：沽名~誉 *gūmíng~~yù* fish for honor; seek publicity

²调 diào ❶〈动 v.〉调动；分派 transfer; assign：他是新~来的校长。*Tā shì xīn ~lái de xiàozhǎng.* He is a newly assigned headmaster. │ 他从甲班~到乙班。*Tā cóng jiǎ bān ~dào yǐ bān.* He is transferred from Class A to Class B. **❷**〈动 v.〉访查；了解 investigate; inquire into：加强~研 *jiāqiáng ~yán* strengthen investigation and research │ 抓紧内查外~ *zhuājǐn nèi chá wài ~* strengthen investigations both within and without **❸**（~儿）〈名 n.〉腔调；音调 accent; tone：他说话一口广东~儿。*Tā shuōhuà yì kǒu Guǎngdōng ~r.* He speaks with a strong Guangdong accent. │ 你是哪里人，怎么说话南腔北~的？*Nǐ shì nǎli rén, zěnme shuōhuà nánqiāng-běi~ de?* Where do you come from? How come you spoke with a mixed accent? **❹**〈名 n.〉指乐曲、戏曲中高低不同的调门 key（in music or traditional opera）：唱C~ *chàng C ~* sing the key of C │ F~行不行？*F ~ xíng bù xíng?*

Will the key of F do? ❺〈名 n.〉曲调 melody: 这首歌的~很美。*Zhè shǒu gē de ~ hěn měi.* This song has a nice melody. ❻〈名 n.〉中国戏曲中成系统的曲调 a system of tunes in Chinese operas,particularly in Beijing opera: 西皮~ *Xīpí* Xipi tune, one of the major tunes in Beijing opera | 二黄~ *Èrhuáng* Erhuang tune, one of the major tunes in Beijing opera ❼〈名 n.〉语音的声调 tone; tune: 升~还是降~? *Shēng ~ háishì jiàng ~*? Is it the rising tone or falling tone? | 原来是降升~。*Yuánlái shì jiàng shēng ~.* So it's a fall-rise. ❽〈名 n.〉风格 style; taste: 格~ *gé* style; taste | 情~ *qíng* taste; mood

² **调查** diàochá ❶〈动 v.〉进行具体的了解、查访 investigate; inquire into: 没有~就没有发言权。*Méiyǒu ~ jiù méiyǒu fāyánquán.* You have no right to speak without making investigations. | 不管~多久，也要把这件事~清楚。*Bùguǎn ~ duō jiǔ, yě yào bǎ zhè jiàn shì ~ qīngchu.* We have to get a clear understanding of the problem through investigations, no matter how much time it takes. | 去基层~，到现场~，向当事人~。*Qù jīcéng ~, dào xiànchǎng ~, xiàng dāngshìrén ~.* Go down to the grassroots level and the spot and inquire into the persons concerned. ❷〈名 n.〉调查得来的材料、情况 the result of an investigation: 你把这份~交给校长。*Nǐ bǎ zhè fèn ~ jiāo gěi xiàozhǎng.* Please hand these findings to the principal. | 这份~写得太简单，有一些情节没有交待清楚。*Zhè fèn ~ xiě de tài jiǎndān, yǒu yìxiē qíngjié méiyǒu jiāodài qīngchu.* These findings are so simple that many things are not clearly stated.

³ **调动** diàodòng ❶〈动 v.〉调换，变动 transfer; shift: 我要求~工作。*Wǒ yāoqiú ~ gōngzuò.* I asked to be transferred to another job. | 你的~报告收到了，我看你还是不~为好。*Nǐ de ~ bàogào shōudào le, wǒ kàn nǐ háishì bú ~ wéi hǎo.* I have got your report for a transfer but I think you'd better remain. ❷〈动 v.〉调集动员 assemble; mobilize: 赶快~人力物力，支援灾区。*Gǎnkuài ~ rénlì wùlì, zhīyuán zāiqū.* Muster human and material resources immediately to support the disaster areas. | 把群众的积极性充分~起来。*Bǎ qúnzhòng de jījíxìng chōngfēn ~ qǐlái.* Bring the enthusiasm of the masses of the people into full play.

⁴ **调度** diàodù ❶〈动 v.〉调遣、安排(工作、人力、车辆等) manage and dispatch (work, manpower, vehicles, etc.): 加强车辆的~工作。*Jiāqiáng chēliàng de ~ gōngzuò.* Strengthen the work of managing and dispatching vehicles. | 这么多事情，我一个人能~过来吗? *Zhème duō shìqing, wǒ yí gè rén néng ~ guòlái ma?* How can I alone manage so much? | 你能力强，完全能~得开。*Nǐ nénglì qiáng, wánquán néng ~ de kāi.* You are such a capable man that you can manage it absolutely. ❷〈名 n.〉调遣、安排(工作、人力、车辆等)的人 people who manage and dispatch (work, manpower, vehicles, etc.): 他是老~了，在车队当了十年的~。*Tā shì lǎo ~ le, zài chēduì dāngle shí nián de ~.* Having been a dispatcher in the transport team for ten years, he is an old hand. | 我不是~，要人要车我说了不算数。*Wǒ bú shì ~, yào rén yào chē wǒ shuōle bú suànshù.* I am not a dispatcher, so what I say about the dispatching of manpower and vehicles does not count.

⁴ **调换** diàohuàn ❶〈动 v.〉彼此互换；更换 exchange; change: 我视力差，最好能~到前排听课。*Wǒ shìlì chà, zuìhǎo néng ~ dào qiánpái tīngkè.* I am poor-sighted. May I change my seat to a front one for class? | 语文和数学这两节课要~一下。*Yǔwén hé shùxué zhè liǎng jié kè yào ~ yíxià.* The classes of Chinese and mathematics have to be swapped. ❷〈动 v.〉退换；更换 replace (a purchase): 这条裤子尺码不合适，我得到商场~去。*Zhè tiáo kùzi chǐmǎ bù héshì, wǒ děi dào shāngchǎng ~ qù.* The trousers do not fit and I have to go to the shop to replace them. | ~不了，我只能退货。*~ bù liǎo, wǒ*

zhǐnéng tuìhuò. If it can not be replaced, I have to return it.

¹ **掉** diào ❶〈动 v.〉落下；脱落 fall；drop：院子里～了满地的树叶。*Yuànzi li ～le mǎndì de shùyè.* The courtyard is covered with fallen leaves.｜一阵风，把他的帽子吹～了。*Yí zhèn fēng, bǎ tā de màozi chuī～ le.* A gust of wind blew off his cap. ❷〈动 v.〉落在后面 fall behind：我病了一个月，功课～了不少。*Wǒ bìngle yí gè yuè, gōngkè～le bù shǎo.* Being sick for a month, I have missed much class.｜我腿部受伤，～队了。*Wǒ tuǐbù shòushāng, ～duì le.* Being wounded in the leg, I fell behind. ❸〈动 v.〉丢失；遗漏 lose；be missing：真倒霉，钱包～了。*Zhēn dǎoméi, qiánbāo～le.* What lousy luck, I have lost my purse.｜公文包可能～在出租车上了。*Gōngwénbāo kěnéng～zài chūzūchē shang le.* The briefcase might have been left behind in the taxi. ❹〈动 v.〉减少；降低 reduce；drop：这场病，我～了五斤肉。*Zhè chǎng bìng, wǒ～le wǔ jīn ròu.* During the illness, I lost five *jin* in weight.｜这件衣服～色儿～得厉害。*Zhè jiàn yīfu～shǎir～de lìhai.* This garment fades a lot. ❺〈动 v.〉回；转 turn：这条路很窄，汽车没法～头。*Zhè tiáo lù hěn zhǎi, qìchē méi fǎ～tóu.* The road is so narrow that the car is unable to turn.｜请把脸～过来。*Qǐng bǎ liǎn～guòlái.* Please turn your face. ❻〈动 v.〉互换 exchange；change：近视的同学～到前排去坐。*Jìnshì de tóngxué～dào qiánpái qù zuò.* The near-sighted pupils changed their seats to the front row.｜矮个和高个～一下位置。*Ǎigè hé gāogè～yíxià wèizhì.* The short and the tall exchanged their seats. ❼〈动 v.〉变换 change；vary：他做饭就那点儿本事，再～也～不出新花样来。*Tā zuòfàn jiù nà diǎnr běnshì, zài～yě～bù chū xīn huāyàng lái.* So much for his skill in cooking. He cannot change the diet any more. ❽〈动 v.〉用在及物动词后，表示除去 used after a transitive verb to indicate removal：改～不良习惯 *gǎi～bùliáng xíguàn* correct bad habits｜删～多余的句子 *shān～duōyú de jùzi* delete some redundant sentences ❾〈动 v.〉用在不及物动词后，表示离开 used after an intransitive verb to indicate departure：一个坏蛋也跑不～。*Yí gè huàidàn yě pǎo bú～.* Not a single bad person is allowed to slip away.

³ **爹** diē〈名 n. 口 colloq.〉父亲，也说'爹爹' father；dad, also '爹爹 diēdie'：我～是地道的庄稼汉。*Wǒ～shì dìdao de zhuāngjiahàn.* My father is a typical peasant.｜赶集去了。～赶集去了。*～gǎnjí qù le.* My dad has gone to the fair.｜孩子他～上班去了(妻子称自己的丈夫为'孩子他爹')。*Háizi tā～shàngbān qù le（qīzi chēng zìjǐ de zhàngfu wéi 'háizi tā diē'）.* My husband has gone to work (A wife calls her husband '孩子他爹 háizi tā diē' the child's daddy').｜不好好儿学习真对不起～和娘。*Bù hǎohāor xuéxí zhēn duìbuqǐ～hé niáng.* I will let my father and mother down if I do not study hard.

² **跌** diē ❶〈动 v.〉摔倒；倒下 fall；tumble：～倒 *～dǎo* fall dawn｜不小心～了一跤 *bù xiǎoxīn～le yì jiāo* fall down because of carelessness ❷〈动 v.〉下降；低落 drop；fall：东西不好卖，一再～价甩出。*Dōngxi bù hǎo mài, yízài～jià shuǎi chū.* The goods do not sell well and have to be disposed of at reduced prices.｜长江水位已渐渐～下去了。*Cháng Jiāng shuǐwèi yǐ jiànjiàn～xiàqù le.* The water level of the Yangtze gradually dropped.

³ **叠** dié ❶〈动 v.〉一层一层往上加 pile up：杂技演员熟练地～椅子，足足～了12把！*Zájì yǎnyuán shúliàn de～yǐzi, zúzú～le shí'èr bǎ!* The acrobat piled one chair upon another skillfully and made a pyramid of 12 chairs in all.｜他把书一摞一摞～好。*Tā bǎ shū yí luò yí luò～hǎo.* He piled up the books neatly. ❷〈动 v.〉重复 repeat：层见～出 *céngjiàn～chū* appear repeatedly ❸〈动 v.〉折叠 fold：战士们的被褥～得整整齐齐 *Zhànshìmen de bèirù～de zhěngzhěng-qíqí.* The soldiers' quilts are neatly folded.｜幼儿园阿姨教小朋友用纸～各种各样小动物。*Yòu'éryuán āyí jiāo xiǎopéngyǒu yòng zhǐ～*

gèzhǒng-gèyàng xiǎo dòngwù. The teacher in the kindergarten teach the children to fold all kinds of small animals out of paper.

⁴ **碟子** diézi 〈名 *n.*〉(个 gè、只 zhī）盛菜蔬或调味品的器皿 dish; plate：我家有一套大小式样各异的～。*Wǒ jiā yǒu yí tào dàxiǎo shìyàng gè yì de ~.* We have a set of plates, different in size and style. │ 这些～是著名瓷都景德镇生产的。*Zhèxiē ~ shì zhùmíng cídū Jīngdézhèn shēngchǎn de.* These small dishes are made in Jingdezhen, known as Capital of Porcelain.

³ **丁** dīng ❶〈名 *n.*〉成年男子；人口 man; male adult; population：人～兴旺 *rén~-xīngwàng* having a growing family │旧社会，男人就怕抓壮～。*Jiù shèhuì, nánrén jiù pà zhuā zhuàng~.* In old society, able-bodied men were just afraid of being pressganged into the army. ❷〈名 *n.*〉指从事某种劳动的人 a person engaged in a certain profession：老师是辛勤的园～。*Lǎoshī shì xīnqín de yuán~.* Teachers are hardworking gardeners. ❸（～儿）〈名 *n.*〉蔬菜、水果、肉类切成的小方块 small cubes of vegetable, fruit or meat：宫爆肉～是中国的一道家常菜。*Gōngbàoròu~ shì Zhōngguó de yí dào jiāchángcài.* Quick-fried diced meat is a common course in Chinese food. │我爱吃素炒三～。*Wǒ ài chī sùchǎosān~.* I like stir-fired cubes of three vegetables. ❹〈名 *n.*〉天干的第四位 fourth of the 10 Heavenly Stems：天干有甲、乙、丙、丁等十个字，丁列第四）；中国传统用于排列顺序 fourth in order：上大学的时候，他在甲班，而我是在～班。*Shàng dàxué de shíhou, tā zài jiǎ bān, ér wǒ shì zài ~ bān.* He was in Class One and I in Class Four during the college days.

⁴ **叮嘱** dīngzhǔ 〈动 *v.*〉再三嘱咐 urge again and again：妈妈一再～我路上吃饱点儿，穿暖和点儿。*Māma yízài ~ wǒ lù shang chībǎo diǎnr, chuān nuǎnhuo diǎnr.* Mother urged me again and again to eat and wear enough on the journey. │我暗暗～自己，一定要学会独立地工作和生活。*Wǒ ànàn ~ zìjǐ, yídìng yào xuéhuì dúlì de gōngzuò hé shēnghuó.* I urge myself to learn to work and live on my own. │老师～学生答题先弄清含题然后再下笔解答。*Lǎoshī ~ xuésheng dátí xiān nòngqīng mìngtí ránhòu zài xiàbǐ jiědá.* The teacher warned the students that they should understand the questions before they began to answer them.

³ **盯** dīng 〈动 *v.*〉把视线集中到一点上；注视 fix one's eyes on; stare at：姑娘被小伙子～得脸都红了。*Gūniang bèi xiǎohuǒzi ~ de liǎn dōu hóng le.* The girl blushed when the boys fixed their eyes on her. │老～着人家看是不礼貌的。*Lǎo ~zhe rénjia kàn shì bù lǐmào de.* It is not polite to stare at others. │这里很乱，你负责～住行李 *Zhèli hěn luàn, nǐ fùzé ~zhù xíngli.* You'll look after the luggage for it is in a state of disorder here. │～了半天，怎么没～住？*~le bàntiān, zěnme méi ~zhù?* You have kept watch on him for a long time. How come he slipped away?

³ **钉** dīng ❶〈动 *v.*〉紧跟不放松 follow closely; tail：你负责～对方的前锋。*Nǐ fùzé ~ duìfāng de qiánfēng.* You'll tail the forward of the other team. │叫你～他，怎么让他跑了？*Jiào nǐ ~ tā, zěnme ràng tā pǎo le?* You were asked to follow him closely. How come he slipped away? ❷〈动 *v.*〉督促；催问 urge; press：贷款的事你可得～着点儿，办不成的话公司就要垮了。*Dàikuǎn de shì nǐ kě děi ~zhe diǎnr, bàn bù chéng de huà gōngsī jiù yào kuǎ le.* You have to press a little concerning the loan. The company will close down if you cannot get it. │她做事老要人～着。*Tā zuòshì lǎo yào rén ~zhe.* Whatever she does, she has to be urged on. ❸（～儿）〈名 *n.*〉(个 gè、颗 kē）钉子 nail：铁～ tiě~ iron nail │螺丝～儿 luósī ~r screw

D

☞ dìng, p. 232

³ **钉子** dīngzi ❶〈名 n.〉(个 gè、颗 kē、枚 méi)指铁钉 nail; tack; iron nail: 墙上钉一个～挂镜框。Qiáng shang dīng yí gè ~ guà jìngkuàng. Hang a picture frame on the wall with a nail. | 小心门上的～挂破衣服。Xiǎoxīn mén shang de ~ guàpò yīfu. Be careful not to have your clothes caught by the nail in the door. ❷〈名 n.〉比喻难以处理的人或事物 fig. a person or thing difficult to deal with: 我可不想去碰这个～。Wǒ kě bù xiǎng qù pèng zhège ~. I do not want to meet with this rebuff. ❸〈名 n.〉比喻埋伏在对方内部的人 fig. a saboteur that has hidden inside the opposing party: 我们在敌人内部安插了～。Wǒmen zài dírén nèibù ānchāle ~. We have planted a saboteur within the enemy.

² **顶** dǐng ❶〈名 n.〉人或物体的最高部分 the topmost part of a person or an object: 老教授的头～都秃了。Lǎo jiàoshòu de tóu ~ dōu tū le. The old professor is bald-headed. | 我把楼～改造成小花园。Wǒ bǎ lóu ~ gǎizào chéng xiǎo huāyuán. I transformed the rooftop into a little garden. ❷〈名 n.〉上限 ceiling; upper limit: 奖金上不封，下不保底。Jiǎngjīn shàng bù fēng, xià bù bǎo dǐ. Neither maximum nor minimum is set for bonus. ❸〈动 v.〉支撑；抵住 support; prop up: 墙快倒了，用几根柱子～住。Qiáng kuài dǎo le, yòng jǐ gēn zhùzi ~zhù. Prop up the wall with some posts for it is about to fall down. ❹〈动 v.〉用语言顶撞 retort; turn down: 小孩子不应该跟大人～嘴。Xiǎo háizi bù yīnggāi gēn dàren ~zuǐ. A child should not talk back to the adults. | 售货员跟顾客～了起来。Shòuhuòyuán gēn gùkè ~le qǐlái. The shop assistant quarreled with the customers. ❺〈动 v.〉迎着；拱起 go against; push up: 战士们～风冒雪前进。Zhànshìmen ~fēng-màoxuě qiánjìn. The soldiers marched forward against the wind and snow. | 蒸气把锅盖～起来了。Zhēngqì bǎ guōgài ~ qǐlái le. The steam pushed up the lid of the pot. ❻〈动 v.〉相当；抵 be equal to; be equivalent to: 小伙子干起活来，一个～俩。Xiǎohuǒzi gàn qǐ huó lái, yí gè ~ liǎ. The young man can do the work of two. | 水果怎么能～饭吃呢？Shuǐguǒ zěn néng ~ fàn chī ne? How can fruit serve as meals? ❼〈动 v.〉担当；顶替 support; cope with; stand up to: 老师的工作，你～不了。Lǎoshī de gōngzuò, nǐ ~ bù liǎo. You are not able to cope with a teacher's job. | 这活太累，我实在～不住了。Zhè huó tài lèi, wǒ shízài ~ bú zhù le. The work makes me so tired that I really can not carry on. ❽〈动 v.〉用头顶住 gore; butt: 你看，两头牛～起来了。Nǐ kàn, liǎng tóu niú ~ qǐlái le. Look, the two bulls are goring each other. | 前锋把球～进去了。Qiánfēng bǎ qiú ~ jìnqù le. The forward headed the ball into the goal. ❾〈动 v.〉指转让或取得企业的经营权、房屋的租赁权 transfer or obtain the authority to manage an enterprise or the right to lease a house: 这家商店已～出去了。Zhè jiā shāngdiàn yǐ ~chūqù le. This shop is leased out. | 我～了一个铺面，打算开个小百货店。Wǒ ~le yí gè pùmiàn, dǎsuàn kāi gè xiǎo bǎihuòdiàn. I rented a shop front and intended to open a small department store there. ❿〈副 adv.〉表示程度最高 most; extremely (used to express the maximum degree): 这些羊毛衫中这件～漂亮。Zhèxiē yángmáoshān zhōng zhè jiàn ~ piàoliang. Of all these woolen sweaters, this one is the most beautiful. | 妈妈给我做的布鞋～结实。Māma gěi wǒ zuò de bùxié ~ jiēshi. The cloth shoes that my mother makes for me are most durable. | 这些小伙子里他干活～卖力。Zhèxiē xiǎohuǒzi li tā gànhuó ~ màilì. Among these young men, he works hardest. ⓫〈副 adv.〉表示最大限度 at most (used to express maximum extent): 干这活，～快也得十天半个月。Gàn zhè huó, ~ kuài yě děi shí tiān bàn gè yuè. It takes at least ten days or half a month to finish the job. | 开车到广州，～多两天就够了。Kāichē dào Guǎngzhōu, ~ duō liǎng tiān jiù gòu le. It takes at most two days to get to Guangzhou by car. ⓬〈量 meas.〉用于某些有顶的物品 for

things which have a top: 一~帽子 yī ~ *màozi* a hat | 一~蚊帐 yī ~ *wénzhàng* a mosquito net | 一~帐篷 yī ~ *zhàngpeng* a tent

⁴ **顶点** dǐngdiǎn〈名 n.〉最高点；极点 apex; zenith: 只要大家努力登攀，就一定能到达科学的~。 *Zhǐyào dàjiā nǔlì dēngpān, jiù yídìng néng dàodá kēxué de ~.* We are sure to scale the apex of science, as long as we strive to. | 此人已坏到了~，无可救药! *Cǐrén yǐ huàidào le ~, wúkějiùyào!* The guy is incurably bad.

⁴ **顶端** dǐngduān ❶〈名 n.〉最高最上的部分 top; peak; apex: 一群白鹭落在榕树的~。 *Yì qún báilù luò zài róngshù de ~.* A flight of egrets rested on the top of the banyan tree. | 塔的~悬挂着一口铜钟。 *Tǎ de ~ xuánguàzhe yì kǒu tóngzhōng.* At the top of the pagoda hangs a bronze bell. ❷〈名 n.〉物体最后的部分；长形物体的两头 end (of an object): 长廊西边的~是一个凉亭。 *Chángláng xībian de ~ shì yí gè liángtíng.* At the end of the long corridor is a pavilion. | 这根棍子的~涂着白漆。 *Zhè gēn gùnzi de ~ túzhe báiqī.* The ends of the rod are painted white.

² **订** dìng ❶〈动 v.〉经双方或多方商讨而立下共同执行的条约、计划、章程等 conclude (a treaty); enter into/make (contract); work out (a plan): 两国签~了互不侵犯条约。 *Liǎngguó qiān~le hù bù qīnfàn tiáoyuē.* The two countries concluded a treaty of mutual non-aggression. | 我们拟~了一个学习汉语的计划。 *Wǒmen nǐ~le yí gè xuéxí Hànyǔ de jìhuà.* We have drawn up a plan for the study of Chinese. | 学校制~了外国留学生来校进修章程。 *Xuéxiào zhì~le wàiguó liúxuéshēng lái xiào jìnxiū zhāngchéng.* The school worked out some regulations on foreign students coming here for further studies. ❷〈动 v.〉预先约定 book; order: 这批~货这两天就能到。 *Zhè pī ~huò zhè liǎng tiān jiù néng dào.* The ordered goods will arrive within two days. | 我要~10日去上海的机票一张。 *Wǒ yào ~ shí rì qù Shànghǎi de jīpiào yì zhāng.* I'd like to book an air ticket to Shanghai on the 10th. | 火车卧铺票不好买，要提前三天~。 *Huǒchē wòpù piào bù hǎo mǎi, yào tíqián sān tiān ~.* It is very difficult to get a sleeper ticket. You have to book it three days in advance. ❸〈动 v.〉修改；订正 revise; make corrections: 这本辞典最近出了增~本了。 *Zhè běn cídiǎn zuìjìn chūle zēng~běn le.* The dictionary has recently appeared in a revised and enlarged edition. | 我们的计划需要重新修~。 *Wǒmen de jìhuà xūyào chóngxīn xiū~.* Our plan needs revision. ❹〈动 v.〉装订 staple together; bind: 这书~的质量满不错的。 *Zhè shū ~ de zhìliàng mǎn búcuò de.* This book is well bound. | 你拿这些纸~个本子吧。 *Nǐ ná zhèxiē zhǐ ~ gè běnzi ba.* Bind these sheets into a notebook.

⁴ **订购** dìnggòu〈动 v.〉约定购买 order: 他从东北~了一批大豆。 *Tā cóng Dōngběi ~le yì pī dàdòu.* He ordered a lot of soya beans from northeast China. | ~的这批电脑过几天就到。 *~ de zhè pī diànnǎo guò jǐ tiān jiù dào.* The computers ordered will arrive in several days. | 这次~少了，下回要多~一些。 *Zhè cì ~ shǎo le, xiàhuí yào duō ~ yìxiē.* We have not ordered enough this time and should order more next time.

³ **订婚** dìng//hūn〈动 v.〉男女订立婚约 be engaged (to be married): 一年前他俩就~了。 *Yì nián qián tā liǎ jiù ~ le.* The two were engaged a year ago. | 现在只是交朋友，还没到~的时候。 *Xiànzài zhǐshì jiāo péngyou, hái méi dào ~ de shíhou.* We are just making friends, not yet to the point of being engaged. | 我俩虽然订了婚，但不急于结婚。 *Wǒliǎ suīrán dìngle hūn, dàn bù jíyú jiéhūn.* Although we are engaged, we are not in a hurry to get married.

⁴ **订货** Ⅰ dìng//huò〈动 v.〉订购产品或货物 order (products or goods): 每年广州都有大型~会。 *Měinián Guǎngzhōu dōu yǒu dàxíng ~ huì.* There is a large trade fair in Guangzhou every year. | 经理让我去上海~。 *Jīnglǐ ràng wǒ qù Shànghǎi ~.* The

manager sent me to Shanghai to order some goods. ｜我们订的这批货怎么到现在还没来? *Wǒmen dìng de zhè pī huò zěnme dào xiànzài hái méi lái?* Why have our ordered goods not yet arrived? Ⅱ **dìnghuò** 〈名 n.〉(批 pī) 预先订购的产品或货物 ordered products or goods: 我们的~，厂家说已经发过来了。*Wǒmen de ~, chǎngjiā shuō yǐjīng fā guòlái le.* The factory says that the goods that we have ordered are already on the way.

⁴ **订阅** dìngyuè 〈动 v.〉预先付款订购报纸、刊物 subscribe to (newspapers or magazines): 学校为教师~了十几种报纸和七八种杂志。*Xuéxiào wèi jiàoshī ~le shíjǐ zhǒng bàozhǐ hé qī-bā zhǒng zázhì.* The school subscribes to more than ten newspapers and seven or eight magazines for the teachers. ｜这报纸我是去年第四季度~的。*Zhè bàozhǐ wǒ shì qùnián dì-sì jìdù ~ de.* I subscribed to these newspapers in the fourth quarter of last year.

⁴ **钉** dìng ❶〈动 v.〉把钉子等打到别的东西里；用钉子、螺丝等把东西固定在一定的位置上或把分散的东西连合起来 drive in a nail; fix or bind sth. with a nail: 眼睛不好使了，~了半天还~歪了。*Yǎnjing bù hǎo shǐ le, ~le bàntiān hái ~wāi le.* My poor eye! I haven't driven in the nail properly though I tried for a long time. ｜椅子快散架了，用钉子~一~。*Yǐzi kuài sǎnjià le, yòng dīngzi ~ yí ~.* The chair is falling apart. Fix it with some nails. ｜往墙上~个钉子，好挂衣服。*Wǎng qiáng shang ~ gè dīngzi, hǎo guà yīfu.* Drive a nail into the wall for hanging clothes. ❷〈动 v.〉用针线把带子、钮扣等缝住 sew on (with thread and needle): 她从没~过扣子，把扣子给~反了。*Tā cóng méi ~guo kòuzi, bǎ kòuzi gěi ~fǎn le.* Having never sewed a button, she did it inside out. ｜要~就~结实了，别今天刚~明天又掉了。*Yào ~ jiù ~ jiēshí le, bié jīntiān gāng ~ míngtiān yòu diào le.* Sew it on properly if you like, or it will come off tomorrow.

☞ dīng, p. 229

² **定** dìng ❶〈动 v.〉决定；使确定 decide; fix: ~规划 ~ guīhuà work out a program ｜~计划 ~ jìhuà make a plan ｜先把会议的地点和规模~下来。*Xiān bǎ huìyì de dìdiǎn hé guīmó ~ xiàlái.* Let's fix the place and size of the meeting first. ❷〈动 v.〉固定；使固定 fix; settle: 人到中年就~型了。*Rén dào zhōngnián jiù ~xíng le.* A person becomes mature when he reaches the middle age. ｜~睛一看，原来是一只小鸟。*~jīng yí kàn, yuánlái shì yì zhī xiǎo niǎo.* I looked with fixed eyes only to see a small bird. ❸〈动 v.〉平静；稳定 compose oneself; collect oneself: 她~了~神开始发言。*Tā ~le ~ shén kāishǐ fāyán.* She composed herself a little and began to speak. ｜你要~下心来才能做好工作。*Nǐ yào ~xià xīn lái cái néng zuò hǎo gōngzuò.* Only when you collect yourself can you work well. ❹〈动 v.〉约定；预定 conclude; order; book: ~做 ~zuò have sth. made to order ｜~金 ~jīn down payment. ~了两张机票 ~le liǎng zhāng jīpiào book two air tickets ❺〈形 adj.〉稳定的；确定的；规定的 fixed; established: ~论 ~lùn final conclusion ｜~局 ~jú foregone conclusion ｜~额 ~é fixed quota ❻〈形 adj.〉表示固定不动；决定不变；确定不移 fixed; decided; settled: 拿~主意 ná ~ zhǔyi make a decision ｜下~决心 xià~ juéxīn make up one's mind ｜谈~了的事情，就不要变卦。*Tán~le de shìqing, jiù búyào biànguà.* You should not change your mind once the matter is settled. ❼〈副 adv. 书 lit.〉一定；必定 surely; certainly: 我班~能夺取冠军。*Wǒ bān ~ néng duóqǔ guànjūn.* Our class is sure to win the championship. ｜他不同意~有缘故。*Tā bù tóngyì ~ yǒu yuángù.* There must be some reason for his disapproval.

⁴ **定点** dìngdiǎn ❶〈动 v.〉选定或指定在某处 select or designate a place: ~兑换 ~ duìhuàn exchange at designated places ｜~供应 ~ gōngyìng supply at fixed outlets ❷〈形 adj.〉指定作为专门从事某项工作的 designated; assigned: 旅游~饭店 lǚyóu ~

fàndiàn designated hotels for tourists ❸〈形 *adj.*〉规定时间的 within the fixed time：~作业 ~ *zuòyè* work to be finished within the fixed time│班车 ~ *bānchē* regular shuttles

⁴ **定额** dìng'é ❶〈名 *v.*〉规定的数量 quota：规定 ~ *guīdìng* ~ set a quota│完成 ~ *wánchéng* ~ fulfil a quota│不合理 ~ *bù hélǐ* unreasonable quota ❷〈动 *v.*〉规定数额 fix a quantity; ration：~分配 ~ *fēnpèi* rationing│~管理 ~ *guǎnlǐ* management based on fixed quantity

⁴ **定价** Ⅰ dìng/jià〈动 *v.*〉规定价格 fix a price：这批货还没有 ~，不能卖。*Zhè pī huò hái méiyǒu* ~，*bù néng mài.* These goods are not on sale, for their price has not been set yet.│这货到底多少价合适？*Zhè huò dàodǐ dìng duōshao jià héshì?* How much is the proper price we should mark for these goods? Ⅱ dìngjià〈名 *n.*〉规定的价格 fixed price：~合理 ~ *hélǐ* reasonable price│~偏高 ~ *piān gāo* price on the high side

⁴ **定居** dìng/jū〈动 *v.*〉在某个地方固定地居住下来 settle down：江上的船工、渔民陆续在岸上 ~。*Jiāng shang de chuángōng, yúmín lùxù zài àn shang* ~. The boatmen and fishermen on the river have begun to settle down ashore one after another.│我喜欢中国，打算在北京 ~ 下来。*Wǒ xǐhuan Zhōngguó, dǎsuàn zài Běijīng* ~ *xiàlái.* I like China and intend to settle down in Beijing.│她已经在北京买了房，定了居。*Tā yǐjīng zài Běijīng mǎile fáng, dìngle jū.* She has bought a house in Beijing and settled down.

⁴ **定理** dìnglǐ ❶〈名 *n.*〉(条 *tiáo*、个 *gè*)已经证明可以作为原则或规律的命题或公式 theorem：证明 ~ *zhèngmíng* ~ prove a theorem│这是根据一个数学 ~ 演算出来的。*Zhè shì gēnjù yí gè shùxué* ~ *yǎnsuàn chūlái de.* The calculation is achieved according to a mathematical theorem.│他发现了物理学上的一条重要 ~。*Tā fāxiànle wùlǐxué shang de yì tiáo zhòngyào* ~. He discovered an important theorem in physics. ❷〈名 *n.*〉确定的道理 principle; law; established rule：吐故纳新是一条 ~。*Tǔgù-nàxīn shì yì tiáo* ~. Exhaling the old and inhaling the new is an established rule.

⁴ **定量** dìngliàng ❶〈动 *v.*〉规定数量 fix a quantity; ration：实行 ~ 配给 *shíxíng* ~ *pèijǐ* practise rationing│~供应 ~ *gōngyìng* rationing ❷〈动 *v.*〉测定物质所含各种成分的数量 determine the amounts of the components of a substance：~分析 ~ *fēnxī* quantitative analysis ❸〈名 *n.*〉规定的数量 fixed quantity; ration：超过 ~ *chāoguò* ~ exceed the ration

⁴ **定律** dìnglǜ〈名 *n.*〉(个 *gè*、条 *tiáo*)为实践证明了的、反映客观事物在一定条件下发展变化过程和关系的规律 (scientific) law：数学 ~ *shùxué* ~ mathematical law│万有引力 ~ *wànyǒuyǐnlì* ~ the law of universal gravitation.

³ **定期** dìngqī ❶〈动 *v.*〉约定日期 fix a date：~召开 ~ *zhàokāi* convene at the fixed date│~完成 ~ *wánchéng* fulfil on schedule│我和公司签订了 ~ 一年的合同。*Wǒ hé gōngsī qiāndìngle* ~ *yì nián de hétong.* My company and I have signed a one-year contract. ❷〈形 *adj.*〉有一定期限的 regular; at regular intervals：~航班 ~ *hángbān* regular flight│~存款 ~ *cúnkuǎn* fixed deposit│学校为教职员工进行 ~ 体检。*Xuéxiào wèi jiàozhíyuángōng jìnxíng* ~ *tǐjiǎn.* The school does regular physical checkups for its teachers and staff members.

⁴ **定向** dìngxiàng ❶〈副 *adv.*〉指有一定的方向和目标 having a set direction or goal：国家 ~ 培养汉语教学人才。*Guójiā* ~ *péiyǎng Hànyǔ jiàoxué réncái.* The state trains some people to be teachers of the Chinese language.│我们采用 ~ 爆破新技术拆毁了这座大楼。*Wǒmen cǎiyòng* ~ *bàopò xīn jìshù chāihuǐle zhè zuò dàlóu.* We dismantled the building by the new technique of directional blasting. ❷〈动 *v.*〉测定方向 determine the direction：~台 ~ *tái* directional platform│这仪器是 ~ 用的。*Zhè yíqì shì* ~ *yòng de.* This

instrument is used to determine directions.

定性 dìng/xìng ❶〈动 v.〉测定物质所含成分及性质 determine the composition and nature of a substance：对这个矿物进行～分析。*Duì zhège kuàngwù jìnxíng ~ fēnxī.* Make a quantitative analysis of this mineral. ❷〈动 v.〉对犯错误或犯罪的人，确定其问题的性质 determine the nature of an offence：他的问题～了没有？*Tā de wèntí ~le méiyǒu?* Is the nature of his offence determined? │ 这个案子已定了性。*Zhège ànzi yǐ dìngle xìng.* The nature of the case is determined.

定义 dìngyì〈名 n.〉（个 gè）对于一种事物的本质特征或一个概念的内涵和外延的确切表述 definition：不能贸然下～。*Bù néng màorán xià ~.* Don't give a definition rashly. │ 要先弄明白～。*Yào xiān nòng míngbai ~.* You have to understand the definition first. │ 老师讲了半天，我还搞不太明白～。*Lǎoshī jiǎngle bàntiān ~, wǒ hái gǎo bú tài míngbai.* The teacher spent much time explaining the definition, but I still don't quite understand it.

丢 diū ❶〈动 v.〉遗失；丧失 lose; mislay：我上街把钱包～了。*Wǒ shàngjiē bǎ qiánbāo ~ le.* I lost my purse in town. │ 他老爱～东西，昨天把帽子～在朋友家，今天又把眼镜～在图书馆了。*Tā lǎo ài ~ dōngxi, zuótiān bǎ màozi ~ zài péngyou jiā, jīntiān yòu bǎ yǎnjìng ~ zài túshūguǎn le.* He always leaves things behind. Yesterday he left his hat at his friend's and today his glasses in the library. ❷〈动 v.〉扔；抛弃 throw; cast：别随便～烟头。*Bié suíbiàn ~ yāntóu.* Don't toss cigarette butts carelessly. │ 别把朋友～下。*Bié bǎ péngyou ~xià.* Don't cast away your friends. ❸〈动 v.〉搁置；放 put aside; put：这场病把功课给～了。*Zhè chǎng bìng bǎ gōngkè gěi ~ le.* I missed the lessons because of this illness. │ ～了专业实在太可惜了。*~le zhuānyè shízài tài kěxī le.* It would be a great pity not to use your specialty. │ 几年不用，外语全～光了。*Jǐ nián bú yòng, wàiyǔ quán ~guāng le.* Having not used it for years, I have completely forgotten the foreign language.

丢人 diū/rén〈动 v.〉没有脸面见人；丧失人格和体面 lose face; be disgraced：偷看别人的卷子，太～了！*Tōu kàn biérén de juànzi, tài ~ le!* What a disgrace it is to peep at the answers in other people's examination papers! │ 别做～的事。*Bié zuò ~ de shì.* Don't do anything disgracing. │ 我太太嫌我穿的衣服太土，丢了她的人。*Wǒ tàitai xián wǒ chuān de yīfu tài tǔ, diūle tā de rén.* My wife complains about my unrefined dress and thinks this will disgrace her.

丢失 diūshī〈动 v.〉遗失；失掉 lose：护照随身携带，千万别～。*Hùzhào suíshēn xiédài, qiānwàn bié ~.* Carry your passport on you and never lose it. │ 糟糕，公文包可能～在车上了。*Zāogāo, gōngwénbāo kěnéng ~ zài chē shang le.* Oh, no. I may have left my briefcase in the car.

东 dōng ❶〈名 n.〉四个主要方向之一，太阳升起的方向（与'西'相对）east（opposite to '西 xī'）：太阳从～边升起。*Tàiyáng cóng ~bian shēngqǐ.* The sun rises in the east. │ 我家住在～城。*Wǒ jiā zhù zài ~chéng.* We live in the east of the city. │ 往～走一站地就到学校了。*Wǎng ~ zǒu yí zhàn dì jiù dào xuéxiào le.* Go a bus stop's distance eastwards and you'll see the school. ❷〈名 n.〉主人 master; owner：我是这家公司的股～。*Wǒ shì zhè jiā gōngsī de gǔ~.* I am a shareholder of this company. │ 他是我的～家。*Tā shì wǒ de ~jia.* He is my master. │ 房～是一位老大爷。*Fáng~ shì yí wèi lǎodàye.* My landlord is an old man. ❸〈名 n.〉请客的主人，也称'东道'host, also '东道 dōngdào'：今天我做～，请各位到全聚德吃烤鸭。*Jīntiān wǒ zuò ~, qǐng gèwèi dào Quánjùdé chī kǎoyā.* I'll play the host today and treat you to roast duck at the Quanjude Restaurant. │ 你做这两

次~了，这回该我来做~。*Nǐ zuòguo liǎng cì ~ le, zhè huí gāi wǒ lái zuò~.* You have been the host twice. It is my turn this time.

² **东北** dōngběi ❶〈名 *n.*〉东和北之间的方位（与'西南'相对）northeast (opposite to '西南xīnán': 我家在北京的~郊。*Wǒ jiā zài Běijīng de ~ jiāo.* My family live in the northeastern suburbs of Beijing. | ~角有个邮局。~ *jiǎo yǒu gè yóujú.* There is a post office at the northeastern corner. | 打这往~走300米就到我们工厂了。*Dǎ zhèr wǎng ~ zǒu sānbǎi mǐ jiù dào wǒmen gōngchǎng le.* Walk 300 meters northeastwards and you'll get to our factory. ❷（Dōngběi）〈名 *n.*〉特指中国东北地区，包括黑龙江、吉林、辽宁三省及内蒙古自治区东部 northeast China, the part of China that consists of the three provinces of Heilongjiang, Jilin and Liaoning, and the eastern part of the Inner Mongolian Autonomous Region: ~盛产大豆和高粱。~ *shèngchǎn dàdòu hé gāoliang.* Northeast China abounds in soya beans and sorghum. | 当年我爷爷从山东逃荒到~，今天我从~到北京来上大学。*Dāngnián wǒ yéye cóng Shāndōng táohuāng dào ~, jīntiān wǒ cóng ~ dào Běijīng lái shàng dàxué.* My grandfather fled to northeast China from a famine-stricken area in Shandong then; I come to Beijing from northeast China to study at a university today.

⁴ **东奔西走** dōngbēn-xīzǒu 〈成 *idm.*〉形容到处奔忙或为某一目的而四处活动 go around here and there; bustle about for a certain purpose: 他整天~一心为孩子找一所理想的学校。*Tā zhěngtiān ~ yìxīn wèi háizi zhǎo yì suǒ lǐxiǎng de xuéxiào.* He bustled about all day, determined to find an ideal school for his child. | 为求得一份满意的工作他没日没夜地~。*Wèi qiú dé yí fèn mǎnyì de gōngzuò tā méirì-méiyè de ~.* He bustled about day and night, looking for a satisfactory job.

¹ **东边** dōngbian （~儿）〈名 *n.*〉东 east: 我家就在学校的~。*Wǒ jiā jiù zài xuéxiào de ~.* My house is located to the east of the school. | 往~走不远就到电影院了。*Wǎng ~ zǒu bù yuǎn jiù dào diànyǐngyuàn le.* Go shortly eastwards and you'll reach the cinema. | ~有一家书店。~ *yǒu yì jiā shūdiàn.* There is a bookstore in the east. | 一号教学楼的~是图书馆。*Yī hào jiàoxuélóu de ~ shì túshūguǎn.* To the east of the No. 1 classroom building lies the library.

² **东部** dōngbù ❶〈名 *n.*〉东边的地区或部位 east; eastern part; east region: ~暴雨成灾。~ *bàoyǔ chéngzāi.* The torrential rain has caused a disaster in the east. | 学校坐落在城市的~。*Xuéxiào zuòluò zài chéngshì de ~.* The school is situated in the east of the city. | 这个地区~平坦，西部多山。*Zhège dìqū ~ píngtǎn, xībù duō shān.* The eastern part of the region is smooth and the western part mountainous. ❷（Dōngbù）〈名 *n.*〉特指中国经济相对发达的沿海各省区 the east region (the relatively developed coastal provinces in China): ~发展了，要大力支援西部建设。~ *fāzhǎn le, yào dàlì zhīyuán Xībù jiànshè.* Being developed itself, the east region should give energetic support to the construction of the west region. | ~和西部可以互补。~ *hé Xībù kěyǐ hùbǔ.* The east region and the west region can complement each other.

⁴ **东道主** dōngdàozhǔ 〈名 *n.*〉指请客的主人；负责组织、安排会议或比赛的机构或城市 host; a host organization or city for a conference or sports match: 谁是~? *shéi shì ~?* Who is the host? | 今天我来当~。*Jīntiān wǒ lái dāng ~.* I'll play the host today. | 这次运动会的~是上海。*Zhè cì yùndònghuì de ~ shì Shànghǎi.* Shanghai will host the games. | 北京是这届全球华人会议的~。*Běijīng shì zhè jiè Quánqiú Huárén Huìyì de ~.* Beijing is the host city of this Global Overseas Chinese Conference.

² **东方** dōngfāng ❶〈名 *n.*〉朝东的一方 the east: ~发白，天亮了。~ *fābái, tiān liàng le.*

Dawn is breaking in the east. │ 黎明时，~一片红霞. *Líming shí, ~ yí piàn hóngxiá.* At dawn, rosy clouds hang in the east. ❷ (Dōngfāng)〈名 n.〉习惯上指亚洲(包括埃及)the East; the Orient (habitually referring to Asia as well as Egypt): 中国屹立在世界的~. *Zhōngguó yìlì zài shìjiè de ~.* China stands like a giant in the East. │ 香港是~明珠. *Xiānggǎng shì ~ míngzhū.* Hong Kong is an Oriental pearl. │ 我是~人. *Wǒ shì ~ rén.* I am an oriental.

² **东面** dōngmiàn〈名 n.〉朝东的一面; 东边 the side that faces the east; the east: 我住在~的小屋. *Wǒ zhù zài ~ de xiǎowū.* I live in a small room facing the east. │ 校园的~又盖了一栋实验楼. *Xiàoyuán de ~ yòu gàile yí dòng shíyànlóu.* Another laboratory building is built in the east of the school campus. │ 图书馆的~是礼堂. *Túshūguǎn de ~ shì lǐtáng.* To the east of the library lies the auditorium.

D

² **东南** dōngnán ❶〈名 n.〉东和南之间的方向(与'西北'相对) southeast (opposite to '西北 xīběi'): 今天刮~风，天气暖和了. *Jīntiān guā ~ fēng, tiānqì nuǎnhuo le.* There is a southeast wind blowing, therefore it is warmer today. │ 这家工厂位于城市的~方. *Zhè jiā gōngchǎng wèiyú chéngshì de ~ fāng.* This factory lies southeast of the city. │ 再往~走200米就是中心小学. *Zài wǎng ~ zǒu èrbǎi mǐ jiù shì zhōngxīn xiǎoxué.* Walk 200 more meters southeastwards and you can see the central primary school. ❷ (Dōngnán)〈名 n.〉特指中国东南沿海地区，包括上海、江苏、浙江、福建、台湾等省市 the coastal areas in southeast China, including Shanghai Municipality, the provinces of Jiangsu, Zhejiang, Fujian, Taiwan, etc.: 这几年中国~各省经济发展迅速. *Zhè jǐ nián Zhōngguó ~ gè shěng jīngjì fāzhǎn xùnsù.* The coastal provinces in southeast China have achieved rapid economic progress in the past few years. │ 发展~，带动西北，这是国家经济发展战略. *Fāzhǎn ~, dàidòng Xīběi, zhè shì guójiā jīngjì fāzhǎn zhànlüè.* It is a national strategy in economic development to develop the southeast region and bring along the northwest region.

¹ **东西** dōngxi ❶〈名 n.〉(件 jiàn、样 yàng、个 gè) 泛指各种具体的或抽象的事物 thing (both concrete and abstract): 他什么~都不要. *Tā shénme ~ dōu bú yào.* He doesn't want anything. │ ~好，就有人买. *~ hǎo, jiù yǒu rén mǎi.* As long as the goods are good, there will be customers. │ 语言这个~只要肯学，并不难. *Yǔyán zhège ~ zhǐyào kěn xué, bìng bù nán.* The language is not a difficult thing to learn as long as you are willing to learn it. │ 来中国两年，学到很多很多~. *Lái Zhōngguó liǎng nián, xuédào hěnduō hěnduō ~.* Having been in China for two years, I have learned many, many things. ❷〈名 n.〉特指人或动物(多含厌恶或喜爱的感情) a person or animal; creature; thing (often expressing one's likes and dislikes): 这小~真笨，怎么教就是不会. *Zhè xiǎo ~ zhēn bèn, zěnme jiāo jiùshì bú huì.* What a stupid little thing! No matter how hard you teach him, he is not able to learn it. │ 这小~可聪明了. *Zhè xiǎo ~ kě cōngming le.* The little thing is very clever indeed. │ 他真不是个好~. *Tā zhēn bú shì gè hǎo ~.* He is not a good thing indeed.

¹ **冬** dōng〈名 n.〉冬季 winter: 种~小麦 *zhòng ~ xiǎomài* grow winter wheat │ 动物~眠 *dòngwù ~ mián* hibernation of animals │ 寒~腊月 *hán ~ làyuè* the dead of winter │ 我准备在北京过~. *Wǒ zhǔnbèi zài Běijīng guò ~.* I intend to spend the winter in Beijing. │ ~去春来，我到中国转眼又一年了. *~ qù chūn lái, wǒ dào Zhōngguó zhuǎnyǎn yòu yì nián le.* With the departure of winter and advent of spring, I have been in China for another year in an twinkling of the eye.

⁴ **冬瓜** dōngguā〈名 n.〉(个 gè) 一种一年生草本植物，是普通蔬菜 white gourd: ~加

虾皮做汤。~ jiā xiāpí zuò tāng. Make soup with white gourd and dried small shrimps. | 大一足有六七十斤。Dà – zú yǒu liù-qīshí jīn. The big white gourd weighs a good sixty or seventy *jin*. | 夏天多吃点儿可解暑。Xiàtiān duō chī diǎnr ~ kě jiěshǔ. Eating much white gourd in summer can relieve the heat. | 全身都是宝，~肉可以吃，~的皮和籽儿可以入药。~ quánshēn dōu shì bǎo, ~ ròu kěyǐ chī, ~ de pí hé zǐr kěyǐ rùyào. Every part of a white gourd is a treasure: its pulp is eatable and its peel and seeds can serve as herbal medicine.

³ **冬季** dōngjì 〈名 n.〉一年四季的最后一季, 中国习惯指立冬至立春的三个月时间, 也指中国农历十、十一、十二三个月 winter, the last season in a year; in China means the three months from the Beginning of Winter (November 7 or 8) and the Beginning of Spring (February 3, 4 or 5), or the three months of the tenth, the eleventh and the twelfth month in Chinese lunar calendar: 天气还这么暖和，一点儿不像~到了。Tiānqì hái zhème nuǎnhuo, yìdiǎnr bú xiàng ~ dào le. It is so warm that it does not appear at all that winter is here. | 我喜欢北方的~，可以溜冰、滑雪。Wǒ xǐhuan běifāng de ~, kěyǐ liūbīng, huáxuě. I like the winter in the north for I may go skating and skiing.

¹ **冬天** dōngtiān 〈名 n.〉冬季 winter: 现在的~越来越暖和。Xiànzài de ~ yuèláiyuè nuǎnhuo. Winter nowadays is becoming warmer and warmer. | 去年整个~没下过一场像样的雪。Qùnián zhěnggè ~ méi xiàguo yì cháng xiàngyàng de xuě. There was not a decent fall of snow throughout the last winter. | 南方有的地方几乎没有~。Nánfāng yǒu de dìfang jīhū méiyǒu ~. There is almost no winter in some places in the south. | ~，有的人到哈尔滨看冰灯；有的人到海南岛游泳。~, yǒu de rén dào Hā'ěrbīn kàn bīngdēng; yǒu de rén dào Hǎinándǎo yóuyǒng. In winter, some go to Harbin, watching ice lanterns and others go to Hainan Island, swimming.

⁴ **董事** dǒngshì 〈名 n.〉(位 wèi、名 míng、个 gè) 某些企业、学校、团体等的领导机构 (董事会) 的成员 director; member of the leading group (board of directors) in an enterprise, school, organization, etc.: ~不到齐不能开~会。~ bú dào qí bù néng kāi ~ huì. The meeting will not start until all the directors arrive.

¹ **懂** dǒng 〈动 v.〉知道；了解 know; understand: 这孩子很~道理。Zhè háizi hěn ~ dàolǐ. He is a sensible child. | 老师讲一遍，学生就听~了。Lǎoshī jiǎng yí biàn, xuésheng jiù tīng~ le. The students already understood it when the teacher explained it only once. | 他不仅~英语和法语，而且也~汉语。Tā bùjǐn ~ Yīngyǔ hé Fǎyǔ, érqiě yě ~ Hànyǔ. He knows not only English and French but also Chinese.

² **懂得** dǒngde 〈动 v.〉知道 (意义、做法等)；理解 know (a meaning, way of doing a thing, etc.); understand: 道理我都~，可就是做起来不那么容易。Dàolǐ wǒ dōu ~, kě jiùshì zuò qǐlái bú nàme róngyì. I know all these principles, but it is not easy to put them into practice. | 他很~父母的苦心。Tā hěn ~ fùmǔ de kǔxīn. He fully knows the troubles and pains that his parents take for him. | 说话写文章要用群众~的语言。Shuōhuà xiě wénzhāng yào yòng qúnzhòng ~ de yǔyán. We must use in speech and writing the language that the masses of the people can understand.

³ **懂事** dǒng//shì 〈~儿〉〈动 v.〉了解一般的事理；明白别人的意图 be sensible; be intelligent: 这孩子很~儿。Zhè háizi hěn ~r. He is an intelligent child. | 过几年孩子就会慢慢懂起事来。Guò jǐ nián háizi jiù huì mànmàn dǒngqǐ shì lái. The child will become sensible in a few years. | 艰苦的生活使她很早就懂了事。Jiānkǔ de shēnghuó shǐ tā hěn zǎo jiù dǒngle shì. The hard life made her sensible at very early age.

¹ **动** dòng ❶〈动 v.〉改变事物原来的位置或状态 move; change the original position or state of

a thing: 我的书包全让你给~乱了。*Wǒ de shūbāo quán ràng nǐ gěi ~luàn le.* You have made a mess of my schoolbag. | 尽管三令五申，他们还是按兵不~。*Jǐnguǎn sānlìngwǔshēn, tāmen háishì ànbīng-bú-*. In spite of the repeated orders and injunctions, they still took no action. ❷〈动 *v.*〉活动；行动；动作 get moving; act: 你躺着别~。*Nǐ tǎngzhe bié ~.* Be lying still. | 今天大扫除，全班都~起来。*Jīntiān dà sǎochú, quán bān dōu ~ qǐlái.* There was a general cleaning today. The whole class went into action. ❸〈动 *v.*〉动用；使用 use: 这扶贫专款，不能随便~。*Zhè fúpín zhuānkuǎn, bù néng suíbiàn ~.* This money is earmarked for poverty relief and not allowed to use at will. | ~刀~枪可不是闹着玩儿的。*~dāo~qiāng kě bú shì nàozhe wánr de.* It is not a fun to resort to force. | 这事，你可要~~脑筋。*Zhè shì, nǐ kě yào ~~ nǎojīn.* As to this matter, you must use your head. ❹〈动 *v.*〉触动；感动 touch one's heart; move: 感~ gǎn~ moving; touching | 你别为一点儿小事就~肝火。*Nǐ bié wèi yìdiǎnr xiǎoshì jiù ~ gānhuǒ.* You don't have to get angry over a trifle. ❺〈动 *v.*〉表示活动、移动(做动词的结果补语) used as a resultative complement of a verb to express action or movement: 你跑得~跑不~？*Nǐ pǎo de ~ pǎo bú ~?* Can you run? | 冰箱太重，一个人挪不~。*Bīngxiāng tài zhòng, yí gè rén nuó bú ~.* The refrigerator is too heavy for you to move alone. ❻〈动 *v.*〉表示改变主意(做动词的结果或可能的补语) change one's mind (used as the complement of a verb to indicate result or possibility): 老师一席话，深深地打~了他。*Lǎoshī yì xí huà, shēnshēn de dǎ~le tā.* He was deeply moved by the teacher's words. | 我请不~他，还是你去请吧。*Wǒ qǐng bú ~ tā, háishì nǐ qù qǐng ba.* He will not come when I invite him. So try yourself. ❼〈动 *v.* 方 dial.〉吃，喝，抽 (多用于否定式) eat; drink; smoke (usually in the negative): 这病不宜~荤腥。*Zhè bìng bùyí ~ hūnxīng.* Suffering from this illness, you should not touch meat or fish. | 他向来不~烟酒。*Tā xiànglái bú ~ yān jiǔ.* He never smokes or drinks. ❽〈副 *adv.*〉每每；常常 easily; frequently: ~辄得咎 ~zhé-déjiù be blamed for whatever one does | 如今的建设工程耗资~以亿计 *Rújīn de jiànshè gōngchéng hàozī ~ yǐ yì jì.* A construction project nowadays often costs money by the millions. ❾〈形 *adj.*〉可变动的 (与'静'相对) movable, subject to change (opposite to '静jìng'): ~产 ~chǎn movable property | ~态 ~tài dynamic state; trends development.

⁴ **动荡** dòngdàng ❶〈动 *v.*〉波浪起伏 sway: 船在大海中剧烈地~。*Chuán zài dàhǎi zhōng jùliè de ~.* The ship is swaying fiercely on the sea. | 汽轮驶过，静静的湖面~起来。*Qìlún shǐ guò, jìngjìng de húmiàn ~ qǐlái.* When the steamboat sailed past, it stirred the calm lake. ❷〈动 *v.*〉(局势、情况)不稳定；不平静 (of a situation, condition) be turbulent; in turmoil: 国际局势~。*Guójì júshì ~.* The international situation is in turmoil. | ~的生活使他过早地成熟起来。*~ de shēnghuó shǐ tā guòzǎo de chéngshú qǐlái.* The turbulent life made him overmature.

⁴ **动工** dòng//gōng〈动 *v.*〉开工或施工 start building; begin construction: 这大楼过了国庆节就~。*Zhè dàlóu guòle Guóqìng Jié jiù ~.* Construction of the building will start right after the National Day. | 这工程从破土~到现在都10年了，还没完工。*Zhè gōngchéng cóng pòtǔ ~ dào xiànzài dōu shí nián le, hái méi wángōng.* The project has lasted 10 years from its start and is still not completed. | 这里正动着工，车辆禁止通行。*Zhèlǐ zhèng dòngzhe gōng, chēliàng jìnzhǐ tōngxíng.* No traffic is allowed for the start of construction here.

³ **动机** dòngjī〈名 *n.*〉(个 gè) 人们行为动作的推动因素(目的，出发点) motive; intention (purpose; starting point): ~不良 ~bùliáng evil intention | ~卑鄙 ~bēibǐ ulterior motive

│你出国的~是什么? *Nǐ chūguó de ~ shì shénme*? Why do you intend to go abroad? │
我出国的唯一一~是求学深造。*Wǒ chūguó de wéiyī ~ shì qiúxué shēnzào.* My sole
purpose of going abroad is to study and improve myself.

³ **动静** dòngjìng ❶〈名 n.〉动作或说话的声音 the sound of action or speech: 屋子里一
点儿也没有。*Wūzi li yìdiǎnr ~ yě méiyǒu.* Nothing at all is stirring in the room. │听了
半天，也没有听到什么~。*Tīngle bàntiān, yě méiyǒu tīngdào shénme ~.* I listened for a
long time but did not hear anything. ❷〈名 n.〉情况; 信息 activity; information: 发现什
么可疑~没有? *Fāxiàn shénme kěyí ~ méiyǒu?* Have you found anything suspicious? │这
片房屋早就说要拆迁了，可至今未见~。*Zhè piàn fángwū zǎo jiù shuō yào chāiqiān le,
kě zhìjīn wèi jiàn ~.* It is said for a long time that these houses are to be dismantled, but
nothing happens up to now.

³ **动力** dònglì ❶〈名 n.〉可使机械运转作功的力 power; motive power: 利用水力、风力
作~既经济又环保。*Lìyòng shuǐlì, fēnglì zuò ~ jì jīngjì yòu huánbǎo.* Exploitation of
waterpower and windpower as power is both economical and environment-friendly. ❷
〈名 n.〉泛指推动事物运动和发展的力量 driving force; impetus: 人民群众是历史发
展的原~。*Rénmín qúnzhòng shì lìshǐ fāzhǎn de yuán~.* The masses of the people are the
motive force of the development of history. │没有目标便没有前进的~。*Méiyǒu
mùbiāo biàn méiyǒu qiánjìn de ~.* Where there is no goal, there is no impetus to
advancement.

⁴ **动乱** dòngluàn〈名 n.〉(次 cì、场 chǎng)(社会、政治)骚动变乱(social or political)
upheaval; turbulence: 那是一个~的年代。*Nà shì yí gè ~ de niándài.* Those were the
years of upheaval. │那是一次政治~。*Nà shì yí cì zhèngzhì ~.* That was a political
disturbance. │国家~严重影响社会秩序和人民生活。*Guójiā ~ yánzhòng yǐngxiǎng
shèhuì zhìxù hé rénmín shēnghuó.* The turmoil in the country has seriously affected the
social order and the life of the people.

⁴ **动脉** dòngmài ❶〈名 n.〉(条 tiáo)把心脏压出来的血液输送到全身各部份的血管，
(区别于'静脉'jìngmài)artery (different from '静脉 jìngmài'): 身上有大~、小~。*Shēn shang
yǒu dà ~, xiǎo ~.* There are main arteries and minor arteries in the body. │他患有~硬化
症。*Tā huànyǒu ~ yìnghuàzhèng.* He is suffering from arteriosclerosis. ❷〈名 n.〉(条
tiáo)比喻重要的交通干线 fig. main line of communication; main communications
artery: 京九铁路是中国南北交通的又一条大~。*Jīng-Jiǔ Tiělù shì Zhōngguó nánběi
jiāotōng de yòu yì tiáo dà ~.* The Beijing-Kowloon Railway is another north-south artery
of communications in China. │大~一旦受阻，全国交通很可能瘫痪。*Dà ~ yídàn
shòuzǔ, quánguó jiāotōng hěn kěnéng tānhuàn.* Once the main artery is blocked, the
communications in the whole country may possibly be paralyzed.

² **动人** dòngrén〈形 adj.〉感动人 moving; touching: 她讲的故事十分~。*Tā jiǎng de
gùshì shífēn ~.* The story that she told is very touching. │~的事迹到处传扬。*~ de shìjì
dàochù chuányáng.* The moving deeds spread far and wide. │这部小说写得真实~。*Zhè
bù xiǎoshuō xiě de zhēnshí ~.* This novel is real and vivid.

² **动身** dòng // shēn〈动 v.〉启程; 出发 set out on a journey; leave for a distant place: 我
明天~去中国。*Wǒ míngtiān ~ qù Zhōngguó.* I am leaving for China tomorrow. │时间到
了，你得马上~。*Shíjiān dào le, nǐ děi mǎshàng ~.* It's time. You have to go at once. │12
点的飞机，11点~来不及。*Shí'èr diǎn de fēijī, shíyī diǎn ~ láibùjí.* It will be late for the
12 o'clock flight if you leave at 11. │情况有变，动不了身啦。*Qíngkuàng yǒu biàn,
dòng bù liǎo shēn la.* We are unable to set out due to some change.

²**动手** dòng//shǒu ❶〈动 v.〉开始做；做 get to work; start work：都12点了，快~做饭！ *Dōu shí'èr diǎn le, kuài ~ zuò fàn!* Make lunch at once for it is 12 o'clock now. ｜现在才~,晚啦！ *Xiànzài cái ~, wǎn la!* It is late for you to start work now. ｜自己~,丰衣足食。 *Zìjǐ ~, fēngyī-zúshí.* Be well-fed and well-clothed by working with our own hands. ❷〈动 v.〉指打人 raise a hand to strike; hit out：你们有话好好儿说，千万别~。 *Nǐmen yǒu huà hǎohāor shuō, qiānwàn bié ~.* Use your mouth if you have anything to say, but never raise your hand. ｜你要是~,就没理了。 *Nǐ yàoshi ~, jiù méi lǐ le.* If you raise your hand, you will be in the wrong. ｜他俩说着说着就动起手来了。 *Tā liǎ shuōzhe shuōzhe jiù dòng qǐ shǒu lái le.* The two talked and talked and then began to hit out. ❸〈动 v.〉用手接触 touch with a hand：这里的展品只许看，不许~！ *Zhèlǐ de zhǎnpǐn zhǐxǔ kàn, bùxǔ ~!* The exhibits here are for the eyes only; keep your hands off! ｜小孩子就爱~动脚的。 *Xiǎo háizi jiù ài ~-dòngjiǎo de.* Small children like to touch anything with their hands. ｜爱护花木，请勿~! *Àihù huāmù, qǐng wù ~!* Protect the flowers and trees. Keep your hands to yourself!

⁴**动态** dòngtài ❶〈名 n.〉（个 gè）事物发展变化的情况 developments：掌握科技新~ *zhǎngwò kējì xīn* ~ learn the recent developments in science and technology ｜分析经济~ *fēnxī jīngjì* ~ analyze the economic trend ｜这是一个值得注意的~。 *Zhè shì yí gè zhíde zhùyì de* ~. This is a noteworthy development. ❷〈名 n.〉处于变化状态中的或从变化状态中进行考察的（区别于'静态'）dynamic state (different from '静态 jìngtài'）：分析~ *fēnxī* dynamic analysis ｜~研究 ~*yánjiū* dynamic study

¹**动物** dòngwù 〈名 n.〉（个 gè、只 zhī、种 zhǒng）生物的一大类，多以有机物为食料（区别于'植物''微生物'）animal (different from '植物 zhíwù' and '微生物 wēishēngwù'）：~有多种,有原生~、节肢~、脊椎~等。 ~ *yǒu duōzhǒng, yǒu yuánshēng ~, jiézhī ~, jǐzhuī ~ děng.* There are many kinds of animals, such as protozoon, arthropod, and vertebrate. ｜~是人类的朋友,我们要保护~。 ~ *shì rénlèi de péngyou, wǒmen yào bǎohù* ~. Animals are friends of mankind. We must protect them. ｜熊猫是国家一级保护~。 *Xióngmāo shì guójiā yījí bǎohù* ~. The panda is an animal under the first-class state protection.

²**动物园** dòngwùyuán 〈名 n.〉（个 gè、座 zuò）饲养多种动物供人观赏、研究的场所 zoo：星期天我带孩子去~玩儿。 *Xīngqītiān wǒ dài háizi qù ~ wánr.* I will take my children to the zoo on Sunday. ｜小孩子特别喜欢~里的猴子。 *Xiǎo háizi tèbié xǐhuan ~ li de hóuzi.* Children especially like the monkeys in the zoo. ｜这是一个野生~。 *Zhè shì yí gè yěshēng* ~. This is a wildlife park. ｜那是一座专供研究的爬行类~。 *Nà shì yí zuò zhuān gōng yánjiū de páxínglèi* ~. That is a zoo devoted to the study of reptiles.

³**动摇** dòngyáo ❶〈动 v.〉不稳固；不坚定 waver; be not firm：在困难面前,我们千万不能~。 *Zài kùnnan miànqián, wǒmen qiānwàn bù néng* ~. We must never waver in face of difficulties. ❷〈动 v.〉震撼；使不稳固 shake; make unstable：挫折和失败~不了他的革命意志。 *Cuòzhé hé shībài ~ bù liǎo tā de gémìng yìzhì.* Setbacks and failures can not shake his revolutionary will.

⁴**动用** dòngyòng 〈动 v.〉使用（人员、钱物等）employ; put (manpower, money, materials, etc.) to use：~人力物力,支援前线。 ~ *rénlì wùlì, zhīyuán qiánxiàn.* Employ manpower and material resources to support the front. ｜不许随意~公款！ *Bùxǔ suíyì ~ gōngkuǎn!* Public funds are not allowed to use at will. ｜面对严重灾荒,不得不~国家的储备粮。 *Miànduì yánzhòng zāihuāng, bùdébù ~ guójiā de chǔbèiliáng.* Confronted with the serious famine, the state had to use its grain reserves.

² **动员** dòngyuán ❶〈动 v.〉发动人参加某项工作或活动 mobilize; arouse: ~群众，清洁市容。~ qúnzhòng, qīngjié shìróng. Mobilize the masses of the people to lift up the face of the city.｜学校正在开~大会。Xuéxiào zhèngzài kāi ~ dàhuì. The school is holding a mobization meeting. ❷〈动 v.〉把国家武装力量及所有经济部门(工业、农业、运输业等)由和平状态转入战争状态 mobilize (a state transforming its armed forces and all economic sectors, including industry, agriculture, and communications, from the state of peace into a state of war): 国家处于紧急状态，政府发布~令。Guójiā chǔyú jǐnjí zhuàngtài, zhèngfǔ fābù ~lìng. The state was in a state of emergency and the government issued a mobilization order.

² **动作** dòngzuò ❶〈名 n.〉(个 gè) 全身或身体一部分的活动 movement; motion; action: 规定~ guīdìng ~ compulsory exercise｜自选~ zìxuǎn ~ optional exercise｜简易太极拳有24个~。Jiǎnyì tàijíquán yǒu èrshísì gè ~. The simplified taijiquan is composed of 24 movements.｜舞蹈~非常优美。Wǔdǎo ~ fēicháng yōuměi. The movements of the dance are very graceful.｜手和脚的~很协调。Shǒu hé jiǎo de ~ hěn xiétiáo. The movements of the hands and feet are very harmonious. ❷〈动 v.〉活动；行动起来 act; start moving: 抗洪护堤十万火急，大家要迅速~起来。Kànghóng hùdī shíwàn huǒjí, dàjiā yào xùnsù ~ qǐlái. It is extremely urgent to combat the flood and protect the dam. Let's act right away.

² **冻** dòng ❶〈动 v.〉(液体或含水的东西)遇冷凝固 (of liquids or watery stuff) freeze: 沟里的水已~成冰。Gōu li de shuǐ yǐ ~ chéng bīng. The water in the ditch has frozen.｜肉已~上了。Ròu yǐ ~shang le. The meat is frozen.｜~豆腐好吃。~ dòufu hǎochī. Frozen beancurd is delicious. ❷〈动 v.〉受冷或感到冷 feel cold; be frostbitten: 外边冷，别把孩子~坏了。Wàibian lěng, bié bǎ háizi ~huài le. It is cold outside. Mind you don't let the child catch cold.｜他~得直打哆嗦。Tā ~ de zhí dǎ duōsuo. He shivered with cold. ❸(~儿)〈名 n.〉凝结了的汤汁食品 jelly: 鱼~儿 yú~r fish jelly

⁴ **冻结** dòngjié ❶〈动 v.〉液体受冷凝结 (of liquids) freeze; congeal: 户外的水龙头下~起一个小的冰柱。Hùwài de shuǐlóngtóu xià ~ qǐ yí gè xiǎo de bīngzhù. The water is frozen into a little icicle under the outdoor tap.｜河水~了，人们在河面上走来走去。Héshuǐ ~ le, rénmen zài hémiàn shang zǒulái-zǒuqù. The river is frozen, so people are walking on its surface. ❷〈动 v.〉比喻阻止人员、资金等流动或变动 fig. stop human or financial resources from flowing or changing: 暂时~人事调动。Zànshí ~ rénshì diàodòng. The flow of human resources has frozen for the time being.｜银行的存款也被~了。Yínháng de cúnkuǎn yě bèi ~ le. The savings in the bank are also frozen. ❸〈动 v.〉比喻停止执行或发展 fig. stop enforcement or development: 从此事件以后，~了两国的关系。Cóng cǐ shìjiàn yǐhòu, ~le liǎng guó de guānxì. Since that incident, the relations between the two countries have been frozen.｜各项协议~执行。Gèxiàng xiéyì ~ zhíxíng. The implementation of all agreements has stopped.

⁴ **栋** dòng ❶〈量 meas.〉用于房屋，房屋一座叫一栋 for buildings: 一~房子 yí ~ fángzi a house｜这~楼房是新建的。Zhè ~ lóufáng shì xīnjiàn de. This building is newly built.｜学校新盖了两~教学楼。Xuéxiào xīn gàile liǎng ~ jiàoxuélóu. Two new classroom buildings are built in the school. ❷〈名 n. 书 lit.〉房屋的脊檩；正梁 ridgepole: 雕梁画~ diāoliáng-huà~ carved beams and lacquered pillars｜~梁之材 ~liáng zhī cái one with the makings of a statesman

² **洞** dòng ❶〈名 n.〉(个 gè) 洞穴；窟窿 hole; cavity: 地下溶~ dìxià róng~ an underground cave｜蚂蚁~ mǎyǐ~ ant hole｜防空~ fángkōng~ air-raid shelter ❷(~儿)〈名 n.〉(个 gè)

穿破的孔 a hole worn out：我的衣服剐破了一个～。*Wǒ de yīfu guā pòle yí gè ~.* A hole is scraped out in my clothes. │ 这箱子被老鼠咬了一个～。*Zhè xiāngzi bèi lǎoshǔ yǎole yí gè ~.* A hole is gnawed out in the box by a rat. ❸〈名 n.〉通讯说数码时用来代替'0'使听者易于分辨 used in place of zero when speaking of figures for clearness：我的电话是六五〇四一三幺。*Wǒ de diànhuà shì liù wǔ ~ sì ~ ~ sān yāo.* My phone number is 65040031. ❹〈副 adv.〉透彻地；清楚地 thoroughly；clearly：～悉详情～*xī xiángqíng* know clearly the details │ ～察一切～*chá yíqiè* have a keen insight into matters

¹ **都 dōu** ❶〈副 adv.〉表示总括全部（所总括的成分一般在前）all（the elements included are usually placed before it）：各门功课～考得很好。*Gè mén gōngkè ~ kǎo de hěn hǎo.* He did well in all his examinations. │ 他们全班～去郊游了。*Tāmen quán bān ~ qù jiāoyóu le.* The whole class has gone on an excursion. ❷〈副 adv.〉与'连'字呼应着用，表示强调语气；甚至 even（used with'连 lián'for emphasis）：连命～不要了，还要什么钱？*Lián mìng ~ bú yào le, hái yào shénme qián?* He does not even care about his life. Let alone money. │ 兴奋得连觉～不睡了。*Xìngfèn de lián jiào ~ bú shuì le.* He was so excited that she would not go to bed. ❸〈副 adv.〉与'了'搭配，表示'已经' used with '了 le'to express 'already'：～变心了，还等她干什么？*~ biànxīn le, hái děng tā gàn shénme?* She has already broken faith. What is the use waiting for her? │ 十八了，还小哇？*~ shíbā le, hái xiǎo wa?* Do you think you are still young? You are already 18. ❹〈副 adv.〉与'是'字合用，说明某种原因 used together with '是 shì 'to describe a reason：～是你磨蹭，才误了这次航班。*~ shì nǐ móceng, cái wùle zhè cì hángbān.* We missed the flight simply because you were too slow. │ ～是这小伙闹的，我们一宿没睡好。*~ shì zhè xiǎojiāhuo nào de, wǒmen yì xiǔ méi shuì hǎo.* We did not sleep well all night because the little child made too much disturbance. ❺〈副 adv.〉否定词用于'都'后，表示否定全部；用于'都'前，表示否定部分 used before a negative word to express complete negation and after a negative word to express partial negation：甲班同学～没来。*Jiǎ bān tóngxué ~ méi lái.* All the students in Class A did not appear. │ 这箱鸭梨没～坏，有的还挺好。*Zhè xiāng yālí méi ~ huài, yǒu de hái tǐng hǎo.* Not all the pears in the box are rotten. Some of them are still good. ❻〈副 adv.〉'都'用于表示让步的分句，引出表示主要意思的分句 used in a concessional clause to introduce the main clause：父母～管不了他，你还有什么办法呢！*Fùmǔ ~ guǎn bù liǎo tā, nǐ hái yǒu shénme bànfǎ ne!* If his parents can not control him, what you can do? ❼〈副 adv.〉问话时表示总括（总括的对象为疑问代词），置于'都'后 used before an interrogative pronoun to denote a summing-up：中午你～吃些什么？*Zhōngwǔ nǐ ~ chī xiē shénme?* What did you have for lunch? │ 昨天你～上哪儿去了？*Zuótiān nǐ ~ shàng nǎr qù le?* Where did you go yesterday?

⁴ **兜 dōu** ❶〈动 v.〉做成袋形把东西拢住 wrap up in a piece of cloth, etc.：用手绢～苹果，能～几个？*Yòng shǒujuàn ~ píngguǒ, néng ~ jǐ gè?* How many apples can be wrapped up in a handkerchief? ❷〈动 v.〉招引顾客 solicit；canvass：他在大街上～起生意来了。*Tā zài dàjiē shang ~qǐ shēngyi lái le.* He is canvassing business in the street. ❸〈动 v.〉绕；闲逛 move around；stroll：你有话直说，别跟我～圈子。*Nǐ yǒu huà zhí shuō, bié gēn wǒ ~ quānzi.* Speak out if you have anything to say. Don't beat about the bush. │ 他带我在广场上～了～风。*Tā dài wǒ zài guǎngchǎng shang ~le ~ fēng.* He took me to the square for a stroll. ❹〈动 v.〉承担下来 take upon oneself；shoulder responsibility for sth.：有什么问题，我给你～着。*Yǒu shénme wèntí, wǒ gěi nǐ ~zhe.* If anything goes wrong, I'll take the responsibility. ❺〈动 v.〉揭露 reveal；expose：我把他

干的坏事全给～了出去。*Wǒ bǎ tā gàn de huàishì quán gěi ～le chūqù.* I revealed all the wicked things he had done. ❻ (～儿)〈名 n.〉(个 gè) 装东西用的类似袋的东西 pocket; bag: 衬衫只有一个～。*Chènshān zhǐyǒu yí gè ～.* The shirt has only one pocket. ｜小孩儿围着一个红色的小肚～。*Xiǎoháir wéizhe yí gè hóngsè de xiǎo dù～.* The child wears a little belly wrap.

³ **抖 dǒu** ❶〈动 v.〉颤动;哆嗦 tremble; shiver; quiver: 她冻得全身都～起来。*Tā dòng de quán shēn dōu ～ qǐlái.* She is shivering all over with cold. ｜老人得了脑血栓后,走起路来手脚～得利害。*Lǎorén déle nǎoxuèshuān hòu, zǒuqǐ lù lái shǒujiǎo ～ de lìhai.* After the old man suffered from cerebral thrombus, his hands and feet trembled a lot when he walked. ❷〈动 v.〉使振动;甩动 shake; jerk: 衣服上的土～～就掉了。*Yīfu shang de tǔ ～～ jiù diào le.* The dirt on the clothes can be shaken off. ｜刚洗的衣服,～～再晾,免得出褶。*Gāng xǐ de yīfu, ～～ zài liàng, miǎnde chū zhě.* Get a jerk to the newly washed clothes before airing them to prevent wrinkles. ❸〈动 v.〉鼓动;振作 rouse; stir up: ～威风 ～wēifēng vaunt one's authority or power. ｜半夜了,大家还～着精神干呢。*Bànyè le, dàjiā hái ～zhe jīngshen gàn ne.* Although it was already midnight, we plucked up our spirits and continued our work. ❹〈动 v.〉全部倒出;彻底揭穿 tip all things out; reveal thoroughly: 他把书包里的东西全～出来。*Tā bǎ shūbāo li de dōngxi quán ～chūlái.* He tipped all the things out of his schoolbag. ｜把他的老底全～了出来。*Bǎ tā de lǎodǐ quán ～le chūlái.* Reveal all his unsavory background. ❺〈动 v.〉讥讽别人得意的神气 (used sarcastically) get on in the world: 你不就是有那几个臭钱吗,有什么可～的! *Nǐ bú jiùshì yǒu nà jǐ gè chòu qián ma, yǒu shénme kě ～ de!* With nothing more than a few dirty coins, what are you cocky about?

³ **陡 dǒu** ❶〈形 adj.〉坡度很大,近于垂直 steep; nearly vertical: 爬这么～的坡,要特别小心! *Pá zhème ～ de pō, yào tèbié xiǎoxīn!* Be particularly careful to climb such a steep slope! ｜这里的坡越来越～,上去危险! *Zhèli de pō yuèláiyuè ～, shàngqù wēixiǎn!* The slope here is getting increasingly steeper. It is dangerous to climb it. ❷〈副 adv. 书 lit.〉突然 suddenly; unexpectedly: ～变 ～biàn unexpected change ｜～然 ～rán suddenly

³ **斗 dòu** ❶〈动 v.〉对打;斗争 fight; tussle; struggle against: 和坏人坏事～到底 hé huàirén-huàishì ～ dàodǐ struggle against the evildoers and evil deeds to the end ｜两个公司明争暗～。*Liǎng gè gōngsī míngzhēng-àn～.* The two companies are engaged in both overt rivalry and covert struggle. ｜人们在战天～地。*Rénmen zài zhàntiān-～dì.* People are battling against nature. ❷〈动 v.〉使动物斗 make animals fight: 每逢三月三,举行～鸡比赛。*Měi féng sān yuè sān, jǔxíng ～ jī bǐsài.* A cockfight is held on the third day of the third lunar month every year. ｜西班牙人～牛看起来很刺激。*Xībānyárén ～ niú kàn qǐlái hěn cìjī.* The bullfight in Spain is a stimulating view. ｜人们围在一起～蛐蛐儿。*Rénmen wéi zài yìqǐ ～ qūqur.* People crowded round, holding a cricket fight. ❸〈动 v.〉争胜负;赛输赢 contend; contest: 比赛的时候,不仅要～勇,更要～智。*Bǐsài de shíhou, bùjǐn yào ～ yǒng, gèng yào ～ zhì.* A match is more a battle of wits than of bravery. ｜我看你的嘴皮子～不过他。*Wǒ kàn nǐ de zuǐpízi ～ bú guò tā.* I think you are no match for him in a battle of tongues. ❹〈动 v.〉连接;凑上 connect; fit together: ～榫儿 ～ sǔnr fit the tenon into the mortise ｜孩子的这件衣服是用许多小块布片儿～起来的。*Háizi de zhè jiàn yīfu shì yòng xǔduō xiǎo kuài bùpiànr ～qǐlái de.* The coat that the child wears is pieced up with many bits of cloth. ❺〈动 v.〉凑集;聚集 pool; collect: 全班同学～份子给班主任老师买生日礼物。*Quán bān tóngxué ～ fènzi gěi bānzhǔrèn lǎoshī mǎi shēngrì*

lǐwù. The students of the whole class clubbed together to buy a birthday present for the class director.

² **斗争 dòuzhēng ❶**〈名 *n.*〉一方力求战胜另一方的矛盾、冲突 struggle：思想~ *sīxiǎng ~* ideological struggle｜长期的~ *chángqī de ~* a long-term struggle｜这是一场激烈的政治~。*Zhè shì yì cháng jīliè de zhèngzhì ~.* This is a fierce political struggle. **❷**〈动 *v.*〉矛盾的双方相互冲突，一方力求战胜另一方 combat; fight：他和各种犯罪分子~了几十年。*Tā hé gèzhǒng fànzuì fènzǐ ~le jǐshí nián.* He has been fighting against all types of criminals for dozens of years. **❸**〈动 *v.*〉揭发批判；打击敌对分子或坏分子 expose and denounce; deal a blow at hostile or bad elements：开~大会 *kāi ~ dàhuì* hold a public accusation meeting｜~坏分子 *~huàifènzǐ* publicly denounce the bad elements **❹**〈动 *v.*〉为实现某种目标而努力奋斗 wage a struggle for a certain purpose：为建设美好的生活而~。*Wèi jiànshè měihǎo de shēnghuó ér ~.* Strive for the building of a happy life.

D

² **斗志 dòuzhì**〈名 *n.*〉战斗的意志 fighting will：他们以高昂的~投入抗洪救灾。*Tāmen yǐ gāo'áng de ~ tóurù kànghóng jiùzāi.* They threw themselves into the floodfight and disaster relief with a high fighting will.｜我们要激发、增强战胜困难的信心。*Wǒmen yào jīfā ~, zēngqiáng zhànshèng kùnnan de xìnxīn.* We must arouse our fighting will and strengthen our determination to overcome the difficulty.

² **豆腐 dòufu**〈名 *n.*〉（块 *kuài*、斤 *jīn*）中国的家常食品，用黄豆制成 beancurd, a common Chinese food, made of soya beans：南~ *nán ~* southern-style bean curd｜~脑 *~nǎo* jellied bean curd｜~干 *~gān* dried bean curd｜冻~ *dòng ~* frozen bean curd｜~营养价值高。*~yíngyǎng jiàzhí gāo.* The bean curd is rich in nutrition.｜我们都爱吃~。*Wǒmen dōu ài chī ~.* We all like to eat bean curd.

³ **豆浆 dòujiāng**〈名 *n.*〉黄豆浸泡后磨成的浆，加水去渣煮开即可食用。也叫"豆腐浆"'豆乳' soya-bean milk, also "豆腐浆 *dòufujiāng*" or "豆乳 *dòurǔ*"：~经济实惠又富有营养。*~jīngjì shíhuì yòu fùyǒu yíngyǎng.* The soya-bean milk is economical and practical and rich in nutrition.｜现在有专用的电动磨~机，做~方便多了。*Xiànzài yǒu zhuānyòng de diàndòng mò ~ jī, zuò ~ fāngbiàn duō le.* There is a special electric grinder now, so it is much more convenient to make soya-bean milk.

³ **豆子 dòuzi ❶**〈名 *n.*〉（棵 *kē*、株 *zhū*、片 *piàn*）豆类作物 pod-bearing plant：种~ *zhòng ~* grow beans｜这是一块~地。*Zhè shì yí kuài ~ dì.* This is a bean field. **❷**〈名 *n.*〉（粒 *lì*、颗 *kē*）豆类植物的种子 the seeds of such a plant：一颗~ *yì kē ~* a bean｜一粒一粒地剥~ *yí lì yí lì de bāo ~* shell beans one by one｜我小时候爱吃炒~。*Wǒ xiǎoshíhou ài chī chǎo ~.* I liked roasted beans when I was a child. **❸**〈名 *n.*〉形状像豆的东西 bean-shaped thing：金~ *jīn ~* gold beans

² **逗 dòu ❶**〈动 *v.*〉引逗；招引 tease; provoke：妹妹爱~小狗玩儿。*Mèimei ài ~ xiǎo gǒu wánr.* My younger sister likes to play with the little dog.｜他把妹妹给~哭了。*Tā bǎ mèimei gěi ~kū le.* He teased his younger sister to tears.｜我的一句话，把大家给~乐了。*Wǒ de yí jù huà, bǎ dàjiā gěi ~lè le.* What I said made people laugh. **❷**〈动 *v.*〉停留 stay; stop：我将在中国~留一年。*Wǒ jiāng zài Zhōngguó ~liú yì nián.* I shall stay in China for a year.｜句子中间表示短暂停顿的符号叫~号。*Jùzi zhōngjiān biǎoshì duǎnzàn tíngdùn de fúhào jiào ~hào.* The punctuation mark used to indicate pauses in a sentence is called *douhao* (comma). **❸**〈动 *v.* 口 *colloq.*〉开玩笑 joke; make fun of; play a trick：你别~了。*Nǐ bié ~ le.* Stop joking. **❹**〈形 *adj.* 方 *dial.*〉有趣；滑稽 funny; making people laugh：这位老人家说话真~。*Zhè wèi lǎorénjiā shuōhuà zhēn ~.* This granddad speaks in a very funny way.

⁴都市 dūshì〈名 n.〉(座 zuò、个 gè) 大城市 a big city; metropolis：上海这个~，漂亮极了。*Shànghǎi zhège ~, piàoliang jí le.* The metropolis of Shanghai is extremely beautiful.│重庆是中国西部一座新兴的大~。*Chóngqìng shì Zhōngguó Xībù yí zuò xīnxīng de dà ~.* Chongqing is a newly emerging metropolis in the west region of China.│~的夜色比白天更美。*~ de yèsè bǐ báitiān gèng měi.* The scene of a big city at night is more beautiful than in the daytime.

⁴督促 dūcù〈动 v.〉监督催促 supervise and urge：当家长的要~孩子学习。*Dāng jiāzhǎng de yào ~ háizi xuéxí.* Parents should urge their children to study hard.│同学们都很自觉，用不着老师~。*Tóngxuémen dōu hěn zìjué, yòngbuzháo lǎoshī ~.* The students are very conscious and there is no need for the teachers to supervise and urge them.│布置的工作任务，要~检查。*Bùzhì de gōngzuò rènwu, yào ~ jiǎnchá.* We must supervise the fulfillment of the assigned tasks.

³毒 dú ❶〈形 adj.〉毒辣；猛烈 malicious; fierce：心狠手~ *xīnhěn-shǒu~* cruel and ruthless│~打 *~dǎ* beat up│中午的太阳很~。*Zhōngwǔ de tàiyáng hěn ~.* The sun at noon is rather scorching. ❷〈形 adj.〉有毒的 poisonous; noxious：这是条~蛇，千万小心！*Zhè shì tiáo ~shé, qiānwàn xiǎoxīn!* Be very careful! This is a poisonous snake.│凡~草都要除掉。*Fán ~cǎo dōu yào chúdiào.* All poisonous weeds must be destroyed. ❸〈名 n.〉有毒的物质 poison; toxin：~性 *~xìng* toxicity│这花有~，别碰它！*Zhè huā yǒu ~, bié pèng tā!* The flower is poisonous. Don't touch it! ❹〈名 n.〉指对思想意识有害的事物 matters harmful to one's mind：他中黄色书刊的~太深了。*Tā zhòng huángsè shūkān de ~ tài shēn le.* He is seriously poisoned by the pornographic books and periodicals. ❺〈名 n.〉毒品 narcotics; drugs：严厉打击贩~分子。*Yánlì dǎjī fàn ~ fènzǐ.* Strike relentless blows at the drug dealers.│一旦吸~上瘾戒~就难了。*Yídàn xī ~ shàngyǐn jiè ~ jiù nán le.* Once you are addicted to drugs, it is very hard to give them up.

⁴毒害 dúhài〈动 v.〉用有毒的东西使人受害 poison (one's mind)：过去中国人民深受鸦片的~。*Guòqù Zhōngguó rénmín shēn shòu yāpiàn de ~.* The Chinese people suffered a lot from opium in the past.│今天黄色书刊~着青少年。*Jīntiān huángsè shūkān ~zhe qīngshàonián.* Today the pornographic books and periodicals are poisoning the minds of the young people.│不许用腐朽的思想~青年一代！*Bù xǔ yòng fǔxiǔ de sīxiǎng ~ qīngnián yídài!* It is not allowed to poison the younger generation with decadent ideas.

⁴毒品 dúpǐn〈名 n.〉能让人上瘾的有毒物品，如鸦片、吗啡、海洛因等 narcotics/drugs (including opium, morphine, heroin, etc.)：严禁制造、加工、贩运和销售~。*Yánjìn zhìzào, jiāgōng, fànyùn hé xiāoshòu ~.* Strictly forbid the making, processing, traffic and sale of narcotics.│~严重地损害人民的身心健康。*~ yánzhòng de sǔnhài rénmín de shēnxīn jiànkāng.* Narcotics do serious harm to the minds and health of the people.

⁴毒性 dúxìng〈名 n.〉危害生物体机能并引致死亡的性能 toxicity; poison：有的花具有~。*Yǒu de huā jùyǒu ~.* Some flowers are poisonous.│蛇毒的~大。*Shé dú de ~ dà.* The venom of a snake is very poisonous.│他因~发作，不治身亡。*Tā yīn ~ fāzuò, bú zhì shēn wáng.* He died incurably when the poison showed its effect.

⁴独 dú ❶〈形 adj.〉一个；单一 only; single：~居 *~jū* live a solitary existence│~生子女 *~shēng zǐnǚ* only child│~一无二 *~yī-wú'èr* unique ❷〈形 adj. 口 colloq.〉自私；容不得他人 selfish; standoffish：此人真~，谁都不愿意跟他来往。*Cǐ rén zhēn ~, shéi dōu bú yuànyì gēn tā láiwǎng.* The man is rather standoffish. Nobody is willing to have any dealings with him. ❸〈副 adv.〉独自 alone; by oneself：~断专行 *~duàn-zhuānxíng* make arbitrary decisions and indulge in peremptory actions│~当一面 *~dāngyímiàn* take charge as chief of one section ❹〈副 *adv.*〉唯独；只 only; solely：大家都反对，~有他赞成。*Dàjiā dōu fǎnduì，~ yǒu tā zànchéng.* Everyone is against it. Only he is for it. ❺〈副 *adv.*〉与众不同；特别 different from others, special：~创 ~*chuàng* original creation ｜~到 ~*dào* unique; original ❻〈名 *n.*〉年老没有子女的人 old people without offspring：鳏寡孤 ~ *guānguǎ-gū* widowers, widows, orphans and the childless

⁴ **独裁** dúcái 〈动 *v.*〉独揽大权，实行专制统治 dictatorship; autocratic rule：~政府 *zhèngfǔ* dictatorial government ｜~政治 ~ *zhèngzhì* autocratic politics ｜~统治，不得人心。~ *tǒngzhì，bù dé rénxīn.* The autocratic rule is not popular. ｜反对~，争取民主。*Fǎnduì ~，zhēngqǔ mínzhǔ.* Struggle against dictatorship and for democracy.

² **独立** dúlì ❶〈动 *v.*〉单独地站立 stand alone：他~在海边思绪万千。*Tā ~ zài hǎibiān sīxù-wànqiān.* He stood alone at the seaside, with thoughts surging in his mind. ｜一只苍鹰~山巅。*Yì zhī cāngyīng ~ shāndiān.* A goshawk perches at the top of the mountain. ❷〈动 *v.*〉一个国家或一个政权不受别的国家或别的政权的统治而自主地存在 independence：国家要~，人民要解放。*Guójiā yào ~，rénmín yào jiěfàng.* The country wants independence; the people desires liberation. ｜二战后，很多国家宣告~。*Èrzhàn hòu，hěnduō guójiā xuāngào ~.* After World War II, many countries declared independence. ❸〈动 *v.*〉军队在编制上不隶属于上一级单位而直接隶属于更高级单位的 a military unit not under the immediate superior but under one at a higher level：~团 ~ *tuán* independent regiment ｜~营 ~ *yíng* independent battalion ❹〈动 *v.*〉脱离原来所属单位，而成为另一单位 break away from a unit to which one is affiliated and form a new one：外事科从人事处~出去，成立外事处。*Wàishìkē cóng rénshìchù ~ chūqù, chénglì wàishìchù.* The section of foreign affairs separated itself from the personnel division and formed the division of foreign affairs. ❺〈动 *v.*〉不依靠父母养活而能自立 not rely on the support of one's parents and lead an independent life：他的儿子~了。*Tā de érzi ~ le.* His son now relies on himself. ❻〈动 *v.*〉不依靠他人 not rely on others：~生活 ~ *shēnghuó* an independent life ｜~思考 ~ *sīkǎo* independent thinking

⁴ **独立自主** dúlì-zìzhǔ 〈成 *idm.*〉不依赖别人，自己做主（多指政党或国家不受人控制、支配）be one's own master（usually referring to a political party or a country not subject to the control or manipulation of others）：~，自力更生。~，*zìlì-gēngshēng.* Act independently and rely on oneself. ｜我们要~地建设祖国。*Wǒmen yào ~ de jiànshè zǔguó.* We must build up our country independently. ｜孩子长大了，要让他学会~地生活。*Háizi zhǎngdà le，yào ràng tā xuéhuì ~ de shēnghuó.* The child is growing up. You should let him learn to live independently.

³ **独特** dútè 〈形 *adj.*〉独立的；特有的 unique; distinctive：中国建筑有一种~的风格。*Zhōngguó jiànzhù yǒu yì zhǒng ~ de fēnggé.* Chinese architecture has a unique style. ｜他的个性很~。*Tā de gèxìng hěn ~.* He is a unique personality. ｜中国~的文化和~的艺术吸引了许许多多外国人。*Zhōngguó ~ de wénhuà hé ~ de yìshù xīyǐnle xǔxǔ-duōduō wàiguórén.* Many, many foreigners are attracted to the distinctive Chinese culture and art.

³ **独自** dúzì ❶〈副 *adv.*〉单独地 alone：~徘徊 ~ *páihuái* pace up and down alone ｜~沉思 ~ *chénsī* ponder alone ｜你怎么可以把这么小的孩子~留在家里呢！*Nǐ zěnme kěyǐ bǎ zhème xiǎo de háizi ~ liú zài jiā li ne!* How could you leave such a small child alone at home? ❷〈名 *n.*〉自身一人 by oneself：我~一人在家。*Wǒ ~ yì rén zài jiā.* I am at home by myself. ｜当年他~一人投奔革命。*Dāngnián tā ~ yì rén tóubèn gémìng.* He went alone to join in the revolution then.

¹ 读 dú ❶〈动 v.〉看着文字，念出声音 read aloud：宣~ xuān~ read out (in public)｜朗~ lǎng~ read aloud｜老师一句，同学们跟着一句。Lǎoshī yí jù, tóngxuémen gēnzhe ~ yí jù. The students read after the teacher sentence by sentence. **❷**〈动 v.〉阅读；看(文章) read (an article)：~者~zhě reader｜这篇文章值得一~。Zhè piān wénzhāng zhíde yì ~. This article is worth reading. **❸**〈动 v.〉指上学 attend school：你~几年级了？Nǐ jǐ niánjí le? Which grade are you in?｜我不准备~研究生。Wǒ bù zhǔnbèi ~ yánjiūshēng. I am not going to study the graduate courses. **❹**〈动 v.〉字的念法；读音 pronounce：这个字怎么~? Zhège zì zěnme ~? How is this character pronounced?｜'衣' 这个字跟 '一'~一个音。'衣'yì zhège zì gēn '一yī' ~ yí gè yīn. '衣' and '一' are pronounced in the same way.

² 读书 dú/shū ❶〈动 v.〉看着书本，出声地或不出声地读 read; read aloud：朗朗的~声 lǎnglǎng de ~ shēng the sound of reading aloud｜你在读什么书? Nǐ zài dú shénme shū? What book are you reading? **❷**〈动 v.〉指学习功课 learn lessons; study：他~很用功。Tā ~ hěn yònggōng. He studies very hard.｜这个孩子的~成绩相当不错。Zhège háizi de ~ chéngjì xiāngdāng búcuò. The child does quite well in his studies. **❸**〈动 v.〉指上学 attend school：当时我还在中学~。Dāngshí wǒ hái zài zhōngxué ~. I was still attending a middle school at that time.｜我在大学读了五年书。Wǒ zài dàxué dúle wǔ nián shū. I studied at the university for five years.

³ 读物 dúwù〈名 n.〉(本 běn 、份 fèn 、种 zhǒng 、套 tào) 供阅读用的书籍、报刊等 reading matters (such as books, newspapers and magazines)：新华书店里各种~琳琅满目。Xīnhuá Shūdiàn li gèzhǒng ~ línláng-mǎnmù. There is an endless array of books in the Xinhua Bookstore.｜这书店有语言~、文学~、历史~、地理~以及科普~等等。Zhè shūdiàn yǒu yǔyán ~ 、wénxué ~ 、lìshǐ ~ 、dìlǐ ~ yǐjí kēpǔ ~ děngděng. There are all kinds of reading materials in this bookstore, in languages, literature, history, geography, popular science, etc.｜出版社刚出版了一套帮助学习汉语的~。Chūbǎnshè gāng chūbǎnle yí tào bāngzhù xuéxí Hànyǔ de ~. The press has just published a set of readers that assist the study of Chinese.

² 读者 dúzhě〈名 n.〉(个 gè 、名 míng 、位 wèi) 阅读书刊文章的人 reader (of a book, newspaper, etc.)：学校设立了一个~服务部。Xuéxiào shèlìle yí gè ~ fúwùbù. A service center for the readers is set up in the school.｜我是贵社的一个忠实~。Wǒ shì guì shè de yí gè zhōngshí ~. I am a faithful reader of your press.｜现在汉语辅导书的~越来越多。Xiànzài Hànyǔ fǔdǎoshū de ~ yuèláiyuè duō. Now there are more and more readers of the guidance books to the study of Chinese.

² 堵 dǔ ❶〈动 v.〉堵塞 stop up; block up：快把老鼠洞~上。Kuài bǎ lǎoshǔ dòng ~ shang. Stop up the mouseholes.｜别~住门。Bié ~zhù mén. Don't stand in the doorway. **❷**〈动 v.〉被阻挡 be jammed：这条路经常~车。Zhè tiáo lù jīngcháng ~ chē. There is often a traffic jam on this road. **❸**〈动 v.〉发闷；憋气 stifled; suffocated; oppressed：老没人跟他说话，他心里~得慌。Lǎo méi rén gēn tā shuōhuà, tā xīn li ~ de huāng. He feels suffocated for no one talks to him for a long time.｜整天关在这屋里，~得要命。Zhěngtiān guān zài zhè wū li, ~ de yàomìng. Shutting himself up in the room all day, he feels extremely bored. **❹**〈名 n. 书 lit.〉墙 wall：围观者如~。Wéiguānzhě rú ~. There is a crowd of spectators. **❺**〈量 meas.〉用于墙 for walls：一~围墙 yì ~ wéiqiáng a wall

⁴ 堵塞 dǔsè ❶〈动 v.〉阻塞 block up; stop up：交通要道被骑自行车的人群~了。Jiāotōng yàodào bèi qí zìxíngchē de rénqún ~ le. The major road is blocked up by the crowd of cyclists.｜鼻子~，恐怕你是感冒了。Bízi ~, kǒngpà nǐ shì gǎnmào le. I am afraid that you have a cold since your nose is blocked up. ❷〈动 v.〉防止 prevent; stop up: ~工作中的漏洞 ~ gōngzuò zhōng de lòudòng stop up the loopholes in one's work｜不~漏洞，后患无穷。*Bù ~ lòudòng, hòuhuàn wúqióng.* There will be endless troubles in the future if the loophole is not stopped up.

⁴ **赌** dǔ ❶〈动 v.〉赌博 gamble: ~钱 ~qián gamble｜~棍 ~gùn gambler｜他连命也~上了。*Tā lián mìng yě ~shang le.* He even gambles with his life. ❷〈动 v.〉泛指争输赢；比优劣 bet: 我敢肯定她不会来了，不信咱们一~。*Wǒ gǎn kěndìng tā bú huì lái le, bú xìn zánmen yì ~.* I am sure she will not come. Let's bet, if you don't believe it. ❸〈名 n.〉比胜负、争输赢的活动 the act of betting; bet: 你敢打这个~吗? *Nǐ gǎn dǎ zhège ~ ma?* Dare you have a bet?｜谁敢跟你打这个~呀! *Shéi gǎn gēn nǐ dǎ zhège ~ ya!* Who dares to make a bet against you?

赌博 dǔbó ❶〈动 v.〉用财物作注，通过打牌等形式比输赢 gamble: ~是违法的。*~ shì wéifǎ de.* Gambling is against the law.｜禁止一切~活动。*Jìnzhǐ yíqiè ~ huódòng.* All gambling activities are forbidden. ❷〈动 v.〉比喻进行冒险活动 fig. stage a risky venture: 这起军事政变是一场政治~。*Zhè qǐ jūnshì zhèngbiàn shì yì chǎng zhèngzhì ~.* This coup d'etat is a political gamble.

⁴ **杜绝** dùjué〈动 v.〉彻底制止；消灭(坏事) stop completely; put an end to (bad things): 要设法~贪污、浪费。*Yào shèfǎ ~ tānwū, làngfèi.* Try to put an end to corruption and waste.｜交通事故尽管不能~，但要尽量减少。*Jiāotōng shìgù jǐnguǎn bù néng ~, dàn yào jǐnliàng jiǎnshǎo.* Although traffic accidents can not be prevented completely, they must be reduced in every way possible.

² **肚子** dùzi ❶〈名 n.〉人或动物腹部的通称 belly; abdomen: 人一发胖，~明显大起来。*Rén yì fāpàng, ~ míngxiǎn dà qǐlái.* When you put on weight, your belly will get obviously big.｜少喝点儿，看你这啤酒~! *Shǎo hē diǎnr, kàn nǐ zhè píjiǔ ~!* Drink less. Just look at your beer belly!｜看你这~，有七个月了吧? *Kàn nǐ zhè ~, yǒu qī gè yuè le ba?* Judging from your belly, are you 7 months pregnant?｜昨夜着凉，一阵一阵痛。*Zuó yè zháoliáng, ~ yízhèn yízhèn tòng.* I am suffering from abdominal pain for I caught a chill last night. ❷〈名 n.〉物体圆而凸起的部分 a belly-shaped thing: 你的腿~真粗。*Nǐ de tuǐ~ zhēn cū.* The calf of your leg is really thick. ❸〈名 n.〉借指内心 stuffed with; full of: 一~鬼主意 yí ~ guǐ zhǔyi full of wicked ideas.

² **度** dù ❶〈词尾 suff.〉表明物质的有关性质达到的程度 degree of intensity: 热~ rè~ heat｜亮~ liàng~ brightness｜纯~ chún~ purity｜硬~ yìng~ hardness｜宽~ kuān~ width｜厚~ hòu~ thickness｜高~ gāo~ height｜深~ shēn~ depth｜浓~ nóng~ density｜灵敏~ língmǐn~ sensitiveness ❷〈词尾 suff.〉表示可以计量的标准；程度；限度 a measurable standard; extent; limit: 坡~ pō~ slope｜跨~ kuà~ span｜进~ jìn~ rate of progress｜难~ nán~ degree of difficulty｜知名~ zhīmíng~ popularity｜透明~ tòumíng~ transparency｜运动要适~，不可过~。*Yùndòng yào shì~, bù kě guò~.* Do physical exercise moderately and never overdo it. ❸〈名 n.〉一定范围内时间或空间 a specified amount of time or space: 年~ nián~ a year｜季~ jì~ a quarter (of a year)｜国~ guó~ a country ❹〈名 n.〉法则；应遵守的准则 law; principle: 按制~办事 àn zhì~ bànshì act according to the regulations｜公务员录取的尺~ gōngwùyuán lùqǔ de chǐ~ the standard of recruiting civil servants ❺〈名 n.〉气质；胸怀；姿态 temperament; mind; posture: 气~ qì~ tolerance｜量~ liàng~ magnanimity; tolerance｜风~ fēng~ manners｜态~ tài~ attitude ❻〈名 n.〉哲学范畴'度'的概念，指一定事物所保持自己的数量界限。在这个界限内，量的变化不会引起质变；超出这个界限，则会引起质变 in philosophy, '度'

refers to the quantitative limit that a thing retains. Within this limit, it keeps its quality, but beyond it, a qualitative change takes place **❼**〈名 n.〉个人所打算或计划的范围 one's consideration：生死早已置之~外. *Shēngsǐ zǎo yǐ zhìzhī-~wài.* Life or death was left out of consideration long ago. **❽**〈量 meas.〉表示温度、电量、经纬以及弧和角等计量单位的名称 for temperature, electricity, latitude and longitude, arcs, angles, etc.：今天最高气温25~，最低气温15~. *Jīntiān zuìgāo qìwēn èrshíwǔ ~, zuìdī qìwēn shíwǔ ~.* The maximum temperature is 25 degrees and the minimum, 15 degrees today. ｜他发烧39~. *Tā fāshāo sānshíjiǔ ~.* He has a fever of 39 degrees. ｜上个月用电120~，日均4~. *Shàng gè yuè yòng diàn yìbǎi èrshí ~, rì jūn sì ~.* We consumed 120 kwhs of electricity last month, 4 kwhs daily on the average. ｜东经165~，北纬37~ *dōngjīng yìbǎi liùshíwǔ ~, běiwěi sānshíqī ~* at 165° east longitude and 37° north latitude ｜90~直角 *jiǔshí ~ zhíjiǎo* a right angle of 90 degrees ｜转了一百八十一弯. *Zhuǎnle yìbǎi bāshí ~ wān.* A 180-degree turn was made. **❾**〈量 meas.〉表示次数 time; occasion：一年一~梅花节 *yì nián yí ~ méihuājié* the annual plum blossom festival ｜这个舞蹈团曾两~来华演出. *Zhège wǔdǎotuán céng liǎng ~ lái Huá yǎnchū.* The dancing troupe has twice been to China to give performances. **❿**〈动 v.〉度过 spend; pass：欢~国庆 *huān ~ Guóqìng* celebrate the National Day in jubilation ｜虚~年华 *xū ~ niánhuá* idle away one's time **⓫**〈动 v. 书 lit.〉跨过；越过 cross; pass：春风不~玉门关. *Chūnfēng bú ~ Yùménguān.* Spring wind has never reached across Yumenguan Pass. **⓬**〈动 v.〉佛教、道教指让人超脱尘俗 (of Buddhists or Taoists) try to convert：剃~ *tì~* tonsure ｜超~ *chāo~* release souls from the purgatory; expiate the sins of the dead

² **度过** dùguò〈动 v.〉经过（时间）；经历 spend (time); pass：~美好的时光 *~ měihǎo de shíguāng* spend one's happy days ｜~愉快的节日 *~ yúkuài de jiérì* spend a pleasant festival ｜~幸福的晚年 *~ xìngfú de wǎnnián* lead a happy life in one's remaining years ｜~八个春秋 *~ bā gè chūnqiū* spend 8 years ｜~了一生中最难忘的日子 *~le yīshēng zhōng zuì nánwàng de rìzi* spend the most unforgettable days in one's life ｜爸爸的一生都是在乡下~的. *Bàba de yīshēng dōushì zài xiāngxià ~ de.* Father spent all his life in the countryside.

⁴ **渡** dù **❶**〈动 v.〉由这一岸到那一岸 cross (a river, etc.)：横~长江 *héng ~ Cháng Jiāng* cross the Yangtze River ｜远~重洋 *yuǎn ~ chóngyáng* travel across the oceans ｜飞~大西洋 *fēi ~ Dàxīyáng* fly across the Atlantic **❷**〈动 v.〉载运过河 ferry：~船 *~ chuán* ferryboat ｜摆~ *bǎi~* ferry across a river **❸**〈动 v.〉通过 tide over; pull through：~过难关 *~guò nánguān* tide over a difficulty ｜~过危机 *~guò wēijī* pull through a crisis **❹**〈名 n.〉指渡船 ferry：轮~ *lún~* (steam) ferry **❺**〈名 n.〉渡口（多用于中国地名）ferry crossing (usually used in place names in China)

⁴ **渡船** dùchuán〈名 n.〉（只 zhī、条 tiáo）通过江、河等的运输工具 ferryboat; ferry：这只~只能载十几个人. *Zhè zhī ~ zhǐnéng zài shíjǐ gè rén.* This ferryboat can carry only a dozen people. ｜这是一条大~，不仅能载几百人，还能载十几辆车. *Zhè shì yì tiáo dà ~, bùjǐn néng zài jǐ bǎi rén, hái néng zài shíjǐ liàng chē.* This is a big ferry that can not only carry several hundred people, but also a dozen cars.

⁴ **渡口** dùkǒu〈名 n.〉（个 gè）船或筏子摆渡的地方 ferry crossing：前面是一个~. *Qiánmian shì yí gè ~.* There is a ferry crossing ahead. ｜~不大，只有一条木船摆渡. *~ bú dà, zhǐyǒu yì tiáo mùchuán bǎidù.* The ferry crossing is not big, with only one wooden ferryboat. ｜很多人在~等着过江. *Hěnduō rén zài ~ děngzhe guò jiāng.* Many people are waiting to cross the river at the ferry crossing.

⁴**镀 dù**〈动 v.〉用电解或其他化学方法使一种金属附着在别的金属或物体的表面上 plate：我要一套～银的酒具。*Wǒ yào yí tào ~ yín de jiǔjù.* I'd like to have a silver-plated drinking set. |～金的项链值不了多少钱。*~jīn de xiàngliàn zhí bù liǎo duōshao qián.* A gold-plated necklace is not worth much.

²**端 duān ❶**〈动 v.〉平举拿东西 hold sth. level with both hands; carry：服务员忙着～菜～饭。*Fúwùyuán mángzhe ~ cài ~ fàn.* The attendants are busy serving meals. |快给客人～菜。*Kuài gěi kèrén ~ cài.* Serve dishes for the customers at once. **❷**〈动 v.〉把事情、问题、困难等全摆出来 come out with (a situation, problem, difficulty, etc.)：大家把他的丑事给～了出来。*Dàjiā bǎ tā de chǒushì gěi ~ le chūlái.* We made public all his disgraceful things. |你把问题～出来大家研究研究。*Nǐ bǎ wèntí ~ chūlái dàjiā yánjiū yánjiū.* Come out with your problem and we'll discuss it. **❸**〈动 v. 口 colloq.〉拿架子 put on airs：你～着吓唬谁呀! *Nǐ ~zhe xiàhu shéi ya?* Who could you frighten by putting on airs? **❹**〈动 v.〉彻底除掉 destroy; get rid of sth. completely：昨晚的行动中警察～掉了一个贼窝。*Zuó wǎn de xíngdòng zhōng jǐngchá ~diàole yí gè zéiwō.* The police destroyed a thieves' den in an operation yesterday evening. **❺**〈名 n.〉事物的一头儿或两头儿 end：绳子的一～挂在树上，另一～拴在牛的鼻子上。*Shéngzi de yì ~ guà zài shù shang, lìng yì ~ shuān zài niú de bízi shang.* One end of the rope is put up on the tree and the other end tied around the bull's nostril. |走廊的一～有一面大镜子。*Zǒuláng de yì ~ yǒu yí miàn dà jìngzi.* There is a large mirror at the end of the corridor. **❻**〈名 n.〉头绪；项目 point; item：魔术变化多～ *móshù biànhuà duō ~* a variety of magic performances |现行考试的弊不少。*Xiànxíng kǎoshì de bì~ bù shǎo.* There are many drawbacks in the contemporary examination system. **❼**〈名 n.〉事情的开头 beginning：工程的开～还是顺利的。*Gōngchéng de kāi~ háishì shùnlì de.* The project began smoothly. |事故的祸～早已暴露 *Shìgù de huò~ zǎo yǐ bàolù.* The symptoms of the accident showed themselves long ago. **❽**〈形 adj.〉端正；正派 upright; honest：他～坐在客厅里。*Tā ~zuò zài kètīng li.* He sat up straight in the parlor. |此人心术不～。*Cǐ rén xīnshù bù ~.* This guy harbors evil intentions.

³**端正 duānzhèng ❶**〈形 adj.〉不歪斜 upright; straight：同学们坐得端端正正 *Tóngxuémen zuò de duānduān-zhèngzhèng.* The students sat up straight. |他字写得十分～。*Tā zì xiě de shífēn ~.* He writes neatly. |她面庞清秀，五官～。*Tā miànmáng qīngxiù, wǔguān ~.* She has delicate and pretty features. **❷**〈形 adj.〉正确；正派 correct; decent：品行～ *pǐnxíng ~* well-behaved |举止很不～ *jǔzhǐ hěn bù ~* having very bad manners **❸**〈动 v.〉使端正 correct; rectify：把错误态度～过来 *Bǎ cuòwù tàidù ~ guòlái.* Rectify your wrong attitude. |你帮他把姿势～一下。*Nǐ bāng tā bǎ zīshì ~ yíxià.* Help him correct his posture.

¹**短 duǎn ❶**〈形 adj.〉空间距离小（与'长'相对）short in distance (opposite to '长 cháng')：～裙 *~qún* short skirt |～跑 *~pǎo* short-distance run |头发剪得～～的，像个男孩儿。*Tóufa jiǎn de ~~ de, xiàng gè nánháir.* Having her hair cut short, she looks like a boy. **❷**〈形 adj.〉时间短暂（与'长'相对）short in time (opposite to '长 cháng')：可惜，我在北京呆得太～了。*Kěxī, wǒ zài Běijīng dāi de tài ~ le.* Unfortunately, I had a very short stay in Beijing. |一年时间是学不好汉语的。*~~ yì nián shíjiān shì xué bù hǎo Hànyǔ de.* A short year is not enough to learn Chinese well. **❸**〈形 adj.〉浅薄 shallow; not profound：见识～ *jiànshi ~* insufficient in knowledge and experience **❹**〈动 v.〉不足；缺少 lack; owe：他理～，自然强硬不起来。*Tā lǐ ~, zìrán qiángyìng bù qǐlái.* He has no justification. Naturally it is difficult for him to assume an uncompromising

stand. ｜ 这里还~五个人。Zhèli hái ~ wǔ gè rén. There are still five people missing here. ❺ (~儿)〈名 n.〉缺点 shortcoming; weak point: 你可不能护~。Nǐ kě bù néng hù~. You should not shield his shortcoming. ｜ 不该揭人家的~儿。Bù gāi jiē rénjiā de ~r. We should not rake up his weaknesses.

⁴ **短处** duǎnchù〈名 n.〉(个 gè) 缺点和不足(与'长处'相对) shortcoming; weakness; fault （opposite to '长处 chángchù'）: 每个人都有长处和~。Měi gè rén dōu yǒu chángchù hé ~. Everyone has his own strong points and weak points. ｜ 你们不要老看别人的~。Nǐmen búyào lǎo kàn biérén de ~. You should not always fix your eyes on others' shortcomings. ｜ 你别抓住人家的一个~不放。Nǐ bié zhuāzhù rénjiā de yí gè ~ bú fàng. Don't seize on a fault of his and never let it go.

² **短促** duǎncù〈形 adj.〉(时间)极短;急促 (of time) very brief; of short duration: 时间显得这么~,在中国一晃都五年了。Shíjiān xiǎnde zhème ~, zài Zhōngguó yíhuàng dōu wǔ nián le. Time passes quickly. I have been in China for five years in a flash. ｜ 这假期太~了,玩儿还没玩儿够呢! Zhè jiàqī tài ~ le, wánr hái méi wánrgòu ne! The vacation is too brief. I have not enjoyed myself enough yet! ｜ 病人的呼吸越来越~。Bìngrén de hūxī yuèláiyuè ~. The patient is getting short of breath. ｜ 河边传来的呼救声。Hé biān chuánlái ~ de hūjiù shēng. A cry for help is heard from the riverside.

² **短期** duǎnqī〈名 n.〉短时期 short-term: 汉语~培训班 Hànyǔ ~ péixùnbān a short-term training class for Chinese ｜ 到中国进行~文化交流。Dào Zhōngguó jìnxíng ~ wénhuà jiāoliú. Go to China for a short period of cultural exchange. ｜ 我在银行办理了一笔~贷款。Wǒ zài yínháng bànlǐ le yì bǐ ~ dàikuǎn. I got through the procedures and gained a short-term loan from the bank.

⁴ **短暂** duǎnzàn〈形 adj.〉(时间)短 (of time) short; brief: 虽然在北京停留的时间~,却给我留下美好的印象。Suīrán zài Běijīng tíngliú de shíjiān ~, què gěi wǒ liúxià měihǎo de yìnxiàng. Although I had only a short stay in Beijing, it left a fine impression on me. ｜ 充分利用这~的时光,抓紧观摩。Chōngfèn lìyòng zhè ~ de shíguāng, zhuājǐn guānmó. Make full use of the brief time to inspect and learn. ｜ 在北京作~停留,然后转赴香港。Zài Běijīng zuò ~ tíngliú, ránhòu zhuǎn fù Xiānggǎng. I'll make a short stay in Beijing and then continue my journey to Hong Kong.

¹ **段** duàn ❶〈量 meas.〉用于长条分成的若干部分 section; part; segment: 把竹竿截成两~ bǎ zhúgān jiéchéng liǎng ~ cut the bamboo pole into two segments ｜ 这~公路是我们村修的。Zhè ~ gōnglù shì wǒmen cūn xiū de. This section of the highway was built by our village. ❷〈量 meas.〉表示一定的距离 a certain distance: 去动物园还有很长一~路。Qù dòngwùyuán háiyǒu hěn cháng yí ~ lù. There is still a long way to the zoo. ｜ 往前走一~路就到图书馆了。Wǎng qián zǒu yí ~ lù jiù dào túshūguǎn le. Go some way ahead and you'll reach the library. ❸〈量 meas.〉事物的一部分 part of a thing: 这~工作忙不忙? Zhè ~ gōngzuò máng bù máng? Are you busy these days? ❹〈量 meas.〉语言、文辞、戏曲、音乐的一部分 paragraph or passage in language, writing, drama or music: 你把这~文章给念念。Nǐ bǎ zhè ~ wénzhāng gěi niànnian. Read this paragraph of the article aloud. ｜ 你给大家唱一~京戏吧。Nǐ gěi dàjiā chàng yí ~ jīngxì ba. Will you sing this passage from the Peking Opera for us? ❺〈量 meas.〉棋类运动员的段位 class in chess games: 他是八~国手。Tā shì bā ~ guóshǒu. He is a Class 8 chess player at the national level. ｜ 他战胜了日本的九~。Tā zhànshèngle Rìběn de jiǔ ~. He beat the Japanese Class 9 player in a contest. ❻〈名 n.〉事物划分的部分 part of thing: 阶~ jiē~ stage ｜ 地~ dì~ district ｜ ~落 ~luò paragraph ❼〈名 n.〉工矿企业中的一级行政单位

D

an administrative unit in an industrial or mining enterprise：这里是一工～。*Zhèlǐ shì yī gōng~*. Here is Section 1 of the enterprise.｜他是工～长。*Tā shì gōng~zhǎng*. He is a section chief in the factory.

²断 duàn ❶〈动 *v.*〉（长形的东西）截断或分开 (of a long thing) break; snap：电线被大风吹～了。*Diànxiàn bèi dà fēng chuī~ le*. The electric wire snapped in the strong wind.｜一根绳子被人割～了。*Yì gēn shéngzi bèi rén gē~ le*. A rope was cut into two. **❷**〈动 *v.*〉中断；隔绝；停止 break off; separate; stop：这座新楼经常～水～电。*Zhè zuò xīn lóu jīngcháng ~ shuǐ ~ diàn*. The water and electricity supply is often cut off in this new building.｜毕业以后他和她的关系也就～了。*Bìyè yǐhòu tā hé tā de guānxì yě jiù ~ le*. After graduation, he cut off his relations with her.｜孩子才三个月，还不能～奶。*Háizi cái sān gè yuè, hái bù néng ~ nǎi*. Being just three months old, the baby can not be weaned. **❸**〈动 *v.*〉判断；决定 judge; decide：优柔寡～ *yōuróu-guǎ~* irresolute to make a decision｜难以决～ *nányǐ jué~* difficult to decide **❹**〈动 *v.*〉戒除 give up; abstain from：～酒难、～烟更难。*~ jiǔ nán、~ yān gèng nán*. It is difficult to give up drinking and even more so to quit smoking. **❺**〈动 *v.*〉拦截 break off; intercept：～后 *~hòu* have no offspring;（military）bring up the rear **❻**〈副 *adv.*〉一定；绝对（用于否定）decidedly; absolutely (used in the negative)：～然 *~rán* flatly｜～不可行！*~ bù kě xíng*! It is decidedly unfeasible!

⁴断定 duàndìng〈动 *v.*〉决断而认定 conclude; form a judgment：你能～这件事是他干的吗？*Nǐ néng ~ zhè jiàn shì shì tā gàn de ma*? Can you conclude that it was done by him?｜我敢～是他干的。*Wǒ gǎn ~ shì tā gàn de*. I am sure that it is his doing.｜情况复杂，不能贸然～。*Qíngkuàng fùzá, bù néng màorán ~*. Under such complicated circumstances, I cannot make a rash conclusion.

⁴断断续续 duànduànxùxù〈形 *adj.*〉时而中断，时而继续 intermittently; off and on：这部词典我们～编写了八年。*Zhè bù cídiǎn wǒmen ~ biānxiěle bā nián*. We compiled this dictionary for 8 years intermittently.｜汉语我～学了五年。*Hànyǔ wǒ ~ xuéle wǔ nián*. I studied Chinese on and off for five years.｜这部小说我～看了两个月才看完。*Zhè bù xiǎoshuō wǒ ~ kànle liǎng gè yuè cái kànwán*. I spent two months on and off before I finished the novel.

⁴断绝 duànjué〈动 *v.*〉中断联系或隔绝往来；不再连贯 break off; cut off; sever：他出国之后，就～了音信。*Tā chūguó zhī hòu, jiù ~ le yīnxìn*. He is not heard of since he went abroad.｜两国～了外交关系。*Liǎng guó ~ le wàijiāo guānxì*. The two countries severed their diplomatic relations.｜前面塌方，交通～，大家愁眉不展。*Qiánmiàn tāfāng, jiāotōng ~, dàjiā chóuméi-bùzhǎn*. The traffic came to stop because of a landslip ahead. Everybody is worried about it.

⁴缎子 duànzi〈名 *n.*〉（匹 *pǐ*、块 *kuài*）质地较厚，一面平滑而有光泽的丝织品，中国的特产之一 satin, a special silk product in China：中国苏州出产的～最为有名。*Zhōngguó Sūzhōu chūchǎn de ~ zuì wéi yǒumíng*. The satin produced in Suzhou, China, is best known.｜结婚的时候，朋友送了我两床～被面。*Jiéhūn de shíhou, péngyou sòngle wǒ liǎng chuáng ~ bèimiàn*. At the time when I got married, my friend gave me two satin quilt covers as a present.

¹锻炼 duànliàn ❶〈动 *v.*〉通过体育运动，增强体质 have physical training; take exercise：参加体育～ *cānjiā tǐyù* ~ participate in physical training｜～身体 *~ shēntǐ* build up a good physique by taking exercise｜～体魄 *~ tǐpò* build up health **❷**〈动 *v.*〉在实践活动中，增长才干 temper; steel：艰苦的环境，可以～人的意志。*Jiānkǔ de huánjìng,* *kěyǐ ~ rén de yìzhì.* Difficult circumstances may temper a man's will. ｜他在实际工作中得到了~。*Tā zài shíjì gōngzuò zhōng dédàole ~.* He tempered himself in the practical work. ❸〈动 v.〉锻造或冶炼金属 forge/smelt (metal)：兵器经过~才能锋利。*Bīngqì jīngguò ~ cái néng fēnglì.* Weapons become sharp through forging and smelting.

² **堆** duī ❶〈动 v.〉堆积；累积 pile up；stack：~雪人 ~ *xuěrén* make a snowman ｜次品满了仓库。*Cìpǐn ~mǎnle cāngkù.* The storehouse is piled up with defective goods. ❷ (~儿)〈名 n.〉堆积在一起的东西 pile；stack；heap：草~儿 *cǎo ~r* haystack ｜书~儿 *shū ~r* a pile of books ｜人~儿 *rén ~r* a crowd ❸ (~儿)〈名 n.〉众多的人或事 numerous：大家别扎~儿! *Dàjiā bié zhā~r!* Don't gather a crowd here. ｜这个单位的问题成~儿。*Zhège dānwèi de wèntí chéng ~r.* There are too many problems in this unit. ❹〈量 meas.〉用于成堆的物或成群的人 heap；stack；pile：两~垃圾 *liǎng ~ lājī* two heaps of garbage ｜这么一大~人里哪能找得到他。*Zhème yí dà ~ rén li nǎ néng zhǎo de dào tā.* How can I find him in such a big crowd? ❺〈量 meas.〉引申用于抽象事物，形容数量多，数词限于用'一'used to follow the numeral '一yī' to express a large number：一大~事情等着他去处理。*Yí dà ~ shìqing děngzhe tā qù chǔlǐ.* There is a myriad of things waiting for him to attend to. ｜他刚才说了一大~,我一句也没听懂。*Tā gāngcái shuōle yí dà ~, wǒ yí jù yě méi tīngdǒng.* He talked a lot just now, but I didn't understand a single word.

³ **堆积** duījī 〈动 v.〉成堆地聚积 pile up；heap up：丰收的苹果~如山。*Fēngshōu de píngguǒ ~ rú shān.* Apples are heaped up mountain-high in a good harvest. ｜满屋子~的尽是书。*Mǎn wūzi ~ de jìn shì shū.* The room is full of books. ｜矛盾~得越多，越难处理。*Máodùn ~ de yuè duō, yuè nán chǔlǐ.* The more contradictions are accumulated, the more difficult it is to deal with them.

D

⁴ **队** duì ❶〈名 n.〉(个 gè)行列 row；line：排成两~ *pái chéng liǎng ~* fall into two lines ｜站成方 *zhàn chéng fāng ~* stand in a square formation ｜成群结~ *chéngqún-jié~* in packs and bands ❷〈名 n.〉(个 gè)具有某种性质的集体 team；group：篮球~ *lánqiú ~* basketball team ｜钻井~ *zuānjǐng~* well-drilling team ｜军乐~ *jūnyuè~* military band ❸〈名 n.〉特指中国少年先锋队 Young Pioneers：今天小朋友过~日。*Jīntiān xiǎopéngyǒu guò ~rì.* The children are going to have a Young Pioneer's Day today. ❹〈量 meas.〉用于排成队列的人或物 for people or things in a line：一~人马 *yí ~ rénmǎ* a line of troops ｜一~军车 *yí ~ jūnchē* a line of military vehicles

² **队伍** duìwu ❶〈名 n.〉(个 gè、支 zhī)特指军队 troops：中国人民解放军是一支纪律严明的。*Zhōngguó Rénmín Jiěfàngjūn shì yì zhī jìlǜ yánmíng de ~.* The Chinese People's Liberation Army is a highly disciplined force. ｜这个~是全心全意为人民服务的。*Zhège ~ shì quánxīn-quányì wèi rénmín fúwù de.* This unit serves the people heart and soul. ❷〈名 n.〉有组织的集体 ranks；contingent：教师~ *jiàoshī~* ranks of teachers ｜知识分子~ *zhīshi fēnzǐ ~* a contingent of intellectuals ❸〈名 n.〉有组织的群众行列 procession；line：游行的一眼望不到头。*Yóuxíng de ~ yìyǎn wàng bú dào tóu.* The parade appears endless. ｜第二方队是学生~。*Dì-èr fāngduì shì xuésheng ~.* The second square is formed by the students.

³ **队员** duìyuán 〈名 n.〉(名 míng、个 gè、位 wèi)具有某种性质的队伍中的成员 member of a specific team：你是一名少先~。*Nǐ shì yì míng shàoxiān~.* You are a Young Pioneer. ｜我是一个地质勘探~。*Wǒ shì yí gè dìzhì kāntàn ~.* I am a member of the prospecting team. ｜他过去是游击~。*Tā guòqù shì yóujī ~.* He was a guerrilla.

⁴ **队长** duìzhǎng 〈名 n.〉(名 míng、位 wèi、个 gè)以队为单位的单位带头人 leader of a team；captain：他是校足球队~。*Tā shì xiào zúqiú duì ~.* He is the captain of the school

football team. | 我们这个~组织能力很强。*Wǒmen zhège ~ zǔzhī nénglì hěn qiáng.* Our team leader is strong in organizational capacity. | 大家推选一位~和两位副~。*Dàjiā tuīxuǎn yí wèi ~ hé liǎng wèi fù ~.* We elected a captain and two deputies.

¹**对 duì ❶**〈介 *prep.*〉指示动作的对象 related to the target of an act: 老师~我们可关心了。*Lǎoshī ~ wǒmen kě guānxīn le.* The teachers are very considerate to us. | 他心里有话从不~别人说。*Tā xīn li yǒu huà cóng bú ~ biéren shuō.* He never tells others what is on his mind. **❷**〈动 *v.*〉朝；向（常带'着'或其他成分）face; confront（often used with '着zhe' or other elements）: 校门口~着大街。*Xiào ménkǒu ~zhe dàjiē.* The school gate faces the street. | 我和他两家正好门~门。*Wǒ hé tā liǎng jiā zhènghǎo mén ~ mén.* My house faces his house door to door. **❸**〈动 *v.*〉核对；查对 check; compare: ~~表 ~ ~ biǎo set one's watch | ~一下原稿，看有没有错漏。*~ yíxià yuángǎo, kàn yǒu méi yǒu cuòlòu.* Check the manuscript to see if there are any mistakes or anything missing. **❹**〈动 *v.*〉搀和(多指液体) mix (usually liquids): 我不会喝酒，干红葡萄酒多~些雪碧。*Wǒ bú huì hē jiǔ, gānhóng pútáojiǔ duō ~xiē Xuěbì.* I don't drink much. Please add much Sprite to the dry red wine. | 这水太烫了，~些凉白开。*Zhè shuǐ tài tàng le, ~xiē liángbáikāi.* The water is too hot. Please add some cold boiled water to it. **❺**〈动 *v.*〉配对成双 form a couple or pair: 他~她是天生一对儿。*Tā ~ tā shì tiānshēng yíduìr.* He and she are a born couple. | 我出上联儿，你~下联儿。*Wǒ chū shàngliánr, nǐ ~ xiàliánr.* I'll set the first line of the couplet and you'll give the second. **❻**〈动 *v.*〉接触；合拢 bring (two things) into contact; fit one into the other: ~个火儿 ~ gè huǒr give me a light | 把窗户~上 bǎ chuānghu ~shang shut the window **❼**〈动 *v.*〉投合；适合 suit; agree: 干这活，真~劲儿。*Gàn zhè huó, zhēn ~jìnr.* This job suits me very well. | 这两个人~脾气。*Zhè liǎng gè rén ~ píqi.* The two guys agree in temperament. **❽**〈动 *v.*〉调整，使合于一定标准 adjust; set: 镜框挂歪了，向左~一点。*Jìngkuàng guà wāi le, xiàng zuǒ ~ yìdiǎn.* The picture frame does not hang properly. Set it a little to the left. | 全自动的，不用~距离和光圈就能拍照。*Quán zìdòng de, bú yòng ~ jùlí hé guāngquān jiù néng pāizhào.* The camera is automatic. You may take pictures without having to adjust the distance and its aperture. **❾**〈动 *v.*〉回答；对答 answer; reply: 无言以~*wúyányǐ~* have nothing to say in reply | 咱俩一起复习，我问你~。*Zán liǎ yìqǐ fùxí, wǒ wèn nǐ ~.* Let's review the lessons together. I'll ask questions and you'll answer them. **❿**〈动 *v.*〉对抗；对待 confront; cope with: 针锋相~*zhēnfēng-xiāngduì* tit for tat | 咱们有什么意见都可以提，~事不~人。*Zánmen yǒu shénme yìjiàn dōu kěyǐ tí, ~ shì bú ~ rén.* We may make any criticisms, directed against matters, not against persons. **⓫**〈动 *v.*〉彼此相向 in opposite directions: 北京和上海之间每天~开七次直达列车。*Běijīng hé Shànghǎi zhījiān měitiān ~kāi qī cì zhídá lièchē.* There are seven express trains between Beijing and Shanghai daily. **⓬**〈动 *v.*〉平分成两份 cut sth. in half; half-and-half: 这笔奖金咱俩~分。*Zhè bǐ jiǎngjīn zán liǎ ~fēn.* Let's split the bonus between the two of us. **⓭**〈形 *adj.*〉正确；正常；相合 correct; right; normal: 他的意见很~，我举双手赞成。*Tā de yìjiàn hěn ~, wǒ jǔ shuāngshǒu zànchéng.* His opinion is correct. I am all for it. | 你的脸色不~呀，是不是病了? *Nǐ de liǎnsè bú ~ ya, shì bú shì bìng le?* You do not look well. Are you ill? | 这个卷子答案都~。*Zhège juànzi dá de dōu ~.* All the answers in this paper are correct. **⓮**〈量 *meas.*〉用于按性别、左右、正反等相结合的成双的人、动物或事物；双 pair or couple formed according to male and female, right and left or positive and negative: 他俩是天生的一~。*Tā liǎ shì tiānshēng de yí ~.* They are a born couple. | 成~的鸳鸯在湖里游来游去。*Chéng ~ de yuānyāng zài hú li yóu lái yóu qù.* Couples of

mandarin ducks are swimming on the lake. │ 这一手镯做工很精细。*Zhè ~ shǒuzhuó zuògōng hěn jīngxì.* This pair of bracelets shows fine workmanship.

⁴ **对岸** duì'àn 〈名 n.〉相对着的水域两岸互称对岸 the opposite bank: 我家就在河的~。*Wǒ jiā jiù zài hé de ~.* I live on the other side of the river. │ 湖的~有一片原始森林。*Hú de ~ yǒu yí piàn yuánshǐ sēnlín.* There is a virgin forest on the other side of the lake. │ 小船划到江~至少半小时。*Xiǎochuán huádào jiāng ~ zhìshǎo bàn xiǎoshí.* It takes the boat at least half an hour to get to the other side of the river.

² **对比** duìbǐ ❶〈动 v.〉对照比较 contrast: 今昔~ *jīn xī ~* contrast the present with the past │ 新旧~，两重天。*Xīnjiù ~, liǎng chóng tiān.* When I contrast the new society with the old, I find they are just two worlds. ❷〈名 n.〉比例 contrast; ratio; balance: 今昔形成强烈的~。*Jīn xī xíngchéng qiángliè de ~.* The present and the past form a sharp contrast. │ 这两个队的力量~太悬殊了。*Zhè liǎng gè duì de lìliàng ~ tài xuánshū le.* There is a great disparity in strength between the two teams.

¹ **对不起** duìbuqǐ ❶〈动 v.〉辜负人或对人有愧 let sb. down; do a disservice to: 这次没考好，真~培养我的老师。*Zhè cì méi kǎohǎo, zhēn ~ péiyǎng wǒ de lǎoshī.* I really let my teacher down for I didn't do well in this examination. │ 不能干~朋友的事情。*Bù néng gàn ~ péngyou de shìqing.* Don't do any disservice to your friend. ❷〈动 v. 谦 hum.〉表示抱歉的话 be sorry; excuse me; pardon me: ~，让您白跑一趟。*~, ràng nín bái pǎo yí tàng.* Sorry for your making a fruitless trip. │ ~，请您再说一遍好吗？*~, qǐng nín zài shuō yí biàn hǎo ma?* I beg your pardon, but would you please repeat it?

⁴ **对策** duìcè 〈名 n.〉〈个 gè、条 tiáo〉对付的策略或办法 the way to deal with a situation: 情况突然变化，他们正制定一个应急~。*Qíngkuàng tūrán biànhuà, tāmen zhèng zhìdìng yí gè yìngjí ~.* Circumstances have changed all of a sudden. They are making a contingency plan. │ 面临困境，他竟拿不出相应的~来。*Miànlín kùnjìng, tā jìng ná bù chū xiāngyìng de ~ lái.* Faced with the difficulty, he could not come up with a countermove.

⁴ **对称** duìchèn 〈形 adj.〉相对的图形或物体在大小、形状和排列上具有对应关系；适合 symmetrical; reasonable: 中国的古典建筑非常注意~。*Zhōngguó de gǔdiǎn jiànzhù fēicháng zhùyì ~.* Much attention was paid to symmetry in classical Chinese architecture. │ 这个住宅新区环境优美，布局~。*Zhège zhùzhái xīn qū huánjìng yōuměi, bùjú ~.* This new residential area is beautiful in environment and reasonable in layout. │ ~是一种美，但处处讲究~势必显得呆板。*~ shì yì zhǒng měi, dàn chùchù jiǎngjiū ~ shìbì xiǎnde dāibǎn.* Symmetry is a beauty, but too much symmetry inevitably results in monotony.

² **对待** duìdài 〈动 v.〉以某种态度或行为对人对事 treat; handle: 应该实事求是地~历史。*Yīnggāi shíshì-qiúshì de ~ lìshǐ.* We should treat history from a realistic point of view. │ 老师~教学十分认真负责。*Lǎoshī ~ jiàoxué shífēn rènzhēn fùzé.* The teachers are very conscientious in their teaching work. │ 他~学生像~自己的孩子一样。*Tā ~ xuésheng xiàng ~ zìjǐ de háizi yíyàng.* He treats the students as his own children.

³ **对得起** duìdeqǐ 〈动 v.〉对人无愧；不辜负 not let sb. down; be worthy of: 做任何事情，都要~自己也~别人。*Zuò rènhé shìqing, dōu yào ~ zìjǐ yě ~ biérén.* In doing anything, you must be fair to yourself and not let others down. │ 只有学好本领，将来报效祖国，才~父母、~老师。*Zhǐyǒu xuéhǎo běnlǐng, jiānglái bàoxiào zǔguó, cái ~ fùmǔ, ~ lǎoshī.* Only by learning the skills well to serve the motherland in the future, can you not let your parents and teachers down.

² **对方** duìfāng 〈名 n.〉跟行为的主体处于相对地位的一方 the other side; the other

party: 要把自己的心思坦诚地告诉~。*Yào bǎ zìjǐ de xīnsi tǎnchéng de gàosu ~.* You must tell the other party frankly what is on your mind. | 注意！钉住~的五号（队员）*Zhùyì! dīngzhù ~ de wǔ hào (duìyuán).* Look out! Keep a close watch on No. 5 (player) of the other team.

² **对付 duìfu ❶**〈动 v.〉应付(人和事) deal with/cope with (sb. or sth.): 这帮人真难~！*Zhè bāng rén zhēn nán ~!* It is really difficult to deal with these people! | 学了一年汉语，上街问路、买东西可以~了。*Xuéle yì nián Hànyǔ, shàngjiē wènlù, mǎi dōngxi kěyǐ ~ le.* Having learned Chinese for a year, I can now manage to ask the way and do shopping when I go to town. ❷〈动 v.〉凑合；将就 make do: 天这么冷，这一夜怎么呀？*Tiān zhème lěng, zhè yí yè zěnme ~ ya?* It is so cold. How are we going to spend the night? | 冷了在屋里走动走动，~到天亮再说。*Lěngle zài wū li zǒudòng-zǒudòng, ~ dào tiānliàng zài shuō.* Walk up and down in the room if you feel cold. Wait till daybreak. ❸〈形 adj.〉性情相投；合得来 get along (with sb.); be on agreeable terms: 他跟领导不太~。*Tā gēn lǐngdǎo bú tài ~.* He doesn't get along with the leadership quite well.

² **对话 I duì/huà ❶**〈动 v.〉两人或多人进行谈话 (of two persons or more) have a dialogue: 学汉语最好两个人或几个人在一起~。*Xué Hànyǔ zuì hǎo liǎng gè rén huò jǐ gè rén zài yìqǐ ~.* In learning Chinese, you'd better have dialogues in groups of two or three. | 经常~，便于沟通感情。*Jīngcháng ~, biànyú gōutōng gǎnqíng.* Regular dialogues are helpful to mutual understanding. | 两个人对上话了。*Liǎng gè rén duì shang huà le.* The two have started a dialogue. ❷〈动 v.〉不同看法的双方交换意见 (of two parties with different views) exchange opinions: 甲组和乙组正在进行~。*Jiǎzǔ hé yǐzǔ zhèngzài jìnxíng ~.* Group A and Group B are having a dialogue. | 群众找领导要求~。*Qúnzhòng zhǎo lǐngdǎo yāoqiú ~.* The masses asked the leaders for a dialogue. ❸〈动 v.〉国际上双方或多方进行协商或谈判 (of two or more parties in the world) have a consultation or negotiations: 两国就边界问题进行~。*Liǎng guó jiù biānjiè wèntí jìnxíng ~.* The two countries have opened a dialogue on the border question. | 这次~结果没有向新闻界公布。*Zhè cì ~ jiéguǒ méiyǒu xiàng xīnwénjiè gōngbù.* The result of this dialogue was not released to the press. **II duìhuà**〈名 n.〉两人或多人的谈话 dialogue between two or among more people: 这段~写得十分精彩。*Zhè duàn ~ xiě de shífēn jīngcǎi.* The dialogue is well written. | 他们的~我都听得清清楚楚。*Tāmen de ~ wǒ dōu tīng de qīngqīng-chǔchǔ.* I heard their conversation clearly.

⁴ **对抗 duìkàng ❶**〈动 v.〉对立双方进行斗争或竞争 (of two opposing parties) confront; compete: 边界已发生多次军事~。*Biānjiè yǐ fāshēng duō cì jūnshì ~.* Several military confrontations have taken place on the border. | 甲队和乙队进行友谊~赛。*Jiǎduì hé yǐduì jìnxíng yǒuyì ~ sài.* Team A and Team B will have a friendly dual meet. ❷〈动 v.〉抵制上级命令或对方进攻；抵抗 resist/oppose (the order of one's superior or the attack of the other side): 上级三令五申，你怎么还敢~？*Shàngjí sānlìng-wǔshēn, nǐ zěnme hái gǎn ~?* How dare you resist the repeated orders of the superior? | ~政府政策的，是一些别有用心的人。~ *zhèngfǔ zhèngcè de, shì yìxiē biéyǒu-yòngxīn de rén.* Those who oppose the government's policy are some with ulterior motives.

³ **对……来说 duì…láishuō** 表示从某人、某事的角度来看 to sb. or sth.; from the point of view of sb. or sth.: 今晚有大雪，~滑雪爱好者，这无疑是一个喜讯。*Jīn wǎn yǒu dà xuě, ~ huáxuě àihàozhě ~, zhè wúyí shì yí gè xǐxùn.* There will be heavy snow tonight. No doubt, it is a piece of good news to those who love skiing. | 北京天气干燥，~南方人～很

不适应。*Běijīng tiānqì gānzào, ~ nánfāngrén~ hěn bú shìyìng.* It is dry in Beijing. Southerners are not accustomed to such weather. │~学生~，学习永远是第一位的。*~ xuésheng ~, xuéxí yǒngyuǎn shì dì-yī wèi de.* To a student, study is always in the first place.

³ **对了** duìle ❶ 用以提示对方 used to remind the other party：~，你怎么还不去上课？*~, nǐ zěnme hái bú qù shàngkè?* Oh, why have you still not gone to school? │~，你明天上午9点在第一会议室开会。*~, nǐ míngtiān shàngwǔ jiǔ diǎn zài dì-yī huìyìshì kāihuì.* Oh, you are going to have a meeting in No. 1 meeting room at 9 tomorrow morning. ❷ 正确；表示肯定、赞同的态度 right; correct (used to express affirmation or agreement)：你们回答~。*Nǐmen huídá ~.* You have given the correct answer. │你这样做就~。*Nǐ zhèyàng zuò jiù ~.* You are right to do so.

³ **对立** duìlì ❶〈动 v.〉两种事物或一种事物的两个方面之间的相互排斥、相互矛盾、相互斗争 (of two things or the two aspects of a thing) oppose each other; be antagonistic to each other：二者既是~面，又是统一体。*Èr zhě jì shì ~miàn, yòu shì tǒngyītǐ.* They are two opposites as well as an entity. │不能简单地把工作和学习~起来。*Bù néng jiǎndān de bǎ gōngzuò hé xuéxí ~ qǐlái.* You should not set work against study in a simple way. ❷〈形 adj.〉互相抵触；敌对 contradictory; conflicting; antagonistic：要团结，不要闹~。*Yào tuánjié, bú yào nào ~.* We are for unity and against antithesis.

⁴ **对联** duìlián (~儿)〈名 n.〉(副 fù) 写在纸上、布上或刻在竹片上、木头上、柱子上的对偶语句 antithetical couplet (written on paper or cloth or carved on bamboo, wood or columns)：~是中国特有的文化。*~ shì Zhōngguó tèyǒu de wénhuà.* The antithetical couplet is a special Chinese culture. │快过年了，家家户户贴上一副~。*Kuài guònián le, jiājiā-hùhù tiē shang yí fù ~.* Every household has a couplet on its gate, for the Spring Festival is approaching. │~分上联和下联。*~ fēn shànglián hé xiàlián.* A couplet consists of the first line and the second line.

³ **对门** duìmén ❶ (~儿)〈名 n.〉门对门 (of two houses) facing each other：我和他两家是~对户。*Wǒ hé tā liǎng jiā shì ~ duìhù.* His house and mine face each other. ❷ (~儿)〈名 n.〉大门相对的房屋 houses with gates facing each other：兄弟俩住~。*Xiōngdì liǎ zhù ~.* The two brothers live opposite each other. │~住的是我奶奶。*~ zhù de shì wǒ nǎinai.* Opposite lives my grandmother.

² **对面** duìmiàn ❶ (~儿)〈名 n.〉对过 opposite：我家在学校~。*Wǒ jiā zài xuéxiào ~.* My house is opposite the school. │我们班~是乙班。*Wǒmen bān ~ shì yǐbān.* Opposite our class is Class B. ❷〈名 n.〉正前方 right ahead; right in front：~来了一辆巴士。*~ láile yí liàng bāshì.* A bus is coming towards us. │~有个人向我招手。*~ yǒu gè rén xiàng wǒ zhāoshǒu.* There is a man right ahead waving to me. ❸ (~儿)〈副 adv.〉面对面 face to face：这事儿非得他们自己~儿谈才成。*Zhè shìr fēi děi tāmen zìjǐ ~r tán cái chéng.* Only by talking face to face, can they settle the matter.

⁴ **对手** duìshǒu ❶〈名 n.〉(个 gè) 竞赛的对方 opponent in a contest：我们的~是多次夺冠的球队。*Wǒmen de ~ shì duō cì duóguàn de qiúduì.* Our opponent is a team that has won championship several times. │这是一个智勇双全的~。*Zhè shì yí gè zhìyǒng-shuāngquán de ~.* This opponent is both intelligent and courageous. ❷〈名 n.〉(个 gè) 特指本领、水平不分上下的竞赛的对方 match; equal：棋逢~ qíféng ~ meet one's match in a chess game │论武艺他哪是你的~。*Lùn wǔyì tā nǎ shì nǐ de ~.* He is no match for you as far as skills in wushu are concerned.

⁴ **对头** duìtóu ❶〈形 adj.〉正确；合适 correct; proper：方法~，工作起来就比较顺利。

Fāngfǎ ~，gōngzuò qǐlái jiù bǐjiào shùnlì. The work will go on smoothly if a proper method is adopted. ｜你这样处置不~，大家意见很大。*Nǐ zhèyàng chǔzhì bú ~，dàjiā yìjiàn hěn dà.* You did not handle it properly, so people have a lot of complaints. ❷〈形 *adj.*〉正常(多用于否定) normal (usually used in the negative)：最近天气很不~，连续十多天气温超过38度。*Zuìjìn tiānqì hěn bú ~，liánxù shí duō tiān qìwēn chāoguò sānshíbā dù.* The weather is not quite normal lately for the temperature has exceeded 38 degrees Centigrade for a dozen days running. ❸〈形 *adj.*〉合得来(多用于否定) get on well (usually used in the negative)：他俩脾气不~，长期处不好。*Tā liǎ píqi bú ~，chángqī chǔ bù hǎo.* The two have different dispositions, so they have not got on well over a long period of time.

² 对象 duìxiàng ❶〈名 *n.*〉(个 gè) 行动或思考的目标 target; object：学习和研究的~ *xuéxí hé yánjiū de ~* an object of study and research ｜这本汉语辅导书的主要~是外国留学生。*Zhè běn Hànyǔ fǔdǎoshū de zhǔyào ~ shì wàiguó liúxuéshēng.* This guidance book to the study of Chinese is mainly intended for foreign students. ❷〈名 *n.*〉(个 gè) 特指恋爱的对方 boy or girl friend：你有~了吗? *Nǐ yǒu ~ le ma?* Have you got a boy friend yet? ｜我给你介绍一个~怎么样? *Wǒ gěi nǐ jièshào yí gè ~ zěnme yàng?* How about my finding a girl friend for you? ｜我~在外国语大学教书。*Wǒ ~ zài Wàiguóyǔ Dàxué jiāoshū.* My boy friend teaches at the Foreign Languages University.

⁴ 对应 duìyìng ❶〈动 *v.*〉一个系统中的某一项与另一系统中的某一项在性质、作用、位置、数量等方面相当 correspond：汉语有些词在外语中找不到~的词。*Hànyǔ yǒuxiē cí zài wàiyǔ zhōng zhǎo bú dào ~ de cí.* There are no equivalents in the foreign languages to some Chinese characters. ｜他们派出三个人参加比赛，相~我们也派出三个人。*Tāmen pàichū sān gè rén cānjiā bǐsài，xiāng ~ wǒmen yě pàichū sān gè rén.* They assigned three people to the competition and, correspondingly, we also assigned three. ❷〈形 *adj.*〉针对某一情况的；与某一情况相应的 relevant; appropriate：我们要采取与之相~的策略。*Wǒmen yào cǎiqǔ yǔ zhī xiāng ~ de cèlüè.* We must adopt a relevant policy. ｜你们得赶快研究~的办法。*Nǐmen děi gǎnkuài yánjiū ~ de bànfǎ.* You must work out an appropriate method at once.

² 对于 duìyú〈介 *prep.*〉引进有关系的人和物 with regard to; concerning; to：同学们~这个问题的意见是一致的。*Tóngxuémen ~ zhège wèntí de yìjiàn shì yízhì de.* The students are of the same view on this problem. ｜坚持晨练，~身体很有好处。*Jiānchí chénliàn，~ shēntǐ hěn yǒu hǎochu.* It is helpful to health to persevere in doing morning exercises.

⁴ 对照 duìzhào ❶〈动 *v.*〉互相对比参照 check：把打印件~原稿校一遍。*Bǎ dǎyìnjiàn ~ yuángǎo jiào yí biàn.* Check the printed copy against the original. ｜这是一部中英文~词典。*Zhè shì yí bù Zhōng-Yīngwén ~ cídiǎn.* This is a Chinese-English dictionary. ❷〈动 *v.*〉(人或事)相比；对比 compare/contrast (people or things)：拿什么标准~自己? *Ná shénme biāozhǔn ~ zìjǐ?* By what standard should I measure myself? ｜大家~英雄事迹，找出自己的差距。*Dàjiā ~ yīngxióng shìjì，zhǎochū zìjǐ de chājù.* Everybody tried to find out his disparities by comparing himself with the hero.

³ 兑换 duìhuàn〈动 *v.*〉用证券换取现金或用一种货币换取另一种货币 exchange; convert：到哪里可以~货币? *Dào nǎli kěyi ~ huòbì?* Where can I exchange money? ｜您~什么货币? *Nín ~ shénme huòbì?* What currency would you like to exchange? ｜现在一美元~多少人民币? *Xiànzài yì měiyuán ~ duōshao rénmínbì?* How much RMB can one dollar be converted to?

⁴ 兑现 duìxiàn ❶〈动 *v.*〉凭票据到银行换取现款 cash (a cheque, etc.)：用支票去银

行~3万元现金。*Yòng zhīpiào qù yínháng ~ sān wàn yuán xiànjīn.* Go to the bank and cash a cheque of 30,000 *yuan*. | 二期公债到期可以~了。*Èr qī gōngzhài dàoqī kěyǐ ~ le.* The second bond is due and may be cashed now. ❷ 〈动 *v.*〉比喻实现诺言 *fig.* honor (one's promise): 政策~，取信于民。*Zhèngcè ~, qǔ xìn yú mín.* Carry out the policy and you will win the confidence of the people. | 话既然说出去了，你就一定要~。*Huà jìrán shuō chūqù le, nǐ jiù yídìng yào ~.* Now that the word has been spoken, you must keep it.

² **吨** dūn ❶〈量 *meas.*〉公制重量单位 (1吨等于1000公斤) ton (1 ton = 1,000 kg)：5~卡装8~的煤，超载了。*Wǔ ~ chē zhuāng bā ~ de méi, chāozài le.* The truck is overloaded with 8 tons of coal but it has only 5 tons' capacity. | 他家今年收获了16~粮食。*Tā jiā jīnnián shōuhuòle shíliù ~ liángshi.* His family reaped 16 tons of grains this year. ❷〈量 *meas.*〉登记吨的简称 short for registered tonnage

蹲 dūn ❶〈动 *v.*〉两腿弯曲似坐，臀部悬空 squat on the heels: 这个动作是下~运动。*Zhège dòngzuò shì xià ~ yùndòng.* This is a squatting movement. | 你~得下去~不下去？*Nǐ ~ de xiàqù ~ bú xiàqù?* Can you squat? ❷〈动 *v.*〉比喻闲居或呆着 *fig.* live idly; stay: 不要老在家里~着，会~出病来的。*Bú yào lǎo zài jiā li ~ zhe, huì ~chū bìng lái de.* Don't always shut yourself at home or you will be ill. ❸〈动 *v.*〉较长时间停留在某地工作 stay at work in a certain place for a relatively long period of time：为获得第一手材料，他下去一~就是三个月。*Wèi huòdé dìyīshǒu cáiliào, tā xiàqù yì ~ jiùshì sān gè yuè.* To acquire first-hand materials, he stayed there for three months at a stretch. | 公安人员为抓捕罪犯~守了三天三夜。*Gōng'ān rényuán wèi zhuābǔ zuìfàn ~shǒule sān tiān sān yè.* In order to catch the criminal, the public security officers had kept watch for three days and three nights. ❹〈动 *v.*〉被关押 be in jail: 他偷东西，~了几个月监狱。*Tā tōu dōngxi, ~le jǐ gè yuè jiānyù.* He was imprisoned for several months for stealing things.

¹ **顿** dùn ❶〈量 *meas.*〉用于吃饭 for meals: 过去，有这一~没那一~。*Guòqù, yǒu zhè yí ~ méi nà yí ~.* In the past, when you were eating this meal, you did not know where that meal would come from. | 现在，一天三~，~~不重样。*Xiànzài, yì tiān sān ~, ~~ bù chóngyàng.* Nowadays, we have three meals a day, each different from the other. ❷〈量 *meas.*〉用于打骂、斥责、批评 for scolding, beating, criticism, etc.：挨了一~骂 *áile yí ~ mà* get a tongue-lashing | 给他一~教训 *gěi tā yí ~ jiàoxùn* teach him a lesson | 狠狠地批评一~ *hěnhěn de pīpíng yí ~* criticize sb. severely ❸〈动 *v.*〉略停: 稍停 pause: 抑扬挫 *yìyáng-~cuò* modulation in tone | 句子内并列词语之间的停顿用~号。*Jùzi nèi bìngliè cíyǔ zhījiān de tíngdùn yòng ~hào.* The pause between the juxtaposed words or phrases in a sentence is signified by a slight-pause mark. ❹〈动 *v.*〉头叩地；脚跺地 koutou; stamp one's foot：~首跪拜 *~shǒu guìbài* kneel down and koutou | ~足恸哭 *~zú tòngkū* stamp one's feet and cry bitterly ❺〈动 *v.*〉安置；处理 arrange; settle: 安~ *ān~* settle down | 进行内部整~ *jìnxíng nèibù zhěng~* carry on internal rectification ❻〈形 *adj.*〉疲劳；倦乏 tired; fatigued: 劳~ *láo~* fatigued | 困~ *kùn~* exhausted ❼〈副 *adv.*〉立刻；忽然 at once; suddenly: ~止 *~zhǐ* stop suddenly | 茅塞~开 *máosè~kāi* come to an understanding all of a sudden

³ **顿时** dùnshí 〈副 *adv.*〉立刻；一下子（只用于叙述已发生的事情）at once; immediately; all of a sudden (used only to describe sth. that has already happened)：喜讯传来，人们~欢腾起来。*Xǐxùn chuánlái, rénmen ~ huānténg qǐlái.* On hearing the good news, people were overjoyed. | 他的话音一落，会场上~响起暴风雨般的掌声。*Tā de huàyīn yí luò, huìchǎng shang ~ xiǎng qǐ bàofēngyǔ bān de zhǎngshēng.* When he

finished speaking, a thunderous applause burst out among the audience all of a sudden. | 枪声一响，盗贼~四处逃窜。*Qiāngshēng yì xiǎng, dàozéi ~ sìchù táocuàn.* At the gunshot, the robbers ran away in all directions.

¹ **多** duō ❶〈形 *adj.*〉数量大（与'少''寡'相对）many; much（opposite to '少 shǎo' or '寡 guǎ'）：他是我~年的朋友了。*Tā shì wǒ ~ nián de péngyou le.* He has been my friend for many years. | 人~力量大。*rén ~ lìliàng dà.* More people mean greater strength. ❷〈形 *adj.*〉超出原来或应有的数目（与'少'相对）more（than the original or necessary number）（opposite to '少 shǎo'）：今天~上了一节课。*Jīntiān ~ shàngle yì jié kè.* We had one class more today. | 他~买了两张票。*Tā ~ mǎile liǎng zhāng piào.* He bought two tickets more. ❸〈形 *adj.*〉相差的程度大 differing in a great degree：你比我重~了。*Nǐ bǐ wǒ zhòng~ le.* You are much heavier than I. | 今天比昨天冷~了。*Jīntiān bǐ zuótiān lěng~ le.* It is much colder today than yesterday. ❹〈副 *adv.*〉用在疑问句里，问程度或数量 used in an interrogative sentence to ask about the extent or number：上海'东方明珠'有~高？*Shànghǎi 'Dōngfāng Míngzhū' yǒu ~ gāo?* How tall is the 'Oriental Pearl' (TV Tower) in Shanghai? | 你知道我有~重？*Nǐ zhīdào wǒ yǒu ~ zhòng?* Do you know how much I weigh? ❺〈副 *adv.*〉指某种程度 in certain degree：无论有~大的困难，都难不倒他。*Wúlùn yǒu ~ dà de kùnnan, dōu nán bù dǎo tā.* Now matter how great the difficulty may be, it can not daunt him. | 无论~忙，他每天都要挤时间看一会儿书。*Wúlùn ~ máng, tā měitiān dōu yào jǐ shíjiān kàn yíhuìr shū.* However busy he may be, he will squeeze out some time for reading every day. ❻〈副 *adv.*〉在感叹句里，带有夸张语气和强烈色彩 used in interjection to express a tone of exaggeration and strong color：他~想你呀！*Tā ~ xiǎng nǐ ya!* How he misses you! | 她的心~细啊！*Tā de xīn ~ xì a!* How scrupulous she is! | 这孩子~没出息！*Zhè háizi ~ méi chūxi!* What a good-for-nothing the child is! ❼〈副 *adv.*〉连用'多'，表示强调某种程度 used in repetition to emphasize the extent：你有~大力气就使~大力气。*Nǐ yǒu ~ dà lìqi jiù shǐ ~ dà lìqi.* Exert as great as strength as you have. ❽〈数 *num.*〉用在数词后，表示不确定的零数 used after a numeral to express an uncertain fractional amount：他们用了四年~时间才写完这本书。*Tāmen yòngle sì nián ~ shíjiān cái xiěwán zhè běn shū.* It took them four years and more to complete this book. | 他买了三十~斤的大米。*Tā mǎile sānshí ~ jīn de dàmǐ.* He bought more than 30 jin of rice. | 编的有十~个人。*Biān shū de yǒu shí ~ gè rén.* More than ten people worked on this book. ❾〈动 *v.*〉表示某种行为超出应有的限度 used to indicate that some behavior has exceeded the reasonable limit：都是我~嘴，他生我们的气了。*Dōu shì wǒ ~zuǐ, tā shēng wǒmen de qì le.* It was because I shot my mouth off that he got angry with us. | 你别~心，他不会生气的。*Nǐ bié ~xīn, Tā bú huì shēngqì de.* Don't get him wrong. He would not get angry. ❿〈动 *v.*〉超过；多余 exceed; have more：~了两张票 *~le liǎng zhāng piào* two tickets more | 一块钱也没~出来。*Yí kuài qián yě méi ~ chūlái.* Not a single yuan is left.

³ **多半** duōbàn ❶〈副 *adv.*〉大概；很可能 most probably; most likely：都11点了，他~不会来了。*Dōu shíyī diǎn le, tā ~ bú huì lái le.* It is already 11 o'clock. Most probably he will not come. | 这件事~办不成了。*Zhè jiàn shì, ~ bàn bù chéng le.* Most likely, it will fail. ❷〈副 *adv.*〉大多数情况下 mostly：小孩子~好奇好问。*Xiǎoháizi ~ hàoqí hào wèn.* Most of the small children are very curious and love to ask questions. ❸（~儿）〈数 *num.*〉超过半数 more than half：参加这次奥林匹克数学比赛的一~儿是我班同学。*Cānjiā zhè cì Àolínpǐkè Shùxué Bǐsài de yì ~r shì wǒ bān tóngxué.* More than half of the participants in this Mathematics Olympiad are my classmates.

³多亏 duōkuī〈动 v.〉幸亏 thanks to; luckily: ~这场大雨，不然地里的庄稼全干死了。~ zhè cháng dà yǔ, bùrán dì li de zhuāngjia quán gānsǐ le. Thanks to this rain or the crops in the fields would have dried up. | 今天~了你，要不这孩子就没救了。Jīntiān ~le nǐ, yàobù zhè háizi jiù méi jiù le. The child would have died without your help today. | 这件事，还真是~了他的帮忙。Zhè jiàn shì, hái zhēnshì ~le tā de bāngmáng. It is really thanks to his help.

³多劳多得 duōláo-duōdé〈成 idm.〉付出的劳动多，得到的报酬也多 more pay for more work: 按~的原则办事，大家积极性高。Àn ~ de yuánzé bànshì, dàjiā jījíxìng gāo. Only by acting according to the principle of 'more pay for more work', can you arouse everybody's enthusiasm. | 我们应该提倡各尽所能，~。Wǒmen yīnggāi tíchàng gèjìnsuǒnéng, ~. We should advocate 'each doing his best and getting more for work'.

¹多么 duōme ❶〈副 adv.〉用在陈述句里，表示程度很深（used in a statement）in a great degree: 不管风雨~大，他一定会来的。Bùguǎn fēngyǔ ~ dà, tā yídìng huì lái de. No matter how heavy the rain and how strong the wind, he will come. ❷〈副 adv.〉用在疑问句里，询问程度（used in a question）to what extent: 这袋大米有~重? Zhè dài dàmǐ yǒu ~ zhòng? How much does the bag of rice weigh? ❸〈副 adv.〉用在感叹句里，表示程度很高（含有夸张语气和感情色彩）(used in an exclamation) in a great degree (with some exaggeration and emotion): 这是~高尚的情操啊! Zhè shì ~ gāoshàng de qíngcāo a! How noble this sentiment is!

¹多少 duōshao ❶〈代 pron.〉疑问代词，询问数量（interrogative pronoun）how many; how much: 你们学校有~外国留学生? Nǐmen xuéxiào yǒu ~ wàiguó liúxuéshēng? How many foreign students are there in your school? | 这两年你学了~汉语单词? Zhè liǎng nián nǐ xuéle ~ Hànyǔ dāncí? How many Chinese characters have you learned in the past two years? ❷〈代 pron.〉表示不定的数量 used to express an unspecified number or amount: 你要~给你~。Nǐ yào ~ gěi nǐ ~. I'll give you as much as you like. | 来~人，就准备~人的饭。Lái ~ rén, jiù zhǔnbèi ~ rén de fàn. Prepare meals for as many people as they come. ❸〈数 num.〉表示数量少（用于否定式）used to express a small amount or number (in a negative sentence): 没有~人来参加今天这个会。Méiyǒu ~ rén lái cānjiā jīntiān zhège huì. Not many people attended today's meeting. | 没有~人喜欢他。Méiyǒu ~ rén xǐhuan tā. Not many people like him. ❹〈数 num.〉表示数量多（用于肯定式）used to express a great amount of number (in an affirmative sentence): 天气突变，~人都感冒了。Tiānqì tūbiàn, ~ rén dōu gǎnmào le. The weather changed suddenly, so many people caught cold. | 为了这次考试，不知熬了~个夜晚。Wèile zhè cì kǎoshì, bù zhī áole ~ gè yèwǎn. In order to prepare for the examination, I don't know for how many nights I stayed up late.

²多数 duōshù〈名 n.〉较大的数量；超过半数以上的数量 majority; more than half: 少数服从~。Shǎoshù fúcóng ~. The minority is subordinate to the majority. | ~同学来自日本。~ tóngxué láizì Rìběn. The majority of the students come from Japan. | 他们~学过一些汉语。Tāmen ~ xuéguo yìxiē Hànyǔ. Most of them had learned some Chinese. | 同意这个议案的，只是微弱的~。Tóngyì zhège yì'àn de, zhǐshì wēiruò de ~. The motion was carried only by a slight majority.

³多余 duōyú ❶〈形 adj.〉没有用；不必要 superfluous; unnecessary: 到中国来带这么多东西实在~。Dào Zhōngguó lái dài zhème duō dōngxi shízài ~. It is really unnecessary to take so many things along when you come to China. | 这些~的话就不要再说了。Zhèxiē ~

de huà jiù bú yào zài shuō le. Stop saying such superfluous words. ❷ 〈形 *adj.*〉多于所需要的数量 more than the necessary amount; spare: 每月把～的钱存入银行。*Měi yuè bǎ ~ de qián cúnrù yínháng.* Put the spare money in the bank every month. |农民把～的粮食卖给国家。*Nóngmín bǎ ~ de liángshi mài gěi guójiā.* Peasants sell the surplus grains to the state.

³ **哆嗦** duōsuo 〈动 *v.*〉生理或心理受到刺激，身体不由自主地颤动、发抖 tremble; shiver: 冻得他浑身～起来。*Dòng de tā húnshēn ~ qǐlái.* He shivered all over with cold. |听到枪声, 她两腿直打～。*Tīngdào qiāngshēng, tā liǎng tuǐ zhí dǎ ~.* She trembled at the gunshot. |老人哆哆嗦嗦地穿着衣衫。*Lǎorén duōduo-suōsuō de chuānzhe yīshān.* The old man put on his clothes with trembling hands.

² **夺** duó ❶ 〈动 *v.*〉强取 take by force; seize: 他一把～下窃贼手中的凶器。*Tā yì bǎ ~ xià qièzéi shǒu zhōng de xiōngqì.* He wrested the weapon from the thief at one blow. |我军～回了失去的阵地。*Wǒ jūn ~ huíle shīqù de zhèndì.* Our troops recaptured the position they had lost. ❷〈动 *v.*〉使失去 deprive: 剥～*bō~* deprive |喧宾～主 *xuānbīn~zhǔ* guests putting the host in the shade ❸〈动 *v.*〉争得 contend for; compete for; strive for: ～丰收 *~ fēngshōu* strive for a big harvest |～冠军 *~ guànjūn* compete for the first place ❹ 〈动 *v.*〉冲动 force one's way: 眼泪不禁～眶而出。*Yǎnlèi bùjīn ~ kuàng ér chū.* Tears couldn't help starting from her eyes. |他～门而去。*Tā ~ mén ér qù.* He forced open the door and rushed out. ❺〈动 *v.*〉炫耀 dazzle: 光彩～目 *guāngcǎi~mù* blindingly bright ❻〈动 *v.*〉决定可否或取舍 decide: 定～*dìng~* make a final decision |裁～*cái~* consider and decide

⁴ **夺得** duódé 〈动 *v.*〉通过各种手段获得 obtain by all means: ～丰收 *~ fēngshōu* yield a bumper harvest |～胜利 *~ shènglì* win a victory |～冠军 *~ guànjūn* carry off the first prize |这次校运动会, 我班～三个第一。*Zhècì xiào yùndònghuì, wǒ bān ~ sān gè dì-yī.* Our class carried off three first prizes at the school games. |这块金牌是不容易的。*zhè kuài jīnpái shì bù róngyì de.* This gold medal was not won easily.

³ **夺取** duóqǔ ❶ 〈动 *v.*〉努力争取 strive for: ～更大胜利 *~ gèng dà shènglì* strive for a greater victory |～粮食好收成 *~ liángshi hǎo shōuchéng* strive for a big grain harvest ❷〈动 *v.*〉用武力强取 capture/seize by force: ～103高地 *~ yāolíngsān gāodì* capture Height 103 |把敌人的炮楼～下来。*Bǎ dírén de pàolóu ~ xiàlái.* Seize the enemy blockhouse by force.

² **朵** duǒ 〈量 *meas.*〉用于花和云彩或像花和云彩的东西 for flowers and clouds or similar things: 一～牡丹 *yì ~ mǔdān* a peony flower |蓝蓝的天上飘着～～白云。*Lánlán de tiān shang piāozhe ~~ báiyún.* White clouds float in the blue sky. |他胸前佩戴着一～红艳艳的光荣花。*Tā xiōng qián pèidàizhe yì ~ hóngyànyàn de guāngrónghuā.* He wears a bright red rosette on his breast.

² **躲** duǒ ❶〈动 *v.*〉避开 avoid; dodge: ～债 *~zhài* avoid a creditor |～让 *~ràng* get out of way ❷〈动 *v.*〉隐藏 hide (oneself): 他东～西藏, 最终还是被抓住了。*Tā dōng~xīcáng, zuìzhōng háishì bèi zhuāzhù le.* He hid himself here and there only to be caught finally.

⁴ **躲避** duǒbì ❶〈动 *v.*〉故意离开或隐蔽起来 hide oneself intentionally: 她这几天老闹别扭, 故意～我。*Tā zhè jǐ tiān lǎo nào bièniu, gùyì ~ wǒ.* She has been difficult these days and keeps avoiding me. |他们来了, 你先～一下, 由我来对付。*Tāmen lái le, nǐ xiān ~ yíxià, yóu wǒ lái duìfu.* They are coming. Hide yourself for a while. Let me deal with them. ❷〈动 *v.*〉离开对自己不利的事物 avoid; dodge from sth. unfavorable to

oneself：雨下大了，我们找个地方~一下。*Yǔ xiàdà le, wǒmen zhǎo gè dìfang ~ yíxià.* It is raining hard. Let's seek shelter somewhere.

⁴ **躲藏** duǒcáng〈动 *v.*〉把身体隐匿起来，不使人发觉 hide/conceal oneself：他~到深山老林里去了。*Tā ~ dào shēnshān-lǎolín li qù le.* He has gone into hiding in the mountain forest. │ 不知为什么？他总是躲躲藏藏的？ *Bù zhī wèishénme tā zǒngshì duǒduǒ-cángcáng de?* I don't know why he is always hiding himself.

⁴ **舵** duò〈名 *n.*〉(个 gè) 船或飞机上控制航行方向的装置 rudder/helm, an instrument that is used to control the direction of a boat or an plane：掌~ *zhǎng~* be at the helm │ 把~ *bǎ~* hold the rudder │ 方向~ *fāngxiàng~* rudder (an plane) │ 升降 ~*shēngjiàng~* elevator │ ~手 *~shǒu* helmsman │ 掌~人 *zhǎng~rén* steersman │ 看风使~(比喻顺着势头或看别人的眼色行事) *kànfēng-shǐ~* (*biyù shùnzhe shìtóu huò kàn biérén de yǎnsè xíngshì*) trim one's sails to the wind (*fig.* change one's course of action according to the circumstances or sb. 's cue)

⁴ **堕落** duòluò〈动 *v.*〉思想行为变坏 degenerate; sink low：腐化~ *fǔhuà ~* corrupt and degenerate │ 我们不能看着他一步一步地~下去。*Wǒmen bù néng kànzhe tā yí bù yí bù de ~ xiàqù.* We cannot stand by, seeing him gradually degenerating.

⁴ **跺** duò〈动 *v.*〉用力踏地 stamp (one's foot)：他用力~去脚上的土。*Tā yònglì ~qù jiǎo shang de tǔ.* He stamped the dirt from his feet. │ 回头一看，孩子没了，急得她直~脚。*Huítóu yí kàn, háizi méi le, jí de tā zhí ~ jiǎo.* Looking back, she found the child was no longer there, and stamped her foot with fury.

D

E

⁴ **讹** é ❶〈动 v.〉威胁；欺诈 blackmail; extort; bluff：~诈 ~zhà extort; blackmail | 你这样~人财物可不好。*Nǐ zhèyàng ~ rén cáiwù kě bù hǎo.* It is not good of you to extort property from other people. | 我被他~去一百元钱。*Wǒ bèi tā ~ qù yìbǎi yuán qián.* He cheated one hundred *yuan* out of me. ❷〈名 n.〉谬误；谣言 false or unfounded rumor：这些都是谣言，你别以~传~了。*Zhèxiē dōu shì yáoyán, nǐ bié yǐ ~chuán~ le.* All these are rumors. Don't spread them around incorrectly. ❸〈形 adj.〉错的 incorrect：~言 ~ *yán* incorrect sayings | ~文 ~ *wén* incorrect words

² **俄文** Éwén〈名 n.〉同'俄语' same as '俄语Éyǔ'

³ **俄语** Éyǔ〈名 n.〉俄罗斯民族使用的语言（文字）Russian：她~说得很流畅。*Tā ~ shuō de hěn liúchàng.* She speaks Russian quite fluently.

² **鹅** é〈名 n.〉（只 zhī）一种家禽，肉、蛋可食用 goose：农家院子里大多养~。*Nóngjiā yuànzi li dàduō yǎng ~.* Geese are usually kept in the yards of farmhouses. | 一群白~在池塘中游来游去。*Yì qún bái ~ zài chítáng zhōng yóulái-yóuqù.* A flock of white geese are swimming in the pond. | 天空下起了~毛大雪。*Tiānkōng xiàqǐle ~máo dàxuě.* It is snowing heavily. | 好大的~蛋啊! *Hǎodà de ~ dàn a!* What a big goose egg!

⁴ **蛾子** ézi〈名 n.〉（只 zhī）状似蝴蝶的一种昆虫 moth：灯光下~飞来飞去。*Dēngguāng xià ~ fēilái-fēiqù.* The moths are flittering around the light. | ~的幼虫大多为农业害虫。*~ de yòuchóng dàduō wéi nóngyè hàichóng.* Most larvae of the moths are harmful to crops.

⁴ **额** é ❶〈名 n.〉额头；头发以下眉毛以上的部位 forehead：这个人前~突出，长得不好看。*Zhège rén qián ~ tūchū, zhǎng de bù hǎokàn.* With a bulging forehead the man doesn't look nice. | 他为操办婚姻大事忙得焦头烂~。*Tā wèi cāobàn hūnyīn dàshì máng de jiāotóu-làn~.* He is busy with his wedding and finds himself in a terrible fix. ❷〈名 n.〉挂在门楣上或墙上的牌匾 board or tablet that is hung above the door：这家老字号店铺的匾~是名家题写的。*Zhè jiā lǎozìhào diànpù de biǎn~ shì míngjiā tíxiě de.* The inscriptions on the board of this time-honored shop were inscribed by a famous calligrapher. ❸〈名 n.〉规定的数目 specified number or amount; quota：金~ jīn~ money; sum | 本校这次招生的名~有限，很多人没有被录取。*Běn xiào zhè cì zhāoshēng de míng~ yǒuxiàn, hěn duō rén méiyǒu bèi lùqǔ.* Because of the limited quota, many students have not been enrolled by the school.

⁴ **额外** éwài〈形 adj.〉超出规定之外的 extra; additional; above-norm; beyond specified amount or range：你提出这些~要求有点儿过分。*Nǐ tíchū zhèxiē ~ yāoqiú yǒudiǎnr guòfèn.* The extra requirements you have put forward are going somewhat too far. | 这是你的~工作，要付劳务费。*Zhè shì nǐ de ~ gōngzuò, yào fù láowùfèi.* This is an extra

work for you, and you are deserved to be paid. │这是一笔~的开支，我得认真合计合计。Zhè shì yí bǐ ~ de kāizhī, wǒ děi rènzhēn héjì héjì. As to this additional expense I have to put it into consideration carefully.

³ **恶心** ěxin ❶〈动 v.〉想呕吐 feel nauseated; sick: 我坐在车上闻到汽油味就头晕~。Wǒ zuò zài chē shang wéndào qìyóu wèi jiù tóuyūn ~. The smell of gasoline on the bus made me feel dizzy and nauseated. ❷〈动 v.〉厌恶；使人讨厌 disgust; be fed up with; annoy: 他那副巴结上级的丑态真让人~。Tā nà fù bājie shàngjí de chǒutài zhēn ràngrén ~. He is really disgusting in flattering his superior. │你别~人了。Nǐ bié ~ rén le. Don't be so annoying. ❸〈形 adj.〉非常讨厌 disgusting; annoying; offensive: 她扭扭怩怩作态的样子很~。Tā niǔní-zuòtài de yàngzi hěn ~. Her unnatural pretense is quite disgusting.

³ **恶** è ❶〈形 adj.〉凶狠的;凶猛的 fierce; ferocious: 穷凶极~ qióngxiōng-jí~ extremely vicious; diabolic │你怎么这样~狠狠地对人说话? Nǐ zěnme zhèyàng ~hěnhěn de duì rén shuōhuà? How can you speak in such a rude way? │经过一场~战，女篮终以79比78险胜。Jīngguò yì chǎng ~zhàn, nǚ lán zhōng yǐ qīshíjiǔ bǐ qīshíbā xiǎnshèng. After a fierce competition, the women basketball team won the game by a narrow margin with the score of 79 to 78. ❷〈形 adj.〉坏的,不好 bad; evil; wicked: 这人很~。Zhè rén hěn ~. This man is quite wicked. │我的家乡自然条件很~劣，真可说是穷山~水。Wǒ de jiāxiāng zìrán tiáojiàn hěn ~liè, zhēn kě shuō shì qióngshān-~shuǐ. The natural conditions of my hometown are so poor that it can be called a barren land. ❸〈名 n.〉指坏的行为;犯罪的事(与'善'相对) evil conduct; vice; wickedness (opposite to '善 shàn'): 善~不分 shàn ~ bù fēn not distinguish between good and bad; cannot tell good from evil │他作~多端,应该受到严惩。Tā zuò~-duōduān, yīnggāi shòudào yánchéng. He has done all kinds of evil and should be severely punished. ❹〈名 n.〉恶人; 坏人 villain; bad person; evildoer: 首~必办。Shǒu~ bì bàn. The culprits will be punished without exception. │除~务尽。Chú~-wùjìn. One must do a thorough job when wiping out evil.

⁴ **恶毒** èdú〈形 adj.〉(心计、手段、话语等)凶恶狠毒 (of intention, means, and language) vicious; malicious; venomous: 他的话很~。Tā de huà hěn ~. He had some vicious remarks. │我受到~诽谤。Wǒ shòudào ~fěibàng. I was slandered maliciously. │这个罪犯手段太~了。Zhège zuìfàn shǒuduàn tài ~ le. The means adopted by the criminal was too vicious.

³ **恶化** èhuà ❶〈动 v.〉事物向坏的方面转化 deteriorate; worsen; take a turn for the worse: 两国关系因边界争端开始~。Liǎng guó guānxì yīn biānjiè zhēngduān kāishǐ ~. The bilateral relations of the two countries are deteriorating over the border disputes. │他的病情没有~。Tā de bìngqíng méiyǒu ~. His illness did not take a turn for the worse. ❷〈动 v.〉使变坏 worsen: 你这样做会~两人的关系。Nǐ zhèyàng zuò huì ~ liǎng rén de guānxì. What you have done will worsen the relationship between the two of them. │这个工厂的废弃物随意排放~了环境。Zhège gōngchǎng de fèiqìwù suíyì páifàng ~le huánjìng. The casually discharged wastes from this factory have made the environment worse and worse.

³ **恶劣** èliè〈形 adj.〉极坏 bad; abominable; wretched: 气候异常~。Qìhòu yìcháng ~. The weather is unusually bad. │他~的行径令人气愤。Tā ~ de xíngjìng lìngrén qìfèn. His abominable act makes people feel so angry. │这个皮革加工厂工作条件十分~。Zhège pígé jiāgōngchǎng gōngzuò tiáojiàn shífēn ~. The working conditions in this leather

processing factory are so terrible.

⁴ **恶性** èxìng 〈形 *adj.*〉能造成危险后果的 of serious consequences; malignant; pernicious; vicious: ~膨胀 – *péngzhàng* malignant expansion | ~循环 – *xúnhuán* malignant circulation | 今年以来煤矿的~事故已大大减少。*Jīnnián yǐlái méikuàng de ~ shìgù yǐ dàdà jiǎnshǎo.* The serious accidents in coalmines have dropped sharply since the beginning of this year. | 一般说来，常见的~肿瘤有七八种。*Yìbān shuōlái, chángjiàn de ~ zhǒngliú yǒu qī-bā zhǒng.* Generally speaking, there are seven or eight kinds of malignant tumours that are commonly seen.

¹ **饿** è ❶〈形 *adj.*〉腹空，想吃东西（与'饱'相对）be hungry; have an empty stomach; feel hungry（opposite to '饱 *bǎo*'）: 我一天没有吃饭，~极了。*Wǒ yìtiān méiyǒu chīfàn, ~jí le.* I have not eaten anything all day and feel extremely hungry now. | 我们虽然也很~，但仍一口气赶到目的地。*Wǒmen suīrán yě hěn ~, dàn réng yìkǒuqì gǎn dào mùdìdì.* Although we were very hungry, we still hurried on to the destination in one breath. ❷〈动 *v.*〉使受饿 starve: 孩子正在长身体，你别~着他。*Háizi zhèngzài zhǎng shēntǐ, nǐ bié ~zhe tā.* The child is growing, and you shouldn't starve him. | 他为了早点儿赶回家，~着肚子，一天走了60里山路。*Tā wèile zǎo diǎnr gǎn huí jiā, ~zhe dùzi, yì tiān zǒule liùshí lǐ shānlù.* In order to get home earlier, he kept walking along the mountain path for 60 *li* a day without eating anything.

⁴ **恩** ēn 〈名 *n.*〉给予或受到的好处；深厚的感情 favor; kindness; grace: 滴水之~当以涌泉相报。*Dīshuǐ zhī ~ dāng yǐ yǒng quán xiāng bào.* The favor, even as tiny as a drop of water, should be repaid with what is as much as the stream of springs. | 他想以小~小惠来拉拢人。*Tā xiǎng yǐ xiǎo~xiǎohuì lái lālǒng rén.* He wants to draw people over to his side with little favor. | 我一定要报父母的养育之~，师长的教诲之~。*Wǒ yídìng yào bào fùmǔ de yǎngyù zhī ~, shīzhǎng de jiàohuì zhī ~.* I will certainly requite the kindness and favors bestowed by my parents on me with their love and care, and pay a debt of gratitude to my teachers for their profound teachings.

⁴ **恩爱** ēn'ài 〈形 *adj.*〉形容夫妻感情好，很亲热（of a married couple）be deeply in love with each other; conjugal love: 夫妻俩十分~。*Fūqī liǎ shífēn ~.* The couple loves each other dearly. | 我们俩已届银婚之年，一直很~。*Wǒmen liǎ yǐ jiè yínhūn zhī nián, yìzhí hěn ~.* We have been deeply in love with each other, and our love will witness the coming silver wedding anniversary.

⁴ **恩情** ēnqíng 〈名 *n.*〉（份 fèn）恩惠；深厚的情义 loving kindness; favor: 他不知怎么报答这份~。*Tā bù zhī zěnme bàodá zhè fèn ~.* He doesn't know how to repay this loving kindness. | 这份~重如山，深似海，我时刻铭记在心。*Zhè fèn ~ zhòng rú shān, shēn sì hǎi, wǒ shíkè míngjì zài xīn.* I feel so grateful to such an infinite kindness that I will bear it in my mind forever.

⁴ **恩人** ēnrén 〈名 *n.*〉（位 wèi、个 gè）对他人有过恩惠的人 benefactor; person who confers benefit; kindly helper: 她资助我上大学，是我的大~。*Tā zīzhù wǒ shàng dàxué, shì wǒ de dà ~.* She supports me to finish my study in college, so she is a kind benefactor of mine. | 这位警察是我的救命~。*Zhè wèi jǐngchá shì wǒ de jiùmìng ~.* The policeman is my lifesaver.

³ **儿女** érnǚ ❶〈名 *n.*〉儿子和女儿 sons and daughters; children: 你的~都长大了，好福气。*Nǐ de ~ dōu zhǎngdà le, hǎo fúqì.* It's a blessing for you that your children have all grown up. | 他的~很孝顺。*Tā de ~ hěn xiàoshùn.* His children are very filial. | 他们两家结成了~亲家。*Tāmen liǎng jiā jiéchéngle ~ qìngjia.* The two families have become

relatives by marriage. ❷〈名 n.〉男女；多指青年男女 man and woman, usu. young people：《新~英雄传》'Xīn ~ Yīngxióng Zhuàn' The New Legend of Young Heroes and Heroines｜情长 ~ qíngcháng be immersed in love｜你们是祖国的优秀~。Nǐmen shì zǔguó de yōuxiù ~. You are fine sons and daughters of our motherland.｜统一祖国是每个中华~的共同心愿。Tǒngyī zǔguó shì měigè Zhōnghuá ~ de gòngtóng xīnyuàn. To unify the country is a common wish of every Chinese. ❸〈名 n.〉专指女子 esp. referring to woman：毛泽东有诗赞颂女民兵：'中华~多奇志，不爱红装爱武装。'Máo Zédōng yǒu shī zànsòng nǚ mínbīng：'Zhōnghuá ~ duō qízhì, bú ài hóngzhuāng ài wǔzhuāng.' Mao Zedong praised the women militia in his poem, 'China's daughters have high-aspiring minds, / They love their battle array, not silks and satins.'

¹ 儿童 értóng〈名 n.〉(名 míng、个 gè)小孩子 (年龄比'少年'小) children (younger than '少年 shàonián'))：~节 ~ jié Children's Day｜~玩具 ~ wánjù toys for children｜幼儿园要根据学龄前~的特点进行管理和教育。Yòu'éryuán yào gēnjù xuélíng qián ~ de tèdiǎn jìnxíng guǎnlǐ hé jiàoyù. The kindergarten should take care of and teach the pre-school kids according to their characteristics.｜司法机关严厉打击拐卖~的犯罪分子。Sīfǎ jīguān yánlì dǎjī guǎimài ~ de fànzuì fènzǐ. The judicial department should severely crack down on those criminals who are involved in the abduction and trafficking of children.

¹ 儿子 érzi ❶〈名 n.〉(个 gè)男孩儿(对父母而言的) son (in relation to parents)：我的一个~还在上大学。Wǒ de yí gè ~ hái zài shàng dàxué. One of my sons is still studying in college.｜你不要溺爱~。Nǐ búyào nì'ài ~. Don't spoil your son.｜他的两个~都很有出息。Tā de liǎng gè ~ dōu hěn yǒu chūxi. Either of his two sons is quite a guy.｜她已生了两个女儿，还想再生一个~。Tā yǐ shēngle liǎng gè nǚ'ér, hái xiǎng zài shēng yí gè ~. She has had two daughters, but she still wants a son. ❷〈名 n.〉亲如儿子的人(一种誉称) person like the son (a kind of fame)：他不愧是中国人民的好~。Tā búkuì shì Zhōngguó rénmín de hǎo ~. He proved to be a worthy son of the Chinese people.

² 而 ér ❶〈连 conj.〉连接语意一致或互为补充的成分，表示并列、承接、递进等 used to connect two parts that are consistent and supplementary in meaning, indicating juxtaposition, continuation and succession：老师脸上的表情沉静~坚决。Lǎoshī liǎn shang de biǎoqíng chénjìng ~ jiānjué. The teacher looks calm and firm.｜她是那样单纯、天真~又真诚。Tā shì nàyàng dānchún, tiānzhēn ~ yòu zhēnchéng. She is so simple, naive and sincere.｜获得金牌诚然可喜，~运动员每取得一块金牌要付出多大的代价啊！Huòdé jīnpái chéngrán kěxǐ, ~ yùndòngyuán měi qǔdé yí kuài jīnpái yào fùchū duōdà de dàijià a! It is heartening to win gold medals. But what a great effort the athletes have made to gain every gold medal! ❷〈连 conj.〉连接语意相对或相反的成分，表示转折 used to connect two elements opposite in meaning or forming a contrast, indicating transition：那位姑娘的皮肤微黑~细润。Nà wèi gūniang de pífū wēi hēi ~ xìrùn. The girl's skin is slightly brown but very fine.｜老师对待学生应该亲切~又严肃，活泼~又庄重。Lǎoshī duìdài xuésheng yīnggāi qīnqiè ~ yòu yánsù, huópo ~ yòu zhuāngzhòng. The teacher should be friendly but strict, lively but solemn toward his students.｜身为人民公仆~不为人民办事，那怎么行呢？Shēn wéi rénmín gōngpú ~ bú wèi rénmín bànshì, nà zěnme xíng ne? As a public servant, it's not acceptable for him not to serve the people.｜人们很少注意她，~她也很少注意周围的人。Rénmen hěn shǎo zhùyì tā, ~ tā yě hěn shǎo zhùyì zhōuwéi de rén. People seldom notice her, and she also pays little attention to the people around her. ❸〈连 conj.〉把表示原因、时间、情状等成

分连接到动词上 used to link an adverbial phrase of reason, time or manner to a verb：他们两人沿着河边小路慢步~行。*Tāmen liǎng rén yánzhe hébiān xiǎolù mànbù ~ xíng.* They two walked slowly on a footpath along the river. ｜他突然破门~入。*Tā túrán pò mén ~ rù.* He suddenly broke into the room. ｜有些乡镇企业的活路因季节~定。*Yǒuxiē xiāngzhèn qǐyè de huólù yīn jìjié ~ dìng.* The business for some township enterprises depends on seasons. ｜老师因愤激~两颊涨得通红。*Lǎoshī yīn fènjī ~ liǎng jiá zhàng de tōnghóng.* The teacher flushed with indignation. ❹〈连 *conj.*〉前面有'由',表示状态从一个阶段过渡到另一阶段 used to indicate change from one state to another, preceded by '由yóu'：由远~近，传来了杂乱的脚步声。*Yóu yuǎn ~ jìn, chuánláile záluàn de jiǎobù shēng.* The disorderly footsteps became distinct from far to near. ｜由冬~春，由春~夏，时间过得真快。*Yóu dōng ~ chūn, yóu chūn ~ xià, shíjiān guò de zhēn kuài.* How time flies from winter to spring, and from spring to summer! ❺〈连 *conj.*〉可用'一而再,再而三'表示重复 again and again; time and again; indicating repetition：这项胡子工程一~再、再~三地追加投资。*Zhè xiàng húzi gōngchéng yī ~ zài, zài ~ sān de zhuījiā tóuzī.* The investments have been added time and again to this project that seems to outgrow in demand of money.

E

⁴ 而后 érhòu〈连 *conj.*〉然后；以后 after that; then：你得先完成学业，~再考虑做什么工作的问题。*Nǐ děi xiān wánchéng xuéyè, ~ zài kǎolǜ zuò shénme gōngzuò de wèntí.* You should finish your education before considering to do what kind of job in the future. ｜你先去医院把病治好，~我们再商量下一步的工作。*Nǐ xiān qù yīyuàn bǎ bìng zhìhǎo, ~ wǒmen zài shāngliang xià yí bù de gōngzuò.* You should go to the hospital to get your illness treated, and then resume our talk about the future work.

¹ 而且 érqiě〈连 *conj.*〉表示进一层的意思，前面常有'不但''不仅'等，后面常有'还''也' 等与之搭配 and; but also; often preceded by '不但 búdàn', '不仅 bùjǐn', etc., and followed by '还 hái', '也 yě', etc.：他不仅字写得好，~还会画画儿。*Tā bùjǐn zì xiě de hǎo, ~ hái huì huàhuàr.* He is not only good at handwriting, but also drawing. ｜我们应该~能够做好这项工作。*Wǒmen yīnggāi ~ nénggòu zuòhǎo zhè xiàng gōngzuò.* We should and can fulfill this job successfully. ｜鲁迅先生不但是伟大的文学家，~是伟大的思想家和革命家。*Lǔ Xùn xiānsheng búdàn shì wěidà de wénxuéjiā, ~ shì wěidà de sīxiǎngjiā hé gémìngjiā.* Mr. Lu Xun is not only a brilliant man of letters, but also a great thinker and revolutionist.

⁴ 而已 éryǐ〈助 *aux.* 书 *lit.*〉罢了；用在陈述句末尾，加强限定范围的作用 nothing more; nothing but; only：这只是我的感觉~，也许事实真相不是如此。*Zhè zhǐshì wǒ de gǎnjué ~, yěxǔ shìshí zhēnxiàng bú shì rúcǐ.* This is what I feel, maybe the truth is not so. ｜他听完我的陈述后没有说什么话，只略略点点头~。*Tā tīngwán wǒ de chénshù hòu méiyǒu shuō shénme huà, zhǐ lüèlüè diǎndiǎn tóu ~.* After listening to my statement, he said nothing but only nodded. ｜他不过随便说说~。*Tā búguò suíbiàn shuōshuō ~.* He just talked casually.

² 耳朵 ěrduo〈名 *n.*〉(只 zhī、个 gè、双 shuāng)听觉器官 ear：我的一只~鼓膜穿孔，听力大大减退。*Wǒ de yì zhī ~ gǔmó chuānkǒng, tīnglì dàdà jiǎntuì.* One of my ears suffered eardrum perforation, so my hearing has been reduced greatly. ｜你竖起~仔细听。*Nǐ shùqǐ ~ zǐxì tīng.* Prick up your ears and listen carefully. ｜云南布朗族人的习俗，男子也穿耳孔，~下挂一朵鲜花。*Yúnnán Bùlǎngzúrén de xísú, nánzǐ yě chuān ěrkǒng, ~ xià guà yì duǒ xiānhuā.* It's a custom of the Blang people in Yunnan that a man also pierces a hole in his earlobe and pins a fresh flower to it.

¹二 èr ❶〈数 *num.*〉汉字的数目字，即阿拉伯数字2，大写为'贰'two, Chinese numerical, namely the Arabic numeral 2, capitalized as '贰èr'：我买了~斤糖炒栗子。*Wǒ mǎile ~ jīn táng chǎo lìzi.* I bought two *jin* of fried chestnuts with sugar. ｜我买这些家用电器共一万~千元钱。*Wǒ mǎi zhèxiē jiāyòng diànqì gòng yíwàn ~qiān yuán qián.* The total sum that I have spent on these electrical appliances is twelve thousand *yuan.* ❷〈数 *num.*〉序数；次等 the second：他是我的~哥。*Tā shì wǒ de ~ gē.* He is my second elder brother. ｜期终考试我名列第~。*Qīzhōng kǎoshì wǒ míngliè dì-~.* I ranked the second in the terminal examination. ｜我坐在第~排，台上演员的动作看得清清楚楚。*Wǒ zuò zài dì-~ pái, tái shang yǎnyuán de dòngzuò kàn de qīngqīng-chǔchǔ.* I sat at the second row and could see clearly the performers on the stage. ｜这是~等品，质量差些。*Zhè shì ~ děng pǐn, zhìliàng chàxiē.* This is the second-class product with a bit inferior quality. ❸〈形 *adj.*〉两样的；不一样的 different：你做事不要总是三心~意拿不定主意。*Nǐ zuòshì búyào zǒngshì sānxīn-~yì ná bú dìng zhǔyi.* Don't shilly-shally and always hesitate to decide. ｜他是个说一不~、作风果断的人。*Tā shì gè shuōyī-bú~, zuòfēng guǒduàn de rén.* He is a man standing by his words and resolute in action.

⁴二氧化碳 èryǎnghuàtàn〈名 *n.*〉一种无机化合物 carbon dioxide：我们呼吸时，吸入氧气，呼出~。*Wǒmen hūxī shí, xīrù yǎngqì, hūchū ~.* We inhale oxygen and exhale carbon dioxide when breathing.

⁴贰 èr ❶〈数 *num.*〉数字'二'的大写，多用于票据、账目等以避免差错或被涂改 two, capital of numeral '二èr', on bills, accounts, etc. to avoid mistakes or alterations：~仟~佰元整~qiān~bǎi yuán zhěng two thousand and two hundred *yuan* sharp ❷〈动 *v.*〉变节；有异心 betray; become a turncoat：~臣 ~chén turncoat official ｜~心 ~xīn be unfaithful; be disloyal

E

F

¹发 fā ❶〈动 v.〉交付;把东西送出(与'收'相对) deliver; dispatch; hand over; turn over, send sth. out （opposite to '收 shōu'）: ~排 ~pái send to the press | 工厂~了一批货. Gōngchǎng ~le yì pī huò. The factory has delivered an order of goods. | 单位~信催他赶快回来. Dānwèi ~ xìn cuī tā gǎnkuài huílái. His unit sent out a letter to urge him to come back quickly. | 工厂盈利了, 今年奖金肯定~得多. Gōngchǎng yínglì le, jīnnián jiǎngjīn kěndìng ~ de duō. Our factory has gained profit, and we shall certainly get more bonuses this year. ❷〈动 v.〉放射 launch; project; discharge; fire: 敌人用机枪连~几十枪. Dírén yòng jīqiāng lián ~ jǐshí qiāng. The enemy fired dozens of bullets with the machine gun. | 他枪法很好, 人称百~百中的神枪手. Tā qiāngfǎ hěn hǎo, rén chēng bǎi~~bǎizhòng de shénqiāngshǒu. He shoots very well and is said an excellent marksman never missing the bull's-eye. | 我们最近~射的卫星能~回来电视节目. Wǒmen zuìjìn ~shè de wèixīng néng ~ huílái diànshì jiémù. The satellite we launched recently is able to send back signals of TV program. ❸〈动 v.〉说出; 表达 express; convey; voice: 经理~话了, 加班的人明天可以休息. Jīnglǐ ~huà le, jiābān de rén míngtiān kěyǐ xiūxi. The manager has given the instruction those who work overtime may have a rest tomorrow. | 你不能乱~议论. Nǐ bù néng luàn ~ yìlùn. You shouldn't talk nonsense. | 他~言时会场上有人起哄. Tā ~yán shí huìchǎng shang yǒu rén qǐhōng. Some people kicked up a fuss while he was giving a speech at the meeting. ❹〈动 v.〉流露出某种情绪 (of feeling) reveal; betray; show unintentionally: 你有意见当面说, 不要在背后~牢骚. Nǐ yǒu yìjiàn dāngmiàn shuō, bú yào zài bèihòu ~ láosāo. If you disagree with it, you may speak out in the eye. Make no complaint behind our back. | 他这几天心情不好, 动不动就~脾气. Tā zhè jǐ tiān xīnqíng bù hǎo, dòngbudòng jiù ~ píqì. He has been in a bad mood these days, and is apt to lose his temper. | 这件事办不好真让人~愁. Zhè jiàn shì bàn bù hǎo zhēn ràng rén ~chóu. This affair is really worrisome if it cannot be handled properly. ❺〈动 v.〉感觉不舒服 feel (uncomfortable); sense; perceive: ~冷~lěng feel cold | 我心里~慌. Wǒ xīn li ~ huāng. I feel anxious about it. | 我走路腿~软. Wǒ zǒulù tuǐ ~ruǎn. I feel weak in my legs when walking. ❻〈动 v.〉产生; 发生 produce; engender; cause; happen; occur; take place: 种子已~芽. Zhǒngzi yǐ ~yá. The seeds have sprouted. | 三峡电站将要~出强大的电力. Sānxiá diànzhàn jiāng yào ~ chū qiángdà de diànlì. The Three Gorges power plant will generate powerful electricity. ❼〈动 v.〉获得; (财势) 兴旺 gain; flourish; obtaining a great deal of wealth: 我做生意~了点儿财. Wǒ zuò shēngyi ~le diǎnr cái. I have made a fortune by doing business. | 这几年做生意不容易, 哪有财~? Zhè jǐ nián zuò shēngyi bù róngyì, nǎ yǒu cái ~? It is difficult to do

business these years. How can I make a fortune? │这几年他家~迨了。*Zhè jǐ nián tā jiā ~ jì le.* His family has become rich these years. ❸〈动 *v.*〉因变化而显现出；散发出 appear, give off（a smell）：你怎么脸色~黄？*Nǐ zěnme liǎnsè ~ huáng?* How is it that your face looks pale? │东西~臭了。*Dōngxi ~ chòu le.* It has become stinking. ❾〈动 *v.*〉食物因发酵或水浸而膨胀（of foodstuffs）rise or expand when leavened or soaked：我会~面。*Wǒ huì ~miàn.* I know how to leaven the dough. │海带要先~一~。*Hǎidài yào xiān ~ yì ~.* Kelp should be soaked firstly. ❿〈动 *v.*〉起程；行动 set out; start a journey：朝~夕至 *zhāo~-xīzhì* start at dawn and arrive at dusk │晚上七点还要~一班车。*Wǎnshang qī diǎn háiyào ~ yì bān chē.* There will still be a bus at 7:00 p. m. │他是个奋~有为的青年。*Tā shì gè fèn~-yǒuwéi de qīngnián.* He is a striving and promising young man. ⓫〈动 *v.*〉阐明；启迪，开导 generate; arouse; stimulate; inspire; enlighten; set off; bring about：这件事~人深省 *Zhè jiàn shì ~rén-shēnxǐng.* This matter calls for deep thought. │我们要联系实际阐~理论，~前人所未~的道理。*Wǒmen yào liánxì shíjì chǎn~lǐlùn, ~ qiánrén suǒ wèi ~ de dàolǐ.* We should integrate theory with practice and clearly explain the theory that the predecessors had not mentioned. ⓬〈动 *v.*〉扩大；打开，揭开 expose; unmask; unveil; open; unfold：你不能揭~人家的隐私。*Nǐ bù néng jiē~ rénjia de yǐnsī.* You cannot disclose other people's privacy. │考古工作者在这里掘出很多有价值的文物。*Kǎogǔ gōngzuòzhě zài zhèlǐ ~jué chū hěn duō yǒu jiàzhí de wénwù.* The archaeologists have excavated many valuable cultural relics from here. │事态还在进一步~展变化。*Shìtài hái zài jìnyíbù ~zhǎn biànhuà.* The situation is still undergoing further change. ⓭〈量 *meas.*〉用于子弹、炮弹等计量 measure word for bullets and shells：三~炮弹 *sān ~ pàodàn* three shells │一~信号弹升空。*Yì ~ xìnhàodàn shēngkōng.* A signal flare was shot into the sky.

²发表 fābiǎo ❶〈动 *v.*〉向公众表达（口头或书面）意见 announce; declare, express one's（verbal or written）opinions to the public：欢迎大家~不同的意见。*Huānyíng dàjiā ~ bùtóng de yìjiàn.* You are welcome to express your different opinions. │他在全校学生大会上~演说。*Tā zài quánxiào xuéshēng dàhuì shang ~ yǎnshuō.* He made a speech at the meeting of all the students of the university. │市长在电视上~施政讲话。*Shìzhǎng zài diànshì shang ~ shīzhèng jiǎnghuà.* The mayor made his inaugural speech on TV. ❷〈动 *v.*〉公开出版；在报刊上登载文章等 publish articles in a newspaper or magazine：我的一篇处女作~在《小说月报》上。*Wǒ de yì piān chǔnǚzuò ~ zài 'Xiǎoshuō Yuèbào' shang.* My maiden work was published in *Fiction Monthly*. │他大学还未毕业却已有两部作品~了。*Tā dàxué hái wèi bìyè què yǐ yǒu liǎng bù zuòpǐn ~ le.* He has published two works before he graduated from the university.

⁴发病 fā//bìng〈动 *v.*〉发生疾病 outbreak or onset of a disease：~率 lǜ incidence（of a disease）│他有心脏病，天气一变化就容易~。*Tā yǒu xīnzàngbìng, tiānqì yí biànhuà jiù róngyì ~.* He suffers from heart disease and is apt to fall ill when the weather changes. │他发起病来口吐白沫挺吓人的。*Tā fā qǐ bìng lái kǒu tù bái mò tǐng xiàrén de.* He looks terrible and foams at the mouth when he becomes ill.

⁴发布 fābù〈动 *v.*〉公开宣布（多用在庄重场合）issue; release, declare publicly（esp. on a serious occasion）：政府~重要公告。*Zhèngfǔ ~ zhòngyào gōnggào.* The government issued an important announcement. │新华社向全国~新闻。*Xīnhuáshè xiàng quánguó ~ xīnwén.* Xinhua News Agency releases news to the whole country.

⁴发财 fā//cái〈动 *v.*〉获得大量财富 obtain a great deal of money or wealth; hit the jackpot：他经营有方，近年来~了。*Tā jīngyíng yǒufāng, jìnnián lái ~ le.* He has become rich for his proper management of business in recent years. │ 我意外发了一笔财。*Wǒ yìwài fāle yì bǐ cái.* I made a fortune by chance.

⁴ **发愁** fā//chóu〈动 v.〉感到忧烦、愁闷 be worried and indignant：他的学习上不去，我真替他。*Tā de xuéxí shàng bú qù, wǒ zhēn tì tā*。I really feel worried about him since he always lags behind in his study. │ 这么点儿小事还值得发那么大的愁? *Zhème diǎnr xiǎoshì hái zhíde fā nàme dà de chóu?* Is it worthwhile for you to be so anxious over such a small thing?

² **发出** fāchū ❶〈动 v.〉产生；发生（响声等）give off; produce（sound, etc.）：歹徒行凶，他~喊叫声。*Dǎitú xíngxiōng, tā ~hǎnjiào shēng.* He shouted loudly when the gangster assaulted him. │ 农家的露天厕所~阵阵臭味。*Nóngjiā de lùtiān cèsuǒ ~zhènzhèn chòuwèi.* The roofless toilet in the farmhouse gives off gusts of terrible smell. ❷〈动 v.〉送出 deliver; send out; forward（goods, letters, etc.）：我刚~两封信。*Wǒ gāng ~ liǎng fēng xìn.* I have just sent out two letters. │ 老人病危，家人~急电通知他赶回来。*Lǎorén bìngwēi, jiārén ~jídiàn tōngzhī tā gǎn huílái.* His old parent was fatally ill, and family forwarded an urgent telegram to inform him coming back quickly. ❸〈动 v.〉发布；传播 issue; deliver; distribute; publish：气象台~大风降温预报。*Qìxiàngtái ~ dàfēng jiàngwēn yùbào.* The observatory issued a forecast of gale and drop in temperature. │ 学校~人事任免通告。*Xuéxiào ~ rénshì rènmiǎn tōnggào.* The school issued a notice of personnel appointment and dismissal.

² **发达** fādá ❶〈形 adj.〉充分发展；兴旺景气（of sth.）fully developed;（of a cause）flourishing：这座城市工商业十分~。*Zhè zuò chéngshì gōngshāngyè shífēn ~.* The industry and commerce of this city are well developed. │ 中国要在本世纪上半叶达到中等~国家水平。*Zhōngguó yào zài běn shìjì shàng bàn yè dádào zhōngděng ~ guójiā shuǐpíng.* China will become as developed as the average developed countries in the first half of this century. ❷〈动 v.〉使充分发展 enable sth. to develop fully：为~旅游业，这个城市采取许多有力措施。*Wèi ~ lǚyóuyè, zhège chéngshì cǎiqǔ xǔduō yǒulì cuòshī.* The city has taken many effective measures to promote the tourist industry.

³ **发电** fā//diàn〈动 v.〉发出电力 generate electricity or power：火力~huǒlì ~ thermal power │ 中国有许多地方利用风力~。*Zhōngguó yǒu xǔduō dìfang lìyòng fēnglì ~.* Many places in China make use of wind power to generate electricity. │ 许多农村靠小水电站~。*Xǔduō nóngcūn kào xiǎo shuǐdiànzhàn ~.* Many villages generate power by small hydroelectric power stations. │ 我们电站发的电已足够周边地区使用。*Wǒmen diànzhàn fā de diàn yǐ zúgòu zhōubiān dìqū shǐyòng.* The electricity generated by our power station is enough to supply surrounding areas.

² **发动** fādòng ❶〈动 v.〉使开始；使行动起来 start; initiate; launch：我前线部队~了新一轮攻势。*Wǒ qiánxiàn bùduì ~le xīn yì lún gōngshì.* Our troops on the front started a new round of offensive. │ 社区的卫生工作要~大家一起搞。*Shèqū de wèishēng gōngzuò yào ~dàjiā yìqǐ gǎo.* Everyone should be mobilized to do the hygiene work in the community together. ❷〈动 v.〉开动机器 start a machine; get a machine started; set a machine going：你赶快去~汽车，经理马上要到市里去开会。*Nǐ gǎnkuài qù ~qìchē, jīnglǐ mǎshàng yào dào shì lǐ qù kāihuì.* You have to go and start the car quickly. The manager will soon go for a meeting in the city. │ 天气太冷，汽车不容易~。*Tiānqì tài lěng, qìchē bù róngyì ~.* It is too cold to start a car easily.

² **发抖** fādǒu〈动 v.〉颤动，哆嗦 tremble; shake; shiver：寒风凛冽，我冷得全身~。*Hánfēng lǐnliè, wǒ lěng de quánshēn ~.* The wind was bitterly cold, and I was shivering

with cold. │他右手直~，都拿不住笔了。*Tā yòu shǒu zhí ~, dōu ná bú zhù bǐ le.* His right hand is shaking so terribly that he cannot hold a pen. │他戴了副可怕的假面具，把我吓得浑身~。*Tā dàile fù kěpà de jiǎmiànjù, bǎ wǒ xià de húnshēn ~.* He wears a horrible mask, which frightens me into trembling.

⁴ **发奋图强** fāfèn-túqiáng〈成 idm.〉决心努力奋斗，谋求富强 make determined efforts to better oneself; resolve to make one's country strong: 我们要~，把祖国建设成现代化的强国。*Wǒmen yào ~, bǎ zǔguó jiànshè chéng xiàndàihuà de qiángguó.* We have to make determined efforts to build our country into a modern powerful nation.

² **发挥** fāhuī ❶〈动 v.〉把内在的能力表现出来 demonstrate the inner property or ability of sth.: 他画这幅画儿充分~了想象力。*Tā huà zhè fú huà chōngfèn ~le xiǎngxiànglì.* He gives his imagination full play in drawing this painting. │你一定要~大家的积极性，齐心协力做好工作。*Nǐ yídìng yào ~dàjiā de jījíxìng, qíxīn-xiélì zuòhǎo gōngzuò.* You must bring people's initiative into full play, making concerted effort to finish the work properly. ❷〈动 v.〉把意思或道理充分表达；展开 fully express (an idea or argument): 他抓住题意尽情~，竟一口气写了篇一千多字的作文。*Tā zhuāzhù tíyì jìnqíng ~, jìng yìkǒuqì xiěle piān yìqiān duō zì de zuòwén.* He focused on the theme and make the best of his ability to write a composition of more than 1,000 words in one breath. │你可以~一下这个观点。*Nǐ kěyǐ ~yíxià zhège guāndiǎn.* You may develop this point a little further.

⁴ **发火** fā//huǒ〈动 v.〉动怒，发脾气 get angry; flare up; lose one's temper: 孩子不听话，我忍不住~了。*Háizi bù tīnghuà, wǒ rěnbúzhù ~ le.* The kid isn't obedient, and I can't help losing my temper. │他脾气暴躁，动不动就~。*Tā píqi bàozào, dòng bú dòng jiù ~.* He is hot-tempered and apt to lose control. │你别为这件小事发那么大的火。*Nǐ bié wèi zhè jiàn xiǎoshì fā nàme dà de huǒ.* Don't get angry over such a trivial matter.

³ **发觉** fājué〈动 v.〉发现，开始知道 discover; realize; become aware of sth.: 我走近他身旁，他竟没有~。*Wǒ zǒujìn tā shēn páng, tā jìng méiyǒu ~.* I came close to him, but he did not even notice it. │我走进教室才~少带一本书。*Wǒ zǒujìn jiàoshì cái ~ shǎo dài yì běn shū.* Only when I went into the classroom did I realize that I had forgotten to bring a book with me. │你~做错了事就应立即采取补救措施。*Nǐ ~ zuòcuòle shì jiù yīng lìjí cǎiqǔ bǔjiù cuòshī.* You should take the remedy immediately when you realized that you had done something wrong.

² **发明** fāmíng ❶〈动 v.〉创造出从前没有的事物 invent; create (new things): 我们应该不断有所发现，有所~，有所创造，有所前进。*Wǒmen yīnggāi búduàn yǒusuǒ fāxiàn, yǒusuǒ ~, yǒusuǒ chuàngzào, yǒusuǒ qiánjìn.* We should make continuous discoveries, inventions, creations and progress. │我国早在两千多年前就~了机械制造的指南车。*Wǒ guó zǎo zài liǎng qiān duō nián qián jiù ~le jīxiè zhìzào de zhǐnánchē.* Our country had invented machine-made compass vehicle more than two thousand years ago. ❷〈名 n.〉（项 xiàng、种 zhǒng）创造出的新事物或新方法 newly invented thing or method: 纸、印刷术、指南针和火药是我们祖先的伟大~。*Zhǐ, yìnshuāshù, zhǐnánzhēn hé huǒyào shì wǒmen zǔxiān de wěidà ~.* Paper, printing, compass and powder are great inventions of our ancestors.

⁴ **发脾气** fā píqi〈动 v.〉因生气或事情不如意而吵闹、发火 lose temper; quarrel or swear due to anger or dissatisfaction; vent one's spleen on sb. or sth.: 这件事没有按他的意见办，他大~。*Zhè jiàn shì méiyǒu àn tā de yìjiàn bàn, tā dà ~.* It's not done according to his intention, so he flew into a rage. │你~能解决问题吗？*Nǐ ~ néng jiějué*

F

wèntí ma? Can you solve the problem by losing temper?

⁴ 发票 fāpiào 〈名 *n.*〉(张 zhāng) 卖方或服务方开给顾客的票据 receipt; invoice, a piece of paper given to the customer by the seller: 请给我开一张～。*Qǐng gěi wǒ kāi yì zhāng ~.* Please give me an invoice. | 我在商店买了好多东西，收银台收款后给了我一张～。*Wǒ zài shāngdiàn mǎile hǎoduō dōngxi, shōuyíntái shōukuǎn hòu gěile wǒ yì zhāng ~.* I bought a lot of things in the store, and the cashier at the checkout counter gave me a receipt after receiving the money.

⁴ 发起 fāqǐ ❶〈动 *v.*〉倡议做某事 advocate; initiate: 学生会～搞一次义务植树活动。*Xuéshēnghuì ~ gǎo yí cì yìwù zhíshù huódòng.* The student union initiates a voluntary activity of tree planting. ❷〈动 *v.*〉开始行动 start; launch: 我军分成三路～进攻。*Wǒ jūn fēnchéng sān lù ~ jìngōng.* Our troops launched an attack in three directions.

⁴ 发热 fā//rè ❶〈动 *v.*〉温度升高，发出热量 give out heat; feel warm: 我在运动场上跑了两圈就浑身～。*Wǒ zài yùndòngchǎng shang pǎole liǎng quān jiù húnshēn ~.* I feel hot all over the body after running two laps in the play ground. ❷〈动 *v.*〉得病发烧 run a fever; have a temperature: 我感冒，身体不舒服。*Wǒ gǎnmào ~, shēntǐ bù shūfu.* I've caught a cold and have a fever. I feel uncomfortable all over the body. ❸〈动 *v.*〉比喻头脑不冷静 be hot-headed: 你这样蛮干，是不是头脑发了热？*Nǐ zhèyàng mángàn, shì bú shì tóunǎo fāle rè?* Are you hot-headed to act recklessly like this?

¹ 发烧 fā//shāo ❶〈动 *v.*〉因病体温超出正常范围 have a fever; run a temperature, a symptom of a disease when one's body temperature exceeds the normal scope: 你头疼～可能是感冒了。*Nǐ tóuténg ~ kěnéng shì gǎnmào le.* It's possible that you have caught a cold since you have a headache and run a temperature. | 她一连几天都在～。*Tā yìlián jǐtiān dōu zài ~.* She has had a fever for several days. | 最近我一直在发低烧，医院却查不出病因。*Zuìjìn wǒ yìzhí zài fā dīshāo, yīyuàn què chá bù chū bìngyīn.* I have had a low temperature recently. But the hospital cannot determine the cause. ❷〈动 *v.*〉喻指对某事狂热、痴迷 be impassioned: 他是个音乐～友。*Tā shì gè yīnyuè ~yǒu.* He is a music fan.

³ 发射 fāshè 〈动 *v.*〉射出去 discharge; shoot; fire; launch: ～炮弹 *pàodàn* fire the shell | 鱼雷艇～鱼雷 *Yúléitǐng ~ yúléi.* The torpedo gunboat launched the torpedo. | 中国酒泉卫星～中心已～了多颗人造卫星。*Zhōngguó Jiǔquán Wèixīng ~ Zhōngxīn yǐ ~le duō kē rénzào wèixīng.* Jiuquan Satellite Launching Center of China has launched many satellites.

¹ 发生 fāshēng 〈动 *v.*〉产生，出现 happen; occur; take place: 这个煤矿曾～过一次大事故。*Zhège méikuàng céng ~guo yí cì dà shìgù.* There had once been a serious accident in this coal mine. | 灾难突然～了。*Zāinàn tūrán ~ le.* The disaster suddenly came along. | 这条高速公路上已连续～几次车祸。*Zhè tiáo gāosù gōnglù shang yǐ liánxù ~ jǐ cì chēhuò.* Several traffic accidents have occurred on this freeway. | 这两人经常～争吵。*Zhè liǎng rén jīngcháng ~ zhēngchǎo.* Both of them often quarrel with each other.

¹ 发誓 fā//shì 〈动 *v.*〉庄严地表示决心或作保证的誓言 vow; swear and make a pledge: 他～要改掉自己的恶习。*Tā ~ yào gǎidiào zìjǐ de èxí.* He swears to give up his bad habits. | 我们～，人在阵地在。*Wǒmen ~, rén zài zhèndì zài.* We made a pledge that we would not give up the position until we laid down our lives. | 你刚发过誓，怎么能反悔呢？*Nǐ gāng fāguo shì, zěnme néng fǎnhuǐ ne?* How can you go back on your words when you have just taken an oath?

¹ 发现 fāxiàn ❶〈动 *v.*〉经过研究探索获知前所未知的事物或道理 find out; discover (esp. after studies and explorations of sth. unknown to predecessors): 我们在近海～了油田。*Wǒmen zài jìnhǎi ~le yóutián.* We had found an oil field in the off-shore zone. | 科学

家又~新的物质。*Kēxuéjiā yòu ~ xīn de wùzhì.* The scientists have discovered a new substance again. | 他们在原始森林里~了几种珍稀树木。*Tāmen zài yuánshǐ sēnlín li ~ le jǐ zhǒng zhēnxī shùmù.* They found several kinds of rare trees in the virgin forests. ❷ 〈动 v.〉觉察到 detect; notice; find out; become aware of: 我~他近来神色不对。*Wǒ ~ tā jìnlái shénsè bú duì.* I notice that he looks abnormal recently. ❸ 〈名 n.〉(项 xiàng、个 gè、种 zhǒng)指发现的事物或道理 discovery: 这可是一项最新~。*Zhè kě shì yí xiàng zuì xīn ~.* This is the latest discovery. | 生物学上的这项~很有价值。*Shēngwùxué shang de zhè xiàng ~ hěn yǒu jiàzhí.* This biological discovery is very valuable.

³ **发行** fāxíng 〈动 v.〉发出或售出货币、债券、书刊等 (of new currency, bond, book, publication, etc.) issue; publish; distribute; release: 邮票 ~ yóupiào issue a set of stamps | 这本书已~五千册。*Zhè běn shū yǐ ~ wǔqiān cè.* Five thousand copies of this book have been sold. | 中国人民银行~新的一百元钞票。*Zhōngguó Rénmín Yínháng ~ xīn de yìbǎi yuán chāopiào.* People's Bank of China issues a new 100-yuan banknote.

² **发言** fā//yán ❶ 〈动 v.〉(口头或书面)发表意见 take the floor; speak; make a speech; state one's view: 我在会上即席~。*Wǒ zài huì shang jíxí ~.* I made an impromptu speech at the meeting. | 你不要打断他的话，等他发完言后你再说。*Nǐ bú yào dǎduàn tā de huà, děng tā fāwán yán hòu nǐ zài shuō.* Don't interrupt him. You may state your views when he finishes his speech. ❷ 〈名 n.〉(篇 piān、个 gè)指发表的意见 statement: 他的~很有分量。*Tā de ~ hěn yǒu fēnliàng.* His statement is very powerful. | 他的助手代他念了书面~。*Tā de zhùshǒu dài tā niànle shūmiàn ~.* His assistant reads a written statement for him.

⁴ **发炎** fā//yán 〈动 v.〉身上发生炎症 become inflamed: 我一感冒上呼吸道就要~。*Wǒ yì gǎnmào shànghūxīdào jiùyào ~.* My respiratory tract will become inflamed when I catch a cold. | 你赶快吃点儿消炎药，别让伤口发了炎。*Nǐ gǎnkuài chī diǎn r xiāoyányào, bié ràng shāngkǒu fāle yán.* You should take some medicine to avoid the inflammation of the wound.

² **发扬** fāyáng 〈动 v.〉发展和提高 develop and promote: 我们需要大力~这种大公无私的精神。*Wǒmen xūyào dàlì ~ zhè zhǒng dàgōng-wúsī de jīngshén.* We should greatly advocate this selfless spirit. | 你画画儿要保持和~自己的独特风格。*Nǐ huàhuà r yào bǎochí hé ~ zìjǐ de dútè fēnggé.* You should insist on and carry forword your own unique style in your painting.

⁴ **发扬光大** fāyáng-guāngdà 〈成 idm.〉使好的事物更加发展、提高 carry forward; develop; enhance: 我们应该~这些优良传统。*Wǒmen yīnggāi ~ zhèxiē yōuliáng chuántǒng.* We should carry forward these good traditions.

³ **发育** fāyù 〈动 v.〉生物体向成熟转化 develop; grow: 他~不良。*Tā ~ bùliáng.* He is ill developed. | 这孩子~很好，壮得像牛犊子。*Zhè háizi ~ hěn hǎo, zhuàng de xiàng niúdúzi.* The child is well developed and is as strong as a bull.

¹ **发展** fāzhǎn ❶ 〈动 v.〉扩大、增长；开展、使上升 develop; expand: 生产 ~ shēngchǎn develop the production | ~组织 ~ zǔzhī expand an organization | ~会员 ~ huìyuán recruit members | 第三产业正在蓬勃~。*Dì-sān chǎnyè zhèngzài péngbó ~.* The third industry is in a vigorous growth. | 现在要加快~中西部地区。*Xiànzài yào jiākuài ~ zhōng-xībù dìqū.* The development of the central and western regions should be accelerated now. ❷ 〈名 n.〉指事物变化的状况 development; evolution; growth: 事态的~未出我们所料。*Shìtài de ~ wèi chū wǒmen suǒliào.* The development of the situation is not out of our expectation. | 事物的~都是有规律的。*Shìwù de ~ dōu shì yǒu*

guīlǜ de. The development of things will follow a certain law.

⁴ **伐** fá ❶〈动 v.〉砍树 fell; chop; cut down (trees)：这片原始森林严禁乱砍滥~。*Zhè piàn yuánshǐ sēnlín yánjìn luànkǎn-làn~.* Wanton felling of trees is strictly prohibited in this virgin forest. | 这里封山了，你不能再去~树了。*Zhèli fēngshān le, nǐ bù néng zài qù ~ shù le.* The mountain has been closed off, and you cannot fell trees there. ❷〈动 v.〉攻击 strike; attack; send an expedition against：这支部队要去讨~叛军 *Zhè zhī bùduì yào qù tǎo~ pànjūn* This troop will be sent to suppress the rebel forces. | 他遭到众人的口诛笔~。*Tā zāodào zhòngrén de kǒuzhū-bǐ~.* He has been publicly condemned both in speech and in writing.

³ **罚** fá 〈动 v.〉处分 punish; penalize; discipline：~没收入 *~mò shōurù* confiscate the income | 税收部门~他加倍缴纳税款。*Shuìshōu bùmén ~ tā jiābèi jiǎonà shuìkuǎn.* The tax department punished him with double sum of tax. | 学校处~了旷课的学生。*Xuéxiào chǔ ~le kuàngkè de xuéshēng.* The school has punished those students who played truant.

⁴ **罚款** fá//kuǎn 〈动 v.〉处罚违法、违规者一定数量的钱 impose fine; forfeit; penalty：违章驾驶要~。*Wéizhāng jiàshǐ yào ~.* Traffic violation will be amerced. | 他要罚我的款。*Tā yào fá wǒ de kuǎn.* He wanted to fine me.

⁴ **法** fǎ ❶〈名 n.〉对国家制定的一切法律、法令、法规等的总称 law; code, a general term for rules and regulations established by the state：爱国守~是公民首要的行为规范。*Àiguó shǒu~ shì gōngmín shǒuyào de xíngwéi guīfàn.* Patriotism and abiding by the law are principal standards for citizens' behavior. | 这些人为非作歹，无~无天。*Zhèxiē rén wéifēi-zuòdǎi, wú~-wútiān.* These guys are absolutely lawless to commit crimes. ❷〈名 n.〉处理事情的手段、方式 method; way; mode：这件事我来想~解决。*Zhè jiàn shì wǒ lái xiǎng ~ jiějué.* Let me find ways to solve this problem. | 你写字的笔~不对。*Nǐ xiězì de bǐ~ bú duì.* The method of your writing is not correct. ❸〈名 n.〉标准；模式；范例 standard; model; sth. imitable：《营造~式》*'Yíngzào ~shì' Rules of Architecture* | 他照着~帖练毛笔字。*Tā zhàozhe ~tiè liàn máobǐzì.* He practises his handwriting with a writing brush according to the copybook. ❹〈名 n.〉技艺 craft; magic arts; trick：戏~人人会变，各有巧妙不同。*Xì~ rénrén huì biàn, gè yǒu qiǎomiào bùtóng.* Everyone is able to perform magic, but in different artifice. ❺〈动 v.〉仿效 follow; emulate：他画画儿师~徐悲鸿。*Tā huàhuàr shī~ Xú Bēihóng.* He models himself after Xu Beihong in painting. ❻〈量 meas.〉电容单位法拉的简称 abbr. for fara

⁴ **法定** fǎdìng 〈形 adj.〉法律、法令规定的；依法确定的 provided by law or decree; legal; lawful：他是~继承人。*Tā shì ~ jìchéngrén.* He is the legal heir. | 他还不到~年龄，没有选举权和被选举权。*Tā hái bú dào ~ niánlíng, méiyǒu xuǎnjǔquán hé bèi xuǎnjǔquán.* He is under the legal age, and has no right to vote or to be voted.

⁴ **法官** fǎguān 〈名 n.〉(位 wèi、名 míng、个 gè) 司法和审判人员的统称 a general term for judicial officials; justice; judge：这个~执法不公。*Zhège ~ zhífǎ bù gōng.* The judge practices the law unfairly. | 你身为~怎能贪赃枉法！*Nǐ shēn wéi ~ zěn néng tānzāng-wǎngfǎ!* As a judge, how can you take bribes and bend the law?

⁴ **法规** fǎguī 〈名 n.〉(条 tiáo、项 xiàng) 国家制定的一切规范性文件的总称(如法律、法令、条例、章程等)；也指国行政部门公布的规范性文件(如行政法规等) statute, a general term for all the normative documents constituted by the state, such as laws, decrees, rules, regulations, etc.; also referring to the normative documents publicized by the state administrative department (administrative regulations, etc.)：驾驶员、行人都

得遵守交通~。 *Jiàshǐyuán, xíngrén dōu děi zūnshǒu jiāotōng* ~. Drivers and pedestrians must abide by the traffic law.

² **法郎** fǎláng 〈名 n. 外 *forg.*〉法国等国原来的货币单位，法语 franc 的音译 Franc, former monetary unit of France and a few other countries, transliterated from French word 'franc'

³ **法令** fǎlìng 〈名 n.〉(项 xiàng 、条 tiáo 、个 gè)国家法律、政令等的总称 general term for laws and decrees of the state: 这个国家~严明，治安状况良好。 *Zhège guójiā ~ yánmíng, zhì'ān zhuàngkuàng liánghǎo.* This country is strict in laws and decrees, and orderly in public security as well. | 这是全国人民代表大会通过的新~。 *Zhè shì Quánguó Rénmín Dàibiǎo Dàhuì tōngguò de xīn* ~. This is a new decree ratified by the National People's Congress.

² **法律** fǎlǜ 〈名 n.〉(项 xiàng 、条 tiáo)由国家立法机关制定，国家政权保证执行的行为规则 law, code of conduct formulated by the state legislative body and enforced by the state power: ~面前人人平等。 ~ *miànqián rénrén píngděng.* Everyone is equal before the law. | 一切违反~的行为必须予以追究。 *Yíqiè wéifǎn* ~ *de xíngwéi bìxū yǔyǐ zhuījiū.* All the illegal actions must be investigated.

⁴ **法人** fǎrén 〈名 n.〉与'自然人'相对的法律概念，指依法设立，并享有民事权利、承担民事义务的社会组织 (a legal term as compared with 'natural person') corporation; legal or juristic person, organization that enjoys the civil rights related to its corresponding civil duties: 这家公司的~代表向银行申请贷款。 *Zhè jiā gōngsī de ~ dàibiǎo xiàng yínháng shēnqǐng dàikuǎn.* The legal representative of this company applied for a loan from the bank.

F

⁴ **法庭** fǎtíng 〈名 n.〉法院里设立的审理案件的机构 court; court of justice: 在~上诉讼双方争辩激烈。 *Zài* ~ *shang sùsòng shuāngfāng zhēngbiàn jīliè.* Both sides of the lawsuit debated intensely in the court.

¹ **法文** fǎwén 〈名 n.〉同'法语' same as '法语 Fǎyǔ'

⁴ **法西斯** fǎxīsī ❶〈名 n. 外 *forg.*〉拉丁语 fasces(中间插一把斧头的'束棒'，一种权力标志)的音译，后来意大利法西斯党用作标志 transliteration of the Latin word 'fasces', bundle of rods bound together around an axe with the blade projecting, an emblem of authority, later used to symbolize Fascist Party of Italy ❷〈名 n.〉借指法西斯主义的专制独裁、恐怖统治 fascism, a political system in which dictatorship and terrorism are adopted: ~主义 ~ *zhǔyì* fascism | ~统治 ~ *tǒngzhì* reign of fascism

¹ **法语** fǎyǔ 〈名 n.〉法兰西民族使用的语言(文字) French, language spoken by the French nation: 你是在哪里学的~? *Nǐ shì zài nǎli xué de ~?* Where did you learn French? | 我在外国语大学学习。 *Wǒ zài Wàiguóyǔ Dàxué xuéxí* ~. I major in French in the Foreign Languages University. | 非洲有些国家也使用~。 *Fēizhōu yǒuxiē guójiā yě shǐyòng* ~. Some of the African countries also speak French.

³ **法院** fǎyuàn 〈名 n.〉行使审判权的国家机关 court; court of law: 中国的~称为人民。 *Zhōngguó de ~ chēngwéi Rénmín* ~. Court in China is called People's Court. | 北京市中级人民~已受理我的起诉。 *Běijīng Shì Zhōngjí Rénmín* ~ *yǐ shòulǐ wǒ de qǐsù.* The Beijing Intermediate People's Court has accepted my case.

⁴ **法则** fǎzé 〈名 n.〉(条 tiáo 、项 xiàng)规律；准则 rule; law: 商品生产要遵循价值~。 *Shāngpǐn shēngchǎn yào zūnxún jiàzhí* ~. The commodity production should follow the law of value. | 优胜劣汰是一项自然~。 *Yōushèng-liètài shì yí xiàng zìrán* ~. The survival of the fittest is natural law.

³法制 fǎzhì〈名 n.〉法律制度的简称 legality; legal institutions; legal system; abbr. for '法律制度fǎlǜ zhìdù'：作为一个-国家必须做到有法必依，执法必严，违法必究。Zuòwéi yí ge-guójiā bìxū zuòdào yǒufǎbìyī, zhífǎbìyán, wéifǎbìjiū. In a country with an adequate legal system, once a law is put into force, it must be observed and strictly enforced, and violators must be brought to justice. ｜我们国家的~正在逐步完善。Wǒmen guójiā de-zhèngzài zhúbù wánshàn. The legal system of our country is improving step by step.

³法子 fǎzi〈名 n.〉方法 method; way; solution: 对付这个顽皮孩子我可真没~了。Duìfu zhège wánpí háizi wǒ kě zhēn méi-le. I have no way to deal with this naughty boy. ｜我们大家都来想想~摆脱困境。Wǒmen dàjiā dōu lái xiǎngxiǎng-bǎituō kùnjìng. Let's find ways to free ourselves from the difficulties.

⁴帆 fān ❶〈名 n.〉(张 zhāng)挂在船桅上借助风力使船行进的布篷 sail, large sheet of strong cloth fixed to the mast of a ship to catch the wind and make the vessel move: ~板 ~bǎn board ｜~樯 ~qiáng mast ｜这条小船只能挂一张~。Zhè tiáo xiǎo chuán zhǐ néng guà yì zhāng ~. This small boat can only be fixed with one sail. ❷〈名 n.〉代指帆船 sailboat; sailing boat: 千~竞发。Qiān ~ jìng fā. Thousands of sails shoot ahead.

⁴帆船 fānchuán〈名 n.〉(艘 sōu、只 zhī、条 tiáo)靠帆风力行驶的船只 boat or ship with sails that travels by the force of wind: 木~ ~mù ~ wooden sailboat ｜这艘~在大运河里扬帆航行。Zhè sōu ~zài Dàyùnhé li yángfān hángxíng. The sailboat sets sail for the voyage in the Grand Canal.

³番 fān ❶〈量 meas.〉表示遍数、次数、回数 time: 我是在作过一~调查后才下决心这样做的。Wǒ shì zài zuòguo yì ~ diàochá hòu cái xià juéxīn zhèyàng zuò de. I have decided to do so on the basis of an investigation. ｜经过几~周折后他心灰意冷了。Jīngguò jǐ ~ zhōuzhé hòu tā xīnhuī-yìlěng le. He became totally disheartened after several setbacks. ❷〈量 meas.〉种；样 kind; sort: 在农家吃山野菜别有一~风味。Zài nóngjiā chī shānyěcài biéyǒu yì ~ fēngwèi. It's so unique to have meal of edible wild herbs at the farmhouse. ｜走出峡谷豁然开朗，别有一~天地。Zǒuchū xiágǔ huòrán kāilǎng, biéyǒu yì ~ tiāndì. Out of the canyon, the world suddenly becomes widely open and the scenery takes on a different view. ❸〈量 meas.〉成倍的量 times: 我们工厂的产值一年里翻了一~。Wǒmen gōngchǎng de chǎnzhí yì nián li fānle yì ~. The production value of our factory doubled in one year. ｜农业产量还能翻~吗? Nóngyè chǎnliàng hái néng fān ~ ma? Can the agricultural output double? ❹〈动 v.〉轮换；更替 take turns; replace: 由于这几个主力篮球队员轮~上场拼抢，才确保了我队的胜利。Yóuyú zhè jǐ ge zhǔlì lánqiú duìyuán lún ~ shàngchǎng pīnqiǎng, cái quèbǎole wǒ duì de shènglì. The main basketball players took turns to struggle fiercely on the court, which insured the victory of our team. ❺〈名 n.〉古代中国或汉族指外国或外族 foreign country or nation, from the perspective of ancient China or ancient Han people: ~邦 ~bāng foreign country; babarian land ｜过去称西餐为~菜。Guòqù chēng xīcān wéi ~cài. The Western-style food used to be called 'foreign dish'.

⁴番茄 fānqié〈名 n.〉茄科草本植物，果实可作蔬菜（俗称 '西红柿'）tomato, solanaceous plant, the fruits of which serve as vegetable (collq. '西红柿 xīhóngshì'): 凉拌~ liángbàn ~ tomato salad ｜~炒鸡蛋 ~ chǎo jīdàn stir-fried tomatoes with eggs ｜妈妈从早市回来菜篮子里总少不了~。Māma cóng zǎoshì huílái càilánzi li zǒng shǎo bù liǎo ~. Coming back from the morning market, my mother always has some tomatoes in her shopping basket.

¹翻 fān ❶〈动 *v.*〉上下倒置；里外反转；倾倒 turn (over, up, upside down, inside out, etc.); reverse: 中国发生了～天覆地的变化。*Zhōngguó fāshēngle ~tiān-fùdì de biànhuà.* Earthshaking changes have taken place in China. | 我会玩儿～跟头游戏。*Wǒ huì wánr ~ gēntou yóuxì.* I can play the game of somersault. | 一辆大货车侧～在公路上。*Yí liàng dà huòchē cè~ zài gōnglù shang.* A large truck turned over sideways on the highway. **❷**〈动 *v.*〉变换；改变；否定原来的 reverse; overturn: 这座房子要彻底～修了。*Zhè zuò fángzi yào chèdǐ ~xiū le.* The house needs complete renovation. | 我上下一遍书柜也没有找到那本书。*Wǒ shàngxià ~biàn shūguì yě méiyǒu zhǎodào nà běn shū.* I've searched the bookcase thoroughly for the book but didn't find it. | 疑犯想～供，但人证物证俱在，他～不了。*Yífàn xiǎng ~gòng, dàn rénzhèng wùzhèng jù zài, tā ~ bù liǎo.* The criminal wanted to withdraw his confession, but he couldn't do so since the testimony of the witness and the material evidence was obviously presented against him. **❸**〈动 *v.*〉越过 cross; get over; climb over: 小偷是～墙进入室内的。*Xiǎotōu shì ~ qiáng jìnrù shìnèi de.* The thief entered the house by climbing over the wall. | 这座山真高，我们爬了好久才～过山顶。*Zhè zuò shān zhēn gāo, wǒmen pále hǎojiǔ cái ~guò shāndǐng.* The mountain is so high that it took us a long time to climb over its peak. **❹**〈动 *v.*〉翻译 translate; interpret: 他能迅速、准确地把中文～成法文。*Tā néng xùnsù, zhǔnquè de bǎ Zhōngwén ~chéng Fǎwén.* He can translate Chinese into French quickly and precisely. | 他们夫妇俩把中国古典文学名著《红楼梦》～成了英文。*Tāmen fūfù liǎ bǎ Zhōngguó gǔdiǎn wénxué míngzhù 'Hónglóumèng'~chéngle Yīngwén.* That couple has translated *A Dream of Red Mansions*, a famous Chinese classic, into English. **❺**〈动 *v.*〉（数量）倍增 double; multiply: 这个工厂的年产值比去年～一倍。*Zhège gōngchǎng de nián chǎnzhí bǐ qùnián ~ yí bèi.* The annual output of this factory is twice as much as that of last year. **❻**〈动 *v.*〉浏览 look through; read: 他捧起书刊～一两页就打瞌睡了。*Tā pěngqǐ shū gāng ~ yì liǎng yè jiù dǎ kēshuì le.* He began to doze off when he took up the book reading for one or two pages. **❼**〈动 *v.*〉闹僵；关系破裂 break up; fall out: 他俩已经闹～了。*Tā liǎ yǐjīng nào~ le.* They two had quarreled and split up. | 他突然～脸不认人了。*Tā tūrán ~liǎn bú rèn rén le.* He suddenly turned his back on his old associates. **❽**〈动 *v.*〉照原样复制 reproduce: 这张图片的底版没地方找，只好～拍了。*Zhè zhāng túpiàn de dǐbǎn méi dìfang zhǎo, zhǐhǎo ~pāi le.* The negative of this photo cannot be found anywhere. We have no choice but to reproduce it.

³翻身 fān/shēn ❶〈动 *v.*〉转动身体 turn over: 他晚上睡不好，老在床上～。*Tā wǎnshang shuì bù hǎo, lǎo zài chuáng shang ~.* At night, he cannot sleep well and always turns over in bed. | 他翻了个身就很快睡着了。*Tā fānle gè shēn jiù hěn kuài shuìzháo le.* He turned over and soon fell asleep. **❷**〈动 *v.*〉比喻从受压迫的情况下解放出来；或改变了落后及不利的环境 be liberated from oppression and exploitation; stand up; bring about an upswing: 西藏百万农奴～站起来了。*Xīzàng bǎiwàn nóngnú ~ zhàn qǐlái le.* Millions of Tibetan serfs had stood up. | 不引进先进的技术，这个企业是翻不了身的。*Bù yǐnjìn xiānjìn de jìshù, zhège qǐyè shì fān bù liǎo shēn de.* The enterprise will not take on a new look unless it introduces advanced technology.

¹翻译 fānyì ❶〈动 *v.*〉把一种语言文字表达为另一种语言文字 translate; render: 人民大会堂底层的桌柜都装有能同时～12 种语言的译意风。*Rénmín Dàhuì Táng dǐcéng de zhuōguì dōu zhuāng yǒu néng tóngshí ~ shí'èr zhǒng yǔyán de yìyìfēng.* On the ground floor of the Great Hall of the People, all tables are installed with the simultaneous interpreting system, which can interpret 12 languages at the same time. | 你能～诗词吗？

Nǐ néng ~ shīcí ma? Can you translate poems? | 他迅速、准确地把中文~成了英文。*Tā xùnsù, zhǔnquè de bǎ Zhōngwén ~ chéngle Yīngwén.* He has translated this Chinese writing into English quickly and precisely. ❷〈名 n.〉(位 wèi、名 míng、个 gè) 做翻译工作的人 interpreter; translator: 我当~已近20年。*Wǒ dāng ~ yǐ jìn èrshí nián.* I have worked as a translator for about 20 years. | 她是一位知名的法语~。*Tā shì yí wèi zhīmíng de Fǎyǔ ~.* She is a famous French translator.

² **凡 fán** ❶〈副 adv.〉表示无例外 all; every; any: ~身高超过一米的小孩儿都要买车票。*~ shēngāo chāoguò yì mǐ de xiǎoháir dōu yào mǎi chēpiào.* Every child over one meter tall needs to buy the ticket. | ~能丰富人民精神世界、有益于身心健康的作品，都应该肯定和提倡。*~ néng fēngfù rénmín jīngshén shìjiè, yǒuyì yú shēnxīn jiànkāng de zuòpǐn, dōu yīnggāi kěndìng hé tíchàng.* We should approve and encourage those literary works that can enrich people's spiritual world and make them physically and mentally healthy. ❷〈副 adv.〉总共 altogether; in all: 我致力编辑工作~30年。*Wǒ zhìlì biānjí gōngzuò ~ sānshí nián.* I have dedicated myself to the editing work for 30 years. | 这部书~十卷，近300万字。*Zhè bù shū ~ shí juàn, jìn sānbǎi wàn zì.* The book comprises 10 volumes of about 3 million words altogether. ❸〈形 adj.〉平常；普通 ordinary; common: ~人 ~ rén common people | 我是个平~老百姓。*Wǒ shì gè píng~ lǎobǎixìng.* I am an ordinary person. | 他在科研工作上取得了非~的成就。*Tā zài kēyán gōngzuò shang qǔdéle fēi~ de chéngjiù.* He has made an outstanding achievement in scientific research. ❹〈名 n. 书 lit.〉纲要；大概 outline; list: ~例 ~lì notes on the use of a book | 大~伟大的文学创作、科学发明都是30岁前后的人的成就。*Dà~ wěidà de wénxué chuàngzuò, kēxué fāmíng dōu shì sānshí suì qiánhòu de rén de chéngjiù.* It's most likely that great literary creations and scientific inventions are achieved by people of about 30 years old. ❺〈名 n.〉人世间，尘世（宗教或迷信的说法）mundane world; earth (in religious or superstitious stories and mythology): 神仙下~。*Shénxiān xià~.* An immortal descended on the earth. | 你这种~夫肉眼怎能辨别真伪呢? *Nǐ zhè zhǒng ~fū ròuyǎn zěn néng biànbié zhēnwěi ne?* How can your ordinary unaided eyes distinguish truth from falsehood? ❻〈名 n.〉中国古代乐谱'工尺'的记音符号，相当于简谱的'4'a note of *gongche* in ancient China, corresponding to 4 in numbered musical notation.

³ **凡是 fánshì**〈副 adv.〉同'凡 ❶'，但较'凡 fán'口语化 every; any; without exception, similar with '凡 fán ❶', but more colloq.: ~想要做的事情，她一定能做到。*~ xiǎng yào zuò de shìqing, tā yídìng néng zuòdào.* She will accomplish whatever she wants to do. | ~没吃过的东西，我都想尝一尝。*~ méi chīguo de dōngxi, wǒ dōu xiǎng cháng yì cháng.* I want to taste whatever I have not eaten.

³ **烦 fán** ❶〈形 adj.〉心里苦闷；不愉快 annoyed; vexed; upset: 工作出了差错，这几天我很~。*Gōngzuò chūle chācuò, zhè jǐ tiān wǒ hěn ~.* I had made in my work these days. | 儿子没有考上大学，他心~意乱。*Érzi méiyǒu kǎo shàng dàxué, tā xīn~yìluàn.* He was terribly upset by his son's failure in the college entrance examination. ❷〈形 adj.〉多而杂 superfluous and confusing: 过关的手续太~，几乎耽误班机。*Guòguān de shǒuxù tài ~, jīhū dānwù bānjī.* The procedures of checking in were so complicated that we were almost late to board the plane. ❸〈动 v.〉厌烦 be tired of; fed up: 你的话有完没完，~死人了。*Nǐ de huà yǒu wán méi wán, ~ sǐ rén le.* You are too talkative, and I have had enough. ❹〈动 v.〉烦扰 disturb; bug; bother: 你自己动脑筋做习题，不要老去~人。*Nǐ zìjǐ dòng nǎojīn zuò xítí, bú yào lǎo qù ~ rén.* You should use your own brain to do the exercises, and don't bother others all

the time. ❺〈动 v.〉麻烦别人 (敬辞) trouble: ~您带包东西给我儿子。~ nín dài bāo dōngxi gěi wǒ érzi. May I trouble you to bring a parcel to my son?

⁴ **烦闷** fánmèn〈形 adj.〉心情郁闷 unhappy; depressed; moody: 他下岗了，心里很~。Tā xiàgǎng le, xīn lǐ hěn ~. He was unemployed and felt depressed.

⁴ **烦恼** fánnǎo〈形 adj.〉心情苦恼 upset; worried; vexed: 这件棘手事让我~透了 Zhè jiàn jíshǒu shì ràng wǒ ~ tòu le. I feel extremely upset over this difficult problem. | 区区小事，何必~。Qūqū xiǎoshì, hébì ~. There is no need to get upset over such a trivial thing.

⁴ **烦躁** fánzào〈形 adj.〉心情烦闷急躁 agitated; fretful; irritable and restless: 儿子远行，我在家~不安。Érzi yuǎnxíng, wǒ zài jiā ~ bù'ān. I got the fidgets at home when my son went on a long journey.

⁴ **繁** fán ❶〈形 adj.〉多而复杂 (与 '简' 相对) complicated (opposite to '简 jiǎn'): 夏夜天空，~星点点。Xiàyè tiānkōng, ~xīng diǎndiǎn. A galaxy of stars are twinkling in the summer night sky. | 这套规定太~了，应该适当简化。Zhè tào guīdìng tài ~ le, yīnggāi shìdàng jiǎnhuà. The regulations are too complicated and they should be simplified. ❷〈形 adj.〉兴盛；发达 thriving; flourishing: ~花似锦 ~huā-sìjǐn flowers blooming like a length of brocade | 春到人间，草木~茂。Chūn dào rénjiān, cǎomù ~mào. When spring is coming, grass and woods become luxuriant. ❸〈动 v.〉滋生；逐渐增多 multiply; procreate; propagate: 我们祖先在这块土地上世世代代~衍生息。Wǒmen zǔxiān zài zhè kuài tǔdì shang shìshì-dàidài ~yǎn shēngxī. Our ancestors had lived and procreated on this land generation after generation.

⁴ **繁多** fánduō〈形 adj.〉众多；丰富 numerous; various: 近来杂事~，没有及时给你复信。Jìnlái záshì ~, méiyǒu jíshí gěi nǐ fùxìn. I have been so busy with numerous sundries recently that I did not answer your letter in time. | 学生会经常组织花样~的有意思的活动。Xuéshēnghuì jīngcháng zǔzhī huāyàng ~ de yǒu yìsi de huódòng. The student union often organizes various kinds of interesting activities.

⁴ **繁华** fánhuá〈形 adj.〉兴旺热闹 thriving; prosperous; bustling; busy: 这个地区过去很~。Zhège dìqū guòqù hěn ~. This region was very prosperous in the past. | ~的上海南京路上人头攒动 ~ de Shànghǎi Nánjīng Lù shang réntóu-cuándòng. The busy Nanjing Road of Shanghai is a mass of bobbing heads.

⁴ **繁忙** fánmáng〈形 adj.〉事多，忙碌 busy; bustling: 我近来工作~，没有时间去你那里。Wǒ jìnlái gōngzuò ~, méiyǒu shíjiān qù nǐ nàli. I am so busy with my work recently that I have no time to visit you.

² **繁荣** fánróng ❶〈形 adj.〉形容各业欣欣向荣 prosperous; flourishing; booming: 市场十分~。Shìchǎng shífēn ~. The market is very prosperous. | 我们的祖国到处都是一派~景象。Wǒmen de zǔguó dàochù dōu shì yípài ~ jǐngxiàng. Our country takes on a scene of prosperity everywhere. ❷〈动 v.〉使繁荣 make prosper; promote: 这个穷乡僻壤也~起来了。Zhège qióngxiāng-pìrǎng yě ~ qǐlái le. This remote and backward place also became prosperous. | 我们要大力~文化教育事业。Wǒmen yào dàlì ~ wénhuà jiàoyù shìyè. We should vigorously promote the development of culture and education.

⁴ **繁体字** fántǐzì〈名 n.〉同一汉字的不同形体中笔画多的字形 (与 '简体字' 相对) complex form of the simplified Chinese characters (opposite to '简体字 jiǎntǐzì'): 你还认得~吗? Nǐ hái rènde ~ ma? Do you still know the complex form of the simplified Chinese characters? | 现在大家不用~了。Xiànzài dàjiā bú yòng ~ le. The complex Chinese characters are not in use now.

³ 繁殖 fánzhí〈动 v.〉生物传种接代；生殖（of living things）reproduce：~新品种 ~ xīn pǐnzhǒng reproduce a new breed │ 近亲~会造成物种退化。Jìnqīn ~ huì zàochéng wùzhǒng tuìhuà. Reproduction between close relatives will bring about degeneration of the species. │ 蟑螂~得太快了，很难彻底消灭。Zhāngláng ~ de tài kuài le, hěn nán chèdǐ xiāomiè. The cockroach reproduces so quickly that it's hard to wipe them out completely.

⁴ 繁重 fánzhòng〈形 adj.〉（事情、工作）多而重（of work or thing）heavy; strenuous; onerous：现在码头工人已摆脱~的体力劳动。Xiànzài mǎtóu gōngrén yǐ bǎituō ~ de tǐlì láodòng. The dockworkers have freed themselves from heavy physical labour now. │ 她总算从~的家务劳动中解放出来了。Tā zǒngsuàn cóng ~ de jiāwù láodòng zhōng jiěfàng chūlái le. She finally freed herself from the heavy housework.

³ 反 fǎn ❶〈形 adj.〉方向颠倒；相背（与'正'相对）inside out (opposite to '正 zhèng')：相~相成 xiāng~ xiāngchéng be opposite and supplementary to each other; oppose and yet complement each other │ 你把照片洗印~了。Nǐ bǎ zhàopiàn xǐyìn ~ le. You have developed and printed the photos in reverse. │ 这种纸~的一面比正的一面粗糙些。Zhè zhǒng zhǐ ~ de yí miàn bǐ zhèng de yí miàn cūcāo xiē. The reverse side of this kind of paper is rougher than the obverse side. ❷〈副 adv.〉反而（表示与前面意思相反的转折）instead; on the contrary：偷鸡不成~蚀把米（比喻想占便宜反吃了亏）。Tōu jī bù chéng ~ shí bǎ mǐ (bǐ yù xiǎng zhàn piányi fǎn chīle kuī). Try to steal a chicken only to end up losing the rice; Go for wool and come home shorn (fig. want to gain extra advantage but only get oneself at a disadvantageous situation). │ 他对自己的无知不以为耻，~以为荣。Tā duì zìjǐ de wúzhī bù yǐ wéi chǐ, ~ yǐwéi róng. He did not feel shameful but glorious for his own ignorance instead. │ 他把人撞倒了，~骂人家不长眼睛。Tā bǎ rén zhuàngdǎo le, ~ mà rénjiā bù zhǎng yǎnjing. He ran down a person, instead of apologizing he cursed the man a blind. ❸〈动 v.〉对抗；反对；背叛 oppose; combat; be against：腐倡廉~fǔ-chànglián fight corruption and build a clean government │ ~抗侵略 ~kàng qīnlüè resist invasion or aggression │ 敌方这支部队被策~过来了。Dífāng zhè zhī bùduì bèi cè~ guòlái le. The enemy troop was instigated to our side. ❹〈动 v.〉类推；思考 analogize; reason get analogy：举一~三 jǔyī~sān draw inferences from one example │ 你应该好好儿~省一下自己的行为。Nǐ yīnggāi hǎohāor ~xǐng yíxià zìjǐ de xíngwéi. You should examine your own behavior. ❺〈动 v.〉回过来；转过来 reverse; turn over：~戈一击 ~gē-yìjī turn one's weapon around and strike │ ~败为胜 ~bàiwéishèng turn defeat into victory; turn the tide │ 现在要把这种风气~过来。Xiànzài yào bǎ zhè zhǒng fēngqì ~ guòlái. Now we have to change this social atmosphere. ❻〈动 v.〉违背 violate：他违~校规受到处分。Tā wéi~ xiàoguī shòudào chǔfèn. He was punished for violating school regulations. ❼〈名 n.〉反革命；反动派 counter-revolutionaries; reactionaries：镇~ zhèn~ suppress counter-revolutionaries │ 有~必肃，有错必纠。yǒu ~ bì sù, yǒu cuò bì jiū. Every counter-revolutionary must be eliminated, and every wrong deed must be corrected.

⁴ 反驳 fǎnbó〈动 v.〉提出理由否定对方的观点 rebut; refute, give one's own reasons for refuting a theory or opinion different from one's own：他言之有理，~有力。Tā yán zhī yǒulǐ, ~ yǒulì. His speech sounds reasonable and his refutation is convincing. │ 没人能~他的观点。Méi rén néng ~ tā de guāndiǎn. No one can refute his argument.

⁴ 反常 fǎncháng〈形 adj.〉与正常或一般情况不一样 abnormal; unusual; strange：他近来行为~。Tā jìnlái xíngwéi ~. His behavior is strange recently. │ 这几天天气有点儿~。

Zhè jǐ tiān tiānqì yǒudiǎnr ~. The weather has been a little unusual these days.

⁴ **反倒** fǎndào 〈副 *adv*.〉反而（引出相反的意思或表示出乎意料）instead; on the contrary：我原想帮他一把，~受他一番数落。*Wǒ yuán xiǎng bāng tā yì bǎ, ~ shòu tā yì fān shǔluò.* Contrary to my good wishes, my help to him incurs his scolding. | 他教了一辈子书，自己的子女~失学了。*Tā jiāole yíbèizi shū, zìjǐ de zǐnǚ ~ shīxué le.* He had been teaching all his life, but his own children were unable to go to school.

² **反动** fǎndòng ❶〈形 *adj*.〉逆历史潮流而动；与革命的(事物)相对立 reactionary, (of a person) against or preventing the historical trend; standing on the opposite side of revolution：这个人的思想很~。*Zhège rén de sīxiǎng hěn ~.* This guy was very reactionary in thinking. | 他的~言行受到批判。*Tā de ~ yánxíng shòudào pīpàn.* His reactionary words and behavior fell under criticism. | 在历史发展中，革命的东西总要战胜~的东西。*Zài lìshǐ fāzhǎn zhōng, gémìng de dōngxi zǒng yào zhànshèng ~ de dōngxi.* In the development of history, revolutionary things will finally defeat the reactionary ones. ❷〈名 *n*.〉相反的作用 reaction：从历史上看，党八股是对于五四运动的一个~。*Cóng lìshǐ shang kàn, dǎngbāgǔ shì duìyú Wǔ-Sì Yùndòng de yí gè ~.* From the historical perspective, stereotyped writing of the Party was a reaction to the May 4th Movement.

¹ **反对** fǎnduì 〈动 *v*.〉不赞同 oppose; be against; object：少数人~学生会的决定。*Shǎoshù rén ~ xuéshēnghuì de juédìng.* A handful of students opposed the decision made by the student union. | 妈妈~我假期里外出旅游。*Māma ~ wǒ jiàqī li wàichū lǚyóu.* Mother doesn't allow me to travel during the holidays. | 爸爸并不~我做这件事。*Bàba bìng bù ~ wǒ zuò zhè jiàn shì.* Father was not against my doing this.

³ **反而** fǎn'ér 〈副 *adv*.〉同'反'❷ same as '反fǎn'❷：她一边干活一边唱歌，不但没耽误活儿，~做得更多更快。*Tā yìbiān gànhuó yìbiān chànggē, búdàn méi dānwù huór, ~ zuò de gèng duō gèng kuài.* She sang while working, which not only didn't affect her work, but also let her finish her work more quickly. | 你们应该照顾新同学，为什么~欺负他们呢？*Nǐmen yīnggāi zhàogù xīn tóngxué, wèishénme ~ qīfu tāmen ne?* You should take good care of the new students. But why do you insult them instead?

² **反复** fǎnfù ❶〈副 *adv*.〉一遍一遍地；多次重复地 repeatedly; again and again; over and over：这篇范文他~念了好几遍。*Zhè piān fànwén tā ~ niànle hǎo jǐ biàn.* He has read the model composition several times. | 这是我~斟酌后下的决心。*Zhè shì wǒ ~ zhēnzhuó hòu xià de juéxīn.* I made this decision after considering it over and over again. ❷〈名 *n*.〉(次 cì)重复出现的情况 reversal; relapse; setback：在经济转轨期间，出现~是正常的。*Zài jīngjì zhuǎnguǐ qījiān, chūxiàn ~ shì zhèngcháng de.* It is natural to experience setbacks during economic transition. | 他的病情有过几次~。*Tā de bìngqíng yǒuguo jǐ cì ~.* There are several relapses of his illness. ❸〈动 *v*.〉颠来倒去；重复出现 chop and change; appear again：他看着鱼漂沉下去、浮上来，~了几次，最后终于钓上一条大鱼。*Tā kànzhe yúpiāo chén xiàqù, fú shànglái, ~le jǐ cì, zuìhòu zhōngyú diàoshàng yì tiáo dà yú.* He watched the cork on the fishing line going up and down several times, and finally caught a big fish. | 他唠唠叨叨总是~着这几句话。*Tā láolao-dāodāo zǒngshì ~zhe zhè jǐ jù huà.* He wagged his tongue on and on and repeated these words all the time.

⁴ **反感** fǎngǎn ❶〈形 *adj*.〉情感上抵触或厌恶 dislike; be disgusted with; be averse to：他对上司阿谀奉承，大家都很~。*Tā duì shàngsi ēyú-fèngchéng, dàjiā dōu hěn ~.* He curries favor with his boss, which disgusts everyone ❷〈名 *n*.〉抵触或厌恶的情感

dislike; disgust: 傲慢和偏见让人产生～. *Àomàn hé piānjiàn ràng rén chǎnshēng ~.* Pride and prejudice are disgusting.

⁴ **反革命** fǎngémìng ❶〈名 n.〉（个 gè）反对革命的人 counter-revolutionary: 镇压～ *zhènyā ~* suppress counter-revolutionaries; crack down on the counter-revolutionaries ｜ 这人是个～. *Zhè rén shì gè ~.* The guy is a counter-revolutionary. ❷〈形 adj.〉反对革命的 counter-revolutionary: ～组织 *~ zǔzhī* counter-revolutionary organization

⁴ **反攻** fǎngōng 〈动 v.〉防御方转为进攻 counter-attack; counter-offensive: 我方抓住时机～，敌军全线溃退。*Wǒ fāng zhuāzhù shíjī ~, díjūn quánxiàn kuìtuì.* Our army seized the opportunity to launch a counter-attack, and the enemy troops retreated in confusion on all fronts.

³ **反击** fǎnjī ❶〈动 v.〉回击对方 counter-attack; strike back; beat back: 及时～ *jíshí ~* strike back in time ｜ 自卫～ *zìwèi ~* counter-attack for self-defence ｜ 对他的造谣，你为什么不～呢？*Duì tā de zàoyáo, nǐ wèishénme bù ~ ne?* Why don't you strike back the rumors he spreads? ❷〈名 n.〉回击的行为 counter-attack: 敌人胆敢来犯，我必将给予有力～. *Dírén dǎngǎn lái fàn, wǒ bìjiāng jǐyǔ yǒulì ~.* We'll surely start a powerful counter-attack if the enemy dares to invade.

² **反抗** fǎnkàng ❶〈动 v.〉用行动对抗 revolt or resist with action: ～侵略者 *~ qīnlüèzhě* resist the invaders ｜ 她离家出走，一父母包办的婚姻。*Tā lí jiā chūzǒu, ~ fùmǔ bāobàn de hūnyīn.* She left her home to resist the marriage arranged by her parents. ❷〈名 n.〉对抗的行为 resistance: 这种～不起作用。*Zhè zhǒng ~ bù qǐ zuòyòng.* This kind of resistance does not work. ｜ 哪里有压迫，哪里就有～. *Nǎlǐ yǒu yāpò, nǎlǐ jiù yǒu ~.* Where there is oppression, there is resistance.

⁴ **反馈** fǎnkuì 〈动 v.〉指信息、消息等的返回 (of information, reactions, etc.) feed back: 工厂根据市场～回来的销售信息决定进一步扩大生产。*Gōngchǎng gēnjù shìchǎng ~ huílái de xiāoshòu xìnxī juédìng jìnyíbù kuòdà shēngchǎn.* The factory will enlarge its production according to the sales information fed back from the market.

⁴ **反面** fǎnmiàn ❶〈名 n.〉与正面相反的一面 back; reverse side: 请把窗户的正面～都擦干净。*Qǐng bǎ chuānghu de zhèngmiàn, ~ dōu cā gānjìng.* Clean both sides of the window please. ❷〈名 n.〉消极的、坏的一面；事物的另一面 opposite, negative side: ～教员 *~ jiàoyuán* teacher by negative example ｜ 她在戏中演一个～角色。*Tā zài xì zhōng yǎn yí gè ~ juésè.* She took a negative role in the play. ｜ 我们必须学会全面地看问题，不但要看到事物的正面，也要看到它的～. *Wǒmen bìxū xuéhuì quánmiàn de kàn wèntí, búdàn yào kàndào shìwù de zhèngmiàn, yě yào kàndào tā de ~.* We must learn to take a comprehensive view of the matter, not only of its positive side, but also the negative one.

⁴ **反射** fǎnshè ❶〈动 v.〉声波、光波等发射出去又返回来 reflect; throw back (sound, light, etc.): 我在空旷的山谷中大喊一声，我的声音马上～回荡。*Wǒ zài kōngkuàng de shāngǔ zhōng dà hǎn yì shēng, wǒ de shēngyīn mǎshàng ~ huídàng.* When I shout out loud in the open valley, my voice will echo immediately. ｜ 海市蜃楼是大气中的光线～或折射时形成的奇异幻景。*Hǎishì-shènlóu shì dàqì zhōng de guāngxiàn ~ huò zhéshè shí xíngchéng de qíyì huànjǐng.* Mirage is a strange illusion formed when sunlights reflect or refract through the atmosphere. ❷〈动 v.〉人和动物的神经系统受刺激后发生反应 react; respond; (of human or animal) act in reply when the nerve system is stimulated: 条件～ *tiáojiàn ~* conditioned reflex ｜ 非条件～ *fēitiáojiàn ~* unconditioned reflex

⁴ **反思** fǎnsī 〈动 v.〉回过头来对过去的事情再思考，总结经验教训 reflect on;

introspect; think over past events to sum up one's experience and lessons：你的错误十分严重，必须认真~。*Nǐ de cuòwù shífēn yánzhòng, bìxū rènzhēn ~.* Your mistake is quite serious, and you must think it over seriously. | 为什么没有完成任务？你们要好好儿~。*Wèishénme méiyǒu wánchéng rènwù? Nǐmen yào hǎohāor ~.* Why haven't you finished the task? You should think it over carefully.

³ **反问** fǎnwèn ❶〈动 v.〉反过来对提问的人发问 ask in reply; ask a question by way of retorting：我话还没说完，他就一起来我了。*Wǒ huà hái méi shuō wán, tā jiù yì qǐ wǒ lái le.* He began to ask questions in reply before I had finished my words. | 对他的突然~，我一时无法回答。*Duì tā de tūrán ~, wǒ yìshí wúfǎ huídá.* To his questions in reply, I could hardly answer them for the time being. ❷〈名 n.〉用疑问形式来表达与字面意义相反的修辞手法 rhetorical question：这段话用的都是~。*Zhè duàn huà yòng de dōu shì ~.* The paragraph is written in rhetorical questions. | '谁不爱自己的祖国？'这是一句~句。*'Shéi bú ài zìjǐ de zǔguó?' zhè shì yí jù ~jù.* 'Who doesn't love his own motherland?' is a rhetorical question.

² **反应** fǎnyìng ❶〈动 v.〉受到刺激而产生相应的活动或发生的变化 react; respond：事情发生得太突然了，我一时竟没有~过来。*Shìqing fāshēng de tài tūrán le, wǒ yìshí jìng méiyǒu ~ guòlái.* It happened so suddenly that I could hardly realized it for some time. | 我大声叫了他几声，可他却没~。*Wǒ dàshēng jiàole tā jǐ shēng, kě tā què méi ~.* I shouted at him several times, but he didn't respond. | 这下他总算~过来了。*Zhè xià tā zǒngsuàn ~ guòlái le.* This time he came to understand it finally. ❷〈名 n.〉事情或行为引起的反响（意见、态度或行动等）response; repercussion; reaction：~迟钝 ~ chídùn slow response | 老人被他这种冷漠的~激怒了。*Lǎorén bèi tā zhè zhǒng lěngmò de ~ jīnù le.* The old man was irritated by his indifferent response. | 这种~是正常的。*Zhè zhǒng ~ shì zhèngcháng de.* This reaction is natural.

² **反映** fǎnyìng ❶〈动 v.〉把客观事物的实质表现出来 mirror; reflect; feature; reveal; display the essence of sth.：'全面建设小康社会'，~了全中国人民的意愿。*'Quánmiàn jiànshè xiǎokāng shèhuì', ~ le quán Zhōngguó rénmín de yìyuàn.* 'Building a better-off society in an all round way' reflects the wishes of the whole Chinese people. | 这篇文章~了经济体制方面的一些弊端。*Zhè piān wénzhāng ~le jīngjì tǐzhì fāngmiàn de yìxiē bìduān.* The article reveals some problems in the economic system. ❷〈动 v.〉把客观情况或别人意见等告诉上级机关和有关部门 report; make known, inform authorities or department concerned of a situation or opinion：地方官员应如实~民情。*Dìfāng guānyuán yīng rúshí ~ mínqíng.* The local officials should faithfully report the situation of the people. | 一发现问题，我们就及时地向上级领导~。*Yì fāxiàn wèntí, wǒmen jiù jíshí de xiàng shàngjí lǐngdǎo ~.* We informed the superior leader of problems as soon as we found them. ❸〈名 n.〉对人对事的意见（多指批评性的）comment; opinion（usu. critical）：群众对当前的腐败现象~可大了。*Qúnzhòng duì dāngqián de fǔbài xiànxiàng ~ kě dà le.* The masses have many critical comments on current corruption. | 群众对你的官僚主义态度有~。*Qúnzhòng duì nǐ de guānliáo zhǔyì tàidù yǒu ~.* The public made a complaint about your bureaucratist manner.

² **反正** fǎnzhèng ❶〈副 adv.〉表示在任何条件下结果不变（有时与'无论''不管'等呼应）used to indicate the same result despite different circumstances（usu. used with '无论' wúlùn, '不管' bùguǎn, etc.）：不管你们谁先说，~都要表个态。*Bùguǎn nǐmen shéi xiān shuō, ~ dōu yào biǎo gè tài.* You all have to state your own stand no matter who would speak first. | 无论天气怎么样，你~都得去参加明天的会议。*Wúlùn tiānqì*

zěnmeyàng, nǐ ~ dōu děi qù cānjiā míngtiān de huìyì. Whatever weather it may be, you will have to attend the meeting tomorrow. | 不管你去不去，~我一定去。Bùguǎn nǐmen qù bú qù, ~ wǒ yídìng qù. Whether you go or not, I'm sure to go. ❷〈副 adv.〉强调某一情况的确实性或表示坚定决心 indicating certainty or resolution：去不去随你，~我通知到了。Qù bú qù suí nǐ, ~ wǒ tōngzhī dào le. It's up to you whether you go or not, but I have informed you anyhow. | 我不过问你的事了，你爱怎么办就怎么办吧。~ wǒ bú guòwèn nǐ de shì le, nǐ ài zěnme bàn jiù zěnme bàn ba. You may do whatever you like. I will bother about nothing of you in any case. ❸〈副 adv.〉引出很有把握的判断，然后加以阐述 used to get an assured judgement for further expounding：这里都是熟人，你把要说的都说出来吧。~ zhèlǐ dōu shì shúrén, nǐ bǎ yào shuō de dōu shuō chūlái ba. You may speak out whatever you want to say. Anyhow, people here are all acquaintances.

⁴ 反之 fǎnzhī ❶〈连 conj.〉表示后面叙述的情况和前面的相反 otherwise; whereas; on the contrary：商品质量好，市场销售情况就好；~，商品质量低劣，一定会造成积压。Shāngpǐn zhìliàng hǎo, shìchǎng xiāoshòu qíngkuàng jiù hǎo; ~, shāngpǐn zhìliàng dīliè, yídìng huì zàochéng jīyā. Goods with excellent quality will be sold well in the market whereas commodities with poor quality will surely be overstocked. ❷〈连 conj.〉表示相反的情况有相同的结论 indicating the same results under contrary circumstances：学方言很快的人学外语也很快，~也一样。Xué fāngyán hěn kuài de rén xué wàiyǔ yě hěn kuài, ~ yě yíyàng. Those who learn dialects quickly will also learn foreign languages quickly, and vice versa. | 如果没有氧，光有氢，~如果没有氢，光有氧，都不能结合成水。Rúguǒ méiyǒu yǎng, guāng yǒu qīng, ~ rúguǒ méiyǒu qīng, guāng yǒu yǎng, dōu bù néng jiéhé chéng shuǐ. If there is only hydrogen without oxygen, or only oxygen without hydrogen, water will not be compounded.

³ 返 fǎn〈动 v.〉回来 return; come or go back：这个企业问题成堆，已是积重难~。Zhège qǐyè wèntí chéngduī, yǐ shì jīzhòng-nán-~. This enterprise has lots of problems which are difficult to get rid of. | 我买的那台小拖拉机送工厂~修了。Wǒ mǎi de nà tái xiǎo tuōlājī sòng gōngchǎng ~xiū le. The small tractor I bought has been sent back to the factory to repair.

⁴ 返回 fǎnhuí〈动 v.〉回到原处 return; come or go back to the original place：单位有急事，请你立即~。Dānwèi yǒu jíshì, qǐng nǐ lìjí ~. There is an urgent business in the unit. Please come back immediately. | 出访的海军舰队顺利~港口。Chūfǎng de hǎijūn jiànduì shùnlì ~ gǎngkǒu. The visiting navy fleet has returned successfully into the port from the voyage.

² 犯 fàn ❶〈动 v.〉违背；抵触 offend; violate; go against：你不要触~顶头上司。Nǐ bú yào chù~ dǐngtóu shàngsi. Don't offend your direct superior. | 你明知故~，要加重处罚。Nǐ míngzhī-gù~, yào jiāzhòng chǔfá. You broke the rules intentionally, so you should be punished more severely. | 这个队员严重~规被裁判判出示红牌。Zhège duìyuán yánzhòng ~guī bèi cáipàn chūshì hóngpái. The player severely fouled, and the referee warned him with a red card. ❷〈动 v.〉引发；发作（多指错误的或不好的事情）(of wrong or bad things) recur; cause to happen：~疑 ~yí be suspicious | 这个人大错误~不~，小错误却不断。Zhège rén dà cuòwù bú ~, xiǎo cuòwù què búduàn. Instead of making any serious mistake, this guy constantly makes minor errors. | 他又~病了。Tā yòu ~bìng le. He is ill again. | 可能太累了，我白天老~困。Kěnéng tài lèi le, wǒ báitiān lǎo ~kùn. Maybe I am too tired, so I often feel sleepy at daytime. ❸〈动 v.〉侵害；干预；

进攻attack; invade; assail：击退来~之敌 *jītuì lái ~ zhī dí* fight off the invaders｜井水不~河水（比喻两不相犯）。*Jǐngshuǐ bú ~ héshuǐ* (*bǐyù liǎng bù xiāng fàn*). Well water does not intrude into river water (*fig.* mutual non-interference).｜这支部队纪律严明，所到之处秋毫无~。*Zhè zhī bùduì jìlǜ yánmíng, suǒ dào zhī chù qiūháo-wú ~*. The troop was strictly disciplined, and wherever it passed, there was no slightest offence against people. ❹〈名 n.〉犯罪的人 offender; criminal; culprit：战~ *zhàn~* war criminal｜主~ *zhǔ~* principal culprit｜盗窃~ *dàoqiè~* larcener

⁴ **犯法** fàn//fǎ〈动 v.〉触犯法律、法令 violate (or break) the law：谁~都要受到处罚。*Shéi ~ dōu yào shòudào chǔfá*. Wherever breaks the law will be punished invariably.｜王子~与庶民同罪。*Wángzǐ ~ yǔ shùmín tóngzuì*. A law-breaking prince should be sentenced in the same manner as a common people.｜我究竟犯了什么法？*Wǒ jiūjìng fànle shénme fǎ*? What law have I broken?

⁴ **犯浑** fàn//hún〈动 v.〉言谈举止出格，不合常情 be perversely tactless in one's behavior or speech; act unreasonably：我真有点儿~，竟把这件大事忘得干干净净。*Wǒ zhēn yǒudiǎnr ~, jìng bǎ zhè jiàn dàshì wàng de gāngān-jìngjìng*. I am rather tactless to forget this important thing completely.｜这个人犯起浑来不可理喻。*Zhège rén fàn qǐ hún lái bùkě-lǐyù*. This guy would turn a deaf ear to any reason if he acts unreasonably.

³ **犯人** fànrén〈名 n.〉（个 gè、名 míng）犯罪的人；特指被判入狱的人 criminal：许多~经过改造后重新回归社会。*Xǔduō ~ jīngguò gǎizào hòu chóngxīn huíguī shèhuì*. Many criminals return to the society after being remoulded.｜监狱管理人员不应侮辱~的人格。*Jiānyù guǎnlǐ rényuán bù yīng wǔrǔ ~ de réngé*. Jailors should not injure the criminals' dignity.

³ **犯罪** fàn//zuì〈动 v.〉做出犯法获罪的事情 commit a crime：他屡次~，不知悔改。*Tā lǚcì ~, bù zhī huǐgǎi*. He commits crimes repeatedly and has no willingness to repent.｜他虽然犯过罪，但已改过自新了。*Tā suīrán fànguo zuì, dàn yǐ gǎiguò-zìxīn le*. Although he had once been a criminal, he has mended his way for a fresh start.

¹ **饭** fàn ❶〈名 n.〉做熟的谷类食物；特指米饭 cooked rice or other cereals：粗茶淡~ *cūchá-dàn~* plain tea and simple food; homely fare｜我一连吃了两大碗。*Wǒ yìlián chīle liǎng dà wǎn*. I ate two big bowls of rice in a breath.｜生米煮成了熟~（比喻已成事实，无法再改变）。*Shēngmǐ zhǔchéngle shóu~* (*bǐyù yǐ chéng shìshí, wúfǎ zài gǎibiàn*). The rice is cooked (*fig.* in a situation where one has no alternative).｜现在街上还有人讨~。*Xiànzài jiē shang hái yǒu rén tǎo~*. Today beggars are still seen on the street. ❷〈名 n.〉（顿 dùn）每天按时吃的饭食 regular meal：开~的时间到了。*kāi~ de shíjiān dào le*. It's time for meal.｜我家每天吃三顿~。*Wǒ jiā měitiān chī sān dùn ~*. My family eats three meals every day.｜我上班时一般在机关食堂吃午~。*Wǒ shàngbān shí yìbān zài jīguān shítáng chī wǔ~*. I usually have lunch at the institutional dining-hall when I go to work. ❸〈动 v.〉吃饭 eat; take：~后走一走 *~ hòu zǒu yì zǒu* take a walk after the meal｜~后抽支烟 *~ hòu chōu zhī yān* smoke a cigarette after the meal

¹ **饭店** fàndiàn ❶〈名 n.〉（家 jiā、个 gè）指设备齐全、有餐厅等多种设施的大旅馆 hotel, a building with various kinds of facilities, used to accommodate guests：北京新建了很多星级~。*Běijīng xīn jiànle hěnduō xīngjí ~*. Many hotels of the star grade have been built in Beijing recently.｜我出差到北京住在有名的北京~。*Wǒ chūchāi dào Běijīng zhù zài yǒumíng de Běijīng ~*. I lived in the famous Beijing Hotel when I went on a business trip to Beijing.｜我住在一家五星级~里，吃住、购物、娱乐等都很方便。*Wǒ*

zhù zài yì jiā wǔxīngjí ~ li, chīzhù, gòuwù, yúlè děng dōu hěn fāngbiàn. I lived in a five-star hotel, in which eating, housing, shopping and recreation are all very convenient. ❷ 〈名 *n.*〉(家 jiā、个 gè) 专供就餐的饭馆 restaurant; eatery: 这条胡同里有好几家小~。*Zhè tiáo hútòng li yǒu hǎo jǐ jiā xiǎo ~.* There are several small restaurants in this alley.

³ **饭馆** fànguǎn 〈名 *n.*〉(家 jiā、个 gè) 为顾客提供就餐服务的店铺 restaurant; eatery; luncheonette, a place where food is served: 这家~专做四川菜。*Zhè jiā ~ zhuān zuò Sìchuān cài.* This restaurant specializes in Sichuan cuisine. | 星期天懒得做饭了，全家到对面~吃了一顿。*Xīngqītiān lǎn de zuò fàn le, quánjiā dào duìmiàn ~ chī le yí dùn.* On Sunday, we were tired of cooking and the whole family went to have a meal in the restaurant across the street.

⁴ **饭碗** fànwǎn ❶〈名 *n.*〉(个 gè、摞 luó) 盛饭的碗 rice bowl: 你吃完饭把用过的~洗干净。*Nǐ chīwán fàn bǎ yòngguo de ~ xǐ gānjìng.* Wash the bowl clean when you finish the meal. ❷〈名 *n.* 口 colloq.〉借喻凭以糊口的职业 job; means of livinghood: 打破铁~是人事制度方面的一项重大改革。*Dǎpò tiě ~ shì rénshì zhìdù fāngmiàn de yí xiàng zhòngdà gǎigé.* Breaking the 'iron rice bowl', a secure lifelong job, is an important reform in personnel system. | 你小心别把~给砸了。*Nǐ xiǎoxīn bié bǎ ~ gěi zá le.* Be careful not to get fired for your own fault.

⁵ **泛** fàn ❶〈动 *v.*〉冒出；露出 be suffused with; send forth: 东方已~白，天快亮了。*Dōngfāng yǐ ~ bái, tiān kuài liàng le.* The east is turning white, and the day breaks. | 她双颊~红。*Tā shuāng jiá ~ hóng.* Both of her cheeks are suffused with blushes. ❷〈动 *v.*〉在水上漂浮 float: 我们~舟在颐和园的昆明湖上。*Wǒmen ~zhōu zài Yíhéyuán de Kūnmínghú shang.* We are boating on the Kunming Lake of the Summer Palace. ❸〈动 *v.*〉大水漫溢 flood; inundate; overflow: ~滥~làn be flooded; overflow ❹〈形 *adj.*〉浮浅；不深刻 superficial; shallow: 你的议论太空~，没有切中要害。*Nǐ de yìlùn tài kōng~, méiyǒu qièzhòng yàohài.* Your discussion is too superficial to hit the main point. ❺〈形 *adj.*〉寻常；普遍 general; extensive; broad; nonspecific: 我不是针对你说的，只是~指一些现象。*Wǒ bú shì zhēnduì nǐ shuō de, zhǐshì ~zhǐ yìxiē xiànxiàng.* What I said is not aimed at you. It's only a general discussion of some phenomena.

³ **泛滥** fànlàn 〈动 *v.*〉大水决堤到处横溢；比喻不好的事物广为流传 be flooded; overflow; inundate; (of evil things) run unchecked: 连续十几天的暴雨，江河~成灾。*Liánxù shíjǐ tiān de bàoyǔ, jiānghé ~ chéngzāi.* Rivers ran rampant with continuous rainstorm of more than ten days. | 不能让黄色书刊在社会上~。*Bù néng ràng huángsè shūkān zài shèhuì shang ~.* It's not allowed to let pornographic books and periodicals spread unchecked in the society.

⁴ **范畴** fànchóu 〈名 *n.*〉(个 gè) 哲学术语，指对客观事物的普遍性本质的概括；领域；范围 category; scope, a philosophical term referring to the summarization of the general nature of objective things: 阴和阳是古代中国人看待世界的两个基本~。*Yīn hé yáng shì gǔdài Zhōngguórén kàndài shìjiè de liǎng gè jīběn ~.* Yin and yang are two basic categories in which the ancient Chinese looked on the world. | 你写的那几篇杂谈、随感文章属散文。*Nǐ xiě de nà jǐ piān zátán, suígǎn wénzhāng shǔ sǎnwén ~.* Those by-talks and articles of random thoughts you have written belong to the category of essay.

² **范围** fànwéi ❶〈名 *n.*〉(个 gè) 周围界限 limits; scope; extent; range: 有一定~ yǒu yídìng ~ have a limit | 要规定一个~ yào guīdìng yí gè ~ set a limit to | 随着自动化水平的提高，机器人的应用~不断扩大。*Suízhe zìdònghuà shuǐpíng de tígāo, jīqìrén de*

yìngyòng ~ búduàn kuòdà. With the improvement of automation, the application of robots is expanded. | 在自然保护区内大熊猫的活动~毕竟有限。*Zài zìrán bǎohùqū nèi dàxióngmāo de huódòng ~ bìjìng yǒuxiàn.* Pandas' area for movement in the natural preserves is very limited. ❷〈动 v. 书 lit.〉限制 set limits to; limit the scope of: 鲁迅的作品，似乎不能用'朴素'二字来~它。*Lǔ Xùn de zuòpǐn, sìhū bù néng yòng 'pǔsù' èr zì lái ~ tā.* It seems that we can't use the word, 'simple', to define Lu Xun's works.

◀ **贩卖** fànmài〈动 v.〉商人做买卖，贱买、贵卖以赚钱 (of businessmen) buy and resell products for a profit: 他最近~水果赚了点儿钱。*Tā zuìjìn ~ shuǐguǒ zhuànle diǎnr qián.* He has made a little fortune by peddling fruit recently. | 这几个人想去缅甸~木材。*Zhè jǐ gè rén xiǎng qù Miǎndiàn ~ mùcái.* These guys want to go to Burma to traffic in wood.

² **方** fāng ❶〈名 n.〉四方形 (四个角都是90度，一般指四边相等的长方形) square, a shape with four sides of equal length and four corners of right angles: 这是张~~正正的八仙桌。*Zhè shì zhāng ~~zhèngzhèng de bāxiānzhuō.* This is an old-fashioned square table for eight people. | 这种~块字真难学。*Zhè zhǒng ~kuàizì zhēn nán xué.* It is difficult to learn this kind of square characters. ❷〈名 n.〉方位；方向 direction: 四面八~ *sìmiàn-bā~* in all directions | 东~不亮西~亮，黑了南~有北~ (比喻这个地方行不通还可以找别的地方)。*Dōng~ bú liàng xī~ liàng, hēile nán~ yǒu běi~ (bǐyù zhège dìfang xíng bù tōng hái kěyǐ zhǎo bié de dìfang)* If the east is not bright, the west will be; if the south is dark, the north is still bright (*fig.* If sth. is not feasible in one place, you may try it in the other). ❸〈名 n.〉一边或一面 party; side: 敌我双~处在对峙态势。*Dí wǒ shuāng~ chǔ zài duìzhì tàishì.* Both the enemy troop and our army were in a state of confrontation with each other. | 你不能单~毁约。*Nǐ bù néng dān~ huǐyuē.* You couldn't unilaterally break the agreement. ❹〈名 n.〉门路，办法 method; way: 这个人处世有~。*Zhège rén chǔshì yǒu ~.* The guy knows how to get along with the world. | 他想~设法挤进了会议厅。*Tā xiǎng ~shèfǎ jǐjìnle huìyìtīng.* He managed to get into the auditorium with all means. ❺ (~儿)〈名 n.〉方子，药方 prescription: 我用中医的偏~儿治好了病。*Wǒ yòng zhōngyī de piān~r zhìhǎole bìng.* I got recovered with a folk prescription of the traditional Chinese medicine. ❻〈名 n.〉地域；地方 place; region; locality: 有朋自远~来，不亦乐乎? *Yǒu péng zì yuǎn~ lái, bú yì lè hū?* How happy we are, to meet friends from afar?/ Is it not delightful to have friends coming from distant quarters? | 他是何~来客? *Tā shì hé~ lái kè?* Where does he come from? ❼〈副 adv.〉正，正当 just; at the time when: 这个年轻人血气~刚。*Zhège niánqīngrén xuèqì~~gāng.* The young man is just full of sap. | 来日~长，以后有机会咱们再详谈吧。*Láirì~ cháng, yǐhòu yǒu jīhuì zánmen zài xiángtán ba.* There will be a time for this, and let's discuss it in detail when we have chance. ❽〈副 adv.〉才，方才 just; just now: 经你这么一说，我如梦~醒。*Jīng nǐ zhème yì shuō, wǒ rúmèng~~xǐng.* I suddenly came to realize it as if awakening from a dream when you mentioned it. | 我翻了好几本词典，~找到那个生僻字。*Wǒ fānle hǎo jǐ běn cídiǎn, ~ zhǎodào nàge shēngpìzì.* After looking it up in several dictionaries, I finally found that uncommon character. ❾〈形 adj.〉正直；honest; morally square: 此人品行~正。*Cǐ rén pǐnxíng ~ zhèng.* The man has an upright character. ❿〈量 meas.〉平方、立方的略称 square metre or cubic metre: 我挖了两~土。*Wǒ wāle liǎng ~ tǔ.* I have dug two cubic meters of earth. ⓫〈量 meas.〉用于方形的物体 for square things: 一~图章 *yì ~ túzhāng* a seal | 一~手帕 *yì ~ shǒupà* a handkerchief

² **方案** fāng'àn ❶〈名 n.〉(个 gè、项 xiàng)工作、活动的计划 scheme; plan; program:

这个设计~还没有经过论证。*Zhège shèjì ~ hái méiyǒu jīngguò lùnzhèng.* This design has not yet been dicussed. │ 北京市人民代表大会认真讨论本市未来的发展~。*Běijīng Shì Rénmín Dàibiǎo Dàhuì rènzhēn tǎolùn běnshì wèilái de fāzhǎn ~.* The People's Congress of Beijing is seriously discussing the plan of the city's development in the future. ❷〈名 n.〉（个 gè、项 xiàng）制定的条例 rule: 市政府制定了住房制度改革实施~。*Shìzhèngfǔ zhìdìngle zhùfáng zhìdù gǎigé shíshī ~.* The municipal government has made rules for implementing the housing system reform.

¹ **方便** fāngbiàn ❶〈形 adj.〉便利 convenient: 我住的地方交通~，购物也~。*Wǒ zhù de dìfang jiāotōng ~, gòuwù yě ~.* Traffic and shopping are quite convenient in my living place. │ 新建的社区配套设施齐全，居民生活十分~。*Xīnjiàn de shèqū pèitào shèshī qíquán, jūmín shēnghuó shífēn ~.* The newly-built community is well equipped with necessary facilities, and people there live a convenient life. │ 缩微图书保存和使用都很~。*Suōwēi túshū bǎocún hé shǐyòng dōu hěn ~.* It is very convenient to preserve and use microfilm books. ❷〈形 adj.〉适合 suitable: 这里人太杂，说话不~。*Zhèli rén tài zá, shuōhuà bù ~.* There are all kinds of people here, so it's not the right place to talk. ❸〈形 adj.〉手头宽裕；有富余的钱 having ready money: 不知你手头~不~，我想借几十元钱。*Bù zhī nǐ shǒutóu ~ bù ~, wǒ xiǎng jiè jǐshí yuán qián.* I wonder if you have some spare money at hand. I would like to borrow dozens of *yuan.* │ 对不起，这几天我手头也不大~。*Duìbuqǐ, zhè jǐ tiān wǒ shǒutóu yě bú dà ~.* Sorry, I have no money to spare these days. ❹〈动 v.〉使方便 make things convenient for sb.: 新建的这所中学~了附近孩子们上学。*Xīnjiàn de zhè suǒ zhōngxué ~le fùjìn háizimen shàngxué.* The newly-built middle school made it convenient for the nearby children to go to school. ❺〈动 v. 口 colloq.〉上厕所 go to the lavatory: 公路一侧有个小厕所，供过往行人~。*Gōnglù yí cè yǒu gè xiǎo cèsuǒ, gòng guòwǎng xíngrén ~.* There is a small lavatory by the roadside for the passers-by.

⁴ **方程** fāngchéng〈名 n.〉数学术语，指含有未知数的等式，也叫'方程式'equation, a mathematical term of formula expressing equality between two quantities, also '方程式' fāngchéngshì: 你会解这个~吗？*Nǐ huì jiě zhège ~ ma?* Can you solve the problem in this equation? │ 这道~题不难，我当然会解。*Zhè dào ~ tí bù nán, wǒ dāngrán huì jiě.* This equation is not difficult. Of course I can solve it.

¹ **方法** fāngfǎ〈名 n.〉（个 gè、种 zhǒng）解决问题的办法、门路 method; means; technique process; procedure; way: 做思想工作要讲究方式、~。*Zuò sīxiǎng gōngzuò yào jiǎngjiu fāngshì, ~.* Pay attention to the style and method of your ideological work. │ 你思考问题的~不对头。*Nǐ sīkǎo wèntí de ~ bú duìtóu.* The way you consider problems is not correct. │ 我找到一种新~，可以又多又快地背单字。*Wǒ zhǎodào yì zhǒng xīn ~, kěyǐ yòu duō yòu kuài de bèi dānzì.* I've found a new way to memorize more words more quickly.

¹ **方面** fāngmiàn〈名 n.〉指事情或事物的某一面；并列的人或事中的一个 side, one part to be considered, usu. in opposition to another: 他主管人事~的工作。*Tā zhǔguǎn rénshì ~ de gōngzuò.* He is mainly in charge of personnel work. │ 考虑问题时要考虑周到细致，各个~都不能忽略。*Kǎolǜ wèntí shí yào jǐnliàng zhōudào xìzhì, gège ~ dōu bù néng hūlüè.* When considering problems, you should be as thoughtful and careful as possible, and no point should be neglected. │ 我在学习~不如你，但在动手能力~比你强。*Wǒ zài xuéxí ~ bù rú nǐ, dàn zài dòngshǒu nénglì ~ bǐ nǐ qiáng.* I am not as good as you in study, but more capable than you in practice.

² **方式** fāngshì〈名 n.〉解决问题的方法或形式 way; fashion; pattern：你说话太直，还是要注意点儿。*Nǐ shuōhuà tài zhí, háishì yào zhùyì diǎnr ~.* You are too abrupt in speaking, and you should pay attention to the method.│他的生活～有点儿西方化。*Tā de shēnghuó ~ yǒudiǎnr xīfānghuà.* His life-style is a little bit Westernized.

¹ **方向** fāngxiàng ❶〈名 n.〉指东、南、西、北等朝向 direction such as east, south, west, north, etc.：指南针有指示～的作用。*Zhǐnánzhēn yǒu zhǐshì ~ de zuòyòng.* The compass can be used to indicate geographic directions.│中国地势西高东低，许多河流从西部～东流入海。*Zhōngguó dìshì xī gāo dōng dī, xǔduō héliú cóng xībù ~ dōng liú rù hǎi.* The terrain of China is high in the west and low in the east. Many rivers flow into the sea from west to east.│在冬天大风一般从西北～刮过来。*Zài dōngtiān dàfēng yìbān cóng xīběi ~ guā guòlái.* The storm usually blows up from the northwest in winter. ❷〈名 n.〉指行进的目标 direction; orientation：奋斗～ *fèndòu* ~ the direction of one's effort│指明前进～ *zhǐmíng qiánjìn* ~ point out the direction of advancement│灯塔为夜航船只指示～。*Dēngtǎ wèi yèháng chuánzhī zhǐshì ~.* The lighthouse indicates directions for ships and boats sailing at night.│小船朝着湖中小岛～划去了。*Xiǎo chuán cháozhe hú zhōng xiǎo dǎo ~ huáqù le.* The small boat was moving toward the islet in the center of the lake.

² **方针** fāngzhēn〈名 n.〉（项 xiàng、个 gè）事业前进方向的指针 policy; direction or target of a task; guiding principle：我们的～政策不会变。*Wǒmen de ~ zhèngcè bú huì biàn.* Our guiding principles and policies will not be changed.│大政～已定，具体事情就好办了。*Dàzhèng ~ yǐ dìng, jùtǐ shìqing jiù hǎo bàn le.* It will be easy to handle those specific affairs if the fundamental policy is established.│'百花齐放，推陈出新'是中国戏曲改革的指导～。*'Bǎihuā-qífàng, tuīchén-chūxīn' shì Zhōngguó xìqǔ gǎigé de zhǐdǎo ~.* The guiding principles for the reform of traditional Chinese opera is to 'let a hundred flowers blossom, and weed through the old to bring forth the new'.

² **防** fáng ❶〈动 v.〉防备（可能发生的灾祸等坏事）guard against; take precautions against：～灾 ~ *zāi* prevent disasters│～腐 ~ *fǔ* prevent corruption│这种小人，真是～不胜～。*Zhè zhǒng xiǎorén, zhēn shì ~ bú shèng ~.* It is so hard to guard against this kind of mean person.│为～患于未然，我们必须赶在雨季前加高、加固这道堤防。*Wèi ~ huàn yú wèi rán, wǒmen bìxū gǎn zài yǔjì qián jiā gāo, jiāgù zhè dào dīfáng.* To prevent the disaster from happening, we must heighten and strengthen this dam before the rainy season. ❷〈动 v.〉守卫；抵御 defend：～守 ~ *shǒu* defend; guard│歹徒行凶，我拼命～、反击。*Dǎitú xíngxiōng, wǒ pīnmìng ~wèi, fǎnjī.* The gangster assaulted me, and I struggled to defend and fight back. ❸〈名 n.〉指防御的事务、设施等 defence：海～ *hǎi~* coastal defence│边～ *biān~* border security│这座城的城～固若金汤。*Zhè zuò chéng de chéng~ gùruòjīntāng.* The city is strongly fortified in defense. ❹〈名 n.〉挡水的建筑物 dam; dyke; embankment, structure to block water：堤～ *dī~* dyke

⁴ **防护** fánghù〈动 v.〉防备并保护 protect; shelter：现在这一带有大片森林，风沙不能肆虐了。*Xiànzài zhè yídài yǒu dà piàn sēnlín ~, fēngshā bù néng sìnüè le.* There is a large tract of shelter-forests in this area now, and the sandstorm can no longer run berserk.│矿领导特别注意～井下工人的安全。*Kuàng lǐngdǎo tèbié zhùyì ~ jǐng xià gōngrén de ānquán.* Leaders of the mining company pay special attention to the security of workers under the mine.

³ **防守** fángshǒu〈动 v.〉防备并守卫 defend; guard：我一个连～在前沿阵地上。*Wǒ yí gè lián ~ zài qiányán zhèndì shang.* A company of our army was defending on the front position.│这支球队～得不错，没有让对方钻到空子。*Zhè zhī qiúduì ~ de búcuò,*

méiyǒu ràng duìfāng zuāndào kòngzi. The team was tight in defence, and its rival had no chance to take the advantage.

⁴ **防线** fángxiàn ❶ 〈名 n.〉(道 dào、条 tiáo)指军队凭借防御工事防守的一带地方 defence; line of defence：敌人布下的一道道~怎能挡住这支铁军呢？ *Dírén bùxià de yí dàodào ~ zěnnéng dǎngzhù zhè zhī tiějūn ne?* How could the enemy's lines of defence stop this invincible troop？｜我先头部队已突破敌人前沿，正向纵深推进。*Wǒ xiāntóu bùduì yǐ tūpò dírén qiányán ~, zhèng xiàng zòngshēn tuījìn.* Our advance detachment had broken through the enemy's front defence and were pushing forward into the depth. ❷ 〈名 n.〉(道 dào、条 tiáo）喻指人们为抵御外力，借以保护自身的东西 shelter; defence：罪犯的最后一道~被攻破了，不得不彻底交待罪行。*Zuìfàn de zuìhòu yí dào ~ bèi gōngpò le, bù dé bù chèdǐ jiāodài zuìxíng.* The criminal had to make a complete confession of his crime when his last line of defence was broken through.

⁴ **防汛** fángxùn 〈动 v.〉在汛期采取措施，防止洪水成灾 take measures to prevent flood; flood prevention; flood control：全市有两万人在大堤上抗洪。*Quánshì yǒu liǎngwàn rén zài dà dī shang kànghóng ~.* Twenty thousand people of the city were fighting the flood on the levee.｜这支部队在~抢险中立了功。*Zhè zhī bùduì zài ~ qiǎngxiǎn zhōng lìle gōng.* This troop has made contributions in fighting flood and dealing with the emergency.

⁴ **防疫** fángyì 〈动 v.〉采取措施防止、控制和消灭传染病 epidemic prevention, take measures to prevent, control and wipe out epidemic diseases：洪水退后，卫生~站的医务人员一面为村民们打~针，一面在村子里做消毒工作。*Hóngshuǐ tuì hòu, wèishēng ~zhàn de yīwù rényuán yímiàn wèi cūnmínmen dǎ ~zhēn, yímiàn zài cūnzi li zuò xiāodú gōngzuò.* When the flood fell back, the medical workers of the epidemic prevention station inoculated the villagers against epidemic diseases and sterilized the whole village.

³ **防御** fángyù 〈动 v.〉军队作战形式之一，指抗击敌人进攻的作战 defend; guard; guard against attacks by the enemy：敌人来势汹汹，我暂时只得~。*Dírén láishì-xiōngxiōng, wǒ zànshí zhǐdé ~.* The enemy bore down menacingly, and we could only take defence for the time being.｜积极~既消耗敌人力量，同时又为保存自己力量、转入反攻作准备。*Jījí ~ jì xiāohào dírén lìliàng, tóngshí yòu wèi bǎocún zìjǐ lìliàng, zhuǎnrù fǎngōng zuò zhǔnbèi.* The active defence can not only consume the enemy's strength but also make preparations for the counter-attack by preserving one's own strength.

² **防止** fángzhǐ 〈动 v.〉事先设法制止(坏事发生) forestall; avoid; prevent (bad things) from happening; guard against：我们应该~铺张浪费。*Wǒmen yīnggāi ~ pūzhāng-làngfèi.* We should avoid extravagance and waste.｜加强卫生工作，才能~疾病发生。*Jiāqiáng wèishēng gōngzuò, cái néng ~ jíbìng fāshēng.* We can only prevent epidemics by strengthening the hygienic work.

³ **防治** fángzhì 〈动 v.〉预防和治疗；预防和治理 prevent and treat：~病虫害~ *bìngchónghài* prevent and treat plant diseases and pests｜长江中下游的几个省有效地~了血吸虫病。*Chángjiāng zhōng xià yóu de jǐ gè shěng yǒuxiào de ~ le xiěxīchóng bìng.* Schistosomiasis has been effectively prevented and treated in the provinces on the middle and lower reaches of the Yangtze River.｜在黄河中上游，做好水土保持、~风沙的工作尤为重要。*Zài Huánghé zhōng-shàngyóu, zuòhǎo shuǐtǔ bǎochí, ~ fēngshā de gōngzuò yóu wéi zhòngyào.* It is exceptionally important to conserve water and soil and control the sandstorm at the upper and middle reaches of the Yellow River.

³ **妨碍** fáng'ài〈动 v.〉干扰,阻碍;使事情进展不顺利 disturb; obstruct: 这个工地昼夜施工,严重~附近居民的休息。*Zhège gōngdì zhòuyè shīgōng, yánzhòng ~ fùjìn jūmín de xiūxi.* The construction in this building site day and night has seriously interferes the nearby residents' normal life. | 资金不到位~了工程的进展。*Zījīn bú dàowèi ~le gōngchéng de jìnzhǎn.* The delay of funds has obstructed the progress of this project.

⁴ **房东** fángdōng〈名 n.〉(位 wèi、个 gè)出租房屋的房主(与'房客'相对)landlord or landlady; owner or lessor of a house or room (opposite to '房客 fángkè'): 他的~是个老太太。*Tā de ~ shì gè lǎotàitai.* His landlady is an old woman. | ~待我很好。*~ dài wǒ hěn hǎo.* The landlord treats me very well.

¹ **房间** fángjiān〈名 n.〉(个 gè、间 jiān)房屋内用墙壁分隔开来的单间 room; space within a building enclosed by walls or partitions: 我住的那间~很宽敞。*Wǒ zhù de nà jiān ~ hěn kuānchang.* The room where I live is very spacious. | 学生宿舍每个~住四五个人。*Xuésheng sùshè měi gè ~ zhù sì-wǔ gè rén.* Every room of the students' dormitory accomodates four or five students. | 我到上海出差,在旅馆里开了个~。*Wǒ dào Shànghǎi chūchāi, zài lǚguǎn li kāile gè ~.* I opened a room in the hotel when I went on a buisiness trip in Shanghai.

³ **房屋** fángwū〈名 n.〉(处 chù、片 piàn)统指房子 house; building: 这片~马上要拆除、腾出地来建一个小公园。*Zhè piàn ~ mǎshàng yào chāichú, téngchū dì lái jiàn yí gè xiǎo gōngyuán.* These buildings will soon be pulled down to make room for the construction of a small park. | 物业管理部门定期维修~。*Wùyè guǎnlǐ bùmén dìngqī wéixiū ~.* The property management department maintains the houses regularly. | 现在~建筑都用新材料了。*Xiànzài ~ jiànzhù dōu yòng xīn cáiliào le.* New materials have now been adopted in the construction of houses.

² **房子** fángzi〈名 n. 口 colloq.〉(间 jiān、所 suǒ、幢 zhuàng)供人居住或作他用的建筑物 house, building for people to live in or for other purposes: 这几幢~是地震后盖的简易楼。*Zhè jǐ zhuàng ~ shì dìzhèn hòu gài de jiǎnyìlóu.* These buildings are makeshift ones built after the earthquake. | 我在郊区买了一所新~。*Wǒ zài jiāoqū mǎile yì suǒ xīn ~.* I bought a new house in the suburb. | 你住的这间~太小了。*Nǐ zhù de zhè jiān ~ tài xiǎo le.* The house where you live is too small.

⁴ **房租** fángzū〈名 n.〉(笔 bǐ、份 fèn)租房子所付的钱 rent (money for renting a house): 我租住的房子~还算比较便宜。*Wǒ zū zhù de fángzi ~ hái suàn bǐjiào piányi.* The rent I pay for this house is rather cheap. | 每月的~占我工资的25%。*Měi yuè de ~ zhàn wǒ gōngzī de bǎi fēn zhī èrshíwǔ.* The monthly rent takes 25 percent of my salary.

² **仿佛** fǎngfú ❶〈动 v.〉相像;类似 be more or less the same; be alike: 他和我年纪相~。*Tā hé wǒ niánjì xiāng ~.* He is almost the same age with me. | 这个人行动起来轻快、灵活,~一只猴子。*Zhège rén xíngdòng qǐlái qīngkuài, línghuó, ~ yì zhī hóuzi.* The man acts lightly and agilely just like a monkey. ❷〈副 adv.〉好像(表示说话人或当事人不十分有把握的了解、感觉,或表示有某种相似之处)seemingly; as if (indicating that the speaker is not so sure about sth.): 这孩子我~认得。*Zhè háizi wǒ ~ rènde.* It seems that I know the child. | 她的脸色苍白,~是生过一场病的人。*Tā de liǎnsè cāngbái, ~ shì shēngguo yì chǎng bìng de rén.* She looks pale as if she's just recovered from illness.

¹ **访问** fǎngwèn ❶〈动 v.〉看望、拜访别人;游览、观光某地 visit; call on; interview: ~学生家长 ~ xuésheng jiāzhǎng pay a visit to the pupils' parents | 我今天要去~清华大学的一位教授。*Wǒ jīntiān yào qù ~ Qīnghuá Dàxué de yí wèi jiàoshòu.* Today I'll go to Qinghua University to visit a professor. ❷〈名 n.〉指所作的访问活动 visit, an act or

F

time of visiting: 这次~很成功。*Zhè cì ~ hěn chénggōng.* This visit is very successful.

³ **纺** fǎng ❶〈动 *v.*〉把棉、麻等各种纺织纤维制成纱或线 spin, make thread or yarn from wool, cotton, etc. by spinning or twisting: ~纱~*shā* spin yarn | ~线 ~*xiàn* spin thread | 在偏远地方有些农村妇女还会用老式纺车~棉花、~线。*Zài piānyuǎn dìfang yǒuxiē nóngcūn fùnǚ hái huì yòng lǎoshì fǎngchē ~ miánhua, ~xiàn.* In remote areas, some country women are still able to spin cotton and thread with the old-style spinning wheels. ❷〈名 *n.*〉一种质地轻、薄的丝织品 a kind of thin and light silk cloth: ~绸~ *chóu* silk

² **纺织** fǎngzhī〈动 *v.*〉把各种纺织纤维加工成纱或线并织成布、呢、丝绸等 spin; weave, make cotton, flax, silk and wool into yarn and thread, and then into cloth: 这位~女工是个劳动模范。*Zhè wèi ~ nǚgōng shì gè láodòng mófàn.* This female cotton spinner is a model worker. | 现在都采用先进的机器进行~。*Xiànzài dōu cǎiyòng xiānjìn de jīqì jìnxíng ~.* Now advanced machinery has been adopted in the textile production.

¹ **放** fàng ❶〈动 *v.*〉解除约束，使得自由；不加拘束，放开 release; set free; let go: ~飞 ~*fēi* release birds | 他刚从监狱里~出来。*Tā gāng cóng jiānyù li ~chūlái.* He was just set free from the jail. | 你应该一手使用干部。*Nǐ yīnggāi ~shǒu shǐyòng gànbù.* You should go all out to appoint the cadres. ❷〈动 *v.*〉添加进去 add; put in: 我喝红茶喜欢~点儿糖。*Wǒ hē hóngchá xǐhuan ~ diǎnr táng.* I'd like some sugar in my black tea. ❸〈动 *v.*〉安置；存放；搁置 place; put; put in a certain place; lay aside; put aside: 我把这些书都~在书架上了。*Wǒ bǎ zhèxiē shū dōu ~ zài shūjià shang le.* I have put these books on the bookshelf. | 现在有许多急事要办，这件事先~一~再说。*Xiànzài yǒu xǔduō jíshì yào bàn, zhè jiàn shì xiān ~ yí ~ zài shuō.* There are many urgent things to handle now. We'd better put it aside for a while. ❹〈动 *v.*〉工作、学习结束 stop (studying or working): ~工 ~*gōng* finish work | ~学 ~*xué* school is over | 今年国庆节~了七天长假。*Jīnnián Guóqìngjié ~le qī tiān cháng jià.* We had a seven-day long holiday for the National Day this year. ❺〈动 *v.*〉让牲畜自由活动，觅食 put out (livestocks) to pasture; let off for prey: ~牧 ~*mù* put out to pasture | 他小时候在农村~过牛。*Tā xiǎoshíhou zài nóngcūn ~guo niú.* He once herded cattles in the countryside in his childhood. ❻〈动 *v.*〉发出；燃放 emit; give out; light; fire: ~电影 ~ *diànyǐng* show a film | ~烟火 ~*yānhuǒ* set off firework | 大~光芒 dà ~ *guāngmáng* give out light | 他~了一枪，打中一只野兔。*Tā ~le yì qiāng, dǎ zhòng yì zhī yětù.* He fired a shot and hit a hare. ❼〈动 *v.*〉扩展，放大 expand; enlarge; let out: 风物长宜~眼量。*Fēng wù cháng yí ~ yǎn liàng.* Range far your eyes over long vistas. | 下了几天雨，今天总算~晴了。*Xiàle jǐ tiān yǔ, jīntiān zǒngsuàn ~qíng le.* It finally clears up today after several rainy days. ❽〈动 *v.*〉控制行动、行为，达到一定分寸 place oneself under control and moderate one's behavior and attitude to a certain extent: 你应该~明白，没有确凿的证据我们是不会逮捕你的。*Nǐ yīnggāi ~ míngbai, méiyǒu quèzuò de zhèngjù wǒmen shì bú huì dǎibǔ nǐ de.* You'd better be sensible. We would not arrest you without concrete evidence. | 我跟着你走很吃力，你能不能~慢点儿步子？*Wǒ gēnzhe nǐ zǒu hěn chīlì, nǐ néng bù néng ~màn diǎnr bùzi?* I feel exhausted to catch up with you. Will you slow down your pace? ❾〈动 *v.*〉借钱给别人，收取利息 lend money for interest: ~高利贷 ~ *gāolìdài* lend money for high interest | 他~出去好多钱。*Tā ~ chūqù hǎo duō qián.* He had lent out a lot of money. ❿〈动 *v.*〉从上面派到下面去 send sb. to work at the grass-roots level: 下~干部到基层去锻炼。*Xià ~ gànbù dào jīcéng qù duànliàn.* Cadres should be sent to the

grass-roots level to get experience. ⓫〈动 v.〉丢开 lay up; lay aside：~着好好儿的床不睡，靠在沙发上干什么？ *~zhe hǎohāor de chuáng bú shuì, kào zài shāfā shang gàn shénme?* Why didn't you sleep in bed but leaned against the sofa? ⓬〈动 v.〉绽开 blossom：含苞待~ *hánbāo-dài~* ready to burst into bloom｜他高兴得心花怒~。*Tā gāoxìng de xīnhuā-nù~.* He burst with joy. ⓭〈动 v.〉抛弃，驱逐 exile; banish; send sb. away to a remote area：~黜 *~chù* dismiss; send away｜流~，是古代的一种刑罚。*Liú~, shì gǔdài de yì zhǒng xíngfá.* Exile is a kind of penalty in ancient times.

² **放大** fàngdà〈动 v.〉使照片图像、声音、功能等变大、提高或增强 magnify; amplify; enlarge（images, sounds, functions, etc.）：我到照相馆去~了几张老照片。*Wǒ dào zhàoxiàngguǎn qù ~le jǐ zhāng lǎo zhàopiàn.* I went to the photo shop to enlarge some old photos.｜你不要有什么顾虑~，胆子去干。*Nǐ búyào yǒu shénme gùlǜ, ~ dǎnzi qù gàn.* You have nothing to worry about. Just go ahead with your plan.

¹ **放假** fàng//jià〈动 v.〉在规定的日期让工作、学习的人们休息 have a vacation free from work or study; have a holiday or vacation：元旦~两天，我哪里也没去。*Yuándàn ~ liǎng tiān, wǒ nǎli yě méi qù.* I had two days off for the New Year's Day, but I didn't go anywhere.｜春节放七天假，我们准备结伴去旅游。*Chūn Jié fàng qī tiān jià, wǒmen zhǔnbèi jiébàn qù lǚyóu.* We have seven days off during the Spring Festival, and are going to travel in a group.

² **放弃** fàngqì〈动 v.〉丢掉或不坚持原有的权利、主张、意见等 abandon（original rights, views, opinions, etc.）; give up; abjure; forsake：你不要~这次难得的进修机会。*Nǐ búyào ~ zhècì nándé de jìnxiū jīhuì.* You should not give up this precious opportunity to attend advanced studies.｜他从不轻易~自己的观点。*Tā cóng bù qīngyì ~ zìjǐ de guāndiǎn.* He never gives up his opinions lightly.

⁴ **放射** fàngshè〈动 v.〉由一个中心点向四处射出 radiate; emit; branch out from the center：探照灯~出耀眼的光来。*Tànzhàodēng ~ chū yàoyǎn de guāngshù.* The searchlight shoots out beams of dazzling light.｜他两眼~出喜悦的光芒。*Tā liǎng yǎn ~ chū xǐyuè de guāngmáng.* Joys can be seen in his eyes.

³ **放手** fàng//shǒu ❶〈动 v.〉松开握东西的手 let go; let go one's hold：你抓住绳子千万别~，一放开手东西就会掉下去的。*Nǐ zhuāzhù shéngzi qiānwàn bié ~, yí fàngkāi shǒu dōngxi jiù huì diào xiàqù de.* Take hold of the rope and don't let it go at any rate. Otherwise, things will drop down from your hand. ❷〈动 v.〉比喻消除顾虑或约束 fig. remove worry or restraint; have a free hand; go all out：他前怕狼后怕虎，不敢~工作。*Tā qián pà láng hòu pà hǔ, bù gǎn ~ gōngzuò.* He is full of fears and dares not to go all out to work.｜~使用年轻人，让他们在实践中增长才干。*~ shǐyòng niánqīngrén, ràng tāmen zài shíjiàn zhōng zēngzhǎng cáigàn.* Have a free hand to appoint young people, and let them improve their ability in practice.

⁵ **放松** fàngsōng〈动 v.〉松开，指减轻对事物的注意力和控制程度 relax; slacken; loosen; become less attentive or tense：你当车间主任不能~管理。*Nǐ dāng chējiān zhǔrèn bù néng ~ guǎnlǐ.* You can't slacken the management when you become the director of the workshop.｜运动过后多注意~~。*Yùndòng guòhòu shēntǐ yào ~~.* You should relax your muscles after sport.｜对他这样的坏人你可千万不能~警惕。*Duì tā zhèyàng de huàirén nǐ kě qiānwàn bù néng ~ jǐngtì.* You should in no way relax your vigilance against such a villain as him.

² **放心** fàng//xīn〈动 v.〉安心，不忧虑、不挂念 set one's mind at rest; free from pain or worry; be at ease; feel relieved：家里由老母亲照应我很~。*Jiā li yóu lǎo mǔqīn*

zhàoyìng wǒ hěn ~. My house is looked after by my aged mother, which makes me feel relieved. | 你~吧，这些年轻人很能干，会把一些事情处理好的。*Nǐ ~ ba, zhèxiē niánqīngrén hěn nénggàn, huì bǎ yìxiē shìqing chǔlǐ hǎo de.* You'd better set your mind at rest. These young people are very capable and can properly deal with these things. | 我对她实在放不下心。*Wǒ duì tā shízài fàng bú xià xīn.* I'm really worried about her.

³ **放学** fàng//xué ❶〈动 v.〉学生上完一天或半天的课回家 (of students) leave school after class; (of school) let out: 都快一点钟了，怎么学校还没有~？*Dōu kuài yì diǎnzhōng le, zěnme xuéxiào hái méiyǒu ~?* It's nearly one o'clock. Why is school not over? | 放了学我就回家。*Fàngle xué wǒ jiù huíjiā.* I will go back home when class is over. ❷〈动 v.〉指学校里放假 (of a school) have a holiday or vacation: 快到七月中旬了，学校该~了。*Kuài dào qī yuè zhōngxún le, xuéxiào gāi ~ le.* It's near mid-July, and school is going to close for holidays.

³ **放映** fàngyìng〈动 v.〉指放电影 project; show (a film): 学校礼堂今晚~新影片。*Xuéxiào lǐtáng jīn wǎn ~ xīn yǐngpiàn.* A new film will be showed in the school auditorium tonight.

¹ **飞** fēi〈动 v.〉鸟、虫等展翅在空中活动 fly; (of birds or insects) move through the air by flapping wings: 笨鸟先~ (比喻能力差的人做事时，恐怕落后，比别人先动手)。*Bènniǎo-xiān ~ (bǐyù nénglì chà de rén zuòshì shí, kǒngpà luòhòu, bǐ biérén xiān dòngshǒu).* Clumsy birds have to start flying early (*fig.* An incapable person must start working earlier for fear of lagging behind). | 大雁向南~去了。*Dàyàn xiàng nán ~qù le.* The wide geese are flying toward the south. ❷〈动 v.〉(物体)在空中飘荡或航行 hover or fly in the air: ~沙走石 *~shā-zǒushí* flying sands and rolling pebbles | 飞机准时起~。*Fēijī zhǔnshí qǐ ~.* The plane will take off on time. ❸〈动 v. 口 colloq.〉散发，挥发 evaporate; disappear: 瓶盖儿裂了，香味儿都~了。*Píng gàir liè le, xiāngwèir dōu ~ le.* The bottle cap is broken and the fragrance escapes. ❹〈副 adv.〉像飞一样快 swiftly; fast: ~跑 *~pǎo* run at full speed | 物价~涨。*Wùjià ~zhǎng.* Prices were skyrocketing. | 骏马在草原上~奔。*Jùnmǎ zài cǎoyuán shang ~bēn.* The excellent steed gallops on the grassland. ❺〈形 adj.〉意外的；没根据的 unexpected; accidental; unfounded; groundless: ~来横祸 *~lái-hènghuò* unexpected disaster | 流言~语 *liúyán-~yǔ* rumours and slanders

⁴ **飞船** fēichuán ❶〈名 n.〉(艘 sōu) 宇宙飞船的简称 spaceship; spacecraft; abbr. for '宇宙飞船 yǔzhòu fēichuán': 发射载人~ *fāshè zài rén ~* launch a manned spaceship ❷〈名 n.〉(艘 sōu) 旧时指飞艇 (old) airship: ~的飞行速度不及飞机。*~ de fēixíng sùdù bùjí fēijī.* The speed of an airship is not so fast as that of a plane.

¹ **飞机** fēijī〈名 n.〉(架 jià) 多用在交通运输、军事等方面的一种飞行器 aircraft; airplane; aeroplane; plane, an aerocraft widely used in transportation, military affairs, etc.: ~场 *~chǎng* airport; aerodrome | 喷气式~ *pēnqìshì~* jet plane | 从北京到南京坐~只要两个小时。*Cóng Běijīng dào Nánjīng zuò ~ zhǐyào liǎng gè xiǎoshí.* It only takes two hours to fly from Beijing to Nanjing. | 我们现在用~飞播的办法在荒山上种草种树。*Wǒmen xiànzài yòng ~ fēibō de bànfǎ zài huāngshān shang zhòng cǎo zhòng shù.* Now we sow grass seeds and tree seeds on barren mountains with the plane.

³ **飞快** fēikuài ❶〈形 adj.〉非常快 swift; very fast: 快艇以~的速度追上了走私船。*Kuàitǐng yǐ ~ de sùdù zhuīshàngle zǒusī chuán.* The speedboat caught up with the smuggling ship at a very high speed. | 日子过得~，马上又到年底了。*Rìzi guò de ~, mǎshàng yòu dào niándǐ le.* How time flies! It will soon be the end of the year. ❷〈形

adj.〉很锋利 extremely sharp; razor-sharp: 这把菜刀~，切肉切菜很方便。*Zhè bǎ càidāo ~, qiē ròu qiē cài hěn fāngbiàn.* The kitchen knife is extremely sharp and cuts meat and vegetables easily.

⁴ **飞舞** fēiwǔ ❶〈动 *v.*〉在空中飘舞 flutter; dance in the air: 乱云~ *luàn yún* ~ disturbing clouds dancing in the air ｜ 雪花漫天~。*Xuěhuā màntiān* ~. Snowflakes are flying all over the sky. ❷〈动 *v.*〉比喻活泼多姿 be lively and vigorous: 他写的行草宛如龙蛇~。*Tā xiě de xíngcǎo wǎnrú lóng shé* ~. His handwriting of running and cursive style is lively and vigorous.

³ **飞翔** fēixiáng〈动 *v.*〉在空中回旋地飞 fly; hover; circle in the air: 一群鸽子在半空中~。*Yì qún gēzi zài bàn kōngzhōng* ~. A flock of pigeons are circling in the sky.

³ **飞行** fēixíng〈动 *v.*〉飞行器在空中航行 (of an aerocraft) fly; make a flight: 他驾机在恶劣的气候中~。*Tā jià jī zài èliè de qìhòu zhōng* ~. He piloted a plane in the bad weather. ｜ 超音速战斗机在高空疾速~。*Chāoyīnsù zhàndòujī zài gāokōng jísù* ~. The ultrasonic fighter plane flies high in the sky at a fast speed.

³ **飞跃** fēiyuè ❶〈动 *v.*〉升腾跳跃 leap; jump up: 羚羊从一条小山沟上~而过。*Língyáng cóng yì tiáo xiǎo shāngōu shang* ~ *ér guò.* The antelope jumped across a small gully. ❷〈形 *adj.*〉形容事业突飞猛进 by leaps and bounds: 他近来的学习成绩有~的进步。*Tā jìnlái de xuéxí chéngjì yǒu* ~ *de jìnbù.* He has made progress in his study by leaps and bounds recently. ｜ 改革开放后，中国的经济正在~发展。*Gǎigé kāifàng hòu, Zhōngguó de jīngjì zhèngzài* ~ *fāzhǎn.* China's economy has been developing by leaps and bounds since the reform and opening-up. ❸〈名 *n.*〉指事物从旧质态向新质态的转化 leap; sudden transition; qualitative change from old properties to new ones: 从封建专制社会到民主社会是一个~。*Cóng fēngjiàn zhuānzhì shèhuì dào mínzhǔ shèhuì shì yí gè* ~. It is a great leap to change from the feudal autocratic society to the democratic society.

³ **非** fēi ❶〈副 *adv.*〉与'不'呼应，表示坚定的意愿和决心 used in combination with '不 bù' to express strong will and determination: 不要我去，我~去不可。*Bú yào wǒ qù, wǒ* ~ *qù bùkě.* I insist on going even if yon don't want me to. ❷〈副 *adv.*〉与'才'呼应，表示除非，只有 used in combination with '才 cái' to mean none but; no other than: 这件事~你亲自去才能解决问题。*Zhè jiàn shì* ~ *nǐ qīnzì qù cái néng jiějué wèntí.* Only when you go there personally can this problem be solved. ❸〈副 *adv.* 口 *colloq.*〉必须；偏要 must; simply; imperative: 为什么~得听他的呢？*Wèishénme* ~ *děi tīng tā de ne?* Why must we take orders from him? ｜ 他丢了一本书，~说是我拿的。*Tā diū le yì běn shū,* ~ *shuō shì wǒ ná de.* He lost a book but insisted that I had taken it. ❹〈形 *adj.*〉不合乎 not conform to; go against; run counter to: ~礼~*lǐ* impolite; improper; rude ｜ 你不要有~分之想。*Nǐ búyào yǒu* ~*fēn zhī xiǎng.* You shouldn't have any inordinate desire. ❺〈动 *v.*〉相当于'不是' not; non-; in-; un-: ~此即彼 ~*cǐ-jíbǐ* either this or that ｜ 他对老师的提问答~所问。*Tā duì lǎoshī de tíwèn dá*~*suǒwèn.* He gave an irrelevant answer to the teacher's question. ❻〈动 *v.*〉认为不对；否定 oppose; find fault with: 无可厚~ *wúkěhòu*~ no ground for blame ｜ 整理出版古籍决不是为了颂古~今。*Zhěnglǐ chūbǎn gǔjí jué bú shì wèile sònggǔ*~*jīn.* The purpose of compiling and publishing the classical books is by no means praising the past and blaming the present. ❼〈名 *n.*〉错误 wrong; error; mistake: 你不要文过饰~。*Nǐ búyào wénguò-shì*~. Please don't cover up your errors. ｜ 他决心痛改前~。*Tā juéxīn tònggǎi-qián*~. He decided to repent earnestly of his misdeeds. ❽〈词头 *pref.*〉表示否定或不属于某一范围 non-, indicating negation: ~卖

品 ~*màipǐn* article not for sale | 婚生子女 ~ *hūn shēng zǐnǚ* illegimate child ⑨（Fēi）〈名 n.〉非洲的简称 Africa, abbr. for '非洲Fēizhōu'：亚～会议 *Yà~ Huìyì* Afro-asian Conference

² 非…不可 fēi…bùkě 表示必须或必然 must; necessary：要办好这件事，～他～。*Yào bàn hǎo zhè jiàn shì, ~ tā ~.* Nobody can deal with it properly except him. | 你这样混日子，～犯错误。*Nǐ zhèyàng hùn rìzi, ~ fàn cuòwù~.* If you lazy away like this, you will unavoidably make mistakes.

⁴ 非…才… fēi…cái… 表示必要的条件，后面用'才'引出结果 indicating necessary condition followed by '才*cái*' clause：你～亲自去请他，他～会来。*Nǐ ~ qīnzì qù qǐng tā, tā ~ huì lái.* He will not come unless you invite him in person. | ～得单位主要领导批准，～能动用这笔钱。*~děi dānwèi zhǔyào lǐngdǎo pīzhǔn, ~néng dòngyòng zhè bǐ qián.* This sum of money can not be used unless the chief leader of the unit approves it.

¹ 非常 fēicháng ❶〈副 adv.〉表示非一般的、极端的程度，也可以重叠使用 very; highly; extremely; exceedingly：我～赞同你的观点。*Wǒ ~ zàntóng nǐ de guāndiǎn.* I completely agree with you. | 他的态度～大方、～坦白，又～镇静。*Tā de tàidù ~ dàfang, ~ tǎnbái, yòu ~ zhènjìng.* He had a very decent, frank and calm manner. | 我实在走得～～累了。*Wǒ shízài zǒu de ~ ~ lèi le.* I'm really extremely tired after such a long walk. ❷〈形 adj.〉异乎寻常的；不一般的 extraordinary; uncommon; unusual; special：～时期 ~ *shíqī* time of emergency | ～现象 ~ *xiànxiàng* extraordinary phenomenon | 这种～情况值得注意。*Zhè zhǒng ~ qíngkuàng zhíde zhùyì.* This unusual situation deserves our attention.

⁴ 非法 fēifǎ〈形 adj.〉违法的；不合法的 unlawful; illegal; illicit; illegitimate：这些都是～出版物。*Zhè xiē dōu shì ~ chūbǎnwù.* All of these are illegal publications. | 他的那笔收入是～的。*Tā de nà bǐ shōurù shì ~ de.* That sum of his income was illicit.

⁴ 肥 féi ❶〈形 adj.〉肥胖（与'瘦'相对，通常不用来形容人）fat; greasy（opposite to '瘦 shòu', not used to describe people）：这头～猪可能有100公斤了。*Zhè tóu ~ zhū kěnéng yǒu yìbǎi gōngjīn le.* This fat pig may weigh 100 kilograms. | 很多人不爱吃～肉。*Hěn duō rén bú ài chī ~ ròu.* Many people don't like to eat fat. ❷〈形 adj.〉土质好 fertile; rich：那块地真～，种什么长什么。*Nà kuài dì zhēn ~, zhòng shénme zhǎng shénme.* That land is quite fertile, and whatever is sown there, there will be a harvest. ❸〈形 adj.〉宽大（指衣服、鞋、袜等）(of clothes, shoes, socks, etc.) loose; wide：这件衣服做得～了一些。*Zhè jiàn yīfu zuò de ~le yìxiē.* This clothes is a little bit loose. ❹〈形 adj.〉收入多的差事 yielding good profits; profitable; lucrative：～差 ~*chāi* profitable job | 听说你在银行工作，那可是个～缺。*Tīngshuō nǐ zài yínháng gōngzuò, nà kě shì gè ~quē.* It is said that you work in a bank. That's a good job with a handsome income. ❺〈动 v.〉使土地增加养分 make fertile; fertilize：猪粪可供～田之用。*Zhūfèn kě gòng ~ tián zhī yòng.* Pig waste can be used to fertilize soil. ❻〈动 v.〉因不正当收入而富裕 get rich by illegal income：他当官几年可～了自己了。*Tā dāng guān jǐ nián kě ~le zìjǐ le.* He has become rich since he took the office several years ago. | 我们要坚决同损公～私的卑鄙行为作斗争。*Wǒmen yào jiānjué tóng sǔngōng~~sī de bēibǐ xíngwéi zuò dòuzhēng.* We should firmly fight against the mean practice of harming the public for one's own benefit. ❼〈名 n.〉肥料 fertilizer; manure：有机～ *yǒujī* ~ organic fertilizer | 化～～ *huà* ~ chemical fertilizer | 地里庄稼该施～了。*Dì li zhuāngjia gāi shī~ le.* Crops in the field need fertilizing. ❽〈名 n.〉借指利益、利润 profit; benefit：你放心吧，没人想跟你分～。*Nǐ fàngxīn ba, méi rén xiǎng gēn nǐ fēn ~.* You can be at ease. Nobody would share profit with you.

³ **肥料** féiliào 〈名 n.〉供植物生长发育的各种养分 fertilizer; manure, substances providing nutrients to the growth of plants：农家除买化学~外，还储存厩肥等有机~。 *Nóngjiā chú mǎi huàxué ~ wài, hái chǔcún jiùféi děng yǒujī ~.* Farmers will not only buy chemical fertilizers but also store up such organic manures as barnyard manure.

² **肥沃** féiwò 〈形 adj.〉土壤含有机物丰富，适合植物生长 fertile; (of land) rich, containing rich organic nutrients and suitable for the growth of plants：这里土地~，物产丰富。 *Zhèli tǔdì ~, wùchǎn fēngfù.* Soil here is rich, and its products are abundant. | 这块菜畦土壤~，光照充足，最适合种菜了。 *Zhè kuài càiqí tǔrǎng ~, guāngzhào chōngzú, zuì shìhé zhòng cài le.* This farmland is most suitable for growing vegetables since its soil is rich and sunshine is ample.

³ **肥皂** féizào 〈名 n.〉（块 kuài、条 tiáo）用洗涤去污用的一种块状化学制品 soap, chemical product used for washing and cleaning：现在许多人家有了洗衣机，洗衣服放点儿洗衣粉就行，不用~了。 *Xiànzài xǔduō rénjiā yǒule xǐyījī, xǐ yīfu fàng diǎnr xǐyīfěn jiù xíng, bú yòng ~ le.* Nowadays most families have washing machines. When they wash clothes, they will usually use a small amount of soap-powder instead of soap. | 有些人还是喜欢用~洗衣服。 *Yǒuxiē rén háishì xǐhuan yòng ~ xǐ yīfu.* Some people still like to wash their clothes with soap.

⁴ **匪徒** fěitú 〈名 n.〉（个 gè、名 míng、伙 huǒ、帮 bāng、股 gǔ）盗匪；为非作歹的坏人 bandit; robber; brigand; gangster; mobster：这个~终于落入了法网。 *Zhège ~ zhōngyú luòrùle fǎwǎng.* The bandit was finally brought to justice. | 这帮~罪大恶极。 *Zhè bāng ~ zuìdà-èjí.* These gangsters were of most heinous guilt.

⁴ **诽谤** fěibàng 〈动 v.〉用制造谣言等手段说别人坏话，破坏别人名誉 slander; defame; do sb. down, say sth. bad or untrue to spoil a person's reputation：任意~别人是一种违法行为。 *Rènyì ~ biéren shì yì zhǒng wéifǎ xíngwéi.* It's an illegal action to slander other people wilfully. | 我们不能容忍他恶毒~别人。 *Wǒmen bù néng róngrěn tā èdú ~ biéren.* We could not tolerate his defaming other people viciously.

² **肺** fèi 〈名 n.〉人和某些高级动物的呼吸器官 lung, respiratory organ of man and higher animals：我曾得过~结核，至今右~上还留了个钙化点。 *Wǒ céng déguo ~ jiéhé, zhìjīn yòu ~ shang hái liúle gè gàihuà diǎn.* I once suffered from pulmonary artery, and there still remains a calcified point in my right lung. | 老师的谆谆教诲感人~腑。 *Lǎoshī de zhūnzhūn jiàohuì gǎnrén ~ fǔ.* Teachers' earnest teachings are really touching.

³ **废** fèi ❶〈形 adj.〉没有用处的或失去原来效用的 waste; useless; disused：这堆~铜烂铁卖给~品收购站吧。 *Zhè duī ~tóng-làntiě mài gěi ~pǐn shōugòuzhàn ba.* Sell this pile of scrap copper and iron to the waste recycling station. | 他用~木料做了个书架。 *Tā yòng ~ mùliào zuòle gè shūjià.* He made a bookshelf with waste wood. ❷〈形 adj.〉沮丧；消沉 depressed; decadent：他遭受几次挫折后变得消极颓~了。 *Tā zāoshòu jǐ cì cuòzhé hòu biàn de xiāojí tuí ~ le.* He became passive and decadent after several frustrations. ❸〈形 adj.〉特指肢体伤残 disabled; maimed：我的这条左腿算是~了。 *Wǒ de zhè tiáo zuǒ tuǐ suànshì ~ le.* My left leg is hopelessly maimed. ❹〈动 v.〉不再使用；停止、中止 abandon; abolish; reject; give up：他们单方面~了合同。 *Tāmen dān fāngmiàn ~le hétong.* They canceled the contract unilaterally. | 你做事要善始善终，不能半途而~。 *Nǐ zuòshì yào shànshǐ-shànzhōng, bù néng bàntú'ér ~.* When you do something, you should start it well and end it well, and can't give it up halfway. ❺〈名 n.〉失去效用的东西 waste; disused things：这些破旧桌子修修还能用，这是修旧利~嘛。 *Zhèxiē pòjiù zhuōzi xiūxiu hái néng yòng, zhè shì xiūjiù-lì-~ ma.* These shabby desks

are still usable after repairing. This is called repairing the old and making use of the waste.

³ **废除** fèichú〈动 v.〉取消，废止(主要用于法令、制度、条约、习惯等)(of law or decree, system, treaty, habit, etc.) abolish; annul; abrogate; repeal：大家都赞成～童婚这种陈规陋习。*Dàjiā dōu zànchéng ~ tónghūn zhèzhǒng chénguī-lòuxí.* Everyone agrees to abolish such an outmoded convention and custom as child marriage.｜不合理的规章制度应尽快～。*Bù hélǐ de guīzhāng zhìdù yīng jǐnkuài ~.* Unreasonable rules and regulations should be abolished as soon as possible.

³ **废话** fèihuà ❶〈名 n.〉(句 jù、套 tào、通 tòng、堆 duī)毫无意义的话，空洞无物的话 nonsense; rubbish; meaningless or empty words：你还是说点儿有用的吧，别尽说～了。*Nǐ háishì shuō diǎnr yǒuyòng de ba, bié jìn shuō ~ le.* Stop that nonsense and speak something useful.｜刊物上不该登载这种通篇～的文章。*Kānwù shang bù gāi dēngzǎi zhèzhǒng tōngpiān ~ de wénzhāng.* Articles full of nonsense shouldn't be published in magazines. ❷〈动 v.〉说废话 talk nonsense：别～了，你有病快去医院看病吧。*Bié ~ le, nǐ yǒu bìng kuài qù yīyuàn kànbìng ba.* Don't talk nonsense. Go and see a doctor quickly if you're ill.

⁴ **废品** fèipǐn ❶〈名 n.〉(件 jiàn、个 gè)不合规格的产品或破旧、失去效用的物品 unqualified product; broken or old useless thing：这个工厂严把质量关，绝不让～出厂。*Zhège gōngchǎng yán bǎ zhìliàng guān, jué bú ràng ~ chūchǎng.* The factory strictly checks up the quality of its products and doesn't let unqualified products flow out of the factory.｜我们社区里有个～收购站，住户家中有什么～可随时送去。*Wǒmen shèqū li yǒu gè ~ shōugòuzhàn, zhùhù jiā zhōng yǒu shénme ~ kě suíshí sòng qù.* There is a waste recycling station in our community. And residents may send old useless things there at any time. ❷〈名 n.〉借喻培养的人不合格 fig. unqualified person：你们学校可不能出～啊！*Nǐmen xuéxiào kě bù néng chū ~ a!* Your school shouldn't turn out any unquailfied student.

⁴ **废气** fèiqì〈名 n.〉在工业生产过程中或机械运转中产生的没有用处的气体 waste or useless gas or steam from industrial production or mechanical movement：通常说的'三废'是指工业生产中所产生的～、废水、废渣。*Tōngcháng shuō de 'sānfèi' shì zhǐ gōngyè shēngchǎn zhōng suǒ chǎnshēng de ~, fèishuǐ, fèizhā.* 'Three wastes' generally refers to the waste gas, waste water and industrial residue produced during the industrial production.｜这个工厂排放的～至今还未得到有效治理。*Zhège gōngchǎng páifàng de ~ zhìjīn hái wèi dédào yǒuxiào zhìlǐ.* The waste gas discharged from this factory has not been effectively controlled yet.

³ **废物** fèiwù〈名 n.〉(件 jiàn、堆 duī)没有用的东西 useless thing：赶快找人来把这堆～清理掉。*Gǎnkuài zhǎo rén lái bǎ zhè duī ~ qīnglǐ diào.* Find someone to get rid of this pile of rubbish quickly.

³ **废墟** fèixū〈名 n.〉(个 gè、处 chù、片 piàn)指遭受破坏或灾害之后变成的残破、荒凉的地方 ruins, remains of a city or village destroyed by natural or man-made disaster：战争使这座繁华的城市变成了一片～。*Zhànzhēng shǐ zhè zuò fánhuá de chéngshì biànchéngle yí piàn ~.* War had reduced this busy city into ruins.｜地震过后，一个老妇坐在她成了～的家门前哭泣。*Dìzhèn guò hòu, yí gè lǎo fù zuò zài tā chéngle ~ de jiā mén qián kūqì.* After the earthquake, an old lady sat crying before her ruined house.

³ **沸腾** fèiténg ❶〈动 v.〉液体受热达到一定温度时急剧气化的现象 boil; (of liquid) bubble, a phenomenon of the rapid transformation of a liquid into gas at a certain

temperature: 炊壶里的水冒气了，~了。*Chuīhú li de shuǐ mào qì le, ~ le.* Water in the kettle begins steaming and boiling. ❷〈动 v.〉形容人声喧闹、场面热烈或情绪高涨 exhilaration; seething with excitement; noisy and confused: 胜利的消息一传开，人群~了。*Shènglì de xiāoxi yì chuánkāi, rénqún ~ le.* The crowd got extremely excited as soon as the news of victory spread abroad.

² **费** fèi ❶〈名 n.〉开支的钱 fee; expense; charge: 生活~ *shēnghuó* ~ living expenses ｜ 水电~ *shuǐdiàn* ~ charges for water and electricity ｜ 快开学了，要交学~了。*Kuài kāixué le, yào jiāo xué~ le.* School will soon begin and we have to pay the fees. ｜ 我最近拿到一笔稿~。*Wǒ zuìjìn nádào yì bǐ gǎo~.* I've received a sum of contribution fee recently. ❷〈动 v.〉开销；耗损（与'省'相对）consume; spend; cost; be wasteful (opposite to '省 shěng'): 这顿饭让你破~了。*Zhè dùn fàn ràng nǐ pò~ le.* This meal has cost you a lot. ｜ 我写这本书了好多心思。*Wǒ xiě zhè běn shū ~le hǎoduō xīnsi.* I have made great efforts to write this book. ｜ 新买的这辆车太~油。*Xīn mǎi de zhè liàng chē tài ~ yóu.* This new car consumes too much gas. ❸〈形 adj.〉消耗得过多（与'省'相对）consume too much; be wasteful (opposite to '省shěng'): 一个月花三千块钱，未免太~了。*Yí gè yuè huā sānqiān kuài qián wèimiǎn tài ~ le.* It may be so wasteful as to spend 3,000 *yuan* a month.

³ **费力** fèi//lì〈动 v.〉花力气，用力 require or need great effort; be strenuous: 她年纪大了，上楼很~。*Tā niánjì dà le, shàng lóu hěn ~.* She is old and feels toilsome when climbing up starirs. ｜ 做这件事真是~不讨好。*Zuò zhè jiàn shì zhēnshì ~ bù tǎohǎo.* I got no thanks for my hard work on this matter. ｜ 做这件事不费多大力。*Zuò zhè jiàn shì bú fèi duō dà lì.* It won't be strenuous to deal with this matter.

F

² **费用** fèiyòng〈名 n.〉（笔 bǐ）开支的钱 cost; expenses: 生产~ *shēngchǎn* ~ cost of production ｜ 经营~ *jīngyíng* ~ cost of managing ｜ 最近我买电脑需要一笔不小的~呢。*Zuìjìn wǒ mǎi diànnǎo xūyào yì bǐ bù xiǎo de ~ ne.* Recently I need a large sum of money to buy a computer. ｜ 这笔~可以向财务部门报销。*Zhè bǐ ~ kěyǐ dào cáiwù bùmén bàoxiāo.* This sum of money can be reimbursed at the financial department.

¹ **分** fēn ❶〈动 v.〉把一个整体变成若干部分或把连在一起的事物分开 divide; separate; part; split, divide the whole into several parts: 请你把这些东西~一下。*Qǐng nǐ bǎ zhèxiē dōngxi ~ yíxià.* Please divide these things. ｜ 反动派已经陷入四~五裂、土崩瓦解的境地。*Fǎndòngpài yǐjīng xiànrù sì~wǔliè, tǔbēng-wǎjiě de jìngdì.* The reactionaries had got into the situation of disintegration and collapse. ｜ 中国西部的巴颜喀拉山是长江、黄河的~水岭。*Zhōngguó xībù de Bāyánkālā Shān shì Cháng Jiāng, Huáng Hé de ~shuǐlǐng.* The Bayan Her Mountain of western China is the watershed between the Yangtze River and the Yellow River. ❷〈动 v.〉分配，分派 assign; distribute; allot: ~工合作 *~gōng hézuò* share out the work and help one another ｜ 领导~你什么工作都要认真干。*Lǐngdǎo ~ nǐ shénme gōngzuò dōu yào rènzhēn gàn.* You should earnestly finish the work that the leader has assigned to you. ❸〈动 v.〉识别；区分 tell; distinguish; differentiate: 是非不~ *shìfēi-bù~* not distinguish between right and wrong ｜ 四体不勤，五谷不~ *sìtǐ-bùqín, wǔgǔ-bù~* can neither toil with one's limbs nor tell the five cereals apart ｜ 我们必须~清人民内部矛盾和敌我矛盾这两类不同性质的矛盾。*Wǒmen bìxū ~ qīng rénmín nèibù máodùn hé díwǒ máodùn zhè liǎng lèi bùtóng xìngzhì de máodùn.* We must distinguish the contradictions among the people from those between ourselves and the enemy, which are two kinds of contradictions of different nature. ❹〈名 n.〉分数，表示一个单位的几分之几 expressing fractions and percentages: 全班男同学约占三~之

二。*Quánbān nán tóngxué yuē zhàn sān ~ zhī èr.* Boy students take two thirds of the total number of the class. ❺〈名 *n.*〉成数，总数分成十份，占一份叫一分 one tenth; one out of ten: 今年这块地大概有九~收成。*Jīnnián zhè kuài dì dàgài yǒu jiǔ ~ shōucheng.* This land will yield nine tenths of the crop this year. | 我们对这位伟人一生功过的评价是三七开，即七~是成绩，三~是缺点错误。*Wǒmen duì zhè wèi wěirén yìshēng gōngguò de píngjià shì sān qī kāi, jí qī ~ shì chéngjì, sān ~ shì quēdiǎn cuòwù.* We appraise this great man's merits and demerits in seven-three ratios, namely, seventy-percent merits and thirty-percent demerits. ❻〈形 *adj.*〉分支，从主体上分出来的 branch (of organization); part: 我公司在上海、广州设有~公司。*Wǒ gōngsī zài Shànghǎi, Guǎngzhōu shè yǒu ~ gōngsī.* Our company has established two branches in Shanghai and Guangzhou. | 只此一家，别无~店。*Zhǐ cǐ yī jiā, bié wú ~ diàn.* Single shop with no branch. ❼〈量 *meas.*〉计量单位，用于计算成绩、货币、时间、地积、利率、长度、重量、经纬度、弧或角等方面 measure of academic achievement, money, time, acreage, interest rate, length, weight, latitude and longitude, arc or angle, etc.: 数学考试我得了60~，刚及格。*Shùxué kǎoshì wǒ déle liùshí ~, gāng jígé.* I got 60 points in the math exam and just passed the test. | 我买这几本书共花了26元8角5~钱。*Wǒ mǎi zhè jǐ běn shū gòng huāle èrshíliù yuán bā jiǎo wǔ ~ qián.* These several books cost me 26 yuan 8 jiao 5 fen. | 他步行到公司上班只要5~钟。*Tā bùxíng dào gōngsī shàngbān zhǐyào wǔ ~ zhōng.* It only takes him five minutes to walk to his company. | 人口密度大的省份，农民人均只耕种七八~地（一分地合66.67平方米）。*Rénkǒu mìdù dà de shěngfèn, nóngmín rén jūn zhǐ gēngzhòng qī-bā ~ dì（yì fēn dì hé liùshíliù diǎn liùqī píngfāngmǐ）.* In those densely populated provinces, one peasant only cultivate seven or eight *fen* of field on average (A *fen* equals 66.67 square meters).

4 **分辨** fēnbiàn〈动 *v.*〉辨别，区分 distinguish; differentiate: 黑灯瞎火的，我都~不清方向了。*Hēidēng-xiāhuǒ de, wǒ dōu ~ bù qīng fāngxiàng le.* I could hardly tell the directions in the darkness. | 他一下就~出一张假钞票来。*Tā yíxià jiù ~ chū yì zhāng jiǎ chāopiào lái.* He made out a forged note at the first sight.

4 **分辩** fēnbiàn〈动 *v.*〉辩白，解释 defend oneself; explain: 谁对谁错非~清楚不可。*Shéi duì shéi cuò fēi ~ qīngchu bùkě.* It should be made clear who is right and who is wrong. | 做错了事就不要再~了，越~越显得没水平。*Zuòcuòle shì jiù búyào zài ~ le, yuè ~ yuè xiǎnde méi shuǐpíng.* Don't find any excuses when you make mistakes. The more you argue the more incompetent you look.

2 **分别** fēnbié ❶〈动 *v.*〉离别；彼此分开 part; leave; say goodbye to each other; bid farewell: 我和他要~了，彼此都有点儿难分难舍。*Wǒ hé tā yào ~ le, bǐcǐ dōu yǒudiǎnr nánfēn-nánshě.* I will bid farewell to him, and both of us are reluctant to part with each other. | 他们俩~十年了，都快不认得了。*Tāmen liǎ ~ shí nián le, dōu kuài bú rènde le.* They have been parted for ten years and can hardly recognize each other. ❷〈动 *v.*〉区别 distinguish; differentiate: 我们要学会~真善美和假丑的东西。*Wǒmen yào xuéhuì ~ zhēnshànměi hé jiǎ'èchǒu de dōngxi.* We should learn to distinguish the true, the good and the beautiful from the artificial, the evil and the ugly. | 你们都是成年人了，应该能~是非曲直了。*Nǐmen dōu shì chéngniánrén le, yīnggāi néng ~ shìfēi-qūzhí le.* You have grown up and should be able to distinguish between right and wrong. ❸〈副 *adv.*〉分头进行 respectively; separately: 舞台上两个小丑~从两边退场。*Wǔtái shang liǎng gè xiǎochǒu ~ cóng liǎng biān tuìchǎng.* The two clowns on the stage exited separately from two sides of the stage. | 几家研究机构~进行的同一科研课题，应该协

作攻关。*Jǐ jiā yánjiū jīgòu ~ jìnxíng de tóng yī kēyán kètí, yīnggāi xiézuò gōngguān.* These research institutes should cooperate with each other on the same subject they are studying respectively now. | 乐队～奏两国国歌。*Yuèduì ~ zòu liǎng guó guógē.* The band played the national anthems of the two countries in succession. ❹〈副 *adv.*〉表示用不同的办法或态度 differently; distinctively: 这两个问题性质不同，必须～对待。*Zhè liǎng gè wèntí xìngzhì bùtóng, bìxū ~ duìdài.* The two problems are of a different nature and should be dealt with differently. | 对三名罪犯～判处五年、十年、十五年徒刑。*Duì sān míng zuìfàn ~ pànchǔ wǔ nián, shí nián, shíwǔ nián túxíng.* The three convicted were sentenced to five, ten and fifteen years' imprisonment respectively. ❺〈名 *n.*〉不一样 distinction; difference: 这对孪生兄弟长得一模一样，简直没有什么～。*Zhè duì luánshēng xiōngdì zhǎng de yìmú-yíyàng, jiǎnzhí méiyǒu shénme ~.* The twin brothers are two peas in a pod and almost have no differences.

³ **分布** fēnbù〈动 *v.*〉在一定区域内分散着 be distributed over an area: 在人口稠密的居民区～着许多商业网点。*Zài rénkǒu chóumì de jūmínqū ~zhe xǔduō shāngyè wǎngdiǎn.* There are many commercial outlets in densely-populated residential areas. | 这种植物在全国各地～很广。*Zhè zhǒng zhíwù zài quánguó gèdì ~ hěn guǎng.* This kind of plant is widely distributed all over the country.

⁴ **分寸** fēncùn〈名 *n.*〉说话和办事应掌握的适当尺度 limits for speech or action; sense of appropriateness or proportion: 这个人说话没～。*Zhège rén shuōhuà méi ~.* The man has no sense of propriety in speech. | 他做思想工作很注意～。*Tā zuò sīxiǎng gōngzuò hěn zhùyì ~.* He pays close attention to the appropriateness of ideological work. | 你开玩笑不讲～会引起误会的。*Nǐ kāi wánxiào bù jiǎng ~ huì yǐnqǐ wùhuì de.* You will cause misunderstanding if you pay no attention to the appropriateness of joking.

⁵ **分队** fēnduì〈名 *n.*〉（支 zhī、个 gè）指军队营以下的建制单位；从属于大队伍的小队伍 detachment, a unit of the army corresponding to the level below battalion: 这支队伍分成四个～分头进入林区扑火。*Zhè zhī duìwu fēnchéng sì gè ~ fēntóu jìnrù línqū pū huǒ.* The troop was divided into four detachments, which separately entered the forest to put out the fire.

³ **分割** fēngē〈动 *v.*〉把整体事物或有联系的事物分离开来 separate; (of a whole or of related aspects) cut apart; carve up; break up: 两者紧密联系，不可～。*Liǎng zhě jǐnmì liánxì, bùkě ~.* The two things are closely connected and can not be sparated from each other. | 兄弟俩平均～了父母的遗产。*Xiōngdì liǎ píngjūn ~le fùmǔ de yíchǎn.* The two brothers equally cut up their parents' legacy. | 这股敌人已被我军～包围。*Zhè gǔ dírén yǐ bèi wǒ jūn ~ bāowéi.* The enemy troop had been separated and surrounded by our army.

³ **分工** fēn//gōng〈动 *v.*〉分别做各种不同而又互相配合的工作 engage in different but related work: 我们内部～不分家，既各司其职又通力协作。*Wǒmen nèibù ~ bù fēnjiā, jì gèsīqízhí yòu tōnglì xiézuò.* We divide up the work, but don't break up inside of our unit, so we can not only manage our own affairs but also cooperate with concerted efforts. | 这位副经理～抓市场营销。*Zhè wèi fù jīnglǐ ~ zhuā shìchǎng yíngxiāo.* The deputy manager is responsible for marketing. | 任务下来了，咱们分一下工吧。*Rènwù xiàlái le, zánmen fēn yíxià gōng ba.* The task has been assigned, so let's divide it up.

⁴ **分红** fēn//hóng〈动 *v.*〉分配盈利 share surplus or profits; distribute bonuses: 这家公司效益好，年年～。*Zhèjiā gōngsī xiàoyì hǎo, niánnián ~.* The company gains profit and pays dividends every year. | 年终分到了红，我要买一台电脑。*Niánzhōng fēndàole*

hóng, wǒ yào mǎi yì tái diànnǎo. I will buy a computer when I receive the dividends by the end of the year.

⁴分化 fēnhuà ❶〈动 v.〉事物朝不同方向发展、变化；分裂 become divided; break up; split up：小生产者的经济地位极不稳定，经常向贫富两极～. Xiǎo shēngchǎnzhě de jīngjì dìwèi jí bù wěndìng, jīngcháng xiàng pín fù liǎng ~. Small manufacturers have a very instable economic status and are often divided into two opposite extremes, poor or rich. | 这群年轻人开始～了，许多人成了有用之才，有的则变坏了，犯了罪. Zhè qún niánqīngrén kāishǐ ~ le, xǔduō rén chéngle yǒuyòng zhī cái, yǒu de zé biànhuài le, fànle zuì. This group of young men became different. Most of them have become useful persons, but some of them have degenerated into criminals. ❷〈动 v.〉使分化 divide：我们要～这个犯罪集团，争取其中一部分人，打击最顽固的那几个. Wǒmen yào ~ zhège fànzuì jítuán, zhēngqǔ qízhōng yí bùfen rén, dǎjī zuì wángù de nà jǐ gè. We have to break up this criminal gang, winning over some of them and punishing severely those obstinate ones.

³分解 fēnjiě ❶〈动 v.〉把整体分成几部分（of a whole）separate into parts; break up; break down; dismantle：这篇文章可以～成三个层面来理解. Zhè piān wénzhāng kěyǐ ~ chéng sān gè céngmiàn lái lǐjiě. This article can be understood in three aspects. ❷〈动 v.〉排解，调解 mediate; make peace：没想到他俩竟会闹到无法～的地步. Méi xiǎngdào tā liǎ jìng huì nàodào wúfǎ ~ de dìbù. Nobody has ever expected that they two had fallen out to the extent of being difficult to mediate. ❸〈动 v.〉瓦解，分化 disintegrate：敌人营垒不是铁板一块，可以设法使其内部～. Dírén yínglěi bú shì tiěbǎn yí kuài, kěyǐ shèfǎ shǐ qí nèibù ~. The enemy camp was not a monolithic block. We could manage to disintegrate them from within.

⁴分类 fēn//lèi〈动 v.〉根据事物的特点分成不同的类别 sort out or classify according to their nature：为便于查找，家中的藏书也应该～. Wèi biànyú cházhǎo, jiā zhōng de cángshū yě yīnggāi ~. For the convenience of looking up, the collected books in the household should also be classified. | 这些植物可以分成好几类. Zhèxiē zhíwù kěyǐ fēnchéng hǎo jǐ lèi. These plants can be divided into several kinds.

³分离 fēnlí ❶〈动 v.〉分开 separate; sever：我们从海水中～出了许多矿物质. Wǒmen cóng hǎishuǐ zhōng ~ chūle xǔduō kuàngwùzhì. We have separated many minerals from sea water. ❷〈动 v.〉分别，离别 leave; part：他要出国讲学，不得不和家人暂时～了. Tā yào chūguó jiǎngxué, bùdébù hé jiārén zànshí ~ le. He will go abroad to give lectures and has to part with his family for a while. | 我们这些老同学～多年了. Wǒmen zhèxiē lǎo tóngxué ~ duō nián le. We old classmates have been parted for many years.

³分裂 fēnliè ❶〈动 v.〉一个整体分成两个或几个（of a whole）divide; split; disunite; break：原子～ yuánzǐ ~ (of atom) nuclear fission | 国家～ guójiā ~ (of a country) breaking up | 反～国家法 Fǎn~ Guójiā Fǎ Anti-secession Law | 由于观点统一不起来，这个组织～成好几个派别. Yóuyú guāndiǎn tǒngyī bù qǐlái, zhège zǔzhī ~ chéng hǎo jǐ gè pàibié. The organization has split into several groups because of their different opinions. ❷〈动 v.〉使事物分开 split; divide：他们别想～我们这个团体. Tāmen bié xiǎng ~ wǒmen zhège tuántǐ. They can't split our team.

³分泌 fēnmì〈动 v.〉从生物体的某些器官组织或细胞中产生某种物质 secrete, produce some substance from certain cells, tissues or organs of an organism：病菌会～毒素. Bìngjūn huì ~ dúsù. Germs can secrete some poisonous substance.

³分明 fēnmíng ❶〈形 adj.〉清楚 clear; obvious; distinct：爱憎～ àizēng~~ know what to love and what to hate; be clear whom to love and whom to hate｜这件衣服的花色黑白~. *Zhè jiàn yīfu de huāsè hēibái ~.* This clothes is of distinct black and white color. ❷〈副 *adv.*〉明明，特别清楚，明显 obviously; clearly; plainly; evidently：那本书~就在书架上，可他却找不到. *Nà běn shū ~ jiù zài shūjià shang, kě tā què zhǎo bú dào.* The book was obviously on the bookshelf, but he couldn't find it.｜这钱~是他拿的，他怎能不认账呢！*Zhè qián ~ shì tā ná de, tā zěn néng bú rènzhàng ne!* It was obvious that he took the money. Why did he deny it?

⁴ **分母** fēnmǔ〈名 *n.*〉数学术语，分数中在横线下面的数 denominator (a mathematical term indicating the number below the fraction lines)：2/5中，5是~. *Wǔ fēn zhī èr zhōng, wǔ shì ~.* In the fraction of two fifths, fifth is the denominator.｜这次只有1/3的人提工资，你我就充当~吧(意即不在被提之列). *Zhècì zhǐyǒu sān fēn zhī yī de rén tí gōngzī, nǐ wǒ jiù chōngdāng ~ ba (yì jí bú zài bèi tí zhī liè).* Only one third of us will get an increase in salary this time. You and I will be among the rest (meaning among those who can't get pay increase).

² **分配** fēnpèi ❶〈动 *v.*〉按一定的标准分东西 distribute; allocate; allot sth. according to some criterium：~土地 ~ *tǔdì* allot the land｜~住房 ~ *zhùfáng* allot housing｜公平~ *gōngpíng ~* distribute fairly｜这辆小汽车是公司~给我的. *Zhè liàng xiǎo qìchē shì gōngsī ~ gěi wǒ de.* This car is allotted to me by the company. ❷〈动 *v.*〉分给任务 assign：工地负责人~这几个人当临时工. *Gōngdì fùzérén ~ zhè jǐ gè rén dāng línshígōng.* The chief of the building site assigned these people with some odd jobs.｜人事科~我做秘书. *Rénshìkē ~ wǒ zuò mìshū.* The personnel office assigned me to be a secretary.｜我一定服从组织~. *Wǒ yídìng fúcóng zǔzhī ~.* I will certainly accept any job assigned by the organization. ❸〈名 *n.*〉经济学术语，指产品的分配 an economical term indicating mode of distribution or allocation：按劳~ *ànláo ~* distribution according to work

⁴ **分批** fēn//pī〈动 *v.*〉一批一批，不是同时 group by group; in batches：我们今年~休假，不能同时休假. *Wǒmen jīnnián ~ xiūjià, bù néng tóngshí xiūjià.* This year we have to take holidays group by group, but not all at one time.｜我们准备分三批培训这些员工. *Wǒmen zhǔnbèi fēn sān pī péixùn zhèxiē yuángōng.* We are going to train these employees in three batches.

⁴ **分期** fēn//qī〈动 *v.*〉分几个时段去做 by stages; in installments：买小汽车可以~付款. *Mǎi xiǎo qìchē kěyǐ ~ fùkuǎn.* Cars can be hire-purchase.｜我一下拿不出这么多钱，只能分两期还你了. *Wǒ yíxià ná bù chū zhème duō qián, zhǐnéng fēn liǎng qī huán nǐ le.* I can't take out that sum of money all at once, and will only pay you back in two stages.

⁴ **分歧** fēnqí ❶〈形 *adj.*〉意见不一致，有差别 different; divergent：双方的意见很~. *Shuāngfāng de yìjiàn hěn ~.* The two sides are quite different in opinion. ❷〈名 *n.*〉指存在的差别 difference; divergence; dispute：在处理这件事情上，我们不仅有~，而且~很大. *Zài chǔlǐ zhè jiàn shìqing shang, wǒmen bùjǐn yǒu ~, érqiě ~ hěn dà.* We had not only a divergence but also a big one in dealing with this matter.

⁴ **分清** fēn//qīng〈动 *v.*〉辨别清楚 distinguish; tell from or between; draw a clear distinction between：~是非 ~ *shìfēi* distinguish between right and wrong｜~敌我 ~ *díwǒ* make a distinction between the enemy and friend｜你怎么连是非都分不清呢？*Nǐ zěnme lián shìfēi dōu fēn bù qīng ne?* Why can't you distinguish between right and wrong?

⁴ **分散** fēnsàn ❶〈动 *v.*〉散开，不集中 scatter; decentralize：这些岛屿~在这片海域里.

F

Zhèxiē dǎoyǔ ~ zài zhè piàn hǎiyù li. These islands are scattered in this sea area. | 这里的村寨不是许多人家聚集在一起，而是稀疏地~在林海中间。*Zhèli de cūnzhài bú shì xǔduō rénjiā jùjí zài yìqǐ, érshì xīshū de ~ zài línhǎi zhōngjiān.* Families of the fortified village here do not stay together, but are scattered among the immense forests. | 任何情都~不了他的注意力。*Rènhé shìqíng dōu ~ bù liǎo tā de zhùyìlì.* Nothing can distract his attention. ❷〈动 v.〉散发 distribute; hand out: 现在有些人在街上到处~小广告。*Xiànzài yǒuxiē rén zài jiē shang dàochù ~ xiǎo guǎnggào.* Now some people send out ad leaflets everywhere in the street. ❸〈形 adj.〉不集中的 decentralized: 你这样安排，力量显得太~了。*Nǐ zhèyàng ānpái, liliàng xiǎnde tài ~ le.* According to your arrangement, the strength seems to be too dispersed. | 在过去，农民都是~的个体生产者。*Zài guòqù, nóngmín dōu shì ~ de gètǐ shēngchǎnzhě.* Peasants were disorganized individual producers in the past.

³ **分数** fēnshù ❶〈名 n.〉评定学习成绩或比赛胜负所记的数目 mark; grade; score, points recorded for one's academic achievement or the result of a game: 考试成绩公布了，我各门功课的~都在90分以上。*Kǎoshì chéngjì gōngbù le, wǒ gè mén gōngkè de ~ dōu zài jiǔshí fēn yǐshàng.* The test results have been announced, and my grade of every subject exceeds 90. | 这位跳水运动员出色的一跳，裁判给了9.8分的高~。*Zhè wèi tiàoshuǐ yùndòngyuán chūsè de yí tiào, cáipàn gěile jiǔ diǎn bā fēn de gāo ~.* The diving athlete performed a perfect dive, therefore the judges gave him a high score of 9.8. ❷〈名 n.〉数学术语，表示一个单位的几分之几的数，是除法的一种写法 fraction; fractional number, a mathematical term expressing one or several parts of division: 1/4是一个~。*Sì fēn zhī yī shì yí gè ~.* One fourth is a fractional number.

² **分析** fēnxī ❶〈动 v.〉把事物分成几部分，并找出各部分的性质和它们之间的关系(与'综合'相对) analyse, separate a matter into simple constituent parts to identify their basic properties and their links （opposite to '综合 zōnghé'）: ~问题 ~ *wèntí* analyse problems | ~国际、国内形势 ~ *guójì, guónèi xíngshì* analyse the national and international situations | 我们要认真~事故的原因。*Wǒmen yào rènzhēn ~ shìgù de yuányīn.* We should make a careful analysis of the cause of the accident. | 请你~一下这句复合句的语法关系。*Qǐng nǐ ~ yíxià zhè jù fùhéjù de yǔfǎ guānxì.* Please analyse the grammatical structure of this compound sentence. ❷〈名 n.〉指对事物作的分析 analysis: 对敌情的~ *duì díqíng de ~* analysis of the enemy's situation | 你的~很有道理。*Nǐ de ~ hěn yǒu dàolǐ.* Your analysis is quite reasonable.

¹ **…分之…** fēn zhī… 汉字表达分数的方法 a Chinese expression of fractional number: 四~三 *sì ~ sān* three fourths | 我们班有五个人英语考试不及格，占全班人数十一~。*Wǒmen bān yǒu wǔ gè rén Yīngyǔ kǎoshì bù jígé, zhàn quánbān rénshù shí ~ yī.* Five students, one tenth of our class, have failed in the English exam.

¹ **分钟** fēnzhōng〈名 n.〉时间单位，即1分 minute; unit of time: 1小时等于60~。*Yì xiǎoshí děngyú liùshí ~.* One hour equals to 60 minutes. | 我在车站足足等了他30~。*Wǒ zài chēzhàn zúzú děngle tā sānshí ~.* I waited for him for 30 minutes at the station. | 我散步到他的学校才5~。*Wǒ sànbù dào tā de xuéxiào cái wǔ ~.* It only takes me 5 minutes to walk to his school.

³ **分子** fēnzǐ〈名 n.〉分数中写在横线上面的数字 numerator, the number above the fraction line: 5/6中，5是~。*liù fēn zhī wǔ zhōng, wǔ shì ~.* In the fraction of five sixths, five is the numerator.

☞ fènzǐ, p. 308

⁴ **芬芳** fēnfāng ❶〈形 adj.〉香（多用于书面语）fragrant; sweet-smelling (oft. used in written form)：野花野草的~气息令人陶醉。*Yěhuā yěcǎo de ~ qìxī lìngrén táozuì.* The fragrance of wild flowers and grasses is so delightful.｜花店里摆放着各种各样的花朵，~馥艳。*Huādiàn li bǎifàngzhe gèzhǒng-gèyàng de huāduǒ, ~fùyàn.* The flower shop is displayed with all kinds of fragrant and beautiful flowers. ❷〈名 n.〉香气 fragrance：柔风送来了公园里百花的~。*Róufēng sòngláile gōngyuán li bǎihuā de ~.* The mild wind brings over the fragrance of all kinds of flowers in the park.

² **吩咐** fēnfù〈动 v. 口colloq.〉口头派遣或命令 tell; bid; order：有什么事，请您尽管~。*Yǒu shénme shì, qǐng nín jǐnguǎn ~.* In case you need anything, please don't hesitate to tell us.

² **纷纷** fēnfēn ❶〈形 adj.〉多而杂乱 profuse; numerous and confused：~~扬扬 ~~-yángyáng flying or fluttering in confusion｜雨雪~。*Yǔxuě ~.* Rain and snow falling down in profusion.｜落叶~。*Luòyè ~.* Leaves fall in profusion.｜大家对这件事议论~。*Dàjiā duì zhè jiàn shì yìlùn ~.* It has provoked much discussion. ❷〈副 adv.〉接二连三，一个接一个地 one after another; in quick succession：散会后，人们~走出会场。*Sàn huì hòu, rénmen ~ zǒuchū huìchǎng.* People left the meeting room one after another when the meeting was over.｜他的话音刚落，人们~站起来表示反对。*Tā de huàyīn gāng luò, rénmen ~ zhàn qǐlái biǎoshì fǎnduì.* No sooner had he finished his speech than people stood up to oppose him one after another.

³ **坟** fén〈名 n.〉（座 zuò、个 gè）埋葬死人的墓穴和筑起的封土堆 grave; tomb, a place with a mound in the ground where a dead is buried：清明时节上~扫墓是中国的民间习俗。*Qīngmíng shíjié shàng~ sǎomù shì Zhōngguó de mínjiān xísú.* Visiting the grave to honor the memory of the dead during the Tomb-sweeping Day is a folk custom of China.｜他家的祖~就在村后的山冈上。*Tā jiā de zǔ~ jiù zài cūn hòu de shāngāng shang.* His ancestral grave lies in the hill at the back of the village.

⁴ **坟墓** fénmù〈名 n.〉（座 zuò、个 gè）同'坟 fén' grave; tomb, same as '坟 fén'：考古工作者在这座有千年历史的~中发掘出许多珍贵文物。*Kǎogǔ gōngzuòzhě zài zhè zuò yǒu qiān nián lìshǐ de ~ zhōng fājué chū xǔduō zhēnguì wénwù.* Archaeologists have excavated many precious cultural relics from this ancient grave of thousand-year history.

³ **粉** fěn ❶〈名 n.〉细末儿 powder：面~ miàn~ flour｜洗衣~ xǐyī~ soap powder｜漂白~ piǎobái~ bleaching powder｜大米、玉米也可以磨成~。*Dàmǐ, yùmǐ yě kěyǐ mòchéng ~.* Rice and corn can be grinded into powder. ❷〈名 n.〉化妆用的粉 powder used as cosmetic：涂脂抹~（指妇女修饰姿容，也比喻粉饰美化事物的外表以遮盖丑恶的本质）*túzhī-mǒ~*（*zhǐ fùnǚ xiūshì zīróng, yě bǐyù fěnshì měihuà shìwù de wàibiāo yǐ zhēgài chǒu'è de běnzhì*）rouge; powder; apply powder and rouge *(fig.* prettify; conceal the ugly underside with a prettified appearance）｜她换上新衣服，又在脸上抹了些~，出门会朋友去了。*Tā huànshang xīn yīfu, yòu zài liǎn shang mǒle xiē ~, chūmén huì péngyou qù le.* She changed a new dress, applied some powder to her face, and then went out to meet her friends. ❸〈名 n.〉用淀粉制成的食品；特指粉条或粉丝 food made from starch, esp. noodles or vermicelli：请你尝尝这绿豆~。*Qǐng nǐ chángchang zhè lǜdòu ~.* Please have a taste of this vermicelli made from mung bean.｜我最爱吃米~。*Wǒ ài chī mǐ~.* I like rice-flour noodles very much. ❹〈动 v. 方 dial.〉用涂料抹刷 whitewash：上星期天我帮他~了两面墙。*Shàng xīngqītiān wǒ bāng tā ~le liǎng miàn qiáng.* I helped him whitewash two walls last Sunday. ❺〈动 v. 方 dial.〉使粉碎，变成粉末 pulverize; turn to powder：石灰放太久，有的都已经~了。*Shíhuī fàng tài jiǔ, yǒu de dōu yǐjīng ~ le.*

The lime has turned to powder after being stored so long. ⑥ 〈形 adj.〉浅红 pink; rosy：她穿那件～色衣服很好看。*Tā chuān nà jiàn ～sè yīfu hěn hǎokàn.* She looks very beautiful in that pink dress.

² **粉笔** fěnbǐ 〈名 n.〉(盒 hé、根 gēn、支 zhī) 用石膏粉做的在黑板上写字的条状物 chalk, stick-shaped piece of chalk used for writing on blackboard：一盒～只剩下几支了。*Yì hé ～ zhǐ shèngxià jǐ zhī le.* There are only a few chalks left in the box. | 老师经常把课文重点用～写在黑板上。*Lǎoshī jīngcháng bǎ kèwén zhòngdiǎn yòng ～ xiě zài hēibǎn shang.* The teacher often writes the main points of the text on the blackboard with a chalk.

⁴ **粉末** fěnmò (～儿) 〈名 n.〉极细的颗粒 powder：老师一天不知要吸进多少～儿。*Lǎoshī yì tiān bù zhī yào xījìn duōshao ～r.* No one knows how much chalk powder the teacher breathes in everyday. | 把讲台上的～儿抹干净。*Bǎ jiǎngtái shang de ～r mǒ gānjìng.* Please wipe off the powder on the platform.

³ **粉碎** fěnsuì ❶ 〈动 v.〉使对方彻底失败或毁灭 smash; shatter; crush：我们彻底～了敌人的阴谋。*Wǒmen chèdǐ ～le dírén de yīnmóu.* We have completely shattered the enemy's plot. ❷ 〈动 v.〉使成粉末 grind; pulverize：工人操纵～机～矿石。*Gōngrén cāozòng ～jī ～ kuàngshí.* The workers operate the crushing machine to pulverize the ores. ❸ 〈形 adj.〉破碎成粉末一样 break into pieces：玻璃杯掉到地上，满地都是～的玻璃片。*Bōli bēi diào dào dì shang, mǎndì dōu shì ～ de bōli piàn.* The glass was dropped onto the ground, sending the glass bits everywhere.

³ **分量** fènliàng ❶ 〈名 n.〉重量 weight：这件行李～太重了，随身带不方便。*Zhè jiàn xíngli ～tài zhòng le, suíshēn dài bù fāngbiàn.* The luggage is too heavy, it's inconvenient to take it along. ❷ 〈名 n.〉比喻语言、文章的深度；任务的重大、重要 fig. (of speech, article, etc.) depth; importance：你的这篇文章轻描淡写，没有～。*Nǐ de zhè piān wénzhāng qīngmiáo-dànxiě, méiyǒu ～.* Your article is of no depth, only a light sketch and simple writing. | 经理交下的这件工作～不轻。*Jīnglǐ jiāoxià de zhè jiàn gōngzuò ～ bù qīng.* The work assigned by the manager is of great importance.

⁴ **分外** fènwài ❶ 〈副 adv.〉表示异乎寻常 (多修饰形容词和表心理状态的动词) especially; particularly (usu. used to modify adjectives or emotional verbs)：月到中秋～明。*Yuè dào Zhōngqiū ～ míng.* The moon at the Mid-autumn Festival is especially bright. | 这位单身老人感到～孤单。*Zhè wèi dānshēn lǎorén gǎndào ～ gūdān.* The single old man feels especially lonely. | 春节时，她～想家。*Chūnjié shí, tā ～ xiǎng jiā.* She's especially homesick on the Spring Festival. ❷ 〈名 n.〉本分(职责范围)以外(与"分内"相对) beyond one's duty or job; beyond one's due (opposite to "分内 fènnèi")：他工作起来从不分是分内的事还是～的事。*Tā gōngzuò qǐlái cóng bù fēn shì fènnèi de shì háishì ～ de shì.* In work, he never distinguishes his own duty from that beyond his due.

³ **分子** fènzǐ 〈名 n.〉具有某种特征的人 person with certain characteristics：知识～ zhīshi ～ intellectual; educated person | 先进～ xiānjìn ～ advanced person | 这是个投机～。*Zhè shì gè tóujī ～.* This is an opportunist. | 他是学校里文体活动的积极～。*Tā shì xuéxiào li wéntǐ huódòng de jījí ～.* He is an active member in the recreational and sports activities in school.

☞ fēnzǐ, p. 306

² **份** fèn ❶ 〈量 meas.〉用于整体分成的部分 share; part; portion：这笔财产兄弟三人各得一～。*Zhè bǐ cáichǎn xiōngdì sān rén gè dé yí ～.* The three brothers got their own share of the property. ❷ 〈量 meas.〉用于成组的东西 set：今天到会多少人，你就准备多少～

客饭。*Jīntiān dào huì duōshao rén, nǐ jiù zhǔnbèi duōshao ~ kèfàn.* Prepare the set meals according to the number of attendants of today's meeting. │ 我给你准备了一~礼物。*Wǒ gěi nǐ zhǔnbèile yí ~ lǐwù.* I have prepared a gift for you. ❸〈量 *meas.*〉用于报刊文件等 (of newspapers, periodicals, documents, etc.) copy：我准备订三~报纸。*Wǒ zhǔnbèi dìng sān ~ bàozhǐ.* I am going to subscribe to three kinds of newspaper. │ 请你把经理的讲话稿复印八~，与会者人手一~。*Qǐng nǐ bǎ jīnglǐ de jiǎnghuàgǎo fùyìn bā ~, yǔhuìzhě rén shǒu yí ~.* Please duplicate eight copies of the manager's speech, and give every attendant of the meeting one. ❹〈量 *meas.*〉用于某些抽象事物 used to indicate some abstract things：我才没有这~闲情逸致呢。*Wǒ cái méiyǒu zhè ~ xiánqíng-yìzhì ne.* I have no such leisurely and carefree mood. ❺〈名 *n.*〉整体里的一部分 portion; share; part of a whole：~额 *-é* share of a whole │ 股~ *gǔ-* share; stock │ 你别做梦了 这怎么会有你的~呢。*Nǐ bié zuòmèng le, zhèzhǒng hǎoshì zěnme huì yǒu nǐ de ~ ne.* Don't be silly anymore. How can it be your turn to have such a good opportunity? ❻〈名 *n.*〉用在省、县、年、月后面，表示划分的单位 used after '省 *shěng*', '县 *xiàn*', '年 *nián*', '月 *yuè*', to express a unit：省 ~ *shěng* province │ 年 ~ *nián* year ❼〈名 *n.* 方 *dial.*〉地位；派头 position; status：我还不够乘飞机的~呢。*Wǒ hái bú gòu chéng fēijī de ~ ne.* I am not in a position to travel by air. ❽〈名 *n.* 方 *dial.*〉面子 face; prestige; reputation：看在您的~上，这次我就饶了他了。*Kàn zài nín de ~r shang, zhècì wǒ jiù ráole tā le.* I will forgive him for the sake of you. ❾〈名 *n.* 方 *dial.*〉发展到的境地 degree; extent：穷到他那个~儿上，活着还有什么意思呢。*Qióng dào tā nàge ~r shang, huózhe hái yǒu shénme yìsi ne.* What's the meaning to live as poorly as he does now? ❿〈形 *adj.* 方 *dial.*〉派头；气势 manner; bearing; self-respect：你也忒跌~儿了！*Nǐ yě tuī diē~r le!* You're too face-losing. │ 这小伙子长得真够~儿的！*Zhè xiǎohuǒzi zhǎng de zhēn gòu~r de!* The young man looks so smart.

² **奋斗** fèndòu 〈动 *v.*〉奋力斗争 fight; strive; struggle for a purpose; work hard：艰苦~ *jiānkǔ ~* arduous struggle; hard struggle │ 他为民族解放事业~了一生。*Tā wèi mínzú jiěfàng shìyè ~le yìshēng.* He has spent all his life for the cause of national liberation. │ 我们要为建设自己的伟大祖国而努力。*Wǒmen yào wèi jiànshè zìjǐ de wěidà zǔguó ér nǔlì ~.* We should make great efforts for the construction of our great motherland.

⁴ **奋勇** fènyǒng 〈副 *adv.*〉振奋精神，鼓足勇气 dauntlessly; summon up one's courage and energy：他在劳动中自告~干重活。*Tā zài láodòng zhōng zìgào-~ gàn zhònghuó.* He volunteered to do heavy work in working. │ 冲锋号一响，战士们~冲向敌人阵地。*Chōngfēnghào yì xiǎng, zhànshìmen ~ chōng xiàng dírén zhèndì.* Soldiers rushed bravely toward the enemy's position when the bugle sounded.

F

⁵ **奋战** fènzhàn 〈动 *v.*〉奋不顾身地战斗 fight bravely：在抗洪抢险的紧张阶段，这支队伍日日夜夜~在大堤上。*Zài kànghóng qiǎngxiǎn de jǐnzhāng jiēduàn, zhè zhī duìwu rìrì-yèyè ~ zài dàdī shang.* This troop fought bravely on the levee day and night during the tough days of fighting flood and dealing with the emergency.

³ **粪** fèn 〈名 *n.*〉(堆 duī）人或动物从肛门中排泄出来的食物残渣 feces; stool, excrement waste from digested food excreted through the anus：~便 *~biàn* excrement and urine; poop │ 猪~是上好的肥料。*Zhū ~ shì shànghǎo de féiliào.* Pig dung is a good manure. │ 他竟把那些~土不如的东西当作宝贝。*Tā jìng bǎ nàxiē ~tǔ bùrú de dōngxi dāngzuò bǎobèi.* He even regards those worthless things as treasure.

⁴ **愤恨** fènhèn 〈动 *v.*〉气愤不平而痛恨 indignantly resent; furiously detest：人们都~那些贪官污吏。*Rénmen dōu ~ nàxiē tānguān-wūlì.* People furiously hate those corrupt

officials.

² **愤怒** fènnù 〈形 *adj.*〉生气到了极点 ireful; angry; indignant：大家为这件事感到~。*Dàjiā wèi zhè jiàn shì gǎndào ~.* Everyone was angry about it. | ~的员工向经理提出抗议。*~ de yuángōng xiàng jīnglǐ tíchū kàngyì.* The angry employees made a protest to the manager. | 他的~之情溢于言表。*Tā de ~ zhī qíng yìyúyánbiǎo.* His indignation showed clearly in his words and expression.

³ **丰产** fēngchǎn 〈动 *v.*〉农作物成长好, 产量高 (与 '欠产' '亏产' 相对) high yield; bumper crop; good harvest (opposite to '欠产 qiànchǎn' or '亏产 kuīchǎn')：今年西部地区棉花~。*Jīnnián xībù dìqū miánhua ~.* The western region has a bumper harvest of cotton this year. | 这片地种小麦连年~。*Zhè piàn dì zhòng xiǎomài liánnián ~.* Growing wheat in this field brings a good harvest every year.

¹ **丰富** fēngfù ❶〈形 *adj.*〉充裕；种类多, 数量大 rich; plentiful; abundant; wealthy：这位老师的教学经验很~。*Zhè wèi lǎoshī de jiàoxué jīngyàn hěn ~.* The teacher is very rich in teaching experience. | 他有~的想象力。*Tā yǒu ~ de xiǎngxiànglì.* He is very imaginative | 学校经常开展~多彩的文娱活动。*Xuéxiào jīngcháng kāizhǎn ~ duōcǎi de wényú huódòng.* We have many rich and colorful entertainments in school. | 中国山西省的煤炭资源十分~。*Zhōngguó Shānxī Shěng de méitàn zīyuán shífēn ~.* Shanxi Province of China abounds in coal resources. ❷〈动 *v.*〉充实, 使丰富 enrich：我们从书本上吸收了营养,~提高了自己。*Wǒmen cóng shūběn shang xīshōule yíngyǎng, ~ tígāo le zìjǐ.* We get enriched and improved by absorbing nutrients from books. | 学校想方设法~学生的文化生活。*Xuéxiào xiǎngfāng-shèfǎ ~ xuésheng de wénhuà shēnghuó.* The school does everything possible to enrich students' cultural life.

⁴ **丰满** fēngmǎn ❶〈形 *adj.*〉充足, 充满 full; plentiful：大豆子实~。*Dàdòu zǐshí ~.* The soya seeds are quite full. | 小鸟羽毛已~, 可以高飞了。*Xiǎoniǎo yǔmáo yǐ ~, kěyǐ gāo fēi le.* The small bird is fledged and can fly highly. | 全国各地粮仓~, 人民生活安定。*Quánguó gèdì liángcāng ~, rénmín shēnghuó āndìng.* Granaries all over the country are fully stored, and people lead a stable life. ❷〈形 *adj.*〉体态胖而美 (of the body) full and rounded; well-developed; full-grown; plumpy：这位姑娘长得容貌端庄, 体态~。*Zhè wèi gūniang zhǎng de róngmào duānzhuāng, tǐtài ~.* The girl looks dignified and plumpy.

³ **丰收** fēngshōu ❶〈动 *v.*〉收获丰富 (与 '歉收' 相对) bumper harvest; big harvest (opposite to '歉收 qiànshōu')：今年农业又~了。*Jīnnián nóngyè yòu ~ le.* We have another bumper harvest this year. ❷〈名 *n.*〉丰富的收成 harvest：科研领域获得大~。*Kēyán lǐngyù huòdé dà ~.* There are many achievements in scientific research. | 小麦长势很好,~在望。*Xiǎomài zhǎngshì hěn hǎo, ~ zàiwàng.* The wheat is growing quite well, and a bumper harvest is at hand.

¹ **风** fēng ❶〈名 *n.*〉流动着的空气 wind; breeze; gale：~雨潇潇 ~ yǔ xiāoxiāo whistling wind and drizzly rain | 春~和煦。*Chūn ~ héxù.* The spring breeze is warm and gentle. | 寒~刺骨。*Hán ~ cìgǔ.* The wind is piercingly cold. | 山雨欲来~满楼 (比喻重大事件发生前的紧张气氛)。*Shān yǔ yù lái ~ mǎn lóu (bǐyù zhòngdà shìjiàn fāshēng qián de jǐnzhāng qìfēn).* The rising wind sweeping through the tower heralds a coming storm in the mountains (fig. tension before the outbreak of a big event). | 海上刮起了10级台~。*Hǎi shang guāqǐle shí jí tái~.* A typhoon of force 10 is sweeping over the sea. ❷〈名 *n.*〉消息；传闻 news; information：通~报信 tōng~ bàoxìn furnish secret information; tip somebody off | 消息不胫而走, 弄得满城~雨。*Xiāoxi bújìng'érzǒu, nòng de mǎnchéng-*

~yǔ. The news spread far and wide and has become the topic of the town. ｜这件事我一点儿都不知道。 Zhè jiàn shì wǒ yì diǎnr ~ dōu bù zhīdào. I have heard of nothing about it. ❸〈名 n.〉风行的爱好、习惯 practice; custom; atmosphere: 这种不良~气一定要纠正。Zhèzhǒng bùliáng ~qì yídìng yào jiūzhèng. This evil social trend must be corrected. ｜在他的倡导下，这个地区勤俭办一切事情已蔚然成~。Zài tā de chàngdǎo xià, zhège dìqū qínjiǎn bàn yíqiè shìqing yǐ wèirán-chéng~. Being hardworking and thrifty in doing everything has become prevalent in this area under his proposal. ❹〈名 n.〉景象 scene; view: 无限~光在险峰。Wúxiàn ~guāng zài xiǎnfēng. The infinite wonderful scenery can only be seen on perilous peaks. ❺〈名 n.〉态度；行为 attitude; style: 整顿作~ zhěngdùn zuò ~ rectify the working attitude ｜端正学~ duānzhèng xué~ correct one's learning attitude ｜这个人很有~度。 Zhège rén hěn yǒu ~dù. The man behaves quite gracefully. ❻〈名 n.〉有关男女情爱方面的事情 love affair between man and woman: ~流韵事 ~liú yùnshì love (or romantic) affair ｜她总爱卖弄~骚。 Tā zǒng ài màinòng ~sāo. She likes to play coquetry. ❼〈名 n.〉中医指某些疾病 used to indicate certain diseases in traditional Chinese medicine: ~疹 ~zhěn measles; nettle rash ｜鹅掌~ ézhǎng~ fungal infection of the hand ｜中~ zhòng~ apoplexy; stroke; palsy ❽〈名 n.〉指民歌；中国最早的诗歌总集《诗经》分为三类，即风、雅、颂，风多数是民间歌谣 folk song; Book of Songs, the earliest collection of Chinese poetry, can be classified into three parts: Folk Songs, Odes and Lyrics, and Folk Songs is mainly formed by ballads ❾〈形 adj.〉像风一样快 as swift as the wind; speedily: ~驰电掣 ~chí-diànchè swift as the wind and quick as the lightning. ｜这首流行歌曲~靡一时。 Zhè shǒu liúxíng gēqǔ ~mí yìshí. This popular song became fashionable for a while. ❿〈形 adj.〉传说的，听说的 hearsay; rumour: 你别听信这些~言~语。 Nǐ bié tīngxìn zhèxiē ~yán-~yǔ. Don't believe these groundless talks. ⓫〈动 v.〉用风吹干东西 put out to dry; air-dry: ~干 ~gān air-dry

⁴ 风暴 fēngbào ❶〈名 n.〉(场 chǎng、次 cì)狂风暴雨 windstorm; storm; tempest: 天上乌云密布，一场~就要来了。 Tiān shang wūyún mìbù, yì chǎng ~ jiù yào lái le. The sky is heavily clouded, and a storm is coming soon. ｜~袭来，许多平房的屋顶都被掀掉了。 ~ xí lái, xǔduō píngfáng de wūdǐng dōu bèi xiāndiàole. When the storm came, many roofs of bungalows were blown away. ❷〈名 n.〉(场 chǎng)比喻引起社会动荡的形势或事件 fig. large-scale, tumultuous event or phenomenon: 这场革命~荡涤了旧社会的污泥浊水。 Zhè cháng gémìng ~ dàngdíle jiù shèhuì de wūní-zhuóshuǐ. The revolutionary storm had cleaned up the filth and mire of the old society.

⁴ 风度 fēngdù 〈名 n.〉具有某种特点的举止、姿态（多用于积极方面）graceful demeanor; elegant bearing: 他有长者~。 Tā yǒu zhǎngzhě ~. He has a poise of the elder. ｜她落落大方的~引起了我的注意。 Tā luòluò-dàfang de ~ yǐnqǐle wǒ de zhùyì. Her natural and graceful behavior attracts my attention.

³ 风格 fēnggé ❶〈名 n.〉气度；品格 character; integrity: 读书人要有点儿~。 Dúshūrén yào yǒudiǎnr ~. Scholars should have their own character. ｜他时时处处为别人着想的好~值得倡导。 Tā shíshí-chùchù wèi biérén zháoxiǎng de hǎo ~ zhíde chàngdǎo. His good quality of being considerate all the time deserves encouragement. ❷〈名 n.〉文学作品和艺术表演的特色 style; (of literary and artistic works) artistic style: 他的散文清新、隽永。 Tā de sǎnwén ~ qīngxīn, juànyǒng. His essay has an original and profound style. ｜著名京剧表演艺术家梅兰芳形成了自己独特的艺术~。 Zhùmíng jīngjù biǎoyǎn yìshùjiā Méi Lánfāng xíngchéngle zìjǐ dútè de yìshù ~. Mei Lanfang, a famous

performing artist of Peking Opera, has formed his own unique artistic style.

⁴ 风光 fēngguāng 〈名 n.〉自然景色 scene; view; sight: 这边是'风吹草低见牛羊'的塞外~。*Zhè biān shì 'fēng chuī cǎo dī xiàn niú yáng' de sàiwài ~.* Here is the view out of the Great Wall, where 'The wind blows grass low / Sheep and cattles grazing show.' | 那边是湖光山色的绮丽~。*Nà biān shì húguāng-shānsè de qǐlì ~.* Over there is the beautiful scenery of mountains silhouetted in the lake.

² 风景 fēngjǐng 〈名 n.〉供人观赏的自然景观 scenic view; natural view: ~这边独好。*~ zhè biān dú hǎo.* The scenery here is uniquely good. | 西湖~如诗如画。*Xīhú ~ rúshī-rúhuà.* The Xihu view is just like that described in poems and painted in pictures. | 安徽黄山是一座综合山、石、松、泉等各种景观的大~区。*Ānhuī Huángshān shì yí zuò zōnghé shān, shí, sōng, quán děng gèzhǒng jǐngguān de dà ~qū.* The Hacangshan Mountain of Anhui Province is a large beautiful scenic spot with all kinds of unique sights of mountain, stone, pines and springs.

⁴ 风浪 fēnglàng ❶〈名 n.〉水面上的风和浪 wind and waves: 这个航海老手什么~都经历过。*Zhège hánghǎi lǎoshǒu shénme ~ dōu jīnglìguo.* The hardened sailor has experienced all kinds of stormy waves. ❷〈名 n.〉比喻艰险的遭际 fig. hardship; difficult experience: 他是在社会改革的~中成长起来的。*Tā shì zài shèhuì gǎigé de ~ zhōng chéngzhǎng qǐlái de.* He grew up in the hardships of social reform. | 我是经得起任何~的考验的。*Wǒ shì jīng de qǐ rènhé ~ de kǎoyàn de.* I can stand any test of difficult experience.

² 风力 fēnglì 〈名 n.〉风所产生的力量,常用风级表示强弱程度 force or power of wind: 今晚~一二级。*Jīn wǎn ~ yī-èr jí.* The force of wind will be one to two tonight.

³ 风气 fēngqì 〈名 n.〉社会或集体中风行的爱好或习惯 general mood or common practice (popular in society or group): 这个学校有勤工俭学的好~。*Zhège xuéxiào yǒu qíngōng-jiǎnxué de hǎo ~.* This school has a very good tradition of part-work and part-study. | 他一当领导就沾染了吃吃喝喝的坏~。*Tā yì dāng lǐngdǎo jiù zhānrǎnle chīchī-hēhē de huài ~.* He became tainted with unhealthy social habit of eating and drinking as soon as he took the post of a leader. | 有关部门正在狠刹一些行业不正~。*Yǒuguān bùmén zhèngzài hěn shā yìxiē hángyè de búzhèng ~.* The relevant departments are taking strict measures to stop the unhealthy social trends in some trades.

⁴ 风趣 fēngqù ❶〈形 adj.〉说话写文章既幽默又有趣 (of speech or writing) humorous; witty: 他俩说的相声很~,逗得大家合不拢嘴。*Tā liǎ shuō de xiàngsheng hěn ~, dòu de dàjiā hé bù lǒng zuǐ.* They two had performed a very witty comic dialogue, making everyone laugh too happily to shut his mouth. ❷〈名 n.〉幽默或诙谐的趣味 humor; wit: 他写的小品以~见长。*Tā xiě de xiǎopǐn yǐ ~ jiàncháng.* His prose is known for its humorous style. | 这个人说话很有~。*Zhège rén shuōhuà hěn yǒu ~.* The man talks quite humorously.

⁴ 风沙 fēngshā 〈名 n.〉被风扬起的沙尘 dust storm; sand blown by the wind: 一阵~扑来,把他弄了个灰头土脸。*Yí zhèn ~ pū lái, bǎ tā nòngle gè huītóu-tǔliǎn.* He got himself dusty all over by a gust of dust storm. | 这几年北京下大力气防治~,现在春天~天少多了。*Zhè jǐ nián Běijīng xià dà lìqì fángzhì ~, xiànzài chūnjì ~ tiān shǎoduō le.* Beijing has taken great efforts to control dust storm these years, so fewer and fewer dust storms can be seen in spring now.

⁴ 风尚 fēngshàng 〈名 n.〉社会上大家崇尚的风气和习惯 trend; prevailing custom or practice of society: 助人为乐的~ *zhùrénwéilè de ~* trend of taking pleasure in helping

others │见义勇为的精神已成为我们时代的～。Jiànyì-yǒngwéi de jīngshén yǐ chéngwéi wǒmen shídài de ～. The spirit of being ready to help others for a just cause has become the trend of our times.

² **风俗** fēngsú〈名 n.〉(种 zhǒng、个 gè)人类群体在社会生活中形成的风气、习惯等 custom; convention; etiquette; habits: 每个民族都有自己的～习惯。Měige mínzú dōu yǒu zìjǐ de ～xíguàn. Every nation has its own customs. │农历八月十五日是中国传统的中秋节，民间有拜月、祭月、吃月饼的～。Nónglì bā yuè shíwǔ rì shì Zhōngguó chuántǒng de Zhōngqiū Jié, mínjiān yǒu bàiyuè, jìyuè, chī yuèbing de ～. The 15th of August in lunar calendar is the traditional Mid-Autumn Festival in China, and there is the custom of paying respect to the moon, offering sacrifice to the moon, and eating moon cakes among the folks.

³ **风味** fēngwèi〈名 n.〉地方美味; 事物的特色 distinctive flavor; local flavor: 这里有很多～小吃。Zhèli yǒu hěnduō ～xiǎochī. There are many local snacks here. │这是一首具有异国～的民歌。Zhè shì yì shǒu jùyǒu yìguó ～ de míngē. This is a folk song of exotic appeal.

⁴ **风险** fēngxiǎn〈名 n.〉可能发生的危险和灾祸 risk; danger; hazard: 做生意总是要担一定的～的。Zuò shēngyi zǒng shì yào dān yídìng de ～ de. Doing business will unavoidably run some risk. │你知道炒股票有～吗？Nǐ zhīdào chǎo gǔpiào yǒu ～ ma? Do you know that you will run risk in speculating stocks. │他冒了很大的～把我送过敌人的封锁线。Tā màole hěn dà de ～ bǎ wǒ sòng guò dírén de fēngsuǒxiàn. He sent me across the enemy's blockade in spite of great danger.

⁴ **风筝** fēngzheng〈名 n.〉(个 gè、只 zhī)一种系上长线，借助风力在空中飘飞的玩具 kite: 许多孩子在广场上放～。Xǔduō háizi zài guǎngchǎng shang fàng ～. Many children are flying kites on the square. │他做了个硕大的蜈蚣～。Tā zuòle gè shuòdà de wúgōng ～. He has made a gigantic kite in the shape of a centipede.

¹ **封** fēng ❶〈量 meas.〉用于计量封装的东西 measure for sth. sealed: 我今天收到两～信。Wǒ jīntiān shōudào liǎng ～ xìn. I've received two letters today. │他昨天发出一～加急电报。Tā zuótiān fāchū yì ～ jiājí diànbào. He sent an urgent telegram yesterday. ❷〈动 v.〉关闭，封闭; 限制; 堵塞 seal; cap: 密～ mì ～ tightly sealed │～山育林 ～shān yùlín close off hills for afforestation │那家商店被警方～了。Nà jiā shāngdiàn bèi jǐngfāng ～ le. The shop was closed down by the police. │他既不随波逐流，也不故步自～。Tā jì bù suíbō-zhúliú, yě bú gùbù-zì ～. He neither goes with the flow nor stands still and refuses to make progress. │这么多人的嘴你能～得住吗？Zhème duō rén de zuǐ nǐ néng ～ de zhù ma? Can you make so many people close their mouths? ❸〈动 v.〉旧时帝王把爵位、称号等赐给臣子; 比喻有些当官的随意给人升职 in imperial times, confer (title, land, etc.) upon: ～侯拜相 ～hóu-bàixiàng grant titles and lands to the nobles and appoint the prime minister │那个人有野心，用～官许愿的手段拉帮结派。Nàge rén yǒu yěxīn, yòng ～guān-xǔyuàn de shǒuduàn lābāng-jiépài. That man has an ambition and gangs up by promising high posts and other favors. ❹〈动 v.〉称许 call: 那个'桂冠诗人'的称号是他自～的。Nàge 'guìguàn shīrén' de chēnghào shì tā zì ～ de. He proclaimed himself the 'poet laureate'. ❺〈名 n.〉用来封东西的纸袋或外皮 wrapper; sealed packet: 我寄出的信被退回来了，因为信～上的地址写错了。Wǒ jìchū de xìn bèi tuì huílái le, yīnwèi xìn～ shang de dìzhǐ xiěcuò le. Because of the wrong address on the envelop the letter I had sent off was returned. │这本书的～面设计得不错。Zhè běn shū de ～miàn shèjì de búcuò. The book's cover is well-designed.

F

⁴ **封闭** fēngbì ❶〈动 v.〉密封,关闭;阻断 seal up; block; cap: 海关缉私人员从~的集装箱中查出几名偷渡者。Hǎiguān jīsī rényuán cóng ~ de jízhuāngxiāng zhōng cháchū jǐ míng tōudùzhě. The custom officers responsible for suppressing smuggling have found several stowaways in a sealed container. | 大雪~了所有道路,漫山遍野一片白。Dàxuě ~le suǒyǒu dàolù, mànshān-biànyě yí piàn bái. The road was closed by the heavy snow, and all the mountains and plains became white. ❷〈动 v.〉查封 seal off; close down: 法院强制~了这家违法商店的门市部和库房。Fǎyuàn qiángzhì ~le zhè jiā wéifǎ shāngdiàn de ménshìbù hé kùfáng. The court sealed off the salesrooms and storerooms of this illegal shop by force. ❸〈形 adj.〉闭塞的;不开放的 close; inaccessible; backward: 过去我们这个山区没有公路,比较~。Guòqù wǒmen zhège shānqū méiyǒu gōnglù, bǐjiào ~. In the past our mountainous area had no highways and was quite inaccessible.

² **封建** fēngjiàn ❶〈名 n.〉指封建政治制度或封建主义社会形态 feudal social system or feudal society: 反帝反~是中国民主革命的任务。Fǎndì fǎn~ shì Zhōngguó mínzhǔ gémìng de rènwù. The task of the Chinese democratic revolution was fighting against imperialism and feudalism. ❷〈形 adj.〉带有封建社会色彩的: 顽固守旧 feudal; pertaining to feudalism: ~脑袋 ~ nǎodai feudal-minded; old-fashioned | 谁还这么~? Shéi hái zhème ~? Who is still so feudal-minded? | 他的爷爷太~了,看不惯新时代的东西。Tā de yéye tài ~ le, kàn bú guàn xīn shídài de dōngxi. His grandpa was so old-fashioned that he can hardly accept those things of new times.

³ **封锁** fēngsuǒ〈动 v.〉用强制力量切断内外联系 blockade; cut off from the external world by force: 经济~ jīngjì ~ economic blockade | 那个地方官员因为~当地一家小煤窑发生事故的消息被撤职查办。Nàge dìfang guānyuán yīnwèi ~ dāngdì yì jiā xiǎo méiyáo fāshēng shìgù de xiāoxi bèi chèzhí chábàn. The local official was dismissed from his post and prosecuted, because he had blockaded the news of the accident in a local coal mine. | 军警~了所有出城的路口,作案的罪犯是跑不掉的。Jūnjǐng ~le suǒyǒu chū chéng de lùkǒu, zuò'àn de zuìfàn shì pǎo bú diào de. The armed police blockaded all the exits out of the town, and the criminal could by no means get away.

³ **疯** fēng ❶〈动 v.〉精神失常而胡乱行动 go mad; become insane; be out of one's mind: 这个人~了。Zhège rén ~ le. The man has become mad. | 她被吓~了。Tā bèi xià~ le. She was scared to insanity. ❷〈形 adj.〉任性放纵,不受约束;言语不合常理 indulgent; uninhibited: 这几个~孩子整天只知道玩儿。Zhè jǐ gè ~ háizi zhěngtiān zhǐ zhīdào wánr. These unruly children know nothing but play all day long. | 他整天~言~语的,让人根本没法相信他。Tā zhěngtiān ~yán~~yǔ de, ràng rén gēnběn méifǎ xiāngxìn tā. He talks nonsense all day long, and nobody can believe him. ❸〈形 adj.〉农作物猛长枝叶不结果实 (of crops) too rampant, but bearing no fruit: 农民在大棚里掐番茄的~枝。Nóngmín zài dàpéng li qiā fānqié de ~ zhī. Farmers are trimming the spindling stems of tomatoes in the greenhouse. ❹〈副 adv.〉拼命地,胡乱地 desperately; frantically: ~闹 ~ nào fool around without inhibition | ~跑 ~ pǎo run at random | ~玩儿 ~ wánr play without inhibition

³ **疯狂** fēngkuáng〈形 adj.〉像发疯一样 wild; crazy; insane; frenzied; unbridled: 敌人发动了~的反扑。Dírén fādòngle ~ de fǎnpū. The enemy launched a desperate counter-attack. | 帝国主义国家的~掠夺遭到了殖民地人民的强烈反抗。Dìguó zhǔyì guójiā de ~ lüèduó zāodàole zhímíndì rénmín de qiángliè fǎnkàng. The imperialists' raging plunder had met with strong resistance from the colonial people.

⁴ **疯子** fēngzi 〈名 n.〉(个 gè) 精神病患者 madman; lunatic; maniac: 赶快把这个~送到 医院去治疗。*Gǎnkuài bǎ zhège ~ sòngdào yīyuàn qù zhìliáo.* Send the madman to the hospital for treatment quickly.

⁴ **锋利** fēnglì ❶〈形 adj.〉形容刀、剑等尖锐犀利,适于穿刺切削 (of knife, sword, etc.) sharp for easy piercing or cutting: 一把~的菜刀 *yì bǎ ~ de càidāo* a sharp kitchen knife ｜这把小刀挺~。*Zhè bǎ xiǎo dāo tǐng ~.* This folk penknife is quite sharp. ❷〈形 adj.〉言论、文笔尖锐 (of speech, writing, etc.) incisive; biting: 出言~ *chūyán ~* trenchant style of speaking ｜这篇文章文辞极为~。*Zhè piān wénzhāng wéncí jí wéi ~.* The language of this article is extremely incisive.

蜂 fēng ❶〈名 n.〉一种尾部有毒刺的昆虫,常成群聚居一起 wasp (large family of insects with a poisonous, usu. living in groups): 我的右手被马~蜇了一下,马上就红肿 起来了。*Wǒ de yòu shǒu bèi mǎ~ zhēle yíxià, mǎshàng jiù hóngzhǒng qǐlái le.* My righthand was stung by a wasp and became swelling immediately. ｜这帮淘气孩子在商 量捅那个屋檐下的马~窝。*Zhè bāng táoqì háizi zài shāngliang tǒng nàge wūyán xià de mǎ~wō.* This group of naughty children was talking over to stir up hornets' nest under the eave. ❷〈名 n.〉特指蜜蜂 bee: ~蜜 *~ mì* honey ｜百花盛开的春天是养~人放~的好时 光。*Bǎihuā shèngkāi de chūntiān shì yǎng~rén fàng ~ de hǎo shíguāng.* In spring when all kinds of flowers are blooming, it is a good season for beekeepers to breed bees. ❸ 〈名 n.〉比喻群聚的人 fig. crowd; group: 请大家排队依次上车,不要一窝~地挤在车 门口。*Qǐng dàjiā páiduì yīcì shàng chē, bú yào yìwō~ de jǐ zài chē ménkǒu.* Please get in a line and get on the bus successively. Don't crowd at the bus door just like a swarm of bees. ｜商场开始新年促销活动,顾客~拥而来。*Shāngchǎng kāishǐ xīnnián cùxiāo huódòng, gùkè ~yōng ér lái.* The department store has just begun its New Year's sales promotion, and the buyers swarmed in.

⁴ **蜂蜜** fēngmì 〈名 n.〉蜜蜂采集花蜜酿制成的甜黏糖液 honey, sweet and sticky liquid produced by bees from flower nectar: ~是一种营养丰富的天然食品。*~ shì yì zhǒng yíngyǎng fēngfù de tiānrán shípǐn.* Honey is a kind of natural food rich in nutrients.

² **逢** féng 〈动 v.〉遭逢;遇见 meet; encounter; come across: 相~ *xiāng~* meet by chance; come across ｜~年过节 *nián guòjié* on holidays ｜她俩别后重~,说了一夜的悄悄话。 *Tā liǎ bié hòu chóng~, shuōle yí yè de qiāoqiāohuà.* They two met again after a long separation and talked intimately for a whole night. ｜他~人就说他帮过我的大忙。*Tā rén jiù shuō tā bāngguo wǒ de dà máng.* He told whoever he met that he had done me a big favor. ｜狭路相~勇者胜。*Xiálù-xiāng~ yǒngzhě shèng.* The courageous one will win when rivals coming face to face on a narrow path.

³ **缝** féng 〈动 v.〉用针线缝制或连缀 sew; stitch, use needle and thread to join together or close an opening: 她裁衣、~衣的手艺很高。*Tā cái yī、~ yī de shǒuyì hěn gāo.* She is very good at cutting and sewing clothes. ｜有些老人常穿~补过的衣服,说旧衣服穿着 舒服。*Yǒuxiē lǎorén cháng chuān ~bǔguo de yīfu, shuō jiù yīfu chuānzhe shūfu.* Some old people often wear patched clothes, saying that old clothes are comfortable to wear. ｜ 他的头部被人打伤了,~了五六针。*Tā de tóubù bèi rén dǎshāng le, ~le wǔ-liù zhēn.* He was wounded in the head, and got five or six stitches.

☞ *fèng*, p.316

³ **讽刺** fěngcì 〈动 v.〉用比喻、夸张等手法进行讥讽 satirize; ridicule; mock: 他的许 多漫画是~社会上的丑恶现象。*Tā de xǔduō mànhuà shì ~ shèhuì shang de chǒu'è xiànxiàng de.* Many of his caricatures satirize the ugly social phenomena. ｜鲁迅先生用

犀利的杂文～、鞭挞了旧社会的黑暗势力。*Lǔ Xùn xiānsheng yòng xīlì de záwén ～, biāntàle jiù shèhuì de hēi'àn shìlì.* Mr. Lu Xun satirized and condemned the dark force in the old society with his incisive articles. ｜对于朋友的缺点我们应该善意批评，不应挖苦～。*Duìyú péngyou de quēdiǎn wǒmen yīnggāi shànyì pīpíng, bù yīng wākǔ ～.* As for our friends' shortcomings, we should make well-meaning criticisms rather than satirizing or ridiculing them. ❷〈名 n.〉指讽刺本身 ridicule; mock; satire：我们并不是一般地反对～，而是反对～的乱用 *Wǒmen bìng bú shì yìbān de fǎnduì ～, ér shì fǎnduì ～ de luàn yòng.* We are not against satire generally, but using it indiscriminately.

⁴ 凤凰 fènghuáng〈名 n.〉中国古代传说中象征吉祥的鸟，雄的叫凤，雌的叫凰，合称凤凰 phoenix, lucky birds in ancient Chinese legend, '凤 fèng' referring to male bird and '凰 huáng', the female; usu. fig. outstanding talents：乡亲们自豪地赞誉村中这是唯一的女大学生为～。*Xiāngqīnmen zìháo de zànyù cūn zhōng zhè shì wéiyī de nǚ dàxuéshēng wéi ～.* Villagers proudly praised the only college girl-student of their village as the phoenix. ｜栽下梧桐树，引来金～（比喻做好前期各项准备工作，以利吸引人才、资金等）*Zāi xià wútóng shù, yǐn lái jīn ～（bǐyù zuòhǎo qiánqī gèxiàng zhǔnbèi gōngzuò, yǐlì xīyǐn réncái, zījīn děng）.* Plant the Chinese parasol to attract the golden phoenix（fig. get everything well prepared in advance so as to attract capable persons, funds, etc）.

⁴ 奉献 fèngxiàn〈动 v.〉恭敬地交出；牺牲、献出一切 devote; dedicate; present with respect; offer as a tribute：我们愿为祖国～青春和生命。*Wǒmen yuàn wèi zǔguó ～ qīngchūn hé shēngmìng.* We are willing to devote our youth and life to our motherland. ｜我已经退休，还应该～余热。*Wǒ yǐjīng tuìxiū, hái yīnggāi ～ yúrè.* I have retired, but I should do whatever I can in my old age.

⁴ 奉行 fèngxíng〈动 v.〉遵照执行 pursue; follow; insist on：中国~改革开放的政策。*Zhōngguó ～ gǎigé kāifàng de zhèngcè.* China insists on the policy of reform and opening up. ｜每个公民都要~国家的法令。*Měige gōngmín dōu yào ～ guójiā de fǎlìng.* Every citizen should conform to the national decree.

⁴ 缝 fèng（～儿）〈名 n.〉（道 dào、条 tiáo）空隙，缝子 chink; slit; crack; seam, where two pieces join together：见~插针（比喻抓紧时机，充分利用一切时间、空间）*jiàn ～ chāzhēn（bǐyù zhuājǐn shíjī, chōngfèn lìyòng yíqiè shíjiān, kōngjiān）* take advantage of the smallest opportunity（fig. make use of every bit of time or space）｜这面墙裂了条~儿。*Zhè miàn qiáng lièle tiáo ～r.* There is a crack in the wall. ｜房间的地板拼接得严丝合~。*Fángjiān de dìbǎn pīnjiē de yánsī-hé ～.* The floorboards of the room were tightly joined.

☞ féng, p. 315

³ 佛教 fójiào〈名 n.〉世界主要宗教之一，大约在公元一世纪前后传入中国 Buddhism, one of the principal religions of the world, introduced into China in about the first century：中国现在有~寺庙1.3万余座 *Zhōngguó xiànzài yǒu ～ sìmiào yī diǎn sān wàn yú zuò.* There are more than 13,000 Buddhist temples in China now. ｜藏传~属于中国~的一支，主要流传于西藏和内蒙古等地。*Zàng chuán ～ shǔyú Zhōngguó ～ de yì zhī, zhǔyào liúchuán yú Xīzàng hé Nèiměnggǔ děng dì.* As one branch of Chinese Buddhism, Tibetan Buddhism is mainly popular in places, such as Tibet, Inner Mongolia, etc.

⁴ 否 fǒu ❶〈副 adv.〉表示对动作行为的否定、不同意；相当于'不' no; nay; same as '不 bù'：～认 ～rèn deny; disavow ｜我们提出的假期活动计划被学生会～决了。*Wǒmen tíchū de jiàqī huódòng jìhuà bèi xuéshēnghuì ～jué le.* The holiday plan we had proposed

was voted down by the student union. | 这件事是真的吗？～，并不是这样。Zhè jiàn shì shì zhēn de ma? ~, bìng bú shì zhèyàng. Is it true? No, it isn't. ❷〈副 adv.〉用于 '是' '能' '可' 之后表示正反疑问 used after '是shì', '能néng', '可kě' etc. to indicate a choice or question: 你是～即日动身? Nǐ shì~ jírì dòngshēn? Do you set off today or not? | 我可～明天就去拜访他? Wǒ kě~ míngtiān jiù qù bàifǎng tā? I wonder if I can visit him tomorrow. ❸〈助 aux. 书 lit.〉用在问句末尾，表示询问，作用相当于 '吗' used at the end of a question, same as '吗ma': 你了解全部情况～? Nǐ liǎojiě quánbù qíngkuàng ~? Do you know all the truths? | 他可知此事～? Tā kě zhī cǐ shì ~? Does he know it?

⁴ **否定** fǒudìng ❶〈动 v.〉否认事物的存在或真实性（与 '肯定' 相对）negate; deny the existence or truth of sth. (opposite to '肯定 kěndìng'): 我们看事情要一分为二，不要～一切。Wǒmen kàn shìqing yào yìfēnwéi'èr, bú yào ~ yíqiè. We should view things of their two sides instead of negating everything. | 大家一致～了他的意见。Dàjiā yízhì ~le tā de yìjiàn. We negated his opinion unanimously. ❷〈形 adj.〉否认的，反面的（与 '肯定' 相对）negative; contrary (opposite to '肯定 kěndìng'): 对他的任职表现，大家投票的结果是～的。Duì tā de rènzhí biǎoxiàn, dàjiā tóupiào de jiéguǒ shì ~ de. As for his performance at the present post, the voting result was negative. | 我表示了～的意见。Wǒ biǎoshìle ~ de yìjiàn. I expressed my negative opinion. | 他对此作了～的回答。Tā duì cǐ zuòle ~ de huídá. He gave a negative answer to this.

⁴ **否决** fǒujué〈动 v.〉对议案等不承认、不同意 reject; veto; overrule; vote down: 他在会上的动议被大家～了。Tā zài huì shang de dòngyì bèi dàjiā ~le. His proposal was voted down in the meeting. | 全国人民代表大会～了一项法案。Quánguó Rénmín Dàibiǎo Dàhuì ~le yí xiàng fǎ'àn. The National People's Congress overruled a bill.

⁴ **否认** fǒurèn〈动 v.〉拒绝承认 deny; disavow; repudiate: 他坚决～他曾犯过错误。Tā jiānjué ~ tā céng fànguo cuòwù. He firmly denied that he had made a mistake in it. | 我说这事是他干的，但他矢口～。Wǒ shuō zhè shì shì tā gàn de, dàn tā shǐkǒu ~. I said that it was he who had done it, but he flatly denied it.

² **否则** fǒuzé〈连 conj.〉'如果不是这样' 的意思（用于后一分句的开头，表示对前一分句作出假设的否定，并指出可能产生的结果，或提供另一种选择）otherwise; if not; or else: 做思想工作务必深入细致，～就达不到预期效果。Zuò sīxiǎng gōngzuò wùbì shēnrù xìzhì, ~ jiù dá bú dào yùqī xiàoguǒ. Ideological work should be done thoroughly and carefully, otherwise no expected results can be achieved. | 你最好明天就去，～后天上午去也行。Nǐ zuìhǎo míngtiān jiù qù, ~ hòutiān shàngwǔ qù yě xíng. You'd better go there tomorrow, or in the morning the day after tomorrow.

⁴ **夫妇** fūfù〈名 n.〉（对 duì）俗称丈夫和妻子 husband and wife; married couple: 中国政府提倡一对～生育一个孩子。Zhōngguó zhèngfǔ tíchàng yí duì ~ shēngyù yí gè háizi. The Chinese government advocates one couple having one child. | 祝新婚～白头偕老。Zhù xīnhūn ~ báitóu-xiélǎo. May the newly-weds remain a devoted couple till the end of their lives!

³ **夫妻** fūqī〈名 n.〉（对 duì）丈夫和妻子 husband and wife: 恩爱～ēn'ài ~ loving couple | ～反目 ~ fǎnmù husband and wife falling out | 他家～和睦，子女孝顺。Tā jiā ~ hémù, zǐnǚ xiàoshùn. He lives a harmonious life with his wife, and his children are quite filial.

¹ **夫人** fūrén〈名 n.〉（位 wèi、名 míng、个 gè）尊称他人的妻子（多用于社交场合）wife; madame; lady; respectful term for other people's wife (usu. used in social gathering): 尊敬的～ zūnjìng de ~ your honorable lady | 这位外交官的～很有才华。Zhè wèi

F

wàijiāoguān de ~ *hěn yǒu cáihuá*. This diplomat's wife is quite talented. │ 各国的使节和~出席了国庆招待会。*Gèguó de shǐjié hé* ~ *chūxíle Guóqìng zhāodàihuì*. Diplomats and their wives from various countries attended the National Day reception.

⁴ **敷衍** fūyǎn ❶〈动 v.〉做事马虎，不负责任；待人不诚，随便应付 be perfunctory; walk through; put off: 你做事也太~了事了。*Nǐ zuòshì yě tài ~-liǎoshì le*. You're too perfunctory in doing things. │ 他总是很认真地为朋友办事，从不~别人。*Tā zǒngshì hěn rènzhēn de wèi péngyou bànshì, cóng bù ~ biéren*. He is always serious in helping his friends and never puts them off. ❷〈动 v.〉勉强维持 just manage; barely get by: 他们家以前尚能~，孩子上学以后就困难了。*Tāmen jiā yǐqián shàng néng ~, háizi shàngxué yǐhòu jiù kùnnan le*. They could make do with their living in the past, but since their children went to school their life had become difficult.

⁴ **伏** fú ❶〈动 v.〉身体向前靠或向下趴 lean on; bend over: 他每天中午就~在办公桌上休息一会儿。*Tā měitiān zhōngwǔ jiù ~ zài bàngōngzhuō shang xiūxi yíhuìr*. Every noonday he takes a rest over the desk for a while. │ 为了不使敌人发现，侦察兵~地而行。*Wèile bù shǐ dírén fāxiàn, zhēnchábīng ~ dì ér xíng*. The scout crept over the ground so as not to be discovered by the enemy. ❷〈动 v.〉隐藏；埋伏 hide: 危机四~ *wēijī-sì-*, beset with crisis │ 这支队伍在山中~击了敌人。*Zhè zhī duìwu zài shān zhōng ~jīle dírén*. The troop ambushed the enemy in the mountain. ❸〈动 v.〉低下去；落下去 fall; subside; go down: 他的情绪总是起~不定。*Tā de qíngxù zǒngshì qǐ~búdìng*. His mind is always constricted with conflicting emotions. │ 稻子倒~了。*Dàozi dǎo~ le*. The rice laid flat. ❹〈动 v.〉屈服；认罪 yield; admit (defeat, guilt, etc.); compelled to accept: 对方棋艺实在太高，他只好~输。*Duìfāng qíyì shízài tài gāo, tā zhǐhǎo ~shū*. His rival was really skillful in playing chess, and he had to admit defeat. │ 罪犯在铁证面前~罪了。*Zuìfàn zài tiězhèng miànqián ~zuì le*. The criminal had to admit his guilt before the irrefutable evidence. ❺〈动 v.〉使屈服 subdue; overcome; vanquish: 警察制~了抢劫的歹徒。*Jǐngchá zhì~le qiǎngjié de dǎitú*. The police subdued the robber. ❻〈名 n.〉伏天（夏天最热的一段时间）dog days (the hottest days in summer): ~暑 *~shǔ* hottest season; height of summer │ 三~天 *sān~tiān* dog days; the third ten-day period of the hottest season ❼〈量 meas.〉电压单位伏特的简称 volt, abbr. for '伏特fútè'.

² **扶** fú ❶〈动 v.〉用手支撑或依靠别的东西使不倒 support oneself or something with hand: 交通警察搀~着老人过马路。*Jiāotōng jǐngchá chān~zhe lǎorén guò mǎlù*. The traffic police supported the old man by the arm to cross the street. │ 老奶奶腿脚不灵便，只能~着栏杆下楼。*Lǎonǎinai tuǐjiǎo bù língbiàn, zhǐnéng ~zhe lángān xià lóu*. The old woman is rather clumsy in walking; she can only get down the stairs by holding onto the railings. ❷〈动 v.〉使倒下的人或物坐立起来或竖直 straighten; hold up: 小孩儿摔倒了，你快把他~起来。*Xiǎoháir shuāidǎo le, nǐ kuài bǎ tā ~ qǐlái*. The kid tumbled. Prop him up quickly. ❸〈动 v.〉帮助，援助 help; assist; give a hand: 医务人员的职责是救死~伤。*Yīwù rényuán de zhízé shì jiùsǐ~shāng*. The medical workers' duty is to heal the wounded and rescue the dying.

³ **服** fú ❶〈动 v.〉担任（职务）；承担（义务或刑罚）hold office; take on an obligation; serve a sentence: 我在这个单位~务已30年。*Wǒ zài zhège dānwèi ~wù yǐ sānshí nián*. I have being working in this unit for 30 years. │ 他还在狱中~刑。*Tā hái zài yù zhōng ~xíng*. He is still serving a sentence in the jail. ❷〈动 v.〉听从；信服 obey; submit (oneself to); be convinced: 他因不~从领导被开除了。*Tā yīn bù ~cóng lǐngdǎo bèi kāichú le*. He was dismissed because he did not obey his leader. │ 我对老师的劝导心悦

诚~。*Wǒ duì lǎoshī de quàndǎo xīnyuè-chéng~.* I was completely convinced by my teacher's advice. ❸〈动 *v.*〉使听从；使信服 convince：征~ *zhēng~* conquer; subjugate｜我们要以理~人，不要以力压人。*Wǒmen yào yǐlǐ~rén, bú yào yǐlìyārén.* We should convince others by reason, rather than coercing them by force. ❹〈动 *v.*〉吃(药物) take (medicine)：你的病不碍事，~点儿药就会好的。*Nǐ de bìng bú àishì, ~ diǎnr yào jiù huì hǎo de.* Your illness is not serious, and you will soon recover after taking some medicine. ❺〈动 *v.*〉适应；习惯 be used to; be accustomed to: be acclimatized to：他到外地出差，不~当地水土病了几天。*Tā dào wàidì chūchāi, bù ~ dāngdì shuǐtǔ bìngle jǐ tiān.* He went on a business trip to another province and fell ill for several days because he was not accustomed to the local enviroment. ❻〈动 *v.*〉穿(衣服) wear (clothes)：他父亲刚刚去世，他正在~丧。*Tā fùqīn gānggāng qùshì, tā zhèngzài ~sāng.* His father had just passed away, and he was in mourning. ❼〈名 *n.*〉衣服 clothes; garments; dress; attire：西~ *xī~* Western-style clothes｜礼~ *lǐ~* full dress; formal attire｜他经常穿件休闲~。*Tā jīngcháng chuān jiàn xiūxián~.* He often wears a sportswear.

² **服从** fúcóng〈动 *v.*〉听从；遵从 follow; obey; submit oneself to：~分配 *~ fēnpèi* submit to assignment｜~判决 *~ pànjué* submit to court decision｜局部利益~整体利益 *júbù lìyì ~ zhěngtǐ lìyì* subordinate the local interests to the overall ones｜他总想让别人~他的意见。*Tā zǒng xiǎng ràng biérén ~ tā de yìjiàn.* He always wants other people to follow his opinions.

⁴ **服气** fúqì〈动 *v.*〉内心非常信服 be convinced; be won over：人家的水平就是高，你不~也得。*Rénjia de shuǐpíng jiùshì gāo, nǐ bù ~ yě děi.* They are surely proficient, and you have to be convinced. ｜他跟人下棋越输越不~。*Tā gēn rén xiàqí yuè shū yuè bù ~.* The more he loses in playing chess, the less he is willing to concede to his rivals.

¹ **服务** fúwù〈动 *v.*〉为他人、集体或事业等工作，发挥作用 serve; work for (other people or a cause); give or render service to; be in the service of：我在这家出版社~了一辈子。*Wǒ zài zhè jiā chūbǎnshè ~le yíbèizi.* I have worked in this publishing house all my life. ｜我们绝对不能忘记为人民~的宗旨。*Wǒmen juéduì bù néng wàngjì wèi rénmín ~ de zōngzhǐ.* We shall never forget our aim of serving the people.｜居民住宅楼的电梯工应该全天候~。*Jūmín zhùzháilóu de diàntīgōng yīnggāi quántiānhòu ~.* Elevator attendant in the residential building should work round the clock.

¹ **服务员** fúwùyuán〈名 *n.*〉(名 míng、个 gè、位 wèi)服务行业的部分工作人员,机关的勤杂人员等 attendant in service industry; janitor in an organization：我雇了个家政~。*Wǒ gùle gè jiāzhèng~.* I have hired a housekeeping attendant.｜他在一家饭馆当~。*Tā zài yì jiā fànguǎn dāng ~.* He works as a waiter in a restaurant.｜这家宾馆的~待人热情,服务工作做得细致、周到。*Zhè jiā bīnguǎn de ~dàirén rèqíng, fúwù gōngzuò zuò de xìzhì, zhōudào.* Attendants in this hotel are warm-hearted, and their services are meticulous and caring.

⁴ **服装** fúzhuāng〈名 *n.*〉(套 tào、身 shēn)衣服 clothing; dress; garment; costume：现在人们的~不是单一的灰色或黑色了。*Xiànzài rénmen de ~ bú shì dānyī de huīsè huò hēisè le.* People do not clothe themselves in such simple color as gray or black now. ｜中国有许多少数民族，他们的~五花八门。*Zhōngguó yǒu xǔduō shǎoshù mínzú, tāmen de ~ wǔhuā-bāmén.* There are many ethnic minorities in China, and their costumes are rich in variety.

⁴ **俘虏** fúlǔ ❶〈名 *n.*〉(个 gè、名 míng、批 pī)打仗时被捉住的敌人 captive; captured personnel; prisoner of war：这批~被押送到后方去了。*Zhè pī ~ bèi yāsòng dào hòufāng*

F

qù le. The captured personnel had been sent to the rear area. ❷〈名 *n.*〉比喻被某种感情或事物征服 *fig.* sth. conquered by some affection or something else：爱情的~ *àiqíng de* ~ victim of love | 他做了金钱的~。 *Tā zuòle jīnqián de* ~. He has become the slave of money. ❸〈动 *v.*〉打仗时捉住敌人；征服、控制（某种感情或事物）capture; take prisoner：这一仗~了上百名敌人。 *Zhè yí zhàng* ~*le shàng bǎi míng dírén.* We've captured more than 100 enemy soldiers in the battle. | 他在不知不觉中对她发生了一种奇妙情感，而且被这种情感~了。 *Tā zài bùzhī-bùjué zhōng duì tā fāshēngle yì zhǒng qímiào qínggǎn, érqiě bèi zhèzhǒng qínggǎn* ~*le.* He unconsciously developed a wonderful affection for her and was totally captured by it.

² **浮 fú** ❶〈动 *v.*〉漂在液体表面或空中（与'沉'相对）float; stay at the top of liquid or be held in the air （opposite to '沉 chén'）：浮萍~生在水面上。 *Fúpíng ~shēng zài shuǐ miàn shang.* The duckweed grows on the surface of water. | 在水面上的污染物被清除干净了。 ~ *zài shuǐmiàn shang de wūrǎnwù bèi qīngchú gānjìng le.* The floating pollutants on water have been cleared away. | 几片乌云~游在天际。 *Jǐ piàn wūyún ~yóu zài tiānjì.* Several dark clouds were drifting in the sky. | 薄薄的一层雾~起在荷塘上。 *Báobáo de yì céng wù ~qǐ zài hétáng shang.* A thin mist was drifting over the lotus pond. ❷〈动 *v.*〉露出；显现 appear; emerge：她跟人说话脸上总~出微笑 *Tā gēn rén shuōhuà liǎn shang zǒng ~chū wēixiào* A faint smile usually appears on her face when she talked with other people. | 我接到乡亲一封信，顿时~想联翩，往事一桩桩~现在脑际。 *Wǒ jiēdào xiāngqīn yì fēng xìn, dùnshí ~xiǎng-liánpiān, wǎngshì yì zhuāngzhuāng ~xiàn zài nǎojì.* When I received a letter from my villagers, I suddenly recalled many past memories, which emerged in my mind one after another. ❸〈动 *v.* 口 colloq.〉在水里游动 swim：~水 ~*shuǐ* swim | 这么宽阔的江面，他能~过去。 *Zhème kuānkuò de jiāngmiàn, tā néng ~guòqù.* He can swim across such a wide river. ❹〈动 *v.*〉超过，多 exceed; be surplus or redundant：他~报开支企图逃税。 *Tā ~ bào kāizhī qǐtú táoshuì.* He gave an exaggerated report of expenses in an attempt to evade tax. | 现在一些单位普遍存在人~于事的现象。 *Xiànzài yìxiē dānwèi pǔbiàn cúnzài rén~yúshì de xiànxiàng.* Overstaffing is quite popular in some units now. ❺〈形 *adj.*〉表面上的 superficial; on the surface：大风过后，桌子上积了一层~土。 *Dàfēng guò hòu, zhuōzi shang jīle yì céng ~tǔ.* After the strong wind, a layer of dust piled up on the desk. ❻〈形 *adj.*〉可移动的；暂时的 movable; portable; temporary; provisional：~财 ~*cái* movable property ❼〈形 *adj.*〉轻浮；浮躁 heedless; flippant; superficial：他作风飘~。 *Tā zuòfēng piāo~.* He is of reckless working style. | 他是个性情很~的人。 *Tā shì gè xìngqíng hěn ~ de rén.* He is of blundering nature. ❽〈形 *adj.*〉空虚，不切实 empty; hollow; inflated：~名 ~*míng* empty name; bubble reputation | 编辑删去了这篇文章中的一些~词滥调。 *Biānjí shān qù le zhè piān wénzhāng zhōng de yìxiē ~cí-làndiào.* The editor has deleted some empty words in this article.

⁴ **浮雕 fúdiāo** 〈名 *n.*〉（座 zuò、件 jiàn、组 zǔ）雕塑的一种，在平面材料上雕刻出凸起的形象 bas-relief, form of sculpture in which the figures project slightly above the background：中国佛教寺庙中保存许多古老的~造像。 *Zhōngguó fójiào sìmiào zhōng bǎocún xǔduō gǔlǎo de ~ zàoxiàng.* Many ancient relief sculptures have been preserved in Buddhist temples in China. | 西安唐太宗陵墓前有一组举世闻名的~石刻造像，称'昭陵六骏'。 *Xī'ān Táng tàizōng língmù qián yǒu yì zǔ jǔshì-wénmíng de ~ shíkè zàoxiàng, chēng 'Zhāolíng Liùjùn'.* Standing before Tang Emperor Taizong's tomb in Xi'an is a set of world-famous stone relief sculptures, called 'Six Steeds of Zhaoling

Mausoleum.

⁴ **浮动** fúdòng ❶〈动 v.〉飘浮流动，不能稳定地停在某一地方 float; drift：白云悠然～。Báiyún yōurán ~. White clouds are floating leisurely.│泊岸的小船还在水中。Bó àn de xiǎo chuán hái zài shuǐ zhōng ~. The small boat lying at anchor is still floating in water. ❷〈动 v.〉（思想等）不稳定 vacillate; be unsteady：他的思想近来有些～。Tā de sīxiǎng jìnlái yǒuxiē ~. He becomes rather vacillating recently.│物价飞涨，人心～。Wùjià fēizhǎng, rénxīn ~. Price hikes caused widespread sense of insecurity. ❸〈形 adj.〉不固定的 variable; rise and fall; fluctuate：~工资～gōngzī variable salary │~价格~jiàgé floating price

⁴ **符号** fúhào ❶〈名 n.〉记号 symbol; mark; sign：标点～biāodiǎn ~ punctuation（mark）│这本词典中每个词条都标了注音～。Zhè běn cídiǎn zhōng měigè cítiáo dōu biāole zhùyīn ~. Every entry word is marked with phonetic notations in this dictionary. ❷〈名 n.〉标志，带在身上以表明身份 insignia：这个孩子的袖子上佩带了少年先锋队中队长的～。Zhège háizi de xiùzi shang pèidàile Shàonián Xiānfēngduì zhōngduìzhǎng de ~. On his sleeve, the child wears an insignia of the detachment leader of the Young Pioneers.

² **符合** fúhé〈动 v.〉相符，相合；完全一样 accord with; tally with; conform to：~规律～guīlù accord with the law │~标准~biāozhǔn conform to the standard │你尽管巧舌如黄，但说的都不～事实。Nǐ jǐnguǎn qiǎoshé-rúhuáng, dàn shuō de dōu bù ~ shìshí. Although you have a glib tongue, what you said does not tally with the facts.│这种商品~大众需要。Zhè zhǒng shāngpǐn ~ dàzhòng xūyào. This kind of goods caters to ordinary people's needs.

¹ **幅** fú〈量 meas.〉用于布帛、字画等的计量 used for cloth, paintings, etc.：一～白布 yì ~ báibù a width of white cloth │这位画家送我两～画。Zhè wèi huàjiā sòng wǒ liǎng ~ huà. The painter gave me two paintings. ❷〈量 meas.〉用于抽象的景象 used for abstract vision：一～奇妙的景象呈现在我的眼前。Yì ~ qímiào de jǐngxiàng chéngxiàn zài wǒ de yǎnqián. A wonderful scenery appeared before my eyes.│那一～～动人的情景使我无法忘怀。Nà yì ~~ dòngrén de qíngjǐng shǐ wǒ wúfǎ wànghuái. It's hard for me to forget all those touching sights. ❸〈名 n.〉布匹等的宽度 width of cloth, silk, etc.：这匹布~宽一米四。Zhè pǐ bù ~ kuān yì mǐ sì. The cloth is 1.4 meter in width. ❹〈名 n.〉泛指宽度 generally referring to breadth or width：中国～员辽阔，资源丰富。Zhōngguó ~ yuán liáokuò, zīyuán fēngfù. China has a vast territory and abundant resources. ❺〈名 n.〉幅度 range of fluctuation; scope; extent：我们厂今年产值增～达200%。Wǒmen chǎng jīnnián chǎnzhí zēng~ dá bǎi fēn zhī èrbǎi. The output value of our factory has witnessed a growth of 200 percent this year. ❻〈名 n.〉书画或标语的轴幅、布幅 horizontal scroll of painting or slogan：横~héng~ banner; streamer │客厅里挂着一幅山水画的条~。Kètīng li guàzhe yì fú shānshuǐhuà de tiáo~. A scroll of landscape is put up in the living room.

⁴ **幅度** fúdù ❶〈名 n.〉物理学术语,指物体振动或摇摆所展开的宽度 physical term for fluctuating range; scope; extent ❷〈名 n.〉比喻事物变动的大小程度 degree of change：今年主要的工业产品都有较大的增长。Jīnnián zhǔyào de gōngyè chǎnpǐn dōu yǒu jiào dà ~ de zēngzhǎng. The production of primary industrial goods has increased considerably this year.│现在人民的生活水平大~提高了。Xiànzài rénmín de shēnghuó shuǐpíng dà ~ tígāo le. Now people's living standard has improved greatly.

⁴ **辐射** fúshè〈动 v.〉热、光、无线电波等从中心向四面八方直线伸展出去 radiate,

F

extend in heat, rays, radio waves, etc. in all directions from a centre: 一般的光可以向四面~。 *Yìbān de guāng kěyǐ xiàng sìmiàn ~.* The ordinary light may radiate in all directions. | 以北京为中心，许多条高速公路向四周~开去。 *Yǐ Běijīng wéi zhōngxīn, xǔduō tiáo gāosù gōnglù xiàng sìzhōu ~ kāi qù.* Many expressways extend in all directions from Beijing as the center.

⁴ **福 fú** ❶〈名 n.〉身体健康，生活美满（与'祸'相对）luck; happiness; blessing; good fortune (opposite to '祸 huò')：造人民 zào ~ rénmín for people's benefit | 这位老人~寿双全。 *Zhè wèi lǎorén ~shòu-shuāngquán.* The old man leads a happy long life. | 中国古代的哲学名言 '~兮祸所伏，祸矣~所倚'，是指祸~互为因果，互相转化。 *Zhōngguó gǔdài de zhéxué míngyán '~ xī huò suǒ fú, huò yǐ ~ suǒ yǐ', shì zhǐ huò ~ hùwèi yīnguǒ, hùxiāng zhuǎnhuà.* The ancient Chinese philosophical wisdom, 'No weal without woe', means that misfortune and good fortune are cause and affect for each other and can transform from one to the other. ❷〈名 n.〉福气 good luck; good fortune; happy lot: 大饱眼~ *dà bǎo yǎn~* feast one's eyes on sth. | 你真有口~，我刚买了只烧鸡，你就来了。 *Nǐ zhēn yǒu kǒu~, wǒ gāng mǎile zhī shāojī, nǐ jiù lái le.* You've gourmet's luck to enjoy the roast chicken I just bought when you came. | 他退休在家享清~呢。 *Tā tuìxiū zài jiā xiǎng qīng~ ne.* He has retired and is enjoying a life of leisure and ease at home.

⁴ **福利 fúlì** ❶〈名 n.〉生活上的利益，好处；特指对职工生活方面的补贴、照顾 well-being; material benefits; welfare-provision to employees：~事业 ~ *shìyè* welfare work | 我们单位的~还不错。 *Wǒmen dānwèi de ~ hái búcuò.* Our unit provides rather satisfactory welfare-provisions. | 当官的要为人民谋~。 *Dāngguān de yào wèi rénmín móu ~.* Leaders should work for people's welfare. ❷〈动 v. 书 lit.〉使生活上得到利益和照顾 bring material benefits to：扩大就业门路，发展社会保障事业，~广大民众。 *Kuòdà jiùyè ménlù, fāzhǎn shèhuì bǎozhàng shìyè, ~ guǎngdà mínzhòng.* Expand ways of employment, develop social insurance service, and work for ordinary people's welfare.

⁴ **福气 fúqì** 〈名 n.〉指好的命运或际遇 good luck; good fortune; happy lot: 你的儿女事业有成，真好~。 *Nǐ de érnǚ shìyè yǒuchéng, zhēn hǎo ~.* You are so lucky that your children have achieved success in their careers.

⁴ **抚养 fǔyǎng**〈动 v.〉对年幼者保护和培育 foster; raise; rear; bring up：这位老人已把两个孩子~成人。 *Zhè wèi lǎorén yǐ bǎ liǎng gè háizi ~ chéngrén.* The old man has brought up two children.

⁴ **抚育 fǔyù**〈动 v.〉抚养教育儿童；照料生物 care for and educate children; tend; nurture：~烈士遗孤 ~ *lièshì yígū* bring up martyr's orphan | ~幼苗 ~ *yòumiáo* tend seedling | 我对曾经~过我的老人感激不尽。 *Wǒ duì céngjīng ~guo wǒ de lǎorén gǎnjī bújìn.* I'm extremely grateful to the old man for having brought me up.

⁴ **斧子 fǔzi**〈名 n.〉（把 bǎ）砍削工具 axe; hatchet：一把~ *yì bǎ* ~ an axe | 他一~砍下去，一块木头被劈成两半。 *Tā yì ~ kǎn xiàqù, yí kuài mùtou bèi pīchéng liǎng bàn.* He cleaved the wood into two with one cut of the axe.

³ **俯 fǔ** ❶〈动 v.〉弯腰低头（与'仰'相对）bow; bend forward or down (opposite to '仰 yǎng'): 对经理的吩咐，大家~首听命。 *Duì jīnglǐ de fēnfù, dàjiā ~shǒu-tīngmìng.* Everyone submissively obeyed the manager's order. | 她寄人篱下，只能~仰由人。 *Tā jìrén-líxià, zhǐnéng ~yǎng-yóurén.* She lives under other people's roof and can only be at their beck and call. ❷〈动 v.〉向下 downwards: ~卧 ~*wò* lie prostrate; lie on one's stomach | 从空中~瞰北京城，长城、故宫、天坛、颐和园等名胜古迹尽收眼底。 *Cóng*

kōngzhōng ~*kàn Běijīng Chéng, Chángchéng, Gùgōng, Tiāntán, Yíhéyuán děng míngshèng-gǔjì jìn shōu yǎndǐ.* Overlooking Beijing in the air, you will get an overview of some scenic spots and historical sites, such as the Great Wall, the Imperial Palace, the Temple of Heaven, the Summer Palace, etc. .

辅导 fǔdǎo ❶〈动 *v.*〉帮助并指导 coach; tutor; guide: 加强~ *jiāqiáng* ~ intensify tutoring｜课外~ *kèwài* ~ after-school tutoring｜我~他学汉语，他~我学英语。*Wǒ ~ tā xué Hànyǔ, tā ~ wǒ xué Yīngyǔ.* I help him learn Chinese, and he guides me learning English. ❷〈名 *n.*〉指帮助并指导的活动 coaching; guidance: 老师的~对我帮助很大。*Lǎoshī de ~ duì wǒ bāngzhù hěn dà.* Teacher's guidance helps me a lot.

辅助 fǔzhù ❶〈动 *v.*〉从旁协助 assist; aid: 他是个新手，在工作上请你多加~。*Tā shì gè xīnshǒu, zài gōngzuò shang qǐng nǐ duō jiā ~.* He is a greenhand. Will you please give him more assistance? ❷〈形 *adj.*〉协助主要的 supplementary; supplemental; subsidiary; auxiliary: ~教材 ~ *jiàocái* supplementary teaching material｜~人员 ~ *rényuán* auxiliaries

腐败 fǔbài ❶〈动 *v.*〉变质，腐烂 rot; decompose; putrefy; decay: 食品放久了就会~。*Shípǐn fàngjiǔle jiù huì ~.* Food will decay if you store it for long. ❷〈形 *adj.*〉变了质的，变坏了的 spoiled; rotten: ~的食品不能吃。~ *de shípǐn bù néng chī.* Rotten food is inedible. ❸〈形 *adj.*〉比喻思想、行为很坏，堕落 (of ideas) outmoded; (of behavior) degenerate; corrupt: 谁都痛恨这种权钱交易的~行为。*Shéi dōu tònghèn zhè zhǒng quán qián jiāoyì de ~xíngwéi.* We all hate this corrupt practice of trading power for money.｜贪官污吏大都生活很~。*Tānguān-wūlì dàdōu shēnghuó hěn ~.* Most corrupt officials lead a dissipated life. ❹〈形 *adj.*〉指制度、机构等黑暗，混乱 (of system, organization, institution, etc.) chaotic; corrupt: 这种~的官僚机构早该撤消了。*Zhè zhǒng ~ de guānliáo jīgòu zǎo gāi chèxiāo le.* This corrupt bureaucratic department should be removed earlier.｜~的清政府与外国签订了许多丧权辱国的条约。~ *de Qīng zhèngfǔ yǔ wàiguó qiāndìngle xǔduō sàngquán-rǔguó de tiáoyuē.* The corrupt government of the Qing Dynasty signed many unfair treaties with the foreign countries, which did not only humiliate our nation but also forfeit our sovereignty.

腐化 fǔhuà ❶〈动 *v.*〉指有机体腐烂；比喻思想行为蜕化变质 rot; decompose; (of thought and behavior) degenerate: 尸体已经~，无法辨认了。*Shītǐ yǐjīng ~, wúfǎ biànrèn le.* The body has decomposed, and it can no longer be identified.｜他沉迷于物质享受，生活~，道德败坏。*Tā chénmí yú wùzhì xiǎngshòu, shēnghuó ~, dàodé bàihuài.* He is indulged in material comforts, leads a dissipated life, and becomes morally degenerated. ❷〈动 *v.*〉使变坏 corrupt; corrode: 他经受不住金钱的诱惑，终于被~了。*Tā jīngshòu bú zhù jīnqián de yòuhuò, zhōngyú bèi ~ le.* He could not resist the temptation of money and finally became corrupted.

腐烂 fǔlàn ❶〈动 *v.*〉物质因细菌的侵害而溃烂 rot; decompose; putrefy; decay: 这些东西都~发臭了。*Zhèxiē dōngxi dōu ~ fā chòu le.* All these things have decomposed and become smelly. ❷〈形 *adj.*〉指社会制度、风气等腐败 (of social system, social trends, etc.) corrupt; degenerate: 20世纪初，延续两千多年的中国封建制度已是~不堪，不可收拾了。*Èrshì shìjì chū, yánxù liǎngqiān duō nián de Zhōngguó fēngjiàn zhìdù yǐ shì ~ bùkān, bùkě shōushi le.* Up to the early 20th century, the 2,000-year old feudalization in China was extremely corrupt and irremediable.

腐蚀 fǔshí ❶〈动 *v.*〉化学术语，物质因化学作用而消损破坏 erode; corrode; (of substance) be gradually destroyed by chemical action: 硫酸能~这种金属物质。*Liúsuān*

néng ~ zhè zhǒng jīnshǔ wùzhì. Sulphuric acid can corrode this kind of metal. ❷〈动 *v.*〉比喻坏思想、行为、环境等使人逐渐变质堕落 pervert; corrupt; deprave, debauch under the influence of evil thoughts, behavior, and environment：不正之风还在~着我们的干部。*Búzhèngzhīfēng hái zài ~zhe wǒmen de gànbù.* The unhealthy social tendency is still corrupting our caders. | 享乐思想~了他的灵魂。*Xiǎnglè sīxiǎng ~le tā de línghún.* The hedonist philosophy has depraved his soul.

³ **腐朽** fǔxiǔ ❶〈动 *v.*〉木料等腐烂朽坏 rot; decay：这些木材长期放在潮湿的地方都~了。*Zhèxiē mùcái chángqī fàng zài cháoshī de dìfang dōu ~ le.* The wood has long been put in the moist place and become decayed. ❷〈形 *adj.*〉比喻思想陈腐、生活糜烂、制度败坏 (of ideas, living, system) decadent; degenerate; depraved; rotten：我们不能让一些~思想侵蚀年轻人的心灵。*Wǒmen bù néng ràng yìxiē ~ sīxiǎng qīnshí niánqīngrén de xīnlíng.* We cannot allow some decadent ideas to corrode young men's souls. | 他过着花天酒地的~生活。*Tā guòzhe huātiān-jiǔdì de ~ shēnghuó.* He leads a decadent life of dissipation.

¹ **父亲** fùqīn〈名 *n.*〉子女直系血统的上一代男性，也叫'爸爸' father, also '爸爸' bàba'：我的~在老家承包一片荒山，现在脱贫致富了。*Wǒ de ~ zài lǎojiā chéngbāo yí piàn huāngshān, xiànzài tuōpín zhìfù le.* My father contracted a barren mountain in my hometown. Now he has quitted poverty and become rich. | 学校召开家长会，我认识了一些同学的~。*Xuéxiào zhàokāi jiāzhǎnghuì, wǒ rènshile yìxiē tóngxué de ~.* I got to know some classmates' fathers at the parents' meeting held by school. | 他初当~, 高兴得不得了。*Tā chū dāng ~, gāoxìng de bùdéliǎo.* Becoming a father for first time, he was extremely delighted.

² **付** fù ❶〈动 *v.*〉交给，给与 commit; hand or turn over：这项计划马上要~诸实施。*Zhè xiàng jìhuà mǎshàng yào ~zhū shíshī.* This plan will soon be put into practice. | 这本书稿已经~印。*Zhè běn shūgǎo yǐjīng ~yìn.* The manuscript has been sent to the press. | 他被经理~以重任。*Tā bèi jīnglǐ ~ yǐ zhòngrèn.* The manager conferred an important task on him. ❷〈动 *v.*〉专指钱财的支出 pay：支~ zhī~ pay out | 他为我服务，我应~他小费。*Tā wèi wǒ fúwù, wǒ yīng ~ tā xiǎofèi.* He served me, so I should pay him. ❸〈量 *meas.*〉用于计量成对、成套的东西；用于计量中草药 pair; set; used for Chinese traditional medicine：一~中药 yí ~ zhōngyào a dose of traditional Chinese medicine | 我买了一~手套。*Wǒ mǎile yí ~ shǒutào.* I bought a pair of gloves.

⁴ **付出** fù//chū〈动 *v.*〉交付，拿出 pay; expend：我为这项工程~了大量心血。*Wǒ wèi zhè xiàng gōngchéng ~le dàliàng xīnxuè.* I have made painstaking efforts for this project. | 买汽车要~一大笔钱。*Mǎi qìchē yào ~ yí dà bǐ qián.* It will cost a large sum of money to buy a car. | 我暂时付不出那么多的钱。*Wǒ zànshí fù bù chū nàme duō de qián.* I can hardly pay that much money for the time being.

⁴ **付款** fù//kuǎn〈动 *v.*〉交出现钱或支票 pay money or cheque：他买书忘了~，几乎引起误会。*Tā mǎi shū wàngle ~, jīhū yǐnqǐ wùhuì.* He forgot to pay for the book, which nearly led to misunderstanding. | 你已经付过两笔款了，就剩下这一笔款没付了。*Nǐ yǐjīng fùguo liǎng bǐ kuǎn, jiù shèngxia zhè yìbǐ kuǎn méi fù le.* You've paid two sums of money with only one unpaid.

³ **负** fù ❶〈动 *v.*〉背东西，用背部驮东西 shoulder; carry on the back or shoulder：部队~重行军走了30里地。*Bùduì ~zhòng xíngjūn zǒule sānshí lǐ dì.* The army marched 30 li with heavy kits. ❷〈动 *v.*〉承担，担任 bear; take up：我身~重任，丝毫不敢懈怠。*Wǒ shēn ~ zhòngrèn, sīháo bùgǎn xièdài.* I shoulder an important task and dare not slack off

in the least. | 这篇文章的一些观点不要修改，作者文责自~。 *Zhè piān wénzhāng de yìxiē guāndiǎn búyào xiūgǎi, zuòzhě wénzé-zì~.* Don't revise the ideas of the article. The author will take sole responsibility for what he writes. ❸〈动 v.〉遭受，蒙受 suffer; sustain: 我~了点儿轻伤，不要紧。 *Wǒ ~le diǎnr qīngshāng, bú yàojǐn.* It doesn't matter that I was only slightly wounded. ❹〈动 v.〉欠(钱) owe; be indebted: 他~债经营着这家小商店。 *Tā ~zhài jīngyíngzhe zhè jiā xiǎo shāngdiàn.* He managed this small shop with debts. ❺〈动 v.〉违背；辜负 fail; disappoint; betray: 忘恩~义 *wàng'ēn-~yì* ungrateful; be devoid of gratitude | 新任领导不~众望。 *Xīn rèn lǐngdǎo bú~zhòngwàng.* The newly appointed leader has lived up to people's expectation. ❻〈动 v.〉失败，输(与'胜'相对) lose; be defeated (opposite to '胜 shèng'): 胜~乃兵家之常事。 *Shèng ~ nǎi bīngjiā zhī chángshì.* For a military commander, it is a common thing to win or lose a battle. | 我队虽一局，还是可以扳回来的。 *Wǒ duì suī ~ yì jú, háishi kěyǐ bān huílái de.* Although our team has lost one game, we may turn defeat into victory. ❼〈动 v.〉背靠，依托 rely on; have at one's back: 敌人死守几个碉堡，~隅顽抗。 *Dírén sǐ shǒu jǐ gè diāobǎo, ~yú-wánkàng.* The enemy defended desperately several forts, putting up a stubborn resistance. ❽〈动 v.〉享有，具有 enjoy: 这处名胜古迹久~盛名。 *Zhè chù míngshèng-gǔjì jiǔ~shèngmíng.* This scenic historical site has enjoyed a long-standing fame. ❾〈名 n.〉承担的任务或责任 task or responsibility: 减~ jiǎn~ lighten the burden | 如释重~ rúshìzhòng~ feel a sense of relief; feel as if relieved of a burden ❿〈形 adj.〉小于零的(与'正'相对) minus; negative (opposite to '正 zhèng'): ~数 ~shù negative number | 这道题的得数是~的。 *Zhè dào tí de déshù shì ~ de.* The solution of this problem is negative. ⓫〈形 adj.〉相对的两方面中的反面的(与'正'相对) negative (opposite to '正 zhèng'): 电有正~两极。 *Diàn yǒu zhèng ~ liǎng jí.* Electricity has two poles, positive and negative.

F

³ **负担** fùdān ❶〈动 v.〉担当，承担 bear; carry; shoulder: 父亲一人工作，~全家五口人的生活 *Fùqīn yì rén gōngzuò, ~ quánjiā wǔ kǒu rén de shēnghuó.* My father is the only breadwinner in my family. He has to shoulder the living burden of a 5-member family. | 我可以~他上学的全部费用。 *Wǒ kěyǐ ~ tā shàngxué de quánbù fèiyòng.* I can pay all the expenses of his schooling. | 我刚从学校毕业，~不起这么重要的工作。 *Wǒ gāng cóng xuéxiào bìyè, ~ bù qǐ zhème zhòngyào de gōngzuò.* I'm just out of school and can hardly take up such an important job. ❷〈名 n.〉承受的压力或担负的责任、费用等 burden; load; weight: 他家人口多，生活~很重。 *Tā jiā rénkǒu duō, shēnghuó ~ hěn zhòng.* He has a large family, and his family burden is quite heavy. | 他因~过重病倒了。 *Tā yīn ~ guò zhòng bìngdǎo le.* Due to too heavy a burden, he finally fell ill.

⁴ **负伤** fù//shāng〈动 v.〉身体受伤 be injured; be wounded: 他~不轻。 *Tā ~ bù qīng.* He was seriously wounded. | 这个年轻人在救火中负了伤。 *Zhège niánqīngrén zài jiùhuǒ zhōng fùle shāng.* The young man was wounded in fire fighting.

¹ **负责** fùzé ❶〈动 v.〉担当责任 be responsible for; be in charge of; bear responsibility for; be accountable for: 他经办的事一定会~到底。 *Tā jīngbàn de shì yídìng huì ~ dàodǐ.* He will see to what he is responsible for. | 你们大胆放手工作，出了问题由我~。 *Nǐmen dàdǎn fàngshǒu gōngzuò, chūle wèntí yóu wǒ ~.* You just go all out to work, and I shall shoulder the responsibility if anything goes wrong. ❷〈形 adj.〉(工作)尽责的，认真的 conscientious: 他工作非常~。 *Tā gōngzuò fēicháng ~.* He is very conscientious in his work. | 他认真~的工作态度值得我学习。 *Tā rènzhēn ~ de gōngzuò tàidù zhíde wǒ xuéxí.* His conscientious working style is worth learning to me.

²妇女 fùnǚ〈名 n.〉(名 míng、个 gè、位 wèi) 成年女子的统称 woman：~运动 ~ *yùndòng* women's movement｜~围着锅台转（形容旧时妇女大多从事家务活动）。~ *wéizhe guōtái zhuàn*（*xíngróng jiùshí fùnǚ dàduō cóngshì jiāwù huódòng*）. Women move around the cooking stove (fig. Most women are engaged in housework in the old days). ｜这位农村~很能干。*Zhè wèi nóngcūn ~ hěn nénggàn*. This country woman is very capable.

³妇人 fùrén〈名 n.〉(位 wèi、个 gè) 已婚女子 married woman：这是位贵~。*Zhè shì wèi guì ~*. This is a lady of noble rank.｜'~之见'（旧时指妇女见识短），是歧视妇女的看法。'~ *zhījiàn*'（*jiùshí zhǐ fùnǚ jiànshi duǎn*），*shì qíshì fùnǚ de kànfǎ*. 'Woman's opinion' is a discriminating expression against women ('Woman's opinion' means that woman has little knowledge in the past).

⁴附带 fùdài ❶〈动 v.〉另外带上，另外补充 add; attach; append：这份统计材料~三张图表。*Zhè fèn tǒngjì cáiliào ~ sān zhāng túbiǎo*. Three charts were attached to this statistical document.｜他接受任务向来很痛快，从不~什么条件。*Tā jiēshòu rènwù xiànglái hěn tòngkuài, cóng bú ~ shénme tiáojiàn*. He always accepts the task readily without any additional conditions. ❷〈副 adv.〉顺便地 incidentally; in passing：~说一下 ~ *shuō yíxià* by the way｜我布置完工作后，~提醒大家注意劳逸结合。*Wǒ bùzhì wán gōngzuò hòu, ~ tíxǐng dàjiā zhùyì láoyì-jiéhé*. After assigning the task, I remind everyone by the way to pay attention to the proper balance between work and rest. ❸〈形 adj.〉从属的，非主要的 secondary：查查资料是他每天~的工作。*Chácha zīliào shì tā měitiān ~ de gōngzuò*. His secondary work everyday is to consult reference books.

⁴附和 fùhè〈动 v.〉自己没有主见，跟随着别人说或做（用于贬义的时候多）echo; chime in with; parrot (usu. derog.)：这种谬论居然还有人随声~。*Zhè zhǒng miùlùn jūrán hái yǒu rén suíshēng ~*. This fallacy is even chimed in with by someone.｜我们应当养成独立思考的习惯，不能随便~别人的意见。*Wǒmen yīngdāng yǎngchéng dúlì sīkǎo de xíguàn, bù néng suíbiàn ~ biérén de yìjiàn*. We should develop a tradition of independent thinking, rather than echoing other's opinions casually.

⁴附加 fùjiā ❶〈动 v.〉另外增加，附带加上 add; attach; append：他虽然同意签约，但~了不少条件。*Tā suīrán tóngyì qiānyuē, dàn ~le bùshǎo tiáojiàn*. He agreed to sign the contract but added many conditions.｜在高级宾馆就餐，还要~服务费。*Zài gāojí bīnguǎn jiùcān, háiyào ~ fúwùfèi*. Dining in a star hotel, you have to pay service charge in addition. ❷〈形 adj.〉另加的 additional; appended; attached：合同上那项~条款对双方都有利。*Hétong shang nà xiàng ~ tiáokuǎn duì shuāngfāng dōu yǒulì*. The attached item in the contract is favorable for both sides.

¹附近 fùjìn ❶〈名 n.〉相距不远的地方 close by; in the vicinity of：他家~有个超市。*Tā jiā ~ yǒu gè chāoshì*. There is a supermarket near his home.｜学校~开了好几家饭馆。*Xuéxiào ~ kāile hǎo jǐ jiā fànguǎn*. There are several restaurants near the school. ｜我就住在~，到我家坐一会儿吧。*Wǒ jiù zhù zài ~, dào wǒ jiā zuò yíhuìr ba*. I'm living nearby. Would you like to pay a visit? ❷〈形 adj.〉靠近某处的 nearby; adjacent; neighboring：我们最近参观了火车站~的明城墙遗址公园。*Wǒmen zuìjìn cānguānle huǒchēzhàn ~ de Míng chéngqiáng yízhǐ gōngyuán*. Recently we paid a visit to the ruins of the Ming Dynasty city wall in the park near the railway station.

⁴附属 fùshǔ ❶〈动 v.〉依附；从属于 be attached to; be affiliated with：这个研究所~于中国科学院。*Zhège yánjiūsuǒ ~ yú Zhōngguó Kēxuéyuàn*. This research institute is subordinated to the Chinese Academy of Sciences. ❷〈形 adj.〉隶属某单位的

subsidiary; auxiliary; attached：人民大学的~中学是一所重点中学。*Rénmín Dàxué de ~ zhōngxué shì yì suǒ zhòngdiǎn zhōngxué.* The middle school affiliated with the People's University is a major one.

⁴ **赴** fù ❶〈动 *v.*〉到某地去 go to; be bound for：~京开会 ~ *Jīng kāihuì* go to Beijing to attend a meeting ｜奔~前线 *bēn~ qiánxiàn* head for the front ❷〈动 *v.*〉参与；投身进去 attend：~约 ~ *yuē* meet sb. by appointment ｜~会 ~ *huì* attend a meeting ｜为了神圣的事业，我们~汤蹈火在所不辞。*Wèile shénshèng de shìyè, wǒmen ~tāng-dǎohuǒ zàisuǒbùcí.* For the sacred cause, we will not hesitate to risk our life.

⁴ **复** fù ❶〈动 *v.*〉反过去或转回来 turn back and forth; turn over：循环往~ *xúnhuán wǎng~* move in a circle ｜这件事已经作了决定，不能再反~了。*Zhè jiàn shì yǐjīng zuòle juédìng, bù néng zài fǎn~ le.* It has been decided and can not be changed again. ❷〈动 *v.*〉回答，答复 answer; reply：接到他的信后，我立即~了信。*Jiēdào tā de xìn hòu, wǒ lìjí ~le xìn.* I replied immediately when I received his letter. ｜上报的文件已批~下来。*Shàngbào de wénjiàn yǐjīng pī~ xiàlái.* The submitted file has got a reply from the higher authorities. ❸〈动 *v.*〉恢复，还原 recover; resume：~古 ~gǔ restore ancient system ｜旧~ ~jiù restore old ways; return to the past ｜这份杂志停刊半年后又~刊了。*Zhè fèn zázhì tíngkān bàn nián hòu yòu ~kān le.* The magazine resumes publication half year later after stopping publication. ❹〈动 *v.*〉报复 revenge：他跟邻居打架吃了点儿亏，总想伺机~仇。*Tā gēn línjū dǎjià chīle diǎnr kuī, zǒng xiǎng sìjī ~chóu.* He suffered loss when fighting with his neighbours and was always waiting for his chance to revenge. ❺〈形 *adj.*〉不单一的，繁杂的 multiple; various; complicated; complex：山重水~ *shānchóng-shuǐ~* (of a place) surrounded by overlapping hills and encircled by winding rivers ｜贷款的手续很繁~。*Dàikuǎn de shǒuxù hěn fán~.* The procedure of getting a loan is very complicated. ❻〈副 *adv.*〉'又''再'的意思 again; repeatedly：这个阵地经过数次拉锯争夺，得而~失，失而~得，最后才牢固地控制在我方手里。*Zhège zhèndì jīngguò shù cì lājù zhēngduó, dé ér ~ shī, shī ér ~ dé, zuìhòu cái láogù de kòngzhì zài wǒfāng shǒu li.* The position had undergone several changes of hands, and was finally held firmly on our hand after several seesaw battles.

⁴ **复辟** fùbì〈动 *v.*〉下台的君主复位；泛指被推翻的统治者恢复原有的地位或复活被废的旧制度 restore a dethroned monarch; reinstate an overthrown ruler or revive a defunct system：这伙封建余孽时刻梦想~。*Zhè huǒ fēngjiàn yúniè shíkè mèngxiǎng ~.* These feudalistic vestiges were dreaming of restoration all the time. ｜北洋军阀袁世凯曾在1915年~封建帝制，当了83天的皇帝。*Běiyáng jūnfá Yuán Shìkǎi céng zài yījiǔyīwǔ nián ~ fēngjiàn dìzhì, dāngle bāshísān tiān de huángdì.* Yuan Shikai, a northern warlord, once revived the feudal imperialism in 1915 and took the crown for 83 days.

⁴ **复合** fùhé〈形 *adj.*〉两个或几个结合起来，合在一起 compound; complex; composite：这是一句~句。*Zhè shì yí jù ~jù.* This is a compound sentence. ｜'火车'是个~词。'*huǒchē*' *shì gè ~cí.* '火车Huǒchē'(train) is a compound word.

⁴ **复活** fùhuó〈动 *v.*〉死而复生，比喻已被推翻的事物又重新活跃起来 revive; come back to life：我们要警惕有的国家~军国主义。*Wǒmen yào jǐngtì yǒu de guójiā ~ jūnguó zhǔyì.* We should be on guard against the resurgence of militarism in some country.

³ **复活节** Fùhuó Jié〈名 *n.*〉基督教纪念耶稣复活的节目 Easter, Christian festival to mark the resurrection of Jesus：基督教徒很重视过~，以纪念耶稣的复活。*Jīdūjiàotú hěn zhòngshì guò ~, yǐ jìniàn Yēsū de fùhuó.* The Christians attach great importance to

Easter in commemoration of resurrection of Jesus.

² **复述** fùshù ❶〈动 v.〉把说过的话再重说一遍 repeat; say again：厂长刚才是怎么交待的，请你~一下。*Chǎngzhǎng gāngcái shì zěnme jiāodài de, qǐng nǐ ~ yíxià.* Please repeat the instructions that the manager gave just now. ❷〈动 v.〉教师让学生用自己的话把读物内容表述 retell; tell text again in student's own words：语文课上老师让学生~刚学过的课文。*Yǔwén kè shang lǎoshī ràng xuésheng ~ gāng xuéguo de kèwén.* In Chinese class, the teacher asks students to retell the text that has just been learned.

¹ **复习** fùxí 〈动 v.〉温习学过的东西 review what has been learnt：我每天都~老师教过的课文。*Wǒ měitiān dōu yào ~ lǎoshī jiāoguo de kèwén.* Everyday I have to review the text that the teacher has taught. | 学过的知识要经常~。*Xuéguo de zhīshi yào jīngcháng ~.* The acquired knowledge should be reviewed frequently. | 已学过的东西往往会获得新的体会。*~ yǐ xuéguo de dōngxi wǎngwǎng huì huòdé xīn de tǐhuì.* Reviewing old things often brings new understandings.

⁴ **复兴** fùxīng ❶〈动 v.〉衰落的东西重新兴盛起来 revive; reinvigorate; rejuvenate：经济~ *jīngjì* the recovery of economy | 文艺~ *wényì* the Renaissance | 许多民族工业~起来了。*Xǔduō mínzú gōngyè ~ qǐlái le.* Many national industries have been reinvigorated. ❷〈动 v.〉使兴盛 revive; reinvigorate; rejuvenate：许多海外留学人员纷纷回国创业，为~中华民族而效力。*Xǔduō hǎiwài liúxué rényuán fēnfēn huíguó chuàngyè, wèi ~ Zhōnghuá mínzú ér xiàolì.* Many Chinese learning abroad returned to China one after another to start their own undertakings, making contributions for the resurgence of the Chinese nation.

² **复印** fùyìn 〈动 v.〉按原件翻印 duplicate; photocopy; Xerox; copy on copy machine：我写的一篇文章~了五份，请一些学者指正。*Wǒ xiě de yì piān wénzhāng ~le wǔ fèn, qǐng yìxiē xuézhě zhǐzhèng.* I've duplicated five copies of my article and sent them to some scholars for correction. | 律师把原告提供的材料都~一份以备起诉。*Lùshī bǎ yuángào tígōng de cáiliào dōu ~ yí fèn yǐbèi qǐsù.* The lawyer copied the files provided by the prosecutor so that he can use them when suing.

¹ **复杂** fùzá 〈形 adj.〉事物的种类或头绪多而杂乱（of content, aspects, etc.）complicated; complex; intricate：这个案子非常~，案中有案。*Zhège ànzi fēicháng ~, àn zhōng yǒu àn.* The case was very complicated and may interlink with other cases. | 一张老照片勾起了我~的心情。*Yì zhāng lǎo zhàopiàn gōuqǐle wǒ ~ de xīnqíng.* The old photo evokes my complicated feelings. | 这道代数题很~，我费了好大工夫才解出来。*Zhè dào dàishùtí hěn ~, wǒ fèile hǎo dà gōngfu cái jiě chūlái.* The algebra problem was very complicated. It took me a lot of time to solve it.

³ **复制** fùzhì 〈动 v.〉仿照原样制作或翻印书籍等 duplicate; reproduce; make a copy of（books）：现在用电脑~图片很方便。*Xiànzài yòng diànnǎo ~ túpiàn hěn fāngbiàn.* It is very convenient to reproduce pictures with a computer now. | 这本古籍只~了30份，供有关人员研究用。*Zhè běn gǔjí zhǐ ~le sānshí fèn, gōng yǒuguān rényuán yánjiū yòng.* Thirty copies of this ancient book have been made for the study of the relevant researchers.

² **副** fù ❶〈量 meas.〉用于计量成双成对东西 pair：一~耳环 *yí ~ ěrhuán* a pair of earrings | 每年春节大门上总要贴一~新对联。*Měinián Chūnjié dàmén shang zǒng yào tiē yí ~ xīn duìlián.* Every Spring Festival, the front door will be decorated with a pair of new couplet. ❷〈量 meas.〉用于计量成套东西 set：两~扑克牌 *liǎng ~ pūkèpái* two sets of playing cards | 我买了一~象棋。*wǒ mǎile yí ~ xiàngqí.* I bought a set of Chinese

chess. ❸〈量 *meas.*〉用于人的表情 indicating facial expression：一~伪善的面孔 yí ~ wěishàn de miànkǒng a hypocritical face; hypocritical looks｜他这~嘴脸令人讨厌。*Tā zhè ~ zuǐliǎn lìngrén tǎoyàn.* His look is so disgusting. ❹〈量 *meas.*〉用于计量中草药 used for Chinese traditional medicine：一~汤药 yí ~ tāngyào a dose of decoction ❺〈形 *adj.*〉第二的；次级的；主管人的助手（与‘正’‘主’相对）deputy; assistant; vice-(opposite to ‘正 zhèng’ or ‘主 zhǔ’)：~厂长 ~ chǎngzhǎng deputy factory director｜~教授 ~ jiàoshòu associate professor｜他是我的~手。*Tā shì wǒ de ~shǒu.* He is my assistant. ❻〈形 *adj.*〉附带的 complementary; auxiliary; secondary：~业 ~yè sideline; side occupation｜这个工厂在生产主要产品时，还回收一些~产品。*Zhège gōngchǎng zài shēngchǎn zhǔyào chǎnpǐn shí, hái huíshōu yìxiē ~chǎnpǐn.* This factory retrieves some by-products while producing the primary products. ❼〈名 *n.*〉担任辅助职务的人 assistant：大~ dà~ chief mate; first mate｜大队~ dàduì~ subsidiary brigade commander ❽〈动 *v.*〉符合，相配 fit; correspond to; be worthy of：那个教授名不~实。*Nàge jiàoshòu míngbú~shí.* That professor was unworthy of his name.

² **副食** fùshí　〈名 *n.*〉指主食以外的鱼肉蔬菜等 non-staple food; foods other than staple food, such as fish, meat and vegetable：现在城市的~供应比以前好多了。*Xiànzài chéngshì de ~ gōngyìng bǐ yǐqián hǎoduō le.* The supply of non-staple foods in the city is better than before.｜市场上各种~品应有尽有。*Shìchǎng shang gèzhǒng ~pǐn yīngyǒujìnyǒu.* You may find every kind of non-staple food you expect to find in the market.

⁴ **副业** fùyè　〈名 *n.*〉（项 xiàng、种 zhǒng）主要职业以外的事业 sideline; side occupation：农闲时间这个农村的壮劳力都到窑上烧砖，这是他们的一项~。*Nóngxián shíjiān zhège nóngcūn de zhuàng láolì dōu dào yáo shang shāo zhuān, zhè shì tāmen de yí xiàng ~.* During the slack farming season strong farmers of the village go to work in the brickyard, which is one of their sidelines.

⁴ **副作用** fùzuòyòng　〈名 *n.*〉随着主要作用而发生的消极影响 side effect; harmful or unpleasant effect that occurs simultaneously with the main effect：相对说中草药的~较小。*Xiāngduì shuō zhōngcǎoyào de ~ jiào xiǎo.* The side effect of the traditional Chinese medicine is comparatively small.｜这件事做不好会产生~。*Zhè jiàn shì zuò bù hǎo huì chǎnshēng ~.* Side effect will occur if it is improperly handled.

⁴ **赋予** fùyǔ　〈动 *v.*〉交给，使具有 entrust; bestow; give：国家~这名外交人员一项重要使命。*Guójiā ~ zhè míng wàijiāo rényuán yí xiàng zhòngyào shǐmìng.* This diplomat has been entrusted with an important mission by the state.｜公司董事会~他掌管财务的大权。*Gōngsī dǒngshìhuì ~ tā zhǎngguǎn cáiwù de dàquán.* The company's board of directors entrusts him with the power of supervising the financial affairs.

² **富** fù　❶〈形 *adj.*〉钱财多（与‘贫’‘穷’相对）rich; wealthy（opposite to ‘贫 pín’ or ‘穷 qióng’）：他家现在很~。*Tā jiā xiànzài hěn ~.* His famili is very rich now. ❷〈形 *adj.*〉多，充裕 plenty; abundant：这是一处~矿。*Zhè shì yí chù ~ kuàng.* This is a mine of rich ore.｜我的老家地处~饶的太湖地区。*Wǒ de lǎojiā dìchù ~ráo de Tàihú dìqū.* My hometown is situated in the rich Taihu Lake area. ❸〈动 *v.*〉富足；使变富 enrich：村民们现在~起来了。*Cūnmín men xiànzài ~ qǐlái le.* Villagers have become rich now.｜一家先~，然后大家都~。*Yì jiā xiān ~, ránhòu dàjiā dōu ~.* One family becoming rich would bring along all the other families to become rich too.｜这是一项~民措施。*Zhè shì yí xiàng ~ mín cuòshī.* This is a measure taken to make people rich. ❹〈名 *n.*〉资源，财产；富人，富家 wealth; resource：财~ cái~ wealth; riches｜他家现在是全村的首~。*Tā jiā xiànzài shì quáncūn de shǒu~.* His family is the wealthiest in the village.

⁴ **富强** fùqiáng 〈形 *adj.*〉(国家)富有、强大 (of a country) rich and powerful; prosperous and strong：繁荣~ *fánróng* ~ prosperous and strong | 我们的祖国日益~。*Wǒmen de zǔguó rìyì* ~. Our country is becoming prosperous and strong day by day.

³ **富有** fùyǒu ❶〈形 *adj.*〉拥有大量财产的 wealthy; rich; affluent：他家虽很~、却还过着节俭的日子。*Tā jiā suī hěn* ~, *què hái guòzhe jiéjiǎn de rìzi.* His family is very rich, but they still lead a thrifty life. ❷〈动 *v.*〉大量具有 be rich in; be full of：他工作多年~经验。*Tā gōngzuò duō nián* ~ *jīngyàn.* He has worked for many years and is rich in experience. | 这尊雕像~象征性。*Zhè zūn diāoxiàng* ~ *xiàngzhēngxìng.* This sculpture is of symbolic meaning.

³ **富裕** fùyù ❶〈形 *adj.*〉财物充裕 (of property) prosperous; well-to-do; well off：我日子过得还不~。*Wǒ rìzi guò de hái bú* ~. I am not quite well off. | 国家的政策是走共同~的道路。*Guójiā de zhèngcè shì zǒu gòngtóng* ~ *de dàolù.* The national policy is to achieve common prosperity. ❷〈动 *v.*〉使富裕 enrich; make rich or prosperous：让人民~起来。*Ràng rénmín* ~ *qǐlái.* Let people become rich.

⁴ **富余** fùyu ❶〈动 *v.*〉充足而多余出来 have more than needed; have enough to spare：印完三本书后，还一批纸张。*Yìn wán sān běn shū hòu, hái yì pī zhǐzhāng.* When the printing of these three books is finished, there is some surplus paper left. | 这位企业家手头资金~。*Zhè wèi qǐyèjiā shǒutóu zījīn* ~. The entrepreneur has sufficient fund at hand. ❷〈形 *adj.*〉多余出来的 spare：~人员 ~ *rényuán* superfluous staff members | 我有~的时间，可以帮你做些杂事。*Wǒ yǒu* ~ *de shíjiān, kěyǐ bāng nǐ zuò xiē záshì.* I have some spare time, so I can help you to do some chores.

⁴ **腹** fù ❶〈名 *n.*〉人和某些动物躯干的一部分，通称'肚子' belly; abdomen; stomach; part of the trunk, generally called '肚子dùzi'：我这两天~部有些疼。*Wǒ zhè liǎng tiān* ~ *bù yǒuxiē téng.* I have got an ache in my belly these days. | 这种药不能空~吃。*Zhè zhǒng yào bù néng kōng* ~ *chī.* This kind of medicine cannot be taken with an empty stomach. ❷〈名 *n.*〉指内心或中心地区 in the heart; innermost：深入~地 *shēnrù* ~ *dì* go deep into the hinterland | 我写文章总要先打~稿。*Wǒ xiě wénzhāng zǒngyào xiān dǎ* ~ *gǎo.* I usually prepare a draft in my mind before I begin to write. ❸〈名 *n.*〉指正面或前面 refer to facade or front：~背受敌 ~*bèi-shòudí* be exposed to attacks from the front and the rear

⁴ **覆盖** fùgài 〈动 *v.*〉盖住 cover：下雨了，他用一块塑料布~在小汽车上。*Xià yǔ le, tā yòng yí kuài sùliàobù* ~ *zài xiǎo qìchē shang.* He covered a piece of plastic cloth on his car when it began to rain. | 天似穹庐，~四野。*Tiān sì qiónglú,* ~ *sìyě.* The sky is like a huge dome of the cottage, covering the vast expanse of the wild.

G

¹该 gāi ❶〈助动 *aux. v.*〉应当 need; ought to; should: 应～ *yīng*~ should; ought to; must │~当何罪？ ~ *dāng hé zuì*? What punishment do you think you deserve? │~来的都来了。 *~ lái de dōu lái le*. Those who should come have turned up. │肚子饿了，~吃饭了。 *Dùzi è le, ~ chīfàn le*. I feel hungry and ought to eat something. │干了一天的活儿，~休息一下了。 *Gànle yì tiān de huór, ~ xiūxi yíxià le*. You need a break, as you have been working all day. **❷**〈助动 *aux. v.*〉表示估计和可能 it is expected; probably: 年底了，~收订报费了吧？ *Niándǐ le, ~ shōu dìngbàofèi le ba*? It's the end of the year. Isn't it time to collect subscriptions to newspapers? │他出差快一个月了，~回来了吧？ *Tā chūchāi kuài yí gè yuè le, ~ huílái le ba*? He has been away on business for almost a month. Will he be coming back very soon? **❸**〈动 *v.*〉应当是；轮到 be sb. 's duty or turn (to do sth.): 大家都说了，~你发言了。 *Dàjiā dōu shuō le, ~ nǐ fāyán le*. All of us have spoken. It's your turn to take the floor. │别人都去过了，~他去了。 *Biéren dōu qùguo le, ~ tā qù le*. The others have been there. It's his turn to go. │三伏天过去了，天气~凉快了。 *Sānfútiān guòqù le, tiānqì ~ liángkuài le*. Three ten-day periods of the hot season have passed. It should be cool by now. **❹**〈动 *v.*〉表示理所应当 deserve: 活～。 *Huó ~.* You deserve it. │~! 谁叫你乱吃东西。 *~! Shéi jiào nǐ luàn chī dōngxi*. It serves you right! You shouldn't have eaten indiscriminately. **❺**〈动 *v.*〉欠钱；欠账 owe: ~钱 *~qián* owe a sum of money │~账 *~zhàng* owe a debt │他还～你多少钱？ *Tā hái ~ nǐ duōshao qián*? How much does he still owe you? │没带零钱就先～着吧! *Méi dài língqián jiù xiān ~zhe ba*! You can pay back later as you don't have change with you. **❻**〈代 *pron.*〉作为指示词，指代上文所指的人或事（多用于书面文字）(usu. in written form) this; that; the said; the above-mentioned: ～女士 *~nǚshì* this lady │～地 *~dì* the above-mentioned area │这是一部新出版的辞书，~书在市场上十分畅销。 *Zhè shì yí bù xīn chūbǎn de císhū, ~ shū zài shìchǎng shang shífēn chàngxiāo*. The dictionary has just come off the press. It sells very well in the market. │北大日前宣布，~校明年不扩招。 *Běi-Dà rìqián xuānbù, ~ xiào míngnián bú kuòzhāo*. Peking University announced a few days ago that it was not going to increase enrolment next year.

¹改 gǎi ❶〈动 *v.*〉改变；更改 change; transform: ～观 *~guān* take on a new look; change in appearance │～行 *~háng* give up one's original profession for a new one │～口 *~kǒu* withdraw or modify one's previous remark; address sb. in a different way │～选 *~xuǎn* hold a new election │～朝换代 *~cháo-huàndài* replace an old regime with a new one; change of dynasty │原定今天举行的足球比赛因故~期了。 *Yuándìng jīntiān jǔxíng de zúqiú bǐsài yīngù ~qī le*. The football match set for today has been postponed due to some reason. ❷〈动 v.〉修改 alter; revise: ~文章 ~ *wénzhāng* revise an article | 他的这份报告~了好几遍了。*Tā de zhè fèn bàogào ~le hǎo jǐ biàn le.* His report has been revised several times. | 这条裙子太长了，应该~短一点儿。*Zhè tiáo qúnzi tài cháng le, yīnggāi ~ duǎn yìdiǎnr.* The skirt is too long and should be made a bit shorter. ❸〈动 v.〉改正 correct; rectify; remedy; put right: ~过自新 ~*guò-zìxīn* correct one's errors and make a fresh start; turn over a new leaf | ~正错误 ~*zhèng cuòwù* correct one's mistakes

³ **改编** gǎibiān ❶〈动 v.〉根据原著重新改写(多指文学作品，改编后的体裁与原著不同) rewrite an original work (usu. literary works into a different genre); adapt: 这部电视剧是根据同名小说~的。*Zhè bù diànshìjù shì gēnjù tóngmíng xiǎoshuō ~ de.* The TV drama is adapted from a novel of the same title. ❷〈动 v.〉改变原来的编制 change the original organizational structure; reorganize: 这支部队经过~，战斗力大大加强了。*Zhè zhī bùduì jīngguò ~, zhàndòulì dàdà jiāqiáng le.* The combat capability of this army has been greatly strengthened after its reorganization.

¹ **改变** gǎibiàn ❶〈动 v.〉事物发生显著变化 (of things) become noticeably different: ~观念 ~ *guānniàn* change the mode of thinking | ~经济条件 ~ *jīngjì tiáojiàn* improve the economic conditions | ~工作方法 ~ *gōngzuò fāngfǎ* change the way of work | ~生活习惯 ~ *shēnghuó xíguàn* change habits and customs | 轿车进入家庭，~了人们的出行方式。*Jiàochē jìnrù jiātíng, ~le rénmen de chūxíng fāngshì.* Cars possessed by individual households have changed people's mode of transport. ❷〈动 v.〉改换；更改 change; alter: ~招生计划 ~*zhāoshēng jìhuà* change the enrolment plan | ~行车路线 ~ *xíngchē lùxiàn* alter the driving route | ~销售渠道 ~ *xiāoshòu qúdào* change the channel of distribution ❸〈名 n.〉事物发生的变化 change: 人们的思想观念都有了很大的~。*Rénmen de sīxiǎng guānniàn dōu yǒule hěn dà de ~.* Great changes have taken place in people's mode of thinking. | 随着经济条件的~，人们的生活条件也有了很大的~。*Suízhe jīngjì tiáojiàn de ~, rénmen de shēnghuó tiáojiàn yě yǒule hěn dà de ~.* Along with the improvement in economic conditions, the people's living conditions have also improved.

² **改革** gǎigé〈动 v.〉指把事物中旧的不合理的成分改变成新的适应客观形势发展的过程 improve by changing old, irrational factors so as to conform to the objective conditions; reform: 政治 ~ *zhèngzhì* political reform | 技术 ~ *jìshù* carry out technological innovation | 国企 ~ *guóqǐ* reform the state-owned enterprises | 文字 ~ *wénzì* reform a writing system | 一切不合理的规章制度。~ *yīqiè bù hélǐ de guīzhāng zhìdù.* All the irrational rules and regulations should be reformed. ❷〈名 n.〉改造旧事物、旧制度的活动 activities involved in reforming old things or systems: 农村的~正在深入发展。*Nóngcūn de ~ zhèngzài shēnrù fāzhǎn.* The reforms carried out in rural areas are deepening. | 教育制度的~势在必行。*Jiàoyù zhìdù de ~ shìzàibìxíng.* The reform of educational system must be carried out without delay.

⁴ **改建** gǎijiàn〈动 v.〉在原有的基础上进行改造，使之适应新的需要(多指建筑物、厂矿、工程项目等)(usu. of buildings, factories, mines, construction projects) build on the original basis while adapting to new requirements; reconstruct: 这座立交桥经过~，附近的交通状况大为改观了。*Zhè zuò lìjiāoqiáo jīngguò ~, fùjìn de jiāotōng zhuàngkuàng dàwéi gǎiguān le.* The traffic condition near the overpass has been greatly improved since its reconstruction.

² **改进** gǎijìn ❶〈动 v.〉改变落后的状况使其有所进步 improve by changing the backward situation; ameliorate: ~落后的教学方法 ~ *luòhòu de jiàoxué fāngfǎ* improve

the outdated teaching method │ 这里的环境卫生状况亟待~. *Zhèli de huánjìng wèishēng zhuàngkuàng jídài ~*. The environmental sanitation here must be improved without delay. ❷〈名 *n.*〉指改进的结果 result of improvement：宾馆的服务态度有了很大的~. *Bīnguǎn de fúwù tàidù yǒule hěndà de ~*. Great improvements appeared in the service of the hotel. │ 他的工作方法有了明显的~. *Tā de gōngzuò fāngfǎ yǒule míngxiǎn de ~*. There are noticeable improvements in his working method.

³ 改良 **gǎiliáng**〈动 *v.*〉改变事物中个别不合理的成分，使之更适应需要 discard irrational factors so as to better conform to requirements：~小麦的品种 ~ *xiǎomài de pǐnzhǒng* improve a strain of wheat │ ~土壤 ~ *tǔrǎng* improve the soil │ ~主义 ~ *zhǔyì* reformism │ 对羊的品种进行~. *Duì yáng de pǐnzhǒng jìnxíng ~*. An effort is made to improve the breed of sheep.

² 改善 **gǎishàn**〈动 *v.*〉改变原有的状况使之更好 improve; make the situation better：~生活条件 ~ *shēnghuó tiáojiàn* improve the living conditions │ ~国家关系 ~ *guójiā guānxì* improve the relations between countries │ 住宅小区的兴建，大大~了居民的居住条件。*Zhùzhái xiǎoqū de xīngjiàn, dàdà ~le jūmín de jūzhù tiáojiàn*. The construction of the housing estate has greatly improved the housing conditions of the residents.

⁴ 改邪归正 **gǎixié-guīzhèng**〈成 *idm.*〉从歧路上回归正道 break with evil and return to good：经过教育他终于~了。*Jīngguò jiàoyù tā zhōngyú ~ le*. He finally gave up vice and returned to virtue after being enlightened.

² 改造 **gǎizào**〈动 *v.*〉修改或变更原有的事物，使之适合需要；从根本上改变旧的建立新的 modify or change the original conditions to conform to requirements; radically replace the old with the new：~大自然 ~ *dàzìrán* transform nature │ ~沙漠 ~ *shāmò* transform the desert │ ~世界观 ~ *shìjièguān* transform the world outlook │ 北京市进行了大规模的城市~工程。*Běijīng Shì jìnxíngle dà guīmó de chéngshì ~ gōngchéng*. The city of Beijing has been undergoing redevelopment on a massive scale.

² 改正 **gǎizhèng**〈动 *v.*〉把错误的改成正确的 correct; amend; put right：~缺点 ~ *quēdiǎn* overcome one's shortcomings │ ~错别字 ~ *cuòbiézì* correct wrongly written and misused characters │ 要勇于~错误。*Yào yǒngyú ~ cuòwù*. One should be brave enough to correct his mistakes.

⁴ 改组 **gǎizǔ**〈动 *v.*〉改变原来的组织机构或更换原机构的组成人员 restructure the original organization or change the staff; reorganize; reshuffle：~内阁 ~ *nèigé* reshuffle the cabinet │ ~领导班子 ~ *lǐngdǎo bānzi* reshuffle the leadership │ ~董事会 ~ *dǒngshìhuì* shake up the board of directors │ 公司高层领导进行了~。*Gōngsī gāocéng lǐngdǎo jìnxíngle ~*. There is a shakeup in the top management of the company.

⁴ 钙 **gài**〈名 *n.*〉金属元素，符号Ca calcium (Ca), metallic element：~化 ~*huà* calcify │ 缺~ *quē* ~ calcium-deficient │ 老年人骨骼疏松应补~。*Lǎoniánrén gǔgé shūsōng yīng bǔ ~*. The elderly suffer from osteoporosis and should take calcium supplement.

² 盖 **gài** ❶〈动 *v.*〉自上而下地遮掩；蒙上 put a cover on; cover：~盖儿 ~ *gàir* put a lid on │ ~好 ~ *hǎo* cover completely │ ~棉被 ~ *miánbèi* put a cotton-padded quilt on │ 雌海龟在沙滩上产蛋后用沙子把蛋~上。*Cí hǎiguī zài shātān shang chǎn dàn hòu yòng shāzi bǎ dàn ~shàng*. The female sea turtle lays eggs on the beach and covers them with the sand. ❷〈动 *v.*〉建造（房屋）build (houses)：~高楼 ~ *gāolóu* build a high-rise │ ~厂房 ~ *chǎngfáng* build a workshop │ ~住宅 ~ *zhùzhái* construct residential buildings │ 这幢楼~了两年还没~好。*Zhè zhuàng lóu ~le liǎng nián hái méi ~hǎo*. This building still has not been completed after two years of construction. ❸〈动 *v.*〉打上（印）affix (a seal)：

~图章 ~ *túzhāng* put the seal on sth. ; stamp │ ~邮戳 ~ *yóuchuō* put a postmark on │ ~纪念戳 ~ *jìniànchuō* put a commemorative seal on │ ~钢印 ~ *gāngyìn* affix an embossing seal ❹ 〈动 *v.*〉超过；压倒 surpass; top：墙外锅炉房的噪音~过了室内的电话铃声。 *Qiáng wài guōlúfáng de zàoyīn ~guòle shìnèi de diànhuà língshēng.* The noise from the boiler room outside the wall drowned the ringing of the phone in the room. │ 她的英语水平是班上最好的，~过了所有的人。*Tā de Yīngyǔ shuǐpíng shì bān shang zuì hǎo de, ~ guòle suǒyǒu de rén.* Her English is the best in class and surpasses everyone else. ❺ 〈动 *v.* 方 dial.〉非常好；特别的好 extraordinarily good; superb：~了帽子了！ *~le mào le !* It's simply superb！ ❻（~儿）〈名 *n.*〉器物上起遮掩作用的扁平状的东西 flat object that covers a utensil：锅~ *guō* ~ lid of a wok │ 茶杯~儿 *chábēi* ~*r* teacup lid │ 缸~ *gāng* ~ vat cover │ 井~ *jǐng* ~ well cover │ 瓶~ *píng* ~ cap of a bottle ❼ 〈名 *n.*〉人体上部分骨骼 upper part of the human skeleton：膝~ *xī*~ knee │ 天灵~ *tiānlíng*~ top of the skull ❽ 〈名 *n.*〉中国旧式婚礼新娘蒙在头上的红绸布 red silk veil covering the bride's head in a traditional Chinese wedding：~头 ~*tóu* bridal veil ❾（~儿）〈名 *n.*〉一些动物背部的甲壳 shell on the back of an animal：乌龟~儿 *wūguī* ~*r* tortoise shell │ 螃蟹~儿 *pángxiè* ~*r* crab shell ❿〈名 *n.*〉中国古代帝王所乘车子上用以象征权力并起遮阳作用的伞状物 an object like an umbrella used in the carriage of ancient Chinese emperors, symbolizing the power and providing shade from the sun：华~ *huá*~ canopy

³ **盖子** gàizi ❶〈名 *n.*〉（个 gè）一种起遮掩作用的扁平状物体 flat object that protects by covering; lid; cover; cap; top：玻璃~ *bōli* ~ glass lid │ 搪瓷~ *tángcí* ~ enamel lid │ 茶壶~ *cháhú* ~ teapot lid │ 瓶~ *píng*~ lid of a bottle │ 盖上~ *gàishang* ~ cover with a lid │ 打开~ *dǎkāi* ~ remove a lid ❷〈名 *n.*〉引申为掩盖事情内幕的事物 ext. what goes on behind the scenes; inside story：揭~ *jiē* ~ lift up the lid; reveal the inside story

⁴ **概况** gàikuàng 〈名 *n.*〉大概的情况 general situation：人民生活~ *rénmín shēnghuó* ~ general living conditions of the people │ 经济建设~ *jīngjì jiànshè* ~ general situation of the economic construction │ 国家~ *guójiā* ~ a brief survey of the country │ 历史发展~ *lìshǐ fāzhǎn* ~ survey of historical development

² **概括** gàikuò ❶〈动 *v.*〉把事物的共同特点归结在一起；总括 summarize; generalize; epitomize：~主要内容 ~ *zhǔyào nèiróng* sum up the main points │ 当前的世界形势~起来具有以下几个特点。*Dāngqián de shìjiè xíngshì ~ qǐlái jùyǒu yǐxià jǐ gè tèdiǎn.* The current world situation may be generalized into following points. ❷〈形 *adj.*〉简单扼要 brief and to the point：请把情况~地说一说。*Qǐng bǎ qíngkuàng ~ de shuō yì shuō.* Please give a brief account of the situation.

² **概念** gàiniàn 〈名 *n.*〉反映客观事物的基本属性的思维形式 form of thinking reflecting the basic properties of things that exist independent of human consciousness; concept; conception; notion; idea：政治~ *zhèngzhì* ~ political concept │ 物理~ *wùlǐ* ~ physical concept │ ~模糊 ~ *móhú* indistinct concept │ ~清晰 ~ *qīngxī* distinct concept │ 科学认识的成果，都是通过形成各种~来加以总结和概括的。*Kēxué rènshi de chéngguǒ, dōu shì tōngguò xíngchéng gèzhǒng ~ lái jiāyǐ zǒngjié hé gàikuò de.* Scientific knowledge is summarized and generalized by forming various concepts.

² **干** gān ❶〈形 *adj.*〉没有水分或水分很少（与'湿'相对）dry (opposite to '湿 shī')：~燥 ~*zào* dry │ 衣服~了。*Yīfu ~ le.* The washing has dried. │ 油漆未~，请勿触摸！*Yóuqī wèi ~, qǐng wù chùmō.* Wet paint！ Keep off！ ❷〈形 *adj.*〉不用水的 without using water：~洗 ~*xǐ* dry-clean ❸〈形 *adj.*〉表面显得强大，实际很虚弱 strong in appearance but weak inside：外强中~ *wàiqiáng-zhōng*~ outwardly strong and inwardly weak ❹〈形

adj.〉拜认的亲属关系 taken into nominal kinship：~妈 *~mā* nominally adoptive mother │ ~女儿 *~nǚ'ér* nominally adoptive daughter ❺〈形 *adj.*〉徒有形式 of a mere form; without substance：~哭 *~kū* cry but shed no tears │ ~笑 *~xiào* hollow laugh │ ~号 *~háo* howl without tears ❻〈形 *adj.*〉枉然 in vain; futile; of no avail：~着急 *~ zháojí* be anxious but unable to do anything │ ~瞪眼 *~dèngyǎn* stand by anxiously, unable to help; look on in despair │ 打雷，不下雨（比喻只有声势没有行动）。 All thunder but no rain（*fig.* much noise but no action）. ❼（~儿）〈名 *n.*〉加工制成的不含水分或水分很少的食品 dried food with little or no water：豆腐 ~*dòufu ~r* dried bean curd │ 葡萄~*r pútáo ~r* raisin │ 饼~*bǐng~* biscuit; cracker │ ~酪 *~lào* cheese │ 贝 ~*bèi* dried scallop ❽〈名 *n.*〉不含糖分的（葡萄酒）(of grape wine) without sugar：~红 *~hóng* dry red wine │ ~白 *~bái* dry white wine ❾〈名 *n.*〉中国古代的一种兵器 weapon of war in ancient China：戈 ~*gē* weapons of war ❿〈名 *n.*〉天干 Heavenly Stems：~支 *~zhī* Heavenly Stems and Earthly Branches（two sets of signs, with one being taken from each set to form 60 pairs, designating years, months and days, now mostly years）⓫〈动 *v.*〉触犯；扰乱 offend; disrupt：~犯 *~fàn* infringe upon │ ~扰 *~rǎo* disturb ⓬〈动 *v.*〉牵连 involve：这事和我不相~。 *Zhè shì hé wǒ bù xiāng~.* I have nothing to do with this. ⓭〈动 *v.* 口 *colloq.*〉不理睬 leave out in the cold：你怎么把客人~在一边？ *Nǐ zěnme bǎ kèrén ~ zài yìbiān?* How can you leave the guests out in the cold?

☞ *gàn*, p. 341

² 干杯 gān//bēi〈动 *v.*〉把杯子中的酒喝尽（用于宴请或喜庆场合劝人饮酒）(urging sb. to drink at a banquet or on joyous occasions) drink a toast; bottoms up：为我们双方成功的合作~！ *Wèi wǒmen shuāngfāng chénggōng de hézuò ~!* Let's drink to the successful cooperation between us. │ 难得见面，请大家多干上几杯。 *Nándé jiànmiàn, qǐng dàjiā duō gānshang jǐ bēi.* Please drink more toasts since we do not meet very often.

² 干脆 gāncuì ❶〈形 *adj.*〉直截了当；爽快 clear-cut; straightforward：我们的经理说话办事~利落。 *Wǒmen de jīnglǐ shuōhuà bànshì ~ lìluò.* Our manager speaks straightforwardly and acts with decision. │ 他答应得很~。 *Tā dāying de hěn ~.* He agreed readily. ❷〈副 *adv.*〉表示作出决断，采取一种断然措施或极端的行为 simply; just; altogether：与其吃力不讨好，不如~别干了。 *Yǔqí chīlì bù tǎohǎo, bùrú ~ bié gàn le.* Better quit doing this altogether than work hard but get little thanks. │ 天黑了，路又不好走，~别去了。 *Tiān hēi le, lù yòu bù hǎo zǒu, ~ bié qù le.* It's getting dark and the road is in a poor condition. We'd better put off the trip.

³ 干旱 gānhàn〈形 *adj.*〉气候、土壤因降水不足而干燥 (of climate or soil) arid due to a shortage of precipitation：中国北方的气候~少雨。 *Zhōngguó běifāng de qìhòu ~ shǎo yǔ.* The climate of northern part of China is characterized by drought and inadequate rainfall. │ 由于天气~影响了粮食产量。 *Yóuyú tiānqì ~ yǐngxiǎngle liángshi chǎnliàng.* The dry weather affected the grain yield. │ 优良的小麦品种具有耐~、抗倒伏的特性。 *Yōuliáng de xiǎomài pǐnzhǒng jùyǒu nài ~, kàng dǎofú de tèxìng.* The superior strain of wheat is drought-enduring and resistant to lodging.

¹ 干净 gānjìng ❶〈形 *adj.*〉没有尘土、污渍等 clean; free from dust and stain：街道很~。 *Jiēdào hěn ~.* The street is quite clean. │ 屋里很~。 *Wū li hěn ~.* The room is quite clean. │ 衣服洗得很~。 *Yīfu xǐ de hěn ~.* The clothes are washed quite clean. │ 干干净净过国庆。 *Gāngān-jìngjìng guò Guóqìng.* Celebrate the National Day in a clean environment.

G

❷〈形 adj.〉形容整洁、不脏乱 neat and tidy：这个考生交来的考卷卷面很~。Zhège kǎoshēng jiāolái de kǎojuàn juànmiàn hěn ~. The examination paper of this candidate is quite neat and tidy. ❸〈形 adj.〉做事、写文章利落，不拖泥带水（of action or writing）concise; neat; to the point：他办事~利落。Tā bànshì ~ lìluò. He is a man of decision. │他写的文章，笔下很~。Tā xiě de wénzhāng, bǐxià hěn ~. He writes in a succinct and straightforward style. ❹〈形 adj.〉比喻一点儿不剩 fig. complete; total; without leaving anything：~吃 ~ chī - eat up │喝~ hē - drink up │消灭 ~ xiāomiè - eliminate; wipe out │打扫 ~ dǎsǎo - clean up │这件事他忘得一干二净。Zhè jiàn shì tā wàng de yìgān-èrjìng. He completely forgot about this.

³ 干扰 gānrǎo ❶〈动 v.〉(做出的动作或发出的声音)影响到他人；打扰；扰乱（of action or sound）affect others; disturb; interfere：~正常生活 ~ zhèngcháng shēnghuó interfere with normal life │~学习秩序 ~ xuéxí zhìxù interfere with study environment │建筑工地夜间施工产生的噪音，~了附近居民的休息。Jiànzhù gōngdì yèjiān shīgōng chǎnshēng de zàoyīn, ~le fùjìn jūmín de xiūxi. The noises from the construction site at night disturbed the sleep of residents living nearby. ❷〈名 n.〉指妨碍无线电设备正常接受信号的电磁振荡 radio interference; jam; electromagnetic vibrations that hamper a radio's normal reception of signals：太阳耀斑对无线电通信会造成很大~。Tàiyáng yàobān duì wúxiàndiàn tōngxìn huì zàochéng hěn dà ~. Solar flare will cause great interference to radio communication. │雷雨天电视信号会受到~。Léiyǔtiān diànshì xìnhào huì shòu dào ~. The TV signal will be affected by interference from the thunderstorm.

³ 干涉 gānshè〈动 v.〉过问；干预(职责权限范围以外的事) interfere (in things beyond one's scope of responsibility or extent of authority)：~别国内部事务 ~ biéguó nèibù shìwù interfere in the internal affairs of other countries │互不~内政 hù bù ~ nèizhèng non-interference in each other's internal affairs │对儿女的婚姻不应横加~。Duì érnǚ de hūnyīn bù yīng héngjiā ~. Parents should not interfere wantonly in the marriage of their children.

⁴ 干预 gānyù〈动 v.〉参预；过问（他人的事）intervene; interpose; meddle：~政治 ~ zhèngzhì intervene in politics │~决策 ~ juécè intervene in decision-making │属于下级权限范围的事，上级不应~。Shǔyú xiàjí quánxiàn fànwéi de shì, shàngjí bù yīng ~. The superior should not interfere in things within the limits of the subordinate.

² 干燥 gānzào〈形 adj.〉没有水分或水分很少 dry; arid：空气~ kōngqì ~ dry air │皮肤~ pífū ~ dry skin │沙漠地区干旱少雨，气候~。Shāmò dìqū gānhàn shǎo yǔ, qìhòu ~. The desert climate is arid with little rainfall.

³ 甘 gān ❶〈形 adj.〉甜；甜美；幸福（与'苦'相对）sweet; pleasant; happy（opposite to '苦 kǔ'）：~泉 ~ quán sweet spring water │~露 ~ lù sweet dew │~之如饴 ~zhīrúyí enjoy sth. bitter as if it were malt sugar — gladly endure hardships for a noble cause │同~苦，共患难。Tóng ~kǔ, gòng huànnàn. Share weal and woe; go through thick and thin together ❷〈动 v.〉自愿；情愿 do sth. willingly or voluntarily：~拜下风 ~bài-xiàfēng candidly admit or concede defeat; sincerely acknowledge sb.'s superiority │不~落后 bù ~ luòhòu take to trail behind │居人下 ~ jū rén xià be content to be below others; be content to occupy an inferior position │~愿为您效劳。~yuàn wèi nín xiàoláo. At your service.

⁴ 甘心 gānxīn ❶〈动 v.〉打心里愿意 do sth. of one's own accord：~情愿 ~ qíngyuàn be ready and willing │~吃亏 ~ chīkuī be willing to suffer losses │他~在边疆地区工作一

辈子。*Tā ~ zài biānjiāng dìqū gōngzuò yíbèizi.* He is willing to spend his lifetime working in the border area. ❷〈动 *v.*〉称心满意 be contented with; resign oneself to; be reconciled to: 不夺金牌决不~。*Bù duó jīnpái jué bù ~.* I will never be happy unless I win a gold medal. | 考不上名牌学校他怎么能~呢? *Kǎo bú shàng míngpái xuéxiào tā zěnme néng ~ ne?* How can he be happy unless he is enrolled by a prestigious university?

甘蔗 gānzhe〈名 *n.*〉(棵 kē、根 gēn) 多年生草本植物,茎含糖质,是主要的制糖原料 sugar cane: 种~ *zhòng ~* grow sugar cane | 砍~ *kǎn ~* cut down sugar cane | ~除榨糖外,还有多种用途。*~ chú zhàtáng wài, háiyǒu duō zhǒng yòngtú.* Besides being refined for sugar, the sugar cane is used in many other ways.

¹ **杆** gān〈名 *n.*〉木头等制成的有一定用途的细长的器物 long and thin implement made of wood, etc. | 旗~ *qí~* flagpole; flag post | 电线~ *diànxiàn ~* wire pole | 竖~ *shù~* vertical bar | 横~ *héng~* crossbar

☞ gǎn, p. 337

² **肝** gān〈名 *n.*〉人和高等动物的消化器官之一 liver; digestive organ of man and higher animals: ~火 *~huǒ* irascibility | ~脏 *~zàng* liver | ~功能 *~gōngnéng* liver function | 鱼~油 *yú~yóu* cod-liver oil | ~硬化 *~yìnghuà* cirrhosis of the liver | ~肠寸断(形容悲痛之极)*~cháng-cùnduàn (xíngróng bēitòng zhī jí)* afflicted with profound grief; deeply grieved; heartbroken | ~胆相照(比喻真诚相待)*~dǎn-xiāngzhào (bǐyù zhēnchéng xiāngdài)* devoted to each other heart and soul (treat each other with sincerity) | ~脑涂地(表示尽心竭力,不惜牺牲生命)*~nǎo-túdì (biǎoshì jìnxīn jiélì, bùxī xīshēng shēngmìng)* be ready to spill one's liver and brain on the ground (be ready to lay down one's life for a cause; be willing to repay a favor with extreme sacrifice)

⁴ **肝炎** gānyán〈名 *n.*〉肝脏发炎的病症 inflammation of the liver; hepatitis: 慢性~ *mànxìng ~* chronic hepatitis | 预防~ *yùfáng ~* prevention of hepatitis | ~病人 *~bìngrén* hepatitis patient | 他染上了~。*Tā rǎnhàngle ~.* He contracted hepatitis.

⁴ **竿** gān〈名 *n.*〉专指截取竹子主干制成的杆子 bamboo pole: 竹~ *zhú~* bamboo pole | 鱼~ *yú~* fishing rod | 晒衣~ *shàiyī~* clothes pole; washing pole

⁴ **杆** gǎn ❶ (~儿)〈名 *n.*〉器物上像棍子一样的细长部分(包括中空的) shaft or arm of an implement (including the hollow one): 笔~儿 *bǐ~r* pen holder; shaft of a pen or writing brush | 枪~儿 *qiāng~r* barrel of a rifle | 秤~儿 *chèng~r* arm of a steelyard | 烟袋儿 *yāndài~r* stem of a pipe ❷〈量 *meas.*〉计算有杆的器具 used for implements with a shaft: 他有一~枪。*Tā yǒu yì ~ qiāng.* He has a rifle.

☞ gǎn, p. 337

² **赶** gǎn ❶〈动 *v.*〉追 run after; chase; pursue: 追~ *zhuī~* run after; chase after | ~上 *shàng* catch up with; be in time for | ~先进 *~xiānjìn* catch up with the advanced | ~时髦 *~shímáo* follow the fashion; try to be in the trend | 你追我~ *nǐ zhuī wǒ ~* race against each other; try to outdo each other ❷〈动 *v.*〉加快速度 hurry; make a dash for; speed up: ~路 *~lù* hurry on with one's journey | ~火车 *~huǒchē* make a dash for the train station | ~任务 *~rènwu* rush through one's job | ~稿子 *~gǎozi* dash off the draft ❸〈动 *v.*〉到;去(某处) go to: ~考 *~kǎo* go and take an imperial examination | ~集 *~jí* go to a local market or country fair | ~庙会 *~ miàohuì* go to a temple fair ❹〈动 *v.*〉驾驭 drive: ~车 *~chē* drive a cart | ~牲口 *~shēngkou* herd beasts of burden | ~着一辆马车 *zhe yí liàng mǎchē* drive a horse-drawn cart ❺〈动 *v.*〉驱逐;轰赶 drive away; expel: ~蚊子 *~ wénzi* drive away mosquitoes | ~苍蝇 *~ cāngying* whisk flies off | ~鸭子 *~ yāzi* drive away ducks ❻〈动 *v.*〉遇到 come across; run into; find oneself in (a situation):

巧 ~*qiǎo* happen to; it so happens that; as luck would have it ｜正~上一场雨。*Zhèng ~ shàng yì chǎng yǔ.* I got caught in a rain. ❼〈介 *prep.*〉等到某个时候；趁着某个时机 by; till; until：~明儿我也去趟境外游。~ *míngr wǒ yě qù tàng jìngwài yóu.* I will also travel abroad some day in the future. ｜~天还没黑，我又急行了五六里路。~ *tiān hái méi hēi, wǒ yòu jíxíng le wǔ-liù lǐ lù.* I hastened to cover a distance of five or six *li* before it grew dark.

² **赶紧** gǎnjǐn〈副 *adv.*〉抓紧时间，急忙 without delay; with haste：~做 ~ *zuò* do it without delay ｜会议已经开始了，我得~去。*Huìyì yǐjīng kāishǐ le, wǒ děi ~ qù.* The meeting has begun. I have to hurry. ｜他烧得厉害，~送医院。*Tā shāo de lìhai, ~ sòng yīyuàn.* He is in a high fever and should be sent to hospital immediately. ｜他的包落在出租车上了，~去找。*Tā de bāo là zài chūzūchē shang le, ~ qù zhǎo.* He left his briefcase in the taxi. Let's go and try to find it without delay.

² **赶快** gǎnkuài〈副 *adv.*〉抓紧时间,加快速度 hurriedly; quickly; at once：时间不早了，还不~走。*Shíjiān bù zǎo le, hái bù ~ zǒu.* Time is getting on. You'd better set off at once. ｜别人都吃完了，你还不~吃。*Biéren dōu chīwán le, nǐ hái bù ~ chī.* The others have finished their meal. You should hurry up. ｜~上车吧，火车快开了。~ *shàngchē ba, huǒchē kuài kāi le.* Please get on board now, the train is leaving.

³ **赶忙** gǎnmáng〈副 *adv.*〉动作迅速，急迫 hurriedly; hastily：~站起来 ~ *zhàn qǐlái* stand up in haste ｜他听见是我叫他，~跑过来。*Tā tīngjiàn shì wǒ jiào tā, ~ pǎo guòlái.* He hastily ran to meet me when he heard me calling him. ｜他看见一位老大爷上车，~起身让座。*Tā kànjiàn yíwèi lǎodàye shàngchē, ~ qǐshēn ràngzuò.* He promptly stood up and offered his seat to an old man who had just got on the bus.

³ **赶上** gǎn//shàng ❶〈动 *v.*〉追上 catch up with; keep pace with: 迎头~ *yíngtóu ~* strive to catch up with the foremost; try hard to catch up ｜赶得上 *gǎndeshàng* be able to catch up ｜赶不上 *gǎnbúshàng* be unable to catch up ｜他的学习成绩是全班最好的,同学们都憋足劲儿要~他。*Tā de xuéxí chéngjì shì quánbān zuì hǎo de, tóngxuémen dōu biēzú jìnr yào ~ tā.* He has the best school record in class and all the other students are bursting with energy and ready to catch up with him. ❷〈动 *v.*〉遇上、碰到 encounter; come across：~一场大雨 ~ *yì cháng dà yǔ* be caught in a downpour ｜他到北京的时候，正~国庆节。*Tā dào Běijīng de shíhou, zhèng ~ Guóqìng Jié.* He happened to arrive in Beijing on the National Day. ｜晚上的电视节目很精彩，可惜没~看。*Wǎnshàng de diànshì jiémù hěn jīngcǎi, kěxī méi ~ kàn.* The TV program in the evening was wonderful, but I missed it unfortunately.

¹ **敢** gǎn ❶〈助动 *aux. v.*〉表示有勇气、有胆量 indicating courage or boldness：~想~干 ~*xiǎng~gàn* dare to think and dare to act; be bold of vision and courageous in action ｜~做~当 ~*zuò~~dāng* be bold enough to do sth. and take the consequences ｜~怒不~言 ~*nù bù ~ yán* be forced to keep one's resentment to oneself; suppress one's rage; choke with silent fury ｜你~不~和他比赛? *Nǐ ~ bù ~ hé tā bǐsài?* Dare you compete against him? ❷〈助动 *aux. v.*〉表示有把握对某事做出判断 indicating certainty in making judgement：他能不能出席会议，我不~肯定。*Tā néng bù néng chūxí huìyì, wǒ bù ~ kěndìng.* I'm not sure whether he will be able to attend the meeting. ｜我~保证他不会按期还贷款。*Wǒ ~ bǎozhèng tā bú huì ànqí huán dàikuǎn.* I'm certain that he will not pay back the loan on time. ❸〈形 *adj.*〉有胆量，有勇气 bold; courageous：勇~ *yǒng~* bold; brave ｜这是个果~的决定。*zhè shì gè guǒ~ de juédìng.* This is a courageous resolution. ❹〈副 *adv.*〉大概 probably：天又闷又热，~是要下雨。*Tiān yòu mēn yòu rè, ~ shì yào*

xiàyǔ. It's stifling hot. Probably it is going to rain.

³ **敢于** gǎnyú 〈助动 *aux. v.*〉有勇气、有决心(做某件事) indicating courage or resolution (in doing sth.): ~挑重担 ~ *tiāo zhòngdàn* dare to shoulder a heavy burden │ ~创新 ~ *chuàngxīn* dare to innovate │ 他~承担责任。*Tā ~ chéngdān zérèn.* He dares to shoulder responsibilities.

◆ **感** gǎn ❶〈动 *v.*〉心理上的反应；觉得 feel; sense: ~官 ~*guān* sensory organ │ ~伤 ~*shāng* sad; sorrowful; sentimental │ ~应 ~*yìng* response; interaction │ ~兴趣 ~*xìngqù* be interested in ❷〈动 *v.*〉因情感而激动；感动 move; touch; affect: ~触 ~*chù* thought and feelings; emotional stirrings │ ~人肺腑 ~*rén-fèifǔ* touch one to the heart; touch one to the depths of one's soul │ 百~交集 bǎi~jiāojí a multitude of feelings surge up; all sorts of feelings well up in one's heart │ 多愁善~ *duōchóu-shàn~* excessively sentimental │ ~人至深 ~*rén-zhìshēn* move one profoundly ❸〈动 *v.*〉对别人表示谢意 be thankful; be grateful; be obliged: ~谢 ~*xiè* thank │ ~恩 ~*ēn* feel grateful │ ~激之情，溢于言表。~*jī zhī qíng, yìyúyánbiǎo.* His gratefulness came through in overtones. ❹〈动 *v.*〉受风寒；伤风 be affected by cold; catch cold: ~冒 ~*mào* cold; catch cold │ 流~ *liú~* flu ❺〈动 *v.*〉胶卷、晒图纸接触光线后发生变化 (of film, blueprint paper) sensitize: ~光 ~*guāng* sensitization ❻〈词尾 *suff.*〉附在名词、动词或形容词之后表示某种觉感 used after a noun, verb or adjective to indicate a certain feeling: 美~ *měi~* sense of beauty; aesthetic feeling │ 反~ *fǎn~* disgust; aversion │ 快~ *kuài~* pleasant sensation; joy │ 灵~ *líng~* inspiration │ 观~ *guān~* impressions on what one has seen │ 责任~ *zérèn~* sense of responsibility │ 使命~ *shǐmìng~* sense of mission │ 自豪~ *zìháo~* sense of pride │ 安全~ *ānquán~* sense of security │ 危机~ *wēijī~* sense of crisis │ 纯毛与混纺织物摸起来手~就是不一样。*Chúnmáo yǔ hùnfǎng zhīwù mō qǐlái shǒu~ jiùshì bù yíyàng.* The pure wool and the blend fabric feel completely different. │ 街舞跳起来动~十足，节奏~强烈。*Jiēwǔ tiào qǐlái dòng~ shízú, jiézòu~ qiángliè.* Hip-hop is very dynamic and rhythmic.

¹ **感到** gǎndào 〈动 *v.*〉感觉到，感受到 feel; sense: ~兴奋 ~*xīngfèn* feel excited │ ~幸福 ~ *xìngfú* feel happy │ ~高兴 ~ *gāoxìng* feel pleased │ ~痛苦 ~ *tòngkǔ* feel distressed │ 下雪天人们会~很冷。*Xià xuě tiān rénmen huì ~ hěn lěng.* One will feel very cold when it snows. │ 热情过分反而使人~有点儿虚假。*Rèqíng guòfèn fǎn'ér shǐ rén ~ yǒudiǎnr xūjiǎ.* Too much cordiality will make people feel that you are a bit insincere.

² **感动** gǎndòng 〈动 *v.*〉人的情感受到外界事物的影响而激动；使之感动 be moved by external events; be touched: 深受~ *shēnshòu ~* be deeply moved │ ~得热泪盈眶 ~ *de rèlèi-yíngkuàng* be moved to tears; be so touched that one's eyes brim with tears │ 小说动人的故事情节深深地~了她。*Xiǎoshuō dòngrén de gùshi qíngjié shēnshēn de~le tā.* The plot of the novel was so stirring that she was deeply touched. │ 残疾人艺术团的精彩演出，使在场的观众十分~。*Cánjírén yìshùtuán de jīngcǎi yǎnchū, shǐ zài chǎng de guānzhòng shífēn ~.* The performance by a troupe of disabled people struck a deep chord in the audience.

⁴ **感化** gǎnhuà 〈动 *v.*〉用善意的语言或行动劝导人向好的方面转化 help sb. mend his/her ways by persuasion or setting an example: ~失足者 ~ *shīzúzhě* reform those who have gone astray │ 他用真诚~了罪犯。*Tā yòng zhēnchéng ~le zuìfàn.* He reformed the criminal with his sincerity.

² **感激** gǎnjī 〈动 *v.*〉对别人的帮助或好意所产生的好感或表示谢意 be thankful; be appreciative of help or favor received: 非常~ *fēicháng ~* be deeply grateful │ 万分~

wànfēn ~ be extremely grateful | ~不尽 ~ *bú jìn* ~ be filled with boundless gratitude | ~之情，溢于言表 ~ *zhī qíng, yìyú yánbiǎo*. His gratefulness came through in overtones. | 对你的支持和帮助十分~。*Duì nǐ de zhīchí hé bāngzhù shífēn* ~. Thanks a lot for your support and help.

² **感觉** gǎnjué ❶〈名 n.〉客观事物的个别特性通过人的各种感觉器官后在人脑中形成的反应 sense; perception; sensation; mental process precipitated by physical stimulation through sense organs：~正常 ~ *zhèngcháng* normal feeling | 舒服的~ *shūfú de* ~ sense of comfort | 痛苦的~ *tòngkǔ de* ~ painful feeling | ~器官 ~ *qìguān* sense organs | 热情的服务给人一种宾至如归的~。*Rèqíng de fúwù gěi rén yì zhǒng bīnzhìrúguī de* ~. The warm-hearted service makes one feel at home. ❷〈动 v.〉觉得 think; feel：这里的环境你~如何？*Zhèlǐ de huánjìng nǐ* ~ *rúhé*? What do you think of the surroundings here? | 吃了药以后他~好多了。*Chīle yào yǐhòu tā* ~ *hǎoduō le*. He felt much better after taking the medicine. | 这里的气氛让人~很轻松。*Zhèlǐ de qìfēn ràng rén* ~ *hěn qīngsōng*. The atmosphere here makes one feel quite relaxed.

⁴ **感慨** gǎnkǎi ❶〈动 v.〉因某种感触而产生的慨叹 sigh with emotion：~万千 ~ *wànqiān* be full of emotions | ~系之 ~*xìzhī* sigh with deep emotion | 北京城市面貌的巨大变化使外地游客~万端。*Běijīng chéngshì miànmào de jùdà biànhuà shǐ wàidì yóukè* ~*wànduān*. The tourists are full of emotions after seeing the great changes in the cityscape of Beijing. ❷〈形 adj.〉有所感触的 emotional：~的语气 ~ *de yǔqì* emotional tone | 他十分~地说，中国的发展真了不起呀！*Tā shífēn* ~ *de shuō, Zhōngguó de fāzhǎn zhēn liǎobùqǐ ya*! He said with emotion, 'The development in China is truly amazing!'

¹ **感冒** gǎnmào ❶〈名 n.〉一种常见的传染病 cold; flu; a common contagious disease：重~ *zhòng* ~ serious cold | 病毒性~ *bìngdúxìng* ~ viral cold | 伤风~ *shāngfēng* ~ catch cold | 流行性~ *liúxíngxìng* ~ flu ❷〈动 v.〉指患了这种病 catch a cold：他~了好几天了。*Tā* ~*le hǎo jǐ tiān le*. It has been several days since he caught cold. | 秋冬季节气温忽冷忽热很容易~。*Qiū dōng jìjié qìwēn hūlěng-hūrè hěn róngyì* ~. One is prone to catch cold in autumn and winter when the weather is changeable. ❸〈动 v.〉感兴趣(只用于否定) take interest in sth. (only used in negative sentence)：消费者对商家搞的各种促销活动很不~。*Xiāofèizhě duì shāngjiā gǎo de gèzhǒng cùxiāo huódòng hěn bù* ~. The consumers take little interest in various sales promotions organized by businesses.

² **感情** gǎnqíng ❶〈名 n.〉外界刺激引起的比较强烈的心理反应 emotion; sentiment; strong psychological reaction to outside stimulation：~丰富 ~ *fēngfù* emotional; sentimental | ~流露 ~ *liúlù* betray one's emotions | ~用事 ~ *yòngshì* give way to one's feelings; be swayed by one's emotions | ~激动 ~ *jīdòng* filled with excitement | 喜怒哀乐是人们~表露的不同形式。*Xǐnù-āilè shì rénmen* ~ *biǎolù de bùtóng xíngshì*. Happiness, anger, grief and joy are different forms of feelings revealed by people. ❷〈名 n.〉对人或物表示关心、喜爱的心情 affection; love; concern about or favor towards sb. or sth.：~真挚 ~ *zhēnzhì* genuine feelings | 产生~ *chǎnshēng* ~ develop an affection for sth. or sb. | 充满~ *chōngmǎn* ~ affectionate | 培养~ *péiyǎng* ~ foster affection | 联络~ *liánluò* ~ make friendly contacts; promote friendship | 他们之间有着深厚的~。*Tāmen zhījiān yǒuzhe shēnhòu de* ~. They are deeply attached to each other.

⁴ **感染** gǎnrǎn ❶〈动 v.〉受到传染 be infected：伤口消毒不好，容易~。*Shāngkǒu xiāodú bù hǎo, róngyì* ~. The wound will easily get infected if it's not properly sterilized. | 他~上了艾滋病。*Tā* ~ *shàngle àizībìng*. He got infected with HIV. ❷〈动 v.〉通过语

言或行为引起他人相同的思想感情 influence; affect; induce the identical thoughts and feelings in others by persuasions or actions：他作的报告具有很强的~力. *Tā zuò de bàogào jùyǒu hěnqiáng de ~lì.* His report has a strong appeal. │她那动人的歌喉~了每一位听众. *Tā nà dòngrén de gēhóu ~le měi yí wèi tīngzhòng.* Her moving voice affected every audience.

³ **感受** gǎnshòu ❶〈名 n.〉接触外界事物产生的影响；体会 impression; taste; experience; feel：亲身~ *qīnshēn ~* firsthand experience │生活~ *shēnghuó ~* life experience │请你谈谈到中国访问的~. *Qǐng nǐ tántan dào Zhōngguó fǎngwèn de ~.* Please talk about your impressions of your visit to China. ❷〈动 v.〉受到、接受（某些影响）be affected by：他~到家庭的温暖. *Tā ~ dào jiātíng de wēnnuǎn.* He felt the warmth of the family. │只有付出了辛勤的劳动才能~成功的喜悦. *Zhǐyǒu fùchūle xīnqín de láodòngcái néng ~ chénggōng de xǐyuè.* Only by making assiduous efforts can one feel the joy of success.

² **感想** gǎnxiǎng〈名 n.〉接触到外界事物引起的思想反应 impressions; reflections; thoughts：~颇多 *~ pō duō* have quite a lot of thoughts │他向大家畅谈这次参观高新技术展览会的种种. *Tā xiàng dàjiā chàngtán zhè cì cānguān gāoxīn jìshù zhǎnlǎnhuì de zhǒngzhǒng ~.* He talked freely with us about his impression of the visit to the high technology exhibition. │这次去新加坡旅游有何~? *Zhè cì qù Xīnjiāpō lǚyóu yǒu hé ~?* What do you think of your trip to Singapore?

¹ **感谢** gǎnxiè〈动 v.〉用语言或行动表示谢意 thank; express one's gratitude through words or actions：十分~ *shífēn ~* thank sb. from the bottom of one's heart │非常~ *fēicháng ~* very grateful │再三表示~ *zàisān biǎoshì ~* thank over and over again │对你的热情支持表示衷心的~. *Duì nǐ de rèqíng zhīchí biǎoshì zhōngxīn de ~.* I would like to express my heartfelt thanks for your warm-hearted support. │~全体员工对公司发展做出的贡献. *~ quántǐ yuángōng duì gōngsī fāzhǎn zuòchū de gòngxiàn.* We would like to thank the entire staff for their contributions to the development of the company.

² **感兴趣** gǎn xìngqù〈动 v.〉指对某种事物产生喜好的情绪 take an interest in sth.; grow a fondness for sth.：外国旅游者对中国的民俗文化很~. *Wàiguó lǚyóuzhě duì Zhōngguó de mínsú wénhuà hěn ~.* Foreign tourists take great interests in Chinese folk culture. │他只喜欢看足球比赛，对其他电视节目不~. *Tā zhǐ xǐhuan kàn zúqiú bǐsài, duì qítā diànshì jiémù bù ~.* He only likes watching football matches on TV and takes no interest in other programs.

¹ **干** gàn ❶〈动 v.〉做（某件事）do; work：~活儿 *~ huór* work │~工作 *~ gōngzuò* do the work │~事业 *~ shìyè* work on a cause │快~ *kuài ~* work quickly │巧~ *qiǎo ~* work skillfully; do sth. in a clever way │埋头苦~ *máitóu-kǔ~* immerse oneself in hard work; be hardworking │他在工厂~了一辈子. *Tā zài gōngchǎng ~le yíbèizi.* He spent his lifetime working in the factory. ❷〈动 v.〉担任；从事 assume the office of; undertake (a job, etc.)：他~过公司经理. *Tā ~guo gōngsī jīnglǐ.* He was once the company manager. ❸〈名 n.〉事物的主体或重要部分 main part：~道 *~dào* main road; trunk line; artery │~流 *~liú* trunk stream; mainstream │树~ *shù~* tree-trunk │骨~ *gǔ~* backbone; mainstay ❹〈名 n.〉专指干部 cadre：~群关系 *~qún guānxi* relations between the cadres and the masses │调~ *diào ~* (of a worker, peasant, etc.) be enrolled as a government functionary │~休所 *~xiūsuǒ* cadre's sanatorium（establishment for retired and invalid cadres to rest and receive medical treatment); home for retired cadres

☞ gǎn, p. 335

干部 gànbù ❶ 〈名 n.〉（名 míng 、个 gè 、位 wèi）对国家机关各部门公职人员的统称 general term for officials of government institutions：国家 ~ guójiā ~ cadres of state agencies｜机关 ~ jīguān ~government functionary; office staff｜军队 ~ jūnduì ~ military officer｜年轻 ~ niánqīng ~ young cadre｜老 ~ lǎo ~ old cadre｜妇女 ~ fùnǚ ~ female cadre｜高级 ~ gāojí ~ senior cadre｜一般 ~ yìbān ~ ordinary cadre ❷ 〈名 n.〉（名 míng 、个 gè 、位 wèi）指担任一定的领导职务和从事管理工作的人员 leader; personnel who assume the office of leadership or management：领导 ~ lǐngdǎo ~ leading cadre｜司局级 ~ sījújí ~ cadres at bureau and department levels｜县乡级 ~ xiànxiāngjí ~ cadres at village and county levels｜村 ~ cūn ~ village cadre｜工会 ~ gōnghuì ~ labor union cadre

³ **干活** ‖ gàn//huór 〈动 v.〉做事情（一般指从事体力劳动）work (usu. physical one)：干木匠活 ‖ gàn mùjiàng huór work as a carpenter｜干农活 ‖ gàn nóng huór do farm work｜干重活 ‖ gàn zhòng huór do heavy work｜干细活 ‖ gàn xì huór do skilled work｜干家务活 ‖ gàn jiāwù huór do housework｜你不能光拿钱不~。Nǐ bù néng guāng ná qián bú ~. You can't get paid without doing any work.

³ **干劲** gànjìn (~儿) 〈名 n.〉做事情的劲头 drive; vigor; enthusiasm：~十足 ~ shízú be full of drive｜鼓足 ~ gǔzú ~ go all out; exert one's utmost｜~冲天 ~ chōngtiān with boundless enthusiasm｜~不足 ~ bùzú lack enthusiasm

² **干吗** gànmá 〈代 pron. 口 colloq.〉干什么（用来询问原因或目的）(used to ask for the reason or purpose) why; what for：你今天~不去上班？Nǐ jīntiān ~ bú qù shàngbān? Why didn't you go to work today?｜他刚出门，你找他~? Tā gāng chūmén, nǐ zhǎo tā ~? He just went out. Why do you want to see him?｜这事你~不早说? Zhè shì nǐ ~ bù zǎo shuō? Why didn't you tell me about this earlier?

⁴ **干线** gànxiàn 〈名 n.〉（条 tiáo）交通、电话、管道等的主要路线 main line; trunk line; artery of transportation, telephone systems, pipeline, etc.：铁路~ tiělù ~ trunk railway｜公路~ gōnglù ~ arterial or main highway｜铺设~ pūshè ~ build trunk line

¹ **刚** gāng ❶ 〈副 adv.〉表示行动和情况发生在不久前 only a short while ago; just now：~来 ~ lái just came｜~走 ~ zǒu just went away｜~下班 ~ xiàbān was off work just now｜~下火车 ~ xià huǒchē just arrived by train｜他~吃过晚饭。Tā ~ chīguo wǎnfàn. He had supper just now. ❷ 〈副 adv.〉正好；正合适 just; exactly; precisely; barely：~好 ~ hǎo exactly; just｜~及格 ~ jígé barely pass the exam｜这张桌子放在那个角落~合适。Zhè zhāng zhuōzi fàng zài nàge jiǎoluò ~ héshì. To set this table at that corner would just fit. ❸ 〈副 adv.〉表示勉强达到某种程度 barely; just; no more than：这么一点儿饭，~够我一个人吃的。Zhème yìdiǎnr fàn, ~ gòu wǒ yí gè rén chī de. This morsel of food is just enough for me only. ❹ 〈形 adj.〉硬；坚强（与'柔'相对）hard; firm; strong (opposite to 'róu 柔'):~强 ~ qiáng firm; steadfast; unyielding｜~直不阿 ~zhí-bù'ē upright and never stooping to flattery; sticking to principles and never yielding to pressure｜~柔相济 ~róu-xiāngjì combine firmness and flexibility; temper toughness with gentleness

¹ **刚才** gāngcái 〈名 n.〉指说话之前不久的时间 a moment ago (before a remark is made)：他~还在，这会儿不知上哪儿去了。Tā ~ hái zài, zhèhuìr bù zhī shàng nǎr qù le. He was around just a moment ago. I have no idea where he is now.｜~有个人找你。~ yǒu gè rén zhǎo nǐ. Someone came to see you just now.｜~还下着雨，现在出太阳了。~ hái xiàzhe yǔ, xiànzài chū tàiyáng le. It was raining a short while ago, but now the sun has come out.

²刚刚 gānggāng ❶〈副 *adv.*〉表示行为或情况发生在不久之前 only a short while ago：他~走。*Tā ~ zǒu.* He left a moment ago. | ~收到这笔汇款。*~ shōudào zhè bǐ huìkuǎn.* The remittance was received just now. | 音乐会~结束。*Yīnyuèhuì ~ jiéshù.* The concert came to an end just now. ❷〈副 *adv.*〉正好；不多不少 just; exactly：这些衣物~装满一个旅行包。*Zhèxiē yīwù ~ zhuāngmǎn yí gè lǚxíngbāo.* The clothes just filled up one traveling bag. | 他寄来的钱~够买两张机票。*Tā jì lái de qián ~ gòu mǎi liǎng zhāng jīpiào.* He remitted just enough money to buy two flight tickets.

⁴纲 gāng ❶〈名 *n.*〉提网的总绳，比喻事物最主要的部分 headrope of a fishing net; usu. *fig.* key link; guiding principle：总~ *zǒng ~* general principle | 大~ *dà ~* general outline | 细目 ~*mù* detailed outline | 提~挈领 *tí–qièlǐng* grasp a net by the headrope — concentrate on the main points | ~举目张 *~jǔ-mùzhāng* once you pull up the headrope of a fishing net, all its meshes open — once you seize hold of the key link, everything falls into place. ❷〈名 *n.*〉生物学上分类系统，所用的等级 class; a division of animals or plants in biology：哺乳~ *bǔrǔ ~* the class of mammals | 苔~ *tái ~* hepatic

³纲领 gānglǐng〈名 *n.*〉泛指起指导作用的原则 guiding principle; program：~性文件 ~*xìng wénjiàn* programmatic document | 理论~ *lǐlùn ~* theoretical principle | 政治~ *zhèngzhì* political principle | 行动~ *xíngdòng ~* program of action

⁴纲要 gāngyào ❶〈名 *n.*〉提纲；要点 outline; sketch：农业发展~ *Nóngyè Fāzhǎn ~ The Program for Agricultural Development* | 这是一篇论文的~。*Zhè shì yì piān lùnwén de ~.* This is the outline of a paper. ❷〈名 *n.*〉概要(多用于书名)(usu. used in book titles) essentials; compendium：《中国历史~》*Zhōngguó Lìshǐ ~ Outlines of Chinese History*

²钢 gāng〈名 *n.*〉铁和碳的合金 steel; iron containing some carbon：~锭 *~dìng* steel ingot | ~材 *~cái* steel products; rolled steel | ~板 *~bǎn* steel plate; spring (of a motorcar) | ~管 *~guǎn* steel tube or pipe | ~轨 *~guǐ* rail | ~厂 *~chǎng* steel plant | 炼~ *liàn ~* steelmaking | 轧~ *zhá ~* steel rolling | 不锈~ *búxiù ~* stainless steel | 合金~ *héjīn ~* alloy steel

¹钢笔 gāngbǐ〈名 *n.*〉(支 zhī、管 guǎn) 笔头用金属制成的笔 pen; instrument for writing with a metal writing point：他送给我一支~。*Tā sòng gěi wǒ yì zhī ~.* He gave me a pen as gift.

⁴钢材 gāngcái〈名 *n.*〉钢坯或钢锭经过轧制后的成品 steel products made from billet or steel ingot after being rolled：优质~ *yōuzhì ~* quality rolled steel | 进口~ *jìnkǒu ~* imported rolled steel | 买卖~ *mǎimài ~* buy and sell steel products | 他是做~生意的。*Tā shì zuò ~ shēngyi de.* He deals in steel products.

⁴钢琴 gāngqín〈名 *n.*〉(架 jià、台 tái) 键盘乐器 piano; musical instrument played by pressing keys：弹~ *tán ~* play the piano | ~曲 *~ qǔ* piano song | ~伴奏 *~ bànzòu* piano accompaniment

³缸 gāng ❶(~儿)〈名 *n.*〉(口 kǒu、个 gè) 盛物用的器皿 vat; jar; container：水~ *shuǐ ~* water vat | 酒~ *jiǔ ~* wine jar | 鱼~ *yú ~* fish jar | 烟灰~ *yānhuī ~* ashtray ❷〈名 *n.*〉像缸一样的器物 sth. shaped like a jar or vat：汽~ *qì ~* cylinder | 单~ *dān ~* single cylinder | 双~ *shuāng ~* double cylinders

³岗位 gǎngwèi〈名 *n.*〉泛指职位；职务 post; station; job：坚守~ *jiānshǒu ~* stand fast at one's post | ~责任制 *~ zérènzhì* system of post responsibility; system of responsibility for the work done by each individual at his post | 平凡的~ *píngfán de ~* an ordinary post | 领导~ *lǐngdǎo ~* the position of leader; leadership | 我10年前就走上了工作~。*Wǒ shí nián qián jiù zǒushàngle gōngzuò ~.* I took a job ten years ago.

²港 gǎng ❶〈名 n.〉可供大型船舶停靠的江海码头 port; harbor; an area of water along the river or sea where ships can berth：海~ hǎi～ seaport; harbor｜军~ jūn～ military harbor; naval port｜油~ yóu～ oil port｜避风~ bìfēng～ haven; harbor; shelter｜口~ kǒu～ port; harbor｜~湾 ~wān harbor ❷〈名 n.〉专指机场 airport：航空~ hángkōng～ airport ❸（Gǎng）〈名 n.〉指香港 Hong Kong：~币 ~bì Hong Kong dollar; Hong Kong currency｜~商 ~shāng merchant from Hong Kong｜~澳同胞 ~ào tóngbāo compatriots in Hong Kong and Macao

³港币 gǎngbì 〈名 n.〉中华人民共和国香港特别行政区通行的货币 currency used in Hong Kong Special Administration Region of the People's Republic of China：今天~与人民币的兑换率是多少？ Jīntiān ～ yǔ rénmínbì de duìhuànlǜ shì duōshao? What's today's Hong Kong dollar exchange rate against Renminbi?

³港口 gǎngkǒu 〈名 n.〉江河、海洋岸边修建的码头，供船舶停靠、装卸货物和上下旅客用的地方 port; harbor; structure built on the river bank or seashore where ships can berth to receive and discharge cargo or passengers：~城市 ~chéngshì port city｜~吞吐量 ~tūntǔliàng traffic (of a port)｜集装箱 ~ jízhuāngxiāng container terminal

⁴杠杆 gànggǎn ❶〈名 n.〉一个能绕着固定点转动的杆，是一种助力器 lever; bar that can turn around on a fixed point ❷〈名 n.〉比喻起支配作用的事物或力量 fig. leverage; power or influence that induces control：经济~ jīngjì～ economic leverage｜~作用 ~ zuòyòng leverage; lever action

¹高 gāo ❶〈形 adj.〉指由下至上的距离（与'低'相对）tall; high (opposite to '低 dī')：~山 ~shān high mountains｜~空 ~kōng high altitude; upper air｜~楼 ~lóu high building; high-rise｜人往~处走，水往低处流（指人要攀高向上）。Rén wǎng ～ chù zǒu, shuǐ wǎng dī chù liú（zhǐ rén yào pāngāo xiàng shàng）. Man struggles upwards; water flows downwards (referring to people's aspiration of obtaining higher social status). ❷〈形 adj.〉等级在上或程度较深的 of a high or higher rank：~级 ~jí senior; advanced｜~等 ~děng higher; senior; advanced｜~等学校 ~děng xuéxiào institutions of higher learning; colleges and universities｜~年级 ~niánjí upper class｜~薪招聘人才。~xīn zhāopìn réncái. Hire talents at a high salary. ❸〈形 adj.〉超过一般标准或平均值以上的 above the average：~速 ~sù high speed｜~温 ~wēn high temperature｜~价 ~jià high price｜~水平 ~ shuǐpíng advanced level｜~质量 ~ zhìliàng superior quality｜层次 ~ céngcì higher level｜~标准 ~ biāozhǔn high standard ❹〈形 adj.〉优异 brilliant：~明 ~míng wise｜~见 ~jiàn brilliant idea ❺〈形 adj.〉年龄大 of old age：~龄 ~líng advanced age｜~寿 ~shòu venerable age ❻〈名 n.〉高度（与'矮'相对）height (opposite to '矮 ǎi')：他俩~矮一样。Tā liǎ ~ ǎi yíyàng. The two of them are of the same height.｜我身~2.26 米。Wǒ shēn ~ èr diǎn èr liù mǐ. I'm 2.26 meters tall.｜这棵树足有10米~。Zhè kē shù zú yǒu shí mǐ ~. This tree is almost ten meters tall.

⁴高产 gāochǎn ❶〈名 n.〉指高的产量 high yield; high output：创~ chuàng ～ chalk up an all-time high in output｜夺~ duó ～ struggle for a high output｜获得~ huòdé ～ achieve high yield ❷〈形 adj.〉指产量高超过一般标准（of output）above the average：~田 ~ tián high-yield field｜~油井 ~ yóujǐng high-yield oil well｜~作物 ~ zuòwù high-yield crop｜~作家 ~ zuòjiā prolific writer

⁴高超 gāochāo 〈形 adj.〉好得超过一般水平 superb; outstanding; excellent：~的见解 ~ de jiànjiě brilliant idea｜没想到她的剑术这等~。Méi xiǎngdào tā de jiànshù zhèděng ~. It came as a surprise that her art of fencing was so superb.

³高潮 gāocháo ❶〈名 n.〉指潮水在一个涨落周期内，水面上升的最高潮位 high tide;

high water; the highest point reached by a tide on the shore ❷〈名 *n.*〉比喻事物高度发展的阶段或最紧张热烈的阶段 *fig.* upsurge; stage of high-speed development：进入~ *jìnrù* ~ be at the height of | 达到~ *dádào* ~ reach climax | 掀起~ *xiānqǐ* ~ build up to a climax | 出现~ *chūxiàn* ~ in full spate ❸〈名 *n.*〉文学作品的故事情节中矛盾冲突发展到顶点 (of literary works) climax; an important event that comes at the end of a plot：在小说的结尾部分人物的性格冲突达到了~。*Zài xiǎoshuō de jiéwěi bùfen rénwù de xìnggé chōngtū dádào le ~.* The personality conflict between the characters reached its climax at the end of the story.

² 高大 gāodà〈形 *adj.*〉形容事物又高又大(与'矮小'相对) tall and big (opposite to '矮小 ǎixiǎo')：~的形象 *de xíngxiàng* lofty image | 他的儿子身材~。*Tā de érzi shēncái* ~. His son is of great stature. | 这里将出现一片~的建筑群。*Zhèli jiāng chūxiàn yí piàn* ~ *de jiànzhùqún.* A cluster of high-rise buildings will go up here.

⁴ 高档 gāodàng〈形 *adj.*〉等级高的, 档次高的(与'低档'相对) high-grade; superior (opposite to '低档 dīdàng')：~商品 ~ *shāngpǐn* high-grade goods | ~饭店 ~ *fàndiàn* expensive restaurants | ~服装 ~ *fúzhuāng* top-of-the-line garment

³ 高等 gāoděng ❶〈形 *adj.*〉等级高的 senior; high-level：~学校 ~ *xuéxiào* institutions of higher learning; colleges and universities | ~教育 ~ *jiàoyù* higher education | ~动植物 ~ *dòngzhíwù* higher animal and plant ❷〈形 *adj.*〉高深的, 程度高的 higher; advanced：~数学 ~ *shùxué* higher mathematics | ~化学 ~ *huàxué* advanced chemistry

⁴ 高低 gāodī ❶〈名 *n.*〉指达到的程度 degree：身材的~ *shēncái de* ~ height of a body | 声音的~ *shēngyīn de* ~ pitch of voice | 房屋的~ *fángwū de* ~ height of a building ❷〈名 *n.*〉好坏; 强弱 relative superiority or inferiority：比个~ *bǐ gè* ~ vie with each other to see who is superior | 分不出~。*Fēn bù chū* ~. It's hard to say who is better. ❸〈名 *n.*〉深浅轻重 (指说话办事) (of words or deeds) sense of propriety; appropriateness：他这人说话不知~。*Tā zhè rén shuōhuà bù zhī* ~. He has no sense of discretion when he starts to talk. | 办事没个~。*Bànshì méi gè* ~. He has no sense of propriety in handling affairs. ❹〈形 *adj.*〉高高低低的 uneven：这条路~不平。*Zhè tiáo lù* ~ *bùpíng.* The road is ragged. ❺〈副 *adv.* 方 *dial.*〉无论如何 on any account：大家选他当班长, 他~不干。*Dàjiā xuǎn tā dāng bānzhǎng, tā* ~ *bú gàn.* We elected him monitor of the class, but he refused on any account to take the position. ❻〈副 *adv.* 方 *dial.*〉终于; 到底 at long last：他~当上了小老板。*Tā* ~ *dāngshàngle xiǎo lǎobǎn.* He became the boss of a small business at last.

² 高度 gāodù ❶〈名 *n.*〉从物体的底部到顶点的距离; 从地面向上到某处的距离 altitude; height; elevation above a certain level：楼房的~ *lóufáng de* ~ height of a building | 山的~ *shān de* ~ height of a mountain | 飞行~ *fēixíng* ~ flying altitude | 测量~ *cèliáng* ~ measure the height | 你知道这座水坝的~是多少米? *Nǐ zhīdào zhè zuò shuǐbà de* ~ *shì duōshao mǐ?* Do you know how high this dam is? ❷〈形 *adj.*〉程度很高的 of high degree：~的热情 ~ *de rèqíng* high enthusiasm | ~评价 ~ *píngjià* speak highly of | ~重视 ~ *zhòngshì* attach great importance to | ~戒备 ~ *jièbèi* on red alert; guard heavily | ~近视 ~ *jìnshì* serious nearsightedness | 思想要~集中。*Sīxiǎng yào* ~ *jízhōng.* It requires great concentration of one's mind.

³ 高峰 gāofēng ❶〈名 *n.*〉(座 *zuò*) 专指高的山峰 peak; summit; height：珠穆朗玛峰是世界第一~。*Zhūmùlǎngmǎ Fēng shì shìjiè dìyī* ~. Mount Qomolangma is the world's highest peak. ❷〈名 *n.*〉比喻事物发展到最高点 *fig.* pinnacle; zenith; highest point of the development of sth.：'五一'、'十一'黄金周是人们出行的~。*'Wǔ-Yī'*, *'Shí-Yī'*

huángjīnzhōu shì rénmen chūxíng de ~. May Day and National Day holidays are golden weeks when the number of tourists reaches its height. │ 上下班~时间马路容易堵车。*Shàngxiàbān ~ shíjiān mǎlù róngyì dǔchē.* Traffic jams tend to occur at rush hours. │ 只有勤奋，才能登上科学~。*Zhǐyǒu qínfèn, cái néng dēngshàng kēxué ~.* Only through hard work can one scale the heights of science.

⁴ **高贵** gāoguì ❶〈形 *adj.*〉高尚而宝贵 noble; morally-elevated: ~的品质 *de pǐnzhì* noble quality │ 忘我劳动的精神是很~的。*Wàngwǒ láodòng de jīngshén shì hěn ~ de.* The spirit of toiling selflessly is very noble. ❷〈形 *adj.*〉指特殊的地位 highly-privileged; elitist: ~的客人 *de kèrén* distinguished guest │ 作为一名王妃，处处显示出她~的身份。*Zuòwéi yì míng wángfēi, chùchù xiǎnshì chū tā ~ de shēnfèn.* As a princess consort, she displays her nobility in all respects.

³ **高级** gāojí ❶〈形 *adj.*〉质量、水平超过一般的 high-grade; high-quality; advanced: ~宾馆 *~ bīnguǎn* first-class hotel │ ~轿车 *~ jiàochē* luxury car │ ~公寓 *~ gōngyù* high-grade apartment │ 他家的装修很~。*Tā jiā de zhuāngxiū hěn ~.* The furnishings of his house are of high quality. ❷〈形 *adj.*〉指阶段、级别的高度 high-level; high-ranking; senior: ~干部 *~ gànbù* high-ranking official │ ~职员 *~ zhíyuán* senior staff │ ~工程师 *~ gōngchéngshī* senior engineer │ ~神经中枢 *~ shénjīng zhōngshū* higher nerve center │ ~法院 *~ fǎyuàn* higher court │ ~中学 *~ zhōngxué* senior high school

⁴ **高考** gāokǎo 〈名 *n.*〉高等学校招生的入学考试 college entrance examination: 参加~ *cānjiā ~* sit in the college entrance examination │ ~试题 *~ shìtí* test questions in college entrance exam │ 全国统一~ *quánguó tǒngyī ~* national college entrance exam

⁴ **高空** gāokōng 〈名 *n.*〉距地面很高的空间 high altitude; upper air: ~探测 *~ tàncè* high-altitude survey │ ~飞行 *~ fēixíng* high-altitude flight │ ~作业 *~ zuòyè* work high above the ground │ ~特技表演 *~ tèjì biǎoyǎn* high-altitude stunt performance

³ **高粱** gāoliang 〈名 *n.*〉一年生草本植物，子实际供食用外还可以酿酒、制淀粉 Chinese sorghum; annual herbaceous plant with edible seeds that can be used for brewing liquor or making starch: ~米 *~ mǐ* husked sorghum │ ~酒 *~ jiǔ* liquor made from Chinese sorghum │ ~面 *~ miàn* sorghum flour

⁴ **高明** gāomíng ❶〈形 *adj.*〉指见解、技能及办法等都超过一般水平的 (of ideas, techniques, methods, etc.) extraordinary; better than average: 主意~ *zhǔyì ~* brilliant idea │ 医术~ *yīshù ~* have superb medical skill │ ~的做法 *de zuòfǎ* wise way of doing things ❷〈名 *n.*〉指高明的人 wise or skilled person: 这件事我办不到，你还是另请~吧！*Zhè jiàn shì wǒ bàn bú dào, nǐ háishi lìng qǐng ~ ba*! This task is beyond me. Find someone better qualified for this.

³ **高尚** gāoshàng ❶〈形 *adj.*〉指道德品质高 noble; lofty: 道德~ *dàodé ~* noble morality │ 品质~ *pǐnzhì ~* noble character │ ~风格 *~ fēnggé* noble manner │ ~行为 *~ xíngwéi* noble deed │ ~的情操 *de qíngcāo* noble sentiment ❷〈形 *adj.*〉高层次的；有意义的 high-class; significant; refined: ~的职业 *de zhíyè* noble profession │ 听音乐是一种~的娱乐。*Tīng yīnyuè shì yì zhǒng ~ de yúlè.* Listening to music is a form of high-class entertainment.

⁴ **高烧** gāoshāo 〈名 *n.*〉指体温在摄氏39度以上的症状 high fever; body temperature that is above 39℃: 发~ *fā ~* run a high fever │ 孩子的~持续不退。*Háizi de ~ chíxù bú tuì.* The child's high fever lingers. │ 吃了退烧药，他的~明显退了。*Chīle tuìshāoyào, tā de ~ míngxiǎn tuì le.* After he took the antipyretic, his high fever subsided noticeably.

³ **高速** gāosù 〈形 *adj.*〉速度非常之快 speedy; at high speed: ~公路 *~ gōnglù*

expressway; super-highway│~列车 ~ *lièchē* metroliner; bullet train│~飞行 ~ *fēixíng* fly at high speed│~行驶 ~ *xíngshǐ* drive at high speed│中国经济连续多年~发展。*Zhōngguó jīngjì liánxù duō nián ~ fāzhǎn.* Chinese economy has been growing by leaps and bounds for years on end.

⁴ **高温** gāowēn〈名 *n.*〉高的温度，在不同的环境所指的具体数值不同 high temperature; definition of a high temperature varies according to different situations：~作业 ~ *zuòyè* high-temperature operation│去年夏天北京出现了持续近两个月的~天气。*Qùnián xiàtiān Běijīng chūxiànle chíxù jìn liǎng gè yuè de ~ tiānqì.* The temperature remained high for almost two months in Beijing last summer.│炼钢工人在~下操作。*Liàngāng gōngrén zài ~ xià cāozuò.* Steel workers are working under high temperature.

¹ **高兴** gāoxìng ❶〈形 *adj.*〉兴奋而愉快 glad; happy; cheerful; pleased：见到你很~。*Jiàndào nǐ hěn ~.* I'm glad to see you.│今天我们玩得真~。*Jīntiān wǒmen wánr de zhēn ~.* Today we had a good time.│很~认识你。*Hěn - rènshi nǐ.* I'm pleased to meet you. ❷〈动 *v.*〉喜欢；乐意做某件事 be willing to; be happy to：他~看小说。*Tā ~ kàn xiǎoshuō.* He is fond of reading novels.│我不~做这件事。*Wǒ bù ~ zuò zhè jiàn shì.* I don't like doing this.│~说就说，不~说就不说。*~ shuō jiù shuō, bù ~ shuō jiù bù shuō.* If I feel like it, I will tell you. If I don't, I won't say a word.

² **高血压** gāoxuèyā〈名 *n.*〉成年人动脉血压持续超过140/90毫米水银柱时称作高血压 hypertension; medical condition in which an adult has very high blood pressure up to 140/90 mm. on the mercury column：中老年人容易得~。*Zhōng lǎo nián rén róngyì dé ~.* People are prone to suffer from hypertension when they reach middle or old age.

³ **高压** gāoyā ❶〈名 *n.*〉较高的大气压强 high pressure：~槽 ~*cáo* trough of high pressure│~锅 ~*guō* pressure cooker ❷〈名 *n.*〉指相对较高的电压 high voltage：~电 ~*diàn* high-voltage electricity│~线 ~*xiàn* high-voltage line (or wire)│一般把250伏以上的电源称作~电源。*Yìbān bǎ èrbǎi wǔshí fú yǐshàng de diànyuán chēngzuò ~ diànyuán.* The power at a level of 250 volts or more is generally referred to as high voltage power. ❸〈名 *n.*〉指人体血液循环心脏收缩时血液对血管的压力 maximum pressure; pressure of blood within the vein as the heart contracts：~达到180，应注意休息。*~ dádào yìbābā, yīng zhùyì xiūxi.* The maximum pressure has reached 180. You should set aside time to take a rest.│~正常，低压稍高。*~ zhèngcháng, dīyā shāogāo.* The maximum pressure is normal, but the minimum pressure is a little high. ❹〈动 *v.*〉极度压制；残酷迫害 persecute：~政策 ~*zhèngcè* high-handed policy│厂方的~手段没有吓倒罢工的工人。*Chǎngfāng de ~ shǒuduàn méiyǒu xiàdǎo bàgōng de gōngrén.* The high-handed measures taken by the factory management failed to intimidate the workers who went on strike.

² **高原** gāoyuán〈名 *n.*〉指海拔较高、地势起伏较小的大片平地 plateau; highland; tableland; a large area of high and fairly flat land：青藏~ *Qīng-Zàng ~* Qinghai-Tibet Plateau│~气候 ~ *qìhòu* plateau climate│~植物 ~ *zhíwù* plateau plant│~反应 *fǎnyìng* altitude sickness

⁴ **高涨** gāozhǎng〈动 *v.*〉指情绪、运动、物价等急剧上升或发展 (of feelings, movement, price, etc.) rise; upsurge; run high：士气~。*Shìqì ~.* Morale is running high.│物价~。*Wùjià ~.* Commodity prices are running high.│足球场上，球迷们的情绪越来越~。*Zúqiúchǎng shang, qiúmímen de qíngxù yuèláiyuè ~.* The football fans became increasingly emotional on the football field.

³ **高中** gāozhōng〈名 *n.*〉高级中学的简称 senior high school, abbr. for '高级中学 gāojí

zhōngxué'：~学生 ~ *xuésheng* senior high school student｜普通 ~ *pǔtōng* ~ average senior high school｜职业 ~ *zhíyè* ~ vocational senior high school｜~毕业 ~ *bìyè* senior high school graduate｜~学历 ~ *xuélì* record of education in senior high school

¹ **搞** gǎo ❶〈动 v.〉做；干；从事 do; carry on; be engaged in：~试验 ~ *shìyàn* conduct an experiment｜~调查 ~ *diàochá* make an investigation｜~生产 ~ *shēngchǎn* be engaged in production｜~建设 ~ *jiànshè* be engaged in construction work｜~政治 ~ *zhèngzhì* be engaged in politics｜~外交 ~ *wàijiāo* go in for diplomacy｜~砸了 ~ *zá le* make a mess of things｜胡~ *hú* ~ mess up; carry on an affair with｜~笑 ~ *xiào* do sth. for a laugh｜~掂 ~*diān* make it; do it ❷〈动 v.〉设法获取；弄到 get; get hold of; secure：他答应给我~几张球票。*Tā dāying gěi wǒ ~ jǐ zhāng qiúpiào.* He promised to get me a few tickets for the football game.｜你想办法~辆车来。*Nǐ xiǎng bànfǎ ~ liàng chē lái.* You try and get a car for us.｜他~到一套两居室的经济适用房。*Tā ~dào yí tào liǎng jūshì de jīngjì shìyòngfáng.* He got a two-room economical house.

⁴ **搞鬼** gǎo/guǐ〈动 v.〉暗中使诡计、使坏 play tricks; scheme in secret：要光明正大，不许~。*Yào guāngmíng-zhèngdà, bùxǔ ~.* Be just and honest. Never play tricks.｜偷偷摸摸的，搞的什么鬼？*Tōutōu-mōmō de, gǎo de shénme guǐ?* Why do you sneak around here? What are you up to？｜这事儿准是他搞的鬼。*Zhè shìr zhǔn shì tā gǎo de guǐ.* It must be him who has got up to mischief.

⁴ **搞活** gǎo/huó〈动 v.〉想办法使事物充满生机和活力 invigorate; enliven; rejuvenate：~经济 ~ *jīngjì* invigorate the economy｜~市场 ~ *shìchǎng* revitalize the market｜搞得活 *gǎo de huó* be able to rejuvenate｜搞不活 *gǎo bù huó* be unable to rejuvenate｜对外开放，对内~。*Duì wài kāifàng, duì nèi ~.* Open to the outside world and invigorate the domestic economy.

³ **稿** gǎo〈名 n.〉(篇 piān、件 jiàn、部 bù) 泛指文章、作品未正式印刷出版前的底稿 manuscript; draft of article or book before being published：文~ *wén* ~ manuscript; draft｜画~ *huà* ~ rough sketch (for a painting)｜手~ *shǒu* ~ original manuscript｜撰~ *zhuàn* ~ write articles｜审~ *shěn* ~ go over a manuscript｜定~ *dìng* ~ finalize a manuscript｜手写~ *shǒuxiě* ~ handwritten manuscript｜打印~ *dǎyìn* ~ printed draft｜~费 ~*fèi* payment for an article or book written; author's remuneration｜~纸 ~*zhǐ* squared or lined paper for making draft or copying manuscript｜他经常给报刊写~。*Tā jīngcháng gěi bàokān xiě ~.* He often contributes to newspapers and magazines.｜这部书~即将付印。*Zhè bù shū~ jíjiāng fùyìn.* The manuscript of this book will go to press very soon.

⁴ **稿件** gǎojiàn〈名 n.〉(份 fèn、篇 piān) 作者、编者交给出版社或报刊的文章、作品 manuscript; articles or works turned over to publishing house, newspapers or magazines：处理~ *chǔlǐ* ~ handle a manuscript｜审阅~ *shěnyuè* ~ go over a manuscript｜编排~ *biānpái* ~ typeset manuscripts｜编辑部每天都收到大量的~。*Biānjíbù měitiān dōu shōu dào dàliàng de ~.* The editorial department receives a lot of submissions every day.

⁴ **稿纸** gǎozhǐ〈名 n.〉(张 zhāng、沓 dá) 一种印有小方格的写稿用纸 squared paper for making draft：专用~ *zhuānyòng* ~ special paper for making draft｜普通~ *pǔtōng* ~ ordinary paper for making draft｜他这篇文章写满了好几十页。*Tā zhè piān wénzhāng xiěmǎnle hǎojǐshí yè ~.* His article is so long that it takes scores of sheets of squared paper.

⁴ **稿子** gǎozi ❶〈名 n.〉(篇 piān、件 jiàn、部 bù) 文章、作品的草稿 draft of article or works：讲话~ *jiǎnghuà* ~ draft or text of a speech; lecture notes｜拟个~ *nǐ gè* ~ make a draft｜正式画之前先打个~。*Zhèngshì huà zhīqián xiān dǎ gè* ~. Make a sketch before

painting. ❷〈名 n.〉已完成的文章、作品 manuscript; contribution; finished article or works: 他经常给报刊写～。*Tā jīngcháng gěi bàokān xiě ~.* He often contributes to the newspapers and magazines. │这部～已终审完毕。*Zhè bù ~ yǐ zhōngshěn wánbì.* The editor has made the final review of the manuscript.

² **告** gào ❶〈动 v.〉将情况向他人陈述 tell; inform; notify：～诉 *~su* tell; let know │～密 *~mì* inform against sb. │急～ *jí~* be in an emergency; ask for emergency help │广而～之 *guǎng'ér~zhī* give extensive publicity; spread far and wide │报～ *bào~* report │忠～ *zhōng~* sincerely advice ❷〈动 v.〉表明 declare; announce：～别 *~bié* take leave of; bid farewell to; pay one's last respects │～辞 *~cí* take leave (of one's host) │自～奋勇 *zì~-fènyǒng* volunteer for the job ❸〈动 v.〉提出请求 ask for; request; solicit：～假 *~jià* ask for leave │～饶 *~ráo* beg for mercy │～退 *~tuì* ask for leave to withdraw from a meeting, etc. ❹〈动 v.〉提出诉讼 sue; bring a case against：～状 *~zhuàng* bring a lawsuit against sb. │～发 *~fā* accuse sb. (of an offence) │控～ *kòng~* charge; accuse ❺〈动 v.〉宣布某件事情已完成或终结 announce or declare the completion of sth.：～终 *~zhōng* come to an end; end up │～吹 *~chuī* fail; fall through │～罄 *~qìng* run out; be exhausted │～一段落 *~yí duànluò* come to the end of a stage; be brought to a temporary close │大功～成。*Dàgōng~~chéng.* The great task is accomplished. ❻〈名 n.〉机关、团体或个人发表的声明 public notice or announcement by government organ, organization or individual：文～ *wén~* proclamation; bulletin │通～ *tōng~* circular │公～ *gōng~* public notice; proclamation ❼〈名 n.〉诉讼的双方 litigant; parties involved in a lawsuit：原～ *yuán~* plaintiff (for civil cases); prosecutor (for criminal cases) │被～ *bèi~* defendant; the accused

² **告别** gàobié ❶〈动 v.〉离别；分手；辞行 take leave of; part from; leave; bid farewell to：～父母 *~fùmǔ* part from parents │～故乡 *~gùxiāng* leave one's hometown │～亲友 *~qīnyǒu* part from relatives and friends │～宴会 *~yànhuì* hold a farewell banquet │握手～ *wòshǒu~* shake hands before parting │～挥泪 *~huīlèi* part in tears │他～了故乡来到北京寻求发展。*Tā ~le gùxiāng láidào Běijīng xúnqiú fāzhǎn.* He left his hometown and came to Beijing to seek personal development. ❷〈动 v.〉与死者作诀别，表示哀悼 pay one's last respects to the deceased：遗体～仪式 *yítǐ ~ yíshì* funeral ceremony to accord the deceased respect

³ **告辞** gàocí〈动 v.〉一般用于客人向主人辞别 take leave (of one's host)：他坐了一会儿便起身向主人～。*Tā zuòle yíhuìr biàn qǐshēn xiàng zhǔrén ~.* He stood up and took leave of his host after being seated for a while. │时间不早了，我该～了。*Shíjiān bù zǎo le, wǒ gāi ~ le.* It's getting late. I'm afraid I must be off now.

⁴ **告诫** gàojiè〈动 v.〉劝诫；警告（多用于长辈对晚辈或上级对下级）(usu. of a person to sb. of the younger generation or a leader to a subordinate) warn; caution; exhort; admonish 谆谆～ *zhūnzhūn ~* admonish sb. earnestly and tirelessly │再三～ *zàisān ~* repeated exhortation │严厉～ *yánlì ~* admonish sternly

¹ **告诉** gàosu〈动 v.〉说给别人听，让人知道 tell; let know：～大家 *~dàjiā* tell us │～亲朋好友 *~qīnpéng hǎoyǒu* tell relatives and friends │～听众 *~tīngzhòng* tell the audience │把情况尽快～所有的人。*Bǎ qíngkuàng jǐnkuài ~ suǒyǒu de rén.* Please let everyone know what has happened as soon as possible.

⁴ **告状** gào//zhuàng ❶〈动 v.〉(当事人) 请求司法机关受理某一案件 (of a party concerned) go to court against sb.：～申冤 *~ shēnyuān* bring a lawsuit against sb. and appeal for redressing a wrong ❷〈动 v.〉向上级或长辈诉说别人干的坏事 lodge a

complaint against sb. with one's superior: 向领导～ *xiàng lǐngdǎo* ~ complain to one's leader | 向父亲～ *xiàng fùqīn* ~ complain to one's father | 他向老师告了我一状。*Tā xiàng lǎoshī gàole wǒ yí zhuàng.* He complained about me to the teacher.

⁴ **疙瘩 gēda** ❶〈名 *n.*〉皮肤上或肌肉上突起的硬块 pimple; lump; swelling on the skin: 鸡皮～ *jīpí* ~ goosebumps; gooseflesh | 脸上长了个小～。*Liǎn shang zhǎngle gè xiǎo ~.* There is a small pimple on the face. | 背上起了一片红～。*Bèi shang qǐle yí piàn hóng ~.* There are red swellings all over the back. ❷〈名 *n.*〉小球状或块状物品 lump; knot: 面～ *miàn~* small round lumps of dough | 咸菜～ *xiáncài* ~ lumps of pickles | 绳子上有个死～。*Shéngzi shang yǒu gè sǐ ~.* There's a fast knot on the rope. ❸〈名 *n.*〉比喻心头的郁闷或想不开的心情 fig. knot in one's heart; hang-up: 经过苦口婆心的劝说，她心头的～终于解开了。*Jīngguò kǔkǒu-póxīn de quànshuō, tā xīntóu de ~ zhōngyú jiěkāi le.* Only after her friends exhorted her with patience and sincerity did she finally get over the hang-up.

¹ **哥哥 gēge** ❶〈名 *n.*〉同一父母(或同父异母、同母异父)而年纪比自己大的男子 elder brother (having the same parents or parent): 他有一个～。*Tā yǒu yí gè ~.* He has an elder brother. | 他～比他大两岁。*Tā ~ bǐ tā dà liǎng suì.* His brother is two years older than him. ❷〈名 *n.*〉同辈中年纪比自己大的男子 elder male relative of the same generation: 叔伯～ *shūbai* ~ elder cousin | 远房～ *yuǎnfáng* ~ elder brother of a distant relative ❸〈名 *n.*〉称呼比自己年纪大的男子 brother, form of address for the elder male: 你年岁最大，就是我们大伙儿的～。*Nǐ niánsuì zuì dà, jiùshì wǒmen dàhuǒr de ~.* You are our brother since you are the oldest among us. ❹〈名 *n.*〉年轻女子称呼自己的情人 endearing term used by a girl to address her lover: 情郎～ *qíngláng* ~ my love

² **胳臂 gēbei**〈名 *n.*〉同'胳膊' same as '胳膊gēbo'

² **胳膊 gēbo**〈名 *n.*〉人体器官之一,指肩膀以下至手腕以上的部分。也称'胳臂' arm; part between shoulder and wrist, also '胳臂gēbei': ～肘 *~zhǒu* elbow | 拳击运动员的～特别粗壮。*Quánjī yùndòngyuán de ~ tèbié cūzhuàng.* The arms of the boxer are very thick. | ～肘往外拐（比喻不向着自家人而向着外人）*~zhǒu wǎng wài guǎi*（*bǐyù bú xiàngzhe zìjiārén ér xiàngzhe wàirén*）one's elbow turns to the wrong side（*fig.* side with outsiders instead of one's own people）| ～拧不过大腿（比喻弱小的敌不过强大的）。*~nǐng bú guò dàtuǐ*（*bǐyù ruòxiǎo de dí bú guò qiángdà de*）. The arm is no match for the thigh（*fig.* the weak cannot contend with the strong）.

³ **鸽子 gēzi**〈名 *n.*〉一种常见的、多为人工喂养的鸟,有的品种可以用于传递书信,称为'信鸽' pigeon; dove; common domesticated bird; those which can be used for carrying letters are called '信鸽 xìngē': 人们常把～作为和平的象征,称为和平鸽。*Rénmen cháng bǎ ~ zuòwéi hépíng de xiàngzhēng, chēngwéi hépínggē.* The dove is called 'peace dove' because people usually consider it a symbol of peace.

² **搁 gē** ❶〈动 *v.*〉使物体在一定的位置 put; place; lay: ～上去 ～ *shàngqù* put sth. on | ～进去 ～ *jìnqù* put sth. in | ～得下 ～ *de xià* able to hold sth. | ～不下 ～ *bú xià* unable to hold sth. | 把书～到书架上去。*Bǎ shū ~dào shūjià shàng qù.* Put the book on the bookshelf. ❷〈动 *v.*〉加进去 add; put in: 汤里～点儿盐。*Tāng li ~ diǎnr yán.* Put some salt in the soup. | 牛奶里～点儿糖。*Niúnǎi li ~ diǎnr táng.* Add some sugar to the milk. | 煎牛排时～点儿胡椒粉。*Jiān niúpái shí ~ diǎnr hújiāofěn.* Add a little ground pepper when frying beef steak. ❸〈动 *v.*〉搁置 put aside; shelve: ～下 ～*xià* shelve a matter | 这件事不急着办,先～一～再说。*Zhè jiàn shì bù jízhe bàn, xiān ~ yì ~ zài shuō.* This is not urgent. We can put it aside and come back to it later.

²**割** gē ❶〈动 v.〉截断 cut; sever: ~开 ~ *kāi* cut open; rip open │ ~断 ~ *duàn* cut off │ ~掉 ~ *diào* cut off; get rid of │ ~盲肠 ~ *mángcháng* appendectomy │ 这块麦地~得真干净。 *Zhè kuài màidì ~ de zhēn gānjìng.* The wheat crops were cleanly cut in this field. ❷〈动 v.〉分割；舍弃 divide; give up: ~让 ~ *ràng* cede │ ~地赔款 ~ *dì péikuǎn* cede territory and pay indemnity │ ~爱 ~ *ài* give up what one treasures │ 两人难~难舍。*Liǎng rén nán ~ nán shě.* The two were reluctant to part with each other.

¹**歌** gē ❶〈名 n.〉按照一定曲调唱的歌曲 song; set of words set to music or meant to be sung: 唱~ *chàng*~ sing a song │ 民~ *mín*~ folk song │ 山~ *shān*~ folk song (sung in the fields or mountains) │ ~曲 ~ *qǔ* song │ ~迷 ~ *mí* song fan │ ~坛 ~ *tán* the circle of singers │ ~星 ~ *xīng* singing star │ ~舞升平 ~ *wǔ-shēngpíng* extol the good times by singing and dancing │ 她能熟练地演唱中文~。*Tā néng shúliàn de yǎnchàng zhōngwén* ~. She can sing Chinese songs skillfully. ❷〈动 v.〉唱 sing; chant: ~者 ~ *zhě* singer │ 引吭高~ *yǐnháng-gāo*~ sing at the top of one's voice ❸〈动 v.〉颂扬 extol: ~功颂德 ~ *gōng-sòngdé* eulogize sb.'s virtues and achievements

³**歌唱** gēchàng ❶〈动 v.〉唱 sing; chant: ~家 ~ *jiā* singer │ 放声 *fàngshēng* ~ sing loudly ❷〈动 v.〉用歌声颂扬 sing the praises of; eulogize: ~祖国 ~ *zǔguó* extol the motherland │ ~美好的明天 ~ *měihǎo de míngtiān* sing the praises of the beautiful future

⁴**歌剧** gējù〈名 n.〉包括诗歌、音乐、舞蹈等艺术形式在内而以歌唱为主的一种戏剧 opera; dramatic work which is set to music for singers and combines elements such as poetry, music and dance. ~演员 ~ *yǎnyuán* opera performer │ 古典~ *gǔdiǎn* ~ classical opera │《茶花女》是一出著名的~。'*Cháhuānǚ' shì yì chū zhùmíng de* ~. La Traviata is a famous opera.

⁵**歌曲** gēqǔ〈名 n.〉用词（诗歌）和曲（简谱或五线谱）谱写的供人演唱的作品 song; brief composition（poem）with melody（numbered musical notation or stave）adapted for singing: 创作~ *chuàngzuò* ~ compose music │ 演唱~ *yǎnchàng* ~ sing songs │ 古典~ *gǔdiǎn* ~ classical song │ 流行~ *liúxíng* ~ popular song │ 校园~ *xiàoyuán* ~ campus song │ 通俗~ *tōngsú* ~ popular song │ ~集 ~ *jí* song album

⁴**歌手** gēshǒu〈名 n.〉擅长唱歌的人 singer: 青年~ *qīngnián* ~ young singer │ 著名~ *zhùmíng* ~ famous singer │ 专业~ *zhuānyè* ~ professional singer │ 业余~ *yèyú* ~ amateur singer │ ~大赛 ~ *dàsài* singer contest

³**歌颂** gēsòng〈动 v.〉用诗或歌颂扬, 泛指用语言、文字及歌曲赞美 sing the praises of; extol; eulogize: ~和平 ~ *hépíng* extol peace │ ~英雄 ~ *yīngxióng* laud the hero │ ~友谊 ~ *yǒuyì* extol friendship │ ~壮丽的山河 ~ *zhuànglì de shānhé* sing the praises of the splendid rivers and mountains

⁴**歌星** gēxīng〈名 n.〉有了一定知名度的歌唱演员 singing star: 著名~ *zhùmíng* ~ famous singing star │ 红~ *hóng* ~ popular singing star │ 歌迷们总是追逐自己喜爱的~。*Gēmímen zǒngshì zhuīzhú zìjǐ xǐ'ài de* ~. Song fans always are mad about their favorite star singers.

⁴**歌咏** gēyǒng〈名 n.〉歌唱 singing: ~比赛 ~ *bǐsài* singing competition │ ~晚会 ~ *wǎnhuì* singing evening party │ ~队 ~ *duì* singing group; chorus

²**革命** I gé//mìng〈动 v.〉根本改变旧的社会制度的改革 revolutionize; reform by transforming the old social system: 民主~ *mínzhǔ* ~ democratic revolution │ 社会主义~ *shèhuì zhǔyì* ~ socialist revolution │ ~对象 ~ *duìxiàng* target of revolution │ 革谁的命？*Gé shéi de mìng?* Who is the target of revolution? II géming ❶〈形 adj.〉具有革命意识的 revolutionary: ~党 ~ *dǎng* revolutionary party │ ~家 ~ *jiā* revolutionary;

G

revolutionist：他太～了。*Tā tài ～ le.* He is so revolutionary. ❷〈名 *n.*〉(次 cì、场 chǎng) 进行根本性的改革 revolution; radical reform：产业～ *chǎnyè ～* industrial revolution｜技术～ *jìshù ～* technological revolution｜思想～ *sīxiǎng ～* ideological revolution

³ **革新** géxīn ❶〈动 *v.*〉革除旧的，创造新的 innovate; improve：技术～ *jìshù ～* technological innovation｜～设备 *～ shèbèi* renovate the equipment｜～工艺 *～ gōngyì* renovate technology｜～教材 *～ jiàocái* improve textbooks｜大胆～ *dàdǎn ～* innovate daringly ❷〈名 *n.*〉指创新 innovation：一年来我厂～的成果显著。*Yì nián lái wǒ chǎng ～ de chéngguǒ xiǎnzhù.* Remarkable innovations were made in our factory this year.｜这是一项重大的～。*Zhè shì yí xiàng zhòngdà de ～.* This is a significant innovation.

⁴ **格** gé ❶ (～儿)〈名 *n.*〉指方形空格或框框 square; check：方～儿 *fāng～r* check; pattern of squares｜横～儿 *héng～r* lined (paper)｜画好～儿 *huàhǎo～r* draw squares｜表～ *biǎo～* table; form｜这个书架有四个～。*Zhège shūjià yǒu sì gè ～.* This is a bookcase with four shelves. ❷〈名 *n.*〉规格；标准 style; standard：合～ *hé～* qualified｜及～ *jí～* pass (a test, exam, etc.)｜出～ *chū～* outstanding; go beyond the limits｜破～ *pò～* break a rule; make an exception｜价～ *jià～* price｜～律 *～lǜ* rules and forms of classical poetic composition｜别具一～ *biéjù-yì～* have a unique style ❸〈名 *n.*〉指人的品质；风度 character; manner：人～魅力 *rén～mèilì* charm of personality｜风～高尚 *fēng～gāoshàng* noble character｜～调不高 *～diào bù gāo* low moral quality ❹〈名 *n.*〉某些民族语言中的语法规范，用词尾变化来表示词与词之间的语法关系 case; grammatical category in some languages, involving the inflection of words, noting syntactic relation of a word to other words by changes in the suffix：俄语中的名词、代词和形容词均有六个格。*Éyǔ zhōng de míngcí, dàicí hé xíngróngcí jūn yǒu liù gè ～.* In Russian, nouns, pronouns and adjectives each have six cases. ❺〈动 *v.*〉打斗 fight：～斗士 *～dòushì* fighter; wrestler｜～杀勿论 *～shā wùlùn* kill on sight (without fear of prosecution)

⁴ **格格不入** gégé-búrù〈成 *idm.*〉指不相容，有抵触情绪 incompatible; out of tune with; like a square peg in a round hole：他这个人的性格过份要强与大家相处总是～。*Tā zhège rén de xìnggé guòfèn yàoqiáng yǔ dàjiā xiāngchǔ zǒngshì ～.* Being keen on excelling in everything, he somehow cannot get along well with others.

⁴ **格局** géjú〈名 *n.*〉格式和结构 pattern; structure：建筑～ *jiànzhù～* layout of a building｜～新颖 *～xīnyǐng* novel pattern｜城市改造应保留原有的文化古都的～。*Chéngshì gǎizào yīng bǎoliú yuányǒu de wénhuà gǔdū de ～.* The layout of the ancient cultural capital should be preserved in the attempt to revamp the city.｜只有打破旧的，才能形成新的～。*Zhǐyǒu dǎpò jiù de, cái néng xíngchéng xīn de ～.* Old patterns should be broken to give way to new ones.

⁴ **格式** géshì〈名 *n.*〉(个 gè、种 zhǒng) 规格；式样 form; pattern; format：书信～ *shūxìn ～* form of a letter｜公文～ *gōngwén ～* form of an official document｜编排～ *biānpái ～* arrange form elements｜每一种表格都有其固定的～。*Měi yì zhǒng biǎogé dōu yǒu qí gùdìng de ～.* Every kind of table has its fixed format.

³ **格外** géwài〈副 *adv.*〉超乎寻常 especially; particularly; all the more：～高兴 *～gāoxìng* especially happy｜～热闹 *～rènao* especially bustling｜～漂亮 *～ piàoliang* especially pretty｜他穿上这身西服显得～精神。*Tā chuānshàng zhè shēn xīfú xiànde ～ jīngshen.* He looks especially smart in his suit.

² **隔** gé ❶〈动 *v.*〉阻断；分开 separate; partition：～开 *～kāi* divide｜～断 *～duàn* cut off; sever; obstruct｜～夜 *～yè* of the previous night; last night｜～世 *～shì* world in the remote

past ｜ ~音墙 ~yīnqiáng soundproof wall ｜ 把这间大屋子~成几个小间. *Bǎ zhè jiān dà wūzi ~chéng jǐ gè xiǎo jiān.* Partition the large room into several small ones. ❷〈动 v.〉间隔；距离 be apart from; be at a distance from: 相 ~ 几小时 *xiāng ~ jǐ xiǎoshí* at interval of a few hours ｜ ~岸观火 (比喻见有危难袖手旁观不采取救援措施). *~àn-guānhuǒ* (*bǐyù jiàn yǒu wēinàn xiùshǒu-Pángguān bù cǎiqǔ jiùyuán cuòshī*). Watch a fire from the other side of the river (*fig.* show no concern for another's trouble). ｜ ~行如~山 (比喻行业不同很难沟通). *~háng rú ~ shān* (*bǐyù hángyè bùtóng hěn nán gōutōng*). Different trades are separated as if by mountains (*fig.* People who are in different trades may find it very hard to communicate). ｜ ~墙有耳 (比喻说秘密的事会有人偷听). *~qiáng-yǒu'ěr* (*bǐyù shuō mìmì de shì huì yǒu rén tōutīng*). Walls have ears (people may be listening on the other side of the wall). ｜ ~三差五 (比喻相隔不久). *~sān-chàwǔ* (*bǐyù xiānggé bùjiǔ*). Every three or five days (*fig.* Every now and then; time and again). ｜ ~靴搔痒 (比喻说话、办事不实在，没有抓住问题的关键). *~xuē-sāoyǎng* (*bǐyù shuōhuà, bànshì bù shízài, méiyǒu zhuāzhù wèntí de guānjiàn*). Scratch an itch from outside one's boots (*fig.* fail to strike home; be irrelevant).

² **隔壁** gébì 〈名 n.〉相邻近的房屋仅一壁之隔 next door: ~ 邻居 ~ *línjū* next door neighbor ｜ 卧室的~是书房. *Wòshì de ~ shì shūfáng.* The study is next to the bedroom. ｜ 他就住在我家~. *Tā jiù zhù zài wǒ jiā ~.* He lives next door to me.

³ **隔阂** géhé 〈名 n.〉彼此之间思想感情有距离 (of thought and feeling) estrangement; misunderstanding; barrier: 产生~ *chǎnshēng ~* cause estrangement ｜ 造成~ *zàochéng ~* create misunderstanding ｜ 消除~ *xiāochú ~* remove misunderstandings ｜ 思想上的~很难消除. *Sīxiǎng shang de ~ hěn nán xiāochú.* Misunderstanding between people is hard to remove.

⁴ **隔绝** géjué 〈动 v.〉断绝 cut off completely; isolate: 音信~ *yīnxìn ~* (with) all news blocked off ｜ 与世~ *yǔ shì ~* be cut off from the outside world ｜ ~空气 *~ kōngqì* cut off the air

⁴ **隔离** gélí ❶〈动 v.〉不让聚在一起，断绝往来 separate; keep apart; segregate: ~审查 ~ *shěnchá* be taken into custody and under investigation ｜ ~区 ~ *qū* quarantine area ｜ ~带 ~ *dài* median ❷〈动 v.〉把传染病人与健康人群分隔开 quarantine; isolate people with an infectious disease from healthy people: ~病房 ~ *bìngfáng* quarantine ward ｜ ~室 ~ *shì* isolated ward ｜ ~治疗 ~ *zhìliáo* undergo treatment in isolation

¹ **个** gè ❶〈量 meas.〉通用个体量词 (用于没有专用量词的事物，也可用于某些有专用量词的事物) used before nouns without a particular classifier; some nouns can also use it instead of their particular classifier: 一 ~ 男孩ⅿ *yí ~ nánháir* a boy ｜ 两~汉堡包 *liǎng ~ hànbǎobāo* two hamburgs ｜ 三~礼拜 *sān ~ lǐbài* three weeks ｜ 五~草莓 *wǔ ~ cǎoméi* five strawberries ❷〈量 meas.〉用在约数前面，显示语气随便、轻快 used before an approximate figure to indicate a light and brisk tone: 现在买东西差 ~ 块儿八毛的人家也不 *Xiànzài mǎi dōngxi chà ~ kuàiErbāmáo de rénjiā yě bú zàihu.* Customers usually won't care so much if they are short-changed one *yuan* or less. ｜ 他每周都要去~一两趟健身房. *Tā měi zhōu dōu yào qù ~ yì liǎng tàng jiànshēnfáng.* Every week he will go to the gym once or twice. ❸〈量 meas.〉用于带宾语的动词后，显示语气随便、轻快 used after a verb and its object to indicate a light and brisk tone: 打 ~ 电话 *dǎ ~ diànhuà* make a phone call ｜ 洗~澡 *xǐ ~ zǎo* have a bath ｜ 睡~觉 *shuì ~ jiào* have some ｜ 吃~饭 *chī ~ fàn* take a sleep meal ｜ 写~字 *xiě ~ zì* do some writing ｜ 看~书 *kàn ~ shū* read books ｜ 起~大早，赶~晚集 (比喻错过时机). *Qǐ ~ dà zǎo, gǎn ~ wǎn jí* (*bǐyù*

cuòguò shíjī). One missed the country fair even though he had got up early (*fig.* miss an opportunity). ❹〈量 *meas.*〉用于动词和补语之间，使补语略带宾语性质（有时与‘得 de’连用）used between a verb and its complement, sometimes together with ‘得 de’; in this case the complement is somewhat like an object：吃~饱 *chī ~ bǎo* eat to one's heart's content | 玩儿~痛快 *wánr ~ tòngkuài* have a wonderful time | 笑~不停 *xiào ~ bùtíng* keep laughing | 看得~仔细 *kàn de ~ zǐxì* take a careful look | 问~明白 *wèn ~ míngbái* ask and make clear | 大雪一直下~不停。*Dàxuě yìzhí xià ~ bùtíng.* Heavy snow kept falling. ❺〈量 *meas.*〉前面加‘一’跟少数名词、动词结合在一起，用在谓语动词前表示快速或突然 used after ‘一 yí’ with certain nouns or verbs to indicate quickness or suddenness：他一~跨步扑了上去，就把那个窃贼抓住了。*Tā yí ~ kuàbù pūle shàngqù, jiù bǎ nàge qièzéi zhuāzhù le.* He took a quick step and lunged forward, catching the thief on the spot. | 下雪天路滑，一~不小心他就跌了一跤。*Xiàxuětiān lù huá, yí ~ bù xiǎoxīn tā jiù diēle yì jiāo.* It was snowing and the road was slippery. He had a fall due to carelessness. ❻〈形 *adj.*〉单独的；非普遍的 individual; unique：~人 ~*rén* individual; personal | ~别 ~*bié* specific; particular; very few | ~性 ~*xìng* personality | ~体经济 ~*tǐ jīngjì* individual economy ❼〈名 *n.*〉十进位制计数的基础的一位 basic unit of the decimal system：~位 ~*wèi* unit; digit

² **个别 gèbié** ❶〈形 *adj.*〉单个；各个 individual; specific; particular：~照顾 ~ *zhàogù* be taken care of individually | ~处理 ~ *chǔlǐ* be treated specifically | 老师要找他~谈话。*Lǎoshī yào zhǎo tā ~ tánhuà.* The teacher would like to have a private talk with him. ❷〈形 *adj.*〉极少数；少有 very few; one or two; exceptional：这只是~人的意见，不能代表大家。*Zhè shìshì ~ rén de yìjiàn, bù néng dàibiǎo dàjiā.* This is the opinion of very few people. It is not true of most people. | 这种情况的发生是极其~的。*Zhèzhǒng qíngkuàng de fāshēng shì jíqí ~ de.* Such instances are very rare.

³ **个儿 gèr** ❶〈名 *n.*〉指人的身材或物体的大小 height; size：大~ *dà ~* big | 小~ *xiǎo ~* small | 高~ *gāo ~* tall | 矮~ *ǎi ~* short | 他个~不高，但弹跳力不错。*Tā gè ~ bù gāo, dàn tántiàolì búcuò.* He is not tall but gifted with a fairly good jumping capacity. | 挑了个大的西瓜。*Tiāole gè dà ~ de xīguā.* I selected a big watermelon. ❷〈名 *n.*〉指一个个的人或物 persons or things taken singly; each：上飞机前挨~进行安检。*Shàng fēijī qián āi~ jìnxíng ānjiǎn.* Passengers must go through security check one by one before boarding the plane. | 课堂上老师逐一向学生提问。*Kètáng shang lǎoshī zhú~ xiàng xuéshēng tíwèn.* The teacher asked each student a question one by one in class. | 西瓜论~卖。*Xīguā lùn ~ mài.* The watermelon is sold by the item.

² **个人 gèrén** ❶〈名 *n.*〉单个的人（与‘集体’相对）individual person (opposite to ‘集体 jítǐ’)：~生活 ~ *shēnghuó* private life | ~隐私 ~ *yǐnsī* privacy | ~问题 ~ *wèntí* personal problem, mostly referring to one's marriage | ~利益 ~ *lìyì* personal interests | ~自由 ~ *zìyóu* personal freedom ❷〈名 *n.*〉指本人，自我 I：这是我~的意见，并不代表大家。*Zhè shì wǒ ~ de yìjiàn, bìng bú dàibiǎo dàjiā.* This is only my opinion. Others' may differ from mine. | 我~认为这样做是对的。*Wǒ ~ rènwéi zhèyàng zuò shì duì de.* In my opinion, the way of doing this is correct.

² **个体 gètǐ** 〈名 *n.*〉单个的人或事物 individual person or thing：~劳动者 ~ *láodòngzhě* person who works on his own; self-employed laborer | ~经济 ~ *jīngjì* individually-owned sector of the economy | ~经营 ~ *jīngyíng* individually-owned business

³ **个体户 gètǐhù** 〈名 *n.*〉以劳动者个人或家庭成员为主，用自有的资金和生产资料，独立进行生产经营活动的经济组织 individual or household engaged in production or

business activities using one's own capital and means of production：他当上了～。*Tā dāngshàngle ~.* He became a self-employed businessman. | ～的合法经营受到国家法律保护。*~ de héfǎ jīngyíng shòudào guójiā fǎlǜ bǎohù.* Lawful operation of the individually-owned business is protected by the nation's law. | 各个城市都建立了~协会。*Gègè chéngshì dōu jiànlìle ~ xiéhuì.* The association of privately owned businesses has been set up in every city.

³ **个性** gèxìng ❶〈名 *n.*〉在一定的社会条件下形成的个人的比较固定的特性 individual character formed under certain social circumstances; individuality; personality：突出 ~ *tūchū* have an outstanding character | 他是个~鲜明的人。*Tā shì gè ~ xiānmíng de rén.* He has a distinctive personality. | 他各方面条件都不错，就是~太强。*Tā gè fāngmiàn tiáojiàn dōu búcuò, jiùshì ~ tài qiáng.* She is quite good in every aspect except that her character is too strong. ❷〈名 *n.*〉指事物的特性（与'共性'相对）particularity（opposite to '共性 gòngxìng'）：把握事物的~特征。*Bǎwò shìwù de ~ tèzhēng.* Grasp the individual characteristics of things. | 事物的~存在于共性之中。*Shìwù de ~ cúnzài yú gòngxìng zhīzhōng.* Individualities are derived from the general characters.

² **个子** gèzi〈名 *n.*〉指人的身材，也指动物个体的大小（of human beings or animal）height; build：大 ~ *dà* ~ tall person | 小 ~ *xiǎo*~ short person | 他的~长得真高。*Tā de ~ zhǎng de zhēn gāo.* He is so tall. | 这个男孩儿~不矮，估计有一米七八。*Zhège nánháir ~ bù ǎi, gūjì yǒu yī mǐ qī bā.* The boy is not short. I reckon his height is 170-180 cm. | 河马一出生~就不小。*Hémǎ yì chūshēng ~ jiù bùxiǎo.* The hippo is fairly big even at the time of its birth.

¹ **各** gè ❶〈代 *pron.*〉表示不止一个且彼此有所不同（of different things）each; all：位先生 ~*wèi xiānsheng* gentlemen | 国朋友 ~*guó péngyou* friends from various countries | ~人有~人的想法。*~ rén yǒu ~ rén de xiǎngfǎ.* Each has his own ideas. | ~种因素都要考虑进去。*~zhǒng yīnsù dōu yào kǎolǜ jìnqù.* Every kind of factors should be taken into consideration. ❷〈副 *adv.*〉表示分别做某事或分别具有某种属性（in doing things or possessing certain features）respectively：~得其所（各人或各种事物都得到合适的安排）。*~déqísuǒ (gè rén huò gèzhǒng shìwù dōu dédào héshì de ānpái).* Each is in his proper place（each has a role to play）. | ~就各位。*~jiù-gèwèi.* Man your posts. | ~有千秋。*~yǒu-qiānqiū.* Each has his strong points; Each has its own merits. | ~执一词。*~zhí-yìcí.* Each sticks to his own version or argument.

⁴ **各奔前程** gèbènqiánchéng〈成 *idm.*〉各人走各人的路。比喻各人向着各自的目标去努力 each goes his own way; *fig.* each strives for his own goal：公司由于经营不善而破产，员工们只好～了。*Gōngsī yóuyú jīngyíng búshàn ér pòchǎn, yuángōngmen zhǐhǎo ~ le.* The company became bankrupt due to poor management. As a result, each employee had to pursue his own course.

⁴ **各别** gèbié ❶〈副 *adv.*〉各不相同地 differently：~对待 ~*duìdài* be treated differently | ~解决 ~*jiějué* be solved differently | 他们两人问题的性质不同，应该~处理。*Tāmen liǎng rén wèntí de xìngzhì bùtóng, yīnggāi ~ chǔlǐ.* The problems of the two people are different in nature and should be treated differently. ❷〈形 *adj.*〉特别；与众不同（用以形容人的性格，多含贬意）（of one's personality, usu. derg.）odd; eccentric：非常 ~*fēicháng* ~ very odd | 这个人的脾气很~，很难与他相处。*Zhège rén de píqi hěn ~, hěn nán yǔ tā xiāngchǔ.* Being a very eccentric person, he is hard to get along with.

⁴ **各行各业** gèháng-gèyè〈成 *idm.*〉指各种不同行业或职业 all trades and professions;

all walks of life: ~ 的代表 ~ de dàibiǎo representatives from all walks of life | 参加人才招聘会的招聘单位来自全市。Cānjiā réncái zhāopìnhuì de zhāopìn dānwèi láizì quán shì ~. The prospective employers taking part in the talent fair are from various trades in this city.

⁴ **各界** gèjiè 〈代 pron.〉指各阶层，各行业的人士 personalities from various classes or professions: ~ 代表 ~ dàibiǎo representatives from all walks of life | 这个委员会是~人士组成的。Zhège wěiyuánhuì shì ~ rénshì zǔchéng de. The committee consists of public figures from various circles.

³ **各式各样** gèshì-gèyàng 〈成 idm.〉许许多多不同的式样 all kinds of: ~ 的建筑 ~ de jiànzhù all kinds of buildings | ~ 的服装 ~ de fúzhuāng all kinds of clothes | ~ 的家具 ~ de jiājù all kinds of furniture | 超市里摆满了~的商品。Chāoshì li bǎimǎnle ~ de shāngpǐn. All kinds of goods are displayed in the supermarket.

¹ **各种** gèzhǒng 〈代 pron.〉许多不同的种类 different kinds of: ~ 人 ~ rén different kinds of people | ~ 植物 ~ zhíwù different kinds of plants | ~ 机械 ~ jīxiè different kinds of machinery | ~ 图书 ~ túshū different kinds of books | ~ 职业 ~ zhíyè different kinds of professions | ~ 语言 ~ yǔyán different kinds of languages | 花卉市场摆满了牡丹、玫瑰、百合、蝴蝶兰等~名贵的花卉。Huāhuì shìchǎng bǎimǎnle mǔdān, méiguī, bǎihé, húdiélán děng ~ míngguì de huāhuì. In the flower market, various famous flowers are displayed, such as peony, rose, lily and butterfly orchid.

³ **各自** gèzì 〈代 pron.〉各人自己；各个方面之中自己的一方 each; respective; individual: ~ 的风格 ~ de fēnggé individual style | ~ 的问题 ~ de wèntí respective problem | ~ 的情况 ~ de qíngkuàng respective circumstance | 中国饮食文化中的各大菜系都具有~的特色。Zhōngguó yǐnshí wénhuà zhōng de gè dà càixì dōu jùyǒu ~ tèsè. Major styles of cooking in China are characterized by their respective features.

¹ **给** gěi ❶〈动 v.〉给予，使对方得到 give; present; grant: ~ 我一束花。~ wǒ yí shù huā. Give me a bouquet of flowers. | ~ 他10块钱。~ tā shí kuài qián. Give him ten yuan. | 我要~他一个惊喜。Wǒ yào ~ tā yí gè jīngxǐ. I'm going to give him a pleasant surprise. ❷〈动 v.〉使遭受（代替某些具体动作动词）(used in place of certain concrete action verbs) subject sb. to sth.: ~（射）了他一枪。~ (shè) le tā yì qiāng. He was shot. | ~（说）了他几句话。~ (shuō) le tā jǐ jù huà. I gave him a talking-to. ❸〈介 prep.〉为；替 for; for the sake of: 她在~孩子讲故事。Tā zài ~ háizi jiǎng gùshi. She is telling the child a story. | 他~我们当向导。Tā ~ wǒmen dāng xiàngdǎo. He acts as our guide. ❹〈介 prep.〉同'叫''让''被'same as '叫 jiào', '让 ràng', '被 bèi': 汽车~他开走了。Qìchē ~ tā kāizǒu le. He drove the car away. | 花瓶~我打碎了。Huāpíng ~ wǒ dǎsuì le. The vase was broken by me. | 水都~他喝光了。Shuǐ dōu ~ tā hēguāng le. He drank up the water. ❺〈介 prep.〉用在动词后面表示交与，送达 used after a verb to indicate the handing over of sth.: to; with: 朋友送~我一件礼物。Péngyǒu sòng ~ wǒ yí jiàn lǐwù. A friend of mine sent a gift to me. | 他还~我10块钱。Tā huán ~ wǒ shí kuài qián. He paid back ten yuan to me. | 他交~我一封信。Tā jiāo ~ wǒ yì fēng xìn. He gave a letter to me. ❻〈介 prep.〉向 towards; in the direction of: ~ 老师敬个礼。~ lǎoshī jìng gè lǐ. Salute the teacher. | ~ 他道歉。~ tā dàoqiàn. Apologize to him. ❼〈介 prep.〉把 used when the object is the recipient of the action of the ensuing verb: ~ 狗拴上，别让它乱跑。~ gǒu shuānshang, bié ràng tā luàn pǎo. Tie the dog to keep it from running everywhere. ❽〈介 prep.〉加强语气，表达说话人的意志，一般用于命令句 used for emphasis to indicate the will of the speaker, usu. in imperative sentence: ~ 我坐下！~ wǒ zuòxià! Sit

down!｜你~我小心点儿! *Nǐ ~ wǒ xiǎoxīn diǎnr*! You'd better watch out!｜你~我出去! *Nǐ ~ wǒ chūqù*! Get out!

³ **给以** gěi/yǐ〈动 v.〉给（后面必须带双音节的动词宾语）(used before disyllabic verb) give: ~帮助 ~ *bāngzhù* give sb. help｜~鼓励 ~ *gǔlì* offer sb. encouragement｜~教育 ~ *jiàoyù* educate sb.｜~批评 ~ *pīpíng* criticize sb.｜对工作效率高的员工应~奖励。*Duì gōngzuò xiàolǜ gāo de yuángōng yīng ~ jiǎnglì.* Efficient employees should be rewarded.｜给犯错误者以惩罚是必要的。*Gěi fàn cuòwù zhě yǐ chéngfá shì bìyào de.* It is necessary to punish wrong-doers.

¹ **根** gēn ❶（~儿）〈量 meas.〉用于细长的东西 used for long thin objects: 一~钓鱼杆 yì ~ *diàoyúgān* a fishing rod｜两~筷子 liǎng ~ *kuàizi* two chopsticks｜三~电缆 sān ~ *diànlǎn* three electric cables｜几~白发 jǐ ~ *báifà* several pieces of grey hair ❷（~儿）〈名 n.〉高等植物的营养器官 root; the part of a higher plant which attaches to the ground, conveying water and nourishment to the rest of the plant: 树~儿 *shù~r* tree root｜草~r *cǎo~r* grass root｜主~ *zhǔ~* main root｜须~ *xū~* fibrous root｜气~ *qì~* aerial root｜深叶茂 ~*shēn-yèmào* have deep roots and thick foliage; be well established and flourishing｜斩草除~（比喻要彻底除掉祸根，不留后患）*zhǎncǎo-chú~*（*bǐyù yào chèdǐ chúdiào huògēn, bù liú hòuhuàn*）cut the weeds and dig up the roots（*fig.* stamp out the source of trouble）｜叶落归~（比喻事物终有一定的归宿，多用于客居他乡的人终究要回到本土）*Yèluò-guī~*（*bǐyù shìwù zhōng yǒu yídìng de guīsù, duō yòngyú kèjū tāxiāng de rén zhōngjiū yào huídào běntǔ*）. Falling leaves settle on their roots（*fig.* a person residing away from his ancestral home eventually returns to it）. ❸（~儿）〈名 n.〉物体的下部或某部分与其他物体相连的地方 root; foot; base: 耳~ *ěr~* base of ears｜舌~ *shé~* root of the tongue｜牙~ *yá~* root of a tooth｜墙~儿 *qiáng~r* foot of a wall｜票~儿 *piào~r* counterfoil; stub ❹（~儿）〈名 n.〉比喻子孙后代 *fig.* offspring: 这孩子是他们家的~儿。*Zhè háizi shì tāmen jiā de ~r.* The child is the family heir.｜他是独子，要千方百计救活他，不能让他家断了~儿。*Tā shì dúzǐ, yào qiānfāng-bǎijì jiùuó tā, bù néng ràng tā jiā duànle ~r.* He is the only son of his family. We must save him by every possible means lest his family lose the heir. ❺（~儿）〈名 n.〉事物的本源；人的出身底细 cause; root; source; origin: 祸~ *huò~* root of trouble｜寻~ *xún~* trace one's family roots｜刨~问底 *páo~-wèndǐ* get to the bottom of sth.｜知~知底 *zhī~-zhīdǐ* know each other's background ❻〈名 n.〉依据 basis: 据~*jù* foundation ❼〈名 n.〉代数一元方程式内未知数的解，'方根'的简称 solution of an algebraic equation; abbr. for '方根 fānggēn': ~式 ~*shì* radical expression｜平方~ *píngfāng~* square root ❽〈名 n.〉化学上指带电的基（in chemistry）live radical: 硫酸~ *liúsuān~* sulphuric acid radical｜氨~ *ān~* ammonium radical ❾〈副 adv.〉彻底地；从根本上 thoroughly; completely: ~治 ~*zhì* effect a radical cure｜~绝 ~*jué* eradicate; eliminate

² **根本** gēnběn ❶〈名 n.〉事物的根源或最重要的部分 base; foundation: 这件事应从~上予以解决。*Zhè jiàn shì yīng cóng ~ shang yǔyǐ jiějué.* This problem should be tackled at the root. ❷〈形 adj.〉表示最重要的、最关键的；起决定作用的 basic; fundamental; essential; decisive: ~的原因 ~ *de yuányīn* root cause; basic reason｜~的矛盾 ~ *de máodùn* basic contradiction｜~的问题 ~ *de wèntí* fundamental question｜~的目的 ~ *de mùdì* fundamental objective ❸〈形 adj.〉作为状语，表示从来；始终；完全（多用于否定句 adverbial modifier usu. in the negative）at all; simply; ever: ~不可能 ~ *bù kěnéng* simply impossible｜他~没来过。*Tā ~ méi láiguo.* He has never been here.｜他们~不懂游戏规则。*Tāmen ~ bù dǒng yóuxì guīzé.* They don't understand the rules of the game at

all.

² **根据** gēnjù ❶〈名 n.〉作为依据的事物 basis; foundation; grounds：~ 地 ~dì base area │ 他这样做是有充分的~的。Tā zhèyàng zuò shì yǒu chōngfèn ~ de. He did this with sufficient grounds. │ 你说是他干的有什么~? Nǐ shuō shì tā gàn de yǒu shénme ~? On what grounds do you think he did it? ❷〈动 v.〉把某种事物作为结论的前提或言行的基础 as premise of conclusion or basis of action：你这样回答问题~什么? Nǐ zhèyàng huídá wèntí ~ shénme? On what basis do you give your answer to the question? │ 他们做事的方法是~自己的习惯。Tāmen zuòshì de fāngfǎ shì ~ zìjǐ de xíguàn. Their way of doing things is based on their habit. ❸〈介 prep.〉引进依据的前提或基础 on the basis of：~合同条款你们公司可以向对方索赔。~ hétong tiáokuǎn nǐmen gōngsī kěyǐ xiàng duìfāng suǒpéi. Your company is entitled to claim for damages against the other party according to the contract. │比赛规则裁判有权对球员作出处罚。~ bǐsài guīzé cáipàn yǒu quán duì qiúyuán zuòchū chǔfá. The judge has the right to mete out punishment to the player of ball games according to the rules of the match.

⁴ **根据地** gēnjùdì〈名 n.〉(个 gè) 据以发展事业或进行武装斗争的地区 base area for development of a cause or armed struggle：创建 ~ chuàngjiàn ~ establish a base area │ 扩大 ~ kuòdà ~ expand the base area │ 位于江西省的井冈山是中国的革命~。Wèiyú Jiāngxī Shěng de Jǐnggāng Shān shì Zhōngguó de gémìng ~. Jinggang Mountain in Jiangxi Province is China's revolutionary base area. │ 这里是我们公司事业发展的~。Zhèlǐ shì wǒmen gōngsī shìyè fāzhǎn de ~. This is the base area for the development of our company.

⁴ **根深蒂固** gēnshēn-dìgù〈成 idm.〉比喻基础牢固，不易动摇 fig. deep-rooted; firmly established：~的思想 ~ de sīxiǎng deep-rooted thought │ ~的观念 ~ de guānniàn deep-seated belief

³ **根源** gēnyuán ❶〈名 n.〉事物产生的根本原因；起源 source; origin; root; cause：事情的~ shìqing de ~ cause of the incident │ 思想的~ sīxiǎng de ~ origin of the thought │ 问题的~ wèntí de ~ root of the problem │ 我们要认真查找事故的~。Wǒmen yào rènzhēn cházhǎo shìgù de ~. We must identify the cause of the accident conscientiously. ❷〈动 v.〉起源于 grow out of：他的偷窃行为~于贪小便宜。Tā de tōuqiè xíngwéi ~ yú tān xiǎo piányi. His act of theft grew out of his desire to covet small gains.

¹ **跟** gēn ❶〈名 n.〉指脚的后部或鞋袜的后部 (of foot, shoe or sock) heel：脚后~ jiǎo hòu~ heel │ 鞋后~ xié hòu~ heel of a shoe │ 高~鞋 gāo~xié high-heeled shoes │ 坡~鞋 pō~xié wedge heel │ 袜子后~破了。Wàzi hòu~ pò le. The heel of the sock is worn out. ❷〈动 v.〉表示紧随着向同一个方向行动 follow：~ 着我。~zhe wǒ. Follow me. │ 你跑那么快，我可~不上。Nǐ pǎo nàme kuài, wǒ kě ~ bù shàng. You run too fast for me to follow. │ ~上节奏。~shàng jiézòu. Follow the rhythm. ❸〈介 prep.〉引进比较的对象；同 used to show comparison; as; from：他买的这件衣服~我买的一模一样。Tā mǎi de zhè jiàn yīfu ~ wǒ mǎi de yìmú-yíyàng. The clothes he bought is exactly the same as mine. │ 北方的生活习惯~南方就是不一样。Běifāng de shēnghuó xíguàn ~ nánfāng jiùshì bù yíyàng. The habits and customs in the north are indeed different from those in the south. ❹〈介 prep.〉引进动作涉及的对象；向 used to introduce the recipient of an action; with; to：你这个办法很好，快~大家说说。Nǐ zhège bànfǎ hěn hǎo, kuài ~ dàjiā shuōshuo. Your method is quite good. Please tell us about it. │ 我~他借了10块钱。Wǒ ~ tā jièle shí kuài qián. I borrowed ten yuan from him. ❺〈连 conj.〉表示联合关系；和 and; with：他~我一起去旅游。Tā ~ wǒ yìqǐ qù lǚyóu. He went on a trip with me. │ 把面

包~牛奶放在一起。*Bǎ miànbāo ~ niúnǎi fàng zài yìqǐ.* Put the bread and milk together. ｜橘子~苹果应分开放。*Júzi ~ píngguǒ yīng fēnkāi fàng.* The tangerines and apples should be placed separately.

² **跟前** gēnqián〈名 n.〉身边；附近；临近 vicinity; proximity: 父母~只有他一个儿子。*Fùmǔ ~ zhǐyǒu tā yí gè érzi.* He is the only son who lives with the parents. ｜屋子~有一块草地。*Wūzi ~ yǒu yí kuài cǎodì.* There is a lawn close to the house. ｜圣诞节~市场上摆满了圣诞礼品。*Shèngdànjié ~ shìchǎng shang bǎimǎnle shèngdàn lǐpǐn.* As the Christmas draws near, a rich display of Christmas gifts can be found in the market.

⁴ **跟随** gēnsuí〈动 v.〉在后面紧跟着向同一方向行动 follow; go after: 他~着我朝海边走去。*Tā ~zhe wǒ cháo hǎibiān zǒuqù.* He followed me as I walked towards the sea. ｜小狗一步不离地~着她。*Xiǎo gǒu yí bù bù lí de ~zhe tā.* The puppy followed her closely. ｜他~着大家的舞步翩翩起舞。*Tā ~zhe dàjiā de wǔbù piānpiān qǐwǔ.* He began to dance gracefully as he followed the other's dancing step.

⁴ **跟头** gēntou〈名 n.〉指人或物失去平衡摔倒或向前、向后弯曲的翻转动作（of people or things after losing balance）tumble; fall; somersault: 雪天路滑，老年人走路要倍加小心，避免摔~。*Xuětiān lù huá, lǎoniánrén zǒulù yào bèijiā xiǎoxīn, bìmiǎn shuāi ~.* It's snowing and the road is slippery. The elderly should walk with extreme care lest they have a fall. ｜京剧武打演员在台上表演的翻~真精彩。*Jīngjù wǔdǎ yǎnyuán zài tái shang biǎoyǎn de fān ~ zhēn jīngcǎi.* The Peking Opera actor playing the martial role did really wonderful somersaults on the stage.

⁴ **跟踪** gēnzōng〈动 v.〉紧跟在后面追赶、监视 follow the tracks of sb. or sth. in order to catch or observe; tail; stalk: ~采访 ~ cǎifǎng follow and interview ｜~调查 ~ diàochá follow and investigate ｜~服务 ~ fúwù render follow-up service ｜在雪地上~狼的足迹。*Zài xuědì shang ~ láng de zújì.* Follow the tracks of a wolf on the snow-covered ground. ｜监视器~在轨道上运行的卫星。*Jiānshìqì ~ zài guǐdào shang yùnxíng de wèixīng.* The monitor keeps a close watch on the satellite moving in the orbit.

G

⁴ **更改** gēnggǎi〈动 v.〉改动；改换 change; alter: ~日期 ~ rìqī change the date ｜~时间 ~ shíjiān change the time ｜~地点 ~ dìdiǎn change the location ｜~计划 ~ jìhuà alter the plan ｜~决定 ~ juédìng change the decision ｜~路线 ~ lùxiàn change a route ｜因天气原因，原定的航班作了~。*Yīn tiānqì yuányīn, yuándìng de hángbān zuòle ~.* Due to weather reasons, the original flight has been changed. ｜这是~后的日程表。*Zhè shì ~hòu de rìchéngbiǎo.* This is the revised timetable. ｜商定的事情不应随便~。*Shāngdìng de shìqing bù yīng suíbiàn ~.* Once something is agreed upon, it should not be changed at will.

⁴ **更换** gēnghuàn〈动 v.〉替换；变换 change; replace; renew: ~位置 ~ wèizhì change places ｜~衣服 ~ yīfu change one's clothes ｜~证件 ~ zhèngjiàn renew certification papers ｜~信用卡 ~ xìnyòngkǎ change credit card ｜~商标 ~ shāngbiāo change trademark ｜~人员 ~ rényuán replace personnel ｜旧的灯泡坏了，要~一个新的。*Jiù de dēngpào huài le, yào ~ yí gè xīn de.* The old light bulb doesn't work. It should be replaced by a new one.

⁴ **更新** gēngxīn〈动 v.〉旧的去了，新的到来；去掉旧的，换成新的 replace the old with the new; renew; update: ~观念 ~ guānniàn replace the old mode of thinking with the new ｜~知识 ~ zhīshi update one's knowledge ｜~设备 ~ shèbèi upgrade equipment ｜万象~。*Wànxiàng ~.* Everything takes on a new look. ｜教学设备要~了。*Jiàoxué shèbèi yào ~ le.* The teaching facilities need to be upgraded.

⁴ **更正** gēngzhèng 〈动 v.〉改正已发表的讲话或文章内容、字句中的错误 make corrections (of errors in published statements or articles)：他对讲话中的部分内容作了～。*Tā duì jiǎnghuà zhōng de bùfen nèiróng zuòle ～.* He made corrections in certain parts of the speech. │ 这篇文章中有不少错别字需要～。*Zhè piān wénzhāng zhōng yǒu bùshǎo cuòbiézì xūyào ～.* In the article there are quite a few wrongly written characters that should be corrected. │ 报纸上登出了~启事。*Bàozhǐ shang dēngchūle ～ qǐshì.* The notice of correction is published in the newspaper.

⁴ **耕** gēng ❶〈动 v.〉用犁翻松田地里的土，以便播种 plough; till：～地 ~dì plough the field │ ～种 ~zhòng cultivate; raise crops │ 春～ chūn~ spring ploughing │ 深～细作 shēn~ xìzuò deep ploughing and intensive cultivation │ ~云播雨 (指控制降雨，改造自然) ~yún-bōyǔ (zhǐ kòngzhì jiàngyǔ, gǎizào zìrán) command the clouds and rain (control rainfall and reform nature) ❷〈动 v.〉比喻从事某种辛勤的劳动 fig. work for a living：笔~不辍 bǐ~-búchuò make a living by writing continuously

³ **耕地** gēngdì 〈名 n.〉指已开垦的适宜种植农作物的土地 cultivated land：中国沿海地区人口稠密，人均一面积比内陆地区要少得多。*Zhōngguó yánhǎi dìqū rénkǒu chóumì, rénjūn ~ miànjì bǐ nèilù dìqū yào shǎo de duō.* The cultivated land per person in China's densely populated coastal regions is much less than that of the inland regions. Ⅱ gēng//dì 〈动 v.〉同'耕'❶ same as '耕 gēng'❶：用拖拉机～ yòng tuōlājī ~ use tractor to plough the field │ 一天能耕几亩地？*Yì tiān néng gēng jǐ mǔ dì?* How many *mu* of land can be ploughed in one day?

⁴ **耕种** gēngzhòng 〈动 v.〉耕作和种植 till; cultivate; raise crops：春天来了，农民忙着～土地。*Chūntiān lái le, nóngmín mángzhe ~ tǔdì.* Spring comes and the peasants are busy cultivating crops. │ ～季节是农村最忙的时候。*~ jìjié shì nóngcūn zuì máng de shíhou.* The busiest time in rural areas comes when the farmers begin to cultivate their land.

⁴ **梗** gěng ❶ (～儿)〈名 n.〉一些植物的枝或茎 stalk or stem of some plants：花～ huā~-flower stem │ 菜～ cài~ stalk of a vegetable │ 桔～ jié~ balloonflower root ❷〈名 n.〉大略的内容 main idea：～概 ~gài broad outline ❸〈动 v.〉挺直 straighten; stiffen：他把头一～，走开了。*Tā bǎ tóu yì ~, zǒukāi le.* He straightened his head up and walked off. ❹〈动 v.〉正直 be straightforward：～直 ~zhí be frank and honest ❺〈动 v.〉阻塞；妨碍 hinder; obstruct; block：～塞 ~sè clog; choke; obstruct │ 从中作~ cóngzhōng-zuò~ place obstacles in the way

¹ **更** gèng ❶〈副 adv.〉表示程度增加；更加 more; even more：～多 ~ duō more │ ～美好 ~ měihǎo more pleasant │ ～努力 ~ nǔlì more hardworking │ ～漂亮 ~ piàoliang more beautiful │ ～喜欢 ~ xǐhuan love more │ ～鲜明 ~ xiānmíng brighter; more distinct │ ~酷 ~ kù (of appearance) cooler │ 今年冬天的气温比去年～低。*Jīnnián dōngtiān de qìwēn bǐ qùnián ~ dī.* The temperature of this winter is lower than that of last year. ❷〈副 adv.〉书 lit.〉再；又 further; furthermore：~上一层楼。~ shàng yì céng lóu. Climb one storey higher and attain yet better results.

² **更加** gèngjiā 〈副 adv.〉表示程度上又深了一层或数量上进一步增减 (of degree or quantity) more; still more; even more：～努力 ~ nǔlì more hardworking │ ～爱惜 ~ àixī take even better care of │ ～集中 ~ jízhōng more centralized │ ～分散 ~ fēnsàn more dispersed │ 这条路本来就窄，现在走的车多了就～堵了。*Zhè tiáo lù běnlái jiù zhǎi, xiànzài zǒu de chē duōle jiù ~ dǔ le.* The road itself is not wide enough. With more traffic, it becomes more congested.

⁴ **工** gōng ❶〈名 n.〉工人 worker：矿～ kuàng~ miner │ 钳～ qián~ fitter │ 纺织女～

fǎngzhī nǚ~ female textile worker │ 木~ *mù*~ carpenter │ 技~ *jì*~ mechanic ❷〈名 n.〉工作；生产劳动 work; labor：做 ~ *zuò* ~ work on a job │ 上~ *shàng* ~ go to work │ 打~ *dǎ*~ work part-time; hire out for work │ 加~ *jiā*~ process; polish │ 罢~ *bà*~ go on strike ❸〈名 n.〉工程（construction）project：开 ~ *kāi*~ go into operation │ 动~ *dòng*~ begin a project; start construction │ 竣~ *jùn*~ complete a project │ 完~ *wán*~ finish a project ❹〈名 n.〉工业 industry：化 ~ *huà*~ chemical industry │ 轻~ *qīng*~ light industry │ 重~ *zhòng*~ heavy industry ❺〈名 n.〉指工程师 engineer：高 ~ *gāo*~ senior engineer ❻〈名 n.〉作为一个劳动者一天工作量 man-day; average amount of work that one person can do in a day：砌这道墙要花十个~。*Qì zhè dào qiáng yào huā shí gè* ~. It takes ten man-days to build this wall. ❼（~儿）指中国戏曲演员的艺术功底，亦作'功' artistic training of Chinese traditional opera singers; also '功 gōng'：唱 ~ *chàng*~ art of singing │ 做~ *zuò*~ acting ❽〈名 n.〉中国古代乐谱'工尺'的记音符号，相当于简谱的'3' a note of the scale in *gongche* in ancient China, corresponding to 3 in numbered musical notation ❾〈动 v.〉善于；擅长 be good at; be expert in or at：~ 诗善画 ~*shī-shànhuà* be well versed in painting and poetry │ ~于心计 ~*yúxīnjì* adept at scheming ❿〈形 adj.〉精巧；精致 exquisite; delicate：~ 巧 ~*qiǎo* exquisite; superb; fine │ ~ 整 ~*zhěng* orderly; neat

¹ 工厂 gōngchǎng〈名 n.〉(个 gè、家 jiā、座 zuò) 进行工业生产活动的单位 factory; mill; plant; works：他办了一个生产服装的小型~。*Tā bànle yí gè shēngchǎn fúzhuāng de xiǎoxíng* ~. He ran a small garment factory. │ 这家~专门生产矿山机械。*Zhè jiā* ~*zhuānmén shēngchǎn kuàngshān jīxiè*. This factory specializes in making mining machinery.

² 工程 gōngchéng ❶〈名 n.〉(项 xiàng、个 gè) 指规模比较大、时间比较长、技术要求高的生产建设活动 project; large-scale and long-term production or construction activity requiring the use of advanced technology：建筑 ~ *jiànzhù* ~ construction project │ 水利~ *shuǐlì* ~ water conservancy project │ 桥梁~ *qiáoliáng* ~ bridgework │ 铁路~ *tiělù* ~ railway project │ 城市危房改造 ~ *chéngshì wēifáng gǎizào* ~ municipal project of renovating ramshackle buildings │ 防风治沙~ *fángfēng zhìshā*~ windbreak and sand control project ❷〈名 n.〉泛指某项需投入巨大人力、物力的工作 project that needs a large amount of manpower and materials：菜篮子 ~ *càilánzi* ~ （for increasing the supply of vegetables and non-staple foods in the cities) shopping-basket program

² 工程师 gōngchéngshī ❶〈名 n.〉(位 wèi、名 míng、个 gè) 工程技术人员的专业职务名称之一 engineer; professional title for engineers and technicians：机械 ~ *jīxiè* ~ mechanical engineer │ 建筑~ *jiànzhù* ~ architect │ 桥梁~ *qiáoliáng* ~ bridge engineer │ 铁路~ *tiělù* ~ railway engineer ❷〈名 n.〉比喻能教育改造人的思想的人 fig. people who can educate and reform others：作为人类灵魂的教师应当处处以身作则。*Zuòwéi rénlèi línghún* ~ *de jiàoshī yīngdāng chùchù yǐshēn-zuòzé*. As the engineer of the soul, the teacher should set an example in every aspect.

³ 工地 gōngdì〈名 n.〉施工的场地 building site; construction site：桥梁~ *qiáoliáng* ~ bridge construction site │ 堤坝~ *dībà*~ dam construction site

² 工夫 gōngfu ❶（~儿）〈名 n.〉指占用的时间 time（spent in doing sth.)：一会儿 ~ *yíhuìr* ~ a short time │ 他花了一个礼拜的~才写完这篇文章。*Tā huāle yí gè lǐbài de cái xiěwán zhè piān wénzhāng*. It took him a week to finish writing this article. │ 踏破铁鞋无觅处，得来全不费（比喻费尽力气也没有找到，却在无意中得到)。*Tà pò tiě xié wú mì chù, dé lái quán bú fèi*（*bǐyù fèi jìn lìqì yě méiyǒu zhǎodào, què zài wúyì zhōng*

G

dédào). You can wear out iron shoes in fruitless search, whereas you may hit on what you need without even looking for it (*fig.* Find by sheer luck what one has searched for far and wide). ❷〈名 *n.*〉指空闲时间 free time; spare time; leisure: 他实在太忙，连和我说话的 ~ 都没有。*Tā shízài tài máng, lián hé wǒ shuōhuà de ~ dōu méiyǒu.* He is too busy to chat with me. │ 平时要上班，只有双休日才有~去逛商店。*Píngshí yào shàngbān, zhǐyǒu shuāngxiūrì cái yǒu ~ qù guàng shāngdiàn.* Having to work most of the time, I am free to go shopping only on weekends. ❸〈名 *n.* 口 *colloq.*〉时候 time: 我上大学那~，他还没出生呢。*Wǒ shàng dàxué nà ~, tā hái méi chūshēng ne.* By the time I went to college, he had not been born yet.

² **工会** gōnghuì〈名 *n.*〉工业劳动者的群众性组织 trade union; labor union; organization formed by industrial workers: 总 ~ federation of trade unions │ 产业 ~ chǎnyè ~ industrial union │ 成立 ~ chénglì ~ set up a trade union │ 代表 ~ dàibiǎo trade union representative │ ~领袖 ~ lǐngxiù trade union leader │ ~主席 ~ zhǔxí trade union president │组织应该代表工人群众的利益。*~ zǔzhī yīnggāi dàibiǎo gōngrén qúnzhòng de lìyì.* Trade union should represent the interests of workers.

² **工具** gōngjù ❶〈名 *n.*〉(件 *jiàn*、样 *yàng*)从事简单的生产劳动时所使用的器具 tool or implement used for simple production: 工人经常使用的 ~ 是锤、钳、锯等；农民经常使用的 ~ 是锄、犁、耙等。*Gōngrén jīngcháng shǐyòng de ~ shì chuí, qián, jù děng; nóngmín jīngcháng shǐyòng de ~ shì chú, lí, bà děng.* Workers often use tools such as hammer, pliers, saw, etc.; farmers often use tools such as hoe, plough, rake, etc. ❷〈名 *n.*〉比喻用以达到某种目的的手段或事物 *fig.* means or things used to reach a certain goal: 传播~ chuánbō ~ means of communication │ 交际~ jiāojì ~ means of socialization │ 报纸是一种很重要的传媒。*Bàozhǐ shì yì zhǒng hěn zhòngyào de chuánméi.* Newspaper is very important mass media. │ 公共汽车、地铁是城市的主要交通~。*Gōnggòng qìchē, dìtiě shì chéngshì de zhǔyào jiāotōng ~.* Bus and subway are principal means of transit in the cities.

⁴ **工具书** gōngjùshū〈名 *n.*〉(本 *běn*、部 *bù*、种 *zhǒng*)一种专门为读者查考文字读音、字义、词义、字句出处或各种事实材料而编纂的书籍 reference book compiled for readers to look up the pronunciation, meaning of a word or phrase, source of a word or sentence, or various facts: 字典、词典、年鉴和百科全书等是我们常用的 ~。*Zìdiǎn, cídiǎn, niánjiàn hé bǎikē quánshū děng shì wǒmen chángyòng de ~.* Dictionary, yearbook and encyclopaedia are reference books that we use on a regular basis.

³ **工龄** gōnglíng〈名 *n.*〉工人或职员从事某种工作的年数 (of workers or staff) length of service; seniority: 30年 ~ sānshí nián ~ thirty years of service │他的~最长。*Tā de ~ zuì cháng.* His length of service is the longest.

³ **工钱** gōngqian ❶〈名 *n.*〉一般指从事临时性的、短暂的劳动所获取或支付的酬金 money paid for odd jobs; charge for a service: 他在餐馆打工，按小时计算~。*Tā zài cānguǎn dǎgōng, àn xiǎoshí jìsuàn ~.* He is working part-time in a restaurant and is paid by the hour. │ 你做这件衣服花了多少~? *Nǐ zuò zhè jiàn yīfu huāle duōshao ~?* How much did it cost you to have this dress made? ❷〈名 *n.* 方 *dial.*〉工资 wage; pay; salary: 你一个月拿多少~? *Nǐ yí gè yuè ná duōshao ~?* What is your monthly wage?

¹ **工人** gōngrén〈名 *n.*〉(个 *gè*、名 *míng*、位 *wèi*)不占有生产资料，依靠工资收入为生的劳动者(多指体力劳动者)(usu. manual worker); laborer possessing no means of production and making a living by selling his labor for wages: 钢铁~ gāngtiě ~ steel worker │ 煤矿~ méikuàng ~ miner │ 纺织~ fǎngzhī ~ textile worker │ 机械~ jīxiè ~

machinist｜建筑~ *jiànzhù* ~ construction worker｜他是一位老~. *Tā shì yí wèi lǎo ~.* He is an old worker.

⁴ **工人阶级** gōngrén jiējí〈名 n.〉不占有生产资料，依靠工资为生的劳动者所形成的有组织的社会集团 working class; social organization whose members possess no means of production and make a living by selling labor for wages

⁴ **工事** gōngshì〈名 n.〉战争中处于防守的一方构筑的便于发挥火力和作战人员隐蔽的建筑物，如地下掩蔽部、地堡、堑壕、交通壕等 fortification; defense works for making full use of firepower and providing cover for combatants, such as underground shelter, bunker, trench, communication trench, etc.：修筑 ~ *xiūzhù* ~ build defense works

³ **工序** gōngxù〈名 n.〉（道 dào）生产流程中的各段加工程序，也指各个加工段的先后秩序 process in the work flow; procedure：原材料经过多道 ~，最后加工成成品.*Yuán cáiliào jīngguò duō dào ~, zuìhòu jiāgōng chéng chéngpǐn.* The raw material goes through several steps of treatment before being processed into the end product.｜做这道菜要经过八道 ~. *Zuò zhè dào cài yào jīngguò bā dào ~.* An eight-step procedure must be followed to make this dish.

¹ **工业** gōngyè〈名 n.〉利用自然物质资源，制造生产资料和生活资料或对农副产品、半成品等进行加工的生产事业 industry; productive undertaking that turns natural materials into means of production or daily supplies, or processes agricultural and side-line products, and semi-finished products：冶金 ~ *yějīn* ~ metallurgical industry｜石油 ~ *shíyóu* ~ petroleum industry｜纺织 ~ *fǎngzhī* ~ textile industry｜轻 ~ *qīng* ~ light industry｜重 ~ *zhòng* ~ heavy industry｜现代 ~ *xiàndài* ~ modern industry

² **工艺品** gōngyìpǐn〈名 n.〉指用手工制造的、技艺水平高的艺术产品 handicraft; handiwork：这是一件十分珍贵的 ~. *Zhè shì yí jiàn shífēn zhēnguì de ~.* This is a very valuable piece of handiwork.｜旅游景点都开有 ~ 商店，商店里摆满了琳琅满目的 ~. *Lǚyóu jǐngdiǎn dōu kāi yǒu ~ shāngdiàn, shāngdiàn li bǎimǎnle línláng-mǎnmù de ~.* In every scenic spot, there are handicraft shops with a great variety of handicraft articles on display.

² **工资** gōngzī〈名 n.〉按月付给劳动者的货币或实物报酬 wage; pay; salary; money or things paid regularly to sb. for his/her work：月 ~ *yuè* ~ monthly salary｜年 ~ *nián* ~ annual salary｜高 ~ *gāo* ~ high salary｜低 ~ *dī* ~ low salary｜调整 ~ *tiáozhěng* ~ readjust wages｜涨 ~ *zhǎng* ~ raise wages

¹ **工作** gōngzuò ❶〈名 n.〉职业 job; work; career：介绍 ~ *jièshào* ~ recommend sb. for a post｜他找到一份满意的~. *Tā zhǎo dào yí fèn mǎnyì de ~.* He found a satisfactory job.｜分配 ~ *fēnpèi* ~ assign jobs｜固定的 ~ *gùdìng de* ~ permanent occupation｜临时性的 ~ *línshíxìng de* ~ temporary job ❷〈名 n.〉业务；任务 work; task：做了本职 ~ *zuòle běnzhí* ~ do one's own job｜他完成了一天 ~ 量. *Tā wánchéngle yì tiān de ~liàng.* He finished a day's workload.｜他的 ~ 业绩很优秀. *Tā de ~ yèjì hěn yōuxiù.* His performance at work is excellent. ❸〈动 v.〉指从事体力或脑力劳动 work; be engaged in manual or mental labor：努力 ~ *nǔlì* ~ work hard｜他从早到晚一直在~. *Tā cóng zǎo dào wǎn yìzhí zài ~.* He works from dawn to dusk. ❹〈动 v.〉泛指机械、工具受人操纵而发挥的生产作用 operate（a machine or tool to produce）：发电机正在 ~. *Fādiànjī zhèngzài ~.* The generator is running.

³ **弓** gōng ❶〈名 n.〉一种用以发射箭或弹丸的原始兵器 bow; primitive weapon for shooting arrows or balls：~ 箭 *~jiàn* bow and arrow｜弹~ *dàn~* catapult; slingshot｜左

右开~(比喻两手轮流做同一动作,也指同时做几项工作) zuǒyòu-kāi~ (bǐyù liǎngshǒu lúnliú zuò tóngyī dòngzuò, yě zhǐ tóngshí zuò jǐ xiàng gōngzuò) shoot first with one hand, then with the other (*fig.* use both hands successively, or multitask) ❷〈名 n.〉形状或作用像弓的器具 apparatus shaped like a bow: 琴 ~ qín~ (of stringed instruments) bow | 绷 ~ bēng~ bamboo bow ❸〈动 v.〉弯曲(身体的部分) bend; arch; bow: 年纪轻轻, 别 ~ 着背。Niánjì qīng qīng, bié ~zhe bèi. You are so young. Don't stoop your back.

³ **公 gōng** ❶〈形 adj.〉属于国家或团体的(与'私'相对) public; state-owned; collective (opposite to '私 sī'): ~ 物 ~wù public property | ~款 ~kuǎn public money; public funds | ~共设施 ~gòng shèshī public facilities | ~事 ~办 ~shì~bàn perform official duties strictly according to rules | ~费出国 ~fèi chūguó go abroad at public expense | ~债 ~zhài government bonds | ~职 ~zhí government office; official post | ~差 ~chāi official business | ~房 ~fáng public housing | ~费医疗制度正在进行改革。~fèi yīliáo zhìdù zhèngzài jìnxíng gǎigé. The system of public health service is undergoing reform. ❷〈形 adj.〉共同的; 公认的 common; general: ~ 休日 ~xiūrì official holiday | ~约 ~yuē treaty; convention | ~理 ~lǐ generally acknowledged truth | ~德 ~dé public morality ❸〈形 adj.〉国际共同使用的 international: ~ 元 ~yuán Christian era | ~海 ~hǎi open sea | ~里 ~lǐ kilometer | ~斤 ~jīn kilogram | ~升 ~shēng litre | ~顷 ~qīng hectare ❹〈形 adj.〉使之公开 public: ~布 ~bù make public; issue | ~告 ~gào announcement; public notice | ~诸于世 ~zhūyúshì reveal to the world ❺〈形 adj.〉公平; 公正 fair; just: ~平交易 ~píng jiāoyì fair deal | ~买~卖 ~mǎi~mài be fair in buying and selling | 大~无私 dà~wúsī unselfish; selfless | 秉~办理 bǐng~bànlǐ handle sth. with impartiality ❻〈形 adj.〉称动物中的雄性(与'母'相对) (of animal) male (opposite to '母 mǔ'): ~ 牛 ~niú bull | ~鸡 ~jī cock; rooster | ~羊 ~yáng male sheep; ram | ~猪 ~zhū boar ❼〈名 n.〉公事; 公务 public affairs; official business: 办 ~ bàn~ handle official business ❽〈名 n.〉中国古代贵族爵位的第一等 duke (the first title in the ancient Chinese rank of nobility): ~ 爵 ~jué duke | ~侯 ~hóu dukes and marquises | 王~贵族 wáng~ guìzú nobility; aristocracy ❾〈名 n.〉对年长的男子的尊称 respectful term of address for an elderly man: 诸 ~ zhū~ gentlemen | 赵~ Zhào ~ revered Mr. Zhao ❿〈名 n.〉丈夫的父亲 husband's father; father-in-law: 丑媳妇总要见 ~ 婆(比喻丑事迟早要露相) Chǒu xífù zǒng yào jiàn ~pó (bǐyù chǒushì chízǎo yào lòuxiàng). An ugly bride will sooner or later have to come face to face with her parents-in-law (*fig.* whatever the faults of sth., it has be shown to those concerned).

³ **公安 gōng'ān**〈名 n.〉社会整体的治安 public security: ~人员 ~ rényuán public security officer | ~局 ~jú public security bureau | ~巡逻车 ~ xúnluóchē public security patrol car

⁴ **公报 gōngbào** ❶〈名 n.〉(份 fèn)公开发表的重大会议的决议、国际间谈判的协议、军事行动进行情况的正式文告 communiqué; published formal statements on resolutions made at important meetings, agreements reached through international negotiations, and progress of military operations: 新闻~ xīnwén~ press release | 联合~ liánhé~ joint communiqué ❷〈名 n.〉(份 fèn)由政府编印的专门登载官方文件的刊物 gazette; bulletin compiled and published by government, focusing on official documents: 政府 ~ zhèngfǔ ~ government bulletin | 国务院~ guówùyuàn ~ State Council bulletin

³ **公布 gōngbù**〈动 v.〉公开发布 promulgate; announce: ~ 法令 ~ fǎlìng promulgate laws and decrees | ~消息 ~ xiāoxi disclose the news | ~方案 ~ fāng'àn announce a

program｜~计划 ~ jìhuà unveil a plan｜~账目 ~ zhàngmù make public the account｜新的交通法规将于明日正式~. Xīn de jiāotōng fǎguī jiāng yú míngrì zhèngshì ~. New traffic regulations will be announced tomorrow.

⁴ **公尺** gōngchǐ〈量 meas.〉公制长度计量单位，现用'米'meter; unit of length in the metric system; now '米 mǐ' is used

⁴ **公道** gōngdao〈形 adj.〉公平；公正 fair; just: 说话 ~ shuōhuà ~ make fair remarks｜办事 ~ bànshì ~ be evenhanded｜价钱 ~ jiàqian ~ reasonable price｜说句~话，这事儿是你的不对。Shuō jù ~ huà, zhè shìr shì nǐ de búduì. To be fair, you are to blame as far as this is concerned.

² **公费** gōngfèi〈形 adj.〉由国家或团体供给或支付的费用（区别于'自费'）funded by the state or the collective (different from '自费zìfèi'): ~ 医疗 ~ yīliáo public health service｜~ 留学 ~ liúxué study abroad on a state scholarship｜~ 吃喝 ~ chīhē wine and dine at public expense｜~ 旅游 ~ lǚyóu go on a sightseeing tour at public expense

⁴ **公分** gōngfēn〈量 meas.〉公制长度计量单位，现用'厘米' centimeter; unit of length in the metric system; now '厘米 límǐ' is used.

⁴ **公告** gōnggào〈名 n.〉（张 zhāng、份 fèn）政府或机关团体向公众发布的通告 public announcement made by the government or other institution: 国务院 ~ Guówùyuàn ~ State Council bulletin｜市政府 ~ shì zhèngfǔ ~ municipal government announcement｜发布 ~ fābù ~ issue an announcement｜刊登 ~ kāndēng ~ publish an announcement｜这家公司通过互联网发布。Zhè jiā gōngsī tōngguò hùliánwǎng fābù. This company releases announcements through the Internet.

² **公共** gōnggòng〈形 adj.〉属于全社会的；公有公用的 public; common: ~ 财产 ~ cáichǎn public property｜~汽车 ~ qìchē bus｜~交通 ~ jiāotōng public transit｜~ 场所 ~ chǎngsuǒ public places｜~道德每一个人都应遵守。~ dàodé měi yí gè rén dōu yīng zūnshǒu. Public morality should be observed by everyone.

¹ **公共汽车** gōnggòng qìchē〈名 n.〉（辆 liàng）供乘客买票乘坐的一种有固定行车路线和停车站的城市交通工具 bus; means of city transport having a regular route and fixed stops and for whose service passengers have to buy tickets

⁴ **公关** gōngguān〈名 n.〉公共关系的简称 public relations, abbr. for '公共关系 gōnggòng guānxì'; PR: ~ 部门 ~ bùmén public relations department｜~小姐 ~ xiǎojiě public relations girl

¹ **公斤** gōngjīn〈量 meas.〉公制重量计量单位，现用'千克' kilogram; metric unit of weight; now '千克 qiānkè' is used.

² **公开** gōngkāi ❶〈形 adj.〉面对大众；不隐蔽、不隐瞒（与'秘密'相对）open; public; overt（opposite to '秘密 mìmì'）: ~ 的行动 ~ de xíngdòng overt operation｜~的场所 ~ de chǎngsuǒ public places｜~的秘密 ~ de mìmì open secret｜~审判 ~ shěnpàn public trial ❷〈动 v.〉使秘密公开让公众都知道 make known to the public; come out of the closet: ~ 会谈内容 ~ huìtán nèiróng make public the content of talks｜~事实真相 ~ shìshí zhēnxiàng reveal the truth｜~ 财务账目 ~ cáiwù zhàngmù make public the financial account

¹ **公里** gōnglǐ〈量 meas.〉公制长度计量单位，1公里等于1,000米，也称'千米' kilometer; metric unit of length. One kilometer is a thousand meters, also '千米 qiānmǐ'

² **公路** gōnglù〈名 n.〉（条 tiáo）供汽车通行的城际交通干线 highway; main lines of inter-city communication: ~ 网 ~ wǎng highway network｜~收费站 ~ shōufèizhàn highway toll gate｜~运输 ~ yùnshū highway transport｜高速~ gāosù ~ expressway

³ **公民** gōngmín 〈名 n.〉指具有某国国籍，并根据该国法律规定享受权利和承担义务的人 citizen; person with the nationality of a certain state and enjoying rights and accepting responsibilities according to its laws: ~权 ~quán civil rights; citizenship｜~的义务 ~ de yìwù civil duties｜~的私有财产受法律保护。~ de sīyǒu cáichǎn shòu fǎlǜ bǎohù. The private property of a citizen is protected by the law.

⁴ **公平** gōngpíng 〈形 adj.〉处理事情不偏不倚，合情合理 fair; just; impartial; evenhanded: ~合理 ~hélǐ fair and reasonable｜~交易，老少无欺。~ jiāoyì, lǎoshào-wúqī. Be fair in business; cheat neither the old nor the young｜办事要~，不能厚此薄彼。Bànshì yào ~, bùnéng hòucǐ-bóbǐ. One should be impartial and can't favor one and discriminate against the other.

³ **公顷** gōngqǐng 〈量 meas.〉公制面积计量单位 hectare; measurement of an area of land

⁴ **公然** gōngrán 〈副 adv.〉公开地；毫无顾忌地 openly; flagrantly; brazenly: ~撕毁协议 ~ sīhuǐ xiéyì brazenly tear up an agreement｜~践踏国际公约 ~ jiàntà guójì gōngyuē impudently trample on the international convention｜~侵占别国领土 ~ qīnzhàn biéguó lǐngtǔ flagrantly encroach upon the territory of another country

⁴ **公认** gōngrèn 〈动 v.〉得到公众一致赞同和承认 generally acknowledge; universally accept: 举世~ jǔshì ~ universally acknowledge｜他在物理学上的成就得到了全球一致~。Tā zài wùlǐxué shang de chéngjiù dédàole quánqiú yízhì ~. He has won worldwide recognition for his achievement in physics.

⁴ **公社** gōngshè ❶〈名 n.〉指原始社会中，人们共同生产，共同消费的一种社会组合形式 commune; a system in which people work and consume together in primitive society: 氏族~ shìzú ~ clan commune｜原始~ yuánshǐ ~ primitive commune｜~制度 ~ zhìdù the system of commune ❷〈名 n.〉欧洲历史上的城邦自治机构，如法国、意大利早期的公社 commune; organ of self-administration in European history, such as the communes in France and Italy ❸〈名 n.〉无产阶级政权的一种形式，如1871年的巴黎公社、中国1927年的广州公社 commune; a form of power of the proletariat, e. g., the Paris Commune of 1871, and the Guangzhou Commune of 1927. ❹〈名 n.〉特指中国农村人民公社(1958-1983) people's commune in China's rural areas (1958-1983)

³ **公式** gōngshì ❶〈名 n.〉(个 gè、条 tiáo)用数学符号或文字表示的几个数量之间关系的式子，适合于同类关系的所有问题 formula; group of numbers or symbols that represent a scientific or mathematical rule applicable to problems of similar kind: 数学~ shùxué ~ mathematical formula｜物理~ wùlǐ ~ physical formula｜化学~ huàxué ~ chemical formula｜计算~ jìsuàn ~ calculation formula｜换算~ huànsuàn ~ conversion formula ❷〈名 n.〉泛指可以应用于同类事物的方式、方法 any conventional method of doing sth.: ~化 ~huà formulistic; stereotyped｜共同的~ gòngtóng de ~ common method｜解决不同的问题不能套用同一~。Jiějué bùtóng de wèntí bù néng tàoyòng tóngyī ~. The same formula cannot be applied to solve different problems.

² **公司** gōngsī 〈名 n.〉(家 jiā、个 gè)一种从事产品生产、商品流通或基础设施建设的工商业组织 company; corporation; industrial and commercial organization dealing with production, distribution of goods or construction work: 钢铁~ gāngtiě ~ iron and steel company｜煤炭~ méitàn ~ coal company｜石油~ shíyóu ~ petrol company｜电力~ diànlì ~ power company｜建筑~ jiànzhù ~ construction company｜航空~ hángkōng ~ airline company｜电讯~ diànxùn ~ telecommunications company｜有限~ yǒuxiàn ~ limited company｜他开办了一家商贸~。Tā kāibànle yì jiā shāngmào ~. He ran a business and trading company.

⁴ **公务** gōngwù 〈名 n.〉指国家或团体的公共事务 public affairs; official business：～员 ~yuán civil servant ｜～舱 ~cāng business class ｜～在身 ~zài shēn on official business ｜～繁忙 ~fánmáng be busy with official duties ｜办理～ bànlǐ handle public affairs ｜紧急～ jǐnjí urgent public affairs

³ **公用** gōngyòng 〈动 v.〉公共使用；共同使用 be used by the public：～电话 ~diànhuà public telephone ｜～盥洗室 ~guànxǐshì public toilet ｜～厨房 ~chúfáng public kitchen ｜～浴室 ~yùshì bathhouse ｜～事业 ~shìyè public utilities

² **公用电话** gōngyòng diànhuà 〈名 n.〉(部 bù、个 gè)供公共使用的电话 public telephone：～亭 ~tíng public telephone booth ｜机场候机厅内装有～。Jīchǎng hòujītīng nèi zhuāng yǒu ~. Public telephones are installed in the passenger lounge of the airport. ｜街道旁设有使用磁卡的~。Jiēdào páng shè yǒu shǐyòng cíkǎ de ~. There are magnetic card phones along the street.

⁴ **公有** gōngyǒu 〈动 v.〉全民或团体共同所有 (与'私有'相对) publicly or collectively owned; public (opposite to '私有 sīyǒu')：～制 ~zhì public ownership ｜～经济 ~jīngjì public sector of the economy ｜～财产 ~cáichǎn public property

⁴ **公有制** gōngyǒuzhì 〈名 n.〉指生产资料归公共所有的制度 (与'私有制'相对) public ownership of the means of production (opposite to '私有制 sīyǒuzhì')：实行～ shíxíng ~ practise public ownership ｜～经济 ~jīngjì economy of public ownership ｜～成分 ~chéngfēn element of public ownership ｜建立一个以～为主体，多种经济形式共存的新的经济制度。Jiànlì yí gè yǐ ~ wèi zhǔtǐ, duōzhǒng jīngjì xíngshì gòngcún de xīn de jīngjì zhìdù. Establish a new economic system in which public ownership would be the mainstay and multiple forms of ownership will exist side by side.

² **公元** gōngyuán 〈名 n.〉国际上通用的公历纪元 Christian era; internationally recognized periodization of eras：中国从1949年开始正式规定采用～纪年。Zhōngguó cóng yī-jiǔ-sì-jiǔ nián kāishǐ zhèngshì guīdìng cǎiyòng ~ jìnián. China formally adopted the Chistian era in 1949.

¹ **公园** gōngyuán 〈名 n.〉(个 gè、座 zuò)供公众游览、休息的园林 public park; place for the public to visit and rest：森林～ sēnlín ~ forest park ｜国家～ guójiā ~ national park ｜北海、天坛~都是北京的著名~。Běihǎi、Tiāntán ~ dōu shì Běijīng de zhùmíng ~. Both Beihai Park and Temple of Heaven Park are famous parks in Beijing.

⁴ **公约** gōngyuē ❶〈名 n.〉(项 xiàng、个 gè)条约名称的一种 convention; treaty：北大西洋～ Běi Dàxīyáng ~ North Atlantic Treaty ｜万国邮政~ Wànguó Yóuzhèng ~ Universal Postal Convention Protocol ｜日内瓦~ Rìnèiwǎ ~ Geneva Convention ｜国际海上人命安全~ Guójì Hǎishàng Rénmìng Ānquán ~ International Convention for the Safety of Life at Sea ❷〈名 n.〉公众基于共同的意愿拟订的共同遵守的章程 joint pledge made by the public：文明～ wénmíng ~ agreement on civic virtues ｜卫生~ wèishēng ~ public health pledge

⁴ **公债** gōngzhài 〈名 n.〉国家向本国公民或外国借的债务 public or government bonds; debts that a country owes to its citizens or foreign countries：～券 ~quàn public or government bonds ｜发行~ fāxíng ~ issue bonds ｜建设~ jiànshè ~ construction bonds ｜三年期~ sān nián qī ~ three-year bonds

⁴ **公证** gōngzhèng 〈名 n.〉法院或被授以权力的机关所做的关于民事上权力义务关系的证明 notarization; legal formalities performed by a court or an authorized organ to certify documents for use in other jurisdictions：～书 ~shū notarial certificate ｜～处 ~chù notary office ｜财产~ cáichǎn ~ property notarization ｜遗产~ yíchǎn ~ legacy

G

notarization

⁴ **功** gōng ❶ 〈名 n.〉攻劳；功绩（与 '过' 相对）meritorious service; achievement; merit（opposite to '过 guò'）：立～受奖 lì～shòujiǎng receive awards for one's meritorious service ｜ 记大一次 jì dà yí cì cite sb. for outstanding service ｜ 臣 ～chén hero; person who has rendered outstanding service ｜ 劳苦～高 láokǔ～gāo have worked hard and rendered laudable service ｜ ～成名就 ～chéng-míngjiù achieve success and win recognition ｜ 大～告成 dà～gàochéng be crowned with success ｜ 好大喜～ hàodà-xǐ～ crave greatness and success ❷ 〈名 n.〉成效；成就 effect; success：事半～倍 shìbàn～bèi yield twice the result with half the effort ｜ 事倍～半 shìbèi～bàn get half the result with twice the effort ｜ ～亏一篑 (比喻一件大事即将完成，却因只差最后一点人力物力未到位而失败) ～kuī-yíkuì (bǐyù yí jiàn dàshì jíjiāng wánchéng, què yīn zhǐ chà zuìhòu yìdiǎn rénlì wùlì wèi dàowèi ér shībài) fail to build a mound for want of one final basket of earth（fig. fall short of success for lack of a final effort）｜ ～败垂成 (即将大功告成却遭受到失败，含有惋惜之意) ～bài-chuíchéng (jíjiāng dàgōng-gàochéng què zāoshòu dào shībài, hányǒu wǎnxī zhī yì) fail on the verge of success（fig. used to show sympathy; fall through when success is in sight）❸ 〈名 n.〉专指技艺；功夫 technique; skill：练～ liàn～ pratise one's skill ｜ 武～ wǔ～ skill in martial arts ｜ 唱～ chàng～ vocal technique; skill in singing ｜ 基本～ jīběn～ basic skill

² **功夫** gōngfu ❶ 〈名 n.〉本领；造诣 skill; workmanship：硬～ yìng～ master skills ❷ 〈名 n.〉中国武术 kung fu：中国～ Zhōngguó～ Chinese kung fu ｜ ～片 ～piàn kung fu film

⁴ **功绩** gōngjì 〈名 n.〉功劳和业绩 merits and achievements：～卓著 ～zhuózhù outstanding achievements ｜ 他为教育事业做出了不可磨灭的～。Tā wèi jiàoyù shìyè zuòchūle bùkě mómiè de ～. He made indelible contributions to the educational cause.

³ **功课** gōngkè ❶ 〈名 n.〉(门 mén) 指学生按照规定应学习的各种知识和技能 schoolwork; lesson; course：这学期有五门～。Zhè xuéqī yǒu wǔ mén ～. There are five courses in this term. ｜ 他每门～的成绩都是优。Tā měi mén ～ de chéngjì dōu shì yōu. He got straight A's for all the courses. ｜ 这学期他有两门～不及格。Zhè xuéqī tā yǒu liǎng mén ～ bù jígé. He failed two courses in this term. ❷ 〈名 n.〉指老师给学生布置的作业 homework; assignment：做完～再出去玩儿。Zuòwán ～ zài chūqù wánr. You can't go out and play until you finish your homework.

³ **功劳** gōngláo 〈名 n.〉指从某种事业所作出的贡献 contribution：汗马～ hànmǎ～ distinctions won on the battlefield; great contributions ｜ 在这件事上他的～很大。Zài zhè jiàn shì shang tā de ～ hěn dà. He made great contributions as far as this is concerned. ｜ 我对这个公司没有～，也有苦劳吧。Wǒ duì zhège gōngsī méiyǒu ～, yě yǒu kǔláo ba. Working for this company, I should be given some credit for hard work if not for merit.

³ **功能** gōngnéng 〈名 n.〉(种 zhǒng、个 gè、项 xiàng) 事物所发挥的有效作用；效能 function：一种～ yì zhǒng ～ a kind of function ｜ 多种～ duō zhǒng ～ many functions ｜ 发挥～ fāhuī ～ bring certain function into play ｜ 丧失～ sàngshī ～ do not function any more ｜ 这种全自动洗衣机～齐全。Zhè zhǒng quánzìdòng xǐyījī ～ qíquán. This fully automatic washing machine has all necessary functions. ｜ 电脑的配置越高，～越全。Diànnǎo de pèizhì yuè gāo, ～ yuè quán. The better the configuration of a computer is, the more comprehensive its functions are.

⁴ **功效** gōngxiào 〈名 n.〉功能；效率 efficacy; efficiency; effect：～显著 ～ xiǎnzhù noticeable effect ｜ 立见～ lì jiàn ～ immediate effect ｜ 这台机器经过改进后～提高了一倍。Zhè tái jīqì jīngguò gǎijìn hòu ～ tígāole yí bèi. The efficiency of the machine has

increased twice after being improved.

³ **攻** gōng ❶〈动 v.〉攻打；进攻（与'守'相对）attack; assault; take the offensive (opposite to '守 shǒu'): ~击 ~jī attack; launch an offensive｜~克 ~kè capture; seize｜~势 ~shì offensive｜~坚战 ~jiānzhàn storming of heavily fortified positions｜城略地 ~chéng-lüèdì take cities and seize territories｜能~能守 néng~-néngshǒu be good at both attack and defence｜~守同盟 ~shǒu tóngméng offensive and defensive alliance｜~其不备 ~qí-búbèi launch a surprise attack; strike where or when the enemy is unprepared ❷〈动 v.〉对他人的过失、错误进行指责 accuse; charge: 群起而~之。Qún qǐ ér ~ zhī. Everyone points an accusing finger at him.｜~其一点，不及其余。~ qí yì diǎn, bù jí qíyú. Attack someone for a single fault without considering his other aspects. ❸〈动 v.〉致力于某学科的研究和学习 study; major in: 专~语法 zhuān~ yǔfǎ study grammar｜专~古典文学 zhuān~ gǔdiǎn wénxué major in classic literature

⁴ **攻读** gōngdú〈动 v.〉刻苦读书或专门钻研某一项学科 study diligently; pursue (a field of study): 他在~博士学位。Tā zài ~ bóshì xuéwèi. He is working for a doctorate.｜他这几年一直在~西方哲学史。Tā zhè jǐ nián yìzhí zài ~ xīfāng zhéxuéshǐ. He has been studying history of Western philosophy in these years.

⁴ **攻关** gōngguān〈动 v.〉向关口进攻，比喻努力突破科学、技术等方面的难点 storm a strategic pass; fig. tackle key scientific and technological problems: 他参加的科研项目已进入~阶段。Tā cānjiā de kēyán xiàngmù yǐ jìnrù ~ jiēduàn. The scientific research project in which he participated has reached the stage of tackling key problems.｜这个项目技术要求高，需要组织人员共同~。Zhège xiàngmù jìshù yāoqiú gāo, xūyào zǔzhī rényuán gòngtóng ~. This project requires state-of-the-art technology. A team should be organized to tackle its key problems.

³ **攻击** gōngjī ❶〈动 v.〉进攻 attack: 发动 ~ fādòng ~ launch an offensive｜遭到~ zāodào ~ come under attack｜向敌军发起~ xiàng díjūn fāqǐ ~ launch an offensive against enemy troops｜~敌军最薄弱的防线 ~ díjūn zuì bóruò de fángxiàn attack the enemy's weakest defence line ❷〈动 v.〉恶意指摘 accuse; vilify: 进行人身~ jìnxíng rénshēn ~ carry out personal attack｜他受到别人的恶意~。Tā shòudào biéren de èyì ~. He was vilified by others.

³ **攻克** gōngkè〈动 v.〉攻下（敌军的阵地、据点）capture (an enemy's position or stronghold): ~堡垒 ~ bǎolěi seize a blockhouse｜~阵地 ~ zhèndì capture a position｜~据点 ~ jùdiǎn capture a stronghold

² **供** gōng ❶〈动 v.〉供给；供应 supply; provide: ~电 ~diàn supply power｜~水 ~shuǐ supply water｜~暖 ~nuǎn supply heating｜~货 ~huò supply goods｜~销 ~xiāo supply and market｜~大于求 ~ dà yú qiú supply exceeds demand｜~需脱节 ~xū tuōjié divorce of supply from demand｜~养老人是子女应尽的义务。~yǎng lǎorén shì zǐnǚ yīngjìn de yìwù. It is children's duty to provide for their parents. ❷〈动 v.〉提供某种便利的条件，以备利用 provide with sth. (for the use or convenience of sb.): 班机上备有各种中外文书刊，~乘客在旅途中阅读。Bānjī shang bèiyǒu gèzhǒng Zhōng-wàiwén bàokān, ~ chéngkè zài lǚtú zhōng yuèdú. Newspapers and magazines in Chinese and foreign languages are available in the airplane for passengers during the flight.｜候机厅装有饮水机，~旅客饮用。Hòujītīng zhuāng yǒu yǐnshuǐjī, ~ lǚkè yǐnyòng. Water heating machines are installed in the passenger lounge to provide drinking water.

⁴ **供不应求** gōngbùyìngqiú〈成 idm.〉供应的东西不能满足需要 supply falls short of demand: 市场上的商品极其丰富，很少出现~的现象。Shìchǎng shang de shāngpǐn

jíqí fēngfù, hěnshǎo chūxiàn ~ de xiànxiàng. There are abundant goods in the market and the supply rarely falls short of demand.

² **供给** gōngjǐ〈动 v.〉把生活、生产中的必需品提供给需要的一方 provide with (daily necessities)：~ 食品 ~ *shípǐn* provide food｜~ 衣物 ~ *yīwù* provide clothing｜~ 钱财 ~ *qiáncái* provide money｜~ 物资 ~ *wùzī* provide goods and materials｜城市里的用水大都靠水库~。*Chéngshì li de yòngshuǐ dàdū kào shuǐkù ~.* The water supply for the city mainly comes from reservoirs.

⁴ **供销** gōngxiāo〈动 v.〉既供应各种生产生活用品又销售各种产品的商业活动 supply and market：~ 部门 ~ *bùmén* supply and marketing department｜~ 单位 ~ *dānwèi* supply and marketing unit｜~ 机构 ~ *jīgòu* supply and marketing organization｜~ 合作社 ~ *hézuòshè* supply and marketing cooperative

³ **供应** gōngyìng〈动 v.〉提供物资或人力以满足需要 supply goods, materials and human resources to meet the demand：~ 食品 ~ *shípǐn* supply food｜~ 副食品 ~ *fùshípǐn* supply non-staple food｜~ 充足 ~ *chōngzú* be in abundant supply｜保证 ~ *bǎozhèng* ~ ensure supply｜及时 ~ *jíshí* ~ supply sth. in time｜奶牛养殖场为城市~充足的乳制品。*Nǎiniú yǎngzhíchǎng wèi chéngshì ~ chōngzú de rǔzhìpǐn.* The dairy supplies sufficient dairy products to the city.

³ **宫** gōng ❶〈名 n.〉帝王居住的房屋 imperial palace：~ 殿 ~ *diàn* palace｜皇~ *huáng* imperial palace｜~ 廷 ~ *tíng* imperial court｜行~ *xíng* ~ imperial palace for short stays away from the capital ❷〈名 n.〉中国古代神话传说中神仙居住的地方 (in ancient Chinese myths and legends) residence of immortals：天~ *tiān* ~ heavenly palace｜月~ *yuè* ~ moon palace｜龙~ *lóng* ~ Dragon King's palace ❸〈名 n.〉某些庙宇的名称 name of certain temple：雍和~ *Yōnghé* ~ Lama Temple of Peace and Harmony｜布达拉~ *Bùdálā* ~ Potala Palace ❹〈名 n.〉某些文化娱乐场所的名称 name of certain place for cultural activities and recreation：文化~ *wénhuà* ~ cultural palace｜少年~ *shàonián* ~ children's palace ❺〈名 n.〉某些国家元首居住、办公的地方 residence and office for the heads of state in some countries：白~ *Bái* ~ the White House｜克里姆林~ *Kèlǐmǔlín* ~ Kremlin｜白金汉~ *Báijīnhàn* ~ Buckingham Palace ❻〈名 n.〉子宫 uterus：~ 外孕 ~ *wàiyùn* ectopic pregnancy ❼〈名 n.〉中国古代五声音阶(宫、商、角、徵、羽)之一，相当于简谱中的‘1’ a note of the ancient Chinese five-tone scale '宫 gōng', '商 shāng', '角 jué', '徵 zhǐ' and '羽 yǔ', corresponding to 1 in numbered musical notation

³ **宫殿** gōngdiàn〈名 n.〉(座 zuò、个 gè)泛指帝王居住的高大华丽的建筑 magnificent imperial palace：~ 式建筑 ~ *shì jiànzhù* palatial architecture｜北京的故宫曾是帝王的~。*Běijīng de Gùgōng céng shì dìwáng de ~.* The Imperial Palace in Beijing used to be the residence of emperors.

⁴ **恭敬** gōngjìng〈形 adj.〉对长辈或宾客态度严肃有礼貌 respectful (towards persons of the elder generation or guest)：在老师面前他的态度十分 ~。*Zài lǎoshī miànqián tā de tàidù shífēn ~.* He is quite respectful in the presence of his teacher.｜他~地从校长手中接过毕业证书。*Tā ~ de cóng xiàozhǎng shǒu zhōng jiēguò bìyè zhèngshū.* He respectfully received his diploma from the president.｜她恭恭敬敬地向远方来客献上一杯香茶。*Tā gōnggōng-jìngjìng de xiàng yuǎnfāng láikè xiànshàng yì bēi xiāngchá.* She served the guest who had come from afar a cup of scented tea with all respect.

² **巩固** gǒnggù ❶〈形 adj.〉坚固；不易动摇 stable; solid：~ 的防线 ~ *de fángxiàn* solid defence line｜~ 的联盟 ~ *de liánméng* firm alliance ❷〈动 v.〉使之坚固 consolidate; strengthen：~ 政权 ~ *zhèngquán* strengthen political power｜~ 国防 ~ *guófáng*

consolidate national defence │ ~阵地 ~*zhèndì* strengthen the position │ ~基础知识很重要。 ~*jīchǔ zhīshi hěn zhòngyào.* It is very important to consolidate the fundamental knowledge.

⁴ 汞 gǒng 〈名 n.〉金属元素名称，化学符号为Hg，俗称'水银'hydrargyrum（Hg）; mercury; commonly called '水银 *shuǐyín*'

⁴ 拱 gǒng ❶〈动 v.〉中国旧时一种礼节动作，双手相握，前臂上举 cup one hand in the other before the chest as a form of salutation in traditional Chinese etiquette：~手相迎 ~*shǒu xiāngyíng* greet sb. in a respectful manner │ ~手道别 ~*shǒu dàobié* bid farewell in a respectful manner ❷〈动 v.〉环绕 surround：众星~月（比喻许多人拥戴一个有威望的人）*Zhòngxīng~~yuè*（*bǐyù xǔduō rén yǒngdài yí gè yǒu wēiwàng de rén*）. A myriad of stars surround the moon（*fig.* many people cluster around the one whom they respect）. │ 群山~绕着一片绿洲。*Qúnshān~ràozhe yí piàn lǜzhōu.* There is an oasis encircled by mountains. ❸〈动 v.〉肢体弯曲成弧形 hunch; arch：~ 腰缩背 ~*yāo suōbèi* hunch up one's back ❹〈动 v.〉用身体撞动别的物体 push with one's body：一群人把门 ~ 开了 *Yì qún rén bǎ mén ~kāi le.* The crowd pushed open the door. │ 拥挤的人群把柜台~倒了。*Yōngjǐ de rénqún bǎ guìtái ~dǎo le.* The crowd pushed the counter over. ❺〈动 v.〉植物或昆虫从土里往外钻（of plant）sprout up through the earth;（of insect）wriggle through：嫩芽 ~ 出了土。*Nènyá ~chūle tǔ.* The tender shoots are springing up from the earth. │ 蚯蚓从土里~了出来。*Qiūyǐn cóng tǔ li ~ le chūlái.* The earthworms wriggled their way out of the soil. ❻〈形 adj.〉弧形的(建筑物)(of architecture) arched：~ 门 ~*mén* arched door │ 坝 ~*bà* arch dam

² 共 gòng ❶〈形 adj.〉相同的 common; general：~ 性 ~*xìng* general character; generality │ ~识 ~*shí* common understanding; concensus ❷〈动 v.〉共同具有；共同承受 share：同甘 ~ 苦 *tónggān~~kǔ* share weal and woe │ 和衷 ~济（比喻同心协力，共同渡过难关）*hézhōng~~jì*（*bǐyù tóngxīn-xiélì, gòngtóng dùguò nánguān*）work together with one accord（*fig.* make concerted efforts to overcome difficulties）❸〈副 adv.〉在一起 together; in company：~处 ~*chǔ* coexist │ ~存 ~*cún* exist side by side │ ~度佳节 ~*dù jiājié* celebrate the festival together │ ~渡难关 ~*dù nánguān* tide over a difficulty together │ ~进晚餐 ~*jìn wǎncān* dine together │ ~商国是 ~*shāng guóshì* discuss state policies together ❹〈副 adv.〉表示数量的总计 in all; altogether：~计 ~*jì* amount to; add up to │ 一~ yí~ altogether │ 总~ *zǒng*~ in all │ 这本书~分为十二个章节。*Zhè běn shū ~ fēnwéi shí'èr gè zhāngjié.* There are altogether twelve chapters in this book. ❺〈名 n.〉共产党的简称 Communist Party, abbr. for '共产党 *gòngchǎndǎng*'：中 ~ *Zhōng~* Chinese Communist Party │ 法~ *Fǎ~* Communist Party of France

² 共产党 gòngchǎndǎng 〈名 n.〉工人阶级的政党，其最高理想和最终目标是实现共产主义 Communist Party; proletarian political party; its highest ideal and goal is to achieve communism：~人 ~*rén* communist │ ~员 ~*yuán* member of the communist party

⁴ 共产主义 gòngchǎn zhǔyì ❶〈名 n.〉指共产主义的思想体系 communist ideology：~ 思想 ~*sīxiǎng* communist ideology │ ~理想 ~*lǐxiǎng* communist ideal │ ~信念 ~*xìnniàn* communist belief ❷〈名 n.〉一种社会制度 communism, a social system：共产党人认为 ~ 是人类最理想的社会制度。*Gòngchǎndǎngrén rènwéi ~ shì rénlèi zuì lǐxiǎng de shèhuì zhìdù.* The communists believe that communism is the most ideal social system of mankind.

³ 共和国 gònghéguó 〈名 n.〉实行共和制的国家 republic; country in which the republican form of government is adopted：人民 ~ *rénmín* ~ people's republic │ 民主~

mínzhǔ ~ democratic republic

⁴ **共计** gòngjì〈动 v.〉合在一起计算；总计 amount to; add up to: 出席今晚招待会的各界人士 ~200 人。*Chūxí jīnwǎn zhāodàihuì de gèjiè rénshì ~ èrbǎi rén.* There are altogether 200 public figures from various circles attending tonight's reception. │我买的这几样东西~花了 1,000 多元人民币。*Wǒ mǎi de zhè jǐ yàng dōngxi ~ huāle yìqiān duō yuán rénmínbì.* I spent altogether over 1,000 RMB on these items.

⁴ **共鸣** gòngmíng ❶〈名 n.〉物体因共振而发声的一种物理现象 resonance ❷〈名 n.〉比喻产生共同的思想感情 sympathetic response; same feeling aroused by a certain feeling of another person: 他的讲演引起听众强烈的 ~。*Tā de jiǎngyǎn yǐnqǐ tīngzhòng qiángliè de ~.* He delivered a speech which aroused strong sympathy in the audience. │影片的故事情节在观众心中产生了 ~。*Yǐngpiàn de gùshì qíngjié zài guānzhòng zhōng chǎnshēngle ~.* The plot of the film got a response among the audience.

³ **共青团** gòngqīngtuán〈名 n.〉共产主义青年团的简称 Communist Youth League, abbr. for '共产主义青年团 gòngchǎn zhǔyì qīngniántuán': ~ 员 *~yuán* member of the Communist Youth League │加入 ~ *jiārù ~* join the Communist Youth League │ ~ 支部 *~zhībù* branch of the Communist Youth League │ ~ 组织 *~ zǔzhī* Communist Youth League organization

² **共同** gòngtóng ❶〈形 adj.〉彼此都具有的；属于大家的 common; shared: ~ 点 *~diǎn* common ground │ ~ 理想 *~ lǐxiǎng* common ideal │ ~ 语言 *~ yǔyán* the same language │ ~ 财产 *~ cáichǎn* common property ❷〈副 adv.〉大家一起 together; jointly: 经过大家的~努力终于完成了任务。*Jīngguò dàjiā de ~ nǔlì zhōngyú wánchéngle rènwù.* We finished the task through joint efforts. │这间客厅可供你们~使用。*Zhè jiān kètīng kě gōng nǐmen ~ shǐyòng.* The sitting room is for your joint use.

⁴ **共性** gòngxìng〈名 n.〉指不同事物所共同具有的普遍性质（与'个性'相对）generality; general character shared by different things (opposite to '个性 gèxìng'): 寓个性之中。*~ yùyú gèxìng zhīzhōng.* Generality resides in particularity. │争强好胜是青年人的~。*Zhēngqiáng-hàoshèng shì qīngniánrén de ~.* Being aggressive is young people's general character.

² **贡献** gòngxiàn ❶〈名 n.〉对国家或公众做出有益的事情 contribution; meritorious service done to the country or the public: 突出的 ~ *tūchū de ~* outstanding contribution │宇航员为人类探索太空的事业做出了伟大的~。*Yǔhángyuán wèi rénlèi tànsuǒ tàikōng de shìyè zuòchūle wěidà de ~.* The astronauts made great contributions to the cause of space exploration by human beings. ❷〈动 v.〉为国家或公众献出物资、力量、经验等的行为 contribute; devote; offer goods, efforts or experience to the country iceor the public: ~ 财产 *~ cáichǎn* contribute one's property │ ~ 青春 *~ qīngchūn* dedicate one's youth │ ~聪明才智 *~ cōngmíng cáizhì* offer one's intelligence and ability

⁴ **勾** gōu ❶〈动 v.〉用笔画出钩形符号表示删除或重点 tick off; cross out; strike out; draw a check mark with a pen to indicate deletion or emphasis: ~去 *~ qù* tick off │ ~ 掉 *~diào* cross out │一笔~销 *yì bǐ ~xiāo* write off at one stroke │这一段是本课的重点，请大家用笔~出来。*Zhè yí duàn shì běn kè de zhòngdiǎn, qǐng dàjiā yòng bǐ ~ chūlái.* This is an important paragraph in this lesson. Please tick it off. ❷〈动 v.〉画出形象的边缘 delineate; draw the outline of an image: ~ 画 *~huà* sketch; delineate │用笔~出人物的轮廓。*Yòng bǐ ~chū rénwù de lúnkuò.* Sketch a figure with pen. ❸〈动 v.〉建筑上用石灰或水泥涂抹砖石建筑物的缝隙 fill up the joints of brickwork with mortar or cement; point: ~ 墙缝 *~ qiángfèng* point a wall │ ~ 砖缝 *~ zhuānfèng* point brickwork ❹

〈动 v.〉引；招引 induce; evoke; call to mind：~ 引 ~*yǐn* tempt; entice | 他的一句话一起我的伤心事。*Tā de yí jù huà ~qǐ wǒ de shāngxīn shì.* His remark evoked my bitter memories. ❺〈动 v.〉结合；串通 collude with; gang up with：~ 搭 ~*dā* be in collusion with | ~结 ~*jié* collaborate with

³ **勾结** gōujié 〈动 v.〉为了进行不正当的活动暗中互相串通、结合 collude with; collaborate with each other secretly to engage in illegal acts：相互 ~ *xiānghù* ~ collude with each other | 暗中 ~ *ànzhōng* ~ collude with secretly | 他们 ~ 在一起从事非法活动。*Tāmen ~ zài yìqǐ cóngshì fēifǎ huódòng.* They ganged up together to engage in illegal acts.

³ **沟** gōu ❶〈名 n.〉水道 waterway; ditch; channel：河 ~ *hé* ~ brook; stream | 山 ~ *shān* ~ gully; ravine | 一条小水 ~ *yì tiáo xiǎo shuǐ* ~ a small ditch ❷〈名 n.〉人工开挖的水道或工程 artificial water channel or trench：~ 渠 ~*qú* irrigation canals and ditches | 地 ~ *dì* ~ sewer | 暗 ~ *àn* ~ underground drain ❸〈名 n.〉形状像沟的浅槽 groove; rut; furrow：垄 ~ *lǒng* ~ field ditch | 车 ~ *chē* ~ rut

⁴ **沟通** gōutōng 〈动 v.〉使彼此相连；通达 link up; connect：~ 感情 ~*gǎnqíng* cultivate friendship | ~思想 ~*sīxiǎng* get to know each other's viewpoints | 上海在黄浦江上建起了数座 ~浦西与浦东的大桥。*Shànghǎi zài Huángpǔ Jiāng shang jiànqǐle shù zuò ~ Pǔxī yǔ Pǔdōng de dàqiáo.* Shanghai built several bridges connecting Pudong and Puxi across the Huangpu River.

³ **钩** gōu ❶ (~儿)〈名 n.〉钩子 hook：鱼 ~ ~儿 *yú* ~*r* fishhook ❷ (~儿)〈名 n.〉钩形符号，形状为'√'，表示正确或合格的一种符号 tick; check mark, its form being '√', usu. used to indicate the correctness or sth. that is up to standard ❸〈名 n.〉汉字的一种笔画，形状为'亅''乀''乁'和'乚'，称为竖钩、斜钩、横钩和竖弯钩 hook stroke in Chinese characters, its form being '亅', '乀', '乁', and '乚', respectively called vertical, oblique, horizontal and extended bending stroke ❹〈动 v.〉用钩子搭挂或探取 use a hook to hang sth; secure sth. with a hook：~ 上 来 ~*shànglái* hook sth. and lift it up | ~住树枝 ~*zhù shùzhī* catch a twig | 衣服被 ~住了。*Yīfu bèi ~zhù le.* The dress was caught by something. ❺〈动 v.〉用带钩的针编织 sew by using a needle with a hook at the end：她为我 ~ 了一条围巾。*Tā wèi wǒ ~le yì tiáo wéijīn.* She crocheted a scarf for me. ❻〈动 v. 书 lit.〉探求 explore; search after：~沉 ~*chén* try to find what has been lost; seek a profound truth

³ **钩子** gōuzi 〈名 n.〉悬挂或探取物体的工具 hook; implement for hanging or catching sth.：挂衣 ~ *guàyī* ~ clothes hook | 铁 ~ *tiě* ~ iron hook | 火 ~ *huǒ* ~ poker

² **狗** gǒu 〈名 n.〉(条 tiáo、只 zhī)一种哺乳动物，也叫'犬' dog; a kind of mammal; also '犬 quǎn'：~ 胆包天 ~*dǎn-bāotiān* monstrous audacity | ~急跳墙(比喻走投无路时不顾一切的行为)。~*jí-tiàoqiáng* (*bǐyù zǒutóu-wúlù shí búgù yíqiè de xíngwéi*). A dog will leap over a wall in desperation (*fig.* despair gives courage even to a coward). | ~仗人势 (比喻仗势欺人)。~*zhàngrénshì* (*bǐyù zhàngshì-qīrén*) Like a dog threatening people on the strength of its master's power (*fig.* be a bully with the support of a powerful person). | ~嘴里吐不出象牙 (比喻坏人说不出好话来)~ *zuǐ li tǔ bu chū xiàngyá* (*bǐyù huàirén shuō bù chū hǎohuà lái*). No ivory can come out of a dog's mouth (*fig.* a foul mouth can't utter decent language)

² **构成** gòuchéng ❶〈动 v.〉形成；造成 form; compose：~ 体系 ~ *tǐxì* make up a system | ~灾害 ~ *zāihài* give rise to a disaster | ~威胁 ~ *wēixié* pose a threat | ~犯罪 ~ *fànzuì* constitute a crime | 汉字的字形是由几部分 ~ 的。*Hànzì de zìxíng shì yóu jǐ bùfen ~ de.*

The form of a Chinese character is composed of several parts. ❷〈名 *n.*〉结构 structure; composition：我们系教师的~不太理想，年轻的教师多了一点儿。*Wǒmen xì jiàoshī de bú tài lǐxiǎng, niánqīng de jiàoshī duōle yìdiǎnr.* Our department is not well-structured in terms of its teaching staff. The percentage of young teachers is a bit high.

⁴ 构思 gòusī ❶〈动 *v.*〉写作或从事艺术创作时运用心思 conceive; construct; plot or rack brains when writing an article or making a work of art：他正在精心 ~一部小说。*Tā zhèngzài jīngxīn ~ yí bù xiǎoshuō.* He is working painstakingly on a novel. ❷〈名 *n.*〉指构思的结果 the result of conceiving：艺术 ~ yìshù ~ artistic conception | ~新颖 ~ xīnyǐng original conception | ~奇特 ~ qítè ingenious and unusual conception | 这件工艺品的~十分精巧。*Zhè jiàn gōngyìpǐn de ~ shífēn jīngqiǎo.* This piece of handiwork is well conceived.

⁴ 构想 gòuxiǎng ❶〈动 *v.*〉构思 conceive：~ 巧妙 ~ qiǎomiào well-conceived | 他正在~一幅美丽的蓝图。*Tā zhèngzài ~ yì fú měilì de lántú.* He is drawing up a beautiful blueprint. ❷〈名 *n.*〉形成的想法 idea; concept：大胆的~ ~ dàdǎn de ~ bold idea | 美好的~ ~ měihǎo de ~ promising plan | 关于公司重组的~ guānyú gōngsī chóngzǔ de ~ reorganization plan of the company

² 构造 gòuzào〈名 *n.*〉事物内部各个组成部分及其相互关系 structure; arrangement, composition and interrelation of the different parts of a thing：人体 ~ réntǐ ~ structure of the human body | 地质 ~ dìzhì ~ geological structure | 这台摄像机内部~很复杂。*Zhè tái shèxiàngjī nèibù ~ hěn fùzá.* The interior structure of the video camera is quite complicated. | 这句句子的~很简单。*Zhè jù jùzi de ~ hěn jiǎndān.* The structure of this sentence is quite simple.

³ 购 gòu〈动 *v.*〉买入 purchase; buy：~ 买 ~ mǎi buy | 采 ~ cǎi ~ make purchases for an organization or enterprise | 代~ dài~ buy on sb.'s behalf | 订~ dìng~ place an order | ~置房产 ~ zhì fángchǎn purchase real estate | 网上~物成为时尚。*Wǎng shàng ~wù chéngwéi shíshàng.* Online shopping has become quite popular.

³ 购买 gòumǎi〈动 *v.*〉买进 purchase; buy：~ 商品房 ~ shāngpǐnfáng purchase commercial housing | ~私人汽车 ~ sīrén qìchē buy a personal car | ~家用电脑 ~ jiāyòng diànnǎo buy a computer for household use

⁴ 购买力 gòumǎilì〈名 *n.*〉指购买商品和支付生活费用的能力 purchasing power; power to pay for the goods and cover living expenses：城市居民的 ~ 有了很大的提高。*Chéngshì jūmín de ~ yǒule hěn dà de tígāo.* The purchasing power of the urban residents has increased dramatically.

¹ 够 gòu ❶〈动 *v.*〉数量上可以满足需要 meet the need in quantity; enough; sufficient：去机场打的用一个小时 ~ 了。*Qù jīchǎng dǎdī yòng yí gè xiǎoshí ~ le.* One hour is enough for you to take a taxi to the airport. | 这箱水果的分量~不~? *Zhè xiāng shuǐguǒ de fēnliàng ~ bú ~?* Is the fruit in this case heavy enough? ❷〈动 *v.*〉达到某种程度或要求 reach a certain extent or standard：~ 格 ~gé be qualified | ~标准 ~ biāozhǔn be up to standard | 她还不~结婚年龄。*Tā hái bú ~ jiéhūn niánlíng.* She has not reached age of marriage. ❸〈动 *v.*〉用手或工具伸向不易达到的地方触摸或拿东西 (of a hand or tool) stretch to a certain place; take sth. from certain place beyond one's reach：~ 得着 ~ de zháo be able to reach | ~不着 ~ bù zháo be unable to reach | 他伸手到柜顶上~东西。*Tā shēnshǒu dào guìdǐng shang ~ dōngxi.* He stretched his hand and reached for something on the top of the cabinet. ❹〈副 *adv.*〉修饰形容词，表示达到某种标准 adjective modifier used to indicate sth. is up to a certain standard：这盏灯不~亮。*Zhè* *zhǎn dēng bú ~ liàng*. The lamp is not bright enough. ｜ 这种木板做书架不～厚。*Zhè zhǒng mùbǎn zuò shūjià bú ~ hòu*. This kind of board is not thick enough to make bookshelf. ❺〈副 *adv.*〉修饰形容词,表示程度很高 adjective modifier used to indicate a high degree: 这个孩子～乖的。*Zhège háizi ~ guāi de*. The child is really good. ｜ 这件衣服真～漂亮的。*Zhè jiàn yīfu zhēn ~ piàoliang de*. The dress is really beautiful.

² **估计** gūjì ❶〈动 *v.*〉对人或事物做大概的推断 estimate; appraise; make a judgment about sb. or sth.: ～他能来参加会议。*~ tā néng lái cānjiā huìyì*. I reckon he will be able to attend the meeting. ｜我～明天还会有大风。*Wǒ ~ míngtiān hái huì yǒu dàfēng*. I reckon there will still be high wind tomorrow. ❷〈名 *n.*〉做出的推断 estimate: 这只是一种～,不一定准确。*Zhè zhǐshì yì zhǒng ~, bù yídìng zhǔnquè*. This is only an estimate and it may not be accurate. ｜你的～不错,事情正是这样。*Nǐ de ~ búcuò, shìqing zhèngshì zhèyàng*. You are correct in your estimate of the situation.

³ **孤单** gūdān ❶〈形 *adj.*〉单身一人,没有依靠 solitary; lonely: 亲人都已故去,现在剩下我一人。*Qīnrén dōu yǐ gùqù, xiànzài shèngxià wǒ ~ yì rén*. All my family members have passed away, leaving alone in this world. ❷〈形 *adj.*〉(身体、力量) 单薄 weak; inadequate: 势力～ *shìlì ~* weak and isolated

⁴ **孤独** gūdú〈形 *adj.*〉独自一个人;孤单 lonely; solitary: ～的老人 *de lǎorén* lonely old man ｜ 离开集体就会有一种～感。*Líkāi jítǐ jiùhuì yǒu yì zhǒng ~ gǎn*. A feeling of loneliness will arise when one is separated from the collective.

³ **孤立** gūlì ❶〈形 *adj.*〉脱离大多数,得不到同情和支持 helpless; unable to get sympathy and aid: 他的处境日益～。*Tā de chǔjìng rìyì ~*. His situation is becoming increasingly helpless. ｜这样做就可以改变～的处境。*Zhèyàng zuò jiù kěyǐ gǎibiàn ~ de chǔjìng*. By doing it this way one can come out of the helpless situation. ❷〈形 *adj.*〉与其他事物不相联系 isolated: 山中有一座～的寺庙。*Shān zhōng yǒu yí zuò ~ de sìmiào*. There is an isolated temple in the mountains. ｜这件事绝不是～的。*Zhè jiàn shì jué bú shì ~ de*. It is not an isolated incident. ❸〈动 *v.*〉使失去支持和援助 isolate: ～敌人 *~ dírén* isolate the enemy

² **姑姑** gūgu〈名 *n.*〉父亲的姐妹,也叫'姑母'father's sister; aunt, also '姑母 gūmǔ': 他有两个～。*Tā yǒu liǎng gè ~*. He has two aunts.

¹ **姑娘** gūniang〈名 *n.*〉(个 gè、位 wèi) 未婚女子 girl: 年轻的～ *niánqīng de ~* young girl ｜漂亮的～ *piàoliang de ~* pretty girl ｜可爱的～ *kě'ài de ~* lovely girl ｜大～上轿一头一回。*Dà ~ shàng jiào — tóu yì huí*. A girl sits in a bridal sedan chair — first time in doing sth. ❷〈名 *n.*〉(个 gè) 女儿 daughter: 他的二～上大学一年级。*Tā de èr ~ shàng dàxué yì niánjí*. His second daughter is in her first year of college.

⁴ **姑且** gūqiě ❶〈副 *adv.* 书 lit.〉表示说话人暂时做出某种让步 indicating a temporary concession for the moment: 结果好坏～不论,你这样做本身就是不对的。*Jiéguǒ hǎohuài ~ bú lùn, nǐ zhèyàng zuò běnshēn jiùshì búduì de*. Let's leave aside for the moment the question of whether the result is good or not. But you were not justified in doing it in the first place. ｜以往的事～不说,今天你看怎么办?*Yǐwǎng de shì ~ bù shuō, jīntiān nǐ kàn zěnme bàn?* We don't have to talk about the past for the moment. What do you think should be done today? ❷〈副 *adv.* 书 lit.〉表示在不得已的情况下只能如此 indicating a certain situation in which one has to make do with sth.: 行不行～试试吧。*Xíng bù xíng ~ shìshi ba*. Let's give it a try and see if it works. ｜由于时间关系,我们～讨论到这里吧。*Yóuyú shíjiān guānxì, wǒmen ~ tǎolùn dào zhèlǐ ba*. Due to the lack of time, let's put an end to our discussion.

G

³ **辜负** gūfù〈动 v.〉对不住（别人的好意、期望和帮助）show ingratitude to other's good will; let down; be unworthy of：他～了父母的期望。Tā ~le fùmǔ de qīwàng. He didn't live up to the expectations of his parents.｜决不能～你的一片苦心。Jué bù néng ~ nǐ de yí piàn kǔxīn. I will never let you down.

² **古** gǔ ❶〈名 n.〉古代（与'今'相对）ancient times（opposite to '今 jīn'）：远～yuǎn~ remote antiquity｜上～shàng~ ancient times; remote past｜厚今薄～hòujīn-bó~ stress the present, not the past ❷〈形 adj.〉经历久远年代的 ancient; age-old：～国 ~guó country with a long history｜～城 ~chéng ancient city｜～庙 ~miào ancient temple｜～墓 ~mù ancient tomb｜～董 ~dǒng antique; curio｜～色～香 ~sè-~xiāng of antique flavor ❸〈形 adj.〉具有古代格调的 of ancient style：～朴 ~pǔ simple and unaffected; of primitive simplicity｜～拙 ~zhuō simple and unsophisticated

² **古代** gǔdài〈名 n.〉距现代较远的时代（区别于'近代''现代'）antiquity; ancient times（different from '近代 jìndài'，'现代 xiàndài'）：～史 ~shǐ ancient history｜～汉语 ~Hànyǔ ancient Chinese language｜～建筑 ~jiànzhù ancient building｜～文明 ~wénmíng ancient civilization｜～典籍 ~diǎnjí ancient books and records

³ **古典** gǔdiǎn〈形 adj.〉古代流传下来的在一定时期被认为是优秀的或作为典范的 classical; judged over a period of time to be of excellent quality or exemplary standard：～哲学 ~zhéxué classical philosophy｜～文学 ~wénxué classical literature｜～音乐 ~yīnyuè classical music｜～戏剧 ~xìjù classical drama｜～主义 ~zhǔyì classicism

⁴ **古怪** gǔguài〈形 adj.〉特别，不同于一般，使人觉得奇怪的；很少见到的 bizarre; odd; strange：～的脾气 ~de píqi eccentric disposition｜～的性格 ~de xìnggé eccentric character｜～的装束 ~de zhuāngshù bizarre dress｜～的样子 ~de yàngzi odd appearance｜他考虑的问题很～，总跟常人不一样。Tā kǎolǜ de wèntí hěn ~, zǒng gēn chángrén bù yíyàng. He is quite different from ordinary people in the strange questions that he tackles.

² **古迹** gǔjì〈名 n.〉（处 chù）古代的遗迹，多指古代遗留下来的建筑物 historic site; place of historic interest; usu. ancient buildings：名胜～ míngshèng ~ places of historic interest and scenic beauty｜保护～ bǎohù ~ protect ancient buildings｜修复～ xiūfù ~ restore ancient buildings｜游览～ yóulǎn ~ take a sightseeing tour in a historic site

² **古老** gǔlǎo〈形 adj.〉经历久远年代的 ancient; age-old：～民族 ~de mínzú ancient nation｜～的传说 ~de chuánshuō ancient legend｜～的文明 ~de wénmíng ancient civilization｜～的习俗 ~de xísú ancient customs

⁴ **古人** gǔrén〈名 n.〉泛指古代的人 ancients; forefathers：替～担忧（比喻毫无意义的担忧）tì ~ dānyōu（bǐyù háowú yìyì de dānyōu）worry for the sake of the ancient people（fig. worry unnecessarily）｜前无～，后无来者。Qián wú ~, hòu wú láizhě. Not to be found either in the past or in the future.

⁴ **古文** gǔwén〈名 n.〉指中国1919年五四运动以前使用的文言文 proses written in the classical literary style before the May 4th Movement in 1919：学习～ xuéxí ~ study classical prose｜背诵～ bèisòng ~ recite classical prose｜《～观止》'~ guānzhǐ' Anthology of Classical Prose

³ **谷子** gǔzi〈名 n.〉（株 zhū、颗 kē、粒 lì）中国北方种植的一种粮食作物 millet; grain crop planted in northern China：种～ zhòng ~ cultivate millet｜收～ shōu ~ harvest millet｜今年～获得了丰收。Jīnnián ~ huòdéle fēngshōu. There is a good millet harvest this year.

³ **股** gǔ ❶〈名 n.〉指人的大腿 thigh ❷〈名 n.〉资金或财产中相等的一份 share in a pool of capital or one of several equal parts of property：～份 ~fèn a share｜～票 ~piào

share certificate; stock｜按~分红 *àn* — *fēnhóng* dividends on shares｜我在店里也有一~。*Wǒ zài diàn li yě yǒu yì* ~. I also have a share in the store. ❸〈量 *meas.*〉用于细长成条的东西 used to indicate sth. long and narrow：一 ~ 泉水 *yì* — *quánshuǐ* a stream of spring water｜两~线 *liǎng* — *xiàn* two skeins of thread ❹〈量 *meas.*〉用于气体、气味、力气 used for gas, smell, strength, etc.：一 ~ 霉味 *yì* — *méiwèi* a moldy smell｜一 ~ 劲 *yì* — *jìn* a burst of strength｜公交车排出一~~黑烟。*Gōngjiāochē páichū yì* ~~ *hēi yān.* The bus emitted puffs of black smoke. ❺〈量 *meas.*〉用于成批的人 used to indicate a group of people：一 ~ 敌人 *yì* — *dírén* a group of enemy｜两~劫匪 *liǎng* — *jiéfěi* two bands of robbers

⁴ **股东** gǔdōng〈名 *n.*〉在企业、公司中拥有股份的人 shareholder; stockholder：大 ~ *dà* ~ major stockholder｜小~ *xiǎo* ~ minor stockholder｜他是这家股份公司的最大~。*Tā shì zhè jiā gǔfèn gōngsī de zuì dà* ~. He is the biggest stockholder of this stock company.

⁴ **股份** gǔfèn ❶〈名 *n.*〉股份公司或其他合伙经营的工商企业的资本单位 share; stock; unit of capital owned of a stock company or other collectively owned businesses：~ 有限公司 ~ *yǒuxiàn gōngsī* limited company｜~制企业 ~ *zhì qǐyè* joint-stock enterprise｜这家企业正在进行~制试点。*Zhè jiā qǐyè zhèngzài jìnxíng* ~ *zhì shìdiǎn.* An experiment is being made by this enterprise to adopt the joint-stock system. ❷〈名 *n.*〉指投入股份公司或股份制企业的资金单位 unit of capital fund put into a stock company or joint-stock enterprise：拥有 ~ *yōngyǒu* ~ hold stocks｜购买 ~ *gòumǎi* ~ purchase stocks｜出卖~ *chūmài* ~ sell stocks｜收买 ~ *shōumǎi* ~ buy stocks

⁴ **股票** gǔpiào〈名 *n.*〉(种 zhǒng、手 shǒu)股份公司用来表示股份所有权的证券 share; stock; share certificate：发行 ~ *fāxíng* ~ issue stocks｜持有~ *chíyǒu* ~ hold stocks｜进 ~ *mǎijìn* ~ buy stocks｜抛出 ~ *pāochū* ~ sell stocks｜上 涨 ~ *shàngzhǎng* appreciation in share value｜下跌 ~ *xiàdiē* depreciation in share value｜她退休后一直在炒~。*Tā tuìxiū hòu yìzhí zài chǎo* ~. She has been speculating in stocks since her retirement.

⁴ **骨** gǔ ❶〈名 *n.*〉指人或动物体内的骨头 bone：~ 骼 ~ *gé* skeleton｜~架 ~ *jià* skeleton; framework｜~头 ~ *tou* bone｜~肉 ~ *ròu* flesh and blood; kindred ❷〈名 *n.*〉比喻物体内部起支撑作用的架子 fig. framework：伞 ~ *sǎn* ~ frame of an umbrella｜龙~ *lóng* ~ keel｜钢 ~ 水泥柱 *gāng* ~ *shuǐní zhù* reinforced concrete column ❸〈名 *n.*〉比喻人的精神、品质、气概 fig. character; quality; spirit：~气 ~ *qì* strength of character; moral integrity｜傲~ *ào* ~ unyielding spirit｜媚~ *mèi* ~ obsequiousness｜侠~丹心 *xiá* ~ *dānxīn* chivalrous mind and loyal heart

³ **骨干** gǔgàn ❶〈名 *n.*〉骨胳中长得中央部分 shaft of a long bone ❷〈名 *n.*〉比喻在群体中起主要作用的人或事物 fig. backbone; mainstay：~分子 ~ *fēnzǐ* core member｜~企业 ~ *qǐyè* key enterprise｜~力量 ~ *lìliàng* backbone｜青年职工是公司的业务~。*Qīngnián zhígōng shì gōngsī de yèwù* ~. Young members of the staff are the backbone of the company.

⁴ **骨肉** gǔròu〈名 *n.*〉指父母兄弟姐妹子女等亲人，也用以比喻紧密相连、不可分割的关系 flesh and blood; kindred; parents, brothers, sisters and children; fig. close relations：亲生~ *qīnshēng* ~ one's own flesh and blood｜~团聚 ~ *tuánjù* family reunion｜~分离 ~ *fēnlí* family separation｜~之情 ~ *zhī qíng* ties of blood; kindred feelings｜~同胞 ~ *tóngbāo* the same flesh and blood (of a nation)｜亲如~ *qīn rú* ~ as close as flesh and blood｜情同~ *qíng tóng* ~ regard each other as kindred

⁴ **骨头** gǔtou ❶〈名 *n.*〉(根 gēn)人和脊椎动物体内支撑身体、保护内脏的坚硬组织

bone; hard tissue in the body of a human being and vertebrate animals supporting the body and protecting the internal organs：~ 架 – *jià* skeleton ｜关节 – *guānjié* joint ｜断裂 – *duànliè* fractured bone ｜他瘦得只剩下一副~架子了 *Tā shòu de zhǐ shèngxià yí fù – jiàzi le*. He was reduced to a bag of bones. ❷〈名 n.〉比喻人的品质 *fig.* character：硬~ *yìng~* man of unyielding integrity ｜懒~ *lǎn~* lazy bones ｜贱~ *jiàn~* miserable wretch ｜贼~ *zéi~* thief; burglar

² **鼓** gǔ ❶〈名 n.〉(个 gè、面 miàn)一种打击乐器 drum; percussion instrument：鼓 ~ *qiāo~* beat drums ｜擂 – *léi~* beat drums ｜手 – *shǒu~* hand drum ｜腰 – *yāo~* waist drum ｜敲锣打~ *qiāoluó-dǎ~* beat drums and strike gongs ｜~声震天 *~shēng zhèntiān* overwhelming sound of drums ❷〈名 n.〉指形状、声音、作用像鼓的物体 shape, sound or function like that of a drum：石 – *shí~* drum-shaped stone block ｜耳 – *ěr~* eardrum ❸〈动 v.〉使某些物体发出声音 beat; strike; play：~掌 *~zhǎng* clap one's hands ｜摇唇~舌(利用口才进行游说、煽动或大发议论) *yáochún-~shé* (*lìyòng kǒucái jìnxíng yóushuì, shāndòng huò dà fā yìlùn*) flap one's lips and wag one's tongue (engage in lobbying, instigation or loose talk) ❹〈动 v.〉振作；激发 rouse; agitate：~起劲来 *~qǐ jìn lái* boost the morale ｜他的讲演动人心,~斗志 *Tā de jiǎngyǎn dòng rénxīn, ~ dòuzhì*. His speech is moving and encouraging. ｜她~起勇气向老师提问 *Tā ~qǐ yǒngqì xiàng lǎoshī tíwèn*. She summoned her courage to ask teacher a question. ❺〈动 v.〉使凸起；涨大 bulge; swell：~起腮帮子 *~qǐ sāibāngzi* one's cheeks bulge ｜临产了,你怎么还~着大肚子到处乱跑? *Dōu línchǎn le, nǐ zěnme hái ~zhe dàdùzi dàochù luàn pǎo*? You are about to give birth. Why are you still going about with your bulging belly? ❻〈动 v.〉用风箱等扇 blow with a bellow; fan：~风 *~fēng* blast ❼〈形 adj.〉饱满；充足 full; sufficient：豆荚结得~~的 *Dòujiá jiē de ~~ de*. The pod is full of peas. ｜老百姓的钱袋子越来越~了 *Lǎobǎixìng de qiándàizi yuèláiyuè ~ le*. People's wallets are becoming fatter.

⁴ **鼓吹** gǔchuī ❶〈动 v.〉宣传倡导 advocate; preach：~ 革命 – *gémìng* advocate revolution ｜~改革 – *gǎigé* advocate reform ｜~市场经济 – *shìchǎng jīngjì* advocate market economy ❷〈动 v.〉吹嘘自我 boast; brag; lavish praise on oneself：他经常~自己办法多、路子广 *Tā jīngcháng ~ zìjǐ bànfǎ duō, lùzi guǎng*. He is always bragging about his resourcefulness and social connections.

³ **鼓动** gǔdòng ❶〈动 v.〉激发人的情绪,使振作或行动起来 agitate; incite; gird sb. into action：宣传~ *xuānchuán~* propagate and agitate ｜他的讲演把在场听众的情绪~起来了 *Tā de jiǎngyǎn bǎ zàichǎng tīngzhòng de qíngxù ~ qǐlái le*. His speech stirred the audience. ❷〈动 v.〉扇动 fan：蜜蜂~着翅膀在花丛中采蜜 *Mìfēng ~zhe chìbǎng zài huācóng zhōng cǎimì*. A bee fanned its wings among flowers to collect nectar.

² **鼓励** gǔlì ❶〈动 v.〉激发；勉励 encourage; urge：老师~学生努力学习 *Lǎoshī ~ xuésheng nǔlì xuéxí*. The teacher encouraged students to study hard. ｜经理~员工完成年度工作计划 *Jīnglǐ ~ yuángōng wánchéng niándù gōngzuò jìhuà*. The manager urged the staff to finish the work according to the annual plan. ❷〈名 n.〉指进行鼓励的行为 encouragement：受到 ~ *shòudào ~* be encouraged ｜得到 ~ *dédào ~* receive encouragement ｜很大的~ *hěndà de ~* great encouragement

² **鼓舞** gǔwǔ ❶〈动 v.〉使之振奋,增强信心和勇气 inspire; hearten; brace up：~士气 – *shìqì* boost the morale ｜~人心 – *rénxīn* inspiring ｜欢欣~ *huānxīn ~* be overjoyed; be elated ❷〈名 n.〉使之振作起来的做法 the act of pulling sb. together：受到~ *shòudào ~* feel overjoyed ｜极大的~ *jídà de ~* great encouragement ｜经济的持续

发展对投资者来说是一种巨大的~。*Jīngjì de chíxù fāzhǎn duì tóuzīzhě láishuō shì yì zhǒng jùdà de* ~. The continuous economic growth is a great confidence booster for the investors.

² **鼓掌** gǔ//zhǎng 〈动 v.〉拍手，表示高兴、赞同或欢迎的一种方式 clap one's hands to express joy, approval or welcome; applaud: 起立～ *qǐlì* ~ give a standing ovation｜~通过 ~ *tōngguò* approve by acclamation｜~欢迎 ~ *huānyíng* clap one's hands to welcome｜演出结束时，观众们热情地鼓起掌来。*Yǎnchū jiéshù shí, guānzhòngmen rèqíng de gǔqǐ zhǎng lái.* The audience warmly applauded the performers at the end of the show.

³ **固定** gùdìng ❶〈形 adj.〉不变动或不能移动的(与'流动'相对) fixed; not changeable or moveable（opposite to '流动 liúdòng'）: ~职业 ~ *zhíyè* permanent occupation｜~资产 ~ *zīchǎn* fixed assets｜他找了一份~的工作。*Tā zhǎole yí fèn ~ de gōngzuò.* He found a permanent job.｜公司的上下班时间是~的。*Gōngsī de shàngxiàbān shíjiān shì ~ de.* Work starts and ends at fixed hours in the company. ❷〈动 v.〉使之不变动、不移动 regularize; fix: 把学习时间～下来。*Bǎ xuéxí shíjiān ~ xiàlái.* Establish a regular timetable for study.｜这个架子松了，找个钉子把它~一下。*Zhège jiàzi sōng le, zhǎo gè dīngzi bǎ tā ~ yíxià.* The frame is loose. Find a nail to fix it.

³ **固然** gùrán ❶〈连 conj.〉表示承认某种事实后转入叙述的本义 used to acknowledge a statement before raising one's main argument; no doubt; it is true; admittedly; to be sure: 去境外旅游～很时尚，但也要考虑经济承受能力。*Qù jìngwài lǚyóu ~ hěn shíshàng, dàn yě yào kǎolǜ jīngjì chéngshòu nénglì.* It is true that traveling abroad is very popular. However, the ability to bear the expenses should also be taken into account.｜服用保健品~能增强体质，但服用不当也会产生副作用。*Fúyòng bǎojiànpǐn ~ néng zēngqiáng tǐzhì, dàn fúyòng búdàng yě huì chǎnshēng fùzuòyòng.* Health food may no doubt build up one's health, but improper use may also cause side effects. ❷〈连 conj.〉表示承认某种事实，后再引出另一侧面 used to acknowledge fact A is right, and fact B is also right: 能出国深造~很好，在国内发展也是不错的选择。*Néng chūguó shēnzào ~ hěn hǎo, zài guónèi fāzhǎn yě shì búcuò de xuǎnzé.* Go abroad to further one's study is very desirable, but pursue one's career in China is also a pretty good option.

³ **固体** gùtǐ 〈名 n.〉具有一定的体积和形状的质地比较坚硬的物体 solid body; hard substance with a certain size and shape: ~状态 ~ *zhuàngtài* solid state｜石头、钢铁、木材等在常温下都是~。*Shítou, gāngtiě, mùcái děng zài chángwēn xià dōu shì ~.* Rock, steel, iron, timber, etc. are all solid under normal temperature.｜某些金属在高温下溶化，从~状态变成液体状态。*Mǒuxiē jīnshǔ zài gāowēn xià rónghuà, cóng ~ zhuàngtài biànchéng yètǐ zhuàngtài.* Some metals change from solid into liquid under high temperature.

⁴ **固有** gùyǒu 〈形 adj.〉本来就有的；不是外来的 intrinsic; inherent; innate: ~文化 ~ *wénhuà* traditional culture｜~习俗 ~ *xísú* indigenous customs｜~属性 ~ *shǔxìng* intrinsic quality｜木刻是中国~的一种艺术。*Mùkè shì Zhōngguó ~ de yì zhǒng yìshù.* Woodcut is a traditional art in China.

⁴ **固执** gùzhí ❶〈动 v.〉坚持 insist: 他~己见，不肯改变。*Tā ~jǐjiàn, bùkěn gǎibiàn.* He clung to his own opinion and refused to bulge.｜你不该再~下去了。*Nǐ bù gāi zài ~ xiàqù le.* You should stop being so stubborn. ❷〈形 adj.〉认死理，不肯变通 obstinate; stubborn: 性情~ *xìngqíng* ~ be stubborn by nature｜他这个人很~，别人都说服不了他。*Tā zhège rén hěn ~, biéren dōu shuōfú bù liǎo tā.* He is very stubborn and no one can change his mind.

⁴ **故** gù ❶〈名 n.〉原因；缘故 reason; cause：不知何～ *bù zhī hé* ~ don't know why｜平白无～ *píngbái wú* ~ for no apparent reason｜无缘无～ *wúyuán-wú-* for no reason at all｜借～推辞 *jiè* ~ *tuící* find an excuse to decline ❷〈名 n.〉指意外的或不幸的情况 incident; accident：变～ *biàn* ~ unforeseen event; misfortune｜事～ *shì* ~ accident ❸〈名 n.〉旧的、过去的事物 thing of the past：温～而知新 *wēn* ~ *ér zhī xīn* gain new insights through reviewing old materials｜吐～纳新 *tǔ* ~ *nàxīn* get rid of the stale and take in the fresh｜～纸堆 ~ *zhǐduī* heap of musty old books and papers ❹〈名 n.〉指老朋友，旧交 old friend; old acquaintance：～人 ~ *rén* old friend｜～友 ~ *yǒu* old acquaintance｜交～ *jiāo* ~ old friend｜他乡遇～知 *tāxiāng yù* ~ *zhī* meet an old friend in a distant land｜沾亲带～ *zhānqīn-dài-* connected by ties of kinship or friendship｜非亲非～ *fēiqīn-fēi-* neither relative nor friend ❺〈形 adj.〉原来的；过去的 old; former：～乡 ~ *xiāng* native place; hometown｜～土 ~ *tǔ* native land｜～都 ~ *dū* former capital｜～里 ~ *lǐ* native place｜～居 ~ *jū* former residence or home｜～地重游 ~ *dì chóngyóu* revisit the old haunt｜～态复萌 ~ *tài-fùméng* slip back into one's old ways ❻〈动 v.〉专指人死亡 (of people) die：病～ *bìng* ~ die of illness｜～去 ~ *qù* pass away ❼〈副 adv.〉故意；有意 intentionally; deliberately：明知～犯 *míngzhī* ~ *fàn* wilfully violate｜～作姿态 ~ *zuò zītài* make a deliberate gesture｜～弄玄虚 ~ *nòng-xuánxū* purposely turn a simple matter into a mystery｜欲擒～纵 *yùqín* ~ *zòng* let the enemy off so to snare them ❽〈连 conj.〉所以；因此 so; therefore：因交通拥堵，～不能按时出席会议。*Yīn jiāotōng yōngdǔ,* ~ *bù néng ànshí chūxí huìyì.* Being caught in a traffic jam, I was not able to attend the meeting on time.

¹ **故事** gùshi ❶〈名 n.〉(个 gè、则 zé)民间流传或文人创作的具有连贯性并能吸引人、感染人的可讲述的真实或虚构的事情 (circulated among the people or composed by literary figures) story：历史～ *lìshǐ* ~ historical story｜民间～ *mínjiān* ~ folklore｜神话～ *shénhuà* ~ fairy tale｜讲～ *jiǎng* ~ tell a story｜听～ *tīng* ~ listen to a story ❷〈名 n.〉文艺作品中用来体现主题的情节 plot (of literary works)：～情节 ~ *qíngjié* plot｜这部电影～性很强。*Zhè bù diànyǐng de* ~ *xìng hěn qiáng.* This film has an interesting plot.

² **故乡** gùxiāng 〈名 n.〉家乡；也指长期生活过的地方 native place; birthplace; place where one was born or once lived for a long time：回～ *huí* ~ return to one's native place｜告别～ *gàobié* ~ bid farewell to one's native place｜中国是我的第二～。*Zhōngguó shì wǒ de dì-èr* ~. China is my second native place.

² **故意** gùyì ❶〈形 adj.〉有意识的 deliberate; intentional：他那样做不是～的。*Tā nàyàng zuò bú shì* ~ *de.* He didn't do it on purpose. ❷〈副 adv.〉有意地 deliberately：为引起别人的注意，他～大喊大叫。*Wèi yǐnqǐ biéren de zhùyì, tā* ~ *dàhǎn-dàjiào.* He deliberately shouted at the top of his voice to draw others' attention.

⁴ **故障** gùzhàng 〈名 n.〉(工具、机械等)出现的不能正常使用和运转的情况；毛病 (of tool, machinery, etc.) breakdown; stoppage; trouble; fault：出现～。*Chūxiàn* ~. A breakdown occurred.｜排除～ *páichú* ~ fix a breakdown｜机械～ *jīxiè* ~ mechanical failure｜人为～ *rénwéi* ~ breakdown caused by man

² **顾** gù ❶〈动 v.〉注意；照应 attend to; take care of：照～ *zhào* ~ take care of｜兼～ *jiān* ~ give consideration to two or more things｜～此失彼 ~ *cǐ-shībǐ* attend to one thing and neglect the other｜奋不～身 *fènbù* ~ *shēn* charge forward regardless of personal safety｜后～之忧 *hòu* ~ *zhīyōu* disturbance in the rear; family worries ❷〈动 v.〉回头看；看 turn round and look at; look at; review：回～ *huí* ~ look back｜环～四周 *huán* ~ *sìzhōu* look around｜左～右盼 *zuǒ* ~ *yòupàn* glance right and left｜瞻前～后 *zhānqián* ~ *hòu* take into account both past experience and possibilities｜相～一笑泯恩仇 *Xiāng* ~ *yí xiào mǐn*

ēnchóu. Grudges vanish when you greet your opponent with a smile. ❸〈动 v.〉看望；拜访 pay a visit; call on: 光～寒舍 guāng~ hánshě visit my humble home ｜三～茅庐（比喻诚心诚意地邀请）sān~máolú（bǐyù chéngxīn-chéngyì de yāoqǐng）make three personal calls at the thatched cottage (*fig.* sincere invitations)

⁴ **顾不得** gùbude 表示在某种情况下或由于某种原因只能做某件事，而没有时间或精力做别的事 be busy doing sth. and have no time or energy to attend to any other thing: 他整天在外面忙于应酬，连家也～回。Tā zhěngtiān zài wàimiàn mángyú yìngchou, lián jiā yě ~ huí. He has so many social engagements that he does not have any time with his family. ｜时间紧迫，～那么多了。Shíjiān jǐnpò, ~ nàme duō le. Being pressed for time, I can't mull over the matter and must make quick decision.

² **顾客** gùkè〈名 n.〉（个 gè、位 wèi、名 míng）商店或服务行业称前来购物的人或服务对象 customer; shopper; client; person who buys goods or services: 为～服务 wèi ~ fúwù serve the customer ｜～至上 ~ zhìshàng customers first ｜～是'上帝'。~ shì 'shàngdì'. The customer is God. ｜这家商店信誉好，经常是～盈门。Zhè jiā shāngdiàn xìnyù hǎo, jīngcháng shì ~ yíngmén. This shop enjoys a good reputation and is often filled with customers.

⁴ **顾虑** gùlù ❶〈动 v.〉思前顾后，担心带来不利后果 worry; dare not speak or act as one wishes for fear that it may be not good for oneself or for the state of affairs: ～重重 ~ chóngchóng be full of apprehensions ｜你怎么总是～这个、那个的? Nǐ zěnme zǒngshì ~ zhège、nàge de? Why are you always worried about one thing or another? ｜这事该怎么办就怎么办，你还～什么? Zhè shì gāi zěnme bàn jiù zěnme bàn, nǐ hái ~ shénme? This matter should be handled as it is. What else do you worry about? ❷〈名 n.〉怕自己或事情带来麻烦的思想活动 misgiving; apprehension; worry: 产生～ chǎnshēng ~ have misgivings ｜消除～ xiāochú ~ get rid of misgivings ｜不必要的～ bú bìyào de ~ unnecessary apprehension ｜你这种～是多余的。Nǐ zhè zhǒng ~ shì duōyú de. Your worry is uncalled for.

⁴ **顾全大局** gùquán-dàjú〈成 idm.〉顾及并保全整个局面，使其不受损害 take the interests of the whole into account: 为了～，只能牺牲局部利益。Wèile ~, zhǐnéng xīshēng júbù lìyì. For the sake of the general interests, we have to sacrifice partial and local interests. ｜说话、办事都应～。Shuōhuà、bànshì dōu yīng ~. One should bear in mind the general interests in whatever he says or does.

³ **顾问** gùwèn〈名 n.〉（位 wèi、名 míng、个 gè）具有某种专门知识，可供咨询的人 adviser; consultant; counsellor: 聘请～ pìnqǐng ~ engage sb. as a consultant ｜法律～ fǎlù ~ legal adviser ｜经济～ jīngjì ~ economic adviser ｜军事～ jūnshì ~ military adviser

³ **雇** gù ❶〈动 v.〉花钱让别人为自己做事 hire; employ: ～工 ~gōng hire labor ｜～保姆 ~ bǎomǔ hire a maid ｜～小时工 ~ xiǎoshígōng hire an hourly worker ｜～保镖 ~ bǎobiāo hire a bodyguard ｜解～ jiě~ dismiss; sack ❷〈动 v.〉花钱让别人用车、船为自己服务 hire (a car); rent (a boat): ～辆出租车 ~ liàng chūzūchē hire a taxi ｜～条游艇 ~ tiáo yóutǐng rent a yacht

⁴ **雇佣** gùyōng〈动 v.〉用货币购买劳动力、兵力 employ; hire; purchase labor or military force with money: ～关系 ~ guānxì employment relationship ｜～观点 ~ guāndiǎn hired-hand mentality（the attitude of one who can't do more than he is paid for）｜～思想 ~ sīxiǎng employment thought ｜兵役制～ bīngyìzhì mercenary system

⁴ **雇员** gùyuán〈名 n.〉（名 míng、个 gè）受雇于公司、企业等单位的员工 employee: 招聘～ zhāopìn ~ seek prospective employee ｜高级～ gāojí ~ senior employee ｜他在一家

股份公司当~。Tā zài yì jiā gǔfèn gōngsī dāng ~. He is employed by a stock company.

³瓜 guā〈名 n.〉(个 gè) 葫芦科蔓生植物，果实可供食用 melon; gourd; any climbing plant of the gourd family with edible fruits: 西~ xī~ water-melon ｜ 黄~ huáng~ cucumber ｜ 苦~ kǔ~ bitter gourd ｜ 冬~ dōng~ white gourd ｜ 南~ nán~ pumpkin ｜ 哈密 Hāmì ~ Hami melon ｜ 白兰~ báilán~ honeydew melon ｜ 种~得~，种豆得豆(比喻做了什么样的事，就得到什么样的结果)。Zhòng~-dé~, zhòngdòu-dédòu (bǐyù zuòle shénmeyàng de shì, jiù dédào shénmeyàng de jiéguǒ). Plant melons and you get melons, sow beans and you get beans (fig. as you sow, so will you reap).｜ ~熟蒂落(比喻条件成熟了，事情自然会成功)。~shú-dìluò (bǐyù tiáojiàn chéngshú le, shìqing zìrán huì chénggōng). A melon falls off the stem when it is ripe (fig. Everything comes easy at the right time).

⁴瓜分 guāfēn〈动 v.〉像切开瓜一样地分割或分配 divide up; partition; carve up sth. like cutting up a melon: ~领土 ~ lǐngtǔ carve up the territory ｜ ~势力范围 ~ shìlì fànwéi divide up the sphere of influence ｜ 我的年终奖金让妻子和女儿给~了。Wǒ de niánzhōng jiǎngjīn ràng qīzi hé nǚ'ér gěi ~ le. My year-end bonus was divided up between my wife and daughter.

³瓜子 guāzǐ〈名 n.〉(粒 lì) 瓜的种子，特指炒熟后作为食品的各种瓜子 melon seeds; esp. the baked ones for food: 西~ xī~ water-melon seeds ｜ 南~ nán~ pumpkin seeds ｜ 五香~ wǔxiāng~ spiced seeds ｜ 黑~ hēi~ water-melon seeds ｜ 白~ bái~ pumpkin seeds

¹刮 guā ❶〈动 v.〉(风) 吹 (of wind) blow: ~风下雨。~fēng xiàyǔ. It's windy and raining. ｜ 大风~起一阵尘土。Dàfēng ~ qǐ yí zhèn chéntǔ. A high wind stirred up a cloud of dust. ｜ 昨天~了一夜沙尘暴。Zuótiān ~le yí yè shāchénbào. A sandstorm raged throughout last night. **❷**〈动 v.〉用刀等工具贴着物体的表面，把物体表面的某些东西去掉或取下来 scrape; shave; remove sth. by rubbing over the surface with knife: ~胡子 ~húzi shave ｜ ~脸 ~liǎn shave the face **❸**〈动 v.〉贪婪地索取财物 plunder; fleece; extort: ~地皮 ~dìpí batten on the fat of the land; bleed the common people white ｜ 搜~民财 sōu~míncái plunder people **❹**〈动 v.〉在物体表面上涂抹(多用于粘稠物) smear with; spread (paste, etc.) over the surface of sth.: ~糨糊 ~ jiànghu stiffen (cloth) by spreading paste over it ｜ ~腻子 ~nìzi spread the putty over (the glass panes)

³寡妇 guǎfu〈名 n.〉(个 gè) 指死去丈夫的妇女 widow; woman who outlived her husband: 年轻的~ niánqīng de ~ young widow ｜ 老~ lǎo~ old widow ｜ ~门前是非多。~ mén qián shìfēi duō. Gossips always cluster around a widow's house.

¹挂 guà ❶〈动 v.〉借助绳子、钉子、钩子等使物体悬在高处 hang; put up; attach an object to sth. above by means of string, nail or hook: ~灯笼 ~ dēnglong hang a lantern ｜ ~照片 ~zhàopiàn put up a photo ｜ ~字画 ~zìhuà hang writings and paintings ｜ ~毯 ~ tǎn tapestry ｜ ~钟 ~zhōng wall clock ｜ ~历 ~lì wall calendar ｜ ~羊头卖狗肉 (比喻用好的名义做幌子，实际上干坏事) ~yángtóu mài gǒuròu (bǐyù yòng hǎo de míngyì zuò huǎngzi, shíjìshang gàn huàishì) hang out a sheep's head and sell dog-meat (fig. do an evil thing in the name of a good thing) **❷**〈动 v.〉惦念；不放心 be concerned about; be anxious: ~念 ~niàn worry about (sb. absent); miss ｜ 牵~ qiān~ care; think about **❸**〈动 v.〉打电话或切断电话 call or hang up: 别忘了给老张~个电话。Bié wàngle gěi Lǎo Zhāng ~ gè diànhuà. Don't forget to give Lao Zhang a call. ｜ 话刚说一半，对方就把电话给~了。Huà gāng shuō yíbàn, duìfāng jiù bǎ diànhuà gěi ~ le. The phone was hung up before he finished his words. **❹**〈动 v.〉钩住 hitch; get caught: 椅子上的钉子把衣服~破了。Yǐzi shang de dīngzi bǎ yīfu ~pò le. The dress got caught on a nail of the chair and was ripped open. ｜风筝～在树上了。 *Fēngzheng ~ zài shù shang le.* The kite got caught on a tree. ❺〈动 *v.*〉登记 register: ～失 *~shī* report the loss of sth. ｜～号信 *~hàoxìn* registered mail ｜去医院看病要先～个号。 *Qù yīyuàn kànbìng yào xiān ~ gè hào.* You have to register before seeing a doctor in hospital. ❻〈动 *v.*〉物体表面蒙着；遮盖着 be covered with; be coated with: 脸上～着笑容 *liǎn shang ~zhe xiàoróng* wear a smile ｜苹果要～霜以后才好吃。*Píngguǒ yào ~ shuāng yǐhòu cái hǎochī.* The apple tastes good only after it is covered with frost. ❼〈动 *v.*〉悬而未决 leave sth. unsettled: 这个案子还～着呢。 *Zhège ànzi hái ~zhe ne.* This case still remained unsettled. ❽〈量 *meas.*〉多用于成套或成串的东西 set or string (of things): 路上跑着一～马车。*Lù shang pǎo zhe yí ~ máchē.* A horse-drawn cart is running on the street. ｜春节期间他放了几十～鞭炮。*Chūnjié qījiān tā fàngle jǐshí ~ biānpào.* He let off dozens of strings of firecrackers in the Spring Festival.

4 **挂钩** guà//gōu Ⅰ〈动 *v.*〉用钩把两节车厢连起来 couple (two railway coaches) ❷〈动 *v.*〉比喻互相建立某种联系 *fig.* establish contact with; link up with: 产销～ *chǎnxiāo* ~ link producing and marketing departments ｜商店与工厂挂起钩来。*Shāngdiàn yǔ gōngchǎng guàqǐ gōu lái.* The shop established contact with the factory. Ⅱ guàgōu ❶〈名 *n.*〉(个 gè) 连接两节车厢的钩子 couple that links two railway coaches ❷〈名 *n.*〉(个 gè) 悬挂或连接东西的钩子 hook used for hanging or connecting things

2 **挂号** guà//hào ❶〈动 *v.*〉为了确定次序和便于查考而登记编号 (多指到医院看病时的登记手续) (usu. at a hospital) register for a number to keep order and record: 排队～ *páiduì* ~ queue up and register ｜挂不上号 *guà bú shàng hào* be unable to register ｜挂个中医科的号。 *Guà gè zhōngyīkē de hào.* Register to make an appointment with a doctor of traditional Chinese medicine. ❷〈动 *v.*〉重要的信件和印刷品邮寄时由邮电局登记编号，并列收据备查 (of important letter or printed matter) send by registered mail with a serial number and a receipt given by the post office for reference: ～信 *~xìn* registered letter ｜印刷品～ *yìnshuāpǐn* ~ registered mail of printed matter ｜邮寄公函最好～。*Yóujì gōnghán zuì hǎo ~.* It is best to send official mail by registered mail.

4 **挂念** guàniàn 〈动 *v.*〉因想念而放心不下 worry about sb. who is absent: ～老人 *~lǎorén* miss one's parents ｜～孩子 *~háizi* miss one's child ｜～亲人 *~qīnrén* miss one's relatives ｜她十分～在国外留学的女儿。*Tā shífēn ~ zài guówài liúxué de nǚ'ér.* She misses very much her daughter who is studying abroad.

3 **乖** guāi ❶〈形 *adj.*〉(小孩儿) 不吵闹；听话 (of child) quiet; obedient; well-behaved: ～孩子 *~háizi* good child ｜这个孩子很～。*Zhège háizi hěn ~.* The child behaves himself quite well. ❷〈形 *adj.*〉伶俐；机警 clever; smart; shrewd: ～巧 *~qiǎo* clever ｜卖～ *mài~* show off cleverness ｜她的那张嘴真～。*Tā de nà zhāng zuǐ zhēn ~.* She is so honey-lipped. ｜上过一次当，他学得～多了。*Shàngguò yí cì dàng, tā xué de ~ duō le.* Being fooled once, he has become wiser. ❸〈形 *adj.*〉(性情、行为) 不正常 (of one's temperament, behavior, etc.) abnormal; perverse: ～僻 *~pì* eccentric; unnatural ｜～戾 *lì* perverse; recalcitrant ｜～张 *~zhāng* eccentric and difficult

2 **拐** guǎi ❶〈动 *v.*〉转变方向 change direction; turn: 向东～ *xiàng dōng ~* turn eastward ｜向左～ *xiàng zuǒ ~* turn left ｜～弯 *~wān* turn a corner ｜～弯抹角 (比喻说话、写文章不直截了当) *~wān-mòjiǎo* (*bǐyù shuōhuà, xiě wénzhāng bù zhíjié-liǎodàng*) go in a zigzag manner (*fig.* talk or write in a roundabout way) ❷〈动 *v.*〉腿瘸 limp: 他走路一瘸一～的。*Tā zǒulù yìqué-yì~ de.* He walks with a limp. ❸〈动 *v.*〉用诱骗手段把人带走或骗走钱财 abduct; kidnap; swindle; make away with: ～卖人口 *~mài*

rénkǒu kidnap and sell people｜卖妇女儿童 *~mài fùnǚ értóng* abduct and traffick in women and children｜~骗钱财 *~piàn qiáncái* swindle money（out of sb.）｜~款潜逃 *kuǎn qiántáo* abscond with funds ❹〈名 *n.*〉下肢患病者、残疾人或年迈者走路拄的棍子 crutch; stick used by people with diseased lower limbs, the disabled or the elderly：~杖 *~zhàng* walking stick

³ **拐弯儿** guǎi//~wānr ❶〈动 *v.*〉行路转方向 turn：左~ *zuǒ~* turn left｜右~ *yòu~* turn right｜拐了一个弯儿 *guǎile yí gè wānr* make a turn｜车辆~要慢行。*Chēliàng ~ yào mànxíng.* Slow down the car when turning a corner. ❷〈动 *v.*〉(说话、思路)转变方向 (in speech or thinking) turn round; pursue a new course：他说话直截了当，从来不会~。*Tā shuōhuà zhíjié-liǎodàng, cónglái bú huì ~.* He is straightforward in whatever he says and never beats about the bush.｜话说得太离谱，大家一时拐不过弯儿来。*Huà shuō de tài lípǔr, dàjiā yìshí guǎi bú guò wānr lái.* What he said was too far-fetched for us to come back to the point right away.

² **怪** guài ❶〈形 *adj.*〉奇怪：不平常 strange; odd; queer; unusual：~人 *~rén* eccentric person｜~事 *~shì* strange thing｜~物 *~wù* monster｜~现象 *~xiànxiàng* strange phenomenon｜~里~气 *~li~qì* eccentric｜~模~样 *~mú~yàng* queer in appearance; grotesque｜见~不~ *jiàn~bú~* not be surprised by anything unusual ❷〈动 *v.*〉埋怨；责备 blame; reproach：这件事没做好不能~他。*Zhè jiàn shì méi zuò hǎo bù néng ~ tā.* This matter was not handled satisfactorily, but it was not his fault.｜大家不用怕，领导~罪下来有我顶着。*Dàjiā búyòng pà, lǐngdǎo ~zuì xiàlái yǒu wǒ dǐngzhe.* You don't have to worry. If the reproaches come from the leader, I will cope with them on my own. ❸〈动 *v.*〉感到惊奇 find sth. strange; wonder at：这事有什么可大惊小~的！*Zhè shì yǒu shénme kě dàjīng-xiǎo~ de!* What is all the fuss about? ❹〈副 *adv.*〉很；非常(多用于口语，后面必须用'的'呼应 usu. in colloquial Chinese, used with '的 de' after the adjective it modifies) rather; quite：~疼的 *~ téng de* rather painful｜~痒的 *~ yǎng de* quite itchy｜~不错的 *~búcuò de* quite good｜~费力的 *~ fèilì de* quite heavy｜耽误你那么多时间，~不好意思的。*Dānwù nǐ nàme duō shíjiān, ~ bù hǎo yìsi de.* I am quite sorry to have taken up so much of your time. ❺〈名 *n.*〉奇异的人或物 fiend; monster; evil spirit：妖魔鬼~ *yāomó-guǐ~* demons and ghosts; monsters of every description

³ **怪不得** guàibude ❶〈动 *v.*〉不能责怪；不能埋怨 cannot blame：这件事~他。*Zhè jiàn shì ~ tā.* As far as this matter is concerned, he is not to blame.｜我一再提醒他，他总是不听，现在出了问题就~我了。*Wǒ yízài tíxǐng tā, tā zǒngshì bù tīng, xiànzài chūle wèntí jiù ~ wǒ le.* I warned him again and again but he took no heed. So I was not to blame when the problem came up. ❷〈副 *adv.*〉表示明白了事情的原因就不觉得奇怪 no wonder; so that's why; that explains why：天气预报明天有雨，~这么闷热。*Tiānqì yùbào míngtiān yǒu yǔ, ~ zhème mēnrè.* The weather forecast says it will be raining tomorrow. No wonder it is so hot and stuffy.｜原来他出差了，~这几天没见他上班。*Yuánlái tā chūchāi le, ~ zhè jǐ tiān méi jiàn tā shàngbān.* He is out of town on business. That explains why he has been absent from work in these days.

¹ **关** guān ❶〈动 *v.*〉使开着的物体合拢 shut; close：~门 *~mén* close the door｜窗户~不上 *chuānghu ~ bú shàng* be unable to close｜这扇门~得很严。*Zhè shàn mén ~ de hěn yán.* The door is shut tight. ❷〈动 *v.*〉放在里面不让出来 lock up; shut in：监狱里~着犯人。*Jiānyù li ~ zhe fànrén.* Prisoners are put behind the bars.｜这个笼子是用来~老虎的。*Zhège lóngzi shì yònglái ~ lǎohǔ de.* This cage is used to keep tigers. ❸〈动 *v.*〉(商店、企业等)歇业；倒闭 (of

shop, enterprise, etc.）close down; shut down: 商店 ~ 门 了。*Shāngdiàn ~mén le.* The store closed down. │ 工厂经营不善，我只好把它~了。*Gōngchǎng jīngyíng bú shàn, wǒ zhǐhǎo bǎ tā ~ le.* I had to shut down the factory because of the poor management. ❹ 〈动 v.〉使机器停止运转或使电气装置结束工作状态 turn off; switch off an electrical device: ~机 ~ *jī* turn off the machine │ ~灯 ~ *dēng* turn off the light │ 电视 ~ *diànshì* turn off the TV ❺〈动 v.〉关联；牵涉 concern; involve: 有 ~ *yǒu~* concern │ 无~ *wú* do not concern │ 人命~天 *rénmìng~tiān* a case involving human life is a matter of great consequence │ 无~痛痒 *wú ~ tòngyǎng* unimportant; irrelevant │ 息息相~ *xīxī-xiāng~* be closely related │ 休戚相~ *xiūqī-xiāng~* be bound together by common interests ❻〈动 v.〉爱护；照顾 take care of: ~心 ~*xīn* be concerned about │ 爱~ *~ài* love and care │ ~注 ~*zhù* pay close attention to │ 请您多多~照。*Qǐng nín duōduō ~zhào.* I hope we'll get along all right. ❼〈名 n.〉中国古代在交通要道或边境出入口设置的守卫处所 pass; guard post set up at a strategic location or border checkpoint of entrance and exit in China's ancient times: 边~ *biān~* frontier pass │ 防~*fáng* military position at a strategic point; fort │ ~卡 ~*qiǎ* checkpoint │ 闭~自守 *bì~-zìshǒu* close the country to the outside world │ 闭~锁国 *bì~-suǒguó* shut one's door to the international community │ 一夫当~，万夫莫开。*Yì fū dāng ~, wàn fū mò kāi.* With one man guarding the pass, ten thousand men cannot get through. ❽〈名 n.〉货物进出口和收税的地方 customs house: 海~ *hǎi~* customs │ 进~ *jìn~* enter the customs │ 出~ *chū ~* leave the customs │ 货物通~ *huòwù tōng ~* (of goods) be cleared by the customs │ ~税 ~*shuì* customs duty; tariff ❾〈名 n.〉比喻重要的转折点或不易度过的一段时光 fig. important turning point; hard time: 难~ *nán~* barrier; difficulty │ 年~ *nián~* end of the year (i. e., end of the lunar year, when accounts had to be settled）│ 语言~ *yǔyán~* language barrier │ 生活~ *shēnghuó ~* test of austere living conditions ❿〈名 n.〉起转折关联作用的部分 key; gear; joint: ~节 ~*jié* joint │ ~键 ~*jiàn* key; crux │ 机~ *jī~* device; gear ⓫〈名 n.〉比喻严格的标准 fig. strict standard: 质量~ *zhìliàng ~* quality control │ 招聘职员一定要把好~。*Zhāopìn zhíyuán yídìng yào bǎhǎo ~.* The qualification of the prospective employee must be closely examined.

⁴ **关闭** guānbì ❶〈动 v.〉使开着的物体合拢；关 close; shut: ~大门 ~ *dàmén* close the gate │ ~窗户 ~ *chuānghu* close the window ❷〈动 v.〉停业；停办；停止运营 close down; shut down: 工厂~了。*Gōngchǎng ~ le.* The factory was closed down. │ 因下大雪，高速公路都~了。*Yīn xià dàxuě, gāosù gōnglù dōu ~ le.* The express highway was closed down due to the heavy snow. │ 大雾天气，机场都~了。*Dàwù tiānqì, jīchǎng dōu ~ le.* The airport was closed down due to the thick fog.

³ **关怀** guānhuái 〈动 v.〉关心 show loving care for: ~备至 ~ *bèizhì* show the greatest solicitude for │ 亲切~ *qīnqiè ~* pay kind attention to │ 孩子们健康成长。 ~ *háizimen jiànkāng chéngzhǎng.* Show concern for the healthy growth of the children. │老年人的晚年生活。~ *lǎoniánrén de wǎnnián shēnghuó.* Show concern for the life of the elderly people in their old age.

² **关键** guānjiàn ❶〈名 n.〉比喻事物最关紧要的部分或指对事物发展起决定作用的因素 fig. key; crux; crucial part of a matter; decisive factor: 产品要拓展销路，~在于提高产品质量。*Chǎnpǐn yào tuòzhǎn xiāolù, ~ zàiyú tígāo chǎnpǐn zhìliàng.* The key to expand the market is to improve the quality of the product. │摸清情况是解决问题的~。*Mōqīng qíngkuàng shì jiějué wèntí de ~.* The key to solve the problem is to know the actual situation. ❷〈形 adj.〉对情况起决定作用的 the most crucial: ~问题 ~ *wèntí*

the most important question | ~因素 ~ *yīnsù* the most crucial factor | ~时刻 ~ *shíkè* the most crucial moment

⁴ **关节炎** guānjiéyán 〈名 *n.*〉人体关节部分出现炎症的病 arthritis：治疗 ~ *zhìliáo* ~ treat arthritis | 他的~很严重，必须住院治疗。*Tā de ~ hěn yánzhòng, bìxū zhùyuàn zhìliáo.* He has developed serious arthritic symptoms and must be hospitalized. | 这是一种专治~的特效药。*Zhè shì yì zhǒng zhuānzhì ~ de tèxiàoyào.* This is an effective cure especially for arthritis.

⁴ **关切** guānqiè ❶〈形 *adj.*〉亲切的 kind; considerate; thoughtful：~的态度 *de tàidù* kind manner | ~的目光 *de mùguāng* kind eyes | ~的口气 *de kǒuqì* kind tone | ~的话语 *de huàyǔ* kind words ❷〈动 *v.*〉深切的关心 be deeply concerned about：同事们对你的处境十分~。*Tóngshìmen duì nǐ de chǔjìng shífēn ~.* Your colleagues are deeply concerned about your situation.

³ **关头** guāntóu 〈名 *n.*〉事情发展过程中具有决定意义的时机或转折点 turning point; key moment：成败 ~ *chéngbài* ~ the point when one either succeeds or fails | 生死~ *shēngsǐ* ~ moment of life and death | 危急~方显出英雄本色。*Wēijí ~ fāng xiǎnchū yīngxióng běnsè.* The true color of a hero can only be revealed at the moment of emergency.

¹ **关系** guānxì ❶〈名 *n.*〉事物与事物之间互相作用、互相影响的一种状态 relationship; relation：普及与提高的 ~ *pǔjí yǔ tígāo de* ~ the relationship among the popularization and the raising of standards | 正确处理改革、发展与稳定的~ *zhèngquè chǔlǐ gǎigé, fāzhǎn yǔ wěndìng de* ~ correctly handle the relationship between reform, development and stability ❷〈名 *n.*〉人或事物之间的相互关系 relations; connections between or among persons or between a person and a thing：父子 ~ *fùzǐ* ~ relationship between father and son | 夫妻 ~ *fūqī* ~ relationship between husband and wife | 男女 ~ *nánnǚ* ~ sexual relations | 人际 ~ *rénjì* ~ interpersonal relations | 社会 ~ *shèhuì* ~ social connections | 拉 ~ *lā* ~ try to establish a relationship with sb. | 户 ~hù persons or groups having dealings with each other that promote their common interests ❸〈名 *n.*〉对事物产生的影响 impact; relevance; significance：他之所以取得好成绩与他平时坚持训练很有 ~。*Tā zhī suǒyǐ qǔdé hǎo chéngjì yǔ tā píngshí jiānchí xùnliàn hěn yǒu ~.* His persistent training is of great importance to his excellent performance. | 这件事没做好主要责任在我，与他没有~。*Zhè jiàn shì méi zuòhǎo zhǔyào zérèn zài wǒ, yǔ tā méiyǒu ~.* I am chiefly responsible for the failure to handle this matter properly. It has nothing to do with him. ❹〈名 *n.*〉泛指原因、条件等 cause; condition：由于时间 ~，记者招待会到此结束。*Yóuyú shíjiān ~, jìzhě zhāodàihuì dào cǐ jiéshù.* Since time is limited, the press conference ends now. ❺〈名 *n.*〉表明某种有组织关系的证件 membership or personal credentials; organizational connection or identity：户口 ~ *hùkǒu* ~ household registry document | 党的~ *dǎng de* ~ Party membership credentials ❻〈动 *v.*〉关联；牵涉 concern; affect; have a bearing on：农业生产搞得好坏，~到国民经济的全局。*Nóngyè shēngchǎn gǎo de hǎohuài, ~ dào guómín jīngjì de quánjú.* The development of the agricultural production touches upon the overall situation of the national economy. | 商品的质量是否有保证,~到商家的信誉。*Shāngpǐn de zhìliàng shìfǒu yǒu bǎozhèng, ~ dào shāngjiā de xìnyù.* Whether the product quality is guaranteed has a bearing on one's business reputation.

¹ **关心** guānxīn 〈动 *v.*〉对人或事物重视和爱护 have sb. or sth. on one's mind; be concerned about; be interested in; care for：~ 群众生活 ~ *qúnzhòng shēnghuó* care for

the livelihood of the masses │ ~人民疾苦 – *rénmín jíkǔ* be concerned about the distress of the people │ ~国家大事 – *guójiā dàshì* concern oneself with state affairs │ ~国际形势 ~ *guójì xíngshì* be interested in the international situation │ 父母对我的学习很~。*Fùmǔ duì wǒ de xuéxí hěn ~.* My parents are very concerned about my study.

² **关于** guānyú ❶〈介 *prep.*〉用以表示动作所关联或涉及的事物以及事物所涉及的范围 about; on; with regard to; concerning: ~生活问题 – *shēnghuó wèntí* about life problems │ ~住房问题 – *zhùfáng wèntí* with regard to housing problems │ ~出国留学问题 ~ *chūguó liúxué wèntí* concerning the problem of studying abroad │ 中国有许多~龙的传说。*Zhōngguó yǒu xǔduō ~ lóng de chuánshuō.* There are many legends about the dragon in China. ❷〈介 *prep.*〉作为提示，可以组成介词结构，单独作为文章的题目 forming a prepositional structure and used in a title of an article: '~教育体制改革' '~ *jiàoyù tǐzhì gǎigé*' 'On the Reform of the Educational System' │ '~旧城改造的初步设想' '~ *jiùchéng gǎizào de chūbù shèxiǎng*' 'A Tentative Proposal on the Renovation of the Old City'

² **关照** guānzhào ❶〈动 *v.*〉关心照顾 look after; take care of: 初次见面，请多多~。*Chūcì jiànmiàn, qǐng duōduō ~.* This is the first time we meet. I hope we'll get along all right. │ 老年人需要更多的~。*Lǎoniánrén xūyào gèng duō de ~.* The elderly need more care. ❷〈动 *v.*〉互相照应 look after each other: 出门在外互相~。*Chūmén zài wài yīng hùxiāng ~.* Please take care of each other when you are away from home. │ 旅途中人们应相互~。*Lǚtú zhōng rénmen yīng xiānghù ~.* People should take care of each other on the journey. ❸〈动 *v.*〉提醒；告知 notify by word of mouth: 今天上午开会的事，我已向秘书~了。*Jīntiān shàngwǔ kāihuì de shì, wǒ yǐ xiàng mìshū ~ le.* I have told the secretary that a meeting will be held this morning.

⁴ **观** guān ❶〈动 *v.*〉看；see; watch; observe: ~日食 – *rìshí* observe solar eclipse │ 走马~花（比喻粗略地观察事物）*zǒumǎ~~huā*（*bǐyù cūlüè de guānchá shìwù*）look at flowers while riding on horseback（gain a superficial understanding through cursory observation）│ 察颜~色 *cháyán~~sè* weigh up sb's words and watch his expression carefully │ 坐井~天（比喻眼界狭窄，见识很少）*zuòjǐng~~tiān*（*bǐyù yǎnjiè xiázhǎi, jiànshí hěn shǎo*）observe the sky from the bottom of a well（*fig.* have a very narrow view or limited outlook）❷〈名 *n.*〉景象或样子 sight; spectacle; view: 世界十大奇~ *shìjiè shí dà qí~* ten wonders of the world │ 城市的面貌大大改~。*Chéngshì de miànmào dàdà gǎi~.* The city has taken on a new look. ❸〈名 *n.*〉对事物认识和看法 outlook; view; concept: 乐~ – *lè~* optimism │ 悲~ – *bēi~* pessimism │ 人生~ – *rénshēng~* outlook on life │ 价值~ – *jiàzhí~* values

³ **观测** guāncè ❶〈动 *v.*〉观察并测量（天文、气象、地理、方向等）observe and survey（astronomy, weather, geography, direction, etc.）: ~火星 – *huǒxīng* observe the Mars │ ~气象 ~ *qìxiàng* observe weather conditions │ ~风向 – *fēngxiàng* observe the wind direction │ ~水流 – *shuǐliú* observe the flow of water │ 用天文望远镜~月球表面。*Yòng tiānwén wàngyuǎnjìng ~ yuèqiú biǎomiàn.* Use the astronomical telescope to observe the surface of the moon. ❷〈动 *v.*〉观察并预测（情况）watch and analyse; size up: ~敌情 ~ *díqíng* watch enemy movements

² **观察** guānchá〈动 *v.*〉仔细看有（事物或现象）observe carefully; watch; survey: ~地形 – *dìxíng* survey the terrain │ ~病情 ~ *bìngqíng* keep a patient under observation │ ~灾情 ~ *zāiqíng* keep a watch on the damage caused by a disaster │ ~问题 ~ *wèntí* look into a problem │ ~动静 ~ *dòngjing* watch what is going on │ ~员 ~*yuán* observer │ ~家 ~*jiā*

political commentator｜消防员仔细~火灾现场。*Xiāofángyuán zǐxì ~ huǒzāi xiànchǎng.* The firefighters made a careful observation of the scene of the fire.

² **观点** guāndiǎn〈名 *n.*〉观察事物所处的位置或采取的态度 viewpoint; standpoint; perspective：群众 ~ *qúnzhòng ~* perspective of the masses｜经济 ~ *jīngjì ~* economic point of view｜政治 ~ *zhèngzhì ~* political viewpoint｜~明确 ~ *míngquè* clear viewpoint｜他从不隐瞒自己的~。*Tā cóng bù yǐnmán zìjǐ de ~.* He never hides his viewpoint.｜我可以用大量的事实来说明我的~。*Wǒ kěyǐ yòng dàliàng de shìshí lái shuōmíng wǒ de ~.* I have a lot of facts to illustrate my point.

⁴ **观光** guānguāng〈动 *v.*〉指去著名城市或名胜古迹的参观、游览活动 go sightseeing; tour; visit places and see things of interest：~团 *~tuán* sightseeing party; tour group｜~客 *~kè* tourist｜他参加了一个旅行团，去法国巴黎~。*Tā cānjiāle yí gè lǚxíngtuán, qù Fǎguó Bālí ~.* He went on a sightseeing trip to Paris, France with a touring party.｜北京的故宫每天都要接待大批前来~的外国游客。*Běijīng de Gùgōng měitiān dōu yào jiēdài dàpī qiánlái ~ de wàiguó yóukè.* Everyday a lot of foreign tourists visit the Imperial Palace in Beijing.

³ **观看** guānkàn〈动 *v.*〉特意地看；参观；观察 watch; visit; observe：~景物 ~ *jǐngwù* see sights of interest｜~动静 ~ *dòngjìng* watch what is going on｜~世界杯足球赛 ~ *Shìjièbēi Zúqiú Sài* watch the World Cup Football match｜他昨晚~了一场精彩的芭蕾舞演出。*Tā zuówǎn ~le yì chǎng jīngcǎi de bālěiwǔ yǎnchū.* He watched a wonderful performance of ballet dancing yesterday evening.

³ **观念** guānniàn〈名 *n.*〉思想意识 sense; idea; concept：旧 ~ *jiù ~* old concept｜新 ~ *xīn ~* new concept｜传统 ~ *chuántǒng ~* traditional mode of thinking｜~更新 ~ *gēngxīn* changes of the mode of thinking｜青年人的消费~有了很大的改变。*Qīngniánrén de xiāofèi ~ yǒule hěn dà de gǎibiàn.* The youth's idea of consumption has changed drastically.｜人们应该与陈旧的传统~决裂。*Rénmen yīnggāi yǔ chénjiù de chuántǒng ~ juéliè.* People should break with the obsolete mode of thinking.

⁴ **观赏** guānshǎng ❶〈动 *v.*〉观看欣赏 view and admire：~ 名画 ~ *mínghuà* appreciate famous paintings｜~古玩 ~ *gǔwán* view and admire antiques｜~奇花异草 ~ *qíhuāyìcǎo* enjoy exotic flowers and rare herbs｜~节日的夜景 ~ *jiérì de yèjǐng* admire the night scene on the holiday ❷〈形 *adj.*〉供观看欣赏的 ornamental：~ 植物 ~ *zhíwù* ornamental or decorative plant｜~鱼类 ~ *yúlèi* ornamental fish; pet fish

² **观众** guānzhòng〈名 *n.*〉（名 míng、个 gè、位 wèi）观看演出或比赛的人 audience; spectator; viewer：广大 ~ *guǎngdà ~* the audience｜热情的 ~ *rèqíng de ~* enthusiastic audience｜忠实的 ~ *zhōngshí de ~* faithful audience｜吸引 ~ *xīyǐn ~* hold appeal to viewer｜电视剧的演员与~见面。*Diànshìjù de yǎnyuán yǔ ~ jiànmiàn.* The cast of the TV drama will meet the viewers.｜演出结束后，~纷纷起立鼓掌。*Yǎnchū jiéshù hòu, ~fēnfēn qǐlì gǔzhǎng.* The performance ended with a standing ovation from the audience.

² **官** guān ❶〈名 *n.*〉政府机关或军队中经过任命的、一定级别以上的公职人员 government official; military officer; office holder：~ 员 *~yuán* official｜当 ~ *dāng ~* hold an official position｜升 ~ *shēng~* promotion; rise in position｜罢 ~ *bà~* be removed from office｜军 ~ *jūn~* military officer｜警 ~ *jǐng~* police officer｜外交 ~ *wàijiāo~* diplomat ❷〈名 *n.*〉指人体器官 organ (of the human body)：五~端正 *wǔ~ duānzhèng* have pleasant and regular features｜感 ~ *gǎn~* sense organ ❸〈形 *adj.*〉指属于政府的、公家的 government-sponsored; official：~ 办 *~bàn* state-run; operated by the government｜~商 *~shāng* state-run business｜~方 *~fāng* official

⁴ **官方** guānfāng 〈名 n.〉属于政府方面的 of or by the government：~人士 ~ rénshì government officials | ~消息 ~ xiāoxi news from official sources | ~评论 ~ pínglùn official comment | 他的这篇谈话是经一认可的。*Tā de zhè piān tánhuà shì jīng ~ rènkě de.* His speech was officially approved.

⁴ **官僚** guānliáo ❶〈名 n.〉官员；官吏 official; bureaucrat：~制度 ~ zhìdù bureaucracy | ~主义 ~ zhǔyì bureaucratism | 他的曾祖父是清朝的大一。*Tā de zēngzǔfù shì Qīngcháo de dà ~.* His great-grandfather was a high-ranking official in the Qing Dynasty. ❷〈名 n.〉指官僚主义 bureaucratism：你也太一了。*Nǐ yě tài ~ le.* You are such a bureaucrat.

⁴ **官僚主义** guānliáo zhǔyì 〈名 n.〉指脱离实际、脱离群众，只知在上面发号施令的领导作风 bureaucratism; work style of the leadership characterized by being divorced from reality and people, and only issuing orders without any investigation：~作风 ~ zuòfēng bureaucratic style of work; official red tape | ~态度 ~ tàidù bureaucratic attitude | 领导干部应尽量避免犯~的错误。*Lǐngdǎo gànbù yīng jǐnliàng bìmiǎn fàn ~ de cuòwù.* The leading cadres should try to avoid the mistake of becoming bureaucratic.

⁴ **官员** guānyuán 〈名 n.〉(名 míng、位 wèi)经过任命的、一定级别以上的政府工作人员 official; person appointed to a position of authority：政府 ~ zhèngfǔ ~ government official | 外交 ~ wàijiāo ~ diplomatic official | 这个代表团是由政府主管外贸的~组成的。*Zhège dàibiǎotuán shì yóu zhèngfǔ zhǔguǎn wàimào de ~ zǔchéng de.* This delegation consisted of government officials in charge of foreign trade.

⁴ **棺材** guāncai 〈名 n.〉(口 kǒu、个 gè、副 fù、具 jù)用来装殓死人遗体的器具 coffin：装入 ~ zhuāngrù ~ put into the coffin | 抬 ~ tái ~ carry the coffin | 把~放进墓穴 bǎ ~ fàngjìn mùxué put the coffin into the grave

¹ **馆** guǎn ❶〈名 n.〉招待宾客居住的房屋 accomodation for guests：旅 ~ lǚ~ hotel; inn | 宾~ bīn~ guesthouse; hotel | 这是一家五星级宾~。*Zhè shì yì jiā wǔxīngjí bīn~.* This is a five-star hotel. ❷〈名 n.〉一个国家派驻另一个国家办理外交事务的常设机构 embassy; legation; consulate; permanent institution established in a foreign country to handle diplomatic affairs：大使 ~ dàshǐ ~ embassy | 领事~负责办理签证业务。*Lǐngshì~ fùzé bànlǐ qiānzhèng yèwù.* The consulate is in charge of issuing visas. ❸ (~儿) 〈名 n〉某些服务性商店的名称 term for certain service establishments：酒 ~ jiǔ~ eatery; restaurant | 茶~ chá~ teahouse | 理发 ~ lǐfà~ barber's shop; hairdresser's | 照相 ~ zhàoxiàng~ photo studio | 我家楼下有家小饭~儿。*Wǒ jiā lóuxià yǒu jiā xiǎo fàn~r.* There is a small restaurant on the floor below my home. ❹〈名 n.〉科技、文化活动的场所 places for carrying out scientific, cultural or sports activities：博物 ~ bówù~ museum | 图书~ túshū~ library | 科技 ~ kējì~ science and technology museum | 天文~ tiānwén~ planetarium | 文化~ wénhuà~ cultural center | 体育~ tǐyù~ stadium; gymnasium | 展览~ zhǎnlǎn~ exihibition hall

² **管** guǎn ❶〈动 v.〉负责照料办理 manage; run; control; be in charge of：~钱 ~ qián be in charge of money | ~账 ~ zhàng keep accounts | ~仓库 ~ cāngkù keep the warehouse | ~工业 ~ gōngyè be in charge of the industry | ~后勤 ~ hòuqín be in charge of the logistics | ~得严 ~ de yán be controlled strictly | ~得宽 ~ de kuān be controlled loosely ❷〈动 v.〉管束；教导 discipline：~ 犯人 ~ fànrén put convicts under surveillance and reeducate them through labor | 这孩子该好好儿一一。*Zhè háizi gāi hǎohāor ~ yì ~.* This child ought to be disciplined. ❸〈动 v.〉过问；干涉 be concerned about; intervene：~闲事 ~ xiánshì mind other's business | 这事你不能不~。*Zhè shì nǐ*

G

bù néng bù ~. You have to do something about this. ❹〈动 *v.*〉保证；负责供给 guarantee; provide：商品质量有问题～换. *Shāngpǐn zhìliàng yǒu wèntí ~ huàn.* We guarantee to change goods if they are defective. ｜度假村～吃～住. *Dùjiàcūn ～chī～zhù.* The holiday village provides both food and accommodation. ❺（～儿）〈名 *n.*〉管子 tube; pipe：竹～*zhú*~ bamboo pipe ｜钢～*gāng*~ steel pipe ｜水～*shuǐ*~ water pipe ｜吸～*xī*~ straw (for sipping liquid); suction pipe ｜油～*yóu*~ oil pipe ｜气～*qì*~ windpipe; trachea ｜笔～*bǐ*~ penholder ｜～道~*dào* pipeline ❻〈名 *n.*〉吹奏的乐器 wind instrument：黑～*hēi*~ clarinet ｜双簧～*shuānghuáng*~ oboe ｜～弦乐 ~*xiányuè* orchestral music ❼〈名 *n.*〉形状像管子的电子元件 tube-shaped electronic device：电子～*diànzǐ*~ electron tube ｜晶体～*jīngtǐ*~ transistor ｜显像～*xiǎnxiàng*~ picture tube; glass tube ❽〈量 *meas.*〉用于细长的管状物 used for a long, slender cylinder：一～牙膏 *yì ~ yágāo* a tube of toothpaste ｜两～毛笔 *liǎng ~ máobǐ* two writing brushes ❾〈介 *prep.*〉专跟 '叫' 配合，以称呼人或物 used correlatively with '叫 *jiào*' to address or name a thing：我～她叫表妹. *Wǒ ~ tā jiào biǎomèi.* I call her younger female cousin. ｜我们老家～花生叫长生果. *Wǒmen lǎojiā ~ huāshēng jiào chángshēngguǒ.* People in our native place call peanut longevity fruit. ❿〈介 *prep.* 方dial.〉作用相当于 '向'，引出动作行为的对象 used to introduce the recipient of an action; similar to '向 *xiàng*' in function：我～他借了50块钱. *Wǒ ~ tā jièle wǔshí kuài qián.* I borrowed fifty *yuan* from him. ⓫〈连 *conj.*〉不管；无论 no matter what：～它好天坏天，我都得出去巡逻. *~ tā hǎo tiān huài tiān, wǒ dōu děi chūqù xúnluó.* I have to be on patrol no matter what the weather is like.

³ **管道** guǎndào ❶〈名 *n.*〉（个 gè、根 gēn、条 tiáo）用水泥、金属等材料制成的圆形中空的管子，用以输送或排除气体、液体 pipeline; conduit; pipe or tube made of concrete, metal or other materials for conveying or draining gas or liquid：煤气～*méiqì* ~ gas pipeline ｜石油～*shíyóu* ~ oil pipeline ｜下水～*xiàshuǐ* ~ sewer ｜污水～*wūshuǐ* ~ sewage conduit ｜工人们正在铺设天然气～. *Gōngrénmen zhèngzài pūshè tiānránqì ~.* Workers are laying natural gas pipelines. ❷〈名 *n.*〉途径，渠道 way; channel：新闻～*xīnwén* ~ news source

² **管理** guǎnlǐ ❶〈动 *v.*〉负责某项工作使之顺利进行 manage; run; administer：～企业 ~ *qǐyè* manage an enterprise ｜～财务 ~ *cáiwù* be in charge of financial affairs ｜～国家大事 ~ *guójiā dàshì* administer state affairs ❷〈动 *v.*〉保管；料理 take care of; look after：图书～员 *túshū ~yuán* librarian ｜公园～处 *gōngyuán ~chù* park office ❸〈动 *v.*〉管教并约束 watch over; tend; control：～犯人 ~ *fànrén* watch over prisoners ｜～牲口 ~ *shēngkou* tend draught animals

⁴ **管辖** guǎnxiá 〈动 *v.*〉管理，统辖 administer; manage; have jurisdiction over; exercise control over：～范围 ~ *fànwéi* scope of jurisdiction ｜～区域 ~ *qūyù* district under the jurisdiction or administration of a larger geopolitical unit ｜这个地方不在我市的～之内. *Zhège dìfang bú zài wǒ shì de ~ zhī nèi.* This area is not under the administration of our city.

³ **管子** guǎnzi 〈名 *n.*〉（根 gēn）同 '管' ❺ same as '管 guǎn' ❺：水～*shuǐ*~ water pipe ｜油～*yóu*~ oil pipe ｜铁～*tiě*~ iron pipe ｜塑料～*sùliào* ~ plastic pipe ｜橡皮～*xiàngpí*~ rubber tube ｜粗～*cū* ~ thick pipe ｜细～*xì*~ thin pipe ｜换～*huàn* ~ change the pipe ｜修理～*xiūlǐ*~ repair the pipe

² **贯彻** guànchè 〈动 *v.*〉完全彻底地实现或体现（方针、政策、精神等）carry out or through; implement; execute; put into effect：～改革开放政策 ~ *gǎigé kāifàng zhèngcè* carry out the policy of reform and opening up to the outside world ｜～教育方针 ~ *jiàoyù*

fāngzhēn carry out the educational policy | ~会议精神 ~ *huìyì jīngshén* act in the spirit of the conference

² **冠军** guànjūn 〈名 *n.*〉体育运动等竞技项目的第一名，也指获得第一名的人 first place in a competition; champion：获得 ~ *huòdé* ~ win the first prize | 夺得 ~ *duódé* ~ win the championship | 他在领奖台上高举起 ~ 奖杯. *Tā zài lǐngjiǎngtái shang gāojǔ qǐ ~ jiǎngbēi.* Standing on the winner's rostrum, he held the trophy for championship high above his head. | 巴西足球队连续三次夺得足球世界杯。*Bāxī zúqiúduì liánxù sān cì duódé zúqiú Shìjièbēi ~.* The Brazilian football team won the World Cup football championship three times in a row.

惯 guàn ❶〈形 *adj.*〉习以为常，积久成性 be used to; be in the habit of：他过了舒服日子，不能吃苦. *Tā guò~le shūfu rìzi, bù néng chīkǔ.* Being used to an easy life, he is unable to bear hardships. | 这种事我实在看不~。*Zhè zhǒng shì wǒ shízài kàn bú ~.* I can't stand this kind of thing anymore. | 吃~了中餐，改吃西餐有点儿不习~. *Chī~le zhōngcān, gǎi chī xīcān yǒudiǎnr bù xí~.* Having been used to Chinese food, I find it a bit hard to switch to Western food. ❷〈动 *v.*〉纵容；溺爱 indulge; spoil: 把孩子~坏了. *Bǎ háizi ~huài le.* The child is spoiled. | 他从小娇生~养，吃不了苦. *Tā cóngxiǎo jiāoshēng~~yǎng, chī bù liǎo kǔ.* Having been pampered and spoiled since childhood, he cannot bear any hardship.

⁴ **惯例** guànlì 〈名 *n.*〉〈个 *gè*〉正常的做法；常规 convention; usual practice：打破 ~ *dǎpò* ~ break with convention | 依照 ~ *yīzhào* ~ go by convention | 国际 ~ *guójì* ~ international practice | 我们遵循 ~ 办事. *Wǒmen zūnxún ~ bànshì.* We do business according to the usual practice.

⁴ **惯用语** guànyòngyǔ 〈名 *n.*〉为一般人所熟悉的经常运用的固定短语 customary usage：他说话经常使用 ~. *Tā shuōhuà jīngcháng shǐyòng ~.* He often employs customary usages in his speech. | 汉语中有丰富的~. *Hànyǔ zhōng yǒu fēngfù de ~.* There are a lot of customary usages in the Chinese language.

³ **灌** guàn ❶〈动 *v.*〉浇；灌溉 water; irrigate：春 ~ *chūn*~ spring irrigation | 喷 ~ *pēn*~ sprinkler irrigation | 浇 ~ *jiāo*~ watering | 排 ~ *pái*~ drainage and irrigation | ~渠 ~*qú* irrigation canal | 春天到了，该给麦田~水了. *Chūntiān dào le, gāi gěi màitián ~ shuǐ le.* Spring has come and it is time to irrigate the wheat field. ❷〈动 *v.*〉倒进去或装进去（多指液体、气体或颗粒状物体）fill; pour (usu. liquid, air, or particulate matter)：~了一壶水. *~le yì hú shuǐ.* The kettle is filled with water. | 油箱里~满了汽油. *Yóuxiāng li ~mǎnle qìyóu.* The tank is filled up with gas. | 氧气瓶里~足了氧气. *Yǎngqìpíng li ~zúle yǎngqì.* The oxygen cylinder is filled up with oxygen. | 飞舞的雪花直往脖子里~. *Fēiwǔ de xuěhuā zhí wǎng bózi li ~.* The dancing snowflakes swarmed into the collar. ❸〈动 *v.*〉指录音 record (sound or music on a tape or disc)：他~了好几张通俗歌曲唱片. *Tā ~le hǎo jǐ zhāng tōngsú gēqǔ chàngpiàn.* He recorded popular songs on several discs.

³ **灌溉** guàngài 〈动 *v.*〉指把水输送到农田里 irrigate; water the fields：~麦田 ~ *màitián* irrigate wheat fields | ~区 ~ *qū* irrigated area | ~系统 ~ *xìtǒng* irrigation system | 这里水渠纵横，形成了一个完整的~网. *Zhèlǐ shuǐqú zònghéng, xíngchéngle yí gè wánzhěng de ~ wǎng.* This area is crisscrossed with water channels which form a complete irrigation network.

⁴ **灌木** guànmù 〈名 *n.*〉矮小而丛生的木本植物 bush; shrub; low, woody plant with several stems：~丛生 ~ *cóngshēng* be overgrown with shrubs | 荆棘、玫瑰、牡丹、月

G

季、茉莉等都属于~。*Jīngjí, méigui, mǔdān, yuèjì, mòlì děng dōu shǔyú ~.* Bramble, rose, peony, Chinese rose and jasmine are shrubs. | 为美化城市环境，马路两旁种植了一排排绿色~。*Wèi měihuà chéngshì huánjìng, mǎlù liǎng páng zhòngzhíle yì páipái lǜsè ~.* Lines of green shrubs are planted on both sides of the street in order to beautify the city.

³ 罐 guàn 〈名 n.〉(个 gè) 用陶瓷、金属等制成的用以盛东西的器皿 jar; pot; tin; container made of ceramics, metal, etc.：瓦 ~ wǎ~ earthen jar | 陶瓷 ~ táocí ~ porcelain jar | 玻璃 ~ bōlí ~ glass pot | 易拉 ~ yìlā~ ring-pull can | 煤气 ~ méiqì~ gas tank | ~装饮料 ~zhuāng yǐnliào canned drink | ~装食品 ~zhuāng shípǐn canned food

² 罐头 guàntou 〈名 n.〉罐装食品的简称，一般指经东加工后密封的铁皮罐或玻璃罐的食品 canned food; tinned food; processed food preserved in an airtight can or bottle：牛肉 ~ niúròu ~ canned beef | 午餐肉 ~ wǔcānròu ~ canned luncheon meat | 鱼 ~ yú~ canned fish | 水果 ~ shuǐguǒ ~ canned fruit | 这里建了一家~食品加工厂。*Zhèli jiànle yì jiā ~ shípǐn jiāgōngchǎng.* A cannery has been built here.

² 光 guāng ❶ 〈名 n.〉(道 dào、束 shù) 光线，通常指能引起视觉的电磁波，也包括红外线、紫外线等不可见光 light; ray; visible electromagnetic wave, including infrared light and ultraviolet light：阳 ~ yáng~ sunshine; sun light | 月 ~ yuè~ moonlight | 星 ~ xīng~ star light | 火 ~ huǒ~ firelight | 灯 ~ dēng~ lamplight | 烛 ~ zhú~ candle light | ~波 ~bō light wave | ~谱 ~pǔ spectrum | ~栅 ~shān grating; raster | ~驱 ~qū CD-ROM | ~盘 ~pán optical disk | ~缆 ~lǎn optical cable | ~纤 ~xiān optical fiber | ~速 ~sù speed of light ❷ 〈名 n.〉比喻得到好处 fig. benefit; good; advantage：借 ~ jiè~ excuse me | 沾 ~ zhān~ benefit from the support or influence of sb. ❸ 〈名 n.〉荣誉 honor; glory; credit：~ 荣榜 ~róngbǎng honor roll | 为国争 ~ wèi guó zhēng ~ win honor for one's country ❹ 〈名 n.〉时间；日子 time; day：时 ~ shí~ time | ~阴 ~yīn time ❺ 〈名 n.〉专指景物、景色 sight; scenery; landscape：风 ~ fēng~ scenery | 观 ~ guān~ sightseeing | 春~明媚 chūn~ míngmèi sunlit and enchanting scene of spring ❻ 〈动 v.〉(肢体)裸露 bare：~ 着膀子 ~zhe bǎngzi be stripped to the waist | ~着身子 ~zhe shēnzi be naked | ~着脚 ~zhe jiǎo be bare-footed ❼ 〈动 v.〉使获得荣誉 bring honor to：~ 宗耀祖 ~zōng-yàozǔ bring honor to one's ancestors ❽ 〈形 adj.〉一点儿不剩 used up; all gone：吃 ~ chī~ eat up | 喝 ~ hē~ drink up | 花 ~ huā~ spend all one's money | 用 ~ yòng~ use up | 把敌人消灭~。*Bǎ dírén xiāomiè ~.* Wipe out the enemy. ❾ 〈形 adj.〉明亮，光滑 bright; shiny：~ 亮 ~liàng bright; luminous | ~明 ~míng bright | ~洁 ~jié bright and clean | ~泽 ~zé lustre; sheen | ~滑 ~huá smooth; glossy | ~溜溜 ~liūliū slippery; naked ❿ 〈副 adv. 敬 pol.〉对宾客的到来表示敬意 used to show respect for the presence of guests：~ 顾 ~gù patronage | 欢迎~临。*Huānyíng ~lín.* Welcome to our shop (or restaurant, etc.). ⓫ 〈副 adv.〉只；单 only; solely：~说不做 ~ shuō bú zuò all words and no action | 事情这么多，~靠你们几个人恐怕不行。*Shìqing zhème duō, ~ kào nǐmen jǐ gè rén kǒngpà bùxíng.* There are too many things to do. I'm afraid the few of you cannot handle them.

³ 光彩 guāngcǎi ❶ 〈名 n.〉光泽；色彩 luster; radiance; splendor：~ 照人 ~ zhàorén shine with brilliance | ~动人 ~ dòngrén brilliant and charming | ~夺目 ~ duómù dazzling brilliance | 大放 ~ dàfàng ~ shine with dazzling splendor | 经历了多年的风霜，她~依旧。*Jīnglìle duō nián de fēngshuāng, tā ~ yījiù.* She looks as pretty as ever after so many years of hardship. ❷ 〈形 adj.〉荣耀，体面 glorified; honored：孩子考上名牌大学，父母脸上也~。*Háizi kǎoshàng míngpái dàxué, fùmǔ liǎn shang yě ~.* Parents will feel honored if the child is enrolled by a prestigious university. | 弄虚作假

是很不~的。*Nòngxū-zuòjiǎ shì hěn bù* ~ *de.* It is ignoble to resort to deception.

⁴ **光棍ㄦ** guānggùnr 〈名 n.〉(个 gè、条 tiáo) 单身汉；没有配偶的男人 bachelor; unmarried man：打~ *dǎ* ~ live a bachelor's life | 他过惯了~的生活 *Tā guòguànle* ~ *de shēnghuó.* He is used to living a bachelor's life. | 农村经济发展了，~越来越少了。 *Nóngcūn jīngjì fāzhǎn le,* ~ *yuèláiyuè shǎo le.* With the development of rural economy, there are fewer and fewer bachelors.

³ **光滑** guānghuá 〈形 adj.〉物体表面平滑；不粗糙 smooth; glossy; not rough：~ 的皮肤 ~ *de pífū* smooth skin | ~ 的地板 ~ *de dìbǎn* smooth floor | 冰场的冰面十分~。*Bīngchǎng de bīngmiàn shífēn* ~ . The surface of the ice in the skating rink is very smooth. | 大理石的台面很~。*Dàlǐshí de táimiàn hěn* ~ . The marble counter is very smooth.

² **光辉** guānghuī ❶〈名 n.〉闪烁耀眼的光 radiance; brilliance：太阳的~ *tàiyáng de* ~ brilliance of the sun | 明月把银色的~洒满大地。*Míngyuè bǎ yínsè de* ~ *sǎmǎn dàdì.* The bright moon floods the earth with silvery brilliance. ❷〈形 adj.〉闪耀着光亮的 glorious; splendid; bright：~ 的形象 ~ *de xíngxiàng* illustrious image | ~ 的成就 ~ *de chéngjiù* magnificent achievement | ~ 的前程 ~ *de qiánchéng* bright prospects | 只要勤奋，每个人都有~的未来。*Zhǐyào qínfèn, měi gè rén dōu yǒu* ~ *de wèilái.* Anyone can have a glorious future as long as he works hard.

⁴ **光亮** guāngliàng ❶〈形 adj.〉明亮 bright; luminous; shiny：~ 的头发 ~ *de tóufa* sleek hair | ~ 的前额 ~ *de qián'é* shiny forehead | ~ 的窗户 ~ *de chuānghu* bright window ❷〈名 n.〉亮光 light：屋里黑乎乎的，见不到一丝~。*Wū li hēihūhū de, jiàn bú dào yì sī* ~ . There is not a flicker of light in the dark room.

³ **光临** guānglín 〈动 v. 敬 pol.〉称宾客的到来 honor sb. with one's presence：欢迎~ *Huānyíng* ~ . Welcome to our shop (or restaurant, etc.). | 感谢~指导。*Gǎnxiè* ~ *zhǐdǎo.* Your presence and comments are greatly appreciated. | 定于某年某月某日举行婚礼，敬请~。*Dìngyú mǒu nián mǒu yuè mǒu rì jǔxíng hūnlǐ, jìngqǐng* ~ . It's a pleasure to have your presence at our wedding ceremony on a certain date.

⁴ **光芒** guāngmáng 〈名 n. 书 lit.〉指放射的强烈耀眼的光线 rays of light：~ 四射 ~ *sìshè* shine with radiance in all directions | ~ 万丈 ~ *wànzhàng* shine with boundless radiance | 耀眼的~ *yàoyǎn de* ~ dazzlingly rays of light | 太阳的~照四方。*Tàiyáng de* ~ *zhào sìfāng.* The sun sheds its rays in all directions.

² **光明** guāngmíng ❶〈形 adj.〉明亮；比喻胸怀坦白，没有私心；也用以比喻正义的、有希望的、有前途的 bright; fig. righteous; promising：~的前途 *de qiántú* bright future | ~的远景 ~ *de yuǎnjǐng* promising prospects | ~的未来 ~ *de wèilái* promising future | 正大~~ *zhèngdà* just and honest | ~磊落 ~ *lěiluò* frank and open-hearted | 今天的青年人只要努力都会有~的前程。*Jīntiān de qīngniánrén zhǐyào nǔlì dōu huì yǒu* ~ *de qiánchéng.* Nowadays young people will enjoy a bright future if they are willing to work hard. ❷〈名 n.〉亮光 light：割除了白内障，老奶奶重见~了。*Gēchúle báinèizhàng, lǎonǎinai chóng jiàn* ~ *le.* The old granny recovered her eyesight after the cataract was removed.

² **光荣** guāngróng ❶〈形 adj.〉被人们公认值得尊敬的 honorable; glorious：~ 之家 *zhī jiā* honored family (usu. in reference to a soldier's family) | ~殉职 ~ *xùnzhí* die a glorious death | 他的名字上了~榜。*Tā de míngzi shàngle* ~ *bǎng.* His name appeared on the honor roll. ❷〈名 n.〉荣耀 glory; honor; credit：无上的~ *wúshàng de* ~ highest honor | 民族的~ *mínzú de* ~ the honor of the nation | 人民的~ *rénmín de* ~ the honor of

the people

² **光线** guāngxiàn〈名 *n.*〉(道 dào、束 shù、条 tiáo、丝 sī)指照射在物体上,使人看得见物体的那种物质 light; ray; matter that shines over an object making it visible to the eye:~很好 ~ hěn hǎo be well lighted│~很暗 ~ hěn àn be poorly lighted│~太强。~ tài qiáng. The light is too strong.│阴天室内~不好。Yīntiān shìnèi ~ bù hǎo. The room is dim when it is overcast.│茂密的森林透不过一丝~。Màomì de sēnlín tòu bú guò yì sī ~. The forest is so dense that even a beam of light cannot penetrate it.

³ **广** guǎng ❶〈形 *adj.*〉面积、范围宽阔(与'狭'相对)(of area, scope, etc.) wide; vast; extensive(opposite to '狭 xiá'):~阔无边 ~kuò wúbiān vast and boundless│地~人稀 dì ~-rénxī wide but sparcely populated│~种薄收 ~zhòng-bóshōu extensive cultivation│~开言路 ~kāi-yánlù encourage the free airing of views│~而告之~érgàozhī give extensive publicity│有关龙的传说流传很~。Yǒuguān lóng de chuánshuō liúchuán hěn ~. The legends about the dragon are spread far and wide. ❷〈形 *adj.*〉多 numerous:大庭~众 dàtíng-~zhòng in front of a big crowd│兵多将~ bīngduō-jiàng~ have numerous troops and many generals ❸〈动 *v.*〉扩大、扩充 expand; extend; spread:推~ tuī ~ popularize│以~见闻 yǐ ~ jiànwén so as to enrich one's experience ❹(Guǎng)〈名 *n.*〉专指中国广东、广州 Guangdong (province) or Guangzhou (city) in China:~货 ~huò goods from Guangdong│京~铁路 Jīng ~ Tiělù Beijing-Guangzhou Railway ❺(Guǎng)〈名 *n.*〉中国广东、广西两省的简称 abbr. for '广东 Guǎngdōng' and '广西 Guǎngxī' provinces of China:两~(广西别称'桂',称'广'仅限于'两广'一词)liǎng ~ Guangdong and Guangxi (the latter shortened as '桂 guì' when used by itself; '广 guǎng' is only used when both provinces are mentioned together)

¹ **广播** guǎngbō ❶〈动 *v.*〉指广播电台、电视台发射的无线电波和播送的节目 broadcast; be on the air; (of a radio or television station) transmit programs by sending out radio waves:~电台 ~ diàntái radio station│~新闻 ~ xīnwén broadcast news│~节目 ~jiémù broadcast programs│今天有重要消息~。Jīntiān yǒu zhòngyào xiāoxi ~. An important piece of news will be on the air today. ❷〈名 *n.*〉专指播送的节目 radio program:听~ tīng ~ listen to the radio│外语~ wàiyǔ ~ foreign language broadcast

² **广场** guǎngchǎng ❶〈名 *n.*〉(个 gè、座 zuò)面积广阔的场地,特指城市中广阔的场地 square; large, open public area, esp. in a city or town:文化~ wénhuà ~ cultural square│天安门~ Tiān'ānmén ~ Tian'anmen Square ❷〈名 *n.*〉特指某些商住建筑群 plaza; complex of business establishments:北京东方~ Běijīng Dōngfāng ~ Beijing Oriental Plaza

² **广大** guǎngdà ❶〈形 *adj.*〉面积、空间宽阔(of an area or space) vast; wide; extensive:~的区域 ~ de qūyù vast area│~的农村 ~ de nóngcūn extensive rural area│~的宇宙空间 ~ de yǔzhòu kōngjiān vast outer space│~的太阳系 ~ de tàiyángxì vast solar system ❷〈形 *adj.*〉范围、规模、效力、影响等大(of scope, effect, impact, etc.) broad; widespread:~的组织 ~ de zǔzhī large-scale organization│神通~ shéntōng ~ be infinitely resourceful ❸〈形 *adj.*〉人数众多 numerous:~群众 ~ qúnzhòng the broad masses│~干部 ~ gànbù the majority of cadres│~妇女 ~ fùnǚ large numbers of women│~士兵 ~ shìbīng vast numbers of soldiers│~观众 ~ guānzhòng the large audience

² **广泛** guǎngfàn〈形 *adj.*〉涉及面广;范围大;普遍(一般只用于抽象事物)(usu. used to modify abstract things) extensive; broad; wide; universal:内容~ nèiróng ~ cover a wide-range of subjects│题材~ tícái ~ a great variety of topics│征求意见~ zhēngqiú

G

yìjiàn solicit opinions from all quarters | 这篇文章所涉及的问题十分～。Zhè piān wénzhāng suǒ shèjí de wèntí shífēn ～. This article touches upon a wide range of issues.

² **广告** guǎnggào 〈名 n.〉(张 zhāng、个 gè、份 fèn) 通过报刊、广播、电视或张贴等介绍商品和服务以及文体节目内容的一种宣传方式 advertisement：商品～ shāngpǐn ～ product advertisement | 电影～ diànyǐng ～ film poster | 电视～ diànshì ～ television commercial | 公益～ gōngyì ～ public service advertisement | ～牌～ pái billboard | ～栏 ～ lán advertisement column | 刊登 ～ kāndēng ～ publish an advertisement | 电视节目里总爱插播各类～。Diànshì jiémù lǐ zǒng ài chā bō gèlèi ～. TV programs are invariably interrupted by various commercials. | 许多国家法律明文规定禁止做香烟～。Xǔduō guójiā fǎlǜ míngwén guīdìng jìnzhǐ zuò xiāngyān ～. Cigarette advertisement is banned by law in many countries.

² **广阔** guǎngkuò 〈形 adj.〉广大宽阔 vast; wide; broad; extensive：～天地～ tiāndì the vast world | ～草原～ cǎoyuán vast grassland | ～田野～ tiányě extensive fields | 幅员～ fúyuán ～ immense territory | 视野～ shìyě ～ have a broad view | 胸怀～ xiōnghuái ～ broad-minded | 私人轿车的销售有～的市场。Sīrén jiàochē de xiāoshòu yǒu ～ de shìchǎng. There is a large market for the sale of personal cars.

² **逛** guàng 〈动 v.〉随意行走；闲游；游览 stroll; wander; roam; ramble：～马路～ mǎlù take a stroll on the street | ～商店～ shāngdiàn go window-shopping | ～超市～ chāoshì go shopping in a supermarket | ～庙会～ miàohuì stroll around a fair | ～公园～ gōngyuán stroll in a park | 他整天东游西～，无所事事 Tā zhěngtiān dōngyóu-xī～, wúsuǒshìshì. He roams about all day without doing any work.

³ **归** guī ❶〈动 v.〉返回 return; go or come back：～国～ guó return to one's country | ～侨 ～qiáo returned overseas Chinese | 满载而～ mǎnzài ér ～ return from a rewarding journey | 慈母盼望游子～来。Címǔ pànwàng yóuzǐ ～lái. The kind mother looks forward to the return of her child who has been away from home for a long time. ❷〈动 v.〉还给；归还 give back; return sth. to sb.：～物～ 原主 wù～yuánzhǔ return sth. to its rightful owner | 借人家的东西要及时～还。Jiè rénjia de dōngxi yào jíshí ～huán. You should return in time anything you've borrowed. ❸〈动 v.〉趋向或向一个地方集中 converge; come together：殊途同～(比喻采用的方法虽然不同，却得到完全一样的结果) Shūtú-tóng ～ (bǐyù cǎiyòng de fāngfǎ suīrán bùtóng, què dédào wánquán yíyàng de jiéguǒ) reach the same goal by different routes (fig. obtain the same result through different means) | 千条大河～大海。Qiāntiáo dàhé ～ dàhǎi. All rivers will empty into the sea. ❹〈动 v.〉由谁负责 be in sb.'s charge; put under sb.'s care：后勤工作～他管。Hòuqín gōngzuò ～ tā guǎn. He is in charge of logistics. | 供电出了问题，～你们解决。Gòngdiàn chūle wèntí, ～ nǐmen jiějué. You have to fix any problem related to power supply. ❺〈动 v.〉依附 belong to：～依 ～yī be converted to | 万众一～心 wànzhòng-xīn millions of people pledge allegiance to sb. | 众望所～ zhòngwàngsuǒ ～ enjoy popular trust ❻〈连 conj.〉用在相同的动词之间，表示动作并未引起相应的结果 used between identical verbs to indicate absence of any desired response to an action：看～看，但不一定买。Kàn ～ kàn, dàn bù yídìng mǎi. I'm just looking around. I may not buy anything. | 他答应～答应，就是不给及时解决。Tā dāying ～ dāying, jiùshì bù gěi jíshí jiějué. Despite his promises, he left the problem unsettled. ❼〈介 prep.〉由（引出施事者，表示职责的归属）by (sb.); to (sb.)：这里的事情～你负责了。Zhèlǐ de shìqing ～ nǐ fùzé le. We leave it to you to be in charge of this.

⁴ **归根到底** guīgēn-dàodǐ 〈成 idm.〉归结到根本问题上，也说'归根结蒂' in the final

analysis; to put it in a nutshell; also '归根结蒂 guīgēn-jiédì': 这件事～还是他的错。 *Zhè jiàn shì ~ háishì tā de cuò.* After all, he is to blame. │产品销不出去，～还是一个质量问题。 *Chǎnpǐn xiāo bù chūqù, ~ háishi yí gè zhìliàng wèntí.* In the final analysis, the poor quality explains why there is no market for the product.

⁴ **归还** guīhuán〈动 v.〉把钱或物还给原主 give back; return borrowed money or article to its rightful owner：～贷款 ~ *dàikuǎn* repay a loan │～图书 ~ *túshū* return books borrowed from the library │房屋 ~ *fángwū* return house │借别人的东西应按时～。 *Jiè biéren de dōngxi yīng ànshí ~.* You should return in time anything you've borrowed. │捡到失物应及时～原主。 *Jiǎndào shīwù yīng jíshí ~ yuánzhǔ.* What is found should be returned to its rightful owner in time.

⁴ **归结** guījié〈动 v.〉总括起来以求得结论 sum up; conclude; boil down to：你提出这么一大堆困难，～到一点就是缺乏资金。 *Nǐ tíchūle yí dà duī kùnnan, ~ dào yì diǎn jiùshì quēfá zījīn.* You've mentioned a lot of difficulties, but they boil down to one thing — the shortage of fund. │出现这样的差错，～起来有三个方面的原因。 *Chūxiàn zhèyàng de chācuò, ~ qǐlái yǒu sān gè fāngmiàn de yuányīn.* In conclusion, there are three reasons for this mistake.

⁴ **归纳** guīnà ❶〈动 v.〉归拢并使之有条理 sum up; induce; lead to a concise but well-organized conclusion：～要点 ~ *yàodiǎn* sum up the main points │～大家意见 ~ *dàjiā yìjiàn* sum up your opinions │把各种意见～起来 *bǎ gèzhǒng yìjiàn ~ qǐlái* sum up various opinions │会议记录需要进行～整理。 *Huìyì jìlù xūyào jìnxíng ~ zhěnglǐ.* The minutes of the meeting should be sorted out and summed up. ❷〈名 n.〉一种推理方法，从具体事实概括出一般原理（与'演绎'相对）reasoning method, deriving general principles from particular facts or instances (opposite to '演绎 yǎnyì')

⁴ **龟** guī〈名 n.〉一种背部有甲壳的爬行动物 tortoise; turtle：乌～ *wū* ~ tortoise │海～ ~ *hǎi* ~ sea turtle │甲～ *jiǎ* tortoise shell │缩～ *suō* huddle up like a turtle; withdraw into passive defence

² **规定** guīdìng ❶〈动 v.〉对某一事物所做出的关于方式、方法或数量、质量的决定 regulate; formulate; prescribe; specify; stipulate：～标准 ~ *biāozhǔn* set criteria │～范围 ~ *fànwéi* set limits to │～数量 ~ *shùliàng* specify the quantity of sth. │～人数 ~ *rénshù* specify the number of people │必须在～日期内前去报到。 *Bìxū zài ~ rìqī nèi qián qù bàodào.* You must report for duty on a specified date. ❷〈名 n.〉（项 xiàng、条 tiáo、个 gè）对事物作出的决定 provisions; stipulations; rules and regulations：遵守～ *zūnshǒu* ~ abide by the rules │取消～ *qǔxiāo* ~ rescind a regulation │在新的～出台之前，仍按旧的～执行。 *Zài xīn de ~ chūtái zhīqián, réng àn jiù de ~ zhíxíng.* Act according to the old regulation before the new one is publicised.

⁴ **规范** guīfàn ❶〈名 n.〉约定俗成或明文规定的标准 norm; standard; specification：道德～ *dàodé* ~ moral standards │行为～ *xíngwéi* ~ norms of behavior │这个词的用法符合汉语语法。 *Zhège cí de yòngfǎ fúhé Hànyǔ yǔfǎ.* The usage of this word is in line with the Chinese grammatical rules. ❷〈形 adj.〉合乎规定的标准的 regular; normal; standard：你的这个动作做得不～。 *Nǐ de zhège dòngzuò zuò de bù ~.* Your movement is not up to standard. ❸〈动 v.〉使之合乎规定的标准 regulate; standardize：用文明公约来～人们的行为。 *Yòng wénmíng gōngyuē lái ~ rénmen de xíngwéi.* People's behavior should be regulated by the agreement on civic virtues.

⁴ **规格** guīgé ❶〈名 n.〉规定的标准和条件 requirement; condition：低～ *dī* ~ low requirement │他这次出差受到接待单位高~的接待。 *Tā zhè cì chūchāi shòudào jiēdài*

dānwèi gāo ～ de jiēdài. When he visited relevant units on a business trip, the protocol for receiving him was of a high standard. ❷〈名 *n.*〉(种 zhǒng、个 gè)专指产品质量的标准，如一定的尺寸、重量、性能等 specifications; standards：合乎～ *héhū* ～ up to standard｜这批产品的质量不合～ *Zhè pī chǎnpǐn de zhìliàng bù hé ～*. The quality of this batch of products is not up to standard.｜这种产品有许多种～，你想选哪一种 *Zhè zhǒng chǎnpǐn yǒu xǔduō zhǒng ～, nǐ xiǎng xuǎn nǎ yì zhǒng?* There are many specifications for this kind of product. Which one would you like?

³ **规划** guīhuà ❶〈名 *n.*〉比较全面的、带有长远性的发展计划 program; plan; blueprint：制订～ *zhìdìng* ～ draw up a plan｜城市～ *chéngshì* ～ city planning｜十年～ *shí nián* ～ ten-year plan｜长远～ *chángyuǎn* ～ long-term program｜远景～ *yuǎnjǐng* ～ long-term plan ❷〈动 *v.*〉做规划 draw up a plan; map out a program：城市改造应该全面～ *Chéngshì gǎizào yīnggāi quánmiàn ～*. An overall plan should be made for city renovation.

³ **规矩** guīju ❶〈名 *n.*〉(条 tiáo、个 gè)一定的准则或习惯 rule; established practice; custom：定～ *dìng* ～ set the rules｜守～ *shǒu* ～ observe the rules｜讲～ *jiǎng* ～ act according to the rules｜没有～，不成方圆 *Méiyǒu ～, bù chéng fāngyuán*. You cannot draw squares and circles without the compass and square（nothing can be accomplished without norms or standards）.｜破除旧～，订立新～. *Pòchú jiù ～, dìnglì xīn ～*. Do away with old rules and set new ones. ❷〈形 *adj.*〉老实本分，合乎规则的 well-disciplined; honest; well-behaved; conforming to norms：她很贤惠，也很～ *Tā hěn xiánhuì, yě hěn ～*. She is both kind and honest.｜你怎么做出这种不～的事情？*Nǐ zénme zuòchū zhè zhǒng bù ～ de shìqing?* How could you engage in such dishonest practice?

² **规律** guīlǜ ❶〈名 *n.*〉(条 tiáo)事物发展过程中的本质联系和必然趋势 law; regular pattern; relations inherent in the nature of things：客观～ *kèguān* ～ objective law｜发展～ *fāzhǎn* ～ law of development｜经济～ *jīngjì* ～ economic law｜价值～ *jiàzhí* ～ law of value｜生活～ *shēnghuó* ～ life pattern｜市场～ *shìchǎng* ～ law of the market｜地球绕着太阳旋转是一条自然～. *Dìqiú ràozhe tàiyáng xuánzhuǎn shì yì tiáo zìrán ～*. The fact that the earth revolves around the sun is a law of nature. ❷〈形 *adj.*〉合乎规律的 regular：他的生活不～. *Tā de shēnghuó bù ～*. He doesn't live a regular life.

² **规模** guīmó 〈名 *n.*〉某些事物的范围和格局 scope; scale; dimension; extent：初具～ *chūjù* ～ begin to take shape｜～空前 *kōngqián* unprecedented scale｜奥运会场馆建设工程～宏大. *Àoyùnhuì chǎngguǎn jiànshè gōngchéng ～ hóngdà*. The construction of stadiums for Olympics is grand in scale.｜这个房展会～很小. *Zhège fángzhǎnhuì ～ hěn xiǎo*. This real estate exhibition is very small in scale.

³ **规则** guīzé ❶〈名 *n.*〉(项 xiàng、条 tiáo、个 gè)供人们共同遵守的规章制度 set of rules or regulations observed by all：交通～ *jiāotōng* ～ traffic regulations｜比赛～ *bǐsài* ～ rules of the match｜游戏～ *yóuxì* ～ rules of the game｜参观游览～ *cānguān yóulǎn* ～ visiting regulations ❷〈形 *adj.*〉整齐，合乎一定的格式（of form, structure, or setup）in conformity with a fixed pattern; regular：北京的马路修得很～. *Běijīng de mǎlù xiū de hěn ～*. The road in Beijing is built in a regular pattern.

⁴ **规章** guīzhāng〈名 *n.*〉大家共同遵守的规则和章程 rules; regulations：～制度 *zhìdù* rules and regulations｜法令～ *fǎlìng* laws and regulations｜公司的～很严. *gōngsī de hěn yán*. The rules set by the company are quite rigid.

⁴ **闺女** guīnü ❶〈名 *n.*〉女儿 daughter：她是我的大～. *Tā shì wǒ de dà ～*. She is my eldest daughter. ❷〈名 *n.*〉未出嫁的女子 girl; maiden：黄花～ *huánghuā* ～ untouched

virgin｜我跟她还是做~的时候就认识了。*Wǒ gēn tā háishì zuò ~ de shíhòu jiù rènshi le.* I have known her since her girlhood.

⁴ **硅** guī〈名 *n.*〉一种非金属元素，化学符号为 Si silicon; silicium (Si)：二氧化 ~ *èryǎnghuà*~ silica｜单晶~ *dānjīng*~ single crystal silicon

³ **轨道** guǐdào ❶〈名 *n.*〉(条 tiáo、根 gēn)用条形的钢轨、铁轨铺成的供火车、有轨电车、矿车等行驶的线路 track; road composed of parallel steel rails providing a track for trains, trams, pitcars, etc.：火车 ~ *huǒchē* ~ railway track｜地铁列车 ~ *dìtiě lièchē* ~ subway track ❷〈名 *n.*〉天体在宇宙空间运行的路线，也叫'轨迹'orbit; path of a celestial body moving round another body, also '轨迹 guǐjì'：地球的 ~ *dìqiú de* ~ orbit of the Earth｜火星的 ~ *huǒxīng de* ~ orbit of the Mars ❸〈名 *n.*〉有一定规则的物体运行的路线 path; orbit; course along which an object moves regularly：电子在原子内部的运行~ *diànzǐ zài yuánzǐ nèibù de yùnxíng* ~ path of movement of an electron within an atom｜人造卫星进入空间~。*Rénzào wèixīng jìnrù kōngjiān* ~. The man-made satellite has gone into orbit. ❹〈名 *n.*〉行动所遵循的规则、程序、范围 rule; procedure; scope of an action：生活 ~ *shēnghuó* ~ path of life｜正常 ~ *zhèngcháng* ~ normal course｜工厂的生产已开始逐步走上~。*Gōngchǎng de shēngchǎn yǐ kāishǐ zhúbù zǒushàng* ~. The production of the factory has gradually got on the right track.

² **鬼** guǐ ❶〈名 *n.*〉(个 gè)迷信的人指人死后的灵魂 ghost; spirit; phantom; apparition：~ 魂 *~hún* ghost; spectre; spirit｜~魅 *~mèi* ghosts and goblins; evil forces｜~怪 *~guài* ghosts and monsters; monsters of all kinds ❷〈名 *n.*〉对某些人表示厌恶的称呼 derogatory term for a person with a certain vice：酒 ~ *jiǔ* ~ drunkard; sot; wine bibber｜烟 ~ *yān* ~ chainsmoker｜色 ~ *sè* ~ sex maniac; lecher｜讨厌 ~ *tǎoyàn* ~ bore; skunk｜胆小 ~ *dǎnxiǎo* ~ coward; chicken heart｜吝啬 ~ *lìnsè* ~ miser; skinflint｜吸血 ~ *xīxuè* ~ bloodsucker ❸(~儿)〈名 *n.*〉对孩子的昵称 term of endearment in addressing a child：小 ~ *xiǎo* ~ little devil; mischievous kid｜机灵~儿 *jīling~r* smart kid｜淘气~儿 *táoqì~r* mischievous imp; regular little mischief ❹〈名 *n.*〉有不可告人的打算或行为 sinister plot; dirty trick：心中有 ~ *xīn zhōng yǒu* ~ have a guilty conscience｜捣 ~ *dǎo* ~ play tricks｜搞 ~ *gǎo* ~ be up to mischief ❺〈名 *n.*〉二十八星宿之 ~ *gui*, one of the 28 constellations into which the celestial sphere was diveded in ancient Chinese astronomy ❻〈形 *adj.*〉不好的；令人不快的 terrible; unpleasant：~主意 *~zhǔyi* terrible idea｜~点子 *~diǎnzi* terrible idea｜~天气 *~tiānqì* damnable weather｜~地方 *~dìfang* damned place ❼〈形 *adj.*〉不正当的；不光明的 stealthy; clandestine; surreptitious：~混 *~hùn* lead an aimless life; fool around｜~头~脑 *~tóu~nǎo* thievishly; furtively; on the sly｜~~祟祟 *~~suìsuì* in a hole-and-corner fashion ❽〈形 *adj.*〉机灵 clever; smart：这个孩子挺~的。*Zhège háizi tǐng ~ de.* The child is quite clever.

⁴ **鬼子** guǐzi〈名 *n.*〉中国人对外国侵略者的憎称 term of abuse for foreign invaders：打~ *dǎ* ~ fight foreign invaders｜洋~ *yáng*~ foreign devil.

³ **柜台** guìtái〈名 *n.*〉(个 gè)商店里出售商品用的一种装置，也叫'售货台'counter; (in a shop) furniture at which customers are served, also '售货台 shòuhuòtái'：站~ *zhàn* ~ serve behind the counter｜售货员把商品放在~上让顾客挑选。*Shòuhuòyuán bǎ shāngpǐn fàng zài ~ shang ràng gùkè tiāoxuǎn.* The salesperson put the goods on the counter for customers to choose.

³ **柜子** guìzi〈名 *n.*〉用来收藏衣物、文件、书籍等的器具 cupboard; cabinet; closet：衣服 *yīfu* ~ dresser; wardrobe｜文件 ~ *wénjiàn* ~ file cabinet｜书~ *shū*~ bookcase｜木~ *mù*~ wooden cabinet｜铁~ *tiě*~ iron cabinet

¹ **贵 guì ①**〈形 *adj.*〉价格高;价值大(与'贱'相对) expensive; costly; dear（opposite to '贱 jiàn'）：这家超市商品的价格比别处～。*Zhè jiā chāoshì shāngpǐn de jiàgé bǐ biéchù ～.* The goods in this supermarket are more expensive than those in other ones. | 这里的房价很～。*Zhèlǐ de fángjià hěn ～.* Housing prices are exhorbitant here. **②**〈形 *adj.*〉值得珍视或重视的 highly valued; valuable：宝～ *bǎo*～ valuable; precious | 可 ～ *kě*～ commendable | 客～ *kè*～ honored guest | 宾～ *bīn*～ distinguished guest | 和为～。*Hé wéi ～.* Harmony is most precious. | 春雨～如油。*Chūnyǔ ～ rú yóu.* Spring rains are as valuable as oil. **③**〈形 *adj.*〉地位优越(与'贱'相对) high-ranking; noble（opposite to '贱 jiàn'）：～族 *～zú* aristocrat | 达官～人 *dáguān-～rén* high officials and important people **④**〈形 *adj.* 敬 pol.〉称与对方有关的事物 your：～国～ *～guó* your country | ～姓 *～xìng* your name | ～庚 *～gēng* your age | 高抬～手。*Gāotái* ～*shǒu.* I beg your forgiveness. **⑤**〈动 *v.*〉以某种情况为可贵 be treasured：兵～神速。*Bīng～shénsù.* Speed is precious in war. | 人～有自知之明。*Rén～yǒu zizhìzhīmíng.* It's wise for a person to be aware of his own limits. | 写作手法，～在创新。*Xiězuò shǒufǎ,* ～*zài chuàngxīn.* Being innovative is treasured among various writing techniques.

³ **贵宾 guìbīn**〈名 *n.*〉(位 wéi) 尊贵的客人 honored guest：迎接～ *yíngjiē* ～ welcome honored guests | 招待～ *zhāodài* ～ entertain honored guest | 请您在～席就坐。*Qǐng nín zài* ～*xí jiùzuò.* Distinguished guests, please take seats.

¹ **贵姓 guìxìng**〈动 *v.* 敬 pol.〉问人姓氏 ask about a person's name：您～? *Nín* ～? What's youmame? | 请问先生～? *Qǐngwènxiānsheng~?* MayIhaveyournamesir?

⁴ **贵重 guìzhòng**〈形 *adj.*〉价值高;值得重视 valuable; valued; precious：～仪器～ *yíqì* valuable instrument | ～礼品～ *lǐpǐn* precious gift | 外出旅行应保管好自己的～物品。*Wàichū lǚxíng yīng bǎoguǎn hǎo zìjǐ de ～ wùpǐn.* One should take good care of one's valuables on a trip.

⁴ **贵族 guìzú ①**〈名 *n.*〉奴隶社会、封建社会以及现代君主国家的统治阶级的上层(一般指享有世袭特权的皇族和勋爵) noble; aristocrat; peer; ruling class in a slave or feudal society as well as in a modern monarchical country：～家庭～ *jiātíng* noble family | ～出身～ *chūshēn* be of noble descent | ～生活～ *shēnghuó* noble life | ～特权～ *tèquán* aristocratic privilege **②**〈名 *n.*〉比喻享有特权的人 fig. person enjoying special privileges：精神～ *jīngshén* ～ intellectual aristocrat | ～学校～ *xuéxiào* exclusive school

⁴ **桂冠 guìguān**〈名 *n.*〉用月桂树叶编成的帽子,欧洲以至世界各国以桂冠为光荣的称号，也用来指各种竞赛中的冠军 laurel; wreath of laurel; winner of contest：～诗人～ *shīrén* poet laureate | 授予～ *shòuyǔ* ～ confer the laurel upon sb. | 争夺～ *zhēngduó* ～ contend for distinction | 失去～ *shīqù* ～ lose the laurel | 他摘取了棋坛～。*Tā zhāiqǔle qítán* ～. He won the laureate in the field of chess.

² **跪 guì**〈动 *v.*〉双膝弯曲, 使一个或两个膝盖着地的姿式 kneel; go down on one or both knees：下～ *xià*～ drop on one's knees | ～拜～ *bài* kowtow | ～地请安～ *dì qǐng'ān* salute by bending one's left knee and dropping one's right hand | 我的腿都～麻了。*Wǒ de tuǐ dōu ～ má le.* As I remained on my knees, my legs went numb.

² **滚 gǔn ①**〈动 *v.*〉旋转着移动;翻转 roll; tumble：～动～ *dòng* roll; trundle | 汗珠从脸上～下来。*Hànzhū cóng liǎn shang* ～*xiàlái.* Beads of sweat rolled down the face. | 足球在草地上～来～去。*Zúqiú zài cǎodì shang* ～*lái*～*qù.* The football is rolling to and fro on the lawn. **②**〈动 *v.*〉走开；离开(含斥责意)(in an angry tone) get away：～开! *～ kāi!* Get lost! | ～蛋! *～dàn!* Get out! | 你给我～出去! *Nǐ gěi wǒ ～chūqù!* To hell with you! **③**〈动 *v.*〉使滚动、运转中不断增添、加大 roll around to get bigger by picking up

thicker layers; snowball：～雪球 ～ *xuěqiú* roll a snowball; snowball｜～元宵 ～ *yuánxiāo* roll rice dumplings｜利上～利 *lì shang ～ lì* the interest keeps snowballing ❹〈动 *v.*〉特指液体受热沸腾（of liquid）bubble up when heated to a boiling point; boil; seethe：壶里的水～了。*Hú li de shuǐ ～ le.* The water in the kettle is boiling. ❺〈动 *v.*〉专指一种缝纫方法，同'绲'bind; trim; way of sewing; same as '绲 *gǔn*'：～边 ~*biān* border ❻〈副 *adv.*〉表示程度，相当于'极''非常'indicating the extent of sth., similar to '极 *jí*'，'非常' *fēicháng*'：～烫 ~*tàng* boiling hot｜～圆 ~*yuán* perfectly round｜～开的水 ~ *kāi de shuǐ* boiling water

⁴ **滚动** *gǔndòng* ❶〈动 *v.*〉翻转着向前移动 roll; move on a surface by repeatedly turning over：车轮～。*Chēlún ~.* The wheels are rolling.｜保龄球在球道上迅速～。*Bǎolíngqiú zài qiúdào shang xùnsù ~.* The bowling ball is rolling rapidly along the track. ❷〈动 *v.*〉一轮接一轮连续不断地进行 proceed one round after another：～新闻 ～ *xīnwén* rolling news｜~式广告 ~ *shì guǎnggào* rotating advertisement ❸〈动 *v.*〉逐步积累发展；不断地周转 gradually accumulate and expand：～发展 ～ *fāzhǎn* develop in a progressive manner; snowball｜资金 ~ *zījīn* ~ capital turnover

³ **棍子** *gùnzi* ❶〈名 *n.*〉（根 *gēn*）一种长圆形物体 stick; club; long slender object：木 ～ *mù* ~ wooden rod｜竹 ~ *zhú* ~ bamboo stick｜铁 ~ *tiě* ~ iron rod｜长 ~ *cháng* ~ long stick｜短 ~ *duǎn* ~ short stick｜粗 ~ *cū* ~ thick stick｜细 ~ *xì* ~ thin stick｜他抄起～打人。*Tā chāoqǐ ~ dǎrén.* He grabbed a stick and began to beat others. ❷〈名 *n.*〉比喻粗暴批评、打击别人的手段 rude criticism; personal attack：他动辄打 ～，扣帽子，使人不敢说话 *Tā dòngzhé dǎ ~, kòu màozi, shǐ rén bùgǎn shuōhuà.* He lashed at and put labels on people at every opportunity to silence them. ❸〈名 *n.*〉比喻充当打击别人的人 *fig.* person employed to attack others：你可别让人当～使。*Nǐ kě bié ràngrén dāng ~ shǐ.* You'd better be careful not to be used by others as a stick.

² **锅** *guō* ❶〈名 *n.*〉一种炊具 pot; wok; cauldron; pan; cooking vessel：铁 ~ *tiě* ~ iron pot｜铝 ~ *lǚ*~ aluminium pot｜沙 ~ *shā*~ clay pot; casserole｜火 ~ *huǒ*~ chafing dish｜不锈钢 ~ *búxiùgāng*~ stainless steel pot｜压力 ~ *yālì*~ pressure cooker｜用电饭～做饭又快又方便。*Yòng diànfàn~ zuòfàn yòu kuài yòu fāngbiàn.* It is quick and convenient to cook with the electric cooker.｜不沾～煎鸡蛋效果好。*Bùzhān~ jiān jīdàn xiàoguǒ hǎo.* It is better to fry eggs with the non-stick pan. ❷〈名 *n.*〉形状像锅的东西 pot-shaped object：烟袋～ㄦ *yāndài~r* bowl of a pipe ❸〈量 *meas.*〉用以计量食物 used to measure the amount of food：一～粥 *yì ~ zhōu* a potful of congee｜一～肉 *yì ~ ròu* a potful of meat ❹〈量 *meas.*〉用以计量吸旱烟的量 used to measure the amount of tobacco smoked in a long-stemmed Chinese pipe：一～烟 *yì ~ yān* a bowl of pipe

³ **锅炉** *guōlú*〈名 *n.*〉（座 *zuò*、个 *gè*）产生水蒸气或烧热水的一种装置 boiler; apparatus used to produce steam or supply hot water：～房 ~ *fáng* boiler room｜烧 ~ *shāo* ~ tend the boiler｜为减少环境污染，应尽量把燃煤～改为燃气～。*Wèi jiǎnshǎo huánjìng wūrǎn, yīng jǐnliàng jiāng rán méi ~ gǎi wéi rán qì ~.* In order to reduce environmental pollution, efforts should be made to convert the coal-fired boiler into gas ones.

¹ **国** *guó* ❶〈名 *n.*〉国家 country; state; nation：～家 ~*jiā* state｜祖～ *zǔ*~ home country; homeland｜～号 ~*hào* title of a reigning dynasty｜～都 ~*dū* national capital｜～泰民安 ~ *tài-mín'ān* the country enjoys prosperity and the people live in peace｜保家卫～ *bǎojiā-wèi*~ protect the family and safeguard the country｜为～争光 *wèi* ~ *zhēngguāng* win honor for the country ❷〈名 *n.*〉代表或象征国家的 standing for or symbolic of a country; of the state; national：～旗 ~*qí* national flag｜~徽 ~*huī* national emblem｜～歌

~*gē* national anthem │ ~花 ~*huā* national flower ❸〈名 *n.*〉特指中国本国的 Chinese; of China: ~产 ~*chǎn* home-made; made in China │ ~药 ~*yào* Chinese herbal medicine │ ~画 ~*huà* traditional Chinese painting │ ~粹 ~*cuì* quintessence of Chinese culture ❹〈名 *n.*〉在一国中最好的 best in the country: ~手 ~*shǒu* top-notch person in the country │ ~色天香 ~*sè-tiānxiāng* of ravishing beauty and heavenly fragrance (referring to the peony or a beautiful woman)

⁴ **国产** guóchǎn 〈形 *adj.*〉本国生产的 domestically produced; made in China: ~电器 ~*diànqì* Chinese-made electrical appliance │ ~轿车 ~*jiàochē* Chinese-made car │ ~影片 ~*yǐngpiàn* Chinese film │ ~水果 ~*shuǐguǒ* Chinese fruit │ ~电视机的质量不比进口的差。~ *diànshìjī de zhìliàng bù bǐ jìnkǒu de chà.* The quality of Chinese-made TV set is as good as that of the imported one.

⁵ **国法** guófǎ 〈名 *n.*〉国家的法纪 national law: 遵守 ~ *zūnshǒu* ~ abide by the national law │ 国有~，家有家规。*Guó yǒu ~, jiā yǒu jiāguī.* A state has its laws and a family its rules.

³ **国防** guófáng 〈名 *n.*〉一个国家为防止外来侵略，保卫领土主权而拥有的一切安全保障设施 national defence: ~力量 ~ *lìliàng* defence capability │ 加强 ~ *jiāqiáng* ~ strengthen national defence │ 巩固 ~ *gǒnggù* ~ reinforce and consolidate national defence │ 建设 ~ *jiànshè* ~ build up national defence │ 加快推进~现代化。*Jiākuài tuījìn* ~ *xiàndàihuà.* Speed up the modernization of national defence.

⁴ **国会** guóhuì 〈名 *n.*〉某些国家设立的最高立法机关或最高权力机关，也称'议会' parliament (UK); Congress (US); the highest legislative or executive body of a country, also '议会 yìhuì': ~选举 ~ *xuǎnjǔ* parliamentary election │ ~议员 ~ *yìyuán* member of parliament │ ~对政府提交的议案可行使否决权。~ *duì zhèngfǔ tíjiāo de yì'àn kě xíngshǐ fǒujuéquán.* The parliament can veto the bill submitted by the government.

⁵ **国籍** guójí 〈名 *n.*〉指个人具有的属于某个国家的公民身份，也指飞机、船舶等与某个国家的所属关系 nationality; citizenship; (of a plane, ship, etc.) national identity: 加入某国 ~ *jiārù mǒuguó* be naturalized as the citizen of a country │ 具有某国 ~ *jùyǒu mǒuguó* hold the nationality of a country │ 双重 ~ *shuāngchóng* ~ dual nationality │ 改变 ~ *gǎibiàn* ~ change nationality │ 海面上出现了一艘不明的船只。*Hǎimiàn shang chūxiànle yì sōu bùmíng* ~ *de chuánzhī.* An unidentified ship appeared on the sea.

² **国际** guójì ❶〈名 *n.*〉国与国之间；世界各国之间 international; the world: ~关系 ~ *guānxì* international relations │ ~往来 ~ *wǎnglái* international exchange │ ~贸易 ~ *màoyì* international trade │ ~新闻 ~ *xīnwén* world news │ ~形势 ~ *xíngshì* international situation │ ~声望 ~ *shēngwàng* international prestige │ ~地位 ~ *dìwèi* international status │ ~组织 ~ *zǔzhī* international organization │ ~机构 ~ *jīgòu* international institution │ ~航线 ~ *hángxiàn* international air line │ ~劳动妇女节 ~ *Láodòng Fùnǚ Jié* International Working Women's Day (March 8) │ 开拓~市场 kāituò ~ shìchǎng expand the share in the international market │ 你对目前~局势有何看法? *Nǐ duì mùqián* ~ *júshì yǒu hé kànfǎ?* What do you think of the current international situation? ❷〈名 *n.*〉与世界各国有关的(事物) concerning all countries in the world: ~法 ~*fǎ* international law │ ~公约 ~ *gōngyuē* international convention │ ~音标 ~ *yīnbiāo* international phonetic symbols

⁴ **国际法** guójìfǎ 〈名 *n.*〉国际公法的简称 international law, abbr. for '国际公法guójì gōngfǎ': 符合 ~ *fúhé* ~ conform to the international law │ 制定 ~ *zhìdìng* ~ enact the international law │ 修改~ *xiūgǎi* ~ modify the international law │ ~的内容是国际关系

G

中形成的有约束力的原则、规则和规章制度。~ de nèiróng shì guójì guānxì zhōng xíngchéng de yǒu yuēshùlì de yuánzé, guīzé hé guīzhāng zhìdù. The international law includes binding principles, laws, rules and regulations formed through international relations.

⁴ **国际主义** guójì zhǔyì〈名 n.〉马克思主义关于国际无产阶级团结的思想 internationalism; Marxist belief in international proletarian unity: 发扬 ~ 精神 fāyáng ~ jīngshén foster the spirit of internationalism | ~战士 ~ zhànshì internationalist fighter

¹ **国家** guójiā〈名 n.〉(个 gè) 统治阶级实行统治的强力组织，主要由军队、警察、法庭、监狱等组成 country; nation; state: ~ de xìngzhì the nature of state | 共和制 ~ gònghézhì ~ republic state | 君主制 ~ jūnzhǔzhì ~ monarchical state | ~不分大小一律平等。~ bù fēn dàxiǎo yílǜ píngděng. All countries, big or small, are equal members of the international community. | ~的一切权力属于人民。~ de yíqiè quánlì shǔyú rénmín. All powers of a country belong to its people.

⁴ **国库券** guókùquàn〈名 n.〉一些国家的国家银行发行的一种短期债券 treasury bond (TB); treasury stock; short-term bond issued by a state bank: 发行 ~ fāxíng ~ issue treasury bonds | 购买 ~ gòumǎi ~ purchase treasury bonds | 兑换 ~ duìhuàn ~ convert TB into cash

⁴ **国力** guólì〈名 n.〉一个国家在政治、经济、军事和科学技术等方面所具备的实力 national power or strength; national capabilities regarding politics, economy, military affairs, science and technology: 综合 ~ zōnghé ~ comprehensive national power | 增强 ~ zēngqiáng ~ enhance national strength | ~雄厚 ~ xiónghòu have solid national strength

⁴ **国民** guómín〈名 n.〉具有某国国籍就是某国的国民 people of a nation; national; people having the citizenship of a nation: ~的权利与义务 ~ de quánlì yǔ yìwù rights and obligations of the national | ~经济 ~ jīngjì national economy | ~素质 ~ sùzhì national quality | ~收入 ~ shōurù national income | ~警卫队 ~ jǐngwèiduì national guard | ~待遇 ~ dàiyù national treatment

² **国民党** Guómíndǎng〈名 n.〉中国近代政党之一。1912年8月由中国革命先行者孙中山先生以中国同盟会为基础组成的资产阶级政党 Kuomintang（KMT）, bourgeois party established by Sun Yat-sen on the basis of Chinese Revolutionary League in August 1912: ~党员 ~ dǎngyuán member of KMT | 中国~革命委员会 Zhōngguó ~ Gémìng Wěiyuánhuì Revolutionary Committee of Chinese Kuomintang

³ **国旗** guóqí〈名 n.〉(面 miàn) 由国家正式规定的代表本国的旗帜 national flag: 中国的~是五星红旗。Zhōngguó de ~ shì Wǔxīng Hóngqí. The national flag of China is the Five-Star Red Flag.

⁴ **国情** guóqíng〈名 n.〉一个国家的社会性质、政治、经济、文化等方面的基本情况和特点，也特指一个国家在一定时期的基本情况和特点 national conditions: 基本 ~ jīběn ~ primary national conditions | 了解 ~ liǎojiě ~ get to know the reality of a country | 符合~ fúhé ~ conform to the reality of a country | 不同的~, 应当采取不同的经济发展模式。Bùtóng de ~, yīngdāng cǎiqǔ bùtóng de jīngjì fāzhǎn móshì. Different modes of economic development should be adopted by countries with different national conditions.

³ **国庆节** guóqìngjié〈名 n.〉一般指开国纪念日 National Day, anniversary of the founding of a country: 庆祝 ~ qìngzhù ~ celebrate the National Day | ~招待会 ~ zhāodàihuì reception held on the National Day | 中国的~是每年的10月1日。Zhōngguó de ~ shì měinián de shíyuè yī rì. The National Day of China falls on October 1.

⁴ **国土** guótǔ 〈名 n.〉国家的领土 national territory or land：保卫 ~ *bǎowèi* ~ defend the territory｜收复 ~ *shōufù* ~ recover lost territory｜调查~资源 *diàochá* ~ *zīyuán* survey land and resources of a country｜神圣~不容侵犯。*Shénshèng* ~ *bùróng qīnfàn.* A country's sacred territory brooks no encroachment.

² **国王** guówáng 〈名 n.〉(位 wèi、个 gè) 古代一些国家的最高统治者；现代一些君主制国家的元首 king (of an ancient country or a modern monarchic country)：泰国 ~ *Tàiguó* ~ the king of Thailand｜约旦~ *Yuēdàn* ~ the king of Jordan

³ **国务院** guówùyuàn ❶〈名 n.〉中国国家最高行政机关 State Council; China's top state administrative organ：~ 文件 ~ *wénjiàn* document of the State Council｜~总理 ~ *zǒnglǐ* premier of the State Council; prime minister｜~直属机构 ~ *zhíshǔ jīgòu* organization directly affiliated with the State Council ❷〈名 n.〉美国联邦政府中主管外交的部门 State Department (of the United States)

³ **国营** guóyíng 〈形 adj.〉由国家投资经营的 state-run; invested and operated by the state：~ 企业 ~ *qǐyè* state-run enterprise｜~商店 ~ *shāngdiàn* state-run shop｜~工厂 ~ *gōngchǎng* state-run factory

⁴ **国有** guóyǒu 〈动 v.〉国家所有 be owned by the state：~ 土地 ~ *tǔdì* state-owned land｜~矿山 ~ *kuàngshān* state-owned mine｜~森林 ~ *sēnlín* state-owned forest｜~企业 ~ *qǐyè* state-owned enterprise｜~财产 ~ *cáichǎn* state property

⁴ **果断** guǒduàn 〈形 adj.〉不犹豫；敢于决断 resolute; decisive：~ 的决策 ~ *de juécè* resolute decision｜~ 的行动 ~ *de xíngdòng* resolute action｜~ 的措施 ~ *de cuòshī* decisive measure｜他办事一向很~。*Tā bànshì yíxiàng hěn* ~. He is quite decisive in everything.

G

² **果然** guǒrán ❶〈副 adv.〉表示事实与预期的相符 really; indeed; as expected：~不出所料 ~ *bù chū suǒliào* as expected｜~不虚传。~ *míngbùxūchuán.* He really deserves the reputation he enjoys.｜他说今天要来，~来了。*Tā shuō jīntiān yào lái,* ~ *lái le.* He did show up today as he had promised.｜气象预报说今天有雨，~下雨了。*Qìxiàng yùbào shuō jīntiān yǒu yǔ,* ~ *xiàyǔ le.* The weather forecast said it was going to rain today, and indeed it rained. ❷〈连 conj.〉表示假设条件，强调假设的条件与所说或所料的相符 if indeed; if really：~刮大风的话，飞机就不能按时起飞了。~ *guā dàfēng de huà, fēijī jiù bù néng ànshí qǐfēi le.* If indeed there is high wind, the plane may not be able to take off on time.

³ **果实** guǒshí ❶〈名 n.〉植物体的主要组成部分 fruit; reproductive organ of a plant：~累累 ~ *lěilěi* laden with fruit｜硕大的~挂满枝头，果园一片丰收景象。*Shuòdà de* ~ *guàmǎn zhītóu, guǒyuán yí piàn fēngshōu jǐngxiàng.* In the orchard, large fruits were hanging heavy on the trees, presenting a scene of bumper harvest. ❷〈名 n.〉比喻经过劳动得到的收获 fig. gains; fruits：劳动~ *láodòng* ~ fruits of labor｜胜利的~是用汗水换来的。*Shènglì de* ~ *shì yòng hànshuǐ huànlái de.* Fruits of victory are obtained through sweat.

³ **果树** guǒshù 〈名 n.〉(棵 kē、株 zhū) 果实主要供食用的树木 fruit tree：栽培 ~ *zāipéi* ~ cultivate fruit trees｜种~ *zhòng* ~ grow fruit trees｜成片的~ *chéngpiàn de* ~ patch of fruit trees｜~嫁接 ~ *jiàjiē* fruit tree graft｜培育~新品种 *péiyù* ~ *xīn pǐnzhǒng* breed new varieties of fruit trees

³ **裹** guǒ ❶〈动 v.〉用布、纸或其他片状物缠绕；包扎 tie up; wrap; bind (using cloth, paper, etc.)：包~ *bāo* ~ wrap up; bind up｜~足不前 ~ *zú-bùqián* hesitate to move forward｜腿上~着绷带。*Tuǐ shang* ~ *zhe bēngdài.* A bandage was wrapped around the

leg. | 水果外面~了一层保鲜纸。*Shuǐguǒ wàimiàn ~le yì céng bǎoxiānzhǐ.* The fruit is wrapped up with a layer of handi-wrap. ❷〈动 *v.*〉把一种人或物强行夹杂在另外一种人或物的里面 make away with; mix sb. or sth. into another group of people or things： ~胁 *~xié* force to take part in (evildoing); coerce | ~挟 *~xié* (of wind, current, etc.) carry away; involve; sweep along | 涛涛的黄河水，~着泥沙向东流去。*Tāotāo de Huáng Hé shuǐ, ~zhe níshā xiàng dōng liúqù.* The surging water of the Yellow River rolled to the east, carrying mud and sand along with it.

¹ **过 guò** ❶〈动 *v.*〉经过某个空间或时间；经过某个地点或场所 go through (space or time); cross; pass： ~年 *~nián* celebrate the New Year (or the Spring Festival) | ~节 *~jié* celebrate a festival | ~日子 *~rìzi* live a life; get along | ~生日 *~ shēngrì* celebrate one's birthday | ~河 *~ hé* cross a river | ~桥 *~ qiáo* pass or go over a bridge | ~马路 *~ mǎlù* cross a street | ~境 *~jìng* cross the border | 日子越~越好。*Rìzi yuè ~ yuè hǎo.* Life is getting better and better. | 一个幸福的晚年。*~ yí gè xìngfú de wǎnnián.* Spend the evening of one's life in happiness. ❷〈动 *v.*〉超过某个范围和限度 exceed; go beyond; overstep： ~线 *~xiàn* go beyond the line | ~期 *~qī* be overdue; expire | ~站 *~ zhàn* go past the station | 他这个要求太~分。*Tā zhège yāoqiú tài ~fèn.* His demand goes too far. ❸〈动 *v.*〉使经过某种处理 undergo; go through： ~滤 *~lù* filter | ~筛子 *~ shāizi* sift; sieve | ~磅 *~bàng* weigh | ~秤 *~chèng* weigh | ~油肉 *~yóuròu* meat cooked briefly in hot frying oil | 这笔钱应~~数。*Zhè bǐ qián yīng ~ ~ shù.* This sum of money should be counted. ❹〈动 *v.*〉从一方转移到另一方 transfer： ~户 *~hù* transfer the ownership (of bonds, stocks, property, etc.) from one person to another | ~账 *~zhàng* transfer (an item) to a ledger; post | ~继 *~jì* adopt a young relative; have one's child adopted by a relative ❺〈动 *v.*〉用眼看或用脑子回忆 look at; call to mind： ~目 *~mù* look at; view | 把往事在脑子里一遍。*Bǎ wǎngshì zài nǎozi li ~ yí biàn.* Recall what happened in the past in one's mind. ❻〈副 *adv.*〉表示数量或程度过分，即'太'的意思 over; too; same as '太 tài'： ~多 *~ duō* too many; too much | ~高 *~gāo* too high | ~胖 *~ pàng* too fat | ~早 *~ zǎo* too early | ~重 *~ zhòng* too heavy | 对他的能力估计~低。*Duì tā de nénglì gūjì ~ dī.* His ability was underestimated too much. | 到现在才清醒过来，有点儿~迟了。*Dào xiànzài cái qīngxǐng guòlái, yǒudiǎnr ~ chí le.* It's too late for you to become aware of the situation. ❼〈名 *n.*〉过失；错误（与'功'相对）demerit; fault; slip; lapse (opposite to '功 gōng')： ~错 *~cuò* fault; error | ~失 *~shī* blunder; negligence | 记大~ *jì dà~* record a serious mistake | 勇于改~ *yǒngyú gǎi~* have the courage to mend one's ways | 改~自新 *gǎi~zìxīn* correct one's errors and make a fresh start | 知~必改，方是完人。*Zhī ~ bì gǎi, fāng shì wánrén.* Mistakes, once discovered, must be rectified so as to make oneself perfect. ❽〈量 *meas.* 方 *dial.*〉用于动作的次数 used to indicate the number of actions： 这件衣服已经洗了好几~了。*Zhè jiàn yīfu yǐjīng xǐle hǎojǐ ~ le.* The clothes has been washed several times.
☞ guo, p. 407

² **过程 guòchéng** 〈名 *n.*〉（个 gè）事物发展变化的经过 process; course of event： 发展 *~ fāzhǎn* course of development | 生产 *~ shēngchǎn* process of production | 生长 *~ shēngzhǎng* process of growth | 认识 *~ rènshi* process of learning | 学习 *~ xuéxí* process of study | 我们参观了啤酒生产的全~。*Wǒmen cānguānle píjiǔ shēngchǎn de quán ~.* We observed the whole process of beer production. | 有些事的~比结果更重要。*Yǒuxiē shì de ~ bǐ jiéguǒ gèng zhòngyào.* When it comes to certain things, the process is much more important than the result.

⁴ **过度** guòdù 〈形 adj.〉超过了适当的程度 excessive: ~ 紧张 ~ jǐnzhāng excessively nervous | ~兴奋 ~ xīngfèn overexcited | ~悲伤 ~ bēishāng excessive grief | ~饮酒会伤害身体。~ yǐnjiǔ huì shānghài shēntǐ. Excessive drinking will do harm to one's health.

³ **过渡** guòdù 〈动 v.〉由一个阶段或一种状态转变到另一个阶段或另一种状态 transit; (of things) pass from one stage or state to another: ~ 阶段 ~ jiēduàn transitional stage | ~状态 ~ zhuàngtài transitional state | ~时期 ~ shíqī transitional period | 事物的发展总是从低级阶段逐步~到高级阶段。Shìwù de fāzhǎn zǒngshì cóng dījí jiēduàn zhúbù ~ dào gāojí jiēduàn. Everything tends to develop gradually from the lower stage to the advanced stage. | 在大选前成立了一政府。Zài dàxuǎn qián chénglìle ~ zhèngfǔ. A transitional government was set up before the general election was held.

过分 guòfèn 〈形 adj.〉指说话、办事超过了一定的程度和限度 (of speech or action) beyond the limit; excessive; going too far: ~ 复杂 ~ fùzá too complicated | ~简单 ~ jiǎndān too simple | ~热情 ~ rèqíng too enthusiastic | ~认真 ~ rènzhēn too serious | 你把人家说得一文不值,未免太~了。Nǐ bǎ rénjia shuō de yìwén-bùzhí, wèimiǎn tài ~ le. You are going too far by dismissing him as completely worthless. | 开玩笑要适当, 不宜~。Kāi wánxiào yào shìdàng, bùyí ~. When one plays a joke, he has to be moderate and can't go too far.

过后 guòhòu ❶〈名 n.〉以后 later; afterwards: 这件事先这么办, 有什么问题, ~再说。Zhè jiàn shì xiān zhème bàn, yǒu shénme wèntí, ~ zàishuō. This is only a temporary decision. If anything comes up, we will come back to it later. | 今天的会就开到这里, 还有什么意见,~再提。Jīntiān de huì jiù kāidào zhèlǐ, háiyǒu shénme yìjiàn, ~ zài tí. Let's put today's meeting to an end. If you still have any suggestion, you can talk about it later. ❷〈名 n.〉后来 at a later time: 他本来打算不辞而别,~一想还是应该打个招呼。Tā běnlái dǎsuàn bùcí'érbié, ~ yì xiǎng háishì yīnggāi dǎ gè zhāohu. He had intended to leave without saying goodbye, but later he changed his mind and decided to let them know. | 当时只觉得面熟不敢认,~才想起他的名字。Dāngshí zhǐ juéde miànshú bùgǎn rèn, ~ cái xiǎngqǐ tā de míngzi. At that time I found that he looked quite familiar, but I dare not recognize him. Only much later did I recall his name.

¹ **过来** guò//lái Ⅰ〈动 v.〉向说话人所在的方向来 come over; come up: 快~, 这儿鱼多。Kuài ~, zhèr yú duō. Come over quickly. There are more fish here. | 车快开了,赶快~! Chē kuài kāi le, gǎnkuài ~! The bus is leaving. Hurry up! | 前边有个水坑, 我过不来。Qiánbiān yǒu gè shuǐkēng, wǒ guò bù lái. There is a puddle of water in front of me. I cannot come over. Ⅱ //guò//lái ❶〈助 aux.〉用在动词后面, 表示动作向说话人所在地移动 used after a verb to indicate a movement toward the speaker: 走~ zǒu ~ come towards | 跑~ pǎo ~ run towards | 拿~ ná ~ fetch | 扔~ rēng ~ throw towards | 飞~ fēi ~ fly towards | 坐~ zuò ~ sit beside sb. | 请你把车开~. Qǐng nǐ bǎ chē kāi ~. Please drive over the car. | 请你把椅子挪~. Qǐng nǐ bǎ yǐzi nuó ~. Please move the chair over. | 服务员把酒菜端~. Fúwùyuán bǎ jiǔcài duān ~. The waiter came towards us with the dishes. ❷〈助 aux.〉用在动词后, 人或物体随动作改变方向 used after a verb to indicate sth. facing oneself: 转过脸来我才认出了她。Zhuǎnguò liǎn lái wǒ cái rènchū le tā. She turned round and faced me. | 她回过头来冲着你乐。Tā huíguò tóu lái chòngzhe nǐ lè. She turned round and smiled at you. ❸〈助 aux.〉用在动词后, 表示回到原来的、正常的状态 used after a verb to indicate coming round to the original state: 醒~ xǐng ~ come to | 改~ gǎi ~ correct | 救~ jiù ~ bring sb. back to life | 觉悟~ juéwù ~ become enlightened; come to the realization | 睡了一觉, 终于休息过~了。

Shuìle yí jiào, zhōngyú xiūxi ~ le. I was finally fully rested after a sound sleep. | 我睡了三天三夜，还没歇过劲儿来。*Wǒ shuìle sān tiān sān yè, hái méi xiēguò jìnr lái.* I was not fully rested even after sleeping three days and nights. ❹〈助 aux.〉用在动词后面，表示时间、能力等许可(多与'得'或'不'连用) usu. used correlatively with 'de de' or '不 bú' after a verb to indicate a sufficiency of time, ability, or amount: 忙不~ *máng bú ~* too busy to manage | 照顾得~ *zhàogù de ~* can take care of | 数不~ *shǔ bú ~* numerous; too many to count | 这么多好书，我看都看不~。*zhème duō hǎo shū, wǒ kàn dōu kàn bú ~.* There are so many good books that I can't read them all.

⁴ **过滤** guòlǜ〈动 v.〉通过滤纸或其他多孔材料，把液体或气体中所含的固体颗粒或有害物质分离出去 filter; filtrate; pass liquid through a filter or other porous material to separate the liquid from suspended particles: ~ 纸~*zhǐ* filter paper | ~ 器~*qì* filter; filtrator | ~ 嘴~*zuǐ* filter tip | 污水经过~成为可利用的中水。*Wūshuǐ jīngguò ~ chéngwéi kě lìyòng de zhōngshuǐ.* Waste water can be turned into usable water after being filtered.

² **过年** guò//nián ❶〈动 v.〉指新年元旦和春节期间举行的庆祝活动 celebrate the New Year or the Spring Festival: 孩子们都喜欢 ~。*Háizimen dōu xǐhuan ~.* Children all enjoy celebrating the Spring Festival. | 欢欢喜喜过大年。*Huānhuān-xǐxǐ guò dà nián.* Celebrate a happy Spring Festival. | 过个欢乐、祥和的新年。*Guò gè huānlè, xiánghé de xīnnián.* Enjoy a happy and peaceful New Year. ❷〈动 v.〉指过了新年或春节 after the New Year or the Spring Festival: 有什么事等过了年再说。*Yǒu shénme shì děng guòle nián zàishuō.* If there is any problem, let's talk about it after the New Year.

¹ **过去** I guòqù〈名 n.〉表示时间，指现在以前的时期(区别于'现在''将来') past; time earlier than the present time (opposite to '现在 xiànzài' and '将来 jiānglái'): 回忆 ~ *huíyì* recall the past | ~ 的年代 *de niándài* years of the past | ~ 的事情 *de shìqing* past events | ~ 的照片 *de zhàopiàn* photo of the past | ~ 的朋友 *de péngyou* former friend | ~ 的工作单位 *de gōngzuò dānwèi* former work unit II guò//qù〈动 v.〉表示离开或经过说话人(或叙述的对象)所在地向另一个地点去 go over; pass by; leave or pass by the place where a speaker or a listener is and go toward another place: 你不~我可~了。*Nǐ bú ~ wǒ kě ~ le.* If you don't go there, I will do. | 别~，那里危险。*Bié ~, nàlǐ wēixiǎn.* Don't go there. It's dangerous. | 没有过不去的坎儿。*Méiyǒu guò bú qù de kǎnr.* There is no difficulty that cannot be overcome. ❷〈动 v. 婉 euph.〉死亡 pass away; die: 他的父亲昨天晚上~了。*Tā de fùqīn zuótiān wǎnshang ~ le.* His father passed away last night. III //guò//qù ❶〈助 aux.〉用在动词后，表示动作行为离开说话人的地点移动 used after the verb to indicate a movement away from or past the speaker: 跑~ *pǎo ~* run over | 走~ *zǒu ~* walk over | 拿~ *ná ~* take away | 送~ *sòng ~* send over | 扔~ *rēng ~* throw away | 把这碗饭给他端~。*Bǎ zhè wǎn fàn gěi tā duān ~.* Take this bowl of rice to him. ❷〈助 aux.〉用在动词后，人或物体随动作改变方向 used after a verb to indicate turning the other side to the speaker: 翻~ *fān ~* turn round | 她气得把脸背了~。*Tā qì de bǎ liǎn bèile ~.* She got so angry that she turned away her face. | 他见我进门便故意转过身去。*Tā jiàn wǒ jìn mén biàn gùyì zhuǎn guò shēn qù.* He deliberately turned his back to me when he saw me come through the door. | 上课时他总是回过头去和别人说话。*Shàngkè shí tā zǒngshì huíguò tóu qù hé biéren shuōhuà.* He always turns round and chats with others in class. ❸〈助 aux.〉用在动词后，表示失去原来的、正常的状态 used after a verb to indicate loss of a normal or original state: 死~ *sǐ ~* die | 晕~ *yūn ~* faint | 听到这个不幸的消息，她吓得差点儿昏~。*Tīng dào zhège búxìng de*

xiāoxi, tā xià de chàdiǎnr hūn ~. She was so shocked at the sad news that she almost fainted. ❹〈助 *aux.*〉用在动词后，表示动作完毕 used after a verb to indicate the completion of an action：这件事居然让他骗～了。*Zhè jiàn shì jūrán ràng tā piàn ~ le.* To our surprise, he pulled off with his tricks. | 事已至此，再瞒也瞒不～了。*Shì yǐ zhì cǐ, zài mán yě mán bú ~ le.* Things have come to such a pass. It can no longer be covered up.

⁴ **过失** guòshī〈名 *n.*〉因疏忽大意而犯的错误 fault; error; blunder; negligence：严重～ *yánzhòng* serious mistake | 应尽量避免在工作中出现～。*Yīng jǐnliàng bìmiǎn zài gōngzuò zhōng chūxiàn ~.* One should try to avoid errors in one's work. | 要查清造成～的原因，以便吸取教训。*Yào cháqīng zàochéng ~ de yuányīn, yǐbiàn xīqǔ jiàoxùn.* The broken cause of the error must be identified so as to learn the lesson.

过问 guòwèn〈动 *v.*〉参与其事；参加意见；表示关心 get involved in; concern oneself with; take an interest in：政治 ~ *zhèngzhì* concern oneself with politics | ~生产 *shēngchǎn* attend to production | 家长要～孩子的学习情况。*Jiāzhǎng yào ~ háizi de xuéxí qíngkuàng.* Parents should take an interest in their child's schoolwork. | 路灯坏了却长期无人～。*Lùdēng huàile què chángqī wú rén ~.* The broken street lamp has been left neglected for a long time.

⁴ **过于** guòyú〈副 *adv.*〉表示程度或数量过分；太 too; over; excessively：夸张 ~ *kuāzhāng* exaggerate too much | ~热情 *rèqíng* too passionate | ~劳累 *láolèi* overtired | ~乐观 *lèguān* over-optimistic | 他家的房子装修得~豪华。*Tā jiā de fángzi zhuāngxiū de ~ háohuá.* The furnishings of his house are too lavish. | 他的婚礼办得~铺张。*Tā de hūnlǐ bàn de ~ pūzhāng.* His wedding ceremony was too extravagant.

¹ **过** guo ❶〈助 *aux.*〉用在动词后，表示动作已完成 used after a verb to indicate the completion of an action：吃～了 *chī ~ le* have had the meal | 看～了 *kàn ~ le* have read | 这本小说我读～了。*Zhè běn xiǎoshuō wǒ dú ~ le.* I've read this novel. | 昨天他给你打~电话。*Zuótiān tā gěi nǐ dǎ ~ diànhuà.* He called you yesterday. | 我给他发~伊妹儿。*Wǒ gěi tā fā ~ yīmèir.* I sent an e-mail to him. ❷〈助 *aux.*〉用在动词或形容词后，表示过去曾经有这样的经历或某种动作、状态 used after a verb or an adjective to indicate past experience, action or state：说～ *shuō ~* told | 听~ *tīng ~* listened to | 学~ *xué ~* learned | 去~ *qù ~* went | 来~ *lái ~* came | 想~ *xiǎng ~* thought | 往年的夏天从来没有这样热~。*Wǎngnián de xiàtiān cónglái méiyǒu zhèyàng rè ~.* This summer is hotter than any one in the past. ❸〈助 *aux.*〉用在动词加'得'或'不'的后面，表示比得过、比不过或信得过、信不过 used after a verb with '得 de' or '不 bú' to indicate superiority or inferiority, reliability or unreliability：我年纪大了，跑不~你。*Wǒ niánjì dà le, pǎo bú ~ nǐ.* I'm getting on in years and cannot run as fast as you do. | 你的酒量大，肯定喝得~他。*Nǐ de jiǔliàng dà, kěndìng hē de ~ tā.* You can hold a lot of liquor. I'm sure you can drink him under the table. | 这家商店出售的商品信得~。*Zhè jiā shāngdiàn chūshòu de shāngpǐn xìn de ~.* The goods sold by this shop are reliable. | 我可信不~他。*Wǒ kě xìn bú ~ tā.* I don't think he is a reliable person.

☞ guò, p. 404

H

¹ **哈哈** hāhā 〈拟声 onom.〉高兴时的一种笑声 laughter; a joyful sound of laughing：他爱说笑话，常常逗得大家~大笑。Tā ài shuō xiàohua, chángcháng dòu de dàjiā ~ dà xiào. He likes telling jokes and often makes people laugh heartily. │客厅里不时传来~的笑声。Kètīng li bùshí chuánlái ~ de xiàoshēng. Every now and then laughter roared in the drawing room .

³ **咳** hāi 〈叹 interj.〉表示伤感、后悔或惊异 expressing sentimental feelings, regret or surprise：~! 这太让人伤心了！~! Zhè tài ràng rén shāngxīn le! Ah, it is too sad! │~! 早知道会这样，我就不来了！~! Zǎo zhīdào huì zhèyàng, wǒ jiù bù lái le! Dammit! If I had known it, I would not have come. │~! 怎么会出现这样的事！~! Zěnme huì chūxiàn zhèyàng de shì! Dear me! How could such a thing happen?

¹ **还** hái ❶〈副 adv.〉依然，仍旧 still; yet：那棵村头老树，~活着呢！Nà kē cūn tóu lǎo shù, ~ huózhe ne! The old tree at the end of the village is still alive! │夜已深了,他~在灯下绘图。Yè yǐ shēn le ,tā ~ zài dēng xià huìtú. Deep into the night he was still drawing the graph under the lamplight. │八字~没一撇的事，别满世界嚷嚷！Bā zì ~ méi yì piě de shì, bié mǎn shìjiè rāngrang! It's still up in the air, so don't blab to other people. ❷〈副 adv.〉更加 still more：你比她~能干！Nǐ bǐ tā ~ nénggàn! You are even more capable than her! │今天的天气比昨天~热。Jīntiān de tiānqì bǐ zuótiān ~ rè. It is much hotter today than yesterday. ❸〈副 adv.〉另外 also; too; in addition; as well：下了班，我~要去买东西。Xiàle bān, wǒ ~ yào qù mǎi dōngxi. After work, I have to do some shopping as well. │你~有别的地图吗？Nǐ ~ yǒu bié de dìtú ma? Do you have any other maps? ❹〈副 adv.〉尚可 passably; fairly：这帽子~戴得出去。Zhè màozi ~ dài de chūqù. The hat is fairly presentable. │他的发音~准。Tā de fāyīn ~ zhǔn. His pronunciation is fairly accurate. ❺〈副 adv.〉况且 even：两个人~抬不动，我一个人怎么行！Liǎng gè rén ~ tái bú dòng, wǒ yí gè rén zěnme xíng! Even two people cannot carry it, how can I manage it by myself! │你自己~不会，怎么去教别人？Nǐ zìjǐ ~ bú huì, zěnme qù jiāo biérén? Even you don't know how to do it, how can you teach others? ❻〈副 adv.〉居然 unexpectedly：你~真办成了！Nǐ ~ zhēn bànchéng le! I never expected that you could make it! │这电脑真不错,~能画画儿！Zhè diànnǎo zhēn búcuò, ~ néng huàhuàr! The computer is really great, it can even draw pictures! ❼〈副 adv.〉加重语气，多用于反问 used for emphasis, mostly in rhetorical questions：这么晚了，~能不迟到？Zhème wǎn le, ~ néng bù chídào? It is so late. How could you be punctual? │下了苦功夫,~有办不成的事？Xiàle kǔ gōngfu, ~ yǒu bàn bù chéng de shì? As long as you make painstaking efforts, is there anything that can't be achieved? ❽〈副 adv.〉仅,

只 only: ~有三分钟，比赛就要结束了。~ yǒu sān fēn zhōng, bǐsài jiù yào jiéshù le. There is only three minutes left in the game. | 他上大学，~不到16岁。Tā shàng dàxué, ~ bú dào shíliù suì. He was barely 16 when he went to college.

☞ huán, p. 453

¹ **还是** háishi ❶〈副 adv.〉表示现象或动作仍在继续 still; all the same; still in existence or progress: 暴风雨过后，那丛翠竹~那么挺拔! Bàofēngyǔ guò hòu, nà cóng cuìzhú ~ nàme tǐngbá! The cluster of green bamboo still stands upright into the sky after the thunderstorm. | 都跑了半个钟头了，他~不休息。Dōu pǎole bàn gè zhōngtóu le, tā ~ bù xiūxi. Having run for half an hour, he still didn't stop to take a rest. ❷〈副 adv.〉比较好 preferably; had better: 你手艺高，~你来做吧! Nǐ shǒuyì gāo, ~ nǐ lái zuò ba! You are highly skillful; so you are a better candidate for this job. | ~坐地铁吧，省些时间。~ zuò dìtiě ba, shěng xiē shíjiān. We'd better go by underground so as to save some time. ❸〈连 conj.〉或者 or: 他去上海~你去，还没定。Tā qù Shànghǎi ~ nǐ qù, hái méi dìng. It has not been decided whether he or you shall go to Shanghai. | 不管刮风~下雨，他都准时上班。Bùguǎn guāfēng ~ xiàyǔ, tā dōu zhǔnshí shàngbān. No matter whether it's windy or rainy, he goes to work on time.

¹ **孩子** háizi ❶〈名 n.〉（个 gè）儿童 child: 这~真活泼! Zhè ~ zhēn huópo! The child is so lively! | 他还是个~呢，多玩儿玩儿好。Tā hái shì gè ~ ne, duō wánrwánr hǎo. He is still a child. Spend more time playing will do him good. | 你已经不是小~了，该帮妈妈干点活儿。Nǐ yǐjīng bú shì xiǎo ~ le, gāi bāng māma gàn diǎn huór. You are no longer a little child. You should help mom with the housework. ❷〈名 n.〉子女 son or daughter; children: 你家的~，真有出息! Nǐ jiā de ~, zhēn yǒu chūxi! Your children are so promising. | 她的~都大学毕业了。Tā de ~ dōu dàxué bìyè le. Her child has already graduated from college.

¹ **海** hǎi ❶〈名 n.〉（片 piàn）大洋靠近陆地的水域 sea; the great body of water that covers between the ocean and the land: 东~ Dōng~ the East China Sea | 黄~ Huáng~ the Yellow Sea | ~鸟 ~niǎo sea birds | ~滩 ~tān sea beach; beach | ~浪 ~làng wave | ~湾 ~wān bay; gulf | ~阔天空 ~kuò-tiānkōng as boundless as the sea and the sky; unrestrained and far-ranging | ~市蜃楼 ~shì-shènlóu mirage; illusion | ~底捞针（比喻极难找到）~ dǐ-lāozhēn（bǐyù jí nán zhǎodào）fish for a needle in the ocean（fig. the extreme difficulty in finding sth.）| 排山倒~（形容气势大）páishān-dǎo~（xíngróng qìshì dà） topple the mountains and overturn the seas（great in momentum and irresistible）| 五湖四~（指全国各地）wǔhú-sì~（zhǐ quánguó gèdì）all corners of the land（i.e., all corners of the country）| ~内存知己，天涯若比邻。~nèi cún zhījǐ, tiānyá ruò bǐlín. A bosom friend afar brings a distant land near. / If in this world an understanding friend survives, then the ends of the earth seem like next door. ❷〈名 n.〉某些大湖或人工湖也称海 some big lakes or man-made lakes: 中南~ Zhōngnán~ Zhongnanhai Lake | 什刹~ Shíchà~ Shichahai Lake | 洱~ Ěr~ Erhai Lake ❸〈名 n.〉称量多面广的事物 a great number of people or things coming together; a great many: 林~ lín~ a vast stretch of forest | 云~ yún~ a sea of clouds | 火~ huǒ~ a sea of fire | 血~深仇 xuè~-shēnchóu a huge debt of blood; intense and deep-seated hatred ❹〈形 adj.〉对事物的夸张说法 extra large, an exaggerated expression: ~碗 ~wǎn extra-big bowl | ~口 ~kǒu bragging; boasting | ~量 ~liàng magnanimity; great capacity for liquor ❺〈形 adj. 方 dial.〉极多 overabundant; excessive: 农贸市场的瓜果~了去了! Nóngmào shìchǎng de guāguǒ ~le qù le! The fruits in the agricultural produce market are

numerous! ｜他用专利技术赚的钱, ~了! *Tā yòng zhuānlì jìshù zhuàn de qián, ~ le!* He made so much money with his patented technology! ❻ 〈副 *adv.* 方 *dial.*〉漫无边际 at random; aimlessly: ~聊 *~liáo* have a rambling chat ｜ ~侃 *~kǎn* chatter; twaddle ｜他到超市买扣子, ~找了一通. *Tā dào chāoshì mǎi niǔkòu, ~ zhǎole yítòng.* He went to the supermarket where he searched high and low for some buttons. ❼ 〈副 *adv.* 方 *dial.*〉毫无节制 without any constraint: ~吃~喝 *~chī~~hē* eat and drink to one's heart's content

⁴ **海岸** hǎi'àn 〈名 *n.*〉海洋边缘的陆地 coast; the land on the edge of the sea: ~线 *~xiàn* coastline ｜远远望去, 那~上耸立着一座高高的灯塔. *Yuǎnyuǎn wàng qù, nà ~ shang sǒnglìzhe yí zuò gāogāo de dēngtǎ.* A lighthouse that can be seen from afar is towering on the seashore. ｜我们沿着~修了高速公路. *Wǒmen yánzhe ~ xiūle gāosù gōnglù.* We built an expressway along the seashore.

³ **海拔** hǎibá 〈名 *n.*〉以平均海平面做标准的高度 elevation; altitude; the height above sea level: 这座城市在海边, 才5米. *Zhè zuò chéngshì zài hǎibiān, ~ cái wǔ mǐ.* Situated by the sea, the city has an elevation of only five meters. ｜珠穆朗玛峰~8844.43米, 是世界最高峰. *Zhūmùlǎngmǎ Fēng ~ bā bā sì diǎn sì sān mǐ, shì shìjiè zuì gāofēng.* Mount Qomolangma is the highest mountain in the world with an altitude of 8844.43 meters.

⁴ **海滨** hǎibīn 〈名 *n.*〉海边; 沿海地带 seashore; seaside; littoral area: ~公园 *~gōngyuán* seashore park ｜ ~沙滩 *~shātān* sand beach ｜ ~浴场 *~yùchǎng* bathing beach ｜ ~疗养院 *~liáoyǎngyuàn* seaside sanitarium ｜ ~城市 *~chéngshì* seaside city ｜傍晚时分, 我常在~散步. *Bàngwǎn shífēn, wǒ cháng zài ~ sànbù.* I often take a walk along the seashore at dusk.

⁴ **海港** hǎigǎng 〈名 *n.*〉(座 zuò、个 gè)沿海供停泊船只的港口 seaport; harbor: 我国有许多优良的深水~. *Wǒ guó yǒu xǔduō yōuliáng de shēnshuǐ ~.* Our country boasts many excellent deepwater harbors. ｜这个~的船只进进出出, 汽笛声不断. *Zhège ~ de chuánzhī jìnjìn-chūchū, qìdí shēng bú duàn.* The ships are sailing in and out of the seaport with unceasing sound of whistles.

² **海关** hǎiguān 〈名 *n.*〉对出入国境的商品和物品进行监督、检查并照章征收关税的国家机关 customs; a state organ which supervises, inspects and levies tariffs over imported and exported goods: ~人员 *~rényuán* customs staff ｜ ~税则 *~shuìzé* customs tariff ｜进出~的商品都要如实申报. *Jìnchū ~ de shāngpǐn dōu yào rúshí shēnbào.* All the goods through customs must be declared truthfully.

³ **海军** hǎijūn 〈名 *n.*〉(支 zhī)在海上作战的军队 navy: ~战士 *~zhànshì* navy soldiers ｜ ~装备 *~zhuāngbèi* naval equipment ｜ ~的帽子有两条飘带, 真好看. *~ de màozi yǒu liǎng tiáo piāodài, zhēn hǎokàn.* The navy cap looks so nice with its two flowing ribbons. ｜保家卫国一定要有强大的~. *Bǎojiā-wèiguó yídìng yào yǒu qiángdà de ~.* A powerful navy is necessary for national defence.

³ **海面** hǎimiàn 〈名 *n.*〉海水的表面 sea surface: 今天早晨, ~上风平浪静. *Jīntiān zǎochén, ~ shang fēngpíng-làngjìng.* The sea is calm this morning. ｜一轮红日从~冉冉升起. *Yì lún hóng rì cóng ~ rǎnrǎn shēngqǐ.* The red sun slowly rose out of the sea.

⁴ **海外** hǎiwài 〈名 *n.*〉国外 overseas; foreign country: ~同胞 *~tóngbāo* countrymen or compatriots living abroad ｜ ~关系 *~guānxi* relatives residing abroad; overseas connections ｜ ~奇闻 *~qíwén* strange story from over the seas; tall story ｜ ~观光 *~guānguāng* overseas tour ｜如今, 到~旅游的人越来越多. *Rújīn, dào ~ lǚyóu de rén yuèláiyuè duō.* Nowadays, more and more people go abroad for sightseeing. ｜他的女儿

刚从~归来。*Tā de nǚ'ér gāng cóng ~ guīlái.* His daughter has just come back from abroad.

³ **海峡** hǎixiá ❶〈名 n.〉从两块陆地中间穿过的海洋水道 strait; a narrow passage of water between two areas of land：马六甲～ *Mǎliùjiǎ* ~ the Strait of Malacca｜白令～ *Báilíng* ~ the Berring Strait｜我乘坐的商船穿过伊斯坦布尔～，就进入了黑海。*Wǒ chéngzuò de shāngchuán chuānguò Yīsītǎnbù'ěr ~, jiù jìnrù le Hēihǎi.* The merchant ship that I took entered the Black Sea through the Strait of Istanbul. ❷〈名 n.〉特指台湾海峡 referring to the Taiwan Straits in particular：～两岸居住的都是中国人。*~ liǎng'àn jūzhù de dōu shì Zhōngguórén.* The people living on both sides of the Taiwan Straits are all Chinese.

² **海洋** hǎiyáng〈名 n.〉(片 piàn)海和洋的总称 general term for seas and oceans：～生物～ *shēngwù* marine organisms｜～性气候 *~xìng qìhòu* maritime climate｜～考察船～ *kǎochá chuán* oceanographic ship｜～捕捞～ *bǔlāo* sea fishery｜～是生命的摇篮。*~ shì shēngmìng de yáolán.* The sea is the cradle of life.

² **害** hài ❶〈名 n.〉祸害；害处(与'利⒒'益'相对) bane; harm (opposite to '利⒒' or '益 yì')：灾～ *zāi* ~ disaster｜病～ *bìng* ~ plant disease｜吸烟有~健康。*Xīyān yǒu ~ jiànkāng.* Smoking is harmful to your health.｜那天出动了小型飞机撒药，减轻了虫～。*Nàtiān chūdòngle xiǎoxíng fēijī sǎ yào, jiǎnqīngle chóng ~.* On that day a small plane was employed to spray pesticide, which helped alleviate the insect problems.｜乱扔不能自然分解的塑料袋，会造成公～。*Luàn rēng bù néng zìrán fēnjiě de sùliàodài, huì zàochéng gōng ~.* Littered plastic bags that cannot be degraded naturally will cause public hazard. ❷〈动 v.〉使之受到损害 do harm to; cause harm to：～人 *~rén* do harm to people｜～己 *~jǐ* do harm to oneself｜～国家 *~guójiā* do harm to the country｜～群之马 *~qúnzhīmǎ* evil horse that causes harm to the herd; a black sheep｜他酒后开车，撞到路边一棵树上，～得后来的车也开不过去了。*Tā jiǔ hòu kāichē, zhuàngdào lùbiān yì kē shù shang, ~ de hòulái de chē yě kāi bú guòqù le.* He drove drunk and his car crashed into a tree along the roadside, making it impossible for the cars behind him to move ahead.｜乱扔口香糖，把清洁工～苦了。*Luàn rēng kǒuxiāngtáng, bǎ qīngjiégōng ~kǔ le.* Littered chewing gum causes great trouble to the street cleaner. ❸〈动 v.〉杀害 kill; murder：遇～ *yù* ~ be murdered｜～死 *~sǐ* kill｜在一个小岛上，有个女招待被人谋～了。*Zài yí gè xiǎo dǎo shang, yǒu gè nǚ zhāodài bèi rén móu~ le.* A waitress was murdered on a small island.｜那个丧心病狂的家伙，竟然杀～了他的妹夫。*Nàge sàngxīn-bìngkuáng de jiāhuo, jìngrán shā~ le tā de mèifu.* The deranged guy even killed his younger sister's husband. ❹〈动 v.〉患病 fall ill：他吃了苍蝇叮过的蛋糕，～上了肠炎。*Tā chīle cāngying dīngguo de dàngāo, ~shàngle chángyán.* He got enteritis after eating a cake contaminated by flies.｜他的眼睛～病，有几个月了。*Tā de yǎnjing ~bìng, yǒu jǐ gè yuè le.* He has had eye trouble for several months. ❺〈动 v.〉情绪不安 feel ashamed, afraid, etc.; be uneasy：～臊 *~sào* be ashamed｜这小姑娘见了生人就～羞。*Zhè xiǎo gūniang jiànle shēngrén jiù ~xiū.* The little girl tends to be shy in the presence of strangers. ❻〈形 adj.〉有害的 (与'益'相对) harmful; injurious (opposite to '益 yì')：～虫 *~chóng* injurious insect; pest｜～鸟 *~niǎo* harmful bird.

³ **害虫** hàichóng〈名 n.〉(条 tiáo、个 gè、只 zhī、群 qún)对人有害的昆虫(与'益虫'相对) harmful insect (opposite to '益虫 yìchóng')：扑灭～ *pūmiè* ~ eradicate harmful insects｜消灭～ *xiāomiè* ~ exterminate harmful insects｜清除～ *qīngchú* ~ eliminate pests｜杀死～ *shāsǐ* ~ kill pests｜蚊子这～，吸人血，还传染疾病。*Wénzi zhè ~, xī rén xiě, hái*

chuánrǎn jíbìng. Mosquitoes are harmful insects, not only sucking human blood, but also carrying infectious diseases.

² **害处** hàichu 〈名 n.〉对人或事物不利的因素；坏处（与 '益处' 相对）unfavorable factors; disadvantage（opposite to '益处 yìchù'）：抽烟对人体有~。*Chōuyān duì réntǐ yǒu ~.* Smoking is harmful to health. ｜不讲卫生，~很多。*Bù jiǎng wèishēng，~ hěn duō.* Paying no attention to hygiene will cause a lot of harm.

² **害怕** hài∥pà 〈动 v.〉遇到困难或危险而发慌、不安或恐惧 feel afraid, uneasy or panic in the face of difficulties or dangers; be scared：在悬崖边上走，他~掉下去。*Zài xuányá biān shang zǒu，tā ~ diào xiàqu.* While walking along the edge of the cliff, he was afraid of falling down. ｜老师一批评，他就害了怕。*Lǎoshī yì pīpíng，tā jiù hàile pà.* Whenever the teacher criticizes him, he will panic.

⁴ **害羞** hài∥xiū 〈动 v.〉因胆怯、怕见生人或做错了事而怕人耻笑，心生不安；难为情 be bashful; be shy; feel uneasy out of timidity, shyness or fear of being laughed at for one's mistake：新娘子挺~，咬着小手绢ｎ不说话。*Xīnniángzi tǐng ~，yǎozhe xiǎo shǒujuànｎ bù shuōhuà.* The bride seemed very shy; she only bit at the small handkerchief without saying a word. ｜只要提起他女朋友，他就害起羞来。*Zhǐyào tí qǐ tā nǚ péngyou，tā jiù hài qǐ xiū lái.* He will appear very sheepish whenever his girlfriend is mentioned.

² **含** hán ❶〈动 v.〉东西放在嘴里，不吞也不吐 keep sth. in the mouth (neither swallowing nor spitting out)：~着糖块说话，不利落。*~zhe tángkuài shuōhuà，bú lìluò.* You cannot speak clearly with a candy in your mouth. ｜她心疼女儿，托在掌心怕摔了，~在嘴里怕化了。*Tā xīnténg nǚ'ér，tuō zài zhǎngxīn pà shuāi le，~ zài zuǐ li pà huà le.* She showers her daughter with excessive care, treating her like a gem in hand or a candy in mouth (for fear that the gem may drop or the candy may melt). ❷〈动 v.〉包藏、包容 contain; store：~水分 *~shuǐfèn* contain water ｜~碘 *~ diǎn* contain iodin ｜~维生素 *~ wéishēngsù* contain vitamin ｜~苞欲放 *~bāo-yùfàng* (of a bud) ready to burst; (of a girl) in early puberty ❸〈动 v.〉带有某种情感 have a certain feeling; nurse; harbor：~笑 *~xiào* have a smile on one's face ｜~悲 *~bēi* nurse a grievance ｜~羞 *~xiū* with a shy look; bashfully ｜~怒 *~nù* in anger ｜~恨 *~hèn* nurse one's hatred ｜~情脉脉 *~qíng-mòmò* (of eyes) exude tenderness and love ｜她~着激动的泪花走上领奖台。*Tā ~zhe jīdòng de lèihuā zǒushàng lǐngjiǎngtái.* Overcome by her emotion, she stepped onto the rostrum with tears in her eyes.

³ **含糊** hánhu ❶〈形 adj.〉不明确；不清晰 ambiguous; vague：~不清 *~ bù qīng* be ambiguous and vague ｜他说话挺~的，搞不清楚他到底要干什么。*Tā shuōhuà tǐng ~ de，gǎo bù qīngchu tā dàodǐ yào gàn shénme.* He speaks so ambiguously that nobody can figure out what he intends to do. ❷〈形 adj.〉不认真；马虎 careless; perfunctory：统计数字不能~！*Tǒngjì shùzì bù néng ~！* The statistic figures should be added up with extreme care. ｜办这种事~不得！*Bàn zhè zhǒng shì ~bùdé！* We must handle the matter with meticulous care. ❸〈动 v.〉畏惧；示弱（多用于否定）(mostly used in the negative) fear; show weakness：在学习上，她决不~。*Zài xuéxí shang，tā juébù ~.* She is by no means willing to lag behind the others in study. ｜他是个敢作敢为的人，面对艰险从不~。*Tā shì gè gǎnzuò-gǎnwéi de rén，miànduì jiānxiǎn cóng bù ~.* Being brave and responsible, he fears no hardships and dangers.

³ **含量** hánliàng 〈名 n.〉在一种物质中包含某种成分的数量 content; the amount of a certain ingredient contained in a substance：这矿石里的黄金~很高。*Zhè kuàngshí li de huángjīn ~ hěn gāo.* The gold content in the ore is very high. ｜只有测定了营养成分

的~，才能确定某食物的营养价值有多高。*Zhǐyǒu cèdìngle yíngyǎng chéngfèn de ~, cái néng quèdìng mǒu shíwù de yíngyǎng jiàzhí yǒu duō gāo.* The nutritive value of a certain food can only be determined after the content of nutrition is measured.

⁴ **含义** hányì 〈名 *n.*〉(个gè、层 céng)词语等所包含的意思，也作 '涵义' implication; meaning, also '涵义hányì'：他说的话，~很深，值得琢磨。*Tā shuō de huà, ~ hěn shēn, zhíde zuómo.* What he said has profound implications and needs to be pondered over. ｜你知道他摇头的~吗？*Nǐ zhīdào tā yáotóu de ~ ma?* Do you know what he meant by shaking his head? ｜艺术节的这个吉祥物的~可丰富啦！*Yìshùjié de zhège jíxiángwù de ~ kě fēngfù la!* The mascot of the art festival is quite rich in meaning.

⁴ **含有** hányǒu 〈动 *v.*〉里面具有 contain：这水果~多种维生素。*Zhè shuǐguǒ ~ duō zhǒng wéishēngsù.* This fruit contains many kinds of vitamins. ｜他说的话~夸你的意思！*Tā shuō de huà ~ kuā nǐ de yìsi!* He meant to praise you by what he said.

⁴ **函授** hánshòu 〈名 *n.*〉采用以通信方式为主的教学 teaching mainly through correspondence：市里办了所金融~大学。*Shì li bànle suǒ jīnróng ~ dàxué.* The city established a financial correspondence college. ｜地下班后还要参加一班学习。*Tā xiàbān hòu háiyào cānjiā yì bān xuéxí.* She attends a correspondence course after work.

⁴ **涵义** hányì 〈名 *n.*〉同 '含义' same as '含义hányì'

⁴ **寒** hán ❶〈形 *adj.*〉冷 cold：~天 ~tiān cold weather ｜~潮 ~cháo cold wave ｜~冬腊月 ~dōng làyuè severe winter ｜他说的恐怖故事，使人不~而栗。*Tā shuō de kǒngbù gùshì, shǐ rén bù~érlì.* The horror stories he told made people tremble in fear. ❷〈形 *adj.*〉微贱 poor and humble：他出身~门。*Tā chūshēn ~mén.* He was born in a poor and humble family. ❸〈形 *adj.*〉贫困 poor; needy：家境贫~ jiājìng pín~ poverty-stricken family ❹〈动 *v.*〉失望 be disappointed：心~ xīn ~ be bitterly disappointed ｜心~ xīn ~ be disillusioned; be fearful ❺〈动 *v.*〉害怕 fear; be afraid：胆~ dǎn ~ be terrified; be struck with terror ❻〈名 *n.*〉冬季（与'暑'相对）winter（opposite to '暑shǔ'）：~来暑往 ~lái shǔwǎng as summer goes and winter comes; as time passes ❼〈名 *n.*〉在中医里特指一种使人致病的因素 a cold factor that leads to a disease in Chinese traditional medicine：受~ shòu~ catch a cold ｜~症 ~zhèng symptoms caused by cold factors ｜他胃~，吃不得生冷东西。*Tā wèi ~, chī bù de shēnglěng dōngxi.* Having cold syndromes in the stomach, he cannot eat raw and cold food.

¹ **寒假** hánjià 〈名 *n.*〉学校在冬季放的假 winter vacation：放~了，我要去泰国旅游。*Fàng ~ le, wǒ yào qù Tàiguó lǚyóu.* I will travel to Thailand during the winter vacation. ｜~里，他老去图书馆。*~ li, tā lǎo qù túshūguǎn.* He often went to the library during the winter vacation.

² **寒冷** hánlěng 〈形 *adj.*〉冷 cold：那是个~的地方，要多带些衣服去。*Nà shì gè ~ de dìfang, yào duō dài xiē yīfu qù.* It's cold there, so you'd better take more clothes. ｜在那个~的冬天，他来到了香港。*Zài nàge ~ de dōngtiān, tā láidàole Xiānggǎng.* He came to Hong Kong in that cold winter.

⁴ **寒暄** hánxuān 〈动 *v.*〉见面时说些无关痛痒的应酬话（如说说天气如何一类的话）exchange conventional greetings (e.g., comments on weather)：他们先~了几句才转入谈正题。*Tāmen xiān ~le jǐ jù cái zhuǎnrù tán zhèngtí.* They exchanged a few words of greeting before getting down to business. ｜他俩~了一会儿就分手了。*Tā liǎ ~le yíhuìr jiù fēnshǒu le.* They parted after exchanging a few words of greeting.

⁴ **罕见** hǎnjiàn 〈形 *adj.*〉很少见到；难得遇上 rare; seldom seen or met：这样的彩塑，~！*Zhèyàng de cǎisù, ~!* This kind of painted sculpture is rarely seen. ｜这么古老的灯台

太～了！*Zhème gǔlǎo de dēngtái tài ~ le!* One rarely comes upon such antique lampstand.

¹ **喊** hǎn ❶〈动 v.〉大声地叫 shout; cry out：在游行队伍里，他领着大家～口号。*Zài yóuxíng duìwu li, tā lǐngzhe dàjiā ~ kǒuhào.* He led people to shout slogans in the procession. | 每天清晨，他都要到公园尽兴地～几声，清清嗓门。*Měitiān qīngchén, tā dōu yào dào gōngyuán jìnxìng de ~ jǐ shēng, qīngqīng sǎngmén.* Every morning, he goes to the park to clear his throat by shouting to his heart's content. ❷〈动 v.〉招呼 call (a person)：你去～他过来一下。*Nǐ qù ~ tā guòlái yíxià.* Go and call him to me. | 在山路上，他～他妻子快跟上。*Zài shānlù shang, tā ~ tā qīzi kuài gēn shang.* On the mountain path, he called his wife to hurry up and follow closely after him. ❸〈动 v. 方dial.〉称呼 call; address：一见面，她就热情地～我叔叔。*Yí jiànmiàn, tā jiù rèqíng de ~ wǒ shūshu.* When we met, she addressed me cordially as 'uncle'. | 他～我老师，因为我曾教过他书法。*Tā ~ wǒ lǎoshī, yīnwèi wǒ céng jiāoguo tā shūfǎ.* He addressed me as 'teacher' because I used to teach him calligraphy.

³ **喊叫** hǎnjiào〈动 v.〉高声大叫 shout; cry out：一只蝙蝠突然从山洞飞出来，吓得她～起来。*Yì zhī biānfú tūrán cóng shāndòng fēi chūlái, xià de tā ~ qǐlái.* She was so scared by a bat suddenly flying out of the cave that she let out a cry. | 球迷们～着：'加油！加油！'*Qiúmímen ~zhe: 'jiāyóu! jiāyóu!'* The ball fans shouted 'Go! Go! Go!'.

⁴ **汉奸** hànjiān〈名 n.〉(个gè)原指汉族的败类，后泛指中华民族中出卖国家民族利益的败类 orig. a traitor to the Han people; later used to refer to Chinese who betrayed the interest of the Chinese nation：人们都骂他是个～。*Rénmen dōu mà tā shì gè ~.* People branded him as a traitor to China.

⁴ **汉学** Hànxué ❶〈名 n.〉对研究中国古代经、史、名物、训诂、考据等学问的称谓 study of Chinese classics, including Confucian classics, history, naming and description of objects, explanations of words in ancient books and textual research：汉代以来，很多人从事～研究。*Hàndài yǐlái, hěnduō rén cóngshì ~ yánjiū.* Many people have pursued the study of Chinese classics since the Han Dynasty. ❷〈名 n.〉外国人对研究中国文化、历史、语言、文学等学问的称谓 Sinology; study outside China of Chinese culture, history, language, literature, etc.：西欧有不少～家。*Xī'ōu yǒu bùshǎo ~jiā.* There are many Sinologists in Western Europe.

¹ **汉语** Hànyǔ〈名 n.〉汉族的语言 the Han Chinese language; Chinese：～是世界上使用人数最多的语言。*~ shì shìjiè shang shǐyòng rénshù zuì duō de yǔyán.* Chinese is spoken by more people than any other language in the world. | 如今许多外国人学习～，为了便于同中国人打交道。*Rújīn xǔduō wàiguórén xuéxí ~, wèile biànyú tóng Zhōngguórén dǎ jiāodào.* Nowadays, many foreigners study Chinese so as to facilitate their contact that Chinese people.

¹ **汉字** Hànzì〈名 n.〉(个gè)记录汉语的文字 Chinese character：甲骨文是古老的～。*Jiǎgǔwén shì gǔlǎo de ~.* Jiaguwen, the inscriptions on oracle bones or tortoise shells, are acient Chinese characters. | ～中有好多形声字，便于学认。*~ zhōng yǒu hǎoduō xíngshēngzì, biànyú xué rèn.* There are many pictophonetic characters in Chinese that can be easily learned and recognized.

² **汗** hàn〈名 n.〉(滴dī)从人或某些动物的汗腺中分泌出来的液体 sweat; perspiration：～毛孔 ~máokǒng pore | ～衫 ~shān undershirt; shirt | ～流浃背 ~liú-jiābèi sweat streaming down and drenching one's back | 大～淋漓 dà~-línlí soaked with sweat | 他不辞辛劳，为办好企业立下了～马功劳。*Tā bùcí xīnláo, wèi bànhǎo qǐyè lìxiàle ~mǎ-*

gōngláo. He spared no effort in his work and made great contributions to the successful operation of the enterprise.

³ **旱** hàn ❶〈形 adj.〉无雨雪而缺少水分（与‘涝’相对）dry spell; drought（opposite to '涝lào'）：天~ tiān ~ drought｜这里都~两个月了，田土龟裂，庄稼发蔫。*Zhèli dōu ~ liǎng gè yuè le, tiántǔ guīliè, zhuāngjia fāniān.* A drought hit this area two months ago; the land is cracked and the crops are withered. ❷〈形 adj.〉无水的；不用水的 anhydrous：~地 ~dì dry land｜~船 ~chuán boat-shaped waterside house in a garden; land boat, a model boat used as a stage prop in some folk dances｜~烟 ~yān tobacco（smoked in a long-stemmed Chinese pipe）｜~伞 ~sǎn parasol ❸〈名 n.〉指旱灾 drought：抗~ kàng~ combat a drought

⁴ **旱灾** hànzāi〈名 n.〉因天旱而形成的灾害 drought：今年这里发生~，收成大受影响。*Jīnnián zhèlǐ fāshēng ~, shōuchéng dà shòu yǐngxiǎng.* This year the drought here greatly affected the harvest.｜修了大水渠，这里的~轻多了。*Xiūle dà shuǐqú, zhèlǐ de qīngduō le.* The drought is greatly relieved after the construction of the big aqueduct.

² **捍卫** hànwèi〈动 v.〉保卫 defend; protect：~领空 ~lǐngkōng defend territorial sky｜~人权 ~rénquán protect human rights｜他为~国家财产，不畏强暴。*Tā wèi ~ guójiā cáichǎn, bú wèi qiángbào.* He tried to protect national properties in defiance of brutal force.

² **焊** hàn〈动 v.〉用熔化的金属连接或修补 weld; solder：电~ diàn~ electric welding｜气~ qì~ gas welding｜~工 ~gōng welder｜他在~接无缝钢管。*Tā zài ~jiē wúfèng gāngguǎn.* He is welding the seamless steel tube.｜铁锅出了个小孔，他给~好了。*Tiěguō chūle gè xiǎo kǒng, tā gěi ~hǎo le.* He welded a hole that wore through the iron pot.

² **行** háng ❶〈名 n.〉列成的横或竖排 row; line：直~ zhí ~ horizontal line｜竖~ shù ~ vertical line｜~距 ~jù row spacing｜请大家排成两~。*Qǐng dàjiā páichéng liǎng ~.* Please stand in two lines.｜这柳树栽得很整齐，横竖成~。*Zhè liǔshù zāi de hěn zhěngqí, héng shù chéng ~.* The willows are planted in orderly rows. ❷〈名 n.〉行业 trade; profession：内~ nèi~ expert｜外~ wài~ layman｜她干一~爱一~。*Tā gàn yì ~ ài yì ~.* She loves whatever jobs she takes.｜他精通业务，是个~家里手。*Tā jīngtōng yèwù, shì gè ~jiā lǐshǒu.* He is an expert in his field of business. ❸〈名 n.〉所处的位置；排行 position; rank：他排~第二。*Tā pái~ dì-èr.* He is the second child among his siblings.｜这家店的营业额，在排~榜上列第五。*Zhè jiā diàn de yíngyè'é, zài pái~bǎng shang liè dì-wǔ.* The turnover of this store ranked fifth on the list. ❹〈名 n.〉某些营业机构 business establishment：商~ shāng~ trading company｜银~ yín~ bank ❺〈量 meas.〉用于成排成列的计量单位 used to refer to anything that forms a line：唐代律诗为八~。*Tángdài lùshī wéi bā ~.* Lushi, a classical poem of the Tang Dynasty, has eight lines.｜他写了三~字。*Tā xiěle sān ~ zì.* He wrote three lines of words.

　　☞ xíng, p. 1102

³ **行列** hángliè〈名 n.〉人或物排成行的总称 ranks; horizontal lines of people or things：跨进~ kuàjìn ~ step into ranks｜先进~ xiānjìn ~ advanced ranks｜他站在连队~的最前面。*Tā zhàn zài liánduì ~ de zuì qiánmiàn.* He stands at the front of his company's ranks.｜我们厂生产的空调机已进入国际知名产品的~。*Wǒmen chǎng shēngchǎn de kōngtiáojī yǐ jìnrù guójì zhīmíng chǎnpǐn de ~.* The air-conditioners made in our factory have entered the ranks of internationally famous brand names.

³ **行业** hángyè〈名 n.〉（个 gè、种 zhǒng）工商业中的类别，泛指职业 categories of industry and commerce;（in a broad sense）trade; profession; industry：食品~ shípǐn ~

food industry｜机电~ *jīdiàn* ~ electromechanical industry｜服务~ *fúwù* ~ service trades｜~不同，规矩有别。~ *bùtóng, guījǔ yǒu bié.* Rules and regulations differ for different trades.｜参与市场竞争，就要加强~自身的管理。*Chānyù shìchǎng jìngzhēng, jiù yào jiāqiáng ~ zìshēn de guǎnlǐ.* The industry has to strengthen its internal management in order to compete in the market.

⁴ **航班** hángbān 〈名 *n.*〉(个 *gè*、趟 *tàng*) 客机或客轮的班次，也指某一次客机或客轮 flight or voyage number; passenger plane or liner of a scheduled number：国际~ *guójì* ~ international flight｜国内~ *guónèi* ~ domestic flight｜上一个~ *shàng yí gè* ~ previous flight｜我乘中国民航的国际~去纽约。*Wǒ chéng Zhōngguó Mínháng de guójì ~ qù Niǔyuē.* I will go to New York by CAAC's international flight.｜北京到上海的~，一天有几趟？*Běijīng dào Shànghǎi de ~, yì tiān yǒu jǐ tàng?* How many flights are there from Beijing to Shanghai every day?｜汉莎航空公司的~上午10点钟进港。*Hànshā Hángkōng Gōngsī de ~ shàngwǔ shí diǎn zhōng jìn gǎng.* The flight of Lufthansa Airlines will be due at 10 a.m.

⁴ **航道** hángdào ❶〈名 *n.*〉(条 tiáo) 供船舶安全行驶的通道 searoute; channel; passage：主~ *zhǔ* ~ main channel｜国际~ *guójì* ~ international sealane｜疏通~ *shūtōng* ~ dredge a channel｜我们又开辟了一条新~。*Wǒmen yòu kāipìle yì tiáo xīn ~.* We have opened one more new route. ❷〈名 *n.*〉比喻前进的方向和道路 *fig.* direction and course of progress：我们高兴地看到，坚冰已经打破，~已经开通。*Wǒmen gāoxìng de kàn dào, jiānbīng yǐjīng dǎpò, ~ yǐjīng kāitōng.* We are glad to see that the ice has been broken and the route has been opened.

⁴ **航海** hánghǎi ❶〈名 *n.*〉与海上的航行有关的 navigation：旅游~ *lǚyóu* nautical tour｜~事业 ~ *shìyè* cause of navigation｜~日记 ~ *rìjì* logbook｜他是一位~家，一年里有10个月在海上。*Tā shì yí wèi ~ jiā, yì nián li yǒu shí gè yuè zài hǎishàng.* He is a navigator who spends ten months a year on the sea. ❷〈动 *v.*〉在大海中航行 navigate：他~半年了。*Tā ~ bàn nián le.* He spent half a year navigating on the sea.

² **航空** hángkōng 〈名 *n.*〉与空中航行或航运有关的 aviation：~公司 ~ *gōngsī* airline company｜~事业 ~ *shìyè* cause of aviation｜~信 ~ *xìn* airmail｜~母舰 ~ *mǔjiàn* aviation carrier｜~保险 ~ *bǎoxiǎn* aviation insurance

⁴ **航天** hángtiān 〈名 *n.*〉与星际飞行有关的 spaceflight; astronautic flight：~飞机 ~ *fēijī* space shuttle｜~技术 ~ *jìshù* space technology｜~事业的发展有助于人类社会的进步。*~ shìyè de fāzhǎn yǒuzhùyú rénlèi shèhuì de jìnbù.* The development of spaceflight is conducive to the advancement of human society.

⁴ **航线** hángxiàn 〈名 *n.*〉(条 tiáo) 船舶或飞机航行的路线 shipping or air line; course; route：北京到巴黎又有了新的空中~。*Běijīng dào Bālí yòu yǒule xīn de kōngzhōng ~.* Another new air line between Beijing and Paris has been opened.｜上海的远洋~增多了。*Shànghǎi de yuǎnyáng ~ zēngduō le.* Shanghai increased its ocean routes.

³ **航行** hángxíng 〈动 *v.*〉船舶在水中或飞机在空中行进 navigate by water or by air：我们在印度洋~了三天。*Wǒmen zài Yìndùyáng ~le sān tiān.* We spent three days sailing in the Indian Ocean.｜在空中~，又快又稳。*Zài kōngzhōng ~, yòu kuài yòu wěn.* Aerial navigation is speedy and steady.

⁴ **航运** hángyùn 〈名 *n.*〉水上运输的统称 generic term for shipping by water：内河~ *nèihé* ~ inland shipping｜远洋~ *yuǎnyáng* ~ oceangoing shipping｜~码头 ~ *mǎtóu* shipping dock｜和公路铁路运输相比，~便宜。*Hé gōnglù tiělù yùnshū xiāngbǐ, ~ piányi.* Compared with road and railway transportation, shipping by water is much

cheaper.

² **毫不** háobù〈副 adv.〉一点也不 not in the least; not at all：～在乎～zàihu can't care less about |～含糊～hánhu be unambiguous |～犹豫～yóuyù without the slightest hesitation |～客气～kèqi not in the least polite | 他考第一，～奇怪 Tā kǎo dì-yī，～qíguài. It's not at all surprising that he came out first in the test.

³ **毫米** háomǐ〈量 meas.〉长度单位，千分之一米 millimeter：这钉子有几～长？Zhè dīngzi yǒu jǐ～cháng? How many millimeters long is this nail?

² **毫无** háowú〈副 adv.〉一点也没有 not in the least：～顾忌～gùjì without a qualm |～道理～dàolǐ utterly unjustifiable | 忙了半天，～进展 Mángle bàntiān，～jìnzhǎn. No progress whatsoever has been made in spite of the long-time work. | 她舞姿不错，可是跳得～激情 Tā wǔzī búcuò，kěshì tiào de～jīqíng. Her manner of dancing is not so bad, but there is a lack of passion in it.

⁴ **豪华** háohuá ❶〈形 adj.〉(生活)非常讲究；奢侈 luxurious; extravagant：花这么多钱摆个宴席，太～了! Huā zhème duō qián bǎi gè yànxí，tài～le! It's too extravagant to spend so much money on a banquet. ❷〈形 adj.〉堂皇;华丽 luxurious; splendid：这家宾馆的摆设真～! Zhè jiā bīnguǎn de bǎishè zhēn～! The furnishings of the hotel are so luxurious! | 那是一辆～型的轿车。Nà shì yí liàng～xíng de jiàochē. That's a luxury car

¹ **好** hǎo ❶〈形 adj.〉优良的；善的；美的；令人满意的（与‘坏’相对）good; fine; satisfactory(opposite to '坏 huài')：～人～rén good person |～事～shì good deed; good turn |～书～shū good book | 这部辞典太～了! Zhè bù cídiǎn tài～le! This dictionary is very good. | 你处处帮助他，～心会有～报的。Nǐ chùchù bāngzhù tā，～xīn huì yǒu～bào de. You always help him and your good intention will be rewarded. ❷〈形 adj.〉友爱；和睦 friendly; kind：友～yǒu～friendly |～和～hé～become reconciled | 相～xiāng～be on intimate terms with | 她跟我姐姐～。Tā gēn wǒ jiějie～. She and my sister are good friends. ❸〈形 adj.〉健康;痊愈 healthy; recovered：他的胃病～了。Tā de wèibìng～le. He recovered from his stomach disease. | 你的身体～多了。Nǐ de shēntǐ～duō le. Your health has improved a great deal. ❹〈形 adj.〉容易（与‘难’相对）easy(opposite to '难 nán')：这事不～办! Zhè shì bù～bàn! It's not easy to do this. | 日子一天比一天～过。Rìzi yì tiān bǐ yì tiān～guò. Life is becoming better and better. ❺〈形 adj.〉完成；成功 ready; finished：你托我办的事已经办～了。Nǐ tuō wǒ bàn de shì yǐjīng bàn～le. I have done what you entrusted me to do. ❻〈形 adj.〉用于征求意见，带商量或不耐烦的意味 used in inquiry, with a hint of suggestion or impatience：咱们打球去，～不～? Zánmen dǎqiú qiù，～bù～? Let's go to play ballgame, shall we? | 你还穿这脏衣服，把它换了～不～? Nǐ hái chuān zhè zāng yīfu，bǎ tā huànle～bú～? You still wear the dirty clothes. How about changing them? ❼〈形 adj.〉用于问候，具关心的意味 pol. showing concern：您～! Nín～! Hello! | 久未晤面，你近日可～? Jiǔ wèi wùmiàn，nǐ jìnrì kě～? I haven't seen you for a long time. How are you doing these days? ❽〈副 adv.〉表示程度深、数量多、时间长等 indicating a high degree, a large quantity, or a lengthy time span：～大～dà so big |～多～duō so many |～久～jiǔ so long | 等的时间长了，她～不耐烦。Děng de shíjiān cháng le，tā～bú nàifán. She waited so long that she became very impatient. ❾〈副 adv.〉表示效果不错 indicating desirable effect：～看～kàn good looking |～听～tīng pleasant to hear |～吃～chī tasty; delicious |～玩儿～wánr amusing; interesting | 她被人劝了一番，心里～受多了。Tā bèi rén quànle yì fān，xīnli～shòu duō le. She felt much better after being appeased by others. ❿〈副 adv.〉带有责怪的意味 with a hint of disapproval：～个鬼丫头，去逛商场也不叫我！～gè guǐyātou，qù

H

guàng shāngchǎng yě bú jiào wǒ! You are such a sly girl. Why did you go shopping without me? | 瞧，把墙都弄脏了，~个冒失鬼！ *Qiáo, bǎ qiáng dōu nòng zāng le, ~ gè màoshīguǐ*! Look, you madcap stained the wall! ⓫ 〈助 *aux.*〉表示赞赏、同意、不满、结束等语气 indicating admiration, approval, dissatisfaction, completion, etc.：~，你干得真漂亮！，*nǐ gàn de zhēn piàoliang*! Well, you have done an excellent job! | ~，瞧你办的这事！，*qiáo nǐ bàn de zhè shì*! Well, look what you have done! | ~，咱们一块儿上街去。~，*zánmen yíkuàir shàng jiē qiù.* All right, let's go shopping. | ~，今天就说到儿吧。~，*jīntiān jiù shuōdào zhèr ba.* Well, that's all for today. ⓬ 〈连 *conj.*〉用在两个动作间，具有便于的意思 (used between two actions) so that; so as to：咱们把行李存放起来。~去车站附近走走 *Zánmen bǎ xíngli cúnfàng qǐlái, ~ qù chēzhàn fùjìn zǒuzou.* Let's deposit our baggage so that we can take a walk around the station. | 桌子擦干净了~吃饭。*Zhuōzi cā gānjìngle ~ chīfàn.* Wipe the table clean so that we can have our meal.

☞ hào, p. 422

³ **好比** hǎobǐ 〈动 *v.*〉如同；好像 be like; can be compared to：他~兔子，跑得飞快。*Tā ~ tùzi, pǎo de fēikuài.* He runs as fast as a rabbit. | 听说买了新汽车，他心里~灌了蜜。*Tīngshuō mǎile xīn qìchē, tā xīnli ~ guànle mì.* On hearing of the newly purchased car, he felt as if his heart was filled with honey.

¹ **好吃** hǎochī 〈形 *adj.*〉吃起来舒服；口感好 tasty; delicious; nice; palatable：这板栗好剥又~。*Zhè bǎnlì hǎo bāo yòu ~.* These chestnuts peel easily and taste very good. | 这家饭馆做的饺子~。*Zhè jiā fànguǎn zuò de jiǎozi ~.* The dumplings of this restaurant are delicious.

¹ **好处** hǎochu ❶ 〈名 *n.*〉对人或事物有利的方面(与'坏处'相对) benefit; advantage (opposite to '坏处huàichu')：保持心态平衡对健康大有~。*Bǎochí xīntài pínghéng duì jiànkāng dà yǒu ~.* To keep balance in mind offers many health benefits. | 在图书馆复习功课的~是查阅资料方便。*Zài túshūguǎn fùxí gōngkè de ~ shì cháyuè zīliào fāngbiàn.* The advantage of reviewing lessons in the library is the convenience to consult books. ❷ 〈名 *n.*〉泛指物质或精神利益 (in a broad sense) material or spiritual gain; profit：你帮了他，他还能不给你~? *Nǐ bāngle tā, tā hái néng bù gěi nǐ ~?* You have helped him. He will surely do you a good turn. | 你得了人家的~，谁都知道。*Nǐ déle rénjia de ~, shéi dōu zhīdào.* Everyone knows that you have gained something from him.

⁴ **好多** hǎoduō 〈形 *adj.*〉许多 a good many; a lot of：他吃了~香蕉。*Tā chīle ~ xiāngjiāo.* He ate a lot of bananas. | 找他~趟都没找着。*Zhǎo tā ~ tàng dōu méi zhǎozháo.* We have looked for him for quite a few times, but still can't find him. | 这几天，~人去游泳。*Zhè jǐ tiān, ~ rén qù yóuyǒng.* These days a great many people go swimming.

⁴ **好感** hǎogǎn 〈名 *n.*〉喜欢、满意的感受(与'反感'、'恶感'相对) good will; favorable impression (opposite to '反感fǎngǎn' or '恶感ègǎn')：你博得了她的~。*Nǐ bódé le tā de ~.* You have left a good impression on her. | 我对吹吹拍拍的人没有~。*Wǒ duì chuīchuī-pāipāi de rén méiyǒu ~.* I have a low opinion of those who are keen on boasting and toadying.

² **好儿** hǎohāor ❶ 〈形 *adj.*〉情况正常；完好 normal; in good condition：他俩昨天还~的，今天怎么就谁也不理谁啦? *Tā liǎ zuótiān hái ~ de, jīntiān zěnme jiù shéi yě bù lǐ shéi la?* Why do the two of them refuse to talk to each other today? They seemed to get along well yesterday. | 10年前画的那卷画，至今还~的呢。*Shí nián qián huà de nà juǎn huà, zhìjīn hái ~ de ne.* That scroll of painting drawn ten years ago is still intact. ❷ 〈副 *adv.*〉尽心尽力 all out：这文章要~写。*Zhè wénzhāng yào ~ xiě.* The article has to be

composed carefully. | 他的脾气太犟，你跟他~说说。*Tā de píqi tài jiàng, nǐ gēn tā ~ shuōshuo.* He is too stubborn, so you should have a good talk with him.

好坏 hǎohuài 〈名 n.〉好和坏；好的事物和坏的事物 the good and the bad; what's good and what's bad: 不管~，你都得去找她。*Bùguǎn ~, nǐ dōu děi qù zhǎo tā.* Whether it's good or not, you must go and look for her. | 这好比黄瓜打锣，就这一锤子。*Zhè hǎobǐ huángguā dǎ luó, ~ jiù zhè yì chuí le.* It's like using a cucumber to beat the gong — whether it turns out to be good or not depends on this single strike.

好久 hǎojiǔ 〈名 n.〉时间长 a long time: ~不见，您可好？ *~ bú jiàn, nín kě hǎo?* We haven't seen each other for ages. How are you doing? | 我在车站等了她~。*Wǒ zài chēzhàn děngle tā ~.* I waited for her at the station for a long time. | 你~没去香港了吧？*Nǐ ~ méi qù Xiānggǎng le ba?* You haven't been to Hong Kong for a long time, have you?

好看 hǎokàn ❶〈形 adj.〉美观 good-looking; nice: 那衣服的款式真~！*Nà yīfu de kuǎnshì zhēn ~!* The design of that clothes is really nice! | 那姑娘白白净净的，可~了。*Nà gūniang báibái-jìngjìng de, kě ~ le.* That girl is fair-skinned and looks very pretty. ❷〈形 adj.〉体面 honored; proud: 干些好事，脸上也~！*Gàn xiē hǎoshì, liǎn shang yě ~!* Do some good deeds and you'll feel proud of yourself. | 你不争气，叫你妈多不~！*Nǐ bù zhēngqì, jiào nǐ mā duō bù ~!* You didn't make a good showing and dishonored your mother. ❸〈形 adj.〉看得满意；容易看 interesting; readable: 这本小说写的故事曲曲折折，真~！*Zhè běn xiǎoshuō xiě de gùshi qūqū-zhézhé, zhēn ~!* The novel is full of twists and turns; it's really interesting. | 古诗有了译文就~了。*Gǔshī yǒule yìwén jiù ~ le.* The ancient poems are easy to understand if translations are provided. ❹〈形 adj.〉难堪 embarrassing: 你当着这么多人数落我，不是要我~是什么？ *Nǐ dāngzhe zhème duō rén shǔluo wǒ, bú shì yào wǒ ~ shì shénme?* You gave me a public dressing down. If you didn't intend to embarrass me, then what was your intention?

好容易 hǎoróngyì 〈副 adv.〉十分不容易 with great difficulty: 我~在海滩上找到了那位先生。*Wǒ ~ zài hǎitān shang zhǎodàole nà wèi xiānsheng.* I had a hard time finding that gentleman on the beach. | 她一把菜做好了，你怎么不多吃点儿？*Tā ~ bǎ cài zuò hǎo le, nǐ zěnme bù duō chī diǎnr?* She cooked the meal with so much difficulty; why don't you have more? | 我查了许多资料，~才写成这篇短文！*Wǒ chále xǔduō zīliào, ~ cái xiěchéng zhè piān duǎnwén!* I had a really hard time finishing this short essay by consulting a lot of data.

好说 hǎoshuō ❶〈动 v.〉可以商量 that can be settled through discussion; OK: 只要把事办成了，钱多钱少~。*Zhǐyào bǎ shì bànchéng le, qián duō qián shǎo ~.* So long as it can be done, money will not be a problem. | 漏洞堵上了，别的都~。*Lòudòng dǔ shang le, bié de dōu ~.* As long as the holes are blocked, other problems will be easy to deal with. ❷〈动 v.〉在众人夸奖或致谢时表示谦恭的客气话 used as a polite response to compliment or gratitude: ~，你过奖了！ *~, nǐ guòjiǎng le!* It's very kind of you to say so, but I really don't deserve the compliment. | 别客气，~~！ *Bié kèqì, ~ ~!* Don't mention it. It's nothing.

好听 hǎotīng ❶〈形 adj.〉悦耳 pleasant to hear: 她唱得可~了！*Tā chàng de kě ~ le!* She sings very well. | 云雀叫得真~。*Yúnquè jiào de zhēn ~.* The caroling of the skylark is so pleasant to the ear. ❷〈形 adj.〉顺耳 pleasing to hear: 他说得挺~，办起事来可不怎么样。*Tā shuō de tǐng ~, bàn qǐ shì lái kě bù zěnme yàng.* He is a man of words rather than deeds. | 不干实事，光说~的，管什么用！*Bú gàn shíshì, guāng shuō ~ de,* *guàn shénme yòng*! It's absolutely useless to say fine words without doing solid work.

² **好玩**ⅿ **hǎowánⅿ ❶**〈形 *adj.*〉有趣；有意思；挺逗乐 amusing; interesting：这电动小狗真~! *Zhè diàndòng xiǎo gǒu zhēn ~*! The electrical dog is really interesting! **❷**〈形 *adj.*〉不必认真对待的 joking; unworthy of serious consideration：把高压电线弄断了，不是~的。*Bǎ gāoyā diànxiàn nòngduàn le, bú shì ~ de.* It is no joking matter to break the high voltage power line. | 这关系人家家庭和睦的事，不是~的，可别乱掺和。*Zhè guānxi rénjia jiātíng hémù de shì, bú shì ~ de, kě bié luàn chānhuo.* It is no joking matter. Their family harmony is at stake, so you'd better not get yourself involved.

¹ **好像 hǎoxiàng ❶**〈动 *v.*〉仿佛；类似；有如 seem; be like：远远望去，那一只只小帆板一只只蝴蝶在海上飞舞。*Yuǎnyuǎn wàng qù, nà yì zhīzhī xiǎo fānbǎn ~ yì zhīzhī húdié zài hǎi shang fēiwǔ.* Seen from afar, those small sailboards are just like butterflies dancing on the sea. | 那成片的杜鹃花开得那么茂盛，~彩霞落在了山坡上。*Nà chéngpiàn de dùjuānhuā kāi de nàme màoshèng, ~ cǎixiá luò zài le shānpō shang.* Those patches of azalea flowers are in full blossom, covering the hillside like rosy clouds. | 他~喝醉了似的，语无伦次。*Tā ~ hēzuìle shìde, yǔwúlúncì.* He spoke incoherently just like a drunkard. **❷**〈副 *adv.*〉表示不十分确定的判断 indicating uncertain judgement：这孩子~我认得。*Zhè háizi ~ wǒ rènde.* I might have known this child.

² **好些 hǎoxiē**〈形 *adj.*〉许多 many：长城上有~瞭望台。*Chángchéng shang yǒu ~ liàowàngtái.* There are many watchtowers on the Great Wall. | 我一天没看见你了。*Wǒ yì tiān méi kànjiàn nǐ le.* I haven't seen you for many days. | 周末他逛了~商场。*Zhōumò tā guàngle ~ shāngchǎng.* He went shopping in many stores on the weekend.

⁴ **好样的 hǎoyàngde**〈名 *n.*〉指有胆量、有骨气、有志气或有作为的人 great fellow; person of courage, integrity, ambition or action：你敢作敢当，~! *Nǐ gǎnzuò-gǎndāng, ~!* You are bold enough to act and take the consequences. You really have a lot of guts! |~! 你居然赶上去了。*~! nǐ jūrán gǎn shàngqù le.* Great job! You did catch up with the others. | 他真是~，那么难办的事也办成了。*Tā zhēn shì ~, nàme nánbàn de shì yě bànchéng le.* He managed to finish such a difficult job; he's really capable.

⁴ **好在 hǎozài**〈副 *adv.*〉幸亏 fortunately; luckily：~你来了，要不这事就难办了。*~ nǐ lái le, yàobù zhè shì jiù nánbàn le.* Fortunately, you've come here. Otherwise, it would be difficult to do it. |~朋友提前帮买好了车票，否则今年春节我就回不了家了。*~ péngyou tíqián bāng mǎihǎole chēpiào, fǒuzé jīnnián Chūnjié wǒ jiù huí bù liǎo jia le.* Luckily, my friend bought me a ticket in advance. Otherwise I wouldn't have been able to go home this Spring Festival.

⁴ **好转 hǎozhuǎn**〈动 *v.*〉向好的方向转变 take a turn for the better; improve：妈妈的病情大有~。*Māma de bìngqíng dà yǒu ~.* Mother's health has greatly improved. | 我们公司的经济状况大大~了。*Wǒmen gōngsī de jīngjì zhuàngkuàng dàdà ~ le.* The financial situation of our company took a favorable turn.

¹ **号 hào ❶**〈名 *n.*〉名称 name：国~ *guó~* name of a dynasty | 年~ *nián~* title of an emperor's reign **❷**〈名 *n.*〉别名；别号 alias：《红楼梦》的作者曹雪，~雪芹、芹圃、芹溪。*'Hónglóumèng' de zuòzhě Cáo Zhān, ~ Xuěqín, Qínpǔ, Qínxī.* The aliases of Cao Zhan, the author of *A Dream of Red Mansions*, were Xueqin, Qinpu and Qinxi. | 东坡是宋代大文豪苏轼的~。*Dōngpō shì Sòngdài dà wénháo Sū Shì de ~.* Dongpo was the alias of Su Shi, a great literary figure of the Song Dynasty. **❸**〈名 *n.*〉商店 business house：商~ *shāng~* shop; store | 银~ *yín~* banking house | 总~ *zǒng~* general firm | 宝~ *bǎo~* your shop | 只此一家，别无分~。*Zhǐ cǐ yì jiā, bié wú fēn~.* There are no other branches

except this store. ❹(~儿)〈名 n.〉某种人员 person of a given type：病~ *bìng*~ patient｜伤~ *shāng*~（of military personnel）the wounded ❺(~儿)〈名 n.〉标志；信号 mark; signal：记~ *jì*~ mark｜加~ *jiā*~ plus sign｜暗~ *àn*~ secret signal｜符~ *fú*~ symbol｜起跑以鸣枪为~。*Qǐpǎo yǐ míngqiāng wéi ~.* The firing of the starting gun is the signal to start running. ❻(~儿)〈名 n.〉次第；等级 sequence; order：挂~ *guà*~ register（at a hospital）｜编~ *biān*~ serial number｜排~ *pái*~ get a number according to one's place in a queue｜型~ *xíng*~ model｜大~ *dà*~ large size｜小~ *xiǎo*~ small size｜他是公司的头~人物。*Tā shì gōngsī de tóu~ rénwù.* He is the No. 1 guy in the company. ❼〈名 n.〉命令；召唤 order：发~施令 *fā~shīlìng* issue orders｜召~ *zhào*~ call on ❽〈名 n.〉乐队或军队使用的喇叭 any brass wind instrument used in a band or army：小~ *xiǎo*~ trumpet｜圆~ *yuán*~ French horn｜长~ *cháng*~ trombone｜军~ *jūn*~ bugle ❾〈名 n.〉用号吹出的表示某种意义的声音 bugle call：冲锋~ *chōngfēng*~ bugle call to charge｜天末麻亮，起床~就响起来了。*Tiān mámá liàng, qǐchuáng~ jiù xiǎng qǐlái le.* The reveille is sounded as soon as the day breaks. ❿〈名 n.〉阳历一个月里的日子 date of month：十月一~是中华人民共和国国庆节。*Shí yuè yī ~ shì Zhōnghuá Rénmín Gònghéguó Guóqìngjié.* October 1 is the National Day of the People's Republic of China.｜十二月二十五~是圣诞节。*Shí'èr yuè èrshíwǔ ~ shì Shèngdàn Jié.* December 25 is Christmas Day. ⓫〈量 meas.〉用于人数 number of people：昨天去植树的有二十来人。*Zuótiān qù zhíshù de yǒu èrshí lái ~ rén.* Over twenty people went to plant trees yesterday. ⓬〈量 meas.〉用于次序 ordinal number：我坐在10~车厢。*Wǒ zuò zài shí ~ chēxiāng.* I took a seat in No. 10 carriage.｜他住几~楼？*Tā zhù jǐ ~ lóu?* What's the number of the building that he lives in? ⓭〈量 meas.〉种；类（多含贬义）(usu. dero.) kind; type：别跟这~人一般见识。*Bié gēn zhè ~ rén yìbān jiànshi.* Don't bear grudge against people of this sort.｜怎么能干这~缺德事？*Zěnme néng gàn zhè ~ quēdé shì?* How could you play such a mean trick? ⓮〈动 v.〉标上记号 put a mark on; give a number to：明天咱们~房子去！*Míngtiān zánmen ~ fángzi qù!* Let's mark out the houses tomorrow.｜把这批货柜一~一。*Bǎ zhè pī huòguì ~ yí ~.* Mark this batch of counters. ⓯〈动 v.〉用在中医诊断（in the practice of Chinese medicine）diagnose：~脉 *~mài* feel the pulse

⁴ 号称 hàochēng ❶〈动 v.〉以某种名称著 be known as：~才子 *~cáizǐ* be known as a talented scholar｜~神人 *~shénrén* be known as an immortal｜~大力士 *~dàlìshì* be known as a man of extraordinary strength｜前不久，我们来到了'天府之国'的四川。*Qián bùjiǔ, wǒmen láidàole '* tiānfǔzhīguó *' de Sìchuān.* Not long ago, we visited Sichuan, which is known as 'a land of plenty'. ❷〈动 v.〉对外宣称 claim to be：他~'香港首富'，其实并不然。*Tā ~ '* Xiānggǎng shǒufù *', qíshí bìng bùrán.* He claims to be 'the richest man in Hong Kong', but it is not true.

² 号码 hàomǎ〈名 n.〉表明次序的数目字 number indicating the order of sth. in a series：门牌~ *ménpái*~ doorplate number｜电话~ *diànhuà*~ telephone number｜票据~ *piàojù*~ bill number｜我入学的登记~是89号。*Wǒ rùxué de dēngjì ~ shì bāshíjiǔ hào.* My college enrolment number is 89.｜进出库房要登记车的~。*Jìn chū kùfáng yào dēngjì chē de ~.* The license numbers of those vehicles moving in and out of the warehouse must be registered.

² 号召 hàozhào ❶〈动 v.〉召唤（群众一起去做某件事）call; appeal（for the masses to join forces to do sth.）：~改革 *~gǎigé* call for reform｜~开放 *~kāifàng* call for opening up｜政府~大家关注绿化工作。*Zhèngfǔ ~ dàjiā guānzhù lǜhuà gōngzuò.* The

government calls upon its citizens to pay attention to the tree planting effort. | 工厂→职工增产节约. *Gōngchǎng ~ zhígōng zēngchǎn jiéyuē.* The factory calls on its workers to increase production and practise economy. ❷ 〈名 *n.*〉召唤之事 appeal; call: 发出~ *fāchū ~* issue an appeal | 响应~ *xiǎngyìng ~* respond to an appeal | 我们拥护学校的~, 积极参加社会公益活动. *Wǒmen yōnghù xuéxiào de ~, jījí cānjiā shèhuì gōngyì huódòng.* We respond to the school's call by actively participating in activities for the public good.

² **好** hào ❶ 〈动 *v.*〉喜爱(与'恶'相对) like; be fond of (opposite to '恶 wù'): 他从小就~游泳. *Tā cóngxiǎo jiù ~ yóuyǒng.* He has been fond of swimming since early childhood | 我妈是个~管闲事的热心人. *Wǒ mā shì gè ~ guǎn xiánshì de rèxīn rén.* My mother is warm-hearted and likes to mind other's business. ❷ 〈动 *v.*〉易发生 be liable to: 天一冷, 他就~感冒. *Tiān yì lěng, tā jiù ~ gǎnmào.* He is liable to catch cold whenever it becomes cold. | 他脾气不好, 动不动就~生气. *Tā píqi bù hǎo, dòngbúdòng jiù ~ shēngqì.* He is bad-tempered and gets angry easily.
☞ hǎo, p. 417

⁴ **好客** hàokè 〈形 *adj.*〉乐于接待客人;对客人热情 hospitable: 山里人都非常~. *Shān li rén dōu fēicháng ~.* The villagers in the mountain are very hospitable. | 他~是出了名的, 朋友都愿意在他家聚会. *Tā ~ shì chūle míng de, péngyou dōu yuànyì zài tā jiā jùhuì.* He is famous for his hospitality and his friends like to get together in his house.

³ **好奇** hàoqí 〈形 *adj.*〉对不了解的事物非常感兴趣 curious; inquisitive: 这个孩子一进科技馆就非常兴奋, 对什么都~. *Zhège háizi yí jìn kējìguǎn jiù fēicháng xìngfèn, duì shénme dōu ~.* When the child went into the science and technology museum, he got very excited, showing interest in everything he saw. | 对着蚂蚁群, 他~地看了半天. *Duìzhe mǎyǐ qún, tā ~ de kànle bàntiān.* He observed a swarm of ants with curiosity for a long time.

³ **耗** hào 〈动 *v.*〉减损;消耗 consume; cost; lose: ~电 ~ *diàn* consume power | ~水 ~ *shuǐ* consume water | ~时间 ~ *shíjiān* consume time; spend time | 这种汽车性能好, 不太~油. *Zhè zhǒng qìchē xìngnéng hǎo, bú tài ~ yóu.* This kind of car is of high performance and low oil consumption. | 他~尽心血才把这本书写完. *Tā ~jìn xīnxuè cái bǎ zhè běn shū xiěwán.* He threw his heart and soul into finishing this book.

⁴ **耗费** hàofèi 〈动 *v.*〉消耗 consume; expend: 修这条高速公路,~的资金可不少. *Xiū zhè tiáo gāosù gōnglù, ~ de zījīn kě bù shǎo.* A large amount of money has been used to build this expessway. | 他爬上那云雾遮掩的山顶,~了半天时间. *Tā pá shàng nà yúnwù zhēyǎn de shāndǐng, ~le bàn tiān shíjiān.* It took him half a day to climb to the mountaintop shrouded by cloud and mist.

² **浩浩荡荡** hàohào-dàngdàng 〈形 *adj.*〉水势很大, 泛指场面之壮阔 (of water) expansive; (in a broad sense) vast and mighty: 万里长江水,~奔大海. *Wàn lǐ Cháng Jiāng shuǐ, ~ bèn dàhǎi.* The mighty Yangtze River roars into the sea. | 欢度国庆的游行队伍~, 十分壮观. *Huāndù Guóqìng de yóuxíng duìwu ~, shífēn zhuàngguān.* The mighty parade celebrating the National Day took one's breath away.

³ **呵** hē ❶ 〈动 *v.*〉张口呼(气);哈(气);吹(气) breathe out (with the mouth open): 他朝冻得发红的手上直~气. *Tā cháo dòng de fā hóng de shǒu shang zhí ~ qì.* He kept breathing on his hands red with cold. | 魔术家对着小手绢~了一口气, 顿时出现一朵大红花. *Móshùjiā duìzhe xiǎo shǒujuàn ~le yì kǒu qì, dùnshí chūxiàn yì duǒ dà hónghuā.* The magician gave a puff onto the handkerchief and instantly there appeared a big red

flower. ❷〈动 v.〉大声叱责 berate; scold loudly: ~! 你怎么把污水倒在了路上。~! *nǐ zěnme bǎ wūshuǐ dào zài le lù shang.* Ah, how could you pour the dirty water onto the road? | ~! 你怎么这样不爱惜绿地!~! *Nǐ zěnme zhèyàng bú àixī lǜdì!* Ah, how could you spoil the lawn? ❸〈叹 interj.〉表示惊讶 indicating surprise: ~，这头牛长得太壮了! ~, *zhè tóu niú zhǎng de tài zhuàng le!* Aha, what a strong bull it is! | ~! 你是从长江对岸游过来的呀! ~! *Nǐ shì cóng Cháng Jiāng duì'àn yóu guòlái de ya!* Aha, you swam from the other side of the Yangtze River! ❹〈拟声 onom.〉笑声 laughter: 他见人总是笑~~的。 *Tā jiàn rén zǒngshì xiào~~de.* He always meets everyone with a smile.

¹ **喝** hē ❶〈动 v.〉饮用 drink: 每天早上，他都要一杯牛奶。*Měitiān zǎoshang, tā dōu yào yì bēi niúnǎi.* He drinks a cup of milk every morning. | 你爱中国乌龙茶吗? *Nǐ ài ~ Zhōngguó Wūlóngchá ma?* Do you like Chinese Oolong Tea? ❷〈动 v.〉特指喝酒 drink alcoholic liquor: 来，咱们好好儿一杯。*Lái, zánmen hǎohāor ~ yì bēi.* Come on, let's drink to our heart's content. | 他今天多了，醉醺醺的。*Tā jīntiān ~duō le, zuìxūnxūn de.* He drank too much today and was totally boozy. ❸〈叹 interj.〉表示惊讶，也作'嗬'indicating surprise, also '嗬hē': ~! 你生着病还赶来啦! ~! *Nǐ shēngzhe bìng hái gǎn lái la!* Oh, you still came in spite of your illness!

⁴ **禾苗** hémiáo〈名 n.〉谷类作物的幼苗 seedlings of cereal crops: 今年雨水充足，~长势很好。*Jīnnián yǔshuǐ chōngzú, ~ zhǎngshì hěn hǎo.* There is abundant rainfall this year and the seedlings of the crops grow very well. | 瞧那一片绿油油的~，叫人心喜。*Qiáo nà yí piàn lǜyóuyóu de ~, jiào rén xīn xǐ.* Look at that patch of green and lush seedlings. The sight of it makes me really happy.

² **合** hé ❶〈动 v.〉闭上；合拢（与'开'相对）close; shut（opposite to '开kāi'）: 你的伤口已经愈~了。*Nǐ de shāngkǒu yǐjīng yù~ le.* Your wound has healed. | 他笑得~不拢嘴。*Tā xiào de ~ bù lǒng zuǐ.* He grinned from ear to ear. ❷〈动 v.〉协同；共同 join; collaborate: 他俩~写了一本书。*Tā liǎ ~ xiěle yì běn shū.* They two coauthored a book. | 他们~开了一家商店。*Tāmen ~ kāile yì jiā shāngdiàn.* They pooled their resources to open a shop. ❸〈动 v.〉符合 conform with; accord with: ~理~法 ~lǐ~fǎ be rational and legal | 不谋而~ bùmóu'ér~ happen to hold identical views | 妈妈做的菜，最~我的口味。*Māma zuò de cài, zuì ~ wǒ de kǒuwèi.* The meal cooked by my mother suits my taste best. | 学校立的不准学生抽烟的规定，正~家长的心意。*Xuéxiào lì de bù zhǔn xuésheng chōuyān de guīdìng, zhèng ~ jiāzhǎng de xīnyì.* The school regulation forbidding students to smoke is welcomed by their parents. ❹〈动 v.〉折合；共计 be equal to; add up to: 一吨~1000千克。*Yì dūn ~ yìqiān qiānkè.* A ton is equal to 1,000 kilograms. | 全套家具得~多少钱? *Quán tào jiājù děi ~ duōshǎo qián?* How much does the whole set of furniture add up to? ❺〈动 v.〉融洽；投合 be harmonious; get along well; be congenial: 情投意~ qíngtóu-yì~ find each other congenial | 落落寡~ luòluò-guǎ~ unsociable; uncommunicative | 这两个小姐很~得来。*Zhè liǎng gè xiǎojiě hěn ~ de lái.* The two young ladies get along very well. | 那对夫妻貌~神离。*Nà duì fūqī mào~-shénlí.* This couple is seemingly in harmony but actually at variance. ❻〈动 v.〉配合 cooperate: 里应外~ lǐyìng-wài~ cooperate from within with forces from without ❼〈助动 aux. v.〉应该 should: 文章~为时而著，歌诗~为事而作。*Wénzhāng ~ wèi shí ér zhù, gēshī ~ wèi shì ér zuò.* Articles and poems should be written to reflect the realities of the times and society. | 人家帮了忙，理~感谢。*Rénjia bāngle máng, lǐ ~ gǎnxiè.* They have helped us, so we should thank them. ❽〈名 n. 书 lit.〉匹配；配偶 match; spouse: 百年好~ bǎinián hǎo~（of a couple）remain devoted to each other until the end of their life |

H

这对新婚夫妇真是天作之~。*Zhè duì xīnhūn fūfù zhēn shì tiānzuòzhī~.* The newlywed couple are really a heavenly match. ❾〈名 *n.*〉中国古代乐谱'工尺'的记音符号，相当于简谱的'5' a note of the scale in *gongche* in ancient China, corresponding to 5 in numbered musical notation. ❿〈形 *adj.*〉全；满 whole; full: ~家平安 *jiā píng'ān* may the whole family be safe and sound | ~家团聚 *jiā tuánjù* a reunion of the whole family | 深山里修成了这条公路，~乡同庆。*Shēnshān li xiū chéng le zhè tiáo gōnglù, ~ xiāng tóngqìng.* When the highway was built in the remote mountain area, all the villagers there held a celebration to mark this occasion.

⁴ 合并 hébìng 〈动 *v.*〉结合到一起 combine; merge; amalgamate: 经磋商，这两所大学决定~。*Jīng cuōshāng, zhè liǎng suǒ dàxué juédìng ~.* The two colleges decided to merge after negotiations. | 为便于管理，这家公司的好些部门都~了。*Wèi biànyú guǎnlǐ, zhè jiā gōngsī de hǎoxiē bùmén dōu ~ le.* For the convenience of management, many departments of the company have been merged.

³ 合唱 héchàng ❶〈动 *v.*〉由两人或两人以上一同演唱 (of two or more people) sing together; chorus: 你和她一起~吧。*Nǐ hé tā yìqǐ ~ ba.* You and she sing in chorus. | 他们~了一首西部民歌。*Tāmen ~le yì shǒu xībù míngē.* They sang a western folk song in chorus. ❷〈名 *n.*〉指多人或多声部的演唱形式 a form of group singing: 大~ *dà~* chorus; cantata | 小~ *xiǎo~* semichorus | 童声~ *tóngshēng ~* children's chorus | 这次演出了男女声两部。*Zhè cì yǎnchūle nán-nǚshēng liǎng bù ~.* There was a mixed chorus of men and women in the performance.

³ 合成 héchéng ❶〈动 *v.*〉由部分组合成整体 compose; compound; merge: 把三个小班~一个大班上课。*Bǎ sān gè xiǎo bān ~ yí gè dà bān shàngkè.* Three small classes are merged into one big class. | 这个派生词是由词根和词缀~的。*Zhège pàishēngcí shì yóu cígēn hé cízhuì ~ de.* The derivative is formed by a root and an affix. ❷〈动 *v.*〉经化学反应将简单物质变成复杂物质 form by chemical synthesis; synthesize: 分子~ *fēnzǐ ~* molecule synthesis | ~橡胶 ~ *xiàngjiāo* synthetic rubber | 这衣料是由天然纤维和人造纤维~的。*Zhè yīliào shì yóu tiānrán xiānwéi hé rénzào xiānwéi ~ de.* The dress material is made up of natural and synthetic fibers.

³ 合法 héfǎ 〈形 *adj.*〉符合法律规定 legal; lawful; legitimate: 办企业要~。*Bàn qǐyè yào ~.* One should abide by the law when running an enterprise. | ~经营是从商的一条准则。*~ jīngyíng shì cóngshāng de yì tiáo zhǔnzé.* Lawful management is a rule of doing business. | 谁干不~的事，谁就会受到法律的制裁。*Shéi gàn bù ~ de shì, shéi jiù huì shòu dào fǎlǜ de zhìcái.* Whoever does unlawful things will be punished by law.

³ 合格 hégé 〈形 *adj.*〉符合标准 up to standard; eligible; qualified: 质量~ *zhìliàng ~* (of quality) up to standard | ~证书 ~ *zhèngshū* quality certificate | ~人才 ~ *réncái* qualified talent | 条件~。*Tiáojiàn ~.* The conditions are up to standard. | 不~的产品不许进入市场。*Bù ~ de chǎnpǐn bùxǔ jìnrù shìchǎng.* The unqualified products are not allowed to enter the market. | 他成绩~，获得了毕业文凭。*Tā chéngjì ~, huòdéle bìyè wénpíng.* He obtained the diploma for his qualified scores.

⁴ 合乎 héhū 〈动 *v.*〉符合；合于 conform with; correspond with; accord with: 确定发展目标，要~实际。*Quèdìng fāzhǎn mùbiāo, yào ~ shíjì.* The development goals should accord with reality. | 只有~群众意愿的事，才能得到群众认可。*Zhǐyǒu ~ qúnzhòng yìyuàn de shì, cái néng dédào qúnzhòng rènkě.* Only things that conform with the desire of the broad masses can win their approval. | 说话、写文章都要~逻辑。*Shuōhuà, xiě wénzhāng dōu yào ~ luójí.* Both speaking and writing should be logical.

⁴ **合伙** héhuǒ 〈动 v.〉结成伙伴共同干事 form a partnership：咱们~做生意吧。*Zánmen ~ zuò shēngyi ba.* Let's run a business in partnership. | 他们几家~拍电影解决了经费问题。*Tāmen jǐ jiā ~ pāi diànyǐng jiějué le jīngfèi wèntí.* They formed a partnership to shoot the film, thus solving the problem of lack of fund. | 他们三家~办了个奶牛养殖场。*Tāmen sān jiā ~ bànle gè nǎiniú yǎngzhíchǎng.* The three families partnered up and set up a dairy farm.

³ **合金** héjīn 〈名 n.〉两种或两种以上金属元素熔合成的物质 a homogeneous mixture or solid solution of two or more metals; alloy：钛~ *tài* ~ titanium alloy | ~钢 ~ *gāng* alloy steel | 多元~ *duōyuán* ~ complex alloy | 他家安装的是~的窗户 *Tā jiā ānzhuāng de shì ~ de chuānghu.* His house is installed with alloy windows.

² **合理** hélǐ 〈形 adj.〉合乎事理、情理或道理 rational; reasonable：这次旅游日程安排得很~。*Zhè cì lǚyóu rìchéng ānpái de hěn ~.* The itinerary is properly arranged. | 大家提了许多~化建议。*Dàjiā tíle xǔduō ~huà jiànyì.* Many rational proposals have been put forward. | 对孩子的~要求，不要轻率否定。*Duì háizi de ~ yāoqiú, búyào qīngshuài fǒudìng.* Think twice before you deny a child's reasonable request.

⁴ **合情合理** héqíng-hélǐ 〈成 idm.〉合乎常情和常理 fair and reasonable：做事要~。*Zuò shì yào ~.* Everything should be done fair and square. | 他提的要求并不过分，是~的。*Tā tí de yāoqiú bìng bú guòfèn, shì ~ de.* His demand is fair and reasonable instead of being far-fetched.

¹ **合适** héshì 〈形 adj.〉适宜；符合要求 suitable; appropriate; right：这件衬衣，她穿着正~，不肥也不瘦。*Zhè jiàn chènyī, tā chuānzhe zhèng ~, bù féi yě bú shòu.* The shirt fits her well. It is neither loose nor tight. | 你熟悉销售业务，你来做这份工作正~。*Nǐ shúxī xiāoshòu yèwù, nǐ lái zuò zhè fèn gōngzuò zhèng ~.* Since you are familiar with marketing, you are the right person to do this job.

³ **合算** hésuàn ❶ 〈形 adj.〉付出小于获得 worthwhile：这么好的画花了两千元，很~。*Zhème hǎo de huà cái huāle liǎng qiān yuán, hěn ~.* Such a good painting costs only 2,000 yuan. It is a real bargain. | 整整用了大半天时间干这点儿事，真不~。*Zhěngzhěng yòngle dà bàn tiān shíjiān gàn zhè diǎnr shì, zhēn bù ~.* I put half a day's work into such a trivial task. It isn't really worth the time. ❷ 〈动 v.〉盘算；考虑 reckon; consider：去不去旅游，~好了再说。*Qù bú qù lǚyóu, ~hǎole zài shuō.* Whether to travel or not has to be decided after consideration. | 这房子值不值得买，我要好好儿~~。*Zhè fángzi zhí bù zhíde mǎi, wǒ yào hǎohāor ~ ~.* I have to carefully reckon whether it is worthwhile to buy the house.

² **合同** hétong 〈名 n.〉(份 fèn、个 gè)办事双方或多方应遵守的书面约定 contract; binding agreement between two or more parties：订好~，免得事后扯皮。*Dìnghǎo ~, miǎnde shìhòu chěpí.* The contract should be made so as to avoid any possible dispute. | ~一经签订，具有法律效力。*~ yì jīng qiāndìng, jùyǒu fǎlǜ xiàolì.* Once the contract is signed, it is legally binding. | 既然有~，那就按~的规定办。*Jìrán yǒu ~, nà jiù àn ~ de guīdìng bàn.* Since we have the contract, let's follow its provisions.

⁴ **合营** héyíng 〈动 v.〉共同经营 jointly operate：我们可以~开个超市。*Wǒmen kěyǐ ~ kāi gè chāoshì.* We can open a supermarket and jointly operate it. | 这家商场是中外~的，规模不小。*Zhè jiā shāngchǎng shì zhōngwài ~ de, guīmó bù xiǎo.* The shopping mall jointly operated by Chinese and foreign investors is quite large.

⁴ **合资** hézī 〈动 v.〉共同投资 pool capital; invest jointly：咱们~办个饭店吧。*Zánmen ~ bàn gè fàndiàn ba.* Let's pool our money and open a restaurant. | 中外~的企业越办越

多了。*Zhōngwài ~ de qǐyè yuè bàn yuè duō le.* There are more and more Chinese-foreign joint ventures.

² **合作** hézuò 〈动 v.〉相互配合干某事 cooperate; collaborate：通力 ~ *tōnglì ~* fully cooperate; make concerted efforts｜相互 ~ *xiānghù ~* cooperate with each other｜长期 ~ *chángqī ~* long-term cooperation｜我们在技术上的~很成功。*Wǒmen zài jìshù shang de ~ hěn chénggōng.* The technological cooperation between us is very successful.｜他们在这个项目的开发上已经~两年了。*Tāmen zài zhège xiàngmù de kāifā shang yǐjīng ~ liǎng nián le.* They have cooperated for two years in the development of the project.

⁴ **何** hé ❶〈代 pron.〉表示疑问，什么；哪；哪里；为什么（used in specific questions）what; which; where; why：~人 *~ rén* who｜~事 *~ shì* what｜~种 *~ zhǒng* what kind｜~年 *~ nián* which year｜~处 *~ chù* where｜~往 *~ wǎng* whither｜~不 *~ bù* why not｜这么重要的活动，你~故不来? *Zhème zhòngyào de huódòng, nǐ ~ gù bù lái?* Why didn't you attend such an important occasion?｜这消息从~而来? *Zhè xiāoxi cóng ~ ér lái?* Where did you get the news? ❷〈副 adv.〉用于反问：岂；怎么（used in rhetorical questions）how：这是举手之劳，~足挂齿? *Zhè shì jǔshǒuzhīláo, ~ zú guà chǐ?* It's nothing. Please don't mention it.｜你只给这么一点儿钱,~济于事? *Nǐ zhǐ gěi zhème yì diǎnr qián, ~ jì yú shì?* You only gave so little money; of what avail is it?

³ **何必** hébì〈副 adv.〉用于反问，表示没有必要（used in rhetorical questions）there is no need; why：我们已是老交情了,~客气? *Wǒmen yǐ shì lǎo jiāoqing le, ~ kèqi?* There is no need for old friends like us to stand on ceremony.｜这床还能用,~买新的? *Zhè chuáng hái néng yòng, ~ mǎi xīn de?* This bed can still be used. Why buy a new one?｜他并不是想伤害你,~生气? *Tā bìng bú shì xiǎng shānghài nǐ, ~ shēngqì?* He didn't mean to hurt you. Why get angry?

³ **何等** héděng ❶〈副 adv.〉放在形容词前，具感叹意味，表示非同一般；多么（used before an adjective in exclamation to express unusual quality）what; how：上台领奖是~风光的事。*Shàng tái lǐng jiǎng shì ~ fēngguāng de shì.* What an honorable thing it is to get on the rostrum and receive the award!｜那音乐~美妙! *Nà yīnyuè ~ měimiào!* What wonderful music it is! ❷〈代 pron.〉放在名词前，表示什么样的（used before a noun）what kind：这是~著作? 这么多人喜欢。*Zhè shì ~ zhùzuò? Zhème duō rén xǐhuan.* What kind of book is it? I wonder why so many people like it.｜~人物, 如此蛮横? *~ rénwù, rúcǐ mánhèng?* What kind of person is he? How can he be so rude?

³ **何况** hékuàng 〈连 conj.〉用反问的语气表示更深一层的意思（used in rhetorical questions）much less; let alone; moreover：他连小文章都翻译不好,~这大部头的作品? *Tā lián xiǎo wénzhāng dōu fānyì bù hǎo, ~ zhè dàbùtóu de zuòpǐn?* He even can't translate short articles well, let alone such kind of thick book.｜一般北京人都找不着的小胡同,~一个刚到北京的外地人! *Yìbān Běijīngrén dōu zhǎo bù zháo de xiǎo hútòng, ~ yí gè gāng dào Běijīng de wàidìrén!* The narrow lane is difficult to find even for ordinary Beijingers, let alone a newcomer to the city.

¹ **和** hé ❶〈介 prep.〉表示相关、比较等，同；跟（indicating relationship, comparison, etc.）with：这事要~大家商议一下再办。*Zhè shì yào ~ dàjiā shāngyì yíxià zài bàn.* This has to be discussed with everyone before anything is done about it.｜~他比起来, 还是你的水平高。*~ tā bǐ qǐlái, háishi nǐ de shuǐpíng gāo.* Compared with him, you are of a higher caliber. ❷〈连 conj.〉连接并列成分，表示联合（used to link parallel structures）and：老师~学生一道参加运动会。*Lǎoshī ~ xuésheng yídào cānjiā yùndònghuì.* Teachers, together with students, took part in the sports meet.｜我们对这件事已作了调

查～研究。*Wǒmen duì zhè jiàn shì yǐ zuòle diàochá ～ yánjiū.* We have conducted investigation and research over the matter. ❸〈形 adj.〉和顺；和睦 harmonious; on good terms：~以处众 ~ yǐ chǔ zhòng foster harmonious relationship with others｜要讲天时地利，也要讲人~。*Yào jiǎng tiānshí dìlì, yě yào jiǎng rén~.* Emphasis should be put on good human relations as well as good timing and geographical convenience.｜那姐妹俩不知为啥~失了。*Nà jiěmèi liǎ bù zhī wèi shá shī~ le.* It's not known why the two sisters fell out with each other. ❹〈形 adj.〉温和；平和 kind; gentle; mild：~颜悦色 ~yán-yuèsè have a kind face｜~善仁慈 ~shàn-réncí kind and merciful｜他遇到不讲理的也能心平气～地对待 *Tā yùdào bù jiǎnglǐ de shì yě néng xīnpíng-qì~ de duìdài.* He can remain even-tempered when dealing with injustices. ❺〈形 adj.〉特指天气恰到好处 (of weather) pleasant; mild：我们在～煦的春光中漫步。*Wǒmen zài ~xù de chūnguāng zhōng mànbù.* We took a walk in the gental spring sunshine.｜爬山这几天正巧都风~日丽。*Pá shān zhè jǐ tiān zhèngqiǎo dōu fēng~-rìlì.* Fortunately, it was sunny and breezy during days of mountain climbing. ❻〈动 v.〉调解矛盾 reconcile dispute; make peace：媾～gòu~ make peace｜讲～jiǎng~ negotiate for peace｜～谈 ~tán peace talk｜～解 ~jiě become reconciled｜他喜欢当～事佬 *Tā xǐhuan dāng ~shìlǎo.* He likes to play the peacemaker. ❼〈动 v.〉连同；连带 do sth. together with：～衣而卧 ~ yī ér wò sleep with one's clothes on｜～泪而书 ~lèi ér shū write with tears in one's eyes｜他把内幕～盘托出，一点也没隐瞒 *Tā bǎ nèimù ~pán tuō chū, yì diǎn yě méi yǐnmán.* He revealed the inside story and held nothing back. ❽〈动 v.〉(下棋或赛球)不分胜负 (of sports) draw; tie：~局 ~jú drawn game; tie; draw｜这一盘双方了 *Zhè yì pán shuāngfāng ~ le.* The game ended in a draw. ❾〈名 n.〉数学术语，指两个或两个以上的数相加而成的总数 sum; the result of adding numbers：5加3之~为8。*Wǔ jiā sān zhī ~ wéi bā.* The sum of five plus three equals eight. ❿〈名 n.〉和平的简称 peace, abbr. for '和平 hépíng'：不战～ ~bú zhàn bù ~ no war, no peace｜联合国维～部队 *Liánhéguó wéi ~ bùduì* UN peacekeeping force ⓫ (Hé)〈名 n.〉指日本 Japan：~服 ~fú kimono｜《汉~词典》'*Hàn~ Cídiǎn*' Chinese and Japanese Dictionary

⁴**和蔼** hé'ǎi〈形 adj.〉温和可亲 affable; amiable：她那~的目光，磁石般吸引着孩子。*Tā nà ~ de mùguāng, císhí bān xīyǐnzhe háizi.* Her kind eyes attract kids like a magnet.｜他身为名家，待人却非常~。*Tā shēnwéi míngjiā, dàirén què fēicháng ~.* Though he is a man of fame, he is very amiable to others.

⁴**和解** héjiě〈动 v.〉不再争执或仇视，归于和好 end dispute or hostility; become reconciled：他们～了，不再为遗产争吵。*Tāmen ~ le, búzài wèi yíchǎn zhēngchǎo.* They became reconciled and no longer disputed the inheritance.｜发生了不愉快的事，总是当姐姐的主动去～。*Fāshēngle bù yúkuài de shì, zǒng shì dāng jiějie de zhǔdòng qù ~.* Whenever something unpleasant happened between them, it was always the elder sister who take the initiative to seek reconciliation.

⁴**和睦** hémù〈形 adj.〉相处融洽；不争吵 harmonious; in concord; amiable：他们都知道~业兴的道理。*Tāmen dōu zhīdào ~ jiāyè xīng de dàolǐ.* They all know that harmony leads to prosperity of a family.｜这两个相邻的国家一直是~相处的。*Zhè liǎng gè xiānglín de guójiā yìzhí shì ~ xiāngchǔ de.* The two neighboring countries are always on peaceful terms.

²**和平** hépíng ❶〈名 n.〉指没有战争的状态 peace：要建设，就得有个~的内外环境。*Yào jiànshè, jiù děi yǒu gè ~ de nèiwài huánjìng.* A peaceful internal and external environment is necessary to the construction efforts.｜世界人民都希望~。*Shìjiè rénmín*

dōu xīwàng ~. People all over the world long for peace. ❷〈形 *adj.*〉温和；不猛烈，也作'平和' gentle; mild, also '平和 *pínghé*'：这药性~，副作用小。*Zhè yàoxìng* ~, *fùzuòyòng xiǎo.* The medicine is mild with little side effect. | 他是个~的人，从来不发脾气。*Tā shì gè* ~ *de rén, cónglái bù fā píqi.* He is a mild person and never loses his temper. ❸〈形 *adj.*〉平静；宁静 placid; tranquil：朋友的劝说，使他的心境~多了。*Péngyou de quànshuō, shǐ tā de xīnjìng* ~ *duō le.* Thanks to his friend's persuasion, he recovered his peace of mind.

⁴ **和平共处** hépíng gòngchǔ〈成 *idm.*〉原为外交用语，后用于人际间，意为互不干涉、相安相好（orig. a diplomatic and later interpersonal term）non-interference and peaceful coexistence：中国一贯以~五项原则处理国与国的关系。*Zhōngguó yíguàn yǐ* ~ *wǔ xiàng yuánzé chǔlǐ guó yǔ guó de guānxì.* China always adheres to the Five Principles of Peaceful Coexistence in dealing with other countries. | 你和他~吧，别再吵来吵去的。*Nǐ hé tā* ~ *ba, bié zài chǎo lái chǎo qù de.* You'd better make peace with him and stop quarrelling.

⁴ **和气** héqi ❶〈形 *adj.*〉态度温和 polite; mild; gentle：总经理说话很~。*Zǒngjīnglǐ shuōhuà hěn* ~. The general manager is quite soft-spoken. ❷〈形 *adj.*〉和睦 harmonious：和和气气 *héhé-qìqì* polite and amiable | 他们总是~相待。*Tāmen zǒngshì* ~ *xiāngdài.* They are always friendly with each other. ❸〈名 *n.*〉友好情感 friendship：伤了~对谁都不好。*Shāngle* ~ *duì shéi dōu bù hǎo.* No one benefits from a broken friendship.

⁴ **和尚** héshang〈名 *n.*〉（个 gè）出家修行的男佛教徒 Buddhist monk：他出家当~都60年了。*Tā chūjiā dāng* ~ *dōu liùshí nián le.* He has been a monk for 60 years. | 跑得了~跑不了庙（意为无法逃避责任追究）。*Pǎo de liǎo* ~ *pǎo bù liǎo miào（yì wéi wúfǎ táobì zérèn zhuījiū）.* The monk may run away, but the temple can't run with him（one cannot shirk the responsibility）.

⁴ **和谐** héxié〈形 *adj.*〉相互配合适当、协调（of cooperation）harmonious：关系~ *guānxì* ~ harmonious relation | 旋律~ *xuánlǜ* ~ harmonious rhythm; melodious | 色彩~ *sècǎi* ~ be harmonious in color | ~社会 ~ *shèhuì* harmonious society | ~的上下级关系是这公司迅速发展的重要因素。~ *de shàngxiàjí guānxì shì zhè gōngsī xùnsù fāzhǎn de zhòngyào yīnsù.* The harmonious relationship between superiors and subordinates is a key factor to the rapid development of the company. | 他家的门窗、地板和家具的色调很~。*Tā jiā de ménchuāng, dìbǎn hé jiājù de sèdiào hěn* ~. The colors of doors, windows, the floor and the furniture in his house are in perfect harmony.

⁴ **和约** héyuē〈名 *n.*〉（项 xiàng）交战国缔结的停战、恢复和平局面的条约 peace treaty：签订~ *qiāndìng* ~ sign a peace treaty | 履行~ *lǚxíng* ~ implement a peace treaty | 撕毁~ *sīhuǐ* ~ tear up a peace treaty | 凡尔赛~ *Fán'ěrsài* ~ Versailles Treaty of Peace | ~的内容几经谈判终于确定下来了。~ *de nèiróng jǐjīng tánpàn zhōngyú quèdìng xiàlái le.* The contents of the peace treaty were finalized after several rounds of negotiations.

¹ **河** hé ❶〈名 *n.*〉（条 tiáo）天然或人工大水道 river：江~ *jiāng*~ rivers | ~流~*liú* water course | ~内~ *nèi*~ inland river | 运~ *yùn*~ canal | 护城~ *hùchéng*~ moat | 这条小~的水质不错。*Zhè tiáo xiǎo* ~ *de shuǐzhì búcuò.* The water quality of this creek is very good. | 我们在那条~上修了吊桥。*Wǒmen zài nà tiáo* ~ *shang xiūle diàoqiáo.* We built a suspension bridge over that river. ❷（Hé）〈名 *n.*〉特指黄河 the Yellow River：~西~*xī* Hexi region（lying to the west of the Yellow River）| ~套地区~*tào dìqū* Hetao area（at the top of the Great Bend of the Yellow River in Inner Mongolia and Ningxia）

⁴ **河道** hédào 〈名 n.〉（条tiáo）江河流经的路线，通常指能通航的河流 river course; usu. a navigable river：这条~很宽。*Zhè tiáo ~ hěn kuān.* The course of the river is very broad. ┃ 疏通~，便利航行。*Shūtōng ~, biànlì hángxíng.* The river course has to be dredged to facilitate navigation.

³ **河流** héliú 〈名 n.〉较大的天然水道 river：这个地区的~很多，水运很方便。*Zhège dìqū de ~ hěn duō, shuǐyùn hěn fāngbiàn.* There are a lot of rivers in this region, which make water transport very convenient. ┃ 长江、黄河是中国的两大~。*Cháng Jiāng, Huáng Hé shì Zhōngguó de liǎng dà ~.* The Yangtze River and the Yellow River are the two longest rivers in China.

⁴ **荷花** héhuā 〈名 n.〉（朵duǒ）水生草本植物，地下茎和种子可食用，又称'莲花'lotus; also '莲花liánhuā'：江南水塘常栽有~。*Jiāngnán shuǐtáng cháng zāi yǒu ~.* Lotus is often planted in ponds to the south of the Yangtze River. ┃ 接天莲叶无穷碧，映日~别样红。*Jiē tiān liányè wúqióng bì, yìng rì ~ biéyàng hóng.* The giant patch of green lotus leaves extends to the horizon, while the lotus flowers become redder in the sunlight. ┃ 她家的花瓶里插了一朵~，飘散着清香。*Tā jiā de huāpíng li chāle yì duǒ ~, piāosànzhe qīngxiāng.* The lotus flower in the vase at her house gives off a faint fragrant smell.

³ **核** hé ❶〈名 n.〉果核中心的坚硬部分 pip; stone：枣~ *zǎo* stone of a date ┃ 桃~ *táo* peach stone ┃ 芒~ *mángguǒ* ~ mango stone ┃ 吃杏别把~也吞了。*Chī xìng bié bǎ ~ yě tūn le.* Don't swallow the stone when eating the apricot. ❷〈名 n.〉物体中像核的部分 nucleus; central part of a substance：菌~ *jūn* ~ sclerotium ┃ 细胞~ *xìbāo* ~ cell nucleus ❸〈名 n.〉与原子核有关的 nuclear：~能 *~néng* nuclear energy ┃ ~武器 *~wǔqì* nuclear weapon ┃ ~潜艇 *~qiántǐng* nuclear submarine ┃ ~电站 *~diànzhàn* nuclear power plant ❹〈动 v.〉查对；审查 check; examine：今年该缴多少税，请再~实一下。*Jīnnián gāi jiǎo duōshao shuì, qǐng zài ~shí yíxià.* Please recheck how much tax should be paid this year. ┃ 对这件事要审~清楚，再作结论。*Duì zhè jiàn shì yào shěn~ qīngchu, zài zuò jiélùn.* This matter should be clearly examined before any conclusion is drawn.

⁴ **核桃** hétao 〈名 n.〉胡桃科落叶乔木，果仁可供食用、榨油或入药 walnut tree：椒盐~ *jiāoyán* ~ spiced salt walnut

⁴ **核武器** héwǔqì 〈名 n.〉利用原子核反应放出的能量造成杀伤和破坏的武器，包括原子弹、氢弹、中子弹和放射性战剂等 nuclear weapon：禁止使用~。*Jìnzhǐ shǐyòng ~.* The use of nuclear weapon is prohibited. ┃ 限制~条约 xiànzhì ~ tiáoyuē treaty for the restriction of nuclear weapons ┃ 核大国应承诺不首先使用~。*Hé dà guó yīng chéngnuò bù shǒuxiān shǐyòng ~.* Nuclear powers should commit themselves not to use nuclear weapon first.

⁴ **核心** héxīn 〈名 n.〉（个gè）事物的中心；起主导作用的部分 nucleus; core; kernel：~力量 *~ lìliàng* force at the core ┃ 领导~ *lǐngdǎo* ~ core of leadership ┃ 这篇文章的~内容是精神文明建设。*Zhè piān wénzhāng de ~ nèiróng shì jīngshén wénmíng jiànshè.* The core of the article is about the construction of spiritual civilization. ┃ 他在工作中起了~作用。*Tā zài gōngzuò zhōng qǐle ~ zuòyòng.* He played a key role in the work.

² **盒** hé ❶〈名 n.〉用于盛东西的器具 box; case; small container：纸~ *zhǐ* ~ paper box ┃ 木~ *mù* ~ wooden box ┃ 烟~ *yān* ~ cigarette pack ┃ 饭~ *fàn* ~ lunch box ┃ 这个铅笔~上印着卡通画，很漂亮。*Zhège qiānbǐ ~ shang yìnzhe kǎtōnghuà, hěn piàoliang.* On the pencil box are printed pretty cartoon pictures. ┃ 我用~子装卡片。*Wǒ yòng ~zi zhuāng kǎpiàn.* I use a box to hold cards. ❷〈量 meas.〉用于计盛物盒的量 a box of：我买了一~巧克力。*Wǒ mǎile yì ~ qiǎokèlì.* I bought a box of chocolate. ┃ 那两~点心是上海货。

Nà liǎng ~ diǎnxin shì Shànghǎi huò. Those two boxes of pastry are made in Shanghai.

⁴ **贺词** hècí〈名 n.〉表示祝贺的言词 speech of congratulations：在庆祝工程竣工的典礼上，市长致了～。*Zài qìngzhù gōngchéng jùngōng de diǎnlǐ shang, shìzhǎng zhìle ~.* The mayor made a speech of congratulations in the ceremony celebrating the completion of the project.｜在老校长90华诞时，我们发去了～。*Zài lǎo xiàozhǎng jiǔshí huádàn shí, wǒmen fāqùle ~.* We sent congratulations to our former principal on his 90th birthday.

¹ **黑** hēi ❶〈形 adj.〉像煤一样的颜色 black：她的眼珠又～又亮。*Tā de yǎnzhū yòu ~ yòu liàng.* Her eyes are black and bright.｜他穿上～衣服，挺精神的。*Tā chuān shang ~ yīfu, tǐng jīngshen de.* He looks very smart in his black suit. ❷〈形 adj.〉没有亮光 dark：那屋子真～。*Nà wūzi zhēn ~.* It is very dark in the room.｜天～了，该回家了。*Tiān ~ le, gāi huíjiā le.* It's getting dark. Time to go home. ❸〈形 adj.〉秘密的；不公开的(多指违法的) secret; shady; illegal：～名单 ~míngdān blacklist｜～幕 ~mù inside story; shady deal｜～社会 ~shèhuì underworld｜～市 ~shì black market｜～户 ~hù unregistered resident; illegal shop｜那两个坏蛋用～话打电话。*Nà liǎng gè huàidàn yòng ~huà dǎ diànhuà.* The two rascals spoke argot on the phone. ❹〈形 adj.〉坏；狠毒 wicked; sinister：他对人刻薄，～了！*Tā duì rén kèbó, kě ~ le!* He is caustic and very wicked indeed.｜～心人不可交。*~xīn rén bù kě jiāo.* One should not make friends with wicked people. ❺〈形 adj.〉象征反动 reactionary：～帮 ~bāng reactionary gang ❻〈动 v.〉敲诈；坑害 blackmail; do harm to：今天我让黑车～了一次。*Jīntiān wǒ ràng hēichē ~le yí cì.* I was extorted by the driver of an unlicensed car today. ❼〈动 v.〉电脑遭黑客侵袭 (of computer) be hacked：我的电脑给黑客～了一下。*Wǒ de diànnǎo gěi hēikè ~le yíxià.* My computer was hacked by a hacker.

² **黑暗** hēi'àn ❶〈形 adj.〉完全没有光亮或只有一点点光亮 dark; dim：探险队钻进了一个～的山洞。*Tànxiǎnduì zuānjìnle yí gè ~ de shāndòng.* The expedition team entered a dark cave.｜阴天的夜晚，一片～。*Yīntiān de yèwǎn, yí piàn ~.* It was pitch dark in the cloudy night. ❷〈形 adj.〉腐败；落后 corrupt; backward：～的社会 ~ de shèhuì corrupt society｜～的统治 ~ de tǒngzhì corrupt rule｜邪教组织是社会的一种～势力。*Xiéjiào zǔzhī shì shèhuì de yì zhǒng ~ shìlì.* The cult organization is a dark force in the society.

⁴ **黑白** hēibái ❶〈形 adj.〉黑色和白色 black and white：他家里用的是～电视机。*Tā jiā li yòng de shì ~ diànshìjī.* His family has a black-and-white TV set.｜过去的～电影片，也有不少是很精彩的。*Guòqù de ~ diànyǐngpiàn, yě yǒu bùshǎo shì hěn jīngcǎi de.* Many old black-and-white films are quite wonderful. ❷〈形 adj.〉比喻是与非、善与恶 fig. right and wrong; good and evil：～不分 ~ bù fēn make no distinction between black and white｜混淆～ hùnxiáo ~ confound right and wrong｜他办事总是～分明。*Tā bànshì zǒngshì ~ fēnmíng.* He always makes a clear distinction between right and wrong in handling affairs.｜对孩子不能不管，乱训一气。*Duì háizi bù néng bùguǎn, luàn xùn yíqì.* We cannot criticize children indiscriminately regardless of right or wrong.｜你怎么能颠倒～坑害人！*Nǐ zěnme néng diāndǎo ~ kēnghài rén!* How could you distort facts and frame others?

¹ **黑板** hēibǎn〈名 n.〉(块kuài) 可用粉笔在上面写、绘的平板 blackboard：教室的～是新换的。*Jiàoshì de ~ shì xīn huàn de.* The blackboard in the classroom is a newly replaced one.｜办事处办起了～报。*Bànshìchù bànqǐle ~bào.* The office began to run blackboard newspaper.

³ **黑夜** hēiyè〈名 n.〉夜晚 night：秋天郊外的～，虫鸣声此起彼伏。*Qiūtiān jiāowài de ~, chóng míng shēng cǐqǐ-bǐfú.* In the autumn night of the suburb, insects chirp one after

another. | ~即将过去，曙光就在前头。~ *jíjiāng guòqù, shǔguāng jiù zài qiántou.* When night is gone, dawn is close at hand.

² **嘿** hēi〈叹 *interj.*〉❶表示不很客气的招呼或提醒注意 expressing impolite greeting or calling attention:~，快跑吧！上课了。~, *kuài pǎo ba! Shàngkè le.* Hey, hurry up! Class begins. | ~，走路当心点，路很滑。~, *zǒulù dāngxīn diǎn, lù hěn huá.* Hey, watch your step. The road is slippery. ❷〈叹 *interj.*〉表示得意或惊异 expressing being pleased or surprised:~，咱们班的篮球队赢了！~, *zánmen bān de lánqiúduì yíng le!* Hey, our basket ball team wins the game! | ~，下雨了。~, *xià yǔ le.* Why, it's raining. ❸〈拟声 *onom.*〉模拟笑声(多叠用) laughing sound:他冲着我~~笑起来。*Tā chòngzhe wǒ ~~ xiào qǐlái.* He starts chuckling at me.

³ **痕迹** hénjì ❶〈名 *n.*〉(道dào、点diǎn)物体上留下的印记 mark; trace: 在沙滩上有一道板车驶过的~。*Zài shātān shang yǒu yí dào bǎnchē shǐ guò de ~.* There was a track left by a pushcart on the sand beach. | 那件衣服沾有西瓜汁的~。*Nà jiàn yīfu zhān yǒu xīguāzhī de ~.* That clothe is stained with watermelon juice. ❷〈名 *n.*〉残存的迹象 vestige: 300年过去了，村头仍可看出有过一座庙宇的~。*Sānbǎi nián guòqù le, cūntóu réng kě kànchū yǒuguo yí zuò miàoyǔ de ~.* Though 300 years has passed, the vestige of a temple can still be recognized at the end of the village. | 在这件绘画上，可以看出时代的~。*Zài zhè jiàn huìhuà shang, kěyǐ kàn chū shídài de ~.* A vestige of times past can be seen from the painting.

¹ **很** hěn〈副 *adv.*〉表示程度高 very; quite: 这是一朵~漂亮的花。*Zhè shì yì duǒ ~ piàoliang de huā.* The flower is quite beautiful. | 她是个~能干的女子。*Tā shì gè ~ nénggàn de nǚzǐ.* She is very capable. | 他~会吹牛皮。*Tā ~ huì chuīniúpí.* He is very good at boasting. | 这事~可能办成。*Zhè shì ~ kěnéng bàn chéng.* It's very likely that this can be achieved. | 他~喜欢唱歌。*Tā ~ xǐhuan chànggē.* He likes singing very much. | 那个温泉游泳池，受欢迎得~。*Nàge wēnquán yóuyǒngchí, shòu huānyíng de ~.* The hot spring swimming pool is very popular.

⁴ **狠** hěn ❶〈形 *adj.*〉凶恶；残忍 cruel; ruthless: 随随便便就把人家踢出了厂门，也太~毒了。*Suísuí-biànbiàn jiù bǎ rénjia tīchūle chǎng mén, yě tài ~dú le.* It's very cruel for the factory management to dismiss a worker without justifiable reasons. | 他是个心~手辣的家伙。*Tā shì gè xīn~-shǒulà de jiāhuo.* He is a vicious and ruthless guy. ❷〈形 *adj.*〉坚决；用全部力量 resolute; vigorous: 要参与市场竞争，就得~抓产品质量。*Yào cānyù shìchǎng jìngzhēng, jiù děi ~ zhuā chǎnpǐn zhìliàng.* We must vigorously improve product quality so as to participate in the market competition. ❸〈副 *adv.*〉严厉；厉害 severely; firmly: 他对逃学的学生~批了一通。*Tā duì táoxué de xuésheng ~ pīle yítòng.* He severely criticized the students who played truant. | 对贩毒的人必须~打击。*Duì fàndú de rén bìxū ~ ~ dǎjī.* The drug traffickers must be severely punished. ❹〈动 *v.*〉控制感情，下决心 harden (one's heart); make a decision: 我~了一心，掏出1万元买下了这台电脑。*Wǒ ~le yī xīn, tāochū yíwàn yuán mǎixiàle zhè tái diànnǎo.* I made up my mind and bought this computer with 10,000 yuan. | 我还是~不下这个心来和他离婚。*Wǒ háishì ~ bú xià zhège xīn lái hé tā líhūn.* I still do not have the heart to divorce him.

⁴ **狠毒** hěndú〈形 *adj.*〉凶狠；残酷 vicious; cruel; venomous: 他是个~的黑社会头目。*Tā shì gè ~ de hēishèhuì tóumù.* He is a cruel gang leader. | 那个~心肠的家伙，连亲人也不放过。*Nàge ~xīncháng de jiāhuo, lián qīnrén yě bú fàngguò.* He was so cruel that he even victimized his relatives.

⁴ **狠心** hěn//xīn〈动 *v.*〉不顾一切;坚决 be resolute: 她一~卖掉了裘皮大衣。*Tā yì ~*

màidiàole qiúpí dàyī. She hardened her heart and sold her fur coat. │ 他狠了狠心，爬上了高崖跳水台。*Tā hěnle hěn xīn, páshàngle gāoyá tiàoshuǐtái.* He steeled his heart and climbed to the high-cliff diving platform. Ⅱ hěnxīn〈形 *adj.*〉不善良；过分 cruel; heartless; callous: 那个~的老板就知道捞钱，不顾员工死活。*Nàge ~ de lǎobǎn jiù zhīdào lāoqián, búgù yuángōng sǐhuó.* Bent upon profit, the cruel boss doesn't care a damn about his employees. │ 她丢下哭着的孩子不管，太~了！*Tā diū xià kūzhe de háizi bù guǎn, tài ~ le!* She abandoned her crying child; she's too heartless!

² 恨 hèn ❶〈动 *v.*〉仇视；怨恨 hate; resent: ~铁不成钢（期望寄于厚望的人赶快长进）~ *tiě bù chéng gāng*（*qīwàng jìyǔ hòuwàng de rén gǎnkuài zhǎngjìn*）wish that iron could turn into steel at once (be anxious for sb. to improve) │ ~之入骨 ~*zhī-rùgǔ* hate to the marrow of one's bones │ 大家都~没道德的人。*Dàjiā dōu ~ méi dàodé de rén.* Everyone hates the immoral person. ❷〈动 *v.*〉遗憾；后悔 regret: 我俩相见~晚。*Wǒ liǎ xiāngjiàn ~ wǎn.* The two of us regret not having met each other earlier. │ 不把这件事办成，他会终身遗~。*Bù bǎ zhè jiàn shì bàn chéng, tā huì zhōngshēn yí~.* He would regret to the end of his life if he didn't make it.

³ 恨不得 hènbude〈动 *v.*〉急切盼望（做某事）be anxious to; be dying to: 她~一夜就能读完这本30万字的小说。*Tā ~ yí yè jiù néng dú wán zhè běn sānshí wàn zì de xiǎoshuō.* She wishes she could finish reading the 300,000-word novel in one night. │ 他~长上翅膀飞到她身边。*Tā ~ zhǎngshàng chìbǎng fēidào tā shēnbiān.* He wishes that he could grow wings and fly to her side.

³ 哼 hēng ❶〈动 *v.*〉低声唱或吟诵 hum; croon: 他~着小曲上班去。*Tā ~zhe xiǎoqǔ shàngbān qù.* He hummed a tune as he went to work. │ 她捧着一部诗集~来~去。*Tā pěngzhe yí bù shījí ~lái-~qù.* She crooned as she read a poetry anthology in her hands. ❷〈动 *v.*〉从鼻子发出呻吟声 groan; snort: 他昨天头疼，~了一夜。*Tā zuótiān tóuténg, ~ le yí yè.* He got a headache yesterday and groaned throughout the night. │ 不小心跌了一跤，疼得她直~~。*Bù xiǎoxīn diē le yì jiāo, téng de tā zhí ~ ~.* She groaned with pain after tripping herself up.

⁴ 恒星 héngxīng〈名 *n.*〉本身能发光和热的天体 fixed star: ~年 ~ *nián* sidereal year │ ~系 ~ *xì* stellar system; galaxy │ 太阳是颗~。*Tàiyáng shì kē ~.* The sun is a star.

³ 横 héng ❶〈形 *adj.*〉跟地面平行的（与'竖'相对）horizontal (opposite to '竖shù'): ~梁 ~*liáng* crossbeam │ ~幅 ~*fú* horizontal scroll of painting or calligraphy │ ~额 ~*é* inscribed horizontal board ❷〈形 *adj.*〉从左到右或从右到左的（与'竖''直''纵'相对）crosswise; from left to right or otherwise（opposite to '竖shù', '直zhí' or '纵zòng'）: 这是一本~排的书。*Zhè shì yì běn ~ pái de shū.* This is a book with characters printed from left to right. ❸〈形 *adj.*〉在地理上是东西向的（与'纵'相对）transverse; from east to west or（opposite to '纵zòng'）: 长江、黄河~贯中国大地。*Cháng Jiāng, Huáng Hé ~guàn Zhōngguó dàdì.* The Yangtze River and the Yellow River flow across China from west to east. │ 那条公路~穿西部。*Nà tiáo gōnglù ~chuān xībù.* The highway runs across the western region. ❹〈形 *adj.*〉跟物体的长的一边垂直的 at a right angle to the longer side of an object: 人行~道 *rénxíng ~dào* zebra crossing │ ~剖面 ~ *pōumiàn* cross section │ ~渡长江 ~ *dù Cháng Jiāng* cross the Yangtze River ❺〈动 *v.*〉使物体成横向 place sth. crosswise or horizontally: 把这张桌子~过来。*Bǎ zhè zhāng zhuōzi ~ guòlái.* Let's turn the table crosswise. ❻〈动 *v.*〉阻断 obstruct; block: 一棵被台风吹倒的大树~在马路上。*Yì kē bèi táifēng chuī dǎo de dà shù ~ zài mǎlù shang.* A huge tree blown over by typhoon blocked the road. ❼〈动 *v.*〉下定决心；不顾一切

make up one's mind; steel one's heart: 他心一一，毅然出走了。*Tā xīn yì yì*, *yìrán chūzǒu le.* He steeled his heart and walked out on his family. | 他~下一条心，要把那个贪污犯绳之以法。*Tā ~xià yì tiáo xīn*, *yào bǎ nàge tānwūfàn shéngzhīyǐfǎ.* He made up his mind to bring the embezzler to justice. ❽〈动 v.〉充满；充溢 be imbued with; be full of: 老气~秋 *lǎoqì~qiū* arrogant on account of one's seniority | ~空出世 *kōng chūshì* rise high above the world ❾〈副 adv.〉交错；错杂 crisscross: 血肉~飞 *xuèròu~fēi* flesh and blood flying in all directions | 杂草~生 *zácǎo~shēng* be overgrown with weeds; grass running riot ❿〈副 adv.〉蛮横 peremptorily; flagrantly; fiercely: ~行霸道 *~xíng-bàdào* ride roughshod over; trample on | ~加阻拦 *~jiā zǔlán* willfully obstruct ⓫〈副 adv. 方 dial.〉反正(不管怎样) anyway; in any case: 你再说一百遍，他~是不听。*Nǐ zài shuō yì bǎi biàn*, *tā ~ shì bù tīng.* Even if you persuaded him a hundred times, he would by no means take your advice. ⓬〈名 n.〉汉字的笔画，形状是'一' horizontal stroke in a Chinese character: '大'字上加一~就成了'天'字。*'dà' zì shang jiā yì ~ jiù chéngle 'tiān' zì.* You can get Chinese character '天'(sky) by adding a horizontal stroke on top of the character '大'(big).

☞ hèng, p. 433

⁴ **横行** héngxíng〈动 v.〉办事不讲理；仗势干坏事；任意胡为 be unreasonable; run wild; be on a rampage: ~霸道 *~bàdào* play the despot; ride roughshod | ~无忌 *~wújì* run wild; do whatever one likes without the least scruple | 那家伙~惯了，对谁都欺侮。*Nà jiāhuo ~ guàn le*, *duì shéi dōu qīwǔ.* Being used to having his own way, he bullies everyone. | 他像断了腿的螃蟹，~不了几天了。*Tā xiàng duànle tuǐ de pángxiè*, *~ bù liǎo jǐ tiān le.* Like a crab with broken legs, he will cease to behave in a domineering manner in a few days.

⁴ **横** hèng ❶〈形 adj.〉凶狠；粗暴 harsh and unreasonable; fierce: 他说话从来都~。*Tā shuōhuà cónglái dōu ~.* He always speaks in a harsh manner. | 你~什么? 有理说理呀! *Nǐ ~ shénme? Yǒulǐ shuō lǐ ya!* Why are you being so unreasonable? Justify yourself if you can! ❷〈形 adj.〉不吉利的；不正常的 inauspicious; untoward: ~事 *~shì* untoward accident | ~死 *~sǐ* die a violent death | ~财 *~cái* ill-gotten wealth | 他怎么也没想到，~祸会落到他头上。*Tā zěnme yě méi xiǎng dào*, *~huò huì luòdào tā tóu shang.* It never occurred to him that he would meet with sudden misfortune.

☞ héng, p. 432

⁴ **轰动** hōngdòng〈动 v.〉同时使许多人惊动 cause a sensation; make a stir: ~全国 *~quánguó* cause a sensation throughout the country | ~一时 *~ yìshí* create a furor | ~效应 *~ xiàoyìng* sensational effect | 她唱的歌，~了全场。*Tā chàng de gē*, *~le quán chǎng.* Her song made a stir in the audience. | 克隆羊的诞生，引起了广泛的~。*Kèlóng yáng de dànshēng*, *yǐnqǐle guǎngfàn de ~.* The birth of the cloned sheep caused a widespread sensation.

⁴ **轰轰烈烈** hōnghōng-lièliè〈形 adj.〉形容声势浩大，气势雄伟 grand; spectacular; dynamic: 全民植树，~。*Quánmín zhíshù*, *~.* People across the country are planting trees on a spectacular scale. | 他们不甘落后，决心干一番~的事业。*Tāmen bù gān luòhòu*, *juéxīn gàn yì fān ~ de shìyè.* Unwilling to be left behind, they decided to engage in an undertaking of a grand scale.

⁴ **轰炸** hōngzhà〈动 v.〉从飞机上往下投掷炸弹 (of bombers) attack with bombs: 桥梁受到了~。*Qiáoliáng shòu dào le ~.* The bridge was bombed. | 敌人~了平民区。*Dírén le píngmínqū.* The enemy bombed the civilian areas.

H

⁴烘 hōng ❶〈动 v.〉烤干；烤热 dry or warm by the fire: 衣服都湿了，~一~吧。*Yīfu dōu shī le, ~ yi ~ ba.* The clothes are wet, dry them by the fire. | 天太冷，~~火再走。*Tiān tài lěng, ~ ~ huǒ zài zǒu.* It is too cold, let's warm ourselves by the fire before leaving. **❷**〈动 v.〉衬托 set off: ~云托月 ~*yún-tuōyuè* set off the moon with clouds | 这朵红花在绿叶的~托下，显得更为娇美。*Zhè duǒ hónghuā zài lǜyè de ~tuō xià, xiǎnde gèng wéi jiāoměi.* The red flower set off by the green leaves appears more beautiful.

¹红 hóng ❶〈形 adj.〉像鲜血一样的颜色 red: ~花 ~*huā* red flower; safflower | ~旗 ~*qí* red flag or banner | ~土地 ~*tǔdì* red soil | 灯~酒绿 *dēng~-jiǔlǜ* red lanterns and green wine (scene of debauchery) | ~墙绿瓦 ~*qiáng-lǜwǎ* red wall and green tile | 她~唇白齿真漂亮。*Tā ~ chún bái chǐ zhēn piàoliang.* She looks so beautiful with her red lips and white teeth. | 秋天，人们爱到香山看~叶。*Qiūtiān, rénmen ài dào Xiāngshān kàn ~yè.* When autumn comes, people like to climb the Fragrant Hill to enjoy the red autumn leaves. **❷**〈形 adj.〉象征喜庆、成功或受人重视 symbolic of festivity, success or popularity: ~白事 ~*báishì* red and white affairs—weddings and funerals | 她在演艺界正走~。*Tā zài yǎnyìjiè zhèng zǒu~.* She is becoming popular in the field of performing arts. | 第一场考试他得了个开门~。*Dì-yī chǎng kǎoshì tā déle gè kāimén~.* He got off to a flying start in the first exam. | 今年在生意场上，他走了~运，赚了不少钱。*Jīnnián zài shēngyìchǎng shang, tā zǒule ~yùn, zhuàn le bù shǎo qián.* This year he was very lucky in business and made a lot of money. **❸**〈形 adj.〉象征革命或进步 revolutionary or progressive: 他有颗~心，全心全意为人民服务。*Tā yǒu kē ~xīn, quánxīn-quányì wèi rénmín fúwù.* With a heart loyal to the cause of proletarian revolution, he is always ready to serve the people wholeheartedly. | 她是个又~又专的人才。*Tā shì gè yòu~-yòuzhuān de réncái.* She is both socialist-minded and professionally competent. **❹**〈名 n.〉鲜血的代称 blood: 流~ *liú~* bleed | 吐~ *tù~* haematemesis | 刺刀见~ *cìdāo jiàn ~* blood bursts out of the bayonet wound (reach a crisis or climax) **❺**〈名 n.〉喜庆的红色织物 red cloth, bunting, etc., used on festive occasions: 挂~ *guà~* hang up red festoons | 披~挂绿 *pī~-guàlǜ* wear red sashes or cloth as a sign of honor; congratulate or celebrate one's success **❻**〈名 n.〉红利（股东分得的报酬）bonus; dividend (for shareholders): 分~ *fēn~* draw dividends **❼**〈动 v.〉变成红色 redden: 他一喝酒就脸~。*Tā yì hē jiǔ jiù liǎn ~.* His face reddens whenever he drinks. | 杜鹃花开遍~遍了山。*Dùjuānhuā kāi ~biànle shān.* Azaleas blossoms turned the hill red.

²红茶 hóngchá〈名 n.〉茶叶的一大类，是全发酵茶 black tea: 斯里兰卡盛产~。*Sīlǐlánkǎ shèngchǎn ~.* Sri Lanka produces a large amount of black tea. | 草原上的牧民爱喝~。*Cǎoyuán shang de mùmín ài hē ~.* The herdsmen on the grassland like drinking black tea.

⁴红领巾 hónglǐngjīn ❶〈名 n.〉〈条 tiáo〉中国少年先锋队队员佩带的领巾 red scarf worn by the Young Pioneers: 他今天加入了少先队，光荣地戴上了~。*Tā jīntiān jiārùle Shàoxiānduì, guāngróng de dàihàngle ~.* Today he joined the Young Pioneers and proudly put on a red scarf. | 她为了表示敬意，给德高望重的老爷爷佩戴了~。*Tā wèi le biǎoshì jìngyì, gěi dégāo-wàngzhòng de lǎo yéye pèidàile ~.* She put a red scarf on the venerable old man to show her respect. **❷**〈名 n.〉代指中国少年先锋队队员 Young Pioneer: ~们唱着歌，蹦蹦跳跳跑过来。*~men chàngzhe gē, bèngbèng tiàotiào pǎo guòlái.* The Young Pioneers scampered here, singing and bouncing all the way. | 那个~天天主动帮助老人，人人都夸赞他。*Nàge ~ tiāntiān zhǔdòng bāngzhù lǎorén, rénrén dōu kuāzàn tā.* That Young Pioneer helps the old every day of his own accord, which wins the praise of everyone.

²红旗 hóngqí ❶〈名 n.〉(面miàn)红色的旗子 red flag or banner: 在起跑线上，裁判员挥舞着小~。*Zài qǐpǎoxiàn shang, cáipànyuán huīwǔzhe xiǎo ~.* The referee is waving a small red flag on the scratch line. | 娱乐城里挂着一串串小~。*Yúlèchéng li guàzhe yí chuànchuàn xiǎo ~.* The entertainment center is decorated with strings of small red flags. ❷〈名 n.〉(面miàn)特指革命的旗帜 red flag as a symbol of revolution: 飘飘~piāopiāo red flag fluttering in the wind | 高擎~，勇往直前。*Gāo qíng ~, yǒngwǎng-zhíqián.* Uphold the red flag and march forward courageously. ❸〈形 adj.〉比喻先进的 fig. advanced: ~班组 = *bānzǔ* red-banner team; advanced team | ~商店 ~ *shāngdiàn* red-banner store

⁴宏大 hóngdà 〈形 adj.〉宏伟；巨大 grand; great: 北京故宫规模~。*Běijīng Gùgōng guīmó ~.* The Imperial Palace in Beijing is grand in scale. | 那年的阅兵式，场面~。*Nà nián de yuèbīngshì, chǎngmiàn ~.* The military parade of that year was very spectacular. | 她从小就有为科学献身的~理想。*Tā cóngxiǎo jiù yǒu wèi kēxué xiànshēn de ~ lǐxiǎng.* She has nursed the great aspiration to devote herself to science since her childhood.

³宏伟 hóngwěi 〈形 adj.〉(规模、计划等)雄壮伟大 (of scale, plan, etc.) magnificent; grand: 中国三峡水利工程，气势~。*Zhōngguó Sānxiá shuǐlì gōngchéng, qìshì ~.* China's Three Gorges Water Project is magnificent. | 那个高新技术公司，从成立之初就有了~蓝图。*Nàge gāo xīn jìshù gōngsī, cóng chénglì zhī chū jiù yǒule ~ lántú.* That high-tech company had a grand blueprint when it was established.

⁴虹 hóng 〈名 n.〉(道dào)雨后阳光照射天空尚存的水汽而形成的一种七彩拱形现象，也称'彩虹'rainbow, also '彩虹cǎihóng': 气贯长~qìguàn-cháng full of noble aspirations | 雨过天晴，东方出现了一道彩~。*Yǔguò-tiānqíng, dōngfāng chūxiànle yí dào cǎi~.* There appeared a rainbow in the east after the rain stopped and the sky cleared up.

洪水 hóngshuǐ 〈名 n.〉因大雨或融雪而使江河暴涨的大水流 flood; overflowing of water due to heavy rain or melting snow: 连日暴雨，~横流，泛滥成灾。*Liánrì bàoyǔ, ~ héngliú, fànlàn chéngzāi.* The rainstorm lasted for days on end and the overflowing flood wreaked havoc in the area. | 平时要加固堤坝，以防雨季~泛滥。*Píngshí yào jiāgù dībà, yǐfáng yǔjì ~ fànlàn.* The dykes should be reinforced in normal times so as to guard against the overflow of flood waters in rainy seasons.

⁴哄 hōng ❶〈动 v.〉用假话或手段欺骗人 fool; humbug: 你尽说好听的，~谁呢! *Nǐ jìn shuō hǎotīng de, ~ shéi ne!* You are such a honey-tongued devil! Who are you fooling now? | 别来那一套，你~不了我。*Bié lái nà yí tào, nǐ ~ bù liǎo wǒ.* Stop it. You won't fool me. ❷〈动 v.〉用言行逗人高兴 keep in good humor; coax: 老奶奶正在~孙子。*Lǎo nǎinai zhèngzài ~ sūnzi.* The old granny was coaxing her grandson. | 经他一~，老人们都乐了。*Jīng tā yì ~, lǎorénmen dōu lè le.* At his coaxing, all these old people cheered up.

☞ hòng, p. 435

⁴哄 hòng 〈动 v.〉吵闹；开玩笑 roar; tease: 起~ qǐ ~ create a disturbance; start a clamorous jeer | 一~而散 yí-~érsàn break up in an uproar | 听说球赛暂停了，孩子们~了起来。*Tīngshuō qiúsài zàntíng le, háizimen ~le qǐlái.* On hearing that the ball match had been suspended, the children started hooting and hollering. | 你~个什么劲儿?瞧人家脸都红了。*Nǐ ~ gè shénme jìnr? Qiáo rénjia liǎn dōu hóng le.* Why are you so keen on fooling around? Don't you see his/her face has flushed?

☞ hǒng, p 435

³ **喉咙** hóulóng〈名 n.〉咽部和喉部的总称 general term for pharynx and throat：他放开一大声歌唱。*Tā fàng kāi – dà shēng gēchàng.* He opened his throat and sang loudly. | 她不小心让鱼刺卡在一里了。*Tā bù xiǎoxīn ràng yúcì qiǎ zài – li le.* Due to her carelessness, she was choked by a fish bone.

² **猴子** hóuzi〈名 n.〉(只zhī、群qún)猴的通称，一种哺乳动物 monkey：~抓住树枝悠来荡去，像个淘气的孩子。*~ zhuā zhù shùzhī yōulái-dàngqù, xiàng gè táoqì de háizi.* Grasping the branch of a tree, the monkey swung to and fro like a naughty child. | 瞧你，瘦得一似的! *Qiáo nǐ, shòu de – shìde!* Look, you look as thin as a monkey!

³ **吼** hǒu ❶〈动 v.〉野兽大声叫 (of beasts) howl; roar：我还没进动物园的狮虎山就听见了狮子的~声。*Wǒ hái méi jìn dòngwùyuán de Shīhǔshān jiù tīngjiànle shīzi de – shēng.* I heard the roar of a lion before reaching the Lion and Tiger Hill in the zoo. ❷〈动 v.〉人发怒或情绪激动时大声喊叫 shout; howl; cry out in anger or agitation：有话慢慢说，你~什么! *Yǒu huà mànmàn shuō, nǐ – shénme!* Take it easy. Why are you shouting? ❸〈动 v.〉泛指发出很大的响声 howl; rumble; thunder：北风在~叫。*Běi fēng zài – jiào.* The north wind is howling. | 大炮怒~起来。*Dàpào nù–qǐlái.* The of cannons boomed.

¹ **后** hòu ❶〈名 n.〉空间位置在背面的(与'前'相对) back; rear; behind (opposite to '前 qián')：前~左右 qián–~zuǒyòu on all sides; all around | 山前山~ shān qián shān – in front of and behind the mountain | 小马驹一步不离地跟在母马一面。*Xiǎo mǎjū yí bù bù lí de gēn zài mǔ mǎ ~mian.* The foal is closely following the mare. ❷〈名 n.〉次序在末尾的(与'先''前'相对) last (opposite to '先 xiān' and '前 qián')：先来~到 xiānlái ~dào in the order of arrival | ~来居上 ~lái-jūshàng the latecomers come out the first; catch up from behind | 先易~难 xiānyì ~nán doing first what is easy and then what is difficult | 他名列~五名。*Tā míng liè – wǔ míng.* He ranked fifth from the bottom. ❸〈名 n.〉表示在某事或某时以后(与'前'相对) after (opposite to '前 qián')：他喜欢在饭~散散步。*Tā xǐhuan zài fàn~ sànsàn bù.* He likes to take a walk after dinner. | 她每天都要到夜里11点~才上床睡觉。*Tā měitiān dōu yào dào yè lǐ shíyī diǎn – cái shàng chuáng shuìjiào.* She doesn't go to bed until 11 every night. ❹〈名 n.〉后代；子孙 progeny; offspring：他们没生育，要绝~了。*Tāmen méi shēngyù, yào jué – le.* Their family line will be broken since they remain childless. ❺〈名 n.〉君主；帝王 sovereign：~羿 ~yì Hou Yi, a legendary king in the Xia Dynasty and a master archer | ~稷 ~jì Hou Ji, legendary founder of the Zhou clan, which was to set up the Zhou Dynasty | 三~(指禹、汤、文王)*Sān ~ (zhī Yǔ, Táng, Wénwáng)* Three Sovereigns (Yu, legendary leader who led the people in conquering floods; Tang, founder of the Shang Dynasty and King Wen of Zhou) ❻〈名 n.〉君主、帝王的妻子 empress; queen：~妃 ~fēi empress and imperial concubines | 皇~ huáng~ empress | 太~ tài~ empress dowager ❼〈动 v. 书 lit.〉落后 lag behind：不甘~人 bù gān – rén not content to lag behind

¹ **后边** hòubian〈名 n.〉后面；背后(与'前边'相对) back; rear; behind (opposite to '前边 qiánbian')：小木屋~有个清澈的小池塘。*Xiǎo mùwū – yǒu gè qīngchè de xiǎo chítáng.* There is a limpid pond behind the small wood cabin. | ~来了马队。*~láile mǎ duì.* A train of horses came from behind. | 他下班回了家，不知~还有紧急任务要他干呢。*Tā xiàbān huíle jiā, bù zhī – hái yǒu jǐnjí rènwù yào tā gàn ne.* He went home after work, hardly expecting that there was an urgent task for him to do.

³ **后代** hòudài ❶〈名 n.〉指某时代以后的时代 later periods; later ages: 对先秦的古籍，~常作诠释。Duì Xiānqín de gǔjí, ~ cháng zuò quánshì. The ancient books of pre-Qin period have always been annotated in later ages. │ 这些神话故事，都是~根据传说演绎的。Zhèxiē shénhuà gùshì, dōu shì ~ gēnjù chuánshuō yǎnyì de. All these fairy tales were composed according to legends in the later periods. ❷〈名 n.〉子孙 later generation; descendants: 他们的~很有出息。Tāmen de ~ hěn yǒu chūxi. Their descendants turned out to be very successful. │ 植树造林，造福~。Zhíshù zàolín, zàofú ~. Plant trees and benefit the future generations.

³ **后方** hòufāng ❶〈名 n.〉远离前线的地方(与'前方''前线'相对) rear; area far from the battle front (opposite to '前方qiánfāng' and '前线qiánxiàn'): 我们在前线作战，获得~全力支援。Wǒmen zài qiánxiàn zuòzhàn, huòdé ~ quánlì zhīyuán. We fought in the front line with full support from the rear area of the battlefield. │ 我们可以趁敌人~空虚进行袭击。Wǒmen kěyǐ chèn dírén ~ kōngxū jìnxíng xíjī. We can launch an attack since the enemy is weak in rear defense. ❷〈名 n.〉后面(与'前方'相对) behind (opposite to '前方qiánfāng'): ~有辆汽车驶来，请注意避让。~ yǒu liàng qìchē shǐ lái, qǐng zhùyì bìràng. A car is coming from behind, be careful and step aside. │ 大树~有条小路。Dà shù ~ yǒu tiáo xiǎo lù. There is a path behind the big tree.

³ **后果** hòuguǒ 〈名 n.〉结果（多用在坏的方面）(usu. undesirable) consequence; aftermath: 这么胡干，~不堪设想。Zhème húgàn, ~ bùkān shèxiǎng. The consequences of such a reckless act would be too dreadful to contemplate. │ 你一意孤行，要对~负责。Nǐ yíyì-gūxíng, yào duì ~ fùzé. You must be responsible for your willful act.

² **后悔** hòuhuǐ 〈动 v.〉事后懊悔 regret: 他~不听人劝说，出了事故。Tā ~ bù tīng rén quànshuō, chūle shìgù. He regretted not having followed others' advice; otherwise the accident could have been avoided. │ 她吵完架就~不该那么冲动。Tā chǎo wán jià jiù ~ bù gāi nàme chōngdòng. After quarrelling with others, she regretted having acted on impulse.

² **后来** hòulái ❶〈名 n.〉指某一时间以后的时间 later; afterwards: 他起先在城里住，~搬到城郊去了。Tā qǐxiān zài chéng li zhù, ~ bāndào chéngjiāo qù le. He used to live in the city, but later moved to the outskirts. │ 她本来很羞怯，~变得从容大方了。Tā běnlái hěn xiūqiè, ~ biàn de cóngróng dàfang le. She used to be very shy, but later she became natural and poised. ❷〈形 adj.〉后到的；后成长的 newly come; newly grown: 在这个办公室里，她是~的。Zài zhège bàngōngshì li, tā shì ~ de. She is a later comer in the office. │ 你起步晚，可是成果累累，~居上了。Nǐ qǐbù wǎn, kěshì chéngguǒ lěilěi, ~ jūshàng le. You have obtained fruitful results even though you started later than others. As a new arrival, you did surpass the oldtimers.

² **后面** hòumian ❶〈名 n.〉空间或位置靠后的部分（与'前面'相对）(in space or position) behind; back(opposite to '前面qiánmian'): 楼~是小花园。Lóu ~ shì xiǎo huāyuán. There is a small garden behind the building. │ 我在他~买了戏票。Wǒ zài tā ~ mǎile xìpiào. I was behind him when I bought the ticket for the show. ❷〈名 n.〉次序靠后的部分 later part: 独唱~还有歌舞演出。Dúchàng ~ hái yǒu gēwǔ yǎnchū. Singing and dancing performances will be presented after the solo. │ 正文~有篇'编后记'。Zhèngwén ~ yǒu piān biānhòujì. There is 'Afterword' following the main body of the book.

² **后年** hòunián 〈名 n.〉明年的明年 year after next: ~她就九岁了。~ tā jiù jiǔ suì le. She will be 9 years old the year after next. │ 他要到~才大学毕业。Tā yào dào ~ cái dàxué

bìyè. He will graduate from college the year after next.

⁴ **后期** hòuqī 〈名 n.〉某一时期的后一阶段 later phase; later period: 80年代~，她就名满天下了。*Bāshí niándài ~, tā jiù míngmǎntiānxià le.* She had become well known in the late 1980's. ｜这部电影已进入~制作阶段。*Zhè bù diànyǐng yǐ jìnrù ~ zhìzuò jiēduàn.* The movie is at the later stage of production.

⁴ **后勤** hòuqín 〈名 n.〉对前线的供应工作；单位的总务 rear service (for the front); logistics: ~有保障，前方打胜仗。*~ yǒu bǎozhàng, qiánfāng dǎ shèngzhàng.* Only when the logistics is guaranteed can victories by won at the front line. ｜要抓好~工作，改善职员工作、生活条件。*Yào zhuāhǎo ~ gōngzuò, gǎishàn zhíyuán gōngzuò, shēnghuó tiáojiàn.* Do a good job in logistics management to improve personnel's working and living conditions.

⁴ **后台** hòutái ❶〈名 n.〉舞台后面的场所(与'前台'相对) backstage (opposite to '前台 qiántái'): 她正在~化装。*Tā zhèngzài ~ huàzhuāng.* She is putting on makeup backstage. ｜~工作人员是无名英雄。*~ gōngzuò rényuán shì wúmíng yīngxióng.* Backstage workers are unsung heroes. ❷〈名 n.〉比喻在背后指使、操纵、撑腰的人或集团 *fig.* backstage support; person or group engaged in behind-the-scene instigation, manipulation or support: 他胆子这么大，是因为~硬呀！*Tā dǎnzi zhème dà, shì yīnwèi ~ yìng ya!* He has a strong backing. No wonder he is so impertinent! ｜这家伙是小流氓的~老板。*Zhè jiāhuo shì xiǎo liúmáng de ~ lǎobǎn.* This guy is the backstage boss of the hooligan.

² **后天** hòutiān ❶〈名 n.〉明天的明天 day after tomorrow: ~他去北京。*~ tā qù Běijīng.* He will go to Beijing the day after tomorrow. ｜那沙发~就可完工。*Nà shāfā ~ jiù kě wángōng.* The sofa will be ready the day after tomorrow. ❷〈名 n.〉生物离开母体后的生长、生活时期(与'先天'相对) postnatal period (opposite to '先天 xiāntiān'): 她这么聪明能干，有先天的因素，也有~的努力。*Tā zhème cōngming nénggàn, yǒu xiāntiān de yīnsù, yě yǒu ~ de nǔlì.* She is so clever and capable thanks to her innate qualities and hard work. ｜这孩子身体虚弱，主要在于~缺乏锻炼。*Zhè háizi shēntǐ xūruò, zhǔyào zàiyú ~ quēfá duànliàn.* The child is weak mainly because of his lack of physical exercise.

³ **后头** hòutou 〈名 n.〉后面(与'前头'相对) back; rear; behind (opposite to '前头 qiántou'): 车站~就是宾馆。*Chēzhàn ~ jiùshì bīnguǎn.* The hotel stands behind the station. ｜去湖边，只要跟在那伙人~走就行。*Qù hú biān, zhǐyào gēn zài nà huǒ rén ~ zǒu jiù xíng.* You can reach the lake simply by following that group of people. ｜~我还要作些解释。*~ wǒ hái yào zuò xiē jiěshì.* I will further explain it later on.

³ **后退** hòutuì 〈动 v.〉向后退；退到后面的地方或以前的发展阶段(与'前进'相对) draw back; retreat to the rear or to an early stage of development (opposite to '前进 qiánjìn'): 前面堵车了，你的车子~一下。*Qiánmian dǔchē le, nǐ de chēzi ~ yíxià.* Please back your car. There is a traffic jam ahead. ｜将军命令部队~30里。*Jiāngjūn mìnglìng bùduì ~ sānshí lǐ.* The general ordered his troop to withdraw 30 *li*. ｜这家企业的生产效率~到了两年前的水平。*Zhè jiā qǐyè de shēngchǎn xiàolǜ ~ dàole liǎng nián qián de shuǐpíng.* The production efficiency of this enterprise fell to the level of two years ago.

² **厚** hòu ❶〈形 adj.〉扁平物体上下两面的距离较大(与'薄'相对) thick; relatively great in extent from one surface to the opposite (opposite to '薄 báo'): 这本书真~！*Zhè běn shū zhēn ~!* The book is really thick! ｜天热了，把~被子收起来吧。*Tiān rè le, bǎ ~ bèizi shōu qǐlái ba.* It is getting hot. Let's put away the thick quilts. ❷〈形 adj.〉深、

重(多用于情感方面)(usu. of relationship) deep; profound: 他们三年相处，情深谊~. *Tāmen sān nián xiāngchǔ, qíngshēn-yì~.* Having been together for three years, they have cultivated profound friendship. | 我们对你寄以~望. *Wǒmen duì nǐ jì yǐ ~wàng.* We have great expectations on you. ❸〈形 adj.〉厚道；不刻薄 kind; magnanimous: 忠~ *zhōng~* honest and tolerant | 仁~ *rén~* benevolent and generous | 敦~ *dūn~* sincere | 他对小事从来不计较，为人宽~. *Tā duì xiǎoshì cónglái bú jìjiào, wéirén kuān~.* He is generous and never get himself involved in trivial matters. ❹〈形 adj.〉厚重；丰厚 large; generous: 高官~禄 *gāoguān~lù* high office and fat salary | 得天独~ *détiān-dú~* be richly endowed by nature; enjoy special favors of nature | 他做这笔生意，获了~利. *Tā zuò zhè bǐ shēngyi, huòle ~lì.* He got a huge profit through the deal. | 老师昨天80大寿，他送了份~礼. *Lǎoshī zuótiān bāshí dà shòu, tā sòngle fèn ~lǐ.* Yesterday he presented a generous gift to his teacher for his 80th birthday. ❺〈动 v.〉推崇；重视(与'薄'相对) favor; stress (opposite to '薄bó'): ~古薄今 *~gǔ-bójīn* stress the past, not the present | ~此薄彼 *~cǐ-bóbǐ* favor one and be prejudiced against the other ❻〈名 n.〉扁平物体上下两面的距离；厚度 thickness; depth: 昨夜的雪下得足有半尺~. *Zuó yè de xuě xià de zú yǒu bàn chǐ ~.* Last night the fallen snow lay half a foot deep.

⁴ **厚度** hòudù〈名 n.〉扁平物体上下两面的距离 thickness; distance between two surfaces of a flat object: 这面墙的~不够. *Zhè miàn qiáng de ~ bú gòu.* This wall is not thick enough. | 测测煤层的~是多少. *Cècè méicéng de ~ shì duōshao.* Measure the thickness of the coal seam.

⁴ **候补** hòubǔ〈形 adj.〉等待递补缺额的(与'正式'相对)(of a candidate for a vacancy) alternate (opposite to '正式zhèngshì'): ~委员 *~wěiyuán* alternate committee member | ~队员 *~duìyuán* (of sports) substitute | 面对拼抢激烈的足球比赛，他心急如焚地坐在~席上. *Miànduì pīnqiǎng jīliè de zúqiú bǐsài, tā xīnjí-rúfén de zuò zài ~ xí shang.* Sitting on the seat for substitute and watching the fierce football match, he was burning with impatience.

⁴ **候选人** hòuxuǎnrén〈名 n.〉(位wèi、个gè、名míng)被提名的参选人 candidate; one that is nominated for a position: 他是人民代表大会的~，感到很光荣. *Tā shì Rénmín Dàibiǎo Dàhuì de ~, gǎndào hěn guāngróng.* He was proud of being a candidate for the People's Congress. | 她终于成了总统~. *Tā zhōngyú chéngle zǒngtǒng ~.* She became a presidential candidate at last.

² **呼** hū ❶〈动 v.〉吐气(与'吸'相对) breathe out; exhale (opposite to '吸xī'): 人吸入氧气，~出二氧化碳. *Rén xīrù yǎngqì, ~chū èryǎng huàtàn.* Human being breathes in oxygen and breathes out carbon dioxide. | 他深深~了一口气. *Tā shēnshēn ~le yì kǒu qì.* He exhaled a long breath. ❷〈动 v.〉大声喊 shout; cry out: 游行的人~着口号. *Yóuxíng de rén ~zhe kǒuhào.* The demonstrators shouted slogans. | 人们的~声不容忽视. *Rénmen de ~shēng bùróng hūshì.* The voice of the people cannot be ignored. ❸〈动 v.〉叫；叫人来 call: 一~百应 *yì-~-bǎiyìng* massive response to a single call | ~之欲出 *~zhīyùchū* seem ready to come out at one's call; be vividly portrayed | 直~其名 *zhí~ qí míng* address sb. by name (as a sign of familiarity or disrespect) | ~风唤雨(比喻支配自然或进行煽动性的活动) *~fēng-huànyǔ* (*bǐyù zhīpèi zìrán huò jìnxíng shāndòngxìng de huódòng*) summon wind and rain (*fig.* control the forces of nature; stir up trouble) | 千~万唤始出来，犹抱琵琶半遮面. *Qiān~-wànhuàn shǐ chūlái, yóu bào pípa bàn zhē miàn.* She appeared after being called repeatedly, / Holding a pipa that half hid her face. ❹〈动 v.〉通过寻呼台，呼唤某人 page; beep; call: 这是我的寻呼机号码，有事尽管~

我。*Zhè shì wǒ de xúnhūjī hàomǎ, yǒu shì jǐnguǎn ~ wǒ.* This is my pager number. Page me if anything happens. ❺〈名 *n.*〉鼾声 snore: 他一睡就打~。*Tā yí shuì jiù dǎ ~.* He snores whenever he falls asleep.

³ **呼呼** hūhū〈拟声 *onom.*〉多用于形容风声或喘息声 (of wind or breathing) whir; wheeze: 北风~地吹。*Běi fēng ~ de chuī.* The north wind is whistling. | 他~地睡着了。 *Tā ~ de shuìzháo le.* He fell sound asleep, breathing rhythmically.

⁴ **呼声** hūshēng ❶〈名 *n.*〉呼喊的声音 cry: 从山头传来他的~。*Cóng shāntóu chuánlái tā de ~.* His cry was heard floating from the top of the hill. ❷〈名 *n.*〉群众的意见和要求 voice of the people; opinions and demands of the people: 领导人要善于倾听群众的~。*Lǐngdǎorén yào shànyú qīngtīng qúnzhòng de ~.* Leaders should lend an attentive ear to the people's demands. | 世界人民要求和平的~越来越高。*Shìjiè rénmín yāoqiú hépíng de ~ yuèláiyuè gāo.* The cry for peace is louder and louder worldwide.

² **呼吸** hūxī〈动 *v.*〉生物体与外界进行气体交换 breathe; respire: 我常到小树林去~新鲜空气。*Wǒ cháng dào xiǎo shùlín qù ~ xīnxiān kōngqì.* I always go to the woods for some fresh air. | 他有哮喘病,~有点儿困难。*Tā yǒu xiàochuǎnbìng, ~ yǒudiǎnr kùnnan.* He has breathing difficulty because of asthma.

⁴ **呼啸** hūxiào〈动 *v.*〉发出长而高的声音 whistle; scream; whiz: 狂风~着卷地而来。 *Kuángfēng ~zhe juǎn dì ér lái.* Fierce wind screamed as it blew across the land. | 飓风将至,大海~起来。*Jùfēng jiāng zhì, dàhǎi ~ qǐlái.* The cyclone is coming and the sea is roaring. | 炮弹向远方~而去。*Pàodàn xiàng yuǎnfāng ~ ér qù.* The shell whizzed into the distance.

⁴ **呼吁** hūyù〈动 *v.*〉公开申述,请求支持、援助或主持公道 appeal; call on (for support, assistance or justice): 许多文章都在~保护生态环境。*Xǔduō wénzhāng dōu zài ~ bǎohù shēngtài huánjìng.* Many articles call for environmental protection. | 我们学校发出了重视贫困地区孩子失学问题的~书。*Wǒmen xuéxiào fāchūle zhòngshì pínkùn dìqū háizi shīxué wèntí de ~shū.* Our school sent an appeal calling attention to the problem of school dropouts in the poor regions.

⁴ **忽略** hūlüè〈动 *v.*〉没有注意到;省去不计 neglect; overlook; lose sight of: 校对工作对每个字每个标点都不能~。*Jiàoduì gōngzuò duì měigè zì měigè biāodiǎn dōu bù néng ~.* To do proofreading, one must not overlook any word or punctuation. | 不能光顾了大的规划而~了实施细节。*Bù néng guāng gùle dà de guīhuà ér ~le shíshī xìjié.* We cannot lose sight of details of implementation while focusing on the overall plan. | 小数点之后的数字可以~吗? *Xiǎoshùdiǎn zhī hòu de shùzì kěyǐ ~ ma?* Can we drop the number of digits after the decimal point?

¹ **忽然** hūrán〈副 *adv.*〉来得迅速而出乎意外 suddenly: 刚才还艳阳高照,~下起雨来。 *Gāngcái hái yànyáng gāo zhào, ~ xià qǐ yǔ lái.* It was sunny just now, but all of a sudden it began to rain. | 我正要去图书馆找她,~,她推门进来了。*Wǒ zhèng yào qù túshūguǎn zhǎo tā, ~, tā tuī mén jìnlái le.* I was going to look for her in the library when suddenly she opened the door and came in. | 说好去公园玩儿,他~提出去看电影。*Shuō hǎo qù gōngyuán wánr, tā ~ tíchū qù kàn diànyǐng.* We had agreed to play in the park, but he suddenly suggested we go to the movies.

³ **忽视** hūshì〈动 *v.*〉不注意;不重视 neglect; overlook; ignore: 只顾学习而~锻炼,身体会出毛病的。*Zhǐgù xuéxí ér ~ duànliàn, shēntǐ huì chū máobìng de.* Health problems will arise if one devotes all his time to study without doing any physical exercises. | 公司主管不能~新技术开发工作。*Gōngsī zhǔguǎn bù néng ~ xīn jìshù kāifā gōngzuò.* The

CEO of the company cannot neglect the development of new technology.

⁴ **狐狸** húli〈名 n.〉(只 zhī、个 gè)狐的通称，一种哺乳动物 fox: 我们村子人工养殖了好些~。Wǒmen cūnzi réngōng yǎngzhíle hǎoxiē ~. People in our village raise many foxes. | 她尽干些见不得人的事，可是她像一般狡猾，谁都很难挑出她的毛病。Tā jìn gàn xiē jiànbudé rén de shì, kěshì tā xiàng ~ yìbān jiǎohuá, shéi dōu hěn nán tiāochū tā de máobìng. Everything she does is very mean, but she is as sly as a fox and one can hardly find fault with her.

⁴ **胡** hú ❶〈副 adv.〉表示不认真，随心所欲 recklessly; wantonly; outrageously: ~说 ~shuō talk nonsense | ~闹 ~nào act wildly; do mischief | ~吃 ~chī eat indiscriminately | 这孩子上课心不在焉，对老师的提问一答一气 Zhè háizi shàngkè xīnbúzàiyān, duì lǎoshī de tíwèn ~ dá yí qì. The child was absent-minded in class and talked nonsense when answering his teacher's question. ❷〈名 n.〉中国古代泛指北方和西方的少数民族 Hú; generic term for ethnic minorities inhabiting the northern and western part of China in ancient times: ~人 ~rén Hu people | ~马 ~mǎ wild horse in northern and western part of China | ~姬 ~jī Hu lady ❸〈名 n.〉源自外族或外国的(东西) goods introduced from the non-Han minorities or foreign countries: ~琴 ~qín huqin, two-stringed bowed instrument | 萝卜~luóbo carrot ❹〈名 n.〉指胡琴 huqin: 二~ èr~ erhu fiddle | 板~bǎn~ banhu fiddle ❺〈名 n.〉胡须 beard; moustache; whiskers: 络腮~luòsāi~ whiskers ❻〈代 pron. 书 lit.〉疑问代词，为什么;何故 (interrogative pronoun) why: ~不归? ~ bù guī? Why not return? | ~禁不止? ~ jìn bù zhǐ? Why can't it be banned?

⁴ **胡来** húlái ❶〈动 v.〉不按规程乱做 mess things up; fool with sth.: 修电视机不能~。Xiū diànshìjī bù néng ~. When repairing TV set, one should be careful not to mess things up. | 这么随意填报表，简直是~! Zhème suíyì tián bàobiǎo, jiǎnzhí shì ~! To fill in the report form in such a careless way is simply to mess things up. ❷〈动 v.〉胡闹;胡作非为 run wild; make trouble: 首都是首善之区，岂容小流氓~! Shǒudū shì shǒushànzhīqū,qǐ róng xiǎo liúmáng ~! The capital is the best of all places; how can a hooligan be allowed to run wild here? | 你再敢，我们就对你不客气。Nǐ zài gǎn ~, wǒmen jiù duì nǐ bú kèqi. If you dare to make any more trouble, we won't let you get away with it.

² **胡乱** húluàn ❶〈副 adv.〉马虎;随便 carelessly; casually: 他~吃了几口就走了。Tā chīle jǐ kǒu jiù zǒu le. He ate a hasty meal and went away. | 别看她~画了几笔，还挺有味儿。Bié kàn tā ~ huàle jǐ bǐ, hái tǐng yǒu wèir. Her scribbled drawing does offer something to savor. ❷〈副 adv.〉没有道理地;没有根据地 unreasonably; groundlessly: 不了解情况，你别~下结论。Bù liǎojiě qíngkuàng, nǐ bié ~ xià jiélùn. Don't jump to conclusion if you know little about it. | 对这件事，~猜疑是不对的。Duì zhè jiàn shì, ~ cāiyí shì búduì de. It is not right to make wild speculation concerning this matter.

³ **胡说** húshuō ❶〈动 v.〉随意乱说 talk nonsense; drivel: 他喝醉了就爱~一气 Tā hē zuìle jiù ài ~ yíqì. He tends to talk nonsense whenever he gets drunk. | 这事你知道就行了，别到处~! Zhè shì nǐ zhīdào jiù xíng le, bié dàochù ~! This is only between you and me. Don't blab it to anyone. ❷〈动 v.〉没有根据或没有道理地说 make assertion without evidence or justification: 他说人家要裁他走，完全是~! Tā shuō rénjia yào hōng tā zǒu, wánquán shì ~! He said he would be fired. That was sheer nonsense. | 毫无根据的事，你也敢~? Háowú gēnjù de shì, nǐ yě gǎn ~? How dare you say such a groundless thing?

³ **胡同** hútòng〈名 n.〉(条 tiáo)巷;小街道 alley; lane: 他家住在金鱼~。Tā jiā zhù zài

Jīnyú ~. He lives in the Goldfish Lane. | 从这条~出去就是大街。*Cóng zhè tiáo ~ chūqù jiù shì dàjiē.* Go through this lane and you will get to the main street.

² **胡子** húzi 〈名 n.〉（根 gēn、把 bǎ、绺 liǔ、撇 piě）嘴周围和连着鬓角长的毛 beard; moustache; whiskers：你~拉碴，该刮刮了。*Nǐ ~lāchā, gāi guāguā le.* Look at that stubbly beard of yours. You need a shave. | 他的~又黑又密。*Tā de ~ yòu hēi yòu mì.* His beard is dark and thick.

² **壶** hú ❶〈名 n.〉（把 bǎ）用来盛液体的容器（多有提梁）kettle; pot; liquid container usu. with a handle：酒 ~ jiǔ~ wine pot | 茶 ~ chá~ teapot | 他提着~打酒去了。*Tā tízhe ~ dǎ jiǔ qù le.* He took a pot to buy wine. | 哪~不开提哪~（比喻故意为难人）。*Nǎ ~ bù kāi tí nǎ ~ (bǐyù gùyì wéinán rén).* Pick the only kettle that is not boiling (*fig.* touch the tender spot). ❷〈量 meas.〉用于计量液体 used to measure liquid：今天我在他家喝了一~茶。*Jīntiān wǒ zài tā jiā hēle yì ~ chá.* Today I drank a pot of tea at his home. | 他兴致很高，昨晚跟朋友喝了半~黄酒。*Tā xìngzhì hěn gāo, zuó wǎn gēn péngyou hēle bàn ~ huángjiǔ.* He was in such a good mood that he drank half a pot of yellow rice wine with his friend last night.

⁴ **葫芦** húlu ❶〈名 n.〉（棵 kē）一种草本植物，果实可食用，可盛物，可供观赏 bottle gourd; herbaceous plant whose fruit is edible or used as vessels or ornaments ❷〈名 n.〉（个 gè）专指葫芦果实 fruit of the gourd：依样画 ~（比喻单纯模仿，没有发挥创造）*yī yàng huà ~ (bǐyù dānchún mófǎng, méiyǒu fāhuī chuàngzào)* draw a gourd according to the model (*fig.* copy mechanically without any creativity) | 不知他~里装的什么药（比喻摸不清对方的主意和动向）。*bù zhī tā ~ li zhuāng de shénme yào (bǐyù mō bù qīng duìfāng de zhǔyì hé dòngxiàng).* I don't know what medicine he has put in the gourd (*fig.* I'm not sure of his intention).

湖 hú ❶〈名 n.〉被陆地围成的大片水域 lake：五~四海（指全国各地）*wǔ~sìhǎi (zhǐ quánguó gèdì)* five lakes and four seas (all corners of the country) | ~光山色 *~guāngshānsè* landscapes of lakes and mountains | 洞庭 ~（中国最大的湖泊之一）*Dòngtíng ~ (Zhōngguó zuì dà de húpō zhīyī)* Dongting Lake (one of the largest lakes in China) | 淡水~ *dànshuǐ ~* freshwater lake | 我家门前的~里养了好多鱼。*Wǒ jiā mén qián de ~ li yǎngle hǎoduō yú.* Lots of fish are raised in the lake in front of my house. ❷（Hú）〈名 n.〉特指中国湖南省和湖北省 a name referring to the provinces of Hunan and Hubei：两~是鱼米之乡。*Liǎng ~ shì yúmǐzhīxiāng.* The two provinces of Hunan and Hubei are a land of fish and rice. | ~广熟天下足。*~ Guǎng shú tiānxià zú.* When crops are good in Hunan, Hubei and Guangdong, the whole country will not be short of grain.

³ **蝴蝶** húdié 〈名 n.〉（只 zhī、对 duì）一种昆虫 butterfly：花园里，~翩翩起舞。*Huāyuán li, ~ piānpiān-qǐwǔ.* Butterflies are flying in the garden. | 人们说~是会飞的花朵。*Rénmen shuō ~ shì huì fēi de huāduǒ.* It is said that butterflies are like flying flowers.

⁴ **糊** hú ❶〈名 n.〉粥状物 paste：浆 ~ jiàng~ paste ❷〈动 v.〉以粥充饥 live on paste：~口 *~kǒu* eke out a living ❸〈动 v.〉把纸、布之类，用黏性粘起来或粘到别的物体上 stick paper, cloth, etc. with paste：她~了个纸盒子。*Tā ~le gè zhǐ hézi.* She made a box by pasting paper together. | 那个风筝是妈妈给他~的。*Nàge fēngzheng shì māma gěi tā ~ de.* It was his mother that glued a kite for him. | 他把海报~在了校门口。*Tā bǎ hǎibào ~ zài le xiào ménkǒu.* He pasted the poster at the entrance of the school. ❹〈动 v.〉食品、衣物被烧后变焦、变黄、变黑（of food or clothing）become burnt, brown or dark due to fire：饭~了。*Fàn ~ le.* The rice is burnt. | 我的衬衫给熨~了。*Wǒ de chènshān gěi yùn ~ le.* My shirt was burnt by the iron.

² **糊涂** hútu ❶〈形 adj.〉不清醒；不明事理；认识模糊 muddled; confused; bewildered: 他有病，脑子～了。*Tā yǒu bìng, nǎozi ~ le.* He was sick and couldn't think clearly. ｜遇到尴尬，他就装～。*Yùdào gāngà, tā jiù zhuāng ~.* He will pretend ignorance whenever he is embarrassed. ❷〈形 adj.〉混乱；没条理 chaotic; confusing: 这笔账，怎么这么～? *Zhè bǐ zhàng, zěnme zhème ~?* How come this account is in such a mess? ｜他的话让人越听越～。*Tā de huà ràng rén yuè tīng yuè ~.* The more he explained, the more confused we became.

⁴ **互利** hùlì〈名 n.〉双方都得利 mutual benefit: 互惠～*hùhuì* ~ mutual benefit ｜平等～ *píngděng* ~ equality and mutual benefit ｜做生意必须～。*Zuò shēngyi bìxū ~.* Business relationship should be mutually beneficial. ｜国际交往不能不讲～。*Guójì jiāowǎng bù néng bù jiǎng ~.* Mutual benefit cannot be ignored in international relations.

¹ **互相** hùxiāng〈副 adv.〉表示相互间同样对待 mutually: 他们在一个学校读书，常常～帮助。*Tāmen zài yí gè xuéxiào dúshū, chángcháng ~ bāngzhù.* Studying in the same school, they often help each other. ｜夫妻之间应该～尊重。*Fūqī zhījiān yīnggāi ~ zūnzhòng.* Husband and wife should respect each other. ｜你们～埋怨，解决不了问题。*Nǐmen ~ mányuàn, jiějué bù liǎo wèntí.* You can't solve the problem by blaming each other.

³ **互助** hùzhù〈动 v.〉互相帮助 help each other: 同学之间要～友爱。*Tóngxué zhījiān yào ~ yǒu'ài.* Classmates should be helpful and friendly to each other. ｜这里正开展城乡～活动，谋求共同发展生产。*Zhèlǐ zhèng kāizhǎn chéngxiāng ~ huódòng, móuqiú gòngtóng fāzhǎn shēngchǎn.* An aid program between the urban and rural areas is underway to seek mutual development.

² **户** hù ❶〈名 n.〉门 door: 门～*mén* ~ door ｜流水不腐，枢不蠹(经常活动的东西不易朽坏)。*Liú shuǐ bù fǔ, ~ shū bú dù* （jīngcháng huódòng de dōngxi bú yì xiǔhuài）. Running water is never stale and a door-hinge never gets worm-eaten（thing in use does not easily rot）. ｜这里民风好，夜不闭～。*Zhèlǐ mínfēng hǎo, yèbùbì~.* The morals of the people here are good and they leave their doors open at night. ❷〈名 n.〉住户；人家 household; family: ~籍～*jí* household register ｜~主～*zhǔ* head of a household ｜家喻晓 *jiāyù~~xiǎo* known to every household ｜这栋大楼住有上百～人家。*Zhè dòng dàlóu zhù yǒu shàng bǎi ~ rénjiā.* There are over a hundred households living in this building. ❸〈名 n.〉门第（家庭社会地位）family status: 门当～对 *méndāng~~duì* be well matched in social and economic status（for marriage）｜门～相当 *mén ~ xiāngdāng* be on a par in family status ❹〈名 n.〉户头 account: 账～*zhàng* ~ account ｜订～*dìng* ~ subscriber ｜这辆汽车过了～。*Zhè liàng qìchē guòle ~.* The ownership of the car has been transferred. ｜我在中国银行开了个～。*Wǒ zài Zhōngguó Yínháng kāile gè ~.* I have opened an account with the Bank of China.

⁴ **户口** hùkǒu ❶〈名 n.〉住户和人口 number of households and total population: 近些年这座城市～陡增。*Jìn xiē nián zhè zuò chéngshì ~ dǒuzēng.* In recent years, the households in this city have greatly increased. ｜山区～稀少。*Shānqū ~ xīshǎo.* The mountainous region is thinly populated. ❷〈名 n.〉户籍 registered permanent residence: 报~*bào* ~ register or apply for residence ｜查~*chá* ~ check residence cards ｜销~*xiāo* ~ cancel one's residence registration ｜她到派出所把～迁了。*Tā dào pàichūsuǒ qiānle ~.* She went to the police substation to have her residence registration changed.

⁴ **护** hù ❶〈动 v.〉保护；保卫 protect; guard: 保~*bǎo~* protect ｜~林 *~lín* protect a forest ｜~航 *~háng* convoy; escort ｜洪水来了，全乡人都出动~岸。*Hóngshuǐ lái le, quán*

xiāng rén dōu chūdòng ~ àn. When the flood came, all the villagers went to protect the river bank. | 紫禁城外有条~城河。*Zǐjīnchéng wài yǒu tiáo ~chénghé.* There is a moat surrounding the Forbidden City. ❷〈动 *v.*〉庇护;祖护 be partial to; shield: ~短 ~*duǎn* shield a shortcoming or fault | 官官相~ *guānguān-xiāng~* bureaucrats shield one another | 孩子做错了事,老人不该总~着。*Háizi zuòcuòle shì, lǎorén bù gāi zǒng ~zhe.* The grandparents shouldn't be partial to their grandchild who has done something wrong.

² **护士** hùshi〈名 *n.*〉（名míng、个gè、位wèi）在医疗机构中担任护理工作的人员 nurse: ~工作又脏又累,应当受到人们的尊重。 *~ gōngzuò yòu zāng yòu lèi, yīngdāng shòu dào rénmen de zūnzhòng.* Nurses deserve respect since they have to do unsanitary and weary work. | 人们把~称为白衣天使。*Rénmen bǎ ~ chēngwéi báiyī tiānshǐ.* People call nurses 'angels in white'.

² **护照** hùzhào〈名 *n.*〉（本běn、种zhǒng）公民出入国境所需的证件 passport: 普通~ *pǔtōng ~* regular passport | 外交~ *wàijiāo ~* diplomatic passport | 乘坐国际航班要出示~。*Chéngzuò guójì hángbān yào chūshì ~.* One has to produce his passport when taking international flight. | 她办的~,有效期为5年。*Tā bàn de ~, yǒuxiàoqī wéi wǔ nián.* Her passport is valid for five years.

¹ **花** huā ❶（~儿）〈名 *n.*〉（朵duǒ、枝zhī、束shù、簇cù）植物的繁殖器官(有的已退化,不具繁殖能力) flower; blossom: 远远望去, 那片盛开的桃~有如一片红云。*Yuǎnyuǎn wàng qù, nà piàn shèngkāi de táo~ yǒurú yí piàn hóng yún.* Seen from the distance, the peach blossoms are like a patch of rosy cloud. | 她家的水仙开了,飘散着缕缕清香。*Tā jiā de shuǐxiān kāi~ le, piāosànzhe lǚlǚ qīngxiāng.* The narcissus in her house blossomed, giving off a faint fragrance. ❷（~儿）〈名 *n.*〉可供观赏的植物 ornamental plant: ~木 ~*mù* flowers and trees | 奇~异草 *qí~-yìcǎo* exotic flowers and rare herbs | 鸟语~香*niǎoyǔ~xiāng* birds are singing and flowers are giving forth their fragrance (a fine spring day) ❸〈名 *n.*〉形状像花的东西 anything resembling a flower: 火~ *huǒ~* spark | 雪~ *xuě~* snowflake | 灯~ *dēng~* snuff (of a candlewick) | 浪~ *làng~* spray | 隆冬已降临,玻璃窗上结满了冰。~*Lóngdōng yǐ jiànglín, bōlichuāng shang jiémǎnle bīng ~.* In the depths of winter, the windowpane was covered with a sheet of ice flowers. ❹〈名 *n.*〉烟火的一种 fireworks: ~炮 ~*pào* fireworks and firecrackers | 礼~ *lǐ~* fireworks (for ceremonies or festivals) | 国庆夜天安门前都放。*Guóqìng yè Tiān'ānmén qián dōu fàng* . There is a display of fireworks on the Tian'anmen Square on the eve of the National Day. ❺〈名 *n.*〉用花或花纹装饰的 flower-decorated or decorative pattern: 篮 ~*lán* gaily decorated basket; flower basket | ~环 ~*huán* garland; floral hoop | ~圈 ~*quān* wreath | 窗~ ~ *chuāng* paper-cut for window decoration | ~边*~biān* decorative border; fancy lace | ~车 ~*chē* festooned vehicle | ~布 ~*bù* cotton print | 这绸子很好看。*Zhè suì ~ chóuzi hěn hǎokàn.* The silk looks really nice with its fine and dense flower pattern. ❻〈名 *n.*〉比喻事物的精华 fig. essence; cream: 理想之~ *lǐxiǎng zhī ~* essence of lofty ideal | 艺术之~ *yìshù zhī ~* cream of the art | 这动人的曲子是一朵新开的音乐之~。*Zhè dòngrén de qǔzi shì yì duǒ xīn kāi de yīnyuè zhī ~.* The touching melody is like a newly blossomed flower of music. ❼〈名 *n.*〉棉花 cotton: 轧~ *yà~* gin cotton | 弹~ *tán~* fluff cotton ❽〈名 *n.*〉指在战场上受的外伤 battle wound: 挂~ *guà~* get wounded ❾〈名 *n.*〉突出的美女 beauty; eye-catching woman: 校~ *xiào~* campus queen | 厂~ *chǎng~* factory queen | 她是公司的交际~。*Tā shì gōngsī de jiāojì~.* She is the social butterfly of the company. ❿〈名 *n.*〉妓女或跟妓女有关的 prostitute or sth. related to prostitute: ~魁 ~*kuí* leading courtesan | ~街柳巷 ~*jiē-liǔxiàng* red-light

district｜他是个喜欢寻~问柳的人。*Tā shì gè xǐhuan xún~-wènliǔ de rén.* He is a frequent brothel visitor. ⓫〈名 *n.*〉指某些小滴小块 droplets; pieces：油~ *yóu*~ oil slicks｜葱~ *cōng*~ chopped green onion｜她激动得含着泪~。*Tā jīdòng de hánzhe lèi*~. She was so excited that her eyes were filled with tears. ⓬〈名 *n.*〉幼小的动物 the young of certain animals：鱼~ *yú*~ fish fry｜蚕~ *cán*~ silkworms ⓭〈名 *n.*〉痘 pox：天~ *tiān*~ smallpox｜她小时候出过~儿。*Tā xiǎo shíhou chū guò ~r.* She got smallpox in her childhood. ⓮〈形 *adj.*〉用来迷惑人的；不真实或不诚实的 showy; false or tricky：~账 ~*zhàng* padded accounts｜~招儿 ~*zhāor* trick｜他在女朋友面前总是用~言巧语逗她喜欢。*Tā zài nǚpéngyou miànqián zǒng shì yòng ~yán-qiǎoyǔ dòu tā xǐhuan.* He always wins his girlfriend's favor with sweet words. ⓯〈形 *adj.*〉颜色或种类错杂的 multicolored; variegated：~~绿绿 ~~*lùlù* gaudy; brightly colored｜~猫 ~*māo* spotted cat｜她的头发已~白了。*Tā de tóufa yǐ ~bái le.* Her hair has turned grey. ⓰〈形 *adj.*〉衣服磨损的样子 (of clothes) worn：他的裤子都磨~了。*Tā de kùzi dōu mó~ le.* His trousers are worn. ⓱〈形 *adj.*〉模糊不清 dim; vague：车上贴的那么多广告画，让人眼~缭乱。*Chē shang tiē de nàme duō guǎnggàohuà, ràng rén yǎn~-liáoluàn.* A great many posters on the vehicle are really dazzling.｜他已老眼昏~了。*Tā yǐ lǎoyǎn-hūn~ le.* He is dim-sighted because of old age. ⓲〈动 *v.*〉用；耗费 spend：~钱 ~*qián* spend money｜~费 ~*fèi* cost｜他写这文章~了不少精力。*Tā xiě zhè wénzhāng ~le bùshǎo jīnglì.* It took him a lot of energy to write the article.

³ **花朵** huāduǒ ❶〈名 *n.*〉花冠、花蕊、花萼、花托等的总称 flower; general term for corolla, pistil, calyx, receptacle, etc.：牡丹的~又大又艳，显得很华贵。*Mǔdan de ~ yòu dà yòu yàn, xiǎnde hěn huáguì.* The peony flower, which is big and bright-colored, looks really gorgeous. ❷〈名 *n.*〉比喻儿童 *fig.* children：儿童是人类的~。*Értóng shì rénlèi de ~.* Children are the flowers of the world.

⁴ **花费** huāfèi〈动 *v.*〉消耗掉 spend; cost; expend：~时间 ~*shíjiān* take time｜~精力 ~*jīnglì* spend energy｜画成这张图纸~了她好多心血。*Huàchéng zhè zhāng túzhǐ ~le tā hǎoduō xīnxuè.* She made painstaking efforts to draw the blueprint.
☞ huāfèi, p. 445

⁴ **花费** huāfèi〈名 *n.*〉消耗的钱 money spent; expenditure; expense：他儿子结婚~不小。*Tā érzi jiéhūn ~ bù xiǎo.* His son's wedding expenses are quite considerable.
☞ huāfèi, p. 445

⁴ **花色** huāsè ❶〈名 *n.*〉花纹和颜色 design and color：这块桌布的~真漂亮。*Zhè kuài zhuōbù de ~ zhēn piàoliang.* This table cloth is really beautiful with its design and color.｜她那衣服的~当今正流行。*Tā nà yīfu de ~ dāngjīn zhèng liúxíng.* The design and color of her clothes are in vogue. ❷〈名 *n.*〉(种 *zhǒng*)物品的种类、形式、型号等 (of merchandise) types, designs, sizes, etc.：那家商场的商品~齐全。*Nà jiā shāngchǎng de shāngpǐn ~ qíquán.* There is a great variety of goods in that department store.

³ **花生** huāshēng ❶〈名 *n.*〉(棵 *kē*、株 *zhū*)一种油料作物，果仁可吃或榨油，也叫'落花生''长生果' peanut, also '落花生luòhuāshēng' or '长生果chángshēngguǒ'：他家种了一公顷。*Tā jiā zhòngle yì gōngqǐng ~.* His family grew a hectare of peanuts. ❷〈名 *n.*〉(颗 *kē*、粒 *lì*)花生的果实 peanut; seed of peanut：煮~、炸~，都好吃。*Zhǔ ~ zhá ~, dōu hǎo chī.* Both boiled and fried peanuts are tasty.｜他来到小饭馆，几颗~一小口酒，美滋滋的。*Tā láidào xiǎo fànguǎn, jǐ kē ~ yì xiǎo kǒu jiǔ, měizīzī de.* He went to the small restaurant, where he ate peanuts and sipped liquor contentedly.

⁴ **花纹** huāwén〈名 *n.*〉(道 *dào*、条 *tiáo*)纹样和图形 decorative pattern; figure：妻子为他

织的毛衣，~很美。*Qīzǐ wèi tā zhī de máoyī, ~ hěn měi.* The sweater knit by his wife has beautiful patterns. | 这块地毯的~好看，就买它吧! *Zhè kuài dìtǎn de ~ hǎokàn, jiù mǎi tā ba!* The pattern of the carpet is very nice. Let's buy it.

⁴ 花样 huāyàng **❶**〈名 n.〉花纹的样子 pattern; design: 那窗帘的~太单调。*Nà chuānglián de ~ tài dāndiào.* The pattern of that curtain is too dull. | 她爱买新鲜~的衣服。*Tā ài mǎi xīnxiān ~ de yīfu.* She likes to buy clothes of unique design. **❷**〈名 n.〉不正当的手段；骗人的手法 unfair means; trick: 他要着~诓人。*Tā shuǎhe ~ kuāngrén.* He deceives people by playing tricks. | 你别玩儿~了，我早看透了。*Nǐ bié wánr ~ le, wǒ zǎo kàntòu le.* Don't try to pull wool over my eyes. I've already seen through you. **❸**〈名 n.〉绣花的底样 master pattern for embroidery: 她有好多绣花鞋~。*Tā yǒu hǎoduō xiùhuā ~.* She has many master patterns of shoes. | ~好，才有好绣品。*~ hǎo, cái yǒu hǎo xiùpǐn.* Beautiful embroidery cannot be made without good master pattern. **❹**〈名 n.〉特别的体态、造型、形态 special posture, form or shape: ~游泳 ~yóuyǒng synchronized swimming、~滑冰 ~huábīng figure skating | 她胆子大，参加过~跳伞。*Tā dǎnzi dà, cānjiāguo ~ tiàosǎn.* She was bold enough to take part in skydiving. **❺**〈名 n.〉(种 zhǒng) 泛指各种式样或种类 variety: 她做的菜~不少。*Tā zuò de cài ~ bùshǎo.* She cooked a great variety of dishes. | 游乐场又添了玩儿的~。*Yóulèchǎng yòu tiānle wánr de ~.* There are more attractions in the amusement park.

² 花园 huāyuán〈名 n.〉(个 gè、座 zuò) 种有花草树木供人游玩休息的场所 garden: 老人们常在街心~下棋。*Lǎorénmen cháng zài jiēxīn ~ xiàqí.* The elders often play chess in the garden at the intersection. | 那个居民区里有座精巧别致的小~。*Nàge jūmínqū li yǒu zuò jīngqiǎo biézhì de xiǎo ~.* There is a unique and exquisite garden in the residential area.

³ 哗哗 huāhuā〈拟声 onom.〉模拟水声或别的声音 gurgling; thump: 雨~地下着。*Yǔ ~ de xiàzhe.* The rain kept pouring down. | 门前小溪~地向东流去。*Mén qián xiǎo xī ~ de xiàng dōng liú qù.* The gurgling brook in front of the house flows eastward. | 风吹着窗外的竹帘，~响。*Fēng chuīzhe chuāng wài de zhúlián, ~ xiǎng.* The bamboo blind outside the window rustled in the wind.

² 划 huá **❶**〈动 v.〉拨水前进 paddle; row: ~船 ~chuán paddle a boat | ~桨 ~jiǎng paddle; row | 在颐和园的水面上，人们~着小木舟游来游去。*Zài Yíhéyuán de shuǐmiàn shang, rénmen ~zhe xiǎo mùzhōu yóu lái yóu qù.* People are paddling small wooden boats on the water in the Summer Palace. **❷**〈动 v.〉用尖锐的东西在别的物体上割、刻或擦 cut or scratch the surface of sth. with a sharp object: 一道闪电~破了漆黑的夜空。*Yí dào shǎndiàn ~pòle qīhēi de yèkōng.* A flash of lightning streaked across the darknight sky. | 小孩儿用玻璃片在土墙上~来~去。*Xiǎoháir yòng bōlipiàn zài tǔ qiáng shang ~ lái ~ qù.* The kid scatched the earth wall with a piece of glass. | 他掏出火柴~了一根。*Tā tāochū huǒchái ~le yì gēn.* He took out a match and struck it. | 她娇嫩的手被小刀~出了血。*Tā jiāonèn de shǒu bèi xiǎodāo ~chūle xiě.* Her tender hand bled when it was cut by the knife. **❸**〈动 v.〉合算；划算 be to one's profit; pay: 花那么多钱买这旧表~不来。*Huā nàme duō qián mǎi zhè jiù biǎo ~ bù lái.* It doesn't pay to spend so much money on the old watch. | 用充电电池比用普通电池~算。*Yòng chōngdiàn diànchí bǐ yòng pǔtōng diànchí ~suàn.* It pays to use rechargeable batteries instead of ordinary ones.
☞ huà, p. 448

⁴ 华丽 huálì〈形 adj.〉艳丽而有光彩 magnificent; resplendent; gorgeous: 她戴的项链真~。*Tā dài de xiàngliàn zhēn ~.* The necklace she wears is gorgeous. | 那里有座~的宾

馆。*Nàlǐ yǒu zuò ~ de bīnguǎn.* There is a magnificent hotel over there.

³ **华侨** huáqiáo 〈名 n.〉(位 wèi, 个 gè, 名 míng) 旅居外国的中国人 overseas Chinese; Chinese residing abroad: 这位老~在国外已经生活三十多年了。*Zhè wèi lǎo ~ zài guówài yǐjīng shēnghuó sānshí duō nián le.* The elderly overseas Chinese has been living abroad for over 30 years. │ 她这位归国~, 在数码研究领域作出过很大贡献。*Tā zhè wèi guīguó ~, zài shùmǎ yánjiū lǐngyù zuòchūguo hěn dà gòngxiàn.* As a returned overseas Chinese, she has made great contributions in the field of digital research.

³ **华人** huárén 〈名 n.〉中国人 (多指已取得所在国国籍的具有中国血统的外国公民) Chinese (usu. foreign citizens of Chinese descent): ~商店 ~ *shāngdiàn* a Chinese store │ 法籍 ~ *Fǎjí* ~ a French Chinese │ 这是一家~开的饭馆。*Zhè shì yì jiā ~ kāi de fànguǎn.* This restaurant is run by Chinese people. │ 那座城市有个~聚居区。*Nà zuò chéngshì yǒu ge ~ jùjūqū.* There is a Chinese community in that city.

³ **滑** huá ❶〈形 adj.〉光滑 slippery; smooth: 昨晚下过大雨, 上山的路有点儿~。*Zuó wǎn xiàguo xiǎo yǔ, shàng shān de lù yǒudiǎnr ~.* The road up the hill was a bit slippery after a night's drizzle. │ 我在河边捡了个又圆又~的小石子。*Wǒ zài hébiān jiǎnle gè yòu yuán yòu ~ de xiǎo shízǐ.* I picked up a round and smooth pebble along the river. ❷〈形 adj.〉狡猾; 不负责任; 油滑 cunning; crafty; oily: 耍~ *shuǎ*~ try to shirk work or responsibility; dodge │ 一头 ~ *tóu* ~ slippery fellow │ 那家伙~透了, 同他打交道小心点儿。*Nà jiāhuo ~ tòu le, tóng tā dǎ jiāodào xiǎoxīn diǎnr.* That fellow is very crafty, so be on guard when dealing with him. ❸〈动 v.〉滑动; 滑行 slide; slip: ~冰 ~*bīng* skate on ice │ ~雪 ~*xuě* skiing; ski │ ~梯 ~*tī* (children's) slide │ 我走进冰场就了一跤。*Wǒ zǒu jìn bīngchǎng jiù ~le yì jiāo.* I slipped and fell when I stepped into the skate rink. ❹〈动 v.〉企图侥幸逃避 try to shirk off: 这事已调查清楚了, 你~不过去。*Zhè shì yǐ diàochá qīngchǔ le, nǐ ~ bú guòqù.* The matter has been thoroughly investigated, so you cannot get away with it.

² **滑冰** huábīng 〈动 v.〉体育项目之一 skate: 过两天就要举行~比赛了。*Guò liǎng tiān jiù yào jǔxíng ~ bǐsài le.* The skating match will be held in two days.

² **滑雪** huáxuě 〈动 v.〉体育项目之一 ski: 好多孩子在小山坡上~。*Hǎoduō háizi zài xiǎo shānpō shang ~.* A good many children are skiing on the slope of the hill. │ 他正加紧训练, 争取获得~冠军。*Tā zhèng jiājǐn xùnliàn, zhēngqǔ huòdé ~ guànjūn.* He is making a greater effort in training so as to win the skiing championship.

² **化** huà ❶〈动 v.〉融化; 熔化 melt; dissolve: ~冰 ~*bīng* melt the ice │ ~雪 ~*xuě* melt the snow │ 铁块在高炉里~成了铁水。*Tiěkuài zài gāolú li ~chéngle tiěshuǐ.* Blocks of iron melted in the blast furnace. ❷〈动 v.〉变化; 使变化 change; turn; transform: ~整为零 ~ *zhěngwéilíng* break up the whole into parts │ ~公为私 ~*gōngwéisī* appropriation of public property for private use │ ~险为夷 ~*xiǎnwéiyí* turn danger into safety │ ~为乌有 ~*wéiwūyǒu* go up in smoke; vanish into thin air │ ~脓 ~*nóng* fester; suppurate │ ~装 ~*zhuāng* make up │ 顽固不~ *wángù bú* ~ incorrigibly obstinate ❸〈动 v.〉消化; 消除 digest; eliminate: ~食 ~*shí* help digestion │ ~瘀 ~*yū* eliminate stasis │ 这药是~痰止咳的。*Zhè yào shì ~tán zhǐké de.* The medicine can reduce phlegm and relieve cough. ❹〈动 v.〉感化 convert; influence: 教~ *jiào*~ cultivate; educate │ 艺术可使人的品格、情操潜移默化。*Yìshù kě shǐ rén de pǐngé, qíngcāo qiányí-mò~.* The art can exert a subtle yet profound influence on people's character and sentiment. ❺〈动 v.〉(僧人、道士) 死亡 (of Buddhist monks and Taoist priests) die: 坐~ *zuò*~ die sitting cross-legged │ 羽~ *yǔ*~ (Taoist term for) death ❻〈动 v.〉烧掉 burn up: 焚~ *fén*~ cremate; incinerate │ 火~

huǒ~ cremate ❼〈动 v.〉僧道求讨、募集（of Bhuddist monks and Taoist priests）beg alms：~缘 ~*yuán* beg alms ❽〈名 n.〉化学的简称 chemistry, abbr. for '化学*huàxué*：数理~ *shù lǐ* ~ mathematics, physics and chemistry｜~工原料 ~*gōng yuánliào* industrial chemicals ❾〈词尾 *suff.*〉放在名词、形容词之后，构成动词，表示转变成某种性质或状态 used after a noun or adjective to form a verb indicating sth. or sb. is becoming or made to have certain attribute：绿~ *lǜ*~ afforest｜美~ *měi*~ beautify｜丑~ *chǒu*~ slander; vilify｜大众~ *dàzhòng*~ popularize｜现代~ *xiàndài*~ modernize｜自动~ *zìdòng*~ automate｜电气~ *diànqì*~ electrify｜简~ *jiǎn*~ simplify｜老~ *lǎo*~ ageing｜理想~ *lǐxiǎng*~ idealize｜标准~ *biāozhǔn*~ standardize

⁴ **化肥** huàféi〈名 n.〉化学肥料的简称 chemical fertilizer, abbr. for '化学肥料 huàxué féiliào'：农民每年都要买许多~。*Nóngmín měi nián dōu yào mǎi xǔduō* ~. Each year the farmers have to buy a great amount of fertilizer.｜~用得不当，会造成土壤板结。~ *yòng de búdàng, huì zàochéng tǔrǎng bǎnjié.* Improper use of chemical fertilizer will result in the sealing of soil surface.

³ **化工** huàgōng〈名 n.〉化学工业的简称 chemical industry, abbr. for '化学工业 huàxué gōngyè'：~厂 ~*chǎng* chemical plant｜~原料 ~ *yuánliào* industrial chemicals｜~产品 *chǎnpǐn* chemical products

³ **化合** huàhé〈动 v.〉两种或两种以上物质经化学反应而生成新物质（of two or more substances）chemically combine：~物 ~*wù* chemical compound｜氢和氧可~成水。*Qīng hé yǎng kě ~ chéng shuǐ.* Hydrogen and oxygen can combine to make water.

³ **化石** huàshí〈名 n.〉（块kuài）古生物遗体或遗迹在地下变成了石头似的东西 fossil：恐龙~ *kǒnglóng* ~ dinosaur fossil｜海藻~ *hǎizǎo* ~ algae fossil｜木~ *mù*~ wood fossil｜研究~可以了解生物演化的进程。*Yánjiū ~ kěyǐ liǎojiě shēngwù yǎnhuà de jìnchéng.* The research of fossils can help people understand the process of evolution.

¹ **化纤** huàxiān〈名 n.〉化学纤维的简称 chemical fiber, abbr. for '化学纤维 huàxué xiānwéi'：~布料 ~ *bùliào* chemical fiber material｜~地毯 ~ *dìtǎn* chemical fiber carpet｜~工厂 ~ *gōngchǎng* chemical fiber factory

¹ **化学** huàxué ❶〈名 n.〉研究物质的组成、结构、性质和变化规律的科学 chemistry; the science of the composition, structure, properties and reactions of matter：~专业 ~ *zhuānyè* course of chemistry｜~工业 ~ *gōngyè* chemical industry｜~实验 ~ *shíyàn* chemical experiment｜~反应 ~ *fǎnyìng* chemical reaction｜生物~ *shēngwù* ~ biochemistry ❷〈名 n. 口 colloq.〉指赛璐璐（塑料的一种）celluloid：~梳子 ~ *shūzi* celluloid comb｜~皂盒 ~ *zàohé* celluloid soap box

³ **化验** huàyàn〈动 v.〉用物理的或化学的方法检验物质的成分和性质 test the composition and nature of a substance through physical or chemical means：她上医院了血和尿。*Tā shàng yīyuàn ~le xiě hé niào.* She went to hospital and had a blood and urine test.｜这瓶橘子汁经过~，发现所含大肠杆菌严重超标。*Zhè píng júzizhī jīngguò ~, fāxiàn suǒ hán dàcháng gǎnjūn yánzhòng chāo biāo.* This bottle of orange juice was found to contain far more colon bacillus than the set standard after being tested.

⁴ **化妆** huà//zhuāng〈动 v.〉用脂粉等化妆品美容 make up with rouge, powder, etc.：她不~也很漂亮。*Tā bú ~ yě hěn piàoliang.* She looks very pretty even without makeup.｜化了妆以后，她显得年轻多了。*Huàle zhuāng yǐhòu, tā xiǎnde niánqīng duō le.* She appears much younger after putting on makeup.

² **划** huà ❶〈动 v.〉区分 differentiate; delimit：~分 ~*fēn* divide; differentiate｜~界 ~*jiè* delimit a boundary｜~定 ~*dìng* designate｜这是一项有~时代意义的重大举措。*Zhè*

shì yí xiàng jùyǒu ~shídài yìyì de zhòngdà jǔcuò. It is a significant and epoch-making step. ❷〈动 v.〉划拨(钱物等) transfer; assign: 你把这笔款~给分公司吧！*Nǐ bǎ zhè bǐ kuǎn ~ gěi fēn gōngsī ba!* Please transfer the money to the branch company. ｜那批货应该~到这里来。*Nà pī huò yīnggāi ~dào zhèlǐ lái.* The goods should be transferred here. ❸〈动 v.〉计划 plan: 谋~ *móu~* plan; contrive ｜筹~好了再干。*Chóu~ hǎole zài gàn.* Make plan and preparation before embarking on it. ｜我们先策一~下，怎么才能把这事办成。*Wǒmen xiān cè ~yíxià, zěnme cái néng bǎ zhè shì bàn chéng.* Let's make a plan over how to do it. ❹〈动 v.〉画出或刻画出作为标记的东西，同'画'huà：双方已在协议书上签字~押。*Shuāngfāng yǐ zài xiéyìshū shang qiānzì ~yā.* Both sides have signed the agreement. ｜为了避免迷路，他进入密林就在大树上~记号。*Wèile bìmiǎn mílù, tā jìnrù mìlín jiù zài dàshù shang ~ jìhao.* To avoid getting lost, he marked the big trees when he entered the thick forest. ❺〈名 n.〉汉字的笔画，同'画'huà：'生'字有五~。*'Shēng' zì yǒu wǔ ~.* The Chinese character '生'(life) has five strokes.

☞ *huá,* p. 446

⁴划分 huàfēn ❶〈动 v.〉把整体分成几部分 divide: 把山头~成六块，一个村绿化一块。*Bǎ shāntóu ~ chéng liù kuài, yí gè cūn lǜhuà yí kuài.* The hilltop is divided into six parts, each of which will be afforested by a certain village. ｜要分家，得把家产~办法定下来。*Yào fēnjiā, děi bǎ jiāchǎn ~ bànfǎ dìng xiàlái.* To break up the family and live apart, we have to decide how to divide the family property. ❷〈动 v.〉区别 differentiate: 公司依据不同岗位~不同报酬。*Gōngsī yījù bùtóng gǎngwèi ~ bùtóng bàochóu.* The company differentiates payments based on different posts. ｜根据不同的质量,将产品~为几个档次。*Gēnjù bùtóng de zhìliàng, jiāng chǎnpǐn ~ wéi jǐ gè dàngcì.* The products are divided into several grades according to their differences in quality.

¹画 huà ❶〈动 v.〉用笔或笔一类的东西制作图形 draw or paint with a brush, pen, etc.: ~龙点睛(比喻作文或说话时，在关键之处增加一两句精辟的语句，使之更加生动)~ *lóng-diǎnjīng*（*bǐyù zuòwén huò shuōhuà shí, zài guānjiàn zhī chù zēngjiā yì liǎng jù jīngpì de yǔjù, shǐ zhī gèngjiā shēngdòng*）bring the painted dragon to life by putting in the pupils of its eyes (*fig.* add a word or two to clinch the point)｜~饼充饥(比喻空想来安慰自己)~*bǐng-chōngjī*（*bǐyù jiè kōngxiǎng lái ānwèi zìjǐ*）draw cakes to allay hunger (*fig.* feed on illusions)｜她~了一只可爱的小猫。*Tā ~le yì zhī kě'ài de xiǎo māo.* She drew a lovely kitten. ❷〈动 v.〉写画标记 draw; mark; sign: ~押~*yā* make one's cross; sign ｜~到~*dào* sign in; register one's attendance at a meeting or an office ｜~供~*gòng* sign a written confession to a crime ❸〈动 v.〉做出写画的动作 make the act of drawing: 她在胸前~了个十字。*Tā zài xiōng qián ~le gè shízì.* She made the sign of the cross on her chest. ❹(~儿)〈名 n.〉(张zhāng、幅fú、轴zhóu)画成的艺术品 drawing; painting; picture: 国~*guó~* traditional Chinese painting ｜油~*yóu~* oil painting ｜她画了一幅山水~。*Tā huàle yì fú shānshuǐ~.* She drew a traditional Chinese landscape painting. ｜他喜欢连环~。*Tā xǐhuan liánhuán~.* He enjoys picture story books. ❺〈名 n.〉用画儿装饰的东西 sth. decorated with paintings or pictures: ~舫~*fǎng* gaily painted pleasure-boat ｜~屏~*píng* painted screen ｜~堂~*táng* painted bower ｜雕梁~栋(形容富丽堂皇的建筑)*diāoliáng-~dòng*（*xíngróng fùlì-tánghuáng de jiànzhù*）painted pillars and carved beams (richly ornamented building) ❻(~儿)〈名 n.〉汉字的笔划，同'划' stroke (of a Chinese character), same as '划'huà: '王'字有四~。'*Wáng' zì yǒu sì ~.* The Chinese character '王'(king) has four strokes.

² **画报** huàbào 〈名 n.〉(本 běn) 以照片和图画为主的报刊 pictorial:《中国~》'Zhōngguó~' *China Pictorial* | 电影~ diànyǐng~ illustrated film magazine | 英文~ Yīngwén~ illustrated English magazine | 妇女~ fùnǚ~ illustrated women magazine

³ **画家** huàjiā 〈名 n.〉(位 wèi、名 míng、个 gè) 擅长绘画的人 painter; artist: 国画~ guóhuà~ traditional Chinese painter | 油画~ yóuhuà~ oil painter | 水彩画~ shuǐcǎihuà~ watercolor painter | 工笔画~ gōngbǐhuà~ traditional Chinese realistic painter | 写意~ xiěyì~ traditional Chinese freehand painter

⁴ **画面** huàmiàn ❶〈名 n.〉画幅上的图像 general appearance of a picture; tableau: 在风烟滚滚的~上出现了一行字。Zài fēngyān gǔngǔn de ~ shang chūxiànle yì háng zì. There appeared a line of words on the tableau of smoke and wind. | 这幅~颜色搭配很谐调。Zhè fú ~ yánsè dāpèi hěn xiétiáo. The colors in this picture are well matched. ❷〈名 n.〉影视片、幻灯片、微缩胶片等一系列镜头中的一个 frame; a single picture on a roll of movie film, slide, or microfiche: 你再加几个~吧！Nǐ zài jiā jǐ gè ~ ba! Add more frames, please. | 这个~可以删去。Zhège ~ kěyǐ shān qù. The frame can be deleted.

³ **画蛇添足** huàshé-tiānzú 〈成 idm.〉此词来源于《战国策·齐策》,几人比赛谁先画成蛇,胜者可得一壶酒。有一人先画成,见别人还差得远,便把画好的蛇添上了足。蛇本无足,他输了。比喻多此一举,弄巧成拙 draw a snake and add feet to it (*Intrigues of the Warring States: Intrigues of Qi*). Several men competed against each other in drawing the snake. It was agreed that the first one who finished would be awarded a pot of wine. A man, who finished first and found others far from finishing, added feet to his snake. He lost the competition since no snake has feet (*fig. superfluous*): 人家早听明白了,他又~讲解了半天。Rénjia zǎo tīng míngbai le, tā yòu ~ jiǎngjiěle bàntiān. He gave a lengthy explanation of the issue although the audience had had a clear idea. It's really unnecessary. | 办成这样就很好了,何必~！Bànchéng zhèyàng jiù hěn hǎo le, hébì ~! It's well done. Why take trouble to overreach yourself?

¹ **话** huà ❶〈名 n.〉(句 jù、段 duàn、番 fān、席 xí) 说或写出来的语言 word; talk: 他说的~合情合理。Tā shuō de ~ héqíng-hélǐ. What he said was reasonable. | 这段~写得太长了。Zhè duàn ~ xiě de tài cháng le. The passage is too long. ❷〈动 v.〉说;谈;讲 talk about; speak about: ~别~ bié say goodbye | ~旧 ~jiù talk over old times | 他俩见了面就~家常。Tā liǎ jiànle miàn jiù ~ jiācháng. The two of them exchanged small talks whenever they met each other.

³ **话剧** huàjù 〈名 n.〉(幕 mù、场 chǎng、台 tái) 戏剧的一种,用对话和动作作为主要表现手法 modern drama; stage play, with dialogue and action as means of performance: ~《雷雨》是著名戏剧家曹禺的作品。~'Léiyǔ' shì zhùmíng xìjùjiā Cáo Yú de zuòpǐn. The modern drama *Thunderstorm* was written by the famous dramatist Cao Yu. | 这场~吸引了很多青年人。Zhè chǎng ~ xīyǐnle hěnduō niánqīngrén. The stage play attracted many young people.

⁴ **话题** huàtí 〈名 n.〉(个 gè) 谈话的中心 topic of a conversation: 你别转移~好吗？Nǐ bié zhuǎnyí ~ hǎo ma? Would you please stick to the topic? | 我们就出国的~谈了两个小时。Wǒmen jiù chūguó de ~ tánle liǎng gè xiǎoshí. We spent two hours talking about the topic of going abroad.

³ **怀** huái ❶〈名 n.〉胸部或胸前 bosom; chest: 袒胸露~ tǎnxiōng lòu~ bare one's chest | 她~里抱着孩子。Tā ~ li bàozhe háizi. She had the baby in her arms. ❷〈名 n.〉心怀 mind; heart: 壮~ zhuàng~ great aspirations | 忘~ wàng~ dismiss from one's mind | 咏~ yǒng~ express one's sentiments and aspirations in poetic form | 虚~若谷 xū~-

ruògǔ have a mind as open as a valley; be very modest │ 耿耿于～ *gěnggěngyú*～ nurse a grievance; bear a grudge │ 正中下～ *zhèngzhòng-xià*～ fit in exactly with one's wishes │ 他襟～坦白，从来不说假话。*Tā jīn~tǎnbái, cónglái bù shuō jiǎhuà.* Being frank and open-minded, he never tells lies. ❸ 〈动 v.〉心中存有 cherish; keep in mind: 他心～不满。*Tā xīn ~ bùmǎn.* He was discontented. │ 黄鼠狼给鸡拜年——不～好意。*Huángshǔláng gěi jī bàinián — bù ~ hǎoyì.* A weasel makes a courtesy call to a chicken — harbor evil intentions. ❹〈动 v.〉思念；怀念 think of; yearn for: ～旧 ～*jiù* recall past events or old acquaintances; reminiscence │ ～乡 ～*xiāng* nostalgia │ 追～ *zhuī* ～ recall │ 缅～ *miǎn*～ cherish the memory of │ 登上长城，一股～古情思涌上心头。*Dēngshàng Chángchéng, yì gǔ ~gǔ qíngsī yǒngshàng xīntóu.* One may feel a sense of the past once he climbs on the Great Wall. ❺〈动 v.〉怀孕 conceive; be pregnant: 她～了三个月了。*Tā ~le sān gè yuè le.* She has been pregnant for three months.

³ **怀念** huáiniàn〈动 v.〉追忆；思念 cherish the memory of; think of: 他十分～那逝去的童年生活。*Tā shífēn ~ nà shìqù de tóngnián shēnghuó.* He really cherishes the memory of his childhood. │ 她出门三年了，时时～家乡的亲人。*Tā chūmén sān nián le, shíshí ~ jiāxiāng de qīnrén.* Her relatives in her hometown are always on her mind although she has been away for three years.

³ **怀疑** huáiyí ❶〈动 v.〉疑惑；不太相信（与'相信'相对）doubt; suspect（opposite to '相信xiāngxìn'）: 她～这甜点心用的不是白糖。*Tā ~ zhè tián diǎnxin yòng de bú shì báitáng.* She suspected that white sugar was not used in this pastry. │ 你别老～人家，他对你是一片真心。*Nǐ bié lǎo ~ rénjia, tā duì nǐ shì yí piàn zhēnxīn.* Don't doubt him all the time. He is sincere to you. ❷〈动 v.〉猜测 guess: 到现在还不来，我～她已先去商场了。*Dào xiànzài hái bù lái, wǒ ~ tā yǐ xiān qù shāngchǎng le.* She hasn't turned up yet. I guess she has already gone to the department store. │ 看见他那红肿的眼睛，人们～他又熬夜了。*Kànjiàn tā nà hóngzhǒng de yǎnjīng, rénmen ~ tā yòu áoyè le.* Seeing his red swollen eyes, one surmised that he stayed up late again last night

⁴ **怀孕** huái//yùn〈动 v.〉妇女或雌性哺乳动物有了胎（of women or female mammals）be pregnant: 她刚结婚不久就～了。*Tā gāng jiéhūn bùjiǔ jiù ~ le.* She was pregnant shortly after her marriage. │ 那条母狗一～就变得厉害了。*Nà tiáo mǔ gǒu yì ~ jiù biàn de lìhai le.* When the dog was pregnant, it became very fierce. │ 她怀过三次孕。*Tā huáiguo sān cì yùn.* She was pregnant for three times.

⁴ **槐树** huáishù〈名 n.〉(棵kē、株zhū)落叶乔木，花白色，花、果和根部皮可入中药，花蕾可做染料 pagoda tree; Chinese scholar tree: 我家院子里有一棵老～。*Wǒ jiā yuànzi li yǒu yì kē lǎo ~.* There is an old Chinese scholar tree in my courtyard.

¹ **坏** huài ❶〈形 adj.〉不好的；使人不满意的（与'好'相对）bad; dissatisfactory（opposite to '好hǎo'）: 他的处境不～。*Tā de chǔjìng bú ~.* His situation is not bad. │ 那个～主意行不通。*Nàge ~ zhǔyi xíng bù tōng.* That bad idea won't work. ❷〈形 adj.〉品质恶劣的（与'好'相对）bad; wicked（opposite to '好hǎo'）: 他尽干～事！*Tā jìn gān ~shì!* Everything he did was bad! │ 她常常虐待婆婆，是个～女人。*Tā chángcháng nüèdài pópo, shì ge ~ nǚrén.* She often abuses her mother-in-law. She is a wicked woman. ❸〈形 adj.〉受到破坏的；变了质的 ruined; spoiled; bad: 那个香蕉有点儿～了。*Nàge xiāngjiāo yǒudiǎnr ~ le.* The banana is a little rotten. │ 那是张～椅子，坐不得。*Nà shì zhāng ~ yǐzi, zuò bude.* It's a broken chair. You cannot sit on it. ❹〈动 v.〉使变坏 spoil; ruin: 小孩儿摔～了玩具。*Xiǎoháir shuāi~le wánjù.* The child dropped and broke the toy. │ 西红柿在冰箱里冻～了。*Xīhóngshì zài bīngxiāng li dòng~ le.* The tomatoes which are

H

frozen in the refrigerator are not edible any more. ❺〈副 *adv.*〉表示程度深(多用在感受上)(mostly used to describe how one feels) awfully; badly; very: 看见妈妈送的生日礼物，他乐~了。*Kànjiàn māma sòng de shēngrì lǐwù, tā lè~ le.* He became so happy when he saw the birthday present from his mother. │休息休息，别累~了！*Xiūxi xiūxi, bié lèi~ le!* Have a rest. Don't get too tired. ❻〈名 *n.*〉坏主意；坏手段 evil idea; dirty trick: 你别给我使~。*Nǐ bié gěi wǒ shǐ~.* You should never play a dirty trick on me.

² **坏处** huàichu〈名 *n.*〉对人或事物不好的方面(与'好处hǎochu'相对)(opposite to '好处hǎochu') harm; disadvantage: 给花松松土只有好处而不会有~。*Gěi huā sōngsōng tǔ zhǐyǒu hǎochu ér bú huì yǒu ~.* It does nothing but good to loosen the soil for flowers. │适当喝点儿酒没~。*Shìdàng hē diǎnr jiǔ méi ~.* Moderate drinking will do no harm.

³ **坏蛋** huàidàn〈名 *n.* 詈 *curse*〉(个gè、群qún)坏人 bastard; scoundrel: 他是个~，从来不说实话。*Tā shì gè ~, cónglái bù shuō shíhuà.* He is a bastard who never tells the truth. │抓住那个~，别让他跑了！*Zhuāzhù nàge ~, bié ràng tā pǎo le!* Catch that scoundrel! Don't let him go!

³ **欢呼** huānhū〈动 *v.*〉欢乐地呼喊 hail; cheer; acclaim: 世界著名科学家一出场，听报告的人就~起来。*Shìjiè zhùmíng kēxuéjiā yì chūchǎng, tīng bàogào de rén jiù ~qǐlái.* When the world-famous scientist turned up to give a speech, the audience broke into cheers. │申办奥运会成功了，人们齐声~。*Shēnbàn Àoyùnhuì chénggōng le, rénmen qíshēng ~.* Everyone broke into cheers when China succeeded in the bid for the Olympic Games.

³ **欢乐** huānlè〈形 *adj.*〉快乐(多指集体的)(usu. of a collective) happy; joyous：老同学聚会，一片~的景象。*Lǎo tóngxué jùhuì, yí piàn ~ de jǐngxiàng.* The atmosphere was joyous at the get-together party held by the old schoolmates. │~的人群尽情地唱着跳着。*~ de rénqún jìnqíng de chàngzhe tiàozhe.* The cheerful crowd are singing and dancing to their hearts' content.

² **欢送** huānsòng〈动 *v.*〉高兴地送别(多指集体的)(usu. in a collective fashion) see off; send off: 他受邀出国讲学，好多同事到机场~。*Tā shòu yāo chūguó jiǎngxué, hǎoduō tóngshì dào jīchǎng ~.* He was invited to give lectures abroad and many colleagues saw him off at the airport. │老所长要退休了，研究所开了个~会。*Lǎo suǒzhǎng yào tuìxiū le, yánjiūsuǒ kāile gè ~huì.* The institute held a farewell party in honor of the old director who was going to retire.

³ **欢喜** huānxǐ ❶〈形 *adj.*〉高兴；欢乐 happy; joyful: 他终于又找了个老伴儿，满心~。*Tā zhōngyú yòu zhǎole gè lǎobànr, mǎnxīn ~.* He was full of happiness since he remarried. │难关被攻下来了，人们流出了~的泪水。*Nánguān bèi gōng xiàlái le, rénmen liúchū le ~ de lèishuǐ.* When the difficult problem was solved, joyful tears came to people's eyes. ❷〈动 *v.*〉喜好 like; be fond of: 周末他~去看球赛。*Zhōumò tā ~ qù kàn qiúsài.* He likes watching ball games on weekends. │她~在夜里写作。*Tā ~ zài yèlǐ xiězuò.* She likes writing at night.

⁴ **欢笑** huānxiào〈动 *v.*〉快活地笑 laugh heartily: 相声表演场里不时响起~声。*Xiàngsheng biǎoyǎn chǎng li bùshí xiǎng qǐ ~ shēng.* Every now and then the theater burst into laughter during the crosstalk show. │她心里很痛苦，在人前却强颜~。*Tā xīnli hěn tòngkǔ, zài rén qián què qiángyán~~.* Though she was grieved, she put up a smiling face before the others.

¹ **欢迎** huānyíng ❶〈动 *v.*〉高兴地迎接 welcome; greet: 今天我们~了一批新同学。*Jīntiān wǒmen ~le yì pī xīn tóngxué.* Today we greeted a group of new fellow students. │

我的家乡山清水秀，~大家来玩儿。*Wǒ de jiāxiāng shānqīng-shuǐxiù, ~ dàjiā lái wánr.* My hometown has picturesque scenery. You are welcome to visit it. ❷〈动 *v.*〉乐意接受 readily accept：~指导。*~ zhǐdǎo.* Your comments and suggestions are welcome. | ~批评。*~ pīpíng.* Criticisms are welcome. | 参观～*cānguān.* Visitors are welcome. | 品尝～*pǐncháng.* You are welcome to taste (meal, wine, etc.). | ~老奶奶唱支歌！*~ lǎonǎinai chàng zhī gē!* Let's ask granny to sing us a song. | 这本书很受读者～*Zhè běn shū hěn shòu dúzhě ~.* The book is well received by readers.

¹ **还 huán ❶**〈动 *v.*〉返回原地；恢复原样 go (or come) back; return：~乡 *~xiāng* return to one's hometown | ~家 *~jiā* return home | 俗 *~sú* (of Buddhist monks or Taoist priests) resume secular life | 返老～童 *fǎnlǎo-~tóng* regain one's youthful vigor; feel rejuvenated in one's old age | 借尸～魂（比喻某种已消灭或没落的东西假托别的名义重新出现）*jièshī-~hún*（*bǐyù mǒu zhǒng yǐ xiāomiè huò mòluò de dōngxi jiǎtuō bié de míngyì chóngxīn chūxiàn*）（of a dead person's soul) find reincarnation in another's corpse (*fig.* revive in a new guise) ❷〈动 *v.*〉归还；偿还 give back; return; repay：~钱 *~qián* repay the money | ~债 *~zhài* pay one's debt | ~账 *~zhàng* pay one's bill | ~本付息 *~běn fùxī* repay capital with interest | 我把书～给她了。*Wǒ bǎ shū ~ gěi tā le.* I have returned her book. ❸〈动 *v.*〉回报别人对自己的言行 give or do sth. in return：~礼 *~lǐ* return a salute; present a gift in return | ~愿 *~yuàn* redeem a vow (as to the Buddha) | ~价 *~jià* counter-offer | ~嘴 *~zuǐ* retort; answer back | 以牙～牙，以眼～眼（比喻针锋相对）。*Yǐyá-~yá, yǐyǎn-~yǎn*（*bǐyù zhēnfēng-xiāngduì*）. An eye for an eye and a tooth for a tooth (*fig.* tit for tat) | 打不～手骂不～口。*Dǎ bù ~ shǒu mà bù ~ kǒu.* Neither return the strike nor exchange verbal abuse.
☞ *hái,* p. 408

⁴ **还原 huányuán ❶**〈动 *v.*〉恢复原状 return to the original condition or shape; restore：杯子打碎了，无法～。*Bēizi dǎ suì le, wúfǎ ~.* The broken cup can't be restored. | 别担心，拆开的小闹钟可以～。*Bié dānxīn, chāikāi de xiǎo nàozhōng kěyǐ ~.* Don't worry. You can put together the clock after it is taken apart. ❷〈动 *v.*〉使化合物又恢复成原物质（ used in chemistry）reduce：他们做的是～试验。*Tāmen zuò de shì ~ shìyàn.* What they performed was a reduction experiment.

² **环 huán ❶**〈名 *n.*〉圆圈形的东西 ring; loop：耳～*ěr~* earring | 花～*huā~* wreath | 门～*mén~* knocker | 铁～*tiě~* iron ring | 他在吊～上做了个倒十字动作。*Tā zài diào~ shang zuòle gè dào shízi dòngzuò.* He performed an inverted hang on the rings. ❷〈名 *n.*〉环节 link：这是重要的一～，必须做好。*Zhè shì zhòngyào de yì ~, bìxū zuò hǎo.* It's a key link so we must do it well. | 生物链是一～扣一～的。*Shēngwùliàn shì yì ~ kòu yì ~ de.* A food chain consists of a series of organisms that are closely linked. ❸〈名 *n.*〉环靶中的圆圈 ring on the target：她一箭射中了十～。*Tā yí jiàn shèzhòngle shí ~.* She hit the ten-point ring with the arrow. ❹〈名 *n.*〉城市环形公路的简称 ring road, abbr. for '城市环形公路 chéngshì huánxíng gōnglù'：北京市正在兴建六～路。*Běijīng Shì zhèngzài xīngjiàn liù ~lù.* Beijing is building the sixth ring road. ❺〈动 *v.*〉围绕 surround; encircle：这个村子三面～水一面靠山。*Zhège cūnzi sān miàn ~ shuǐ yí miàn kào shān.* The village is surrounded by water on three sides and by mountain on one side. | 这里新建了～城公路。*Zhèlǐ xīn jiànle ~chéng gōnglù.* A new round-the-city road has been built here. | 他想参加～球旅行。*Tā xiǎng cānjiā ~qiú lǚxíng.* He wants to take part in the round-the-world trip. ❻〈副 *adv.*〉围绕四周地 around：~游世界 *~yóu shìjiè* tour around the world

⁴ **环节** huánjié ❶〈名 n.〉（个 gè）某些动物(如蚯蚓、蜈蚣等)身上相连而能伸缩的体节 segment; connected extendible and contractible structures that form the body of some animals, such as earthworm and centipede ❷〈名 n.〉（个 gè）指相互关联的许多事物中的一个 link; sector：中心～ zhōngxīn～ key link | 薄弱～ bóruò～ weak link | 开发市场是公司发展的重要～。*Kāifā shìchǎng shì gōngsī fāzhǎn de zhòngyào～. A key link for the growth of the company is to expand the market.*

² **环境** huánjìng ❶〈名 n.〉周围的地方 environment; surroundings：这个公园~优美。*Zhège gōngyuán～yōuměi. The environment in the park is beautiful.* | 搞好~卫生，有利健康。*Gǎohǎo～wèishēng, yǒulì jiànkāng. To promote environmental sanitation is good for health.* ❷〈名 n.〉周围的情况和条件 surroundings; condition：这里的工作~不错，上下关系很融洽。*Zhèli de gōngzuò～búcuò, shàngxià guānxì hěn róngqià. The working conditions are very good here, and the leadership-staff relations are very harmonious.* | 他是在战争~中度过童年的。*Tā shì zài zhànzhēng～zhōng dùguò tóngnián de. He spent his childhood during the war.*

⁴ **缓** huǎn ❶〈形 adj.〉慢；迟 slow：小溪进入平原，水势~了下来。*Xiǎo xī jìnrù píngyuán, shuǐshì～le xiàlái. When the brook flows into the plain, the current slows down.* | 她~步上了楼。*Tā～bù shàngle lóu. She stepped upstairs slowly.* ❷〈形 adj.〉宽松；不激烈 relaxed; not tense：~和～hé relaxed ❸〈动 v.〉延缓；推迟 delay; put off：~兵之计～bīngzhījì stalling tactics; stratagem to gain a respite | 这几天工作非常忙，聚会的事~几天吧。*Zhè jǐ tiān gōngzuò fēicháng máng, jùhuì de shì～jǐ tiān ba. We are very busy these days. We'd better put off the party for a couple of days.* ❹〈动 v.〉苏醒；恢复 revive; recuperate; come to：他昏迷了几天，终于~过来了。*Tā hūnmí le jǐ tiān, zhōngyú～guòlái le. He had been in a coma for a couple of days before he came to.* | 打蔫的禾苗淋了场小雨，~过来了。*Dǎniān de hémiáo línle chǎng xiǎo yǔ,～guòlái le. The drizzle revived the withered crop seedlings.*

³ **缓和** huǎnhé 〈动 v.〉紧张气氛、严重局势、激烈程度趋于平静、正常（of atmosphere, situation, intensity）relax; ease up; mitigate; alleviate：他们谈话的口气~多了。*Tāmen tánhuà de kǒuqì～duō le. They spoke to each other in a far more relaxed tone.* | 他俩的矛盾渐渐~下来。*Tā liǎ de máodùn jiànjiàn～xiàlái. The conflict between the two has been gradually mitigated.*

³ **缓缓** huǎnhuǎn ❶〈副 adv.〉很慢 very slowly：车子在拥挤的街道上~行驶。*Chēzi zài yōngjǐ de jiēdào shang～xíngshǐ. The car inched its way in the heavy traffic.* | 老人~述说着他的遭遇。*Lǎorén～shùshuōzhe tā de zāoyù. Slowly the old man related his sufferings.* ❷〈动 v.〉暂时搁置 suspend; postpone; put off：这事~再说。*Zhè shì～zài shuō. Let's put it off until some later time.*

³ **缓慢** huǎnmàn 〈形 adj.〉慢；不快 slow：工程进展~。*Gōngchéng jìnzhǎn～. The progress of the project is slow.* | 他遇上了陡坡，只好~地爬行。*Tā yùshàngle dǒupō, zhǐhǎo～de páxíng. He came to a steep slope and had to climb slowly.*

³ **幻灯** huàndēng ❶〈名 n.〉利用强光和透镜映射在屏幕上的图文 slide show; image projected onto the screen using a strong light and lens：教师放~给学生看。*Jiàoshī fàng～gěi xuéshēng kàn. The teacher showed slides to students.* ❷〈名 n.〉（台 tái）幻灯机 slide projector：这台~是新买的。*Zhè tái～shì xīn mǎi de. The slide projector is newly bought.*

³ **幻想** huànxiǎng ❶〈动 v.〉对没有实现或无法实现的事物有所想象 fancy; dream：他~能遨游太空。*Tā～néng áoyóu tàikōng. He dreamed of traveling in the outer space.* ❷

〈名 n.〉（个gè）美好而虚幻的想象 illusion; dream; fantasy: 小时候的~终于成了现实。*Xiǎoshíhou de ~ zhōngyú chéngle xiànshí.* The childhood dream finally came true.

1 **换** huàn ❶〈动 v.〉交换 exchange: 你跟他~房住了? *Nǐ gēn tā ~fáng zhù le*? Did you exchange house with him? | 他用一朵红玫瑰~来她一个甜甜的微笑。*Tā yòng yì duǒ hóng méiguī ~lái tā yí gè tiántián de wēixiào.* He gave her a red rose and she gave him a sweet smile in return. ❷〈动 v.〉变换;更换 changes: 你的衣服脏了,该~了! *Nǐ de yīfu zāng le, gāi ~ le!* Your clothes are dirty; it's time to change them! | 他~了一辆新的自行车。*Tā ~le yí liàng xīn de zìxíngchē.* He rode a new bicycle instead of the old one. | 我们~个饭馆就餐吧。*Wǒmen ~ gè fànguǎn jiùcān ba.* Let's go to another restaurant to eat. ❸〈动 v.〉兑换 exchange; convert: 整钱~零钱 *zhěngqián ~ língqián* break the large bill into small change | 他到银行~美元去了。*Tā dào yínháng ~ měiyuán qù le.* He went to the bank to exchange U.S. dollars.

⁴ **换取** huànqǔ〈动 v.〉用交换而取得 exchange for; get in return: 他们用土特产~外汇。*Tāmen yòng tǔtèchǎn ~ wàihuì.* They exchanged their local specialties for foreign currency. | 他用真诚~了友谊。*Tā yòng zhēnchéng ~le yǒuyì.* He won friendship with his sincerity.

³ **唤** huàn〈动 v.〉叫;呼喊 call out; summon: ~醒~*xǐng* wake up; waken | 呼~*hū*~ call; shout | ~起~*qǐ* arouse; recall | 呼风~雨（比喻支配自然或进行煽动性的活动）*hūfēng-~yǔ* (bǐyù zhīpèi zìrán huò jìnxíng shāndòngxìng de huódòng) bid wind and rain to come (control the forces of nature; stir up trouble)

³ **患** huàn ❶〈动 v.〉害(病) contract; suffer from(an illness): 她~了胃癌。*Tā ~le wèi'ái.* She has got stomach cancer. ❷〈动 v.〉忧虑;担心 worry: ~得~失 *~dé~shī* worry about personal gains and losses | 不~寡而~不均。*Bú ~ guǎ ér ~ bù jūn.* People worry about inequality instead of scarcity. | 欲加之罪,何~无词? *Yù jiā zhī zuì, hé ~ wú cí?* If one wants to frame somebody, one never need worry about the pretexts. ❸〈名 n.〉灾祸;祸患 trouble; disaster; peril: 水~ *shuǐ*~ flood | 虫~ *chóng*~ plague of insect pests | 心腹之~ *xīnfùzhī*~ serious hidden trouble or danger | 有备无~。*Yǒubèi-wú-.* Preparedness averts peril. | 山林禁用明火,防~于未然。*Shānlín jìn yòng mínghuǒ, fáng ~ yú wèi rán.* As a preventive measure, the use of open fire is not allowed in the mountain forest.

⁴ **患者** huànzhě〈名 n.〉(名míng、个gè、位wèi)患某种病的人 patient: 他是个爱滋病~。*Tā shì gè àizībìng ~.* He is an AIDS patient. | 老医生对~很热忱。*Lǎo yīshēng duì ~ hěn rèchén.* The old doctor is kind and warm-hearted to his patients.

³ **荒** huāng ❶〈形 adj.〉荒芜 desolate; barren: ~地 *~dì* wasteland | ~山 *~shān* barren mountain | 这片~原在春风中草长花开,一派生机。*Zhè piàn ~yuán zài chūnfēng zhōng cǎo zhǎng huā kāi, yí pài shēngjī.* In the spring breeze, grasses grow and flowers blossom on the wasteland, making it a thriving place. ❷〈形 adj.〉偏僻,荒凉 out-of-the-way; barren: ~郊 *~jiāo* desolate outskirts; wild country | ~岛 *~dǎo* deserted island | ~村 *~cūn* out-of-the-way village | 深山里~无人烟。*Shēnshān li ~wúrényān.* The remote mountains are desolate and uninhabited. ❸〈形 adj.〉匮乏 scarce; short: 粮~ *liáng*~ grain shortage; famine | 书~ *shū*~ shortage of books ❹〈形 adj.〉庄稼收成不好 famine; crop failure: ~年 *~nián* famine year | 备~ *bèi*~ prepare against crop failure | 逃~的人群拉家带口进了城市。*Táo~ de rénqún lājiā-dàikǒu jìnle chéngshì.* People who fled from famine went into the cities with their families. ❺〈形 adj.〉不合情理 unreasonable: ~唐 *~táng* absurd; dissipated | ~谬 *~miù* absurd; preposterous | ~诞 *~dàn* absurd ❻〈形 adj.〉放纵 undisciplined; licentious: ~淫无度 *~yínwúdù* unbridled debauchery ❼〈形

adj.〉不确切；不真实 uncertain; unverified: ~信 ~ xìn unconfirmed news | 你别给人报~数儿! Nǐ bié gěi rén bào ~ shùr! Don't give them unverified figures. ❽〈名 n.〉荒地 wasteland; uncultivated land: 生~ shēng~ virgin soil | 熟~ shóu~ abandoned cultivated land | 开~ kāi~ open up wasteland | 垦~ kěn~ reclaim wasteland | 拓~ tuò~ cultivate virgin soil ❾〈动 v.〉废置；荒疏 neglect; be out of practice: 他成天玩儿游戏机，把功课都~了。Tā chéngtiān wánr yóuxìjī, bǎ gōngkè dōu ~ le. He plays the video game all day long and neglects his lessons. | 这块地已经~一年了。Zhè kuài dì yǐjīng ~ yì nián le. The land was laid waste a year ago. ❿〈动 v. 方 dial.〉浪费；耗费 waste: 别把沙锅~着不用。Bié bǎ shāguō ~zhe bú yòng. Don't leave the casserole unused. | 谁没关好龙头? 水都~了! Shéi méi guānhǎo lóngtóu? Shuǐ dōu ~ le! Who didn't turn off the water tap? The water is being wasted.

⁴ **荒地** huāngdì〈名 n.〉(片 piàn、块 kuài)没有耕种或利用的土地 wasteland; uncultivated land: 在这片~栽上树吧! Zài zhè piàn ~ zāishàng shù ba! Let's plant trees on the wasteland! | 这个小花园是在~上建起来的。Zhège xiǎo huāyuán shì zài ~ shang jiàn qǐlái de. The small garden is built on the wasteland.

⁴ **荒凉** huāngliáng〈形 adj.〉人烟稀少；冷清 desolate; bleak: 修建公路后，原先的山区也热闹起来了。Xiūjiàn gōnglù hòu, yuánxiān ~ de shānqū yě rènao qǐlái le. The desolate mountainous region came to life with the construction of the highway.

⁴ **荒谬** huāngmiù〈形 adj.〉极端错误；非常不合理 absurd; preposterous: ~逻辑 ~ luójí absurd logic | ~理论 ~ lǐlùn absurd theory | ~想法 ~ xiǎngfǎ preposterous idea | ~绝伦 ~ juélún absolutely absurd

⁴ **荒唐** huāngtáng ❶〈形 adj.〉(思想、言行)错误到令人惊讶的程度 (of thought, words, or action) absurd; preposterous: 把算命先生的胡诌当圣旨，太~了! Bǎ suànmìng xiānsheng de húzhōu dāng shèngzhǐ, tài ~ le! It is too absurd to take the fortune-teller's nonsense as edict! | 这么办事有如缘木求鱼，~透顶! Zhème bàn shì yǒurú yuánmù-qiúyú, ~ tòudǐng! Doing things in such a way is fruitless; it's absolutely absurd! ❷〈形 adj.〉(行为)放荡，没有节制 dissipated; loose: 她自甘堕落，过着~的日子。Tā zìgān duòluò, guòzhe ~ de rìzi. She led a degraded life without repentance and became dissipated. | 他这个~小子，谁也管不了。Tā zhège ~ xiǎozi, shéi yě guǎn bù liǎo. He is a dissolute guy that nobody can discipline.

² **慌** huāng ❶〈形 adj.〉不镇静；忙乱 flurried; bewildered; panicky: 惊~ jīng~ alarm; panic | 心~ xīn~ be flustered | ~里~张 ~li~zhāng in a hurried and confused manner | 他性子慢，不管干什么都不~不忙。Tā xìngzi màn, bùguǎn gàn shénme dōu bù~bùmáng. He is slow by nature, he does everything in a leisurely way. ❷〈形 adj.〉表示达到难以忍受的程度 (放在'得'之后，读轻声) (used after 'de 得' as a modifier) awfully; unbearably: 闷得~ mèn de ~ be bored to death | 累得~ lèi de ~ be tired out | 气得~ qì de ~ get very angry | 挤得~ jǐ de ~ be awfully crowded | 热得~ rè de ~ unbearably hot | 我早上没吃饭，又干了半天活，现在真是饿得~了。Wǒ zǎoshang méi chīfàn, yòu gànle bàntiān huó, xiànzài zhēn shì è de ~ le. Having been working for the whole morning without breakfast, I am really hungry now. ❸〈动 v.〉由慌乱而形成的状态 fear; be afraid; dread: 小偷一见警察来了，一下子~了手脚。Xiǎotōu yí jiàn jǐngchá lái le, yíxiàzi ~le shǒujiǎo. On seeing the approaching cop, the thief was struck by panic. | 她临上车才发现车票不见了，~了神。Tā lín shàng chē cái fāxiàn chēpiào bú jiàn le, ~ le shén. Before going aboard, she found her train ticket missing and panicked.

⁴ **慌乱** huāngluàn〈形 adj.〉慌张混乱 alarmed and bewildered: 听见爆炸声，人群~了。

Tīngjiàn bàozhà shēng, rénqún ~ le. On hearing the explosion, the crowd was seized by panic.

³ **慌忙** huāngmáng 〈形 *adj.*〉急忙 in a great rush; hasty: 想到门没锁，他~往回跑。*Xiǎngdào mén méi suǒ, tā ~ wǎng huí pǎo.* Remembering that the door had been left unlocked, he ran back in a hurry. │他唯恐产生误会，~作解释。*Tā wéikǒng chǎnshēng wùhuì, ~ zuò jiěshì.* He made a hasty explanation for fear that it might cause misunderstanding.

⁴ **慌张** huāngzhāng 〈形 *adj.*〉心里紧张，动作忙乱(与'沉着'相对) flustered; flurried; confused (opposite to '沉着chénzhuó'): 面对台下成千上百双眼睛，她顿时~起来。*Miànduì tái xià chéngqiān shàngbǎi shuāng yǎnjing, tā dùnshí ~ qǐlái.* In front of hundreds of people, she became flustered at once. │他以为会迟到，慌慌张张地赶往公司。*Tā yǐwéi huì chídào, huānghuāng-zhāngzhāng de gǎn wǎng gōngsī.* Thinking that he would be late, he went to the company in a hurry.

² **皇帝** huángdì 〈名 *n.*〉(个gè、位wèi)最高封建统治者的称号 emperor; sovereign: 中国最早称皇帝的是秦朝的嬴政—秦始皇。*Zhōngguó zuì zǎo chēng huángdì de shì Qín Cháo de Yíng Zhèng — Qínshǐhuáng.* In China, the title of emperor started with Ying Zheng, the founder of the Qin Dynasty, who was addressed as Qin Shi Huang.

² **皇后** huánghòu 〈名 *n.*〉(个gè、位wèi)皇帝的妻子 empress

¹ **黄** huáng ❶〈形 *adj.*〉像金子和向日葵花的颜色 yellow: ~皮肤 ~ pífū yellow skin │~围巾 ~ wéijīn yellow scarf │~土地 ~ tǔdì loess │他们穿上了~色的运动服。*Tāmen chuānshàngle ~ sè de yùndòngfú.* They put on yellow sports wear. ❷〈形 *adj.*〉色情的 pornographic: ~书 ~shū obscene book │~片 ~piàn pornographic film │扫~ sǎo~ wipe out pornography and prostitution │这盘录相~透了。*Zhè pán lùxiàng ~tòu le.* The video tape is full of obscenity. ❸〈动 *v.*〉愿望、计划不能实现 fizzle out; fall through: 他的出游~了! *Tā de chūyóu ~ le!* He cannot take the trip as planned. │他们的婚事可能要~。*Tāmen de hūnshì kěnéng yào ~.* Their wedding may be cancelled. ❹〈名 *n.*〉特指黄金 gold: ~货 ~huò gold │~白之物 ~ bái zhī wù gold and silver ❺〈名 *n.*〉黄颜色的东西 things with yellow color: 蛋~ dàn~ yolk │牛~ niú~ bezoar ❻〈名 *n.*〉成熟的谷物 ripe grain: 青~不接(指暂时性的短缺) qīng~bùjiē (zhǐ zànshíxìng de duǎnquē) the granary is nearly empty but the new crop is not yet ripe (temporary shortage) ❼〈名 *n.*〉特指黄河 the Yellow River: ~泛区 ~fànqū area formerly flooded by the Yellow River │治~工程 zhì ~ gōngchéng project to harness the Yellow River ❽ (Huáng)〈名 *n.*〉特指黄帝 Huangdi; Yellow Emperor: 炎~子孙 (泛指中国人) yán~zǐsūn (fànzhǐ Zhōngguó rén) descendants of Yandi and Huangdi (the Chinese people)

² **黄瓜** huánggua 〈名 *n.*〉(条tiáo、根gēn)一年生草本植物，果实可食 cucumber: 凉拌~ liáng bàn ~ shredded cucumber salad

³ **黄昏** huánghūn 〈名 *n.*〉日落夜前时分 dusk: 夕阳无限好，只是近~。*Xīyáng wúxiàn hǎo, zhǐshì jìn ~.* Beautiful as the setting sun looks, it is the last glow before dusk.

⁴ **黄金** huángjīn ❶〈名 *n.*〉(块kuài、锭dìng)一种贵重金属，符号Au，可作货币、首饰 aurum (Au); gold; precious metal used to make coins, jewelry, etc.: ~白银 ~ báiyín gold and silver │~戒指 ~ jièzhi gold ring ❷〈名 *n.*〉比喻宝贵 *fig.* preciousness: ~时代 ~ shídài golden age; prime of one's life │~地段 ~ dìduàn properous business district; land of high value │这部电视剧在~时间播出。*Zhè bù diànshìjù zài ~ shíjiān bōchū.* The TV play will be shown during the prime time.

³ **黄色** huángsè ❶〈名 *n.*〉黄的颜色 yellow: ~花 ~ huā yellow flower │~布 ~ bù

yellow cloth | ~头发 ~ *tóufa* yellow hair ❷〈名 n.〉象征腐化堕落，特指色情 decadence; obscenity; pornography: ~报刊 ~ *bàokān* pornographic magazines | ~影片 *yǐngpiàn* pornographic movie | ~歌曲 ~ *gēqǔ* lewd song

² **黄油** huángyóu ❶〈名 n.〉(块kuài, 层céng)从牛乳或奶油中提取的脂肪 butter; fatty substance churned from milk or cream: ~面包 ~ *miànbāo* bread and butter ❷〈名 n.〉从石油中分馏出来的膏状油脂，多用作润滑剂 grease fractionated from petroleum, usu. used as lubricant

⁴ **蝗虫** huángchóng 〈名 n.〉(只zhī, 群qún)危害禾本科植物的一种昆虫，又叫'蚂蚱' locust, also '蚂蚱 màzha'

³ **晃** huǎng ❶〈动 v.〉光芒闪耀 dazzle: 阳光~眼。*Yángguāng ~ yǎn.* The sunshine dazzles the eyes. | 对面的车灯，~得人睁不开眼。*Duìmiàn de chēdēng, ~ de rén zhēng bù kāi yǎn.* The headlight of the coming car was so dazzling that it blinded my eyes. ❷〈动 v.〉很快闪过 flash past: 一~就过了30年。*Yì ~ jiù guòle sānshí nián.* Thirty years passed in a flash. | 小鸟在我眼前一~就不见了踪影。*Xiǎo niǎo zài wǒ yǎn qián yì ~ jiù bú jiànle zōngyǐng.* The bird flitted into my view and then disappeared.
☞ huàng, p. 458

⁴ **晃** huàng 〈动 v.〉摇动；摆动 shake; sway: 柳条在微风中~动。*Liǔ tiáo zài wēifēng zhōng ~dòng.* The willow twigs are swaying in the breeze. | 他说起话来，总是摇头~脑的。*Tā shuōqǐ huà lái, zǒngshì yáotóu~~nǎo de.* He always shakes his head to and fro whenever he speaks.
☞ huǎng, p. 458

² **灰** huī ❶〈形 adj.〉介于白色和黑色之间的颜色 grey; of a color between white and black: 大~狼 dà~láng grey wolf; timber wolf | ~裤子 ~ *kùzi* grey trousers | 这是个阴天，天空一片~色。*Zhè shì gè yīntiān, tiānkōng yí piàn ~ sè.* It's overcast and the sky looks grey. ❷〈形 adj.〉中间色调的moderate hue: 那幅画用的是~调子。*Nà fú huà yòng de shì ~ diàozi.* The drawing was painted in grey. | 这画面~了点儿。*Zhè huàmiàn ~ le diǎnr.* The painting is a bit grey. ❸〈名 n.〉经燃烧后呈粉末状的东西 ash: 烟~ *yān*~ cigarette ash | 炉~ *lú*~ stove ashes | 骨~ *gǔ*~ bone ash; remains | 纸~ *zhǐ*~ paper ash | 草木~是一种含钾的好肥料。*Cǎomù~ shì yì zhǒng hán jiǎ de hǎo féiliào.* The plant ash contains potassium and makes a good fertilizer. ❹〈名 n.〉(把bǎ、撮cuō, 层céng)尘土，某些粉末状的东西 dust; powder: 桌子上落了一层~。*Zhuōzi shang luòle yì céng ~.* There is a thick layer of dust on the desk. ❺〈名 n.〉特指石灰 lime: ~浆 ~*jiāng* mortar; plaster | 抹~ ~ *mǒ* apply mortar | ~墙 ~*qiáng* plastered wall ❻〈动 v.〉消沉；失望 dishearten; discourage: ~心丧气 ~*xīn-sàngqì* be utterly disheartened | 她心~意懒，干什么都提不起精神来。*Tā xīn ~yìlǎn, gàn shénme dōu tí bù qǐ jīngshen lái.* She was so dispirited that she lost interest in doing everything.

³ **灰尘** huīchén 〈名 n.〉尘土 dust; dirt: 每天她都要打扫室内的~。*Měitiān tā dōu yào dǎsǎo shìnèi de ~.* She dusts the room every day. | 风一刮，她身上落满了~。*Fēng yì guā, tā shēn shang luòmǎnle ~.* When the wind blew, she was covered with a layer of dust.

³ **灰心** huīxīn 〈动 v.〉意志消沉；失去信心 lose heart; be discouraged: 几次挫折使她~了。*Jǐ cì cuòzhé shǐ tā ~ le.* She was utterly disheartened after several frustrations. | 遇到难处，他从来不~。*Yù dào nánchù, tā cónglái bù ~.* He never gives in to difficulties.

² **挥** huī ❶〈动 v.〉挥动；挥舞 wave; wield: ~手 ~*shǒu* wave one's hand | ~刀 ~*dāo* brandish a sword | ~毫 ~*háo* wield the brush; write or paint (with a brush) | 一~而就

yì~*érjiù* finish a piece of writing or painting at one go｜他当众大笔一~，写下一幅对联。*Tā dāngzhòng dàbǐyī~, xiěxià yì fú duìlián.* He wielded the brush in front of all people present and wrote a couplet. ❷〈动 v.〉用手抹去眼泪、汗珠儿等 wipe off（tears, sweat, etc.）：~汗成雨 ~*hànchéngyǔ* drip with sweat｜在路口他们~泪告别。*Zài lù kǒu tāmen ~ lèi gàobié.* At the crossing, they bid farewell in tears to each other. ❸〈动 v.〉指挥 command：~师南下 ~*shī nán xià* command an army to march southward ❹〈动 v.〉散；散出 scatter; disperse：~发 ~*fā* volatilize｜~金如土 ~*jīnrútǔ* throw gold about like dirt; spend money like water｜他在工作上发~了积极性。*Tā zài gōngzuò shàng fā~ le jījíxìng.* He takes initiative in his work.

⁴ **挥霍** huīhuò ❶〈动 v.〉任意花钱 spend money freely：~无度 ~*wúdù* spend without restraint｜~钱财 ~*qiáncái* squander money｜他一有点儿钱就~起来。*Tā yī yǒu diǎnr qián jiù ~ qǐlái.* He squandered every penny he got his hands on. ❷〈动 v.书 lit.〉任意发挥 be free and easy：运笔 ~*yùnbǐ* write or paint freely and easily｜在座谈会上，他尽情~。*Zài zuòtánhuì shang, tā jìnqíng ~.* He talked freely at the forum.

² **恢复** huīfù ❶〈动 v.〉变回原来的样子 recover; resume; restore：他已~健康。*Tā yǐ ~ jiànkāng.* He has recovered his health.｜他俩在一场磨难之后~了友谊。*Tā liǎ zài yì chǎng mónàn zhīhòu ~le yǒuyì.* The two of them resumed friendship after going through a hardship.｜处理完事故，这里~正常交通了。*Chǔlǐ wán shìgù, zhèlǐ ~ zhèngcháng jiāotōng le.* Normal traffic was resumed after the accident was dealt with. ❷〈动 v.〉把失去的收回来；使变为原样 regain; retake：~失地 ~*shīdì* recover lost territory｜~职务 ~*zhíwù* reinstate sb. in office｜~名誉 ~*míngyù* rehabilitate one's reputation｜他从绑架者手中被救出来，~了自由。*Tā cóng bǎngjiàzhě shǒu zhōng bèi jiù chūlái, ~ le zìyóu.* He was rescued from the kidnappers and regained freedom.

³ **辉煌** huīhuáng 〈形 adj.〉光辉灿烂 brilliant; splendid; glorious：灯火 ~ *dēnghuǒ~* brightly lit; brilliantly illuminated｜战果 ~ *zhànguǒ~* brilliant military victory｜前途 ~ *qiántú~* promising future｜金碧~ *jīnbì~* dazzlingly magnificent｜他们决心在事业上再创~。*Tāmen juéxīn zài shìyè shang zài chuàng ~.* They decided to make more glorious achievements in their career.

¹ **回** huí ❶〈动 v.〉曲折环绕 circle; wind：迂 ~*yū* winding; roundabout｜巡~演出 xún~*yǎnchū* performing tour｜峰~路转 fēng~*lùzhuǎn* (of mountain paths) be full of twists and turns; (of writing) make an abrupt transition｜~形针 ~*xíngzhēn* paper clip｜这条小溪在山里萦~。*Zhè tiáo xiǎo xī zài shān li yíng~.* The brook winds its way through the mountains. ❷〈动 v.〉掉转；回转 turn round：~首 ~*shǒu* turn one's head; recollect｜~身 ~*shēn* turn round｜~过来 ~*guòlái* come back｜~头是岸 (只要悔改便能得到挽救) ~*tóushì'àn* (*zhǐyào huǐgǎi biàn néng dédào wǎnjiù*) turn the head and the shore is at hand (repent and be saved)｜他~过头来跟我打了个招呼。*Tā ~guò tóu lái gēn wǒ dǎle gè zhāohu.* He turned round and greeted me. ❸〈动 v.〉从别处回到原来的地方 return; go back：~家 ~*jiā* go home｜~校 ~*xiào* return to school｜~乡 ~*xiāng* return to one's home village｜妙手~春 miàoshǒu~*chūn* effect a miraculous cure and bring the dying back to life｜请把看过的杂志放~原处。*Qǐng bǎ kànguo de zázhì fàng~ yuánchù.* Please return the magazines you have read to their original places. ❹〈动 v.〉答复；回报 answer; reply：~信 ~*xìn* send in reply; write back｜~话 ~*huà* reply; answer｜~访 ~*fǎng* pay a return visit｜~电 ~*diàn* wire back; return cable; call back｜~礼 ~*lǐ* give a present in return; return a salute ❺〈动 v.〉谢绝；退掉 decline; refuse：他~掉了会议的邀请。*Tā ~diàole huìyì de yāoqǐng.* He declined the invitation to the meeting.｜这桌酒席~了吧。

Zhè zhuō jiǔxí ~ le ba. Let's decline the invitation to the banquet. ❻〈动 v.〉避开;绕开 evade; dodge; circumvent: ~避~*bì* evade ❼〈量 meas.〉次 time: 他去了两~邮局。*Tā qùle liǎng ~ yóujú.* He went to the post office twice. | 她申请出国已是第三~了。*Tā shēnqǐng chūguó yǐ shì dì-sān ~ le.* She applied for an opportunity to go abroad the third time. ❽〈量 meas.〉章回小说的一章 chapter: 欲知后事如何，且听下~分解。*Yù zhī hòu shì rúhé, qiě tīng xià ~ fēnjiě.* If you want to know what happened next, please read the following chapter. | 他看《红楼梦》已看到第七十二回了。*Tā kàn 'Hónglóumèng' yǐ kàndào dì-qīshí'èr huí le.* He has read to the 72nd chapter of *A Dream of Red Mansions*. ❾〈量 meas.〉件 piece: 哪有这~事? *Nǎ yǒu zhè ~ shì?* Nothing of this kind has ever happened. | 那是两~事,不要混为一谈。*Nà shì liǎng ~ shì, bú yào hùnwéiyìtán.* They are two entirely different things and don't get them mixed up. ❿ (Huí)〈名 n.〉中国的少数民族之一——回族 Hui ethnic group: ~民~*mín* Hui people

⁴ **回避** huíbì ❶〈动 v.〉躲开;让开 evade; dodge: 你别掺和这种事,还是~为好。*Nǐ bié chānhuo zhè zhǒng shì, háishi ~ wéi hǎo.* Don't get yourself involved in this. You'd better keep away from it. | 真理越辩越明,请不要~矛盾。*Zhēnlǐ yuè biàn yuè míng, qǐng bú yào ~ máodùn.* Discussion helps truth rise to the surface. Please don't evade contradictions. ❷〈动 v.〉侦查人员或审判人员因与案件有利害关系或其他关系而不参加对该案件的侦查或审判 withdraw; exclude an investigator or judge for being an interested party to the case or having some other relationship with it

¹ **回答** huídá ❶〈动 v.〉对提问或要求作出反应 answer; respond; reply: 这个问题你~得很对。*Zhège wèntí nǐ ~ de hěn duì.* Your answer to the question is quite correct. | 他要你提供资金,你去~他。*Tā yào nǐ tígōng zījīn, nǐ qù ~ tā.* He asked you to provide the fund. You shall give him a reply. ❷〈名 n.〉(个 gè)对提问或要求的反应 answer; reply; response: 你的~十分有理。*Nǐ de ~ shífēn yǒulǐ.* Your reply is very reasonable. | 他给了一个不能令人满意的~。*Tā gěile yí gè bù néng lìngrén mǎnyì de ~.* He gave an unsatisfactory answer.

⁴ **回顾** huígù 〈动 v.〉回过头来看 look back; review: ~往事~*wǎngshì* review the past events | ~过去~*guòqù* recollect the past | 他在文章中~了十年前发生在文艺界的一件大事。*Tā zài wénzhāng zhōng ~le shí nián qián fāshēng zài wényìjiè de yí jiàn dàshì.* In the article he recalled a significant event that took place in the world of art and literature ten years ago.

⁴ **回击** huíjī 〈动 v.〉受到攻击后反击对方 fight back; counterattack: 战士们用愤怒的炮火~敌人的挑衅。*Zhànshìmen yòng fènnù de pàohuǒ ~ dírén de tiǎoxìn.* The soldiers beat back the enemy's offensive with fierce gunfire. | 对恶意中伤,他用事实作了有力~。*Duì èyì zhòngshāng, tā yòng shìshí zuòle yǒulì ~.* He eloquently refuted the malicious slander with facts.

¹ **回来** huí//lái Ⅰ〈动 v.〉回到原地来 return; come back: 她刚从家乡~。*Tā gāng cóng jiāxiāng ~.* She has just returned from her hometown. | 等你~再说。*Děng nǐ ~ zài shuō.* Let's discuss it after you return. | 你还回不~? *Nǐ hái huí bù ~?* Are you coming back or not? Ⅱ //huí//lái〈动 v.〉放在动词后表示动作趋向原处或说话人 (used after a verb to indicate a movement towards its starting point or the speaker) back: 跑~*pǎo* ~ run back | 寄~*jì* ~ post it back | 你去把桌子搬~。*Nǐ qù bǎ zhuōzi bān ~.* You go and move the desk back here. | 他买~十本书。*Tā mǎi ~ shí běn shū.* He bought ten books.

¹ **回去** huí//qù Ⅰ〈动 v.〉回到原地去 return; go back: 你~以后写信来。*Nǐ ~ yǐhòu xiě xìn lái.* You should write to me when you go back. | 他~看电视了。*Tā ~ kàn*

diànshì le. He went back to watch TV. | 他回宿舍去了。*Tā huí sùshè qù le.* He returned to his dormitory. Ⅱ //huí/qù 〈动 *v.*〉放在动词后面表示动作趋向来处或其自身（used after a verb to indicate a movement towards its starting point or itself）back: 他从我这儿带~一箱水果。*Tā cóng wǒ zhèr dài ~ yì xiāng shuǐguǒ.* He brought back a box of fruits from my place. | 你给他把这机器托运~。*Nǐ gěi tā bǎ zhè jīqì tuōyùn ~.* You shall consign the machine back to him.

⁴ 回收 huíshōu ❶〈动 *v.*〉把废旧物品收而再利用 collect junk to be recycled; retrieve; reclaim: ~旧家具 ~ jiù jiājù retrieve used furniture. | ~旧电器 ~ jiù diànqì retrieve used electrical appliances | ~站 ~zhàn (waste matter) collection depot | ~废旧物资可以节约自然资源。*~ fèijiù wùzī kěyǐ jiéyuē zìrán zīyuán.* Retrieving waste materials can save natural resources. ❷〈动 *v.*〉把发放或发射的东西收回来 take back; recover; reclaim: 他去~贷款了。*Tā qù ~ dàikuǎn le.* He went to recover the loan. | 人造卫星已安全~。*Rénzào wèixīng yǐ ānquán ~.* The man-made satellite has been safely recovered.

² 回头 huítóu 〈副 *adv.*〉过些时候 later: ~我去拜访你。*~ wǒ qù bàifǎng nǐ.* I will call on you later. | 咱们~见。*Zánmen ~ jiàn.* See you later. Ⅱ huí//tóu 〈动 *v.*〉❶把头转向后方 turn one's head; turn round: 他~看了一眼送行的女儿。*Tā ~ kànle yì yǎn sòngxíng de nǚ'ér.* He turned his head and glanced at her daughter who was seeing him off. | 你回过头去看看谁来了! *Nǐ huíguò tóu qù kànkàn shéi lái le!* Turn round and see who is coming. ❷〈动 *v.*〉返回；回来 come back; return: 一去不~ *yí qù bù ~* go away and never return | 他撞了南墙也不~。*Tā zhuàngle nán qiáng yě bù ~.* He won't return even if he hit against the south wall（he won't change his mind even if he fails）. ❸〈动 *v.*〉醒悟；改悔 repent: 浪子~金不换。*Làngzǐ ~ jīn bú huàn.* The return of a prodigal is more precious than gold. | 现在~也不迟。*Xiànzài ~ yě bù chí.* It's not too late to repent.

⁴ 回想 huíxiǎng 〈动 *v.*〉追忆过去 think back; recall: ~当年，她也是个拔尖的体操运动员。*~ dāngnián, tā yě shì gè bájiān de tǐcāo yùndòngyuán.* In the past, she used to be an outstanding gymnast. | 他常常~起苦难的战争岁月。*Tā chángcháng ~ qǐ kǔnàn de zhànzhēng suìyuè.* He often recalls the hardships experienced in the war times.

² 回信 Ⅰ huí/xìn 〈动 *v.*〉答复来信 write in reply; write back: 我给她~了。*Wǒ gěi tā ~ le.* I have written back to her. | 你还是回封信吧! *Nǐ háishi huí fēng xìn ba!* Anyway, you'd better write back. Ⅱ huíxìn ❶〈名 *n.*〉回复的信 reply; letter in reply: 今天他收到女友的一封~。*Jīntiān tā shōudào nǚyǒu de yì fēng ~.* He received his girlfriend's reply today. | 他去信有半个月了，可至今没收到~。*Tā qù xìn yǒu bàn gè yuè le, kě zhìjīn méi shōu dào ~.* He posted his letter half a month ago, but so far he has got no reply. ❷（~儿）〈名 *n.*〉口头的答复 verbal response: 什么时候有新车，你听~儿吧! *Shénme shíhou yǒu xīn chē, nǐ tīng ~r ba!* We will give you a message when the new car is available.

² 回忆 huíyì ❶〈动 *v.*〉回想 recall; recollect: ~过去 ~ guòqù recall the past | 他~起刚上大学的事。*Tā ~ qǐ gāng shàng dàxué de shì.* He recalled what had happened when he entered the college. ❷〈名 *n.*〉回忆的事 recollection; memory: 初恋的日日夜夜都成了她美好的~。*Chūliàn de rìrì-yèyè dōu chéng le tā měihǎo de ~.* The time when she first fell in love became part of her sweet memory. | 他的~让人听得入了迷。*Tā de ~ ràng rén tīng de rùle mí.* His reminiscence fascinated the audience.

⁴ 悔 huǐ 〈动 *v.*〉事后自责不该那么说或那么做 regret; repent: ~悟 ~wù realize one's mistakes and show repentance. | 追~ zhuī ~ regret; be penitent | ~棋 ~qí retract a move

in a chess game | 后~ *hòu~* regret | 忏~ *chàn~* confess; repent | ~恨交加 ~*hèn jiāojiā* be stung by remorse and shame | ~过自新 ~*guò-zìxīn* repent and turn over a new leaf | 当初没听从人劝，如今~之晚矣。*Dāngchū méi tīngcóng rén quàn, rújīn ~ zhī wǎn yǐ.* He didn't follow the others' advice, and now it is too late to regret.

⁴ **悔改** huǐgǎi 〈动 v.〉认识错误并加以改正 repent and mend one's ways: 犯了错误能~就好。*Fànle cuòwù néng ~ jiù hǎo.* It is OK if you mend your ways after making a mistake.

⁴ **悔恨** huǐhèn 〈动 v.〉因后悔而自恨 deeply regret; be filled with remorse: 他伤了朋友的心，~不已。*Tā shāngle péngyou de xīn, ~ bùyǐ.* He was bitterly remorseful for having hurt his friend's feelings. | 她对自己赌气出走，又羞愧，又~。*Tā duì zìjǐ dǔqì chūzǒu, yòu xiūkuì, yòu ~.* She was ashamed and remorseful at her walking out on her family in a fit of pique.

³ **毁** huǐ ❶〈动 v.〉破坏；糟蹋 destroy; ruin; damage: 一场大冰雹把庄稼~了。*Yì chǎng dà bīngbáo bǎ zhuāngjia ~ le.* A big hailstorm destroyed the crops. | 你不要去赌场自~前程。*Nǐ búyào qù dǔchǎng zì ~ qiánchéng.* You should not go gambling in the casino. Otherwise, you will destroy your future. ❷〈动 v.〉烧掉 burn up: 烧~ *shāo~* burn down | 焚~ *fén~* destroy by fire | 一个烟头引起大火，~了一片林子。*Yí gè yāntóu yǐnqǐ dà huǒ, ~le yí piàn línzi.* A fire caused by a cigarette butt burned down a patch of wood. ❸〈动 v.〉诽谤；说人坏话 slander; defame: 诋~ *dǐ~* slander; defame; vilify | 你不该~人声誉！*Nǐ bù gāi ~ rén shēngyù!* You shouldn't defame the others.

⁴ **毁坏** huǐhuài 〈动 v.〉损坏；破坏 destroy; damage: 在游览时不准~文物。*Zài yóulǎn shí bù zhǔn ~ wénwù.* It's not allowed to damage cultural relics during the visit. | 不要~自己的信誉。*Búyào ~ zìjǐ de xìnyù.* Don't damage your own reputation.

⁴ **毁灭** huǐmiè 〈动 v.〉摧毁消灭 exterminate; destroy: ~罪证 ~ *zuìzhèng* destroy the evidence | 村子在敌机轰炸中~了。*Cūnzi zài díjī hōngzhà zhōng ~ le.* The village was destroyed by the enemy's bombardment.

³ **汇** huì ❶〈动 v.〉汇合 converge; join: 百川~海 *bǎichuān-~-hǎi* all rivers empty into the sea | ~小流成大河。*~ xiǎo liú chéng dà hé.* Small streams converge into a mighty river. ❷〈动 v.〉聚合；聚集 gather together: ~编 ~*biān* compile | ~报 ~*bào* report ❸〈动 v.〉通过邮局或银行向别处划拨款项 remit; transfer funds from one place to another through post office or bank: 他给女儿~去5千元。*Tā gěi nǚ'ér ~qù wǔqiān yuán.* He remitted 5,000 *yuan* to his daughter. | 让财务处~款给厂家买批新办公桌。*Ràng cáiwùchù ~ bǐ kuǎn gěi chǎngjiā mǎi pī xīn bàngōngzhuō.* Ask the financial department to remit money to the factory for a batch of new desks. ❹〈名 n.〉汇集而成的东西 collection; assemblage: 字~ *zì~* glossary; lexicon | 词~ *cí~* vocabulary | 语~ *yǔ~* vocabulary | 总~ *zǒng~* confluence ❺〈名 n.〉指外汇 foreign exchange: 换~ *huàn~* exchange foreign currencies | 外~ *wài~* foreign exchange | 炒~ *chǎo~* speculate in foreign currency | 今年他们公司创~远远超过往年。*Jīnnián tāmen gōngsī chuàng~ yuǎnyuǎn chāoguò wǎngnián.* This year their company made far more profit in foreign exchange than last year.

³ **汇报** huìbào ❶〈动 v.〉综合材料向上级或群众报告 report; give an account of; summarize data to report to one's superior or the public: 她正向董事会~市场开发的情况。*Tā zhèng xiàng dǒngshìhuì ~ shìchǎng kāifā de qíngkuàng.* She is reporting the work of market development to the board. | 他向全体职工详细~了出版社的改革方案。*Tā xiàng quántǐ zhígōng xiángxì ~le chūbǎnshè de gǎigé fāng'àn.* He made a detailed report

to all the staff on the reform plan of the publishing house. ❷〈名 n.〉(个 gè、份 fèn)用于汇报的报告 report: 她的口头~有理有据，生动可信。*Tā de kǒutóu ~ yǒulǐ-yǒujù, shēngdòng kěxìn.* Her verbal report is vivid and convincing with ample evidence. | 他作的是书面~。*Tā zuò de shì shūmiàn ~.* What he made is a written report.

⁴ **汇集** huìjí ❶〈动 v.〉汇拢集中 collect; gather: ~资料以供研究。*~zīliào yǐ gòng yánjiū.* Collect relevant data for study. | 人们纷纷~到机场门口等候凯旋归来的运动员。*Rénmen fēnfēn ~ dào jīchǎng ménkǒu děnghòu kǎixuán guīlái de yùndòngyuán.* People assembled at the gate of the airport to greet the triumphant athletes.

³ **汇款** huìkuǎn ❶〈名 n.〉汇出或汇入的款项 remittance: 这笔~是用来交学费的。*Zhè bǐ ~ shì yònglái jiāo xuéfèi de.* The remittance is for tuition. | 你收到我的~吗？*Nǐ shōu dào wǒ de ~ ma?* Have you received my remittance? ❷〈动 v.〉将款项汇出 remit money: 你去~了？*Nǐ qù ~ le?* Did you go to remit money? | 他会很快~过来。*Tā huì hěn kuài ~ guòlái.* He will remit money very soon.

⁴ **汇率** huìlǜ〈名 n.〉不同国家货币之间兑换的比例，也叫'汇价'exchange rate, also '汇价 huìjià'

¹ **会** huì ❶〈动 v.〉聚合；会合 assemble; get together: ~合~*hé* join; meet; converge | ~诊~*zhěn* (of doctors) group consultation | ~审~*shěn* joint hearing; make a joint checkup | ~演~*yǎn* joint performance | 聚精~神 *jùjīng-~shén* concentrate one's attention | 融~贯通 *róng~guàntōng* achieve thorough understanding of a subject through mastery of all relevant material | 老朋友举行了年终大~餐。*Lǎo péngyou jǔxíngle niánzhōng dà ~cān.* The old friends held a big dinner party at the end of the year. ❷〈动 v.〉见面；会见 meet; see: ~面~*miàn* meet | ~客~*kè* receive a guest | 拜~*bài~* visit | 今天我和她~过两次面。*Jīntiān wǒ hé tā ~guo liǎng cì miàn.* I met her twice today. ❸〈动 v.〉付账(结算并付钱) pay a bill: 饭钱他已~了。*Fànqián tā yǐ ~ le.* He has already paid for the meal. | 今天是她~的酒账。*Jīntiān shì tā ~ de jiǔ zhàng.* Today it's she who paid for the hard drinks. ❹〈动 v.〉理解；领会 understand; grasp: 体~*tǐ~* understand; realize; appreciate | 误~*wù~* misunderstand | 心领神~*xīnlíng-shén~* understand tacitly | 我一讲解，她马上就~了。*Wǒ yì jiǎngjiě, tā mǎshàng jiù ~ le.* She understood it right after my explanation. ❺〈动 v.〉通晓；熟习 have knowledge of; be acquainted with: 他~英语，经常受邀当翻译。*Tā ~ Yīngyǔ, jīngcháng shòu yāo dāng fānyì.* Being proficient in English, he is often invited to act as an interpreter. | 她~会计，记个账算个账不在话下。*Tā ~ kuàijì, jì gè zhàng suàn gè zhàng bú zài huà xià.* She knows accounting; so it is easy for her to do accounting work. ❻〈助动 aux. v.〉能；善于 can; be good at: ~喝~*hē* be good at drinking alcohol | ~唱~*chàng* be good at singing | ~做工作~*zuò gōngzuò* be good at doing one's job | 她从小就~说得很。*Tā cóngxiǎo jiù ~ shuō de hěn.* She has been a very good speaker since early childhood. ❼〈助动 aux. v.〉一定会 be sure to: ~来~*lái* be likely to come | 今天~下雨吗？*Jīntiān ~ xià yǔ ma?* Is it likely to rain today? | 我的意思你不~不明白。*Wǒ de yìsi nǐ bú ~ bù míngbái.* You cannot possibly fail to understand what I mean. ❽〈名 n.〉(个 gè)有一定目的集会 meeting: 开~kāi~ hold a meeting | 散~sàn~ dismiss the meeting | 明天要开植树动员~。*Míngtiān yào kāi zhíshù dòngyuán ~.* Tomorrow we will hold a tree-planting mobilization rally. ❾〈名 n.〉为一定目的成立的团体 association; society; union: 学生~xuéshēng~ student union | 理事~lǐshì~ executive council; board of directors | 美术协~měishù xié~ association of fine arts | 我去工~办事。*Wǒ qù gōng~ bànshì.* I went to the trade union for business. ❿〈名 n.〉定期举行的某种活动 fair; activity organized

regularly: 庙~ *miào~* temple fair | 香~*xiāng~* pilgrimage mission | 龙灯~ *lóngdēng~* dragon lantern fair | 迎神赛~ *yíngshén sài ~* Welcoming the God Fair; a ceremony for blessings from gods in which god statues are placed along the street and people pray and pay their respect ⓫〈名 *n.*〉主要城市 major city; capital; 省~ *shěng~* provincial capital | 都~ *dū~* city; metropolis ⓬〈名 *n.*〉时机 opportunity; occasion: 机~ *jī~* opportunity | 适逢其~ *shìféng qí~* happen to be present on the occasion. ⓭（~儿）〈名 *n.*〉一小段时间 a short period of time: 一~儿 *yí~r* a moment | 多~儿 *duō~r* when; ever; at any time | 这~儿 *zhè~r* at this moment | 你别急，等~儿她就来了。*Nǐ bié jí, děng ~r tā jiù lái le.* Don't worry. She will be here in a moment.

² **会场** huìchǎng ❶〈名 *n.*〉开会的场所 conference hall; meeting place: 布置~ *bùzhì~* arrange the conference hall | 清理~ *qīnglǐ~* tidy up the conference hall ❷〈名 *n.*〉会议 的场面 scene of a meeting: 请大家维护~秩序。*Qǐng dàjiā wéihù ~ zhìxù.* Please keep order in the meeting place.

¹ **会话** huìhuà ❶〈动 *v.*〉交谈（多用于学习别种语言或方言）converse（usu. for learning a foreign language or dialect）: 汉语~ *Hànyǔ ~* Chinese conversation | 英语~ *Yīngyǔ ~* English conversation | 闽南话~ *Mǐnnánhuà ~* conversation in Southern Fujian dialect | 我和她常用法语~。*Wǒ hé tā cháng yòng Fǎyǔ ~.* I often converse with her in French. ❷〈名 *n.*〉指交谈的事 conversation: 我们这次~很顺利。*Wǒmen zhè cì ~ hěn shùnlì.* The conversation between us is very smooth. | ~的目的在于更好地沟通。*~ de mùdì zàiyú gèng hǎo de gōutōng.* The purpose of conversation is to facilitate communication.

² **会见** huìjiàn〈动 *v.*〉跟别人相见（多含庄重之意）(usu. on formal occasions) meet: 他 要去~记者。*Tā yào qù ~jìzhě.* He is going to meet reporters. | 市长正在~外宾。*Shìzhǎng zhèngzài ~ wàibīn.* The mayor is meeting foreign guests.

² **会客** huìkè〈动 *v.*〉同客人见面 receive a guest: 总经理正在开会，不能~。*Zǒngjīnglǐ zhèngzài kāihuì, bù néng ~.* The general manager is attending a meeting and cannot receive any visitor. | 他们在~室交谈了很久。*Tāmen zài ~shì jiāotánle hěn jiǔ.* They talked for a long time in the reception room.

² **会谈** huìtán ❶〈动 *v.*〉双方或多方一起商谈（含庄重之意）(on formal occasions) hold bilateral or multilateral talks: ~纪要 *jìyào* minutes of talks | 双边~ *shuāngbiān ~* bilateral talks | 贸易~ *màoyì ~* trade talks | 他们正在~文化交流问题。*Tāmen zhèngzài ~ wénhuà jiāoliú wèntí.* They are talking about cultural exchange. ❷〈名 *n.*〉指会谈的活动 the act of talking: 我们的~即将开始。*Wǒmen de ~jíjiāng kāishǐ.* Our talk is about to begin | 这次~，双方都很有诚意。*Zhè cì ~, shuāngfāng dōu hěn yǒu chéngyì.* Both sides of the talk are very sincere.

⁴ **会同** huìtóng〈动 *v.*〉跟有关方面一起（办理）handle matters jointly with other parties concerned: 这件事交由办公厅~有关部门去办。*Zhè jiàn shì jiāo yóu bàngōngtīng ~ yǒuguān bùmén qù bàn.* Assign this matter to the general office and other relevant departments.

⁴ **会晤** huìwù〈动 *v.*〉会面交谈（含庄重之意）(on formal occasions) meet: 两国外贸部 长定期~。*Liǎng guó wàimào bùzhǎng dìngqī ~.* The foreign trade ministers of the two countries meet on a regular basis. | 他~了美国国务卿。*Tā ~le Měiguó guówùqīng.* He met with the U.S. Secretary of State.

² **会议** huìyì ❶〈名 *n.*〉（个 gè，次 cì，届 jiè）有组织的议事活动 meeting; conference: 工 作~ *gōngzuò~* working conference | 局务~ *júwù~* meeting on bureau affairs | 国际~

guójì ~ international conference｜他出席了一次节能~。*Tā chūxíle yí cì jiénéng ~.* He attended a conference on energy conservation.｜在领导班子~上，他们讨论了提高职工福利的问题。*Zài lǐngdǎo bānzi ~ shang, tāmen tǎolùnle tígāo zhígōng fúlì de wèntí.* At the leadership meeting, they discussed the issue of enhancing the workers' welfare. ❷〈名 *n.*〉议事常设机构 council; congress: 部长~ *bùzhǎng* ~ council of ministers｜国务~ *guówù* ~ state council｜中国人民政治协商~ *Zhōngguó Rénmín Zhèngzhì Xiéshāng* ~ Chinese People's Political Consultative Conference

⁴会员 huìyuán〈名 *n.*〉(个 gè、名 míng、位 wèi) 某个团体组织的成员 member of an organization: 她是曲艺家协会~。*Tā shì Qǔyìjiā Xiéhuì ~.* She is a member of the Association of Folk Artists.｜这名~在工会工作上尽心尽责。*Zhè míng ~ zài gōnghuì gōngzuò shang jìnxīn-jìnzé.* As a member of the trade union, he works with all his heart for the union.

⁴绘 huì〈动 *v.*〉用笔或类似笔一样的东西制作图形 draw; paint: ~图 ~tú chart; sketch; draw a map｜测~ *cè*~ survey and map｜描~ *miáo*~ depict; describe; portray｜~画 ~huà draw; paint

⁴绘画 huìhuà〈动 *v.*〉造型艺术的一种，用线条、色彩在纸、布、木板、墙等的上面，画出所见所想的形象 draw; paint: 素描是一切~的基础。*Sùmiáo shì yíqiè ~ de jīchǔ.* Sketch is the basis of any type of drawing.

⁴贿赂 huìlù ❶〈动 *v.*〉用钱财买通别人而谋取不正当利益 bribe: 他们想~海关人员。*Tāmen xiǎng ~ hǎiguān rényuán.* They wanted to bribe customs officers.｜那个女人犯了~罪。*Nàge nǚrén fànle ~ zuì.* The woman committed the crime of bribery. ❷〈名 *n.*〉指贿赂的钱财 bribe: 他接受了两次~。*Tā jiēshòule liǎng cì ~.* He accepted bribes on two occasions.｜受了~，他说话就软了。*Shòule ~, tā shuōhuà jiù ruǎn le.* Having received bribes, he was apt to be influenced and could not remain resolute.

³昏 hūn ❶〈动 *v.*〉失去知觉 lose consciousness: ~迷 ~mí stupor; coma｜~厥 ~jué faint｜饿~ *è*~ faint because of hunger｜气~ *qì*~ faint because of anger｜听到她妈去世的消息，她~了过去。*Tīngdào tā mā qùshì de xiāoxi, tā ~le guòqù.* She fainted on hearing her mother's death. ❷〈形 *adj.*〉黑暗，模糊 dark: ~暗 ~àn dim; dusky｜~黄 ~huáng pale yellow｜天~地暗 tiān~-dì'àn murky sky over a dark earth; state of chaos and darkness｜他们在~天黑地中摸索前行。*Tāmen zài ~tiān-hēidì zhōng mōsuǒ qiánxíng.* They groped forward in the darkness. ❸〈形 *adj.*〉不清醒 muddled; confused; dizzy: ~头~脑 ~tóu-~nǎo with one's mind numb; muddle-headed｜利令智~ *lìlìngzhì*~ be blinded by lust for gains｜他病得头~眼花，有气无力。*Tā bìng de tóu~-yǎnhuā, yǒuqì-wúlì.* He was so sick that he felt dizzy and weak. ❹〈名 *n.*〉天刚黑的时分 twilight of the evening: 黄~ *huáng*~ dusk｜晨~ *chén*~ at dawn and dusk

²昏迷 hūnmí〈动 *v.*〉因大脑功能严重紊乱而失去知觉 faint; unconscious due to serious brain malfunction: 他脑出血，已~一天了。*Tā nǎo chū xiě, yǐ ~ yì tiān le.* Due to cerebral hemorrhage, he has been in a coma for a whole day.

²婚姻 hūnyīn〈名 *n.*〉男女结合而形成的夫妻关系 marriage; matrimony: 他们的~很美满。*Tāmen de ~ hěn měimǎn.* Their marriage is a very happy one.｜他们的~出现了问题。*Tāmen de ~ chūxiànle wèntí.* There is something wrong with their marriage.

³浑身 húnshēn〈名 *n.*〉全身 whole body: ~发冷 ~fā lěng be cold all over the body｜~是汗 ~shì hàn sweat all over｜~是胆 ~shì dǎn be every inch a hero; be filled with guts｜他干起活来~是劲儿。*Tā gànqǐ huó lái ~ shì jìnr.* He works with boundless energy.

²混 hùn ❶〈动 *v.*〉搀杂 mix; mingle: 这堆土里~了好些石子儿。*Zhè duī tǔ li ~le hǎoxiē*

shízǐr. There are many gravels mixed in the pile of soil. ｜这是两码事，不要~为一谈。 *Zhè shì liǎng mǎ shì, búyào ~wéiyìtán.* They are two different things. Don't mix them together. ❷〈动 v.〉蒙混 pass for: 鱼目~珠（比喻以假的冒充真的，以次的冒充好的） *yúmù~~zhū*（*bǐyù yǐ jiǎ de màochōng zhēn de, yǐ cì de màochōng hǎo de*）pass off fish eyes as pearls（*fig.* pass off the sham as genuine, shoddy as good）｜她没买票~进了剧场。 *Tā méi mǎi piào ~jìnle jùchǎng.* She sneaked into the theater without buying ticket. ｜他~过海关出了境。 *Tā ~guò hǎiguān chūle jìng.* He managed to go through the customs（with illegal goods or without official document）and left the country. ❸〈动 v.〉苟且度日 muddle along; drift along: ~日子 *~rìzi* drift along; scrape by ｜胡~ *hú~* fool around ｜鬼~ *guǐ~* be promiscuous; carry on an affair with sb. ｜~文凭 *~wénpíng* intend to receive diploma without committing oneself to study ｜他没本事又懒惰，只想一碗饭吃。 *Tā méi běnshi yòu lǎnduò, zhǐ xiǎng ~ wǎn fàn chī.* Being unskilled and lazy, he only wants to earn a bowl of rice. ❹〈副 adv.〉胡乱；任意 thoughtlessly; recklessly: 你别~出点子！ *Nǐ bié ~ chū diǎnzi!* Don't put forward irresponsible suggestions! ｜他又在~闹了。 *Tā yòu zài ~nào le.* He is making troubles again.

⁴ **混纺** hùnfǎng 〈名 n.〉用两种或多种纤维织成的纺织物 blend fabric: 这布料是~的，不是纯棉的。 *Zhè bùliào shì ~ de, bú shì chúnmián de.* The material is made of blend fabric instead of pure cotton.

³ **混合** hùnhé ❶〈动 v.〉搀杂在一起 mix; blend; mingle: 这两种药不能~。 *Zhè liǎng zhǒng yào bù néng ~.* These two kinds of medicine cannot be mixed. ｜男女~编队。 *Nán nǚ ~ biānduì.* Men and women made up a composite formation. ❷〈动 v.〉化学用语，指两种或几种物质混在一起不发生化学反应而保持原有性质（区别于'化合'）mix；mingle; mix two or more substances together without any chemical reaction and each of which retains its original chemical properties（different from '化合 huàhé'）: ~物 *~ wù* mixture ｜~色 *~ sè* secondary color

⁴ **混合物** hùnhéwù 〈名 n.〉由两种或多种单质或化合物混合而成的物质 mixture; mixture of two or more simple substances or chemical compounds: 空气是氧、氢、氮、二氧化碳等的~。 *Kōngqì shì yǎng, qīng, dàn, èryǎnghuàtàn děng de ~.* The air is a mixture of oxygen, hydrogen, nitrogen, carbon dioxide, etc.

³ **混乱** hùnluàn 〈形 adj.〉没条理；没秩序 confusing; chaotic: 交通~ *jiāotōng ~* chaotic traffic ｜思想~ *sīxiǎng ~* ideological confusion ｜账目~ *zhàngmù ~* confusing accounts ｜~的人群 *~ de rénqún* chaotic crowds

³ **混凝土** hùnníngtǔ 〈名 n.〉用水泥、砂子、石子和水按一定比例搅拌而成的建筑材料 concrete; building material made by mixing cement, sand, gravel and water in certain proportions

³ **混淆** hùnxiáo 〈动 v.〉混杂；使界限模糊（多用于抽象事物）(usu. of the abstract) confuse; mix up: ~是非 *~ shìfēi* confuse right and wrong ｜~矛盾 *~ máodùn* confuse problems ｜~黑白 *~ hēibái* mix up black and white ｜他放出谣言以~视听。 *Tā fàngchū yáoyán yǐ ~ shìtīng.* He concocted rumors to mislead the public.

⁴ **混浊** hùnzhuó 〈形 adj.〉(水、空气等)混有杂质而不洁净 (of water, air, etc.) muddy; turbid: 化工厂的空气相当~。 *Huàgōngchǎng de kōngqì xiāngdāng ~.* The air in the chemical factory is very foul. ｜大雨过后小溪的水~了。 *Dà yǔ guò hòu xiǎo xī de shuǐ ~ le.* The water in the creek became muddy after the heavy rain.

⁴ **豁** huō ❶〈动 v.〉裂开 slit; crack; split: 她的手~了个口子。 *Tā de shǒu ~le gè kǒuzi.* There is a crack on her hand ｜那面墙~了好几道。 *Nà miàn qiáng ~le hǎo jǐ dào.* There

are several cracks on the wall. ❷〈动 v.〉下狠心付出 give up; sacrifice; be ready to risk everything for: 他一出一夜不睡也要把这篇文章写完。*Tā ~chū yí yè bú shuì yě yào bǎ zhè piān wénzhāng xiěwán.* He would give up one night's sleep to finish writing the article. | ~上一条命, 他也要去深山密林把她找回来。*~ shàng yì tiáo mìng, tā yě yào qù shēnshān mìlín bǎ tā zhǎo huílái.* He would venture into the deep forest in the mountain to find her even if he had to risk his life.

活 huó ❶〈动 v.〉生存(与'死'相对) live (opposite to '死sǐ'): 死去~来 *sǐqù~lái* half alive, half dead; more dead than alive | 到老学到老 *dào lǎo xué dào lǎo* never too old to learn; learn as long as one lives | 鱼离开水就~不了。*Yú líkāi shuǐ jiù ~ bù liǎo.* Fish cannot live without water. | 饭后百步走, ~到九十九。*Fàn hòu bǎi bù zǒu, ~dào jiǔshíjiǔ.* If one walks 100 steps after meal, he will live to 99 years old. ❷〈动 v.〉使生存;救活 keep alive; save: 他要养~三口人。*Tā yào yǎng~ sān kǒu rén.* He has to raise a family of three. | 她救~了那奄奄一息的小猫。*Tā jiù~le nà yǎnyǎn-yìxī de xiǎo māo.* She managed to save the dying kitten. ❸〈形 adj.〉有生命 alive; living: ~人 ~*rén* living person | ~鱼 ~*yú* live fish | ~物 ~*wù* (usu. of a pet) living thing ❹〈形 adj.〉活动的;可变动的 active; flexible: ~火山 ~*huǒshān* active volcano | ~水 ~*shuǐ* flowing water | ~期存款 ~*qī cúnkuǎn* demand deposit; current deposit | 她的鞋带打的是~扣儿。*Tā de xiédài dǎ de shì ~kòur.* Her shoelaces are tied in slipknots. ❺〈形 adj.〉生动活泼;不死板 spirited; vivid: 这文章写得很~。*Zhè wénzhāng xiě de hěn ~.* The article was vividly written. ❻〈副 adv.〉真正;简直 simply; exactly: 她才六岁, 可说话的口气~像个大人。*Tā cái liù suì, kě shuōhuà de kǒuqì ~xiàng gè dàrén.* She speaks exactly like an adult, even though she's only six. ❼〈副 adv.〉在活的状态下 alive: 捉~ *zhuō~* capture sb. alive | ~埋 ~*mái* bury sb. alive | 那条狼被~打死了。*Nà tiáo láng bèi ~ ~ dǎsǐ le.* That wolf was beaten to death. ❽(~儿)〈名 n.〉劳动;工作 labor, job: 针线~儿 *zhēnxiàn ~r* needlework | 家务~儿 *jiāwù ~r* housework | 累~儿 *lèi ~r* fatigue; tiring work | 粗~儿 *cū ~r* heavy manual labor; unskilled work | 细~儿 *xì ~r* fine and delicate work; skilled work | 她一天到晚都在干~儿, 是个闲不住的人。*Tā yì tiān dào wǎn dōu zài gàn~r, shì gè xián bú zhù de rén.* Not being used to staying idle, she always works from dawn to dusk. ❾(~儿)〈名 n.〉(件jiàn、批pī)产品;制成品 product; finished product: 你一天能出多少~儿? *Nǐ yì tiān néng chū duōshao ~r?* How many products can you make a day? | 这批~儿真不错。*Zhè pī ~r zhēn búcuò.* The batch of products is very nice.

活动 huódòng ❶〈动 v.〉运动;(肢体)动弹 move; exercise: 坐久了该~一下双腿。*Zuòjiǔle gāi ~ yíxià shuāng tuǐ.* You shall exercise your legs if you sit too long. | 他每天都要~一小时。*Tā měitiān dōu yào ~ yì xiǎoshí.* He exercises for one hour every day. ❷〈动 v.〉为某一目的而采取行动 take action for a specific purpose: 游击队常在夜里~。*Yóujīduì cháng zài yèlǐ ~.* The guerrillas always launch operations at night. | 演唱组在周末~。*Yǎnchàngzǔ zài zhōumò ~.* The singing group holds activities on weekends. ❸〈动 v.〉钻营;走后门 use personal influence or irregular means to secure personal gain: 他为了当局长正在到处~呢。*Tā wèile dāng júzhǎng zhèngzài dàochù ~ ne.* He is trying to wangle the position of bureau chief. | 你还是为孩子上学的事~~吧! *Nǐ háishì wèi háizi shàngxué de shì ~ ~ ba!* You'd better use back-door means to address the problem of schooling for your child. ❹〈动 v.〉摇动;不稳定 shake; be unsteady: 这张椅子腿~了。*Zhè zhāng yǐzi tuǐ ~ le.* The chair legs wobble. | 他的门牙~了。*Tā de ményá ~ le.* His front tooth is loose. ❺〈形 adj.〉灵活;不固定 flexible; movable: ~目标 ~*mùbiāo* moving target | ~厕所 ~*cèsuǒ* movable restroom | 我看还是说得~些, 免得以后被动

Wǒ kàn háishì shuō de ~ xiē, miǎnde yǐhòu bèidòng. I think we should make it sound flexible so that we won't find ourselves in a passive position later. ❺ 〈名 *n.*〉为某个目的而采取的行动 activity: 文娱~ *wényú* ~ entertainment │ 外交~ *wàijiāo* ~ foreign affairs; diplomatic activities │ 商务~ *shāngwù* ~ business activities │ 课外~ *kèwài* ~ extracurricular activities │ 他对社会~很热心。 *Tā duì shèhuì ~ hěn rèxīn.* He is keen on social activities.

³ **活该** huógāi ❶〈助动 *aux. v.*〉应该(多用于对人的奚落、咒骂)(usu. used in ridicule or curse) serve sb. right: 他挨批评了, ~! *Tā ái pīpíng le, ~!* He was criticized. It served him right! │ 她一出错, 谁叫她不听话! *Tā ~ chūcuò, shéi jiào tā bù tīnghuà!* She made mistakes because she was oblivious to any advice. It served her right! ❷〈动 *v.* 方 *dial.*〉该当如此 (含有命中注定的意思)(be predestined) should; fated: 人家只招女秘书, ~她走运了。 *Rénjia zhǐ zhāo nǚ mìshū, ~ tā zǒuyùn le.* Only female secretary is needed. She is really lucky to get the job. │ 遇上这么好的教练, ~他出成绩。 *Yùshang zhème hǎo de jiàoliàn, ~ tā chū chéngjì.* It's quite natural for him to achieve a lot because he has such a good coach.

⁴ **活力** huólì ❶〈名 *n.*〉旺盛的生命力 vigor; vitality; energy: 青春~ *qīngchūn* ~ vigor of youth │ 春天的草木充满~。 *Chūntiān de cǎomù chōngmǎn ~.* The spring vegetation is full of vitality. │ 别看他年纪不小, ~却不减当年。 *Bié kàn tā niánjì bù xiǎo, ~ què bù jiǎn dāngnián.* Although he is getting on in years, he is as vigorous as before. ❷〈名 *n.*〉生机; 潜能 vitality; potential: 你的一番话给她带来了~。 *Nǐ de yì fān huà gěi tā dàilái le ~.* What you said breathed life into her. │ 要是能激发~, 这个公司还能有希望。 *Yào shì néng jīfā ~, zhège gōngsī hái néng yǒu xīwàng.* The company is likely to survive if it can tap its potential.

² **活泼** huópo ❶〈形 *adj.*〉生动自然(与'呆板'相对)lively; vivacious; vivid (opposite to '呆板' *dāibǎn*): 她是个天真~的孩子, 爱唱爱跳。 *Tā shì gè tiānzhēn ~ de háizi, ài chàng ài tiào.* She is an innocent and lively girl who loves dancing and singing. │ 他有一双~动人的眼睛。 *Tā yǒu yì shuāng ~ dòngrén de yǎnjing.* He has lively and charming eyes. │ 这个曲子的旋律很~。 *Zhège qǔzi de xuánlǜ hěn ~.* The rhythm of the melody is very lively. ❷〈形 *adj.*〉化学用语, 指性质活跃的某些单质或化合物, 容易与其他物质起化学变化 reactive; (of certain simple substance or compound) tending to participate readily in chemical reactions

² **活跃** huóyuè ❶〈形 *adj.*〉积极而活泼; 热烈而有生气 brisk; active; dynamic; lively: 这里的农贸市场十分~。 *Zhèlǐ de nóngmào shìchǎng shífēn ~.* In this farmer's produce market, business is very brisk. │ 她在班上是个~分子。 *Tā zài bān shang shì gè ~ fènzǐ.* She is quite active in class. │ 在联欢会上她格外~。 *Zài liánhuānhuì shang tā géwài ~.* She was very active at the party. ❷〈动 *v.*〉积极活动或行动 take active action; become alive: 惊蛰(中国农历的一个节气)一过昆虫就~起来了。 *Jīngzhé (Zhōngguó nónglì de yí gè jiéqì) yí guò kūnchóng jiù ~ qǐlái le.* When the Waking of Insects (a solar term in Chinese traditional calendar, 3rd seasonal division point) comes, insects will become active. │ 他们~在文艺舞台上。 *Tāmen ~ zài wényì wǔtái shang.* They play an active role in art and literary circles. ❸〈动 *v.*〉使活跃 enliven; invigorate: ~气氛 ~ *qìfēn* enliven the atmosphere │ ~市场 ~ *shìchǎng* enliven the market │ ~文化生活 ~ *wénhuà shēnghuó* enliven cultural activity │ ~城乡经济 ~ *chéngxiāng jīngjì* stimulate urban and rural economy

² **火** huǒ ❶〈名 *n.*〉(把bǎ、团tuán)物体燃烧时产生的光、焰和热 fire: ~光 ~*guāng*

firelight | 灯~ *dēng*~ lights | 水~不相容 *shuǐ* ~ *bù xiāngróng* be absolutely irreconcilable as fire and water | 炉~纯青（比喻学问、技艺达到完善的地步）*lú~chúnqīng*（*bǐyù xuéwèn, jìyì dádào wánshàn de dìbù*）pure blue flame in the stove（*fig.* high degree of professional proficiency）| 刀山~海（比喻极大的危险和困难）*dāoshān~hǎi*（*bǐyù jídà de wēixiǎn hé kùnnan*）mountain of swords and sea of flames（immense dangers and difficulties）| 隔岸观~（对别人的灾难冷眼旁观）*gé'àn-guān~*（*duì biérén de zāinàn lěngyǎn pángguān*）watch a fire from the other side of the river（look on sb.'s trouble with indifference）| 水深~热（比喻处境极其艰难困苦）*shuǐshēn~rè*（*bǐyù chǔjìng jíqí jiānnán kùnkǔ*）deep water and scorching fire（an abyss of suffering; extreme misery）| 煽风点~ *shānfēng-diǎn~* fan the flames; stir up trouble ❷〈名 *n.*〉火灾 fire disaster：救~ *jiù~* fire fighting | 扑~ *pū~* put out fire | 抱薪救~（比喻用错误的方法消除祸患，反使祸患加重）*bàoxīn-jiù~*（*bǐyù yòng cuòwù de fāngfǎ xiāochú huòhuàn, fǎn shǐ huòhuàn jiāzhòng*）carry faggots to put out a fire（*fig.* adopt a wrong measure to save a desperate situation only to make it worse）| 远水救不了近~（用缓慢的解决办法满足不了急迫的需要）*Yuǎn shuǐ jiù bù liǎo jìn~*（*yòng huǎnmàn de jiějué bànfǎ mǎnzú bù liǎo jípò de xūyào*）. Distant water cannot quench present thirst（a slow remedy cannot fix an emergency）. ❸〈名 *n.*〉指枪炮弹药 firearms; ammunition：~力 *~lì* firepower | ~器 *~qì* firearm | 军~ *jūn~* ammunition | 他擦枪时不小心，手中的枪走了~。*Tā cā qiāng shí bù xiǎoxīn, shǒu zhōng de qiāng zǒule ~.* The gun went off when he cleaned it carelessly. ❹〈名 *n.*〉喻指战争 *fig.* warfare：交~ *jiāo~* exchange fire | 开~ *kāi~* open fire | 接~ *jiē~* start to exchange fire | 停~ *tíng~* ceasefire | 兵~连天 *bīng~ liántiān* raging flames of war ❺〈名 *n.*〉火气（中医用语，指热症）internal heat（a term used as a cause of disease in traditional Chinese medicine）：咽喉疼痛是因为上~，吃些西瓜就败火~吧。*Yānhóu téngtòng shì yīnwèi shàng~, chī xiē xīguā bàibai ~ba.* Sour throat is caused by internal heat. Having watermelon to relieve it. ❻〈名 *n.*〉怒气 anger; temper：发~ *fā~* get angry | 怒~中烧 *nù~-zhōngshāo* be burning with rage | 你哪来的那么大的~! *Nǐ nǎ lái de nàme dà de ~!* Why are you so angry? ❼〈动 *v.*〉生气；发怒 be exasperated; get angry：她听说有人说她的坏话，顿时~了。*Tā tīngshuō yǒu rén shuō tā de huàihuà, dùnshí ~ le.* On hearing that someone spoke ill of her, she got angry immediately. | 他~得直跳脚。*Tā ~ de zhí tiào jiǎo.* He grew so angry that he stamped his feet. ❽〈形 *adj.*〉兴旺；兴隆 prosperous; flourishing：买卖红~ *mǎimai hóng~* flourishing business | 近来他的生意挺~。*Jìnlái tā de shēngyi tǐng ~.* His business is quite brisk in these days. ❾〈形 *adj.*〉火样颜色的 red; fiery：~云 *~yún* fiery clouds | ~眼金睛 *~yǎn-jīnjīng* piercing eye; penetrating insight | 树银花（形容绚丽的焰火、灯火）*~shù-yínhuā*（*xíngróng xuànlì de yànhuǒ, dēnghuǒ*）fiery trees and silver flowers（a display of fireworks and a sea of lanterns）❿〈副 *adv.*〉比喻紧急 *fig.* urgently：心急~燎 *xīnjí~-liǎo* burning with impatience or anxiety | 十万~急 *shíwàn~-jí* most urgent | 她叫你~速去广州。*Tā jiào nǐ ~sù qù Guǎngzhōu.* She asked you to go to Guangzhou posthaste.

² **火柴** huǒchái〈名 *n.*〉（根gēn、盒hé、包bāo）取火的一种用品，在细木条上醮磷或硫的化合物制成 match：他擦根~点着了火。*Tā cā gēn ~ diǎnzháole huǒ.* He lit a fire by striking a match.

¹ **火车** huǒchē〈名 *n.*〉（列liè、节jié）一种交通工具，由机头牵引许多节车厢，在铁路上行驶 train：这列~开往北京。*Zhè liè ~ kāiwǎng Běijīng.* The train is bound for Beijing.

³ **火箭** huǒjiàn〈名 *n.*〉（枚méi、支zhī）借助推进剂燃烧产生推力而飞行的运载工具，可

用来发送弹头、人造卫星或宇宙飞船等 rocket：又一枚长城三号~升空了。*Yòu yì méi Chángchéng sān hào ~ shēng kōng le.* Another Great Wall III rocket blasted off.

³ **火力** huǒlì ❶〈名 n.〉燃烧燃料获得的动力 thermal power：~发电 ~ *fādiàn* thermo-power generation｜那里~资源丰富。*Nàli ~ zīyuán fēngfù.* That place is rich in thermal energy resources. ❷〈名 n.〉弹药发射或投掷后所形成的杀伤力和破坏力 firepower; destructive capability of ammunition：~猛 ~ *měng* fierce firepower｜集中~ *jízhōng* ~ concentrate the fire on｜~侦察 ~ *zhēnchá* reconnaissance by firing｜加强~ *jiāqiáng* ~ intensify firepower ❸〈名 n.〉指人体的抗寒能力 cold-resistant capacity of the human body to withstand cold：他~大，不怕冷。*Tā ~ dà, bú pà lěng.* He is not afraid of cold because he can resist cold better.

⁴ **火山** huǒshān〈名 n.〉（座 zuò）地球岩浆喷出而形成的山体 volcano：活~ *huó* ~ active volcano｜死~ *sǐ* ~ extinct volcano｜~口 ~ *kǒu* crater｜~灰 ~ *huī* volcanic ash

³ **火焰** huǒyàn〈名 n.〉（团 tuán、簇 cù）燃烧着的发光、发热并闪动上飘的气体 flame; rising blaze and heat：野炊的~照亮了夜空。*Yěchuī de ~ zhàoliàngle yèkōng.* The flame of the picnic fire illuminated the night sky.｜众人拾柴~高（比喻大家一齐动手，就能产生很大的力量）。*Zhòngrén shí chái ~ gāo（bǐyù dàjiā yìqí dòngshǒu, jiù néng chǎnshēng hěn dà de lìliàng).* The fire burns high when everybody brings wood to it (*fig.* mass participation produces great power).

³ **火药** huǒyào〈名 n.〉炸药的一类，是中国古代四大发明之一 powder; one of the four great inventions by the ancient Chinese people

⁴ **火灾** huǒzāi〈名 n.〉（次 cì、场 cháng）失火造成的灾害 fire disaster：那场森林~造成了重大经济损失。*Nà cháng sēnlín ~ zàochéngle zhòngdà jīngjì sǔnshī.* The forest fire caused great economic damage.

³ **伙** huǒ ❶〈量 meas.〉用于人群 group of people; band; crowd：一~人 *yì* ~ *rén* a group of people｜成群结~ *chéngqún-jié* ~ in crowds｜他们三个一~五个一群在山坡上植树。*Tāmen sān gè yì* ~ *wǔ gè yì qún zài shānpō shang zhíshù.* They are planting trees on the hill slope in groups of three or five. ❷〈名 n.〉同伴 partner; mate; companion：~计 ~ *jì* partner; fellow; salesman｜~伴 ~ *bàn* partner; companion｜同~ *tóng* ~ partner; accomplice ❸〈名 n.〉由多人结成的集体 company; collective made up of many people：合~ *hé* ~ form a partnership｜入~ *rù* ~ join a gang; join a mess｜散~ *sàn* ~ disband; dissolve; break up｜他们结~成群去旅游。*Tāmen jié* ~ *chéngqún qù lǚyóu.* They travel in groups. ❹〈名 n.〉伙食；集体饭食 mess; meals：开~ *kāi* ~ provide food｜起~ *qǐ* ~ cook meals｜搭~ *dā* ~ have a meal-arrangement with the canteen｜包~ *bāo* ~ board; supply meals at a fixed rate｜退~ *tuì* ~ cancel an arrangement to eat at a mess ❺〈副 adv.〉联合 together; jointly：~同 ~ *tóng* act in league with; gang up with｜他们三家~用一个阳台。*Tāmen sān jiā ~ yòng yí gè yángtái.* The three families share one balcony.

³ **伙伴** huǒbàn〈名 n.〉（个 gè、帮 bāng）朋友；参加同一组织或同一活动的人（含亲昵之意）(with a sense of intimacy) pal; partner; companion：你是我的好~。*Nǐ shì wǒ de hǎo* ~. You are my good pal.｜一帮小~们涌向了足球场。*Yì bāng xiǎo* ~*men yǒngxiàngle zúqiúchǎng.* A group of children streamed into the soccer ground.｜这两个国家建立了~关系。*Zhè liǎng gè guójiā jiànlìle ~ guānxì.* The two countries established partner relationship.

⁴ **伙计** huǒjì ❶〈名 n.〉（个 gè、位 wèi）合作共事的人（含亲昵之意）(with a sense of intimacy) partner; business associate; people who cooperate or work with each other：我

们又有了一位新~。*Wǒmen yòu yǒule yí wèi xīn ~.* We have another new partner. | ~们，加油干哪!*~men, jiāyóu gàn na!* Fellow men, let's go at it! ❷〈名n.〉(个gè、名míng) 旧时指受雇的长工或店员等 (old usage) hired hand or salesman: 叫~快犁地去! *Jiào ~ kuài lí dì qù!* Ask the farm hand to plough the field right now! | 那个~真勤快。*Nàge ~ zhēn qínkuài.* That salesclerk works really hard.

² **伙食** huǒshí 〈名n.〉饭食 mess; food; meals: ~费 ~*fèi* board expenses; money spent on meals | 食堂常常改善~。*Shítáng chángcháng gǎishàn ~.* The mess often upgrades the meals they serve. | 我们学校的~不错。*Wǒmen xuéxiào de ~ búcuò.* The food provided by our school's canteen is quite nice.

² **或** huò ❶〈连conj.〉表示选择 indicating an alternative; or; either...or...: 你去~他去，都行。*Nǐ qù ~ tā qù, dōu xíng.* Either you or he can go there. | 乘火车~乘汽车当天都能到。*Chéng huǒchē ~ chéng qìchē dàngtiān dōu néng dào.* One can get there in a day either by train or by bus. ❷〈连conj.〉表示并列 (相当于 '有的…有的…' '有时…有时…') indicating juxtaposition (equivalent to '有的…有的…yǒu de…yǒu de…' or '有时…有时…yǒushí…yǒushí…'): 阅览室里人很多，~看书~看报~看杂志。*Yuèlǎnshì li rén hěn duō, ~ kàn shū ~ kàn bào ~ kàn zázhì.* There are many people in the reading room. Some are reading books, some are reading newspapers and others are reading magazines. | 他去俱乐部~玩儿扑克~下象棋。*Tā qù jùlèbù ~ wánr pūkè ~ xià xiàngqí.* He goes to club where he plays either poker or Chinese chess. ❸〈副adv.〉也许 maybe; perhaps: 这消息~能帮你的忙。*Zhè xiāoxi ~ néng bāng nǐ de máng.* Maybe the piece of news can be of some help to you. ❹〈代pron.〉泛指有的人 some people: 人固有一死，~重于泰山，~轻如鸿毛。*Rén gù yǒu yì sǐ, ~ zhòng yú Tàishān, ~ qīng rú hóngmáo.* Though death befalls all men alike, it may be weightier than Mount Thai or lighter than a feather. ❺〈副adv.〉稍微 a little; slightly; somewhat: 不可~缺 bùkě ~quē absolutely necessary; indispensable | 不可~迟 bùkě ~chí cannot be late

³ **或多或少** huòduōhuòshǎo 〈副adv.〉多多少少 (有一点儿) somewhat: 他说的话~有点儿道理。*Tā shuō de huà ~ yǒudiǎn dàolǐ.* What he said is somewhat reasonable. | 年纪大了身体~会有点儿毛病。*Niánjì dàle shēntǐ ~ huì yǒudiǎn máobìng.* When people get on in age, they experience more or less health problems.

⁴ **或是** huòshì ❶〈连conj.〉表示选择 indicating an alternative; or: 去游泳~去打羽毛球，你定吧! *Qù yóuyǒng ~ qù dǎ yǔmáoqiú, nǐ dìng ba!* It is up to you whether we go swimming or play badminton. | 这个会由你主持~由他主持，你俩商量一下。*Zhège huì yóu nǐ zhǔchí ~ yóu tā zhǔchí, nǐ liǎ shāngliang yíxià.* The two of you discuss whether you or he presides over the meeting. ❷〈连conj.〉表示并列 (相当于 '有的…有的…' '有时…有时…') indicating juxtaposition (equivalent to '有的…有的…yǒu de…yǒu de…' or '有时…有时…yǒushí…yǒushí…'): 公园里晨练的人们，~打太极拳、~跑步、~跳舞，五花八门。*Gōngyuán li chénliàn de rénmen, ~ dǎ tàijíquán、~ pǎobù、~ tiàowǔ, wǔhuā-bāmén.* In the park, people are doing various morning exercises, such as Taiji Boxing, jogging, dancing and so on. | 她常逛商厦，~买衣服、~买食品、~买化妆品，总有东西可买。*Tā cháng guàng shāngshà, ~ mǎi yīfu、~ mǎi shípǐn、~ mǎi huàzhuāngpǐn, zǒngyǒu dōngxi kě mǎi.* She often goes to the shopping mall either for clothes, food or cosmetics. In a word, she can always find something to buy.

⁴ **或许** huòxǔ 〈副adv.〉也许 maybe; perhaps: 这书你~有用。*Zhè shū nǐ ~ yǒuyòng.* This book may be of some help to you. | 她~不去了。*Tā ~ bú qù le.* Perhaps she won't go there.

¹ 或者 huòzhě ❶〈连 *conj.*〉同'或',只是连接单音节宾语时多用'或',如'读书或报'一般不说成'读书或者报' same as '或huò'; '或' is mostly used to link single-syllable objects while '或者' usually cannot be used in structures such as '读书或者报' ❷〈副 *adv.*〉也许;可能 perhaps; maybe: 这本辞典~对你有用。 *Zhè běn cídiǎn ~ duì nǐ yǒuyòng.* Perhaps this dictionary is useful to you.

² 货 huò ❶〈名 *n.*〉货物;商品 goods; commodity: 进~ *jìn*~ replenish one's stock | 退~ *tuì*~ return goods | 交~ *jiāo*~ deliver goods | 一手交钱一手交~。 *Yì shǒu jiāo qián yì shǒu jiāo* ~. Give me the cash, and I'll give you the goods; COD (cash on delivery) | 这批~又便宜又好。 *Zhè pī ~ yòu piányi yòu hǎo.* The batch of goods is of low price and high quality. ❷〈名 *n.*〉货币;金钱 currency; money: 通~ *tōng*~ currency | 杀人越货~ *shārén-yuè*~ murder a person and seize his goods or money ❸〈名 *n.*〉指人(骂人的话) (curse) person: 贱~ *jiàn*~ miserable wretch | 蠢~ *chǔn*~ blockhead; idiot | 下流~ *xiàliú*~ shameless person | 懒~ *lǎn*~ lazybones

³ 货币 huòbì〈名 *n.*〉充当一切商品等价物的特殊商品,包括硬币、纸币、银行券等 money; currency: 发行~ *fāxíng* ~ issue currency | ~流通 ~ *liútōng* currency flows | ~兑换 ~ *duìhuàn* currency exchange | ~回笼 ~ *huílóng* withdrawal of currency from circulation | ~升值 ~ *shēngzhí* revaluation; appreciation | ~贬值 ~ *biǎnzhí* devaluation | ~政策 ~ *zhèngcè* monetary policy.

³ 货物 huòwù〈名 *n.*〉(宗zōng、批pī、件jiàn)供出售的物品 goods for sale: 这批~将运往日本。 *Zhè pī ~ jiāng yùn wǎng Rìběn.* The batch of goods will be shipped to Japan. | 他们正在想方设法降低~的损耗率。 *Tāmen zhèngzài xiǎngfāng-shèfǎ jiàngdī ~ de sǔnhàolǜ.* They are trying to reduce the proportion of goods damaged.

³ 获 huò〈动 *v.*〉❶捉住;抓住 get hold of; catch: 猎~ *liè*~ capture or kill in hunting; bag | 捕~ *bǔ*~ capture; seize | 抓~ *zhuā*~ arrest; capture | 他们截~了一艘走私船。 *Tāmen jié~le yì sōu zǒusī chuán.* They intercepted and captured a smuggling ship. | 他破~了一个贩毒集团。 *Tā pò~le yí gè fàndú jítuán.* He broke a drug ring. ❷〈动 *v.*〉取得;得到 get; acquire; gain: ~利 ~*lì* make a profit | ~奖 ~*jiǎng* win a prize; receive an award | ~罪 ~*zuì* be sentenced | ~救 ~*jiù* be saved; be rescued | 他们这支球队终于在客场~胜了。 *Tāmen zhè zhī qiúduì zhōngyú zài kèchǎng ~shèng le.* They finally won the match as a guest team. ❸〈动 *v.*〉收割(农作物) harvest; reap (crops): 收~ *shōu*~ harvest crop

² 获得 huòdé〈动 *v.*〉取得;得到(多用于抽象事物) get; acquire; receive (usu. abstract things): ~荣誉 ~ *róngyù* gain honor | ~经验 ~ *jīngyàn* acquire experience | ~教训 ~ *jiàoxùn* learn one's lessons | ~自由 ~ *zìyóu* obtain freedom | ~友谊 ~ *yǒuyì* win friendship | ~成功 ~ *chénggōng* make one's mark; succeed | ~支持 ~ *zhīchí* acquire support | ~帮助 ~ *bāngzhù* get help

⁴ 获取 huòqǔ〈动 *v.*〉取得;获得 obtain; get; receive: ~情报 ~ *qíngbào* obtain intelligence | ~利润 ~ *lìrùn* make a profit | ~功名 ~ *gōngmíng* obtain scholarly honor and official rank

⁴ 祸 huò ❶〈名 *n.*〉灾难(与'福'相对) disaster; misfortune; mishap (opposite to '福fú'): 天灾人~ *tiānzāi-rén*~ natural and man-made calamities | 车~ *chē*~ traffic accident | 惹~ *rě*~ ask for trouble; court disaster | 闯~ *chuǎng*~ get into trouble | 大~临头 dà~*líntóu* imminent catastrophy | 人在家中坐,~从天上来。 *Rén zài jiā zhōng zuò, ~ cóng tiānshang lái.* While one sits in his house, calamity befalls him from heaven. ❷〈动 *v.*〉危害;损害 harm; damage: ~国殃民 ~*guó-yāngmín* wreck the country and ruin the people

⁴ 祸害 huòhai ❶〈名 n.〉祸事；灾难 disaster: 蝗虫造成的~很大。*Huángchóng zàochéng de ~ hěn dà.* The disaster caused by locusts is very great. | 这条河的~得设法根除。*Zhè tiáo hé de ~ děi shèfǎ gēnchú.* Measures should be taken to root out the disaster caused by this river. ❷〈名 n.〉引发祸害的人或事物 scourge; curse; bane: 那个地痞是村子的~。*Nàge dìpǐ shì cūnzi de ~.* That ruffian is the bane of the village. | 烧荒往往会造成极大的~。*Shāohuāng wǎngwǎng huì zàochéng jí dà de ~.* Reclaiming wasteland by burning wild grass and bushes usually leads to immense damage. ❸〈动 v.〉危害；破坏 damage; destroy; jeopardize: 野鼠~庄稼。*Yě shǔ ~ zhuāngjia.* Field mice destroy crops. | 不诚实的交易会~市场。*Bù chéngshí de jiāoyì huì ~ shìchǎng.* Dishonest business practices will jeopardize the market.

H

J

² 几乎 jīhū ❶〈副 adv.〉相当接近；差不多 close to; almost: 买衣服的钱~用完了。*Mǎi yīfu de qián ~ yòngwán le.* I almost used up all the money for dresses. | ~所有的街道都亮着灯。*~ suǒyǒu de jiēdào dōu liàngzhe dēng.* Nearly all the streets are lit up. ❷〈副 adv.〉差一点儿 all but; almost: 两眼一黑，~晕过去。*Liǎng yǎn yì hēi, ~ yūn guòqù.* Suddenly my eyes could see nothing and I almost fainted. | ~抓到那只蝴蝶。*~ zhuādào nà zhī húdié.* I almost caught that butterfly.

⁴ 讥笑 jīxiào〈动 v.〉讽刺与嘲笑 deride and jeer: ~的口吻 ~ de kǒuwěn a sarcastic tone | 不要怕人家的~。*Bú yào pà rénjia de ~.* Don't fear being an object of derision. | 你怎么又~上他了？*Nǐ zěnme yòu ~ shang tā le?* How can you make fun of him again?

⁴ 击 jī ❶〈动 v.〉打：敲打 strike; beat: ~打门环 ~dǎ ménhuán strike the knocker | ~掌叫好 ~zhǎng jiàohǎo clap one's hands and applaud | 拳~ quán~ beat, punch ❷〈动 v.〉攻打 attack: 打~敌人 dǎ~ dírén attack the enemy | ~溃来犯者~kuì láifànzhě put the invaders to rout | 闪~战 shǎn~zhàn blitzkrieg | 袭~目标 xí~mùbiāo raid a target ❸〈动 v.〉碰撞；接触 hit; touch: 目~者 mù~zhě eye-witness | 什么东西~了他一下。*Shénme dōngxi ~le tā yíxià.* He was hit by something. | 鹰~长空。*Yīng ~ cháng kōng.* The eagle soars up into the sky.

³ 饥饿 jī'è〈形 adj.〉胃里无食、想吃东西的状态 have an empty stomach; feel hungry:~感 ~gǎn feel hungry | ~难忍 ~ nán rěn unbearable hunger | 门一开，~的难民就涌了进来。*Mén yì kāi, ~ de nànmín jiù yǒngle jìnlái.* Once the gate opened, the starving refugees rushed in.

³ 机 jī ❶〈名 n.〉机器 machine: 摄像~ shèxiàng~ video camera | ~动车辆 ~dòng chēliàng motor vehicle | ~械 ~xiè machinery | ~器人 ~qìrén robot ❷〈名 n.〉特指飞机 aircraft: ~票 ~piào flight ticket | ~场 ~chǎng airport | ~翼 ~yì aircraft wing | 滑翔~ huáxiáng~ glider ❸〈名 n.〉事物转变过程中的关键之处 turning point; crucial point: 一线生~ yíxiàn shēng~ a ray of hope | 危~四伏 wēi~sìfú beset with crisis; danger lurking on every side | 出现了转~。*Chūxiànle zhuǎn~.* It looks like a turn for the better. ❹〈名 n.〉适宜的时候；有利的条件 opportunity; favorable conditions: 借~发挥 jiè~fāhuī seize an opportunity to exaggerate matters | 当~立断 dāng~-lìduàn make a prompt decision | 坐失良~ zuòshī-liáng~ let slip a golden opportunity ❺〈名 n.〉生理机能 organic function:无~盐 wú~-yán inorganic salt | 有~化学 yǒu~ huàxué organic chemistry ❻〈名 n.〉念头；想法 idea; intention: 动~不纯 dòng~-bù chún have impure motives | 费尽心~ fèijìnxīn~ cudgel one's brains; try all ingenious ways | 灵~一动 líng~yídòng have a sudden inspiration ❼〈名 n.〉保密性强的重要事情 something that is important

and should be kept confidential：~密 ~mì secret; confidential ｜~要 ~yào confidential ｜军~大事 jūn~dàshì important military issues ❽《形 adj.》灵活：灵巧 flexible：~警 ~ jǐng vigilant ｜~敏 ~mǐn alert and resourceful ｜~灵 ~líng quick-witted

¹ **机场** jīchǎng《名 n.》（座zuò、个gè）专供飞机起落、停放的场地 airport; tract of land with facilities for the landing, takeoff and shelter of aircraft：~路 ~lù the way to the airport ｜去 ~ qù ~ go to the airport ｜~方面正在等待。~ fāngmiàn zhèngzài děngdài. The airport authorities are waiting for instructions.

⁴ **机车** jīchē《名 n.》（辆liàng）牵引车厢在轨道上行驶的动力车，俗称'火车头' locomotive; a self-propelled vehicle for pulling trains along a railway, colloquially called '火车头huǒchētóu'：内燃 ~ nèirán ~ an internal-combustion locomotive ｜动力 ~ dònglì ~ a motor locomotive

² **机床** jīchuáng《名 n.》（台tái）广义指工作母机，又称'工具机'，主要指金属切削、木材切削、锻压等机床。狭义的专指金属切削机床 generally refers to machine tools, also called '工具机gōngjùjī'，esp. for metal-cutting, wood-cutting and forge-pressing; specifically refers to metal-cutting machine tool：~厂 ~ chǎng machine tool plant ｜液压~ yèyā ~ hydraulic machine tool

³ **机动** jīdòng ❶《形 adj.》灵活变通；临时处置 flexible; expedient：~灵活的战略战术 ~ línghuó de zhànlüè zhànshù flexible strategies and tactics ｜时间安排可以~一些。Shíjiān ānpái kěyǐ ~ yìxiē. The time arrangement can be made a bit flexible. ｜❷《形 adj.》预备或打算灵活使用的 reserved; for emergency use：~兵力 ~ bīnglì reserved forces ｜~经费 ~ jīngfèi fund reserved for emergencies ｜~名额 ~ míng'é quota in reserve ❸《形 adj.》用机器驱动的 motor-driven; motorized：~帆船 ~ fānchuán motor sailboat ｜~车辆 ~ chēliàng motor vehicle ｜~装置 ~ zhuāngzhì motorized gadget

³ **机构** jīgòu ❶《名 n.》（种zhǒng、个gè）机关、团体等工作单位或部门 government department, institution or other organization：临时 ~ línshí ~ temporary institution ｜军事~ jūnshì ~ military establishment ｜业务~ yèwù ~ professional department ｜徒有虚名的~ túyǒu xūmíng de ~ a nominal organization ❷《名 n.》工作单位或部门的内部组织 internal organization of a government department or institution：~重叠 ~ chóngdié overlapping organizations ｜精简~ jīngjiǎn ~ streamline an administrative structure ｜组织~图 zǔzhī ~ tú institutional framework ❸《名 n.》（个gè）指机械的内部构造或指其内部的一个工作单元 mechanism; unit of the internal structure of a machine：这是机器的运行~。Zhè shì jīqì de yùnxíng ~. This is the working mechanism of the machine. ｜计算机由若干个~部件组成。Jìsuànjī yóu ruògān gè ~ bùjiàn zǔchéng. The computer is composed of a number of units and components.

² **机关** jīguān ❶《名 n.》（个gè）办理事务的部门或机构 functioning department：国家~ guójiā ~ state organ ｜公安 ~ gōng'ān ~ public security organs ｜~报 ~bào organ; official newspaper ｜~人员 ~ rényuán government functionary ❷《名 n.》巧妙而严密的计谋 scheme; intrigue：~算尽 ~ suànjìn for all one's calculations and scheming ｜我一下子就识破对方的~。Wǒ yíxiàzi jiù shípò duìfāng de ~. I saw through my opponent's tricks at one sight. ｜巧妙的~来自周密细致的思考。Qiǎomiào de ~ lái zì zhōumì xìzhì de sīkǎo. An ingenious scheme is the result of meticulous calculations. ❸《名 n.》（个gè）机械的关键部分或靠机械控制的装置 central part of a machinery; machine-controlled device：找到~，就可以开启这扇大门。Zhǎo dào ~, jiù kěyǐ kāiqǐ zhè shàn dàmén. Once you find the right gear, you will be able to open the gate. ｜打通暗道~。Dǎtōng àndào ~. Open up the secret passage. ｜玩具底座下有个小小的~。Wánjù dǐzuò xià yǒu gè

J

xiǎoxiǎo de ~. A small gadget is hidden in the pedestal of the toy.

¹ **机会** jīhuì〈名 *n.*〉(个 gè、次 cì)有利而适宜的时候;时机 opportunity; chance: ~难逢 *nánféng* once-in-a-lifetime opportunity | 放弃~ *fàngqì* ~ give up the opportunity | 偶然的~ *ǒurán de* ~ unexpected chance | ~主义 ~ *zhǔyì* opportunism

⁴ **机灵** jīling〈形 *adj.*〉聪明机智,善于应变 clever; smart; intelligent: 这小伙子真~。*Zhè xiǎo huǒ zi zhēn* ~. This boy is so smart! | ~地应酬 ~ *de yìngchóu* be clever in social intercourse | ~得很 ~ *de hěn* quite clever | ~鬼儿 ~ *guǐr* a clever guy

⁴ **机密** jīmì ❶〈形 *adj.*〉重要而秘密 confidential; secret; classified: ~情报 ~ *qíngbào* confidential information | 万分~ *wànfēn* ~ extremely confidential | 此事办得很~。*Cǐ shì bàn de hěn* ~. This job was done very secretly. ❷〈名 *n.*〉(个 gè)重要而秘密的事 sth. very important and should be kept hidden: 重大~ *zhòngdà* ~ major secret | 窃取~ *qièqǔ* ~ steal the secret | 保守~ *bǎoshǒu* ~ guard the secret | 国家~ *guójiā* ~ state secrets | 军事~ *jūnshì* ~ military secrets

¹ **机器** jīqì〈名 *n.*〉(台 tái、部 bù、架 jià、种 zhǒng)由机械零件组装而成,能运转、可变换能量或产生有用功的装置;有时也比喻死板被动的样子 machine; apparatus; installation put together with component parts, capable of converting one kind of energy into another or providing useful work; sometimes used to describe a mechanical or passive state: ~人 ~ *rén* robot | 你怎么像个~似的,拨一拨,动一动。*Nǐ zěnme xiàng gè* ~ *shìde, bō yì bō, dòng yí dòng.* Why do you behave just like a machine? You do not make a move unless being pushed.

⁴ **机枪** jīqiāng〈名 *n.*〉(挺 tǐng)可连续、自动发射的枪,装在枪架上,有轻、重机枪和高射机枪等。也叫'机关枪' automatic gun giving continuous fire, hoisted upon a stand, including sub-machine gun, heavy machine-gun, and anti-aircraft machine-gun, also '机关枪 jīguānqiāng': 数挺~一齐开火。*Shù tǐng* ~ *yìqí kāihuǒ.* Several machine-guns opened fire together.

⁴ **机体** jītǐ〈名 *n.*〉(个 gè)具有生命的生物体,也叫'有机体' organism; any form of animal or plant life, also '有机体 yǒujītǐ': 国家的~ *guójiā de* ~ state organism | 健全的~ *jiànquán de* ~ healthy organism.

² **机械** jīxiè ❶〈名 *n.*〉(种 zhǒng)根据力学原理组装而成的各种装置 machinery; installation put together according to principles of mechanics: 精密~ *jīngmì* ~ precision machine | 简单~ *jiǎndān* ~ simple machine | ~手表 ~ *shǒubiǎo* mechanical watch | ~师 ~ *shī* machinist ❷〈形 *adj.*〉做事呆板、教条或反应迟钝 rigid; mechanical: 理解题目时不能太~。*Lǐjiě tímù shí bù néng tài* ~. When trying to understand the question, you should not be too inflexible. | 他办事过于~。*Tā bànshì guòyú* ~. He is too rigid in handling things. | 他只是~地点点头,毫无表情 *Tā zhǐshì* ~ *de diǎndiǎn tóu, háowú biǎoqíng.* He simply nodded mechanically without any expression.

⁴ **机遇** jīyù〈名 *n.* 书 lit.〉(个 gè、次 cì、种 zhǒng)有利的境遇;好时机 favorable circumstances; opportunity: 成功有时还需要~。*Chénggōng yǒushí hái xūyào* ~. Sometimes one needs a good opportunity to succeed. | ~难得,千万不可错过。~ *nán dé, qiānwàn bù kě cuòguò.* It is a rare opportunity and you cannot afford to miss it.

⁴ **机智** jīzhì〈形 *adj.*〉灵活聪明;应变力强 quick-witted; resourceful: ~的猎人 ~ *de lièrén* a quick-witted hunter | 选手以~的应答闯过难关 *Xuǎnshǒu yǐ* ~ *de yìngdá chuǎngguò nánguān.* By responding in a witty manner, the contestants surmounted the barriers. | 他表现得很~。*Tā biǎoxiàn de hěn* ~. He behaved in a resourceful way.

³ **肌肉** jīròu〈名 *n.*〉(块 kuài)人体和动物体内的一种纤维组织 muscle: ~发达 ~ *fādá*

muscular | 拉伤了~。*Lāshāngle* ~. The muscle was strained. | 年纪大了，~就松弛了。 *Niánjì dà le, ~ jiù sōngchí le.* As one becomes old, his muscles will be flaccid.

¹ **鸡** jī ❶〈名 *n.*〉(只 zhǐ) 禽类，肉、蛋能食 chicken (of diverse breeds): ~毛 *~máo* chicken feather | 山~ *shān~* pheasant | 肉~ *ròu~* chicken raised for food | ~犬不宁（形容受骚扰得厉害）~*quǎnbùníng (xíngróng shòu sāorǎo de lìhài).* Even fowls and dogs are not left in peace (*fig.* general turmoil). ❷〈名 *n.*〉指妓女 whore; streetwalker

¹ **鸡蛋** jīdàn〈名 *n.*〉(个 gè、只 zhǐ、枚 méi) 母鸡产的卵，俗称'鸡子儿' (hen's) egg, colloquially called '鸡子儿jīzǐr': 摊~ *tān~* omelet | ~富于营养。*~ fùyú yíngyǎng.* Eggs are highly nutritious.

⁴ **积** jī ❶〈动 *v.*〉逐渐积攒；聚集 accumulate; amass: ~蓄 *~xù* store up | 日~月累 *rì~-yuèlěi* by slow but steady accumulation | 地面~起了水。*Dìmiàn ~qǐle shuǐ.* Water accumulated on the ground. ❷〈形 *adj.*〉长期积累形成的 long-standing; long-pending: ~案如山 *~àn rú shān* piles of long-pending cases | ~劳成疾 *~láochéngjí* break down from constant overwork | ~怨甚深 *~yuàn shèn shēn* have accumulated deep rancor ❸〈名 *n.*〉数学上几个数相乘的得数，如3乘以3的积是9 product of two or more numbers multiplied, such as 3×3 = 9 ❹〈名 *n.*〉中医指某些东西滞留体内而得的病 (Chin. Med.) indigestion; illness caused by the hold-up and accumulation of a certain substance in the body: 食~ *shí~* dyspepsia | 捏~ *niē~* chiropractic | 寒~ *hán~* accumulation of cold in the body

² **积极** jī ❶〈形 *adj.*〉正面的；肯定的（与'消极'相对）positive (opposite to '消极 xiāojí'): 要看~的一面 *yào kàn ~ de yí miàn* ought to see the positive side | 调动一切~因素 *diàodòng yíqiè ~ yīnsù* muster all the positive factors ❷〈形 *adj.*〉热心的，进取的，活跃的（与'消极'相对）enthusiastic; vigorous (opposite to '消极xiāojí'): ~工作 *~gōngzuò* work with all one's energy | 他正~地准备考试。*Tā zhèng ~ de zhǔnbèi kǎoshì.* He is working hard to prepare for the examinations. | 这孩子最近~起来了。*Zhè háizi zuìjìn ~qǐlái le.* The child has become more enthusiastic in recent days.

² **积极性** jīxìng〈名 *n.*〉(种 zhǒng) 努力进取，热情工作的表现 zeal; enthusiasm: 调动~ *diàodòng ~* arouse the enthusiasm | 工作~ *gōngzuò ~* the enthusiasm to work | 学习~ *xuéxí ~* the enthusiasm to learn | 没有了~ *méiyǒule ~* lose one's ardor | 群众的~受到了挫伤。*Qúnzhòng de ~shòudàole cuòshāng.* The enthusiasm of the masses was frustrated.

² **积累** jīlěi ❶〈动 *v.*〉逐渐聚集 accumulate: ~财富 *~cáifù* accumulate wealth | 把资料在一起 *bǎ zīliào ~ zài yìqǐ* gather materials ❷〈名 *n.*〉国民收入中用于扩大再生产的部分 accumulation; part of the national income to be used for expanding production expansion: 国家的~ *guójiā de ~* national accumulation | 企业的~ *qǐyè de ~* accumulation of the enterprise

² **积压** jīyā〈动 *v.*〉长期积存，未能及时处理或排除 overstock; keep long in stock: 库存~ *kùcún ~* materials kept in stock | 人才~ *réncái* overstocked talents | 这口闷气~在心里很长时间了。*Zhè kǒu mènqì ~zài xīnlǐ hěn cháng shíjiān le.* I've been in the sulk for quite a long time.

¹ **基本** jīběn ❶〈形 *adj.*〉根本的；主要的 basic; fundamental: ~观点 *~guāndiǎn* basic concept | ~方针 *~fāngzhēn* basic guiding principle | ~要素 *~yàosù* fundamental elements | ~词汇 *~cíhuì* vocabulary; basic word-stock | ~思路 *~sīlù* basic train of thought ❷〈副 *adv.*〉大致；大体上 basically; on the whole: ~够用 *~gòuyòng* basically enough | ~办好 *~bànhǎo* well-done on the whole | ~解决问题 *~jiějué wèntí* have basically solved the problem ❸〈名 *n.*〉基础和根本的部分 foundation: 宪法是治国安

J

民的~。*Xiànfǎ shì zhìguó-ānmín de ~*. The Constitution is the foundation of running the country well and ensuring the people to live peace and security.

³ **基层** jīcéng〈名 n.〉各类组织或机构中最下面的一层 grassroots; basic level: ~店 ~diàn shop at the grassroots level | ~组织 ~zǔzhī organization at the basic level | 来自~ láizì ~ come from the grassroots unit | 面向~ miànxiàng ~ be geared to the needs of the grassroots

¹ **基础** jīchǔ ❶〈名 n.〉(个 gè)建筑物的根底和柱石 foundation of a building：高层建筑的~往往很牢固。*Gāocéng jiànzhù de ~ wǎngwǎng hěn láogù*. A high-rise usually has a solid foundation. ❷〈名 n.〉事物发展的起点或根基 basis; starting point：汉语~ Hànyǔ ~ foundation of the Chinese language | ~英语 ~ Yīngyǔ elementary English | 感情~ gǎnqíng ~ emotional basis | 理论~ lǐlùn ~ theoretical basis | ~理论 lǐlùn basic theory

³ **基地** jīdì ❶〈名 n.〉(个 gè)当作基础的地方 base: 试验~ shìyàn ~ an experiment base | ~设施 ~ shèshī facilities of a base ❷〈名 n.〉开展某项事业或活动的专用场所 special place for certain enterprise or activity：训练~ xùnliàn ~ training base | 导弹~ dǎodàn ~ missile base ❸ (Jīdì)〈名 n.〉指由本·拉登领导的恐怖组织—基地组织 al-Qaeda, a terrorist network led by bin Laden

⁴ **基督教** Jīdūjiào〈名 n.〉世界主要宗教之一 Christianity, one of the major worldwide religions：信奉~ xìnfèng ~ believe in Christianity | ~教堂 ~ jiàotáng Christian church | 虔诚的~教徒 qiánchéng de ~ jiàotú a devout Christian

³ **基金** jījīn〈名 n.〉(笔 bǐ、项 xiàng)专门用于某项事业的储备资金或为某种活动专门准备的经费 fund: 教育~ jiàoyù ~ education fund | 福利~ fúlì ~ welfare fund | 外出活动~ wàichū huódòng ~ fund for business trips | 该协会是这笔~的管理者。*Gāi xiéhuì shì zhè bǐ ~ de guǎnlǐzhě*. This association is the manager of the fund.

⁴ **激** jī ❶〈动 v.〉使(情感)冲动；使发作 stir up (emotions): ~于义愤 ~ yú yìfèn stirred up with righteous indignation | ~怒 ~nù indignant | 那句话~起了他的兴趣。*Nà jù huà ~qǐle tā de xìngqù*. Those words aroused his interest. ❷〈动 v.〉(感情)冲动 be touched; be moved: 感~不尽 gǎn~ bú jìn be deeply grateful | ~昂 ~áng excited and indignant | ~奋 ~fèn be roused to action ❸〈动 v.〉(水流)受阻或震荡而向上涌起、溅起 (of current) surge; dash: 一石~起千层浪(比喻一件不大的事情引起很大的反响) *Yì shí ~qǐ qiān céng làng (bǐyù yí jiàn bú dà de shìqìng yǐnqǐ hěn dà de fǎnxiǎng)*. A tossed stone raises a thousand ripples (*fig. a slight hint or small action causes a big stir*). | 这一举动~起了轩然大波。*Zhè yì jǔdòng ~qǐle xuānrán-dàbō*. This move caused a commotion. ❹〈动 v.〉冷水刺激了热身子而得病 fall ill from catching a chill: 夏天运动后，别马上洗冷水澡，免得~着了。*Xiàtiān yùndòng hòu, bié mǎshàng xǐ lěngshuǐzǎo, miǎnde ~zhe le*. In summer, you should not take a cold-water shower immediately after a sporting activity; otherwise you will probably catch a chill. ❺〈形 adj.〉强烈的 fierce; violent: ~进 ~jìn radical | ~战 ~zhàn fierce fighting | ~情 ~qíng fervor ❻〈副 adv.〉急速地 rapidly: ~增 ~ zēng rapidly increase

² **激动** jīdòng ❶〈形 adj.〉因受刺激而(感情)冲动 excited: ~极了 ~jí le ablaze with excitement | ~得很 ~ de hěn be very excited | 人群~了。*Rénqún ~ le*. The crowd was surged with excitement. | 情绪别~。*Qíngxù bié ~*. Don't get excited. | ~地拥抱在一起。~ *de yōngbào zài yìqǐ*. They hugged each other with excitement. ❷〈动 v.〉使(情感)冲动 excite; stir up (emotions and feelings)：这情形长久地~着每个人的心。*Zhè qíngxing chángjiǔ de ~zhe měigè rén de xīn*. The scene kept everybody excited for a long time.

⁴ **激发** jīfā 〈动 v.〉因刺激或鼓励而奋发或发出 arouse; stimulate: ~热情 ~ rèqíng arouse sb's fervor | ~起自豪感 ~ qǐ zìháogǎn arouse one's pride.

⁴ **激光** jīguāng 〈名 n.〉(束shù) 一种颜色很纯、能量高度集中的特殊光，又称'镭射' '莱塞' laser, also known as '镭射léishè'，'莱塞láisài': ~打印机 ~ dǎyìnjī laser printer | ~制导武器 ~ zhìdǎo wǔqì laser-guided weaponry

⁴ **激励** jīlì 〈动 v.〉激发鼓励 encourage; inspire: ~机制 ~ jīzhì motivation mechanism | 互相~ hùxiāng ~ encourage each other | ~着大家的斗志 ~zhe dàjiā de dòuzhì inspire our fighting will

² **激烈** jīliè 〈形 adj.〉(言行或场面) 紧张而剧烈 (of speech, situation) intense: ~地搏斗 ~ de bódòu fight intensely | 言辞~ yáncí ~ heated argument | 战斗相当~。Zhàndòu xiāngdāng ~. The battle was rather fierce. | 别做过分~的运动。Bié zuò guòfèn ~ de yùndòng. Don't be engaged in any over-strenuous sport.

⁴ **激情** jīqíng 〈名 n.〉(股gǔ) 强烈而冲动的情感 intense emotion; passion; fervor: 澎湃~ péngpài be filled with enthusiasm | 表达创作的~ biǎodá chuàngzuò de ~ express one's enthusiasm for creation | 一股~油然而生。Yī gǔ ~ yóurán ér shēng. A passion welled up spontaneously.

³ **激素** jīsù 〈名 n.〉(种zhǒng、类lèi) 内分泌腺分泌的物质，对肌体的代谢、生长、发育和繁殖等起重要作用。又称'荷尔蒙' hormone; substance produced in endocrine glands that plays an important role in regulating metabolism, growth and reproduction, also known as '荷尔蒙héʼěrméng': 雌性~ cíxìng ~ female hormone | 注射~ zhùshè ~ inject hormone | 这种药物含有~。Zhè zhǒng yàowù hányǒu ~. This medicine contains hormone.

² **及** jí 〈连 conj.〉❶ 和；跟 and; as well as: 诗歌、散文、小说 shīgē, sǎnwén ~ xiǎoshuō poems, essays and novels | 教师~学生 jiàoshī ~ xuésheng teachers and students ❷ 〈动 v.〉达到 reach; come up to: 由表~里 yóubiǎo~lǐ from external to internal | 普~ pǔ ~ popularize; disseminate | 涉~ shè ~ relate to; involve | 无所不~ wúsuǒbù ~ all-embracing; all-encompassing ❸ 〈动 v.〉赶上 be in time for: 等不~ děng bù ~ too impatient to wait | 望尘莫~ wàngchén-mò ~ trailing too far behind to catch up | 来得~ láide ~ be in time ❹ 〈动 v.〉比得上 (多用于否定) catch up (usually used in the negative): 火车不~飞机快。Huǒchē bù ~ fēijī kuài. The train is not so fast as the plane. | 这里的交通恐怕难~北京。Zhèli de jiāotōng kǒngpà nán ~ Běijīng. The transportation here can hardly match that in Beijing. ❺ 〈动 v.〉推广到 proceed from oneself to others: 爱屋~乌 (比喻爱一个人而连带喜爱跟那个人有关系的人和事物) Àiwū~wū (bǐyù ài yī gè rén ér liándài xǐ'ài gēn nàge rén yǒu guānxì de rén hé shìwù). Love me, love my dog (fig. love for a person extends even to other persons or things linked with him). ❻ 〈介 prep.〉趁；按 at (an early time): 别等了，~早行动！Bié děng le, ~zǎo xíngdòng! Don't wait any more. Let's act as early as possible.

J

² **及格** jí//gé Ⅰ 〈动 v.〉达标，通常指考试成绩达到或超过最低标准 pass a test, examination, etc.: 刚刚~ gānggāng ~ have barely passed the exam | 你的语文成绩不能~。Nǐ de yǔwén chéngjì bù néng ~. You have failed the Chinese examination. | 不抓紧复习，恐怕及不了格。Bù zhuājǐn fùxí, kǒngpà jí bù liǎo gé. If you don't work hard at reviewing the lessons, I'm afraid you're not likely to pass the examination. Ⅱ jígé 〈名 n.〉指通过了考试要求的最低标准分数线 the minimum score requirement for passing a test: ~线 ~ xiàn bottom score for passing (an exam) | ~赛 ~ sài a qualifying

competition｜~或不~,考试后就会见分晓。- huò bù ~, kǎoshì hòu jiù huì jiàn fēnxiǎo. Failure or pass, the result will be known after the exam.

² **及时** jíshí ❶〈形 adj.〉正逢时候,恰好赶上 timely：~雨 ~yǔ timely rain; timely help｜太~了 tài ~ le be timely｜~得很 ~ de hěn can't be more timely｜这个会开得~。Zhège huì kāi de ~. The meeting was held just in good time. ❷〈形 adj.〉马上；立刻 prompt; immediate：~治疗 ~zhìliáo prompt medical treatment｜~请示报告 ~qǐngshì bàogào report and request instructions without delay

⁴ **及早** jízǎo〈副 adv.〉趁早；尽早 at an early date; before it is too late：~走 ~zǒu leave as early as possible｜~做打算 ~zuò dǎsuàn make a plan at an early date

⁴ **吉普车** jípǔchē〈名 n.〉(辆liàng)四轮都有驱动装置的轻型越野汽车,吉普是英语jeep的音译 jeep; four-wheel-driven light-duty cross-country automobile '吉普jípǔ'is transliteration of 'jeep'：军用~ jūnyòng ~ military jeep｜中型~ zhōngxíng ~ medium-sized jeep

⁴ **吉祥** jíxiáng〈形 adj.〉平安而幸运 auspicious; fortunate：~物 ~wù mascot｜~的名字 ~de míngzi a lucky name｜带来~ ~dàilái ~ bring good fortune｜~如意 ~rúyì good fortune as one wishes

² **级** jí ❶〈名 n.〉等次 level：等~考试 děng~ kǎoshì level examination｜降~ jiàng~ demote｜上~ shàng~ higher authorities; one's superior｜下~ xià~ subordinate｜高~工程师 gāo~ gōngchéngshī senior engineer ❷〈名 n.〉年级 grade：升~ shēng~ go up to a higher grade｜留~ liú~ stay down(of students) to repeat the year's work ❸〈名 n.〉层,层次 step：石~ shí ~ stone steps｜拾~而上 she ér shàng go up by the steps ❹〈量 meas.〉用于楼梯、台阶、塔层 step; stage;story：数百~台阶 shù bǎi ~ táijiē hundreds of steps｜13~宝塔 shísān ~ bǎotǎ a 13-story pagoda ❺〈量 meas.〉用于级次 level; grade：12~台风 shí'èr ~ táifēng force 12 typhoon (on the Beaufort scale)｜6~地震 liù ~ dìzhèn an earthquake of magnitude 6 (on the Richter scale)

³ **级别** jíbié〈名 n.〉(个gè)等级的区别 rank; scale：工资~ gōngzī ~ wage scale｜外交~ wàijiāo ~ diplomatic rank｜相同~ xiāngtóng ~ the same rank｜他比我高两个~。Tā bǐ wǒ gāo liǎng gè ~. He is two ranks above me.

² **极** jí ❶〈副 adv.〉用在形容词、助动词、动词前,或动词、形容词后,表示最高程度 (followed by an adjective, auxiliary verb or verb, or preceded by a verb or an adjective) indicating the maximum extent; extremely：~乐世界 ~lè shìjiè (of Buddhism) Land of Ultimate Bliss｜大值 ~dàzhí the maximum value｜~不希望 ~ bù xīwàng least wish to do sth.｜~能吃苦 ~néng chīkǔ can well bear hardships｜~受鼓舞 ~shòu gǔwǔ be well encouraged｜累~了 lèi~ le extremely tired｜漂亮~了 piàoliang ~ le of utmost beauty ❷〈形 adj.〉最高的;最大限度的 supreme; utmost：~品 ~pǐn highest grade; best quality｜~权 ~quán totalitarian government｜~刑 ~xíng capital punishment｜罪大恶~ zuìdà-è~ be guilty of the most heinous crimes ❸〈动 v.〉达到顶点 reach the extremity：穷~思变。Qióng~-sībiàn. One will start thinking about changes when he is in extreme poverty.｜物~必反。Wù~-bìfǎn. Things will develop in the opposite direction when they reach the extremity.｜乐~生悲。Lè~-shēngbēi. Extreme joy begets sorrow. ❹〈名 n.〉最高点;尽头 apex; extremity：顶~ dǐng~ peak｜太~拳 tài-quán Taichi; shadow boxing｜登峰造~ dēngfēng-zào~ reach the peak of perfection; have a very high level of attainment ❺〈名 n.〉地球自转轴的两端;磁体或电路的两端 pole：南北~ nán běi ~ South Pole and North Pole｜~地冰圈 ~dì bīngquān ice ring in the polar region｜正负~ zhèng-fù~ positive pole and negative pole

J

⁴ 极度 jídù 〈副 *adv.*〉程度非常深 extremely; exceedingly: ~紧张 ~ jǐnzhāng extremely nervous ｜~消沉 ~ xiāochén extremely depressed ｜疲劳 ~ píláo extremely tired ｜~兴奋 ~ xīngfèn exceedingly excited

³ 极端 jíduān ❶〈名 *n.*〉(个gè)事物顺其发展达到的顶点 extreme: 不可走~ bù kě zǒu should not go to extremes ｜出现~ chūxiàn ~ emergence of an extreme ｜两个~ liǎng gè ~ two extremes ❷〈形 *adj.*〉达到顶点的 extreme; exceeding: ~残酷 ~ cánkù extremely cruel ｜别做的太~了! Bié zuò de tài ~ le! Don't be too extreme! ｜他为人~正直。 Tā wéirén ~ zhèngzhí. He is exceedingly upright.

¹ …极了 …jíle 用在形容词后作补语，表示程度达到最高 preceded by an adjective and used as a complement, indicating the utmost extent: 激烈~ jīliè ~ extremely intense ｜好~ hǎo~ exceedingly good ｜漂亮~ piàoliang ~ exceedingly beautiful ｜可笑~ kěxiào ~ extremely funny

⁴ 极力 jílì 〈副 *adv.*〉用尽全力 do one's utmost; spare no effort: ~推荐 ~ tuījiàn spare no effort to recommend sb. ｜~克制 ~ kèzhì do one's utmost to restrain oneself ｜~赞成 ~ zànchéng fully approve of sth.

² 极其 jíqí 〈副 *adv.*〉非常 most; extremely: ~可恨 ~ kěhèn extremely hateful ｜~愉快 ~ yúkuài very happy ｜这是一次~艰苦的跋涉。 Zhè shì yí cì ~ jiānkǔ de báshè. It was an extremely hard journey. ｜我们~重视您的意见。 Wǒmen ~ zhòngshì nín de yìjiàn. We attach great importance to your opinion.

⁴ 极限 jíxiàn 〈名 *n.*〉(个gè)最高的限度 limit; the maximum: 跨越~ kuàyuè ~ surpass the maximum ｜突破这个~不容易。 Tūpò zhège ~ bù róngyì. It is hard to break the limit.

² 即 jí ❶〈动 *v.* 书 *lit.*〉就是 be the same as; mean: 非此~彼 fēicǐ~bǐ be either this or that ｜教师~人类灵魂的工程师。 Jiàoshī ~ rénlèi línghún de gōngchéngshī. The teacher is an engineer of the human soul. ❷〈动 *v.*〉靠近;接近 approach: 若~若离 ruò~~ruòlí keep sb. at arm's length; maintain a lukewarm relationship ｜可望而不可~ kěwàng ér bùkě ~ within sight but beyond reach ｜不~不离 bù~~bùlí keep sb. at arm's length; neither close nor distant ❸〈动 *v.*〉到达;登上 reach; ascend: ~位 ~wèi ascend the throne ｜~任 ~rèn assume office ❹〈名 *n.* 书 *lit.*〉当前;最近 at present; in the immediate future: ~日 ~rì this or that very day ｜~刻 ~kè at once ｜~时 ~shí immediately ｜希望在~。 Xīwàng zài ~. Hope is in sight. ❺〈副 *adv.* 书 *lit.*〉就 at once; promptly: 召之~来 zhàozhī~lái be on call at any hour ｜一拍~合 yìpāi~hé fit in readily ｜随~ suí~ at once ❻〈介 *prep.*〉趁着;当 prompted by the occasion: ~席请缨 ~xí qǐngyīng (at a banquet or gathering) extemporaneous request to undertake a task ｜~兴发言 ~ xìng fāyán make an impromptu speech ｜~景生情 ~jǐng-shēngqíng the scene touches a chord in one's heart; recall old memories at the sight of sth.

⁴ 即便 jíbiàn 〈连 *conj.*〉哪怕;就是(表示假设的让步) (expressing supposition) even; even if: ~办不到，也要努力去办。 ~ bàn bú dào, yě yào nǔlì qù bàn. You should try your best even if you may not be able to do it.

³ 即将 jíjiāng 〈副 *adv.*〉将要;就要 soon; be on the point of: 太阳~升起。 Tàiyáng ~ shēng qǐ. The Sun is about to rise. ｜~召开的会议很重要。 ~ zhàokāi de huìyì hěn zhòngyào. The meeting soon to be held will be a very important one.

³ 即使 jíshǐ 〈连 *conj.*〉即便(表示假设的让步) (expressing supposition) even if; even though: ~富裕了，还要讲艰苦奋斗的作风。 ~ fùyù le, hái yào jiǎng jiānkǔ fèndòu de zuòfēng. Even if we may become rich and wealthy, we should still keep up with our arduous struggle.

J

¹急 jí ❶〈形 adj.〉不沉稳;激动不安 anxious; impatient; agitated: ~匆匆 ~cōngcōng in a hurry | ~红了眼 ~hóngle yǎn (one's) eyes become bloodshot because of anxiety | 他白~了一阵。*Tā bái ~le yí zhèn.* His anxiety turned out to be useless. **❷**〈形 adj.〉容易气恼、发怒;不冷静 irritable; nettled: ~脾气 ~píqi quick-tempered | 操之过~ cāozhī-guò~ act with undue haste | 气~败坏 qì~bàihuài flustered and exasperated; be in exasperation **❸**〈形 adj.〉快而猛烈的(与'慢'相对) fast and violent (opposite to '慢 màn'): ~转弯 ~ zhuǎnwān sharp turnabout | ~如星火 ~rúxīnghuǒ most urgent; extremely pressing | 跑得~了点儿。*Pǎo de ~le diǎnr.* (One) ran far too hastily. **❹**〈形 adj.〉紧迫;迫切 pressing; urgent: ~诊 ~zhěn emergency treatment | ~电 ~diàn urgent telegram | ~不可待 ~bùkèdài too impatient to wait; extremely anxious | ~中生智 ~zhōng-shēngzhì suddenly hit upon an idea to be out of a predicament | 事情很~。*Shìqing hěn ~.* The matter is quite urgent. **❺**〈动 v.〉着急;使着急 worry; make restless: ~什么,他会来的。~ shénme, tā huì lái de. Don't worry; he will come. | 快开学了,教材还没到,~坏了老师们。*Kuài kāixué le, jiàocái hái méi dào, ~huàile lǎoshīmen.* School is about to start and yet the textbooks are nowhere to be seen; the teachers are so anxious about it. **❻**〈动 v.〉生气;发怒 get annoyed: 再不来,别怪我跟你~! *Zài bù lái, bié guài wǒ gēn nǐ ~!* If you still refuse to come, I'll get mad at you! **❼**〈动 v. 书 lit.〉对他人的事情或困难尽快帮助 be eager to help: ~人之难 ~rén zhī nán be eager to help those in need | ~公好义 ~gōng-hàoyì be zealous for the common weal; be public-spirited **❽**〈名 n.〉紧迫而严重的事情 urgent matter: 眼下之~ yǎnxià zhī ~ the urgent matter at present | 工程告~。*Gōngchéng gào ~.* The construction project was in need of emergency help. | 救~如救火。*Jiù ~ rú jiù huǒ.* Helping sb. to cope with an emergency is as important as putting out a fire.

⁴急剧 jíjù〈副 adv.〉迅速而猛烈(多用于不希望发生的事情) rapidly; suddenly (usually describing sth. undesirable): ~动荡 ~ dòngdàng violent upheavals | 病人~增加。*Bìngrén ~ zēngjiā.* The number of patients increased sharply. | 气温~下降。*Qìwēn ~ xiàjiàng.* Temperature dropped all of a sudden. | 产量~减少。*Chǎnliàng ~ jiǎnshǎo.* The output fell sharply.

²急忙 jímáng〈副 adv.〉着急而快速 in haste; hurriedly: 会后,他~传达会议精神。*Huì hòu, tā ~ chuándá huìyì jīngshén.* After the meeting, he lost no time in relaying the gist of the discussion to his colleagues. | 急急忙忙地跑向学校。*Jíjí-mángmáng de pǎo xiàng xuéxiào.* (One) rushed off to the school.

⁴急切 jíqiè ❶〈形 adj.〉迫切 eager; urgent: ~需要 ~xūyào in urgent need | ~地希望 ~de xīwàng eagerly hope for sth. | 大家~地盼望圣诞节的到来。*Dàjiā ~ de pànwàng Shèngdàn Jié de dàolái.* All of us are impatiently waiting for the Christmas Day. **❷**〈形 adj.〉匆忙;仓促 hasty: ~间难以找到恰当的词汇。~ jiān nányǐ zhǎodào qiàdàng de cíhuì. It's hard to find the right word in such haste. | 准备得过于~了。*Zhǔnbèi de guò yú ~ le.* The preparation was made too hastily.

⁴急需 jíxū〈动 v.〉迫切需要(人或物) be in urgent need of (sb. or sth.): 工地~木材。*Gōngdì ~ mùcái.* The construction site is in urgent need of timber. | 我公司~管理人员。*Wǒ gōngsī ~ guǎnlǐ rényuán.* My company needs managerial personnel badly.

⁴急于 jíyú〈副 adv.〉想要立刻实现 anxiously; impatiently: 任何~求成的想法,都是不现实的。*Rènhé ~ qiúchéng de xiǎngfǎ, dōu shì bú xiànshí de.* Any overanxious wish for quick results is not realistic. | 您别~回答我的问题。*Nín bié ~ huídá wǒ de wèntí.* Don't be impatient to answer my question.

³ **急躁** jízào ❶〈形 adj.〉遇事不顺时就烦躁不安 irritable; irascible: ~的心态 ~ de xīntài an irritable mind | 相当 ~ xiāngdāng ~ rather irritable | ~得厉害 ~ de lìhai extremely irascible ❷〈形 adj.〉没做好充分准备就想贸然行动 impetuous; rash: ~冒进，是要付出代价的! ~ màojìn, shì yào fùchū dàijià de! Advancing impetuously will lead to serious consequences. | 怎么又犯 ~ 的毛病了? Zěnme yòu fàn ~ de máobìng le? How come you have made the mistake of being impetuous once again?

³ **疾病** jíbìng〈名 n.〉(种 zhǒng)病(总称)(general term for) disease: ~的预防 ~ de yùfáng disease prevention | 与 ~ 作斗争 yǔ ~ zuò dòuzhēng fight the disease | 儿科 ~ érkē ~ pediatric disease

² **集** jí ❶〈名 n.〉(个 gè)(农村或市镇)定期或临时用来买卖、交换货物的场所 market; marketplace: ~镇 ~zhèn market town | 赶 ~ gǎn ~ go to a local fair ❷〈名 n.〉(册 cè、部 bù)将单篇作品汇编成的册子 collection; anthology: 短篇小说 ~ duǎnpiān xiǎoshuō ~ a collection of short stories | 一册影 ~ yí cè yǐng ~ a photo album ❸〈名 n.〉(部 bù)影视片或某些书籍中相对独立的段落或部分 volume; episode; part: 《水浒传》分上、中、下三 ~。 'Shuǐhǔzhuàn' fēn shàng, zhōng, xià sān ~. Outlaws of the Marsh comes in three volumes. | 这部连续剧一共15~。 Zhè bù liánxùjù yígòng shíwǔ ~. This is a 15-episode TV serial. ❹〈名 n.〉中国古代大型图书分类四部(经、史、子、集)中的一部 one of the four categories of an ancient Chinese library (classics, history, philosoph and belles-lettres) ❺〈动 v.〉聚在一起;会合 gather; collect: ~训 ~xùn assemble for training | ~散地 ~sàndì distributing center | ~权 ~quán totalitarianism | 召 ~ zhào ~ call together | 汇 ~ huì ~ collect; compile ❻〈量 meas.〉用于书籍或影视 (of a book, a TV play or a movie) volume; episode: 20~电视连续剧，今晚播映第1~。 Èrshí ~ diànshì liánxùjù, jīnwǎn bōyìng dì-yī ~. Episode 1 of the 20-episode TV serial will be shown tonight.

¹ **集合** jíhé ❶〈动 v.〉人们有组织地聚集在一起 assemble; get together: 大家~在广场上。 Dàjiā ~ zài guǎngchǎng shang. People assembled in the square. | ~的地点在校门口。 ~ de dìdiǎn zài xiào ménkǒu. The assembly point is set at the school gate. ❷〈动 v.〉使汇聚，使汇合 collect; assemble: ~队伍 ~ duìwu assemble the troops | ~各方的财力、物力 ~ gè fāng de cáilì, wùlì assemble the financial and material resources from all sides | ~各家学说 ~ gè jiā xuéshuō pool together the doctrines of all different schools

⁴ **集会** jíhuì ❶〈动 v.〉聚集在一起开会 assemble; rally: 群众 ~ qúnzhòng ~ a mass rally | 几点 ~? Jǐ diǎn ~? What time will the rally be held? | 全国各地纷纷 ~ 庆祝国庆 Quánguó gèdì fēnfēn ~ qìngzhù Guóqìng. Rallies were held nationwide to celebrate the National Day. ❷〈名 n.〉(次 cì、个 gè)集合在一起开会的活动 meeting; gathering: 这是一次盛大的~。 Zhè shì yí cì shèngdà de ~. It was a grand gathering. | 有个~正在公园里进行。 Yǒu gè ~ zhèng zài gōngyuán li jìnxíng. A gathering is being held in the park.

⁴ **集市** jíshì〈名 n.〉(个 gè)(农村或市镇)定期或临时用来买卖、交换货物的场所 country fair; market: 露天 ~ lùtiān ~ open-air market | ~非常热闹。 ~ fēicháng rènao. The market is bustling with activity. | 在~上什么都有卖的。 Zài ~ shang shénme dōu yǒu mài de. Everything is available at the marketplace.

² **集体** jítǐ ❶〈名 n.〉(个 gè)由许多人汇合起来的、有组织的整体(与'个人'相对) collective (opposite to '个人 gèrén'): 班 ~ bān ~ the class as a collective | 关心 ~ guānxīn ~ care about the collective | ~领导 ~ lǐngdǎo collective leadership | ~与个人 ~ yǔ gèrén collective and individuals ❷〈名 n.〉指集体所有制，中国所有制形式中的一种(区别于'全民''个体') collective ownership (different from '全民 quánmín' and '个体 gètǐ'): ~经济 ~ jīngjì collective economy

J

³ **集团** jítuán 〈名 n.〉(个 gè) 为了相同的目的、利益或志趣而组成的团体 clique; circle; bloc; organization set up for common purpose, interests or action: 大型 ~ dàxíng ~ a large group | 报业 ~ bàoyè ~ a newspaper group | 统治 ~ tǒngzhì ~ the ruling clique | 犯罪 ~ fànzuì ~ a criminal gang | ~的成员 ~ de chéngyuán members of a bloc | 你们不要搞小~。Nǐmen bú yào gǎo xiǎo ~. Don't try to form a small clique.

⁴ **集邮** jí//yóu 〈动 v.〉收集和保存各种邮票 collect stamps: ~刊物 ~ kānwù a philately magazine | 喜好 ~ xǐhào ~ be fond of stamp collecting | 你集过邮吗? Nǐ jíguo yóu ma? Have you ever collected stamps before?

² **集中** jízhōng ❶〈动 v.〉把分散的聚集或归纳起来 concentrate; centralize; amass: ~兵力 ~ bīnglì concentrate the forces | 大家~一下。Dàjiā ~ yíxià. Please gather together for a while. | 中国人口多~在中、东部地区。Zhōngguó rénkǒu duō ~ zài zhōng, dōng bù dìqū. The Chinese population is mostly concentrated in the middle and east of the country. | 我现在~一下大家的意见。Wǒ xiànzài ~ yíxià dàjiā de yìjiàn. Please allow me to sum up the ideas of all present. ❷〈形 adj.〉一致; 不分散 unanimous; concentrated: 大家的意见很~。Dàjiā de yìjiàn hěn ~. We share an identical view. | 注意力非常~。Zhùyìlì fēicháng ~. (One's) attention was highly concentrated.

⁴ **集资** jí//zhī 〈动 v.〉聚集资金 raise (funds); pool (resources): ~款 ~ chóukuǎn fund raising | ~办教育 ~ bàn jiàoyù pool money to start an education institution | 集到了资, 就可以开工。Jídàole zī, jiù kěyǐ kāigōng. Once the fund is raised, the work can start.

⁴ **嫉妒** jídù 〈动 v.〉对比自己强的人心怀不满或怨恨 be jealous of: ~的眼神总包围着他。~ de yǎnshén zǒng bāowéizhe tā. People always looked at him with jealous eyes. | 你怎么~起朋友来了? Nǐ zěnme ~ qǐ péngyou lái le? How did you become jealous of your friends?

⁴ **籍贯** jíguàn 〈名 n.〉祖居地或个人出生地 place of birth or native place: 他竟然不知道自己的~。Tā jìngrán bù zhīdào zìjǐ de ~. He doesn't even know his own native place. | 请填写~。Qǐng tiánxiě ~. Please fill in your place of birth.

J

¹ **几** jǐ ❶〈数 num.〉询问数目、时间等多少 how many: ~时动身? ~ shí dòngshēn? What is the departure time? | 去了~个地方? Qùle ~ ge dìfang? How many places did you ever visit? | 来了~位. Láile ~ wèi? How many people came? ❷〈数 num.〉表示2至9之间的数目 a few; any number between 2 and 9: ~张光盘 ~ zhāng guāngpán a few CDs | ~十载 ~ shí zǎi a few decades | 到底是~千~百呀? Dàodǐ shì ~qiān ~bǎi yā? What is the exact number? ❸〈数 num.〉在一定的语境中表示确定的数目 used to express an exact number in certain context: 你批的'研究研究'~个字就等于把这个项目给否定了。Nǐ pī de 'yánjiū yánjiū' ~ ge zì jiù děngyú bǎ zhège xiàngmù gěi fǒudìng le. Your comment of 'Further deliberation is needed' equals the negation of the project.

⁴ **几何** jǐhé ❶〈名 n.〉几何学的简称 geometry: 三角与~ sānjiǎo yǔ ~ trigonometry and geometry | ~习题 ~ xítí geometrical questions ❷〈数 num. 书 lit.〉多少(不多的数量) how many; how much: 对酒当歌, 人生~? Duì jiǔ dāng gē, rénshēng ~? Sang while drinking without worrying life is too short.

¹ **挤** jǐ ❶〈动 v.〉用力进入或排开密集的人或物 jostle; force one's way (in, out, through): 我好不容易从人群中~出来。Wǒ hǎobù róngyì cóng rénqún zhōng ~ chūlái. With great difficulty I managed to force my way out of the crowd. | 让我的车~进这个空当儿行吗? Ràng wǒ de chē ~jìn zhège kòngdāngr xíng ma? May I park my car in this space? ❷〈动 v.〉用气力使 (某物) 从空隙中出来 squeeze; press: ~鞋油 ~ xiéyóu squeeze the shoeshine | ~西瓜汁 ~ xīguāzhī squeeze the watermelon for its juice | ~时

间 ~ *shíjiān* find time ❸〈动 *v.*〉(人、物）紧紧地挨在一起 (of persons or things) crowd; cram; pack：~做一团 ~*zuò yì tuán* huddle together; be packed like sardines｜~满杂物 ~*mǎn záwù* be filled with litter｜拥 ~ *yōng*~ be crowded ❹〈动 *v.*〉强力令他人离开或阻止进入 squeeze out; expel; repel：排 ~ *pái*~ repel sb.｜他~掉了那个人的名额。*Tā ~ diào le nàge rén de míng'é.* He expelled that person from the list and replaced it with his own. ❺〈形 *adj.*〉过多的人或物拥在狭窄的空间里或堵在集中的时间里 crowded; jammed; tight：现在是上网高峰时间，网路很~。*Xiànzài shì shàngwǎng gāofēng shíjiān, wǎnglù hěn ~.* The Net is jammed since it's a peak time for Internet surfing.｜太~了，等下一辆车吧。*Tài ~ le, děng xià yí liàng chē ba.* It's too crowded and let's wait for the next bus.

³ **给予** jǐyǔ 〈动 *v.*〉给 give：~方便 ~*fāngbiàn* do sb. a favor｜他~过我很多帮助。*Tā ~ guo wǒ hěn duō bāngzhù.* He has given me a lot of help.

⁴ **脊梁** jǐliang 〈名 *n.*〉(个gè) 脊背；也比喻起主导或骨干作用的要素 spine; backbone：~骨 ~*gǔ* backbone｜挺直 ~ *tǐngzhí* straighten one's back｜他们几个是这支篮球队的~。*Tāmen jǐ gè shì zhè zhī lánqiú duì de ~.* They are the backbone members of the basketball team.

³ **计** jì ❶〈名 *n.*〉计谋；策略；主意 idea; stratagem; plan：妙 ~ *miào*~ tactful scheme｜百年大~ ~ *bǎinián-dà*~ a project of lasting importance｜三十六~，走为上策。*Sānshíliù ~, zǒu wéi shàngcè.* Of the thirty-six stratagems, the best is running away. ❷〈名 *n.*〉用来计算或测量的仪器 instrument for counting or measuring numbers; meter; gauge：温度~ ~ *wēndù*~ thermometer｜湿度~ ~ *shīdù*~ hygrometer ❸〈名 *n.*〉经济 economy：国民生 *guó*~*mínshēng* national economy and the people's livelihood ❹〈动 *v.*〉算；数 count; calculate：~时 ~*shí* time-keeping｜统一~ *tǒng*~ count; add up｜共~50人。*Gòng ~ wǔshí rén.* There are 50 people in total. ❺〈动 *v.*〉谋划；打算 plan; intend：~议 ~*yì* deliberate; discuss｜设 *shè*~ design｜算 ~ *suàn*~ scheme; plot ❻〈动 *v.*〉考虑 consider; take into account：不~私利 *bú ~ sīlì* not considering personal interests

¹ **计划** jìhuà ❶〈名 *n.*〉(份fèn、项xiàng、个gè) 事先拟定的内容和步骤 plan; project; program for making, doing or arranging sth.：预想的~ *yùxiǎng de* ~ a pre-designed plan｜制定~ *zhìdìng* ~ make a plan｜有~地运作 *yǒu* ~ *de yùnzuò* operate according to the plan｜赶不上变化。~ *gǎn bú shàng biànhuà.* The plan can't change as fast as the change itself. ❷〈动 *v.*〉打算 intend：~买房 ~ *mǎi fáng* intend to buy a house｜这件事他~得很周密。*Zhè jiàn shì tā ~ de hěn zhōumì.* He made a well-conceived plan for it.｜我们要一直~到将来。*Wǒmen yào yìzhí ~ dào jiānglái.* We must make a long-term plan.

⁴ **计较** jìjiào ❶〈动 *v.*〉很在意地计算比较 fuss about; bother about：~得过分，只会失去朋友。~ *de guòfèn, zhǐ huì shīqù péngyou.* One who is too fussy will lose his friends.｜不必~他的态度。*Búbì ~ tā de tàidu.* There is no need to bother about what he thinks. ❷〈动 *v.*〉争论；理论 argue; dispute：不必再~了，是非自有公断。*Búbì zài ~ le, shìfēi zìyǒu gōngduàn.* No more arguing; the public will judge the rights and wrongs of the case.｜几十年了，他俩经常为小事~。*Jǐshí nián le, tā liǎ jīngcháng wèi xiǎo shì ~.* For the past decades, they have always been arguing about trifles.

² **计算** jìsuàn ❶〈动 *v.*〉运用数学方法求得未知数 calculate; reckon：~速度 ~*sùdù* calculate the speed｜你能~出来吗？*Nǐ néng ~ chūlái ma?* Can you figure out the number?｜仔细~这些数字，别出错。*Zǐxì ~ zhèxiē shùzì, bié chūcuò.* Be careful in counting these numbers and avoid making mistakes. ❷〈动 *v.*〉考虑；谋划 也作'算计'planning; consideration; also known as '算计suànjì'：咱们~一下怎么去。*Zánmen ~ yíxià*

zěnme qù. Let's make a plan on how to get there. │ 人吃马喂的，不~哪成呢？ *Rén chī mǎ wèi de, bú ~ nǎ chéng ne?* With so many mouths to feed, how can we do it without a plan? ❸〈动 v.〉暗中谋划损害别人，也作'算计' plot; scheme; also known as '算计 suànjì'：你要小心，他又在~你了。 *Nǐ yào xiǎoxīn, tā yòu zài ~ nǐ le.* Take care because he's plotting against you again.

³ **计算机** jìsuànjī〈名 n.〉(台 tái) 能接受数据，按照指令(程序)进行运算和处理并提供结果的自动电子机器，又称'电脑' computer, also known as '电脑 diànnǎo'：家用~ *jiāyòng ~* personal computer │ ~软件 *~ ruǎnjiàn* computer software

¹ **记** jì ❶〈动 v.〉将印象留存在脑海里 remember; bear in mind：~不准 *bù zhǔn* can't remember it clearly │ ~牢单词 *~ láo dāncí* learn the words by heart │ 难~ *nán~* hard to remember │ ~了几遍 *~le jǐ biàn* try several times to memorize sth. ❷〈动 v.〉把听到的话或发生的事写下来以备查阅 record; jot down：~账 *~zhàng* keep accounts │ 追~ *zhuī ~* record retroactively │ 登~ *dēng~* register │ 你都~下来了吗？ *Nǐ dōu ~ xiàlái le ma?* Have you written it all down? ❸〈名 n.〉符号或标志 mark; sign：印~ *yìn~* mark; seal │ 暗~ *àn~* secret mark ❹〈名 n.〉以叙述、描写为主的一类文体(有书籍也有文章) record; book or article describing events：印象~ *yìnxiàng ~* description of one's impression │ 游~ *yóu~* travel notes │ 传~ *zhuàn~* biography │ 札~ *zhá~* reading notes ❺〈名 n.〉皮肤上天生的色素斑 birthmark：胎~ *tāi~* birthmark │ 眉心上有片黑~。 *Méi xīn shang yǒu piàn hēi ~.* There is a black birthmark in the middle of the eyebrows. ❻〈量 meas.〉用于某些动作的次数 number of certain action：一~劲射 *yí ~ jìn shè* a powerful kick │ 一~耳光 *yí ~ ěrguāng* a slap in the face

² **记得** jì//de〈动 v.〉能想起来；没忘掉 remember; recall; not forget：不~ *bú ~* can't remember │ ~那是20年前的事了。 *~ nà shì èrshí nián qián de shì le.* I remember that it happened 20 years ago. │ 我已经记不得以往的情形了。 *Wǒ yǐjīng jì bù de yǐwǎng de qíngxing le.* I can hardly recall what it was like before.

⁴ **记号** jìhao〈名 n.〉(个 gè、处 chù) 为帮助识别和记忆而做的符号或标志 mark or sign that helps sb. recognize or recall sth.：门上有~。 *Mén shang yǒu ~.* There's a sign on the door. │ 书里的~模糊了。 *Shū li de ~ móhu le.* The marks in the book are blurred.

² **记录** jìlù ❶〈动 v.〉把听见的或发生的以写、收录、摄像等方式保留下来 record; take notes; keep the minutes：~大会发言 *~ dàhuì fāyán* keep the minutes of a meeting │ 这盘磁带~了全过程。 *Zhè pán cídài ~le quán guòchéng.* The tape records the whole course of the incident. │ 录音电话~过他的声音。 *Lùyīn diànhuà ~guo tā de shēngyīn.* The answer-machine has a record of his voice. ❷〈名 n.〉(份 fèn) 记录下来的材料 record; notes：~片儿 *~ piānr* documentary (film) │ 会议的~ *huìyì de ~* minutes of a meeting │ 那份~很快就会送来。 *Nà fèn ~ hěn kuài jiù huì sònglái.* The record will be sent here soon. ❸〈名 n.〉(名 míng) 担任记录的人 note-taker：这次会议请你担任~行吗？ *Zhè cì huìyì qǐng nǐ dānrèn ~ xíng ma?* Could you act as the note-taker for this meeting?

⁴ **记性** jìxing〈名 n.〉记忆力 memory：这个孩子的~真好。 *Zhège háizi de ~ zhēn hǎo.* The child has a very good memory. │ 我的~也不坏。 *Wǒ de ~ yě bú huài.* My memory is not poor, either.

² **记忆** jìyì ❶〈动 v.〉记住或想起(往事) recall; remember：至今还能~起当年的情景。 *Zhìjīn hái néng ~ qǐ dāngnián de qíngjǐng.* I still can remember what it was like during those years. │ ~历史，展望未来。 *~ lìshǐ, zhǎnwàng wèilái.* Recall the history and look to the future. ❷〈名 n.〉保留在大脑中的印象 memory：珍贵的~ *zhēnguì de ~* precious memory │ 美好的~ *měihǎo de ~* beautiful memories │ ~犹存 *~ yóu cún* remain fresh in

one's memory｜多少～都淹没在历史的尘埃之中。*Duōshǎo ～ dōu yānmò zài lìshǐ de chén'āi zhīzhōng.* All the memories are buried in the oblivion of a long history.

⁴ **记忆力** jìyìlì 〈名 n.〉记忆的能力 the faculty of memory; memory：要锻炼才会增强。～ *yào duànliàn cái huì zēngqiáng.* Only through practice can the memory be improved.｜有些考试就是在考。*Yǒuxiē kǎoshì jiùshì zài kǎo ～.* Some examinations are intended to test our memory.｜他的～已经大大地衰退了。*Tā de ～ yǐjīng dàdà de shuāituì le.* His memory has become much poorer.

³ **记载** jìzǎi 〈动 v. 书 lit.〉把事情记录在有关的载体上 put down in writing：这本书真实地～了他几十年的奋斗史。*Zhè běn shū zhēnshí de ～le tā jǐshí nián de fèndòu shǐ.* This book offers a true record of his struggle over the past several decades.｜书里～得太简要了。*Shū li ～ de tài jiǎnyào le.* The account in the book is simply too brief.｜把这一段～上去。*Bǎ zhè yí duàn ～ shàngqù.* Put down this part in writing.

² **记者** jìzhě 〈名 n.〉(名 míng、个 gè、位 wèi)媒体中负责采访新闻并写相关报道的专职人员 journalist; reporter; correspondent：～席～ *xí* press gallery｜报社～ *bàoshè* newspaper journalist｜新闻～ *xīnwén* newsman

² **纪录** jìlù 〈名 n.〉(项 xiàng)在一定时期、一定范围内记载的最好成绩 record; best result recorded within a specific time or scope：该项世界～又被打破了。*Gāi xiàng shìjiè ～ yòu bèi dǎpò le.* The world record was broken once again.｜他是百米～的保持者。*Tā shì bǎimǐ ～ de bǎochízhě.* He is the record holder of 100-meter sprint.

² **纪律** jìlǜ 〈名 n.〉(条 tiáo)团体成员间必须遵守的行为规则 discipline; regulation; code of behavior that must be obeyed by the members of a group：遵守～ *zūnshǒu ～* observe discipline｜违反～ *wéifǎn ～* disobey the rules｜～处分 ～ *chǔfèn* disciplinary treatment｜上课的～ *shàngkè de ～* class discipline｜几条～ *jǐ tiáo ～* a few rules｜～严明 ～ *yánmíng* highly disciplined

² **纪念** jìniàn ❶ 〈动 v.〉对人或事表示怀念 commemorate; cherish the memory of sb. or sth.：～死难者 ～ *sǐnànzhě* cherish the memory of the dead｜隆重～ *lóngzhòng ～* grand commemoration ❷ 〈形 adj.〉用来表示纪念的 commemorative：～馆 ～*guǎn* memorial hall｜～日 ～*rì* commemorative day｜～邮票 ～*yóupiào* commemorative stamp ❸ 〈名 n.〉(个 gè)纪念品 souvenir; keepsake：做个～吧。*Zuò gè ～ ba.* Take it as a souvenir.｜这是珍贵的～。*Zhè shì zhēnguì de ～.* It is a precious keepsake.

⁴ **纪要** jìyào 〈名 n.〉(份 fèn、个 gè)会议要点的记录 summary of minutes：文字～ *wénzì ～* written summary｜～要点有3条。*～ yàodiǎn yǒu sān tiáo.* There're three main points in the summary.

³ **技能** jìnéng 〈名 n.〉(种 zhǒng、项 xiàng)掌握、运用专门技术的能力 skill; technical skill：～大赛 ～ *dàsài* competition of technical skills｜职业～ *zhíyè ～* occupational skills｜～的培训 ～ *de péixùn* skill training

³ **技巧** jìqiǎo 〈名 n.〉(种 zhǒng)高超而灵巧的技能 skill; technique; craftsmanship：讲课的～ *jiǎngkè de ～* lecturing technique｜文学～ *wénxué ～* literary skills｜运用～ *yùnyòng ～* use techniques

¹ **技术** jìshù 〈名 n.〉(项 xiàng、门 mén)人类积累并运用在生产中的经验和知识，也指操作技能 technology：科学～ *kēxué ～* science and technology｜～改造 ～ *gǎizào* technological transformation｜～创新 ～ *chuàngxīn* technological innovation｜～高超 ～ *gāochāo* superb skills｜过硬的～ *guòyìng de ～* a perfect mastery of skills

² **技术员** jìshùyuán 〈名 n.〉(名 míng、位 wèi)掌握某种专门技术的人员(在中国，技术员又是生产技术职称之一，为最低级) technician; one who masters a special technique

J

(in China, also used to refer to a technical title of the lowest level)：农业~ *nóngyè* ~ agricultural technician ｜ 车间有几名~. *Chējiān yǒu jǐ míng* ~. There are a few technicians in the workshop.

⁴ 忌 jì ❶〈动 v.〉因他人强于自己而怨恨 be jealous of; envy：~恨 ~*hèn* envy and hate ｜ ~妒 ~*dù* envy ｜ 猜~ *cāi*~ be suspicious and jealous of ❷〈动 v.〉担心：顾虑 scruple；横行无 ~ *héngxíng-wú*~ run amuck ｜ 无所顾 ~ *wúsuǒgù*~ have no scruples ｜ ~惮 ~*dàn* scruple; dread ❸〈动 v.〉认为不适宜要避免的：禁戒 shun; abstain from：~荤腥 ~*hūnxīng* avoid meat and fish ｜ ~讳 ~*huì* avoid as harmful; taboo ｜ ~食 ~*shí* avoid certain food ｜ 别犯~! *Bié fàn*~! Don't violate the taboo! ❹〈动 v.〉戒除 quit; give up：~烟 ~*yān* quit smoking ｜ ~酒 ~*jiǔ* abstain from wine ｜ ~掉不良嗜好 ~*diào bùliáng shìhào* give up harmful habits

³ 季 jì ❶〈名 n.〉一年分成春、夏、秋、冬四部分，三个月为一季 season; a year is divided into four seasons: spring, summer, autumn and winter; a season has three months：中国的昆明四~如春。*Zhōngguó de Kūnmíng sì~ rú chūn.* In the Chinese city of Kunming, it's like spring all the year round. ❷〈名 n.〉具有某些特点的时期 period of time with certain features：淡~ *dàn*~ dull season; off-season ｜ 旺~ *wàng*~ busy season ｜ 旱~ *hàn*~ dry season ｜ 雨~ *yǔ*~ rainy season ❸〈名 n.〉兄弟中排行第四或最小的 fourth or youngest brother：~弟 ~*dì* fourth or youngest brother

⁴ 季度 jìdù〈名 n.〉(个 gè) 以一季为计算单位 quarter (of a year)：上个~ *shàng gè* ~ last quarter ｜ 第三~ *dì-sān*~ the third quarter (of a year) ｜ ~冠军 ~*guànjūn* quarterly champion

² 季节 jìjié〈名 n.〉一年中有某个特点的时期 a typical period of the year：'三伏'是夏天最热的~。'*Sānfú*'*shì xiàtiān zuì rè de* ~. The three *fu* periods are the hottest days in summer. ｜ ~瓜果已上市了。~ *guāguǒ yǐ shàngshì le.* The seasonal fruits have appeared on the market.

⁴ 迹象 jìxiàng〈名 n.〉(种 zhǒng) 有表现但不明显的的情况，往往可以推测 sign; indication：种~ *zhǒngzhǒng* ~ a variety of signs ｜ 好的~ *hǎo de* ~ a good sign ｜ 有许多~表明敌人要对我们发动突然袭击 *Yǒu xǔduō ~ biāomíng dírén yào duì wǒmen fādòng tūrán xíjī.* Many signs show that the enemy is likely to stage a surprise attack on us.

² 既 jì ❶〈连 conj.〉与 '且''又''也' 等词呼应，表示两种情况同时存在 (echoed with '且 qiě', '又 yòu', '也 yě', etc.) both ... and ...; as well as ...：~陡且滑 ~ *dǒu qiě huá* be both steep and slippery ｜ ~好看又好吃 ~ *hǎokàn yòu hǎochī* both looking nice and tastimg delicious ｜ ~要读书, 也要运动。~ *yào dúshū, yě yào yùndòng.* One should study and do physical exercises as well. ❷〈连 conj.〉既然 since; now that：~知如此, 何必当初? ~ *zhī rúcǐ, hébì dāngchū?* Since you are aware of the consequences, why should you have done that in the first place? ❸〈副 adv.〉已经 already：一如~往 *yìrú*~*wǎng* as always ｜ ~成事实 ~*chéng shìshí* fait accompli

² 既...也... jì...yě... 连接两个结构相同或相似的词或短语，后一部分是前一部分的补充说明 (linking two words or phrases of a similar or identical structure) both ... and...; as well as ...：~不说~不做 ~ *bù shuō* ~ *bú zuò* neither say nor do ｜ ~能唱歌~能跳舞 ~ *néng chànggē* ~ *néng tiàowǔ* can sing and dance as well

² 既...又... jì...yòu... 表示同时具有两种性质或情形 (indicating sth. of two distinctive features) both ... and...：~可笑~可恨 ~ *kěxiào* ~ *kěhèn* be both funny and detestable ｜ 他~想报名~担心考不好。*Tā* ~ *xiǎng bàomíng* ~ *dānxīn kǎo bù hǎo.* He wanted to sign up for the exam, but meanwile worried about a possible failure.

² **既** jìrán 〈连 *conj.*〉与'就''也''还'等呼应，前一分句提出前提，后一分句表示推论（used in the first half of a sentence; echoed with '就jiù', '也yě', '还hái', etc. in the latter half of the sentence to show that a premise is followed by an inference）since; now that：~不行，就算了。*~bùxíng, jiù suàn le.* Since it doesn't work, just forget it then.｜你~要走，我也不留了。*Nǐ ~ yào zǒu, wǒ yě bù liú le.* Since you want to go, I'll not insist on keeping you any longer.｜~病了，还是好好儿地休息吧。*~ bìng le, háishì hǎohāor de xiūxi ba.* Now that you've fallen ill, you'd better take a good rest.

⁴ **继** jì 〈动 *v.*〉接续；连续 continue; follow：承~*chéng* inherit; carry on｜父~父 step-father｜夜以~日 *yèyǐ~rì* day and night｜相~落成 *xiāng~luòchéng*（buildings）be completed one after another｜后~乏人 *hòu~fárén* lack of qualified successors

³ **继承** jìchéng ❶〈动 *v.*〉依法接受(遗产等) inherit（legacy of the dead, etc.）：~王位 ~*wángwèi* succeed to the throne｜财产~ *cáichǎn* ~ inheritance of property｜由大儿子了家业。*Yóu dà érzi ~le jiāyè.* The family wealth was inherited by the eldest son. ❷〈动 *v.*〉继续做前人未完成的事业 carry on：~遗志 ~ *yízhì* carry on the unfinished lifework of sb.｜~前人的衣钵 ~ *qiánrén de yībō* take over the mantle of the predecessors｜难以~ *nányǐ* ~ hard to carry on

¹ **继续** jìxù 〈动 *v.*〉接下去；不间断 continue; keep on：~营业 ~ *yíngyè* continue the business｜请~说下去。*Qǐng ~ shuō xiàqù.* Please go on with your speech.｜不必再~了。*Búbì zài ~ le.* There's no need to continue.

¹ **寄** jì ❶〈动 *v.*〉通过邮局传递(物品) post; send; mail：~信 ~*xìn* post a letter｜邮~ *yóu* ~ send by post ❷〈动 *v.*〉委托，付托；暂时照管 entrust; deposit：~养 ~*yǎng* entrust one's child to the care of sb. else｜~予希望 ~*yǔ xīwàng* place hope on｜~存 ~*cún* deposit ❸〈动 *v.*〉依附于(人或地点) depend on（a person or place）：~生关系 ~*shēng guānxì* parasitic relationship｜~人篱下 ~*rén-líxià* live under another's roof

⁴ **寄托** jìtuō ❶〈动 *v.*〉托付；请他人临时照看 entrust to the care of sb. else：房间~给邻居照管。*Fángjiān ~ gěi línjū zhàoguǎn.* The rooms have been entrusted to the care of my neighbors. ❷〈动 *v.*〉把理想、希望、感情等心理情感放在某人或某物上 place（ideal, hope, feeling, etc.）on sb. or sth.；find sustenance in：足球~着孩子们多少期望啊！*Zúqiú ~zhe háizimen duōshao qīwàng a!* The kids have placed so many hopes in the soccer.｜把感情~给了事业。*Bǎ gǎnqíng ~ gěile shìyè.* All the emotion has been devoted to the work. ❸〈名 *n.*〉可供依托之处 sustenance：心灵的~ *xīnlíng de* ~ sustenance of the soul｜在现代社会中，宠物越来越成为某些人的精神~。*Zài xiàndài shèhuì zhōng, chǒngwù yuèláiyuè chéngwéi mǒuxiē rén de jīngshén ~.* In modern society, the pets have increasingly become a spiritual sustenance for some people.

⁴ **寂静** jìjìng 〈形 *adj.*〉安静无声 quiet; still：~的夜晚 ~ *de yèwǎn* a quiet night｜喜爱~ *xǐ'ài* ~ like quietness｜屋子里~得让人不安。*Wūzi li ~ de ràngrén bù'ān.* The room is deadly still and people may feel uneasy in it.｜太~了。*Tài ~ le.* It's so quiet and still.

³ **寂寞** jìmò 〈形 *adj.* 书 *lit.*〉孤独而冷清 solitary and lonely：一生~ *yìshēng* ~ be lonely for life｜害怕~ *hàipà* ~ be afraid of being solitary and lonely｜~得难受 ~ *de nánshòu* unbearably lonely｜这位老人~地度过晚年。*Zhè wèi lǎorén ~ de dùguò wǎnnián.* The old man led a solitary life at his advanced age.

¹ **加** jiā ❶〈动 *v.*〉两个以上的东西或数目合在一起(与'减'相对) add; total（opposite to '减jiǎn'）：2~4等于6。*Èr ~ sì děngyú liù.* Two and four is six.｜喜上~喜 *xǐ shàng ~ xǐ* one happy event after another｜难上~难 *nán shàng ~ nán* extra difficult｜风雨交~ *fēngyǔ-jiāo~* rainy and windy ❷〈动 *v.*〉在原有的基础上使数量增多，程度提高

increase; make the number bigger: ~高~固 *gāo* ~ *gù* increase the height and solidity ｜ ~价出售 *jià chūshòu* sell sth. for a raised price ｜ ~速 ~*sù* speed up ｜ ~薪 ~*xīn* raise one's pay ❸〈动 v.〉添补上 put in; append: ~把劲儿 ~ *bǎ jìnr* make more efforts ｜ 再~几个人 *zài* ~ *jǐ gè rén* have a few more people ｜ 添油~醋 *tiānyóu-~cù* add inflammatory details to (a story); embellish a story ❹〈动 v.〉强行施加或给予 impose; force on sb.: 强~于人 *qiáng~yúrén* impose sth. on sb. ｜ 严~惩处 *yán~ chéngchǔ* punish sb. severely ｜ 欲~之罪，何患无词。*Yù* ~ *zhī zuì, hé huàn wú cí.* If you are out to condemn sb., you can always trump up a charge. ❺〈副 adv.〉更加 more; even more: 变本~厉 *biànběn-~lì* go from bad to worse; be further intensified ｜ ~深 ~*shēn* deepen ｜ ~剧 ~*jù* aggravate; exacerbate

⁴ **加班** jiā//bān〈动 v.〉额外增加工作时间或班次 work overtime: 经常~加点 *jīngcháng* ~ *jiādiǎn* often work extra shifts or extra hours ｜ 为了让旅客回家过年，北京到上海的航线一天要加开好几个班。*Wèile ràng lǚkè huíjiā guònián, Běijīng dào Shànghǎi de hángxiàn yì tiān yào jiā kāi hǎo jǐ gè bān.* Several more flights have been scheduled every day to fly passengers from Beijing to Shanghai for the Spring Festival. ｜ 加什么班呀，明天再说。*Jiā shénme bān ya, míngtiān zài shuō.* Forget about working overtime; let' leave it until tomorrow.

² **加工** jiā//gōng ❶〈动 v.〉(通过一定工作)使原材料、半成品达到规定的要求 process; turn raw materials or semi-finished products into products according to required standards: 粗~ *cū* ~ roughly process ｜ ~豆制品 ~ *dòuzhìpǐn* process bean products ｜ 塑料~ *sùliào* ~ plastic processing ｜ ~厂 ~*chǎng* processing factory ❷〈动 v.〉对成品再做修整，使更完善、更精致 make a finished product perfect and exquisite: 画面要是再~一下，就更漂亮了。*Huàmiàn yàoshi zài* ~ *yíxià, jiù gèng piàoliang le.* The picture would look more beautiful if a little improvement were made to it. ｜ 文章还需加加工。*Wénzhāng hái xū jiājiā gōng.* The article needs further improvement. ｜ 这篇稿子你拿回去再加一次工。*Zhè piān gǎozi nǐ ná huíqù zài jiā yí cì gōng.* Take this draft back, revise and improve it.

⁴ **加急** jiājí〈动 v.〉使(速度)加快；使(事情)紧急 accelerate; expedite: ~电报~ *diànbào* urgent cable ｜ 病人呼吸~，情况严重了。*Bìngrén hūxī* ~, *qíngkuàng yánzhòng le.* The patient was in a critical condition as he became short of breath. ｜ 不可耽搁，要~处理！*Bùkě dāngē, yào* ~ *chǔlǐ!* No delay is allowed; it must be handled urgently!

³ **加紧** jiājǐn〈动 v.〉加快速度或增加强度 speed up; intensify: ~工作 ~ *gōngzuò* step up one's work ｜ ~处理 ~ *chǔlǐ* speed up solving (a problem) ｜ 敌人~了防备。*Dírén ~le fángbèi.* The enemies stepped up their precautions.

⁴ **加剧** jiājù〈动 v.〉使更厉害或更严重 intensify; aggravate: ~了矛盾的激化。~*le máodùn de jīhuà.* The intensity of contradictions was aggravated. ｜ 事态进一步~。*Shìtài jìnyíbù* ~. The situation has been further intensified.

² **加强** jiāqiáng〈动 v.〉使更增强或更有效 strengthen; enhance: ~团结 ~ *tuánjié* strengthen unity ｜ ~合作 ~ *hézuò* enhance the cooperation ｜ ~国防 ~ *guófáng* strengthen the national defense ｜ 防守~了。*Fángshǒu* ~ *le.* The defense was reinforced. ｜ 纪律得到~。*Jìlǜ dédào* ~. The discipline was strengthened.

⁴ **加热** jiā//rè〈动 v.〉使温度增高 heat up: ~器 ~*qì* heater ｜ 这是不必~的即食品。*Zhè shì búbì* ~ *de jíshípǐn.* This is instant food, which doesn't need heating. ｜ 饭在锅里，已经加过热了。*Fàn zài guō lǐ, yǐjīng jiā guò rè le.* The food is in the cooker and has already been heated. ｜ 这饭要加一下热吗？*Zhè fàn yào jiā yíxià rè ma?* Does the food need

heating?

加入 jiārù ❶〈动 v.〉放入;掺进去 add; put in; mix：~酱油浸泡 ~ jiàngyóu jìnpào mix it with soya sauce ❷〈动 v.〉参加 join：~校篮球队 ~ xiào lánqiú duì join the school basketball team｜欢迎~我们的俱乐部。Huānyíng ~ wǒmen de jùlèbù. Welcome to join our club.

加深 jiāshēn〈动 v.〉加大深度 deepen：~误会 ~ wùhuì deepen the misunderstanding｜~印象 ~ yìnxiàng deepen the impression｜我们之间的友谊慢慢地~了。Wǒmen zhījiān de yǒuyì mànmàn de ~ le. Our friendship has gradually been strengthened.

加速 jiāsù〈动 v.〉加快速度 accelerate; speed up：~发展进程 ~ fāzhǎn jìnchéng accelerate the development｜火车正在~。Huǒchē zhèngzài ~. The train is speeding up. 别~，这里有个限速牌。Bié ~, zhèlǐ yǒu gè xiànsù pái. Don't speed up; there is a speed-limit sign.

加以 jiāyǐ ❶〈动 v.〉表示就某事进行某种工作 start to work on sth. ~辩解 ~ biànjiě defend oneself (on sth.)｜~评价 ~ píngjià make comments on｜这次事故的教训要认真~总结。Zhè cì shìgù de jiàoxùn yào rènzhēn ~ zǒngjié. We should learn a lesson from this accident seriously. ❷〈连 conj.〉表示进一步的原因和条件 (followed by further reason or condition) in addition; moreover：天气原本就热,~湿度大, 感觉很难受。Tiānqì yuánběn jiù rè, ~ shīdù dà, gǎnjué hěn nánshòu. It is hot and in addition, it is very humid, so I feel quite uncomfortable.

加油 jiā//yóu ❶〈动 v.〉添入燃料油或润滑油 refuel; lubricate：汽车该~了。Qìchē gāi ~ le. The car needs refueling.｜~的师傅哪里去了? ~ de shīfu nǎlǐ qù le? Where is the gas station boy gone?｜我的车已加过油了。Wǒ de chē yǐ jiāguo yóu le. My car has already been refueled. ❷(~儿)〈动 v. 口 colloq.〉比喻更加努力为之对方加劲 fig. make an extra effort; cheer：大家都在~学习。Dàjiā dōu zài ~ xuéxí. Everybody is working hard.｜考试前,大家还要再加把油。Kǎoshì qián, dàjiā háiyào zài jiā bǎ yóu. We need to make extra efforts before the examination.｜为中国足球队~。Wèi Zhōngguó Zúqiú Duì ~. Let's cheer China's National Football Team on.｜运动员,~! Yùndòngyuán, ~! (To the athletes) Come on!

加重 jiāzhòng〈动 v.〉添加份量;加大程度 increase the weight or intensity of：别~学生的课业负担。Bié ~ xuéshēng de kèyè fùdān. Don't add to the students' assignment.｜一定要对他~处罚。Yídìng yào duì tā ~ chǔfá. He must be punished more severely.

夹 jiā ❶〈动 v.〉从相对的方向同时对物体用力 press from both sides; sandwich：~住 ~ zhù grip sth.｜~了几次,才~上来。~ le jǐ cì, cái ~ shànglái. I tried several times before finally gripping it.｜不受他的~板气! Bú shòu tā de ~bǎnqì! I don't want to be caught between two fires! ❷〈动 v.〉受两旁的限制或处在两者之间 be wedged between two things; be positioned in between：~缝 ~ fēng crack; crevice｜这个汉堡包~有香肠。Zhège hànbǎobāo ~yǒu xiāngcháng. The hamburger is sandwiched with sausage.｜他~着把伞朝这里走来。Tā ~zhe bǎ sǎn cháo zhèlǐ zǒulái. He walked toward here with an umbrella under the arm.｜那张纸条~在相册里。Nà zhāng zhǐtiáo jiù ~ zài xiàngcè li. The slip of paper is put in between the pages of the photo album. ❸〈动 v.〉搀杂 mix：雨中~着雷声 yǔ zhōng ~zhe léishēng rain accompanied by thunders｜~生饭 ~shēngfàn half-cooked rice ❹〈名 n.〉夹物品的器具 folder; clip; clamp：书~ shū~ book clip｜报~ bào~ newspaper clip｜文件~ wénjiàn~ document folder

夹杂 jiāzá〈动 v.〉混杂;搀杂 be mingled with：歌声和欢呼声~在一起。Gēshēng hé huānhūshēng ~ zài yìqǐ. The sound of singing was mingled with applauses.｜别让脏东

西~进去。Bié ràng zāng dōngxi ~ jìnqù. Don't mix in any dirty stuff.

³ **夹子** jiāzi〈名 n.〉(个 gè)夹东西的用具;夹东西的用具 clip; tweezers; folder: 皮 ~ pí~ wallet｜把这些散页用~夹上。Bǎ zhèxiē sǎnyè yòng ~ jiā shang. Put these leaflets in a folder.

³ **佳** jiā ❶〈形 adj.〉好的;美的 good; fine; beautiful: ~偶 ~ǒu a happily married couple｜~篇 ~piān a fine piece of writing｜文采欠~。Wéncǎi qiàn ~. The literary grace is lacking.｜每逢~节倍思亲。Měi féng ~jié bèi sī qīn. On festive occasions more than ever we think of our dear ones far away. ❷〈形 adj.〉与数字连用,指经评选产生的前若干名最好的人或事物(used with the number)persons or things selected and rated as the best: 十~运动员 shí ~ yùndòngyuán topten sports people｜八~企业 bā ~ qǐyè top eight enterprises

¹ **家** jiā ❶〈名 n.〉(个 gè)家庭 family; household: 数口之~ ~ shù kǒu zhī ~ a family of a few members｜~里~外 ~ lǐ ~ wài both inside and outside home｜幸福之~ ~ xìngfú zhī ~ a happy family｜他~搬走了。Tā ~ bān zǒu le. He has moved away. ❷〈名 n.〉家庭所居住的地方 home: ~园 ~yuán homeland｜老~ lǎo~ hometown｜四海为~ sìhǎiwéi~ make one's home wherever one is｜~住中国北京。~ zhù Zhōngguó Běijīng. (One's) home is in Beijing, China. ❸〈名 n.〉经营某种行业的人家或具有某种身份的人 person or family engaged in a certain trade: 厂~ chǎng~ the manufacturer｜东~ dōng~ boss; proprietor｜店~ diàn~ shop, hotel or restaurant owner｜农~ nóng~ farmer ❹〈名 n.〉指精通某种专业知识和技艺并有知名度的人;也指富有某些特征的人 specialist; a famous person who has a certain special knowledge; someone who has certain characteristics: 专~ zhuān~ specialist｜画~ huà~ painter｜歌唱~ gēchàng~ singer｜社会活动~ shèhuì huódòng~ social activist｜冒险~ màoxiǎn~ adventurer｜阴谋~ yīnmóu~ conspirator; schemer ❺〈名 n.〉学术流派 school of thought: 杂~ Zá~ Eclectics｜儒~ Rú~ Confucianists｜道~ Dào~ Taoists｜采众~之长 cǎi zhòng ~ zhī cháng pool together the merits of different schools of thought ❻〈名 n.〉(因某事)形成某种关系的人 person who forms a special relationship (because of sth.): 仇~ chóu~ foe; personal enemy｜冤~ yuān~ enemy; foe｜上~出错了牌,下~要倒霉了。Shàng~ chūcuòle pái, xià~ yào dǎoméi le. (in a card game) The preceding player made a wrong move, so the follow-up player would have a bad time.｜玩儿~对游戏的要求高了。Wánr~ duì yóuxì de yāoqiú gèng gāo le. The game players have set higher demands on the games. ❼〈名 n. 谦 hum.〉谦称自己的长辈或年长于自己的亲属(used when speaking of relatives older than oneself) my: ~父 ~fù my father｜~姐 ~jiě my elder sister ❽〈量 meas.〉用于计算家庭、店铺、企业等 for families, shops, business establishments, etc.: 十几~人家 shíjǐ ~ rénjiā more than a dozen families｜数~商店 shù ~ shāngdiàn a few shops｜那~工厂倒闭了。Nà ~ gōngchǎng dǎobì le. That factory has been closed down. ❾〈形 adj.〉人工饲养、培育的(与'野'相对)domestic (opposite to '野 yě'): ~禽 ~qín poultry｜~兔 ~tù rabbit｜~鼠 ~shǔ home mouse｜~雀 ~què house sparrow

⁴ **家常** jiācháng〈名 n.〉家庭的日常生活 daily life of a family; domestic trivia: ~便饭 ~biànfàn homely food; common occurrence｜拉~ lā~ small talk; chitchat

⁴ **家畜** jiāchù〈名 n.〉人工饲养并已驯化的兽类 domestic animal; livestock: ~业 ~ yè the livestock industry｜喂养~ wèiyǎng ~ raise the livestock｜猫、狗等与人类最亲密。Māo, gǒu děng ~ yù rénlèi zuì qīnmì. Livestock, such as cats, dogs, etc., are closest to human being.

³ **家伙** jiāhuo ❶〈名 n. 口 colloq.〉(个gè、帮bāng)对人轻视的或开玩笑的称呼（derog. or hum.）fellow; guy: 别理那帮~! *Bié lǐ nà bāng ~!* Just ignore those guys! | 小~真淘气。*Xiǎo ~ zhēn táoqì.* The little kid is so naughty. | 你这~还行! *Nǐ zhè ~ hái xíng!* You are really terrific! ❷〈名 n. 口 colloq.〉(个gè)工具或武器 tool; utensil; weapon: 打仗的~ *dǎzhàng de ~* weapons for fighting a war | 他抄起~就打。*Tā chāoqǐ ~ jiù dǎ.* He picked up a weapon and hit with it. | 这~不好使。*Zhè ~ bù hǎoshǐ.* This tool doesn't work well.

² **家具** jiājù〈名 n.〉(件jiàn、套tào)家中桌椅、橱柜、沙发等用具的统称 furniture, such as tables, chairs, cupboards, sofas, etc.: ~商店 *~ shāngdiàn* furniture store | 卖~的mài *~ de* a furniture seller | 红木~ *hóngmù ~* mahogany furniture

³ **家属** jiāshǔ〈名 n.〉(个gè)除户主或本人以外的其他家庭成员 family members except the head of a household; family dependents: 军人~ *jūnrén ~* armymen's families | ~区 *~qū* living quarters (of a factory, government office, etc.) | 病人的~ *bìngrén de ~* the patient's relatives

¹ **家庭** jiātíng〈名 n.〉(个gè)以婚姻和血缘关系为基础的最小社会单位，包括父母、子女和其他共同生活的亲属 family; the smallest social unit based on marital and blood relationship, consisting of parents, the children they rear and other relatives: 大~ *dà ~* extended family | ~教育 *~ jiàoyù* family education | 普通的~ *pǔtōng de ~* average family | 这项活动以~为单位参加。*Zhè xiàng huódòng yǐ ~ wéi dānwèi cānjiā.* Participants may join in this activity with the family as a basic unit.

⁴ **家务** jiāwù ❶〈名 n.〉家庭中的日常事务 household duties: 操持~ *cāochí ~* do household chores | ~活儿 *~huór* housework ❷〈名 n.〉家庭里的争执或纠纷 domestic conflict or rift: 谁家没点儿~事? *Shéi jiā méi diǎnr ~ shì?* There is no such thing as a family without home conflict. | 清官难断~事。*Qīngguān nán duàn ~ shì.* Even an upright official finds it hard to settle a family quarrel.

² **家乡** jiāxiāng〈名 n.〉家庭世代居住的地方 hometown: native place: ~的话亲、~的水甜。*~ de huà qīn, ~ de shuǐ tián.* The dialect of the hometown sounds familiar; the water of the hometown tastes sweet. | 他投资上千万建设~。*Tā tóuzī shàng qiān wàn jiànshè ~.* He invested tens of millions of *yuan* in the development of his hometown. | 几十年后我回到~。*Jǐshí nián hòu wǒ huídào ~.* Several decades later, I came back to my hometown.

⁴ **家喻户晓** jiāyù-hùxiǎo〈成 idm.〉家家明白，户户知晓 known to every household; known to all: 《水浒传》这部小说在中国是~的。*'Shuǐhǔzhuàn' zhè bù xiǎoshuō zài Zhōngguó shì ~ de.* *Outlaws of the Marsh* is a novel known to virtually every household in China.

⁴ **家长** jiāzhǎng ❶〈名 n.〉(位wèi、名míng)指父母或其他监护人 parent or guardian of a child: ~会 *~huì* a parents' meeting | 孩子~ *háizi ~* children's parents ❷〈名 n.〉在家族中为首的或在类似家族的团体中掌权的人 patriarch; head of a family: ~制 *~zhì* patriarchy; patriarchal system | 身为~的祖父，端坐在堂屋的正中。*Shēn wéi ~ de zǔfù, duānzuò zài tángwū de zhèngzhōng.* As the head of the family, grandfather sat up straight in the central room. | 在这个圈子里，他是~，他说了算。*Zài zhège quānzi li, tā shì ~, tā shuōle suàn.* He is the head in this circle and he always has the final say.

⁴ **嘉奖** jiājiǎng〈动 v.〉表彰并奖励 commend; cite: 得到~ *dédào ~* be commended | 给予~ *jǐyǔ ~* commend sb. | ~有功人员 *~ yǒugōng rényuán* cite those who have rendered meritorious service

J

⁴ **颊** jiá 〈名 n.〉指眼睛以下，鼻两侧的脸部，俗称‘脸蛋儿'cheek; part of the face between the nose and ear and below the eyes, colloquially called ‘脸蛋儿liǎndànr': 面~潮红。Miàn~ cháohóng. (Her) cheeks were rosy. | 她的脸~上有对酒窝儿。Tā de liǎn~shang yǒu duì jiǔwōr. There're two dimples in her cheeks.

³ **甲** jiǎ ❶〈名 n.〉天干的第一位(天干有甲、乙、丙、丁等十个字,甲列第一);中国传统用于排列顺序 first of the 10 Heavenly Stems (There are 10 Heavenly Stems from ‘甲 jiǎ' to ‘癸guǐ', and ‘甲' is the first one); first in order: 一等~级 yī děng ~ jí First Class of Level 1 | ~组~zǔ Team One ❷〈名 n.〉某类动物身上的硬壳 shell; carapace：龟~guī~ turtle shell | ~骨文 ~gǔwén inscriptions on bones or tortoise shells | ~壳虫 ~kéchóng beetle ❸〈名 n.〉手指和脚趾上的角质硬壳 nail; onychomycosis：灰指~ huī zhǐ~ ringworm of the nails; onychomycosis | 脚趾~ jiǎozhǐ~ toe-nail ❹〈名 n.〉穿在身上的保护装备或某些武器的保护性外壳,多由金属或皮革制成 protective equipment of metal or leather worn around a human body or a weapon: 铠~ kǎi~ armor | 盔~ kuī~ suit of armor | ~车 zhuāng~chē armored van | 丢盔弃~ diūkuī-qì~ throw away one's helmet and coat of mail ❺〈动 v.〉居于第一位 rank first: 桂林山水~天下。Guìlín shānshuǐ ~ tiānxià. The mountains and waters of Guilin are the finest under heaven.

⁴ **甲板** jiǎbǎn 〈名 n.〉船舶中分隔上下各层的板，常指船面的一层 deck (usually referring to the main deck)：~太滑，站不住。~ tài huá, zhàn bú zhù. The deck is so slippery that you can hardly stand firm on it.

² **假** jiǎ ❶〈形 adj.〉伪;不真实;冒充的;人造的(跟‘真'相对) false; fake; artificial (opposite to ‘真zhēn'): 真~难辨 zhēn ~ nán biàn can hardly tell the true from the false | ~话连篇 ~ huà lián piān be filled up with lies | ~死 ~sǐ feign death | ~山 ~shān rockery | ~药 ~yào fake medicine | 他是个~警察。Tā shì gè ~ jǐngchá. He is a false policeman. ❷〈形 adj.〉尚未证实的 supposed and unproved: ~说 ~shuō hypothesis | ~想 ~xiǎng supposition; imagination | ~设 ~shè supposition; hypothesis ❸〈连conj.〉与‘如'‘若'等呼应,表示推测 echoed with ‘如rú', ‘若ruò', etc. expressing supposition: ~如 ~rú if; supposing | ~若 ~ruò if; supposing | ~使 ~shǐ if; in case ❹〈名 n.〉假冒的、质量差的东西 shoddy goods: 打~ dǎ~ crack down on shoddy goods | ~chān~ adulterate ❺〈动 v.〉借用;利用 borrow; avail oneself of; make use of: 不~思索 bù~sīsuǒ without hesitation | ~公济私 ~gōng-jìsī practice jobbery; work for one's own ends in public affairs | 狐~虎威（比喻依仗别人的势力来欺压人）。Hú~~hǔwēi (bǐyù yīzhàng biérén de shìlì lái qīyā rén). Fox borrows the tiger's fierceness (by walking in the latter's company; like a donkey in a lion's hide).
☞ jià, p. 496

⁴ **假定** jiǎdìng 〈动 v.〉姑且认定;暂且认为 suppose; assume: ~消息可靠,不妨走一趟。~ xiāoxi kěkào,bùfáng zǒu yí tàng. Suppose the information is reliable, then we should go there. | ~如此,又该怎样呢? ~ rúcǐ, yòu gāi zěnyàng ne? In case it is like that, what should we do then?

⁴ **假冒** jiǎmào 〈动 v.〉冒充;以假充真 pass oneself off as; palm off (a fake as genuine): ~商品 ~ shāngpǐn fake goods | ~警察 ~ jǐngchá false police | 他~记者到处行骗。Tā ~ jìzhě dàochù xíngpiàn. Acting as a false journalist, he went swindling everywhere.

³ **假如** jiǎrú 〈连 conj.〉如果 if; in case: ~那天天气不好，就不去! ~ nà tiān tiānqì bù hǎo, jiù bú qù! If the weather is bad, we'll not go there.

³ **假若** jiǎruò 〈连 conj. 书 lit.〉如果 if; in case: ~他不来，是不是去看一看他? ~ tā bù lái, shì bú shì qù kàn yí kàn tā? If he doesn't come, why not go and see him?

⁴ **假设** jiǎshè ❶〈连 *conj.*〉暂且设定;尚未证实 if: ~长是a,宽是b,求面积c的值。~ *cháng shì a, kuān shì b, qiú miànjī c de zhí.* If the length is 'a' and the width is 'b', what is the value of the area 'c'? | ~对方排出攻击阵形,我们怎么办? ~ *duìfāng páichū gōngjī zhènxíng, wǒmen zěnme bàn?* What shall we do if the opponent forms an offensive array? ❷〈名 *n.*〉(种zhǒng、个gè)设想,尤指科学研究中的推测性说明 hypothesis; explanations for the hypothesis in scientific research: 这种种~都不能成立。 *Zhè zhǒngzhǒng ~ dōu bù néng chénglì.* These hypotheses can't hold water. | 这个理论还只是一个~。 *Zhège lǐlùn hái zhǐshì yí gè ~.* This theory still remains at a hypothetical level.

³ **假使** jiǎshǐ 〈连 *conj.*〉如果 if; in case: ~时间来得及, 应当打电话给他。 ~ *shíjiān láidejí, yīngdāng dǎ diànhuà gěi tā.* We should make a phone call to him if it is not too late.

⁴ **假装** jiǎzhuāng 〈动 *v.*〉故意用虚假的言行或外形来掩盖真相 pretend; feign: ~不知道 *bù zhīdào* pretend not to know | ~睡觉 *shuìjiào* pretend to be sleeping | 他~成服务人员混了进去。 *Tā ~ chéng fúwù rényuán hùnle jìnqù.* Disguised as a waiter, he went inside.

³ **价** jià ❶〈名 *n.*〉商品的价格 price: ~位低 *wèi dī* low-priced | ~目表 *mùbiǎo* price list | 单~ *dān*~ unit price | 高~ *gāo*~ high-priced | 定个儿 *dìng gè* ~r fix a price | 廉物美 *lián-wùměi* excellent quality and reasonable price | 讨~还~ *tǎo*~*huán*~ bargain ❷〈名 *n.*〉价值 value: 等~交换 *děng*~ *jiāohuàn* exchange of equal values | 无~之宝 *wú*~ *zhībǎo* an invaluable treasure

² **价格** jiàgé 〈名 *n.*〉体现商品价值的钱数 price: ~便宜 *piányi* cheap in price | ~昂贵 *ángguì* expensive | ~公道 *gōngdào* fair price | 提高~ *tígāo* ~ raise the price | 降低~ *jiàngdī* ~ reduce the price | ~战 *zhàn* price war

² **价钱** jiàqián 〈名 *n.*〉价格 price: 衣服的~ *yīfu de* ~ price of a dress | ~公道 *gōngdào* fair price | 不讲~ *bù jiǎng* ~ no bargaining

² **价值** jiàzhí 〈名 *n.*〉作用;用处 value; worth: ~不高 *bù gāo* of little value | 很有~ *hěn yǒu* ~ of great value | 科学~ *kēxué* ~ scientific value | 参考~ *cānkǎo* ~ reference value | 人的~ *rén de* ~ value of man ❷〈名 *n.*〉商品的价格 cost of goods: 商品的~ *shāngpǐn de* ~ value of commodities | ~规律 *guīlù* law of value | 万元的钻戒 *wàn yuán de zuànjiè* a diamond ring of over 10,000 *yuan*

⁴ **驾** jià ❶〈动 *v.*〉操纵(飞机、车船等),使行走 drive (a vehicle, etc.); pilot (a ship or plane): ~车旅行 *chē lǚxíng* drive a car for a trip | 并~齐驱 (比喻齐头并进,不相上下) *bìng*~*qíqū* (*bǐyù qítóu-bìngjìn, bùxiāng-shàngxià*) run neck and neck (keep abreast of one another) ❷〈动 *v.*〉牲口拉(车或农具) harness; draw (a cart or farm tool, etc.): ~辕 *yuán* draw a cart of shafts | 老牛~破车 (形容很慢或效率很低) *Lǎo niú ~ pò chē* (*xíngróng hěn màn huò xiàolǜ hěn dī*). An old ox pulls a rickety cart (making slow progress). ❸〈名 *n.*〉对对方的敬称 a respectful addressing term: 尊~ *zūn* ~ you | 挡~ *dǎng*~ decline to receive a guest | 临~ *lín* your esteemed presence

³ **驾驶** jiàshǐ 〈动 *v.*〉操纵(飞机、车船等);使行驶 drive (a vehicle, etc.); pilot (a ship or plane): ~执照 *zhízhào* driving licence | 熟练地~ *shóuliàn de* ~ drive skillfully | 练习~ *liànxí* ~ practise driving | 一直~到机场 *yìzhí* ~ *dào jīchǎng* drive all the way to the airport

² **架** jià ❶〈动 *v.*〉支起;撑住 erect; support: ~桥 *qiáo* build a bridge | ~起来 *qǐlái* prop up | 上蚊帐 ~*shang wénzhàng* put up a mosquito net ❷〈动 *v.*〉招架;承受

withstand; fend off: ~住刀枪 ~zhù dāoqiāng ward off the sword and spear | ~不住众人 的劝阻。~ bú zhù zhòngrén de quànzǔ. (One) cannot withstand people's dissuasion. ❸ 〈动 v.〉用力搀扶或强行抓走 support; prop; take sb. away by force: 绑~ bǎng~ kidnap | 他是被人~回来的。Tā shì bèi rén ~huílái de. He was supported and helped by others to walk back. ❹〈名 n.〉支撑和放置物品的器具 frame; rack; stand: 衣服~ yīfu~ coat hanger | 脚手~ jiǎoshǒu~ scaffold | 骨~ gǔ~ skeleton | 眼镜~ yǎnjìng~ spectacle-frame ❺〈名 n.〉事物的组织和结构 framework; structure: 公司管理~构 gōngsī guǎnlǐ ~gòu manageiral framework of a company | 文章框~ wénzhāng kuàng~ outline of an article ❻〈名 n.〉殴斗、争吵的事 quarrel; fight: 劝~ quàn~ mediate between quarreling parties | 打~ dǎ~ fight; come to blows ❼〈量 meas.〉用有支柱的某些物件 for things with support or with machines: 院子里种了两~豆角。Yuànzi li zhòngle liǎng ~ dòujiǎo. Two trellises of fresh kidney beans grow in the courtyard. | 机场上停着几十~飞机。 Jīchǎng shang tíngzhe jǐshí ~ fēijī. Dozens of planes are grounded on the airfield. | 那~ 钢琴是白色的。Nà ~ gāngqín shì báisè de. That piano is white.

³ 架子 jiàzi ❶〈名 n.〉（个 gè）用不同材料交叉搭建的、可供放置或支撑物品的东西 frame; stand: 碗筷~ wǎnkuài~ bowl-and-chopstick stand | 鞋~ xié~ shoes rack | 那本 书就放在~上。Nà běn shū jiù fàng zài ~ shang. The book is placed on the shelf. ❷〈名 n.〉喻指某些事物的组织和结构 fig. framework; structure; outline: 文稿的~已成形。 Wéngǎo de ~ yǐ chéngxíng. The outline of the draft has been formed. | 你们先搭个~，然 后再发展成员 Nǐmen xiān dā gè ~, ránhòu zài fāzhǎn chéngyuán. You should first build a framework and then recruit members. ❸〈名 n.〉（副 fù）装腔作势的傲慢态度 airs; haughty manner: 官~ guān~ bureaucratic airs | 臭~ chòu~ disgusting haughty manner | 他这个人没有一点儿~。Tā zhège rén méiyǒu yìdiǎnr ~. He is easy of approach.

³ 假 jià〈名 n.〉法定休息时间；经过批准暂时不工作或不学习的时间 holiday; vacation; day or a period of time set aside by law or with approval for suspension of work, business or study: 寒暑~ hán-shǔ~ summer and winter vacations | 产~ chǎn~ maternal leave | 度~ dù~ spend one's holidays; go vacationing | 请病~ qǐng bìng~ ask for sick leave | 我 请了15天的事~。Wǒ qǐngle shíwǔ tiān de shì~. I asked for a 15-day leave of absence to attend to my personal affairs.
☞ jiǎ, p. 494

³ 假期 jiàqī〈名 n.〉（个 gè）放假或休假的时期 vacation; holiday; period of leave: ~作业 ~ zuòyè vacational assignment | 在~里 zài ~ li on holiday | 充实的~生活 chōngshí de ~ shēnghuó a colorful holiday life

² 假条 jiàtiáo〈名 n.〉（张 zhāng）写明请假事由和期限的便条 application for leave; leave permit: 写张~ xiě zhāng ~ write an application for leave | 事~ shì ~ application for leave to attend to one's personal affairs

³ 嫁 jià ❶〈动 v.〉女子结婚（跟'娶'相对）(of a woman) marry (opposite to '娶qǔ'): 婚~ hūn~ marriage | 姑娘大了，早晚是要~人的。Gūniang dà le, zǎowǎn shì yào ~ rén de. As a girl grows up, she will be married off sooner or later. ❷〈动 v.〉转移（多指把不 好的事转移给他人）shift; transfer (usu. sth. bad): ~接果木 ~jiē guǒmù graft | ~祸于人 ~ huòyúrén put the blame on sb. else | 转~危机 zhuǎn~ wēijī shift the crisis on to sb. else

² 尖 jiān ❶〈形 adj.〉末端细小；锐利 tapering; pointed: ~利~lì sharp; cutting | ~下巴 ~ xiàba a pointed chin | ~~的 ~~ de pointed ❷〈形 adj.〉声音高而细（of a voice）high-pitched; shrill; piercing: ~叫 ~jiào scream | 他一声~气地嚷起来。Tā ~shēng~qì de rǎng qǐlái. He cried out in a shrill voice. | 她的嗓子很~。Tā de sǎngzi hěn ~. She has a high-

pitched voice. ❸〈形 adj.〉感觉灵敏 (of a sense) keen; acute: 眼～手快 yǎn-~shǒukuài be sharp-eyed and quick in movement | 狗的鼻子最～. Gǒu de bízi zuì ~. The dog has the sharpest sense of smell. ❹〈形 adj.〉刻薄；不饶人 caustic; biting: ～酸 ~suān tart; acrimonious | ～刻 ~kè acrimonious; biting ❺(～儿)〈名 n.〉物体尖锐细小的末端 point; tip: 针～儿 zhēn~r the point of a needle | 指～ zhǐ~ fingertip | 竹～桩 zhú~zhuāng a bamboo-tip stake ❻(～儿)〈名 n.〉类似尖儿的突出部 protruding part; tip: 前臀～ qián tún~ the buttock tip | 鼻子～儿 bízi~r tip of the nose ❼超过同类的人 或物 best of its kind; pick of the bunch: 他是班里的拔～人物。Tā shì bān li de bá~ rénwù. He is the pick of the bunch in his class. | 粮囤堆得冒了～儿。Liángdùn duī de màole ~r. The barn has been packed overflowing with grain.

⁴ **尖端** jiānduān ❶〈名 n.〉物体尖锐的一端或顶点 pointed end; peak: 宝塔的～ bǎotǎ de ~ acme of a pagoda | 树枝的～ shùzhī de ~ end of a branch ❷〈形 adj.〉最高的; 最 先进的 most advanced; sophisticated: ～武器 ~wǔqì sophisticated weapons | ～项目 ～ xiàngmù sophisticated project | ～科学 ~ kēxué state-of-the-art science

² **尖锐** jiānruì ❶〈形 adj.〉尖锐而锋利的 sharp-pointed: 刀刃十分～. Dāorèn shífēn ~. The blade is sharp-pointed. ❷〈形 adj.〉(声音)高并刺耳 (of a voice) shrill; piercing: 鸟儿发出～的鸣叫。Niǎor fāchū ~ de míngjiào. The birds are chirping. | 磨擦声～得让人 难受。Mócā shēng ~ de ràngrén nánshòu. The sound of scratching is unbearably piercing. ❸〈形 adj.〉认识深刻的 keen; penetrating; incisive: ～地意识到～ de yìshi dào come to an incisive realization | ～地批评 ~de pīpíng criticize sharply | 您的提案中 有些想法够～的。Nín de tí'àn zhōng yǒuxiē xiǎngfǎ gòu ~ de. Your proposal contains some sharp points. ❹〈形 adj.〉激烈的 intense; acute: ～的矛盾 ~ de máodùn sharp contradiction | 别把话说得太～了。Bié bǎ huà shuō de tài ~ le. Don't make such sharp remarks. | 会场上发生了～的争吵。Huìchǎng shang fāshēngle ~ de zhēngchǎo. An intense argument was aroused at the meeting. | 意见慢慢地～了起来。Yìjiàn mànmān de ~le qǐlái. The views are gradually becoming acute.

³ **尖子** jiānzi 〈名 n.〉超过同类的人或物 the best of its kind; the pick: ～人物 ~ rénwù a top-notch figure | 学习～ xuéxí ~ a top student | 出～ chū ~ produce top students

⁴ **奸** jiān ❶〈形 adj.〉狡猾; 虚伪; 邪恶 sly; wicked; treacherous: 臣～chén treacherous court official | ～商 ~shāng unscrupulous merchant; profiteer | 偷～耍滑 tōu~-shuǎhuá be treacherous and crafty | 他这个人～得很。Tā zhège rén ~ de hěn. He is a cunning man. ❷〈名 n.〉出卖民族、国家或团体利益的人 traitor: 内～ nèi~ hidden traitor | 汉～ hàn~ traitor to the Chinese nation ❸〈名 n.〉坏人坏事 evil person or thing: 朋比为～ péngbǐ-wéi~ act in collusion with; associate with for treasonable purpose | 姑息养～ gūxī-yǎng~ to tolerate evil is to abet it ❹〈动 v.〉发生不正当性行为; 奸淫 have illicit sexual relations; rape: ～污 ~wū rape; seduce | 通～ tōng~ adultery | 鸡～ jī~ sodomy | 强～ qiáng~ rape; violate

³ **奸灭** jiānmiè〈动 v.〉消灭 annihilate; destroy: ～战 ~zhàn war of annihilation | 彻底地 chèdǐ de ~ wipe out | 把敌人～在河谷中。Bǎ dírén ~ zài hégǔ zhōng. The enemy was wiped out in the valley.

¹ **坚持** jiānchí〈动 v.〉坚决维护、保持或进行 stick to; adhere to; uphold; insist on; persist in: ～原则 ~ yuánzé adhere to the principle | 正确的观点要～. Zhèngquè de guāndiǎn yào ~. Correct ideas must be upheld. | 她不再～自己的意见了。Tā búzài ~ zìjǐ de yìjiàn le. She no longer held on to her own views. | ～下去，就是胜利。~ xiàqù, jiùshì shènglì. Stick it out and you'll win.

J

² 坚定 jiāndìng ❶〈形 adj.〉(立场、意志等)不动摇;稳定坚强 (of stance, will, etc.) firm; steadfast: ~的决心 ~ de juéxīn a firm determination | ~地说 ~ de shuō make resolute remarks ❷〈动 v.〉使不动摇 strengthen: ~信心 ~ xìnxīn strengthen one's resolve | ~斗争的方向 ~ dòuzhēng de fāngxiàng be firm in the direction of the struggle.

³ 坚固 jiāngù〈形 adj.〉结实;牢固;不易被破坏 solid; sturdy; firm: 力求~ lìqiú ~ strive for solidity | ~耐用 ~ nàiyòng sturdy and durable | ~的堡垒最容易从内部被攻破 ~ de bǎolěi zuì róngyì cóng nèibù bèi gōngpò. A strong fort can be most easily destroyed from within. | 桥身建造得很~. Qiáo shēn jiànzào de hěn ~. The bridge was firmly built.

² 坚决 jiānjué〈形 adj.〉(态度、主张、行动等)确定不移 (of attitude, opinion, act, etc.) firm; resolute; determined; resolved: ~执行 ~ zhíxíng firmly implement (an order, etc.) | ~做到 ~ zuòdào firmly carry out | 他回答得十分~. Tā huídá de shífēn ~. He gave a resolute reply.

² 坚强 jiānqiáng〈形 adj.〉(性格、意志等)牢固有力,不可动摇或摧毁 (of character, will, etc.) strong; staunch: ~地生活下去 ~ de shēnghuó xiàqù keep on living with a strong will | 非常~ fēicháng ~ be strong-willed | ~的意志 ~ de yìzhì a strong will

⁴ 坚韧 jiānrèn〈形 adj.〉牢固而有韧性 firm and tenacious: ~不拔 ~bùbá persistent and dauntless | ~的性格 ~ de xìnggé an indomitable character | 这根皮带很~. Zhè gēn pídài hěn ~. The belt is quite tensile.

⁴ 坚实 jiānshí ❶〈形 adj.〉坚固而牢靠 solid; substantial: ~的脚步 ~ de jiǎobù firm and steady steps | 地基异常~. Dìjī yìcháng ~. The foundation is exceedingly solid. ❷〈形 adj.〉(身体)健壮 (of a body) strong; robust: ~有力的臂膀 ~ yǒulì de bìbǎng strong and powerful shoulders | 身躯魁梧而~ shēnqū kuíwú ér ~ tall and strong

⁴ 坚信 jiānxìn〈形 adj.〉坚定地相信 firmly believe: 我们~试验会成功的。 Wǒmen ~ shìyàn huì chénggōng de. We firmly believe that our experiment will be successful. | 大家十分~这一点。 Dàjiā shífēn ~ zhè yì diǎn. All have a firm belief in this point.

³ 坚硬 jiānyìng〈形 adj.〉非常硬 hard; solid: 石质~ shízhì ~ hard rock | 质地~ zhìdì ~ solid in texture | ~的花岗岩 ~ de huāgāngyán hard granite | 湖面冻得十分~。 Húmiàn dòng de shífēn ~. The surface of the lake was frozen hard.

⁴ 坚贞不屈 jiānzhēn-bùqū〈成 idm.〉固守气节,不屈服 stand firm and unbending; remain faithful and unyielding: 在敌人面前,有的人~,有的人却屈膝投降 Zài dírén miànqián, yǒu de rén ~, yǒu de rén què qūxī tóuxiáng. In face of the enemy, some stood firm and unbending, while others bent on their knees.

¹ 间 jiān ❶〈量 meas.〉用于计算房间 bay: 户型为三—一套。 Hùxíng wéi sān – yí tào. This is a three-bay apartment. | 这套院子共有十几~房。 Zhè tào yuànzi gòng yǒu shíjǐ ~ fáng. There are more than a dozen rooms in this courtyard. | 校长室在头一~。 Xiàozhǎngshì zài tóu yì ~. Headmaster's Office is in the first room. ❷〈名 n.〉在一定的 范围内 within a definite time or space; during: 校际~ xiàojì ~ inter-school | 午~ wǔ ~ at noon time | 时~ shí~ time | 空~ kōng~ space | 宇宙~ yǔzhòu ~ in the universe ❸〈名 n.〉 常指两个事物或两段时间之中 between (two things or periods of time): 两难之~ liǎng nán zhī ~ be caught in a dilemma | 前后之~ qiánhòu zhī ~ can neither advance nor retreat | 彼此~ bǐcǐ ~ each other | 课~ kè~ during a break ❹〈名 n.〉房屋:屋内隔开的 各个部分 room: 样板~ yàngbǎn ~ a sample room | 操作~ cāozuò ~ operation room | 里~ lǐ~ inner room | 外~ wài~ outer room | 大~ dà~ bigger room | 车~ chē~ workshop

² 肩 jiān ❶〈名 n.〉肩膀 shoulder: ~头 ~tóu shoulder; on the shoulders | ~章 ~zhāng epaulette; shoulder-strap | ~周炎 ~zhōuyán periarthritis | 擦~而过 cā ~ érguò brush past sb. ❷

〈动 v. 〉背负着 take on; undertake; bear: ~负重担 ~fù zhòngdàn shoulder heavy responsibilities

⁴ **肩膀** jiānbǎng 〈名 n. 〉人的上臂或动物前肢与躯干连接的部位 shoulder; joint connecting the arm or forelimb with the body: 别露着 ~。Bié lòuzhe ~. Don't keep your shoulders naked. | 小~儿还挺有劲儿的。Xiǎo ~r hái tǐng yǒujìnr de. (One's) shoulders are rather strong.

² **艰巨** jiānjù 〈形 adj. 〉困难而繁重的 arduous; formidable: 无比~ wúbǐ ~ very arduous | ~的路程 ~ de lùchéng a formidable journey | ~的谈判 ~ de tánpàn tough negotiations | 我的任务变得~起来。Wǒ de rènwu biàn de ~qǐlái. My task has become more arduous.

² **艰苦** jiānkǔ 〈形 adj. 〉艰辛而困苦的 hard; difficult; tough: ~岁月 ~ suìyuè hard times; difficult years | ~地生活着 ~ de shēnghuózhe live in straitened circumstances | ~朴素 ~ pǔsù hard work and plain living | 日子~极了。Rìzi ~ jí le. Life can't be more difficult.

³ **艰难** jiānnán 〈形 adj. 〉十分困难的 difficult; hard: ~历程 ~ lìchéng an arduous journey | ~困苦 ~ kùnkǔ difficulties and hardships | ~地战斗 ~ de zhàndòu fight with difficulty | 她的处境变得越来越~。Tā de chǔjìng biàn de yuèláiyuè ~. She was in more and more difficult circumstances.

⁴ **艰险** jiānxiǎn 〈形 adj. 〉既困难又危险 difficult and dangerous: ~无比 ~ wúbǐ be very difficult and dangerous | 处境~ chǔjìng ~ be in perilous circumstances | 不惧怕~ bú jùpà ~ fear no hardships nor dangers

⁴ **监察** jiānchá 〈动 v. 〉监督察看(各级政府、各类团体、企事业单位的工作人员有否违法乱纪的)行为 control; supervise (the work of the state organs and their staff and single out organs or staff members that have violated law or neglected their duties): ~部门 ~ bùmén supervisory department | 通过~，摸清了这个厂的问题。Tōngguò ~, mōqīngle zhège chǎng de wèntí. Supervision has disclosed the problems of the factory.

³ **监督** jiāndū ❶〈动 v. 〉察看、督促 supervise; superintend: ~改造 ~ gǎizào labor reform under supervision | 物价~ wùjià ~ price control | 政府工作人员必须接受人民群众的~。Zhèngfǔ gōngzuò rényuán bìxū jiēshòu rénmín qúnzhòng de ~. The government staff must subject themselves to the people's supervision. ❷〈名 n. 〉执行监督的人 supervisor: 舞台~ wǔtái ~ stage supervisor | 有问题你可以去找那位执法~。Yǒu wèntí nǐ kěyǐ qù zhǎo nà wèi zhífǎ ~. In case of any problem, you can turn to that law-enforcement supervisor.

³ **监视** jiānshì 〈动 v. 〉从旁秘密地察看，以便掌握对方的言行与活动 keep a lookout over: ~敌情 ~ díqíng keep watch on the movements of the enemy | ~得不严 ~ de bù yán do not keep a close watch on | 偷偷摸摸地~ tōutōu-mōmō de ~ keep a secret watch on

³ **监狱** jiānyù 〈名 n. 〉(所suǒ、座zuò)关押和监禁犯人的地方 prison; jail: ~看守 ~ kānshǒu jailor | 他蹲了三年~。Tā dūnle sān nián ~. He spent three years in prison. | 他被投进了~。Tā bèi tóujìnle ~. He has been put in jail.

³ **兼** jiān ❶〈动 v. 〉同时具有或涉及 have … concurrently: 身~数职 shēn ~ shù zhí hold several posts simultaneously | ~具两种功能 ~ jù liǎng zhǒng gōngnéng have two functions | 软硬~施 ruǎnyìng ~ shī use both hard and soft tactics; couple threats with promises | 我在学校里~过几天儿课。Wǒ zài xuéxiào li ~guo jǐ tiānr kè. I once held a teaching job at a school for a few days. | 我在公司任董事长~总裁。Wǒ zài gōngsī rèn dǒngshìzhǎng ~ zǒngcái. I serve concurrently as chairman of the board and president of the company. ❷〈形 adj. 书 lit. 〉两倍的 double: 星夜~程 xīngyè ~chéng travel night

and day

⁴ **兼任** jiānrèn ❶〈动 v.〉同时担当 hold a concurrent post：国防部长 ~ guófáng bùzhǎng hold the concurrent post of national defense minister ❷〈动 v.〉短期担当；不专门担任（区别于'专任'）take a part-time job（different from '专任 zhuānrèn'）：他是 ~ 教师。Tā shì ~ jiàoshī. He is a part-time teacher.

³ **煎** jiān ❶〈动 v.〉把食物放在少量油中炸 fry：油 ~ 豆腐 yóu ~ dòufu fried beancurd | ~ 饼 ~ bǐng thin pancake | 一 ~ 下 ~ yíxià have it fried | 别 ~ 糊了! Bié ~ hú le! Don't get it burned when frying it. ❷〈动 v.〉（把中药、茶等）放入水里用小火煮 simmer in water; decoct：茶 ~ chá cook tea | ~ 药 ~ yào decoct medicinal herbs | ~ 制 ~ zhì decoction ❸〈量 meas.〉一副药熬汁的次数（of herbal medicine）decoction：头 ~ tóu ~ first decoction | 二 ~ èr ~ second decoction

² **拣** jiǎn ❶〈动 v.〉拾起，同'捡' pick up; collect, same as '捡jiǎn'：~ 废纸 ~ fèizhǐ collect waste paper | 不停地 ~ bùtíng de ~ keep picking up sth. without stop | ~ 破烂儿 ~ pòlànr pick odds and ends from refuse heaps ❷〈动 v.〉挑选 choose; select：~ 个好机会 ~ gè hǎo jīhuì choose a good opportunity | ~ 来 ~ 去 ~ lái ~ qù be choosy | 挑挑 ~ ~ tiāotiāo~~ pick and choose

⁴ **茧** jiǎn ❶〈名 n.〉指某些昆虫的幼虫在变蛹前吐丝缠绕自己的外壳 cocoon：蚕 ~ cán~ silk-worm cocoon | 虫 ~ chóng ~ insect cocoon | 做 ~ 自缚（比喻做事反使自己陷入困境）zuò~~zìfù（bǐyù zuòshì fǎn shǐ zìjǐ xiànrù kùnjìng）make the cocoon to bind oneself（fig. do sth. which in turn puts oneself in a difficult position）❷〈名 n.〉手脚因摩擦而生出的硬皮 callus：一层老 ~ yì céng lǎo ~ thick callus | ~ 子磨得很厚。~zi mó de hěn hòu. The callus is thick.

² **捡** jiǎn 〈动 v.〉从地上拾起 pick up：地上的书被 ~ 了起来。Dì shang de shū bèi ~le qǐlái. The book was picked up. | 把菜 ~ 到篮子里。Bǎ cài ~dào lánzi li. Pick up the vegetable and put it into the basket. | 把球 ~ 回来。Bǎ qiú ~huílái. Go and pick up the ball.

⁴ **检测** jiǎncè〈动 v.〉检查测试 test; examine：~ 机构 ~ jīgòu a testing establishment | 飞行 ~ fēixíng ~ flight testing | ~ 了两次 ~le liǎng cì do a testing twice | ~ 的部位 ~ de bùwèi the part to be tested

¹ **检查** jiǎnchá ❶〈动 v.〉为发现问题而查看 check up; inspect：~ 来往车辆 ~ láiwǎng chēliàng check up on the passing vehicles | ~ 纪律 ~ jìlǜ disciplinary check-up | ~ 得细致 ~ de xìzhì carefully check up | ~ 得不认真 ~ de bú rènzhēn a casual check-up | 逐一 ~ zhúyī ~ examine sth. one by one ❷〈动 v.〉找不足，进行批评与自我批评 make a self-criticism：你好好儿地 ~ ~ 吧! Nǐ hǎohāor de ~ ~ ba! Make an earnest self-criticism! | 他 ~ 得不够深刻。Tā ~ de búgòu shēnkè. His self-criticism was not incisive enough. | 大家帮他 ~ 一下。Dàjiā bāng tā ~ yíxià. Let's help him make a self-criticism. ❸〈名 n.〉指检讨的行为或内容 self-criticism：必须做 ~ bìxū zuò ~ have to make a self-criticism | 如此 ~ 难以通过。Rúcǐ ~ nányǐ tōngguò. Such a self-criticism is hardly passable. | 那份 ~ 就放在桌子上。Nà fèn ~ jiù fàng zài zhuōzi shang. The written self-criticism was just put on the desk.

⁴ **检察** jiǎnchá〈名 n. 书 lit.〉核查检举的有关事实 procuratorial work：~ 院 ~yuàn procuratorate | 案件处于立案 ~ 阶段。Ànjiàn chǔyú lì'àn ~ jiēduàn. The case is currently under prosecution. | ~ 下来未发现问题。~ xiàlái wèi fāxiàn wèntí. The investigation hasn't disclosed any problem.

⁴ **检举** jiǎnjǔ〈动 v.〉向司法机关或有关组织揭发举报违法、犯罪行为 report（an

offense) to the administration of justice; inform against (an offender): 保护~人的措施 *bǎohù ~rén de cuòshī* measures intended to protect the informers | 加大~力度 *jiādà ~lìdù* intensify the effort of reporting against offenders | 他~了一件大案。*Tā ~le yí jiàn dà àn.* He has reported a big case to the authorities.

³ **检讨** jiǎntǎo ❶〈动 v.〉找出不足，做自我批评 make a self-criticism: ~错误 ~ *cuòwù* examine one's mistakes | 深刻地~ *shēnkè de ~* make a profound self-criticism | ~得不够。*~ de bú gòu.* (One's) self-criticism was not deep enough. ❷〈名 n.〉指检查的行为或内容 self-criticism: 口头~ *kǒutóu ~* oral self-criticism | 写~ *xiě ~* write a self-criticism | 他的~没有通过。*Tā de ~ méiyǒu tōngguò.* His self-criticism was not accepted.

⁴ **检修** jiǎnxiū〈动 v.〉(对机器)检查毛病并进行修理 examine and repair (a machine, etc.): ~电脑 ~ *diànnǎo* examine and repair a computer | 仔细~ *zǐxì ~* carefully examine and repair | ~到今天才完。*~ dào jīntiān cái wán.* The overhaul was not finished until today. | 这台机器该好好儿~了。*Zhè tái jīqì gāi hǎohāor ~ le.* This machine needs an overhaul.

³ **检验** jiǎnyàn〈动 v.〉检查验证 test; examine; inspect: 产品~ *chǎnpǐn ~* product inspection | ~工 ~*gōng* inspection worker | 经不起~ *jīng bù qǐ ~* can not stand the inspection | 实践是~真理的唯一标准。*Shíjiàn shì ~ zhēnlǐ de wéiyī biāozhǔn.* Practice is the sole criterion for testing truth.

² **减** jiǎn ❶〈动 v.〉从已有数量中去掉一部分（与'加'相对）subtract; reduce (opposite to '加jiā'): ~人 ~ *rén* recduce the staff | ~刑 ~*xíng* reduce a penalty | 削~ *xuē ~* reductoin | 5－3等于2。*Wǔ ~ sān děngyú èr.* Five minus three is two. ❷〈动 v.〉降低；衰退 reduce; decrease: ~肥 ~*féi* lose one's weight | ~色 ~*sè* lose luster; detract from the merit of | 兴致不~。*Xìngzhì bù ~.* The zest was not reduced at all. | 他的歌喉不~当年。*Tā de gēhóu bù ~ dāngnián.* His excellent singing ability was not reduced.

⁴ **减产** jiǎn//chǎn〈动 v.〉产量降低、减少（与'增产'相对）reduce the output (opposite to '增产zēngchǎn'): ~已成定局。*~ yǐ chéng dìngjú.* A reduction of output is an inevitable outcome. | 土地沙化是逐年~的原因。*Tǔdì shāhuà shì zhúnián ~ de yuányīn.* The desertification is a factor accounting for the reduction of output over the years. | 一场冰雹使果园减了不少产。*Yì chǎng bīngbáo shǐ guǒyuán jiǎnle bù shǎo chǎn.* A hailstorm greatly reduced the output of the orchard.

⁴ **减低** jiǎndī〈动 v.〉降低 reduce; cut; lower: ~成本 ~ *chéngběn* cut the cost | ~强度 ~ *qiángdù* reduce the intensity | 数量~不少。*Shùliàng ~ bù shǎo.* The quantity has been greatly reduced. | 房东同意~租金。*Fángdōng tóngyì ~ zūjīn.* The landlord has agreed to lower the rent.

² **减轻** jiǎnqīng〈动 v.〉(重量、数量或程度)减少（与'加重'相对）(of weight, quantity, degree, etc.) lighten; alleviate; mitigate (opposite to '加重jiāzhòng'): ~分量 ~ *fēnliàng* reduce the weight | ~负担 ~ *fùdān* lighten the burden | 病情~。*Bìngqíng ~.* The (patient's) condition has eased.

⁴ **减弱** jiǎnruò〈动 v.〉(气势)变弱；(力量)削减（与'增强'相对）weaken; abate (opposite to '增强zēngqiáng'): 水势~。*Shuǐshì ~.* The flood has subsided. | 一番辩论过后，对方气势已见~。*Yì fān biànlùn guò hòu, duìfāng qìshì yǐ jiàn ~.* The opponent's moral has weakened after a round of debate. | 攻击力~了不少。*Gōngjīlì ~ le bù shǎo.* The assaulting power has been much weakened. | 只能加强，不能~。*Zhǐ néng jiāqiáng, bù néng ~.* We can only strengthen the force instead of weakening it.

J

²减少 jiǎnshǎo 〈动 v.〉减去一部分（与'增加'相对）reduce; decrease; cut down (opposite to '增加 zēngjiā'): ~工作量 ~ gōngzuòliàng reduce the work load | 过分地~ guòfèn de ~ excessively reduce | 雨水~。Yǔshuǐ ~. The rainfall has decreased. | 要把损失~到最低限度。Yào bǎ sǔnshī ~ dào zuì dī xiàndù. The losses must be reduced to the minimum.

²剪 jiǎn ❶〈动 v.〉用剪刀铰开细薄的东西 cut (with scissors); clip; trim: 打杈~枝 dǎchà ~zhī trim the trees | ~裁 ~cái tailor; prune | ~指甲 ~ zhǐjiǎ trim one's nails | 中国~纸闻名于世。Zhōngguó ~zhǐ wénmíng yú shì. The Chinese art of paper-cutting is world-renowned. ❷〈动 v.〉除掉 wipe out; exterminate: ~除 ~chú wipe out; annihilate | ~灭 ~miè exterminate; wipe out ❸〈名 n.〉剪刀 scissors; shears: 理发~ lǐfà~ barber scissors ❹〈名 n.〉类似剪刀或具有剪刀功能的器具 instruments in the shape of or functioning as scissors: 火~ huǒ~ fire-tongs | 指甲~ zhǐjiǎ~ nail clippers | 轧机上的钢~ zhájī shang de gāng~ steel clippers on a rolling mill

⁴剪彩 jiǎn//cǎi〈动 v.〉在各类大型活动举行的隆重仪式上由主要来宾剪断彩带以示庆贺 (of the main guests) cut the ribbon to celebrate a grand occasion: ~仪式 ~yíshì ribbon-cutting ceremony | 为展览会~ wèi zhǎnlǎnhuì ~ cut the ribbon for the exhibition | 他一周内剪了三次彩。Tā yì zhōu nèi jiǎnle sān cì cǎi. He rendered ribbon-cutting services three times within a week.

⁴剪刀 jiǎndāo〈名 n.〉一种两刃交错，在开合中铰断东西的金属工具 scissors: 小~ xiǎo ~ small scissors | 折叠~ zhédié ~ folding scissors

³简便 jiǎnbiàn〈形 adj.〉简单方便 simple and convenient: ~的算法 ~de suànfǎ simple algorithm | 现在出境的手续~多了。Xiànzài chūjìng de shǒuxù ~ duō le. Now the exit formalities have become much simpler than before.

⁴简称 jiǎnchēng ❶〈动 v.〉简单称作 be called sth. for short: 中华人民共和国~中国。Zhōnghuá Rénmín Gònghéguó ~ Zhōngguó. The People's Republic of China is called China for short. | 北京大学~北大。Běijīng Dàxué ~ Běi-Dà. Peking Univeristy is called 'Beida' for short. ❷〈名 n.〉复杂名称的简单形式 abbreviation; the simple form of a complex name: 中国是中华人民共和国的~。Zhōngguó shì Zhōnghuá Rénmín Gònghéguó de ~. China is the abbreviation of the People's Republic of China. | 使用~必须规范。Shǐyòng ~ bìxū guīfàn. Abbreviations must be used in a proper way.

¹简单 jiǎndān ❶〈形 adj.〉单纯的；不繁琐；容易做 simple; easy: 想得~ xiǎng de ~ oversimplify a problem | ~的手续 ~de shǒuxù simple formalities | 他的脑子可不~。Tā de nǎozi kě bù ~. His mind is by no means simple. | 开车比较~，修车就难了。Kāichē bǐjiào ~, xiū chē jiù nán le. Driving a car is simple, but repairing it is difficult. ❷〈形 adj.〉(经历、能力等)平常、一般 (of experience, ability, etc.) ordinary; commonplace: 阅历~ yuèlì ~ commonplace experiences | 这本书能看明白就不~。Zhè běn shū néng kàn míngbai jiù bù ~. It is a remarkable achievement to be able to understand this book. | 那么大年纪了，还能当翻译，真不~！Nàme dà niánjì le, hái néng dāng fānyì, zhēn bù ~! It is remarkable that old as he is, he is still able to work as an interpreter. ❸〈形 adj.〉草率；马虎；不细致 rash; careless: 看问题别太~化。Kàn wèntí bié tài ~huà. Don't see things too simply. | ~应付是难以通过的。~ yìngfù shì nányǐ tōngguò de. Trying to work perfunctorily will not work. | 不可~从事。Bùkě ~ cóngshì. Don't take rash action.

⁴简短 jiǎnduǎn〈形 adj.〉(说话、写文章等)简洁短小 (of speech, writing etc.) brief: ~有力 ~ yǒulì brief and yet forceful | 内容~ nèiróng ~ brief in content | 他在会上作了~的发言。Tā zài huì shang zuòle ~ de fāyán. He made a short speech at the meeting.

⁴ **简化** jiǎnhuà 〈动 v.〉让繁琐复杂的变成简练单纯的 simplify; streamline: ~机构 ~ jīgòu shreamline the organizational structure ｜~字 ~zì simplified characters ｜~议事 ~ yìshì simplify the official discussoins ｜~手续 ~shǒuxù simplify the formalities ｜~程序 ~ chéngxù simplify the procedure

⁴ **简陋** jiǎnlòu 〈形 adj.〉（房屋、设备等）简单粗糙；不精致 (of house, equipment, etc.) simple and crude: ~的办公设备 ~ de bàngōng shèbèi simple and crude office equipment ｜他住在~的茅屋里 Tā zhù zài ~ de máowū li. He lived in a shabby thatched hut. ｜房间里的陈设非常~。Fángjiān li de chénshè fēicháng ~. The room is crudely furnished.

⁴ **简明** jiǎnmíng 〈形 adj.〉简单明白 simple and clear; terse and concise: ~的发言 ~de fāyán a brief speech ｜这是一本《~汉语词典》。Zhè shì yì běn '~ Hànyǔ Cídiǎn'. This is a Concise Chinese Dictionary. ｜注释要写得~。Zhùshì yào xiě de ~. The notes should be simple and clear.

⁴ **简体字** jiǎntǐzì 〈名 n.〉经过简化的汉字（一般指正式公布和使用的）simplified Chinese characters: 不写不规范的~。Bù xiě bù guīfàn de ~. Don't use non-standard simplified Chinese characters. ｜他会读会写~。Tā huì dú huì xiě ~. He can read and write simplified Chinese characters.

⁴ **简要** jiǎnyào 〈形 adj.〉简单并能抓住要点的 concise and to the point; brief: ~讲话 ~ jiǎnghuà a brief speech ｜~地说明 ~ de shuōmíng give a concise explanation ｜他的发言太~了。Tā de fāyán tài ~ le. His speech was too simple. ｜该~的就~，该详尽的就详尽。Gāi ~ de jiù ~ ,gāi xiángjìn de jiù xiángjìn. It should be either brief or detailed as it is required.

⁴ **简易** jiǎnyì ❶〈形 adj.〉简单容易的 simple and easy: ~方法 ~ fāngfǎ a simple and easy method ｜制作~ zhìzuò ~ simple and easy to build ｜~读本 ~ dúběn easy reader ❷ 〈形 adj.〉简陋的 simply constructed: ~工棚 ~ gōngpéng a simply constructed builders' shed ｜~帐篷 ~zhàngpéng a simple tent

³ **简直** jiǎnzhí 〈副 adv.〉表示几乎就是如此（语气间含有夸张意味）(tone of exaggeration) simply; at all; virtually: 我~不敢相信自己的耳朵。Wǒ ~ bù gǎn xiāngxìn zìjǐ de ěrduo. I could hardly believe what I had heard. ｜~和真的一样。~ hé zhēn de yíyàng. It is virtually the same as the genuine one. ｜前后对比，~是两个人! Qiánhòu duìbǐ ,~ shì liǎng gè rén! In comparison with the past, he has virtually changed to be another person!

³ **碱** jiǎn ❶〈名 n.〉与氢氧根的化合物 alkali ❷〈名 n.〉能中和发面酸味或去除油污的纯碱 soda ash: 馒头里的~放多了。Mántou li de ~ fàngduō le. There is too much soda in the steamed buns. ❸〈动 v.〉受盐碱侵蚀 be alkalized: 盐~地 yán~dì saline and alkalized land

¹ **见** jiàn ❶〈动 v.〉看到；看见 see: 眼~为实。Yǎn~wéishí. Seeing is believing. ｜百闻不如一~。Bǎiwén bùrú yī ~. To see is to believe. ｜~了他就高兴。~le tā jiù gāoxìng. You will feel pleased once you meet him. ｜我们没~过面。Wǒmen méi ~guo miàn. We have never met before. ❷ 〈动 v.〉碰到；接触 get in touch with; be exposed to: 到户外~~太阳。Dào hùwài ~ ~ tàiyáng. Go outdoors for the sunshine. ｜油~火就燃烧。Yóu ~ huǒ jiù ránshāo. The oil burns with fire. ❸〈动 v.〉会面 meet: ~面会 ~miànhuì meeting ｜~外宾 ~wàibīn meet foreign guests ｜~一~几个朋友。~ yí ~ jǐ gè péngyou. I'll have a gathering with a few friends. ❹〈动 v.〉用在某些动词后表示感觉到 feel; sense（preceded by a verb to indicate a perception）: 瞧~ qiáo~ see ｜梦~ mèng~ dream of ｜找不~ zhǎo bú ~ cannot find sth. ❺〈动 v.〉指明出处或应参看的地方 refer to;

J

see; vide: ~报 ~ *bào* appear in newspapers | 第8页 ~ *dì-bā yè* vide page 8 | 前文 ~ *qiánwén*~ see above ❻〈动 v.〉看得出; 显现出 show evidence of; appear to be: ~老 ~ *lǎo* look older | ~瘦 ~ *shòu* look thinner | 初~成效 chū ~ *chéngxiào* produce preliminary effect | 不~长进 bú ~ *zhǎngjìn* see no progress | 日久~人心。*Rì jiǔ ~ rénxīn.* It takes time to know a person. ❼〈名 n.〉对事物的主张、认识或想法 view; opinion: 远~卓识 *yuǎn*~*zhuóshí* foresight and sagacity | 拙~ ~ *zhuō*~ my humble opinion | 坚持己~ *jiānchí-jǐ*~ insist on one's own opinion | 高~ *gāo*~ wise opinion ❽〈助 aux. 书 lit.〉用在动词前表示被动 used before a verb to indicate the passivity: 笑于民众 ~*xiào yú mínzhòng* become a laughing stock of the public | ~罪 ~*zuì* take offence; forgive ❾〈助 aux. 书 lit.〉用在动词前表示对我如何 used before a verb in polite requests: ~谅 ~ *liàng* pardon me | ~教 ~*jiào* Your advice is kindly requested.

³ **见解** jiànjiě〈名 n.〉认识; 看法 view; opinion: 颇有 ~ *pō yǒu* ~ have original views | 不~ *bù* ~ new ideas | 我也没有什么新鲜的~。*Wǒ yě méiyǒu shénme xīnxiān de* ~. I don't have any fresh ideas.

¹ **见面** jiàn//miàn 〈动 v.〉相见; 会面 meet; see: ~礼 ~ *lǐ* present given to someone on their first meeting | 难得~ *nándé* ~ a rare meeting | 何时见的面? *Hé shí jiàn de miàn?* When did you meet? | 连个面都没见上。*Lián gè miàn dōu méi jiànshang.* We even didn't meet each other.

⁴ **见识** jiànshi ❶〈动 v.〉接触事物, 扩大见闻 widen one's knowledge; enrich one's experience: 这趟欧洲之行~了不少国家。*Zhè tàng Ōuzhōu zhī xíng* ~*le bù shǎo guójiā.* I visited quite a number of countries during this European tour. | 让他~有好处。*Ràng tā* ~ ~ *yǒu hǎochù.* It is a good idea to let him gain more knowledge and experience. ❷〈动 v.〉计较 fuss about; dispute: 谁跟他一般~! *Shuí gēn tā yìbān* ~! I won't take him up on it! ❸〈名 n.〉(种zhǒng)见闻; 知识 experience; knowledge: ~ 少~ *shǎo* have little experience | 新的~ *xīn de* ~ fresh experience

⁴ **见效** jiànxiào 〈动 v.〉显出效力 produce the desired result; become effective: ~甚微 ~*shèn wēi* produce little effect | 总不~ *zǒng bú* ~ always fails to work | ~快 ~ *kuài* produce quick results

¹ **件** jiàn ❶〈量 meas.〉用在某些可一一计算的个体事物上 for individual matters or things: 一~皮夹克 yí ~*píjiākè* a jacket | 两~首饰 liǎng ~*shǒushì* two jewels | 数~行李 shù ~*xíngli* several pieces of luggage ❷〈名 n.〉指可供单独计算的个体事物 item; piece: 零~ *líng*~ spare parts | 硬~ *yìng*~ hardware | 信~ *xìn*~ letter ❸〈名 n.〉专指文件 document: 密~ *mì*~ confidential paper, letter or document | 急~ *jí*~ urgent dispatch | 附~ *fù*~ annex | 稿~ *gǎo*~ draft

⁴ **间隔** jiàngé ❶〈动 v.〉隔开; 不连续 separate: 一道墙~开两家院子。*Yí dào qiáng ~ kāi liǎng jiā yuànzi.* A wall separates the two courtyards. | 公共汽车每~5分钟来一趟。*Gōnggòng qìchē měi* ~ *wǔ fēnzhōng lái yí tàng.* The bus comes every five minutes. ❷〈名 n.〉两者间的距离 space in between: ~符号 ~*fúhào* space mark | 字与字的~要大一些。*Zì yǔ zì de* ~ *yào dà yìxiē.* The space between characters should be wider. | 办公楼与大门~50米。*Bàngōnglóu yǔ dàmén* ~ *wǔshí mǐ.* The office building is 50 meters away from the gate.

⁴ **间接** jiànjiē〈形 adj.〉通过第三者进行的(与'直接'相对) indirect (opposite to '直接 zhíjiē'): ~的途径 ~ *de tújìng* indirect means | ~了解 ~ *liǎojiě* to gain knowledge through a third party | 通过~的关系去了解一下。*Tōngguò* ~ *de guānxì qù liǎojiě yíxià.* We should get some knowledge about it through a third party.

² **建** jiàn ❶〈动 v.〉修筑；造 build; construct：~库房 ~ kùfáng build warehouses｜基~ jī~ capital construction｜缓~ huǎn~ suspend a construction project｜河面上~起了一座桥。*Hémiàn shang ~qǐle yí zuò qiáo.* A bridge has been built above the river. ❷〈动 v.〉创立；成立 establish; set up：~都 ~ dū establish the capital｜~立 ~lì set up; found｜~军节 ~jūn Jié Army Day｜~功立业 ~gōng-lìyè render meritorious service and make a distinguished career ❸〈动 v.〉提出（主张、看法）propose：~议 ~ yì make a proposal

⁴ **建交** jiàn//jiāo〈动 v.〉建立外交关系 establish diplomatic relations：两国于20年前~。*Liǎng guó yú èrshí nián qián ~.* Diplomatic relations were established between the two countries twenty years ago.｜70年代中国和许多国家建了交。*Qīshí niándài Zhōngguó hé xǔduō guójiā jiànle jiāo.* In the 1970s, China established diplomatic relations with a large number of countries.

² **建立** jiànlì ❶〈动 v.〉开始着手成立 set up; build：~学校 ~ xuéxiào build a school｜~开发区 ~kāifāqū build development zones｜社区已经~起来。*Shèqū yǐjīng ~ qǐlái.* The community has been set up. ❷〈动 v.〉开始产生；开始形成 form; develop：~感情 ~ gǎnqíng form a bond of feelings｜~规章制度 ~ guīzhāng zhìdù formulate rules and regulations｜我和他的关系必须~在平等的基础上。*Wǒ hé tā de guānxì bìxū ~ zài píngděng de jīchǔ shang.* My relationship with him must be based on equality.｜我们逐渐~起了必胜的信念。*Wǒmen zhújiàn ~ qǐle bìshèng de xìnniàn.* Little by little we have built a confidence of victory.

¹ **建设** jiànshè ❶〈动 v.〉创建新事业；增添新设施 build (a cause); construct (new facilities)：~一座新的城市 ~ yí zuò xīn de chéngshì construct a new city｜努力~我们的国家。*Nǔlì ~ wǒmen de guójiā.* Work hard to build our nation.｜这座城市~得不错。*Zhè zuò chéngshì ~ de búcuò.* This city is well constructed. ❷〈名 n.〉创建新事业或增添新设施的行动 act of building a new cause or constructing new facilities：加强环境保护 ~ jiāqiáng huánjìng bǎohù ~ strengthen environmental protection｜抓好团队的~ zhuāhǎo tuánduì de~ strengthen the team-building｜军队~事关国防大局。*Jūnduì ~ shì guān guófáng dàjú.* The building of the army has a bearing on the construction of national defense capability.

² **建议** jiànyì ❶〈动 v.〉向有关方面提出意见或主张 make a proposal：~停工 ~ tínggōng suggest ceasing the work｜~休会十分钟 ~ xiūhuì shí fēnzhōng call for a ten-minute adjournment｜屡次~ lǚcì ~ propose repeatedly ❷〈名 n.〉(项xiàng、条tiáo)向有关方面提出的意见或主张 proposal：这是一条很有价值的~。*Zhè shì yì tiáo hěn yǒu jiàzhí de ~.* This is a highly valuable proposal.｜大家一致赞成他的~。*Dàjiā yízhì zànchéng tā de ~.* All agree with his proposal.

³ **建造** jiànzào〈名 n.〉修造；搭建 build; construct：~船舶 ~ chuánbó build a ship｜~幸福乐园 ~ xìngfú lèyuán build a happy playground｜这座桥准备~在哪里？*Zhè zuò qiáo zhǔnbèi ~ zài nǎli?* Where is the bridge to be built?｜这个礼堂~得很漂亮。*Zhège lǐtáng ~ de hěn piàoliang.* This auditorium is beautiful.

² **建筑** jiànzhù ❶〈动 v.〉修建（房屋、桥涵、道路等）build; construct (a house, bridge, road, etc.)：~学 ~xué architecture｜~得非常牢固 ~ de fēicháng láogù solidly built｜这里要~一条轻轨。*Zhèli yào ~ yì tiáo qīngguǐ.* A light rail will be built here. ❷〈动 v.〉建立 found; build：不能把自己的幸福~在别人的痛苦之上。*Bù néng bǎ zìjǐ de xìngfú ~ zài biérén de tòngkǔ zhī shàng.* One should not base one's own happiness on others' suffering.｜朋友的关系不能~于金钱之上。*Péngyou de guānxì bù néng ~ yú jīnqián*

J

zhī shàng. Friendship cannot be built on the basis of money. ❸〈名 *n.* 〉(座zuò)建筑物 building：新式～*xīnshì* ~ new-style buildings｜保护古～*bǎohù gǔ* ~ protect ancient buildings｜～的格局 ~ *de géjú* layout of a building｜上层～(指意识形态、政治制度) *shàngcéng* ~ (*zhǐ yìshí xíngtài, zhèngzhì zhìdù*) superstructure (referrring to ideology, political system)｜故宫是中国古代著名的皇宫～群。*Gùgōng shì zhōngguó gǔdài zhùmíng de huánggōng* ~ *qún.* The Forbidden City is a group of famous ancient Chinese royal palatial buildings. ❹〈名 *n.* 〉建筑学 architecture：我是学～的。*Wǒ shì xué* ~ *de.* I major in architecture.

³ 贱 jiàn ❶〈形 *adj.* 〉价钱便宜(与'贵'相对) cheap; low-priced (opposite to '贵guì')：～价处理 *jià chǔlǐ* sell cheap｜买贵卖～ *mǎi guìmài* buy cheap and sell expensive｜西瓜的价格还真不～。*Xīguā de jiàgé hái zhēn bú* ~. The price of water-melon is not cheap. ❷〈形 *adj.* 〉地位低下的 humble：贫～ *pín* ~ poor and lowly｜低～ *dī* ~ lowly｜人无高低贵～之分。*Rén wú gāodī-guì* ~ *zhī fēn.* Where people are concerned, there is no such a thing as superiority or inferiority, nor a thing as being noble or lowly. ❸〈形 *adj.* 〉(品行)低劣 despicable; mean：贱～人 *zéi* ~ *rén* despicable person｜他怎么如此下～? *Tā zěnme rúcǐ xià* ~? What a mean person he is! ❹〈形 *adj.* 谦 hum.〉用于与自己相关的事情 my：贵姓 — ～姓李。*Guì xìng?* — ~ *xìng Lǐ.* May I have your family name? — My family name is Li.

¹ 健康 jiànkāng ❶〈名 *n.* 〉指生理和心理机能正常、没有疾病和缺陷的状态；也指(事物)情况正常的状态 good health; normal condition：～状况 ~ *zhuàngkuàng* health condition｜语言的～ *yǔyán de* ~ health of the language｜～是第一位的。~ *shì dì-yī wèi de.* Health is the foremost thing to be considered.｜一天天地走向～。*Yì tiāntiān de zǒu xiàng* ~. My health was recovering day by day. ❷〈形 *adj.* 〉生理和心理机能正常、没有疾病和缺陷的；(事物)情况正常的 healthy; sound; normal：全身～ *quán shēn* ~ be healthy｜～的风气 ~ *de fēngqì* a sound atmosphere｜～地成长 ~ *de chéngzhǎng* grow up healthy and sound｜不～的心态 *bú* ~ *de xīntài* abnormal mentality

⁴ 健美 jiànměi ❶〈形 *adj.* 〉健康优美 strong and handsome：体型～ *tǐxíng* ~ a strong and handsome body｜～的臂膀 ~ *de bìbǎng* strong arms｜她身材十分～。*Tā shēncái shífēn* ~. She has a fit and graceful figure. ❷〈动 *v.* 〉使健康优美 make fit and graceful：～运动 ~ *yùndòng* body-building｜～操 ~ *cāo* aerobics｜～比赛 ~ *bǐsài* body-building competition

³ 健全 jiànquán ❶〈形 *adj.* 〉(人体)强健而无缺陷的 (of a human body) sound; perfect：～的体魄 ~ *de tǐpò* sound physique｜身心～ *shēnxīn* ~ sound in mind and body ❷〈形 *adj.* 〉(事物)完善，没有欠缺 perfect; flawless：～的组织机构 ~ *de zǔzhī jīgòu* perfect organizational structure｜设施～ *shèshī* ~ well-equipped｜运行机制十分～。*Yùnxíng jīzhì shífēn* ~. There is a perfect operational mechanism. ❸〈动 *v.* 〉使完善起来 amplify; perfect：～各级组织 ~ *gèjí zǔzhī* amplify the organizations at all levels｜建立和～各项制度 *jiànlì hé* ~ *gè xiàng zhìdù* establish and amplify the rules and regulations

⁴ 健壮 jiànzhuàng〈形 *adj.* 〉健康强壮 healthy and strong; robust：运动员有～的身体。*Yùndòngyuán yǒu* ~ *de shēntǐ.* Athletes are strong and healthy.｜孩子变得～起来。*Háizi biàn de* ~ *qǐlái.* The children are growing up healthy and strong.

³ 渐 jiàn 〈副 *adv.* 〉表示数量、程度慢慢地增减、变化 gradually; little by little：～远～ *yuǎn* getting farther｜～冷～ *lěng* getting cold｜循序～进 *xúnxù-* ~ *jìn* proceed in an orderly way and step by step｜事物往往有个～变的过程。*Shìwù wǎngwǎng yǒu gè* ~ *biàn de guòchéng.* Things normally change in a gradual way.

² **渐渐** jiànjiàn 〈副 *adv.*〉一步步地；慢慢地 gradually; by degrees: 你会~习惯这里的生活的。*Nǐ huì ~ xíguàn zhèlǐ de shēnghuó de.* You will gradually get used to life here.｜船~地停了下来。*Chuán ~ de tíngle xiàlái.* The boat has come to a gradual halt.｜~地，天黑了。*~ de, tiān hēi le.* It is gradually getting dark.

⁴ **践踏** jiàntà ❶〈动 *v.*〉任意踩 tread on; trample underfoot: 随意 ~ *suíyì* ~ trample at one's will｜请勿~草坪。*Qǐng wù ~ cǎopíng.* Keep off the grass.｜花草被~得不成样子。*Huācǎo bèi ~ de bù chéng yàngzi.* The grass and flowers are devastated by trampling. ❷〈动 *v.*〉比喻摧残 *fig.* wreck; devastate: ~民主 ~ *mínzhǔ* trample democracy underfoot｜原则不容~。*Yuánzé bùróng ~.* The principle is not to be trampled underfoot.

³ **溅** jiàn 〈动 *v.*〉液体因急速落下或受冲击时向四处飞射 splash; spatter: ~落 *~luò* splash down｜油花乱~ *yóu huā luàn* ~ drops of oil flying about｜泥水~了我一身。*Ní shuǐ ~le wǒ yì shēn.* I was spattered with muddy water.｜水~得满处都是。*Shuǐ ~ de mǎnchù dōu shì.* Water splashed about.

⁴ **鉴别** jiànbié 〈动 *v.*〉仔细地分辨区别 distinguish; differentiate; discern: ~假币 ~ *jiǎbì* discern counterfeits｜无法 ~ *wúfǎ* ~ unable to differentiate｜认真 ~ *rènzhēn* ~ make hard efforts to differentiate｜有比较才有~。*Yǒu bǐjiào cái yǒu ~.* Comparison makes differentiation.

³ **鉴定** jiàndìng ❶〈动 *v.*〉审察评价人的优缺点或辨别确定事物的优劣、真伪 appraise (a person's strong and weak points); identify; authenticate: ~与评价 ~ *yǔ píngjià* appraise and evaluate｜这颗钻石，你给~~。*Zhè kē zuànshí, nǐ gěi ~~.* Will you please make an appraisal of this diamond? ❷〈名 *n.*〉(份 *fèn*) 审察评价人的优缺点或辨别确定事物的优劣真伪的文字 appraisal: 毕业 ~ *bìyè* ~ graduation appraisal｜学校给他写了份~。*Xuéxiào gěi tā xiěle fèn ~.* The school issued a document of appraisal for him.

⁴ **鉴于** jiànyú 〈介 *prep.*〉表示后面动作、行为的依据或原因 considering that; in view of: ~当事人没有出席，现在休会。*~ dāngshìrén méiyǒu chūxí, xiànzài xiūhuì.* In view of the absence of the persons concerned, the meeting is adjourned.｜~目前局势，还是不要离开为好。*~ mùqián júshì, háishì bú yào líkāi wéi hǎo.* In view of the current situation, you're advised not to leave for the moment.

⁴ **键盘** jiànpán 〈名 *n.*〉某些乐器或机器上装有很多可按动键的部分 keyboard: 电脑~ *diànnǎo* ~ computer keyboard｜打字机~ *dǎzìjī* ~ typewriter keyboard｜钢琴~ *gāngqín* ~ keyboard of a piano｜这部电话的~不灵了。*Zhè bù diànhuà de ~ bù líng le.* The keyrboard panel of this telephone doesn't work.

² **箭** jiàn ❶〈名 *n.*〉(支 *zhī*) 用弓弩发射的兵器 arrow: ~伤 *~shāng* arrow wound｜射~ *shè~* shoot an arrow ❷〈名 *n.*〉形状像箭的东西 something in the shape of an arrow: 火~ *huǒ~* rocket｜墙上画有一个~头。*Qiáng shang huà yǒu yí gè ~tóu.* An arrow is painted on the wall. ❸〈量 *meas.*〉射箭的支数；箭能射到的距离 number of arrows shot; distance covered by an arrow after shooting: 身中数~ *shēn zhòng shù* ~ be shot by several arrows｜一~之地 *yí ~ zhī dì* as far as an arrow reaches

¹ **江** jiāng ❶〈名 *n.*〉泛指大河 river: ~河湖海 *~héhúhǎi* rivers, lakes and seas｜~水 *~shuǐ* river water ❷(Jiāng)〈名 *n.*〉特指中国的长江 the Yangtze River: ~汉平原 *~hàn Píngyuán* Jianghan Plain（plain of the Yangtze and Hanjiang rivers）❸(Jiāng)〈名 *n.*〉江苏省的简称（与'浙'连用）abbr. of Jiangsu Province (used with '浙 zhè', abbr. of Zhejiang Province): ~浙地区是中国最富庶的地区。*~-Zhè dìqū shì Zhōngguó zuì fùshù de dìqū.* The region of Jiangsu and Zhejiang is the most affluent place in China.

² 将 jiāng ❶〈介 *prep.*〉把 used to introduce the object before a verb：~孩子领回去吧。*~ háizi lǐngqù ba.* Take the child back home. ｜请~作业交上来。*Qǐng ~ zuòyè jiāo shànglái.* Hand in your assignment, please. ❷〈介 *prep.*〉用；以 with; by means of：~心比心 *~xīn-bǐxīn* feel for others; have empathy for others' feelings ｜~功补过 *~gōng-bǔguò* make amends for one's faults by good service ❸〈副 *adv.*〉快要；就要 be going to; be about to：即~ *jí~* be about to ｜他~要当爸爸了。*Tā ~yào dāng bàba le.* He will become a father soon. ｜他们天~明时就出发了。*Tāmen tiān ~ míng shí jiù chūfā le.* They set out at the crack of the dawn. ❹〈副 *adv.*〉刚刚 barely：这儿钱~够还债。*Zhè diǎnr qián ~ gòu huánzhài.* This morsel of money is barely enough to pay back the debt. ｜我这次数学考试~~及格。*Wǒ zhè cì shùxué kǎoshì ~~ jígé.* I barely passed the maths exam. ❺〈副 *adv.*〉表示对未来事物的判断 will; shall：这片地的亩产~超过千斤。*Zhè piàn dì de mǔchǎn ~ chāoguò qiān jīn.* This piece of land is expected to have a yield of more than 500 kilo per *mu*. ｜你不好好儿学习,定~一事无成。*Nǐ bù hǎohāor xuéxí, dìng ~ yīshì-wúchéng.* If you don't study hard, then you'll end up accomplishing nothing. ❻〈动 *v.* 书 *lit.*〉保养 recuperate：~息 *~xī* rest; recuperate ｜~养 *~yǎng* rest and recuperate ❼〈动 *v.*〉用言词刺激或为难 verbally push sb. to do sth. ; incite sb. to action; prod; challenge：用话一~他。*Yòng huà ~ yì ~ tā.* Try using a few words to incite him into action. ｜这个问题把老师~住了。*Zhège wèntí bǎ lǎoshī ~zhù le.* This question baffled the teacher. ❽〈动 *v.*〉下中国象棋时,攻击对方 '将' 或 '帅'(in Chinese chess game) attack the opponent's king; check：~一军 *~ yì jūn* check ｜对方~了,快用炮挡住。*Duìfāng ~ le, kuài yòng pào dǎngzhù.* The opponent has checked. Use the cannon to block. ❾〈连 *conj.*〉又；且 and; also：~信~疑 *~xìn~~yí* half believe; be skeptical

⁴ 将近 jiāngjìn〈副 *adv.*〉快要接近 close to; near：~完稿 *~wángǎo* close to finishing the draft ｜~200米 *~èrbǎi mǐ* nearly 200 meters ｜他在~晚上9点钟的时候来过这里。*Tā zài ~ wǎnshàng jiǔ diǎnzhōng de shíhou láiguo zhèlǐ.* He once came here at nearly 9 p. m.

³ 将军 Ⅰ jiāng//jūn ❶〈动 *v.*〉同 '将' ❽ same as '将jiāng' ❽ ❷〈动 *v.*〉比喻给人出难题 *fig.* emlarrass; challenge：你别再将他的军了。*Nǐ bié zài jiāng tā de jūn le.* Stop challenging him. Ⅱ **jiāngjūn**〈名 *n.*〉(名míng、位wèi、个gè)军队中级军官,泛指高级将领 general; high-ranking military officer ｜~与士兵 *~ yǔ shìbīng* generals and soldiers ｜~级会谈 *~ jí huìtán* general-level talks

¹ 将来 jiānglái〈名 *n.*〉现在以后的时间(与'从前''过去'相对)future (opposite to '从前cóngqián' or '过去guòqù')：~的日子 *~ de rìzi* future days ｜不久的~ *bùjiǔ de ~* in the near future ｜为了~ *wèile ~* for the sake of the future ｜我~要当一名科学家。*Wǒ ~ yào dāng yì míng kēxuéjiā.* I shall become a scientist in the future.

² 将要 jiāngyào〈副 *adv.*〉表示在不久后要发生 (of an event or action to take place in near future) be going to; will：~实现 *~shíxiàn* will come true ｜~开学了。*~ kāixué le.* School is going to open. ｜树木~吐绿发芽了。*Shùmù ~ tǔlǜ fāyá le.* Trees will sprout soon.

⁴ 姜 jiāng〈名 *n.*〉多年生草本植物。根茎可作调味品,也可入中药。又叫 '生姜' ginger, also '生姜shēngjiāng'：~还是老的辣 (比喻年长者的经验丰富)。*~ háishi lǎo de là* (bǐyù niánzhǎngzhě de jīngyàn fēngfù). Old ginger is hotter than new (*fig.* old hand is better than green horns).

³ 僵 jiāng ❶〈形 *adj.*〉因某种原因而硬得不能活动或发展 stiff; rigid：~直 *~zhí* stiff; unbending ｜冻~了 *dòng~ le* frozen stiff ｜思想~化 *sīxiǎng ~huà* rigid thinking ❷〈形

adj.〉比喻事情或局面、关系难于处理或意见相持不下 in a stalemate; deadlocked: ~局 ~*jú* impasse | ~持不下 ~*chí búxià* in a stalemate | 两方面的意见~住了。 *Liǎng fāngmiàn de yìjiàn ~ zhù le.* The two sides are caught in an impasse. | 别弄~了关系。 *Bié nòng~ le guānxì.* Don't get the relations into an impasse.

¹ **讲** jiǎng ❶〈动 *v.*〉说; 评说 speak; tell; say; talk: ~笑话 ~*xiàohuà* tell a joke | ~学 ~*xué* deliver lectures | ~课 ~*kè* lecture | ~述 ~*shù* narrate; relate ❷〈动 *v.*〉解说 explain: ~要点 ~*yàodiǎn* explain the main points | 串~课文 chuàn~ *kèwén* sum up a text | ~道理 ~*dàolǐ* reason things out | ~得很有条理 ~*de hěn yǒu tiáolǐ* relate in a logical way | 翻来复去地 *fānlái-fùqù de* repeatedly tell of sth. ❸〈动 *v.*〉商议; 讨论 discuss: ~报酬 ~*bàochou* negotiate on the pay | ~价钱 ~*jiàqian* bargain | 条件不~妥, 怎么行呢? *Tiáojiàn bù ~tuǒ, zěnme xíng ne?* How is it acceptable if the conditions are not finalized yet? ❹〈动 *v.*〉就某方面而言; 论及 remark about; speak of: ~学问, 很多人不及他。 ~*xuéwèn, hěn duō rén bùjí tā.* Many people are no match of him in terms of learning. | ~到年龄, 他比我还年轻。 ~*dào niánlíng, tā bǐ wǒ hái niánqīng.* Speaking of the age, he is younger than me indeed. ❺〈动 *v.*〉注重; 追求 strive for; be particular about: ~义气 ~*yìqi* be loyal to one's friends | ~吃~穿 ~*chī~chuān* be particular about food and clothing | ~阔气~排场是一种很不好的风气。 ~*kuòqi, ~ páichǎng shì yì zhǒng hěn bù hǎo de fēngqì.* It is a bad tendency to go in for ostentation and extravagance. | 如今不~这套老理儿了。 *Rújīn bù ~ zhè tào lǎolǐ le.* Nowadays this old practice is no longer popular. ❻〈量 *meas.*〉讲座、讲课的次数 number of lectures: 心理学讲座共分十~。 *Xīnlǐxué jiǎngzuò gòng fēn shí ~.* A total of ten lectures will be delivered on psychology.

² **讲话** jiǎng//huà ❶〈动 *v.*〉说话; 发言 speak; address: 你可真会~。 *Nǐ kě zhēn huì ~.* You're a good talker, indeed. | 今天会上你~了吗? *Jīntiān huì shang nǐ ~ le ma?* Did you make a speech at the meeting today? | 他半天没~了。 *Tā bàntiān méi ~ le.* He has remained silent for quite a while. | 昨天我在班上讲了一次话。 *Zuótiān wǒ zài bān shang jiǎngle yí cì huà.* Yesterday I delivered a speech in class. ❷〈动 *v.*〉指责 blame: 别以为人家不~, 你就可以横行霸道。 *Bié yǐwéi rénjia bù ~, nǐ jiù kěyǐ héngxíng-bàdào.* The fact that no one picks fault with you doesn't mean that you can play the tyrant. | 他扰乱邻里, 总会有人讲出话来的。 *Tā rǎoluàn línlǐ, zǒnghuì yǒurén jiǎngchū huà lái de.* He has disturbed his neighbors and sooner or later someone will come out to criticize him. Ⅱ jiǎnghuà〈名 *n.*〉指演说的话 speech; address: 他的~受到了热烈欢迎。 *Tā de ~shòudàole rèliè huānyíng.* His speech was highly acclaimed. | 校长在开学典礼上作了重要~。 *Xiàozhǎng zài kāixué diǎnlǐ shang zuòle zhòngyào ~.* The headmaster delivered an important speech at the school-opening ceremony.

⁴ **讲解** jiǎngjiě〈动 *v.*〉解说; 解释 explain; expound: ~大意 ~*dàyì* explain the main idea | ~课文 ~*kèwén* expound a text | 他~得很不耐烦。 *Tā ~ de hěn bú nàifán.* He showed much impatience in making explanations. | 老师将这个原理~得非常清楚。 *Lǎoshī jiāng zhège yuánlǐ ~ de fēicháng qīngchu.* The teacher has expounded the theory very clearly.

³ **讲究** jiǎngjiu ❶〈动 *v.*〉讲求; 看重 pay attention to; stress: 不宜过分~穿戴。 *Bùyí guòfèn ~chuāndài.* One should not pay too much attention to what one eats and wears. | 这样~谁受得了? *Zhèyàng ~ shéi shòu de liǎo?* Who can ever tolerate such excessive fastidiousness? | 请~一点儿卫生好不好。 *Qǐng ~ yìdiǎnr wèishēng hǎo bù hǎo.* Please pay more attention to hygiene. ❷〈形 *adj.*〉精美, 细致 delicate; exquisite: 这家餐厅的餐具很~。 *Zhè jiā cāntīng de cānjù hěn ~.* The tableware in this restaurant is exquisite.

J

| 房间里的摆设不怎么~。 *Fángjiān li de bǎishè bù zěnme ~.* The room is not furnished with good taste.

³ **讲课** jiǎng//kè〈动 v.〉讲解教授 teach; lecture：先生在~。 *Xiānsheng zài ~.* The teacher is giving a lecture. | 他每天讲一堂课。 *Tā měitiān jiǎng yì táng kè.* He teaches one class every day. | 课已经讲完了。 *Kè yǐjīng jiǎng wán le.* Class is over.

⁴ **讲理** jiǎng//lǐ ❶〈动 v.〉评判事理的是非、对错 reason; argue：找那人~去。 *Zhǎo nà rén ~ qù.* Let's go and reason with him. | 找他讲什么理？这个理讲不通！ *Zhǎo tā jiǎng shénme lǐ? Zhège lǐ jiǎng bù tōng!* Why reason with him? He is impervious to reason. ❷〈动 v.〉服从道理 be consistent with reason; be reasonable：他这个人从来是蛮横不~。 *Tā zhège rén cónglái shì mánhèng bù ~.* He has always been an unreasonable man.

⁴ **讲述** jiǎngshù〈动 v.〉把事情或道理陈述出来 explain events or principles; give an account of：他把枯燥的原理~得生动形象。 *Tā bǎ kūzào de yuánlǐ ~ de shēngdòng xíngxiàng.* He explained the insipid principles in a vivid manner. | 别看他年纪轻轻，~起来却头头是道。 *Bié kàn tā niánjì qīngqīng, ~ qǐlái què tóutóushìdào.* Though he is very young, he is quite clear and systematic in speech.

⁴ **讲演** jiǎngyǎn ❶〈动 v.〉以讲说的方式就某事向听众发表意见，说明事理 lecture; make a speech：擅长~ *shàncháng* ~ be good at making speeches | 最近有好几所学校请我去~。 *Zuìjìn yǒu hǎo jǐ suǒ xuéxiào qǐng wǒ qù ~.* Recently several schools invited me to give lectures. ❷〈名 n.〉讲演的内容 speech：校长的~十分精彩。 *Xiàozhǎng de ~ shífēn jīngcǎi.* The headmaster's speech was excellent.

³ **讲义** jiǎngyì〈名 n.〉(份儿fèn)为讲课而编写的教材或文稿 teaching materials：~费~*fèi* cost of the teaching materials | 新~还没发给学生。 *Xīn ~ hái méi fā gěi xuésheng.* The new lecture sheets are yet to be delivered to the students. | 老师正在编写~。 *Lǎoshī zhèngzài biānxiě ~.* The teachers are compiling lecture sheets.

² **讲座** jiǎngzuò〈名 n.〉(个gè、次cì、期qī)一种利用报告会、电视、广播或刊物进行的教学形式 lectures for teaching purpose, usually given at meetings, on radio/TV or in journals：汉语~*Hànyǔ* ~ lectures on the Chinese language | 听~*tīng* ~ listen to lectures | 关于中国文化发展方向的~ *guānyú Zhōngguó wénhuà fāzhǎn fāngxiàng de* ~ a lecture on the development direction of the Chinese culture | ~在学校礼堂进行。 *~ zài xuéxiào lǐtáng jìnxíng.* The lectures are given in the school auditorium.

² **奖** jiǎng ❶〈动 v.〉表彰；夸赞；给予荣誉或钱物 reward; praise：夸~*kuā* ~ praise | 嘉~*jiā~* commend | ~罚不当 *~ fá búdàng* unfair in giving rewards and penalties | 学校~他一台电脑。 *Xuéxiào ~ gěi tā yì tái diànnǎo.* The school gave him a computer as a reward. ❷〈名 n.〉为了表彰夸赞而给予的荣誉或钱物 honor or material reward given in recognition：赢得大~ *yíngdé dà~* win a big prize | 颁~*bān~* issue a reward | ~牌 *pái* medal | 三等~ *sānděng~* a third prize

³ **奖金** jiǎngjīn〈名 n.〉(笔bǐ)用于奖赏、鼓励的钱 money given as an incentive：年终~ *niánzhōng* ~ year-end bonus | ~的数额 *~ de shù'é* sum of bonus | 公司给我发了一笔~。 *Gōngsī gěi wǒ fāle yì bǐ ~.* The company rewarded me with a bonus.

³ **奖励** jiǎnglì ❶〈动 v.〉给予财物或授予荣誉进行鼓励 encourage and reward with money or honor：爸爸~给他一块手表。 *Bàba ~ gěi tā yí kuài shǒubiǎo.* Father rewarded him with a watch. | 为什么要个别~他？应当~全体人员。 *Wèishénme yào gèbié ~ tā? Yīngdāng ~ quántǐ rényuán.* Why should he be singled out to receive the reward? The reward should have been given to everyone of us. ❷〈名 n.〉为了鼓励所

给予的荣誉或财物 honor or money given as an incentive：物质~ wùzhì ~ material reward｜对于全体有功人员都会给予~。Duìyú quántǐ yǒugōng rényuán dōu huì jǐyǔ ~. Reward will be given to all those who have made contributions.

⁴ **奖品** jiǎngpǐn〈名 n.〉(份fèn ~，个 gè)用于奖赏、鼓励的物品 object given as reward：是一座奖杯。~ shì yí zuò jiǎngbēi. The reward will be a trophy.｜会后还发了些小~。Huì hòu hái fāle xiē xiǎo ~. Some small prizes were given after the meeting.

² **奖学金** jiǎngxuéjīn〈名 n.〉(笔bǐ)给予优秀学生的奖金 scholarship：设立~ shèlì ~ establish a scholarship｜我们学校共有三种。Wǒmen xuéxiào gòngyǒu sān zhǒng ~. Our school offers a total of three types of scholarships.｜~多达数万元。~ duō dá shù wàn yuán. The scholarships amount to as much as thousands of yuan.

⁴ **奖状** jiǎngzhuàng〈名 n.〉(张zhāng)为奖赏、鼓励而颁发的证书 certificate of merit; citation：他家墙上挂满了~，大大小小的~有几十张之多。Tā jiā qiáng shang guàmǎnle ~, dàdà-xiǎoxiǎo de ~ yǒu jǐshí zhāng zhī duō. The walls in his home are covered with dozens of certificates of merit, big and small.

⁴ **桨** jiǎng〈名 n.〉划船用具;也指桨状物 oar; something in the shape of or functions as an oar：船~ chuán~ oar｜双~ shuāng~ double oars｜螺旋~ luóxuán~ propeller

² **降** jiàng ❶〈动 v.〉由上往下落;落下(与'升'相对) fall; drop; descend (opposite to '升shēng')：~雪~xuě snowfall｜~温~wēn fall in temperature｜不升不~ bù shēng bú ~ neither ascend nor descend｜雨~了一晚上。Yǔ ~le yì wǎnshang. It was raining throughout the night. ❷〈动 v.〉使落下(与'升'相对) lower; reduce (opposite to '升shēng')：~血压~xuèyā bring down the blood pressure｜~半旗~ bàn qí at half-mast｜~级~jí reduce to a lower rank｜~价~jià reduce prices

² **降低** jiàngdī〈动 v.〉下降;使降至低位 drop; lower：~要求~ yāoqiú moderate one's demands｜~信用等级~ xìnyòng děngjí lower the credit rating｜逐步~ zhúbù ~ gradually decrease｜~到最大限度~ dào zuìdà xiàndù decrease to the minimum｜水平有所~。Shuǐpíng yǒusuǒ ~. The level has been somewhat lowered.｜

⁴ **降价** jiàng//jià〈动 v.〉下调原来的价格 reduce the price：商品~ shāngpǐn ~ reduce prices of commodities｜~处理~ chǔlǐ sell goods at reduced prices｜普遍~ pǔbiàn ~ extensive reduction in price｜这种电视机上个月已经降过一次价了。Zhèzhǒng diànshìjī shàng gè yuè yǐjīng jiàngguo yí cì jià le. The price of this model of TV set was already reduced last month.｜这个价不能再降了。Zhège jià bù néng zài jiàng le. There is no room for reduction in this price.

⁴ **降临** jiànglín〈动 v.〉(从上往下)来到 befall; arrive：大祸~ dà huò ~ catastrophe befalls｜一场灾难突然~他的头上。Yì cháng zāinàn tūrán ~ tā de tóu shang. A disaster occurred to him unexpectedly.

⁴ **降落** jiàngluò〈动 v.〉由上往下落 land; descend：缓缓地~ huǎnhuǎn de ~ descend slowly｜~伞~sǎn parachute｜飞机稳稳地~在机场上。Fēijī wěnwěn de ~ zài jīchǎng shang. The plane touched down smoothly in the airfield.

³ **酱** jiàng ❶〈名 n.〉用发酵的豆、麦加盐制成糊状食品,主要用于调味 sauce or paste made from fermented soya beans or wheat flour and flavored with salt：辣~ là~ spicy sauce｜甜面~ tiánmiàn~ sweet flour paste｜黄~ huáng~ soya paste｜京~肉丝 jīng~ròusī shredded pork with Peking sauce ❷〈名 n.〉像酱一样的糊状食品 paste; jam：辣椒~ làjiāo~ chili pepper paste｜芝麻~ zhīma~ sesame butter｜果~ guǒ~ jam ❸〈形 adj.〉用酱或酱油腌制、炖煮的 marinated or stewed in soya sauce：~菜~cài pickled vegetable｜~牛肉~ niúròu beef simmered in brown sauce ❹〈动 v.〉用酱或酱油腌制、

J

炖煮 marinate or stew in sauce：她~了一小缸黄瓜。*Tā ~le yì xiǎo gāng huánggua.* She made a small pot of marinated cucumbers.

² **酱油** jiàngyóu〈名 *n.*〉用发酵的豆、麦加盐酿造的液体食品，多为黑红色，用于调味 soya sauce

¹ **交** jiāo ❶〈动 *v.*〉把东西转给有关方面 hand over sth.; deliver：~钱 *~qián* hand over the money | ~心 *~xīn* open one' heart (to sb.) | ~底 *~dǐ* reveal one's real intentions | ~学费 *~xuéfèi* pay tuition | 他上银行~电话费去了。*Tā shàng yínháng ~ diànhuàfèi qù le.* He went to the bank to pay the telephone bill. ❷〈动 *v.*〉互相交往或接触 associate with：~朋友 *~péngyou* make friends with sb. | 打~道 *dǎ ~dào* have dealings with sb. | 远~近攻 *yuǎn~jìngōng* befriend distant states while attacking those nearby | ~头接耳 *~tóu-jiē'ěr* whisper to each other ❸〈动 *v.*〉相交叉；连接 cross; intersect：~界 *~jiè* contiguous | 两线相~ *liǎng xiàn xiāng~* two lines intersect | ~汇点 *~huìdiǎn* point of convergence | 失之一~臂 *shīzhī~bì* miss sth. by a narrow chance ❹〈动 *v.*〉男女进行性行为；动植物交配 have sexual intercourse; mate：杂~ *zá~* crossbreed | 尾~ *~wěi* mate | 性~ *xìng~* sexual intercourse | ~配 *~pèi* mating ❺〈动 *v.*〉碰上（某种运气）come upon (a certain luck)：~桃花运（指得到女人的青睐）*~táohuāyùn (zhǐ dédào nǚrén de qīnglài)* have luck in love (win the favor of woman) ❻〈副 *adv.*〉互相 reciprocally; mutually：~相辉映 *~xiāng-huīyìng* enhance each other's beauty | ~换 *~huàn* interchange; exchange | ~流 *~liú* exchange; communicate ❼〈副 *adv.*〉同时；一齐 together; simultaneously：饥寒~迫 *jīhán~~pò* cold and hungry | 悲愤~加 *bēifèn~~jiā* feelings of indignation mixed with sorrow ❽〈名 *n.*〉情分，友情（多代指朋友）friendship; friendly relationship; friend：私~ *sī~* personal friendship | 生死之~ *shēngsǐ zhī~* sworn friends | 故~ *gù~* old friend | 我和他有一面之~。*Wǒ hé tā yǒu yímiànzhī~.* He and I are only casual acquaintances. ❾〈名 *n.*〉连接或相交的时间或地点 points (in time or place) that meet or join：世纪之~ *shìjì zhī ~* at the turn of the century | 城乡之~ *chéngxiāng zhī ~* on the boundary between the city and the countryside ❿〈名 *n.*〉外交关系 diplomatic relations：建~ *jiàn~* establish diplomatic relations | 断~ *duàn~* cut off diplomatic relations

⁴ **交叉** jiāochā ❶〈动 *v.*〉相互穿过 cross; intersect：~火力 *~huǒlì* crossfire | 立体~ *lìtǐ ~* vertical crossing | 双臂~在胸前。*Shuāng bì ~ zài xiōng qián.* His two arms are crisscrossed on the chest. ❷〈动 *v.*〉互有相重的地方 overlap：~学科 *~ xuékē* overlapping fields of learning | 谨防~感染。*Jǐnfáng ~ gǎnrǎn.* Beware of cross infection. | 你俩的意见有~的地方。*Nǐ liǎ de yìjiàn yǒu ~ de dìfang.* There are overlapping areas in your views. ❸〈动 *v.*〉间隔穿插 alternate; stagger：这两件事可以~进行。*Zhè liǎng jiàn shì kěyǐ ~ jìnxíng.* The two things can be done alternately.

⁴ **交错** jiāocuò〈动 *v.* 书 *lit.*〉不规则地交叉在一起 interlock; interlace：路网~ *lùwǎng~* criss-crossing highways | 犬牙~ *quǎnyá ~* interlocking | ~在一起 *~ zài yìqǐ* interlace together | ~地行进 *~ de xíngjìn* proceed alternatively

³ **交代** jiāodài ❶〈动 *v.*〉将事情向接替者移交 hand over; transfer：~工作 *~ gōngzuò* hand over work | 这件事他~得不够清楚。*Zhè jiàn shì tā ~ de búgòu qīngchǔ.* His explanations on this issue were not clear enough. | 仔细~一下你手里的事儿。*Zǐxì ~ yíxià nǐ shǒu li de shìr.* Make a detailed explanation on your work at hand. ❷〈动 *v.*〉嘱咐；布置 tell; order：这事我就~给你了。*Zhè shì wǒ jiù ~ gěi nǐ le.* This matter is left in your care. | 老师反复~，要认真检查作业。*Lǎoshī fǎnfù ~, yào rènzhēn jiǎnchá zuòyè.* The teacher repeatedly instructed that we should check the

assignment carefully. ❸〈动 v.〉向有关人员讲明情况或报告 make clear; explain or clarify to people concerned: 要把政策向群众～清楚。 *Yào bǎ zhèngcè xiàng qúnzhòng ~ qīngchu.* The policy must be clarified to the common people. | 这么点儿事你都干不好，看你怎么向领导～。 *Zhème diǎnr shì nǐ dōu gàn bù hǎo, kàn nǐ zěnme xiàng lǐngdǎo ~.* You can't even handle this small matter well. How can you justify yourself to the leaders? ❹〈动 v.〉坦白错误言行或罪行 confess (error or crime): 如实～罪行 *rúshí ~ zuìxíng* confess one's crime truthfully | 坦白～ *tǎnbái ~* confess | 他的问题还未～清楚。 *Tā de wèntí hái wèi ~ qīngchu.* His problems are not yet confessed clearly enough. ❺〈动 v.〉了结；断送(含诙谐义) end (used with a sense of humor): 在一次车祸中，他的命险些～了。 *Zài yí cì chēhuò zhōng, tā de mìng xiǎnxiē ~ le.* He was almost killed in a traffic accident.

⁴ **交点** jiāodiǎn〈名 n.〉(个gè)线与线或线与面相交的点；也指引人注意的要点 point of intersection; main points: 路网的～ *lùwǎng de ~* point of intersection of the highway network | 平行线没有～。 *Píngxíngxiàn méiyǒu ~.* Parallel lines have no intersection. | 毕业让他又一次站在人生之路的～上。 *Bìyè ràng tā yòu yí cì zhàn zài rénshēng zhī lù de ~ shang.* Upon graduation, he stood once again at an intersection in his life.

⁴ **交付** jiāofù〈动 v.〉交给 pay; consign (a task) to sb.: ～保险金～*bǎoxiǎnjīn* pay insurance premiums | ～定金 *~ dìngjīn* place a down payment | ～任务 *~ rènwù* assign a task | 不能把证件随便～给他人。 *Bù néng bǎ zhèngjiàn suíbiàn ~ gěi tārén.* Your ID card should not be given to others at will.

² **交换** jiāohuàn ❶〈动 v.〉彼此互换 exchange: ～礼物 *~ lǐwù* exchange gifts | ～经验 *~ jīngyàn* share experience | ～情报 *~ qíngbào* share intelligence | ～留学生 *~ liúxuéshēng* exchange students | 定期～ *dìngqī ~* exchange regularly ❷〈动 v.〉用商品换商品 barter: 农民在集市上用农产品～日用品。 *Nóngmín zài jíshì shang yòng nóngchǎnpǐn ~ rìyòngpǐn.* The farmers exchanged their agricultural products for daily-use necessities at the market.

² **交际** jiāojì ❶〈动 v.〉人际间社交往来、相处 socialize: 他这个人不善～。 *Tā zhège rén bú shàn ~.* He is not good at socializing. | 他难得与外人～。 *Tā nándé yǔ wàirén ~.* He hardly ever socialized with others. ❷〈名 n.〉人际间社交往来、相处的活动 social communication: ～能力 *~ nénglì* capability of communication | ～费 *~fèi* allowance for entertainment | 工作太忙，我只能减少一些～。 *Gōngzuò tài máng, wǒ zhǐnéng jiǎnshǎo yìxiē ~.* With a heavy workload, I will have to reduce my social activities a little bit.

² **交流** jiāoliú ❶〈动 v.〉相互交换或提供 exchange; interchange: ～产品 *~ chǎnpǐn* exchange products | ～体会 *~ tǐhuì* draw on each other's experience | 长期～ *chángqī ~* long-term exchange | 语言不通，难于～。 *Yǔyán bù tōng, nányú ~.* Due to language barriers, communication can hardly be realized. | 他会汉语，在中国和人一起来毫不费力。 *Tā huì Hànyǔ, zài Zhōngguó hé rén ~ qǐlái háo bú fèilì.* He can speak Chinese, so he has no difficulty at all in communicating with others in China. ❷〈名 n.〉(种zhǒng)相互交换或提供的活动 exchange: 文化～ *wénhuà ~* cultural exchange | 感情～ *gǎnqíng ~* sharing of feelings | 我们两所学校之间的学术～日益增多。 *Wǒmen liǎng suǒ xuéxiào zhījiān de xuéshù ~ rìyì zēngduō.* The academic exchange between our schools has increased day by day.

⁴ **交涉** jiāoshè〈动 v.〉与对方商讨解决有关问题 negotiate; make representations: ～失败 *~ shībài* fail in negotiations | ～成功 *~ chénggōng* succeed in negotiations | 这件事由你负责～。 *Zhè jiàn shì yóu nǐ fùzé ~.* You are in charge of making representations

J

regarding this matter. │ 他和对方~了很长时间也没有结果。*Tā hé duìfāng ~le hěn cháng shíjiān yě méiyǒu jiéguǒ.* He negotiated with the other side for quite a long time, but in vain.

⁴ **交手** jiāo//shǒu 〈动 v.〉搏斗；竞争：双方作战 fight hand to hand; come to grips：与罪犯~ *yǔ zuìfàn* ~ fight against the criminals │ 两队~没多久就已显出高低了。*Liǎng duì ~ méi duōjiǔ jiù yǐ xiǎnchū gāodī le.* Only after a short time of fight between the two teams did signs show which side was stronger. │ 敌我已交上手了。*Dí wǒ yǐ jiāoshàng shǒu le.* We are already engaged in a fight with the enemy.

³ **交谈** jiāotán 〈动 v.〉互相谈话 talk; have a conversation：用汉语~ *yòng Hànyǔ* ~ talk in Chinese │ 轻声地~ *qīngshēng de* ~ talk in whispers │ 他俩一直~到深夜。*Tā liǎ yìzhí ~ dào shēnyè.* They chatted late into the night.

⁴ **交替** jiāotì ❶ 〈动 v.〉接替 supersede; replace：昼夜~ *zhòuyè* ~ day alternating with night │ 新旧~ *xīnjiù* ~. The new replaces the old. │ 我已和他办理了~手续。*Wǒ yǐ hé tā bànlǐle ~ shǒuxù.* I have completed the procedures with him for replacement. ❷ 〈动 v.〉轮换 alternate：准备两个练习本，~使用。*Zhǔnbèi liǎng gè liànxíběn, ~ shǐyòng.* Have two exercise books in your hands and use them alternately. │ 他俩~领跑。*Tā liǎ ~ lǐng pǎo.* They alternately took the lead in the running.

² **交通** jiāotōng 〈名 n.〉各种运输和邮电通信的总称 general term for transportation and postal services：~顺畅 *shùnchàng* smooth in transportation and communications │ 指挥~ *zhǐhuī* ~ direct the traffic │ 现代化~ *xiàndàihuà* ~ modern transportatoin │ ~中断 ~ *zhōngduàn* break off of communications │ 这里的~很不方便。*Zhèli de ~ hěn bù fāngbiàn.* This place has poor tranport facilities.

⁴ **交往** jiāowǎng 〈动 v.〉互相往来 associate; contact：人员~ *rényuán* ~ communication in personnel │ 业务~ *yèwù* ~ business association │ 秘密~ *mìmì* ~ secret contact │ ~频繁 ~ *pínfán* have frequent contact │ 我和她之间的~已经有几十年了。*Wǒ hé tā zhījiān de ~ yǐjīng yǒu jǐshí nián le.* She and I have had contact with each other for decades.

J

⁵ **交易** jiāoyì ❶ 〈名 n.〉（笔 bǐ）指买卖活动，也指当成买卖去做的行为 transaction：现金~ *xiànjīn* ~ cash transaction │ 公平~ *gōngpíng* ~ fair transaction │ 政治~ *zhèngzhì* ~ a political deal │ 黑市~ *hēishì* ~ black market transaction │ 不能拿原则做~。*Bù néng ná yuánzé zuò ~.* Never barter away principles. ❷ 〈动 v.〉买卖商品 trade commodities：~量 *liàng* volume of trade │ B 股上市~。*B gǔ shàngshì* ~. B-shares are traded.

² **郊区** jiāoqū 〈名 n.〉地处城市四周，但属该城管辖的地区（与'市区''城区'相对）suburbs; outskirts（opposite to'市区 shìqū'or'城区 chéngqū'）：近~ *jìn* ~ suburbs │ 远~ *yuǎn* ~ the outer suburbs │ ~车 ~ *chē* bus service for the suburbs │ 我住在北京~。*Wǒ zhù zài Běijīng* ~. I live on the outskirts of Beijing.

³ **浇** jiāo ❶ 〈动 v.〉用水或其他液体淋洒 pour liquid on; sprinkle：~花 ~ *huā* water flowers │ 火上~油 *huǒshàng* ~ *yóu* add fuel to the flames │ 往面上~上一点儿香油。*Wǎng miàn shang* ~ *shàng yìdiǎnr xiāngyóu.* Pour a little sesame oil on the noodles. │ 洒水车~了过路人一身。*Sǎshuǐchē* ~ *le guòlùrén yì shēn.* Water from the spraying car sprinkled water on the passers-by. ❷ 〈动 v.〉灌溉 irrigate：~菜园子 ~ *càiyuánzi* water the vegetable garden │ ~地 ~ *dì* irrigate the fields │ 旁边的那块地该~了。*Pángbiān de nà kuài dì gāi* ~ *le.* It is time to irrigate the field on that side. ❸ 〈动 v.〉把金属溶液或混凝土浆注入模子中 cast：~铸 ~ *zhù* casting │ ~注 ~ *zhù* pouring; teeming │ ~版 ~ *bǎn* casting

⁴ **浇灌** jiāoguàn ❶ 〈动 v.〉浇水灌田 irrigate：这条河~两岸田地。*Zhè tiáo hé* ~ *liǎng*

àn tiándì. This river irrigates the fields on the banks. ｜花草需要~。 Huācǎo xūyào ~. Flowers and grass need watering. ❷〈动 v.〉把金属溶液或混凝土浆注入模子中 pour; mould：~混凝土~ hùnníngtǔ pour concrete ｜往模子里~铁水 wǎng múzi li ~ tiěshuǐ pour molten iron into a mould

⁴娇 jiāo ❶〈形 adj.〉柔嫩可爱 tender; lovely：小 ~xiǎo delicate; petite ｜娟 ~mèi sweet and charming ｜~艳 ~yàn tender and beautiful ｜江山多 ~jiāngshān duō ~ enchantingly beautiful landscape ❷〈形 adj.〉脆弱，不坚强 squeamish; fragile：~气 ~qì finicky ｜~小姐 ~xiǎojiě a squeamish young lady ｜~滴滴 ~dīdī affectedly sweet ｜这个孩子太~了。 Zhège háizi tài ~ le. This child is too finicky. ❸〈动 v.〉过分宠爱 pamper; spoil：~惯 ~guàn spoil ｜~纵 ~zòng indulge (a child); pamper ｜不能~着孩子。 Bù néng ~zhe háizi. Children should not be spoiled.

⁴娇气 jiāoqì ❶〈形 adj.〉意志脆弱，吃不了苦 delicate; squeamish：她越来越~了。 Tā yuèláiyuè ~ le. She has become increasingly squeamish. ｜碰一下就哭，真是~鬼儿！ Pèng yí xià jiù kū, zhēn shì ~ guǐr! She is so prone to crying. What a delicate girl! ❷〈形 adj.〉指物品、花草不易保管 (of objects, plants) fragile：别买~货。 Bié mǎi ~ huò. Don't buy fragile stuff. ｜玻璃、瓷器都~，一碰就碎。 Bōli, cíqì dōu ~, yí pèng jiù suì. Both glass and porcelain are fragile; they may easily break at a light touch. ｜这些花草一点儿不~，浇点水就活。 Zhèxiē huācǎo yìdiǎnr bù ~, jiāo diǎnr shuǐ jiù huó. These flowers and grass are not fragile at all; they can survive with only a little water.

²骄傲 jiāo'ào ❶〈形 adj.〉自以为了不得；看不起他人（与‘虚心’相对）arrogant (opposite to '虚心xūxīn')：力戒~ lìjiè ~ try to get rid of arrogance ｜态度~ tàidù ~ arrogant in attitude ｜他~得把尾巴翘到天上去了。 Tā ~ de bǎ wěiba qiàodào tiān shang qù le. He is too conceited and arrogant. ❷〈形 adj.〉感到自豪与光荣 proud：他无比~地宣布：'我们胜利了！' Tā wúbǐ ~ de xuānbù: 'Wǒmen shènglì le!' He declared with exceeding pride, 'We have won!' ❸〈名 n.〉值得自豪与光荣的人和事物 pride：时代的~ shídài de ~ pride of the era ｜他是妈妈的~。 Tā shì māma de ~. He is the pride of his mother.

⁴胶 jiāo ❶〈名 n.〉黏性物质，通常用来粘合东西 gum; glue：树~ shù~ gum (of a tree) ｜万能~ wànnéng~ all-purpose glue ｜果~ guǒ~ pectin ｜如~似漆（形容感情深厚）rú~ sìqī (xíngróng gǎnqíng shēnhòu) stick to each other like glue and varnish (be deeply attached to each other) ｜~棒 ~bàng adhesive ｜~带 ~dài adhesive tape ❷〈名 n.〉橡胶或塑料 rubber or plastic：~片 ~piàn film ｜~林 ~lín rubber woods ｜~囊 ~náng capsule ｜~垫 ~diàn rubber spacer ❸〈动 v.〉用胶粘住 stick with glue：~合 ~hé glue together ｜两张片子被~住了。 Liǎng zhāng piānzi bèi ~zhù le. The two photos are glued together. ❹〈形 adj.〉像胶一样有黏性的 adhesive like glue; sticky：~泥 ~ní clay ｜~水 ~shuǐ glue

³胶卷 jiāojuǎn 〈名 n.〉（个gè）照相用的成卷胶片 film; roll of film：我要买两个~。 Wǒ yào mǎi liǎng gè ~. I would like to buy two rolls of film. ｜~冲洗出来了。 ~ chōngxǐ chūlái le. The film has been developed.

⁴胶片 jiāopiàn 〈名 n.〉（张zhāng）涂有感光药膜，用于摄影的塑料软片 film; thin plastic strip coated with a photosensitive emulsion used for photography：电影~ diànyǐng ~ cinefilm ｜所有的~都发黄了。 Suǒyǒu de ~ dōu fā huáng le. All the film has turned yellowish.

¹教 jiāo 〈动 v.〉把知识或技能传给他人 teach：~书育人 ~shū yùrén teach students ｜~写字 ~xiězì teach calligraphy ｜他~得不好。 Tā ~ de bù hǎo. He doesn't teach well. ｜

妈妈～她织毛衣。*Māma ～ tā zhī máoyī.* Mother taught her to knit sweaters. ｜ 他～过中学。*Tā ~guo zhōngxué.* He once taught in a high school. ｜ 老师要耐心地～，学生要认真地学。*Lǎoshī yào nàixīn de ~, xuésheng yào rènzhēn de xué.* The teachers should teach with patience, while the students should learn in earnest.

⁴ **焦点** jiāodiǎn ❶〈名 *n.*〉比喻引人注意的集中点 focus：关注的～ *guānzhù de ~* focus for attention ｜ ～访谈 *~fǎngtán* focus interview ｜ ～汇聚于他的身上。*~ huìjù yú tā de shēn shang.* He became the focal point. ❷〈名 *n.*〉某些与椭圆、双曲线或抛物线有特殊关系的点 point that has a special relationship with an ellipse, hyperbola or parabola ❸〈名 *n.*〉平行光线经透镜折射或曲面镜反射的汇聚点 point at which parallel rays of light refracted through a lens or reflected from a concave mirror converge

³ **焦急** jiāojí〈形 *adj.*〉着急 anxious; agitated：～的心情 *~de xīnqíng* agitated feelings ｜ ～地等待 *~de děngdài* wait with anxiety ｜ ～万分 *~wànfēn* be stewed up with anxiety

⁴ **焦炭** jiāotàn〈名 *n.*〉(块 kuài) 用煤高温干馏而成的一种固体燃料 coke：～厂 *~chǎng* coke manufacturer ｜ ～的热值比一般煤高。*~ de rèzhí bǐ yìbān méi gāo.* The heat value of coke is higher than common coal.

⁴ **嚼** jiáo〈动 *v.*〉用牙齿磨碎食物 chew; munch：细～慢咽 *xì~mànyàn* chew well and swallow slowly ｜ ～口香糖 *~kǒuxiāngtáng* chew a chewing-gum ｜ 槽中几匹马正～着草料。*Cáo zhōng jǐ pǐ mǎ zhèng ~zhe cǎoliào.* A few horses are munching hay in the manger.

¹ **角** jiǎo ❶〈量 *meas.*〉人民币的一种辅助单位，10角等于1元 jiao, fractional unit of currency in China, equal to one tenth of a yuan ❷〈量 *meas.*〉用于可分成角形的东西 of objects that can be divided into angular parts：一～蛋糕 *yì ~ dàngāo* a piece of cake ｜ 把烙饼切成六～。*Bǎ làobǐng qiēchéng liù ~.* Cut the pancake into six pieces. ❸〈名 *n.*〉(个 gè、只 zhī、对 duì) 某些动物头顶上长出的硬而尖的东西 horn：牛～ *niú ~* ox horn ｜ 鹿～ *lù ~* antler ｜ 凤毛麟～(比喻少见和可贵) *fèngmáo-lín~(bǐyù shǎojiàn hé kěguì)* (precious and rare as) phoenix feathers and unicorn horns ❹〈名 *n.*〉形状像角一样的东西 horn-shaped object：豆～ *dòu~* fresh kidney beans ｜ 糖三～ *tángsān~* sweet triangle cake ｜ 蜗牛有对触～。*Wōniú yǒu duì chù~.* The snail has a pair of antennas. ❺〈名 *n.*〉物体两个或两个以上的边沿相接之处 corner：屋～ *wū~* corner of a house ｜ 眼～ *yǎn~* corner of an eye ｜ ～落 *~luò* corner ｜ 西北～ *xīběi ~* the northwest corner ｜ 转弯抹～ *zhuǎnwān-mò~* beat about the bush ❻〈名 *n.*〉几何学名词 angle：直～ *zhí~* right angle ｜ 钝～ *dùn~* obtuse angle ｜ 夹～ *jiā~* included angle ❼〈名 *n.*〉古时军中一种吹奏的乐器，多用兽角制成 army bugle; horn：鼓～齐鸣 *gǔ~qímíng* beat the drums and blare the horns all at once ｜ 号～ *hào~* horn ❽〈名 *n.*〉角度 point of view：视～ *shì~* perspective ❾〈名 *n.*〉二十八宿之一 jiao, one of the 28 constellations into which the celestial sphere was divided in ancient Chinese astronomy

³ **角度** jiǎodù ❶〈名 *n.*〉(个 gè) 角的大小 angle; degree of angle：测算～ *cèsuàn ~* measure the angle ｜ 调整～ *tiáozhěng ~* adjust the angle ｜ ～精确 *~jīngquè* precise angle ｜ 拍摄的～不要太大。*Pāishè de ~ bú yào tài dà.* The angle of the picture should not be kept too large. ❷〈名 *n.*〉观察事物、考虑问题的出发点 point of view：科学的～ *kēxué de ~* a scientific point of view ｜ 适当的～ *shìdàng de ~* at an appropriate angle ｜ 你要换个～观察问题。*Nǐ yào huàn ge ~ guānchá wèntí.* You should make observations from another perspective. ｜ 从文学的～来看，他的小说很有价值。*Cóng wénxué de ~ lái kàn, tā de xiǎoshuō hěn yǒu jiàzhí.* From the literary point of view, his novels are highly valuable.

³ **角落** jiǎoluò ❶〈名 n.〉边角相接的地方 corner; nook：墙边~里 qiáng biān ~ li in the corner by the wall｜教室的~ jiàoshì de ~ corners of a classroom｜咱们找个背风的~休息吧。Zánmen zhǎo gè bèifēng de ~ xiūxi ba. Let's have a rest in a corner on the lee side. ❷〈名 n.〉指偏僻处 remote place：春风吹遍了这里的每一个~。Chūnfēng chuī biànle zhèli de měi yí gè ~. Spring breeze spread to every corner of this place.｜不知他躲在哪个~里抽烟呢。Bù zhī tā duǒ zài nǎge ~ li chōuyān ne. He must be hiding somewhere smoking.

³ **狡猾** jiǎohuá〈形 adj.〉诡计多；不老实 sly; cunning：~的家伙 ~ de jiāhuo a cunning guy｜十分~ shífēn ~ very tricky｜这个人~得像只狐狸。Zhège rén ~ de xiàng zhī húli. He is as sly as a fox.

³ **饺子** jiǎozi〈名 n.〉(个个儿 gè)一种用面皮包馅儿捏成半圆形的面食(中国传统风味食品之一) dumpling：新春佳节, 中国北方地区的百姓一般都吃~。Xīnchūn jiājié, Zhōngguó běifāng dìqū de bǎixìng yìbān dōu chī ~. People in the northen part of China usually eat dumplings to celebrate the Chinese New Year.

⁴ **绞** jiǎo ❶〈动 v.〉把两股以上的条状物拧在一起 twist; wring：~钢缆 ~ gānglǎn twist a steel cable｜这根绳子由五股麻线~成。Zhè gēn shéngzi yóu wǔ gǔ máxiàn ~chéng. This rope is twisted from five threads of hemp. ❷〈动 v.〉拧；扭紧 twist; wring：~干水分~gān shuǐfèn wring out the water｜~尽脑汁~jìn-nǎozhī rack one's brains ❸〈动 v.〉(用绳索) 勒 hang (with a rope)：~刑 ~xíng gallows; death by hanging｜~索 ~suǒ bowstring｜~杀 ~shā kill by hanging ❹〈动 v.〉用装有刀具的机械切割 cut by using a mincer：~肉馅儿 ~ròuxiànr mince meat ❺〈动 v.〉将绳索的一端系在轮子上, 转动轮轴, 使系在另一端的物体移动 wind; move a load by turning a cylinder：~盘 ~pán capstan｜~车 ~chē winch ❻〈动 v.〉纠缠 mix together：事情全~在一起了。Shìqing quán ~ zài yìqǐ le. All is mixed up. ❼〈量 meas.〉纱、毛线的数量 skein; hank：一~棉纱 yì ~ miánshā a hank of cotton yarn｜十~毛线 shí ~ máoxiàn ten skeins of woolen yarn

¹ **脚** jiǎo ❶〈名 n.〉(只 zhī、双 shuāng)腿下接触地面、支撑身体的部位 foot：~面 ~miàn instep｜~指头 ~zhítou toe｜~踏实地 ~tà-shídì earnest and down-to-earth｜缩手缩~ suōshǒu-suō~ be overcautious ❷〈名 n.〉物体最下部 lowest part; base：山~ shān~ foot of a hill｜墙~ qiáng~ foot of a wall｜矮~柜 ǎi~guì lowboy｜高~杯 gāo~bēi goblet ❸〈名 n.〉指足球运动员 football player：国~ guó~ footballer of the national team ❹〈名 n.〉文章正文后加的文字 note attached to the body of an article：注~ zhù~ foot note ❺〈名 n.〉中国诗词的一些句子最后一个字所押的韵 rhyming word at the end of a verse line：韵~ yùn~ rhyme

³ **脚步** jiǎobù ❶〈名 n.〉走路时前、后脚之间的距离 footstep：~大 ~ dà big step｜~小 ~ xiǎo small step｜用~测量一下。Yòng ~ cèliàng yíxià. Take the measurement with steps. ❷〈名 n.〉走路时腿的动作 footstep; way of walking：~声 ~ shēng sound of steps｜轻快的~ qīngkuài de ~ light and quick steps｜沉重的~ chénzhòng de ~ heavy steps｜加快~ jiākuài ~ quicken one's pace｜这孩子的~走得还不稳呢。Zhè háizi de ~ zǒu de hái bù wěn ne. The child can't walk steadily yet.

³ **搅** jiǎo ❶〈动 v.〉搅拌；搅和 mix; agitate：~馅儿 ~ xiànr mix up the stuffing｜~水泥 shuǐní mix the cement｜来回地~ láihuí de ~ give repeated stirs ❷〈动 v.〉扰乱；妨碍他人 disturb：打~ dǎ~ disturb; upset｜~扰 ~rǎo disturb; cause trouble｜~得人心不安。 ~ de rénxīn bù'ān. It has caused public disquiet｜这个孩子太~人了。Zhège háizi tài ~ rén le. This child is too annoying.

⁴ **搅拌** jiǎobàn〈动 v.〉把棍子等外物插入混合物中转动、翻搅, 使其均匀 mix; stir：~机

~*jī* mixer | ~均匀 ~ *jūnyún* mix evenly | 肉馅儿~得差不多了。 *Ròuxiànr ~ de chàbuduō le.* The meat stuffing has been well mixed.

⁴ 缴 jiǎo ❶〈动 v.〉交付；交纳 hand over; hand in: 上~ *shàng* ~ turn in | ~费 ~*fèi* pay a bill | 请你把钱~到财务那里。 *Qǐng nǐ bǎ qián ~dào cáiwù nàli.* Please pay at the cashier's desk. ❷〈动 v.〉迫使交出 compel sb. to hand over: ~械 ~*xiè* lay down one's arms | ~获 ~*huò* capture; seize | ~了他们的枪 ~*le tāmen de qiāng* capture their arms

⁴ 缴纳 jiǎonà〈动 v.〉按规定交付数量不等的钱或物 pay; hand over: ~罚金 ~ *fájīn* pay fines | ~税款 ~ *shuìkuǎn* pay tax | ~公粮 ~ *gōngliáng* hand in grain tax | 自愿 ~ *zìyuàn* ~ volunteer to hand in | 他已经~不起房租了。 *Tā yǐjīng ~ bù qǐ fángzū le.* Now he can't afford to pay the rent.

¹ 叫 jiào ❶〈动 v.〉人或动物发音器官发出的或其他物件发出的较大的声音 shout; cry: 大嚷大~ *dàrāng-dà~* cry out | 狗~了一晚上。 *Gǒu~le yì wǎnshang.* The dog kept barking for a whole night. | 他差一点儿~出声来。 *Tā chà yìdiǎnr ~chū shēng lái.* He was about to give a cry. | 手机突然~了起来。 *Shǒujī tūrán ~ le qǐlái.* The cell phone suddenly rang. ❷〈动 v.〉招呼；唤 call; greet: 有人~你。 *Yǒu rén ~ nǐ.* Somebody was calling you. | 明天早点儿~醒我。 *Míngtiān zǎo diǎnr ~xǐng wǒ.* Wake me up earlier tomorrow morning. | 快~医生去。 *Kuài ~ yīshēng qù.* Send for the doctor quickly. | 请你把他~上来。 *Qǐng nǐ bǎ tā ~ shànglái.* Please call him to come up here. | 我很快就~出了他的名字。 *Wǒ hěnkuài jiù ~chūle tā de míngzì.* I soon recalled his name. ❸〈动 v.〉称作；是 name; call: 什么~错误？ *Shénme ~ cuòwù?* What can be called a mistake? | 那~计算机。 *Nà ~ jìsuànjī.* That is called 'computer'. | 别~绰号！ *Bié ~ chuòhào!* Don't call people by their nicknames. | 有个谚语~'种瓜得瓜，种豆得豆'。 *Yǒu gè yànyǔ ~'zhǒngguā-déguā, zhǒngdòu-dédòu'.* As a proverb goes, 'as you sow, so will you reap'. ❹〈动 v.〉告知来提供服务 hire; order: ~出租汽车 ~ *chūzū qìchē* call a taxi | 我为你专门~了两样菜。 *Wǒ wèi nǐ zhuānmén ~le liǎng yàng cài.* I ordered two dishes specially for you. ❺〈动 v.〉诉说；抱怨 complain: ~苦 ~*kǔ* moan and groan | ~累 ~*lèi* complain of fatigue | ~冤 ~*yuān* protest against an injustice ❻〈动 v.〉要求；让；命令 order; ask: ~名字，别~官职。 ~ *míngzi, bié ~ guānzhí.* Call (me) by the name, and not by the official rank. | 老师~你去办公室。 *Lǎoshī ~ nǐ qù bàngōngshì.* The teacher asked you to go to his office. | ~他站着别动。 ~ *tā zhànzhe bié dòng.* Order him to stand still. ❼〈动 v.〉容许或听任 allow: 他不~我说。 *Tā bú ~ wǒ shuō.* He doesn't allow me to talk about it. | ~孩子闯荡去吧，他不小了。 ~ *háizi chuǎngdàng qù ba, tā bù xiǎo le.* Let the child temper himself in the outside world as he is not young at all. ❽〈介 prep.〉被 by: ~人笑话 ~ *rén xiàohua* be a laughing stock | ~开水烫了一下。 ~ *kāishuǐ tàng le yíxià.* (I) was scalded by the boiling water. | 别~雨淋着。 *Bié ~ yǔ línzhe.* Don't get drenched in the rain.

⁴ 叫喊 jiàohǎn 〈动 v.〉大声喊嚷 shout; yell: ~声 ~*shēng* cry | 一阵~ *yí zhèn* ~ a peal of shout | 不住地~ *bú zhù de* ~ keep shouting

⁴ 叫唤 jiàohuan ❶〈动 v.〉大声地 cry out: 疼得直~ *téng de zhí* ~ cry out with pain | 拼命地~ *pīnmìng de* ~ cry out hysterically ❷〈动 v.〉(动物)叫 (of an animal) cry: 幼鸟在不停地~着。 *Yòuniǎo zài bù tíng de ~zhe.* The birdies are chirping all the time. | 不时传来狗~的声音。 *Bùshí chuán lái gǒu ~ de shēngyīn.* The barks of dogs can be heard from time to time.

⁴ 叫嚷 jiàorǎng 〈动 v.〉大声叫 shout; clamour: 小贩们~着。 *Xiǎofànmen ~zhe.* The vendors are shouting. | 他急得~起来。 *Tā jí de ~qǐlái.* He shouted with impatience. |

他~了半天也没人理他。 *Tā ~le bàntiān yě méi rén lǐ tā.* No one took notice of him, though he kept shouting for quite a while.

² **叫做** jiàozuò 〈动 v.〉称为;是 be called; be known as: 计算机又~电脑。 *Jìsuànjī yòu ~ diànnǎo.* The computer is also called an electronic brain. ｜原来这就~智力游戏呀。 *Yuánlái zhè jiù ~ zhìlì yóuxì ya.* So this is called a puzzle!

³ **觉** jiào 〈名 n.〉从入睡到醒来的过程 sleep: 睡懒~ *shuì lǎn ~* get up late ｜午~ *wǔ ~* afternoon nap ｜一~醒来，天都亮了。 *Yí ~ xǐng lái, tiān dōu liàng le.* Day already broke when I woke up.
☞ *jué*, p. 562

⁴ **轿车** jiàochē 〈名 n.〉有固定车厢、专供人乘坐的汽车 car; sedan: 小~ *xiǎo ~* car ｜新型~ *xīnxíng ~* a new-model car

² **较** jiào ❶〈介 prep.〉比 (for comparison) than: 天气~去年热。 *Tiānqì ~ qùnián rè.* This year it is hotter than last year. ｜他的成绩~上学期有很大的进步。 *Tā de chéngjì ~ shàng xuéqī yǒu hěn dà de jìnbù.* His school record is much better as compared with last semester. ❷〈副 adv.〉表示具有一定的程度 relatively; rather: ~远 *~ yuǎn* quite far ｜~近 *~ jìn* relatively close ｜~强 *~ qiáng* rather strong ｜~快 *~ kuài* quite fast ❸〈动 v.〉对比 compare: ~劲儿 *~jìnr* have a trial of strength ｜~真儿 *~zhēnr* be earnest

⁴ **较量** jiàoliàng 〈动 v.〉比较本领、实力的强弱与高低 have a contest; have a trial of strength: ~球技 *~ qiújì* compete in ball games ｜不断地~ *búduàn de ~* compete continuously ｜双方的~正在激烈地进行着。 *Shuāngfāng de ~ zhèngzài jīliè de jìnxíng-zhe.* The battle between the two sides is raging on. ｜你要不服，就和他~~。 *Nǐ yào bù fú, jiù hé tā ~ ~.* Just go and have a trial of strength with him if you are not willing to admit defeat.

² **教材** jiàocái 〈名 n.〉(本běn、套tào、份fèn)上课使用的书面材料(书籍、讲义、图片、授课提纲等) teaching material (eg. textbooks, lecture sheets, pictures, teaching outlines, etc.): 初级~ *chūjí ~* elementary textbook ｜高级~ *gāojí ~* advanced course book ｜新~ *xīn ~* new teaching materials ｜这套~已经过时了。 *Zhè tào ~ yǐjīng guòshí le.* This teaching material is out of date long ago. ｜书店里买不到这套~。 *Shūdiàn li mǎi bú dào zhè tào ~.* This teaching material is not available in bookstores.

³ **教导** jiàodǎo ❶〈动 v.〉教育指导 instruct; give guidance: ~处 *~chù* instructor's office ｜严格地~ *yángé de ~* give strict instructions ｜对孩子~要耐心。 *Duì háizi ~ yào nàixīn.* We should teach and guide the children with patience. ❷〈名 n.〉教育指导的言行 guidance: 我决不会忘记老师的谆谆~。 *Wǒ jué bú huì wàngjì lǎoshī de zhūnzhūn ~.* I shall never forget my teacher's inculcations. ｜我们要牢记父辈的~与嘱托。 *Wǒmen yào láojì fùbèi de ~ yǔ zhǔtuō.* We should always remember our elder generation's instructions and exhortations.

⁴ **教会** jiàohuì 〈名 n.〉(个gè)天主教、基督教等教派教徒的组织 church: ~学校~ *xuéxiào* missionary schools ｜~医院 *~ yīyuàn* missionary hospital

³ **教练** jiàoliàn ❶〈动 v.〉训练别人掌握某种技能 train; coach: ~机 *~ jī* trainer ❷〈名 n.〉(名míng、位wèi、个gè)对掌握某种技术或动作给予训练指导的人员 coach: 篮球~ *lánqiú ~* basketball coach ｜体操~ *tǐcāo ~* gymnastics coach ｜严厉的~ *yánlì de ~* a strict coach ｜那位~刚来不久。 *Nà wèi ~ gāng lái bùjiǔ.* That coach took his post not long ago.

² **教师** jiàoshī 〈名 n.〉(位wèi、名míng、个gè)教书的人;教员 teacher: 合格~ *hégé ~* qualified teachers ｜大学~ *dàxué ~* university teachers ｜教书育人是~的职责。 *Jiāoshū yùrén shì ~ de zhízé.* It is a teacher's duty to impart knowledge and educate people.

¹ 教室 jiàoshì〈名 n.〉(间jiān、个gè)学校上课用的房间 classroom：语音~ yǔyīn ~ language lab｜我们的~很敞亮。*Wǒmen de ~ hěn chǎngliàng.* Our classroom is bright and spacious.

² 教授 jiàoshòu ❶〈名 n.〉(位wèi、名míng、个gè)高等学校教师系列职称中最高一级 professor：老~ lǎo~ old professor｜年富力强的~ niánfù-lìqiáng de ~ a professor in the prime of life｜副~ fù~ associate professor｜客座~ kèzuò ~ guest professor ❷〈动 v.〉讲授知识和技能 teach; instruct：她在一所大学里~哲学。*Tā zài yī suǒ dàxué li ~ zhéxué.* She teaches philosophy at a university.

⁴ 教唆 jiàosuō〈动 v.〉指使或挑拨别人做坏事 instigate; incite：~犯 ~fàn instigator｜他总是~青少年干坏事。*Tā zǒngshì ~ qīng-shàonián gàn huàishì.* He keeps instigating teenagers to do evil.

³ 教堂 jiàotáng〈名 n.〉(座zuò)天主教、基督教等教徒举行宗教仪式的场所 church：~的钟声 ~ de zhōngshēng sound of church bells｜他到~做弥撒去了。*Tā dào ~ zuò mísa qù le.* He went to church for a Mass.

⁴ 教条 jiàotiáo ❶〈名 n.〉信徒必须服从的宗教信条。比喻脱离实际、死板僵化的原则或原理 doctrine; dogma：~主义 ~ zhǔyì dogmatism｜不能死搬。*Bù néng sǐ bān ~.* Doctrines should not be applied mechanically.｜不可把理论当作~，生搬硬套。*Bù kě bǎ lǐlùn dàngzuò ~, shēngbān-yìngtào.* Theories should not be viewed as rigid doctrines and copied mechanically. ❷〈形 adj.〉僵化的；不灵活的 inflexible：如果死抱住祖师爷的理论，那就太~了。*Rúguǒ sǐ bàozhù zǔshīyé de lǐlùn, nà jiù tài ~ le.* It would be an inflexible act if one always sticks to the guru's theory.｜别那么~好不好！*Bié nàme ~ hǎo bù hǎo!* You'd better not be so inflexible!

² 教学 jiàoxué〈名 n.〉教师组织、引导学生学习的过程 teaching：课堂~ kètáng~ classroom teaching｜~条件 ~ tiáojiàn teaching facilities｜网络~ wǎngluò ~ teaching on the Internet｜教育应该贯穿于整个~过程。*Jiàoyù yīnggāi guànchuān yú zhěnggè ~ guòchéng.* Education should run through the whole course of teaching.

² 教训 jiàoxun ❶〈动 v.〉教育训导 chide; teach sb. a lesson：~人 ~ rén scold people｜孩子~ háizi scold a child｜狠狠地~ hěnhěn de ~ scold severely｜我要好好儿~他！*Wǒ yào hǎohāor de ~ ~ tā!* I must give him a good lesson! ❷〈名 n.〉(个gè、次cì)从错误和挫折中得到的知识 lesson; moral：汲取~ jíqǔ ~ draw a lesson｜历史的~ lìshǐ de~ message drawn from history｜我们一定要牢记这次血的~。*Wǒmen yídìng yào láojì zhè cì xiě de ~.* We must keep this bloody lesson in mind.

³ 教研室 jiàoyánshì〈名 n.〉教育机构中组织和研究教学的基本单位，也指其办公地点 basic unit of educational establishment; teaching and research office：~主任 ~ zhǔrèn director of a teaching and research office｜数学~ shùxué ~ teaching and research office of mathematics｜他在~呢。*Tā zài ~ ne.* He is now in his teaching and research office.

⁴ 教养 jiàoyǎng ❶〈动 v.〉教育培养 train and educate; nurture：~之恩 ~ zhī ēn favor of nurturing｜她辛勤地~着这一群孤儿。*Tā xīnqín de ~zhe zhè yì qún gū'ér.* She worked hard to nurture these orphans.｜他辛辛苦苦地把我~成人。*Tā xīnxīn-kǔkǔ de bǎ wǒ ~chéngrén.* He worked laboriously to bring me up. ❷〈名 n.〉指一般文化和品德的修养 breeding; upbringing：身份与~ shēnfen yǔ ~ status and breeding｜很有~ hěn yǒu ~ be well brought up｜缺乏~ quēfá ~ uncouth

¹ 教育 jiàoyù ❶〈动 v.〉教导；培养 educate：进行~ jìnxíng ~ educate sb.｜~学生 ~ xuésheng educate students｜~批评 ~ pīpíng educate and criticize｜耐心地~ nàixīn de ~ educate with patience ❷〈名 n.〉培养新生一代准备从事社会工作的全过程，具体又

指有计划进行教育的活动 education：学校~ *xuéxiào* ~ schooling｜成人~ *chéngrén* ~ adult education｜良好的~ *liánghǎo de* ~ good education｜传统~ *chuántǒng* ~ education in traditions

² **教员** jiàoyuán 〈名 *n.*〉教师 teacher; instructor：文化~ *wénhuà* ~ literacy instructor｜数学~ *shùxué* ~ maths teacher｜~是学校教育的主体。*~ shì xuéxiào jiàoyù de zhǔtǐ.* Teachers are the main body of the school education.

³ **阶层** jiēcéng ❶〈名 *n.*〉人类因社会经济地位不同而分成的层次 social stratum：市民~ *shìmín* ~ stratum of townspeople｜农民~ *nóngmín* ~ stratum of farmers｜知识分子~ *zhīshi fènzǐ* ~ stratum of intellectuals ❷〈名 *n.*〉由于某些特征相同或相仿而形成的群体 class：知识~ *zhīshi* ~ intelligentsia｜白领~ *báilǐng* ~ white-collar class｜领导~ *lǐngdǎo* ~ leadership

⁴ **阶段** jiēduàn 〈名 *n.*〉（个gè）指事物发展中的段落 phase; stage：重要~ *zhòngyào* ~ important stage｜初级~ *chūjí* ~ preliminary stage｜我们的工程已经进入第二~。*Wǒmen de gōngchéng yǐjīng jìnrù dì-èr ~.* Our project has entered the second phase.｜我们取得了~性的胜利。*Wǒmen qǔdéle ~xìng de shènglì.* We have won a victory for this stage.

² **阶级** jiējí 〈名 *n.*〉人们在一定的社会生产体系中，由于所处的地位不同和对生产资料关系的不同而分成的集团 class：统治~ *tǒngzhì* ~ ruling class｜无产~ *wúchǎn* ~ proletariat｜资产~ *zīchǎn* ~ bourgeoisie｜工人~ *gōngrén* ~ working class｜~出身 *chūshēn* class origin｜~观念 *guānniàn* class consciousness

⁴ **皆** jiē 〈副 *adv.* 书 *lit.*〉全；都 all; each and every：啼笑~非 *tíxiào-~fēi* not know whether to laugh or cry｜大欢喜~*dàhuānxǐ* to the satisfaction of all｜他的笑话已经尽人~知了。*Tā de xiàohua yǐjīng jìnrén-~zhī le.* His joke is known to us all.

³ **结** jiē 〈动 *v.*〉长出果实或种子 bear (fruit); form (seed)：花儿一落就~出籽儿来。*Huār yí luò jiù ~chū zǐr lái.* Seeds will be formed once the flowers fall.｜雄银杏树是不~果的。*Xióng yínxìng shù shì bù ~guǒ de.* Male gingko trees do not bear fruits.
☞ *jié*, p. 526

⁴ **结果** jiē//guǒ 〈动 *v.*〉长出果实 bear fruit：无花果只~不开花。*Wúhuāguǒ zhǐ ~ bù kāihuā.* The fig bears fruit but does not bloom.｜树上结满了果儿。*Shù shang jiēmǎnle guǒr.* The tree is abundant with fruits.｜一颗果子也不结。*Yì kē guǒzi yě bù jiē.* Not even a single fruit appeared.
☞ *jiéguǒ*, p. 526

² **结实** jiēshi ❶〈形 *adj.*〉牢固；耐用 solid; durable：这个衣服架~吗？*Zhège yīfujià ~ ma?* Is this hanger durable?｜这双鞋做得很~。*Zhè shuāng xié zuò de hěn ~.* This pair of shoes is quite solid.｜别看椅子已经旧了，但~得很。*Bié kàn yǐzi yǐjīng jiù le, dàn ~ de hěn.* Though it looks old, this chair is still quite solid. ❷〈形 *adj.*〉健壮 strong; robust：身板儿~ *shēnbǎnr* ~ be fit and strong｜长得~ *zhǎng de* ~ be strong｜他~得像头牛。*Tā ~ de xiàng tóu niú.* He is as sturdy as a bull.

¹ **接** jiē ❶〈动 *v.*〉连接；使连成一体 connect; join：~通 *~tōng* connect through｜~吻 *~wěn* kiss｜嫁~ *jià* ~ grafting｜~二连三 *~èr-liánsān* one after another｜上气不~下气 *shàngqì bù* ~ *xiàqì* out of breath｜从屋外~进一根电线来。*Cóng wū wài ~jìn yì gēn diànxiàn lái.* I got a wire connected into the house. ❷〈动 *v.*〉托住；拿住 catch sth.：~住 *~zhù* catch sth.｜快把东西~过来。*Kuài bǎ dōngxi ~guòlái.* Be quick to catch it.｜他用双手~过奖杯。*Tā yòng shuāngshǒu ~guò jiǎngbēi.* He received the trophy with his hands. ❸〈动 *v.*〉挨近 come close to：~触 *~chù* contact｜近午夜 *~jìn wǔyè* near

J

midnight │ 短兵相~ *duǎnbīng-xiāng*~ fight at close quarters │ 摩肩~踵（形容人多、拥挤）*mójiān-~zhǒng*（*xíngróng rén duō*，*yōngjǐ*）foot against foot（very crowded）❹〈动 v.〉收到；收受 receive：~受 *~shòu* receive │ ~到 *~dào* receive 承~ *chéng~* undertake │ 应~不暇 *yìng~-bùxiá* too busy to attend to all ❺〈动 v.〉代替 take over：~任 *~rèn* succeed；take over a job │ ~管 *~guǎn* take over control │ ~班 *~bān* take one's turn on duty │ ~力赛 *~lìsài* relay race ❻〈动 v.〉承继 carry forward：青黄不~（比喻人力或物力新旧接不上）*qīnghuángbù~*（*bǐyù rénlì huò wùlì xīnjiù jiē bú shàng*）when the new crop is still in the blade and the old one is all consumed （*fig.* temporary shortage of human or material resources）❼〈动 v.〉迎接（与'送'相对）meet（opposite to '送 sòng'）：~来送往 *~lái-sòngwǎng* welcome and send off │ 你今天早些到托儿所~孩子。*Nǐ jīntiān zǎo xiē dào tuō'érsuǒ ~ háizi.* You should go to the kindergarten earlier today to pick up the kid. │ 他被~进大厅。*Tā bèi ~jìn dàtīng.* He was welcomed into the hall. ∥

² **接班** jiē//bān ❶〈动 v.〉接替上一班的工作 take one's turn on duty：提前 ~ *tíqián ~* take over work earlier than usual │ 下午4点~ *xiàwǔ sì diǎn ~* take over the work at 4 p. m. │ 我今天接午后的班。*Wǒ jīntiān jiē wǔhòu de bān.* I will take the afternoon shift. ❷〈动 v.〉接替前辈人的工作或继承他们的事业 follow in the steps of; carry on a cause or project left by a predecessor：~人 *~rén* successor │ 他接了父亲的班。*Tā jiēle fùqīn de bān.* He has taken over his father's job. │ 这事业该有人~啊！*Zhè shìyè gāi yǒu rén ~ a!* This cause needs successors, indeed!

² **接触** jiēchù ❶〈动 v.〉挨上；触及 get in touch with；touch：~键盘 *~jiànpán* touch the keyboard │ 两个人的目光~在了一起。*Liǎng gè rén de mùguāng ~ zàile yìqǐ.* The two of them had eye contact. │ 不要~有毒物质。*Bú yào ~ yǒu dú wùzhì.* Don't get exposed to toxic substances. ❷〈动 v.〉(人与人)接近、交往 contact；associate with：~病人 *~bìngrén* have contact with the patients │ 一~他就改变了看法。*Yì ~ tā jiù gǎibiànle kànfǎ.* Upon interaction with him, my views changed immediately. │ 这个人不容易~。*Zhège rén bù róngyì ~.* He is a man difficult to get along with.

J

² **接待** jiēdài〈动 v.〉招待（宾客、顾客等）receive guests, customers, etc.：~室 *~shì* anteroom │ ~外宾 *~wàibīn* receive foreign guests │ ~的程序 *~ de chéngxù* reception procedures │ 热情地~ *rèqíng de ~* receive with enthusiasm

² **接到** jiē//dào〈动 v.〉收受；迎到 receive；meet：~报告 *~bàogào* receive a report │ 客人已经~，请放心。*Kèrén yǐjīng ~, qǐng fàngxīn.* You can set your mind at rest; we have already picked up the guest. │ 隧道里接不到手机的信号。*Suìdào li jiē bú dào shǒujī de xìnhào.* The mobile phone can't receive any signals in the tunnel.

² **接二连三** jiē'èr-liánsān〈成 idm.〉一个接着一个，连续不断 one after another：~地出现 *~ de chūxiàn* appear one after another │ ~的会议让他忙得不可开交。*~ de huìyì ràng tā máng dé bùkěkāijiāo.* He is kept busy in one meeting after another. │ 到他家送礼的人~。*Dào tā jiā sònglǐ de rén ~.* One after another, people went to his home to send him gifts.

² **接见** jiējiàn〈动 v.〉与来人会面（常用于地位高的会见地位低的）receive sb.；grant an interview to：~的地点 *~ de dìdiǎn* venue of receiving sb. │ 正式~ *zhèngshì ~* formally receive sb. │ 中央领导人~了与会代表。*Zhōngyāng lǐngdǎorén ~le yùhuì dàibiǎo.* The leaders of the central authorities received the representatives at the meeting.

² **接近** jiējìn〈动 v.〉靠近；相距不远 approach; be close to：我们已经~目的地了。*Wǒmen yǐjīng ~ mùdìdì le.* We have approached the destination. │ 我俩的认识十分~。

Wǒ liǎ de rènshi shífēn ~. Our views are very close. ｜我们的技术已经~世界先进水平。 *Wǒmen de jìshù yǐjīng ~ shìjiè xiānjìn shuǐpíng.* Our technology has approached the advanced level of the world.

³ **接连** jiēlián 〈副 *adv.*〉不间断地；不停顿地 in succession; on end: ~不断 ~ *búduàn* incessantly ｜昨天我们队~吃了几块黄牌ㄦ。 *Zuótiān wǒmen duì ~ chīle jǐ kuài huángpáir.* In yesterday's match our team received several yellow cards in a row.

⁴ **接洽** jiēqià 〈动 *v.*〉与人联系并商谈有关事宜 take up a matter with; arrange with: ~业务 ~ *yèwù* arrange business with ｜~工作 ~ *gōngzuò* take up business matters ｜如果有事请找他~。 *Rúguǒ yǒushì qǐng zhǎo tā ~.* Please contact him for business matters.

⁵ **接收** jiēshōu ❶〈动 *v.*〉收受 receive: ~文件 ~ *wénjiàn* receive documents ｜信号~不到。 *Xìnhào ~ bú dào.* It can't receive any signals ❷〈动 *v.*〉容纳；不拒绝,不排斥 admit: ~新学员 ~ *xīn xuéyuán* recruit new trainees ｜~客户 ~ *kèhù* recruit clients ｜我们公司不再~本科大学毕业生。 *Wǒmen gōngsī bú zài ~ běnkē dàxué bìyèshēng.* Our company no longer recruits university graduates. ❸〈动 *v.*〉依法接管 take over; expropriate: ~遗产 ~ *yíchǎn* take over the inheritance ｜~银行 ~ *yínháng* take over a bank ｜~敌伪财产 ~ *díwěi cáichǎn* take over the property of the enemy and the puppet regime

² **接受** jiēshòu 〈动 *v.*〉愿意承受；不拒绝也不排斥 accept; embrace: ~任务 ~ *rènwù* accept an assignment ｜~教训 ~ *jiàoxùn* learn a lesson ｜诚恳 ~ *chéngkěn* ~ earnestly accept ｜虚心 ~ *xūxīn* ~ accept with modesty ｜这样苛刻的条件绝对不能~。 *Zhèyàng kēkè de tiáojiàn juéduì bù néng ~.* Such harsh terms can by no means be accepted.

¹ **接着** jiēzhe ❶〈副 *adv.*〉紧接着前面的继续下去 carry on; go on (with): ~跑 ~ *pǎo* carry on running ｜~写 ~ *xiě* proceed to write ｜那件事由您~处理。 *Nà jiàn shì yóu nín ~ chǔlǐ.* Carry on with this matter. ❷〈连 *conj.*〉用于连接两个相继发生的动作 and then (used to connect two actions the happen one after another): 我写完作业, ~又做卫生。 *Wǒ xiěwán zuòyè, ~ yòu zuò wèishēng.* After finishing the homework, I went on to do the cleaning. ｜他一句话没说, ~, 便站起身走了。 *Tā yí jù huà méi shuō, ~, biàn zhànqǐ shēn zǒu le.* He didn't say a single word and then stood up and left.

³ **揭** jiē ❶〈动 *v.*〉掀起；拿开 remove; take off: ~开窗帘 ~ *kāi chuānglián* remove the curtain ｜新郎慢慢地~起了盖在新娘头上的红头巾。 *Xīnláng mànmàn de ~qǐle gài zài xīnniáng tóu shang de hóng tóujīn.* The bridegroom slowly lifted the red scarf covering the bride's head. ❷〈动 *v.*〉使显露；挑明 expose; bring to light: ~穿阴谋诡计 ~ *chuān yīnmóu-guǐjì* lay bare the conspiracies and plots ｜我要~他的老底。 *Wǒ yào ~ tā de lǎodǐ.* Let me drag the skeleton out of his closet. ｜大伙ㄦ~出不少问题。 *Dàhuǒr ~chū bù shǎo wèntí.* All of us have exposed quite a lot of problems. ｜别~人家的短。 *Bié ~ rénjia de duǎn.* Don't rake up other people's faults. ❸〈动 *v.*〉把粘贴着的片状物拿下来 tear off: ~邮票 ~ *yóupiào* tear off a stamp ｜~去封皮 ~ *qù fēngpí* take off the cover ｜谁~走了照片? *Shéi ~zǒule zhàopiàn?* Who tore off the photo? ❹〈动 *v.* 书 *lit.*〉高举 raise; hoist: ~竿而起 ~ *gān'érqǐ* rise up in arms; rise in rebellion

⁴ **揭发** jiēfā 〈动 *v.*〉把见不得人的事公开出来 expose; lay open: ~问题 ~ *wèntí* expose the problems ｜~罪行 ~ *zuìxíng* expose one's crimes ｜~内幕 ~ *nèimù* uncover the inside story ｜无情地 *wúqíng de* ~ expose sth. mercilessly ｜大胆地 *dàdǎn de* ~ expose bravely

³ **揭露** jiēlù 〈动 *v.*〉使隐藏的事物显露出来 expose; disclose: ~真相 ~ *zhēnxiàng* uncover the truth ｜予以~ *yǔyǐ* ~ expose ｜充分地 *chōngfèn de* ~ expose sufficiently ｜他的阴

谋被~了。*Tā de yīnmóu bèi ~ le.* His plot is laid bare.

⁴ **揭示** jiēshì〈动 v.〉将本不容易看出的事物说明展现出来 reveal; bring to light：~规律 ~ *guīlǜ* reveal the laws｜~奥秘 ~ *àomì* unveil a mystery｜这部电影成功地~了一个成功女人的内心世界。*Zhè bù diànyǐng chénggōng de ~le yí gè chénggōng nǚrén de nèixīn shìjiè.* This film vividly unveils the inner world of a successful woman.

¹ **街** jiē〈名 n.〉（条 tiáo）两侧有建筑物的较宽道路 street; avenue：步行~ *bùxíng~* pedestrian mall｜逛~ *guàng ~* take a stroll in the street; go shopping｜大~小巷 *dà~ xiǎoxiàng* streets and alleys｜~上什么人也没有。 *~ shang shénme rén yě méiyǒu.* There is nobody in the street.

² **街道** jiēdào ❶〈名 n.〉（条 tiáo）城市、集镇、乡村里的道路 street; road：幽静的~ *yōujìng de ~* quiet and peaceful street｜这座小城的~拥挤而狭小。*Zhè zuò xiǎo chéng de ~yōngjǐ ér xiáxiǎo.* The streets in this small city are narrow and crowded. ❷〈名 n.〉中国城市居民的基层组织之一 residential district; neighborhood：~办事处 ~ *bànshìchù* subdistrict office｜她是一名~干部。*Tā shì yì míng ~ gànbù.* She is a cadre in the neighborhood office.

⁴ **街坊** jiēfang〈名 n. 口 colloq.〉邻居，邻里 neighbor：老~ *lǎo~* old neighbors｜街里的，应该相互照应。*Jiēlǐ~ de, yīnggāi xiānghù zhàoyìng.* The neighbors should take care of one another.

⁴ **街头** jiētóu〈名 n. 口 colloq.〉街道；街上 street corner; street：沦落~ *lúnluò ~* be driven into the street｜露宿~ *lòusù ~* sleep in the street｜~巷尾 *~xiàngwěi* streets and lanes; in street corners｜他在~摆了一个小摊儿。*Tā zài ~ bǎile yí gè xiǎo tānr.* He set up a stall in the street corner.

¹ **节** jié ❶〈名 n.〉物体各段之间相连的部位 joint; knob：竹~ *zhú~* bamboo joint｜藕~ *ǒu~* lotus-root joint｜骨关~ *gú guān~* joint｜盘根错~ *pángēn-cuò~* with twisted roots and gnarled branches; a great tangled root system ❷〈名 n.〉节日；节气 festival; holiday：~假日 *~jiàrì* festival and holiday｜春~ *Chūn~* the Spring Festival｜佳~ *jiā~* happy festive occasion｜季~ *jì~* season｜圣诞~ *Shèngdàn~* Christmas Day｜~令 *~lìng* climate and other natural phenomena of a season ❸〈名 n.〉事项 item：细~ *xì~* details｜情~ *qíng~* plot (of a story)｜礼~ *lǐ~* etiquette｜不拘小~ *bùjū xiǎo~* defy trivial conventions ❹〈名 n.〉品德；操守 moral integrity：名~ *míng~* reputation and integrity｜晚~ *wǎn~* integrity in one's later years｜气~ *qì~* integrity｜贞~ *zhēn~* chastity; virginity ❺〈名 n.〉事物的一个段落；整体的一个部分 part; division：章~ *zhāng ~* chapter｜环~ *huán~* link｜脱~ *tuō~* disconnect; be disjointed｜音~ *yīn~* syllable｜~律 *~lǜ* rhythm｜~拍 *~pāi* beat ❻〈名 n.〉中国古代出使外国所持的凭证，现指外交官 (in ancient China) certificate for exiting the country; (nowadays) diplomat：使~ *shǐ~* diplomatic envoy ❼〈量 meas.〉用于分段的事物或文章 section：一~电池 *yì ~ diànchí* a battery｜四~课 *sì ~ kè* four classes｜共有三小~文字。*Gòng yǒu sān xiǎo ~ wénzì.* There are three paragraphs of text in total. ❽〈量 meas.〉航海速度的计量单位，每小时航行一海里为一节 knot; unit of navigation speed, equal to one nautical mile per hour：轮船以每小时12~的速度前进。*Lúnchuán yǐ měi xiǎoshí shí'èr ~ de sùdù qiánjìn.* The ship is sailing at 12 knots. ❾〈量 meas.〉船舰上锚链的长度单位，2.5米为一节 knot; unit of length of an anchor chain, equal to 2.5 meter：这条锚链长10~。*Zhè tiáo máoliàn cháng shí ~.* This anchor chain has 10 knots. ❿〈动 v.〉俭省；节约 save; economize：~俭 *~jiǎn* thrifty｜~水~电 *~shuǐ~diàn* save water and electricity｜~余 *~yú* surplus ⓫〈动 v.〉限制；约束 restrain：~制 *~zhì* be moderate｜~

哀 ~āi restrain one's grief｜~育 ~yù birth control｜调~ tiáo~ adjust ⑫ 〈动 v.〉截取一部分 abridge; extract: ~选 ~xuǎn extract｜~录 ~lù excerpt｜删~ shān~ abridge

1 节目 jiémù〈名 n.〉(个 gè、套 tào、台 tái)现场演出或广播、电视播出的项目内容 performance; (radio, TV) program: 晚会 ~ wǎnhuì ~ party programs｜精彩 ~ jīngcǎi ~ excellent programs｜~主持人 ~ zhǔchírén anchorperson｜这个~真没意思。Zhège ~ zhēn méi yìsi. This is quite a boring program.

4 节能 jiénéng〈动 v.〉节约能源 save energy: ~产品 ~ chǎnpǐn energy-saving product｜~灯 ~dēng energy-saving lamp｜这种热水器还是不~。Zhè zhǒng rèshuǐqì háishì bù ~. This kind of heater is not economical in energy consumption.

1 节日 jiérì 〈名 n.〉庆祝或纪念有意义的日子 festival; festive occasion: ~的礼花 ~ de lǐhuā fireworks displayed on festival｜6月1日是少年儿童的~。Liù yuè yī rì shì shàonián értóng de ~. June 1 is the children's festival.｜中国的传统~有清明节、端午节、中秋节、元宵节等。Zhōngguó de chuántǒng ~ yǒu Qīngmíng Jié, Duānwǔ Jié, Zhōngqiū Jié, Yuánxiāo Jié děng. Traditional Chinese festivals include Pure Brightness Day, the Dragon Boat Festival, the Mid-autumn Festival, the Lantern Festival and others.

2 节省 jiéshěng〈动 v.〉省着用；不浪费 save; economize: ~开支 ~ kāizhī cut expenses｜适当地~ shìdàng de ~ economize as appropriate｜这样做可以~精力。Zhèyàng zuò kěyǐ ~ jīnglì. In this way, one can save one's energy.｜他这个人~得很。Tā zhège rén ~ de hěn. He is very thrifty.｜他把~下来的钱全部捐给了孤儿。Tā bǎ ~ xiàlái de qián quánbù juāngěile gū'ér. He donated all his savings to the orphans.

4 节育 jiéyù 〈动 v.〉控制生育 practise birth control: 提倡 ~ tíchàng ~ advocate birth control｜~知识 ~ zhīshi knowledge on birth control｜切实推行~措施。Qièshí tuīxíng ~ cuòshī. Birth control measures should be promoted in real earnest.

2 节约 jiéyuē 〈动 v.〉尽可能减少耗费；省下 (与 '浪费' 相对) save; use sparingly (opposite to '浪费 làngfèi'): ~资源 ~ zīyuán save resources｜厉行 ~ lìxíng ~ practise strict economy｜这样安排可以~出一天时间来。Zhèyàng ānpái kěyǐ ~ chū yì tiān shíjiān lái. One day's time can be saved through this arrangement.

4 节奏 jiézòu ❶〈名 n.〉(种 zhǒng)音乐艺术中交替出现的有规律的强弱、长短的现象 rhythm; tempo: 乐曲~明快。Yuèqǔ ~ míngkuài. This piece of music has a lively rhythm.｜小提琴拉得很有~。Xiǎotíqín lā de hěn yǒu ~. The violin was played with good rhythm. ❷〈名 n.〉有规律的活动过程 regular process: 生活 ~ shēnghuó ~ pace of life｜她的工作~十分紧张。Tā de gōngzuò ~ shífēn jǐnzhāng. She works with a tense rhythm.｜诗歌要讲~感。Shīgē yào jiǎng ~ gǎn. Rhythm is very important in poetry.

4 劫 jié ❶〈动 v.〉抢夺(人或物) rob; plunder: 趁火打~ chènhuǒ-dǎ~ rob the owner while his house is on fire; plunder a burning house｜~财害命 ~cái-hàimìng rob and murder｜他的钱包被~得精光。Tā de qiánbāo bèi ~ de jīngguāng. He was robbed of all the money in his wallet. ❷〈动 v.〉威逼 coerce; compel: ~机 ~jī hijack a plane｜~持 ~chí kidnap｜匪徒将他强行~走。Fěitú jiāng tā qiángxíng ~zǒu. The bandits took him away by force. ❸〈名 n.〉灾难 calamity: 浩~ hào~ a great calamity｜万~不复 wàn-bùfù lost forever; beyond redemption｜在~难逃 zài~-nántáo what is destined cannot be avoided

4 劫持 jiéchí〈动 v.〉挟持(人或物) kidnap; abduct: ~人质 ~ rénzhì kidnap hostages｜一伙匪徒企图~客机。Yìhuǒ fěitú qǐtú ~ kèjī. A gang of bandits attempted to hijack the airplane.

4 杰出 jiéchū〈形 adj.〉出众的；超越常人的 outstanding; distinguished: ~人才 ~ réncái

J

a person of remarkable ability | ~贡献 ~ gòngxiàn a brilliant contribution | 他是一位非常~的数学家。 Tā shì yí wèi fēicháng ~ de shùxuéjiā. He is a prominent mathematician.

⁴ 杰作 jiézuò 〈名 n. 〉非同一般的好作品 masterpiece:《红楼梦》是中国古代小说的传世~。 'Hónglóumèng' shì Zhōngguó gǔdài xiǎoshuō de chuánshì ~. Dream of Red Mansions is a masterpiece of classical Chinese novels.

³ 洁白 jiébái 〈形 adj. 〉纯正的、未被污染的白色;有时用来比喻非常干净、纯洁的 spotlessly white; pure white:雪后,原野一片~。 Xuě hòu, yuányě yípiàn ~. The open country has turned purely white after the snowfall. | 他的牙齿非常~。 Tā de yáchǐ fēicháng ~. He has spotlessly white teeth. | 她的心灵~无瑕。 Tā de xīnlíng ~ wúxiá. Her soul is pure and flawless.

³ 结 jié ❶〈动 v. 〉用条或类似线条的东西打成疙瘩或制成结状物品 knit; weave:渔网 ~ yúwǎng weave a fishing net | ~发夫妻 ~fà fūqī husband and wife by first marriage | 张口~舌 zhāngkǒu~shé dumbfounded | 张灯~彩 zhāngdēng~cǎi hang up lanterns and silk festoons ❷〈动 v. 〉凝聚而成 coagulate; congeal:凝~ níng~ condense | ~冰 ~bīng freeze | ~晶 ~jīng crystallize | 成群~队 chéngqún~duì gather in crowds and groups; in flocks ❸〈动 v. 〉组合成某种关系 form; unite:~婚 ~hūn get married | ~个对子 ~ gè duìzi form a pair | ~拜 ~bài become sworn brothers or sisters | ~仇 ~chóu start a feud | ~党营私 ~dǎng-yíngsī form a clique to pursue selfish interests ❹〈动 v. 〉结束;终止 settle; conclude:了~ liǎo~ finish | 终~ zhōng~ end; conclude | ~算 ~suàn settle accounts | 归根~底 guīgēn~dǐ ultimately; fundamentally ❺〈名 n. 〉(个 gè)指用线条或线条形打成的疙瘩或像结的物品 knot:领~ lǐng~ bow tie | 喉~ hóu~ Adam's apple | 情~ qíng~ complex | 中国~ Zhōngguó~ Chinese knot | 打个活~ dǎ gè huó~ tie a slip-knot

☞ jié, p. 521

² 结构 jiégòu ❶〈名 n. 〉(个 gè)整体中的各个部分及其排列、组合的方式 structure:年龄~ niánlíng ~ age structure | 知识~ zhīshi ~ knowledge structure | 复杂的~ fùzá de ~ complex structure | 这篇文章含四层~。 Zhè piān wénzhāng hán sì céng ~. This article has four levels in structure. ❷〈名 n. 〉(个 gè)建筑物内承重部分的构造 structure; construction:混凝土~ hùnníngtǔ ~ concrete structure | 房屋的~ fángwū de ~ structure of a house | ~比原有的建筑要坚固。 ~ bǐ yuányǒu de jiànzhù yào jiāngù. The structure of the new house is more solid than the original one.

¹ 结果 jiéguǒ ❶〈连 conj. 〉用于叙述过程或原因的话后,表明最终将会怎样 so; as a result:讨论了半天,~还是不做。 Tǎolùnle bàntiān, ~ háishì bú zuò. Discussions were held for quite a while, but no action was taken in the end. | 买衣服钱不够,~只得回来。 Mǎi yīfu qián bú gòu, ~ zhǐdé huílái. I had to come back as the money available was not enough for buying that dress. ❷〈名 n. 〉(个 gè)事物发展的最终状态 result; consequence; outcome:化验的~已经出来了。 Huàyàn de ~ yǐjīng chūlái le. The test results are already out. | 考试的~马上就要公布了。 Kǎoshì de ~ mǎshàng jiùyào gōngbù le. The exam results will soon be announced. | 比赛的~是99比98,我队险胜。 Bǐsài de ~ shì jiǔshíjiǔ bǐ jiǔshíbā, wǒ duì xiǎnshèng. The final score of the match was 99 to 98 and our team won by a narrow margin. ❸〈动 v. 〉比喻杀死 fig. kill sb.:一枪~了这个叛徒。 Yì qiāng ~le zhège pàntú. The traitor was killed with one gunshot. | 连发三枪,竟然~不了他。 Lián fā sān qiāng, jìngrán ~ bù liǎo tā. Three gunshots even failed to kill him.

☞ jié // guǒ, p. 521

²结合 jiéhé ❶〈动 v.〉人或事物之间发生密切联系 combine; unite; link：中西医～ zhōng-xīyī ~ combine traditional Chinese medicine with Western medicine｜土洋～ tǔyáng ~ combine the local feature with foreign experience｜紧密地～在一起 jǐnmì de ~ zài yìqǐ closely link together｜理论要和实际相～. Lǐlùn yào hé shíjì xiāng ~. Theory must be combined with practice. **❷**〈动 v.〉指成为夫妻 form a couple; become husband and wife：父母不反对他们～. Fùmǔ bù fǎnduì tāmen ~. The parents are not opposed to their marriage.｜夫妻～是一种缘分. Fūqī ~ shì yì zhǒng yuánfèn. The union of a man and a woman as husband and wife is dictated by fate.

²结婚 jié // hūn〈动 v.〉经合法手续结成夫妻 marry; get married：～纪念 ~ jìniàn wedding anniversary｜登记～ dēngjì ~ register for marriage｜他结过两次婚. Tā jié-guò liǎng cì hūn. He got married twice.｜婚先不忙结，必须先完成学业. Hūn xiān bù máng jié, bìxū xiān wánchéng xuéyè. No hurry for marriage; school work should be completed first of all.

⁴结晶 jiéjīng〈名 n.〉指经过物理或化学反应，物质由液态或气态转化而成的固态晶体，比喻珍贵而美好的成果 crystal; fruit; quintessence：～物质 ~ wùzhì crystal substance｜一体～tǐ crystal｜冰是水的～. Bīng shì shuǐ de ~. Ice is crystallized water.｜这部书稿是这位老教授一辈子心血的～. Zhè bù shūgǎo shì zhè wèi lǎo jiàoshòu yíbèizi xīnxuè de ~. The book manuscripts are the fruit of the old professor's life-time hard work.｜这个可爱的小宝宝是他俩爱情的～. Zhège kě'ài de xiǎo bǎobao shì tā liǎ àiqíng de ~. This lovely baby is a precious result of their love.

⁴结局 jiéjú〈名 n.〉〈个 gè〉最终的结果或局面 result; ending：人们都喜欢看大团圆的～. Rénmen dōu xǐhuan kàn dàtuányuán de ~. People are usually eager to see a happy ending.｜她的～太悲惨了. Tā de ~ tài bēicǎn le. She ends up miserably.｜什么样的～，很难预测. Shénmeyàng de ~, hěnnán yùcè. It is hard to foresee the ending.

²结论 jiélùn〈名 n.〉〈个 gè〉最后或最终的论断 conclusion：科学的～ kēxué de ~ scientific conclusion｜历史的～ lìshǐ de ~ a verdict of history｜你怎么能轻易地下～呢. Nǐ zěnme néng qīngyì de xià ~ ne. How could you jump to the conclusion!｜我不同意你的～. Wǒ bù tóngyì nǐ de ~. I can't accept your conclusion.

¹结束 jiéshù〈动 v.〉停止；不再继续 end; finish; terminate：这学期的课程已经全部～. Zhè xuéqī de kèchéng yǐjīng quánbù ~. All the courses for this term have been completed.｜比赛即将～. Bǐsài jíjiāng ~. The match is coming to the end.｜他终于了了光棍儿的生活. Tā zhōngyú ~le guānggùnr de shēnghuó. Finally he no longer lived a single life.

⁴结算 jiésuàn〈动 v.〉对某时期的经济收支进行结账清算 settle accounts：现金～ xiànjīn ~ settle accounts in cash｜年终～ niánzhōng ~ annual settlement｜进出口贸易一般都以美元～. Jìnchūkǒu màoyì yìbān dōu yǐ Měiyuán ~. The export and import trade is usually settled in US dollars.

⁴结业 jié // yè〈动 v.〉结束学业(多指短期培训或学习) complete a course：～式在礼堂举行. ~shì zài lǐtáng jǔxíng. The course completion ceremony was held in the auditorium.｜不能毕业，只能～. Bù néng bìyè, zhǐ néng ~. It will be a completion of the courses instead of formal graduation.｜这个月学习班还结不了业. Zhège yuè xuéxíbān hái jié bù liǎo yè. The course will not be finished within this month.

³截 jié ❶〈动 v.〉切断；使断开 cut; sever：～取 ~qǔ cut out｜～肢 ~zhī amputation｜把这根木条～为两段. Bǎ zhè gēn mùtiáo ~wéi liǎng duàn. Cut this log into two sections. **❷**〈动 v.〉拦；挡 stop; intercept：阻～ zǔ~ block and intercept｜～留资金 ~liú zījīn withhold funds｜他冲上前去～住了惊马. Tā chōngshàng qián qù ~zhùle jīngmǎ.

He rushed forward to stop the startled horse. | 他~了一辆出租车把病人送到了医院。 *Tā ~le yí liàng chūzūchē bǎ bìngrén sòngdàole yīyuàn.* He stopped a taxi and sent the patient to hospital. ❸〈动 *v.*〉到某个期限为止 expire by (a specified time)：报名的时间已经~止了。 *Bàomíng de shíjiān yǐjīng ~zhǐ le.* Registration has already closed. | ~至昨天，已有200人报到。 *~zhì zuótiān, yǐ yǒu érbǎi rén bàodào.* A total of 200 people had registrated up to yesterday. | ~稿日期是本月15日。 *~ gǎo rìqī shì běnyuè shíwǔ rì.* The deadline for contributions is the 15th of this month. ❹〈量 *meas.*〉用于可以分段的东西 section; chunk：半~粉笔 bàn ~ fěnbǐ half a piece of chalk | 半~儿话 bàn~r huà a half-said sentence

⁴ **截止** jiézhǐ〈动 *v.*〉(到一定期限)停止 end; close：~日期 ~ *rìqī* deadline | 报名时间今天~。 *Bàomíng shíjiān jīntiān ~.* The registration will be closed by today.

³ **竭力** jiélì〈副 *adv.*〉尽力地 with all one's might; persistently：~推荐 ~ *tuījiàn* try one's best to recommend | ~鼓吹 ~ *gǔchuī* loudly trumpet | 他~争辩，但仍无济于事。 *Tā ~zhēngbiàn, dàn réng wújìyúshì.* He energetically argued but in vain.

¹ **姐姐** jiějie ❶〈名 *n.*〉同父母(或仅同父或仅同母)而年纪大于自己的女子 elder sister, a elder woman or girl who has the same parents as, or shares a parent with, oneself ❷〈名 *n.*〉同族同辈中有血缘关系而年龄大于自己的女子 woman in the same family clan and of the same generation who is older than oneself：堂~ *táng* ~ elder female cousin (on the paternal side) | 表~ *biǎo*~ elder female cousin (on the maternal side) ❸〈名 *n.*〉称比自己年龄大的同辈女子 form of address for a woman of the same generation who is older than oneself：主持人~ *zhǔchírén* ~ Miss Host | 像大~一样 *xiàng dà* ~ *yíyàng* be like an elder sister | 没认识几天，就~妹妹的叫上了。 *Méi rènshi jǐ tiān, jiù ~mèimei de jiàoshàng le.* They began to call each other sisters only after a few days' acquaintance.

² **解** jiě ❶〈动 *v.*〉把系着的、捆绑的东西打开 untie; undo：~绑 ~*bǎng* untie the binding | ~甲归田 ~*jiǎ-guītián* take off one's armor and return to one's native place; be demobilized | 宽衣~带 kuānyī~*dài* unfasten the girdle and strip off one's dress; undress oneself | 他~了半天也~不开鞋带。 *Tā ~le bàntiān yě ~ bù kāi xiédài.* He tried for quite a while but failed to undo the shoelaces. ❷〈动 *v.*〉分开；使分开 separate：~体 ~*tǐ* disintegrate; dismantle | ~剖 ~*pōu* dissect | 分~ *fēn*~ resolve; decompose | 土崩瓦~ *tǔbēng-wǎ*~ fall apart; collapse like a house of cards ❸〈动 *v.*〉清楚；明白 understand：了~*liǎo* understand | 理~ *lǐ*~ comprehend | 令人费~ *lìngrén fèi*~ puzzling | 大惑不~ *dàhuò-bù*~ feel utterly puzzled; be at a loss ❹〈动 *v.*〉消除；去除 dispel; dismiss：~毒 ~*dú* detoxicate | ~聘 ~*pìn* dismiss an employee | ~围 ~*wéi* save sb. from embarrassment | 排忧~难 *páiyōu*~*nán* exclude the difficulty and anxiety | 快来喝两口酒~~寒气。 *Kuài lái hē liǎng kǒu jiǔ ~ ~ hánqì.* Come and have a drink to dispel the chill. ❺〈动 *v.*〉予以分析说明 explain：~释 ~*shì* explain | ~题 ~*tí* solve a (mathematical) problem | 劝~ *quàn*~ appease; mediate | 注~ ~*zhù*~ annotate | 辩~ ~*biàn*~ explain away; try to defend oneself ❻〈动 *v.*〉排泄粪便 urinate or defecate：大小~ *dàxiǎo* ~ urinate and defecate | ~手 ~*shǒu* relieve oneself ❼〈动 *v.*〉专指数学的分析验算 find the solution to a mathematical problem：~方程 ~*fāngchéng* find the answer to an equation | ~析几何 ~*xī jǐhé* analytic geometry | 我不会~第1题。 *Wǒ bú huì* ~ *dì-yī tí.* I can't find the answer to the first (mathematical) problem.

⁴ **解除** jiěchú〈动 *v.*〉消除；去除 remove; release：~警报 ~ *jǐngbào* sound the all-clear | ~误会 ~ *wùhuì* clear up a misunderstanding | 他被~了经理职务。 *Tā bèi ~le jīnglǐ*

zhíwù. He was relieved of his office as a manager. | 他俩已经～婚约。 *Tā liǎ yǐjīng ~ hūnyuē.* They have renounced their engagement. | 劫机犯已被～武装。 *Jiéjīfàn yǐ bèi ~ wǔzhuāng.* The hijackers have been disarmed.

2 **解答** jiědá 〈动 *v.*〉予以解释回答 answer; explain: 耐心地～ *nàixīn de ~* explain patiently | 细致地～ *xìzhì de ~* give a detailed answer | 问题我已经～得很清楚了。 *Wèntí wǒ yǐjīng ~ de hěn qīngchu le.* I have already given a clear answer to the question. | 关于这个问题我要求你给予明确的～。 *Guānyú zhège wèntí wǒ yāoqiú nǐ jǐyǔ míngquè de ~.* I require a clear answer from you regarding this question.

2 **解放** jiěfàng ❶〈动 *v.*〉解除束缚，得到自由 liberate; emancipate: ～生产力 *shēngchǎnlì* liberate the productive forces | ～妇女 *fùnǚ* emancipate women | 你的思想还不够～。 *Nǐ de sīxiǎng hái bú gòu ~.* Your mind is not liberal enough. ❷〈动 *v.*〉推翻反动统治，在中国特指1949年建立中华人民共和国 Liberation, esp. referring to the establishment of the People's Republic of China in 1949: ～前 *~ qián* before the Liberation | ～后 *~ hòu* after the Liberation | 我在～那年参加工作。 *Wǒ zài ~ nà nián cānjiā gōngzuò.* I took my first job in the year of Liberation. ❸〈名 *n.*〉解除束缚，得到自由的状况 emancipation: 妇女的～ *fùnǚ de ~* emancipation of women | 个性～ *gèxìng ~* personality liberation

3 **解放军** jiěfàngjūn 〈名 *n.*〉中国人民解放军的简称 the Chinese People's Liberation Army (PLA), abbr. for '中国人民解放军 Zhōngguó Rénmín Jiěfàngjūn': ～战士 *~ zhànshì* PLA soldier | 参加～ *cānjiā ~* join the PLA | ～艺术院校 *~ yìshù yuànxiào* art academies of the PLA

4 **解雇** jiěgù 〈动 *v.*〉解除雇佣关系；停止雇用 dismiss; fire: 我们公司最近～了20人。 *Wǒmen gōngsī zuìjìn ~le èrshí rén.* Recently our company dismissed 20 employees. | 他被～了。 *Tā bèi ~ le.* He is fired.

1 **解决** jiějué ❶〈动 *v.*〉使问题得到处理 solve; settle (a problem): ～分歧 *fēnqí* solve the differences | ～矛盾 *máodùn* resolve contradictions | 这个问题总算～了。 *Zhège wèntí zǒngsuàn ~ le.* This problem is finally settled. | 拖欠职工工资的问题得到了圆满的～。 *Tuōqiàn zhígōng gōngzī de wèntí dédàole yuánmǎn de ~.* The problem of tardy payment of the employees' wages has been solved satisfactorily. ❷〈动 *v.*〉消灭 finish off: 剩下的饭菜，你把它～了。 *Shèngxia de fàncài, nǐ bǎ tā ~ le.* Finish off the leftovers. | 这一仗～了敌人的一个师。 *Zhè yí zhàng ~le dírén de yí gè shī.* In this battle, we wiped out a division of enemy troops.

3 **解剖** jiěpōu ❶〈动 *v.*〉用专门工具剖开人体或动植物体，以便检查研究 dissect: ～室 *~shì* dissecting room | ～器官 *~ qìguān* dissect organs | 经过尸体～，终于查明了死因。 *Jīngguò shītǐ ~, zhōngyú chámíngle sǐyīn.* The cause of death has been determined through postmortem examination. ❷〈动 *v.*〉比喻较深入、细致地分析 fig. conduct in-depth analysis: ～灵魂 *~ línghún* appraise one's soul | ～社会 *~ shèhuì* appraise the society | 要严于～自己。 *Yào yányú ~ zìjǐ.* One should be strict in appraising oneself. | 作者深刻地～主人公的内心世界。 *Zuòzhě shēnkè de ~ zhǔréngōng de nèixīn shìjiè.* The author conducts an in-depth analysis of the hero's inner world.

4 **解散** jiěsàn ❶〈名 *n.*〉集中的人分散开或使分散开（与'集合'相对）dismiss; break up (opposite to '集合jíhé'): 游行的队伍已经～了。 *Yóuxíng de duìwu yǐjīng ~ le.* The procession has been dismissed. | 广场上的人群～了。 *Guǎngchǎng shang de rénqún ~ le.* The rally in the square was dismissed. ❷〈动 *v.*〉取消；不保留 disband; dissolve: ～非法组织 *fēifǎ zǔzhī* dissolve an illegal organization | ～议会 *~ yìhuì* dissolve the Parliament

J

²**解释** jiěshì ❶〈动 v.〉分析或说明原因、理由、含义等 analyse or explain（causes, reasons, implications, etc.）：~原因 ~ *yuányīn* explain the reasons｜简单地~ *jiǎndān de* ~ give a simple explanation｜这个道理很明白，不需要~。*Zhège dàolǐ hěn míngbai, bù xūyào* ~. The reason is quite obvious and no explanation is needed. ❷〈名 n.〉指对原因、理由、含义进行的说明 explanation（of causes, reasons, implications, etc.）：他的~不够清楚。*Tā de* ~ *bú gòu qīngchu.* His explanation is not clear enough.｜老师对日食现象作了非常通俗和形象的~。*Lǎoshī duì rìshí xiànxiàng zuòle fēicháng tōngsú hé xíngxiàng de* ~. The teacher gave a simple and vivid explanation of the solar eclipse.

¹**介绍** jièshào ❶〈动 v.〉使双方认识或发生关系 introduce; present：~对象 ~ *duìxiàng* introduce sb. to a potential marriage partner.｜~朋友 ~ *péngyou* introduce a new friend｜~来宾 ~ *láibīn* introduce the guests｜他在会上作了简短的自我~。*Tā zài huì shang zuòle jiǎnduǎn de zìwǒ* ~. He made a short self-introduction at the meeting. ❷〈动 v.〉引入（新的人或物）recommend；introduce（new person or thing）：~工作 ~ *gōngzuò* recommend sb. for a position｜~新会员 ~ *xīn huìyuán* recommend new members｜他向我~了他的新作。*Tā xiàng wǒ* ~*le tā de xīnzuò.* He introduced me to his new book. ❸〈动 v.〉使了解 let know; brief：~经验 ~ *jīngyàn* pass on one's experience｜校长向新生~了学校的概况。*Xiàozhǎng xiàng xīnshēng* ~*le xuéxiào de gàikuàng.* The principal gave the freshmen a briefing on the college.

⁴**戒严** jiè//yán〈动 v.〉在特殊或紧急情况下，政府或有关当局宣布对全国或某一地区采取非常措施 impose a curfew; enforce martial law：武装~ *wǔzhuāng* ~ curfew｜~令 ~*lìng* order of martial law｜~时间 ~ *shíjiān* curfew time｜~估计还会继续下去。*~ gūjì hái huì jìxù xiàqù.* The curfew is expected to continue.｜来的路上都成了严。*Lái de lù shang dōu jiěle yán.* The road I took as I came here was under martial law.

²**届** jiè ❶〈量 meas.〉略同于次、期等，用在定期的会议或毕业的年级上 similar to '次 cì' and '期 qī', etc., session（of a conference）; year（of graduation）：第一~毕业生 *dì-yī* ~ *bìyèshēng* the first batch of graduates｜应~ *yīng* ~ this year's graduates｜历~ *lì* ~ all previous（sessions, conferences, etc.）｜往~ *wǎng* ~ previous batches of graduates｜本~世界杯 *běn* ~ *Shìjièbēi* this year's World Cup competition ❷〈动 v.〉到（时候）fall due：~时 ~ *shí* at the appointed time｜~期 ~*qī* on the appointed date

⁴**界** jiè ❶〈名 n.〉相交的地方 boundary：国~ *guó* ~ the boundary of a country｜省~ *shěng* ~ provincial border｜两山交~处 *liǎng shān jiāo-chù* on the boundaries between two mountains ❷〈名 n.〉一定的范围或限度 scope; extent：临~状态 *lín* ~ *zhuàngtài* critical state｜眼~以外 *yǎn* ~ *yǐwài* beyond the horizon｜以此为~，互不侵犯。*Yǐ cǐ wéi* ~, *hù bù qīnfàn.* No mutual aggression is allowed across this demarcation line.｜球被打出了~。*Qiú bèi dǎchūle* ~. The ball is out of bounds. ❸〈名 n.〉大自然中某些最大的类别 the largest group of certain things in Nature：生物~ *shēngwù* ~ organic sphere｜动物~ *dòngwù* ~ the animal world｜自然~ *zìrán* ~ the natural world ❹〈名 n.〉年代地层单位的第二级 group; primary division in stratigraphy：古生~ *gǔshēng* ~ Palaeozoic Group｜新生~ *xīnshēng* ~ Cainozoic Erathem ❺〈词尾 suff.〉特指某类社会成员的整体 circles：科学~ *kēxué* ~ scientific circles｜卫生~ *wèishēng* ~ health-care circles｜政~ *zhèng* ~ political circles｜工商~ *gōngshāng* ~ industrial and commercial circles｜各~ *gè* ~ all walks of life

⁴**界限** jièxiàn ❶〈名 n.〉（个gè）不同事物的分界或范围 demarcation line; dividing line：~分明 ~ *fēnmíng* clear-cut demarcations｜男女~ *nánnǚ* ~ dividing line between men and women｜是非~ *shìfēi* ~ boundary between right and wrong｜明显的~ *míngxiǎn de* ~

J

distinct boundaries｜严格的～ yángé de ～ strict demarcation line｜划清～ huàqīng ～ draw a clear line of demarcation ❷〈名 n.〉(个 gè)事物限度的边缘;尽头 limit; end: 我的忍耐不是没有～的。 Wǒ de rěnnài bú shì méiyǒu ～ de. My patience is not without limit.｜人的欲望不能没有～。 Rén de yùwàng bù néng méiyǒu ～. Human desire should not be insatiable.

界线 jièxiàn ❶〈名 n.〉(个 gè、道 dào)两地的分界线 boundary line: 淮河与秦岭是中国南北方的自然分～。 Huái Hé yǔ Qínlíng shì Zhōngguó nánběi fāng de zìrán fēn～. The Huai He River and Qinling Mountains form natural watershed between North China and South China.｜这两个村的～就是前面的石碑。 Zhè liǎng gè cūn de ～ jiùshì qiánmian de shíbēi. The stone tablet ahead is the boundary between the two villages. ❷〈名 n.〉(条 tiáo)不同事物的区分线或边缘线 dividing line: 敌我～ díwǒ ～ dividing line between friend and foe｜是非～不能混淆。 Shìfēi ～ bù néng hùnxiáo. Don't confound the division between right and wrong.｜那白线是球场的～。 Nà bái xiàn shì qiúchǎng de ～. The white lines are the bounds of the ball park.

借 jiè ❶〈动 v.〉获得许可后暂时使用他人的钱物等 borrow: 他向我～了100元钱。 Tā xiàng wǒ ～le yìbǎi yuán qián. He borrowed 100 yuan from me.｜好～好还，再～不难。 Hǎo ～ hǎo huán, zài ～ bù nán. If one returns something he borrowed on time, he will find it easier to borrow again next time. ❷〈动 v.〉将自己的钱物暂时给他人使用 lend: 我～给他500元 Wǒ ～ gěi tā wǔbǎi yuán. I lent him 500 yuan.｜自行车让学生～走了。 Zìxíngchē ràng xuéshēng ～zǒu le. My bike was lent to my student. ❸〈动 v.〉假托 use as a pretext: ～故 ～gù find an excuse｜～口 ～kǒu use as an excuse｜～古讽今 ～gǔfěngjīn use the past to disparage the present ❹〈动 v.〉利用 make use of: ～鸡生蛋（比喻利用他人的力量发展自己的事业）～jī-shēngdàn（bǐyù lìyòng tārén de lìliang fāzhǎn zìjǐ de shìyè） make use of others' hens to lay eggs (fig. to develop one's own cause by making use of other people's strength)｜～刀杀人（比喻利用他人害人）～dāo-shārén（bǐyù lìyòng tārén hàirén）murder with a borrowed knife (fig. kill sb. by another's hand)

借鉴 jièjiàn〈动 v.〉从别的人或事中吸取经验教训以便取长补短 use for reference: 互相～ hùxiāng ～ for mutual reference｜～经验 ～jīngyàn draw on the experience｜这种做法值得～。 Zhè zhǒng zuòfǎ zhídé ～. This way of doing things should be used as our reference.

借口 jièkǒu ❶〈动 v.〉不愿讲出真正的理由而以他事为理由 use as an excuse: 他～工作忙推掉了应酬。 Tā ～ gōngzuò máng tuīdiàole yìngchou. He declined the invitation for dinner party on the pretext of busy work.｜不要～学习紧张就不参加公益活动。 Bú yào ～ xuéxí jǐnzhāng jiù bù cānjiā gōngyì huódòng. One should not refuse to participate in public-welfare acitivties under the pretext of being too busy with study. ❷〈名 n.〉(个 gè)假托的理由 excuse; pretext: 找～ zhǎo ～ find an excuse｜不要以考察为～到处游山玩水。 Bú yào yǐ kǎochá wéi ～ dàochù yóushān-wánshuǐ. One should not make a sightseeing tour on the excuse of conducting investigations.｜你不论用什么～都推脱不了责任。 Nǐ búlùn yòng shénme ～ dōu tuītuō bù liǎo zérèn. No excuse can relieve you of your responsibility.

借助 jièzhù〈动 v.〉依靠他人或外物的帮助 draw support from; have the aid of: ～媒体 ～méitǐ with the support from the media｜～网站 ～ wǎngzhàn with the help of the web site｜他无非是想～你的力量把他的公司办起来而已。 Tā wúfēi shì xiǎng ～ nǐ de lìliang bǎ tā de gōngsī bàn qǐlái éryǐ. He merely wants to set up his own company with your support.

J

¹ 斤 jīn〈量 *meas.*〉中国传统计算重量的单位之一，又叫‘市斤’。1市斤等于10市两，合公制500克 *jin; unit of weight, one jin is equal to 500 grams*：3~苹果 *sān ~ píngguǒ* three *jin* of apples | 两~多 *liǎng ~ duō* more than two *jin* | 半~八两（比喻彼此差不多，多含贬义）*bàn~-bāliǎng*（*bǐyù bǐcǐ chàbuduō, duō hán biǎnyì*) six of one and half a dozen of the other（*fig.* not much to choose between the two; oft. derog.)

² 今后 jīnhòu〈名 *n.*〉从今以后 *from now on; henceforth*：~我一定要加倍努力地学习。*~ wǒ yídìng yào jiābèi nǔlì de xuéxí.* From now on I shall be more diligent in my study. | 在~的5年里，我们国家将有一个大的发展。*Zài ~ de wǔ nián li, wǒmen guójiā jiāng yǒu yí gè dà de fāzhǎn.* Our country will witness a huge development in the next five years.

¹ 今年 jīnnián〈名 *n.*〉说话时的这一年 *this year*：~我的孩子考大学。*~ wǒ de háizi kǎo dàxué.* My child will take the college-entrance exams this year. | 往年比~热。*Wǎngnián bǐ ~ rè.* This year it is less hot than it was in the previous years. | 你要好好儿地安排一下~的计划。*Nǐ yào hǎohāor de ānpái yíxià ~ de jìhuà.* You should make a good plan for this year.

³ 今日 jīnrì〈名 *n.* 书 *lit.*〉说话时的这一天；现在 *today; now*：~要闻 *~ yàowén* important news for today | 时至~你还不说实话，大家怎能原谅你。*Shízhì ~ nǐ hái bù shuō shíhuà, dàjiā zěn néng yuánliàng nǐ.* How can we forgive you since you still refuse to tell the truth up to now?

¹ 今天 jīntiān ❶〈名 *n.* 口 *colloq.*〉说话时的这一天 *today*：~别走了。*~ bié zǒu le.* Stay here for today. | 是不是这~开会？*Shì bú shì zài ~ kāihuì?* Will the meeting be held today? | ~是星期六。*~ shì xīngqīliù.* Today is Saturday. ❷〈名 *n.*〉现在；当前 *now; present time*：~的社会 *~ de shèhuì* the present society

² 金 jīn ❶〈名 *n.*〉金属的统称 *metal*：~戈铁马 *~gē-tiěmǎ* shining spears and armored horses; military hardware | 五~商店 *wǔ~ shāngdiàn* hardware store | 合~钢 *hé~gāng* alloy steel | 冶~ *yě~* metallurgy ❷〈名 *n.*〉钱 *money*：现~ *xiàn~* cash | 融~ *róng~* finance | 奖~ *jiǎng~* bonus | 礼~ *lǐ~* gift money | 助学~ *zhùxué~* stipend; student grant | 一掷千~ *yízhìqiān~* spend a big sum of money lavishly; throw away money like dirt ❸〈名 *n.*〉金属元素，符号Au，俗称‘金子’‘黄金’ *aurum*（Au）; gold; commonly known as '金子jīnzi' or '黄金huángjīn'：~币 *~bì* gold coin | ~项链 *~xiàngliàn* gold necklace | ~银器 *~yínqì* gold and silver ware | ~包 *~bāo* gild | 淘~ *táo~* panning ❹〈名 *n.*〉中国古代指金属制成的器物 *item made of metal in ancient China*：~文 *~wén* inscriptions on ancient bronzeware | 鸣~ *~míng* beat the gongs ❺〈形 *adj.*〉像金子一样宝贵 *valuable*：~贵 *~guì* valuable; precious | ~口玉言 *~kǒu-yùyán* precious words; utterances that carry great weight ❻〈形 *adj.*〉金色的 *golden*：~秋 *~qiū* golden autumn | ~灿灿 *~càncàn* golden bright | ~发 *~fà* golden hair | ~丝猴 *~sīhóu* golden monkey

⁴ 金额 jīn'é〈名 *n.*〉（笔bǐ）钱的数额 *amount of money; sum*：贸易~ *màoyì ~* trade volume | 货款的~ *huòkuǎn de ~* sum of payment for the goods | 办一家小公司所需的~不大。*Bàn yì jiā xiǎo gōngsī suǒ xū de ~ bú dà.* To run a small company does not require much money.

⁴ 金黄 jīnhuáng〈形 *adj.*〉像金子的颜色那样黄 *golden yellow*：~的头发 *~ de tóufa* golden hair | 田野里一片~。*Tiányě lǐ yí piàn ~.* The field is a sea of golden yellow.

⁴ 金牌 jīnpái〈名 *n.*〉（块kuài，枚méi）含金的奖牌，比赛中授予第一名；泛指第一或最高的荣誉 *gold medal; general term for the first prize or top honor*：~得主 *~ dézhǔ* gold-medal winner | 摘取~ *zhāiqǔ ~* win a gold medal | 这是我们厂的~产品。*Zhè shì*

wǒmen chǎng de ~ chǎnpǐn. This is our factory's top product.

⁴ **金钱** jīnqián〈名 *n.*〉钱；货币 money：挥霍 – *huīhuò* ~ spend money lavishly｜你不要以为什么东西都是可以用~买到的。*Nǐ bú yào yǐwéi shénme dōngxi dōu shì kěyǐ yòng ~ mǎidào de.* You should not assume that everything can be bought with money.

⁴ **金融** jīnróng〈名 *n.*〉货币资金的融通，一般指货币流通及银行信用有关的各种经济活动 finance：~危机 – *wēijī* financial crisis｜~部门 ~ *bùmén* financial department｜~界 ~*jiè* financial circles｜~中心 ~ *zhōngxīn* financial center

² **金属** jīnshǔ〈名 *n.*〉（种zhǒng）有特殊光泽和延展性，能导电、传热的物质 metal：有色 – *yǒusè* ~ nonferrous metals｜~加工 – *jiāgōng* metal processing｜~零件 ~ *língjiàn* metal component｜金、银、铜、铁、锌等都是~。*Jīn, yín, tóng, tiě, xīn děng dōu shì ~.* Gold, silver, copper, iron and zinc are all metals.

³ **金鱼** jīnyú〈名 *n.*〉（条tiáo、尾wěi）由鲫鱼演化而成的观赏鱼 goldfish：~缸 – *gāng* goldfish bowl｜他家养了许多~。*Tā jiā yǎngle xǔduō ~.* He raises a lot of goldfish in his house.

⁴ **津津有味** jīnjīn-yǒuwèi〈成 *idm.*〉形容很有滋味或很有趣味 with great appetite; with great interest：他~地吃着比萨饼。*Tā ~ de chīzhe bǐsàbǐng.* He ate a pizza with great appetite.｜什么书让你看得这么~？*Shénme shū ràng nǐ kàn de zhème ~?* What is the book that you are reading with such interest?

⁴ **津贴** jīntiē〈名 *n.*〉（笔bǐ、份fèn）工资外的补助费 subsidy; allowance：生活 – *shēnghuó* ~ subsistence allowance｜住房 – *zhùfáng* ~ housing subsidy｜领取 – *lǐngqǔ* ~ receive one's allowances｜这个公司的工资不高，但各种各样的~不少。*Zhège gōngsī de gōngzī bù gāo, dàn gèzhǒng-gèyàng de ~ bù shǎo.* This company gives its employees low wages, but offers many kinds of subsidies.

⁴ **筋** jīn ❶〈名 *n.*〉韧带或肌腱 tendon; sinew：~骨 –*gǔ* muscles and bones｜~肉 –*ròu* tendon｜抽 – *chōu* ~ cramp｜伤~动骨（比喻事物受到根本性的损害）*shāng~-dònggǔ* (*bǐyù shìwù shòudào gēnběnxìng de sǔnhài*) be injured in the sinews or bones (*fig.* suffer serious damage) ❷〈名 *n.*〉（条tiáo、根gēn）可见的皮肤下静脉血管 veins that stand out under the skin：青~ – *qīng*~ veins ❸〈名 *n.*〉像筋一样的东西 anything resembling a tendon or vein：钢~ – *gāng*~ reinforcing steel｜橡皮~儿 *xiàngpí~r* rubber band｜我看你只有一根~（形容头脑不灵活，认死理儿）。*Wǒ kàn nǐ zhǐyǒu yì gēn ~ (xíngróng tóunǎo bù línghuó, rèn sǐlǐr).* I think that you have only one tendon (*fig.* be inflexible and stubborn).

² **仅** jǐn〈副 *adv.*〉只（表示范围限制）only：~供参考 – *gòng cānkǎo* for reference only｜绝无~有 juéwú-~yǒu unique｜~此一家，别无分店。*~ cǐ yì jiā, bié wú fēndiàn.* There is only one store and no other outlet.｜汽车开得不~快，还很平稳。*Qìchē kāi de bù~kuài, hái hěn píngwěn.* The car is running fast and steady.

² **仅仅** jǐnjǐn〈副 *adv.*〉表示限于一定范围(语气比'仅'重) only; merely：我们~是一般的朋友。*Wǒmen ~ shì yìbān de péngyou.* We are only ordinary friends.｜十天功夫，他就瘦得不成样子了。*~ shí tiān gōngfu, tā jiù shòu de bù chéng yàngzi le.* He became so emaciated in only ten days.

² **尽** jǐn ❶〈动 *v.*〉让某人或某事优先 give priority to：有好的东西，她总是~着孩子吃。*Yǒu hǎo de dōngxi, tā zǒngshì ~zhe háizi chī.* She will always let her children eat good food first.｜你先~着好的用，不能用的我给你换。*Nǐ xiān ~zhe hǎo de yòng, bù néng yòng de wǒ gěi nǐ huàn.* You may first use the items in good condition and I will replace those broken items for you. ❷〈动 *v.*〉力求达到最大限度 do one's utmost：~

早 ~zǎo as early as possible │ 快 ~kuài as quickly as possible │ 可能 ~ kěnéng to the best of one's ability ❸〈副 adv.〉用在表示方位的词前，与'最'相同 at the furthest end of, similar to '最zuì'：~下头 ~ xiàtou at the very bottom │ ~里边 ~ lǐbian at the innermost │ ~北面 ~ běimiàn at the northen end

☞ jìn, p. 535

² 尽管 jǐnguǎn ❶〈副 adv.〉不必顾虑，放心做 without scruples; freely：大家 ~ 吃，不够叫人再添。Dàjiā ~ chī, bú gòu jiào rén zài tiān. Please feel free to eat. We will ask for more if it is not enough. │ 别客气，缺什么 ~ 说话。Bié kèqi, quē shénme ~ shuōhuà. Don't hesitate to ask for whatever you need. ❷〈连 conj.〉表示让步，后面有'但是''然而''仍然''也'等表示转折的词语呼应 though; even though, used with '但是dànshì'，'然而rán'ér'，'仍然réngrán'，'也yě' etc.：~ 天气热，他仍然来了。~ tiānqì rè, tā réngrán lái le. Despite hot weather, he came all the same. │ 爸爸 ~ 心里不高兴，但还是忍住没发火。Bàba ~ xīnli bù gāoxìng, dàn háishì rěn zhù méi fāhuǒ. The father held back his anger though he was unhappy about it.

⁴ 尽快 jǐnkuài〈副 adv.〉尽可能加快 as soon as possible; as quickly as possible：~调整 ~ tiáozhěng readjust as early as possible │ ~完成 ~ wánchéng finish sth. as quickly as possible │ 这件事你一定要 ~ 处理。Zhè jiàn shì nǐ yídìng yào ~ chǔlǐ. You must handle this matter as soon as possible.

² 尽量 jǐnliàng〈副 adv.〉在一定范围内做出最大努力 to the best of one's ability; as far as possible：你说得 ~ 简单一些。Nǐ shuō de ~ jiǎndān yìxiē. Please make it as simple as possible. │ 我 ~ 早点儿回来。Wǒ ~ zǎo diǎnr huílái. I will try to come back as early as possible.

¹ 紧 jǐn ❶〈形 adj.〉物体受到外界拉力或压力后呈现的一种状态(与'松'相对) tight (opposite to '松sōng')：弦绷得太 ~ 了。Xián bēng de tài ~ le. The string is stretched too tight. │ 螺丝 ~ 过了头。Luósī ~guòle tóu. The screw is tightened beyond the limit. ❷〈形 adj.〉空隙极小；距离很近 close; tight：~密 ~mì close │ 我们家 ~ 靠菜市场。Wǒmen jiā ~ kào càishìchǎng. My home is close to the food market. │ 这条裤子的裤腰 ~ 了一些。Zhè tiáo kùzi de kùyāo ~le yìxiē. The waist of the trousers is a little too tight. │ 这扇门 ~ 得打不开。Zhè shàn mén ~ de dǎ bù kāi. This door is too tight to open. ❸〈形 adj.〉表示动作先后密切相连 urgent; pressing：一封信 ~ 接着一封信寄过来。Yì fēng xìn ~jiēzhe yì fēng xìn jì guòlái. One letter followed another in quick succession. ❹〈形 adj.〉急迫；紧张 urgent; tense：外面的风声有些 ~。Wàimian de fēngshēng yǒuxiē ~. The situation is getting tense. ❺〈形 adj.〉不宽裕，短缺 short; insufficient：我的手头儿有些 ~。Wǒ de shǒutóur yǒuxiē ~. I am a bit short of money. │ 市场上鸡蛋 ~ 缺。Shìchǎng shang jīdàn ~quē. Eggs are in short supply in the market. │ 时间太 ~，今天怕是讲不完了。Shíjiān tài ~, jīntiān pà shì jiǎng bù wán le. Time is pressing. I'm afraid that it cannot be finished today. ❻〈形 adj.〉牢；不松 tight：~绷绷 ~bēngbēng tight │ ~巴巴 ~bābā tight; taut │ ~梆梆 ~bāngbāng tight │ 握 ~ 方向盘。Wò ~ fāngxiàngpán. Hold the wheel fast. ❼〈动 v.〉使牢固 (与'松'相对) tighten (opposite to '松sōng')：~~腰带 ~ ~ yāodài tighten the belt │ 把行李 ~ 一 ~。Bǎ xíngli yì ~. Tighten up the luggage.

³ 紧急 jǐnjí〈形 adj.〉必须立即行动，不容拖延的 urgent; emergent：~刹车 ~ shāchē emergent brake │ 万分 ~ wànfēn ~ critically emergent │ 事态 ~ shìtài ~ critical situations │ 再不采取 ~ 措施，就要出大问题了！Zài bù cǎiqǔ ~ cuòshī, jiùyào chū dà wèntí le! Serious problems are likely to arise if no emergent measures are taken!

³ **紧密** jǐnmì ❶〈形 adj.〉关系密切不可分 close; inseparable：团结 ~ tuánjié closely unite｜十分 ~ shífēn ~ in close unity｜我和他的关系逐渐~起来。Wǒ hé tā de guānxì zhújiàn ~ qǐlái. My relationship with him is gradually becoming closer and closer. ❷〈形 adj.〉(事物)密集而不间断 intense and incessant：~的雨点儿纷纷落在屋顶上。~ de yǔdiǎnr fēnfēn luò zài wūdǐng shang. Rapid raindrops are falling on the roof of the house.｜城外传来~的枪声。Chéng wài chuán lái ~ de qiāngshēng. Intense firing can be heard from outside the city.

⁴ **紧迫** jǐnpò〈形 adj.〉急迫得没有缓冲的余地 urgent; imminent：时间 ~ shíjiān ~ be pressed for time｜任务 ~ rènwù ~ urgent task｜~感 ~gǎn sense of urgency｜前方的战事非常~，我们必须火速增援。Qiánfāng de zhànshì fēicháng ~, wǒmen bìxū huǒsù zēngyuán. The war situations at the front are quite pressing and we must provide reinforcement as soon as possible.

³ **紧俏** jǐnqiào〈形 adj.〉商品需求大而供不应求 in great demand but short supply：~产品 ~ chǎnpǐn products in short supply｜~货 ~huò goods in great demand｜十分~ shífēn ~ in short supply｜这种商品现在已经不再了。Zhè zhǒng shāngpǐn xiànzài yǐjīng bú zài ~ le. This kind of goods is no longer in great demand.

⁴ **紧缩** jǐnsuō〈动 v.〉压紧；减少 reduce; cut down：~经费 ~ jīngfèi cut the expenditure｜~人员 ~ rényuán cut down on personnel｜~编制 ~ biānzhì reduce staff｜我们公司现在必须全面~开支。Wǒmen gōngsī xiànzài bìxū quánmiàn ~ kāizhī. Our company must cut down expenses in all respects.

¹ **紧张** jǐnzhāng ❶〈形 adj.〉精神高度不安，难于放松 nervous; tense：浑身~ húnshēn ~ nervous all over｜~的心情 ~ de xīnqíng tense feelings｜眼看就要毕业考试了，我~得都睡不着觉。Yǎnkàn jiùyào bìyè kǎoshì le, wǒ ~ de dōu shuì bù zháo jiào. As graduation exams draw near, I am feeling too nervous to sleep.｜他~地望着台下，不知说什么好。Tā ~ de wàngzhe tái xià, bù zhī shuō shénme hǎo. He looked nervously down at the audience without knowing what to say. ❷〈形 adj.〉激烈；紧急 fierce; tense：形势~ xíngshì ~ tense situations｜场上的比赛十分~激烈。Chǎng shang de bǐsài shífēn ~ jīliè. The match is going on in a tense atmosphere.｜这学期的课程安排得真~。Zhè xuéqī de kèchéng ānpái de zhēn ~. This semester is packed with courses. ❸〈形 adj.〉供应短缺；不宽余 in short supply：劳力~ láolì ~ labor in short supply｜现在我们家的住房已经不~了。Xiànzài wǒmen jiā de zhùfáng yǐjīng bù ~ le. My family no longer lives in a cramped house nowadays.

⁴ **锦绣** jǐnxiù〈名 n.〉有美丽图纹色彩的丝织品；比喻华丽或美好 silk fabric with pretty patterns and colors; used to describe sth. splendid; as beautiful as brocade：~河山 ~ héshān a land of enchanting beauty｜~中华 ~ Zhōnghuá splendid China｜~前程 ~ qiánchéng splendid future

³ **谨慎** jǐnshèn〈形 adj.〉慎重并小心，以免不利或不幸的事情发生 prudent; cautious：谦虚~ qiānxū ~ modest and prudent｜他这个人从来~。Tā zhège rén cónglái hěn ~. He has always been a prudent man.｜他可是个~得不能再~的人了。Tā kěshì gè ~ de bù néng zài ~ de rén le. He is the most prudent man I've ever met.

² **尽** jìn ❶〈动 v.〉完 exhaust; finish：弹~粮绝 dán~-liángjué run out of ammunition and food supplies｜取之不~ qǔzhībú~ inexhaustible｜赶~杀绝 gǎn~-shājué spare none ❷〈动 v.〉全部用出或使出来 use up：~心竭力 ~xīn-jiélì do one's best; make all-out efforts｜~职~责 ~zhí-~zé fulfill one's duty｜~义务 ~yìwù fulfill one's obligations ❸〈动 v.〉达到极限 reach the extreme limit：~头 ~tóu end｜山穷水~ shānqióng-shuǐ~ be

J

at one's last shift; come to the end of one's resources │ 无穷无~ *wúqióng-wú~* limitless ❹〈动 *v.*〉死 die: 自~ *zì~* commit suicide │ 同归于~ *tóngguī-yú~* perish together ❺〈形 *adj.*〉全部；所有的 all: ~人皆知 *~rén-jiēzhī* be known to all │ ~数收回 *~shù shōuhuí* all to be reclaimed ❻〈副 *adv.*〉完全；都 completely; all: 应有~有 *yīngyǒu-yǒu* have all the things that one desires; have everything under the sun │ 衣服上~是些泥点儿。*Yīfu shang ~ shì xiē nídiǎnr.* The dress is all covered with mud spots. │ 他办事你~可以放心。*Tā bànshì nǐ ~ kěyǐ fàngxīn.* You can set your mind at rest when he is in charge. ❼〈副 *adv.*〉只会；光 merely; only: ~胡闹 *~húnào* merely cause disturbance │ ~编瞎话 *~ biān xiāhuà* tell nothing but lies │ 你别~拿大个儿的。*Nǐ bié ~ ná dà gèr de.* Don't take big ones only.

☞ *jǐn*, p. 533

³ **尽力** jìnlì//Ⅱ〈动 *v.*〉无保留地用上一切力量 do one's utmost: ~支援 *~ zhīyuán* provide maximum support │ 尽心~ *jìnxīn~* do one's best │ 他还要为学校尽最后一点儿力。*Tā hái yào wèi xuéxiào jìn zuìhòu yìdiǎnr lì.* He wants to make the final contributions to the school. ‖ 力已尽到，不再有愧。*Lì yǐ jìn dào, bú zài yǒukuì.* Now that I have done my best, I have nothing to regret.

¹ **进** jìn ❶〈动 *v.*〉向前移动（与'退'相对）move forward; advance (opposite to '退 tuì'): ~军 *~jūn* advance troops │ ~驻 *~zhù* enter and garrison │ 推~ *tuī~* push forward │ 前~ *qián~* advance; march │ 不~则退。*Bú ~ zé tuì.* Not to advance is to go back. │ 这个地方~可攻，退可守，是兵家必争之地。*Zhège dìfang ~ kě gōng, tuì kě shǒu, shì bīngjiā bìzhēng zhī dì.* This place is a strategic point, where one can launch an attack in case of advancing and can easily guard in case of retreating. ❷〈动 *v.*〉从外面来到里面（与'出'相对）enter (opposite to '出chū'): 汽车~站了。*Qìchē ~ zhàn le.* The bus has arrived. │ 他走~了大门。*Tā zǒu~le dàmén.* He walked in through the gate. ❸〈动 *v.*〉收；入；接纳 receive: ~款 *~kuǎn* income │ ~项 *~xiàng* earnings │ 商场新~了一批电气产品。*Shāngchǎng xīn ~ le yì pī diànqì chǎnpǐn.* The department store has just laid in a new stock of electronic appliances. │ 今年我们系不再~学生。*Jīnnián wǒmen xì bú zài ~ xuésheng.* This year our department will not admit any new students. ❹〈动 *v.*〉呈上 submit: ~言 *~yán* offer one's advice │ ~献 *~xiàn* submit │ ~奉贡品 *~fèng gòngpǐn* submit articles of tribute ❺〈动 *v.*〉吃东西 eat: ~餐 *~cān* have the meal │ 老爷子好几天滴水不~，快不行了。*Lǎoyézi hǎo jǐ tiān dīshuǐ bú ~, kuài bùxíng le.* My old father can't drink any water for several days. I'm afraid he can't make it ❻〈助动 *aux. v.*〉表示动作从外到里的方向（常用在动词后做补语）(used after a verb as a complement) into; in: 踢~ *tī~* kick into │ 买~ *mǎi~* buy in │ 放~ *fàng~* put sth. into (a place) ❼〈量 *meas.*〉用于平房式的前后院落 any of several rows of houses in an old-style residential compound: 这座宅院有好几~院子。*Zhè zuò zháiyuàn yǒu hǎo jǐ ~ yuànzi.* This house has several courtyards. │ 一~四间 *yí ~ sì jiān* (a house) with one courtyard and four rooms

² **进步** jìnbù ❶〈动 *v.*〉向前发展；好于原来（与'退步'相对）advance; improve (opposite to '退步 tuìbù'): 社会~了。*Shèhuì ~ le.* Society has moved forward. │ 他最近有些~。*Tā zuìjìn yǒuxiē ~.* He has made a bit of progress recently. ❷〈形 *adj.*〉对社会发展起积极、促进作用的（与'落后''后进'相对）progressive (opposite to '落后 luòhòu' or '后进 hòujìn'): ~言论 *~ yánlùn* progressive speech │ 技术~ *jìshù~* technological advance │ 他是一位思想~的青年。*Tā shì yí wèi sīxiǎng ~ de qīngnián.* He is a young man with progressive ideas.

⁴ **进程** jìnchéng 〈名 n.〉(事物)发展变化的过程 process; course: 现代化的~ *xiàndàihuà de* ~ course of modernization | 在改革的~中出现一些问题是不足为怪的。 *Zài gǎigé de* ~ *zhōng chūxiàn yìxiē wèntí shì bùzúwéiguài de.* It is not surprising at all to meet some problems in the course of reforms.

⁴ **进而** jìn'ér 〈连 conj.〉在现有的基础上,进一步(用在后一分句前) and then: 先提高汉语的听说能力,~再提高读写能力。 *Xiān tígāo Hànyǔ de tīng shuō nénglì,* ~ *zài tígāo dú xiě nénglì.* One should improve his Chinese listening and speaking ability first and then improve his competence in reading and writing. | 首先了解情况,~解决问题。 *Shǒuxiān liǎojiě qíngkuàng,* ~ *jiějué wèntí.* One should get acquainted with the situation first and then try to solve the problems.

² **进攻** jìngōng 〈动 v.〉主动攻击或发动攻势(与'防守'相对)attack (opposite to '防守 fángshǒu'): 向敌方发起全面~。 *Xiàng dífāng fāqǐ quánmiàn* ~. We launched an all-out offensive against the enemy. | 这支足球队队员的~意识很强。 *Zhè zhī zúqiúduì duìyuán de* ~ *yìshí hěn qiáng.* The members of this soccer team have a keen eagerness to take the offensive.

² **进化** jìnhuà 〈动 v.〉事物由简单到复杂,由低级到高级的发展变化 evolve; develop from simple to complex, from low to advanced: 生物~ *shēngwù* ~ biological evolution | ~得非常缓慢 ~ *de fēicháng huǎnmàn* evolve very slowly | ~论是由达尔文提出的。 ~*lùn shì yóu Dá'ěrwén tíchū de.* The theory of evolution was advanced by Charles Darwin.

³ **进军** jìnjūn 〈动 v.〉军队朝目的地行进;又指向某个目标或目的地前进 march; advance: ~敌占区 ~*dízhànqū* advance toward the enemy-occupied areas | ~的号角 ~ *de hàojiǎo* bugle for advancing | 向科学高峰~ *xiàng kēxué gāofēng* ~ scale the heights of science | 我科学考察队胜利~南极。 *Wǒ kēxué kǎocháduì shènglì* ~ *Nánjí.* The Chinese scientific expedition marched victoriously toward the Antarctic.

² **进口** Ⅰ jìnkǒu ❶〈动 v.〉从外国或外地运进货物(与'出口'相对)import (opposite to '出口 chūkǒu'): ~石油 ~*shíyóu* import oil | ~贸易 ~ *màoyì* import trade | 这些商品进不了口。 *Zhèxiē shāngpǐn jìn bù liǎo kǒu.* These commodities are not allowed to be imported. ❷〈形 adj.〉从本地以外的地区或国家输入的 imported: ~货 ~*huò* imported goods | 这块手表不是~的。 *Zhè kuài shǒubiǎo bú shì* ~ *de.* This watch is not an imported product. Ⅱ jìnkǒu 〈名 n.〉(个gè)进入某一场地的入口处(与'出口'相对)entrance (opposite to '出口 chūkǒu'): 我正在找宅院的~呢。 *Wǒ zhèngzài zhǎo zháiyuàn de* ~ *ne.* I am trying to find the entrance to the courtyard. | 楼房左边有个~儿。 *Lóufáng zuǒbian yǒu gè* ~*r.* There is an entrance on the left side of the building.

¹ **进来** Ⅰ jìn//lai 〈动 v.〉从外面来到里面(与'出去'相对)come in; enter (opposite to '出去chūqù'): 冷空气~了, 快把门关上。 *Lěng kōngqì* ~ *le, kuài bǎ mén guānshang.* Be quick to close the door, or the cold air will enter. | 你是~还是不~? *Nǐ shì* ~ *háishì bú* ~? Will you come in or not? | 这么大的柜子进不进得来? *Zhème dà de guìzi jìn bú jìn de lái?* Is it possible for such a big cabinet to get in? Ⅱ //jìn//lai〈动 v.〉表示进到里面(用在动词后作补语)in; into(used after a verb as a complement): 把行李扛~。 *Bǎ xíngli káng* ~. Carry the luggage in. | 这东西拿不进门来。 *Zhè dōngxi ná bú jìn mén lái.* This stuff cannot be carried into the house.

⁴ **进取** jìnqǔ 〈动 v.〉努力向前,立志有所作为 be eager to make progress: 不断~ *búduàn* ~ keep forging ahead | 有所~ *yǒusuǒ* ~ be enterprising | ~心 ~*xīn* enterprising spirit | 我们应当提倡~的精神。 *Wǒmen yīngdāng tíchàng* ~ *de jīngshén.* We should advocate

J

the enterprising spirit.

¹ **进去** I jìn // qù〈动 v.〉从外面进到里面去 get in; enter：你~看看她在不在家。*Nǐ ~ kànkan tā zài bú zài jiā.* Get in and find out if she is at home or not. ｜ 他刚进屋去。*Tā gāng jìn wū qù.* She just entered the house. ｜ 你怎么不~? *Nǐ zěnme bú ~?* Why didn't you get inside? II // jìn // qù〈动 v.〉表示到里面去(用在词作补语) in; into（used after a verb as a complement）：请你帮我把这个箱子抬~吧。*Qǐng nǐ bāng wǒ bǎ zhège xiāngzi tái ~ ba.* Please help me to carry this suitcase inside. ｜ 这条胡同太窄,汽车开不~。*Zhè tiáo hútòng tài zhǎi, qìchē kāi bú ~.* This lane is too narrow for the car to get through. ｜ 他把东西塞进书包里去了。*Tā bǎ dōngxi sāijìn shūbāo li qù le.* He stuffed it into his school-bag.

² **进入** jìnrù〈动 v.〉进到…里 enter：~礼堂 ~ *lǐtáng* enter the auditorium ｜ ~新时期 ~ *xīnshíqī* enter an new era ｜ ~前十名 ~ *qián shí míng* be one of the top ten ｜ 我们这项工程已经~尾声了。*Wǒmen zhè xiàng gōngchéng yǐjīng ~ wěishēng le.* The project has entered the final stage. ｜ 他很快地~了梦乡。*Tā hěn kuài de ~le mèngxiāng.* He soon fell asleep.

¹ **进行** jìnxíng ❶〈动 v.〉从事（某种活动或事情）carry out; conduct：~讨论 ~ *tǎolùn* conduct discussions ｜ 会议正在~。*Huìyì zhèngzài ~.* The meeting is underway. ｜ 调查~不下去了。*Diàochá ~ bú xiàqù le.* The investigation is blocked. ｜ 双方代表正在~秘密会谈。*Shuāngfāng dàibiǎo zhèngzài ~ mìmì huìtán.* Representatives from the two sides are holding a secret meeting. ❷〈动 v.〉前进 march; advance：~曲 ~*qǔ* march

² **进修** jìnxiū〈动 v.〉在原有基础上进一步学习(多指暂时离开岗位,参加某类学习组织) take a refresher course; engage in advanced studies：教师~学院 *jiàoshī ~ xuéyuàn* a further education college for teachers ｜ 他在北京外国语大学~英语。*Tā zài Běijīng Wàiguóyǔ Dàxué ~ Yīngyǔ.* He received training in English at Beijing Foreign Languages University. ｜ 通过~他的汉语水平有了很大的提高。*Tōngguò ~ tā de Hànyǔ shuǐpíng yǒule hěn dà de tígāo.* By taking a refresher course he has greatly improved his Chinese proficiency.

³ **进一步** jìnyíbù〈副 adv.〉比原有的、以前的在程度上进了一层 further：~展示 ~ *zhǎnshì* make further demonstrations ｜ ~提高 ~ *tígāo* further enhance ｜ ~改善 ~ *gǎishàn* further improve ｜ 通过讨论大家~明确了职责。*Tōngguò tǎolùn dàjiā ~ míngquèle zhízé.* Through discussions, we have further clarified our responsibilities.

⁴ **进展** jìnzhǎn ❶〈动 v.〉事物向前发展 make progress; advance：施工~顺利。*Shīgōng ~ shùnlì.* The construction work is proceeding smoothly. ｜ 你们编写词典的工作~到什么程度了? *Nǐmen biānxiě cídiǎn de gōngzuò ~ dào shénme chéngdù le?* How is your work on the dictionary progressing? ❷〈名 n.〉事物向前发展的情况 progress：我们的工作已经取得了不小的~。*Wǒmen de gōngzuò yǐjīng qǔdéle bùxiǎo de ~.* We have made much progress in our work.

¹ **近** jìn ❶〈形 adj.〉(空间或时间)距离短(与'远'相对) near; close（opposite to '远 yuǎn'）：~邻 ~*lín* close neighbor ｜ ~海 ~*hǎi* off-shore ｜ 商店离我家很~。*Shāngdiàn lí wǒ jiā hěn ~.* The store is close to my home. ❷〈形 adj.〉关系密切（与'远'相对）closely related; intimate（opposite to '远yuǎn'）：亲~ *qīn~* intimate ｜ ~亲 ~*qīn* close relative ｜ 他俩的关系很~。*Tā liǎ de guānxì hěn ~.* The two of them are on intimate terms. ❸〈形 adj.〉浅显；不深奥 easy to understand：浅~ *qiǎn~* simple and easy to understand ｜ 言~旨远 *yán~-zhǐyuǎn* simple in language but profound in meaning ❹〈动 v.〉靠近；接近 approach：~似值 ~*sìzhí* approximate value ｜ 平易~人 *píngyì~-rén*

amiable and easy of approach | 已~黄昏 yǐ ~ huánghūn nearly at dusk | 有~千人参加了这次植树活动。 Yǒu ~ qiān rén cānjiāle zhè cì zhíshù huódòng. Nearly one thousand people have participated in the tree-planting campaign. ❺〈名 n.〉近处 vicinity：舍~求远（形容做事走弯路）shě~-qiúyuǎn (xíngróng zuòshì zǒu wānlù) seek far and wide for what lies close at hand (take a roundabout route) | 这所学校远~闻名。 Zhè suǒ xuéxiào yuǎn~ wénmíng. This school is well known far and wide.

³ **近代** jìndài 〈名 n.〉距离现代较近的过去的时代 modern times：~史 ~shǐ modern history | ~社会 ~shèhuì modern society | 中国~史是指1840年鸦片战争至1919年五四运动之间这一时期的历史。 Zhōngguó ~shǐ shì zhǐ yī-bā-sì-líng nián Yāpiàn Zhànzhēng zhì yī-jiǔ-yī-jiǔ nián Wǔ-Sì Yùndòng zhījiān zhè yì shíqī de lìshǐ. The modern Chinese history refers to the period from the Opium War in 1840 to the May 4th Movement in 1919.

² **近来** jìnlái〈名 n.〉指不久前到现在的一段时间 recent times：他的身体~不错。 Tā de shēntǐ ~búcuò. He has been in fairly good health lately. | ~您都在忙些什么？ ~ nín dōu zài máng xiē shénme? What have you been busy with recently?

⁴ **近年** jìnnián 〈名 n.〉指不久前到现在的几年间 recent years：~来这条街的生意十分兴隆。 ~ lái zhè tiáo jiē de shēngyi shífēn xīnglóng. The business on this avenue has been quite prosperous in recent years. | ~他写了不少好文章。 ~ tā xiěle bù shǎo hǎo wénzhāng. In recent years he has written several good articles.

⁴ **近期** jìnqī〈名 n.〉最近的一段时期 the near future; recent times：~预报 ~ yùbào short-term forecast | 这是~的画报。 Zhè shì ~ de huàbào. This is a pictorial recently published. | ~，我们要搬家。 ~, wǒmen yào bānjiā. We will move in the near future.

⁴ **近视** jìnshì ❶〈名 n.〉视力缺陷之一，因屈光不正，只能看清近处的物体 myopia; shortsightedness：高度~ gāodù ~ highly shortsighted | 假性~ jiǎxìng ~ pseudo-myopia | ~眼 ~yǎn myopic | ~眼镜 ~yǎnjìng myopic spectacles ❷〈形 adj.〉比喻目光短浅 fig. shortsighted：不要太~了，把眼光放远一些。 Búyào tài ~ le, bǎ yǎnguāng fàng yuǎn yìxiē. Don't be shortsighted; instead, you should take a long-term view. | 只看眼前利益，是一种目光~的表现。 Zhǐ kàn yǎnqián lìyì, shì yì zhǒng mùguāng ~ de biǎoxiàn. Focusing only on immediate interests is a shortsighted behavior.

⁴ **近似** jìnsì〈动 v.〉相近或相像但不相同 be similar：你们两个的看法虽然~，但也还有一些不同的地方。 Nǐmen liǎng gè de kànfǎ suīrán ~, dàn yě hái yǒu yìxiē bùtóng de dìfang. Despite similarities, your views still differ in some respects. | 他用~于冲刺的速度跑来。 Tā yòng ~ yú chōngcì de sùdù pǎolái. He rushed here at a dash speed.

² **劲** jìn ❶（~儿）〈名 n.〉（股gǔ）力气 strength：全身的~儿 quánshēn de ~r strength of the whole body | 巧~儿 qiǎo ~r skillful use of strength | 对方使的是一股傻~儿。 Duìfāng shǐ de shì yì gǔ shǎ ~r. The opposite is relying on mere enthusiasm. | 他的~儿比我大。 Tā de ~ r bǐ wǒ dà. He has more strength than I do. ❷〈名 n.〉精神；情绪 vigor; spirit：~头十足 ~tóu shízú with great zeal | 干~冲天 gàn~ chōngtiān work with unusual vigor | 越说越来~儿。 Yuè shuō yuè lái ~r. The longer he talked, the more enthusiastic he became. ❸（~儿）〈名 n.〉神情；样子 manner; expression：瞧他那副酸~儿！ Qiáo tā nà fù suān ~r! Just look at his pedantic air! | 倒霉~儿就别提了。 Dǎoméi ~r jiù bié tí le. You can't imagine what lousy luck it was. ❹〈名 n.〉趣味；兴致 interest; relish：这个活动没什么~。 Zhège huódòng méi shénme ~. This activity is not interesting. | 这本书看得提不起~儿来。 Zhè běn shū kàn de tí bù qǐ ~r lái. This book is quite boring. ❺（~儿）〈名 n.〉效力；作用 effect：这烟的~儿真不小。 Zhè yān de ~r zhēn bùxiǎo. This

cigarette is very strong. │ 中药的汤药往往比成药的~儿大些。 *Zhōngyào de tāngyào wǎngwǎng bǐ chéngyào de ~r dà xiē.* The traditional Chinese medicine in decoction is usually more powerful than ready-made medicine.

⁴ **劲头** jìntóu ❶〈名 n.〉力气 strength; energy: 他的~真大。 *Tā de ~ zhēn dà.* He is full of strength and vigor. │ 比~，你不行！ *Bǐ ~, nǐ bù xíng!* Speaking of strength, you are no match for me! ❷〈名 n.〉热情；积极性 enthusiasm; zeal: 学生的~来自老师的鼓励。 *Xuésheng de ~ láizì lǎoshī de gǔlì.* The students' enthusiasm comes from the teacher's encouragement. │ 别把孩子的~打下去。 *Bié bǎ háizi de ~ dǎ xiàqù.* Don't do anything that could dampen the children's enthusiasm.

⁴ **晋升** jìnshēng 〈动 v.〉升级 promote to higher office: ~职位 ~*zhíwèi* promote one's position │ ~工资 ~*gōngzī* increase one's wages │ 最近他的职务又了一级。 *Zuìjìn tā de zhíwù yòu ~le yì jí.* Recently his position has been promoted to a higher level.

³ **浸** jìn ❶〈动 v.〉泡在液体里 soak; immerse: ~泡 ~*pào* soak │ ~透 ~*tòu* soak; steep │ 沉~ *chén~* immerse │ ~种 ~*zhǒng* presoaking; soaking of seeds │ 你先把衣服放在水里一会儿再洗。 *Nǐ xiān bǎ yīfu fàng zài shuǐ li ~ yíhuìr zài xǐ.* Soak the clothes in water for a while before washing. ❷〈动 v.〉液体渗入或渗出 soak; saturate: ~湿 ~*shī* soak │ ~润 ~*rùn* soak │ ~染 ~*rǎn* dip-dye │ 汗水~透了她的衣裳。 *Hànshuǐ ~tòule tā de yīshang.* Her dress was soaked with sweat.

⁴ **禁** jìn ❶〈动 v.〉不准许；不许可 prohibit; forbid: 严~ *yán~* prohibit │ ~赌 ~*dǔ* prohibit gambling │ ~毒 ~*dú* prohibit drugs ❷〈动 v.〉关押 imprison; place in confinement: 囚~ *qiú~* put in jail │ 监~ *jiān~* take sb. into custody │ 关~闭 *guān~bì* put sb. in confinement │ 软~ *ruǎn~* put sb. under house arrest ❸〈名 n.〉不准从事某某项活动的法律法规、纪律、习俗等 what is forbidden by law or custom; taboo: 犯~ *fàn~* break prohibition │ 违~ *wéi~* violate a ban │ 令行~止 *lìngxíng~zhǐ* strict enforcement of orders and prohibitions │ ~忌 ~*jì* taboo ❹〈名 n.〉旧时指皇帝居住的地方 forbidden area; quarters where an emperor lives: ~卫军 ~*wèijūn* imperial guards │ 宫~ *gōng~* palace prohibitions │ 紫~城 *Zǐ~chéng* the Forbidden City

⁵ **禁区** jìnqū ❶〈名 n.〉(片 piàn、块 kuài) 不准常人进入或受到特殊保护的地区 forbidden zone; restricted zone: 不得进入军事~！ *Bùdé jìnrù jūnshì ~!* No entry into the restricted military zone! │ 要维护~周围的安全。 *Yào wéihù ~ zhōuwéi de ānquán.* Measures must be taken to safeguard the security around the restricted zone. ❷〈名 n.〉比喻不能触动的领域 fig. restricted area; out-of-bounds area: 理论~ *lǐlùn* area in theory │ 思想~ *sīxiǎng~* taboo area in ideology │ 突破~ *tūpò~* break the taboo │ 对于科学研究不应当设置~。 *Duìyú kēxué yánjiū bù yīngdāng shèzhì ~.* No restricted area should be set for scientific research. ❸〈名 n.〉医学上指容易发生危险而禁止做手术或针灸的部位（med.）forbidden zone; places on the body that forbid surgical operation or acupuncture because of dangers easily arising in these places ❹〈名 n.〉某些球类运动中，发球区以内的地方 penalty area (in certain ball games): 后卫队员在~内犯规，被罚点球。 *Hòuwèi duìyuán zài ~ nèi fànguī, bèi fá diǎnqiú.* A foul by a full back in the penalty area will result in a penalty kick.

² **禁止** jìnzhǐ 〈动 v.〉不许可 prohibit; forbid: ~通行 ~*tōngxíng* closed to traffic │ ~吸烟 ~ *xīyān* No smoking │ 必须严厉~盗版活动。 *Bìxū yánlì ~ dàobǎn huódòng.* Strict measures must be taken to prohibit piracy.

⁴ **茎** jīng ❶〈名 n.〉植物体的主干部分，连接根与叶、花、果实 stem: ~蔓儿 ~*mànr* creeping stem │ 常青藤的~牢牢地缠住了树干。 *Chángqīngténg de ~ láoláo de*

chánzhùle shùgàn. The stem of the ivy bound the tree trunk tightly. ｜泥塘下的藕不是根，而是根状~. *Nítáng xià de ǒu bú shì gēn, ér shì gēnzhuàng~*. The lotus root in the muddy pond is not actually a root; rather it is a root-shaped stem. ❷〈名 *n.*〉类似茎的东西 object in the shape of a stem：刀 ~ *dāo* ~ handle of a knife ｜阴 ~ *yīn* ~ penis ❸〈量 *meas.*〉计量某些细长的东西 used for long, narrow things：几~杂草 *jǐ* ~ *zá cǎo* a few blades of grass ｜几~银发 *jǐ* ~ *yínfà* a few silver hairs

² 京剧 jīngjù〈名 *n.*〉(出chū、场chǎng)中国主要传统剧种之一。清代中叶以西皮、二黄为主要腔调的徽调和汉调相继进入北京，和昆曲、秦腔融合、演变而成 Peking Opera, one of the main traditional operas of China. Beginning from the mid-Qing Dynasty, the Anhui and Hubei melodies composed mainly of the *xipi* and the *erhuang* tones found their way to Beijing and their fusion with Kunqu Opera and Shaanxi Opera resulted in the birth of the opera of Beijing：~脸谱 ~ *liǎnpǔ* Peking Opera masks ｜梅兰芳是著名的~表演艺术家。*Méi Lánfāng shì zhùmíng de* ~ *biǎoyǎn yìshùjiā.* Mei Lanfang was a famous Peking Opera artist. ｜唱、念、做、打是~的基本功。*Chàng, niàn, zuò, dǎ shì* ~ *de jīběngōng.* Singing, chanting, acting and martial arts are the basic skills in Peking Opera.

² 京戏 jīngxì〈名 *n.*〉同‘京剧’ same as ‘京剧 jīngjù’

² 经 jīng ❶〈动 *v.*〉通过；经过 pass through：~手人 ~ *shǒurén* person handling transaction ｜~年累月 ~ *nián-lěiyuè* for months and years on end; year in and year out ｜他提醒，我想起来了。~ *tā tíxǐng, wǒ xiǎng qǐlái le.* With his reminder, I managed to recall it. ｜他打算~香港去美国。*Tā dǎsuàn* ~ *Xiānggǎng qù Měiguó.* He intended to go to the United States via Hong Kong. ❷〈动 *v.*〉受；承受 bear; endure：我们的工作是~得起检查的。*Wǒmen de gōngzuò shì* ~ *de qǐ jiǎnchá de.* Our work can withstand any review. ｜他~不住种种压力，终于精神失常了。*Tā* ~ *bú zhù zhǒngzhǒng yālì, zhōngyú jīngshén shīcháng le.* He collapsed mentally under all kinds of pressure. ❸〈动 *v.*〉经历 experience：~验 ~ *yàn* experience ｜~风雨 ~ *fēngyǔ* brave the storm ｜饱~风霜 *bǎo* ~ *fēngshuāng* endure all the hardships of life; weather-beaten ｜身~百战 *shēn* ~ *bǎizhàn* have stood the test of many battles ❹〈动 *v.*〉经营；治理 manage：~销 ~ *xiāo* distribute ｜~营 ~ *yíng* manage; run (a business) ｜~管 ~ *guǎn* be in charge of ❺〈形 *adj.*〉时常；正常 constant; regular：~常 ~ *cháng* constantly ｜荒诞不~ *huāngdàn-bù*~ absurd and unreasonable ❻〈名 *n.*〉经典 classic：~书 ~ *shū* scripture ｜~文 ~ *wén* scripture ｜圣~ *shèng* ~ the Holy Bible ｜离~叛道 *lí*~*-pàndào* depart from the classics and rebel against orthodoxy ｜念~打坐 *niàn* ~ *dǎ zuò* chant scriptures and sit in meditation ❼〈名 *n.*〉比喻成功的经验 experience of success; valuable experience：传~送宝 *chuán*~*-sòng bǎo* pass on one's valuable experience to others ｜你可以从他那里取~。*Nǐ kěyǐ cóng tā nàli qǔ* ~. You can get some valuable advice from him. ❽〈名 *n.*〉经济 economy：财~ *cái* ~ finance and economics ｜政~分离 *zhèng* ~ *fēnlí* separation of economy from politics ❾〈名 *n.*〉纺织物纵向的纱线(与‘纬’相对)warp (opposite to ‘纬wěi’)：~纱 ~ *shā* warp ｜~线 ~ *xiàn* warp ❿〈名 *n.*〉连结地球南北两极的假想线 meridian line (opposite to ‘纬wěi’)：东~ *dōng* ~ east longitude ｜西~ *xī* ~ west longitude ｜~纬度 ~ *wěidù* longitude and latitude ⓫〈名 *n.*〉妇女的月经 menstruation：~期卫生 ~ *qī wèishēng* hygiene in menstrual period ｜痛~ *tòng* ~ dysmenorrhoea ｜闭~ *bì* ~ amenorrhoea ⓬〈名 *n.*〉中医指人体内气血运行的主要通路 (in Chinese medicine) channel：~络 ~ *luò* meridians and collateralls ｜~脉 ~ *mài* passages through which vital energy circulates

J

¹ 经常 jīngcháng ❶〈形 adj.〉平常的；日常的 day-to-day; daily：收发文件是你的~工作。*Shōufā wénjiàn shì nǐ de ~ gōngzuò.* Your daily work is to receive and dispatch documents. | 忙得吃不上饭是~的事。*Máng de chī bú shàng fàn shì ~ de shì.* Quite often I am too busy to have time for a meal. ❷〈副 adv.〉时常地；常常地（与'偶尔'相对）frequently; constantly (opposite to '偶尔ǒu'ěr')：过去他~上我这儿来。*Guòqù tā ~ shàng wǒ zhèr lái.* He used to come to my place frequently. | 我~自己做饭吃。*Wǒ ~ zìjǐ zuòfàn chī.* I always cook meals by myself.

⁴ 经典 jīngdiǎn ❶〈名 n.〉(部bù)泛指宣传宗教教义的重要著作 religious scriptures：佛教~ *Fójiào ~* Buddhist scriptures | 儒家~ *Rújiā ~* Confucian classics |《圣经》是基督教的~。*'Shèngjīng' shì Jīdūjiào de ~.* The Holy Bible is a classic of Christianity. ❷〈名 n.〉(部bù)指传统的具有权威性的著作或作品 classics：这一论断载于~之中。*Zhè yí lùnduàn zài yú ~ zhīzhōng.* This thesis is recorded in the classics. ❸〈形 adj.〉(著作、作品)具有权威性的 classical：~音乐 ~ *yīnyuè* classic music | ~著作 ~ *zhùzuò* classical works

³ 经费 jīngfèi〈名 n.〉(笔bǐ、项xiàng)日常开支的费用 expenditure：~不足 ~ *bùzú* lack of expenditure | 行政~ *xíngzhèng ~* administrative expenditure | 学校给我们拨了一笔科研~。*Xuéxiào gěi wǒmen bōle yì bǐ kēyán ~.* The school earmarked a research fund for us. | 学校~的来源是教育部拨款。*Xuéxiào ~ de láiyuán shì Jiàoyùbù bōkuǎn.* The appropriation by the Ministry of Education is the source of the school's funds.

¹ 经过 jīngguò ❶〈动 v.〉通过(处所、时间、动作等)go through (place, time, movement, etc.)：这事必须~大家讨论。*Zhè shì bìxū ~ dàjiā tǎolùn.* This matter must be discussed by us all. | ~解释，他满意了。*~ jiěshì, tā mǎnyì le.* He felt satisfied after hearing the explanation. | 我~那里的时候，正遇上一起车祸。*Wǒ ~ nàli de shíhou, zhèng yù shang yì qǐ chēhuò.* I met a traffic accident as I passed by that place. | 不~风雨的冲刷，岩石怎么会剥落？*Bù ~ fēngyǔ de chōngshuā, yánshí zěnme huì bōluò?* How could the rock have been stripped off without the influence of wind and rain? ❷〈名 n.〉(经历的)过程 process; course：这件事的~很曲折。*Zhè jiàn shì de ~ hěn qūzhé.* The course of this incident was full of twists and turns. | 不要说事情的~了，快把结果告诉我们吧。*Bú yào shuō shìqing de ~ le, kuài bǎ jiéguǒ gàosu wǒmen ba.* Ignore the course of the incident and be quick to tell us the result.

¹ 经济 jīngjì ❶〈名 n.〉与社会物质生产和再生产相联系的一切活动 economy：个体~ *gètǐ ~* individual economy | ~信息 ~ *xìnxī* economic information | 国民~总产值 *guómín ~ zǒngchǎnzhí* gross national product (GNP) ❷〈名 n.〉个人生活收支费用 personal financial condition：他家~不富裕。*Tā jiā ~ bú fùyù.* His family is not well-off. | 他的~来源主要是工资。*Tā de ~ láiyuán zhǔyào shì gōngzī.* Salary is the main source of his income. ❸〈形 adj.〉以较少代价获得较高利益的 economical：~实惠的饭菜 ~ *shíhuì de fàncài* an economical meal | 这幅画笔墨~，气韵生动。*Zhè fú huà bǐmò ~, qìyùn shēngdòng.* This painting is economical in the use of paint and yet full of vigor and vividness.

² 经理 jīnglǐ ❶〈名 n.〉(位wèi、名míng、个gè)某些企业或部门的负责人 manager：公司~ *gōngsī ~* corporate manager | 总~ *zǒng ~* general manager | 大堂~ *dàtáng ~* assistant manager | 我可没有当~的本事。*Wǒ kě méiyǒu dāng ~ de běnshi.* I don't have the capability to be a manager. ❷〈动 v.〉经营管理 manage; run (a business)：本公司~出境旅游业务。*Běn gōngsī ~ chūjìng lǚyóu yèwù.* Our company operates overseas tours.

² **经历** jīnglì ❶〈动 v.〉亲身体验和经过 experience; go through：青少年时期他~过很多苦难。*Qīngshàonián shíqí tā ~guo hěnduō kǔnàn.* When he was an adolescent, he went through a lot of hardships. | 他是~了几个朝代的元老 *Tā shì ~le jǐ gè cháodài de yuánlǎo.* He is a grand old man having gone through several dynasties. | 不~战争就不知道和平的宝贵。*Bù ~ zhànzhēng jiù bù zhīdào hépíng de bǎoguì.* One who has no experience of war will never know the preciousness of peace. ❷〈名 n.〉亲身体验和经过的事 experience：平凡的~ *píngfán de ~* commonplace experience | 复杂~ *fùzá* complicated experience | 他从来不愿意向别人讲述自己的~。*Tā cónglái bú yuànyì xiàng biérén jiǎngshù zìjǐ de ~.* He never wanted to relate to his own experience.

⁴ **经商** jīng//shāng 〈动 v.〉做买卖；从事商业活动 engage in trade; be in business：弃文~ *qìwén ~* abandon academic work for business | 我在此~已经多年 *Wǒ zài cǐ ~ yǐjīng duō nián.* I have been engaged in trade here for many years. | 你怎么也经起商来了？*Nǐ zěnme yě jīngqǐ shāng lái le?* Why did you also get into business?

⁴ **经受** jīngshòu 〈动 v.〉受；承受 withstand; stand：~考验 ~*kǎoyàn* experience trials | 战火的洗礼 ~*zhànhuǒ de xǐlǐ* be tempered in the war | 他~不起学习的压力，终于退学了。*Tā ~ bù qǐ xuéxí de yālì, zhōngyú tuìxué le.* Unable to withstand the pressure of study, he finally chose to drop out of school.

⁴ **经销** jīngxiāo 〈动 v.〉销售；卖 sell; deal in：~小商品 ~*xiǎo shāngpǐn* sell small commodities | 由厂家直接~ *yóu chǎngjiā zhíjiē ~* distributed by the manufacturer | 这家超市也~起电器来了。*Zhè jiā chāoshì yě ~ qǐ diànqì lái le.* This supermarket has also begun to sell electrical appliances.

¹ **经验** jīngyàn 〈名 n.〉由实践中积累的知识或掌握的技能 experience; knowledge or skill obtained through practice：实践~ *shíjiàn ~* practical experience | 缺乏~ *quēfá* lack experience | ~丰富 *~ fēngfù* have rich experience | ~主义 *~ zhǔyì* empiricism

³ **经营** jīngyíng ❶〈动 v.〉组织并管理(企业等) manage (an enterprise, etc.); operate：个体~ *gètǐ ~* individual business | 独家~ *dújiā ~* be the sole agent (of a product, ect.) | ~不善 *~búshàn* be poorly managed | 他就知道~自己的小天地。*Tā jiù zhīdào ~ zìjǐ de xiǎo tiāndì.* He is only interested in running his own little world. ❷〈动 v.〉组织商品进行销售 sell：~服装 *~fúzhuāng* sell clothes

³ **惊** jīng ❶〈动 v.〉突然的刺激造成精神紧张不安 be frightened; become nervous due to sudden stimuli：吃了一~ *chīle yì ~* be startled | 又~又喜 *yòu ~ yòuxǐ* be pleasantly surprised | ~恐万状 *~kǒng-wànzhuàng* be in a great panic | 心~肉跳 *xīn ~ròutiào* tremble with fear ❷〈动 v.〉使受惊扰；惊吓住 startle; shock：打草~蛇(行动不慎，惊动对方) *dǎcǎo-~shé (xíngdòng búshèn, jīngdòng duìfāng)* beat the grass and startle a snake (act rashly and alert the enemy) | ~动 *~dòng* alarm; disturb | ~吓 *~xià* frighten; scare | 心动魄 *~xīn-dòngpò* soul-stirring; breathtaking ❸〈动 v.〉声势大；使人震动 overwhelm：一鸣~人 *yìmíng~rén* amaze the world with a single brilliant feat | ~天动地的伟大事业 *~tiān-dòngdì de wěidà shìyè* earthshaking undertaking ❹〈动 v.〉骡马等牲畜受刺激而失控狂奔 shy; stampede：~马 *~mǎ* shied horse | 牲口~了。*Shēngkou ~ le.* The cattle were stampeded.

³ **惊动** jīngdòng 〈动 v.〉影响或侵扰了别人 disturb; bother：轻一点儿，别~了人家。*Qīng yìdiǎnr, bié ~le rénjia.* Be quiet! Don't disturb others. | 这点儿事竟~了领导 *Zhè diǎnr shì jìng ~le lǐngdǎo.* Such a trifling matter even bothered the leader. | 这是一件~全国的大案。*Zhè shì yí jiàn ~ quánguó de dà'àn.* This is a big case shocking the whole nation.

⁴惊慌 jīnghuāng 〈形 *adj.* 〉害怕；慌张 scared; panic-stricken：神色～ *shénsè* ~ look scared │～失措 *~shīcuò* frightened out of one's wits │不安 *bù'ān* feel frightened and restless│面对敌人的审讯，他毫不～。*Miànduì dírén de shěnxùn, tā háo bù* ~. He was not scared at all by the enemy's interrogation.

³惊奇 jīngqí 〈形 *adj.* 〉惊讶而奇怪的 surprised; amazed：他～得说不出话来。*Tā* ~ *de shuō bù chū huà lái.* He was too amazed to say a single word. │我～地发现他俩谈上恋爱了。*Wǒ* ~ *de fāxiàn tā liǎ tánshàng liàn'ài le.* I was surprised to find that they fell in love.

³惊人 jīngrén 〈形 *adj.* 〉令人感到吃惊 astonishing; amazing：～的成就 ~ *de chéngjiù* amazing achievements │～的消息 ~ *de xiāoxi* astonishing news │中国发生了十分～的变化。*Zhōngguó fāshēngle shífēn* ~ *de biànhuà.* China has seen amazing changes.

³惊讶 jīngyà 〈形 *adj.* 〉奇怪而不可理解 surprised; astonished：～不已 ~ *bùyǐ* be astounded │～的目光 ~ *de mùguāng* surprised look │～的神情 ~ *de shénqíng* an astonished expression │他的言论令人十分～。*Tā de yánlùn lìngrén shífēn* ~. His opinion was so astonishing.

³惊异 jīngyì 〈形 *adj.* 〉惊奇而诧异 surprised; astounded：～的目光 ~ *de mùguāng* astounded look │～的神情 ~ *de shénqíng* an astonished expression │他取得了令人～的成绩。*Tā qǔdéle lìngrén* ~ *de chéngjì.* He has made amazing achievements.

⁴兢兢业业 jīngjīng-yèyè 〈成 *idm.* 〉谨慎小心，勤勉负责 assiduous; cautious and conscientious：～的工作精神 ~ *de gōngzuò jīngshén* assiduous attitude toward work │他干工作从来是～，一丝不苟。*Tā gàn gōngzuò cónglái shì* ~, *yìsībùgǒu.* He always does his work conscientiously and meticulously.

³精 jīng ❶〈形 *adj.* 〉经过提炼或挑选的 refined; choice：～米 ~ *mǐ* polished rice │～品 ~ *pǐn* fine works (of art); quality goods │～读 *~dú* intensive reading │短小～悍 *duǎnxiǎo~hàn* short and pithy │～干的队伍 *~gàn de duìwu* a team of picked troops ❷〈形 *adj.* 〉完善；美好 perfect; excellent：～巧 *~qiǎo* ingenious │～美 *~měi* exquisite │～益求～ *~yìqiú~* constantly strive for perfection │～加工 ~ *jiāgōng* precise processing ❸〈形 *adj.* 〉机灵；善于算计 clever; shrewd：～明强干 *~míng-qiánggàn* able and efficient │这小子猴儿一样～。*Zhè xiǎozi hóur yíyàng* ~. This guy is as smart as a monkey. ❹〈形 *adj.* 〉仔细（与'粗'相对）fine; meticulous（opposite to '粗 cū'）：～细 *~xì* fine │～密 *~mì* precise │～准 *~zhǔn* precise │～雕细刻 *~diāo-xìkè* work at sth. with great care │～心挑选 *~xīn tiāoxuǎn* painstakingly select sth. be skilled：～于交际 *~yú jiāojì* be a good mixer │他这个人样样都会，却样样不～。*Tā zhège rén yàngyàng dōu huì, què yàngyàng bù* ~. He is a jack-of-all-trades but master-of-none. ❺〈动 *v.* 〉透彻了解或熟练掌握 ❻〈名 *n.* 〉精神；精力 energy; spirit：～疲力竭 *~pí-lìjié* be worn out │殚～竭虑 *dān~-jiélǜ* be exhausted │聚～会神 *jù~-huìshén* be all attention; concentrate one's mind on ❼〈名 *n.* 〉提炼出的精华 essence; extract：香～ *xiāng~* essence │麦乳～ *màirǔ~* malted milk ❽〈名 *n.* 〉精子；精液 sperm; semen：遗～ *yí~* seminal emission │射～ *shè~* ejaculation ❾〈名 *n.* 〉神话传说中的妖怪 demon; spirit：妖～ *yāo~* demon │～灵 *~líng* spirit │～怪 *~guài* goblin

¹精彩 jīngcǎi 〈形 *adj.* 〉（表演、言论、文章、比赛等）出色；吸引人 (of a performance, speech, article, competition, etc.) brilliant; wonderful：比赛～纷呈。*Bǐsài* ~ *fēnchéng.* The competition was so marvellous. │～的表演博得了阵阵掌声。~ *de biǎoyǎn bódéle zhènzhèn zhǎngshēng.* The brilliant performance won applauses from the audience. │这篇文章写得真～。*Zhè piān wénzhāng xiě de zhēn* ~. This is a brilliant article.

⁴ **精打细算** jīngdǎ-xìsuàn 〈成 idm.〉（对人力、物力）计算得十分精细 be accurate in calculation; budget strictly （in the use of human and material resources）：太太可会～了。 Tàitai kě huì ~ le. My wife budgets very strictly. ｜～才能过得长久。 ~ cái néng guò de chángjiǔ. A good life can last long only with strict budgeting.

⁴ **精华** jīnghuá 〈名 n.〉事物最重要、最美好的部分（与'糟粕'相对）essence; quintessence（opposite to '糟粕zāopò'）：语言的～ yǔyán de ~ essence of language ｜此物吸取了天地之～。 Cǐ wù xīqùle tiāndì zhī ~. This object has assimilated the essence of both the heaven and the earth. ｜花朵的～是清香诱人的花粉。 Huāduǒ de ~ shì qīngxiāng yòurén de huāfěn. The fragrant and attractive pollen is the essence of flowers.

⁴ **精简** jīngjiǎn 〈动 v.〉去掉多余的，留下必要的 cut; reduce：～人员 ~ rényuán reduce the personnel ｜～机构 ~ jīgòu streamline an administrative structure ｜我们必须把开支～下来。 Wǒmen bìxū bǎ kāizhī ~ xiàlái. We must cut the expenses.

⁴ **精力** jīnglì 〈名 n.〉精神和体力 energy and strength：～旺盛 ~ wàngshèng be full of energy ｜～不济 ~ bú jì not energetic ｜～过人 ~ guòrén have exceptional vitality ｜他为教育事业贡献了毕生的～。 Tā wèi jiàoyù shìyè gòngxiànle bìshēng de ~. He devoted all his life to the cause of education. ｜你这样做完全是浪费～。 Nǐ zhèyàng zuò wánquán shì làngfèi ~. What you are doing is a sheer waste of your energy.

⁴ **精美** jīngměi 〈形 adj.〉精致；美好（与'粗陋'相对）exquisite; elegant（opposite to '粗陋cūlòu'）：～的画册 ~ de huàcè an exquisite art book ｜十分～ shífēn ~ exquisite ｜～别致 ~ biézhì elegant and exquisite

⁴ **精密** jīngmì 〈形 adj.〉精确；细密（与'粗疏'相对）precise（opposite to '粗疏cūshū'）：～仪器 ~ yíqì precision instrument ｜～度 ~ dù degree of precision ｜～的计算 ~ de jìsuàn accurate calculation ｜这台仪器制造得十分～。 Zhè tái yíqì zhìzào de shífēn ~. This instrument was manufactured with exceptional precision.

⁴ **精确** jīngquè 〈形 adj.〉非常准确、正确 precise; accurate：～统计 ~ tǒngjì accurate statistics ｜～数字 ~ shùzì accurate figures ｜～到小数点后第三位。 ~ dào xiǎoshùdiǎn hòu dì-sān wèi. The precision is set at three digits after the decimal point.

¹ **精神** jīngshén ❶ 〈名 n.〉（种zhǒng、个gè）人的意识、思维的活动以及一般心理状态（与'物质'相对）mind; spirit（opposite to '物质wùzhì'）：～愉快 ~ yúkuài have a happy feeling ｜～障碍 ~ zhàng'ài dysphrenia ｜分散～ fēnsàn ~ distract one's attention ｜民主～ mínzhǔ ~ spirit of democracy ｜爱国主义～ àiguó zhǔyì ~ patriotism ｜努力工作的～ nǔlì gōngzuò de ~ spirit of diligence ❷ 〈名 n.〉主要的目的、意图和意义 gist; essence：会议～ huìyì ~ spirit of a meeting ｜文件～ wénjiàn ~ thrust of a document ｜～实质 ~ shízhì essence

☞ jīngshen, p. 545

³ **精神** jīngshen ❶ 〈名 n.〉积极振作的情绪或面貌 vigor; vitality：打起～来 dǎqǐ ~ lái summon up one's energy ｜～焕发 ~ huànfā be in high spirits ｜振作～ zhènzuò ~ bestir oneself ｜头十足 ~ tóur shízú be full of vigor and vitality ❷ 〈形 adj.〉活跃而有生气的 lively; vigorous：打扮得真～。 Dǎban de zhēn ~. You are so smartly dressed. ｜这些老人越活越～了。 Zhèxiē lǎorén yuè huó yuè ~ le. The longer they live, the more energetic these old people become. ｜我可没～答理他。 Wǒ kě méi ~ dāli tā. I will not bother to respond to him.

☞ jīngshén, p. 545

⁴ **精通** jīngtōng 〈形 adj.〉透彻了解或熟练掌握某种学问、技术等（与'粗通'相对）proficient（opposite to '粗通cūtōng'）：力求～ lìqiú ~ strive for a perfect command ｜我

J

可说不上~，只是略知皮毛而已。*Wǒ kě shuōbushàng ~, zhǐshì lüè zhī pímáo éryǐ.* I am far from a master of this subject. I only have a superficial understanding of it. | 他~三国语言。*Tā ~ sān guó yǔyán.* He is proficient in three languages.

³ **精细** jīngxì 〈形 *adj.*〉精密细致；细心（与'粗糙'相对）fine; careful (opposite to '粗糙 cūcāo'): 做工~ *zuògōng* ~ finely made | 算计~ *suànjì* ~ meticulous calculation | ~得不差分毫。*~ de bú chā fēnháo.* It was calculated with perfect accuracy. | 他为人很~。*Tā wéirén hěn ~.* He is a meticulous man.

⁴ **精心** jīngxīn 〈形 *adj.*〉特别用心、仔细 meticulous; painstaking: ~保管 ~ *bǎoguǎn* take care of sth. meticulously | ~制作 ~ *zhìzuò* elaborately design and make sth. | 在妈妈的~照料下，我很快就恢复了健康。*Zài māma de ~ zhàoliào xià, wǒ hěn kuài jiù huīfùle jiànkāng.* I soon recovered under my mother's meticulous care.

⁴ **精益求精** jīngyìqiújīng 〈成 *idm.*〉在完美中追求更完美 keep striving for perfection: ~的态度 ~ *de tàidù* an eagerness to seek perfection | 力求~ *lìqiú* ~ strive for perfection | ~体现了人生不断追求美好的精神。*~ tǐxiànle rénshēng búduàn zhuīqiú měihǎo de jīngshén.* It is a good will of human life to keep pursuing perfection.

³ **精致** jīngzhì 〈形 *adj.*〉精巧细致（与'粗劣'相对）exquisite; elegant (opposite to '粗劣 cūliè'): 制作~ *zhìzuò* ~ exquisitely made | ~的相册 ~ *de xiàngcè* an exquisite photo-album | 文章~而富于情趣。*Wénzhāng ~ ér fùyú qíngqù.* This article was written with elegance and appeal.

³ **鲸鱼** jīngyú 〈名 *n.*〉(条 tiáo、头 tóu)现今世界上最大的海洋哺乳动物 whale: 禁止捕杀~。*Jìnzhǐ bǔshā ~.* No whaling.

² **井** jǐng ❶〈名 *n.*〉(口 kǒu、眼 yǎn)挖凿而成的可以取水的地下深洞 well: 甜水~ *tiánshuǐ* ~ fresh water well | ~台 ~*tái* well platform | ~底之蛙（比喻见识浅陋的人）~ *dǐzhīwā* (bǐyù jiànshi qiǎnlòu de rén) a frog in a well (fig. a person with a very limited outlook) | 吃水不忘挖~人（不能忘记曾经给予自己恩惠的人）*chī shuǐ bú wàng wā ~ rén* (bù néng wàngjì céngjīng jǐyǔ zìjǐ ēnhuì de rén) do not forget the one who sank the well when getting drinking water from it (be grateful to sb. who once offered help) | 最近我们村里打了一眼~。*Zuìjìn wǒmen cūn li dǎle yì yǎn ~.* A well has recently been drilled in our village. ❷〈名 *n.*〉像井的东西 sth. in the shape of a well: 油~ *yóu*~ oil well | 发射~ *fāshè* ~ launching silo | 矿~ *kuàng*~ pit | 天~ *tiān*~ small courtyard ❸〈名 *n.*〉指人口聚集的地方或故乡 neighborhood; home village or town: 背~离乡 *bèi*~*líxiāng* leave one's native place | 市~ *shì*~ marketplace; town ❹〈名 *n.*〉二十八星宿之一 *jǐng*, one of the 28 constellations into which the celestial sphere was divided in ancient Chinese astronomy ❺〈形 *adj.*〉整齐而有条理 orderly: ~~有条 ~~*yǒutiáo* in perfect order | ~然有序 ~*rán-yǒuxù* in an orderly way

⁴ **颈** jǐng ❶〈名 *n.*〉连接头和躯干的部分 neck: 脖子~部 ~*bù* neck | 头~ *tóu*~ head and neck | ~椎 ~*zhuī* cervical vertebra | 长~鹿 *cháng*~*lù* giraffe ❷〈名 *n.*〉器物像颈的部分 sth. resembling a neck: 瓶~ *píng*~ bottleneck

⁴ **景** jǐng ❶〈名 *n.*〉可供观赏的景致 view; scenery: 风~ *fēng*~ scenery | 美~ *měi*~ beautiful scenery | ~物 ~*wù* landscape | ~色 ~*sè* scenery; landscape | 盆~ *pén*~ potted landscape; bonsai ❷〈名 *n.*〉情形；状况 situation; condition: 前~ *qián*~ prospect | 背~ *bèi*~ background | 晚~ *wǎn*~ one's circumstances in old age | 凄凉的~象 *qīliáng de* ~*xiàng* forlorn condition | 好~不长。*Hǎo* ~ *bù cháng.* Good times do not last long. ❸〈名 *n.*〉舞台或摄影场地布置的景物 indoor setting and outdoor scenery (of a drama or film): 布~ *bù*~ setting | 外~ *wài*~ outdoor scene | 场~ *chǎng*~ scene ❹〈动 *v.*〉尊

敬;仰慕 admire; revere: ~仰 ~*yǎng* respect and admire | ~慕 ~*mù* esteem

³ **景色** jǐngsè 〈名 n.〉风景；景致 scenery; landscape: 迷人的~ *mírén de* ~ enchanting landscape | 乡村~ *xiāngcūn* ~ country landscape | 观赏~ *guānshǎng* ~ enjoy the landscape | 这里的~很一般。*Zhèli de* ~ *hěn yìbān.* There is nothing special in the scenery here.

³ **景物** jǐngwù 〈名 n.〉可供观赏的景色和物体 scenery: 远处的~ *yuǎnchù de* ~ scenery in the distance | 清晰~ *qīngxī* clear view | 自然~ *zìrán* ~ natural landscape

³ **景象** jǐngxiàng 〈名 n.〉现象或情形 scene; sight: ~萧条 ~ *xiāotiáo* a desolate scene | 热闹的~ *rènao de* ~ a scene of bustle and excitement | 节日~ *jiérì* ~ a festive scene | 欣欣向荣的~ *xīnxīn-xiàngróng de* ~ a picture of prosperity

² **警察** jǐngchá 〈名 n.〉(名míng、个gè、位wèi)国家用以维持社会秩序和治安的武装力量或执法人员 police: ~局 ~*jú* police bureau | 交通~ *jiāotōng*~ traffic police | 武装~ *wǔzhuāng*~ armed police

³ **警告** jǐnggào ❶〈动 v.〉提醒或告诫,以使注意(问题或情况严重) warn; caution: 严正~ *yánzhèng* ~ give a solemn warning | 医生~过他要控制饮食,他就是不听。 *Yīshēng* ~*guo tā yào kòngzhì yǐnshí, tā jiùshì bù tīng.* The doctor cautioned him to go on a diet, but he simply wouldn't listen. ❷〈名 n.〉对犯错误者较低级别的处分 warning (as a disciplinary measure): ~处分 ~*chǔfèn* punishment of warning | 行政~ *xíngzhèng* ~ warning as a measure of administrative discipline | 给予口头~一次。*Jǐyǔ kǒutóu* ~ *yí cì.* An oral warning was issued to him as a disciplinary measure.

⁴ **警戒** jǐngjiè 〈动 v.〉军队或警察等武装力量采取防止、戒备措施 guard against; be on the alert: ~措施 ~ *cuòshī* precautionary measures | 加强~ *jiāqiáng* ~ enhance precautionary measures | ~线 ~*xiàn* cordon; security line | 全城~ *quánchéng* ~ the whole city on the alert

³ **警惕** jǐngtì 〈动 v.〉(对可能发生的危险或错误)时刻保持警觉 be vigilant; be on the alert: 提高~ *tígāo* ~ enhance the vigilance | 放松~ *fàngsōng* ~ slacken the vigilance | 时刻~ *shíkè* ~ be on the alert all the time | 他们最近的活动引起了我们的高度~。*Tāmen zuìjìn de huódòng yǐnqǐle wǒmen de gāodù* ~. Their recent activities have aroused our sharp vigilance.

⁴ **警卫** jǐngwèi ❶〈动 v.〉武装人员实施警戒、保卫 guard: ~部队 ~ *bùduì* security troops | ~员 ~*yuán* bodyguard | 有一排战士在会场四周~。*Yǒu yì pái zhànshì zài huìchǎng sìzhōu* ~. A platoon of soldiers were on guard duty around the conference venue. ❷〈名 n.〉(名míng、个gè)实施警戒、保卫的武装人员 security personnel: 请将出门条交给~。*Qǐng jiāng chūméntiáo jiāo gěi* ~. Please hand your exit permit to the security guard. | 不让我们进去。*bú ràng wǒmen jìnqù.* The guard didn't let us in.

³ **净** jìng ❶〈形 adj.〉没有污垢;清洁(与'脏zāng'相对) clean (opposite to '脏zāng'): 干~ *gān*~ clean | 洗~ *xǐ*~ wash clean | 擦~ *cā*~ wipe sth. clean | 洁~ *jié*~ clean ❷〈形 adj.〉纯;无杂质 pure; net: ~重 ~*zhòng* net weight | ~利润 ~*lìrùn* net profit | 纯~水 *chún-shuǐ* purified water ❸〈形 adj.〉尽;不留剩余 with nothing left: 喝~ *hē*~ drink up | 花~ *huā*~ spend all the money | 他把房间里的东西搬得一二净。*Tā bǎ fángjiān li de dōngxi bān de yìgān-èr*~. He moved everything in the room away. ❹〈副 adv.〉只;仅仅 only; entirely: 青壮年都走了,这里~是老弱病残。*Qīngzhuàngnián dōu zǒu le, zhèli* ~ *shì lǎo-ruò-bìng-cán.* All the young people have left and only the old and sick remain. | 好的拿走了,~剩下坏的了。*Hǎo de ná zǒu le,* ~ *shèngxià huài de le.* All the items in good condition were taken away, leaving behind only the broken ones. ❺〈副 adv.〉全;

都 all：来的~是小孩子。 *Lái de ~ shì xiǎo háizi.* Those who came were all children. ❻ 〈副 *adv.*〉总是 all the time：~气人 ~ *qìrén* annoy sb. all the time｜~找别扭 ~ *zhǎo biènìu* try to pick faults with sb. all the time ❼ 〈动 *v.*〉使清洁 make clean：~化 ~ *huà* purify｜~~手 ~ *shǒu* wash one's hands ❽〈名 *n.*〉中国传统戏曲角色行当之一，大多扮演性格刚烈、勇猛或粗鲁的男人。统称'花脸' painted-face role; one of the main roles in traditional opera, representing a man of virile or rough character, generally called '花脸huāliǎn'

⁴ 净化 jìnghuà〈动 *v.*〉使纯净，不含杂质（与'污染'相对）purify (opposite to '污染 wūrǎn')：~空气 ~ *kōngqì* purify the air｜~社会环境 ~ *shèhuì huánjìng* purify public morality｜语言的~ *yǔyán de* ~ purification of language

² 竞赛 jìngsài〈动 *v.*〉为了取得胜利而进行比赛 contest; compete：体育~ *tǐyù* ~ athletic competition｜军备~ *jūnbèi* ~ arms race｜通过~，达到相互学习的目的。 *Tōngguò* ~, *dádào xiānghù xuéxí de mùdì.* Through contests and competitions, we fulfilled the purpose of learning from each other.

⁴ 竞选 jìngxuǎn 〈动 *v.*〉选举前，候选人通过各种方式争取选举人的支持以便当选 enter into an election contest：~议员 ~ *yìyuán* run for parliament membership｜~总统 ~ *zǒngtǒng* run for the presidency｜~辩论 ~ *biànlùn* election debate｜~活动 ~ *huódòng* election campaign

³ 竞争 jìngzhēng ❶〈动 *v.*〉争着与对手比高低、争胜负 compete; contend：市场~ *shìchǎng* ~ market competition｜~市场份额 ~ *shìchǎng fèn'é* compete for market share｜这个地位没有人可以和你~。 *Zhège dìwèi méiyǒu rén kěyǐ hé nǐ ~.* No one can compete with you for this position. ❷〈名 *n.*〉与对手比高低、争胜负的行为 competition：商场里的~是相当激烈的。 *Shāngchǎng lǐ de ~ shì xiāngdāng jīliè de.* The competition in the business circles is very harsh.｜我们反对不正当的~。 *Wǒmen fǎnduì bú zhèngdāng de ~.* We are opposed to unfair competition.｜他是你的~对手。 *Tā shì nǐ de ~ duìshǒu.* He is your competitor.

J

³ 竟 jìng ❶〈副 *adv.*〉表示出乎意料，相当于'居然' unexpectedly; actually, similar to '居然 jūrán'：他~不相信这是真的。 *Tā ~ bù xiāngxìn zhè shì zhēn de.* No one could have expected that he would simply not believe it.｜他在我面前~敢如此放肆 *Tā zài wǒ miànqián ~ gǎn rúcǐ fàngsì.* I didn't expect him to behave in such an unbridled manner in my presence. ❷〈副 *adv.* 书 *lit.*〉终于 eventually; in the end：有志者事~成。 *Yǒu zhì zhě shì ~ chéng.* Where there is a will, there is a way. ❸〈动 *v.*〉完毕；结束 finish; accomplish：未~的事业 wèi ~ *de shìyè* an unaccomplished cause ❹〈形 *adj.*〉自始至终 from beginning to end; throughout：~夜未眠 ~ *yè wèi mián* lay awake throughout the night

³ 竟然 jìngrán〈副 *adv.*〉表示出乎意料，相当于'居然' unexpectedly; to one's surprise, similar to '居然jūrán'：他~不打招呼就走了。 *Tā ~ bù dǎ zhāohu jiù zǒu le.* To our surprise, he left without saying goodbye to us.｜他汉语说得那么好，大家~不知道他是外国人。 *Tā Hànyǔ shuō de nàme hǎo, dàjiā ~ bù zhīdào tā shì wàiguórén.* He speaks such good Chinese that no one knows he is a foreigner.

⁴ 敬 jìng ❶〈动 *v.*〉尊重；有礼貌地对待 respect; revere：~重 ~ *zhòng* deeply respect｜~老 ~ *lǎo* revere the aged｜尊~ *zūn* ~ respect｜孝~ *xiào* ~ show filial respect for sb.｜肃然起~ sùrán-qǐ~ be filled with deep veneration ❷〈动 *v.*〉有礼貌地送上 offer politely：~礼 ~ *lǐ* salute｜~酒 ~ *jiǔ* propose a toast｜~茶 ~ *chá* serve tea ❸〈动 *v.*〉全神贯注 be absorbed：~业 ~ *yè* dedicate to one's work ❹〈形 *adj.*〉严肃而慎重的 earnest and

discreet: ~贺 ~hè send respectful greetings | ~祝 ~zhù congratulate with respect | ~献 ~ xiàn offer respectfully | 毕恭毕~ bìgōng-bì~ reverent and respectful

² **敬爱** jìng'ài〈动 v.〉(对上级或长辈)尊敬热爱 respect and love (a penson of higher position or elder generation): ~父兄 ~fùxiōng respect and love one's father and brothers | 人们都~英雄. Rénmen dōu ~ yīngxióng. People all respect heroes. | 老校长赢得了全校师生的~. Lǎo xiàozhǎng yíngdéle quánxiào shīshēng de ~. The old headmaster won respect from all the teachers and students of his school.

⁴ **敬而远之** jìng'éryuǎnzhī〈成 idm.〉尊敬却不愿接近对方 stay at a respectful distance from sb.: 学生们都对他~. Xuéshengmen dōu duì tā ~. The students all stand at a respectful distance from him. | 有学问又高傲的学者难免让人~. Yǒu xuéwèn yòu gāo'ào de xuézhě nánmiǎn ràng rén ~. A learned and arrogant scholar will always keep others stay at a respectful distance from him.

³ **敬酒** jìng//jiǔ〈动 v.〉有礼貌地献上酒请人喝 propose a toast to sb.: 向出征的运动员~ Xiàng chūzhēng de yùndòngyuán ~. Let's propose a toast to the athletes who are going out to fight. | 向客人敬上一杯美酒. Xiàng kèrén jìngshàng yì bēi měijiǔ. A glass of fine wine was offered to the guest.

² **敬礼** jìng//lǐ ❶〈动 v.〉立正举手或鞠躬行礼表示尊敬 salute: 向首长~. Xiàng shǒuzhǎng ~. Salute to the chief. | 他向老师敬了一个礼,然后走进校门. Tā xiàng lǎoshī jìngle yí gè lǐ, ránhòu zǒu jìn xiàomén. He gave a salute to the teacher and then walked into the school. ❷〈动 v. 敬 pol.〉用在书信的结尾 send greetings (at the end of a letter): 致以崇高的~. Zhì yǐ chónggāo de ~. Best regards.

² **静** jìng ❶〈形 adj.〉安定不动(与'动'相对)still; motionless (opposite to '动dòng'): 安~ ān~ silent | 物~ ~wù still life | 止~ ~zhǐ still | 风平浪~ fēngpíng-làng~ calm and tranquil | 水面很~. Shuǐmiàn hěn ~. The water surface is calm and still. ❷〈形 adj.〉没有声响;不出声 silent; quiet: 肃~ ~sù solemn and quiet | 夜深人~ yèshēn-rén~ in the still of night | 寂~ ~jì quiet | ~穆 ~mù solemn and quiet ❸〈形 adj.〉(内心)安定,平静 (of mind) calm; peaceful: 平~ ~píng ~ calm; tranquil | 镇~ ~zhèn~ calm | 文~ ~wén~ gentle and quiet | 心绪难以~下来. Xīnxù nányí ~ xiàlái. I could hardly calm down. ❹〈动 v.〉使(内心)安定 calm: 同学们~一~. Tóngxuémen ~ yí ~. Be quiet, please. | 下心来好好儿想一想. ~xià xīn lái hǎohāor xiǎng yì xiǎng. Calm down and think it over.

³ **静悄悄** jìngqiāoqiāo〈形 adj.〉毫无声响,很安静 very quiet: ~的田野 ~ de tiányě quiet fields | 这里的黎明~. Zhèli de límíng ~. It is quiet at dawn in this place. | 他~地躲在树后. Tā ~ de duǒ zài shù hòu. He hid himself quietly behind the tree.

³ **境** jìng ❶〈名 n.〉边界;疆界 boundary; border: 国~ guó~ national boundary | 边~ biān~ border | 越~ yuè~ cross the border ❷〈名 n.〉区域;地方 territory; land: 仙~ xiān~ fairyland | 环~ huán~ environment | 无人之~ wúrénzhī~ an unpeopled land | 身临其~ shēnlínqí~ be present on the scene ❸〈名 n.〉情景;境况 situation; circumstances: 处~ chǔ~ situation one finds oneself in | ~遇 ~yù circumstances | 心~ xīn~ state of mind | 事过~迁. Shìguò-~qiān. The affair is over and the situation has changed. ❹〈名 n.〉程度;地步 extent: 学无止~. Xuéwúzhǐ~. There is no limit to knowledge.

⁴ **境地** jìngdì ❶〈名 n.〉(个gè、种zhǒng)情况;状况(多用于消极方面)condition; circumstances (mostly used in the negative sense): 孤立的~ gūlì de ~ isolated circumstances | 被动的~ bèidòng de ~ passive circumstances | 十分尴尬的~ shífēn gāngà de ~ embarrassing situations ❷〈名 n.〉达到的程度或境界 extent reached; realm: 忘我的~ wàngwǒ de ~ state of selflessness | 如醉如痴的~ rúzuì-rúchī de ~ state

of ecstasy

⁴ **境界** jìngjiè ❶ 〈名 n.〉(种zhǒng)达到某种程度或层次 extent reached; state：艺术~ yìshù~ realm of art │ 思想~ sīxiǎng~ ideological level │ 精神~ jīngshén~ mental outlook │ 崇高的~ chónggāo de~ lofty level ❷ 〈名 n.〉土地的界限 boundary：飞机 驶出中国管辖的~。 Fēijī shǐchū Zhōngguó guǎnxiá de~. The airplane was flying out of Chinese territory.

⁴ **镜头** jìngtóu ❶ 〈名 n.〉(只zhī、个gè)照相、摄影或放映的机器上用形成影像的光 学装置 camera lens：望远~ wàngyuǎn~ telephoto lens │ 标准~ biāozhǔn~ standard lens ❷ 〈名 n.〉(个gè、组zǔ)摄影机拍摄或播放的一个或一组画面 shot; scene：分~ fēn~ story board │ 长~ cháng~ a full-length shot │ 一组~ yì zǔ~ a set of shots ❸ 〈名 n.〉照相的一个画面 scene：抢拍的~ zhuāpāi de~ a snap-shot │ 抢~ qiǎng~ steal the spotlight

² **镜子** jìngzi ❶ 〈名 n.〉(面miàn)能清晰照见形象的光滑的平面器具 mirror; looking-glass：照~ zhào~ look at oneself in the mirror │ 静静的湖水像面~。 Jìngjìng de húshuǐ xiàng miàn~. The still lake water looks like a mirror. ❷ 〈名 n. 口 colloq.〉(副fù)眼镜 glasses; spectacles：小小年纪就戴上~了。Xiǎoxiǎo niánjì jiù dàishàng~ le. (He) wears glasses at such a young age.

⁴ **纠纷** jiūfēn 〈名 n.〉(起qǐ、场chǎng)相互争执的事情 dispute：家庭~ jiātíng~ family dispute │ 邻里~ línlǐ~ dispute between neighbors │ 国际~ guójì~ international dispute │ 化解~ huàjiě~ solve a dispute │ 两家起了~。 Liǎng jiā qǐle~. A dispute rose between the two families. │ 一场~很快地平息了下去。 Yì chǎng~ hěn kuài de píngxī le xiàqù. The dispute soon subsided.

² **纠正** jiūzhèng 〈动 v.〉改正 correct; rectify：~错误 ~ cuòwù correct mistakes │ ~偏向~ piānxiàng correct a deviation │ ~片面性 ~ piànmiànxìng rectify one-sidedness │ 努力~ nǔlì~ try to rectify │ 他的发音不太正确，你帮他~~。 Tā de fāyīn bú tài zhèngquè, nǐ bāng tā~~. Help him to correct his pronunciation.

² **究竟** jiūjìng ❶ 〈副 adv.〉到底(多用在特殊疑问句中) actually; really (mostly used in an interrogative sentence)：~好还是不好？ ~ hǎo háishì bù hǎo? Is it actually good or not? │ ~有什么不同？ ~ yǒu shénme bùtóng? What are the exact differences? ❷ 〈副 adv.〉毕竟(多用在陈述句中) after all (mostly used in a declarative sentence)：~是孩 子，一会儿就没事儿了。 ~ shì háizi, yíhuìr jiù méishìr le. After all, he is only a child. It would be all right after a while. │ 他~是个行家，一看就知道是赝品。 Tā ~ shì gè hángjia, yí kàn jiù zhīdào shì yànpǐn. After all, he is an expert. He recognized it as a fake at one sight. ❸ 〈名 n.〉事情的结果或原委 outcome; what actually happened：看个~ kàn gè~ see what actually happened │ 问个~ wèn gè~ ask about what actually happened │ 这事一定要查出个~来。 Zhè shì yídìng yào cháchū gè~ lái. We must find out what it was all about.

³ **揪** jiū 〈动 v.〉紧抓不放；揪住并用力拉 hold tight; seize：~住衣服 ~ zhù yīfu hold sb. by the clothes │ 人们把小偷~到了警察局。 Rénmen bǎ xiǎotōu ~dàole jǐngchájú. The thief was dragged off to the police station.

¹ **九** jiǔ ❶ 〈数 num.〉汉字的数目字，即阿拉伯数字9，大写为‘玖’ nine, Chinese numerical, namely the Arabic numeral 9, capitalized as '玖'：~月 ~yuè September │ 日~rì the 9th │ 一~~~年 yī~~~ nián the year of 1999 ❷ 〈数 num.〉表示多 many：~死 一生 ~sǐ-yìshēng survival after many perils │ 十拿~稳 shíná-~wěn be very sure of; be in the bag │ ~重天 ~chóngtiān the highest of the heavens ❸ 〈名 n.〉中国传统时令名，从

冬至起每九天为'一九',到九'九'为止,共八十一天 each of the nine nine-day periods beginning from the day after the Winter Solstice：三~天最寒冷. *Sān ~ tiān zuì hánlěng.* The third nine-day period after the Winter Solstice is the coldest period of the year. | ~~加一~, 耕牛遍地走. *~ ~ jiā yì ~, gēngniú biàndì zǒu.* Cows will begin to roam about after the conclusion of the coldest period in winter.

¹ 久 jiǔ ❶ 〈形 *adj.*〉时间长 long; for a long time：长~ *cháng* for a long time | ~而~ *~ér–zhī* in the course of time; gradually | 远~ *yuǎn* ages ago | 日~见人心 *Rì ~ jiàn rénxīn.* Time reveals a person's character. ❷ 〈形 *adj.*〉时间的长短 of a specified duration：半年之~ *bànnián zhī ~* for half a year | 会议开多~了？ *Huìyì kāi duō ~ le?* How long ago did the meeting begin?

⁴ 玖 jiǔ 〈数 *num.*〉汉字数字'九'的大写；为防止涂改,一般在票据上应采用大写 nine, capital of numeral '九 jiǔ', on bills, accounts, etc. to avoid mistakes or alterations：~佰~拾元整 *~bǎi ~shí yuán zhěng* Nine Hundred Ninety *Yuan* Only

¹ 酒 jiǔ 〈名 *n.*〉用粮食、水果等经发酵制成的含乙醇的饮料 wine; liquor：~吧 *~bā* bar; pub | ~水 *~shuǐ* beverage | ~肉朋友 *~ròu péngyou* wine-and-meat friend | 葡萄~ *pútáo ~* grape wine | 白~ *bái~* liquor; spirit

³ 酒店 jiǔdiàn ❶ 〈名 *n.*〉(家jiā)指规模较大的宾馆、饭店 hotel; restaurant：~业 *~yè* hotel industry | 长城大~ *Chángchéng dà~* the Great Wall Hotel | 这条路上有三家~可供住宿. *Zhè tiáo lù shang yǒu sān jiā ~ kě gōng zhùsù.* There are three hotels available for accommodation on this road. ❷ 〈名 *n.*〉(家jiā)酒馆 tavern; inn：咱们在附近找一家小~去喝上两盅吧. *Zánmen zài fùjìn zhǎo yì jiā xiǎo ~ qù hēshàng liǎng zhōng ba.* Let's go and have a drink in an inn nearby.

⁴ 酒会 jiǔhuì 〈名 *n.*〉(个gè)一种简单、自由的宴会形式,以酒和点心招待来宾 cocktail party; reception：招待~ *zhāodài ~* reception | 举行~ *jǔxíng ~* hold a reception party | 他去参加中国使馆的~了. *Tā qù cānjiā Zhōngguó Shǐguǎn de ~ le.* He has gone to attend the reception held by the Chinese embassy.

酒精 jiǔjīng 〈名 *n.*〉一种有机化合物,学名'乙醇' alcohol; ethanol, scientific name is '乙醇yǐchún'：~棉 *~mián* alcohol cotton | ~灯 *~dēng* alcohol burner | 过敏 *guòmǐn* allergic to alcohol | ~含量 *~ hánliàng* alcohol percentage | 消毒~ *xiāodú~* disinfectant alcohol

¹ 旧 jiù ❶ 〈形 *adj.*〉过去的；从前的(与'新'相对) old; former (opposite to '新xīn')：~日 *~rì* in old days | ~址 *~zhǐ* former site | ~居 *~jū* former residence | 不念~恶 *bú niàn ~ è* discard old animosities; not bear a grudge ❷ 〈形 *adj.*〉过时的；用过的(与'新'相对) outdated; used (opposite to '新xīn')：陈~ *chén~* obsolete | ~书 *~shū* used books | 他的观念挺~的. *Tā de guānniàn tǐng ~ de.* His ideas are quite obsolete. | 你可不能喜新厌~. *Nǐ kě bù néng xǐxīn-yàn~.* You should not be fickle in your affection. ❸ 〈名 *n.*〉特指老朋友和过去的时光 old friend; past times：念~ *niàn~* keep old friendship in mind | 怀~ *huái~* nostalgia | 亲朋故~ *qīnpéng gù~* relatives and old friends

² 救 jiù 〈动 *v.*〉采取援助措施,使脱离或者使免于灾难或危险 save; help sb. out of danger：~火 *~huǒ* fight a fire | ~援 *~yuán* rescue | 急~ *jí* emergent rescue | 拯~ *zhěng~* salvage | 紧急抢~ *jǐnjí qiǎng~* take first-aid measures | ~人于水火之中. ~ *rén yú shuǐhuǒ zhīzhōng.* Save people from miseries.

⁴ 救济 jiùjì 〈动 *v.*〉用财、物帮助或接济困难者 relieve; send relief to sb.：~灾区 *~ zāiqū* relieve a disaster area | ~品 *~pǐn* relief | 迅速~ *xùnsù ~* extend relief rapidly | 红十字会对灾区~得非常及时. *Hóngshízìhuì duì zāiqū ~ de fēicháng jíshí.* The Red Cross

sent timely relief to the disaster area.

⁴ **救灾** jiù//zāi 〈动 v.〉救济受灾的地区或百姓 provide disaster relief: 抗洪~ kànghóng ~ fight a flood and provide disaster relief | ~物品 ~ wùpǐn relief material | 如救火。~ rú jiùhuǒ. Providing disaster relief is as emergent as fighting a fire. | 赶到的军队立即救起灾来。 Gǎndào de jūnduì lìjí jiùqǐ zāi lái. The troops hurried to rescue.

¹ **就** jiù ❶〈副 adv.〉表示短时间内即将发生 right away: 再等等，我~写完了。 Zài děngdeng, wǒ ~ xiěwán le. Wait for a while and I'll finish it right away. | 火车~要到达北京站了。 Huǒchē ~ yào dàodá Běijīng Zhàn le. The train is arriving at Beijing Railway Station very soon. ❷〈副 adv.〉表示事情发生、结束的早或晚;已经 as early as; already: 他很早~离开家了。 Tā hěn zǎo ~ líkāi jiā le. He left home a long time ago. | 昨天干完工作~半夜12点了。 Zuótiān gànwán gōngzuò ~ bànyè shí'èr diǎn le. It was already midnight when we finished our work. ❸〈副 adv.〉表示两件事前后相连 as soon as: 他说话~脸红。 Tā shuōhuà ~ liǎnhóng. He will blush once he speaks. | 昨天我下班~回家了。 Zuótiān wǒ xiàbān ~ huíjiā le. Yesterday I went back home immediately after work. ❹〈副 adv.〉表示在某种条件下自然怎么样(前面常用'只要''要是''既然'等) (often used after '只要'zhǐyào', '要是'yàoshi', '既然'jìrán' to indicate a natural result under certain conditions) in that case; then: 要是太忙,~别来了。 Yàoshi tài máng, ~ bié lái le. If you are too busy, then you don't have to come. | 既然天黑了,~吃了饭再回家吧。 Jìrán tiān hēi le, ~ chīle fàn zài huíjiā ba. Now that it is already dark, stay and have a meal before going back home. ❺〈副 adv.〉表示确认或肯定 (indicating confirmation) right: 报亭~在道边。 Bàotíng ~ zài dàobiān. The newsstand is right on the roadside. | 那人~是记者。 Nà rén ~ shì jìzhě. That person is a journalist indeed. | 我~知道他不会来。 Wǒ ~ zhīdào tā bú huì lái. I did know that he wouldn't come. ❻〈副 adv.〉表示将就或容忍 indicating resignation: 少点儿~少点儿, 下不为例。 Shǎo diǎnr ~ shǎo diǎnr, xiàbùwéilì. Even though there is little of it, it is OK this time, but only this once. | ~选它吧, 没时间了。 ~ xuǎn tā ba, méi shíjiān le. Just take this one. Time is running out. ❼〈副 adv.〉表示原本是这样 to begin with; as is expected: 本来~不远, 有车就更方便了。 Běnlái ~ bù yuǎn, yǒu chē jiù gèng fāngbiàn le. It is not far, to begin with, and it will be more convenient if a car is available. | 他原先~忙, 现在更忙了。 Tā yuánxiān ~ máng, Xiànzài gèng máng le. He was already very busy and now he is even busier than ever before. ❽〈副 adv.〉仅仅;只only; merely: ~剩下这份报纸了。 ~ shèngxià zhè fèn bàozhǐ le. Only this newspaper is left. | ~选上两名。 ~ xuǎnshàng liǎng míng. Only two candidates were seleted. | ~这么一点儿? ~ zhè me yìdiǎnr? Is there only as little as this? ❾〈副 adv.〉表示坚决 (indicating determination) just; simply: 不管说什么, 他~不答应。 Bùguǎn shuō shénme, tā ~ bù dāying. He simply wouldn't agree no matter how hard you tried to persuade him. | 我~要去。 Wǒ ~ yào qù. I just want to go. ❿〈副 adv.〉表示对比起来量的不同 indicating the difference in degree, quantity, etc. in comparison: ~我们那儿的菜价贵。 ~ wǒmen nàr de càijià guì. The prices of vegetables in our place are truly high. | 和你比, 我~算不上能干的了。 Hé nǐ bǐ, wǒ ~ suàn bú shàng nénggàn de le. Compared with you, I am not an able man at all. ⓫〈连 conj.〉表示假设性让步, 多与'也''还是'等呼应 (often used with '也'yě', '还是'háishì') even if: 你~是不说, 我们也会知道。 Nǐ ~ shì bù shuō, wǒmen yě huì zhīdào. Even if you didn't tell us, we'll know it anyway. | ~把单词全弄懂, 这篇文章还是看不明白。 ~ bǎ dāncí quán nòngdǒng, zhè piān wénzhāng háishì kàn bù míngbai. You can't understand the whole

text even if you know every single word of it. ⑫〈介 *prep.*〉引出动作的对象、范围或行为发生的处所 with regard to; concerning：~此结束 ~*cǐ jiéshù* come to a close at this point ｜~地取材 ~*dìqǔcái* obtain raw materials locally ｜~学习而言, 他最用功。~ *xuéxí ér yán, tā zuì yònggōng.* As far as study is concerned, he is the most diligent student. ⑬〈介 *prep.*〉趁 at one's convenience：~手儿把垃圾倒了。~ *shǒur bǎ lājī dǎo le.* Dump the garbage while you're at it. ｜~着开会, 他把一封信交给了领导。~*zhe kāihuì, tā bǎ yì fēng xìn jiāogěile lǐngdǎo.* On the occasion of the meeting, he delivered a letter to his leader. ⑭〈动 *v.*〉凑近；靠近 come near; move toward：避重~轻 *bìzhòng-~qīng* avoid the important and dwell on the trivial ｜为~他, 我才调过来。*Wèile ~ tā, wǒ cái diào guòlái.* I was transferred to this place only for his sake. ｜他~着灯光看起信来。*Tā ~zhe dēngguāng kànqǐ xìn lái.* He began to read the letter under the lamp. ⑮〈动 *v.*〉到 take up; go to：~座 ~*zuò* take one's seat ｜~餐 ~*cān* have a meal ｜各~各位 *gè ~ gèwèi* take one's own place; on your marks. ⑯〈动 *v.*〉开始从事 undertake：~读 ~*dú* attend school ｜~职 ~*zhí* assume office ｜~业 ~*yè* take a job ⑰〈动 *v.*〉完成；确定 accomplish：一蹴而~ *yícù'ér~* accomplish at one stroke ｜成~ *chéng~* achieve ｜写~ *xiě~* finish writing sth. ⑱〈动 *v.*〉搭着吃或喝 (of food or drink) go with：沙拉~面包 *shālā ~ miànbāo* have salad with bread ｜花生米~白酒 *huāshēngmǐ ~ báijiǔ* have peanuts with one's drinks ⑲〈动 *v.*〉被 be subjected to：~擒 ~*qín* be captured ｜~歼 ~*jiān* be destroyed ⑳〈动 *v.*〉趁着；借着 take advantage of：将计~计 *jiāngjì-~jì* turn sb.'s trick to one's own use ｜因陋~简 *yīnlòu-~jiǎn* make do with whatever available ｜按部~班 *ànbù-~bān* follow the prescribed order

⁴ **就餐** jiùcān 〈动 *v.* 书 *lit.*〉吃饭 have a meal：中午大家在食堂里~。*Zhōngwǔ dàjiā zài shítáng li ~.* We will have lunch in the canteen. ｜我们就在附近~吧。*Wǒmen jiù zài fùjìn ~ ba.* We'll just have a meal in a place nearby.

⁴ **就地** jiùdì 〈副 *adv.*〉就在原地, 不去别处 on the spot：~解散 ~ *jiěsàn* disband on the spot ｜~取材 ~ *qǔcái* obtain raw materials locally ｜这些配件可以~购买。*Zhèxiē pèijiàn kěyǐ ~ gòumǎi.* These accessories are available locally.

⁴ **就近** jiùjìn 〈副 *adv.*〉在附近, 不去远处 nearby; in the neighborhood：~入学 ~ *rùxué* attend school in the neighborhood ｜~购买 ~ *gòumǎi* purchase nearby

² **就是** jiùshì ❶〈副 *adv.*〉表示强调或肯定 to give force to a statement：他~不来！*Tā bù lái!* He just wouldn't agree to come. ｜~, 天气很不错。~, *tiānqì hěn búcuò.* It is fine weather, indeed. ｜他气不打一处来, 抓住对方一拳。*Tā qì bù dǎ yí chù lái, zhuāzhù duìfāng ~ yì quán.* He was so annoyed that he seized his opponent and gave him a punch. ❷〈连 *conj.*〉表示假设的让步 (常与 '也' 相呼应) (often used with '也 *yě*') even if：他~想要, 我也不给了。*Tā ~ xiǎng yào, wǒ yě bù gěi le.* Even if he wants it, I won't give it to him. ｜他~不来, 也没关系。*Tā ~ bù lái, yě méi guānxì.* It will make no difference even if he doesn't come. ❸〈连 *conj.*〉表示轻微的转折 but; whereas：公司待遇不错, ~离家远了点儿。*Gōngsī dàiyù búcuò, ~ lí jiā yuǎnle diǎnr.* The company offers a good pay; only it is located a little far from home. ｜她什么都好, ~不爱说话。*Tā shénme dōu hǎo, ~ bú ài shuōhuà.* She is a nice person, except that she is too quiet. ❹〈助 *aux.*〉用在句末表示肯定 (多加 '了') often used with '了 *le*' at the end of a sentence to give force to a statement：大家帮你~了。*Dàjiā bāng nǐ ~ le.* You can count on us for help. ｜别着急, 我一定办好~了。*Bié zháojí, wǒ yídìng bànhǎo ~ le.* I promise to do it well. Don't worry.

³ **就是说** jiùshìshuō 表示对前面所说的作进一步的解释、推理 in other words; that is to

say (followed by further explanation or reasoning)：不要总是抱着书本，~该到户外锻炼一下了。 *Búyào zǒngshì bàozhe shūběn, ~ gāi dào hùwài duànliàn yíxià le.* You should not read all the time; rather, you should go outdoors for some exercises. │刚叫过24号，~马上轮到你25号了。 *Gāng jiàoguo èrshísì hào, ~ mǎshàng lúndào nǐ èrshíwǔ hào le.* Number 24 was called; that is to say, it'll soon be your turn, Number 25.

³ **就是…也…** jiùshì…yě… 表示假设的让步 even if：~不去~没关系。 ~ *bú qù ~ méi guānxì.* It doesn't matter even if you do not go. │上刀山下火海，~在所不辞。 *~ shàng dāoshān xià huǒhǎi, ~ zàisuǒ-bùcí.* I wouldn't hesitate to go through the mountain of swords and the sea of flames; I am ready to accept all severe trials.

⁴ **就算** jiùsuàn〈连 *conj.*〉表示假设的让步(常与'也'呼应)(often used with '也yě') even if; granted that：别人知道了，也没关系~ *~ biérén zhīdào le, yě méi guānxì.* It doesn't matter even if it is known to others. │~弟弟说错了，你也不该发脾气呀! *~ dìdi shuōcuò le, nǐ yě bù gāi fā píqi ya!* Even if your younger brother was mistaken in his words, you shouldn't have lost your temper.

⁴ **就业** jiù//yè〈动 *v.*〉参加工作 get a job：~培训 ~ *péixùn* vocational training │再~ *zài ~* get re-employed │~机会 ~ *jīhuì* job opportunity │他的子女都~了。 *Tā de zǐnǚ dōu ~ le.* His children all have their own jobs. │到如今还没就上业。 *Dào rújīn hái méi jiù shàng yè.* I haven't got a job yet up to now.

⁴ **就职** jiù//zhí〈动 *v.*〉正式担任某个职务 (多指较高的职位) assume office (usually high positions)：~演说 ~ *yǎnshuō* inaugural speech │宣誓~ *xuānshì ~* take the oath of office │他就了职立即宣布紧缩开支的措施。 *Tā jiùle zhí lìjí xuānbù jǐnsuō kāizhī de cuòshī.* He announced measures to cut expenditures immediately after his inauguration.

³ **舅舅** jiùjiu〈名 *n.*〉母亲的哥哥和弟弟 maternal uncle; mother's brother

³ **舅母** jiùmu〈名 *n.*〉舅舅的妻子 wife of mother's brother

⁴ **拘留** jūliú ❶〈动 *v.*〉公安机关在规定时限内暂时关押、审查嫌疑对象 (of public security agency) detain：他被~在看守所里。 *Tā bèi ~ zài kānshǒusuǒ li.* He was detained in a detention house. ❷〈动 *v.*〉行政处罚的一种，指对违反治安条例的人员给予短期关押 detention (as an administrative punishment)：刑事~ *xíngshì ~* criminal detention │因严重违章行车，被~半个月。 *Yīn yánzhòng wéizhāng xíngchē, bèi ~ bàn gè yuè.* He was detained for half a month due to serious violation of driving regulations.

⁴ **拘束** jūshù ❶〈形 *adj.*〉过分约束自己，言行不自然 constrained; awkward：来人很~。 *Láirén hěn ~.* The guest looked ill at ease. │不要~，就像平时说话一样。 *Búyào ~, jiù xiàng píngshí shuōhuà yíyàng.* Do feel at home. Talk the same way as usual. ❷〈动 *v.*〉过分约束；束缚 over-restrain; restrict：她总想~别人。 *Tā zǒng xiǎng ~ biérén.* She always wants to restrict others. │不要~了孩子们的想象力。 *Búyào ~le háizimen de xiǎngxiànglì.* Don't restrain the children's imagination.

⁵ **居** jū ❶〈动 *v.*〉住 reside; live：~所 ~*suǒ* residence │定~ *dìng ~* settle down │起~ *qǐ ~* daily life │~民 ~*mín* resident ❷〈动 *v.* 书 *lit.*〉处在(某个位置) occupy (a place)：~首 ~*shǒu* occupy the first place │~多 ~*duō* be in the majority │~中 ~*zhōng* be in the middle │中国人口~世界第一。 *Zhōngguó rénkǒu ~ shìjiè dì-yī.* The population of China ranks first in the world. ❸〈动 *v.* 书 *lit.*〉当；任 claim：以老臣自~ *yǐ lǎochén zì ~* claim to be a veteran minister │~官多年 ~*guān duōnián* be an official for many years │~功自傲 ~*gōng-zì'ào* claim credit for oneself and become arrogant ❹〈动 *v.* 书 *lit.*〉积蓄；囤积 store up：奇货可~ *qíhuò-kě ~* rare commodities worth hoarding │囤积~奇 *túnjī-~qí* hoarding and speculation ❺〈名 *n.*〉住所，也用于某些店铺的名称中 residence; also

used in the name of a shop: 旧~ *jiù*~ old residence │ 故~ *gù*~ former residence │ 迁~ *qiān*~ move house; change residence │ 沙锅~ *Shāguō*~ Casseroles Restaurant │ 六必~（酱菜铺）*Liùbì*~（*jiàngcàipù*）Liu Bi Ju (a pickles store)

³ 居民 jūmín 〈名 *n.*〉(个 gè、位 wèi)固定住在某一地方的人 resident: ~社区 ~ *shèqū* resident community │ 当地~ *dāngdì*~ local residents │ ~委员会 ~ *wěiyuánhuì* residential committee

³ 居然 jūrán 〈副 *adv.*〉竟然；没想到 unexpectedly: 昨晚的大风~刮倒了路边的电线杆。*Zuó wǎn de dà fēng ~ guādǎole lù biān de diànxiàngān.* To our surprise, the gale brought down the lamp-posts on the roadside last night. │ 这次测验，他~考了个第一。*Zhè cì cèyàn, tā ~ kǎole gè dìyī.* Unexpectedly, he came out first in this exam.

⁴ 居室 jūshì ❶〈名 *n.*〉(间 jiān)住人的房间 room: 简陋的~ *jiǎnlòu de* ~ shabby room │ ~宽敞 ~ *kuānchang* spacious room │ 两间大~ *liǎng jiān dà* ~ two big rooms ❷〈量 *meas.*〉居住的房间 of rooms: 他新近买了一套三~的住房。*Tā xīnjìn mǎile yí tào sān ~ de zhùfáng.* Recently he bought a three-bedroom apartment.

³ 居住 jūzhù 〈动 *v.*〉较长时间住在某地 reside; live in a place for a long time: ~权 ~ *quán* residential right │ 短期~ *duǎnqī*~ temporary residence │ 他常年在海外~。*Tā chángnián zài hǎiwài* ~. He lives abroad all the year round.

⁴ 鞠躬 jū//gōng 〈动 *v.*〉弯腰行礼 bow: ~致意 ~ *zhìyì* bow in greeting │ ~礼 ~ *lǐ* salute by making a bow │ 他向老师鞠了个躬，走进了教室。*Tā xiàng lǎoshī jūle gè gōng, zǒujìnle jiàoshì.* He made a bow to the teacher and walked into the classroom. ‖ jūgōng〈形 *adj.* 书 *lit.*〉谨慎小心 discreet; scrupulous: ~尽瘁 ~*jìncuì* give one's all till one's heart stops beating; have dedicated one's life to a cause

³ 局 jú ❶〈名 *n.*〉行政系统中大于处级、小于部级的办事机构(也有例外) bureau: 卫生~ *wèishēng*~ bureau of health │ 外事~ *wàishì*~ foreign affairs bureau │ ~长 ~*zhǎng* bureau director ❷〈名 *n.*〉专门承办某些业务的机构 organization engaged in certain businesses: 电话~ *diànhuà*~ telephone bureau │ 邮~ *yóu*~ post office │ 镖~ *biāo*~ commercial firm for providing armed escort │ 书~ *shū*~ publishing house ❸〈名 *n.*〉形势；处境；情况 situation; state of affairs: ~势 ~*shì* situation │ 战~ *zhàn*~ war situation │ 大~ *dà*~ overall situation │ 政~ *zhèng*~ political scene ❹〈名 *n.*〉指某些比赛、聚会等性质的活动 gathering: 饭~ *fàn*~ a dinner party │ 赌~ *dǔ*~ gambling party │ 败~ *bài*~ losing battle │ 棋~ *qí*~ development in a chess game │ 当~者迷。*Dāng~zhěmí.* Blunt are those concerned. ❺〈名 *n.*〉圈套 trap: 骗~ *piàn*~ fraud ❻〈名 *n.*〉一部分 portion: ~部 ~*bù* partial ❼〈形 *adj.*〉拘束；狭小 narrow: ~促 ~*cù* cramped ❽〈量 *meas.*〉某些比赛进行一次叫一局 game; set: 三~两胜 *sān ~ liǎng shèng* three sets and two wins │ 第一~胜，第二~输，两人战成平手。*Dì-yī ~ shèng, dì-èr ~ shū, liǎng rén zhàn chéng píngshǒu.* He won the first set and lost the second one. Now they are in a draw.

³ 局部 júbù 〈名 *n.*〉(个 gè)一部分（与‘整体’相对）part (opposite to ‘整体 zhěngtǐ’): ~利益 ~*lìyì* partial and local interests │ ~战争 ~*zhànzhēng* local warfare │ 这次受灾的只~。*Zhè cì shòuzāi de zhǐshì yí gè* ~. This disaster only hit a local area.

³ 局面 júmiàn 〈名 *n.*〉(个 gè)某一时期内出现的形势或情况 situation; prospect: 有利的~ *yǒulì de* ~ advantageous situations │ 我到那个单位已经三个月了，就是打不开~。*Wǒ dào nàge dānwèi yǐjīng sān gè yuè le, jiùshì dǎ bù kāi* ~. Though I have been working in this outfit for three months, I haven't yet opened up a prospect. │ 必须扭转被动~。*Bìxū niǔzhuǎn bèidòng* ~. The passive position must be reversed.

⁴ 局势 júshì 〈名 *n.*〉(有关政治、军事等)在一定时期内的发展情况 (political, military,

etc.）situation：~动荡 ~ *dòngdàng* turbulent situation ｜ 稳定~ *wěndìng* ~ stable situation ｜ 复杂的~*fùzá de* ~ complicated situations ｜ 还不明朗。~ *hái bù mínglǎng.* The situation is not clear yet.

⁴ **局限** júxiàn ❶〈动 *v.*〉限制在某个范围内 limit：~性 ~*xìng* limitations ｜ 今天会议讨论的内容不受~，大家可以畅所欲言。*Jīntiān huìyì tǎolùn de nèiróng bú shòu ~, dàjiā kěyǐ chàngsuǒyùyán.* There is no limit to the issues on agenda at today's meeting and all of you can speak your minds freely. ｜ 不要~了学生的想象力。*Búyào ~le xuéshēng de xiǎngxiànglì.* Don't restrain the students' imagination. ❷〈名 *n.*〉局部的限制 limitation：地域的~ *dìyù de* ~ territorial limitation ｜ 历史的~ *lìshǐ de* ~ historic limitation

² **局长** júzhǎng　〈名 *n.*〉局级部门的最高长官 director（of a bureau）：警察~ *jǐngchá* ~ chief of a police station

⁴ **菊花** júhuā〈名 *n.*〉（朵duǒ、盆pén）多年生草本观赏植物，有些品种中医可以入药 chrysanthemum：~展 ~*zhǎn* chrysanthemum show ｜ 两盆 ~ *liǎng pén* ~ two pots of chrysanthemums ｜ 白~ *bái* ~ feverfew ｜ 赏 ~ *shǎng* ~ marvel at chrysanthemums

¹ **橘子** júzi〈名 *n.*〉（个gè）橘树的果实，果肉可食，皮、核在中医均可入药 tangerine; orange：~汁儿 ~*zhīr* orange juice ｜ ~皮 ~ *pí* tangerine peel

¹ **举** jǔ ❶〈动 *v.*〉往上托、抬 raise; lift：~目 ~*mù* raise the eyes ｜ ~不动 ~*búdòng* unable to lift sth. ｜ ~手 ~*shǒu* raise the hands ｜ 高~ *gāo* ~ raise sth. high ｜ ~棋不定 ~*qí-búdìng* hesitate about what move to make ❷〈动 *v.*〉提出 cite：~个例子 ~ *gè lìzi* cite an example ｜ 不胜枚~ *búshèng-méi* ~ be too numerous to enumerate ｜ ~报 ~*bào* inform against sb.; report（illegal activities）｜ ~一反三 ~*yī-fǎnsān* draw inferences about other cases from one instance ❸〈动 *v.*〉推选；选拔 choose; elect：保~ *bǎo* ~ recommend sb. with personal guarantee ｜ 推~ *tuī* ~ elect ｜ ~荐 ~*jiàn* recommend ❹〈动 *v.*〉发起；发动 start：~办 ~*bàn* hold; undertake ｜ ~行 ~*xíng* hold（a meeting, etc.）｜ ~兵 ~*bīng* raise troops to fight ❺〈名 *n.*〉行为；动作 deed; move：义~ *yì* ~ chivalrous deed ｜ 壮~ *zhuàng* ~ heroic undertaking ｜ 多此一~ *duōcǐyì* ~ make an unnecessary move ｜ 一~多得 *yì-~duōdé* kill two birds with one stone ❻〈形 *adj.*〉全 whole：~国上下 ~*guó-shàngxià* entire nation; from the leadership to the masses ｜ ~世罕见 ~*shì hǎnjiàn* rarely seen throughout the world

³ **举办** jǔbàn　〈动 *v.*〉搞（活动）；兴办（事业）conduct; hold; undertake：~运动会 ~*yùndònghuì* hold a sports meet ｜ ~展览 ~ *zhǎnlǎn* hold an exposition ｜ ~讲座 ~ *jiǎngzuò* give a lecture ｜ ~晚会 ~ *wǎnhuì* hold an evening party ｜ 文体健身事业~得蓬蓬勃勃。*Wéntǐ jiànshēn shìyè ~ de péngpéng-bóbó.* Cultural and athletic activities are being undertaken with great vigor.

⁴ **举动** jǔdòng〈名 *n.*〉（种zhǒng、个gè）行为；动作 move; act：有什么~? *Yǒu shénme* ~? What move was made? ｜ 他的~十分反常。*Tā de* ~ *shífēn fǎncháng.* His act is quite strange.

⁴ **举世闻名** jǔshì-wénmíng〈成 *idm.*〉整个世界都知道其名声，形容名气很大 world-renowned：中国的四大发明~。*Zhōngguó de sì dà fāmíng* ~. The four great inventions of China are well known all over the world. ｜ ~的北京故宫是世界现存最大的皇家宫殿建筑群之一。~ *de Běijīng Gùgōng shì shìjiè xiàncún zuì dà de huángjiā gōngdiàn jiànzhùqún zhīyī.* The world-renowned Forbidden City in Beijing is one of the world's largest existing imperial palaces.

⁴ **举世瞩目** jǔshì-zhǔmù〈成 *idm.*〉整个世界都关心、注视着 attract worldwide attention：

这次登月行动~. Zhè cì dēngyuè xíngdòng ~. This attempt to land on the moon has become the focus of world attention. | ~的人类基因工程将为人类发展带来新的希望。 ~ de rénlèi jīyīn gōngchéng jiāng wèi rénlèi fāzhǎn dàilái xīn de xīwàng. The human genetic engineering project, which has attracted worldwide attention, will bring new prospects for the human development.

² **举行** jǔxíng 〈动 v.〉进行（集会、比赛等）hold; undertake: ~婚礼 ~ hūnlǐ hold a wedding ceremony | ~谈判 ~ tánpàn conduct negotiations | ~义卖活动 ~ yìmài huódòng conduct a charity-sales event | ~欢迎仪式 ~ huānyíng yíshì hold a welcome ceremony | 开学典礼正在~。 Kāixué diǎnlǐ zhèngzài ~. The school-opening ceremony is going on.

² **巨大** jùdà 〈形 adj.〉特别大 huge: ~贡献 ~ gòngxiàn huge contributions | 压力~ yālì ~ tremendous pressure | 他的话在学生中产生了十分~的影响。 Tā de huà zài xuéshēng zhōng chǎnshēngle shífēn ~ de yǐngxiǎng. His speech exerted an enormous influence on the students. | 这项工程耗资~. Zhè xiàng gōngchéng hàozī ~. This project is enormously costly.

¹ **句** jù 〈量 meas.〉用于计量语言单位（of language）sentence: 几~话 jǐ ~ huà a few sentences | 三~话不离本行 sān ~ huà bù lí běnháng talk shop all the time | 三言两语~ sānyán-liǎng ~ in one word or two ❷ 〈名 n.〉句子 sentence: 描写~ miáoxiě ~ descriptive sentences | 疑问~ yíwèn~ interrogative sentence | 单~ dān~ simple sentence | 复~ fù~ complex sentence | 诗~ shī~ lines of verse | 例~ lì~ exemplary sentence

¹ **句子** jùzi 〈名 n.〉(个gè)由词或短语组成，能够表达完整意思的语言单位 sentence: 改写~ gǎixiě ~ rewrite a sentence | 翻译~ fānyì ~ translate a sentence | 写一组~ xiě yì zǔ ~ write a group of sentences | 理解~的含义 lǐjiě ~ de hányì comprehend a sentence

¹ **拒** jù ❶〈动 v.〉不接受 refuse to accept: ~收礼品 ~shōu lǐpǐn refuse to accept a gift | 来者不~ láizhě-bú~ refuse nobody | ~不执行 ~ bù zhíxíng refuse to execute (an order) ❷〈动 v.〉抵抗；抵挡 resist: ~捕 ~bǔ resist arrest | 抗~ kàng~ resist | 人千里（表示不与人合作）~rénqiānlǐ (biǎoshì bù yǔ rén hézuò) keep sb. at a far distance (refusing to cooperate with others) | ~敌于国门之外。 ~ dí yú guó mén zhīwài. Keep the enemy outside of the country.

² **拒绝** jùjué 〈动 v.〉不接受 refuse; decline: 难以~ nányǐ ~ hard to refuse | ~毒品 ~dúpǐn refuse drugs | 我的求职被~了。 Wǒ de qiú zhí bèi ~ le. My application for the job was rejected. | 他~了大家的建议。 Tā ~le dàjiā de jiànyì. He declined our advice.

⁴ **具** jù ❶〈量 meas.〉用于尸体、棺材等某些整体器物 of corpses, coffins and certain utensil: 多~尸体 duō ~ shītǐ several bodies | 数~棺材 shù ~ guāncai a few coffins ❷ 〈名 n.〉日常器物 utensil; tool: 家~ jiā~ furniture | 文~ wén~ stationery | 鱼~ yú~ fishing gear | 农~ nóng~ farm tools | 假面~ jiǎmiàn~ mask ❸〈动 v.〉拥有 possess: 别~特色 bié~tèsè have special features | ~备 ~bèi possess | 颇~规模 pō ~ guīmó be in a considerable size ❹〈动 v.〉写出；开列 state; write out: 开~证明 kāi ~zhèngmíng issue a certificate | ~名 ~míng put one's name (to a document) | ~保 ~bǎo find surety

² **具备** jùbèi〈动 v.〉拥有；齐备 possess; have: ~资格 ~zīgé have qualifications | 我校还不~成立汉语系的条件。 Wǒ xiào hái bú ~ chénglì Hànyǔxì de tiáojiàn. Our college doesn't have qualifications yet for establishing a department of Chinese.

² **具体** jùtǐ ❶〈形 adj.〉细节上明确而不抽象，详尽而不笼统（与'抽象'相对）concrete; specific (opposite to '抽象chōuxiàng'): ~看法 ~ kànfǎ specific views | 你讲的不够~，请讲得再一些。 Nǐ jiǎng de búgòu ~, qǐng jiǎng de zài ~ yìxiē. What you said is not

J

concrete enough. Please be more specific. ❷〈形 *adj.*〉特定的 particular: ~的时间、地点和情节都要交代清楚。 ~ *de shíjiān, dìdiǎn hé qíngjié dōu yào jiāodài qīngchu.* The particular time, place and plot should all be clearly explained. │这学期你有什么~打算？ *Zhè xuéqī nǐ yǒu shénme ~ dǎsuàn?* What particular plans do you have for this semester? ❸〈动 *v.*〉联系到特定的人或事物上(后面带'到')concretize a theory or principle in terms of a specific person or matter (followed by the word '到 dào'): ~到每个人，情况都是不同的。 ~ *dào měi gè rén, qíngkuàng dōu shì bù tóng de.* The specific situation differs from person to person.

² 具有 jùyǒu〈动 *v.*〉有(多用于抽象事物) possess (sth. abstract): ~鲜明个性 ~ *xiānmíng gèxìng* possess a distinctive personality │ ~中国特色 ~ *Zhōngguó tèsè* have Chinese characteristics │他~演讲的才能。 *Tā ~ yǎnjiǎng de cáinéng.* He has a talent for making a speech.

² 俱乐部 jùlèbù〈名 *n.*〉(家jiā、个gè)从事社会、政治、文娱、体育等活动的团体或处所 club: 长跑~ *chángpǎo ~* long-distance running club │ ~正在排演节目。 ~ *zhèngzài páiyǎn jiémù.* The club members are rehearsing a performance. │前不久我加入了高尔夫球~。 *Qián bùjiǔ wǒ jiārùle gāo'ěrfūqiú ~.* Not long ago I joined a golf club.

³ 剧 jù ❶〈名 *n.*〉(出chū、部bù)一种由演员化装表演故事、反映社会生活的艺术形式 drama; opera: 戏~ *xì ~* opera │ 歌舞~ *gēwǔ ~* singing and dancing opera │ 秧歌~ *yāngge ~* yangge opera │ ~本 ~*běn* script; scenario │ ~情 ~*qíng* plot (of a drama) │ 悲~ *bēi~* tragedy ❷〈形 *adj.*〉猛烈;厉害 fierce; violent: 加~ *jiā~* turn more violent │ ~变 ~*biàn* drastic change │ 急~上升 *jí ~shàngshēng* rise sharply │ 一阵~痛 *yí zhèn ~tòng* a sharp pain

⁴ 剧本 jùběn〈名 *n.*〉(个gè、部bù)供演出使用的文学底本 script: 这个~还不成熟。 *Zhège ~ hái bù chéngshóu.* This script is not yet mature. │他今年发表了一部电视剧~。 *Tā jīnnián fābiǎole yí bù diànshìjù ~.* This year he published a TV play script.

² 剧场 jùchǎng〈名 *n.*〉(个gè、家jiā)专供演出使用的场所 theater: 露天~ *lùtiān ~* outdoor theater │ ~的内外都挤满了人。 ~ *de nèiwài dōu jǐmǎnle rén.* The theater is packed with people both inside and outside.

³ 剧烈 jùliè〈形 *adj.*〉猛烈 violent; severe: ~反抗 ~*fǎnkàng* violent rebellion │ ~争夺 ~*zhēngduó* fierce rivalry │ 竞争十分~。 *Jìngzhēng shífēn ~.* The competition is very stiff. │双方的斗争~起来了。 *Shuāngfāng de dòuzhēng ~ qǐlái le.* The struggle between the two sides turned violent.

⁴ 剧团 jùtuán〈名 *n.*〉(个gè)演戏的团体 troupe: 京~ *jīng~* Peking Opera troupe │ ~正在演出。 ~ *zhèngzài yǎnchū.* The troupe is performing on the stage. │他在~里担任导演。 *Tā zài ~ li dānrèn dǎoyǎn.* He acts as a director in the troupe.

³ 剧院 jùyuàn〈名 *n.*〉(个gè、家jiā)剧场(也用于剧团的名称) theater (also used in the name of certain troupe): 歌~ *gē~* opera │ 豪华~ *háohuá ~* luxury theater │ 北京人民艺术~ *Běijīng Rénmín Yìshù ~* The People's Arts Theatre of Beijing │ 这个~正在演出话剧《雷雨》。 *Zhège ~ zhèngzài yǎnchū huàjù 'Léiyǔ'.* This troupe is performing a stage play, *Thunderstorm*.

³ 据 jù ❶〈动 *v.*〉占有;占据 hold; occupy: ~守 ~*shǒu* guard │ ~为己有 ~*wéi jǐyǒu* seize by force │ ~高位 *zhàn~gāowèi* hold a high position │ 割~ *gē~* set up a separatist regime by force of arms ❷〈动 *v.*〉依仗 depend on: ~点 ~*diǎn* stronghold │ ~险固守 *xiǎn gùshǒu* defend by relying on a natural barrier ❸〈介 *prep.*〉依照;按照 according to: ~理力争 ~*lǐ-lìzhēng* argue on just grounds │ ~说 ~*shuō* it is said; allegedly

| ~悉 ~xī it is reported that. . . | ~我所知，他已经出国了。 ~ wǒ suǒ zhī, tā yǐjīng chūguó le. To my knowledge, he has gone abroad. ❹〈名 n.〉可以用来证明的事物 evidence：证~ zhèng~ evidence | 根~ gēn~ basis | 凭~ píng~ proof; evidence | 字~ zì~ written pledge | 单~ dān~ bill; note

⁴ **据点** jùdiǎn〈名 n.〉(个gè)军队进攻或防守所凭借的地点 stronghold：我们一口气拔掉了敌人的几个~。 Wǒmen yīkǒuqì bádiàole dírén de jǐ gè ~. We conquered several strongholds of the enemy at one go.

² **据说** jùshuō〈动 v.〉听别人说(句中作独立成分) it is said; they say：~，他是新来的汉语老师。 ~, tā shì xīn lái de Hànyǔ lǎoshī. It is said that he is a newly-arrived Chinese teacher. | 这个地方~很少下雨。 Zhège dìfang ~ hěn shǎo xiàyǔ. It is said that it rarely rains in this place.

⁴ **据悉** jùxī〈动 v.〉根据外界了解到的情况而知道(句中作独立成分) it is reported; by report：银行近期将调整利率。 ~, yínháng jìnqī jiāng tiáozhěng lìlù. It is reported that the banks will readjust the rate of interest soon. |~，外界普遍看好这家工厂生产的彩电。 ~, wàijiè pǔbiàn kànhǎo zhè jiā gōngchǎng shēngchǎn de cǎidiàn. It is reported that the public is generally optimistic about the TV sets produced in this factory.

³ **距** jù ❶〈介 prep.〉(在时间或空间上)相隔 at a distance (in time or space)：~今数千年前 ~ jīn shù qiān nián qián thousands of years ago | 此地不足百米 ~ cǐdì bùzú bǎi mǐ no more than 100 meters from this place ❷〈名 n.〉相隔的长度或时间 distance：株~ zhū~ spacing between two plants | 行~ háng~ space between lines | 间~ jiān~ interval; spacing | ~离 ~lí distance ❸〈动 v.〉两者彼此相隔 separate：他们两人的志趣与追求相~十万八千里。 Tāmen liǎng rén de zhìqù yǔ zhuīqiú xiāng~ shíwàn bāqiān lǐ. These two persons are wide apart in aspiration and pursuit.

² **距离** jùlí ❶〈名 n.〉相隔的长度 distance：两地的~不到200公里。 Liǎng dì de ~ bú dào èrbǎi gōnglǐ. The distance between these two places is no more than 200 kilometers. | 你与他相比，还有些~。 Nǐ yǔ tā xiāngbǐ, hái yǒuxiē ~. He lags a bit far behind you. ❷〈介 prep.〉相距 away from：火车站~我家不远。 Huǒchēzhàn ~ wǒ jiā bù yuǎn. The railway station is not far from my home. |这次航班起飞还有多长时间？ ~ zhè cì hángbān qǐfēi hái yǒu duō cháng shíjiān? How long will it be before this flight takes off?

⁴ **锯** jù〈名 n.〉(把bǎ)一种用薄钢片制成的、带有尖齿状的工具 saw：手~ shǒu~ hand saw | 电~ diàn~ electric saw | 拉~战 lā~zhàn seesaw battle ❷〈动 v.〉用锯切割 cut with a saw：~树 ~shù saw a tree | ~钢管 ~gāngguǎn saw a steel tube | ~成木条 ~ chéng mùtiáo saw (a log) into bars

³ **聚** jù〈动 v.〉会合；汇集在一起 assemble; gather：团~ tuán~ reunite | ~会 ~huì gathering | ~敛 ~liǎn plunder | ~沙成塔 ~shā-chéngtǎ many a little makes a mickle | ~在一起 ~ zài yìqǐ get together | 这个星期天咱们大家~~。 Zhège xīngqītiān zánmen dàjiā ~~. Let's have a get-together this Sunday.

⁴ **聚会** jùhuì ❶〈动 v.〉会合；聚首 get together：大家总~不起来。 Dàjiā zǒng ~ bù qǐlái. We are always unable to come together for a gathering. | 同学们热闹地~在校园里。 Tóngxuémen rènao de ~ zài xiàoyuán li. We had a jolly time getting together on campus. ❷〈名 n.〉(个gè)指会合、聚首的活动 gathering：今天有个~。 Jīntiān yǒu gè ~. I will attend a gathering today. |~不欢而散。 ~ bùhuān'érsàn. The gathering ended on a sour note.

³ **聚集** jùjí〈动 v.〉会合、集中在一起 gather; collect：~力量 ~lìliàng build up strength | 人们在不断地~着。 Rénmen zài búduàn de ~zhe. More and more people are gathering.

J

｜码头上~了不少货物。*Mǎtóu shang ~le bùshǎo huòwù.* A lot of cargo is assembled on the dock.

³ **聚精会神** jùjīng-huìshén 〈成 *idm.* 〉集中注意力，一点不走神 concentrate one's attention：大家~地听讲座。*Dàjiā ~ de tīng jiǎngzuò.* We listened to the lecture in rapt attention.

⁴ **捐** juān ❶〈动 *v.* 〉献出；舍弃 abandon; cast away：~躯 ~*qū* die for a cause｜弃前嫌~*qì qiánxián* discard old grudges ❷〈动 *v.* 〉拿钱物帮助 donate：~赠 ~*zèng* donate｜钱~粮 ~ *qián ~ liáng* donate money and food｜~衣服 ~ *yīfu* donate clothes｜把~的资送到灾区。*Bǎ ~ de zī sòngdào zāiqū.* Send the donations to the disaster area. ❸〈名 *n.* 〉税 tax：车~ *chē*~ vehicle tax｜苛~杂税 *kē*~*záshuì* exorbitant taxes and levies ❹〈名 *n.* 〉捐助的钱或物 donation; subscription：募~ *mù*~ collect donations

⁴ **捐款** I juān//kuǎn〈动 *v.* 〉献出钱款(来帮助) donate money：~助学 ~ *zhùxué* donate money to assist students｜我已经捐过一次款了。*Wǒ yǐjīng juānguo yí cì kuǎn le.* I have already made a donation. II juānkuǎn〈名 *n.* 〉捐助的款项 donation：各界的~已达5亿元。*Gèjiè de ~ yǐ dá wǔyì yuán.* The donations collected from all walks of life have amounted to 500 million *yuan*.

⁴ **捐献** juānxiàn〈动 *v.* 〉拿出财物献给(国家、集体) donate; contribute：~图书 ~*túshū* donate books｜~遗体 ~*yítǐ* donate the remains｜大家将衣物~给灾区群众。*Dàjiā jiāng yīwù ~ gěi zāiqū qúnzhòng.* We donated clothes to the people in the disaster-stricken area.

⁴ **捐赠** juānzèng 〈动 *v.* 〉无条件赠送给(有关方面) contribute; donate (to an organization concerned)：~文物 ~*wénwù* donate cultural relics｜~药品 ~*yàopǐn* donate medicine｜他给我们学校~了两台计算机。*Tā gěi wǒmen xuéxiào ~le liǎng tái jìsuànjī.* He donated two computers to our school.

² **卷** juǎn ❶〈动 *v.* 〉把片状物裹成圆形或弯成半圆形 roll up：~铺盖 ~*pūgài* roll up the bedding｜~帘子 ~ *liánzi* roll up a curtain｜刀刃儿~了。*Dāorènr ~ le.* This knife has become blunted.｜把纸~成了一个卷儿。*Bǎ zhǐ ~chéngle yí gè juǎnr.* Roll up a piece of paper. ❷〈动 *v.* 〉(人或物)被强力裹挟进去或带动起来 sweep along; carry along：大风~起沙尘。*Dàfēng ~ qǐ shāchén.* The gale swept up a cloud of dust.｜他们不可避免地被~进了这场纠纷。*Tāmen bùkě bìmiǎn de bèi ~jìnle zhè chǎng jiūfēn.* They found themselves inevitably involved in this dispute. ❸〈量 *meas.* 〉用于成卷的东西 roll：把这~纸拿走。*Bǎ zhè ~ zhǐ ná zǒu.* Take this roll of paper away.｜我在商场买了几~胶卷。*Wǒ zài shāngchǎng mǎile jǐ ~ jiāojuǎn.* I bought a few rolls of film in the department store. ❹(~儿)〈名 *n.* 〉裹成圆筒形的东西 sth. rolled up in a cylindrical mass; roll：烟~儿 *yān*~*r* cigarette｜花~儿 *huā*~*r* fancy-shaped steamed roll｜蛋~儿 *dàn*~*r* egg roll

⁴ **圈** juàn ❶〈名 *n.* 〉饲养猪、羊等家畜的地方，有围栏和棚盖 pen; sty：猪~ *zhū*~ pigsty｜羊~ ~*yáng* sheepfold｜~肥 ~*féi* barnyard manure ❷〈量 *meas.* 〉计量圈养的家畜，量不定 of indefinite number of livestock raised in a sty：我家养了一~猪、两~羊。*Wǒ jiā yǎngle yí ~ zhū, liǎng ~ yáng.* My family have raised one sty of pigs and two folds of sheep.

☞ quān，p. 815

² **决** jué ❶〈副 *adv.* 〉一定(用在否定词前) definitely (used before a negative word)：~无二话 ~*wú èrhuà* have no disagreement whatsoever｜~不答应 ~ *bù dāying* never agree｜非易事 ~*fēi yì shì* no easything ❷〈动 *v.* 〉确定；决定 decide; determine：~断

~*duàn* make a decision ｜ 判~ *pàn*~ make a judgement ｜ 犹豫不~ *yóuyù-bù-* hesitant and unable to make a decision ｜ 先~条件 *xiān~ tiáojiàn* precondition ｜他的去意已~ *Tā de qùyì yǐ ~.* He is determined to leave. ❸〈动 v.〉确定最后胜负 decide the final result: ~ 赛 ~*sài* finals ｜ ~战 ~*zhàn* decisive battle ｜ 一雌雄 ~*yìcíxióng* have a showdown with sb. ❹〈动 v.〉特指执行死刑 execute (a person): 枪~ *qiāng~* execute sb. by a firing squad ｜ 处~ *chǔ~* put sb. to death ❺〈动 v.〉水冲开或冲垮堤岸 (of flood) burst: ~口 ~*kǒu* (of a dyke) be breached ｜ ~堤 ~*dī* burst a dyke ｜ 溃~ *kuì*~ burst a dam ❻〈形 adj.〉坚定; 果断 resolute; decisive: 坚~ *jiān*~ adamant

◂ **决不** *juébù* 〈副 adv.〉一定不 never: ~答应 ~*dāyìng* never agree ｜ ~后悔 ~*hòuhuǐ* never regret ｜ ~留恋 ~*liúliàn* never recall with nostalgia

◂ **决策** *juécè* ❶〈动 v.〉决定策略或方法 make a policy; make a strategic decision: 学校的重大事情必须由校长~. *Xuéxiào de zhòngdà shìqing bìxū yóu xiàozhǎng ~.* The important decisions of the school must be made by the principal. ｜ 不能盲目~. *Bù néng mángmù ~.* Policies should not be made blindly. ❷〈名 n.〉(项 xiàng) 决定的策略和方法 decision: 重大的外交~ *zhòngdà de wàijiāo ~* diplomatic decision of strategic importance ｜ 明智的~ *míngzhì de ~* wise decision

¹ **决定** *juédìng* ❶〈动 v.〉对如何行动作出判断, 确定主意 decide; make up one's mind: 我~继续上学. *Wǒ ~ jìxù shàngxué.* I decide to continue my schooling. ｜ 去还是不去, 由你~吧. *Qù háishi bú qù, yóu nǐ ~ ba.* It is up to you to decide whether to go or not. ❷〈动 v.〉一事物对另一事物起主导作用 (sth.) be the prerequisite (of sth. else): 存在~意识. *Cúnzài ~ yìshí.* Man's social being determines his consciousness. ｜ 政策确定后, 干部是~因素. *Zhèngcè quèdìng hòu, gànbù shì ~ yīnsù.* After the determination of a policy, the cadres will become a decisive factor. ❸〈名 n.〉(项 xiàng、个 gè) 决定的事项 decision; resolution: 这是集体的~. *Zhè shì jítǐ de ~.* This is a resolution made by the collective. ｜ 这是一个正确的~. *Zhè shì yí gè zhèngquè de ~.* This is a correct decision. ｜ 我们要认真学习和落实~的精神. *Wǒmen yào rènzhēn xuéxí hé luòshí ~ de jīngshén.* We shall study and implement the spirit of the resolution conscientiously.

³ **决口** Ⅰ *jué//kǒu* 〈动 v.〉被水冲出缺口 (of a dyke) be breached by flood: 大堤~了. *Dà dī ~ le.* The dyke burst. ｜ 这里几年前决过口. *Zhèli jǐ nián qián juéguo kǒu.* The dyke once burst a few years ago. Ⅱ *juékǒu* 〈名 n.〉(个 gè、处 chù) 指被水冲出的缺口 breach (opened by flood): 堵住~ *dǔ zhù ~* block up a breach

⁴ **决赛** *juésài* 〈名 n.〉体育比赛或各种竞赛中决定胜负的最后一次或最后一轮比赛 final; final match or final round of matches in a sport which decides the positions in a competition: 世界杯~将于下月举行. *Shìjièbēi ~ jiāng yú xià yuè jǔxíng.* The World Cup Finals will be held next month. ｜ 中央电视台正在播放全国通俗歌曲比赛~. *Zhōngyāng Diànshìtái zhèngzài bōfàng Quánguó Tōngsú Gēqǔ Bǐsài ~.* The CCTV is broadcasting the final of the National Pop Songs Contest.

⁴ **决算** *juésuàn* ❶〈动 v.〉根据预算执行情况而编制年度会计报告 make final accounts: 财务部门正在进行~. *Cáiwù bùmén zhèngzài jìnxíng ~.* The financial department is making the final accounts. ❷〈名 n.〉(项 xiàng) 根据预算执行情况而编制的年度会计报告 final accounts; final accounting of revenue and expenditure, compiled according to the implementation of an annual budget: 年终~ *niánzhōng ~* final accounting at the year-end

² **决心** *juéxīn* ❶〈名 n.〉(个 gè) 坚定而不动摇的意志 determination: 全体队员抱定必胜的~参加这次比赛. *Quántǐ duìyuán bào dìng bìshèng de ~ cānjiā zhè cì bǐsài.* All the

J

team members will participate in the competition with a determination to win. | 他辞职的~已定，你不必去劝他了。 *Tā cízhí de ~ yǐ dìng, nǐ búbì qù quàn tā le.* He is determined to resign and there is no more need to try to persuade him. ❷〈动 v.〉拿定主意就一定去做 be determined to do sth.; make up one's mind: 他~戒烟了。 *Tā ~ jièyān le.* He has made up his mind to quit smoking. | 我~学好汉语。 *Wǒ ~ xuéhǎo Hànyǔ.* I am determined to learn Chinese well.

³ **决议** juéyì〈名 n.〉(项xiàng、个gè) 经会议讨论通过的决定 resolution: 通过~ *tōngguò ~* pass a resolution | 执行~ *zhíxíng ~* implement a resolution

⁴ **决战** juézhàn ❶〈动 v.〉通过最后的战斗以决定胜负 fight a decisive battle: 两军正在~。 *Liǎng jūn zhèngzài ~.* The two armies are engaged in a decisive battle. | 和敌人~到底。 *Hé dírén ~ dàodǐ.* We shall fight against the enemy to the end. ❷〈名 n.〉(次cì、场chǎng) 决定胜负的最后战斗 decisive battle: 大~ *dà~* major decisive battle | 你死我活的~ *nǐsǐ-wǒhuó de ~* a decisive battle to determine life or death

³ **觉** jué ❶〈动 v.〉感到 feel; sense: 不知不~ *bùzhī-bù~* unknowingly | 上了麻药，我没~出疼来。 *Shàngle máyào, wǒ méi ~chū téng lái.* I was under an anaesthetic and didn't feel the pain. ❷〈动 v.〉醒悟；觉悟 become aware: ~察 *~chá* sense; realize | 警~ *jǐng~* alert; vigilant | ~醒 *~xǐng* awaken | 自~自愿 *zì~-zìyuàn* willingly ❸〈名 n.〉器官感受与辨别的能力 (of human or animal organs) sense: 视~ *shì~* sense of sight | 味~ *wèi~* sense of taste | 痛~ *tòng~* sense of pain | 触~ *chù~* sense of touch | 幻~ *huàn~* illusion

☞ jiào, p.519

⁴ **觉察** juéchá〈动 v.〉发现；看出来 realize; perceive: 你怎么没有~出来他最近的变化呢。 *Nǐ zěnme méiyǒu ~chūlái tā zuìjìn de biànhuà ne.* How come you didn't realize his recent changes? | 他的贪污行为大家早已有所~。 *Tā de tānwū xíngwéi dàjiā zǎo yǐ yǒu suǒ ~.* His acts of corruption were perceived by us all long ago.

¹ **觉得** juéde ❶〈动 v.〉产生感觉 feel: ~紧张 *~ jǐnzhāng* feel nervous | 我~有些难受。 *Wǒ ~ yǒuxiē nánshòu.* I feel a bit sick. | 你没~有什么不对吗？ *Nǐ méi ~ yǒu shénme bú duì ma?* Haven't you felt anything wrong? ❷〈动 v.〉认为（语气不肯定）(in an uncertain tone) think; feel: 我~这篇文章还要再修改一改。 *Wǒ ~ zhè piān wénzhāng hái yào zài gǎi yì gǎi.* I think that this article needs more revision. | 人们~这不过是件小事。 *Rénmen ~ zhè búguò shì jiàn xiǎoshì.* People see it as only a trivial matter.

² **觉悟** juéwù ❶〈动 v.〉(在认识上) 由模糊变得清楚；由迷惑变得明白；由错误走向正确 come to understand; become aware of: 山区的百姓已经~到要致富先修路。 *Shānqū de bǎixìng yǐjīng ~ dào yào zhìfù xiān xiūlù.* The people in mountain areas have come to realize that roads must be built before they can become wealthy. | 他终于~到不能这样糊里糊涂地过日子了。 *Tā zhōngyú ~ dào bù néng zhèyàng húlihútú de guò rìzi le.* It finally dawned on him that he should not continue to live a confused life. ❷〈名 n.〉(种zhǒng) 认识的程度和水平 consciousness; understanding: 思想~ *sīxiǎng ~* ideological consciousness | 你这个人也太没有~了！ *Nǐ zhège rén yě tài méiyǒu ~ le!* You have such a low level of consciousness! | 通过学习，大家的~有了很大的提高。 *Tōngguò xuéxí, dàjiā de ~ yǒule hěn dà de tígāo.* After a period of study, everyone gained a higher degree of understanding.

⁴ **觉醒** juéxǐng〈动 v.〉醒悟 awaken; arouse: 广大的民众~起来了。 *Guǎngdà de mínzhòng ~ qǐlái le.* The masses of the people have been aroused.

³ **绝** jué ❶〈形 adj.〉达到极点的；无人超过的 superb; matchless: ~技 *~jì* unique skill |

~招 ~zhāo unique skill｜他鉴定文物的本事令人叫～。*Tā jiàndìng wénwù de běnshi lìngrén jiào~.* He has a matchless ability to appraise cultural relics. ❷〈形 adj.〉行不通的;没有出路的 desperate; hopeless: ~境 ~jìng hopeless situation｜~路 ~lù impasse｜~症 ~zhèng incurable disease｜~壁悬崖 ~bì-xuányá precipitous cliffs 路已经～了。*Lù yǐjīng ~ le.* There is no way out. ❸〈动 v.〉穷尽;完了 use up: 空前～后 kōngqián-~hòu having no precedent｜弹尽粮～ dànjìn-liáng~ run out of ammunition and food supplies｜~收 ~shōu no harvest｜~产 ~chǎn total crop failure｜别把话说～了。*Bié bǎ huà shuō ~ le.* Don't go to extremes in what you say. ❹〈动 v.〉断 cut off: 断～ duàn~ cut off｜隔～ gé~ isolate｜~交 ~jiāo break off (with sb.)｜~情 ~qíng be heartless ❺〈动 v.〉气息终止 stop breathing; die: 气～身亡 qì~-shēnwáng stop breathing and die｜悲痛欲～ bēitòngyù~ be extremely grieved ❻〈副 adv.〉断然;绝对(用在否定词前)absolutely; by no means (used in the negative): ~不反悔 ~bù fǎnhuǐ will by no means regret｜~没坏处 ~méi huàichu have absolutely no harm｜~非难事 ~fēi nánshì by no means difficult ❼〈副 adv.〉最;极 extremely: ~密 ~mì top secret｜~大部分 ~dà bùfēn the overwhelming majority｜~妙 ~miào excellent｜这个孩子聪明～顶。*Zhège háizi cōngmíng ~dǐng.* This child is extremely clever. ❽〈名 n.〉中国古代诗歌文体的一种—绝句 quatrain: 五~ wǔ~ penta-syllabic quatrain｜七~ qī~ hepta-syllabic quatrain

² **绝对** juéduì ❶〈形 adj.〉没有任何条件的;不受任何限制的(与‘相对’相对)absolute (opposite to ‘相对xiāngduì’): ~优势 ~yōushì absolute superiority｜~服从 ~fúcóng absolute compliance｜你的看法未免太～了。*Nǐ de kànfǎ wèimiǎn tài ~ le.* Your view is simply too absolute. ❷〈形 adj.〉仅以某一条件为根据,不管其他条件的(与‘相对’相对)(based on one condition without considering all the others) absolute (opposite to ‘相对xiāngduì’): ~湿度 ~shīdù absolute humidity｜~值 ~zhí absolute value｜~高度 gāodù absolute altitude ❸〈副 adv.〉完全;一定 absolutely; definitely: 我保证～不说。*Wǒ bǎozhèng ~ bù shuō.* I will definitely not say a single word about it.｜我的消息~准确。*Wǒ de xiāoxi ~ zhǔnquè.* My information is absolutely accurate.

⁴ **绝望** juéwàng〈形 adj.〉毫无一点希望;希望断绝 hopeless; in desperation: ~地挣扎 ~de zhēngzhá struggle in desperation｜他对于生活已经～了。*Tā duìyú shēnghuó yǐjīng ~ le.* He feels hopeless about life.

⁴ **绝缘** juéyuán ❶〈动 v.〉隔绝电流,使不通过 insulate: ~材料 ~ cáiliào insulating material｜~体 ~tǐ insulant ❷〈动 v.〉比喻与外界或某一事物隔绝,没联系 isolate: 得病后他整天待在家里,与外界～了。*Dé bìng hòu tā zhěngtiān dāi zài jiā li, yǔ wàijiè ~ le.* Since he fell ill, he has been staying at home every day, totally isolated from the outside world.｜我调到机关工作后,便跟教书～了。*Wǒ diàodào jīguān gōngzuò hòu, biàn gēn jiāoshū ~ le.* Since I was transferred to do office work, I have been kept away from the teaching profession.

⁴ **掘** jué〈动 v.〉挖;刨 dig: ~土机 ~tǔjī bulldozer｜~地三尺 ~ dì sān chǐ dig deep into the ground｜直到~出水来。*Zhí dào ~chū shuǐ lái.* Keep digging until water comes out.

² **军** jūn ❶〈名 n.〉武装部队;也比喻有组织的大批人员 army; troops: ~威 ~wēi dignity of the army｜裁~ cái~ disarmament｜空~ kōng~ the Air Force｜娘子~ niángzǐ~ women soldiers｜同盟～ tóngméng~ allied troops｜劳动大～ láodòng dà~ contingent of labor forces ❷〈名 n.〉军队编制单位之一,统辖若干个师 army (unit of military force with several divisions under its command): 集团～ jítuán~ group army｜~长 ~zhǎng Army Commander｜骑兵第一～ qíbīng dì-yī~ the First Army of the Cavalry ❸〈形 adj.〉与军事或军队有关的 military: ~服 ~fú military uniform｜~费 ~fèi military expenditure｜

~纪 ~jì military discipline

³ 军备 jūnbèi 〈名 n.〉军队及装备 arms；~竞赛 ~ jìngsài arms race｜改善~ gǎishàn ~ improve the armament｜裁减~ cáijiǎn ~ disarmament

² 军队 jūnduì 〈名 n.〉(支 zhī)武装力量；武装部队 armed forces；troops：人民~ rénmín ~ the people's army｜国家的~ guójiā de ~ the national army｜路上开过来一支~。 Lù shang kāi guòlái yì zhī ~. An army was marching toward here.

⁴ 军阀 jūnfá 〈名 n.〉(个 gè)指拥有军队，割据一方的反动人物或集团 warlord：大~ dà~ big warlord｜北洋~ Běiyáng ~ Northern Warlords｜~混战 ~hùnzhàn chaotic wars among warlords｜~作风 ~ zuòfēng warlord style｜~割据 ~ gējù separatist warlord regime

³ 军官 jūnguān 〈名 n.〉(名 míng、位 wèi、个 gè)军队中指挥与管理士兵的军人 officer：~ 学校 ~ xuéxiào military academy｜我的哥哥是一名~。 Wǒ de gēge shì yì míng ~. My brother is an officer.

³ 军舰 jūnjiàn 〈名 n.〉(艘 sōu、条 tiáo)军用舰艇的统称，也叫'兵舰' warship, also '兵舰 bīngjiàn'：这艘~明天就要起航了。 Zhè sōu ~ míngtiān jiùyào qǐháng le. This warship is to set sail tomorrow.

³ 军人 jūnrén 〈名 n.〉(名 míng、个 gè、位 wèi)在军队中服役的每个成员 soldier； serviceman：职业~ zhíyè ~ professional soldier｜~以服从命令为天职。 ~ yǐ fúcóng mìnglìng wéi tiānzhí. It is a soldier's bounden duty to obey orders.

² 军事 jūnshì 〈名 n.〉与军队或战争有关的事情 military affairs：~禁区 ~ jìnqū restricted military area｜~科学院 ~ kēxuéyuàn academy of military science｜学习~ xuéxí ~ study military science｜研究~ yánjiū ~ research in the military science

⁴ 军医 jūnyī 〈名 n.〉(名 míng、个 gè、位 wèi)有军籍的医生 military surgeon：~学院 ~ xuéyuàn military medical college｜这名~刚分配到部队。 Zhè míng ~ gāng fēnpèi dào bùduì. This medical officer has just been assigned to the troops.

⁴ 军用 jūnyòng 〈形 adj.〉军事上使用的(与'民用'相对) for military use (opposite to '民用 mínyòng')：~机场 ~ jīchǎng military airfield｜~装备 ~ zhuāngbèi military equipment｜~食品 ~shípǐn military food supplies

⁴ 军装 jūnzhuāng 〈名 n.〉(套 tào、身 shēn)军人专用制服 military uniform：新~ xīn ~ new military uniform｜这套~很合身。 Zhè tào ~ hěn héshēn. This uniform fits well.｜ 哥哥穿了一身~，显得很神气。 Gēge chuānle yì shēn ~, xiǎnde hěn shénqì. My elder brother looks smart in uniform.

³ 均 jūn ❶〈形 adj.〉数量相等；均匀 equal; even：~衡 ~héng balance｜平~ píng~ average｜势~力敌 shì~-lìdí be well-matched in strength｜贫富不~ pínfù bù ~ inequality between the rich and the poor ❷〈副 adv.〉全；都 all：今年的各项任务~已完成。 Jīnnián de gèxiàng rènwù ~ yǐ wánchéng. All the tasks for this year have been fulfilled.｜成绩~在及格线以上。 Chéngjì ~ zài jígé xiàn yǐshàng. I got passes for all the subjects. ❸〈副 adv.〉平均 evenly：~分 ~fēn average score｜社区的保安费按户~摊。 Shèqū de bǎo'ān fèi àn hù ~ tān. The expenses for the security personnel of the community are shared equally among all the households.

³ 均匀 jūnyún 〈形 adj.〉各部分数量相同；时间的间隔相等 even; distributed in a balanced way：~分布 ~ fēnbù balanced distribution｜病人的呼吸还算~。 Bìngrén de hūxī hái suàn ~. The patient's breathing is fairly even.｜他把种子~地播撒田里。 Tā bǎ zhǒngzi ~ de bōsā tián li. He sowed the seeds evenly in the fields.

⁴ 君 jūn ❶〈名 n.〉(位 wèi)古代君主国家的最高统治者；现代某些国家的元首

monarch; supreme ruler：国~ *guó*~ monarch ｜ 暴~ *bào*~ tyrant ｜ 昏~ *hūn*~ fatuous and self-indulgent ruler ❷ 〈名 *n.* 〉对人的尊称 polite addressing term：诸~ *zhū*~ every gentleman ｜ 某~ *mǒu*~ Mr. so-and-so

◂ 菌 jūn ❶〈名 *n.* 〉低等植物的一大类 fungus：真~ *zhēn*~ fungus ｜ 蘑菇、香草是一类植物。*Mógū, xiāngxùn shì ~lèi zhíwù.* Mushrooms and champignons are both fungi. ❷ 〈名 *n.* 〉微生物的一类 bacterium：细~ *xì*~ bacteria ｜ 无~操作 *wú ~ cāozuò* aseptic operation ｜ 消毒灭~ *xiāodú miè*~ disinfect and sterilize

◂ 俊 jùn ❶〈形 *adj.* 〉相貌清秀出众 handsome; beautiful：美 *~měi* pretty ｜ ~秀 *~xiù* pretty and delicate ｜ ~俏 *~qiào* pretty and charming ｜ 英~ *yīng*~ handsome ｜ 这个姑娘真~。*Zhège gūniang zhēn ~.* This girl is so pretty. ｜ 这孩子长得越来越~了。*Zhè háizi zhǎng de yuèláiyuè ~ le.* The child is becoming more and more cute. ❷ 〈形 *adj.* 书 *lit.* 〉才智超群的 (of ability and wisdom) outstanding：~杰 *~jié* person of outstanding talent ｜ ~才 *~cái* outstanding talent

K

¹ **咖啡** kāfēi ❶〈名 n.〉一种常绿小乔木或灌木，种子炒熟后磨成粉可作饮料 coffee tree, an evergreen tree or bush the seeds of which can be fried and ground to make drink：~种植园 ~ zhòngzhíyuán coffee plantation｜哥伦比亚盛产~。Gēlúnbǐyà shèngchǎn ~. Columbia abounds in coffee. ❷〈名 n.〉（罐guàn、瓶píng、杯bēi）指咖啡种子制成的粉末或饮料，英语coffee的音译 coffee powder; coffee; drink made from ground coffee seeds, a transliteration for the English word 'coffee'：煮~ zhǔ ~ boil coffee｜冲~ chōng ~ make coffee｜泡~ pào ~ brew coffee｜三合一速溶~ sān hé yī sùróng ~ three-in-one instant coffee｜请给我一杯加糖的~。Qǐng gěi wǒ yì bēi jiā táng de ~. Please give me a cup of coffee with sugar.｜他爱喝加牛奶的热~。Tā ài hē jiā niúnǎi de rè ~. He prefers hot white coffee.

⁴ **卡** kǎ ❶〈名 n.〉（张zhāng）卡片，英语card的音译 card, a transliteration for the English word 'card'：资料~ zīliào ~ reference index cards; data card｜目录~ mùlù ~ catalogue card ❷〈名 n.〉（张zhāng）祝贺亲友生日、节日或新婚等用的可折叠纸片，英语card的音译 a folded piece of stiffen paper sent to a person by post on special occasions, such as birthday, festivals, wedding, etc. a transliteration for the English word 'card'：生日~ shēngrì ~ birthday cards｜贺年~ hènián ~ new year cards｜贺~ hè ~ greeting cards ❸〈名 n.〉（张zhāng）电子货币，英语card的音译 electronic currency, a transliteration for the English word 'card'：信用~ xìnyòng ~ credit card｜长城~ Chángchéng ~ Greatwall Card｜电话磁~ diànhuà cí ~ phone card｜刷~ shuā ~ to use a card; to pay (a bill, etc.) ❹〈名 n.〉（张zhāng）证件，英语card的音译 credentials, a transliteration for the English word 'card'：绿~ lǜ~ green card｜会员~ huìyuán ~ membership card ❺〈名 n.〉录放机上用以放置盒式磁带的装置 device for holding cassette tapes in a recorder; holder in a recorder or player for the cassette：双~录放机 shuāng ~ lùfàngjī double-cassette recorder ❻〈名 n.〉卡车，英语car的音义合译 lorry or truck, a transliteration for the English word 'car'：十轮~ shílún ~ a ten-wheeled truck; ten-wheeler ❼〈量 meas.〉热量单位，法语calorie的音译卡路里的简称 thermal unit, shortened form of the transliteration of the French word 'calorie'

¹ **卡车** kǎchē 〈名 n.〉（辆liàng）一种主要用于运输货物的载重汽车 truck, a vehicle mainly designed for freight tuansport：~运输 ~ yùnshū truck transportation｜载重~ zàizhòng ~ heavy truck

⁴ **卡片** kǎpiàn〈名 n.〉（张zhāng）记录各种事项以便查找、参考的专用硬纸片 card, pieces of stiffened paper esp. used to record various items or to take notes for searching and reference：建立~ jiànlì ~ create a card catalogue｜查阅~ cháyuè ~ refer to cards｜

柜 ~*guì* card-index cabinet ｜资料 ~*zīliào* ~ data card; reference index cards ｜目录 ~ *mùlù* ~ catalogue card ｜医院给病人建立了病历。*Yīyuàn gěi bìngrén jiànlìle bìnglì* ~. The hospital has created medical records for the patients.

¹ 开 kāi ❶〈动 v.〉使关闭着的东西打开 open: ~门 ~*mén* open the door ｜~柜子 ~ *guìzi* open the cabinet ｜~箱子 ~ *xiāngzi* open the box ｜~锁 ~ *suǒ* open a lock; unlock ｜~灯 ~ *dēng* switch on the light; turn on a light ｜~电视 ~ *diànshì* turn on the TV ｜~诚布公 (比喻诚恳待人，坦白无私) ~*chèng-bùgōng* (*bǐyù chéngkěn dàirén, tǎnbái wúsī*) frank and sincere (treating others with honesty, frankness and selflessness) ｜~门见山 (比喻说话、写文章直截了当) ~*mén-jiànshān* (*bǐyù shuōhuà, xiě wénzhāng zhíjié-liǎodàng*) the door opens on a view of mountains (come straight to the point when speaking or writing) ｜因大雾天气封闭的高速公路今天~放了。*Yīn dàwù tiānqì fēngbì de gāosù gōnglù jīntiān ~fàng le*. The highway opened today after a close-down due to the heavy mist. ❷〈动 v.〉使受拢或连接的东西展开；分离 open out; come loose: 树上的桃花~了。*Shù shang de táohuā* ~ *le*. The peach flowers are in bloom. ｜把这封信拆~。*Bǎ zhè fēng xìn chāi~*. Tear open this letter. ❸〈动 v.〉发动或操纵 (枪、炮、车、船、机器等) fire a gun, cannon; start or operate (vehicle or machine, etc.): ~枪 ~*qiāng* fire a gun; shoot; open fire ｜~炮 ~*pào* (of artillery) open fire ｜~机器 ~ *jīqì* run a machine; operate a machine ｜她在驾校学了两个月，现在自己可以~车了。*Tā zài jiàxiào xuéle liǎng gè yuè*, *xiànzài zìjǐ kěyǐ* ~*chē le*. After two months training at the driving school, she can drive a car all by herself now. ❹〈动 v.〉举行 (会议、展览等) hold (a meeting, exhibition, etc.): ~会 ~*huì* hold a meeting ｜~欢迎会 ~ *huānyínghuì* hold a welcome meeting ❺〈动 v.〉建立；开办；开设；设置 set up; run; start; establish: ~公司 ~ *gōngsī* start a company ｜~工厂 ~ *gōngchǎng* set up a factory ｜我在银行~了个户头。*Wǒ zài yínháng* ~*le gè hùtóu*. I opened an account at the bank. ｜我们学校今年要~一个古汉语班。*Wǒmen xuéxiào jīnnián yào* ~ *yí gè gǔ Hànyǔ bān*. This year our university will recruit a class of ancient Chinese. ❻〈动 v.〉开始 start: ~工 ~*gōng* (of a factory) begin production; go into operation; (of civil engineering project) come under construction ｜~学 ~*xué* school opens; term begins ｜~业 ~*yè* start business ｜~战 ~*zhàn* make war; fight against ❼〈动 v.〉液体受热沸腾 (of liquids being heated) boil: 水~了。*shuǐ* ~ *le*. The water is boiling. ❽〈动 v.〉冰冻的河、湖、土地开始融化 (of a river, lake or soil) thaw: 河~了。*Hé* ~ *le*. The river thawed. ｜土地~冻了。*Tǔdì* ~ *dòng le*. The ground has thawed out. ❾〈动 v.〉打通；开辟 open up; reclaim: ~隧道 ~ *suìdào* tunnel; make a tunnel ｜~山洞 ~ *shāndòng* dig a cave into the mountain ｜~矿 ~*kuàng* mine; open up a mine ｜~荒 ~*huāng* open up wasteland; reclaim wasteland ｜~源节流 (比喻在财政经济上增加收入，节省开支) ~*yuán-jiéliú* (*bǐyù zài cáizhèng jīngjì shang zēngjiā shōurù, jiéshěng kāizhī*) increase revenue and reduce expenditure (tap new sources of economic growth while reducing costs) ｜今年又~了几路新的公交路线。*Jīnnián yòu* ~*le jǐ lù xīn de gōngjiāo lùxiàn*. Several new bus lines are opened this year. ❿〈动 v.〉指军队由驻地出发 (of an army) depart; set out: ~拨 ~*bá* set out; move ⓫〈动 v.〉出；开出 (多指单据、证明等) write out or make out (a receipt, testimonial, etc.): ~发票 ~*fāpiào* make out an invoice ｜~收据 ~*shōujù* make out a receipt ｜~罚单 ~*fádān* write out a fine ticket ｜~证明 ~*zhèngmíng* write out a certificate ｜~药方 ~*yàofāng* write out a prescription ⓬〈动 v.〉支付 (工资、工钱等) pay (wages, fares, etc.): ~工资 ~*gōngzī* pay wages ｜~工钱 ~*gōngqián* pay money for odd jobs ⓭〈动 v.〉解除封锁、禁令、限制等 lift (a blockade, ban, restriction, etc.): ~禁 ~*jìn* lift a ban ｜~戒 ~*jiè* break an abstinence ｜~

斋 ~zhāi resume a meat diet; come to the end of Ramadan｜~释 ~shì release (a prisoner) ⑭〈动 v.〉(饭菜、酒席) 摆上来 serve a meal; lay the table：~饭了。~ fàn le. The meal is ready.｜今天中午要~三桌酒席。Jīntiān zhōngwǔ yào ~ sān zhuō jiǔxí. Three tables of dishes will be served for the lunch. ⑮〈动 v. 口 colloq.〉吃 eat up：我把一大盘饺子全给~了。Wǒ bǎ yí dà pán jiǎozi quán gěi ~ le. I ate up a big dish of dumplings. ⑯〈动 v.〉革除 sack; fire：~除 ~chú fire｜这个小伙儿干活偷懒，老板把他~了。Zhège xiǎohuǒr gànhuó tuōlǎn, lǎobǎn bǎ tā ~ le. The young man is fired by the boss for being lazy at work. ⑰〈动 v.〉用在动词后作补语表示分开、离开或扩展 used after a verb as a complement, indicating separation, dissemination or extension：躲~ duǒ~ get out of the way｜拉~ lā~ pull sth. aside; draw away｜挪~ nuó~ move sth. aside｜走~! Zǒu~! Go away!｜让~! Ràng~! Keep off!｜喜讯传~了。Xǐxùn chuán~ le. The good news has spread out. ⑱〈动 v.〉用在动词后面作补语，比喻清楚、明了、豁达 used after a verb as a complement, indicating clarity or broad-mindedness：你得想~些，别整天愁眉苦脸的。Nǐ děi xiǎng ~ xiē, bié zhěngtiān chóuméi-kǔliǎn de. Take it easy, and don't pull a long face for the whole day.｜把事情说~了，大家也就理解了。Bǎ shìqing shuō~ le, dàjiā yě jiù lǐjiě le. Every one will understand you as well as you explain it clearly. ⑲〈动 v.〉用在动词后面作补语，表示（某处）足以容纳（某些东西）used after a verb as a complement, indicating capacity (of a certain place)：客厅够大的, 这些音响都能摆~。Kètīng gòu dà de, zhèxiē yīnxiǎng dōu néng bǎi~. The living room is big enough to hold all these stereo sets.｜这间会议室很大, 再多的人也坐得~。Zhè jiān huìyìshì hěn dà, zài duō de rén yě zuò de ~. The meeting room is very big and it still has enough room for more people. ⑳〈动 v.〉用在形容词后面作补语表示开始并继续下去 used after adjectives as a complement, indicating start or the beginning or continuation of sth.：刚开春天气就热~了。Gāng kāichūn tiānqì jiù rè~ le. It got warm just at the beginning of the spring. ㉑〈量 meas.〉指十分之几的比例 percentage, used to express a ratio between two things considered as parts of a whole which is ten：人们对这位伟人一生的功过评价是三七~。Rénmen duì zhè wèi wěirén yìshēng de gōngguò píngjià shì sān qī ~. The general assessment of the great man is 70 percent achievements and 30 percent mistakes. ㉒〈量 meas.〉印刷上指相当于整张纸的若干分之一；也指书的开本 book or paper size, given by folding a sheet of standard size printing paper for a specified number of times; also the format of books：16~纸 shíliù ~ zhǐ 16 mo｜这本书的开本是32~。Zhè běn shū de kāiběn shì sānshí'èr ~. The format of this book is 32-mo. ㉓〈量 meas.〉指开金中所含纯金量的计算单位（二十四开为纯金）karat or carat; measure of purity of gold (pure gold being 24 karat)，英语金的音译 karat; a transliteration for the English word 'karat'：18~金的戒指 shíbā ~ jīn de jièzhi a 18-carat gold ring

³ **开办** kāibàn〈动 v.〉建立；创办 start or run; set up：~公司 ~ gōngsī start a company｜工厂 ~ gōngchǎng run a factory｜他~了一家股份制的贸易公司。Tā ~le yì jiā gǔfènzhì de màoyì gōngsī. He started a joint-stock trade company.

⁴ **开采** kāicǎi〈动 v.〉挖掘（矿藏）mine; extract; exploit：~石油 ~ shíyóu recover petroleum｜~铁矿 ~ tiěkuàng mine iron ore｜这家公司获得了这个地区的有色金属矿藏的~权。Zhè jiā gōngsī huòdéle zhège dìqū de yǒusè jīnshǔ kuàngcáng de ~ quán. The company has obtained the right to exploit non-ferrous metal resources in this region.

³ **开除** kāichú〈动 v.〉机关、团体、学校等将其成员除名，使之退出 expel; discharge：~公职 ~ gōngzhí discharge sb. from public employment; take sb.'s name off the book｜~学籍 ~ xuéjí strike sb. off the school roll; expel from school｜~党籍 ~ dǎngjí expel sb.

from the Party

开刀 kāi//dāo ❶〈动 v.〉指医生用手术刀等医疗器械给病人做外科手术 have a medical operation; operate or be operated on: 他这个病必须~才能治好。Tā zhège bìng bìxū ~ cái néng zhìhǎo. He has to have an operation to cure his illness. | 我的胸部已经开过两次刀了。Wǒ de xiōngbù yǐjīng kāiguo liǎng cì dāo le. My chest has undergone two operations. ❷〈动 v.〉比喻先从某个人或某件事下手处治 fig. make sb. or sth. the first target of attack, criticism, etc.: 他是想拿我~。Tā shì xiǎng ná wǒ ~. He meant to punish me first.

开动 kāidòng ❶〈动 v.〉（车辆）开行；（机器等）运转 start; set in motion: ~汽车 ~ qìchē start the automobile | 你要~脑筋想办法。Nǐ yào ~ nǎojīn xiǎng bànfǎ. You should use your brain to find a way out. ❷〈动 v.〉军队出发前进（of an army）move; march: 大批军队向前线~。Dàpī jūnduì xiàng qiánxiàn ~. A large number of troops moved to the battlefront.

开发 kāifā ❶〈动 v.〉以各种自然资源为对象所进行的生产劳动，使之达到能够利用的程度 develop; open up; exploit: ~油气田 ~ yóuqìtián open up oil and gas fields | 西部电力资源，发展西部经济。~ xībù diànlì zīyuán, fāzhǎn xībù jīngjì. Exploit electric resources of the west and develop its economy. ❷〈动 v.〉发现和发掘人才、技术等以供利用 develop; tap talent or develop technology: ~复合型人才 ~ fùhéxíng réncái tap inter-disciplinary talent | ~软件技术 ~ ruǎnjiàn jìshù develop software technology

开饭 kāi//fàn ❶〈动 v.〉把做好的饭菜摆在桌上准备吃 serve a meal: 人一到齐就~。Rén yí dàoqí jiù ~. The meal will be served when everybody's present. | 晚上开几桌饭？Wǎnshang kāi jǐ zhuō fàn? How many tables of dishes will be served tonight? ❷〈动 v.〉餐厅开始供应饭菜（of a cafeteria or a dining hall）begin to serve a meal: 餐厅中午几点~? Cāntīng zhōngwǔ jǐ diǎn ~? When does the canteen begin to serve meals at noon? | 12点准时~。Shí'èr diǎn zhǔnshí ~. Meal will be served right at 12 o'clock.

开放 kāifàng ❶〈动 v.〉花蕾展开（与'凋谢'相对）（of flowers）come into bloom（opposite to '凋谢diāoxiè'）：百花~春满园。Bǎi huā ~ chūn mǎn yuán. Spring permeates the garden at the burst of many tinted flowers. | 迎春花~在树丛中。Yíngchūnhuā ~ zài shùcóng zhōng. Winter jasmines are in full bloom among the bushes. ❷〈动 v.〉解除封锁、限制，允许自由交往（与'封锁''封闭'相对）lift a ban, restriction, etc.; allow free contact（opposite to '封锁fēngsuǒ'or'封闭fēngbì'）：改革~ gǎigé ~ reform and opening to the outside world | 思想~ sīxiǎng ~ be open-minded | ~城市 ~ chéngshì city open to the outside world | ~边境贸易 ~ biānjìng màoyì lift the restriction on border trade ❸〈动 v.〉准许出入; 准许通行 allow entrance or passage: 昨天下午机场已经重新~。Zuótiān xiàwǔ jīchǎng yǐjīng chóngxīn ~. The airport was reopened yesterday afternoon. | 大雾天气高速公路暂停~。Dà wù tiānqì gāosù gōnglù zàntíng ~. Due to heavy fog, the highway was closed up for the time being. ❹〈动 v.〉（公共场所）接待游人、读者等（与'关闭'相对）（of public places）be opened to tourists, readers, etc.（opposite to '关闭guānbì'）：星期日各博物馆对学生免费~。Xīngqīrì gè bówùguǎn duì xuéshēng miǎnfèi ~. All the museums are open to students free of charge on Sundays. | 图书馆整理内部暂停~。Túshūguǎn zhěnglǐ nèibù zàntíng ~. The library is temporarily closed for interior tidying up. ❺〈形 adj.〉指人的性格活泼开朗，行为不受束缚（of a person）outgoing; free from restriction: 他这个人的思想很~。Tā zhège rén de sīxiǎng hěn ~. He's very open-minded. | 她的这身穿着够~的。Tā de zhè shēn chuānzhuó gòu ~ de. The dress she wears is very daring.

⁴ **开工** kāi//gōng〈动 v.〉开始生产;开始修建 begin production; start construction: ~典礼 – *diǎnlǐ* commencement ceremony │ 这幢写字楼今天正式~。*Zhè zhuàng xiězìlóu jīntiān zhèngshì ~.* The construction of the office building begins today. │ 这项工程因资金没有到位,今年还开不了工。*Zhè xiàng gōngchéng yīn zījīn méiyǒu dàowèi, jīnnián hái kāi bù liǎo gōng.* Due to the delay of funds, this project will not be started this year.

⁴ **开关** kāiguān ❶〈名 n.〉电器装置上接通和截断电路的设备,通称'电门'switch; device for making and breaking the connection of an electric circuit, generally called '电门' *diànmén*: 电灯 – *diàndēng* ~ electric light switch │ 门厅墙上装有控制室内灯具的总~。*Méntīng qiáng shang zhuāng yǒu kòngzhì shìnèi dēngjù de zǒng ~.* There is a master switch of all lights of the apartment in the wall of entrance hall. ❷〈名 n.〉设在流体管道上控制流量的装置,又称'闸门'or'阀门'valve; device for controlling the passage of fluid through a pipe, also called '闸门' *zhámén* or '阀门' *fámén*: 自来水~ – *zìláishuǐ* ~ tap water valve │ 天然气~ – *tiānránqì* ~ natural gas valve

⁴ **开化** kāihuà ❶〈动 v.〉从原始状态进入有文化的文明状态 progress from barbarity to civilization: 在偏僻的高山密林中还生活着极少数未~的人群。*Zài piānpì de gāoshān mìlín zhōng hái shēnghuózhe jí shǎoshù wèi ~ de rénqún.* In the remote thick mountain forests still live a few uncivilized human groups. ❷〈动 v.〉冰雪开始融化 thaw; unfreeze: 春天到了,湖面结的冰已经~了。*Chūntiān dào le, húmiàn jiē de bīng yǐjīng ~ le.* Ice on the lake begins to unfreeze as spring comes.

² **开会** kāi//huì〈动 v.〉指若干人聚在一起议事、听报告、联欢等 hold or attend a meeting: ~通知 – *tōngzhī* notice of a meeting │ 今天下午董事会~。*Jīntiān xiàwǔ dǒngshìhuì ~.* The board of directors will hold a meeting this afternoon. │ 他去外地开了三天的会刚回来。*Tā qù wàidì kāile sān tiān de huì gāng huílái.* He's just returned from a three-day meeting in another city.

² **开课** kāi//kè ❶〈动 v.〉指学校开始上课 school begins; begin classes: 学校今天~了。*Xuéxiào jīntiān ~ le.* School begins today. ❷〈动 v.〉指设置课程,主要指高等学校教师担任某一课程的教学 (chiefly in college) give a course; teach a subject: 这学期我要开两门课。*Zhè xuéqī wǒ yào kāi liǎng mén kè.* I will teach two courses this semester.

⁴ **开垦** kāikěn〈动 v.〉把荒地开辟成可以种植庄稼的土地 open up or reclaim wasteland: ~荒地 – *huāngdì* open up waste land │ ~荒山 – *huāngshān* bring barren hills under cultivation

³ **开口** kāi//kǒu ❶〈动 v.〉张开嘴说话 start to talk: 疑犯~交代了。*Yífàn ~ jiāodài le.* The suspect has confessed his crime. │ 你怎么能~就骂人呢? *Nǐ zěnme néng ~ jiù màrén ne?* How could you call others' names once you opened your mouth? ❷〈动 v.〉提出某种要求 present a request; make a demand: 不好意思~ – *bù hǎoyìsi* ~ feel shamed to make the demand │ 这事你自己对他说吧,我可开不了这个口。*Zhè shì nǐ zìjǐ duì tā shuō ba, wǒ kě kāi bù liǎo zhège kǒu.* You tell him about it yourself, for I feel ashamed of it. ❸〈动 v.〉指新刀开刃儿 add cutting edge to a new knife: 这把刀还没~呢。*Zhè bǎ dāo hái méi ~ ne.* This knife has not been sharpened.

⁴ **开阔** kāikuò ❶〈形 adj.〉面积、空间范围宽广 (与'狭窄'相对) (of area or space) wide; vast (opposite to '狭窄 xiázhǎi'): ~的视野 – *de shìyě* a broad vision │ 骏马在~的草原上驰骋。*Jùnmǎ zài ~ de cǎoyuán shang chíchěng.* The steeds are galloping in the open grassland. │ 翻过这座山就是一片~地。*Fān guò zhè zuò shān jiù shì yí piàn ~ dì.* Crossing over the mountain, you will arrive at an open ground. ❷〈形 adj.〉(思想、心胸)乐观、开朗 (与'狭窄'、'狭隘'相对) (of idea, mind) optimistic or magnanimous

(opposite to '狭窄xiázhǎi' or '狭隘xiá'ǎi'）：~的思路 ~ de sīlù broad vision; lateral thinking | ~的心胸 ~ de xīnxiōng a generous heart; broad mind ❸〈动 v.〉扩展；使之宽阔 expand; broaden：~眼界 ~ yǎnjiè broaden one's vision | ~路面 ~ lùmiàn a wide road | 他想出国考察，~自己的视野。Tā xiǎng chūguó kǎochá, ~ zìjǐ de shìyě. He wants to go abroad on an investigation tour to widen his vision.

⁴ **开朗** kāilǎng ❶〈形 adj.〉地势开阔，光线充足（of a place）spacious and with plenty of light：豁然~ huòrán ~ become bright open all of a sudden; suddenly see the light ❷〈形 adj.〉指人的思想、性格、心胸乐观而不郁闷（of idea, character or mind）optimistic, sanguine, or cheerful：他是一个性格~的人。Tā shì yí gè xìnggé ~ de rén. He's a cheerful person.

² **开明** kāimíng〈形 adj.〉原意指从野蛮进化到文明，后指人的思想开通（与'守旧'相对）progress from barbarism to civilization; enlightened（opposite to '守旧shǒujiù'）：~的君主 ~ de jūnzhǔ enlightened monarch | ~的士绅 ~ de shìshēn enlightened gentry | 他的思想很~。Tā de sīxiǎng hěn ~. He is quite liberal-minded.

³ **开幕** kāi//mù ❶〈动 v.〉演出开始时打开舞台上的大幕（与'闭幕'相对）curtain rises; begin a performance （opposite to '闭幕bìmù'）：演出将于今晚7时准时~。Yǎnchū jiāng yú jīnwǎn qī shí zhǔnshí ~. The performance will begin at 7 o'clock this evening. | 主宾还没有到，现在还开不了幕。Zhǔbīn hái méiyǒu dào, xiànzài hái kāi bù liǎo mù. The guest of honor hasn't arrived yet, and the performance will not begin. ❷〈动 v.〉指会议、展览会正式开始（与'闭幕'相对）（of a meeting, exhibition, etc.）open; inaugurate（opposite to '闭幕bìmù'）：~词 ~ cí opening speech or address | ~典礼 ~ diǎnlǐ opening ceremony | 国际汽车展览会今天隆重~。Guójì Qìchē Zhǎnlǎnhuì jīntiān lóngzhòng ~. The International Automobile Exhibition is solemnly opened today.

² **开辟** kāipì ❶〈动 v.〉创立；开通 set up; open; start; establish：~国际航线 ~ guójì hángxiàn open an international air （or sea）route | ~新的公交线路 ~ xīn de gōngjiāo xiànlù open a new bus line ❷〈动 v.〉开拓发展 pioneer; create and develop：~原料市场 ~ yuánliào shìchǎng explore raw material market | ~新天地 ~ xīn tiāndì open up a new field; open up a new world

³ **开设** kāishè ❶〈动 v.〉设立（工厂、商店等）open（a factory, store, etc.）：~制衣厂 ~ zhìyīchǎng open a clothing factory | ~便利店 ~ biànlìdiàn open a convenience store | ~超市 ~ chāoshì open a supermarket | 这里~了一家电脑专卖店。Zhèlǐ ~le yì jiā diànnǎo zhuānmàidiàn. A franchised computer shop has just been opened here. ❷〈动 v.〉设置（课程）offer（a course in college, etc.）：学校~了计算机课。Xuéxiào ~le jìsuànjī kè. The school offers computer course.

¹ **开始** kāishǐ ❶〈动 v.〉从头起；从某一点起（与'结束'相对）begin; start（opposite to '结束jiéshù'）：新规则从今年~执行。Xīn guīzé cóng jīnnián ~ zhíxíng. New regulations will be put into effect this year. | 银行上午几点~营业? Yínháng shàngwǔ jǐ diǎn ~ yíngyè? When does the bank open in the morning? ❷〈动 v.〉着手进行（与'结束'相对）set about doing sth.（opposite to '结束jiéshù'）：他从5岁就~学习武术。Tā cóng wǔ suì jiù ~ xuéxí wǔshù. He began practicing martial arts when he was five. | 大家请安静，现在~讲课。Dàjiā qǐng ānjìng, xiànzài ~ jiǎngkè. Be quiet please! Let's begin our class now. ❸〈名 n.〉开始的阶段 initial stage; outset：换了一个新环境，~总觉得不太习惯。Huànle yí gè xīn huánjìng, ~ zǒng juéde bú tài xíguàn. One is bound to feel unaccustomed when he is in a new environment. | 他终于有了一个新的~。Tā zhōngyú yǒule yí gè xīn de ~. He finally begins a new chapter in his life.

K

³ **开水** kāishuǐ 〈名 n.〉煮沸的水 boiling water; boiled water：烧~*shāo*~ boil some water｜请给我倒一杯白~。*Qǐng gěi wǒ dào yì bēi bái~.* Please pour me a cup of plain boiled water.｜我不喝饮料，只喝凉~。*Wǒ bù hē yǐnliào, zhǐ hē liáng ~.* I drink no beverages except cold boiled water.｜开水不响，响水不开（比喻有本事的人不会夸口，没有本事的人才大叫大嚷）。*Kāishuǐ bù xiǎng, xiǎngshuǐ bù kāi (bǐyù yǒu běnshi de rén búhuì kuākǒu, méiyǒu běnshi de rén cái dàjiào-dàrǎng).* Boiled water makes no sound while sonorous water awaits to be boiled（Capable people don't boast while incapable man talk big with great fanfare）.

⁴ **开天辟地** kāitiān-pìdì 〈成 idm.〉中国古代神话说，起初天地混沌一起，像一个鸡蛋，英雄盘古氏开天辟地后才有了人类世界，因此用'开天辟地'指有史以来；也比喻伟大的创始 beginning of history; According to the Chinese mythology, the heaven and the earth are mixed together, just like an egg, and the world came into being after Pan Gu separated earth from heaven, hence the phrase; also indicating a great initiation：在我们村考上大学的，他还是~第一个。*Zài wǒmen cūn kǎo shang dàxué de, tā háishi ~ dì-yī gè.* He is the very first one in our village to have been enrolled in a collage.｜这是一项~的巨大工程，自然引起世人的瞩目。*Zhè shì yí xiàng ~ de jùdà gōngchéng, zìrán yǐnqǐ shìrén de zhǔmù.* As an epoch-making great project, it naturally attracts world-wide attention.

⁴ **开头** Ⅰ kāitóu (~儿) 〈名 n.〉指开始的时刻或阶段（与'结尾'相对）in the beginning（opposite to '结尾 jiéwěi'）：万事~难。*Wàn shì ~ nán.* Everything's hard in the beginning. / The first step is always difficult.｜英语专有名词一个字母要大写。*Yīngyǔ zhuānyǒu míngcí ~ yí gè zìmǔ yào dàxiě.* The initial letter of an English proper noun should be capitalized. Ⅱ kāi//tóu (~儿) 〈动 v.〉表示事情、现象、行动等最初发生（与'结束'相对）(of matter, phenomenon, action, etc.) just begin; start（opposite to '结束jiéshù'）：事情刚~就遇到了困难。*Shìqing gāng ~ jiù yùdàole kùnnan.* Difficulty arises at the very beginning.｜他的主动参与为这项工作开了个好头。*Tā de zhǔdòng cānyù wèi zhè xiàng gōngzuò kāile gè hǎo tóu.* He actively takes part in the job and gives it a good beginning.

⁴ **开拓** kāituò ❶〈动 v.〉开辟，拓展 open up; pioneer; create：~边疆~*biānjiāng* pioneer the frontier｜~荒地~*huāngdì* cultivate wasteland｜~处女地~*chǔnǚ dì* tread on uncharted territory｜~销售渠道~*xiāoshòu qúdào* find more channels of distribution｜~经营领域~*jīngyíng lǐngyù* expand business｜~商品市场~*shāngpǐn shìchǎng* open up commodity market ❷〈动 v.〉采矿之前进行的修建道路等工序的总称 tunnel a mining pit：~巷道~*xiàngdào* dig the tunnel

¹ **开玩笑** kāi wánxiào ❶〈动 v.〉指用语言或行动戏弄他人 crack a joke; joke; make fun of：他这么做是和你~呢。*Tā zhème zuò shì hé nǐ ~ ne.* He did so just to joke with you.｜他跟你开个玩笑，你别当真。*Tā gēn nǐ kāi gè wánxiào, nǐ bié dàngzhēn.* Take it easy. He was only joking.｜这个玩笑可开大了，把她都气哭了。*Zhège wánxiào kě kāi dà le, bǎ tā dōu qìkū le.* Your joking went so far that she was enraged to tears. ❷〈动 v.〉用不严肃的态度对待事情；当作儿戏 flippant; disrespectful about a serious matter：工作上的事情要认真对待，可不能~。*Gōngzuò shang de shìqing yào rènzhēn duìdài, kě bù néng ~.* Be serious about your work, and not to take it as a laughing matter.

⁴ **开心** kāixīn ❶〈形 adj.〉心情欢快舒畅 exult; feel happy; rejoice：这趟去南方城市旅游玩儿得真~。*Zhè tàng qù nánfāng chéngshì lǚyóu wánr de zhēn ~.* The trip to the southern cities was really happy.｜老朋友聚在一起天南地北聊得十分~。*Lǎo péngyou*

jù zài yìqǐ tiānnán-dìběi liáo de shífēn ~. Getting together, old friends had a very good time chatting about everything. ❷〈动 *v.*〉戏弄他人使自己快乐 amuse oneself at sb.'s expense; make fun of sb.：你别拿他~了。*Nǐ bié ná tā ~ le.* Don't make fun of him! | 他总是喜欢拿别人寻~，这样做不道德。*Tā zǒng shì xǐhuan ná biérén xún ~ , zhèyàng zuò bú dàodé.* He likes to joke with others, which is quite immoral.

¹ **开学** kāi//xué〈动 *v.*〉学校新的一学期开始 school opens; new term begins：寒假时间短，转眼就~了。*Hánjià shíjiān duǎn, zhuǎnyǎn jiù ~ le.* The winter vacation is so short that a new term begins in the twinkling of an eye. | 地震震塌了校舍，学校开不了学。*Dìzhèn zhèntāle xiàoshè, xuéxiào kāi bù liǎo xué.* The school cannot open for the school buildings have been destroyed during the earth quake.

² **开演** kāiyǎn〈动 *v.*〉戏剧、电影等文艺节目开始演出（of a play, movie, etc.）begin：电影~了。*Diànyǐng ~ le.* The movie has begun. | 音乐会晚上7时半准时~。*Yīnyuèhuì wǎnshang qī shí bàn zhǔnshí ~.* The concert will begin at 7:30 this evening.

² **开夜车** kāi yèchē〈动 *v.*〉为了赶时间，在夜间继续学习或工作 work late into the night; work overtime at night; burn the midnight oil：他为了考托福一连开了好几个夜车了。*Tā wèile kǎo Tuōfú yìlián kāile hǎo jǐ gè yèchē le.* He has stayed up for several nights to prepare for the TOEFL. | 经常~会影响身体健康。*Jīngcháng ~ huì yǐngxiǎng shēntǐ jiànkāng.* It will do harm to your health, to burn the midnight oil so often.

² **开展** kāizhǎn ❶〈动 *v.*〉使活动展开；普及 unfold; make popular among; (cause to) develop; launch：~文化交流 *wénhuà jiāoliú* carry out cultural exchanges | 全民健身活动已普遍~起来。*Quánmín jiànshēn huódòng yǐ pǔbiàn ~ qǐlái.* A nationwide health building movement has become widespread. ❷〈动 *v.*〉展览会开始展出（of an exhibition）begin：科技博览会下周~。*Kējì bólǎnhuì xià zhōu ~.* The exposition of science and technology will open next week. ❸〈形 *adj.*〉开朗；豁达 open-minded; generous：他的思想不大~。*Tā de sīxiǎng bú dà ~.* He's not quite open-minded.

⁴ **开支** kāizhī ❶〈名 *n.*〉支付的费用 expense; expenditure; spending：节省~ *jiéshěng* cut down expenses; reduce expenses | 不必要的~要尽量压缩。*Bú bìyào de ~ yào jǐnliàng yāsuō.* We should try our best to reduce the unnecessary expenses. ❷〈动 *v.*〉付出钱款 pay; foot a bill：这笔费用不符合规定，不能~。*Zhè bǐ fèiyòng bù fúhé guīdìng, bù néng ~.* The expense cannot be paid for being against the regulations. ❸〈动 *v.* 方 *dial.*〉发工资 pay (salary or wage)：我们公司每月月底~。*Wǒmen gōngsī měiyuè yuèdǐ ~.* In our company we get our pay at the end of each month.

⁴ **凯旋** kǎixuán〈动 *v.*〉胜利归来 triumphant return：欢迎南极考察队~归来。*Huānyíng Nánjí Kǎochádùi ~ guīlái.* Welcome the Antarctic Expedition Team coming back triumphantly.

⁴ **刊登** kāndēng〈动 *v.*〉指消息、文章在报刊上发表；登载 publish in a newspaper or magazine; carry：~消息 *xiāoxi* carry information; carry news | ~新闻 *xīnwén* carry news | ~广告 *guǎnggào* carry an advertisement; advertise; print an advertisement | 他的文章~在报纸的第三版。*Tā de wénzhāng ~ zài bàozhǐ de dì-sān bǎn.* His article was published on the third page of the newspaper.

³ **刊物** kānwù〈名 *n.*〉登载文章、图片等的定期或不定期出版的出版物 publication：定期出版的~ *dìngqī chūbǎn de ~* periodical | 文艺~ *wényì* ~ journal of literature | 儿童 *értóng* ~ publications for children | 理论~ *lǐlùn* ~ theoretical publications

³ **看** kān ❶〈动 *v.*〉守护；照料 look after; take care of; tend：~门 ~*mén* look after a house | ~家 ~*jiā* mind the house; look after the house | 外出旅游要~管好了的财物。

Wàichū lǚyóu yào ~guǎn hǎo zìjǐ de cáiwù. Take good care of your personal belongings when you go out traveling. ❷〈动 v.〉监视；看管 keep under surveillance：监狱~守 *jiānyù ~shǒu* jailer; warder｜~押犯人 *~yā fànrén* take the prisoners into custody
☞ kàn, p. 574

⁴ **勘探** kāntàn〈动 v.〉探明地质构造，查明矿藏分布情况 prospect a region for mineral resources by verifying its rock formation and geographical distribution：地质~ *dìzhì ~* geological prospection｜~油田 *~ yóutián* explore oilfields｜~铁矿 *~ tiěkuàng* explore iron ore

² **砍** kǎn ❶〈动 v.〉用刀斧猛劈 hack; slash; chop：~柴 *~chái* cut firewood｜~树 *~ shù* cut down trees; fell trees｜保护森林，禁止乱~乱伐。*Bǎohù sēnlín, jìnzhǐ luàn ~ luàn fá.* Protect the forest and forbid chainsaw massacre. ❷〈动 v.〉削减；取消 cut; reduce：~价 *~ jià* bargain｜~项目 *~ xiàngmù* cancel some projects｜因时间不够，他们的节目被~掉了。*Yīn shíjiān bú gòu, tāmen de jiémù bèi ~diào le.* Time not being enough, their program has to be cancelled.

¹ **看** kàn ❶〈动 v.〉用眼注视人或物 see; watch; look at：~见 *~jiàn* see｜~书 *~ shū* read (a book)｜~报 *~ bào* read newspapers｜~电影 *~ diànyǐng* go to the cinema; see a film｜~足球比赛 *~zúqiú bǐsài* watch a football match｜~时装表演 *~shízhuāng biǎoyǎn* watch a fashion show ❷〈动 v.〉拜访 call on; pay a visit：~望 *~wàng* drop in on sb.｜~亲友 *~ qīnyǒu* call on relatives and friends ❸〈动 v.〉观察；判断 consider; judge：~穿 *~chuān* see through｜~法 *~fǎ* point of view; idea｜~好 *~hǎo* have a good prospect; expect sb. to win｜~破 *~pò* see through｜~透 *~tòu* understand thoroughly; see through｜~中 *~zhòng* take a fancy to; settle on｜~涨 *~zhǎng* (of share value or market prices) be expected to rise｜~准 *~zhǔn* be definite; be certain｜~问题 *~ wèntí* view a problem ❹〈动 v.〉对待；评价 treat; regard; appraise：~待 *~dài* look upon｜~得起 *~deqǐ* think highly of; have a good opinion of｜~不起 *~buqǐ* look down upon; scorn; despise｜刮目相~ *guāmù-xiāng~* look at sb. with new eyes｜另眼相~ *lìngyǎn-xiāng~* view sb. in a new, more favorable light; see sb. in a new light｜他是有来头的，你可别~轻了他。*Tā shì yǒu láitou de, nǐ kě bié ~qīngle tā.* He has rather powerful backing. You'd better not belittle him. ❺〈动 v.〉招待来客 serve a guest; tend on a guest：~座 *~ zuò* (order given to a servant or waiter) find a seat for the guest｜~茶 *~ chá* (to the servant when a guest arrives) bring a cup of tea to the guest ❻〈动 v.〉照料 look after：照~ *zhào~* take care of｜衣帽自~ *yī mào zì ~* look after your own clothes ❼〈动 v.〉诊治 (of a doctor) treat：有病就得赶紧到医院~~. *Yǒu bìng jiù děi gǎnjǐn dào yīyuàn ~~.* You should go and see a doctor as early as possible when you are ill.｜你这病要~中医。*Nǐ zhè bìng yào ~ zhōngyī.* You'd better go and see a tradicitonal Chinese doctor to treat your illness.｜这位大夫~好了我多年的病。*Zhè wèi dàifu ~hǎole wǒ duōnián de bìng.* This doctor cured my illness that I had got several years ago. ❽〈动 v.〉取决于；决定于 depend on; be decided by：这件事能不能办成，全~你了。*Zhè jiàn shì néng bù néng bàn chéng, quán ~ nǐ le.* Whether this matter can be settled all depends on you.｜明天能不能郊游要~天气了。*Míngtiān néng bù néng jiāoyóu yào ~ tiānqì le.* Whether we can go outing tomorrow will be decided by the weather. ❾〈动 v.〉提醒 mind; watch out：~车！*~ chē!* Look out! There comes a car.｜~着点儿，别碰着！*~zhe diǎnr, bié pèngzhe!* Be careful, or you will be bumped! ❿〈助 aux.〉用在动词或动词结构后面表示试一试（前面的动词常常重叠）follow a verb or verbal clause to indicate a pending action, with the preceding verb often in reiterative locution：试试~。*Shìshì ~.* Have a try.｜找

找~。 Zhǎozhǎo ~. Let's try to find it. | 想想~。 Xiǎngxiǎng ~. Think it over. | 等等~。 Děngděng ~. Let's wait and see. ⓫〈叹 interj.〉在句中用作独立语，对意料中的事终于发生表示感叹 used independently in the sentence, as an exclamation to express rebuke or to sigh with emotion when sth. expected finally takes place: 谁让你跳蹦蹦的，~! 摔跤了吧。Shéi ràng nǐ tiàotiào-bèngbèng de, ~! Shuāijiāo le ba. Who let you prance like that? Look at youself! What a fall you've had!

☞ kān, p. 573

¹ **看病** kàn//bìng ❶〈动 v.〉医生给病人看病 (of a doctor) see a patient: 这位大夫~特别仔细。Zhè wèi dàifu ~ tèbié zǐxì. The doctor is especially attentive in treating patients. | 他专看妇科的病。Tā zhuān kàn fùkē de bìng. He specializes in treating women's diseases. ❷〈动 v.〉找医生诊治 (of a patient) see a doctor: 他去医院~了。Tā qù yīyuàn ~ le. He went to the hospital to see a doctor. | 这家医院~可以预约。Zhè jiā yīyuàn ~ kěyǐ yùyuē. You can make an appointment with a doctor at this hospital. | 他看的是什么病？Tā kàn de shì shénme bìng? What illness did he go to a doctor for?

² **看不起** kànbuqǐ〈动 v.〉轻视；认为别人不行（与‘看得起’相对）look down upon; scorn; despise; belittle (opposite to '看得起 kàndeqǐ'): 你别~人。Nǐ bié ~ rén. You should not look down upon others. | 他这个人很高傲，一向~别人。Tā zhège rén hěn gāo'ào, yíxiàng ~ biérén. He's very arrogant and always looks down upon others.

⁴ **看待** kàndài〈动 v.〉对待 regard; treat; look on or upon: 我和他~问题的角度不同。Wǒ hé tā ~ wèntí de jiǎodù bù tóng. He and I look at things from different angles. | 他从来没有把你当外人~。Tā cónglái méiyǒu bǎ nǐ dàng wàirén ~. He never treats you as an outsider.

² **看法** kànfǎ〈名 n.〉指对人或事物所持的见解 idea; point of view; way of looking at things: ~不同 ~ bù tóng hold different points of view | ~一致 ~ yízhì of the same opinion; see eye to eye | 正确的~ zhèngquè de ~ correct view | 错误的~ cuòwù de ~ wrong opinion | 你对他有什么~? Nǐ duì tā yǒu shénme ~? How do you think of him? | 就当前国际形势，请谈谈你的~。Jiù dāngqián guójì xíngshì, qǐng tántan nǐ de ~. Please give your opinions on current international situation.

¹ **看见** kàn//jiàn〈动 v.〉看到 catch sight of; see: 看得见 kàn de jiàn get a view of sth. | 看不见 kàn bú jiàn unable to see | 我经常~他在超市购物。Wǒ jīngcháng ~ tā zài chāoshì gòuwù. I often see him shopping in the supermarket. | 这种新鲜事儿还从来没~过。Zhè zhǒng xīnxiān shìr hái cónglái méi ~guo. Never have I seen anything so strange.

² **看来** kànlái〈动 v.〉依据客观情况估计；表示经观察而做出判断 it seems; it appears; it looks (as if, as though): 这件事~没希望了。Zhè jiàn shì ~ méi xīwàng le. The thing seems hopeless. | 从目前情况~，事情不会有大的变化。Cóng mùqián qíngkuàng ~, shìqing bú huì yǒu dà de biànhuà. From the present situation, big changes will not take place in the matter.

³ **看起来** kàn qǐlái〈动 v.〉从事物的表面观察 it looks as though; it appears: 这道数学题~很难，但实际运算起来并不难。Zhè dào shùxué tí ~ hěn nán, dàn shíjì yùnsuàn qǐlái bìng bù nán. This maths problem seems difficult, but it will not be the case when you begin to solve it. | 这只箱子~很重，提在手里并不重。Zhè zhī xiāngzi ~ hěn zhòng, tí zài shǒu li bìng bú zhòng. The trunk looks heavy, but it's not so when carried in hand.

⁴ **看望** kànwàng〈动 v.〉探望；拜访 call on; visit: ~老人 ~ lǎorén call on the aged | ~老师 ~ lǎoshī pay a visit to the teacher | ~亲友 ~ qīnyǒu visit one's relatives and friends | ~与会代表 ~ yǔhuì dàibiǎo see the members attending the meeting

² **看样子** kàn yàngzi 〈惯 *usg.*〉从事物外表推测、估计 guess or estimate from the appearance or surface of sth.：他走路东倒西歪的，～又是酒喝多了。*Tā zǒulù dōngdǎo-xīwāi de, ~ yòu shì jiǔ hē duō le.* He must have got drunk, for he is staggering along.｜都这么晚了，～他是不会来了 *Dōu zhème wǎn le, ~ tā shì bú huì lái le.* It's so late, and it seems that he will not come.｜雨越下越大，～一时半会儿停不了。*Yǔ yuè xià yuè dà, ~ yìshí-bànhuìr tíng bù liǎo.* It rains more and more heavily, and seems not to stop in a short time.

⁴ **看做** kànzuò 〈动 v.〉当做；认为 regard as; look upon as：他把中国～是自己的第二故乡。*Tā bǎ Zhōngguó ~ shì zìjǐ de dì-èr gùxiāng.* He takes China as his second hometown.｜孤儿院的保育员把孤儿～自己的亲骨肉。*Gū'éryuàn de bǎoyùyuán bǎ gū'ér ~ zìjǐ de qīn gǔròu.* The nursery governesses in the orphanage regard these orphans as their own children.

⁴ **慷慨** kāngkǎi ❶〈形 adj.〉正气凛然，情绪激昂 full of enthusiasm and fervor：～激昂 *jī'áng* impassioned; vehement｜～陈辞 *chéncí* present one's views with deep feeling and enthusiasm ❷〈形 adj.〉大方；不吝啬 generous; unstinting：～解囊 *jiěnáng* loosen one's purse strings generously｜～无私的援助 *wúsī de yuánzhù* generous aid｜他为人～大方。*Tā wéirén ~ dàfang.* He is generous and open-handed.

⁴ **糠** kāng ❶〈名 n.〉稻、谷等粮食作物脱粒后剩下的外壳，可用作家畜饲料 chaff; bran; husk：谷～ *gǔ~* chaff｜米～ *mǐ~* rice husk ❷〈形 adj.〉指质地变得松软而不实（多指萝卜失掉水分而中空）(usu. of a radish) spongy：萝卜～了。*Luóbo ~ le.* This radish has gone spongy.

² **扛** káng 〈动 v.〉用肩膀承担物体；承担 carry sth. on the shoulder; shoulder：～行李 ～*xíngli* shoulder a piece of baggage｜～枪 ～*qiāng* shoulder a gun; bear arms｜担子虽重也得～起来。*Dànzi suī zhòng yě děi ~ qǐlái.* Heavy as the burden is, you have to shoulder it.｜他在我们单位是～大梁的。*Tā zài wǒmen dānwèi shì ~ dàliáng de.* He shoulders the chief responsibility in our unit.

⁴ **抗旱** kàng//hàn ❶〈动 v.〉采取各种措施抵御干旱对农作物造成的灾害 combat a drought：打井～ *dǎ jǐng* sink wells to fight against the drought｜～保苗 ～*bǎo miáo* save the young plants from drought｜往农村调运～物资 *wǎng nóngcūn diàoyùn ~ wùzī* allocate and transport drought-relief materials to rural areas｜我们村今年挖了好几眼机井，才抗住了这场大旱。*Wǒmen cūn jīnnián wāle hǎo jǐ yǎn jījǐng, cái kàng zhù le zhè chǎng dà hàn.* This year our village has overcome the severe drought only by drilling several motor-pumped wells. ❷〈动 v.〉具有抵御干旱的性能 with the capacity of drought resistance：要提高作物的～性能。*Yào tígāo zuòwù de ~ xìngnéng.* Increase the crop's drought-resistant ability.｜这里适合种～作物。*Zhèlǐ shìhé zhòng ~ zuòwù.* This place is fit for drought-resistant crops.

⁴ **抗击** kàngjī 〈动 v.〉抵抗并反击 fight back：～侵略 ～*qīnlüè* resist aggression｜～敌军 ～*díjūn* resist enemy troops

³ **抗议** kàngyì 〈动 v.〉对某些言论、行为、措施等表示强烈反对 protest; lodge a protest against（the statement, behavior, measure, etc.）：～干涉别国内政的言论 ~ gānshè biéguó nèizhèng de yánlùn protest against the speeches intended to interfere with the domestic affairs of other countries｜～侵犯别国主权 ～ qīnfàn biéguó zhǔquán protest against the violation of other country's sovereignty｜对侵犯我国领空的行为表示强烈的～。*Duì qīnfàn wǒ guó lǐngkōng de xíngwéi biǎoshì qiángliè de ~.* Strongly protest against the aggression of our territorial air space.

⁴ **抗战** kàngzhàn〈名 n.〉抵抗外国侵略的战争。在中国特指1937-1945年抵抗日本帝国主义的侵华战争 war of resistance against foreign aggression. In China it refers to the 1937-45 War of Resistance against Japan: ~胜利 ~ shènglì victory of the war against foreign aggression｜中国人民为打败日本帝国主义的侵略坚持了八年~。*Zhōngguó rénmín wèi dǎbài Rìběn dìguó zhǔyì de qīnlüè jiānchíle bā nián* ~. The Chinese people persevered in an eight-year war of resistance to defeat the Japanese imperialist invaders.

⁴ **炕** kàng〈名 n.〉中国北方地区用土坯或砖砌成的供人睡觉的长方形台子，上面铺有席或毛毡，下有通道与烟囱相通，冬季可以燃火取暖 kang; heatable bed; oblong platform built of adobe or brick and covered with a mat, which has a narrow passage connected with a chimney and can be heated in winter to get warm: 火 ~ huǒ ~ heated kang｜烧 ~ shāo ~ heat kang｜~席 ~xí kang mat｜~桌ㄦ ~zhuōr kang table｜~头 ~tóu warmer end of a kang｜睡在~上真暖和。*Shuì zài ~ shang zhēn nuǎnhuo.* It is very warm to sleep on a kang.

² **考** kǎo ❶〈动 v.〉提出难题让对方回答 give a test or quiz: ~问 ~wèn question; interrogate｜我要好好ㄦ~他。*Wǒ yào hǎohāor ~ tā.* I will give him a good test.｜我被这个问题~住了。*Wǒ bèi zhège wèntí ~zhù le.* I was baffled by the question. ❷〈动 v.〉考试 exam: 大 ~ dà ~ final exam; end-of-term examination｜~研 ~ yán take postgraduate entrance examination｜~本 ~ běn take a driving test｜他~上了全国重点大学。*Tā ~shangle quánguó zhòngdiǎn dàxué.* He was admitted to a key university of the country. ❸〈动 v.〉检查 check; inspect: ~ 察 ~chá inspect; make an on-the-spot investigation; make a fact-finding inspection tour｜~勤 ~qín check on work attendance｜~核 ~hé check; assess; examine ❹〈动 v.〉探求；研究 infer; study: ~古 ~gǔ archaeology; engage in archaeological studies｜思~ sī~ ponder; deliberate｜参 ~ cān ~ refer to; consult ❺〈名 n. 书 lit.〉死去的父亲 one's deceased father: 先~ xiān~ my deceased father｜如丧~妣（像死了父母一样地伤心，多用于讥讽）*rúsàng~bǐ*（*xiāng sǐle fùmǔ yíyàng de shāngxīn, duō yòngyú jīfěng*）as if one had lost one's parents（usu. used ironically）

³ **考察** kǎochá ❶〈动 v.〉实地调查；仔细深入地观察 inspect; observe and study: 出国~ chūguó ~ go abroad on an investigation tour｜南极 ~ Nánjí ~ investigate the South Pole｜~矿产资源 ~ kuàngchǎn zīyuán investigate mineral resources｜~生态环境 ~ shēngtài huánjìng observe and study the ecological environment ❷〈动 v.〉考验观察 check or assess: ~干部 ~ gànbù check on cadres

⁴ **考古** kǎogǔ ❶〈动 v.〉利用古代遗迹、遗物和文献资料等研究古代历史文化 study ancient history and culture through ancient vestiges, relics or literature: 从事~研究 cóngshì ~ yánjiū engage in archaeological studies｜近年来有许多重大的~新发现。*Jìn nián lái yǒu xǔduō zhòngdà de ~ xīn fāxiàn.* Recent years have witnessed many great archaeological discoveries. ❷〈名 n.〉指考古学 archaeology: 他学的是~专业。*Tā xué de shì ~ zhuānyè.* He majors in archaeology.

⁴ **考核** kǎohé〈动 v.〉用一定的标准考查审核 examine, check or assess according to certain criteria: ~技能 ~ jìnéng check on one's skills｜建立定期~制度 jiànlì dìngqī ~ zhìdù set up a routine check-up system｜制定严格的~标准 zhìdìng yángé de ~ biāozhǔn set down strict assessment criteria

² **考虑** kǎolǜ〈动 v.〉思考问题以便做出决定 think over; consider: ~全面 ~ quánmiàn think it over comprehensively｜~细致 ~ xìzhì give fastidious consideration to｜这个问题应慎重~。*Zhège wèntí yīng shènzhòng ~.* The problem should be thought over with

prudence. ｜这件事我~一下再答复你。Zhè jiàn shì wǒ ~ yíxià zài dáfù nǐ. Let me think it over before giving you an answer. ｜他这么做有点ㄦ欠~。Tā zhème zuò yǒu diǎnr qiàn ~. It was somewhat lack of consideration for him to do this.

⁴ **考取** kǎo// qǔ 〈动 v.〉参加考试被录取或录用 pass an entrance exam; enroll in school or college after an entrance examination：他~了一所名牌大学。Tā ~le yì suǒ míngpái dàxué. He was admitted to a famous university. ｜她~了国家公务员。Tā ~le guójiā gōngwùyuán. She passed the civil service examination. ｜你不好好ㄦ学习怎么考得取大学？Nǐ bù hǎohāor xuéxí zěnme kǎo de qǔ dàxué? How can you pass the college entrance examination if you do not study hard?

¹ **考试** kǎoshì ❶〈动 v.〉通过书面或口头提问考查所掌握的知识或技能 exam; test; testing of proficiency or knowledge of candidates for a qualification by written or oral questions：我们都在认真准备~。Wǒmen dōu zài rènzhēn zhǔnbèi ~. We are all seriously preparing for the exam. ｜一定要根除~作弊现象。Yídìng yào gēnchú ~ zuòbì xiànxiàng. Cheating in examinations must be eradicated. ❷〈名 n.〉考查知识或技能的一种方法 a means of testing proficiency or knowledge：入学 ~ rùxué ~ entrance examination ｜英语 ~ Yīngyǔ ~ English test ｜他的语法~成绩刚及格。Tā de yǔfǎ chéngjì gāng jígé. He just scraped through the grammar test.

³ **考验** kǎoyàn ❶〈动 v.〉通过各种方式进行考查、验证 test：艰苦环境最能~人。Jiānkǔ huánjìng zuì néng ~ rén. A person can best be tested in tough conditions. ｜我要~他对我是否忠诚。Wǒ yào ~ ~ tā duì wǒ shìfǒu zhōngchéng. I feel like to test his loyalty. ❷〈名 n.〉考查；验证 trial：经得起~ jīng de qǐ ~ can stand the trial ｜他经历过战争环境的~。Tā jīnglìguo zhànzhēng huánjìng de ~. He has gone through the trial of war.

² **烤** kǎo ❶〈动 v.〉将物体放在离火近的地方使其变熟或干燥 bake; toast; roast：~面包 ~ miànbāo bake bread ｜~羊肉串 ~ yángròuchuàn roast mutton cubes ｜~鸭 ~ yā roast duck ｜把湿衣服~干 bǎ shī yīfu ~gān dry wet clothes by fire ❷〈动 v.〉靠近火取暖 warm oneself by a fire：~火 ~huǒ warm oneself by fire

² **靠** kào ❶〈动 v.〉人或物体的一部分由他人或其他物体支撑着 依靠 lean against; lean on：孩子~在妈妈的怀里睡着了。Háizi ~ zài māma de huái li shuì zháo le. Leaning in his mother's arm, the kid fell asleep. ｜两个人背~背坐着不说话。Liǎng gè rén bèi~ bèi zuòzhe bù shuōhuà. The two of them leaned back to back against each other without exchanging a word. ｜梯子~在树上。Tīzi ~ zài shù shang. The ladder leans against a tree. ❷〈动 v.〉接近；挨近 stand by the side of; get near; come up to：~拢 ~lǒng draw near; close in ｜~岸 ~àn come to anchor by the shore ｜轮渡向码头~过来。Lúndù xiàng mǎtóu ~ guòlái. The ferry is coming up to the dock. ｜你离得太远了，~近一点ㄦ。Nǐ lí de tài yuǎn le, ~jìn yìdiǎnr. You are too far away. Come closer. ｜他家~公园很近，经常去散步。Tā jiā ~ gōngyuán hěn jìn, jīngcháng qù sànbù. His home is very close to the park and he often takes a walk in it. ❸〈动 v.〉信赖 trust：~得住 ~ de zhù trustworthy; reliable; dependable ｜~不住 ~ bú zhù untrustworthy; unreliable; undependable ｜他这个人很~。Tā zhège rén hěn kě~. He is a very trustworthy person. ❹〈介 prep.〉依赖；凭借 rely on; depend on：~劳动致富 ~ láodòng zhìfù make a fortune with one's physical labor ｜~天吃饭 ~tiān chīfàn (farmers are) at the mercy of weather ｜~山吃山（比喻善于利用周围的条件来生活或发展）。~shān-chīshān (bǐyù shànyú lìyòng zhōuwéi de tiáojiàn lái shēnghuó huò fāzhǎn). Those living on a mountain live off (get their living from) the mountain (make a living or develop by making use of local resources). ｜在家~

K

父母，出门～朋友。Zài jiā ~ fùmǔ, chū mén ~ péngyou. At home we rely on our parents; away from home we rely on our friends. ｜ 这家商店生意好，～的是诚信。Zhè jiā shāngdiàn shēngyi hǎo, ~ de shì chéngxìn. The good business of the store relies on honesty.

³ **靠近** kàojìn ❶〈动 v.〉彼此间距离很近 near; close to：他家～超市，购物很方便。Tā jiā ~ chāoshì, gòuwù hěn fāngbiàn. His home is close to a supermarket, and it is very convenient to do shopping. ｜ ～河边有一片绿地。~ hébiān yǒu yí piàn lǜdì. There is a greenbelt by the riverside. ❷〈动 v.〉向某一方向移动，距离渐渐缩小 draw near; move towards：列车徐徐向站台～。Lièchē xúxú xiàng zhàntái ~. The train is moving slowly towards the platform. ｜ 船快～码头了。Chuán kuài ~ mǎtóu le. The ship is drawing near the dock.

² **科** kē ❶〈名 n.〉学术业务的类别 branch of leaning or vocational endeavor：文～wén~ liberal arts; humanity ｜ 理工～lǐgōng~ science and engeering ｜ 专～zhuān~ vocational study; specialty ｜ 内～nèi~ internal medicine ｜ 外～wài~ surgical department ❷〈名 n.〉行政机关的职务级别和按工作性质分设的办事部门 subdivision of an administrative department; section; department：～员 ~yuán staff member ｜ ～长 ~zhǎng section chief ｜ 秘书～mìshū~ secretarial office ❸〈名 n.〉生物学分类的等级之一 family; a subdivision in biological classification：猫～动物 māo~ dòngwù animals of the cat family ｜ 豆～植物 dòu~ zhíwù plants of the bean family ❹〈名 n.〉中国封建社会的一种考试制度 imperial exam in feudal China：～举 ~jǔ imperial examinations by which Chinese feudal dynasties selected candidates for civil and military posts ｜ 开～取士 kāi ~ qǔ shì hold an imperial examination to select civil officials ❺〈名 n.〉中国旧时训练戏曲艺徒的组织 old-type opera school of China：～班 ~bān regular school training; school of Chinese opera ｜ 坐～ zuò~ receive professional training in an opera school ｜ 出～ chū~ graduate from an opera school ❻〈名 n.〉中国旧时指法律条文 clause or law of the old China：金～玉律 jīn~yùlù golden rule and precious precept; laws and regulations ｜ 作奸犯～ zuòjiān-fàn~ violate the law and commit crimes; run afoul of law ❼〈名 n.〉中国古典戏曲剧本中指示演员动作时的用语 （of the scenario of a classical Chinese drama）direction to remind an actor of what to do next on stage：笑～ xiào~ laughing ｜ 饮酒～ yǐnjiǔ~ drinking ❽〈动 v.〉判处 mete out (a penalty)：～以罚金 ~ yǐ fájīn impose a fine

³ **科技** kējì〈名 n.〉科学技术的简称 science and technology, abbr. for '科学技术 kēxué jìshù'：～知识 ~ zhīshi knowledge of science and technology ｜ ～资料 ~ zīliào scientific and technological information ｜ 高～ gāo~ hi-tech ｜ ～工作者 ~ gōngzuòzhě scientists and technicians

⁴ **科目** kēmù〈名 n.〉按事物不同性质划分的类别（多指学术或账目的）course; subject in a curriculum or accounting book：划分～ huàfēn ~ classify subjects ｜ 区分～ qūfēn ~ distinguish subjects

³ **科普** kēpǔ〈名 n.〉科学普及的简称 popular science; science popularization, abbr. for '科学普及 kēxué pǔjí'：～知识 ~ zhīshi popular science knowledge ｜ ～读物 ~ dúwù popular science readings ｜ ～作家 ~ zuòjiā popular science writer

¹ **科学** kēxué ❶〈名 n.〉反映自然、社会、思维等的客观规律的分科的知识体系 science; branch of knowledge reflecting systematized observation of nature, society, or ways of thinking：自然～ zìrán ~ natural sciences ｜ 社会～ shèhuì ~ social sciences ｜ 尖端～ jiānduān ~ most advanced branches of science; frontiers of science ｜ ～发达 ~ fādá advanced in science ｜ ～落后 ~ luòhòu underdeveloped in science ❷〈形 adj.〉合乎科

K

学的 scientific：~种田 ~ *zhòngtián* scientific farming｜对待事物要有~的态度。*Duìdài shìwù yào yǒu ~ de tàidù.* We should look at things with a scientific attitude.

² **科学家** kēxuéjiā〈名 *n.*〉(位wèi、名míng、个gè) 从事科学研究工作有一定成就的人 scientist：农业~ *nóngyè* ~ agricultural scientist｜军事~ *jūnshì* ~ military scientist｜他是一位成就卓著的老~。*Tā shì yí wèi chéngjiù zhuōzhù de lǎo ~.* He is a senior scientist with great achievements.

² **科学院** kēxuéyuàn〈名 *n.*〉规模较大的从事科学研究的机构 academy of sciences; large organization engaged in scientific research：中国~ *Zhōngguó* ~ Chinese Academy of Sciences｜农业~ *Nóngyè* ~ Academy of Agricultural Science｜医学~ *Yīxué* ~ Academy of Medical Science｜军事~ *Jūnshì* ~ Academy of Military Science

² **科研** kēyán〈名 *n.*〉科学研究的简称 scientific research, abbr. for '科学研究kēxué yánjiū'：搞~ *gǎo* ~ do scientific research｜~项目 ~ *xiàngmù* scientific research project｜~经费 ~ *jīngfèi* scientific research expenditure｜~成果 ~ *chéngguǒ* scientific research results｜~机构 ~ *jīgòu* scientific research institute

² **科长** kēzhǎng〈名 *n.*〉(位wèi、个gè、名míng) 政府机关或企事业单位科级部门的负责人 section chief：总务~ *zǒngwù* ~ chief of general affairs office｜财务~ *cáiwù* ~ chief of accounting department｜他刚被提拔为~。*Tā gāng bèi tíbá wéi ~.* He was just promoted to section chief.

¹ **棵** kē〈量 *meas.*〉多用于植物 often of plants：一~苹果树 *yì* ~ *píngguǒ shù* an apple tree｜一~小草 *yì* ~ *xiǎo cǎo* a cluster of grass｜几~生菜 *jǐ* ~ *shēngcài* several heads of romaine lettuce

² **颗** kē ❶〈量 *meas.*〉用于颗粒状的物体 of small and round things：一~花生 *yì* ~ *huāshēng* a peanut｜两~珍珠 *liǎng* ~ *zhēnzhū* two pearls｜四~玉米豆 *sì* ~ *yùmǐdòu* four corn beans ❷〈量 *meas.*〉用于枪弹、炮弹等 of bullet, cannonball, etc.：两~子弹 *liǎng* ~ *zǐdàn* two bullets｜一~导弹 *yì* ~ *dǎodàn* a missile ❸〈量 *meas.*〉用于钉子、印章 of nail or seal：三~钉子 *sān* ~ *dīngzi* three nails｜一~图章 *yì* ~ *túzhāng* a seal ❹〈量 *meas.*〉用于人或动物的某些器官 of certain organs of human beings or animals：一~心脏 *yì* ~ *xīnzàng* a heart｜两~眼珠 *liǎng* ~ *yǎnzhū* two eywballs

⁴ **颗粒** kēlì ❶〈名 *n.*〉小而圆的物体 small and round things：人工养殖的珍珠~均匀。*Réngōng yǎngzhí de zhēnzhū ~ jūnyún.* Artificially bred pearls are similar in size.｜豌豆的~个个饱满。*Wāndòu de ~ gè gè bǎomǎn.* Every grain of the pea is full. ❷〈名 *n.*〉指一颗一颗的粮食 grain：~归仓 ~ *guī cāng* every grain to the granary｜~无收 ~ *wú shōu* complete crop failure

⁴ **磕** kē ❶〈动 *v.*〉碰撞在硬的东西上 knock (against sth. hard)：~碰 ~*pèng* knock against; collide with; bump against｜~破 ~*pò* graze; scrape (certain parts of the body)｜瓷盘边儿给~掉了一块。*Cípán biānr gěi ~diàole yí kuài.* The edge of the porcelain plate was chipped.｜~~绊绊 ~~~*bànbàn* (of a person) limp; (of a road) bumpy; rough; obstacle; setback; no smooth sailing｜~~撞撞 ~~~*zhuàngzhuàng* stumble; stagger along｜~头碰脑 ~*tóu-pèngnǎo* (of a place crowded with people) bump against each other; rub elbows (with one another) ❷〈动 *v.*〉磕打 rap：~烟灰 ~ *yānhuī* rap the ashes｜你这一身土赶快去~~吧。*Nǐ zhè yì shēn tǔ gǎnkuài qù ~~ ba.* Quickly go and brush yourself down.

³ **壳** ké (~儿)〈名 *n.*〉坚硬的外皮 shell; crust; hard outer covering of sth.：贝~ *bèi*~ sea shell｜鸡蛋~儿 *jīdàn*~*r* egg shell｜核桃~儿 *hétáo*~*r* walnut shell｜子弹~ *zǐdàn*~ bullet shell

¹ **咳嗽** késou〈动 v.〉一种呼吸道疾病 cough: ~止 = *bù zhǐ* cough incessantly | ~药 ~ *yào* a remedy for cough | ~糖浆 ~ *tángjiāng* cough syrup

² **可** kě ❶〈副 adv.〉表示强调 so; such (emphasis): 这下子~把他急坏了。*Zhè xiàzi ~ bǎ tā jíhuài le.* He is so worried by this. | 你~不能随便乱说。*Nǐ ~ bù néng suíbiàn luàn shuō.* You should not wag your tongue too freely. | 这件事~得好好儿商量一下。*Zhè jiàn shì ~ děi hǎohāor shāngliang yīxià.* We should talk over it seriously. | 这苹果~甜 了，不信你尝尝。*Zhè píngguǒ ~ tián le, bú xìn nǐ chángchang.* The apple is so sweet. Have a try yourself if you don't believe me. ❷〈副 adv.〉表示转折，意思与'可是'相 同 (indicating a turn in meaning) but; yet; however, same as '可是 kěshì': 别看他年龄 大，跳起舞来~一点儿不比年轻人差。*Bié kàn tā niánlíng dà, tiào qǐ wǔ lái ~ yìdiǎnr bù bǐ niánqīng rén chà.* Old as he is, he can dance not the least bit worse than the young. ❸ 〈副 adv.〉用在反问句里，表示加强语气 (in a rhetorical question for emphasis) ever; on earth: 我一再解释，~谁听呢? *Wǒ yízài jiěshì, ~ shéi tīng ne?* I have explained it again and again, but who has ever listened? | 都说有飞碟，~谁见过呢? *Dōu shuō yǒu fēidié, ~ shéi jiànguo ne?* Everybody says that there is UFO, but who has ever seen it? ❹ 〈副 adv.〉用在疑问句里，表示加强语气 used in a question for emphasis: 你~曾见到 过他? *Nǐ ~ céng jiàndàoguo tā?* Have you ever met him? | 好久没见你先生了，他身 体~好? *Hǎojiǔ méi jiàn nǐ xiānsheng le, tā shēntǐ ~ hǎo?* I have not seen your husband for a long time. How is he? ❺〈副 adv. 书 lit.〉表示对数的估计，相当于'大约'about; some (indicating an estimation of quantity), same as '大约 dàyuē': 高~二米 gāo ~ èr mǐ about two metres in height | 年~二十 nián ~ èrshí about twenty years old ❻〈动 v.〉 表示同意或准许 approve; permit: 许~ xǔ~ allow; permit | 认~ rèn~ approve; consent | 不置~否 bú zhì ~ fǒu decline to comment; noncommittal ❼〈动 v.〉表示许可或可 能，与'可以'意思相同 (限于熟语或正反对举) can; may, indicating admission or possibility, same as '可以 kěyǐ': 模棱两~ móléng-liǎng~ equivocal; ambiguous | 上~下 ~shàng~xià (of sth.) be able to work at both higher and lower levels | ~望而不~即 ~ wàng ér bù ~ jí within sight but beyond reach; unattainable; inaccessible | 牢不~破 láobù~pò unbreakable; indestructible ❽〈动 v.〉表示值得；感到 worth (doing); feel: ~敬 ~jìng respectable | ~贵 ~guì valuable; praiseworthy; commendable | ~悲 ~bēi sad; lamentable | ~恨 ~hèn hateful; detestable; abominable | ~耻 ~chǐ shameful; disgraceful ❾〈动 v.〉表示适合；合目 fit; suit: ~口 ~kǒu tasty; good to eat | ~身 ~shēn fit nicely | ~人意 ~rényì just what one wants | 这回倒~了他的心了。*Zhè huí dào ~le tā de xīn le.* He's had his wish fulfilled this time.

² **可爱** kě'ài 〈形 adj.〉令人喜爱 loveable; likeable; lovely: ~的故乡 ~ de gùxiāng my beloved hometown | 这孩子真~。*Zhè háizi zhēn ~.* The child is so cute. | 她长得越来 越~了。*Tā zhǎng de yuèláiyuè ~ le.* She is becoming more and more lovely.

³ **可不是** kě bú shì〈惯 usg.〉表示附加赞同对方的话 (expressing agreement) 'Right!' 'Exactly!': '你近来又胖了吧?' '~，体重又增加了5公斤.' *'Nǐ jìnlái yòu pàng le ba?' '~, tǐzhòng yòu zēngjiāle wǔ gōngjīn.'* 'You have gained weight recently, haven't you?' 'Exactly! I've gained five kilograms.'

⁴ **可歌可泣** kēgē-kěqì〈成 idm.〉值得歌颂，使人感动得流泪。指悲壮的事迹使人非常 感动 heroic and moving; so heroic and moving as to bring people to tears: 中国历史上 有许多~的英雄人物。*Zhōngguó lìshǐ shang yǒu xǔduō ~ de yīngxióng rénwù.* There are many heroes with stirring and moving deeds in the Chinese history.

⁴ **可观** kěguān ❶〈形 adj.〉指达到比较高的程度 impressive; considerable: ~的利润 ~

K

de lìrùn considerable profit | 这笔收入相当~. Zhè bǐ shōurù xiāngdāng ~. This income is a considerable sum. | 这个数字十分~. Zhège shùzì shífēn ~. This is a rather considerable figure. ❷〈形 adj.〉值得看;好看 worth seeing: 这里的景色着实~. Zhèlǐ de jǐngsè zhuóshí ~. The scenery over here is worth seeing.

⁴ **可贵** kěguì〈形 adj.〉值得珍视或重视 valuable; praise-worthy; commendable: 难能~ nánnéng~ (of sth.) difficult of attainment, hence worthy of esteem | 这种精神十分~. Zhè zhǒng jīngshén shífēn ~. This spirit is highly commendable. | 生命诚~，爱情价更高。若为自由故，两者皆可抛. Shēngmìng chéng ~, àiqíng jià gèng gāo. Ruò wèi zìyóu gù, liǎng zhě jiē kě pāo. Life is indeed valuable, and even higher is the price of love; but if for the sake of liberty, both can be sacrificed.

³ **可见** kějiàn ❶〈连 conj.〉承接上文,表示可以想见并作出判断或结论 (indicating a continuity from the proceeding paragraph) it is thus obvious that; it shows; it proves; so: 这么简单的题都不会做，~平时学习就不努力. Zhème jiǎndān de tí dōu bú huì zuò, ~ píngshí xuéxí jiù bù nǔlì. Even such an easy problem can fail you, so it is evident that you haven't studied hard at normal time. | 这本书一出版就销售一空，由此~其受欢迎的程度. Zhè běn shū yì chūbǎn jiù xiāoshòu yì kōng, yóu cǐ ~ qí shòu huānyíng de chéngdù. The book was out of sale soon after it was published, so it's clear how popular it was. ❷〈形 adj.〉可以看见 visible: ~光~guāng visible light | 海底的珊瑚清楚~. Hǎidǐ de shānhú qīngchu ~. The coral on the seabed can be seen clearly.

² **可靠** kěkào ❶〈形 adj.〉可以信赖和依靠 reliable; dependable; trustworthy: 他是一个很~的人. Tā shì yí gè hěn ~ de rén. He's a very reliable person. | 这件事交给他去办，绝对~. Zhè jiàn shì jiāo gěi tā qù bàn, juéduì ~. He is so trustworthy as to be entrusted with this job. ❷〈形 adj.〉真实可信 truthful: 这些数字完全~. Zhèxiē shùzì wánquán ~. These figures are completely truthful.

⁴ **可口** kěkǒu〈形 adj.〉食品、饮料口味好，很适宜 (of food) mouth-watering; delectable; palatable: ~的饭菜 ~de fàncài toothsome meal | 这家餐馆的家常菜很~. Zhè jiā cānguǎn de jiācháng cài hěn ~. The homely dishes of this restaurant is very tasty. | 这种饮料加点儿冰块喝起来更加~. Zhè zhǒng yǐnliào jiā diǎnr bīngkuài hē qǐlái gèngjiā ~. Add some ice, the drink would be more delectable.

² **可怜** kělián ❶〈形 adj.〉值得怜悯 pitiful; pitiable: ~巴巴的 ~ bābā de pathetic; pitiable | ~虫 ~chóng a pitiful creature; wretch | ~的孤儿 ~ de gū'ér pitiful orphan | 孤苦伶仃的老人真~. Gūkǔ-língdīng de lǎorén zhēn ~. The old man is so pitiful, leading a lonely and helpless life. ❷〈形 adj.〉数量少到不值得一提 (of quantity) meager: 我的电脑知识少得~. Wǒ de diànnǎo zhīshi shǎo de ~. My computer knowledge is very meager.

¹ **可能** kěnéng ❶〈助动 aux. v.〉也许;或许 perhaps; probably: 明天~又有雨. Míngtiān ~ yòu yǒu yǔ. It will probably rain again tomorrow. | 他~不在家. Tā ~ bú zài jiā. He may not be home. | 这点儿钱~不够花的. Zhè diǎnr qián ~ bú gòu huā de. This sum of money is probably not enough. ❷〈名 n.〉能成为事实的属性;可能性 possibility; probability: 是好是坏，事物本来就存在两种~. Shì hǎo shì huài, shìwù běnlái jiù cúnzài liǎng zhǒng ~. Good or bad, everything naturally goes with two possibilities.

² **可怕** kěpà〈形 adj.〉使人害怕 terrifying: ~的样子 ~ de yàngzi a terrifying look | 人们一提到战争就感到很~. Rénmen yì tídào zhànzhēng jiù gǎndào hěn ~. People feel quite terrified at the mention of war. | 失败并不~，~的是丧失信心. Shībài bìng bù ~, ~ de shì sàngshī xìnxīn. Failure is not so fearful as losing confidence.

³ **可巧** kěqiǎo〈副 *adv.*〉恰好;正巧 as luck would have it; by a happy coincidence:我正准备去找他,~他就来了。*Wǒ zhèng zhǔnbèi qù zhǎo tā, ~ tā jiù lái le.* I was about to go for him when he turned up. | 这本书我一直想买没买到,~今天碰上了。*Zhè běn shū wǒ yìzhí xiǎng mǎi méi mǎidào, ~ jīntiān pèngshang le.* I have been trying to get this book but failed. As luck would have it, I happened to find it today.

¹ **可是** kěshì ❶〈连 *conj.*〉表示转折,前面常有'虽然'之类表示让步的连词呼应 indicating transition, oft. preceded by such conjunctions as '虽然 suīrán', but; yet; however:这件事办起来虽然容易,~也得花不少时间。*Zhè jiàn shì bàn qǐlái suīrán róngyì, ~ yě děi huā bùshǎo shíjiān.* Although this affair is easy to handle, it still takes a lot of time. | 他虽然嘴上不说什么,~心里却很不满意。*Tā suīrán zuǐ shang bù shuō shénme, ~ xīn li què hěn bù mǎnyì.* He said nothing about it, but he's very dissatisfied in the mind. ❷〈副 *adv.*〉真是;实在是 indeed; really:他那个人~够厉害的。*Tā nàge rén ~ gòu lìhai de.* That man is really aggressive. | 他家姑娘长得那个漂亮,~百里挑一。*Tā jiā gūniang zhǎng de nàge piàoliang, ~ bǎilǐ-tiāoyī.* His daughter is one in a hundred in terms of beauty.

⁴ **可恶** kěwù〈形 *adj.*〉令人厌恶;使人憎恨 repulsive; obnoxious; abhorrent:令人~ lìngrén ~ repulsive | 实在~ shízài ~ really detestable | 欺诈是一种十分~的行为。*Qīzhà shì yì zhǒng shífēn ~ de xíngwéi.* Fraud is utterly detestable.

³ **可惜** kěxī ❶〈形 *adj.*〉令人惋惜 it's a pity; it's too bad:这么好的机遇没抓住:这么好的机遇没抓住,实在~。*Zhème hǎo de jīyù méi zhuāzhù, shízài ~.* It's really a pity to have lost such a good opportunity. | 这么漂亮的一件衣服给划破了,太~了。*Zhème piàoliang de yí jiàn yīfu gěi huápò le, tài ~ le.* It's a great pity to have this beautiful clothes scratched! ❷〈副 *adv.*〉值得惋惜(用在主语前或句首)What a pity(used before a subject or at the beginning of a sentence):今天的聚会可热闹了,~你没去。*Jīntiān de jùhuì kě rènao le, ~ nǐ méi qù.* What a pity you didn't go to the party today. It was very lively.

⁴ **可喜** kěxǐ〈形 *adj.*〉令人欣喜(与'可悲'相对)gratifying; heartening(opposite to '可悲kěbēi'):~可贺 ~ kěhè heartening and laudable | 他在工作中取得了~的成绩。*Tā zài gōngzuò zhōng qǔdéle ~ de chéngjì.* He has made encouraging achievements in his work.

⁴ **可想而知** kěxiǎng'érzhī〈惯 *usg.*〉从已知事实通过想象推断而得知 one can well imagine; infer from known facts:这么简单的数学题都不会做,其平时的数学成绩就~了。*Zhème jiǎndān de shùxué tí dōu bú huì zuò, qí píngshí de shùxué chéngjì jiù ~ le.* He cannot even solve such easy maths problems. You can well imagine his usual performance in maths.

³ **可笑** kěxiào ❶〈形 *adj.*〉令人耻笑 ridiculous; absurd; funny:他竟然做出这样的蠢事,实在幼稚~。*Tā jìngrán zuò chū zhèyàng de chǔnshì, shízài yòuzhì ~.* It's really ridiculous for him to do such a stupid thing. ❷〈形 *adj.*〉引人发笑 funny:马戏团小丑的表演十分滑稽~。*Mǎxìtuán xiǎochǒu de biǎoyǎn shífēn huájī ~.* The performance of the clown from the circus is very amusing in a silly way. | 当他讲到~的地方时,大家都开怀大笑。*Dāng tā jiǎng dào ~ de dìfang shí, dàjiā dōu kāihuái dà xiào.* When he came to the funny part, all the people laughed heartily.

³ **可行** kěxíng〈形 *adj.*〉行得通;可以实行 practical; viable:你提的这个方案切实~。*Nǐ tí de zhège fāng'àn qièshí ~.* The scheme you proposed is feasible. | 我们正在进行~性研究。*Wǒmen zhèngzài jìnxíng ~ xìng yánjiū.* We are doing a feasibility study now.

¹ **可以** kěyǐ ❶〈助动 *aux. v.*〉表示可能或能够(与'不能'相对)can; may(opposite to

'不能 bùnéng'）：这件衣服干了，~收了。*Zhè jiàn yīfu gān le, ~ shōu le.* The dress is dry enough to be collected. │再难的事只要认真去学，就~学会的。*Zài nán de shì zhǐyào rènzhēn qù xué, shì ~ xuéhuì de.* You can learn it if you set your heart on it, no matter how difficult it is. ❷〈助动 *aux. v.*〉表示许可（与'不能'相对）indicating permission（opposite to '不能 bùnéng'）：你现在~回去了。*Nǐ xiànzài ~ huíqù le.* You can go back now. │这个景点~参观了。*Zhège jǐngdiǎn ~ cānguān le.* The scenic spot is now open to visitors. ❸〈助动 *aux. v.*〉表示值得（做某件事）be worth（doing sth.）：这本书一看。*Zhè běn shū ~ yí kàn.* This book is worth reading. ❹〈形 *adj.*〉好；不坏 passable; not bad: 他的字写得还~。*Tā de zì xiě de hái ~.* His handwriting is pretty good. │我的开车技术还~吧？*Wǒ de kāichē jìshù hái ~ ba?* Is my driving skill good enough? ❺〈形 *adj.*〉厉害；够分量 terrible; awful: 她这张嘴真够~的。*Tā zhè zhāng zuǐ zhēn gòu ~ de.* What a sharp tongue she has got! │我最近忙得~。*Wǒ zuìjìn máng de ~.* I've been awfully busy recently.

¹ **渴 kě** ❶〈形 *adj.*〉口干想喝水 thirsty; athirst: 口~kǒu~ thirsty │解~jiě~ quench one's thirst │如饥似~（形容要求非常迫切）*rújī-sì~*（*xíngróng yāoqiú fēicháng pòqiè*）as if hungering or thirsting for sth.（*fig.* seek eagerly）│望梅止~（比喻用空想来安慰自己）*wàngméi-zhǐ~*（*bǐyù yòng kōngxiǎng lái ānwèi zìjǐ*）quench one's thirst by thinking of plums（console oneself with false hopes; feed on fancies）│临~掘井（比喻平时没有准备，事到临头才想办法）*lín~-juéjǐng*（*bǐyù píngshí méiyǒu zhǔnbèi, shì dào líntóu cái xiǎng bànfǎ*）dig a well when feeling thirsty（make hasty preparation）❷〈副 *adv.*〉迫切地 eagerly: ~望 ~*wàng* look forward to; yearn for │我对她~慕已久。*Wǒ duì tā ~mù yǐ jiǔ.* I have been admiring her for a long time.

³ **渴望 kěwàng**〈动 *v.*〉迫切地希望 hanker after; long for; yearn for: 世界各国人民都反对战争，~和平。*Shìjiè gèguó rénmín dōu fǎnduì zhànzhēng, ~ hépíng.* People all over the world are against war and long for peace. │他~过上小康生活。*Tā ~ guòshang xiǎokāng shēnghuó.* He longs for a well-to-do life. │我~能找到一份理想的工作。*Wǒ ~ néng zhǎodào yí fèn lǐxiǎng de gōngzuò.* I am eager to find a good job.

¹ **克 kè** ❶〈量 *meas.*〉国际通用质量计量单位的名称，1克等于1千克（1公斤）的千分之一。克为法语 gramme 的简称 gramme, 1 gramme equals one-thousandth of 1 kg, abbr. for the French word 'gramme' ❷〈量 *meas.*〉中国藏族的重量单位，1克相当于3至4千克 *ke*, Tibetan unit of weight. 1 *ke* equals approximately three to four kg. ❸〈量 *meas.*〉中国藏族的容量单位，1克相当于13至14千克 *ke*, Tibetan unit of volume. 1 *ke* equals approximately 13 to 14 kg. ❹〈量 *meas.*〉中国藏族的地积单位，1克约合1市亩 *ke*, Tibetan unit of land area, equals approximately 1 *mu*. ❺〈动 *v.*〉能够 can; able to; capable of: ~勤~俭~*qín*~*jiǎn* practise diligence and thrift ❻〈动 *v.*〉克服；克制 restrain: ~己奉公~*jǐ-fènggōng* be restricted with oneself and dedicated to one's public duty; work selflessly for the public interest │以柔~刚 *yǐróu*~*gāng* overcome the tough with the mild ❼〈动 *v.*〉攻下；战胜 conquer; subjugate: ~复~*fù* recapture; recover │攻无不~ *gōngwúbú*~ invincible; all-conquering; ever victorious ❽〈动 *v.*〉消化 digest; absorb: ~食 ~*shí* help digestion ❾〈动 *v.*〉减少应给的数量 reduce the amount of supply: ~斤扣两 ~*jīn-duǎnliǎng* give short weight │~扣口粮 ~*kòu kǒuliáng* dock one's grain ration ❿〈动 *v.*〉约定或限定（时间）set a date; set a time limit: ~期完工 ~*qī wángōng* set a date for the completion of the project

² **克服 kèfú** ❶〈动 *v.*〉战胜；解决 overcome（difficulties, shortcomings, etc.）; solve（a

problem）：～困难 ~ kùnnan overcome the difficulties ｜～缺点 ~ quēdiǎn overcome the shortcomings ｜～急躁情绪 ~ jízào qíngxù overcome impetuosity; rein in one's rashness ｜～不良习气 ~ bùliáng xíqì overcome undesirable tendencies ❷〈动 v.〉克制；忍受 put up with: 会议室禁止吸烟，请抽烟的同志一下。Huìyìshì jìnzhǐ xīyān, qǐng chōuyān de tóngzhì ~ yíxià. No smoking in the meeting hall. Please try to put up with it. ｜这里的住宿条件比较差，请大家～～。Zhèlǐ de zhùsù tiáojiàn bǐjiào chà, qǐng dàjiā ~. The lodging conditions here are rather poor. Please try to put up with it.

¹ **刻** kè ❶〈量 meas.〉用钟表计时，15分钟为一刻 quarter (of an hour)：上午九点一～开会。Shàngwǔ jiǔ diǎn yí ~ kāi huì. The meeting will begin at a quarter past nine in the morning. ｜差一～十二点。Chà yí ~ shí'èr diǎn. It's a quarter to twelve. ❷〈动 v.〉用小刀在物品上刻画出文字、图案等 carve; cut; engrave inscriptions, patterns, etc., with a knife in sth.：～字～zì carve (or engrave) characters on a seal, slabstone, etc.; engrave letters (for block printing) ｜～图章 ~ túzhāng engrave a seal ｜雕～diāo~ carve; sculpt ❸〈动 v.〉约定或限定（时间），也作'克' set a date; set a time limit (also written as '克 kè')：～期办理 ~qī bànlǐ set a deadline for handling the matters ❹〈名 n.〉表示短暂的时间 a short time: 片～piàn~ a short while; an instant ｜立～lì~ at once ｜顷～qǐng~ in no time ｜即～jí~ immediately ｜此时此～cǐshí-cǐ~ at this very moment ｜时时～～ shíshí ~~~ constantly; always ❺〈名 n.〉雕刻的物品 engraved or carved articles: 木～mù~ woodcut; wood engraving ｜碑～bēi~ engraving or inscription on a tablet ❻〈形 adj.〉形容程度极深 to the highest extent or degree: 深～shēn~ profound ｜～苦 ~kǔ hardworking; very diligent ❼〈形 adj.〉刻薄 harsh: ～毒 ~dú spiteful; venomous ｜尖～jiān~ biting; acrimonious; caustic ｜苛～kē~ harsh; extremely demanding

² **刻苦** kèkǔ ❶〈形 adj.〉能吃苦；肯下功夫 assiduous; hardworking：～学习 ~ xuéxí study hard ｜～钻研 ~ zuānyán study assiduously ｜工作中要有~的精神。Gōngzuò zhōng yào yǒu ~ de jīngshén. We need hardworking spirit in our work. ❷〈形 adj.〉俭朴 simple and frugal: 他生活一向～。Tā shēnghuó yíxiàng ~. He has always led a frugal life.

³ **客** kè ❶〈名 n.〉客人（与'主'相对）guest (opposite to '主 zhǔ'): 请～qǐng~ give sb. a treat ｜会～huì~ meet friends; receive a visitor ｜宾～bīn~ guests; visitors ｜贵～guì~ honorable guest ❷〈名 n.〉旅客；游客；乘客 passenger; visitor; customer：～机 ~jī passenger plane; airliner ｜～店 ~diàn inn ｜～满 ~mǎn (of a theatre, cinema, etc.) have a full house; house full ❸〈名 n.〉寄居或迁居外地的人 one who goes and lives in a place other than one's homeland: 独在异乡为异客，每逢佳节倍思亲。Dú zài yìxiāng wéi yìkè, měi féng jiājié bèi sī qīn. Being a lonely stranger in a strange land, how I miss my relatives when it's a holiday. ❹〈名 n.〉生意人 businessman：～商～shāng traveling merchant ｜珠宝～zhūbǎo~ vagrant jeweler ❺〈名 n.〉对从事某种活动的人的称呼 person in pursuit of sth.：政～zhèng~ politician ｜说～shuì~ lobbyist ｜侠～xiá~ knight-errant ❻〈名 n.〉在人类意识之外独立存在的 objective; independent of human consciousness：～体～tǐ object ｜～观 ~guān objective ❼〈动 v.〉寄居或迁居外地 go and live in a place other than one's homeland: ～居 ~jū live away from one's homeland ｜寓～yù~ stay in a strange land ❽〈量 meas. 方 dial.〉用于某些论份出售的食品、饮料 portion of food, drink for sale: 一～炒饭 yí ~ chǎofàn one fried rice ｜两～冰淇淋 liǎng ~ bīngqílín two ice creams

⁴ **客车** kèchē〈名 n.〉铁路、公路上用以载运旅客的车辆 bus; passenger train: 大～dà ~ bus; coach ｜豪华～háohuá ~ a luxury bus; a de luxe model of a bus ｜直达～zhídá ~

through train or through bus

³ **客观** kèguān ❶〈名 n.〉在人类意识之外独立存在的（与'主观'相对）objectivity (opposite to '主观zhǔguān'): ~事物 ~ shìwù things that exist independent of human consciousness | ~条件 ~ tiáojiàn objecitve conditions | ~规律 ~ guīlǜ objective law or principle | 看问题不能老是强调~，应从主观上找原因。Kàn wèntí bù néng lǎoshì qiángdiào ~, yīng cóng zhǔguān shang zhǎo yuányīn. We should not always over-emphasize objective conditions when we look at problems, but look for reasons in our mind. ❷〈形 adj.〉按照事物本来面目去考察，不加入个人偏见的（与'主观'相对）study things objectively or without personal bias (opposite to '主观zhǔguān'): ~的立场 ~ de lìchǎng objective standpoint | ~的态度 ~ de tàidù objective attitude | 这篇文章的观点比较~。Zhè piān wénzhāng de guāndiǎn bǐjiào ~. The viewpoint of this article is rather objective.

¹ **客气** kèqi ❶〈动 v.〉出于礼貌说一些话做一些事 speak or behave politely: 别~了，你就拿着吧! Bié ~ le, nǐ jiù názhe ba! Make yourself at home. Just accept it. | 都是老朋友了，还~什么。Dōu shì lǎo péngyou le, hái ~ shénme. As old friends, we don't have to stand on ceremony. ❷〈形 adj.〉对人谦让、有礼貌 polite; courteous: 他说话总是客客气气的。Tā shuōhuà zǒng shì kèkè-qīqī de. He is always polite when speaking. | 他很~地拒绝了别人的邀请。Tā hěn ~ de jùjuéle biérén de yāoqǐng. He politely declined other's invitation.

² **客人** kèrén ❶〈名 n.〉被邀请或被招待的人（与'主人'相对）guest; visitor; person entertained by invitation（opposite to '主人zhǔrén'）: 宴请~ yànqǐng ~ fete guests; throw a banquet to guests | 他家来了三位~。Tā jiā láile sān wèi ~. Three visitors came to his home. | ~到齐了，可以上菜了。~ dàoqí le, kěyǐ shàng cài le. All the guests have arrived, and the meal can be served now. ❷〈名 n.〉指外出旅行的人 traveler: 请问从英国来的几位~住在哪里? Qǐng wèn cóng Yīngguó lái de jǐ wèi ~ zhù zài nǎli? Would you please tell me where the travelers from Britain put up? | 这套客房是上海来的~预订的。Zhè tào kèfáng shì Shànghǎi lái de ~ yùdìng de. This set of guest room was booked by the travelers from Shanghai.

³ **客厅** kètīng 〈名 n.〉用来接待客人的厅堂 living room; drawing room; parlour; room for receiving guests: 他家的~既宽敞又明亮。Tā jiā de ~ jì kuānchǎng yòu míngliàng. The living room of his home is spacious and bright. | 这套住宅有一大一小两间~。Zhè tào zhùzhái yǒu yí dà yì xiǎo liǎng jiān ~. This house has two living rooms, a big one and a small one.

¹ **课** kè ❶〈名 n.〉（门mén）学校教学的科目 subject; course: 功~ gōng~ schoolwork; homework | 主~ zhǔ~ major course | 专业~ zhuānyè~ specialized subject | 选修~ xuǎnxiū~ elective course | 语文~ yǔwén~ Chinese | 这学期设五门~。Zhè xuéqī shè wǔ mén~ 。(We) have five courses this term. ❷〈名 n.〉（节jié、堂táng）教学活动的时间单位 unit of time for teaching: 上午共有四节~。Shàngwǔ gòng yǒu sì jié ~. We have altogether four classes in the morning. ❸〈名 n.〉有计划的分段教学 class; teaching period: 上~ shàng~ attend a class | 旷~ kuàng~ play truant; cut school | 这门课共计三十个~时。Zhè mén kè gòngjì sānshí gè ~shí. This course contains thirty classes. ❹〈名 n.〉指教材中相对独立的段落 lesson; passage from some teaching material: 第一~ dì-yī ~ the first lesson | 这本教科书共有二十~。Zhè běn jiàokēshū gòng yǒu èrshí ~. There are 20 lessons in this textbook. ❺〈动 v. 书 lit.〉中国旧时征收赋税 levy; collect; impose: ~税 ~shuì collect taxes

1 课本 kèběn〈名 n.〉指教科书 textbook：语文~ yǔwén ~ Chinese textbook｜数学~ shùxué ~ mathematics textbook｜这是刚买的~。Zhè shì gāng mǎi de ~. These are newly-bought textbooks.

2 课程 kèchéng〈名 n.〉学校教学的科目和进程 curriculum; schedule (or calendar) of courses offered by an educational institution：~表 ~biǎo class schedule｜这学期的~安排不合理。Zhè xuéqī de ~ ānpái bù hélǐ. The curriculum of this semester is illogical.｜本周的~排得满满的。Běn zhōu de ~ pái de mǎnmǎn de. This week's class schedule is fully arranged.

4 课时 kèshí〈名 n.〉指上一节课所用的时间（通常一节课为45分钟或50分钟）class hour; period (one class hour usually contains 45 to 50 minutes)：~津贴 ~ jīntiē class allowance｜英语课每周有六个~。Yīngyǔ kè měi zhōu yǒu liù gè ~. The English course has six classes every week.｜他教两个班的语文课，每周共有八个~。Tā jiāo liǎng gè bān de yǔwén kè, měi zhōu gòng yǒu bā gè ~. He teaches eight Chinese class-hours a week for two classes.

3 课堂 kètáng〈名 n.〉教室；也指进行各种教学活动的场所 classroom; places for teaching：~讨论 ~ tǎolùn classroom discussion｜~提问 ~ tíwèn classroom questioning｜~秩序 ~ zhìxù classroom order

4 课题 kètí〈名 n.〉学习、研究、讨论的主要问题或亟待解决的重大事项 issue; topic for study or discussion; problem to be solved：科研~ kēyán ~ research subject｜新~ xīn ~ new issue｜环境保护是当前亟待解决的~之一。Huánjìng bǎohù shì dāngqián jídài jiějué de ~ zhīyī. Environmental protection is one of the issues demanding prompt solution at present.

1 课文 kèwén〈名 n.〉（篇 piān）指文科教科书中的正文（区别于'注释''习题'等）text proper (different from '注释 zhùshì' and '习题 xítí', etc.)：背诵~ ~ bèisòng ~ recite a text｜每篇~后面都附有习题和思考题。Měi piān ~ hòumiàn dōu fù yǒu xítí hé sīkǎo tí. Attached to every text are exercises and questions for thinking.｜这篇~要真正读懂比较难。Zhè piān ~ yào zhēnzhèng dúdǒng bǐjiào nán. It's quite difficult to really understand the text.

2 肯 kěn ❶〈助动 aux. v.〉表示同意 agree; consent：首~ shǒu~ nod assent; agree｜他不~帮忙。Tā bù ~ bāngmáng. He declined to offer a hand.｜我劝说了半天，他终于~了。Wǒ quànshuōle bàntiān, tā zhōngyú ~ le. It took me a long time to talk him into agreeing. ❷〈助动 aux. v.〉表示愿意；接受要求 be willing to; be ready to：他~帮助人。Tā ~ bāngzhù rén. He is willing to help others.｜你问问他~不~来。Nǐ wènwèn tā ~ bù ~ lái. You ask him whether he is willing to come or not.｜他从来不~接受别人的意见。Tā cónglái bù ~ jiēshòu biérén de yìjiàn. He always turns a deaf ear to other' opinions.

2 肯定 kěndìng ❶〈动 v.〉表示承认（与'否定'相对）affirm; confirm (opposite to '否定 fǒudìng')：~成绩 ~ chéngjì acknowledge the achievement｜~优点 ~ yōudiǎn acknowledge the merits ❷〈动 v.〉做出判断；确定 make judgment; make sure：他来没来过，我可不敢~。Tā lái méi láiguo, wǒ kě bù gǎn ~. I am not sure whether he has been here or not.｜我可以~他就是那个罪犯。Wǒ kěyǐ ~ tā jiùshì nàge zuìfàn. I am sure he is the criminal. ❸〈形 adj.〉明确，确定（与'否定'或'含糊'相对）sure; definite (opposite to '否定 fǒudìng' or '含糊 hánhu')：~的回答 ~ de huídá a definite answer｜~的答复 ~ de dáfù a positive reply ❹〈副 adv.〉一定；必定 （与'未必'相对）certainly; definitely (opposite to '未必 wèibì')：他~不会来的。Tā ~ bú huì lái de. He definitely

K

will not come. | 我们队这一轮~出局。*Wǒmen duì zhè yì lún ~ chūjú.* Our team will definitely be out (of the game) after this round. | 这种股票~看涨。*Zhè zhǒng gǔpiào ~ kànzhǎng.* The value of this stock will certainly rise.

⁴ **恳切** kěnqiè 〈形 adj.〉诚恳而殷切 earnest; sincere: ~的言辞 ~ *de yáncí* sincere remarks | ~的态度 ~ *de tàidù* sincere attitude | ~的目光 ~ *de mùguāng* earnest eyes | 他说话的神情十分~。*Tā shuōhuà de shénqíng shífēn ~.* He spoke with a very earnest air. | 他~地希望得到大家的帮助。*Tā ~ de xīwàng dédào dàjiā de bāngzhù.* He sincerely hopes that we can help him.

⁴ **恳求** kěnqiú 〈动 v.〉恳切地请求 request in real earnest; implore; entreat: ~帮助 ~ *bāngzhù* require earnestly for help | ~宽恕 ~ *kuānshù* request sb.'s pardon in real earnest | 他~教练让他上场参加比赛。*Tā ~ jiàoliàn ràng tā shàngchǎng cānjiā bǐsài.* He implored the coach to let him take part in the match. | 他的~得到了领导的批准。*Tā de ~ dédàole lǐngdǎo de pīzhǔn.* His earnest request was approved by his leader.

⁴ **啃** kěn ❶〈动 v.〉一点儿一点儿地往下咬食物 nibble; gnaw: ~鸡腿 ~ *jītuǐ* gnaw a drumstick | ~馒头 ~ *mántou* nibble at a steamed bread | 我的牙不好，不动骨头。*Wǒ de yá bú hǎo, ~ bú dòng gǔtou.* My teeth are not strong enough to gnaw a bone. ❷〈动 v.〉比喻刻苦读书 fig. study hard: ~书本 ~ *shūběn* delve into books ❸〈动 v.〉戏称亲吻 a nickname for kiss: 妈妈在他的脸上狠狠地~了一口。*Māma zài tā de liǎn shang hěnhěn de ~le yì kǒu.* Mother planted a big kiss on his cheek.

³ **坑** kēng ❶(~儿)〈名 n.〉表面洼下去的地方 hole; pit; hollow: 泥~ *ní~* mud pit | 弹~ *dàn~* crater; shell pit | 树~ *shù~* tree pit | 刨个~儿 *páo gè ~r* dig a hole | 一个萝卜一个~儿 (比喻一个人一个岗位，没有空缺或人手紧张) *yí gè luóbo yí gè ~r (bǐyù yí gè rén yí gè gǎngwèi, méiyǒu kòngquē huò rénshǒu jǐnzhāng)* one radish, one hole (*fig.* each has his own post; there is no vacant position or no one can be spared for any other work) | ~~注注的路面，实在难走。*~~wāwā de lùmiàn, shízài nán zǒu.* The road is too bumpy to walk on. ❷〈名 n.〉洞；地道 tunnel; pit: ~道 ~ *dào* tunnel | 矿~ *kuàng~* (mine) pit ❸〈动 v.〉坑害 entrap; cheat: 真~人！*Zhēn ~ rén!* It's really a cheat! | 他被人~了。*Tā bèi rén ~ le.* He was hoodwinked. | ~蒙拐骗是最不道德的。*~-mēng-guǎipiàn shì zuì bú dàodé de.* It's most immoral to bluff and deceive. ❹〈动 v.〉活埋人 bury alive: 侵略者在这里~杀了数百人。*Qīnlüèzhě zài zhèlǐ ~ shāle shù bǎi rén.* The aggressors buried hundreds of people alive here.

² **空** kōng ❶〈形 adj.〉里面没有东西；没有内容或不切实际的 empty; hollow; void; unrealistic: ~书包 ~ *shūbāo* empty schoolbag | ~谈 ~ *tán* indulge in empty talk | ~想 ~ *xiǎng* idle dream | 两手~~ *liǎng shǒu ~~* empty-handed ❷〈名 n.〉天空 sky; air: 高~ *gāo~* high in the sky | 领~ *lǐng~* airspace | 航~ *háng~* aviation | 晴~万里 *qíng~wànlǐ* vast clear sky | 皓月当~ *hàoyuè-dāng~* a bright moon hanging in the sky | ~中楼阁 (比喻虚幻的事物或脱离实际的理论、计划等) ~*zhōng-lóugé (bǐyù xūhuàn de shìwù huò tuōlí shíjì de lǐlùn, jìhuà děng)* castle in the air (*fig.* mirage; day dream; theory, plan, etc. which is divorced from reality) | 地对~导弹 *dì duì ~ dǎodàn* land-to-air missile ❸〈动 v.〉没有 be without; do not have: 目~一切 *mù ~-yíqiè* consider everybody and everything beneath one's notice; be extremely arrogant | 人财两~ *rén cái liǎng ~* suffer both human and material loss ❹〈副 adv.〉没有结果的；白白地 without results; for nothing; in vain: ~忙 ~ *máng* make fruitless efforts | ~跑一趟 ~ *pǎo yí tàng* make a journey for nothing; make a wasted trip | 大家~欢喜了一场。*Dàjiā ~ huānxǐle yì chǎng.* Everybody feels let down. | 多年的愿望落了~。*Duō nián de yuànwàng luòle ~.* Long-

cherished wish comes to nothing.

☞ kòng, p. 590

⁴空洞 kōngdòng ❶〈形 *adj.*〉没有内容或内容不切实际 devoid of content; impractical: ~无物 ~ *wúwù* utter lack of substance; devoid of content | ~的说教 ~ *de shuōjiào* impractical sermon | 这篇文章内容十分~。*Zhè piān wénzhāng nèiróng shífēn ~.* This article is devoid of meaning. ❷〈名 *n.*〉(个 gè) 物体内部的窟隆 cavity; hollow in an object: 铸件里有好些个~。*Zhùjiàn li yǒu hǎoxiē gè ~.* There are several cavities in the casting. | 病人的肺部有个~。*Bìngrén de fèibù yǒu gè ~.* There is a cavity in the patient's lungs.

⁴空话 kōnghuà 〈名 *n.*〉(篇 piān、句 jù) 内容空洞无物的话或不能实现的话 empty talk; idle talk; hollow, unrealistic words: ~连篇 ~ *liánpiān* pages and pages of empty verbiage; full of empty talk | 他总爱说~、大话。*Tā zǒng ài shuō ~, dàhuà.* He always indulges himself in empty big talk. | 少说~, 多办实事。*Shǎo shuō ~, duō bàn shíshì.* Make less empty remarks, and do more practical things.

²空间 kōngjiān 〈名 *n.*〉物质存在的一种客观形式, 由长度、宽度、高度表现出来 space; objective form of the existence of matter as reflected in length, width, and height: 宇宙~ *yǔzhòu* ~ outer space | 生活~ *shēnghuó* ~ living space | 三维~ *sānwéi* ~ three-dimensional space | ~通讯 ~ *tōngxùn* space communication | ~站 ~ *zhàn* space station

³空军 kōngjūn 〈名 *n.*〉军队的军种之一, 即担负空中作战任务的部队 air force: ~基地 ~ *jīdì* air base; air force base | ~飞行员 ~ *fēixíngyuán* air force pilot | ~军官学校 ~ *jūnguān xuéxiào* air force military academy

¹空气 kōngqì ❶〈名 *n.*〉地球大气层的气体 air surrounding the earth: 呼吸新鲜~ *hūxī xīnxiān* ~ breathe fresh air | 治理~污染 zhìlǐ ~ *wūrǎn* control air pollution | 高空~稀薄。*Gāokōng ~ xībó.* The air is thin in the upper sky. ❷〈名 *n.*〉气氛 atmosphere: 要形成浓厚的学习~。*Yào xíngchéng nónghòu de xuéxí ~.* Form a strong atmosphere of study. | 不要人为地制造紧张~。*Bú yào rénwéi de zhìzào jǐnzhāng ~.* Don't create a tense atmosphere on purpose.

²空前 kōngqián 〈形 *adj.*〉以前从未有过 unprecedented: 盛况~ *shèngkuàng* ~ unprecedented grand occasion | ~绝后 (多用于形容伟大的成就或业绩) ~~*juéhòu* (*duō yòngyú xíngróng wěidà de chéngjiù huò yèjì*) unprecedented and unrepeatable; having no precedent (usu. used to describe a remarkable achievement) | 国内市场~繁荣。*Guónèi shìchǎng ~fánróng.* The domestic market is in an unprecedented prosperity.

⁴空调 kōngtiáo 〈名 *n.*〉(台 tái、个 gè) 空气调节器的简称 air-conditioner, abbr. for '空气调节器 kōngqì tiáojiéqì': ~机 ~ *jī* air-conditioner | ~设备 ~ *shèbèi* air-conditioning device | ~装置 ~ *zhuāngzhì* air-conditioning equipment | 他家客厅安装的是冷暖~。*Tā jiā kètīng ānzhuāng de shì lěng nuǎn ~.* Installed in his living room is a cold-and-warm air-conditioner.

⁴空想 kōngxiǎng ❶〈名 *n.*〉不切实际的想法 unrealistic thoughts; fantasy; daydream: ~社会主义 ~ *shèhuì zhǔyì* utopian socialism | 他提出来的想法不是理想, 而是~。*Tā tí chūlái de xiǎngfǎ bú shì lǐxiǎng, ér shì ~.* The idea he came up with is a fantasy rather than an ideal. ❷〈动 *v.*〉凭空设想 daydream; indulge in fantasy: 他从小喜欢~。*Tā cóngxiǎo jiù xǐhuan ~.* He has been fond of daydreaming from childhood. | 不要闭门~, 还是去实际调查一下吧。*Bú yào bì mén ~, hái shì qù shíjì diàochá yíxià ba.* Stop daydreaming. Try to make a practical investigation.

⁴空心 I kōngxīn I 〈形 *adj.*〉物体的内部是空的 hollow: ~砖 ~*zhuān* hollow brick | 意大

利～粉 Yìdàlì ~fěn Italian macaroni Ⅱ kōng // xīn〈动 v.〉（东西的）内部空着 (of things) become hollow inside：这棵树已经～了。Zhè kē shù yǐjīng ~ le. The tree has become hollow inside.｜这个萝卜空了心了。Zhège luóbo kōngle xīn le. The radish has gone spongy inside.

⁴ **空虚** kōngxū〈形 adj.〉不充实（与'充实'相对）hollow; empty; void（opposite to '充实 chōngshí'）：生活～ shēnghuó ~ lead an aimless life｜精神～ jīngshén ~ be spiritually barren｜内心～ nèixīn ~ empty-hearted｜兵力～ bīnglì ~ weak military strength

² **空中** kōngzhōng ❶〈名 n.〉天空中 in the air; in the sky; aerial：乌云密布。～ wūyún mìbù. The sky is covered with dark clouds. ❷〈名 n.〉离地面较高的空间 space very high above the ground：飞人～ fēirén flying trapeze｜小姐～ xiǎojiě air stewardess; air hostess｜走廊～ zǒuláng air corridor; air lane ❸〈形 adj.〉通过无线电或电视信号传播而形成的 airborne; transmitted by radio or video signals：～信箱～ xìnxiāng airmail box｜大学～ dàxué open air university

² **孔** kǒng ❶〈名 n.〉空洞；窟窿；眼儿 hole; opening; aperture：鼻～ bí~ nostril｜毛～ máo ~ pore｜针～ zhēn~ pinhole｜无～不入 wú~búrù get in by every opening; seize every opportunity; all-pervasive｜北京颐和园有一座十七孔桥。Běijīng Yíhéyuán yǒu yí zuò shíqī ~ qiáo. There is a seventeen-arch bridge in the Summer Palace of Beijing. ❷〈量 meas.〉用于洞窟 for cave-dwellings：山上有无数窑洞。Shān shang yǒu wúshù ~ yáodòng. There are numerous cave-dwellings in the hill.

⁴ **孔雀** kǒngquè〈名 n.〉一种有羽冠的鸟 peacock：～开屏 ~ kāipíng peacock fanning out its tail in a splash of colors

⁵ **恐怖** kǒngbù〈形 adj.〉由于生命受到威胁而引起的惧怕和不安 terror; horror; dread (caused by threat)：～片 ~piàn horror movie｜袭击 ~ xíjī terrorist attack｜分子 fēnzǐ terrorist｜电影中的战争场面十分～。Diànyǐng zhōng de zhànzhēng chǎngmiàn shífēn ~. The war scene in the film is very horrible.

⁴ **恐惧** kǒngjù〈动 v.〉害怕 fear; dread：不安～ búān be frightened and restless｜心理～ xīnlǐ fear｜他的内心十分～。Tā de nèixīn shífēn ~. He was greatly frightened in his heart.

² **恐怕** kǒngpà ❶〈副 adv.〉表示推测、估计 perhaps; probably; maybe：今天～不会有雨。Jīntiān ~ bú huì yǒu yǔ. Perhaps it will not rain today.｜他不会赞成我们的做法。~ tā bú huì zànchéng wǒmen de zuòfǎ. Probably he will not agree with our way of doing things. ❷〈副 adv.〉表示担心、忧虑 fear; dread; be afraid of：再不采取措施，～要出大问题了。Zài bù cǎiqǔ cuòshī, ~ yào chū dà wèntí le. I am afraid there will be a big problem if no measures are taken.

³ **空** kòng ❶〈动 v.〉腾出来，使空着 leave empty or blank：文章的每一段开头～两格。Wénzhāng de měi yí duàn kāitóu ~ liǎng gé. Leave two spaces at the beginning of each paragraph of an article.｜把前面两排座位～出来。Bǎ qiánmian liǎng pái zuòwèi ~ chūlái. Leave the first two rows of seats vacant.｜出一间房子给他住。~ chū yì jiān fángzi gěi tā zhù. Leave one room for him. ❷（～儿）〈名 n.〉尚未占用的地方或时间；空子 unoccupied space or time; empty space; opening：钻～子 zuān~zi avail oneself of loopholes (in a law, contract, etc.)；exploit an advantage｜填～ tián ~ fill in the blanks｜有～儿常来玩儿。Yǒu ~r cháng lái wánr. Come for a visit when you have time.｜箱子塞得满满的，一点儿～都没有了。Xiāngzi sāi de mǎnmǎn de, yì diǎnr ~r dōu méiyǒu le. The suitcase is packed too full to have any space. ❸〈形 adj.〉尚未利用的 unoccupied; vacant：～地 ~dì open ground (space)｜～白 ~bái blank; vacancy｜～当 ~dāng space;

gap; interval | ~余时间 ~yú shíjiān spare time | 车上还有不少~座位。 *Chē shang hái yǒu bùshǎo ~ zuòwèi.* There are still many vacant seats in the carriage.

☞ kōng, p. 588

⁴ **空白** kòngbái 〈名 n.〉空着；没有填满或尚未利用的部分；尚未开发的领域 blank space; not filled or used part; unexplored field: 填补~ tiánbǔ fill in the gap | ~点 ~diǎn blank; gap; part of work to be expected | 脑子里一片~。 *Nǎozi li yí piàn ~.* The mind goes blank.

⁴ **空隙** kòngxì ❶〈名 n.〉中间空着的地方；尚未占用的时间 interval; empty space; unoccupied time: 种树时，树与树之间要留出一定的~。 *Zhòng shù shí, shù yǔ shù zhījiān yào liúchū yídìng de ~.* In tree planting, there should be certain space between them. | 这两堵墙之间的~太小了。 *Zhè liǎng dǔ qiáng zhījiān de ~ tài xiǎo le.* The space between this two walls is too small. | 他利用午休的~去超市购物。 *Tā lìyòng wǔxiū de ~ qù chāoshì gòuwù.* He went shopping in the supermarket at the noon break. ❷〈名 n.〉可乘之机（多指做坏事） an opportunity that can be exploited (oft. for doing sth. bad): 小偷趁上车人多拥挤的~偷走了他的钱包。*Xiǎotōu chèn shàng chē rén duō yōngjǐ de ~ tōuzǒule tā de qiánbāo.* The thief stole his wallet by taking advantage of the chance when lots of people rushed onto the bus.

⁴ **控诉** kòngsù 〈动 v.〉向司法机关或公众陈述受害经过，请求对加害者作出法律制裁或舆论谴责 accuse; denounce; complain; make a statement of one's suffering to a relevant institution or community to obtain judicial or community punishment of an offender: 血泪~ xuèlèi ~ an accusation full of blood and tears | ~侵略者的罪行 ~qīnlüèzhě de zuìxíng condemn the aggressors' crimes

² **控制** kòngzhì ❶〈动 v.〉牢牢掌握住不使越出规定范围；操纵 control; dominate; command (in order to avoid willful activities or movement beyond the domain): ~现金支出 ~ xiànjīn zhīchū control cash payment | ~参观人数 ~ cānguān rénshù limit the number of visitors | ~室内温度 ~shìnèi wēndù control indoor temprature | 自动~系统 zìdòng ~ xìtǒng automatic controlling system ❷〈动 v.〉使处于自己的占有、管理或影响之下 control; get (sth. or sb.) under one's hold, management, or influence: ~石油资源 ~shíyóu zīyuán get oil resources under control | 部队已~了前面的高地。 *Bùduì ~le qiánmian de gāodì.* The armed forces have brought the highland under control. | 政府已经完全~了局面。 *Zhèngfǔ yǐjīng wánquán ~le júmiàn.* The government has completely controlled the situation.

K

⁴ **抠** kōu ❶〈动 v.〉用手或细小的工具把物体从里往外挖 dig, or dig out, with a finger or sth. pointed: 把芝麻粒从桌缝儿里~出来。 *Bǎ zhīmali cóng zhuōfèngr li ~chūlái.* Pick out the sesame seeds from the table crevice. | 吃西瓜时要先把瓜子儿~掉。 *Chī xīguā shí yào xiān bǎ guāzǐr ~diào.* Get out the melon seeds before eating watermelon. ❷〈动 v.〉雕刻 carve; cut: ~窗花 ~chuānghuā make paper-cuts | ~图案 ~tú'àn carve patterns | 根雕作品是一刀一刀~出来的。 *Gēndiāo zuòpǐn shì yì dāo yì dāo ~chūlái de.* Tree-root sculpture is cut bit by bit with a knife. ❸〈动 v.〉过分地探求 go into a matter with unnecessary earnest; delve into sth. with hair-splitting attention: ~字眼儿 ~zìyǎnr puzzle over words and phrases | ~书本 ~shūběn delve mechanically into books ❹〈动 v.〉弯曲手指或用带钩的东西扒住某物 hold on to sth. by crooking one's fingers or using tools with hooks: 他死死地~住窗沿，不让自己掉下去。 *Tā sǐsǐ de ~zhù chuāngyán, bú ràng zìjǐ diào xiàqù.* He tightly clung to the windowsill to avoid falling down. ❺（~儿）〈形 adj. 方 dial.〉小气；吝啬 stingy; miserly: 这人太~了。 *Zhè rén tài ~ le.* This person

is too stingy.

¹ 口 kǒu ❶〈名 n.〉人或动物的饮食器官, 也是发声器官的一部分, 通称‘嘴’mouth; human or animal's organ for taking food and uttering sounds, generally called '嘴zuǐ': ~腔 ~qiāng oral cavity｜你怎么张~就骂人呀! Nǐ zěnme zhāng~ jiù màrén ya! Why do you curse once you open your mouth! ❷〈名 n.〉指口味 taste: ~轻 ~qīng light taste｜~重 ~zhòng strong taste ❸〈名 n.〉指言谈话语 the way one speaks or what one says: ~才 ~cái eloquence｜~音 ~yīn voice; accent｜~气 ~qì manner of speaking; impliction; tone｜~误 ~wù stumble; make a mistake in speaking or wording due to carelessness｜~译 ~yì oral interpretation｜~诛笔伐 ~zhū-bǐfá condemn both in speech and in writing｜~有~难辩 yǒu ~ nán biàn find it difficult to vindicate or defend oneself ❹〈名 n.〉指人口 people; population: 户~ hù~ registered permanent residence｜三~之家 sān ~ zhī jiā a family of three｜拖家带~ tuōjiā dài~ be tied down by one's family ❺(~儿)〈名 n.〉器物与外面相通的部位 opening (of a container); mouth: 门~儿 mén~r gate｜洞~ dòng~ entrance of a cave｜瓶~儿 píng~r mouth of a bottle｜枪~ qiāng~ muzzle of a gun｜袖~ xiù~ cuff; wristband｜领~ lǐng~ collarband; neckband (~儿)〈名 n.〉出入通过的地方exit; entrance: 出~ chū~ exit｜入~ rù~ entrance｜进~ jìn~ entrance｜街~儿 jiē~r crossing of a street｜渡~ dù~ ferry crossing｜关~ guān~ strategic pass; juncture ❼〈名 n.〉特指中国长城的关口 esp. gateway of the Great Wall: 喜峰~ Xǐfēng ~ Xifeng Pass｜古北~ Gǔběi ~ Gubei Pass｜~外 ~wài area north of Zhangjiakou, Hebei Province ❽〈名 n.〉专业方向; 行业归口 special field of study; department; system involving sections of identical or similar character: 文教~ wénjiào ~ departments of culture and education affairs｜财贸~ cáimào ~ financial and trade circles｜他从事的工作与他所学专业不对。~ Tā cóngshì de gōngzuò yǔ tā suǒ xué zhuānyè bú duì~. His job is not suited to his special training. ❾〈名 n.〉人体或物体破裂的部位 cut; tear (of human body or the surface of an object) cut; tear: 伤~ shāng~ wound; cut｜破~ pò~ crack｜裂~ liè~ split｜衣服撕了个~儿。Yīfu sīle gè ~r. A hole was torn in the dress. ❿〈名 n.〉指刀剪的锋刃 blade; edge of a knife, scissors, etc.: 刀~ dāo~ the edge of a knife｜这把剪子还没开~。Zhè bǎ jiǎnzi hái méi kāi ~. The edge of this pair of scissors has not been sharpened. ⓫〈名 n.〉指牲口的年龄 (可从牙齿的多少看出来) age of a draught animal (known from the number of teeth): 三岁~ sān suì ~ three years of age｜这匹马~还轻。Zhè pǐ mǎ ~ hái qīng. This horse is still young. ⓬〈量 meas.〉用于人或牲畜 of human beings or animals: 一家三~ yì jiā sān ~ a family of three｜三~猪 sān ~ zhū three pigs ⓭〈量 meas.〉用于带口带刃的某些东西 of things with an opening or edge: 一~井 yì ~ jǐng a well｜一~剑 yì ~ jiàn a sword ⓮〈量 meas.〉用于口腔动作的次数 indicating the number of actions of the mouth: 他吃两~馒头就上班去了。Tā chī liǎng ~ mántou jiù shàngbān qù le. He took several bites of steamed bread before going to work.｜让蚊子叮了一~ ràng wénzi dīngle yì ~ be stung by a mosquito ⓯〈量 meas.〉用于言语说话 (只能用‘一口’不能用其他数词) indicating language speaking (only expressed as '一口yìkǒu', and no other classifiers are allowed): 他能说一~标准的普通话。Tā néng shuō yì ~ biāozhǔn de pǔtōnghuà. He can speak standard Chinese. ⓰〈量 meas.〉用于棺木 of coffins: 一~楠木棺材 yì ~ nánmù guāncai a nanmu coffin

⁴ 口岸 kǒu'àn〈名 n.〉港口; 也泛指在边境设立的过境或贸易地点 port; generally refer to a transit or trading place on the border: 通商~ tōngshāng ~ trading port｜~城市 ~chéngshì port city

² 口袋 kǒudai ❶ (~儿)〈名 n.〉(个gè、只zhǐ) 用布、纸、皮子等材料制成的装东西的用

具 bag; sack; container made of cloth, leather, etc.: 布～*bù* ~ cloth bag｜纸～儿 *zhǐ* ~*r* paper bag｜皮～*pí* ~ leather bag｜塑料～*sùliào* ~ plastic bag ❷〈名 *n.*〉(个 *gè*) 衣服上的兜儿 pocket: 这件西服共有五个～儿，外面三个里面两个。*Zhè jiàn xīfú gòng yǒu wǔ gè* ~*r*, *wàimian sān gè lǐmian liǎng gè.* This suit has altogether five pockets, three outside and two inside. ❸〈量 *meas.*〉用于袋装的东西 of things in bags: 一～面粉 *yì* ~ *miànfěn* a bag of flour｜五～水泥 *wǔ* ~ *shuǐní* five bags of cement

² 口号 kǒuhào〈名 *n.*〉用于呼喊的、带鼓动性的短句子 slogan; sound byte; brief phrase or sentence used in advertising or promotion: 喊～*hǎn* ~ shout slogans｜标语～*biāoyǔ* ~ posters and slogans

³ 口气 kǒuqì ❶〈名 *n.*〉说话时流露出的感情色彩 tone; note: 谦虚的～*qiānxū de* ~ modest tone｜傲慢的～*àomàn de* ~ arrogant tone｜命令的～*mìnglìng de* ~ demanding tone｜埋怨的～*mányuàn de* ~ tone of complaint｜赞许的～*zànxǔ de* ~ tone of praise｜他经常用教训人的～说话。*Tā jīngcháng yòng jiàoxùn rén de* ~ *shuōhuà.* He often speaks in a scolding tone. ❷〈名 *n.*〉指说话的气势 manner of speaking: ～不小～*bùxiǎo* talk big｜～强硬～*qiángyìng* speak with firmness｜～缓和～*huǎnhé* easy tone ❸〈名 *n.*〉言外之意；口风 what is actually meant; implication: 听他的～这事可能办不成。*Tīng tā de* ~ *zhè shì kěnéng bàn bù chéng.* Judging from his tone, this matter may fall through.｜这件事行不行，你去探探～再说。*Zhè jiàn shì xíng bù xíng, nǐ qù tàntàn* ~ *zài shuō.* Go and sound him out before judging whether it is workable or not.

⁴ 口腔 kǒuqiāng〈名 *n.*〉口内的空间 oral cavity: ～卫生～*wèishēng* oral hygiene｜医院～*yīyuàn* stomatological hospital｜～内有牙齿、舌头、唾液等器官。~*nèi yǒu yáchǐ, shétou, tuòxiàn děng qìguān.* Inside the oral cavity are teeth, tongue and salivary glands, etc.

³ 口试 kǒushì〈名 *n.*〉考试方式的一种，要求应试者口头回答问题（区别于‘笔试’）oral test; oral examination (different from ‘笔试 bǐshì’): 明天有英语～。*Míngtiān yǒu Yīngyǔ* ~. There will be an English oral test tomorrow.｜他的～成绩很好。*Tā de* ~ *chéngjì hěn hǎo.* He's got an excellent result in the oral test.｜英语考试除笔试外又增加了～。*Yīngyǔ kǎoshì chú bǐshì wài yòu zēngjiāle* ~. Besides written test, oral test is also added to the English examination.

³ 口头 kǒutóu ❶〈形 *adj.*〉用话语来表达的（区别于‘书面’）oral; verbal (different from ‘书面 shūmiàn’): ～汇报～*huìbào* oral report｜～通知～*tōngzhī* notify orally ❷〈名 *n.*〉只有话语没有行动（区别于‘思想’‘行动’）in words (different from ‘思想 sīxiǎng’ or ‘行动 xíngdòng’): 这件事他～上答应办。*Zhè jiàn shì tā* ~ *shang dāying bàn.* He promised in words to handle this affair.｜别看他～说得好听，心里还不知怎么想的呢。*Bié kàn tā* ~ *shuō de hǎotīng, xīnli hái bù zhī zěnme xiǎng de ne.* What he says sounds nice, but it is hard to know what is in his mind.

¹ 口语 kǒuyǔ〈名 *n.*〉口头交谈时使用的语言（区别于‘书面语’）spoken language (different from ‘书面语 shūmiànyǔ’): ～能力～*nénglì* ability in spoken language｜～水平～*shuǐpíng* proficiency of spoken language｜这个词在～里经常使用。*Zhège cí zài* ~ *li jīngcháng shǐyòng.* This word is often used in spoken language.

² 扣 kòu ❶〈动 *v.*〉套住；搭上 buckle; button up: ～扣子～*kòuzi* do up the buttons｜把窗户～上。*Bǎ chuānghu* ~ *shang.* Bolt the windows. ❷〈动 *v.*〉指器物口朝下放置或覆盖他物 place a cup, bowl, etc., upside down; cover with an inverted cup, bowl, etc.: 把花盆～在地上。*Bǎ huāpén* ~ *zài dìshang.* Turn the flowerpot upside down on the ground.｜茶盘上～着几只杯子。*Chápán shang* ~ *zhe jǐ zhī bēizi.* Several cups were placed

upside down on the plate. ｜用盘子把饭碗～起来。*Yòng pánzi bǎ fànwǎn ～ qǐlái.* Cover the bowls with plates. ❸〈动 v.〉比喻安上不好的名义 label; brand sb. with unwarranted or unfavorable labels: ～帽子～*màozi* put a label on sb. ｜～上罪名～*shàng zuìmíng* accuse sb. of crimes ❹〈动 v.〉用强制手段截留 detain; arrest; apprehend; take into custody: ～留人质～*liú rénzhì* detain the hostage; hold sb. hostage ｜～押罪犯～*yā zuìfàn* arrest the criminal ｜～压信件～*yā xìnjiàn* withhold letters ｜～发工资～*fā gōngzī* deduct part of one's pay; dock one's pay ❺〈动 v.〉打动;吸引 move; attract: ～人心弦 ～*rén-xīnxián* (of literature, performance, etc.) exciting; breath-taking; appealing ❻〈动 v.〉用力自上而下地掷或击打 smash or spike: ～杀～*shā* smash or spike (the ball) ｜～球～*qiú* smash a ball ｜～篮～*lán* dunk shot; over-the-rim shot ❼〈动 v.〉枪械发射 (of guns) fire: ～扳机～*bānjī* pull the trigger ❽〈动 v.〉从总额中减去一部分 deduct (from an amount) ｜折～*zhé~* discount ｜～除～*chú* deduct ｜克～ *kè~* embezzle part of what should be issued to others ｜七折八～*qīzhé-bā~* various deductions ❾〈名 n.〉衣服、提包、箱子等物品用来固定或合拢的部件 button; buckle; strap: 纽～*niǔ~* button ｜衣～*yī~* clothes button ｜暗～*àn~* hidden button ｜尼龙～*nílóng~* nylon button ｜搭～*dā~* strap ❿〈名 n.〉绳结 knot: 绳～*shéng~* knot in a rope ｜活～*huó~* slipknot ｜死～*sǐ~* a fast knot ⓫〈名 n.〉螺纹的一圈叫一扣 loop of thread (on a screw): 螺～*luó~* screw thread

³ 枯 kū ❶〈形 adj.〉指植物失去水分 wither; (of plants) lose water: ～萎～*wěi* wither ｜草～*cǎo* withered grass ｜～树～*shù* dead tree ｜～木逢春 (比喻重获生机)～*mù-féngchūn* (*bǐyù chónghuò shēngjī*) spring comes to the withered tree. (*fig.* get a new lease of life) ❷〈形 adj.〉干涸;没有水 be dried up; without water: ～井～*jǐng* dried-up well ｜水源～竭了。*Shuǐyuán ～jié le.* Water sources dry up. ❸〈形 adj.〉单调;没有趣味 dull; uninteresting: ～燥～*zào* dry and dull ❹〈动 v.〉变干;用尽 become dried up; use up: 海～石烂 (形容历经极长的时间,多用于誓言)*hǎi～shílàn* (*xíngróng lìjīng jí cháng de shíjiān, duō yòngyú shìyán*) even if the seas should run dry and the rocks should crumble (last for a long time. usu. used in an oath) ｜河流干～了。*Héliú gān～ le.* The river has run dry.

⁴ 枯燥 kūzào〈形 adj.〉单调,没有趣味 dry and dull; uninteresting: ～乏味～*fáwèi* dry as dust ｜生活～*shēnghuó ～* lead a dull life ｜他整天与～的数字打交道。*Tā zhěngtiān yǔ ～ de shùzì dǎ jiāodào.* He deals with dull figures everyday. ｜这部小说内容十分～。*Zhè bù xiǎoshuō nèiróng shífēn ～.* The novel is very dull.

¹ 哭 kū〈动 v.〉因痛苦悲伤或感情激动而流泪,有时还伴有悲痛的声音 (与'笑'相对) cry; weep; express deep sorrow or agitation by shedding tears (opposite to '笑 *xiào*'): ～泣～*qì* sob; weep; cry softly ｜～诉～*sù* complain tearfully ｜啼～*tí~* cry; wail ｜痛～一场 *tòng～ yì chǎng* cry bitterly; wail ｜放声大～*fàngshēng dà～* cry loudly ｜～～啼啼～～*títí* cry and wail; cry without end ｜～丧着脸～*sàngzhe liǎn* with displeasure written on one's face ｜～笑不得 (形容处境尴尬,不知如何是好)～*xiào-bùdé* (*xíngróng chǔjìng gāngà, bù zhī rúhé shì hǎo*) not know whether to laugh or to cry (find sth. both funny and annoying; be in an awkward dilemma and at a loss)

³ 窟窿 kūlong ❶〈名 n.〉洞;孔 hole; cavity: 冰～*bīng~* ice hole ｜圆～*yuán~* round hole ｜他抽烟不小心,烟头把衣服烧了一个～。*Tā chōuyān bù xiǎoxīn, yāntóu bǎ yīfu shāole yí gè ～.* Being careless when smoking, he burnt a hole on his coat. ❷〈名 n.〉指经济上的亏空 deficit; debt: 经济上的～怎么堵? *Jīngjì shang de ～ zěnme dǔ?* How to make up the economic deficit? ｜要设法填补财政支出的～。*Yào shèfǎ tiánbǔ cáizhèng* *zhīchū de* ~. We should try to meet the expenditure. ❸〈名 n.〉指工作中的漏洞 loophole; flaw: 堵住税收工作中的~。*Dǔzhù shuìshōu gōngzuò zhōng de* ~. Plug up loopholes in taxation

¹ **苦** kǔ ❶〈形 adj.〉人的味觉的一种，其味与胆汁相近（与‘甘’‘甜’相对）bitter (opposite to '甘 gān' or '甜 tián'): ~胆~*dǎn* gallbladder | ~水~*shuǐ* bitter water | 这中药真~。*Zhè zhōngyào zhēn* ~. This Chinese traditional medicine tastes very bitter. ❷〈形 adj.〉难受; 痛苦（与‘乐’相对）painful (opposite to '乐 lè'): ~闷~*mèn* depressed; feeling low | ~难~*nàn* misery; pain; tribulation | ~恼~*nǎo* vexed; worried | 愁眉~脸 *chóuméi-~liǎn* pull a long face | ~尽甘来。~*jìn-gānlái*. When the bitterness ends then comes the sweet. ❸〈形 adj. 方 dial.〉除去得太多; 损耗得过头 cut off too much; be worn out: 你把指甲剪得太~了。*Nǐ bǎ zhǐjia jiǎn de tài* ~ *le*. You have trimmed your nails too short. ❹〈副 adv.〉努力地; 有耐心地 painstakingly; doing one's utmost: ~干 ~*gàn* work hard | ~读 ~*dú* study hard | 下~功 xià ~*gōng* make painstaking effort | 勤学~练 qínxué-~*liàn* study and train hard | ~口婆心（形容怀着像老太太那样慈爱的心, 恳切地劝告）~*kǒu-póxīn* (*xíngróng huáizhe xiàng lǎotàitai nàyàng cí'ài de xīn, kěnqiè de quàngào*) advice in earnest words and with good intentions (*fig.* persuade or admonish as earnestly and patiently as a kind old lady does) ❺〈动 v.〉使难受; 使痛苦 cause sb. so much pain; give sb. a hard time: 自己受点儿苦不要紧, 可不能~了孩子 *Zìjǐ shòu diǎnr kǔ bú yàojǐn, kě bù néng* ~*le háizi*. It doesn't matter for ourselves to suffer hardships and we should not let our children have a hard time. ❻〈动 v.〉苦于; 因某种情况而痛苦、难受或困扰 suffer from; be troubled by: ~夏 ~*xià* lose appetite and weight in high summer | ~旱 ~*hàn* suffer from drought ❼〈名 n.〉磨难; 苦头 misery; suffering: 他从小吃过不少。*Tā cóngxiǎo chīguo bùshǎo* ~. He suffered a lot in his childhood.

⁴ **苦难** kǔnàn ❶〈名 n.〉痛苦和灾难（与‘幸福’相对）misery; pain; tribulation (opposite to '幸福 xìngfú'): 我忘不了过去受过的~。*Wǒ wàng bù liǎo guòqù shòuguo de* ~. I cannot forget the miseries I experienced in the past. | 战争给人们带来深重的~。*Zhànzhēng gěi rénmen dàilái shēnzhòng de* ~. War brings great distress to people. ❷〈形 adj.〉受苦受难的（与‘幸福’相对）experiencing hard times or miseries (opposite to '幸福 xìngfú'): ~的生活 ~*de shēnghuó* miserable life | ~的日子 ~*de rìzi* days of suffering | 我们怎么会忘记那~的岁月呢。*Wǒmen zěnme huì wàngjì nà* ~ *de suìyuè ne*. How can we forget those miserable days?

⁴ **苦恼** kǔnǎo 〈形 adj.〉痛苦与烦恼 vexed; worried: 他遇到了~的事。*Tā yùdàole* ~ *de shì*. He came across a vexing problem. | 这件事使他十分~。*Zhè jiàn shì shǐ tā shífēn* ~. It worried him so much.

⁴ **库** kù ❶〈名 n.〉储存物资、钱财等的场地或建筑物 warehouse; storehouse; places or structures for housing materials, money, etc.: 仓~ *cāng*~ storehouse | 粮~ *liáng*~ barn | 油~ *yóu*~ oil depot; tank farm | 水~ *shuǐ*~ reservoir | 国~ *guó*~ state treasury | 弹药~ *dànyào*~ ammunition depot | 飞机~ *fēijī*~ hangar ❷〈名 n.〉电荷量单位‘库仑’的简称 coulomb, abbr. for '库仑 kùlún'

⁴ **库存** kùcún 〈名 n.〉指仓库中存放的钱财或物资 stock; reserve; money or materials kept in stock: ~增加 ~*zēngjiā* the increase of stock | 这种商品的~已经不多了。*Zhè zhǒng shāngpǐn de* ~ *yǐjīng bù duō le*. Not much of this goods is left in the stock. | 年底要清点一下~。*Niándǐ yào qīngdiǎn yíxià* ~. Make an inventory of all the stock at the end of the year.

⁴ 库房 kùfáng 〈名 n.〉(座 zuò、间 jiān) 储存财物的房屋 storehouse; storeroom：兴建~ *xīngjiàn* ~ build storehouse | 管理~ *guǎnlǐ* ~ manage storehouse | 他是~管理员。*Tā shì* ~ *guǎnlǐyuán.* He is an administrator of a storehouse.

² 裤子 kùzi 〈名 n.〉穿在腰部以下有裤裆裤腿的衣服 trousers; pants：这条~太肥了。*Zhè tiáo* ~ *tài féi le.* This pair of trousers is too big. | 你试一下这条~的长短 *Nǐ shì yíxià zhè tiáo* ~ *de chángduǎn.* Try on this pair of trousers to see whether it fits you. | 她喜欢穿裙子，不喜欢穿~。*Tā xǐhuan chuān qúnzi, bù xǐhuan chuān* ~. She prefers skirts to pants.

³ 夸 kuā 〈动 v.〉❶ 把事情说得超过原有的程度；夸大 exaggerate; overstate; boast：~张 ~*zhāng* exaggerate; overstate | ~大其词 ~*dà-qící* make an overstatement; puff sth. up | ~海口 ~*hǎikǒu* brag about; talk big ❷ 〈动 v.〉称赞 praise：~奖 ~*jiǎng* praise | ~赞 ~*zàn* speak highly of | 你别再~我了，~得我怪不好意思的。*Nǐ bié zài* ~ *wǒ le,* ~ *de wǒ guài bù hǎoyìsi de.* Don't praise me any more. I feel rather embarrassed.

⁴ 夸奖 kuājiǎng 〈动 v.〉用语言对人或事物表示称赞 praise; commend：父母~孩子。*Fùmǔ* ~ *háizi.* Parents praise their children. | 他的服务态度受到人们的~。*Tā de fúwù tàidù shòudào rénmen de* ~. He has been praised for his attitude in attending guests. | 取得这样好的成绩，值得~。*Qǔdé zhèyàng hǎo de chéngjì, zhídé* ~. It is praise-worthy to have made such a great achievement.

³ 垮 kuǎ 〈动 v.〉❶ 倒塌；坍塌 collapse; fall; break down：冲~ *chōng* ~ burst; shatter | 震~ *zhèn* ~ shock down | 挤~ *jǐ* ~ crush down | ~台 ~*tái* collapse; fall from power | 这幢楼房炸~了。*Zhè zhuàng lóufáng zhà* ~ *le.* This building was blasted. ❷ 〈动 v.〉溃败 be defeated; be routed：打~了敌人的进攻。*Dǎ* ~ *le dírén de jìngōng.* The enemy's attack was routed. ❸ 〈动 v.〉身体支撑不住 (of the body) cannot support：干活悠着点儿，别把身体给~了。*Gànhuó yōuzhe diǎnr, bié bǎ shēntǐ gěi lèi* ~ *le.* Take it easy. Don't wear yourself down by hard work.

⁴ 挎 kuà 〈动 v.〉❶ 弯曲起胳膊挽住或钩住 carry sth. on the arm：她~着篮子上街买菜去了。*Tā* ~ *zhe lánzi shàngjiē mǎi cài qù le.* With a basket on her arm, she went to the market to do some shopping. | 他俩~着胳膊逛马路。*Tā liǎ* ~ *zhe gēbo guàng mǎlù.* The two of them traipsed around the streets arm in arm. ❷ 〈动 v.〉把物品挂在肩、脖颈或腰部 carry sth. over one's shoulder, around one's neck or waist：肩上~着背包 *jiān shang* ~ *zhe bēibāo* have a backpack slung over one's shoulder | 脖子上~着照相机 *bózi shang* ~ *zhe zhàoxiàngjī* have a camera slung around one's neck | 腰上~着手枪 *yāo shang* ~ *zhe shǒuqiāng* have a handgun slung around one's waist

² 跨 kuà 〈动 v.〉❶ 抬腿向前或左右迈步 stride (forward or sideways)：向前~一步 *xiàng qián* ~ *yí bù* take a step forward | 向左~两步 *xiàng zuǒ* ~ *liǎng bù* take two steps to the left | ~进门槛 ~*jìn ménkǎn* step through a threshold | ~越栏杆 ~*yuè lángān* get over the railing ❷ 〈动 v.〉指人的两腿分开坐着或桥梁等物体架于两端 bestride; straddle; stand or sit with legs wide apart：~在马上 ~*zài mǎ shang* sit on the horse | ~在双杠上 ~*zài shuānggàng shang* bestride on the parallel bars | 大桥横~大江两岸。*Dà qiáo héng* ~ *dà jiāng liǎng àn.* The big bridge sits astride the river. ❸ 〈动 v.〉超越一定界限 outstrip; go beyond certain limits：~世纪 ~*shìjì* beyond the century | ~年度 ~*niándù* span the years | ~行业 ~*hángyè* beyond trade boundaries | ~国公司 ~*guó gōngsī* transnational corporation

⁴ 会计 kuàijì 〈名 n.〉❶ 监督和管理财务活动的工作 accounting：~工作 ~*gōngzuò* accounting | ~科 ~*kē* accounting department ❷ 〈名 n.〉(名 míng、个 gè、位 wèi) 指从

事会计工作的人 accountant; bookkeeper: ~员 ~*yuán* bookkeeper | ~师 ~*shī* certified accountant; chief accountant | 他在公司里担任~。 *Tā zài gōngsī li dānrèn ~.* He is an accountant in the company.

块 kuài ❶ (~儿) 〈名 *n.*〉各种形状的固体物体 piece; lump; chunk: 土~儿 *tǔ* ~*r* a lump of earth | 石~儿 *shí* ~*r* stone block; rock | 冰~儿 *bīng* ~*r* ice cubic | 糖~儿 *táng* ~*r* hard candy; lumps of sugar ❷ 〈量 *meas.*〉用于块状或某些片状的物体 used for sth. shaped like lumps or chunks: 一~蛋糕 *yí* ~ *dàngāo* a piece of cake | 两~香皂 *liǎng* ~ *xiāngzào* two cakes of soap | 楼顶上挂着一~广告牌。 *Lóu dǐng shang guàzhe yí* ~ *guǎnggào pái.* Hung on the top of the building is a billboard. | 我买了两~浴巾。 *Wǒ mǎile liǎng ~ yùjīn.* I bought two bath towels. ❸ 〈量 *meas.*〉用于指钱币，等于'元' used for money, equal to '元*yuán*': 一~钱 *yí* ~ *qián* one yuan | 这件衣服花了两千~钱。 *Zhè jiàn yīfu huā le liǎng qiān ~ qián.* This clothes costed 2,000 *yuan*.

快 kuài ❶ 〈形 *adj.*〉高速；费时短 (与'慢'相对) fast; quick; rapid; swift (opposite to '慢*màn*'): ~车 ~*chē* express train; express bus | ~递 ~*dì* express delivery | ~件 ~*jiàn* express goods, parcels and luggage | ~门 ~*mén* (camera) shutter | ~艇 ~*tǐng* speedboat; motor boat | ~讯 ~*xùn* newsflash | ~嘴 ~*zuǐ* one who readily voices his thoughts | ~马加鞭 (比喻快上加快) ~*mǎ-jiābiān* (*bǐyù kuàishang jiā kuài*) spur the flying horse (redouble one's speed; at top speed) ❷ 〈形 *adj.*〉快慢的程度 rate; speed: 你的百米跑有多~？ *Nǐ de bǎi mǐ pǎo yǒu duō* ~? How fast can you run in 100-meter dash? | 这种汽车一小时能开多~？ *Zhè zhǒng qìchē yì xiǎoshí néng kāi duō* ~? How fast can this car go per hour? ❸ 〈形 *adj.*〉灵敏 quick-witted; clever; nimble: 反应~ *fǎnyìng* ~ quick in reaction | 脑子~ *nǎozi* ~ have a quick mind | 手脚~ *shǒujiǎo* ~ nimble; agile ❹ 〈形 *adj.*〉爽直 straightforward; forthright; plain-spoken: 爽~ *shuǎng* ~ straightforward | 人~语 ~*rén* ~*yǔ* straight talk from a straightforward person ❺ 〈形 *adj.*〉高兴；舒畅 pleased; happy; gratified: ~感 ~*gǎn* pleasant sensation; delight | ~活 ~*huó* happy | ~乐 ~*lè* happy; joyful | ~痛 ~*tòng* very happy; delightful; to one's heart's content | ~愉 ~*yú* happy; cheerful | 拍手称~(多指仇恨得到消除时兴奋的样子) *pāishǒu-chēng*~ (*duō zhǐ chóuhèn dédào xiāochú shí xīngfèn de yàngzi*) clap one's hands with joy (oft. on being avenged) | 大~人心(指坏人受到应有的惩罚，使人们心里感到非常痛快) *dà*~*rénxīn* (*zhǐ huàirén shòudào yīngyǒu de chéngfá, shǐ rénmen xīnli gǎndào fēicháng tòngkuai*) most gratifying to the people (usu. of the punishment of an evil-doer, affording general satisfaction) ❻ 〈形 *adj.*〉锋利 (与'钝'相对) sharp (opposite to '钝 *dùn*'): 这把刀真~。 *Zhè bǎ dāo zhēn* ~. This knife is very sharp. | 这把剪子不~了，该磨一磨了。 *Zhè bǎ jiǎnzi bú* ~ *le, gāi mó yì mó le.* This pair of scissors is blunt, so it needs sharpening. ❼ 〈副 *adv.*〉赶快；从速 hurry up; make haste: ~走 ~*zǒu* get away quickly | ~跑 ~ *pǎo* run quickly | ~来 ~*lái* come over quickly | ~去 ~ *qù* go there immediately | ~说 ~*shuō* talk straightforwardly | ~把报纸递给我。 ~ *bǎ bàozhǐ dì gěi wǒ.* Pass me the newspaper quickly. ❽ 〈副 *adv.*〉快要到；将要到 soon; be about to: 他在这家公司工作~30年了。 *Tā zài zhè jiā gōngsī gōngzuò* ~ *sānshí nián le.* He has been working in this company for nearly 30 years. | 你在等会儿，他~回来了。 *Nǐ zài děng huìr, tā* ~ *huílái le.* Please wait a little longer, he will be back soon.

快餐 kuàicān 〈名 *n.*〉(份 fèn) 预先做好的、能够迅速提供给顾客食用的饭食 quick meal; fastfood; takeout: 西式 ~ *xīshì* ~ Western-style fastfood | 中式 ~ *zhōngshì* ~ Chinese fastfood

快活 kuàihuo 〈形 *adj.*〉愉快；快乐 happy; merry; cheerful: 你看他那个~的样子，准有好

事儿。*Nǐ kàn tā nà ~ de yàngzi, zhǔn yǒu hǎoshìr.* Look at his cheerful look! There must be something good for him. ｜这个周末玩儿得真～。*Zhège zhōumò wánr de zhēn ~.* We really had a good time this weekend.

² **快乐** kuàilè〈形 *adj.*〉愉快；欢乐 happy; joyful; cheerful：祝你生日～。*Zhù nǐ shēngrì ~.* Happy birthday to you! ｜～的小鸟在枝头欢唱。*~ de xiǎo niǎo zài zhī tóu huānchàng.* Happy birds are singing on the twigs. ｜我们度过了一个～的假日。*Wǒmen dùguòle yí gè ~ de jiàrì.* We have had a happy holiday.

⁴ **快速** kuàisù〈形 *adj.*〉速度快；迅速 fast; quick; high-speed：～前进 *qiánjìn* advance at high speed ｜～生长 *shēngzhǎng* grow quickly ｜～行军 *xíngjūn* forced march ｜部队～*bùduì* mobile force ｜～摄影机 *shèyǐngjī* high-speed video camera

² **筷子** kuàizi〈名 *n.*〉(双 shuāng、只 zhī、根 gēn、把 bǎ) 用竹、木、金属等材料制成的细长棍状的餐具 chopsticks：一双～ *yì shuāng* ~ a pair of chopsticks ｜竹～ *zhú* ~ bamboo chopsticks ｜西方人不习惯使用～。*Xīfāngrén bù xíguàn shǐyòng ~.* Westerners are not used to chopsticks.

² **宽** kuān ❶〈形 *adj.*〉横向的距离大（与‘窄’相对）wide (opposite to '窄 zhǎi')：～大 *dà* large ｜广～ *guǎng* vast ｜～敞 *chang* spacious ｜银幕电影 ~*yínmù diànyǐng* wide-screen film ❷〈形 *adj.*〉范围广（与‘窄’相对）broad (opposite to '窄 zhǎi')：你管得太～了。*Nǐ guǎn de tài ~ le.* You have mind too many things. ｜他的知识面很～。*Tā de zhīshimiàn hěn ~.* He has a very wide range of knowledge. ❸〈形 *adj.*〉宽大；不严厉；能包容 generous; lenient：～待 *dài* treat with leniency ｜～和 *hé* generous and easy-going ｜～厚 *hòu* thick and broad; tolerant and generous ｜～让 *ràng* tolerate and give in ｜～容 *róng* tolerant; lenient ｜～宏大量 *hóng-dàliàng* broad-minded; magnanimous ❹〈形 *adj.*〉富余 comfortably off; well-off：～绰 *chuò* commodious; spacious (of mind) relieved ｜～余 *yú* well-off ｜生活越过越～裕。*Shēnghuó yuè guò yuè ~yù.* Life is getting better and better. ❺〈形 *adj.*〉(心胸) 开阔；肚量大 (of mind) magnanimous; open-minded：量大心～ *liàngdà-xīn~* be magnanimous ｜心～体胖 *xīn~-tǐpàng* carefree and contented; fat and happy ❻〈名 *n.*〉指宽度 width：长方形的面积等于长乘～。*Chángfāngxíng de miànjī děngyú cháng chéng ~.* The area of a rectangle equals its length multiplying its width. ｜这张桌子～多少？*Zhè zhāng zhuōzi ~ duōshao?* What is the width of this table? ❼〈动 *v.*〉放宽；使松缓 relax; ease：～解 *jiě* ease sb.'s anxiety ｜～心儿 *~xīnwánr* consolatory words ｜这笔款子请你再～限几天。*Zhè bǐ kuǎnzi qǐng nǐ zài ~xiàn jǐ tiān.* As to this sum of money, please extend the deadline for a few more days.

⁴ **宽敞** kuānchang〈形 *adj.*〉宽阔；敞亮 roomy; spacious; commodious：这间客厅既～，又明亮。*Zhè jiān kètīng jì ~, yòu míngliàng.* This living room is both spacious and bright. ｜这地方有点儿窄，能不能找个～的地方。*Zhè dìfang yǒudiǎnr zhǎi, néng bù néng zhǎo gè ~ de dìfang.* This place is somewhat small. Would you please find somewhere more spacious?

⁴ **宽大** kuāndà ❶〈形 *adj.*〉面积和容积大（与‘窄小’相对）large in area and dimension (opposite to '窄小 zhǎixiǎo')：这间屋子十分～。*Zhè jiān wūzi shífēn ~.* This room is very spacious. ｜衣服不太合身，显得有点儿～。*Yīfu bú tài héshēn, xiǎnde yǒudiǎnr ~.* These clothes does not fit well. It looks oversized. ❷〈形 *adj.*〉指对人宽容厚道 lenient; magnanimous; generous：～为怀 *~wéihuái* be magnanimous (with an offender); be lenient ｜心怀 *xīnhuái* ~ magnanimous ❸〈形 *adj.*〉(对犯错误或犯罪的人处理) 从轻（与‘严厉’相对）show leniency (towards an offender or a criminal) (opposite to '严

厉yánlì'）：对他来说，降职处分是够～的。Duì tā láishuō, jiàngzhí chǔfēn shì gòu ~ de. It's rather lenient punishment for him to get demoted.

⁴宽广 kuānguǎng ❶〈形 adj.〉面积和范围大（与'狭窄''窄小'相对）broad; extensive; vast（opposite to '狭窄xiázhǎi' or '窄小zhǎixiǎo'）：道路～dàolù ~ wide road｜～的田野 ~ de tiányě broad expanse of open country ❷〈形 adj.〉开阔（与'狭隘'相对）wide; open-minded（opposite to '狭隘xiá'ài'）：视野～shìyě ~ wide field of vision｜心胸～xīnxiōng ~ broad-minded

³宽阔 kuānkuò ❶〈形 adj.〉横向距离大；面积大（与'狭窄'相对）wide; broad（opposite to '狭窄xiázhǎi'）：～的地势 ~ de dìshì vast terrain｜～的水面 ~ de shuǐmiàn vast expanse of water｜～的前额 ~ de qián'é broad forehead ❷〈形 adj.〉思想、性格开朗（与'狭隘'相对）broad-minded（opposite to '狭隘xiá'ài'）：思路～sīlù ~ broad-minded｜～的胸襟 ~ de xiōngjīn broad-minded｜～的眼界 ~ de yǎnjiè broad vision

²款 kuān ❶〈名 n.〉指钱；款项 money; funds：存～cún~ deposit; savings｜取～qǔ~ draw money（from the bank）｜汇～huì~ remit money; remittance｜借～jiè~ borrow or lend money｜现～xiàn~ cash｜公～gōng~ public funds｜贷～购房 dài~ gòufáng purchase an apartment by loan ❷〈名 n.〉法律、条约、规章、合同等条文里分的项目 clause; article; section of an article in a law, code, or treaty, etc.：第一条第一～dì-yī tiáo dì-yī~ Article 1, Clause 1｜第二第二项 dì-èr dì-èr xiàng Clause 2, Item 2 ❸〈名 n.〉书画作品上题的作者和赠送对象的姓名或书信末尾的署名 name of the sender or recipient inscribed on a painting or a piece of calligraphy presented as a gift：上～shàng~ name of the recipient｜下～xià~ name of the donor｜题～tí~ inscribe one's name｜落～luò~ colophon ❹（～儿）〈名 n.〉规格；样式 style; pattern; design：～式新颖 ~ shì xīnyǐng brand-new design｜这～儿上衣挺时尚。Zhè ~r shàngyī tǐng shíshàng. Jackets of this design are quite fashionable. ❺〈名 n.〉对某些很有钱的人的称呼 indicating those having much money：～爷～yé rich man｜大～dà~ tycoon｜傍大～bàng dà~（of a girl）find a sugar daddy; be a mistress for a rich man; lean on moneybags ❻〈动 v.〉招待 treat; entertain：～待~dài treat cordially｜设宴相～shè yàn xiāng~ hold a banquet to entertain ❼〈量 meas.〉用于计量衣服的式样或食物的品种 used for counting garment styles or varieties of food：三～女式大衣 sān ~ nǚshì dàyī three women's heavy coats｜五～点心 wǔ ~ diǎnxīn five kinds of pastries ❽〈形 adj. 书 lit.〉缓慢 slow; leisurely：～步走上讲台。~bù zǒu shàng jiǎngtái. Walk onto the podium with deliberate steps.

³款待 kuǎndài〈动 v.〉亲切、优厚地招待 treat cordially; entertain：～客人 ~ kèrén entertain guests｜他在家里热情～多年不见的老朋友。Tā zài jiālǐ rèqíng ~ duōnián bú jiàn de lǎo péngyou. He entertained at home an old friend whom he had not seen for years.

³筐 kuāng ❶〈名 n.〉用竹篾、柳条、荆条等材料编成的器具 basket; container woven with bamboo strips, wicker, twigs of the chaste tree, etc.：箩～luó~ a large bamboo or wicker basket｜竹～zhú~ bamboo basket｜柳条～liǔtiáo~ wicker basket ❷〈量 meas.〉计量用筐盛的东西 measurement for goods held by baskets：一～水果 yì ~ shuǐguǒ a basket of fruits｜一～土 yì ~ tǔ a basket of earth

³狂 kuáng ❶〈副 adv.〉无拘无束地；纵情地（多指欢乐）（mostly out of joy）unrestrained; heartily：～欢 ~huān carnival｜～喜 ~xǐ jubilant｜～笑 ~xiào laugh wildly｜～饮 ~yǐn drink like a bull ❷〈形 adj.〉猛烈；声势大 violent：～风暴雨 ~fēng-bàoyǔ fierce wind and torrential rain｜万丈～澜wànzhàng ~lán raging waves｜～潮 ~cháo rushing tide | ~奔的野马~*bēn de yěmǎ* galloping wild horse ❸〈形 *adj.*〉精神失常；疯狂 mad; crazy：癫~*diān*~ demented; insane; frivolous | ~人~*rén* madman; maniac; extremely arrogant person | ~犬~*quǎn* mad dog; rabid dog | 丧心病~（丧失理智，像发疯一样，形容言行荒谬或残忍可恶到了极点）*sàngxīn-bìng*~（*sàngshī lǐzhì, xiàng fāfēng yíyàng, xíngróng yánxíng huāngmiù huò cánrěn kěwù dàole jídiǎn*）in a frenzy; in such violent mental agitation as to be extremely absurd or brutal（out of one's mind; go insane; be seized by crazy ideas）❹〈形 *adj.*〉傲慢；自大 arrogant; overbearing：~气~ *qì* arrogance; conceit | ~傲~*ào* arrogant | ~妄自大~*wàng-zìdà* arrogant and conceited | 口出~言~*kǒu chū*~*yán* talk wildly

³ **狂风** kuángfēng 〈名 *n.*〉猛烈的风 fierce wind：~暴雨~ *bàoyǔ* fierce wind and torrential storm | ~大作。*dàzuò.* The wind blows widely. | 一阵~刮倒了路旁几棵大树。*Yí zhèn* ~ *guādǎole lù páng jǐ kē dà shù.* A gust of fierce wind blew down several big trees beside the road.

⁴ **狂妄** kuángwàng〈形 *adj.*〉极端的自高自大 insolent; overbearing：~的态度~ *de tàidù* disdainful attitude | ~的口气~*de kǒuqì* arrogant tone | 他的表现实在太~。*Tā de biǎoxiàn shízài tài*~. His behavior is just too arrogant.

⁴ **旷工** kuàng//gōng〈动 *v.*〉（职工）不请假而缺勤（of employees）be absent from（or miss）work without leave：无故~*wúgù*~ absent from work without reason | 他不好好儿工作，经常~。*Tā bù hǎohāor gōngzuò, jīngcháng*~. He doesn't work well and is often absent from his work without leave. | 这个月他已经旷了三次工了。*Zhège yuè tā yǐjīng kuàngle sān cì gōng le.* He has been absent from his work without leave for three times this month.

⁴ **旷课** kuàng//kè〈动 *v.*〉（学生）不请假而缺课（of students）be absent from school without leave; cut classes; skip school; play truant：不许无故~。*Bùxǔ wúgù*~. Being absent from school without leave and reason is not allowed. | 他因迷恋网吧而经常~。*Tā yīn míliàn wǎngbā ér jīngcháng*~. He indulges in the Internet bar and is often absent from school. | 你已经旷了五节课了。*Nǐ yǐjīng kuàngle wǔ jié kè le.* You have cut five classes.

³ **况且** kuàngqiě〈连 *conj.*〉表示更进一层或追加理由。常和'又''也''还'等词配合使用 moreover; besides; in addition（often used with '又*yòu*', '也*yě*', '还*hái*'）：天气这么热，~路又不熟，今天就不去找他了。*Tiānqì zhème rè,* ~ *lù yòu bù shú, jīntiān jiù bú qù zhǎo tā le.* It's too hot. Besides, we are not familiar with the road, so we'd better not to look for him today. | 这里离车站不远，~离开车时间还早，我们就走着去吧。*Zhèlǐ lí chēzhàn bù yuǎn,* ~ *lí kāichē shíjiān hái zǎo, wǒmen jiù zǒuzhe qù ba.* The station is not far away from here. Moreover, we have enough time before the train leaves. Let's walk there. | 时间还早，~大家也不累，我们可以多玩儿一会儿。*Shíjiān hái zǎo,* ~ *dàjiā yě bú lèi, wǒmen kěyǐ duō wánr yíhuìr.* It's still early, and no body is tired, so we may enjoy ourselves a little bit longer.

² **矿** kuàng ❶〈名 *n.*〉指埋藏在地层中的有开采价值的自然界物质 ore; mineral deposit：~藏~*cáng* mineral resources | ~产~*chǎn* mineral products | ~层~*céng* strata of ores | ~脉~*mài* mineral vein; lode | ~石~*shí* ore | ~物~*wù* mineral | ~源~*yuán* mineral resources | 金~*jīn*~ gold mine ❷〈名 *n.*〉指采矿的场所 mine; where mineral ores are mined：~区~*qū* mining area | ~山~*shān* mine | ~坑~*kēng* pit (dug for ore) ❸〈名 *n.*〉指与采矿有关的人或物 people or things related to mining：~车~*chē* mine car; tub; tram | ~工~*gōng* miner | ~警~*jǐng* mine police | ~泉水~*quánshuǐ*

mineral water

矿藏 kuàngcáng 〈名 n.〉地下埋藏的各种矿物的总称 mineral resources; general term for various minerals: ~丰富~ *fēngfù* rich in mineral resources | ~贫乏~ *pínfá* deficient in mineral resources | 中国西部地区有多种自然~有待开发利用。*Zhōngguó xībù dìqū yǒu duō zhǒng zìrán ~ yǒudài kāifā lìyòng.* In the western part of China, many mineral resources remain to be explored.

矿产 kuàngchǎn 〈名 n.〉地壳中有开采价值的自然物质 mineral products; valuable substances in the earth's crust: 中国西部有着丰富的~资源。*Zhōngguó xībù yǒuzhe fēngfù de ~ zīyuán.* The western part of China is rich in mineral resources.

矿井 kuàngjǐng 〈名 n.〉为采矿而在地下修建的井筒和巷道的统称 mine shaft or pit; well-shaft or tunnel built underground for mining: ~建设~ *jiànshè* mine pit building | ~里的瓦斯威胁着矿工的生命安全。*~ li de wǎsī wēixiézhe kuànggōng de shēngmìng ānquán.* Gas in mine pits endangers miners' lives.

矿区 kuàngqū 〈名 n.〉指采矿的地区 mining area: 这个~蕴藏着丰富的铁矿 *Zhège ~ yùncángzhe fēngfù de tiěkuàng.* This mining area is rich in iron ore. | 这是一条~专用的铁路线。*Zhè shì yì tiáo ~ zhuānyòng de tiělùxiàn.* This is a railroad for special use in the mining area.

矿山 kuàngshān 〈名 n.〉指开采矿物的地方，包括矿井和露天采矿场 mine; places of mining, including shafts and open-air stopes: 这座~的规模很大。*Zhè zuò ~ de guīmó hěn dà.* This is a large-scale mine. | 新建的~机械化程度很高。*Xīnjiàn de ~ jīxièhuà chéngdù hěn gāo.* The newly built mine is highly mechanized.

矿石 kuàngshí 〈名 n.〉指含有有用矿物并有开采价值的岩石 ore; rock that contains useful and exploitable minerals: 铁~ *tiě* iron ore | 铜~ *tóng* copper ore

矿物 kuàngwù 〈名 n.〉指地壳中蕴藏的各种有开采价值的自然物质，大部分为固态 mineral; exploitable natural rescources in the earth crust, mostly solid, 寻找~ *xúnzhǎo* explore minerals | 发现~ *fāxiàn* discover minerals | 开采~ *kāicǎi* exploit minerals

框 kuàng ❶〈名 n.〉墙上安装门窗用的架子 frame or casing set in the wall for installing a door or window: 门~ *mén* door frame ❷(~儿)〈名 n.〉器物周围的架子 frame; circle: 镜~ *jìng* mirror frame ❸〈动 v.〉在文字、图片的周围加上线条 draw a circle around words or pictures: 把这段文字用红线条~起来。*Bǎ zhè duàn wénzì yòng hóng xiàntiáo ~ qǐlái.* Put this para in a box of red lines. ❹〈动 v.〉限制；约束 limits; bounds: 对孩子不能~得太紧，这样不利于他们身心健康。*Duì háizi bù néng ~ de tài jǐn, zhèyàng búlì yú tāmen shēnxīn jiànkāng.* There should be too many limits for children for they will not benefit their development.

亏 kuī ❶〈动 v.〉损失；损耗（与'盈'相对）suffer loss; deficit（opposite to '盈 yíng'）: ~损 *~sǔn* financial loss | ~本 *~běn* lose money in business | 扭~为盈 niǔ~*wéiyíng* turn deficit into surpluses | 自负盈~ *zìfù yíng~* assume sole responsibility for profits or losses ❷〈动 v.〉缺欠；短少 insufficient; shortage: ~空 *~kōng* have a deficit; debt | ~欠~ *qiàn* be in debt | 理~ *lǐ~* unreasonable | 肾~ *shèn~* renal weakness | 气血两~ *qìxuè liǎng~* deficiency in vital energy and blood | 功~一篑（只因为差最后一点儿努力而前功尽弃，含惋惜之意）*gōng~yíkuì*（*zhǐ yīnwèi chà zuìhòu yìdiǎnr nǔlì ér qiánggōngjìnqì, hán wǎnxī zhī yì*）fail to build a mound for want of one final basket of earth（fail to achieve success for lack of one last effort, indicating regret）❸〈动 v.〉亏负 disappoint; treat unfairly: 为人不做~心事，半夜敲门心不惊。*Wéirén bú zuò ~xīn shì, bàn yè qiāo mén xīn bù jīng.* A good conscience is a soft pillow. | 放心吧！我一定不会~待你。

Fàngxīn ba! wǒ yídìng bú huì ~dài nǐ. Rest assured that I'll be fair with you. ❹〈名 *n.*〉损失 loss：吃~上当 *chī~shàngdàng* be fooled and suffer losses ｜吃点儿~算不了什么。*Chī diǎnr ~ suàn bù liǎo shénme.* It's nothing to suffer some losses. ❺〈连 *conj.*〉幸而 due to; thanks to：幸~*xìng~* thanks to; luckily ｜多~*duō~* thanks to ｜~你提醒我，否则我就迟到了。*~ nǐ tíxǐng wǒ, fǒuzé wǒ jiù chídào le.* I would have been late if you had not reminded me. ❻〈连 *conj.*〉反说，表示讽刺 expression of irony：这种话，~你说得出口！*Zhè zhǒng huà, ~ nǐ shuō de chū kǒu!* How could you make such remarks. ｜他还是个大学生，这点儿礼貌都不懂！~ *tā hái shì gè dàxuéshēng, zhè diǎnr lǐmào dōu bù dǒng!* What a college student he is, being so impolite.

⁴ **亏待** kuīdài 〈动 *v.*〉待人不公平或不尽心尽力 treat unfairly; treat shabbily：~客人 *~kèrén* treat the guests shabbily ｜~孩子 *~háizi* treat the children unfairly ｜我们绝不会~老朋友。*Wǒmen jué bú huì ~ lǎo péngyou.* We will never treat old friends unfairly. ｜他对任何人都一视同仁，谁也不~。*Tā duì rènhé rén dōu yíshì-tóngrén, shéi yě bù ~.* He treats everyone fairly and equally without discrimination.

⁴ **亏损** kuīsǔn ❶〈动 *v.*〉支出超过收入 loss; deficit：~严重 *~yánzhòng* great losses ｜应尽快扭转~局面。*Yīng jǐnkuài niǔzhuǎn ~ júmiàn.* We should put an end to the losses as early as possible. ｜今年~的数额很大。*Jīnnián ~ de shù'é hěn dà.* This year has suffered great loss. ❷〈动 *v.*〉指人的身体受到摧残或缺乏营养以致虚弱 (of body) become weak because of being mal-treated or mal-nutritioned：一场大病使他的元气~得很厉害。*Yì chǎng dà bìng shǐ tā de yuánqì ~ de hěn lìhai.* A serious illness has greatly sapped his vitality.

⁴ **葵花** kuíhuā 〈名 *n.*〉指向日葵，也指向日葵的花，其种子可食用，亦可榨油 sunflower; its seeds are edible and can be used to extract oil：~子 *~zǐ* sunflower seeds ｜~子油 *~zǐyóu* oil extracted from sunflower seeds

³ **昆虫** kūnchóng 〈名 *n.*〉节肢动物的一纲 insect; any animal of the class *Insecta*：~标本 *~biāoběn* insect sample ｜~学 *~xué* entomology ｜蜜蜂、蚊、蝇、蝗虫、金龟子等都是~。*Mìfēng, wén, yíng, huángchóng, jīnguīzǐ děng dōu shì ~.* Bees, mosquitos, flies, locusts and dorbeetles are all insects.

² **捆** kǔn ❶〈动 *v.*〉用绳子等把物体缠紧、绑扎 tie; bind; bundle up with rope：~绑 *~bǎng* tie up with rope; bind ｜~扎 *~zā* tie up; bundle up ｜~箱子 *~xiāngzi* tie up boxes ｜~紧点儿 *~jǐn diǎnr* tie tightly ｜这绳子~得有点儿松，再使劲~一下。*Zhè shéngzi ~ de yǒudiǎnr sōng, zài shǐjìn ~ yíxià.* The rope is a little bit loose. Tie it up more tightly. ❷〈动 *v.*〉比喻束缚 *fig.* tie; bind up; fetter：要充分发挥学生们的创造力，不要~住他们的手脚。*Yào chōngfèn fāhuī xuéshengmen de chuàngzàolì, bú yào ~zhù tāmen de shǒujiǎo.* Give full play to the students' creativity, and don't bind them hand and foot. ❸〈量 *meas.*〉用于捆起来的条状物或片状物 bundle; bunch：一~干草 *yì ~ gān cǎo* a bundle of hay ｜两~钞票 *liǎng ~ chāopiào* two bundles of money ｜一大~报纸 *yí dà bàozhǐ* a big bunch of newspapers

² **困** kùn ❶〈动 *v.*〉陷入艰难痛苦之中 be stranded; be trapped; be stricken：为病痛所~ *wéi bìngtòng suǒ ~* be stricken by illness ｜山上下了大雪，他们给~在半路上了。*Shān shang xiàle dà xuě, tāmen gěi ~ zài bànlù shang le.* It snowed heavily in the mountain, and they were trapped halfway. ❷〈动 *v.*〉包围住 besiege; hold in check; pin down：围~*wéi~* besiege; hem in ｜~守 *~shǒu* defend against a siege; stand a siege ｜~兽犹斗（比喻陷入绝境的人虽然走投无路仍要顽抗）~*shòu-yóudòu (bǐyù xiànrù juéjìng de rén suīrán zǒutóuwúlù réng yào wánkàng)*. Even a trapped beast struggles (put up a

desperate fight even after falling into a trap). ❸〈形 *adj.*〉艰难；穷苦 difficult; impoverished: ~难 *~nan* difficult │ ~窘 *~jiǒng* be embarrassed; feel awkward │ ~苦 *~kǔ* hardship; tribulation │ 贫~ *pín~* poverty-stricken ❹〈动 *v.* 方 *dial.*〉睡觉 sleep: ~觉 *jiào* sleep │ 这一觉我~了10个钟头。*Zhè yí jiào wǒ ~le shí gè zhōngtóu.* I have slept for ten hours. ❺〈形 *adj.*〉疑难；烦恼 perplexed; vexed: ~惑 *~huò* perplexed; confused; puzzled │ ~扰 *~rǎo* annoy; disturb ❻〈形 *adj.*〉疲乏；疲倦 tired and sleepy; drowsy: ~顿 *~dùn* worn out; exhausted │ ~乏 *~fá* tired out │ ~倦 *~juàn* drowsy; exhausted and sleepy │ 几天没睡好觉，现在~极了。*Jǐ tiān méi shuìhǎo jiào, xiànzài ~jí le.* Having not slept well for a few days, I am very sleepy now. │ 他~得都睁不开眼了。*Tā ~ de dōu zhēng bù kāi yǎn le.* He is too sleepy to open his eyes.

◂ **困苦** kùnkǔ 〈形 *adj.*〉指生活上艰难痛苦 hard; in privation: 艰难~的生活 *jiānnán ~ de shēnghuó* a hard life │ ~的日子终于过去了。*~ de rìzi zhōngyú guòqù le.* The days of hardship are gone.

▸ **困难** kùnnan ❶〈名 *n.*〉指艰难、复杂、难以处理的事 difficulty: ~很多 *~ hěn duō* lots of difficulties │ ~重重 *~ chóngchóng* be beset with difficulties │ 不怕~ *búpà ~* not afraid of difficulties │ 克服~ *kèfú ~* overcome difficulties │ 他工作上遇到了~，需要大家帮助。*Tā gōngzuò shang yùdàole ~, xūyào dàjiā bāngzhù.* He has met with difficulties in his work and needs our help. ❷〈形 *adj.*〉情况复杂，阻碍多，进行不顺畅（与‘顺利’相对）(of situations) complex; not going along smoothly (opposite to ‘顺利 shùnlì’): 呼吸~ *hūxī ~* breathe with difficulty │ 她感到学习有点儿~。*Tā gǎndào xuéxí yǒudiǎn ~.* She has some difficulty in her study. │ 爷爷上了年纪，行动~了。*Yéye shàngle niánjì, xíngdòng ~ le.* Grandpa has become aged and has some difficulties in getting about. ❸〈形 *adj.*〉穷困；日子不好过 experiencing financial difficulty; living in dire straits: 生活~ *shēnghuó ~* live in dire straits; difficult life │ ~补助 *~ bǔzhù* relief; subsidies to those in difficult circumstances

◂ **扩充** kuòchōng 〈动 *v.*〉扩大充实 expand; strengthen; enlarge; augment: 这篇文章单薄了一点儿，需进一步~内容。*Zhè piān wénzhāng dānbóle yìdiǎnr, xū jìnyíbù ~ nèiróng.* The content of this article is rather insubstantial and needs to be enriched. │ 工厂生产发展了，需要~厂房。*Gōngchǎng shēngchǎn fāzhǎn le, xūyào ~ chǎngfáng.* With the increase of production, the factory needs to enlarge its workshop.

² **扩大** kuòdà 〈动 *v.*〉使范围、规模比原来大 enlarge; expand; scale up: ~影响 *~ yǐngxiǎng* extend one's influence │ ~范围 *~ fànwéi* expand scope │ ~生产 *~ shēngchǎn* expand production │ 为美化城市环境要进一步~绿地面积。*Wèi měihuà chéngshì huánjìng yào jìnyíbù ~ lǜdì miànjī.* In order to beautify the city, we need to increase greenbelts. │ 他们公司不断地~经营范围。*Tāmen gōngsī búduàn de ~ jīngyíng fànwéi.* Their company is constantly expanding their business scope.

⁴ **扩建** kuòjiàn 〈动 *v.*〉在原有建筑的基础上增加或扩大规模 expand the scale of a factory, mine, building, etc.: ~厂房 *~ chǎngfáng* expand the workshop │ ~道路 *~ dàolù* widen roads │ ~住宅 *~ zhùzhái* build more dwelling houses │ ~城区 *~ chéngqū* expand urban area │ ~工业基地 *~ gōngyè jīdì* expand the industrial base │ ~港口 *~ gǎngkǒu* expand a port

⁴ **扩散** kuòsàn 〈动 *v.*〉扩大分散出去 spread; diffuse; proliferate: 气体~ *qìtǐ ~* gas diffusion │ 烟雾~ *yānwù ~* fog diffusion │ 粉尘~ *fěnchén ~* dust proliferation │ ~影响 *~ yǐngxiǎng* extend influence │ 防止~ *fángzhǐ ~* prevent proliferation

⁴ **扩展** kuòzhǎn 〈动 *v.*〉向外扩大；伸展 extend; expand; develop: ~道路 *~ dàolù* extend

a road｜这个住宅小区的面积~了一倍。*Zhège zhùzhái xiǎoqū de miànjī ~le yí bèi.* The area of this residential community has been doubled.｜这里的建筑物过于密集，已经没有~的余地。*Zhèli de jiànzhùwù guòyú mìjí, yǐjīng méiyǒu ~ de yúdì.* Buildings here are too densely constructed to have any room for expansion.

⁴ **扩张** kuòzhāng 〈动 v.〉扩大（势力、疆土等）expand; enlarge; extend; spread (influence, territory, etc.)：向外~ *xiàngwài* ~ outward expansion｜~势力范围 ~ *shìlì fànwéi* expand one's sphere of influence｜反对侵占别国领土的~政策。*Fǎnduì qīnzhàn biéguó lǐngtǔ de ~ zhèngcè.* We oppose the expansion policy of invading other country's territories.

³ **阔** kuò ❶〈形 adj.〉（面积）宽；宽广 wide; broad; vast：广~ *guǎng*~ broad｜辽~ *liáo*~ vast｜宽~ *kuān*~ wide｜开~ *kāi*~ wide; open-minded; broaden｜海-天空（形容大自然的广阔无边，也比喻丰富的想象或说话毫无拘束，漫无边际）*hǎi--tiānkōng (xíngróng dàzìrán de guǎngkuò wúbiān, yě bǐyù fēngfù de xiǎngxiàng huò shuōhuà háowú jūshù, mànwúbiānjì)* as boundless as the sea and the sky （endless vast; unrestrained and far-ranging; a talk at random and without direction）❷〈形 adj.〉空泛；不切实际 hollow; impratical; unrealistic：高谈~论 *gāotán-~lùn* indulge in oratory; mouth high-sounding words ❸〈形 adj.〉时间长久 lasting for a long time：~别多年 *~ bié duō nián* have not seen each other for long ❹〈形 adj.〉富有的；有钱的 rich; liberal with money：~绰 *~chuò* ostentatious; extravagant; liberal with money｜~佬 *~lǎo* rich man｜~人 *~rén* wealthy person; member of a rich family｜~少 *~shào* young man from a wealthy family｜摆~气、讲排场是很不好的作风。*Bǎi ~qì, jiǎng páichǎng shì hěn bù hǎo de zuòfēng.* Parading wealth and being ostentatious are not good styles.

K

²垃圾 lājī 〈名 n.〉被丢弃的废物、脏物 rubbish; garbage; junk: 生活~*shēnghuó* ~ daily life refuse | 太空 ~ *tàikōng* ~ space trash | 社会 ~ *shèhuì* ~ social dregs | 堆 ~*duī* rubbish heap | ~箱~*xiāng* dustbin | ~车~*chē* garbage truck | 清运 ~ *qīngyùn* ~ garbage collection

¹拉 lā ❶〈动 v.〉用力使人或物朝自己的方向或跟着自己移动 pull; draw; tug; drag: ~ 犁 ~ *lí* pull a furrow | ~纤 ~ *qiàn* tow a boat | ~锯 ~ *jù* pull a saw | ~车 ~ *chē* pull a cart | 你把箱包~过来。*Nǐ bǎ xiāngbāo ~ guòlái.* You pull the trunk over here. | 我~着她往海滩跑。*Wǒ ~zhe tā wǎng hǎitān pǎo.* I dragged her running to the beach. ❷〈动 v.〉用车载运 transport by vehicle; haul: 他~了一车西瓜来。*Tā ~le yì chē xīguā lái.* He hauled over a cart of watermelons. | 你用车子~些人去。*Nǐ yòng chēzi ~ xiē rén qù.* Carry some people over there with a truck. ❸〈动 v.〉牵引乐器的弓子或发音器使乐器发出声响 play (a musical instrument): ~小提琴 ~ *xiǎotíqín* play the violin | ~二胡 ~ *èrhú* play the two-stringed fiddle | ~手风琴 ~ *shǒufēngqín* play the accordion | 这个曲子她~得真好。*Zhège qǔzi tā ~ de zhēn hǎo.* She played the song very well. ❹〈动 v.〉率领; 组织(队伍、团体) lead; organize (a team, group, etc.): ~帮结派 ~*bāng-jiépài* bang together | 他~队伍进入深山老林。*Tā ~ duìwu jìnrù shēnshān-lǎolín.* He led the troop deep into the remote, heavily wooded mountains. | 他~了一帮人上山。*Tā ~le yì bāng rén shàng shān.* He led a group of people into the mountains. ❺〈动 v.〉拖长; 使延长 drag out; draw out; space out: ~面条 ~ *miàntiáo* draw out noodles | ~橡皮筋 ~*xiàngpíjīn* space out a piece of bungee | ~长声音 ~*cháng shēngyīn* drawl | ~开距离 ~*kāi jùlí* space out; keep bigger distance ❻〈动 v.〉帮助 help: 他遇上难题了, 你去~他一把。*Tā yùshang nántí le, nǐ qù ~ tā yì bǎ.* He has met with some difficulty. Go and give him a hand. ❼〈动 v.〉牵连; 拖累 drag in; implicate: 你要干就你自己干, 不要~着人家, *Nǐ yào gàn jiù nǐ zìjǐ gàn, búyào ~zhe rénjia.* Just do it yourself if you want to. Don't drag in others. | 他~了一个垫背的。*Tā ~le yí gè diànbèi de.* He dragged someone in as his scapegoat. ❽〈动 v.〉拉拢; 联络 win sb. over: 他这个人很会跟人~关系。*Tā zhège rén hěn huì gēn rén ~ guānxi.* He is the person very good at gaining clout with those people. | 你不要假惺惺地和我~近乎! *Nǐ búyào jiǎxīngxīng de hé wǒ ~ jìnhu!* Don't hypocritically cotton up to me! ❾〈动 v.〉招揽; 延揽 recruit: ~客 ~*kè* (of a restaurant or a hotel) solicit diners or guests; (of a pedicab, taxi, etc.) take on passengers; (of a prostitute) solicit patrons | ~选票 ~*xuǎnpiào* canvass votes | ~赞助 ~*zànzhù* solicit support | ~订单 ~ *dìngdān* draw orders | ~生意 ~*shēngyi* solicit business | ~广告 ~ *guǎnggào* solicit advertisements ❿〈动 v.〉排泄 defecate: ~稀 ~*xī* diarrhoea | ~痢 ~*lì*

suffer from dysentery | ~肚子 ~ *dùzi* suffer from diarrhoea; have loose bowels ⑪〈动 *v.*〉抚养 bring sb. up:她丈夫死得早，~大这孩子不容易。*Tā zhàngfu sǐ de zǎo, ~dà zhè háizi bù róngyì.* Her husband died early. She had a tough time to bring her child up. ⑫〈动 *v.* 方 *dial.*〉闲聊 chat:~话 ~ *huà* strike up a conversation | ~家常 ~ *jiācháng* engage in small talk | 她俩在一起~了好长时间。*Tā liǎ zài yìqǐ ~le hǎo cháng shíjiān.* They two engaged themselves in small talks for quite a long time.

³ 喇叭 lăba ❶〈名 *n.*〉(支 zhī、个 gè)一种管乐器 trumpet:吹~ *chuī* ~ blow the trumpet | ~吹得震天响。~ *chuī de zhèn tiān xiǎng.* The trumpet is blown so loudly that even the heaven is shaken. ❷〈名 *n.*〉(个 gè)具有扩音效果的喇叭状器具 loudspeaker:汽车~ *qìchē* ~ (of a car) horn | 无线电~ *wúxiàndiàn* ~ radio speaker | 高音~ *gāoyīn* ~ tweeter

⁴ 落 là ❶〈动 *v.*〉遗漏 missing; left out; unaccounted for:这句话~了一个字。*Zhè jù huà ~le yí gè zì.* One word is missing in this sentence. | 信里~写落款了 *Xìn li ~ xiě luòkuǎn le.* The sender of the letter forgot to sign his name. ❷〈动 *v.*〉忘了拿走 leave behind; forget to bring along:她把钱包~在车上了。*Tā bǎ qiánbāo ~ zài chē shang le.* She left her purse behind in the car. ❸〈动 *v.*〉没能跟上而被丢在后面 fall behind; trail:有两个人~下了，没能上山。*Yǒu liǎng gè rén ~ xià le, méi néng shàng shān.* Two of them fell behind and did not climb up the mountain. | 她没劲了，~在后面 *Tā méi jìn le, ~ zài hòumian.* She was tired out and fell behind.

☞ *luò*, p. 665

⁴ 腊月 làyuè〈名 *n.*〉农历十二月 the 12th lunar month; the 12th moon:按照中国古代的习俗每年~要祭神。*Ànzhào Zhōngguó gǔdài de xísú měi nián ~ yào jìshén.* According to ancient Chinese customs, sacrifices were offered to gods on the 12th month of every lunar year.

³ 蜡烛 làzhú〈名 *n.*〉(支 zhī)供照明用的物品，用蜡或其他油脂制成，多为圆柱形 candle:生日~ *shēngrì* ~ birthday candles

³ 辣 là ❶〈形 *adj.*〉像姜、蒜、辣椒等有刺激性味道 pungent; hot:甜酸苦~(比喻生活中的各种遭遇) *tiánsuān-kǔ~ (bǐyù shēnghuó zhōng de gèzhǒng zāoyù)* sour, sweet, bitter and hot (*fig.* joys and sorrows of life) | 姜还是老的~(比喻年纪大的人经历丰富，办事老练)。*Jiāng háishi lǎo de ~ (bǐyù niánjì dà de rén jīnglì fēngfù, bànshì lǎoliàn).* Old ginger is more punsent than the new (*fig.* veterans are abler than recruits). ❷〈形 *adj.*〉狠毒 vicious; ruthless:心狠手~ *xīnhěn-shǒu~* vicious and ruthless | 阴险毒~ *yīnxiǎn-dú~* sinister and ruthless | 口甜心~ *kǒutián-xīn~* honey-mouthed and dagger-hearted; sweet-mouthed and wicked-hearted ❸〈动 *v.*〉辣味刺激 hot and stinging:~嗓子 ~ *sǎngzi* make one's throat sting | ~眼睛 ~ *yǎnjing* make one's eyes unpleasant | 他吃了口小尖椒，~得鼻子直冒汗。*Tā chīle kǒu xiǎo jiānjiāo, ~ de bízi zhí mào hàn.* He ate a bit of small hot pepper, and it was so hot that sweat kept oozing out from his nose.

³ 辣椒 làjiāo ❶〈名 *n.*〉一年生草本植物，果实可食用 pepper:他在院子里种了几棵~，既可以观赏又可以食用。*Tā zài yuànzi li zhòngle jǐ kē ~, jì kěyǐ guānshǎng yòu kěyǐ shíyòng.* In his courtyard he grew several peppers, which can either be enjoyed or eaten. ❷〈名 *n.*〉这种植物的果实 fruit of this plant:~酱 *~jiàng* pepper jam | 他顿顿饭都离不开~。*Tā dùndùn fàn dōu lí bù kāi ~.* He cannot eat his meal without pepper.

¹ 啦 la〈助 *aux.*〉'了'和'啊'的合音，兼有'了'和'啊'的作用，放在句末表示感叹、赞赏、气愤，或表示完成、变化、出现了新情况，或表示肯定、解释、劝止，或表示列举事项的语气停顿 fusion of the sounds '了 le' and '啊 ā' and thus acquiring the meaning of

both words to express exclamation, admiration and irritation, or indicating completion, change or the appearance of new complexion, or indicating affirmation, explanation, dissuasion, etc. , or indicating a pause when listing items：这花太美 ~! *Zhè huā tài měi ~!* This flower is so beautiful! ｜你怎么把人家的书给丢 ~! *Nǐ zěnme bǎ rénjia de shū gěi diū ~!* How could you have lost his book? ｜功课终于做完 ~! *Gōngkè zhōngyú zuò wán ~!* At last we have finished our homework! ｜这批货你不要 ~? *Zhè pī huò nǐ bú yào ~?* You don't want this batch of goods, do you? ｜你别唠叨 ~! *Nǐ bié láodāo ~!* Don't be garrulous! ｜棒球 ~、乒乓球 ~、跑步 ~，他都喜欢。*Bàngqiú ~, pīngpāngqiú ~, pǎobù ~, tā dōu xǐhuan.* Baseball, table tennis, and running, he likes them all.

¹ 来 lái ❶〈动 v.〉从别的地方到达说话人处（与'去''往'相对）come; arrive（opposite to'去qù' or'往wǎng'）：~信 ~*xìn* incoming letter ｜~客 ~*kè* guest; visitor ｜~去自由 ~ *qù zìyóu.* Free to come and go. ｜今天她从上海~。*Jīntiān tā cóng Shànghǎi ~.* She will come from Shanghai today. **❷**〈动 v.〉(事情或问题等)出现；来临 take place; occur：~ 事了。*~ shì le.* An accident happened. ｜~麻烦了。*~ máfan le.* There is a trouble here. ｜ 春天~了。*Chūntiān ~ le.* Spring sets in. ｜不要等问题~了才动手，要防患于未然。*Búyào děng wèntí ~ le cái dòngshǒu, yào fánghuàn yú wèirán.* Don't wait and take measures only after a problem comes up. We should prevent against possible troubles. . **❸**〈动 v.〉表示做某个动作(替代某个意义更具体的动词)(used in place of a more specific verb) do：我们~场羽毛球赛，怎么样？*Wǒmen ~ chǎng yǔmáoqiúsài, zěnmeyàng?* How about having a badminton game? ｜这活我~吧。*Zhè huó wǒ ~ ba.* Let me do this job. ｜你给她~杯可乐。*Nǐ gěi tā ~ bēi kělè.* Give her a cup of coke. **❹**〈动 v.〉用在动词之后，表示动作朝向说话人 used after a verb, indicating the direction of an action：他把包裹寄~了。*Tā bǎ bāoguǒ jì ~ le.* He has sent the package over by post. ｜你把伞拿~。*Nǐ bǎ sǎn ná ~.* Send the umbrella over. **❺**〈动 v.〉用在动词之间，表示前者是方法、方向或行为，后者是目的 inserted between two verbs or verbal phrases so that the former indicates the way of doing things and the latter the purpose：她买~了一斤土豆当饭吃。*Tā mǎi ~ le yì jīn tǔdòu dāng fàn chī.* She bought one *jin* of potatoes as her meal. ｜他们到河滩边~野炊。*Tāmen dào hétān biān ~ yěchuī.* They went have a picnic by the riverside. ｜他借了本新教材~看。*Tā jièle běn xīn jiàocái ~ kàn.* He borrowed a new textbook to read. **❻**〈动 v.〉跟'得'或'不'连用，表示有可能做或没可能做 used with '得de' or '不bù' to indicate possibility or impossibility：他喝得~烈性酒。*Tā hē de ~ lièxìng jiǔ.* It's no problem for him to drink hard liquor. ｜她俩挺谈~。*Tā liǎ tǐng tán de ~.* The two of them hit it off guite well. ｜这歌我唱不~。*Zhè gē wǒ chàng bù ~.* I don't know how to sing this song. **❼**〈动 v.〉放在动词前，表示要做 placed before a verb to indicate an intention to do sth. ：你~跳个舞吧！*Nǐ ~ tiào gè wǔ ba!* Come on, have a dance! ｜我~说说这件事。*Wǒ ~ shuōshuo zhè jiàn shì.* Let me talk about it. **❽**〈动 v.〉用在动词后面，表示动作的结果 used after a verb to indicate the result of an action：他说的话听~很顺耳。*Tā shuō de huà tīng ~ hěn shùn'ěr.* His remarks sounded pleasing to the ear. ｜算~已有三年没见面了。*Suàn ~ yǐ yǒu sān nián méi jiànmiàn le.* It's been three years since we saw each other last time. **❾**〈形 adj.〉将要到来 future, next：~日方长。*~ rì-fāngcháng.* There will be plenty of time. ｜~年他要上大学了。*~ nián tā yào shàng dàxué le.* He will go to college next year. **❿**〈名 n.〉从过去到现在的一段时间 up to the present：向~ *xiàng~* all along; always ｜从~ *cóng~* always; all along ｜近~ *jìn~* recently ｜十年~他都在钻研甲骨文。*Shí nián ~ tā dōu zài zuānyán jiǎgǔwén.* Over the past ten years, he has been studying inscriptions on bones or tortoise shells of the Shang Dynasty. ⓫〈数 *num.*〉用在十、百、千之后，表示概数 used after round numbers such as '十 shí', '百 bǎi' and '千 qiān' to indicate approximation：他出差已有十~天了。*Tā chūchāi yǐ yǒu shí~tiān le.* He has been away on business for about a fortnight. | 这碑有千~年的历史了。*Zhè bēi yǒu qiān~nián de lìshǐ le.* The stele has a history of about a thousand years. ⓬〈助 *aux.*〉表示曾经发生过什么事情，相当于'来着' indicate what happened in the past, equal to '来着 láizhe'：这画他早就看~，谁说他不知道。*Zhè huà tā zǎo jiù kàn~, shéi shuō tā bù zhīdào.* Who said he didn't know the painting? He had seen it earlier. | 你干什么~,累得这个样子。*Nǐ gàn shénme~, lèi de zhège yàngzi.* What did you do to be so tired? ⓭〈助 *aux.*〉用在'一、二、三'等数词后，表示列举 used after numerals to reel off reasons or points of argument：他去北京，一~是游览，二~是学习，三~是购物。*Tā qù Běijīng, yī~shì yóulǎn, èr~shì xuéxí, sān~shì gòuwù.* He went to Beijing for three purposes: first, to go sight-seeing; second, to study; third, to do some shopping. | 你这事，我一~不能干，二~不该干，对不起啦。*Nǐ zhè shì, wǒ yī~bù néng gàn, èr~bù gāi gàn, duìbuqǐ la.* As to your business, I am sorry to say that neither am I able to do it nor should I do it. ⓮〈助 *aux.*〉用在诗歌、熟语、叫卖声里，作衬字，起调节节奏或延缓语音的作用 used as a syllable filler in folk ballads or shouts of hawking：春天里~百花开。*Chūntiān li~bǎi huā kāi.* With the coming of spring blossom all the flowers. | 不愁吃~不愁穿。*Bù chóu chī~bù chóu chuān.* No worries about food or clothing. | 磨剪子~抢菜刀。*Mó jiǎnzi~qiǎng càidāo.* Sharpen scissors and kitchen knives.

³ **来宾** láibīn〈名 *n.*〉(位 wèi)应邀前来参加某种活动的客人 guest; visitor：~席 ~xí seats for guests | 欢迎~ huānyíng~ welcome guests

² **来不及** láibují〈动 *v.*〉时间短促，无法赶到或顾到 (there's) not enough time (to do sth.)：飞机起飞的时间马上就到了，他还在半道上，看来已~送别女友了。*Fēijī qǐfēi de shíjiān mǎshàng jiù dào le, tā hái zài bàn dào shang, kànlái yǐ~sòngbié nǚyǒu le.* He's still halfway to the airport before the plane takes off and seems to have no time to see his girlfriend off. | 他~改完讲稿就匆匆上了讲台。*Tā~gǎiwán jiǎnggǎo jiù cōngcōng shàngle jiǎngtái.* He went on the platform before he had enough time to correct his lecture notes.

² **来得及** láidéjí〈动 *v.*〉时间富余，能够赶到或顾到 there's still time; be able to do sth. in time; be able to make it：别着急，上班~。*Bié zháojí, shàngbān~.* Don't worry. There's still enough time for you to go to work. | 还~,你把讲稿再琢磨一下。*Hái~, nǐ bǎ jiǎnggǎo zài zuómo yíxià.* There's still time for you to polish your lecture notes again.

⁴ **来访** láifǎng〈动 *v.*〉前来访问 come to visit; come to call：~的客人已到了。*~de kèrén yǐ dào le.* The guests coming for a visit have arrived. | 信访处每天要接待好些~者。*Xìnfǎng chù měi tiān yào jiēdài hǎoxiē~zhě.* Every day the department dealing with letters and calls of complaint from people receives many visitors who come to vent their grievances.

³ **来回** láihuí ❶〈副 *adv.*〉来来去去地，不止一次 come and go repeatedly：她~唱一支曲子。*Tā~chàng yì zhī qǔzi.* She sang the same song again and again. | 他心烦，在屋里~走着。*Tā xīnfán, zài wū li~zǒuzhe.* He's very annoyed and paces up and down the room. ❷〈名 *n.*〉往返一次的时间或距离 time or distance of a round trip：走路上学，~才20分钟 *Zǒu lù shàngxué, ~cái èrshí fēnzhōng.* It takes only twenty minutes to make a round trip to school on foot. | 这里离体育馆~有3公里。*Zhèli lí tǐyùguǎn~yǒu sān gōnglǐ.* It is three km to make a round trip from here to the gymnasium. ❸〈动 *v.*〉在一

段时间里去了又回来 make a round trip; make a return journey; go to a place and come back：这一天她去图书馆已~几趟了。*Zhè yì tiān tā qù túshūguǎn yǐ ~ jǐ tàng le.* Today she has been to and back from the library several times.

⁴ **来回来去** láihuíláiqù〈副 *adv.*〉不断重复地 back and forth; over and over again：瞧你说的，~，像车轱辘似的。*Qiáo nǐ shuō de, ~, xiàng chēgulu shìde.* Look, you are repeating yourself over and over again just like a rolling wheel. | 她在纸上~地涂改。*Tā zài zhǐ shang ~ de túgǎi.* She made changes once and again on the paper.

⁵ **…来讲** láijiǎng〈副 *adv.*〉同'…来看' same as '…来看'·láikàn·

⁵ **…来看** láikàn〈副 *adv.*〉与'从'、'就'组成介词结构，限定某个范围 used with '从 cóng' or '就jiù' to form a prepositional structure, indicating a limit or scope：从这次成绩~，他还不够用功。*Cóng zhè cì chéngjì ~, tā hái bùgòu yònggōng.* From the result of the exam, he didn't study hard enough. | 就爬山~，她并不比小伙子差。*Jiù pá shān ~, tā bìng bù bǐ xiǎohuǒzi chà.* As far as climbing is concerned, she is second to no young men.

³ **来客** láikè〈名 *n.*〉(位wèi)来访的客人 guest; visitor：远方~ *yuǎnfāng ~* guest from afar | 天外~ *tiān wài ~* guest from outer space | 他对每位~都热情接待。*Tā duì měi wèi ~ dōu rèqíng jiēdài.* He warmly receives every visitor.

⁴ **来历** láilì〈名 *n.*〉人或事物的历史或背景 origin; source; antecedents; background; past history：这个人的~不大清楚，不妨调查调查。*Zhège rén de ~ bú dà qīngchu, bùfáng diàochá diàochá.* This person is of dubious background. We might as well make an investigation of him. | 他的~不简单，可不是一般人。*Tā de ~ bù jiǎndān, kě bú shì yìbān rén.* He is not an ordinary person, but one with powerful connections. | 请介绍一下这座古建筑的~。*Qǐng jièshào yíxià zhè zuò gǔ jiànzhù de ~.* Please give a briefing on the history of this ancient building.

⁵ **来临** láilín〈动 *v.*〉到来 come around; arrive; set in; approach：秋天，~该是收获的季节了。*Qiūtiān, ~gāi shì shōuhuò de jìjié le.* When autumn comes around, it is time for harvest. | 黑夜已到尽头，曙光即将~。*Hēiyè yǐ dào jìntóu, shǔguāng jíjiāng ~.* The dark night has come to an end and the first light of morning is setting in. | 客人马上要~，他们忙着收拾屋子。*Kèrén mǎshàng yào ~, tāmen mángzhe shōushi wūzi.* Guests are arriving soon and they are busy tidying up the room.

⁴ **来年** láinián〈名 *n.*〉明年 next year; the coming year：~她要上小学了。*~ tā yào shàng xiǎoxué le.* She will attend elementary school next year. | 这工程~可竣工。*Zhè gōngchéng ~ kě jùngōng.* This project can be completed next year.

⁴ **…来说** …láishuō〈副 *adv.*〉与'就'、'对'组成介词结构，指定某个对象 used with '就 jiù' or '对duì' to form a prepositional structure, indicating a certain object：就市场~，也要有个培育过程。*Jiù shìchǎng ~, yě yào yǒu gè péiyù guòchéng.* As to market, there should also be a period of time for development. | 这件事对他~很重要。*Zhè jiàn shì duì tā ~ hěn zhòngyào.* It is very important to him.

³ **来往** láiwǎng ❶〈动 *v.*〉来与去 come and go：这条路上~的车辆很多。*Zhè tiáo lù shang ~ de chēliàng hěn duō.* The street is crowed with vehicles from both directions. | 游艇在湖面上~。*Yóutǐng zài húmiàn shang ~.* There are yachts coming and going on the lake. ❷〈动 *v.*〉互相看望 hand around with：这两位老同事经常~。*Zhè liǎng wèi lǎo tóngshì jīngcháng ~.* The two old yokemates see each other a lot. ❸〈名 *n.*〉交情；交往 friendly relations; contact; exchange：他们常有~。*Tāmen cháng yǒu ~.* They see each other very often.

L

² **来信** láixìn〈名 n.〉(封fēng)寄来或送来的信 incoming letter; letter received：他今天收到了一位童年朋友的~。Tā jīntiān shōudàole yí wèi tóngnián péngyou de ~. Today he received a letter from a childhood friend. ｜群众~像雪片似的飞来，堆了一桌子。Qúnzhòng ~ xiàng xuěpiàn shìde fēi lái, duī le yì zhuōzi. Letters from the people poured in from every direction and were piled high on the table.

³ **来源** láiyuán ❶〈名 n.〉事物的源头 source; origin (of things)：这药材的~是昆仑山。Zhè yàocái de ~ shì Kūnlúnshān. The medicinal materials originate from Kunlun Mountains. ｜艺术~于生活。Yìshù ~ yú shēnghuó. Arts arises from real life. ❷〈名 n.〉事物的来路 source; origin：他的外汇~不成问题。Tā de wàihuì ~ bù chéng wèntí. The source of his foreign exchange is no problem. ｜这所学校很重视学生的~。Zhè suǒ xuéxiào hěn zhòngshì xuésheng de ~. This school pays much attention to the source of students.

² **来自** láizì〈动 v.〉从某个地方来 come from (some place)：他~英国。Tā ~ Yīngguó. He comes from the United Kingdom. ｜这些商品~香港的厂家。Zhèxiē shāngpǐn ~ Xiānggǎng de chǎngjiā. These commodities were made by factories in Hong Kong.

⁴ **赖** lài ❶〈动 v.〉依靠; 依赖 hinge on; depend on：信~ xìn~ trust ｜百无聊~ bǎiwú-liáo~ bored to death; overcome with boredom; bored stiff ｜森林是许多动物~以生存的地方。Sēnlín shì xǔduō dòngwù ~yǐ shēngcún de dìfang. Forest is the place on which many animals rely for survival. ❷〈动 v.〉不肯走开 outstay one's welcome or hospitality; hang on in a place：见了耍龙灯的，他就~着不走，看个没完。Jiàn le shuǎ lóngdēng de, tā jiù ~zhe bù zǒu, kàn gè méi wán. At the sight of dragon-lantern dance, he did not want to go away and hung on there watching. ｜她~在家里不去干活。Tā ~zài jiā li bú qù gànhuó. She hangs on home without working on a job. ❸〈动 v.〉不认错; 推卸责任 deny one's error or responsibility：她把自己的不是，~得一干二净。Tā bǎ zìjǐ de búshi, ~ de yìgānèrjìng. She denied all of her faults. ｜白纸黑字在这儿，他~得了吗? Báizhǐ-hēizì zài zhèr, tā ~ de liǎo ma? Everything is written in black and white. Can he deny it? ❹〈动 v.〉责怪; 埋怨 blame：这事没办好，全~我。Zhè shì méi bàn hǎo, quán ~ wǒ. I am the only one who should be blamed for not getting it done well. ｜明明是他错了，他却~别人。Míngmíng shì tā cuò le, tā què ~ biérén. Apparently it was his fault, but he blamed it on others. ❺〈形 adj.〉不讲道理的样子 unreasonable：~皮 ~pí rascally; shameless ｜耍~ shuǎ~ be perverse; act shamelessly ｜死乞白~ sǐqǐ-bái~ pestering people endlessly ｜他死皮~脸跟父母要钱。Tā sǐpí-~liǎn gēn fùmǔ yào qián. He shamelessly asked his parents for money. ❻〈形 adj. 口 colloq.〉不好 no good; poor：他好~不分。Tā hǎo ~ bù fēn. He cannot tell good from bad. ｜她唱得不~。Tā chàng de bú~. She sings well.

⁴ **兰花** lánhuā〈名 n.〉(株zhū、朵duǒ、盆pén)多年生草本植物，可供观赏，花可制香料 orchid：爷爷退休后在家里种了许多~，天天摆弄。Yéye tuìxiū hòu zài jiā li zhòngle xǔduō ~, tiāntiān bǎinòng ~. After retirement, grandpa grows many orchids at home and is busy with them every day.

² **拦** lán ❶〈动 v.〉阻止; 不让通过 bar; block; hold back：他把羊群~在了路边。Tā bǎ yáng qún ~zài le lù biān. He held the flock of sheep back at the roadside. ｜他~了一辆车，去城里。Tā ~le yí liàng chē, qù chéng li. She hitched a ride to the town. ｜他~网得分了。Tā ~wǎng dé fēn le. He scored by blocking the ball. ❷〈动 v.〉正对某个部位做动作 move or act directly at：她~腰把他抱住。Tā ~yāo bǎ tā bàozhù. She clasped him right in his waist.

⁴ **栏杆** lángān 〈名 n.〉用木、石、水泥等材料做成的起拦挡作用的建造物 railing; banisters; balustrade：铁~ tiě ~ iron balustrade｜桥~ qiáo ~ railing of a bridge｜看台~ kàntái ~ railing of a stand｜她常常扶着阳台往下看来往往的车子 Tā chángcháng fúzhe yángtái ~ wǎng xià kàn láilái-wǎngwǎng de chēzi. She often stands on the balcony with her hand on the banisters, watching the vehicles coming and going.

¹ **蓝** lán 〈形 adj.〉像晴天天空的颜色 azure; blue：~天白云 ~tiān báiyún blue sky and white clouds｜~色的海洋 ~sè de hǎiyáng blue sea｜她喜欢穿~裤子 Tā xǐhuan chuān ~ kùzi. She likes wearing blue pants.

¹ **篮球** lánqiú ❶〈名 n.〉(场 chǎng)体育运动项目之一 basketball (a sports game)：体育馆正在举行~比赛 Tǐyùguǎn li zhèngzài jǔxíng ~ bǐsài. A basketball match is going on in the gymnasium. ❷〈名 n.〉(个 gè)篮球比赛用的球 basketball：学校给每个班发了一个新~ Xuéxiào gěi měi gè bān fāle yí gè xīn ~. The school gave each class a new basketball.

³ **篮子** lánzi 〈名 n.〉(只 zhī、个 gè)有提梁的盛物用具,常用竹篾、柳条、藤条、塑料等编织而成 basket：菜~ cài ~ vegetable basket｜花~ huā ~ flower basket｜竹~打水一场空(比喻白费力气) zhú~dǎshuǐ yì chǎng kōng (bǐyù báifèi lìqì) draw water with a bamboo basket (fig. achieve nothing; all in vain)

² **懒** lǎn ❶〈形 adj.〉不愿劳动、干事(与'勤'相对) lazy; sluggish; tired(opposite to 'qín')：~惰 ~duò lazy｜~汉 ~hàn idler; lazy-bone｜~鬼 ~guǐ sluggard｜偷~ tōu~ loaf on the job; be lazy｜好吃~做 hàochī-~zuò be fond of eating and averse to work｜奖勤罚~ jiǎngqín fá~ award the diligent and punish the lazy｜他这个人真是~得出奇 Tā zhège rén zhēnshì ~ de chūqí. This person is unusually lazy. ❷〈形 adj.〉疲倦；乏力 sluggish; languid：伸~腰 shēn ~yāo stretch oneself｜~洋洋 ~yángyáng languid; listless｜她今天累得浑身酸~ Tā jīntiān lèi de húnshēn suān ~. Today she is so tired as to be limp and aching all over.

⁴ **懒惰** lǎnduò 〈形 adj.〉不愿劳动、干事(与'勤快'相对) be unwilling to work; lazy (opposite to '勤快 qínkuài')：他太~,学习也好工作也好,都不肯动脑子 Tā tài ~, xuéxí yě hǎo gōngzuò yě hǎo, dōu bù kěn dòng nǎozi. He's too lazy, unwilling to use his brain both in work and study.｜她闲着也不肯干家务活,~得很 Tā xiánzhe yě bù kěn gàn jiāwùhuó, ~ de hěn. She is so lazy that she would rather sit idle than do some housework.

² **烂** làn ❶〈动 v.〉腐烂；溃烂 rot; decompose：葡萄放久了,~得没法吃 Pútáo fàng jiǔ le, ~ de méifǎ chī. The grapes have been kept for so long that they have gone too bad to eat.｜你的伤口都~了,怎么搞的! Nǐ de shāngkǒu dōu ~ le, zěnme gǎo de! Your wound has festered! What did you do with it? ❷〈动 v. 书 lit.〉烧伤 get burnt：焦头~额(形容十分狼狈) jiāotóu-~é (xíngróng shífēn lángbèi) be bruised and battered (in a terrible fix) ❸〈形 adj.〉食物熟透而松软 soft; smashed; pappy：饭焖~了 Fàn mèn-le. The rice is cooked too soft. ❹〈形 adj.〉因水分增多而呈糊状 sodden; mashed; pulpy：~泥 ~ní mud; slash; mire｜~田 ~tián muddy farmland ❺〈形 adj.〉不完整；破碎 incomplete; tattered; worn out：破~ pò~ worn out｜破铜~铁 pòtóng ~tiě scraps of iron and copper｜海枯石~(形容经历的时间特别长。常用作誓言,表示永不变心) hǎikū-shí ~(xíngróng jīnglì de shíjiān tèbié cháng, cháng yòng zuò shìyán, biǎoshì yòngbù biànxīn) even if the seas dry up and the rocks crumble (usu. in an oath expressing firm will and unchanging fidelity; no matter what happens and for how long)｜他摸爬滚打好几天,裤子~了 Tā mōpá-gǔndǎ hǎo jǐ tiān, kùzi ~ le. His trousers are worn out after

L

several days of hard training. ❻〈形 adj.〉头绪混乱 chaotic; disordered; messy:你来收拾这个~摊子吧。Nǐ lái shōushi zhège ~tānzi ba. You clean up this awful mess. | 这是一笔~账, 谁能理得清? Zhè shì yì bǐ ~zhàng, shéi néng lǐ de qīng? This is a messy account. Who can put it into order? ❼〈形 adj.〉明亮;绚丽 bright; shining:绚~xuàn~ brilliant; splendid; gorgeous | 光辉灿~guānghuī-càn~ glorious and magnificent; brilliant and dazzling ❽〈副 adv.〉表示程度深 thoroughly; utterly:这长诗她背得~熟。Zhè cháng shī tā bèi de ~shóu. She can recite the long poem fluently. | 他喝得~醉。Tā hē de ~ zuì. He is dead drunk.

² **狼** láng〈名 n.〉(只zhī、群qún、窝wō)食肉类犬科哺乳动物 wolf:~心狗肺 (比喻心肠凶狠或忘恩负义)~xīn-gǒufèi (bǐyù xīncháng xiōnghěn huò wàng'ēn-fùyì) with the heart of a wolf (fig. brutal and cold-blooded; heartless and ungrateful) | ~吞虎咽 (形容吃东西又急又快)~tūn-hǔyàn (xíngróng chī dōngxi yòu jí yòu kuài) wolf down (devour ravenously; gobble up) | 这里过去是豺~出没的地方。Zhèli guòqù shì chái~ chūmò de dìfang. This is the place used to be frequented by jackals and wolves.

⁴ **狼狈** lángbèi〈形 adj.〉传说狈前腿特短, 要趴在狼身上才能行动, 故用'狼狈'形容困顿窘迫 legend has it that '狈bèi' was an animal whose forelegs were so short that it could not move about without crouching over the wolf. Hence the term, which means to cut a sorry figure of oneself, in a difficult position or in a tight corner:~不堪 ~bùkān~ in an extremely awkward situation | ~逃窜 ~táocuàn flee in panic | 丑事被人揭破, 他好不~。Chǒushì bèi rén jiēpò, tā hǎobù ~. He was really embarrassed when his scandal was disclosed.

² **朗读** lǎngdú〈动 v.〉清晰而大声读 read aloud; read loudly and clearly:~小说 ~xiǎoshuō read a novel aloud | ~课文 ~kèwén read the text loudly and clearly | ~台词 ~táicí read one's lines aloud | ~时请注意语调。~ shí qǐng zhùyì yǔdiào. Pay attention to your intonation when reading aloud.

³ **朗诵** lǎngsòng〈动 v.〉满怀情感、带表演性地朗读 read aloud with expression; recite; declaim:~诗歌 ~shīgē recite poems | ~比赛 ~bǐsài recitation competition | ~要注意节奏 ~yào zhùyì jiézòu. Pay attention to the rhythm when reading aloud.

² **浪** làng ❶〈名 n.〉涌动的水 wave; billow; breaker:波~ bō~ wave | 惊涛骇~jīngtāo-hài~ terrifying waves; a stormy sea | 乘风破~chéngfēng-pò~ ride the winds and break the waves; brave winds and waves | 风平~静。Fēngpíng ~jìng. The wind has dropped and the waves have ebbed. | 无风不起~ (比喻事物的产生都有其原因)。Wú fēng bù qǐ ~ (bǐyù shìwù de chǎnshēng dōu yǒu qí yuányīn). There are no waves without wind. / There's no smoke without fire (fig. Everything has its cause and effect). ❷〈名 n.〉似波浪的东西 sth. undulating; wavy:声~ shēng~ clamor; din | 气~ qì~ blast (of an explosion) | 热~ rè~ heat wave; hot wave | 田野里麦~滚滚。Tiányě li mài ~ gǔngǔn. Wheats in the fields are billowing in winds. ❸〈动 v.〉放纵;放荡 unrestrained; dissolute:~费 ~fèi waste; squander; chuck away | 放~形骸 fàng ~xínghái refuse to be bound by convention; be defiant of convention | 淫声~语 yínshēng ~yǔ obscene language; dirty talk

⁴ **浪潮** làngcháo ❶〈名 n.〉波浪和潮水 tide; wave:汹涌的~冲击着大堤。Xiōngyǒng de ~ chōngjīzhe dà dī. The surging waves are rushing against the embankment. ❷〈名 n.〉比喻大规模的社会活动、群众性行动或时代变革 tide; wave; mass campaign:改革~gǎigé ~ tide of reform | 罢工~bàgōng ~ waves of strikes | 时代~shídài ~ waves of times | 第三次~dì-sān cì ~ the third wave

² **浪费** làngfèi〈动 v.〉耗费人力、财力、物力等而无成效 (of manpower, money, material, etc.) waste; squander: ~金钱 – *jīnqián* waste money | ~青春 – *qīngchūn* waste one's youth | ~时间 – *shíjiān* waste time | ~人才 – *réncái* waste of talent | ~口舌 – *kǒushé* waste one's breath; talk in vain | ~粮食 – *liángshi* waste food | ~电力 – *diànlì* waste electric power | 贪污和~是极大的犯罪。*Tānwū hé ~ shì jí dà dà fànzuì.* Embezzlement and waste are extremely serious crimes.

⁴ **浪漫** làngmàn ❶〈形 adj.〉富有诗意，充满幻想 romantic: ~派 – *pài* romanticists | ~色彩 – *sècǎi* romantic flavor; a romantic aura | ~曲调 – *qǔdiào* romantic melody | 那是一个~的爱情故事。*Nà shì yí gè ~ de àiqíng gùshì.* That's a romantic love story. ❷〈形 adj.〉不拘小节，行为放荡 (多指男女关系) (oft. referring to man-woman relationship) unconventional; bohemian; loose: 她的生活挺~。*Tā de shēnghuó tǐng ~.* She leads a loose life.

² **捞** lāo ❶〈动 v.〉从液体中取东西 scoop up from a liquid; dredge up; fish for; drag for; 捕~ – *bǔ* fish for; catch | ~鱼 – *yú* net fish | ~面条 – *miàntiáo* scoop up noodles from water | 大海~针 (比喻极难办到或找到) *dàhǎi-~zhēn* (*bǐyù jí nán bàndào huò zhǎodào*) fish for a needle in an ocean; search for a needle in the haystack (be next to impossible) | 水中~月 (比喻白费力气) *shuǐzhōng-~yuè* (*bǐyù báifèi lìqì*) fish for the moon in the water (*fig.* make impractical or vain efforts) ❷〈动 v.〉用不正当的手段取得 get by improper means: ~油水 – *yóushuǐ* try to get sth. into one's pockets; reap personal profit | ~选票 – *xuǎnpiào* win votes | 他从中大~了一把。*Tā cóng zhōng dà-le yì bǎ.* He reaped handsome profits from it. ❸〈动 v.〉设法赢得 try to win: 生意再不好，本钱还是能~回来的。*Shēngyi zài bùhǎo, běnqián háishì néng ~huílai de.* No matter how slack the business is, the capital investment can always be recouped. ❹〈动 v. 方 dial.〉顺手拿 make off with sth. in passing: 他在地上~起石块就砸过去。*Tā zài dì shang ~ qǐ shí kuài jiù zá guòqù.* He made away with a piece of stone from the ground and threw it over.

¹ **劳动** láodòng ❶〈名 n.〉人类创造物质和精神财富的活动；有时特指体力劳动 work; labor: 脑力~ – *nǎolì* mental labor | 体力~ – *tǐlì* manual labor | ~光荣。~ *guāngróng.* It is glorious to work. | ~创造世界。~ *chuàngzào shìjiè.* Labor creates the world. ❷〈动 v.〉进行体力劳动 do physical labor: 昨天他们下乡~，帮农民收苹果。*Zuótiān tāmen xiàxiāng ~, bāng nóngmín shōu píngguǒ.* Yesterday they went to the countryside to do physical labor by helping the farmers reap apples.

⁴ **劳动力** láodònglì ❶〈名 n.〉人的劳动能力，即人的体力与脑力的总和 labor force; workforce; labor: ~可以转化为商品。~ *kěyǐ zhuǎnhuà wéi shāngpǐn.* Labor can be transformed into commodities. | 他已丧失~。*Tā yǐ sàngshī ~.* He has lost his ability to work. ❷〈名 n.〉相当于一个成年人所具有的劳动能力 capacity of a grown-up for physical labor: 全~ *quán* ~ able-bodied laborer | 他家有两个半~。*Tā jiā yǒu liǎng gè bàn ~.* There are two semi-able-bodied laborers in his family. ❸〈名 n.〉从事劳动的人 laborer: ~充足 – *chōngzú* have swfficient laborers | 廉价~ – *liánjià* cheap labor | 她身子虚，算不得强~。*Tā shēnzi xū, suàn bù dé qiáng ~.* She's weak and cannot be counted as an able-bodied laborer.

¹ **劳驾** láo//jià〈动 v.〉客套话，用于请人帮忙或避让 (polite expression) may I trouble you...; would you please: ~把杯子递给我。~ *bǎ bēizi dì gěi wǒ.* Would you please pass me the cup? | ~，让我过去。~, *ràng wǒ guòqù.* Would you please make some room for me to pass? | 劳您驾，帮我推一把车子。*Láo nín jià, bāng wǒ tuī yì bǎ chēzi.* May I

trouble you to help me push the car?

³ **牢** láo ❶〈形 adj.〉坚固;结实;长久 firm; fast; durable：~固 ~gù firm; secure｜这灯要挂。*Zhè dēng yào guà ~.* Hang the lantern fast.｜孩子~记着妈妈的叮咛。*Háizi ~jìzhe māma de dīngníng.* The child keeps his mother's advice in mind. ❷〈形 adj.〉稳当可靠 stable; dependable; reliable：嘴上无毛，办事不~。*Zuǐ shang wú máo, bàn shì bù ~.* A man too young to grow a beard is too green to trust; A man with downy lips is bound to make slips ❸〈名 n.〉关牲畜或野兽的栏圈 sty; coop; enclosure for animals：猪~ *shǐ~* pigsty; pigpen; hogpen｜虎~ *hǔ~* tiger cage｜亡羊补~（比喻出差错后及时补救还来得及）*wángyáng-bǔ~ (bǐyù chū chācuò hòu jíshí bǔjiù hái láidejí)* mend the fold after losing some sheep of the flock (it is never too late to mend) ❹〈名 n.〉古人祭祀用的牲畜 sacrificial animal：太~ *tài~* (of former days) religious sacrifice that consists of an ox, a sheep and a pig；少~ *shào~* sacrificial sheep and pigs ❺〈名 n.〉监狱 prison; jail：监~ *jiān~* dungeon｜坐~ *zuò~* be locked up in a jail｜水~ *shuǐ~* water dungeon

⁴ **牢房** láofáng〈名 n.〉(间jiān、座zuò)囚禁犯人的地方 prison cell; prison ward：女~ *nǚ ~* a prison cell for women｜单人~ *dānrén~* cell for a single prisoner｜他昨天被抓进了~。*Tā zuótiān bèi zhuājìnle ~.* He was taken into prison yesterday.

⁵ **牢固** láogù〈形 adj.〉结实;坚固 firm; secure：这堵墙砌得挺~。*Zhè dǔ qiáng qì de tǐng ~.* This wall is solidly built.｜他要求运动员一树立为国争光的信念。*Tā yāoqiú yùndòngyuán ~ shùlì wèi guó zhēngguāng de xìnniàn.* He asked the athletes to foster a firm confirm faith in winning honor for our motherland.

⁴ **牢记** láojì〈动 v.〉永久记住 keep firmly in mind; remember well：她~导师的教诲。*Tā ~ dǎoshī de jiàohuì.* She bears her tutor's instruction in mind.｜那个教训，他已~在脑海的深处。*Nàge jiàoxùn, tā yǐ ~ zài nǎohǎi de shēnchù.* He has kept the lesson firmly in his mind.

³ **牢骚** láosāo ❶〈名 n.〉烦躁不满的情绪 complaint; grumble：满腹~ *mǎnfù ~* have a grudge against everything; have a bellyful of complaints｜发~ *fā ~* grumble｜~话 ~ *huà* discontent remarks｜~太盛防肠断，风物长宜放眼量。*~ tài shèng fáng cháng duàn, fēngwù cháng yí fàng yǎn liàng.* Beware of heartbreak with grievance overfull; Range far your eyes over long vistas. ❷〈动 v.〉抱怨 complain; grumble：他~半天也没人理睬。*Tā ~ bàntiān yě méi rén lǐcǎi.* He grumbled for a long time but no one paid any attention to him.

³ **老** lǎo ❶〈形 adj.〉年龄大(与'少''幼'相对) old (opposite to '少shào' or '幼yòu')：~大姐 ~*dàjiě* (a respectful form of address for a woman older than oneself) elder sister｜~大爷 ~*dàye* (a polite form of address to an old man) uncle; grandpa｜人~心不~。*Rén ~ xīn bù ~.* Advanced in age but young at heart.｜活到~学到~。*Huó dào ~ xué dào lǎo.* One is never too old to learn; Keep on learning as long as one lives. ❷〈形 adj.〉资历长 having a long record of service：~兵 ~*bīng* veteran｜~厨师 ~*chúshī* seasoned chef｜~中医 ~*zhōngyī* experienced practitioner of traditional Chinese medicine｜~服务员 ~*fúwùyuán* experienced waiter ❸〈形 adj.〉经验丰富;老练 seasoned; proven：他是个开~手。*Tā shì gè kāi lǎo ~shǒu.* He's a proven driver.｜对谈判，她~于此道。*Duì tánpàn, tā ~ yú cǐ dào.* As to negotiation, she knows all the ways about it. ❹〈形 adj.〉历时长久(与'新'相对) old (opposite to '新xīn')：~楼 ~*lóu* old building｜~书 ~*shū* dated book｜~店 ~*diàn* old store｜~账 ~*zhàng* old debts; long-standing debts｜~规矩 ~*guīju* old rules and regulations; convention; established custom or practice｜~朋友 ~

péngyou old friend｜~邻居 ~ *línjū* old neighbor ❺〈形 *adj.*〉陈旧（与'新'相对）dated; antiquated （opposite to '新xīn'）:~手表 ~ *shǒubiǎo* old watch｜~仪器 ~ *yíqì* outdated instruments｜~框框 ~ *kuàngkuang* convention｜~脑筋 ~ *nǎojīn* old-fashioned way of thinking｜~观念 ~ *guānniàn* outdated modes of thought ❻〈形 *adj.*〉原来的 original; unchanged; same:~样子 ~ *yàngzi* the same old thing; the same old appearance｜~地方 ~ *dìfang* the same old place｜~脾气 ~ *píqi* the same old temperament｜~办法 ~ *bànfǎ* the same old means｜穿新鞋走~路（比喻没有真正的改变）*Chuān xīn xié zǒu ~ lù*（*bǐyù méiyǒu zhēngzhèng de gǎibiàn*）. Tread the old path in new shoe （make no real change）. ❼〈形 *adj.*〉过了头 overgrown; well-done: 这竹笋太~，没法吃了。*Zhè zhúsǔn tài ~ ，méifǎ chī le.* The bamboo shoot has overgrown to be edible.｜牛肉炒~了，咬不动。*Niúròu chǎo~ le, yǎo bú dòng.* The beef is over stir-fried to chew. ❽〈形 *adj.*〉变质（指某些高分子化合物）deteriorate:~化 ~*huà* ageing｜防~剂 *fáng~jì* antioxidant ❾〈形 *adj.*〉衰老 old and feeble; decrepit: ~朽 ~*xiǔ* decrepitude; dotage （a humble form of address for an old man）Ⅰ~变 ~*biàn* ~ getting old｜这两年他~了不少。*Zhè liǎng nián tā ~le bùshǎo.* He has much aged and weakened these several years. ❿〈形 *adj.*〉（某些颜色）深（of certain colors）dark; deep:~红 ~*hóng* deep red｜~绿 ~*lù* dark green ⓫〈形 *adj.* 口 colloq.〉排行在最后的（of seniority）youngest:~闺女 ~ *guīnǚ* youngest daughter｜~儿子 ~ *érzi* youngest son ⓬〈名 *n.*〉老年人 old people: 敬~院 *jìng~yuàn* old folks' home｜扶~携幼 fú~xiéyòu （on a journey）take the old folk by the arm and lead the children along｜尊~爱幼 zūn~àiyòu respect old people and love young children｜~有所终。 ~*yǒusuǒzhōng.* The aged are cared for. ⓭〈名 *n.*〉尊称 a respectful form of address for old people:王~ *wáng* ~ Wang Lao ⓮〈动 *v.*〉讳言，老人去世（used as euphemism, of people）pass away; die:她的祖母前天~了。*Tā de zǔmǔ qiántiān ~ le.* Her grandma died the day before yesterday. ⓯〈词头 *pref.*〉放在词组成名词 used as a prefix to form a noun:~鼠 ~*shǔ* rat｜~鹰 ~*yīng* hawk｜~虎 ~*hǔ* tiger｜~倭瓜 ~*wōguā* cushaw｜~百姓 ~*bǎixìng* ordinary people; common people ⓰〈词头 *pref.*〉放在'大''二至十''幺'前表示排行 used before '大dà', or before the number from two to ten, or before '幺yāo' to indicate seniority:~大 ~*dà* number one; the eldest child｜~二 ~*èr* number two; the second child｜~六 ~*liù* number six; the sixth child｜~幺 ~*yāo* the last; the youngest ⓱〈副 *adv.*〉一直；经常 always; often; regularly: 她说话~笑。*Tā shuōhuà~ xiào.* She smiles when she speaks.｜你别~抽烟！*Nǐ bié ~ chōuyān!* You shouldn't smoke so heavily! ⓲〈副 *adv.*〉很；极 rather; very: 太阳~高了，她还不起床。*Tàiyáng ~ gāo le, tā hái bù qǐchuáng.* She's still in bed when the sun hangs so high in the sky.｜他~早就来了。*Tā zǎo jiù lái le.* He came here quite early.｜她打~远就喊着跑过来。*Tā dǎ ~yuǎn jiù hǎnzhe pǎo guòlái.* Shouting aloud, she is running over from very far away. ⓳〈副 *adv.*〉长时间 for long: 我~没见着她。*Wǒ ~ méi jiàn zháo tā.* I haven't seen her for a long time.｜这院子的草~没收拾，都长疯了。*Zhè yuànzi de cǎo ~ méi shōushi, dōu zhǎngfēng le.* The grass in the court grows rampantly after not being cut for a long time.

² **老百姓** lǎobǎixìng〈名 *n.*〉（个gè、群qún）区别于政府人员和军人的普通人；人民 common people; ordinary people; civilian: 一群~走进军营送感谢信。*Yì qún ~ zǒu jìn jūnyíng sòng gǎnxièxìn.* A group of civilians walked into the army camp to deliver their letter of thanks.｜人民代表要为~说话。*Rénmín dàibiǎo yào wèi ~ shuōhuà.* Delegates elected to the people's congress should speak for the tuade fair.

² **老板** lǎobǎn〈名 *n.*〉（位wèi）雇主；经理 employer; manager; boss:那位是美容店的~。

Nà wèi shì měiróngdiàn de ~. That one is the manager of the beauty salon. ｜这协议要~签字。*Zhè xiéyì yào* ~ *qiānzì.* This agreement should be signed by the boss. ｜请你公司的~来参加洽谈会。*Qǐng nǐ gōngsī de* ~ *lái cānjiā qiàtánhuì.* Invite the manager of your company to attend the trade fair.

⁴ **老成** lǎochéng 〈形 *adj.*〉经验多，办事稳当 experienced; steady：他~多了，不再是个毛手毛脚的丫头片子了。*Tā* ~ *duō le, bú zài shì gè máoshǒu-máojiǎo de yātoupiànzi.* She has become much more mature and is no longer a care-free little girl. ｜他办事~，让人信得过。*Tā bàn shì* ~, *ràng rén xìn de guò.* He handles affairs steadily and can be trusted.

² **老大妈** lǎodàmā 〈名 *n.*〉(位wèi)对年老妇女的尊称 (a respectful form of address to an old woman) aunty; granny：那位~是个热心人。*Nà wèi* ~ *shì gè rèxīn rén.* That granny is very warm-hearted. ｜~，请问去图书馆怎么走？ ~, *qǐng wèn qù túshūguǎn zěnme zǒu?* Grandma, would you please tell me how to get to the library?

² **老大娘** lǎodàniáng 〈名 *n.*〉同 '老大妈' same as '老大妈lǎodàmā'

² **老大爷** lǎodàye 〈名 *n.*〉(位wèi)对年老男子的尊称 (a respectful form of address to an old man) uncle; grandpa：那位~精神矍铄。*Nà wèi* ~ *jīngshén juéshuò.* That grandpa looks hale and hearty. ｜~，您今年高寿啦？ ~, *nín jīnnián gāoshòu la?* Grandpa, may I ask how old you are?

⁴ **老汉** lǎohàn ❶〈名 *n.*〉(位wèi)年老的男子 old man：那位~天天在公园里打太极拳。*Nà wèi* ~ *tiāntiān zài gōngyuán li dǎ tàijíquán.* The old man practises shadow-boxing in the park everyday. ❷〈名 *n.*〉年老男子自称 I (used by an old man)：~我有一个女儿在大学念书。~ *wǒ yǒu yí gè nǚ'ér zài dàxué niànshū.* I have a daughter studying in the university.

² **老虎** lǎohǔ ❶〈名 *n.*〉(只zhī、头tóu、群qún)虎的通称 tiger, general term for '虎hǔ'：这里常有~出没。*Zhèli cháng yǒu* ~ *chūmò.* This place is frequented by tigers. ❷〈名 *n.*〉喻指消耗能源或原材料大的设备 equipment that consumes an unusual amount of energy or raw material：油~ *yóu* ~ oil-consuming machine ｜电~ *diàn* ~ power-consuming equipment ❸〈名 *n.*〉喻指侵吞国家或他人财物的单位或个人 avaricious embezzler, thief or tax evader：要打苍蝇，更要打~。*Yào dǎ cāngying, gèng yào dǎ* ~. Houseflies (small-time crooks) should be punished, and tigers (criminal should be punished even more severely. ❹〈名 *n.*〉喻指凶狠、泼辣的人 bad-tempered person：那个女人简直是母~。*Nàge nǚrén jiǎnzhí shì tóu mǔ* ~. That woman is really a hellcat.

⁴ **老化** lǎohuà ❶〈动 *v.*〉某些物质变硬、变脆，改变了原有的特性 (of certain materials) become hard or fragile, or change their characteristics：这塑料雨衣~了，没法穿。*Zhè sùliào yǔyī* ~ *le, méifǎ chuān.* The plastic raincoat has become stiffened and cannot be worn. ❷〈动 *v.*〉老年人在人口中或一定范围内比重加大 (of population) ageing; becoming old：人口~ *rénkǒu* ~ ageing population ｜他们正在改变干部队伍~的问题。*Tāmen zhèngzài gǎibiàn gànbù duìwǔ* ~ *de wèntí.* They are trying to solve the problem of cadres becoming old and losing efficiency. ❸〈动 *v.*〉知识、技术等已变得陈旧、过时 (of knowledge, skills, etc.) become outdated：知识~ *zhīshí* ~ old-fashioned knowledge ｜设备~ *shèbèi* ~ outdated equipment

⁴ **老家** lǎojiā ❶〈名 *n.*〉故乡的家 native place; old home：明天~要来人。*Míngtiān* ~ *yào lái rén.* Some people from my native place will arrive tomorrow. ｜她已经有两年没回~了。*Tā yǐjīng yǒu liǎng nián méi huí* ~ *le.* She hasn't gone back her old home for two years. ❷〈名 *n.*〉原籍 birthplace：他的~在福建。*Tā de* ~ *zài Fújiàn.* His birthplace is in Fujian Province.

³ **老年** lǎonián〈名 n.〉通常指六七十岁以上的人 old age; person over 60 years of age：~人 ~rén old people｜~大学 ~ dàxué university for the aged｜他已跨入~的行列了。*Tā yǐ kuàrù ~ de hángliè le.* He has become a member of old people.

³ **老婆** lǎopo〈名 n. 口 colloq.〉(个gè)男人的配偶 wife：他特别怕~。*Tā tèbié pà ~.* He is particularly henpecked.｜他星期天总是陪~逛商店。*Tā xīngqītiān zǒngshì péi ~ guàng shāngdiàn.* He often goes shopping around with his wife on Sundays.

² **老人** lǎorén ❶〈名 n.〉(位wèi)老年人 old people：孤寡~ gūguǎ ~ a lone old man｜尊重~是中国人的传统美德。*Zūnzhòng ~ shì Zhōngguórén de chuántǒng měidé.* Respecting the old is a traditional virtue of the Chinese people. ❷〈名 n.〉上了年纪的亲人 (多指父母或祖父母)(mostly refer to aged parents or grandparents) aged relatives：她可孝敬~了！*Tā kě xiàojìng ~ le!* She's very filial to her elders.｜我家~都还健在。*Wǒ jiā ~ dōu hái jiànzài.* My aged parents are still living and in good health. ❸ (~儿)〈名 n.〉老熟人 (多指同事、部下)(mostly refer to one's colleague, subordinate, etc.) old acquaintance：她是我在文化部工作时的~儿。*Tā shì wǒ zài Wénhuàbù gōngzuò shí de ~r.* She was my old colleague when I worked in the Ministry of Culture.

³ **老人家** lǎorenjia ❶〈名 n.〉(位wèi)对老年人的尊称 a respectful form of address to an old person：您~身体可好？*Nín ~ shēntǐ kě hǎo?* Are you in good health, grandma (or grandpa)? ❷〈名 n.〉对他人称自己或对方的父母 parent：他~常常去公园。*Tā ~ chángcháng qù gōngyuán.* His (or my) old parent often goes to the park.｜~，瞧您养的女儿多有出息啊！*~, qiáo nín yǎng de nǚ'ér duō yǒu chūxi a!* Look, what a promising daughter you have brought up!

¹ **老师** lǎoshī ❶〈名 n.〉(位wèi)对教师的尊称 honorific address to teacher：她是我小学~。*Tā shì wǒ xiǎoxué ~.* She's my elementary school teacher.｜这位~讲课很受欢迎。*Zhè wèi ~ jiǎngkè hěn shòu huānyíng.* The teacher's lecture is well recieved among the students. ❷〈名 n.〉(位wèi)泛称值得学习的人 one who deserves to learn from：她是一位织锦能手，是我心仪的~。*Tā shì yí wèi zhījǐn néngshǒu, shì wǒ xīnyí de ~.* She's a good hand at picture-weaving in silk and a teacher I admire.｜别客气，您就是我的~！*Bié kèqi, nín jiùshì wǒ de ~!* Don't be modest. You are my teacher. ❸〈名 n.〉对中年以上知识分子的尊称 respectful address to those intellectuals above middle age：王~，我有一本书想请您翻译。*Wáng ~, wǒ yǒu yì běn shū xiǎng qǐng nín fānyì.* Teacher Wang, I wonder if you can translate a book for me.

² **老是** lǎoshi〈副 adv. 口 colloq.〉一直；始终 always; all the time：出去散步，他~落在最后。*Chūqù sànbù, tā ~ là zài zuìhòu.* He always lags behind whenever we go out for a stroll.｜问他点儿事，他~吞吞吐吐的。*Wèn tā diǎnr shì, tā ~ tūntūntǔtǔ de.* He always speaks falteringly whenever we ask him something.｜想约你出去玩儿玩儿，你怎么~没时间。*Xiǎng yuē nǐ chūqù wánrwanr, nǐ zěnme ~ méi shíjiān.* I have planned to invite you out to have some fun, but how can you always be so busy?

² **老实** lǎoshi ❶〈形 adj.〉诚实 veracious; genuine; honest to goodness：说~话办~事。*Shuō ~ huà bàn ~ shì.* Be an honest person in word and deed.｜他~地坦白了自己的心事。*Tā ~ de tǎnbáile zìjǐ de xīnshì.* He honestly made a confession of his worries. ❷〈形 adj.〉守规矩；不惹事 well-behaved; law-fearing：他是个~孩子，从来不胡闹。*Tā shì gè ~ háizi, cónglái bù húnào.* This child is well behaved and he never runs wild.｜他~经营，只赚该赚的钱。*Tā ~ jīngyíng, zhǐ zhuàn gāi zhuàn de qián.* He manages his business honestly and only makes profits law fully ❸〈形 adj. 婉 euph.〉不灵活；不聪明 (used as a euphemism) simple-minded; naive; easily taken in：他也太~了，老上人

L

家的当。*Tā yě tài ~ le, lǎo shàng rénjia de dàng.* He's so simple-minded that he's often cheated.

⁴ **老鼠** lǎoshǔ〈名 n.〉（只zhǐ、群qún、窝wō）鼠的通称（多指家鼠）rat; mouse (oft. referring to home mouse)：~怕猫。*~ pà māo.* Rats are afraid of cats. ｜～过街,人人喊打（比喻害人的东西人人痛恨）。*~ guò jiē, rénrén hǎn dǎ (bǐyù hàirén de dōngxi rénrén tònghèn).* When a rat runs across the street, everybody will shout, 'Kill it!' (*fig.* sb. or sth. hated by everybody)

⁴ **老婆婆** lǎotàipó ❶〈名 n.〉（个gè）老年妇女 carline：我这个~就喜欢跟年轻人一起凑热闹。*Wǒ zhège ~ jiù xǐhuan gēn niánqīngrén yìqǐ còu rènao.* I, an old woman, like joining in the fun of the young. ❷〈名 n.〉（个gè）对老年妇女的蔑称 a disdainful address to an old woman：这个~就爱管闲事。*Zhège ~ jiù ài guǎn xiánshì.* This old woman is very nosy.

² **老太太** lǎotàitai ❶〈名 n.〉对老年妇女的尊称 honorific address to an old woman; old lady：~,您在侍弄月季花呢？*~, nín zài shìnòng yuèjìhuā na?* Old lady, are you tending the China roses? ｜那位~爱跳舞。*Nà wèi ~ ài tiàowǔ.* That old lady likes dancing. ❷〈名 n.〉对人尊称自己的母亲或婆婆；尊称别人的母亲(honorific address) your mother; his mother; my mother; my mother-in-law：我家~常给我儿子做好吃的。*Wǒ jiā ~ cháng gěi wǒ érzi zuò hǎo chī de.* My mother often cooks tasty foods for my son. ｜你家~还常去爬山吗？*Nǐ jiā ~ hái lǎo qù páshān ma?* Does your mother still often go climbing?

⁴ **老天爷** lǎotiānyé ❶〈名 n.〉迷信的人对主宰神的称呼 an address by superstitious people to god in heaven who is believed to be in control of everything; the Heavenly God：~,给下点儿雨吧, 我家禾苗要旱死了！*~, gěi xià diǎnr yǔ ba, wǒ jiā hémiáo yào hànsǐ le!* My Goodness, please let it rain, or my seedlings will be dead from drought. ｜求求~,保佑我家老头子早日康复！*Qiúqiu ~, bǎoyòu wǒ jiā lǎotóuzi zǎorì kāngfù!* My Goodness! Please bless my old man so that he could get well as soon as possible. ❷〈名 n.〉不带迷信色彩而发出的惊叹 non-superstitious exclamation: My goodness! Good Heavens! My God! God! :~, 这么大的西瓜是怎么长的！*~, zhème dà de xīguā shì zěnme zhǎng de!* My God, how can the watermelon grow so big! ｜树倒在路当中, 我的~,我们的车怎么走呀？*Shù dǎo zài lù dāngzhōng, wǒ de ~, wǒmen de chē zěnme zǒu ya?* My goodness, the tree is lying in the middle of the road. How can our car get through?

² **老头儿** lǎotóur ❶〈名 n.〉（个gè、位wèi）年老的男子（多含亲热之意）(with an undertone of intimacy) old chap; geezer：那个~老在那大树下跟人下棋。*Nàge ~ lǎo zài nà dà shù xià gēn rén xiàqí.* That old chap likes to play chess with others under that tree. ❷〈名 n.〉对人称自己父亲(含亲昵之意)(with an undertone of intimacy) my father：我家~快80岁了, 还挺硬朗呢。*Wǒ jiā ~ kuài bāshí suì le, hái tǐng yìnglang ne.* My father will be 80 years old and he's still hale and hearty. ❸〈名 n.〉对丈夫的昵称(a term of endearment) husband：我那~可爱玩儿电脑游戏了。*Wǒ nà ~ kě ài wánr diànnǎo yóuxì le.* My husband likes playing computer games very much.

³ **老乡** lǎoxiāng ❶〈名 n.〉（个gè、位wèi）同乡人 fellow provincial; fellow townsman; fellow villager：我有位~在北京郊区办了个苗圃。*Wǒ yǒu wèi ~ zài Běijīng jiāoqū bàn le gè miáopǔ.* One of my fellow townsmen set up a nursery of young plants in the suburbs of Beijing. ❷〈名 n.〉称农民(含亲近之意)(friendly address to a farmer) buddy：~,请问去乡政府怎么走？*~, qǐng wèn qù xiāng zhèngfǔ zěnme zǒu?* Buddy, would you

please tell me how I can get to the town government?

老爷 lǎoye ❶〈名 n.〉旧时对官绅和权贵的称呼，现含讽刺意味（old term of address to sb. rich and powerful that has become derogative today）master; lord; bureaucrat：当官做~ dāng guān zuò ~ act the high and mighty official｜不要做威作福的~。Búyào zuò zuòwēi-zuòfú de ~. Don't be a lord who rides roughshod over people. ❷〈名 n.〉旧时仆人对主人的称呼 old-time respectful address to a master by a servant; Sir; Master：~，请喝茶！ ~, qǐng hē chá! Master, have a cup of tea, please.｜~，有位客人来了。~, yǒu wèi kèrén lái le. Sir, a guest has arrived. ❸〈名 n.〉外祖父 maternal grandfather：他家~可疼爱外孙女了！ Tā jiā ~ kě téng'ài wàisūnnǚ le! His father-in-law is very fond of his daughter. ❹〈名 n.〉指陈旧的、过时的东西 old-fashioned; outdated：那是部~车，走走停停，该报废了 Nà shì bù ~ chē, zǒuzǒu-tíngtíng, gāi bàofèi le. That's an old-style car that often breaks down. It should be discarded as useless.

老一辈 lǎoyíbèi〈名 n.〉前一代的人；辈分较高的人 older generation; people higher in the position of the family hierarchy：年轻人要尊重~。Niánqīngrén yào zūnzhòng ~. The younger generation should respect the older generation.｜我们要继承~的好传统。Wǒmen yào jìchéng ~ de hǎo chuántǒng. We should inherit the good tradition of the older generation.

姥姥 lǎolao ❶〈名 n.〉外祖母 maternal grandmother; grandma：他~特别疼他。Tā ~ tèbié téng tā. His grandma loves him dearly. ❷〈名 n. 方 dial.〉表示坚决的否定或轻蔑 indication of a firm denial or disdain：要让我给他赔罪，~！Yào ràng wǒ gěi tā péizuì, ~! You want me to apologize to him? No way!

涝 lào ❶〈动 v.〉雨水过多而淹没庄稼 (of crops) be waterlogging：那里的庄稼~了。Nàli de zhuāngjia ~ le. Crops there were waterlogged.｜防~工作要早抓。Fáng~ gōngzuò yào zǎo zhuā. Precautious measures against waterlogging should be taken early. ❷〈名 n.〉田里过多的积水 floodwater; excessive water in the fields：排~ pái~ drain off the floodwater

乐 lè ❶〈动 v.〉笑 laugh; amuse：逗~ dòu~ amuse; clown around｜她~得前仰后合。Tā ~ de qiányǎng-hòuhé. She rocked forwards and backwards with laughter. ❷〈动 v.〉喜爱；乐于 be happy to; take delight in：喜闻~见 xǐwén~jiàn love to see and hear; appealing｜~此不疲 ~cǐbùpí be on sth. without feeling tired of it｜安居~业 ānjū~~yè live and work in peace and contentment｜~善好施 ~shàn-hàoshī be philanthropic; prodigal of benefactions ❸〈形 adj.〉高兴 glad：快~ kuài~ happy; joyful; cheerful｜欢~ huān~ happiness｜助人为~ zhùrén-wéi~ take pleasure in helping people｜~而忘忧 ~érwàngyōu be happy and forget anxiety｜知足常~。Zhīzú-cháng~. Contentment brings happiness.

乐观 lèguān〈形 adj.〉遇事豁达，前瞻自信（与'悲观'相对）sanguine; optimistic (opposite to '悲观bēiguān')：他是个~的人，生了病依然笑呵呵的。Tā shì gè ~ de rén, shēngle bìng yīrán xiàohēhē de. He's an optimistic person, still joyful even when he's ill.｜对公司的发展前景，她很~。Duì gōngsī de fāzhǎn qiánjǐng, tā hěn ~. She is very optimistic about the company's prospect.

乐趣 lèqù〈名 n.〉令人感到快乐的意味 delight; pleasure; joy：生活的~ shēnghuó de ~ joy of life｜读书的~ dúshū de ~ joy of reading｜在网上下围棋，给她带来无穷的~。Zài wǎng shang xià wéiqí, gěi tā dàilái wúqióng de ~. Playing weiqi on the Internet brings her endless pleasure.

乐意 lèyì ❶〈助动 aux. v.〉心甘情愿 be willing to; be ready to：她~照顾有残疾的丈

夫。*Tā ~ zhàogù yǒu cánjí de zhàngfu.* She is willing to care for her handicapped husband.｜他~当她的秘书。*Tā ~ dāng tā de mìshū.* He is willing to be her secretary. ❷〈形 *adj.*〉满意；快乐 pleased; happy：她没见着男友，心里有些不~。*Tā méi jiànzháo nányǒu, xīnli yǒuxiē bú ~.* Not having seen her boyfriend, she's somewhat unhappy.

¹ 了 le ❶〈助 *aux.*〉用在动词或形容词后面，表示动作或状态已完成 used after a verb or an adjective to indicate the completion of an action or a change：她买一件羊绒衫。*Tā mǎi~ jiàn yángróngshān.* She bought a cashmere sweater.｜樱桃红~。*Yīngtáo hóng ~.* Cherries have turned red. ❷〈助 *aux.*〉用在句末，表示事态已经出现或将要起变化 used at the end of a sentence to indicate that sth. has happened or is about to change：他去过商店~。*Tā qùguo shāngdiàn ~.* He has been to the store.｜她不想再当保姆~。*Tā bù xiǎng zài dāng bǎomǔ ~.* She no longer wants to be a housemaid. ❸〈助 *aux.*〉用在句末，表示在某种条件下会出现的情况 used at the end of a sentence to indicate that sth. will happen under certain circumstances：一夜大雪，路不好走~。*Yí yè dàxuě, lù bù hǎo zǒu ~.* After it snowed heavily for a night, the road became difficult to walk on.｜早知这样，我就不来~。*Zǎo zhī zhèyàng, wǒ jiù bù lái ~.* If I'd known this beforehand, I would not have come. ❹〈助 *aux.*〉用在句末或句中停顿处，表示提醒、催促或劝阻 used at the end of a sentence or after a pause in the middle of a sentence to indicate a warning, a request or a command：该吃饭，别写~。*Gāi chīfàn ~, bié xiě ~.* It's time for diner. Stop writing!｜行~，你不要再唠叨~！*Xíng ~, nǐ búyào zài láodao ~!* Stop! Don't babble on and on.

☞ liǎo, p. 642

⁴ 勒 lēi ❶〈动 *v.*〉用绳子等使劲捆紧、系紧或套紧 tighten up; tie or strap sth. tight：你把这摞书用塑料绳再一~，免得半道散了。*Nǐ bǎ zhè luò shū yòng sùliào shéng zài ~ yì ~, miǎnde bàndào sǎn le.* Tighten up this stack of books with one more plastic string so as not to break up on the way.｜打领带别~得太紧。*Dǎ lǐngdài bié ~ de tài jǐn.* Don't knot your necktie too fast.｜这领子太小，有点儿~脖子。*Zhè lǐngzi tài xiǎo, yǒudiǎnr ~ bózi.* The collar is too small and some what cuts into the flesh｜~紧裤带过日子（比喻千方百计地省俭）。*~jǐn kùdài guò rìzi (bǐyù qiānfāng-bǎijì de shěngjiǎn).* Tighten the belt to get along (*fig.* to live economically by every possible means). ❷〈动 *v.*〉逼迫 force; coerce：人家不干，你别硬~。*Rénjia bú gàn, nǐ bié yìng ~.* Don't force others to do what they don't want to.

² 雷 léi ❶〈名 *n.*〉云层放电的巨响 thunder：闪电一鸣 shǎndiàn-~míng lightnings and thunders｜打~了，别站在大树底下！*Dǎ ~ le, bié zhàn zài dà shù dǐxia!* It is thundering. Don't stand under the tree. ❷〈名 *n.*〉(颗kē)爆炸性武器 mine：手~shǒu~ antitank grenade｜水~shuǐ~ submarine mine｜鱼~yú~ torpedo｜布~bù~ lay mines｜扫~sǎo~ sweep mines｜排~pái~ removal of mines; mine clearance

⁴ 雷达 léidá〈名 *n.*〉(座zuò)利用无线电波探测目标的装置，广泛用于军事、天文、气象、航空、航海等方面，英语radar的音译 a transliteration of the English word 'radar'：~站~zhàn radar station｜~监测~jiāncè radar monitoring｜安装~ānzhuāng ~ install radar

⁴ 雷雨 léiyǔ〈名 *n.*〉(场chǎng、阵zhèn)伴随着闪电和雷声的降雨 thunderstorm：气象台预报今天傍晚有~。*Qìxiàngtái yùbào jīntiān bàngwǎn yǒu ~.* The meteorological station forecasts that there will be a thunderstorm at this dusk.｜一场大~已经过去了。*Yì chǎng dà ~ yǐjīng guòqù le.* A big thunderstorm has seceded.

⁴ 垒 lěi ❶〈动 *v.*〉用砖石等砌建 build by laying bricks, stones, earth, etc.：他在院子里~

了一个花坛。*Tā zài yuànzi li ~le yí gè huātán.* He built a flower bed in the courtyard. | 他在园边~墙呢。*Tā zài yuán biān ~ qiáng ne.* He's building a wall at the side of the garden. ❷〈名 *n.*〉军用防守墙或工事 wall of a barrack or rampart:堡~*bǎo*~ fortress; stronghold; fort; blockhouse | 壁~森严地~bì~*sēnyán* closely guarded; strongly fortified; sharply divided | 两军对~*liǎng jūn duì*~ two armies pitted against each other ❸〈名 *n.*〉棒球、垒球运动的防守据点 baseball, softball base:守~*shǒu* ~ defend base | 跑 ~ *pǎo* ~ base running

² **类** lèi ❶〈名 *n.*〉种类；类别 kind; type; class; category:分~*fēn*~ classify; categorize | 归 ~ *guī*~ sort out; classify | 同 ~ *tóng*~ the same kind | 异 ~ *yì*~ alien class | 分门别~*fēnmén-bié*~ put into different categories; classify | 物以~聚，人以群分(比喻坏人勾结在一起)。*Wùyǐ~jù, rényǐqúnfēn (bǐyù huàirén gōujié zài yìqǐ).* Things of a kind come together, people of a mind fall into the same group; Birds of a feather flock together. ❷〈动 *v.*〉相似 be similar to; resemble:~似 ~*sì* similar (to); analogous (to) | ~人猿 ~*rényuán* anthropoid (ape) | 画虎不成反~犬(比喻生硬地模仿别人，结果弄得不伦不类)。*Huà hǔ bù chéng fǎn ~ quǎn (bǐyù shēngyìng de mófǎng biérén, jiéguǒ nòng de bùlún-bùlèi).* Try to draw a tiger and end up with a dog-like thing（make a poor imitation; attempt sth. over-ambitious and end in failure）. ❸〈量 *meas.*〉用于表示种类 used to indicate type, class, etc.:他们不是一~人，想不到一块儿。*Tāmen bú shì yí ~ rén, xiǎng bú dào yíkuàir.* They are not the same sort of person and never think together. | 这两~物品要分开存放。*Zhè liǎng ~ wùpǐn yào fēnkāi cúnfàng.* These two sort of things should be kept separately.

³ **类似** lèisì〈形 *adj.*〉大致相像；大致相同 similar (to); analogous (to):他们解题的方法很~。*Tāmen jiětí de fāngfǎ hěn ~.* The methods they used in solving the problem are very similar. | 这种~的情况常常发生。*Zhè zhǒng ~ de qíngkuàng chángcháng fāshēng.* Things like this often happen.

³ **类型** lèixíng〈名 *n.*〉(个gè、种zhǒng)具有共同特征的种类 type; category:他搜集各种~的邮票。*Tā sōují gèzhǒng ~ de yóupiào.* She collects all types of stamps. | 商店里的电视机有好几种~，你想买哪一种的? *Shāngdiàn li de diànshìjī yǒu hǎo jǐ zhǒng ~, nǐ xiǎng mǎi nǎ yì zhǒng de?* There are various types of TV sets in the department store. Which one do you want to buy?

¹ **累** lèi ❶〈形 *adj.*〉疲劳；辛苦 tired; weary; fatigued:他开了一天车，感到很~。*Tā kāile yì tiān chē, gǎndào hěn ~.* He felt very tired after driving for a whole day. | 她~得腰酸腿疼。*Tā ~ de yāosuān-tuǐténg.* She's so tired that it's aching all over. ❷〈动 *v.*〉使疲劳 make tired; wear out:这活真~人。*Zhè huó zhēn ~ rén.* This job is very tiring. | 她爱钻研，不怕~脑子。*Tā ài zuānyán, bú pà ~ nǎozi.* She likes making intensive studies and saves no mental work. ❸〈动 *v.*〉操劳 work hard; toil:她~半天了，才坐下喘口气。*Tā ~ bàntiān le, cái zuò xià chuǎn kǒu qì.* She has worked hard for a long time and has just sat down for a rest. ❹〈动 *v.*〉添麻烦；打扰 make trouble; bother:你捎来这么多书，给你添~了。*Nǐ shāolái zhème duō shū, gěi nǐ tiān ~ le.* You've brought so many books. Sorry to have given you the trouble. | ~你帮我问问。*~ nǐ bāng wǒ wènwen.* I have to bother you to ask it for me.

⁴ **棱** léng ❶〈名 *n.*〉(条tiáo、道dào、个gè)物体不同方向两平面相接的边 arris; edge:~角 ~*jiǎo* edges and corners | 窗 ~ *chuāng*~ window lattice | 这桌子太旧了，~都磨圆了。*Zhè zhuōzi tài jiù le, ~ dōu móyuán le.* The table is so old that its edges are worn out. ❷ (~儿)〈名 *n.*〉物体上凸起成条状的部分 ridges on an object:眉~儿 *méi*~r brow | 瓦~儿

wǎ~r rows of tiles on a roof│这块搓衣板的~儿设计得很好。*Zhè kuài cuōyībǎn de ~r shèjì de hěn hǎo.* The ridges of the washboard are well designed.

¹ 冷 lěng ❶〈形 *adj.*〉温度低;感觉温度低(与'热'相对) cold (opposite to '热rè'):天~了,要多穿点儿衣服。*Tiān ~ le, yào duō chuān diǎnr yīfu.* It's cold. Put on more clothes. │饭你也吃?~*fàn nǐ yě chī?* How can you eat cold meal? │山头风大,好~啊!*Shāntóu fēng dà, hǎo ~ a!* The wind blows hard on top of the hill. It's so cold. ❷〈形 *adj.*〉不热情;冷淡 cold in manner; frosty:~漠 ~*mò* cold and detached; unconcerned; indifferent│~面孔 ~ *miànkǒng* stern-looking face │~言~语 ~*yán~yǔ* sarcastic comments; ironical remarks│她~~地说:'你走吧!'*Tā ~ ~ de shuō:'Nǐ zǒu ba!* ' She said coldly, 'You go away!' ❸〈形 *adj.*〉冷清;寂静 unfrequented; deserted; out-of-the-way:~宫 ~*gōng* cold palace; limbo│~落 ~*luò* desolate; treat coldly│孩子们一上班,她家里就~~清清了。*Háizimen yí shàngbān, tā jiā lǐ jiù ~~~qīngqīng le.* When all of her children go to working, her home becomes deserted and quiet. ❹〈形 *adj.*〉突然的;乘人不备的 sudden; unexpected:放~箭 fàng ~*jiàn* shoot unexpected arrows│打~枪 dǎ~ qiāng shoot from hiding│~不防 ~*bùfáng* suddenly; unexpectedly; by surprise│他~丁从胡同里蹿出来,吓了我一跳。*Tā ~budīng cóng hútòng lǐ cuān chūlái, xiàle wǒ yí tiào.* He gave me a start when he suddenly jumped out of the alley. ❺〈形 *adj.*〉少见的;不被注意的 strange; rare; unnoticed:写作文不要用~僻的字眼。*Xiě zuòwén búyào yòng ~pì de zìyǎn.* Don't use rarely used words when you write a composition. │今天赛场爆出了个大~门,1号种子选手被一位无名小将淘汰了。*Jīntiān sàichǎng bàochūle gè dà ~mén, yī hào zhǒngzi xuǎnshǒu bèi yí wèi wúmíng xiǎojiàng táotài le.* Today, a dark horse bobbed up on the court; the top seed was eliminated by an unknown player. ❻〈动 *v.*〉使冷却(多指食物)cool (mostly of food):油炸糕太烫,还是~~再吃吧。*Yóuzhágāo tài tàng, háishí ~ ~ zài chī ba.* The fried cake is too hot. Let it cool off before you take it. ❼〈动 *v.*〉热情降低;失望 disheartened; disappointed:你别~了朋友的心!*Nǐ bié ~ le péngyou de xīn!* Don't dishearten your friend. │见他爱搭不理的,姑娘的心~了半截。*Jiàn tā àidā-bùlǐ de, gūniang de xīn ~le bànjié.* The girl felt disheartened at the sight of his standoffishness.

⁴ 冷淡 lěngdàn ❶〈形 *adj.*〉冷清;不兴盛 not brisk; slack; desolate:生意~。*Shēngyì ~.* The trade is slack. │气氛~。*Qìfēn ~.* The atmosphere is not brisk. ❷〈形 *adj.*〉不热情;不关心 cold; indifferent:她对来人很~。*Tā duì láirén hěn ~.* She's very cold to the visitor. │她那~的神态让人心里不舒服。*Tā nà ~ de shéntài ràng rén xīnli bù shūfu.* Her indifference makes people uncomfortable. ❸〈动 *v.*〉怠慢;give cold shoulder (to sb.):老乡明天来,你可别~了人家。*Lǎoxiāng míngtiān lái, nǐ kě bié ~le rénjia.* Your fellow provincial will come tomorrow. Don't let him feel slighted. │公司对职员的建议~不得。*Gōngsī duì zhíyuán de jiànyì ~ bude.* The company should not give a cold shoulder to its employees' suggestions.

³ 冷静 lěngjìng ❶〈形 *adj.*〉人少而清静;不热闹(of a place) quiet:他俩在公园~的假山上聊了半天。*Tā liǎ zài gōngyuán ~ de jiǎshān shang liáole bàntiān.* The two of them chatted with each other for a long time on the quiet rockery in the park. ❷〈形 *adj.*〉情绪镇静;不感情用事 sober; calm:遇到难处,他很~。*Yùdào nánchù, tā hěn ~.* He can keep calm when facing with difficulties. │别人再吵嚷,他还是一副~的面孔。*Biérén zài chǎorǎng, tā háishì yí fù ~ de miànkǒng.* No matter how clamorous others are, he remains calm in the face.

³ 冷却 lěngquè ❶〈动 *v.*〉物体温度降低或使物体温度降低 cool; make cool; become

cool：出窑的瓷瓶~了。*Chū yáo de cípíng ~ le.* The porcelain vases taken out from the kiln have cooled off. ❷〈动 v.〉使情绪平静下来 calm down：他正在火头上，等他情绪~下来再谈吧。*Tā zhèngzài huǒtóu shang, děng tā qíngxù ~ xiàlái zài tán ba.* He's very angry now, so let's talk to him after he calms down.

³ **冷饮** lěngyǐn〈名 n.〉清凉饮料（与'热饮rèyǐn'相对）cold drinks（opposite to '热饮rèyǐn'）：天太热了，来杯~喝喝吧！*Tiān tài rè le, lái bēi ~ hēhe ba!* It's so hot today. Have a cup of cold drink.

³ **愣** lèng ❶〈动 v.〉发呆；失神 dumbfounded; stupefied; dazed：她~了半天也没说出话来。*Tā ~le bàntiān yě méi shuōchū huà lái.* She was dumbfounded for quite a long time. | 她见心爱的花瓶摔在了地上，~住了。*Tā jiàn xīn'ài de huāpíng shuāi zài le dì shang, ~ zhù le.* He was dumbfounded at the sight of his treasured vase crashed on the ground. ❷〈形 adj.〉冒失；鲁莽 rash; blunt; brusque：他这个~小子，干什么都是不管不顾的。*Tā zhège ~ xiǎozi, gàn shénme dōu shì bù guǎn bú gù de.* He is a brusque young man, crude and impetuous about everything he does. | 你这么~干，还不把好事办坏了？*Nǐ zhème ~ gàn, hái bù bǎ hǎoshì bàn huài le?* You are too rash, and you will turn good things into bad. ❸〈副 adv. 口 colloq.〉偏偏；偏要 insist on：叫她多穿点儿，她~不！*Jiào tā duō chuān diǎnr, tā ~ bù!* She insisted on not putting on more clothes even though being asked to. | 明知湖底水草太多容易缠住脚，他~要在那儿游泳。*Míngzhī hú dǐ shuǐcǎo tài duō róngyì chán zhù jiǎo, tā ~ yào zài nàr yóuyǒng.* He knew that his feet might easily be entwined by the water plants at the bottom of the lake, but he insisted on swimming there. ❹〈副 adv. 口 colloq.〉最终 finally：经过不懈的努力，他~是获得了成功。*Jīngguò búxiè de nǔlì, tā ~ shì huòdéle chénggōng.* He finally succeeded through unremitting efforts.

² **厘米** límǐ〈量 meas.〉长度单位，1厘米等于1米的1/100 centimetre; unit of length, equal to one per cent of a metre：这孩子身高有95~了。*Zhè háizi shēngāo yǒu jiǔshíwǔ ~ le.* The child is 95 centimetres in height.

¹ **离** lí ❶〈动 v.〉离开；分开 leave; part from; be away from：~家 ~ jiā leave home | ~婚 ~ hūn divorce | 生~死别 shēng ~ -sǐbié part forever | 她毕业~校一年了。*Tā bìyè ~ xiào yì nián le.* It's been a year since she graduated from school. ❷〈动 v.〉缺少 short of; without：这菜~了盐没法吃。*Zhè cài ~le yán méifǎ chī.* The dish is hard to eat without salt. | 那对小夫妻成天吵吵闹闹，可谁也~不了谁。*Nà duì xiǎo fūqī chéngtiān chǎochǎo-nàonào, kě shéi yě ~ bù liǎo shéi.* This young couple quarrel with each other everyday, but neither of them can live without the other. ❸〈动 v.〉相距 apart; away from：他家~学校二里地。*Tā jiā ~ xuéxiào èr lǐ dì.* His home is two li from his school. | ~妇女节只有三天了。*~ Fùnǚjié zhǐyǒu sān tiān le.* There are only three days before the International Women's Day. ❹〈动 v.〉背叛；不合 betray; disagree：众叛亲~ zhòngpàn-qīn~ be forsaken by one's friends and relatives; be utterly isolated | 大家一定要同心同德，不可~心~德。*Dàjiā yídìng yào tóngxīn-tóngdé, bùkě ~xīn-~dé.* We should be of one heart and one mind, and no one among us is allowed to go his own way. ❺〈名 n.〉八卦之一，卦形为三，代表火 one of the Eight Diagrams, symbolizing fire

⁴ **离别** líbié〈动 v.〉长时间与人分开或离开某地 part with a familiar person or from a familiar place for a long period; leave; bid farewell：~父母 ~ fùmǔ part with one's parents | ~妻子 ~ qīzǐ part with one's wife | ~家乡 ~ jiāxiāng leave one's hometown | ~祖国 ~ zǔguó leave one's motherland

² **离婚** lí//hūn〈动 v.〉依照法定程序解除夫妻婚姻关系 divorce：他俩已经办了~手续。

Tā liǎ yǐjīng bànle ~ shǒuxù. The two of them have gone through the divorce procedures. ｜他们是协议、好合好散。*Tāmen shì xiéyì ~, hǎo hé hǎo sàn.* They got divorced by agreement, so they are happily united and friendly separated. ｜他都离过三次婚了。*Tā dōu líguò sān cì hūn le.* He has been divorced for three times.

¹ **离开** lí//kāi 〈动 v.〉与人、物、地方分开 leave; depart from; deviate from：~亲友～ *qīnyǒu* leave one's relatives and friends ｜~办公室 ~ *bàngōngshì* leave the office ｜人~水就活不了。*Rén ~ shuǐ jiù huó bù liǎo.* Humans cannot live without water. ｜种庄稼离不开肥料。*Zhòng zhuāngjia lí bù kāi féiliào.* Growing crops can't do without fertilizer.

⁴ **离休** líxiū 〈动 v.〉中国的一项人事制度。根据中国政府的规定，凡在1949年10月1日（中华人民共和国成立日）前参加革命工作的，男年满60岁、女年满55岁的干部需要退出工作岗位时不作退休而作'离职休养'，简称'离休'。离休干部的基本政治待遇不变，工资及生活方面除保持在职时的待遇外，还享受某些优惠 leave one's post to rest; retire, a personnel system of China. According to the regulation of Chinese government, when anyone who joined the Chinese revolution before October 1, 1949 (the day when the People's Republic of China was founded) resigns (men above 60, women above 55), his or her basic political treatment will remain the same. So will the salary and living condition of the veteran cadre, even with some favorable terms added to it. This will be called　'离职休养lízhí xiūyǎng', abbr. for '离休'：他~两年了。*Tā ~ liǎng nián le.* He has retired for two years.

² **梨** lí 〈名 n.〉(棵kē)落叶乔木，果可食 pear：他家院子里种了几棵，春天开满了花，夏天结满了果子。*Tā jiā yuànzi li zhòngle jǐ kē ~, chūntiān kāimǎnle huā, xiàtiān jiēmǎnle guǒzi.* There in his courtyard planted several pear trees, flowers in spring and full of fruits in summer. ❷〈名 n.〉(只zhī、个gè、箱xiāng)梨树结的果实 fruit of such plant：今天我买了一箱~。*Jīntiān wǒ mǎile yì xiāng ~.* I bought a box of pears today.

⁴ **犁** lí 〈名 n.〉(张zhāng)翻土用的农具 plough：过去农村多用人拉~，现在都用牲口或拖拉机拉~了。*Guòqù nóngcūn duō yòng rén lā ~, xiànzài dōu yòng shēngkǒu huò tuōlājī lā ~ le.* In the countryside, people used to drag ploughs with manpower, but with draught animals or tractors nowadays. ❷〈动 v.〉用犁耕地 work with a plough; plough：他~田去了。*Tā ~ tián qù le.* He went to plough the fields. ｜半晌他~了三亩地。*Bànshǎng tā ~le sān mǔ dì.* He has ploughed three *mu* of fields for a half day.

³ **黎明** límíng 〈名 n.〉天快亮或刚亮的时候 dawn; daybreak：~时分，院子里的鸟儿就唱开了。*~ shífēn, yuànzi li de niǎor jiù chàngkāi le.* At daybreak, birds began to sing in the courtyard. ｜天刚~他就开车出去了。*Tiān gāng ~ tā jiù kāichē chūqù le.* He drove his car out at dawn.

³ **篱笆** líba 〈名 n.〉(道dào、个gè)用竹子、苇秆、树枝等编建的遮挡物，一般环绕在院子、菜园、场地等边沿 bamboo, reed or twig fence surrounding a courtyard, a vegetable garden, a site, etc.：他用~把小院子围了起来。*Tā yòng ~ bǎ xiǎo yuànzi wéi le qǐlái.* He fenced up his courtyard.

³ **礼** lǐ 〈名 n.〉❶约定俗成的仪式 propriety; rite：婚～*hūn* ~ wedding ceremony; wedding ｜葬～*zàng* ~ funeral ｜洗～*xǐ* ~ baptism; severe test ｜典～*diǎn* ~ ceremony ❷〈名 n.〉道德规范或行为准则 moral standards or norms of behavior：非~勿视，非~勿听，非~勿言，非~勿动。*Fēi ~ wù shì, fēi ~ wù tīng, fēi ~ wù yán, fēi ~ wù dòng.* Not to look at, listen to, speak of and do things against moral standards. ｜约之以~，驱之以法。*Yuē zhī yǐ ~, qū zhī yǐ fǎ.* Restrain people with moral standards and order them about according to the laws. ❸〈名 n.〉表示敬意的言语或动作 decorum; etiquette：敬~*jìng* ~ salute ｜致~

zhì~ pay one's respects to｜赔~ *péi*~ admit one's mistake and ask for forgiveness｜注目~ *zhùmù*~ salute with eyes｜~节 *~jié* courtesy; etiquette ❹〈名 *n.*〉礼物 gift; present：送~ *sòng*~ give a gift｜~轻情意重。 *~qīng qíngyì zhòng.* A light gift conveys a deep feeling. ❺〈动 *v.* 书 *lit.*〉以礼相待 treat someone with due respect：~贤下士 *~xiánxiàshì* be courteous to the wise and befriend the scholarly；（of a ruler or a high-ranking minister）treat worthy men with courtesy

⁴ 礼拜 **lǐbài** ❶〈名 *n.*〉宗教徒拜神的活动 religious service：做~ *zuò*~ go to church｜~堂 *~táng* church｜~寺 *~sì* mosque; Muslim temple ❷〈名 *n.*〉星期 week：这篇文章他写了一个~。 *Zhè piān wénzhāng tā xiěle yí gè* ~. It took him one week to write this article. ❸〈名 *n.*〉跟'天''日''一''二''三''四''五''六'等连用，表示星期中的某一天 used with '天tiān'、'日rì'、'一yī'、'二èr'、'三sān'、'四sì'、'五wǔ'、'六liù' to indicate one of the days in the week：今天是~三。 *Jīntiān shì ~sān.* Today is Wednesday. ❹〈动 *v.*〉对神佛敬拜 pray to god：烧香~ *shāo xiāng* ~ burn incense and pray to god｜~念经 ~*niàn jīng* pray to Buddha and chant Buddhist scripture

² 礼拜日 **lǐbàirì**〈名 *n.* 口 *colloq.*〉同'礼拜天' same as '礼拜天lǐbàitiān'

² 礼拜天 **lǐbàitiān**〈名 *n.* 口 *colloq.*〉星期日 Sunday：下个~我们准备去郊游。 *Xià gè ~ wǒmen zhǔnbèi qù jiāoyóu.* We are planning to have a picnic next Sunday.

⁴ 礼节 **lǐjié**〈名 *n.*〉表示尊敬、友爱、祝贺、庆祝、哀悼等的各种形式，如鞠躬、敬礼、握手、献花圈、奏哀乐、鸣礼炮、升国旗等 courtesy; etiquette; protocol; ceremony：献哈达是藏族和蒙古族的~。 *Xiàn hádá shì Zàngzú hé Měnggǔzú de* ~. Presenting a *hata* is a Tibetan and Mongolian etiquette.

² 礼貌 **lǐmào**〈名 *n.*〉待人接物谦恭、和善、讲礼节 courtesy; politeness; manners：文明~ *wénmíng* ~ courtesy and manners｜讲~ *jiǎng*~ show courtesy｜她人虽小却很懂~。 *Tā rén suī xiǎo què hěn dǒng* ~. Though she is young, she has good manners.

⁴ 礼品 **lǐpǐn**〈名 *n.*〉（件jiàn、份fèn）礼物 gift; present：贵重的~ *guìzhòng de* ~ an expensive present｜珍贵的~ *zhēnguì de* ~ precious gift｜国家公务员应当拒收~。 *Guójiā gōngwùyuán yīngdāng jù shōu* ~. Government office workers should refuse gifts.

² 礼堂 **lǐtáng**〈名 *n.*〉（座zuò）供集会、演出、放映或举行典礼的厅堂 assembly hall; auditorium：那座~能容纳3千人。 *Nà zuò ~ néng róngnà sānqiān rén.* That auditorium can hold 3,000 people.｜今天我们学校~有歌舞演出。 *Jīntiān wǒmen xuéxiào ~ yǒu gēwǔ yǎnchū.* Today there will be singing and dancing performances in the assembly hall of our school.

¹ 礼物 **lǐwù**〈名 *n.*〉为表示庆贺或尊敬而馈赠的物品 gift; present：生日~ *shēngrì* ~ birthday present｜圣诞~ *shèngdàn* ~ Christmas gift

L

¹ 里 **lǐ** ❶（~儿）〈名 *n.*〉衣被的内层或内面 lining; inside（of clothing）：被~ *bèi*~ underneath side of a quilt｜大衣~ *dàyī* ~r lining of a coat｜她这件秋衣，面子是毛料的，~儿是丝织品。 *Tā zhè jiàn qiū yī, miànzi shì máoliào de, ~r shì sīzhīpǐn.* The outside of her autumn garment is made of wool, and the inside made of silk. ❷〈名 *n.*〉里边的（与'外'相对）in; inside; inner（opposite to '外wài'）：~屋 *~wū* inner room｜~层 *céng* inner layer｜表~如一 *biǎo~rúyī* think and act in one and the same way｜她很能干，~~外外一把好手。 *Tā hěn nénggàn, ~~wàiwài yì bǎ hǎoshǒu.* She's very capable, and quite a good hand both inside and outside home. ❸〈名 *n.*〉街坊 neighborhood：邻~ *lín*~ neighbors; neighborhood｜~弄 *~lòng* lane ❹〈名 *n.*〉家乡 native place：故~ *gù*~ native place; hometown; homeland｜旧~ *jiù*~ native place｜乡~乡亲 *xiāng~xiāngqīn* fellow villagers or townsmen ❺〈名 *n.*〉中国古代居民组织的称谓，五家为一邻，五邻

为一里（of ancient China）unit of residential community, five households form a '邻lín', and five '邻' form a '里' ❻〈量 meas.〉中国的长度单位，1里为500米 Chinese unit of length, one 里 equals to 500 metres：万~长城 Wàn ~ Chángchéng the Great Wall; the ten-thousand *li* Great Wall

☞ li, p.633

¹ **里边** **lǐbian**〈～儿〉〈名 n.〉在某一时间、空间、范围以内（of a given period of time, a given space and a given scope）inside; in; within：她一周~去图书馆五次。*Tā yì zhōu ~ qù túshūguǎn wǔ cì.* She goes to the library five times a week. | 他在宿舍~唱歌。*Tā zài sùshè ~ chànggē.* He's singing in the dormitory. | 这~大有文章。*Zhè ~ dà yǒu wénzhāng.* There's much more to it than meets the eye.

² **里面** **lǐmiàn**〈名 n.〉里边 inside; in：教室~一个人也没有。*Jiàoshì ~ yí gè rén yě méiyǒu.* There's no one in the classroom. | 水~有不少鱼。*Shuǐ ~ yǒu bùshǎo yú.* There are a lot of fish in the water.

³ **里头** **lǐtou**〈名 n.〉里边 inside; in; within：听了他的话，我心~很不痛快。*Tīngle tā de huà, wǒ xīn ~ hěn bú tòngkuài.* I felt very much annoyed at his words. | 这~大有问题。*Zhè ~ dà yǒu wèntí.* There must be something seriously wrong with it.

³ **理** **lǐ** ❶〈名 n.〉物体上的条纹 texture; grain（in wood, skin, etc.）：纹~ wén~ texture | 肌~ jī~ skin texture | 木~ mù~ grain of wood ❷〈名 n.〉秩序；层次 order; arrangement of ideas, etc.：条~ tiáo~ orderliness ❸〈名 n.〉道理；事理 reason; logic：通情达~ tōngqíng-dá~ showing good sense; sensible; reasonable | 以~服人 yǐ ~-fúrén convince people by reasoning | 据~力争 jù~-lìzhēng argue strongly on just grounds | 理~屈词穷 qū-cíqióng fall silent on finding oneself beaten in argument; have nothing to say after finding all arguments refuted ❹〈名 n.〉自然科学的总称，有时特指物理学 general term for natural science, sometimes refer to physics：这所大学兼有文~专业。*Zhè suǒ dàxué jiān yǒu wén ~ zhuānyè.* This university has both specialties of liberal arts and those of natural sciences. | 要学好数~化。*Yào xuéhǎo shù ~ huà.* You should study well mathematics, physics and chemistry. ❺〈动 v.〉治理；管理；料理 rule; manage; take care of：处~ chǔ~ deal with | ~财 ~cái manage financial affairs | 解纠~乱 jiějiū~luàn settle a dispute and clear up the chaos | 伙食自~ huǒshí zì~ pay one's own meals ❻〈动 v.〉整理；使整齐；使有序 put in order; tidy up：梳~ shū~ comb out（one's hair）| 这堆名片有点儿乱，~~吧！*Zhè duī míngpiàn yǒu diǎnr luàn, ~ ~ ba!* This stack of name cards are in a mess. Sort them out. ❼〈动 v.〉剪头发；剃头 have one's hair cut：~发 ~fà have a haircut ❽〈动 v.〉理睬；关照 pay attention to; look after：置之不~ zhìzhībù~ turn a deaf ear to | 爱答不~ àidā-bù~ standoffish | 那小伙子几次请她吃饭，她都不~人家。*Nà xiǎohuǒzi jǐ cì qǐng tā chīfàn, tā dōu bù ~ rénjia.* That young man has invited her to dinner several times, but she turned a deaf ear to him.

⁴ **理睬** **lǐcǎi**〈动 v.〉对别人的言行给予关注，表明态度或意见（多用于否定）（mostly used in the negative）pay attention to（other's remarks or behavior）：对流言蜚语，她从来不予~。*Duì liúyán-fēiyǔ, tā cónglái bù yǔ ~.* She never paid any attention to those rumors and gossip.

² **理发** **lǐ//fà**〈动 v.〉修剪、整理头发 have a haircut：~店 ~diàn barbershop | 他去~了。*Tā qù ~ le.* He went to have his hair cut. | 他半个月理一次发。*Tā bàn gè yuè lǐ yí cì fà.* He has his hair cut every half a month.

⁴ **理会** **lǐhuì** ❶〈动 v.〉理解；领会 understand; comprehend：他~了朋友的劝导。*Tā ~le péngyou de quàndǎo.* He understood his friend's advice. | 这么明白的道理，你还不

能~? *Zhème míngbai de dàolǐ, nǐ hái bù néng ~*? Don't you understand such an obvious truth? ❷〈动 *v.*〉觉察；注意(多用于否定)(mostly used in the negative) pay attention to; take notice：她没~到一聊已过了两个钟头。*Tā méi ~ dào yì liáo yǐ guòle liǎng gè zhōngtóu.* She didn't notice that she had chatted for two hours. ❸〈动 *v.*〉理睬；过问(多用于否定)(mostly used in the negative) care for; show interest in; pay attention to：她唠叨了半天也没人~。*Tā láodaole bàntiān yě méi rén ~.* She has chatted for a long time but no one heed her words. ❹〈动 *v.*〉评理；争个是非 argue; reason things out：你这么蛮横，那咱找人~~吧！*Nǐ zhème mánhèng, nà zán zhǎo rén ~ ~ ba!* You are so peremptory. Let's find someone else to reason things out.

² **理解** lǐjiě ❶〈动 *v.*〉明白；了解 understand; comprehend：这个公式你~吗？*Zhège gōngshì nǐ ~ ma?* Do you understand this formula? | 我~你的苦衷。*Wǒ ~ nǐ de kǔzhōng.* I can understand your difficulties. ❷〈名 *n.*〉领悟到的；了解的 comprehension; understanding：我的~对吗？*Wǒ de ~ duì ma?* Is my understanding right? | 这样的~不全面。*Zhèyàng de ~ bù quánmiàn.* Your understanding is not complete.

² **理论** lǐlùn ❶〈名 *n.*〉(种zhǒng、套tào)从实践中归纳出来的具有系统性的认识或结论 theory; principle：文艺~ *wényì ~* literature theories | ~著作 *~ zhùzuò* theoretical works | 他从事经济~的研究工作。*Tā cóngshì jīngjì ~ de yánjiū gōngzuò.* He engages in the research of economic theories. ❷〈动 *v.*〉评理；据理力争 judge between right and wrong; argue strongly on just grounds：我们找人~去。*Wǒmen zhǎo rén ~ qù.* Let's find someone else to reason things out. | 回头我再和你~。*Huítóu wǒ zài hé nǐ ~.* I will talk about it with you sometime later.

⁴ **理事** lǐshì ❶〈名 *n.*〉(位wèi、名míng、个gè)代表团体行使职权并处理事务的人 council member：常务~ *chángwù ~* managing director | ~会 *~huì* council; board of directors ❷〈动 *v.*〉料理事务 handle affairs; manage affairs：由他当家~谁都放心。*Yóu tā dāngjiā ~ shéi dōu fàngxīn.* Everybody can set his mind at ease as long as he manages family affairs.

⁴ **理所当然** lǐsuǒdāngrán 〈成 *idm.*〉依理应该如此 as a matter of course; of course; naturally：既然是班长，以身作则是~的。*Jìrán shì bānzhǎng, yǐshēnzuòzé shì ~ de.* Since you are a class monitor, it's quite natural for you to set an example for others. | 犯了错，~要挨批评。*Fànle cuò, ~ yào ái pīpíng.* Of course you should be criticized for making a mistake.

² **理想** lǐxiǎng ❶〈名 *n.*〉(个gè、种zhǒng)对未来事物合理的想像；希望 ideal：她的~是当个数学家。*Tā de ~ shì dāng gè shùxuéjiā.* It's her ideal to be a mathematician. | 这个~很美好。*Zhège ~ hěn měihǎo.* This is a very nice ideal. ❷〈形 *adj.*〉符合希望的；令人满意的 be ideal：这次成绩很~。*Zhè cì chéngjì hěn ~.* Excellent result this time. | 她找了个~的工作。*Tā zhǎole gè ~ de gōngzuò.* She found an ideal job.

² **理由** lǐyóu 〈名 *n.*〉(个gè、条tiáo、点diǎn)做事情的道理、原由或依据 reason; ground; rationale：路上堵车成了他迟到的~。*Lù shang dǔchē chéngle tā chídào de ~.* Being caught in a traffic jam became his excuse for being late. | 这个~能说得过去。*Zhège ~ néng shuō de guòqù.* This reason is justifiable on the whole. | 你有什么~不投赞成票？*Nǐ yǒu shénme ~ bù tóu zànchéng piào?* What are your reasons for not voting 'yes'?

⁴ **理直气壮** lǐzhí-qìzhuàng 〈成 *idm.*〉理由正当而毫无惧色 speaking boldly or confidently with the knowledge that one is on the right side; having justice on one's side, one is bold and assured：面对诽谤，他~地加以驳斥。*Miànduì fěibàng, tā ~ de jiāyǐ bóchì.* Facing the slander, he denounced it boldly and confidently with the knowledge that he was on

the righ side.

² **力** lì ❶ 〈名 n.〉能力；力量 power; strength; ability：人~ *rén* ~ manpower ｜ 物~ *wù* ~ material power ｜ 财~ *cái* ~ financial capability ｜ 听~ *tīng* ~ hearing (ability) ｜ 视~ *shì* ~ eyesight ｜ 说服~ *shuōfú* ~ convincing ｜ 理解~ *lǐjiě* ~ faculty of understanding ｜ 战斗~ *zhàndòu* ~ fighting power ｜ 购买~ *gòumǎi* ~ purchasing power ｜ 生命~ *shēngmìng* ~ vitality ❷ 〈名 n.〉特指人的体力 physical power; physical strength：用~拉 *yòng* ~ *lā* draw hard; pull sth. forcefully ｜ ~气大 ~*qì dà* great physical strength ｜ 有气无~ *yǒuqì wú*~ feeble ❸ 〈名 n.〉使物体的形态或状态发生变化的物质之间的作用 force; interaction between or among things which can change their form or state：引~ *yǐn* ~ universal gravitation; gravity ｜ 斥~ *chì* ~ repulsion ｜ 离心~ *líxīn* ~ centrifugal force ｜ 摩擦~ *mócā* ~ frictional force ❹ 〈形 adj.〉努力；尽力 exert one's efforts; do one's best：工作不~ *gōngzuò bú* ~ not do one's work well ｜ 维护甚~ *wéihù shèn* ~ safeguard or uphold effectively ❺ 〈副 adv.〉极力 do one's utmost：据理~争 *jùlǐ* -~*zhēng* argue strongly on just grounds ｜ ~排众议 ~*pái zhòngyì* prevail over all dissenting views

² **力量** lìliang ❶ 〈名 n.〉力气 physical strength; effort：她虽是个女孩子，~可不小。*Tā suī shì gè nǚháizi*, ~ *kě bùxiǎo*. A girl as she is, she has great strength. ❷ 〈名 n.〉能力 power; force：个人~ *gèrén* ~ individual power ｜ 社会~ *shèhuì* ~ social power ｜ 军事~ *jūnshì* ~ military power ｜ 知识就是~. *Zhīshi jiùshì* ~. Knowledge is power. ❸ 〈名 n.〉作用；效力 potency; efficacy; strength：在经济建设中要发挥科学的~. *Zài jīngjì jiànshè zhōng yào fāhuī kēxué de* ~. Make full use of science in economic construction. ｜ 生物灭虫~大。*Shēngwù mièchóng* ~ *dà*. It's very effective to kill insects biologically.

² **力气** lìqi 〈名 n.〉筋肉收缩或扩张而形成的一种力量；体力 physical strength：他~大，只手能提起百斤米袋。*Tā* ~ *dà*, *zhī shǒu néng tíqǐ bǎi jīn mǐdài*. He has great strength, and can lift a bag of 100-*jin* rice with a single hand. ｜ 扛包是~活。*Káng bāo shì* ~ *huó*. Shouldering bags is strenuous work. ｜ 你这么做完全是白费~. *Nǐ zhème zuò wánquán shì báifèi* ~. It's complete a waste of strength for you to do so.

³ **力求** lìqiú 〈动 v.〉极力追求；尽力谋求 make every effort to; do one's best to; strive to：~上进 ~*shàngjìn* try one's best to make progress ｜ ~成功 ~ *chénggōng* strive to succeed ｜ ~公正 ~ *gōngzhèng* try to be fair ｜ ~丰收 ~ *fēngshōu* make every effort to secure a harvest

² **力所能及** lìsuǒnéngjí 〈成 idm.〉能力所能做到的 within one's ability; in one's power：他在家里也干一些~的家务活。*Tā zài jiā li yě gàn yìxiē* ~ *de jiāwùhuó*. He also does some housework within his ability at home.

⁴ **力图** lìtú 〈动 v.〉极力谋求；竭力打算 try hard to; strive to：他~掷出好成绩。*Tā* ~ *zhì chū hǎo chéngjì*. He tries hard to throw it well. ｜ 她~在家乡办成一所小学。*Tā* ~ *zài jiāxiāng bànchéng yì suǒ xiǎoxué*. She is trying to set up an elementary school in her hometown.

³ **力争** lìzhēng 〈动 v.〉极力争取 strive for; strive to; work hard for; do all one can：他~参加夏令营。*Tā* ~ *cānjiā xiàlìngyíng*. He tried hard to attend the summer camp. ｜ 她~超额完成任务。*Tā* ~ *chāo'é wánchéng rènwù*. She tried her best to exceed the target set by the task.

⁴ **历代** lìdài ❶ 〈名 n.〉以往的各个朝代 dynasties; successive dynasties; past dynasties：~军事家 ~ *jūnshìjiā* strategists through the ages ｜ ~散文选 ~ *sǎnwénxuǎn* collection of essays through the ages ｜ ~佛塔 ~ *fótǎ* Buddhist pagodas of the past dynasties ❷ 〈名 n.〉以往的许多世代 past generations：他家~经商。*Tā jiā* ~ *jīngshāng*. His family has been

in business for generations. ❸〈名 n.〉经历的一个又一个世代 all periods of time; all ages：~流芳 ~ liúfāng leave a good name through the ages｜~不衰 ~ bù shuāi keep flourishing through the ages

⁴ **历来** lìlái〈名 n.〉从来；很久以来 always; constantly; all through the ages：中国人民-勤劳勇敢。Zhōngguó rénmín ~ qínláo yǒnggǎn. The Chinese people has always been hardworking and brave.｜他-支持教育工作。Tā ~ zhīchí jiàoyù gōngzuò. He has always been supportive for education.

³ **历年** lìnián〈名 n.〉以往许多年；过去的一年又一年 over the years：他-在班上考第一。Tā ~ zài bān shang kǎo dì-yī. He has been number one in the exam in his class for years.｜她把-积攒的资料都献给了研究小组。Tā bǎ ~ jīzǎn de zīliào dōu xiàn gěi le yánjiū xiǎozǔ. She contributed all the materials collected through the years to the research group.

¹ **历史** lìshǐ ❶〈名 n.〉(段 duàn)自然界和人类社会或某种事物的发展过程，也指个人经历 history; personal records：宇宙演变的 ~ yǔzhòu yǎnbiàn de ~ history of evolution of the universe｜生物进化的 ~ shēngwù jìnhuà de ~ history of evolution of living things｜他诉说起参军的那段~。Tā sùshuō qǐ cānjūn de nà duàn ~. He told his story when he was in the army. ❷〈名 n.〉过去的事实 past history：那件伤心的事已成了~，说说也无妨。Nà jiàn shāngxīn de shì yǐ chéngle ~, shuōshuo yě wúfáng. Since the sad experience has become past history, there would be no harm to talk about it. ❸〈名 n.〉以往事情的记载 records of past facts：~资料 ~ zīliào records of past events｜~书 ~ shū history books ❹〈名 n.〉指历史学 history (as a course of study)：~研究 ~ yánjiū historical research｜他是~专业的。Tā shì ~ zhuānyè de. He majors in history.

² **厉害** lìhai〈形 adj.〉剧烈；凶猛；难以忍受或对付 violent; radical; difficult to deal with：她哭得好~，泪人儿似的。Tā kū de hǎo ~, lèirénr shide. She wept and melted into tears.｜这条狗太~，让人生畏。Zhè tiáo gǒu tài ~, ràng rén shēngwèi. This dog is so ferocious that it's very frighening.｜天热得~，她不停地擦汗。Tiān rè de ~, tā bù tíng de cā hàn. It's terribly hot and she has kept on wiping sweat.

² **立** lì ‖ ❶〈动 v.〉站 stand：起~ qǐ~ stand up｜~正 ~ zhèng stand at attention｜坐~不安 zuò~ bù'ān be on pins and needles; feel uneasy; be on tenterhooks｜亭亭玉~ tíngtíng-yù~ (of a woman) fair, slim and graceful; (of a tree, etc.) tall and straight ❷〈动 v.〉竖起；使竖立 erect; set sth. up; make sth. upright：~杆子 ~ gānzi set up a pole｜~碑 ~bēi put up a stele｜她把倒下的油瓶~起来。Tā bǎ dǎoxià de yóu píng ~ qǐlái. She put the toppled bottle upright. ❸〈动 v.〉建立；树立 establish; found; set up：~志 ~zhì be determined｜~功 ~gōng render meritorious service; do a deed of merit; make contributions; perform a feat｜~案 ~àn register; put on record; place a special case on file ❹〈动 v.〉订立；制定 draw up; conclude：~法 ~fǎ enact laws; legislate｜~约 ~yuē sign an agreement｜~规矩 ~ guīju set up rules ❺〈动 v.〉指确立地位；确立 appoint; designate：~嗣 ~sì appoint one's successor; adopt an heir｜~太子 ~ tàizǐ designate a crown prince｜新君已~。Xīn jūn yǐ ~. A new king has been crowned. ❻〈动 v.〉存在；生存 exist; live：独~ dú~ independence｜自~ zì~ earn one's own living; support oneself; stand on one's own feet｜势不两~ shìbùliǎng~ be mutually exclusive; be irreconcilable｜三足鼎~ sānzú-dǐng~ a situation of tripartite confrontation ❼〈形 adj.〉竖立的 upright; vertical：~柜 ~guì closet; wardrobe; hanging cupboard｜~轴 ~zhóu vertical shaft ❽〈副 adv.〉立刻 immediately; instantaneously：当机~断 dāngjī~duàn make a prompt decision｜~等可取。~ děng kě qǔ. Instant service is provided. / Things can be done on

the spot.

² **立场** lìchǎng ❶〈名 n.〉观察、认识和处理问题所处的地位和采取的态度 position; stand; standpoint：他从个人的~看问题。*Tā cóng gèrén de ~ kàn wèntí.* He looks at things on his personal stand. │ 她阐明了自己公司的~。*Tā chǎnmíng le zìjǐ gōngsī de ~.* She made clear the position of her own company. ❷〈名 n.〉特指阶级立场、政治立场 class stand; political stand：他~坚定，毫不退缩。*Tā ~ jiāndìng, háo bù tuìsuō.* He took a firm stand and never gave in.

² **立方** lìfāng ❶〈名 n.〉三个相同数的乘积 cube：2的~是8。*Èr de ~ shì bā.* The cube of 2 is 8. ❷〈名 n.〉立方体的简称 cube, abbr. for '立方体lìfāngtǐ' ❸〈量 meas.〉用于体积，指立方米 cubic metre：这堆木料约有12~。*Zhè duī mùliào yuē yǒu shí'èr ~.* This stack of timber is about 12 cubic metres.

⁴ **立方米** lìfāngmǐ〈量 meas.〉用于体积，长、宽、高均为一米的体积为一立方米 cubic metre：这座水库的蓄水量为1亿立方米。*Zhè zuò shuǐkù de xùshuǐliàng wéi yíyì lìfāngmǐ.* The storing capacity of the reservoir is 100 million cubic metres.

² **立即** lìjí〈副 adv.〉立刻 immediately：听见妈叫他，他~走了过去。*Tīngjiàn mā jiào tā, tā ~ zǒule guòqù.* On hearing his mother's calling, he went over immediately. │ 本规定自公布之日起~生效。*Běn guīdìng zì gōngbù zhī rì qǐ ~ shēngxiào.* The provisions shall come into effect on the day of their promulgation.

⁴ **立交桥** lìjiāoqiáo〈名 n.〉立体交叉的桥梁，可让不同去向的车辆、行人同时行进 overpass; flyover：北京建了许多~，交通方便了。*Běijīng jiànle xǔduō ~, jiāotōng fāngbiàn le.* Beijing has built many overpasses, which makes the traffic more convenient.

¹ **立刻** lìkè〈副 adv.〉马上；随即 immediately; at once; right away：你别着急，我~就来。*Nǐ bié zháojí, wǒ ~ jiù lái.* Don't worry! I will come right away. │ 乐声一起，人们~进入舞池跳起舞来。*Yuèshēng yì qǐ, rénmen ~ jìnrù wǔchí tiàoqǐ wǔ lái.* Immediately after the music was played, people began to dance on the dance floor.

⁴ **立体** lìtǐ ❶〈形 adj.〉具有长、宽、厚的(物体) three dimensional; stereoscopic：~模型 ~ móxíng three-dimensional model │ ~雕塑 ~ diāosù three-dimensional sculpture ❷〈形 adj.〉具有立体感的 producing a three-dimensional effect：~电影 ~ diànyǐng stereoscopic film │ ~声 ~shēng stereo ❸〈形 adj.〉多层面的；包括各方面的 multilevel; embracing all aspects：~结构 ~ jiégòu triphibious structure │ ~通道 ~ tōngdào three-dimensional passage │ ~战争 ~ zhànzhēng three-dimensional warfare; triphibious warfare ❹〈名 n.〉由平面和曲面围成的有限空间，即几何体 solid

L

³ **利** lì **I** ❶〈名 n.〉利益；好处(与'害''弊'相对) benefits; interests (opposite to '害hài' or '弊bì')：~弊 ~bì advantages and disadvantages │ 急功近~ jígōng-jìn~ eager for quick success and instant benefit; anxious to get quick results and instant profits │ 争权夺~ zhēngquán-duó~ scramble for power and gain │ 兴~除弊 xīng~-chúbì promote what is beneficial and abolish what is harmful; start good practices and weed out corrupt ones │ 令智昏 lìlìng-zhìhūn be blinded by lust for gain; be blinded by greed or avarice ❷〈名 n.〉利润；利息 profit; interest：~钱 ~qián interest │ 毛~ máo~ gross profit │ 纯~ chún~ net profit │ 一本万~ yìběn-wàn~ make big profits out of a small capital；薄~多销 báo~-duōxiāo small profits but quick returns; small profits and good sales ❸〈形 adj.〉顺利；便利 smooth; favorable; advantageous：大吉大~ dàjí-dà~ extremely auspicious; very lucky │ 屡战不~ lǚzhànbú~ fight and lose repeatedly │ 无往不~ wúwǎngbú~ be ever successful ❹〈形 adj.〉锐利；锋利(与'钝'相对) sharp (opposite to '钝dùn')：~刃 ~ rèn sharp knife │ ~剑 ~jiàn sharp sword │ ~器 ~qì sharp weapon │ ~爪 ~zhǎo sharp

claws ❺〈形 adj.〉言语犀利(指能言善辩) having a sharp tongue:~嘴 ~zuǐ glib tongue │~口巧舌 ~kǒu-qiǎoshé glib and sweet tongue │快口~舌 kuàikǒu~-shé quick and glib tongue │伶牙~齿 língyá~-chǐ have the gift of the gab; have a glib tongue ❻〈动 v.〉使有利 benefit:~国~民 ~guó-~mín benefit both the country and the people │~人~己 ~rén-~jǐ benefit others and oneself

⁴ **利弊** lìbì〈名 n.〉好处与害处 advantages and disadvantages:~得失 ~déshī advantages and disadvantages, gains and losses │权衡~ quánhéng ~ weigh the advantages and disadvantages; weigh the pros and cons │这事办与不办，各有~。Zhè shì bàn yǔ bú bàn, gè yǒu ~. There are both advantages and disadvantages in doing it or not.

² **利害** lìhài〈名 n.〉利益与损害 advantages and disadvantages; gains and losses:~攸关 ~yōuguān concern someone's vital interests │不计~ bújì ~ regardless of gains and losses │能不能把这事办好，与职工的~紧紧相联。Néng bù néng bǎ zhè shì bàn hǎo, yǔ zhígōng de ~ jǐnjǐn xiānglián. Whether it can be well handled is closely connected with the interests of the workers and staff members.

³ **利润** lìrùn〈名 n.〉经营工商业等所赚的钱 profit:~丰厚 ~fēnghòu handsome profit │~分配 ~fēnpèi distribution of profit │~率 ~lù profit rate │公司月~已近百万元。Gōngsī yuè ~ yǐ jìn bǎi wàn yuán. Monthly profit of the company has come close to 1 million yuan.

⁴ **利息** lìxī〈名 n.〉因存款、放款而得到的本金以外的钱，也叫'利钱''息金'(区别于'本金') interest (on a deposit or loan), also '利钱lìqian','息金xījin'(different from '本金' běnjīn'):银行又要降低利率，~越来越少了。Yínháng yòu yào jiàngdī lìlù, ~ yuèláiyuè shǎo le. The bank will lower interest rate again and there will be less and less interest.

² **利益** lìyì〈名 n.〉好处 interest; benefit; profit:个人~ ~gèrén ~ personal benefits │国家~ ~guójiā ~ national interests │物质~ ~wùzhì ~ material benefits │眼前~ ~yǎnqián ~ short-term interests │长远~ ~chángyuǎn ~ long-term interests │根本~ ~gēnběn ~ basic interests │电视台举办这项活动，为的是维护消费者的~。Diànshìtái jǔbàn zhè xiàng huódòng, wèi de shì wéihù xiāofèizhě de~. The activity sponsored by the TV station was aimed at safeguarding consumers' interests.

¹ **利用** lìyòng ❶〈动 v.〉使事物或人发挥作用 use; utilize; make use of:~资源 ~ zīyuán make use of resources │~时间 ~ shíjiān make use of time │~机会 ~ jīhuì make use of chances │~科学 ~ kēxué make use of science │~人力 ~ rénlì make use of manpower │她~碎布块拼贴出一幅风景画。Tā ~ suìbùkuài pīntiē chū yì fú fēngjǐnghuà. She made a landscape painting by piecing up rags. ❷〈动 v.〉施展手段使人或事物为自己所用 take advantage of; exploit:你要特别小心，不要被他~。Nǐ yào tèbié xiǎoxīn, búyào bèi tā ~. Be careful, or you may be taken advantage of by him. │人家是~你直筒子的脾气，把你当枪使。Rénjia shì ~ nǐ zhítǒngzi de píqì, bǎ nǐ dàng qiāng shǐ. They are taking advantage of your straightforwardness and make use of you as a hatchet. ❸〈动 v.〉凭借；依仗 depend on; rely on:不得~职权谋取私利。Bùdé ~ zhíquán móuqǔ sīlì. One is not allowed to seek personal gain by his position and authority. │他们~密林作屏障，袭击敌人。Tāmen ~ mìlín zuò píngzhàng, xíjī dírén. Using the dense forest as a barrier, they ambushed the enemy.

⁴ **沥青** lìqīng〈名 n.〉一种深黑色重质流体或固体材料，用于铺筑路面，也可作防水防腐材料 pitch; asphalt:~涂层 ~ túcéng pitch coating │门前修的是~路。Mén qián xiū de shì ~ lù. In front of the house is an asphalt road.

² **例** lì ❶〈名 n.〉例子；例证 example; instance:举~ jǔ~ give an example; cite an intance

│实~ *shí* concrete example; living example │他用刚刚发生的事~说明办事不能粗心大意. *Tā yòng gānggāng fāshēng de shì~ shuōmíng bànshì bù néng cūxīn-dàyì.* He uses what happened just now as an example to show that carelessness should be avoided when doing things. ❷〈名 n.〉惯例；常规；标准 precedent: 先~ *xiān~* precedent │ 照~ *zhào~* as usual │ 有~可循 *yǒu ~ kě xún* have a precedent to follow │ 援~行事 *yuán~ xíngshì* do sth. by following a predecent │ 下不为~ *xiàbùwéi~* not to be taken as a precedent; not to be repeated │ 史无前~ *shǐwúqián~* unprecedented in history ❸〈名 n.〉符合某种条件的事例 case; instance: 病~ *bìng~* case (of illness) │ 案~ *àn~* case in point │ 特~ *tè~* special case │ 今天出院的肝炎患者有三~. *Jīntiān chūyuàn de gānyán huànzhě yǒu sān ~.* Today three patients of liver disease are discharged from the hospital. ❹〈名 n.〉规章；体例 rule; regulation: 定~ *dìng~* routine; usual practice │ 凡~ *fán~* notes on the use of a book, etc. │ 条~ *tiáo~* regulations; rules │ 外~ *wài~* exception │ 公~ *gōng~* general rule ❺〈形 adj.〉按规定办的；按常规进行的 regular; routine: ~会 *~huì* regular meetings │ ~假 *~jià* official holiday; legal holiday; menstrual period │ ~行公事 *~xínggōngshì* routine; routine business; mere formality ❻〈动 v.〉比质 contrast; compare: 以此~彼 *yǐ cǐ ~ bǐ* contrast this with that │ 溯古~今 *sù gǔ ~ jīn* compare what happens today with what happened in the past │ 以近~远 *yǐ jìn ~ yuǎn* compare recent happenings with those of the long past

¹ **例如** *lìrú*〈动 v.〉用在所举例子之前，表示后面的是例子 for instance; for example; such as: 我们家乡出产许多种水果，~梨、桃、葡萄、苹果、西瓜等等. *Wǒmen jiāxiāng chūchǎn xǔduō zhǒng shuǐguǒ, ~ lí, táo, pútáo, píngguǒ, xīguā děngděng.* Our hometown produces many kinds of fruit, such as pears, peaches, grapes, apples, water melons, etc.

⁴ **例外** *lìwài* ❶〈动 v.〉在常规或一定范围之外 be an exception: 他每天天一亮就起床，今天~睡了个懒觉 *Tā měi tiān tiān yí liàng jiù qǐchuáng, jīntiān ~ shuìle gè lǎnjiào.* He usually gets up at dawn every day, but today is an exception that he slept late. │ 除了生病的可以~，大家都得去上操. *Chúle shēngbìng de kěyǐ ~, dàjiā dōu děi qù shàngcāo.* Everybody should go out for drill except those who are ill. ❷〈名 n.〉（个gè）一般规律、规定之外的情况 exception: 一般说吃多得的人容易发胖，可也有~的. *Yìbān shuō chī de duō de rén róngyì fāpàng, kě yě yǒu ~ de.* Generally speaking, those who are more are easier to gain weight, but there are also exceptions. │ 他没提薪是个~. *Tā méi tí xīn shì gè ~.* That his salary was not increased is an exception.

⁴ **例子** *lìzi*〈名 n.〉（个gè）用作说明或证明某种情况或说法的事物或事例 example; instance: 这个~说明做人不能光认钱. *Zhège ~ shuōmíng zuòrén bù néng guāng rèn qián.* This example proves that a man should not be money-headed. │ 深圳的崛起是中国改革开放成功的~. *Shēnzhèn de juéqǐ shì Zhōngguó gǎigé kāifàng chénggōng de ~.* The rising of Shenzhen is a successful example of China's policy of reform and opening to the outside world.

⁴ **荔枝** *lìzhī* ❶〈名 n.〉一种果树，常绿乔木，果实球形，果肉呈半透明白色，味甘美，系中国特产 litchi; lichee; evergreen tree, with spheric or oval fruit that consists of a single seed surround by a sweet, edible, juicy pulp, a specialty of China: ~园 *~yuán* litchi garden │ ~林 *~lín* litchi grove ❷〈名 n.〉（颗kē）荔枝树的果实 fruit of such plant: 我们家乡每年要举办一~节. *Wǒmen jiāxiāng měinián yào jǔbàn ~ jié.* Our hometown holds a litchi festival every year.

⁴ **栗子** *lìzi* ❶〈名 n.〉一种果树，落叶乔木，果实为坚果，可食 chestnut tree: 山上到处都是~树. *Shān shang dàochù dōu shì ~ shù.* There are chestnut trees all over the mountain.

❷〈名 n.〉栗子树的果实 chestnut：今天郊游活动的一个节目是打~。*Jīntiān jiāoyóu huódòng de yí gè jiémù shì dǎ ~.* One of the activities of today's outing is harvesting chestnuts.

² 粒 II ❶（~儿）〈名 n.〉小圆珠形或小碎块状的东西 a grain; granule; pellet：米~儿 *mǐ~r* a grain of rice｜饭~儿 *fàn~r* a grain of cooked rice｜沙~儿 *shā~r* a grain of sand ❷〈量 meas.〉用于粒状物 of grainlike things：三~豆 *sān ~ dòu* three beans｜五~子弹 *wǔ ~ zǐdàn* five bullets｜谁知盘中餐，~~皆辛苦。*Shuí zhī pán zhōng cān, ~~ jiē xīnkǔ.* Does anyone know that every single grain of rice in the plate comes from the farmers' hard work?

¹ 里 lǐ ❶〈名 n.〉里面、内部(与'外'相对) in; inside (opposite to '外wài')：手~*shǒu~* in one's hands｜盒子~*hézi~* in the box｜话~有话。*Huà ~ yǒu huà.* The words mean more than what one says.｜屋子~挤满了人。*Wūzi~ jǐmǎnle rén.* The room is crowded with people. ❷〈名 n.〉附在机构名词(多为单音节词)后，表示该机构或该机构所在处所 used after names of organizations or institutions (usually a monosyllable) to indicate its location：乡~来了不少人。*Xiāng ~ láile bùshǎo rén.* Many people came from the township.｜县~很重视这件事。*Xiàn ~ hěn zhòngshì zhè jiàn shì.* The county attached great importance to this matter.｜省~发了一个文件。*Shěng ~ fāle yí gè wénjiàn.* The province issued a document. ❸〈词尾 suff.〉附在'这''那''哪'等字后面表示方位 used after '这zhè', '那nà', '哪nǎ' to indicate a place：这~有本新书。*Zhè~ yǒu běn xīnshū.* There's a new book here.｜哪~能买到柿子？*Nǎ~ néng mǎidào shìzi?* Where can I buy some persimmons?

☞ lǐ, p. 625

¹ 俩 liǎ ❶〈数 num.〉两个 two：弟兄~ *dìxiōng~* the two brothers｜他吃了~鸡蛋。*Tā chī le ~ jīdàn.* He ate two eggs. ❷〈数 num.〉不多；几个 some; several; a few：他才挣~儿，就乱花起来。*Tā cái zhèng ~ qiánr, jiù luàn huā qǐlái.* No sooner had he earned some money than he squandered it.｜就这么~人，这活怎么能干完？*Jiù zhème ~ rén, zhè huó zěnme néng gànwán?* How could it be finished with such a few people?

◆ '俩'是'两个'的合音，后面不能再接'个'或其他量词。'俩' is the syneresis of '两个liǎnggè', and no '个gè' or other classifier is allowed to be used after it.

² 连 lián ❶〈动 v.〉相衔接(与'断'相对) link; join; connect (opposite to '断duàn')：藕断丝~（比喻表面上断绝关系，实际上仍有牵连）。*Ǒuduàn-sī~（bǐyù biǎomiànshang duànjué guānxi, shíjìshang réng yǒu qiānlián）.* The lotus root is cut to pieces, but their fibres remain connected (*fig.* Lovers still cherish love for each other though seemingly separated).｜水天相~。*Shuǐtiān xiāng~.* The water and the sky seem to merge together.｜十指~心（比喻和有关的人或事物关系密切）。*Shízhǐ-~xīn（bǐyù hé yǒuguān de rén huò shìwù guānxi mìqiè）.* The fingers are linked to the heart; ten fingers are so sensitive that any one of them, if hurt, can cause excruciating pain (*fig.* a person has close relations with the people or the matter concerned). ❷〈动 v.〉连带；牵累 interrelated; implicate; involve：牵~*qiān~* adversely involve｜株~*zhū~* involve others in a criminal case; implicate｜这祸事~上了她。*Zhè huòshì ~shàngle tā.* She was involved in the mishap. ❸〈副 adv.〉连续；接续 continuously; in succession; one after another：~阴天 *~yīntiān* It is cloudy for days on end.｜他~选~任 *~xuǎn~rèn* be reelected consecutively｜他~着两天没来上班了。*Tā ~zhe liǎng tiān méi lái shàngbān le.* He has not come to work for two days. ❹〈介 prep.〉包括 including：~根拔起 *~ gēn bá qǐ* uproot｜~本带息 *~ běn dài xī* both capital and interest｜他拿起个苹果，~皮都吃了。*Tā náqǐ gè*

píngguǒ, ~ *pí dōu chī le*. He took up an apple and ate without peeling it. ❺〈介 *prep.*〉甚至 even：他~看也不看。*Tā ~ kàn yě bú kàn.* He didn't even take a look. │她气得~手都抖了。*Tā qì de ~ shǒu dōu dǒu le.* She was so enraged that her hands trembled. ❻〈名 *n.*〉军队的编制单位，上为营，下有若干排 company：侦察~ *zhēnchá~* reconnaissance company

⁴ **连…带…** lián…dài… ❶〈连 *conj.*〉表示包括前后两项一起 indicating the inclusion of two items：~本~利 ~ *běn* ~ *lì* principal and interest │~老~少 ~ *lǎo* ~ *shào* old and young │~货~船都被扣押了。~ *huò* ~ *chuán dōu bèi kòuyā le.* Both the goods and boats were detained. ❷〈介 *prep.*〉表示连续两个动作几乎同时发生 indicating two actions almost taking place at the same time：~吃~喝 ~ *chī* ~ *hē* eating and drinking │~打~骂 ~ *dǎ* ~ *mà* hitting and scolding │~说~笑 ~ *shuō* ~ *xiào* talking and laughing

¹ **连…都…** lián…dōu…〈介 *prep.*〉'连'是'甚至'的意思，表示强调，'都'与之呼应 '连 lián' means '甚至shènzhì', indicating emphasis, '都dōu' is used in concert with it：这个字太生僻，~她这个高才生~不认识 *Zhège zì tài shēngpì, ~ tā zhège gāocáishēng ~ bú rènshí.* This word is so rarely used that even a gifted student like her does not know it. │他~床底下~找遍了，还是没找着 *Tā ~ chuáng dǐxià ~ zhǎobiàn le, háishì méi zhǎozháo.* He has even searched under the bed, but failed to find it.

⁴ **连队** liánduì〈名 *n.*〉(个gè) 军队中对连以及相当于连的单位的习惯称呼 company; military term for a company or any unit at the company level：下~当兵 xià ~ *dāng bīng* follow the drum in the army │~表彰会 ~ *biǎozhānghuì* commendatory meeting of the company

⁴ **连滚带爬** liángǔndàipá〈动 *v.*〉又滚又爬，多含惊慌、狼狈之意 rolling and crawling; indicating being panic or confounded：看见一只老虎走过来，他吓得~逃下山去 *Kànjiàn yì zhī lǎohǔ zǒu guòlái, tāxià de ~táoxià shān qù.* He was scared to roll and crawl down the hill at the sight of a coming tiger. │听见枪炮声，他~钻进了地窖。*Tīngjiàn qiāngpàoshēng, tā ~ zuānjìnle dìjiào.* Hearing the gunshots, he was rolling and crawling into the cellar.

³ **连接** liánjiē〈动 *v.*〉相互衔接；使衔接 join; link; connect：这条小路~着高速路。*Zhè tiáo xiǎo lù ~zhe gāosùlù.* This route leads to the expressway. │那台电话机同光缆~上了。*Nà tái diànhuàjī tóng guānglǎn ~ shàng le.* That telephone has been connected to the optical cable.

⁴ **连连** liánlián〈副 *adv.*〉连续不断 repeatedly; again and again：~称赞 ~ *chēngzàn* praise somebody or something profusely │~点头 ~ *diǎntóu* nod again and again │这个矿区~发生事故。*Zhège kuàngqū ~fāshēng shìgù.* Accidents happened one after another in this mining area.

² **连忙** liánmáng〈副 *adv.*〉赶快；急忙 hastily; hurriedly; promptly：眼看要下雨了，她~去收晒的被子。*Yǎnkàn yào xiàyǔ le, tā ~ qù shōu shài de bèizi.* Seeing that it would soon rain, she made haste to collect the quilt spred out to air. │听见门铃响，他~去开门。*Tīngjiàn ménlíng xiǎng, tā ~ qù kāi mén.* Hearing the door bell ringing, he went hurriedly to answer the door.

⁴ **连绵** liánmián〈动 *v.*〉接连不断 continuous; unbroken; uninterrupted：山峦~ *shānluán* ~ undulating mountains; rolling hills │思绪~ *sīxù* ~ endless stream of thought │战火~ *zhànhuǒ* ~ endless war │阴雨~。*Yīnyǔ ~.* There was an unbroken spell of wet weather.

⁴ **连年** liánnián〈名 *n.*〉接连许多年 in successive years; in consecutive years; for years running; for years on end：这里~获得大丰收。*Zhèli ~ huòdé dà fēngshōu.* People here

have reaped exceptionally good harvests for years running.

⁴ **连同** liántóng〈连 conj.〉连；和 together with; along with：请将货品~账单都给我。Qǐng jiāng huòpǐn ~ zhàngdān dōu gěi wǒ. Give me the goods along with the bill. │ 他把书～盒子带回家。Tā bǎ shū ~ hézi dài huíjiā. He took home the book along with the box.

² **连续** liánxù〈动 v.〉一个接一个 continuously; successively; in a row; one after another：他~工作了两个昼夜。Tā ~ gōngzuòle liǎng gè zhòuyè. He has worked continuously for two days and nights. │ 她在乒乓球场上~获得了三个世界冠军。Tā zài pīngpāngqiú chǎng shang ~ huòdéle sān gè shìjiè guànjūn. She won successively three world championships in table tenis.

⁴ **连续剧** liánxùjù〈名 n.〉(集jí、部bù)情节连贯的多集戏剧 serial play：广播~ guǎngbō ~ radio serial │ 电视~ diànshì ~ TV serial │ 这部~有40集。Zhè bù ~ yǒu sìshí jí. This serial has 40 episodes.

¹ **连…也…** lián…yě…〈介 prep.〉同'连…都…' same as '连…都…lián…dōu…'

⁴ **连夜** liányè ❶〈副 adv.〉当天夜里 (就做) the same night; that very night; all through the night：为了明天开会，他~赶写讲话稿。Wèile míngtiān kāihuì, tā ~ gǎn xiě jiǎnghuàgǎo. To prepare for tomorrow's meeting, he rushed through the lecture notes through the night. │ 接到电话，他~赶去会她。Jiēdào diànhuà, tā ~ gǎn qù huì tā. He rushed to meet her the night he received the phone call. ❷〈副 adv.〉连续几夜 for nights on end：这几天，她~看护在病床前。Zhè jǐ tiān, tā ~ kānhù zài bìngchuáng qián. She has been waiting on (the patient) before the sickbed for nights on end. │ 他~奋战了三天，终于完稿。Tā ~ fènzhànle sān tiān, zhōngyú wán gǎo. After working hard for three nights on end, he finally finished writing his article.

³ **帘** lián(~儿)〈名 n.〉用竹、苇、布等做的，用于遮蔽门窗的东西 screen or curtain made from bamboo, reeds, cloth, etc.：门~ mén ~ door curtain │ 窗~ chuāng~ window curtain │ 珠~ zhū~ pearl cutrain │ 竹~ zhú~ bamboo curtain ❷〈名 n.〉旧时酒家或其他店铺门前挂的望子，是一种作为标志用的旗子 (of old time) sign printed on a curtain, flag, etc. and hoisted high at the front gate of a wineshop or other shops：酒~ jiǔ ~ wineshop sign

⁴ **莲子** liánzǐ〈名 n.〉(粒lì、颗kē)荷(又叫莲)的种子，可食用 lotus seeds (edible)：中医认为~有补脾养心的作用。Zhōngyī rènwéi ~ yǒu bǔ pí yǎng xīn de zuòyòng. According to the traditional Chinese medicine, lotus seeds can nourish one's spleen and help cultivate one's mental tranquility.

⁴ **联** lián ❶〈动 v.〉联结；联合 unite; ally oneself with; join：~名 ~míng jointly; jointly signed │ ~盟 ~méng union; alliance │ ~欢 ~huān get-together; party; social gathering │ ~运 ~yùn through transport; through traffic │ ~合 ~hé unite; ally; joint; combined │ ~邦 ~bāng federation │ 三~单 sān~dān triplicate form │ 串~ chuàn~ establish ties; contact; series connection │ 珠~璧合 (比喻杰出的人才或美好的事物聚集在一起)zhū~-bìhé (bǐyù jiéchū de réncái huò měihǎo de shìwù jùjí zài yìqǐ) trings of pearls and girdles of jade (fig. an excellent combination) ❷〈名 n.〉特指对联 antithetical couplet (written on scrolls)：春~ chūn~ Spring Festival couplets; Spring Festival scrolls │ 门~ mén ~ gatepost couplet │ 寿~ shòu~ birthday couplets │ 挽~ wǎn~ elegiac couplet

⁴ **联邦** liánbāng〈名 n.〉由若干具国家性质的行政区域联合组成的统一国家 federation; union; commonwealth：~制 ~zhì federal system; federalism │ ~共和国 ~ gònghéguó federal republic │ 英~ Yīng~ the British Commonwealth of Nations

² **联合** liánhé ❶〈动 v.〉联结在一起 unite; ally：~投资 ~ tóuzī co-investment │ ~民众，反

L

对独裁。~ mínzhòng, fǎnduì dúcái. Ally with the people to oppose dictatorship. ❷〈形 adj.〉联合在一起的 joint; combined: ~装置 ~ zhuāngzhì combined devices | ~企业 ~ qǐyè an incorporated enterprise

² **联欢** liánhuān〈动 v.〉欢聚在一起 have a social gathering; have a get-together: ~晚会 ~ wǎnhuì evening party | 师生 ~ shīshēng ~ a get-together of teachers and students | 军民 大~ jūn mín dà~ a grand get-together of soldiers and civilians

³ **联络** liánluò〈动 v.〉接洽；联系；沟通 keep in contact with; communicate with: ~员 ~ yuán contact person; liaison man | 通讯 ~ tōngxùn ~ communication | ~感情 ~ gǎnqíng start or keep up a friendship | 加强 ~ jiāqiáng ~ keep in closer contact | 切断 ~ qiēduàn ~ break contact | 她~高中同学搞了次聚会。 Tā ~ gāozhōng tóngxué gǎole cì jùhuì. She contacted her senior high school classmates and had a get-together.

³ **联盟** liánméng ❶〈名 n.〉两个或两个以上的国家为了某种共同利益而订立盟约的联 合集团 alliance; league; union: 结成 ~ jiéchéng ~ form an alliance | 东南亚国家~ Dōngnányà Guójiā ~ Association of Southeast Asian Nations (ASEAN) ❷〈名 n.〉个人 或集体之间为一定目的而结成的联合 union of individuals, organizations or classes: 作 家~ zuòjiā ~ writers alliance | 工农 ~ gōngnóng ~ worker-peasant alliance | 军事 ~ jūnshì ~ military alliance | 一些小党为了竞选结成了~。 Yìxiē xiǎo dǎng wèile jìngxuǎn jiéchéngle ~. Some minor parties form alliance for the election.

¹ **联系** liánxì ❶〈动 v.〉接洽；联络 arrange; negotiate; get in touch: 经理派我到中国~业 务。 Jīnglǐ pài wǒ dào Zhōngguó ~ yèwù. The manager sent me to China to drum up business. | 最近他和我没什么~。 Zuìjìn tā hé wǒ méi shénme ~. He didn't get in touch with me recently. | 希望以后多多~。 Xīwàng yǐhòu duōduō ~. Hope we will have more contacts with each other. ❷〈动 v.〉结合；连接 integrate; relate; link: 理论必须~实际。 Lǐlùn bìxū ~ shíjì. Theory must be integrated with practice. ❸〈名 n.〉关系 relation; connection: 这两起案子之间有一定的~。 Zhè liǎng qǐ ànzi zhījiān yǒu yídìng de ~. These two cases are somewhat related to a each other.

⁴ **联想** liánxiǎng ❶〈动 v.〉由某人或某事而想起别的人或事 connect with mentally: 这两 件事情之间没有任何联系，你别瞎~。 Zhè liǎng jiàn shìqing zhījiān méiyǒu rènhé liánxì, nǐ bié xiā ~. There's no connection between these two things. Don't connect them blindly. ❷〈名 n.〉概念的结合 association: 这种~是毫无道理的。 Zhè zhǒng ~ shì háowú dàolǐ de. This association is utterly unjustifiable.

⁴ **廉价** liánjià ❶〈形 adj.〉价钱比一般低 cheap; inexpensive; low-priced: ~商 品 ~ shāngpǐn cheap goods; bargain | ~劳力 ~ láolì cheap labor ❷〈形 adj.〉不值钱的； 无价值的 worthless: 你以为靠你几滴~的眼泪就能博得大家的同情吗? Nǐ yǐwéi kào nǐ jǐ dī ~ de yǎnlèi jiù néng bódé dàjiā de tóngqíng ma? Do you think you can win others' sympathy with several cheap teardrops?

⁴ **廉洁** liánjié〈形 adj.〉品行端正，不贪污受贿，不以权谋私 honest and clean; incorruptible; not abusing one's power for personal gains: ~奉公 ~ fènggōng incorrupt and honest in performing one's official duties | 清正 ~ qīngzhèng ~ upright and incorruptible | 他当官一生，一世，受到人们称赞。 Tā dāng guān yìshēng, ~ yíshì, shòudào rénmen chēngzàn. He has been honest and clean during his whole life as a government official and is praised by people.

⁴ **廉政** liánzhèng〈动 v.〉使政府、政事廉洁 honest and clean government: ~建设 ~ jiànshè build a honest and clean government | ~措施 ~ cuòshī measures to make the government clean and honest | 清正~ qīngzhèng ~ honest and upright

⁴ **镰刀** liándāo〈名 n.〉(把bǎ)收割庄稼或割草用的工具 sickle：~是农民的象征，铁锤是工人的象征 ~ shì nóngmín de xiàngzhēng, tiěchuí shì gōngrén de xiàngzhēng. Sickle symbolizes farmers, while iron hammer, workers.

¹ **脸** liǎn ❶〈名 n.〉(张zhāng)面部，即头的前部分 face：瓜~ guāzǐ~ oval face｜长方~ chángfāng~ oblong face｜她正在洗~。Tā zhèngzài xǐ ~. She's washing her face. ❷(~儿)〈名 n.〉面部的表情 facial expression：笑~儿 xiào~r smiling face｜哭丧着~儿 kūsàngzhe ~r with displeasure written on one's face｜嬉皮笑~ xīpí-xiào~ grinning cheekily; smiling and grimacing ❸〈名 n.〉情面；面子 face：丢~ diū~ lose face｜赏~ shǎng~ honor me with your presence; request another person to accept one's gift, invitation, etc.｜不要~ búyào~ have no sense of shame; shameless｜死皮赖~ sǐpí-lài~ thick-skinned; brazen and unreasonable ❹(~儿)〈名 n.〉指某些物体的前面部分 front part of sth.：门~儿 mén~r shop front｜鞋~儿 xié~r front top of a shoe

⁴ **脸盆** liǎnpén〈名 n.〉(个gè)用来洗脸的盆 washbasin; washbowl：她买了个新~。Tā mǎile gè xīn ~. She brought a new washbasin.

³ **脸色** liǎnsè ❶〈名 n.〉脸的颜色 complexion; look：~红润 ~ hóngrùn rosy complexion｜~发青 ~ fā qīng look blue and green ❷〈名 n.〉气色；脸上反映的健康状态 complexion; look; health status as reflected by face：她休养了几天，~好多了。Tā xiūyǎngle jǐ tiān, ~ hǎoduō le. Having recuperated for several days, she looks much better. ❸〈名 n.〉脸上的表情；神色 facial expression; air：她近来~老是阴沉沉的。Tā jìnlái ~ lǎoshi yīnchénchén de. She has been wearing a sullen look all these days.｜他很会看人~行事 Tā hěn huì kàn rén ~ xíngshì. He is good at adjusting his behavior to other's expression.

² **练** liàn ❶〈动 v.〉练习；训练 practise; train; drill：~字 ~ zì practise calligraphy｜~兵 ~ bīng military training; drill; troop training｜~球 ~ qiú practise a ball game ❷〈动 v.〉把生的丝麻或布帛煮得洁白柔软 softening and whitening raw silk by boiling and scouring：~丝 ~ sī soften and whiten silk｜~染丝麻 ~rǎn sī má soften and dye silk ❸〈形 adj.〉经验多；纯熟 experienced; skilled; veteran：老~ lǎo~ experienced; seasoned; old hand｜精~ jīng~ concise; succinct; terse｜~达 ~dá experienced and worldly-wise｜干~ gàn~ capable and experienced｜熟~ shú~ skilled; proficient; adept ❹〈名 n.〉洁白的熟绢 white silk：~带 ~dài silk belt｜澄江如~。Chéngjiāng-rú~. The river runs as smoothly as silk.

⁴ **练兵** liàn//bīng ❶〈动 v.〉训练军队 train soldiers：~场 ~chǎng drill ground｜大~ dà~ troop training in a wide range｜平时练好兵，战时少流血。Píngshí liànhǎo bīng, zhànshí shǎo liúxuè. Train hard during daily drills, less blood to be shed on battlefields. ❷〈动 v.〉泛指各种人员训练 train：排球比赛前，我们都要练一练兵。Páiqiú bǐsài qián, wǒmen dōuyào liàn yí liàn bīng. Before every volleyball match, we will do some practice.｜正式操作快要开始了，抓紧练练兵吧！Zhèngshì cāozuò kuài yào kāishǐ le, zhuājǐn liànliàn bīng ba! The formal operation will begin soon. Let's make the best of our time to do some practice.

¹ **练习** liànxí ❶〈动 v.〉反复学习，以求熟练 practise：~书法 ~ shūfǎ practise calligraphy｜~唱歌 ~ chànggē practise singing｜~速算 ~ sùsuàn practise mental arithmetic ❷〈名 n.〉为巩固学习成效或掌握熟练技巧而设置的作业等 exercises：~题 ~tí; exercises｜~本 ~běn exercise book｜做~ zuò~ do exercises

³ **炼** liàn ❶〈动 v.〉用加热等方法使物质纯净或坚韧 smelting; refining; making; melting; heat sth. to purify or solidify：~钢 ~gāng steel making｜~乳 ~rǔ condensed milk｜百~成

L

钢 *bǎi~–chénggāng* (of iron) be tempered into steel; become strong through many trials │千锤百~ (比喻经过多次艰苦斗争的考验,也比喻诗文经过多次精心修改) *qiānchuí-bǎi~* (*bǐyù jīngguò duōcì jiānkǔ dòuzhēng de kǎoyàn, yě bǐyù shīwén jīngguò duōcì jīngxīn xiūgǎi*) thoroughly steeled (*fig.* finely honed; polish time and again; revise repeatedly) ❷〈动 *v.*〉烧 burn; temper with fire:真金不怕火~ (比喻品行端正、意志坚定的人经受得住考验) *Zhēn jīn bú pà huǒ~* (*bǐyù pǐnxíng duānzhèng, yìzhì jiāndìng de rén jīngshòu de zhù kǎoyàn*). Pure gold stands the test (*fig.* A person of integrity can stand severe tests). ❸〈动 *v.*〉琢磨字、词、句,使之精确生动优美 weigh one's word; seek the right phrase:~字 think hard to choose the right word │~句~*jù* polish a sentence │这篇文章的文字非常精~. *Zhè piān wénzhāng de wénzì fēicháng jīng~.* This article is very concise.

⁴ 恋 liàn ❶〈动 *v.*〉情爱;爱慕 love:初~*chū* first love; first love │单~*dān* one-sided love │失~*shī* be jilted; lose one's love │热~*rè* deep in love │~人~*rén* sweetheart; lover │同性~*tóngxìng* homosexuality ❷〈动 *v.*〉难忘;依依不舍 long for; feel attached to:~旧~*jiù* nostalgic │依~*yī* be reluctant to leave; feel regret at parting from │~土难移~*tǔ-nányí*. It's hard to leave one's homeland.

² 恋爱 liàn'ài ❶〈动 *v.*〉男女相爱 mutual love between man and woman:自由~*zìyóu* free love between man and woman │他俩~好几年了.*Tā liǎ ~ hǎo jǐ nián le.* The two of them have been in love for years. ❷〈名 *n.*〉男女相爱的行动表现 being in love; courtship:谈~*tán* be in love │~问题~*wèntí* the problem of love

⁴ 链子 liànzi ❶〈名 *n.*〉(条tiáo、根gēn)用金属小环连成的像绳子一样的东西 chain:铁~*tiě* iron chain; │金~*jīn* gold chain ❷〈名 *n.*〉(条tiáo、根gēn)自行车等传动用的链条 chain; roller chain (of a bicycle):我有一条摩托车~,送你用吧.*Wǒ yǒu yì tiáo mótuōchē~, sòng nǐ yòng ba.* I have a motorcycle roller chain. You can take it.

⁴ 良 liáng ❶〈形 *adj.*〉好 good; fine:~田~*tián* fertile farmland │~机~*jī* good opportunity │~师益友~*shī-yìyǒu* good teacher and helpful friend │~辰美景~*chén-měijǐng* a fine day and beautiful scene │~药苦口 (比喻尖锐的批评或劝诫虽然听起来不舒服,但有益于改正缺点或错误). ~*yào-kǔkǒu* (*bǐyù jiānruì de pīpíng huò quànjiè suīrán tīng qǐlái bù shūfu, dàn yǒuyìyú gǎizhèng quēdiǎn huò cuòwù*). Good medicine tastes bitter (*fig.* Faithful words offend the ears). ❷〈名 *n.*〉善良的人 kind-hearted people:除暴安~*chúbào-ān* get rid of lawless elements and protect the good │陷害忠~*xiànhài zhōng~* frame a loyal person of integrity ❸〈副 *adv.*〉很;甚 very:~久~*jiǔ* for a very long time │获益~多 *huò yì ~ duō* benefit a great deal from │用心~苦 *yòngxīn~-kǔ* give much thought to something

² 良好 liánghǎo ❶〈形 *adj.*〉令人满意的 good; well:~关系~*guānxì* good relations │感觉~*gǎnjué* feel well │~气氛~*qìfēn* good atmosphere │~习惯~*xíguàn* good habit │愿望~*yuànwàng* good hope ❷〈形 *adj.*〉评分或考核的一个等级,仅次于'优秀',而高于'及格'称职'等 a grade of assessment, only inferior to '优秀yōuxiù' but superior to '及格jígé' or '称职chènzhí'

⁴ 良心 liángxīn ❶〈名 *n.*〉合乎道德的善良之心 conscience:他是个有~的人.*Tā shì gè yǒu ~ de rén.* He is a person with conscience. │做事要讲~. *Zuòshì yào jiǎng ~.* We should do things with conscience. ❷〈名 *n.*〉内心对是非正确评判的表现 conscience; sense of right and wrong:说~话,他对我真不错.*Shuō ~ huà, tā duì wǒ zhēn búcuò.* To be fair, he has been very good to me. │凭~讲,这不公平.*Píng ~ jiǎng, zhè bù gōngpíng.* According to our conscience, this is not fair.

⁴ **良种** liángzhǒng 〈名 n.〉家畜或作物中的优良品种 fine breed; improved strain：玉米~ yùmǐ ~ fine breed of corn | 马 ~mǎ ~ fine breed of horses

² **凉** liáng ❶〈形 adj.〉温度低；微冷 cool; cold：~水 ~shuǐ cold water | 天~了，要注意添件衣服。Tiān ~ le, yào zhùyì tiān jiàn yīfu. It's getting cool. Don't forget to put on more clothes when necessary. ❷〈形 adj.〉比喻灰心失望 disheartened; disappointed; lose heart; discouraged：听说人家不帮忙，她的心~了半截儿。Tīngshuō rénjia bù bāngmáng, tā de xīn ~le bànjiér. Her heart sank when she was told that they would not help her.

¹ **凉快** liángkuai ❶〈形 adj.〉清凉爽快 nice and cool; pleasantly cool：中午热早晚~。Zhōngwǔ rè zǎowǎn ~. It's hot at noon and pleasantly cool in the morning and evening. | 屋里挺~。Wū li tǐng ~. It's a quite cool in the room. ❷〈动 v.〉使凉快 cool oneself; cool off：喝点儿冷饮，~~吧! Hē diǎnr lěngyǐn, ~ ~ ba! Take some cold drink to cool yourself.

³ **凉水** liángshuǐ ❶〈名 n.〉温度低的水 cold water：洗～澡 xǐ ~ zǎo have a cold-water bath | 用～洗衣服，不如热水干净。Yòng ~ xǐ yīfu, bùrú rèshuǐ gānjìng. Clothes can be washed cleaner with hot water than with cold water. ❷〈名 n.〉没煮开的生水 unboiled water：喝~，小心拉肚子。Hē ~, xiǎoxīn lā dùzi. You may suffer from diarrhea if you drink unboiled water.

梁 liáng ❶〈名 n.〉(根gēn)建筑物中两端架在支撑柱或支撑墩上的长条形构件 roof beam：~房~ fáng~ roof beam | 顶~柱 dǐng~zhù pillar | 偷~换柱 (比喻玩弄手法，以假代真，改变事物的内容或性质) tōu~huànzhù (bǐyù wánnòng shǒufǎ, yǐ jiǎ dài zhēn, gǎibiàn shìwù de nèiróng huò xìngzhì) steal the beams and pillars and replacing them with rotten timbers (fig. change the content or property of a thing on the sly) | 上~不正下~歪 (比喻上面的人行为不正，下面的人也会跟着学坏)。Shàng ~ bú zhèng xià ~ wāi (bǐyù shàngmian de rén xíngwéi bú zhèng, xiàmian de rén yě huì gēnzhe xué huài). If the upper beam is not straight, the lower one will go aslant (fig. if those above behave improperly, those below will do the same). ❷〈名 n.〉物体中间隆起的长条形部分 ridge：山~ shān~ mountain ridge | 鼻~ bí~ bridge of the nose | 脊~ jǐ~ back ❸〈名 n.〉桥 bridge：桥~ qiáo~ bridge

² **量** liáng ❶〈动 v.〉用量器测定容积或长度等 measure：测~ cè~ measure | ~体温 ~tǐwēn take one's temperature | ~尺寸 ~chǐcùn take sb.'s measurements | 车载斗~ (形容数量多，不足为奇) chēzǎi-dǒu~ (xíngróng shùliàng duō, bùzúwéiqí) load with carts and measure with pecks (meaning numerous) ❷〈动 v.〉估量；思考 estimate; appraise; assess：掂~ diān~ weigh in the hand; consider | 思~ sī~ think over; consider | 酌~ zhuó~ weigh; consider; use one's judgement

☞ liàng, p. 641

² **粮食** liángshi 〈名 n.〉供食用的谷类、豆类、薯类的统称 grain; cereals; general term for grain, beans and potatoes used as food：~丰收 ~fēngshōu harvest of grain | ~仓库 ~cāngkù granary

¹ **两** liǎng ❶〈数 num.〉二。一般用于相对的两个方面或成对的人或物，以及量词和'半''千''万''亿'前 two; usually used to two opposing aspects or pairs of people or things, or used before measure words and before '半bàn', '千qiān', '万wàn' and '亿yì'：~耳 ~ěr two ears | ~手 ~shǒu two hands | 夫妻 fūqī a couple | 兄弟 ~xiōngdì two brothers | ~小无猜 ~xiǎo-wúcāi (of a little boy and a little girl) be innocent playmates | ~鬓如霜 ~bìn-rúshuāng greying at the temples | 一举~得 yìjǔ~dé kill two birds with one stone | 判若~人 pànruò~rén have become quite a different person | ~棵

树 ~ 棵 shù two trees ｜一只鸟 ~ zhī niǎo two birds ｜把苹果分为一半 bǎ píngguǒ fēn wéi ~ bàn divide the apple into two halves ｜~千人 ~ qiān rén two thousand people ❷〈数 num.〉双方 both sides; either side: ~可 ~kě both will do; either will do ｜~便 ~biàn convenient to both sides; make it easy for both ｜~全其美 ~quán-qíměi satisfactory to both sides; meet the needs of both sides; meet rival claims ｜~不相干 ~bù xiānggān have nothing to do with each other ❸〈数 num.〉表示不定的数目,相当于'几' a few; some; more or less, same as '几jǐ': 我说~句吧。Wǒ shuō ~ jù ba. Let me say a few words. ｜你真有~下子。Nǐ zhēn yǒu ~xiàzi. You are really clever and capable. ｜他看了~眼就走了。Tā kànle ~ yǎn jiù zǒu le. He had a few glimpses and then left. ❹〈量 meas.〉中国市制重量单位,10两为1斤（500克）liang, Chinese traditional unit of weight, 10 liang equals to 1 jin（500 grams）: 二~酒 èr ~ jiǔ two liang of wine

⁴ **两极** liǎngjí ❶〈名 n.〉地球的南极和北极 North and South Poles of the earth ❷〈名 n.〉电极的阳极和阴极;磁极的南极和北极 two poles of a magnet or an electric cell ❸〈名 n.〉比喻相反的两个极端或两个对立面 two extremes or two opposites: ~分化 ~ fēnhuà polarization

⁴ **两口子** liǎngkǒuzi〈名 n.〉夫妻两人,也叫'两口儿' husband and wife; married couple; also called '两口儿liǎngkǒur': 他们~过得很快活。Tāmen ~ guò de hěn kuàihuo. The husband and wife are leading a happy life. ｜他俩一直兄妹相称,没想到如今成了~。Tā liǎ yìzhí xiōngmèi xiāng chēng, méi xiǎngdào rújīn chéngle ~. The two of them used to call each other brother and sister, and it's unexpected that they become husband and wife now.

³ **两旁** liǎngpáng〈名 n.〉左边和右边 both sides; either side: 公路~栽满了树。Gōnglù ~ zāimǎnle shù. The road is lined with trees on both sides. ｜桌子~都放了椅子。Zhuōzi ~ dōu fàngle yǐzi. There are chairs on both sides of the table.

⁴ **两手** liǎngshǒu ❶(~儿)〈名 n.〉指本领或技能 skill: 有~儿 yǒu ~r have some skills ｜露~儿 lòu ~r show some skills ｜过去当师傅的都会对徒弟留~儿。Guòqù dāng shīfu de dōu huì duì túdì liú ~r. In old days, masters often held back some of their skills when teaching their apprentice. ❷〈名 n.〉指手段、方法等的两个方面 dual tactics: 要精神文明物质文明一抓。Yào jīngshén wénmíng wùzhì wénmíng ~ zhuā. We must address ourselves to the problem of both material and spiritual civilization without any letup. ｜往好处奔、坏处想,作好~准备。Wǎng hǎochù bèn, huàichù xiǎng, zuòhǎo ~ zhǔnbèi. Try for the best, think of the worst, and get ready for both.

L

亮 liàng ❶〈形 adj.〉光线强 bright; light: 明~ míng~ bright; brightly lit; well-lit ｜光~ guàng~ bright; light ｜窗户又大又朝南,室内很~。Chuānghu yòu dà yòu cháo nán, shìnèi hěn ~. The windows are large and face the south, so it's very bright in the room. ❷〈形 adj.〉声音响亮 loud and clear: 她唱起歌来,嗓子真~。Tā chàngqǐ gē lái, sǎngzi zhēn ~. She has a clear voice when she sings. ❸〈形 adj.〉开朗;清楚 enlightened: 心明眼~ xīnmíng-yǎn~ see and think clearly; sharp-eyed and clear-minded; having sharp eyes and a clear mind ｜她心里~堂堂。Tā xīn li ~tāngtāng. She felt very much enlightened. ❹〈形 adj.〉有光泽 shiny: 他的皮鞋擦得很~。Tā de píxié cā de hěn ~. His shoes were polished shiny. ｜她把菜刀磨得锃~。Tā bǎ càidāo mó de zèng~. She ground the kitchen knife shining. ❺〈动 v.〉发出光 shine; emit light: 天~了。Tiān ~ le. It's dawn; it's daybreak. ｜灯~了。Dēng ~ le. The light is on. ❻〈动 v.〉使声音响亮 make one's voice loud and clear: 她~了~嗓门。Tā ~le ~ sǎngmén. She lifted her voice. ❼〈动 v.〉显露;显示 reveal; show: ~底儿 ~ dǐr show one's cards on the table; reveal one's story; disclose one's stand or views│~相 *~xiàng* pose for the audience on the stage before exit or after entrance (as in Beijing opera, dancing, etc.)│她~出了证件。*Tā ~chūle zhèngjiàn.* She showed her certificate.

⁴ **亮光** liàngguāng ❶(~儿)〈名 n.〉(道 dào、束 shù、丝 sī)黑暗中的一点光或一道光 light; beam of light; gleam of light; shaft of light：夜很黑，他靠小小灯笼的~赶路。*Yè hěn hēi, tā kào xiǎoxiǎo dēnglong de ~ gǎnlù.* It was very dark at night. He hurried on with his journey by the light of a small lantern.│岩洞里有道~。*Yándòng li yǒu dào ~.* There's a beam of light in the grotto. ❷〈名 n.〉物体表面反射的光 light reflected by the surface of an object：又擦又洗，桌子有了~。*Yòu cā yòu xǐ, zhuōzi yǒule ~.* After being wiped and washed, the desk became shiny again.

³ **谅解** liàngjiě ❶〈动 v.〉体谅对方而不计较 understand; make allowance for; forgive：她妈~了她，不再责备了。*Tā mā ~le tā, búzài zébèi le.* Her mother understood her and no longer blamed her.│交谈过后，他们相互~了。*Jiāotán guòhòu, tāmen xiānghù ~ le.* They understood each other after a talk. ❷〈名 n.〉理解：默契 understanding; tacit agreement：~备忘录 ~*bèiwànglù* memorandum│经过会谈，双方达成了~。*Jīngguò huìtán, shuāngfāng dáchéngle ~.* The two sides came to an understanding after the talk.

¹ **辆** liàng〈量 meas.〉用于车 for vehicles：他家一人一~自行车。*Tā jiā yì rén yí ~ zìxíngchē.* Each member of his family has a bicycle of his own.│刚才门前开过去五~小轿车。*Gāngcái mén qián kāi guòqù wǔ ~ xiǎo jiàochē.* Five cars passed the door just now.

² **量** liàng ❶〈名 n.〉测量物体容积的器具，如升、斗、斛等 measuring containers, such as '升 shēng' (a container as well as a unit of dry measure for grain equivalent to one litre), '斗 dǒu' (a container as well as a unit of dry measure for grain equivalent to one decalitre), '斛 hú' (a container as well as a unit of dry measure for grain equivalent to 10 '斗 dǒu'), etc. ❷〈名 n.〉能容纳的限度 capacity of tolerance or for taking food or drink：饭~ *fàn*~ quantity of food taken by one person for a meal; appetite│酒~ *jiǔ*~ capacity for liquor│气~ *qì*~ tolerance│雅~ *yǎ*~ generosity│胆~ *dǎn*~ courage│充其~ ~*chōngqí*~ at most; at best ❸〈名 n.〉数量值 quantity; amount; volume：产~ *chǎn*~ output│雨~ *yǔ*~ precipitation; rainfall│流~ *liú*~ runoff (of a river)│保质保~ *bǎo zhì bǎo* ~ guarantee both quality and quantity ❹〈动 v.〉权衡；估计 estimate; measure：依法~刑 *yīfǎ ~xíng* mete out punishment according to law│~入为出 ~*rù-wéichū* adjust one's expense according to one's income; make both ends meet; keep expenditure below income; live within one's means│~力而为 ~*lì'érwéi* act according to one's ability; do what one can│不自~力 *búzì~lì* overestimate one's own strength or ability

☞ *liáng*, p. 639

⁴ **晾** liàng ❶〈动 v.〉把东西放在通风或阴凉处，使之干燥 dry in the air; air-dry; dry in a ventilated, shady and cool place：这衣料不能暴晒，洗后得挂在屋里~干。*Zhè yīliào bù néng bàoshài, xǐ hòu děi guà zài wūli ~gān.* This cloth can't be exposed to the sun and should be hung indoors to get air-dried after being washed. ❷〈动 v.〉晒 sun; dry sth. in the sun：~被子 ~*bèizi* hang quilts out to dry; sun quilts│~渔网 ~*yúwǎng* hang fishnets out to dry│她把洗净的衣服~到院子里。*Tā bǎ xǐjìng de yīfu ~dào yuànzi li.* She hung the wash out in the courtyard to dry. ❸〈动 v. fig. dial.〉搁置；冷落 ignore; slight; cold-shoulder：他被人家~在了一边。*Tā bèi rénjia ~ zàile yì biān.* He was completely ignored.

⁴ **辽阔** liáokuò〈形 adj.〉广阔；旷远 vast; extensive：~的大草原 ~ *de dà cǎoyuán* vast

prairie | ~的江面 ~ *de jiāngmiàn* vast surface of the river | 幅员 ~*fúyuán* ~ vast territory

⁴ 疗效 liáoxiào 〈名 *n.*〉治疗效果 curative effect; effect of medicinal or medical treatment：这种药治感冒~不错。*Zhè zhǒng yào zhì gǎnmào ~ búcuò.* This medicine is effective against cold. | 用针灸治这病，~显著。*Yòng zhēnjiǔ zhì zhè bìng, ~ xiǎnzhù.* Acupuncture is particularly effective against this illness.

⁴ 疗养 liáoyǎng 〈动 *v.*〉身体虚弱或患有慢性病者进行以休养为主的治疗 recuperate; convalesce; rest up; (of one suffering from chronic disease or poor health) receive mostly recuperative treatment and rest in a specialized medical institution：他到海滨~去了。*Tā dào hǎibīn ~ qù le.* He went to recuperate by the seaside. | ~了半年，她身体好多了。*~le bàn nián, tā shēntǐ hǎoduō le.* Having recuperated for half a year, she's much better.

² 聊 liáo 〈动 *v.* 口 *colloq.*〉随便交谈；闲谈 chat; gossip：~天~*tiānr* chat | 咱们~一~? *Zánmen ~ yì ~?* Let's have a chat? ❷〈动 *v.* 书 *lit.*〉依赖；凭借 rely; depend：穷极无~*qióngjíwú~* utterly bored | 民不~生 *Mínbù~shēng.* The people have no means of livelihood. ❸〈副 *adv.* 书 *lit.*〉姑且 merely; just; barely：~以度日 ~*yǐ dùrì* just to eke out an existence | ~以自慰 ~*yǐzìwèi* just to find relief ❹ 〈副 *adv.* 书 *lit.*〉略微 a little; slightly; somewhat：~表谢忱 ~*biǎo xièchén* as a small token of my gratitude | ~陈愚见 ~*chén yújiàn* just to express my humble opinion | ~堪告慰 ~*kān gàowèi* as a small token of comfort

² 聊天 liáo//tiānr 〈动 *v.* 口 *colloq.*〉无拘无束地交谈；闲谈 chat; gossip：他们饭后老在院子里~。*Tāmen fàn hòu lǎo zài yuànzi li ~.* They often chatted with each other in the courtyard after diner. | 别忙，咱聊一会儿天儿再去不迟! *Bié máng, zán liáo yíhuìr tiānr zài qù bù chí!* Take it easy! It won't be late if we chat for a while.

⁴ 潦草 liáocǎo ❶〈形 *adj.*〉字迹不工整 (of handwriting) hasty and careless; illegible：你的字写得太，，我认起来太费劲! *Nǐ de zì xiě de tài, , wǒ rèn qǐlái tài fèijìn!* Your handwriting is too careless. It's hard for me to make out what you wrote. ❷〈形 *adj.*〉办事不认真 sloppy; slovenly：浮皮~ *fúpí~* superficial and careless; casual; cursory; perfunctory

¹ 了 liǎo ❶〈动 *v.*〉完毕；结束 finish; end; complete; settle; dispose of：~结 ~*jié* finish; end; settle; wind up; bring to an end | ~事 ~*shì* dispose of a matter; get sth. over; get through with sth. | ~账 ~*zhàng* settle or square accounts | 私 ~ *sī*~ settle (a case or dispute) privately; settle out of court | 没完没 ~*méiwán-méi*~ endless; ceaseless; without stop; nonstop | 一~百~. *Yī~bǎi~.* All troubles end when the main trouble ends. | 不~~之 bù~~*zhī* unresolved; leave unsettled; end up by doing nothing; end up with nothing definite ❷〈动 *v.*〉放在动词后，跟'得''不'连用，表示可能或不可能 used in conjunction with '得*de*' and '不*bù*' after a verb to express possibility：吃得~ *chī de*~ can eat it all | 吃不~ *chī bù*~ cannot eat it all | 这活儿今天完得~吗? *Zhè huór jīntiān wán de ~ ma?* Can you finish the job today? ❸〈动 *v.*〉懂得；明白 understand; know; realize：明~ *míng*~ understand; know clearly | 一目~然 *yīmù*~*rán* be clear at a glance | ~如指掌 ~*rúzhǐzhǎng* familiar with; know sth. like the palm or back of one's hand; be thoroughly familiar | ~然于心 ~*rányúxīn* clear in the heart; have a clear mental picture of ❹〈副 *adv.*〉全然；完全(用于否定) utterly; completely(used in the negative)：~无长进 ~*wú zhǎngjìn* make no progress whatsoever | ~不相干 ~*bù xiānggān* have nothing to do with; totally irrelevant | ~无惧色 ~*wú jùsè* show no trace of fear; look completely undaunted

L

☞ le, p. 620

²了不起 liǎobuqǐ ❶〈形 adj.〉令人佩服的；不平凡的 extraordinary; amazing; terrific; remarkable：她考了满分，真~! Tā kǎole mǎn fēn, zhēn ~! She's got full marks. How remarkable she is! | 就这点儿能耐? 有什么~! Jiù zhè diǎnr néngnài? Yǒu shénme ~! That's all you are capable of? There is nothing so terrific. ❷〈形 adj.〉重大；严重 serious; grave：这可是~的问题，要认真对待。 Zhè kě shì ~ de wèntí, yào rènzhēn duìdài. It's really a matter of grave concern, so we should take it seriously.

¹了解 liǎojiě ❶〈动 v.〉清楚地知道 understand; know; comprehend：我~她的为人。 Wǒ ~ tā de wéirén. I know what kind of woman she is. | 这事他~, 你去问他吧! Zhè shì tā ~, nǐ qù wèn tā ba! He knows it all. You can ask him about it. ❷〈动 v.〉打听；调查 look into; find out; acquaint oneself with：这是怎么回事，需要派人去~。 Zhè shì zěnme huí shì, xūyào pài rén qù ~. What's the matter? Somebody should be appointed to look into it. | ~以后再作结论。 ~ yǐhòu zài zuò jiélùn. Look into the matter before you come to any conclusion.

³料 liào ❶〈动 v.〉预想；猜想 suppose; expect; anticipate：~事如神 ~shìrúshén foresee with divine precision; foretell with miraculous accuracy; predict like a prophet; have a prophetic eye | 出乎意~ chūhū-yì~ beyond one's expectations; contrary to one's expectations; unexpectedly | 我没~到他今天能来。 Wǒ méi ~dào tā jīntiān néng lái. I didn't expect him to come today. ❷〈动 v.〉管理；照看 take care of; manage：照~ zhào~ look after; take care of | ~理后事 ~lǐ hòushì make funeral arrangements ❸（~儿）〈名 n.〉材料；原料 material; stuff：布~ bù~ cotton fabric; cotton cloth | 电~ diàn~ electrical materials and appliances | 资~ zī~ data; material | 燃~ rán~ fuel | 备~ bèi~ stock preparation (for production or construction) | 进~ jìn~ feedstock ❹〈名 n.〉可提供动植物所需养分的东西 sth. supplying animals or plants with nutrients they need：养~ yǎng~ nutrients | 饲~ sì~ forage; fodder | 马~ mǎ~ horse feed | 草~ cǎo~ forage | 肥~ féi~ fertilizer ❺〈名 n.〉供调味或饮用的东西 things used for flavoring or drinking：香~ xiāng~ spices; perfume | 饮~ yǐn~ beverage | 酒~ jiǔ~ cooking wine ❻（~儿）〈名 n. 方 dial.〉不成器的人 person good-for-nothing：瞧他这块儿，什么事情也办不成。 Qiáo tā zhè kuài ~r, shénme shìqing yě bàn bù chéng. Look at him, he's good for nothing and will achieve nothing. ❼（~儿）〈名 n. 方 dial.〉适合做某种事情的人 person fit for doing sth. ：她可是个跳舞的~儿。 Tā kě shì gè tiàowǔ de ~r. She has the makings of a dancer. ❽〈量 meas.〉用于中医配制丸药，处方规定剂量的全份为一料 prescription for pills; prescribed dosage for making pills：你配几~药? Nǐ pèi jǐ ~ yào? How many prescriptions do you want to make up?

²列 liè ❶〈动 v.〉排列 arrange; line up; put in order：开~ kāi~ draw up | 罗~ luó~ set out; list; enumerate | 名~前茅 míng~qiánmáo be among the best of successful candidates; rank among the best | ~出清单 ~chū qīngdān make a detailed list | ~队前进 ~duì qiánjìn line up to advance ❷〈动 v.〉安排到某一范围或某类事物中 list; enter in a list; rank：~入世界自然遗产 ~rù shìjiè zìrán yíchǎn enter the list of World Natural Heritage | ~为重点工程 ~wéi zhòngdiǎn gōngchéng rank as key project | ~入议事日程 ~rù yìshì rìchéng place on the agenda ❸〈名 n.〉行列 rank; row; file：入~ rù~ step in the ranks | 出~ chū~ step out of the ranks | 前~ qián~ front row ❹〈名 n.〉类；范围 sort; kind; category：不在此~ bú zài cǐ~ not in this category | 不在规定之~ bú zài guīdìng zhī~ not in accordance with the rules and regulations ❺〈代 pron.〉各；诸 various; each and every：周游~国 zhōuyóu ~guó travel to many states | ~位来宾 ~wèi láibīn dear

L

guests ❻〈量 *meas.*〉用于成行列的事物 used for a series or row of things：一～队伍 *yí ~ duìwu* a team｜一～火车 *yí ~ huǒchē* a train

³ **列车** lièchē〈名 *n.*〉(次 cì)连挂成列的火车，配有规定的标志和工作人员 train：高速～ *gāosù ~* bullet train｜磁悬浮～ *cíxuánfú ~* maglev; magnetically levitated train｜他乘坐 1次～出国。 *Tā chéngzuò yī cì ~ chūguó.* He went abroad by taking train No. 1.

⁴ **列举** lièjǔ〈动 *v.*〉逐一举出 list; enumerate：恕不一一～。 *Shù bù yī ~.* Excuse me for not enumerating one by one.｜他～了大量事实阐明自己的论点。 *Tā ~le dàliàng shìshí chǎnmíng zìjǐ de lùndiǎn.* He cited many facts to illustrate his point.

⁴ **列入** lièrù〈动 *v.*〉纳入；加入 bring into; add：这事已～会议议程 *Zhè shì yǐ ~ huìyì yìchéng.* This matter has been listed on the meeting agenda.

⁴ **列席** lièxí〈动 *v.*〉参加会议，有发言权而无表决权 attend a meeting with the right to speak but not to vote：他～了常务会议。 *Tā ~le chángwù huìyì.* He attended the standing meeting as a nonvoting delegate.｜今天经理～了工会委员会议。 *Jīntiān jīnglǐ ~le gōnghuì wěiyuán huìyì.* Today the manager attended the meeting of the trade union committee as an observer.

⁴ **劣** liè ❶〈形 *adj.*〉不好；坏(与'优'相对) bad; inferior; of low quality (opposite to '优 yōu')：～等 *~děng* poor; low-grade; of inferior quality｜～质 *~zhì* of low quality｜卑～ *bēi~* base; mean; despicable｜低～ *dī~* inferior; low-grade｜优胜～汰 *yōushèng~tài* survival of the fittest ❷〈形 *adj.*〉弱；小 weak; small：强～ *qiáng~* strong and weak｜～株 *~zhū* young plant｜～势 *~shì* weakness; unfavorable or disadvantageous situation

⁴ **烈火** lièhuǒ〈名 *n.*〉猛烈的火 intense flames; fierce fire; raging flames：～熊熊 *~ xióngxióng* raging fire; blazing flames｜～干柴 (比喻情欲旺盛的男女一旦接触就会结合在一起) *~gānchái (bǐyù qíngyù wàngshèng de nánnǚ yídàn jiēchù jiùhuì jiéhé zài yìqǐ)* dry wood near a fierce fire (*fig.* a man and a woman burning with passion)｜～见真金 (比喻在严峻的环境中才能考验出人的品质) *~ jiàn zhēn jīn (bǐyù zài yánjùn de huánjìng zhōng cái néng kǎoyàn chū rén de pǐnzhì).* True gold tests the test of fire (*fig.* a crisis shows the true character of a person).

³ **烈士** lièshì ❶〈名 *n.*〉古时指有志建功立业的人 (of old times) person of high endeavor：～暮年，壮心不已 *~ mùnián, zhuàngxīn bùyǐ.* A man of ambition retains his high aspirations even in old age. ❷〈名 *n.*〉(位 wèi)为正义事业而献身的人 martyrs; person who dies for a just cause：～陵园 *~língyuán* cemetery of revolutionary martyrs｜～纪念碑 *~jìniànbēi* monument to revolutionary martyrs｜授以～称号 *shòuyǐ ~ chēnghào* award sb. the title of a martyr

³ **猎人** lièrén〈名 *n.*〉(个 gè、位 wèi)以打猎为业的人 hunter; huntsman：我爷爷是一位有经验的老～。 *Wǒ yéye shì yí wèi yǒu jīngyàn de lǎo ~.* My grandpa is an experienced hunter.

³ **裂** liè ❶〈动 *v.*〉破而分开 split; crack; break open; break up into two or more parts：～开 *~kāi* split open｜破～ *pò~* break; burst; split; rupture｜割～ *gē~* isolate｜决～ *jué~* break with; rupture｜～缝 *~fèng* crack｜天崩地～ (比喻强烈的地震、山崩等自然灾害或剧烈的社会、政治动荡) *tiānbēng-dì~ (bǐyù qiángliè de dìzhèn, shānbēng děng zìrán zāihài huò jùliè de shèhuì, zhèngzhì dòngdàng)* heaven falling and earth cracking (*fig.* natural disaster like major earthquake or landslide; violent political or social upheavals) ❷〈动 *v.*〉比喻破碎或败坏 broken or ruin：心胆俱～ (形容极其惊恐) *xīndǎn jù~ (xíngróng jíqí jīngkǒng)* be frightened out of one's wits (be in a panic; be terror-stricken)｜四分五～ *sìfēn-wǔ~* fall apart; split up｜身败名～ *shēnbài-míng~* bring shame and ruin

L

upon oneself; lose all standing and reputation; be utterly discredited ❸ 〈名 n.〉叶子或花冠的边缘上较大较深的缺口 gap; large, deep breach on the edge of a leaf or corolla

⁴ 邻 lín ❶ 〈名 n.〉挨近自己居住的人家 neighbor; those who live close by: ~居 ~jū neighbor | ~人 ~rén neighbor | 左~右舍 zuǒ~yòushè neighbors | 远亲不如近~. Yuǎn qīn bùrú jìn ~. Neighbors are dearer than distant relatives. ❷ 〈名 n.〉相接壤的;附近的 neighboring; adjacent; near; close; near: ~省 ~shěng neighboring province | ~国 ~guó neighboring country | ~邦 ~bāng neighboring country | 睦~友好 mù~ yǒuhǎo good-neighborliness and friendliness ❸ 〈名 n.〉中国古代居民组织的称谓,五家为邻,五邻为里。后以十家为邻 (of ancient China) unit of residential community, five households form a '邻', and five '邻' form a '里'. Later ten households form a '邻'

⁴ 邻国 línguó 〈名 n.〉(个 gè) 接壤的国家 neighboring country: 俄罗斯联邦是中国的~。 Éluósī Liánbāng shì Zhōngguó de ~. The Russian Federation is a neighboring country of China.

² 邻居 línjū 〈名 n.〉(个 gè、位 wèi、户 hù、家 jiā) 居住在自己旁边或近处的人或人家 neighbor; person or household living close by: 街坊 ~ jiēfang ~ neighbors | ~好,赛金宝. ~ hǎo, sài jīn bǎo. Good neighbors are better than gold and jewellery. | 他是我的老~. Tā shì wǒ de lǎo ~. He's my old neighbor.

⁴ 林场 línchǎng ❶ 〈名 n.〉(个 gè、家 jiā) 负责栽培、管理、砍伐森林等的单位 forestry (including tree nursery, lumber camp, etc.); unit that engages in forest planting, managing and logging: 国营 ~ guóyíng ~ state forest farm | 这里有家~. Zhèli yǒu jiā ~. There's a tree farm here. ❷ 〈名 n.〉种植林木、采伐林木的地方 tree farm; forest farm; place where trees are cultivated or logged: 他去~育树苗了. Tā qù ~ yù shùmiáo le. He went to the tree farm to breed saplings.

⁴ 林区 línqū 〈名 n.〉有大片森林的地区 areas covered by vast stretches of forest; forest zone; forest region; forest: ~要注意防火. ~ yào zhùyì fánghuǒ. Be careful of fire in forest regions.

⁴ 林业 línyè 〈名 n.〉以种植林木和保护森林而取得木材和其他林产品的生产事业 forestry (as an industry); productive undertakings of cultivating and protecting forests to obtain wood and other forest products: ~局 ~jú forestry bureau | 发展~ fāzhǎn ~ develop forestry | 要加强对~的投入。Yào jiāqiáng duì ~ de tóurù. Make more investment in forestry.

² 临 lín ❶ 〈动 v.〉靠近;对着 face; overlook; confront; be close to: ~窗 ~chuāng be close to the window | ~街 ~jiē be close to the street; overlook or face the street | 背山~水 bèi shān ~ shuǐ with the mountain behind and the river in front | 居高~下 jūgāo~xià occupy a commanding position (or height) | ~危不惧 ~wēi-bújù face danger fearlessly; show no fear in face of danger ❷ 〈动 v.〉来到 arrive; come; befall; arrive | 降~ jiàng~ come; befall; arrive | 驾~ jià~ your arrival; your esteemed presence | 光~ guāng~ presence (of a guest, etc.) | 莅~ lì~ arrive; be present | 亲~指导 qīn~ zhǐdǎo come personally to give guidance | 双喜~门. Shuāngxǐ~mén. A double blessing has descended upon the house. ❸ 〈动 v.〉照着他人的字、画书写或绘画 copy (calligraphy or painting): ~帖是学习书法的一种办法。~tiè shì xuéxí shūfǎ de yì zhǒng bànfǎ. Imitating well-known pieces is one of the ways to practise calligraphy. ❹ 〈副 adv.〉将要 about to; going to; on the point of; just before: ~产 ~chǎn just before giving birth; parturient | ~别 ~bié just before parting | ~终 ~zhōng on one's deathbed; just before death; last moments | ~行 ~xíng just before

leaving | ~战~*zhàn* just before a battle | 她~退休给学校写了份建议书。*Tā ~ tuìxiū gěi xuéxiào xiěle fèn jiànyìshū.* She wrote a proposal to the school just before retirement.

⁴ **临床** línchuáng〈动 *v.*〉医生亲临病床为病人诊治，今多指医疗实践（med.）clinical; diagnose and treat diseases:~大夫 ~ *dàifu* clinician | ~教学 ~ *jiàoxué* clinical instruction | 她有丰富的~经验。*Tā yǒu fēngfù de ~ jīngyàn.* She has very rich clinical experience.

⁴ **临近** línjìn〈动 *v.*〉(时间、地区等)将到；接近 (of time or region) close to; close on; proximity: 国际劳动节~了。*Guójì Láodòngjié ~ le.* The International Labour Day is drawing near. | 这座城市~大海。*Zhè zuò chéngshì ~ dàhǎi.* This city is close to the sea.

² **临时** línshí ❶〈形 *adj.*〉非正式的；暂时的 informal; temporary:~工~*gōng* casual laborer | ~协议 ~ *xiéyì* interim agreement | ~政府 ~ *zhèngfǔ* provisional government | ~机构 ~ *jīgòu* interim organization | 他~在接待室工作。*Tā ~ zài jiēdàishì gōngzuò.* He works at the reception room for the time being. ❷〈副 *adv.*〉到事情要发生时 moment when sth. happens:~变卦 ~ *biànguà* break an agreement at the last moment | 平时不烧香，~抱佛脚（比喻平时不作准备，事到临头才匆忙应付）*Píngshí bù shāoxiāng, ~ bào fó jiǎo (bǐyù píngshí bú zuò zhǔnbèi, shì dào líntóu cái cōngmáng yìngfu)* Never burn incense when all is well, but embrace the Buddha's feet in a crisis (*fig.* make a frantic last-minute effort).

³ **淋** lín〈动 *v.*〉水或其他液体自上而下落到物体上；浇 pour; sprinkle; drench; (of water or liquids) fall on an object: 衣服让雨~湿了。*Yīfu ràng yǔ ~shī le.* The clothes were soaked through by the rain. | ~~头，不困了。*~~ tóu, bú kùn le.* I no longer feel sleepy after pouring some water on the head. | 你~点儿香油在白切鸡块上。*Nǐ ~ diǎnr xiāngyóu zài báiqièjīkuài shang.* Add some sesame oil on to the tender-boiled chicken.

⁴ **磷** lín〈名 *n.*〉非金属元素,符号p,是动植物生命组织的重要元素之一 phosphorus (P)

⁴ **伶俐** línglì〈形 *adj.*〉机灵；敏捷 clever; bright; smart; quick-witted:口齿~ *kǒuchǐ ~* speak intelligently and eloquently; have the gift of the gab; be smart and fluent | ~可爱 ~ *kě'ài* be smart and lovely | 手脚~ *shǒujiǎo ~* nimble-fingered

³ **灵** líng ❶〈形 *adj.*〉聪明；机敏；灵活 quick; clever; bright; flexible; nimble:心~手巧 *xīn~-shǒuqiǎo* quick-witted and nimble-fingered; clever and deft | 机一动 ~ *jī-yídòng* have a brainwave | 周转不~ *zhōuzhuǎn bù ~* not have enough money; be short of sth. that is needed; difficulties in cash flow | 仪器失~。*yíqì shī~.* The equipment stopped working. | 他感冒了,鼻子不~了。*Tā gǎnmào le, bízi bù ~ le.* He caught a cold and his nose was not sensitive. ❷〈形 *adj.*〉灵验;管用 effective; efficacious; work:这药治皮肤病很~。*Zhè yào zhì pífūbìng hěn ~.* This medicine is very effective in curing skin diseases. ❸〈形 *adj.*〉有关死人的 of the deceased:~堂~*táng* mourning hall | ~位~*wèi* spirit tablet ❹〈名 *n.*〉灵魂；精神 mind; intelligence; spirit; soul:~与肉 ~ *yǔ ròu* spirit and flesh | 心~ *xīn~* mind; soul | 英~ *yīng~* spirit of the brave departed; spirit of a martyr | 亡~ *wáng~* (superstition) soul of a deceased person; spirit; ghost | 在天之~ *zài tiān zhī ~* spirit of the deceased ❺〈名 *n.*〉神仙；鬼怪 fairy; elf; deity:神~ *shén~* gods; deities; divinities | 显~ *xiǎn~* (of a ghost or spirit) make its presence or power felt | 乞~ *qǐ~* (superstition) invoke help from a god | ~怪 *~guài* elf; goblin | 精~ *jīng~* spirit; demon ❻〈名 *n.*〉灵柩 bier; coffin containing a corpse:守~ *shǒu~* stand guard at the bier; keep vigil beside the coffin | 移~ *yí ~* move the hearse | 辞~ *cí ~* bow to a coffin before it is carried to the grave | 祭~ *jì ~* memorial ceremony held before a coffin

³ **灵魂** línghún ❶〈名 *n.*〉相信超自然力的迷信者,认为人体上附有一种起主宰作用的、可与人体分离存在的非物质的东西 soul:~出窍 ~ *chūqiào* the soul leaving the

L

body ❷〈名 n.〉思想；心灵 soul; spirit: ~深处 ~ *shēnchù* in the depth of one's soul │ ~ 美好 ~ *měihǎo* bright soul ❸〈名 n.〉人格；良心 conscience; soul: 出卖 ~ *chūmài* ~ one's soul │ ~丑恶 ~ *chǒu*'*è* ugly soul │ ~高尚 ~ *gāoshàng* lofty soul │ 教师被誉为人类 ~ 的工程师。*Jiàoshī bèi yù wéi rénlèi* ~ *de gōngchéngshī.* Teachers enjoy the reputation of being the engineers of human soul. ❹〈名 n.〉比喻起主导或决定作用的东西 soul; guiding and decisive factor: 他是研究小组的 ~. *Tā shì yánjiū xiǎozǔ de* ~. He's the soul of the research team. │ 说真话是传媒工作的 ~. *Shuō zhēnhuà shì chuánméi gōngzuò de* ~. Telling truth is the soul of media.

¹ **灵活** línghuó ❶〈形 adj.〉机敏；不呆板 nimble; agile; quick; supple: 头脑 ~ *tóunǎo* ~ be quick-witted; have a supple mind │ 腿脚 ~ *tuǐjiǎo* ~ move briskly: walk briskly ❷〈形 adj.〉能随机应变，不拘泥于 flexible; elastic: 政策 ~ *zhèngcè* ~ flexible policy │ ~处理 ~ *chǔlǐ* deal with sth. flexibly │ ~性 ~*xìng* flexibility │ ~机动的战略战术 ~ *jīdòng de zhànlüè zhànshù* flexible strategy and tactics

⁴ **灵敏** língmǐn 〈形 adj.〉反应快；能对微弱的刺激、先兆等作出迅速的反应 sensitive; keen; agile; acute: 视觉 ~ *shìjué* ~ an acute sense of sight │ 头脑 ~ *tóunǎo* ~ be quick-minded │ 动作 ~ *dòngzuò* ~ be agile in one's movement │ ~度 ~*dù* sensitivity │ 蜜蜂能灵敏地觉察远处的花丛。*Mìfēng néng* ~ *de juéchá yuǎnchù de huācóng.* Bees can keenly detect the blooming shrubs in the distance.

⁴ **灵巧** língqiǎo 〈形 adj.〉灵活而巧妙 dexterous; nimble; skillful; ingenious; agile: ~的舞步 ~ *de wǔbù* agile dance steps │ ~的心思 ~ *de xīnsi* quick mind │ 她有一双 ~ 的手，绣出的手绢美极了。*Tā yǒu yì shuāng* ~ *de shǒu, xiù chū de shǒujuàn měijí le.* With her skillful hands, she can embroider very beautiful handkerchiefs.

⁴ **玲珑** línglóng ❶〈形 adj.〉(器物)精巧细致 exquisite; beautiful; (of things) ingeniously and delicately made: 这玉雕楼台小巧 ~. *Zhè yùdiāo lóutái xiǎoqiǎo-~.* The carved jade tower is very exquisite. ❷〈形 adj.〉(人)敏捷灵巧 (of people) nimble and clever: 娇小 ~ *jiāoxiǎo-*~ petite and dainty │ 她真是个八面 ~ 的人。*Tā zhēn shì gè bāmiàn-*~ *de rén.* She's charming and able to win favor on all sides.

² **铃** líng ❶〈名 n.〉金属制成的响器，常挂在车上、旗子上或牲口颈部，也是打击乐的一种 bell: 远处传来了驼 ~声。*Yuǎnchù chuánláile tuó*~ *shēng.* Tinkling of camel bells is heard from distance. ❷(~儿)〈名 n.〉能发声显示或警示作用的响器 instruments that can produce sound to alarm or to warn: 门 ~ *mén*~ door bell │ 电 ~ *diàn*~ electric bell │ 电话 ~响了。*Diànhuà* ~ *xiǎng le.* The phone rang. ❸〈名 n.〉形状像铃的东西 bell-shaped thing: 哑 ~ *yǎ*~ dumb-bell │ 杠 ~ *gàng*~ barbell ❹〈名 n.〉棉花的花蕾和棉铃 boll; bud: 落 ~ *luò*~ shedding (or premature falling) of cotton bolls │ 蕾 ~ *lěi*~ boll; bud

⁴ **凌晨** língchén 〈名 n.〉天快亮的时候 before dawn; in the small hours: 她 ~ 出发了。*Tā* ~ *chūfā le.* She set out before dawn.

¹ **零** líng ❶〈数 num.〉表示没有数量，有如数码'0' zero; nought; nil: 二减二等于 ~. *Èr jiǎn èr děngyú* ~. Two minus two leaves nought. │ 你这话等于 ~，说跟不说一个样。*Nǐ zhè huà děngyú* ~, *shuō gēn bù shuō yí gè yàng.* What you said equals to zero, just as if nothing had been said. ❷〈数 num.〉放在两个数量之间，表示前一数量之外还有个低位数 placed between two numbers to indicate a small number or amount following a larger one: 二百 ~ 一人 *èrbǎi* ~ *yī rén* two hundred and one people │ 买这书花了五十元 ~ 三角钱。*Mǎi zhè shū huāle wǔshí yuán* ~ *sān jiǎo qián.* This book cost me 50 *yuan* and thirty cents. ❸〈数 num.〉数的空位，也写作'O' zero sign (0); nought: 五 ~ 四号房间 *wǔ*~*sì hào fángjiān* room 504 ❹〈形 adj.〉零碎；零散 (与'整'相对) fractional;

fragmentary; part（opposite to '整zhěng'）:~件 ~jiàn parts｜~食 ~shí snacks｜~售 ~shòu retail｜~用钱 ~yòngqián pocket money｜~敲碎打 ~qiāo-suìdǎ do sth. bit by bit, off and on; adopt a piecemeal approach｜化整为~ huàzhěngwéi~ break up the whole into parts ❺〈~儿〉〈名 n.〉零头；零数 extra; fraction; odd lot:大娘年事已高,都九十挂儿了。Dàniáng niánshì yǐ gāo, dōu jiǔshí guà~r le. The granny is advanced in age. She's already 90-odd years old.｜我衣袋里有五千元还挂~儿。Wǒ yīdài li yǒu wǔqiān yuán hái guà~r. I have 5000-odd yuan in my pocket. ❻〈名 n.〉温度计上的零度 zero（on a thermometer）:今天气温在~上26度。Jīntiān qìwēn zài ~ shàng èrshíliù dù. The temprature today is 26℃ above zero. ❼〈动 v.〉（花朵、叶片）枯萎而落下 (of grass, trees, flowers, or leaves) wither and fall:凋~ diāo~ wither; decline｜飘~ piāo~ fade and fall｜~落 ~luò wither and fall ❽〈动 v.〉（雨、泪）落下 (of rain, tears, etc.) fall:感激涕~ gǎnjī tì~ shed grateful tears

³ **零件** língjiàn〈名 n.〉（个gè、种zhǒng）用于装配机器、仪表、设备等的单个制件 part; spare part; spare:这台打印机要换两个~。Zhè tái dǎyìnjī yào huàn liǎng gè ~. Two parts of this printer should be replaced.

² **零钱** língqián ❶〈名 n.〉币值小的钱（如角、分等）small change; change; money of small denominations, such as jiao and fen:他今天身上只有百元大钞,没带~。Tā jīntiān shēn shang zhǐyǒu bǎi yuán dà chāo, méi dài ~. He didn't take any change on him besides several one-hundred banknotes. ❷〈名 n.〉零花的钱 pocket money:每月她都给孩子一些~。Měi yuè tā dōu gěi háizi yìxiē ~. She gives her child some pocket money every month. ❸〈名 n.〉工资以外的零星收入 tips; gratuities; earnings over and above one's formal wages:那些服务员挣的~并不少。Nàxiē fúwùyuán zhèng de ~ bìng bù shǎo. Those attendants can get quite handsome tips.

⁴ **零售** língshòu〈动 v.〉商品不是成批而是零星地出售 retail:~店 ~diàn retail shop｜~价 ~jià retail price｜这商场的货物既批发也~。Zhè shāngchǎng de huòwù jì pīfā yě ~. This shop sells at both retail and wholesale prices.

⁴ **零碎** língsuì〈形 adj.〉细碎；琐碎 trivial; trifling; fragmentary; scrappy:这篇文章的内容太~,让人看不出重点。Zhè piān wénzhāng de nèiróng tài ~, ràng rén kàn bù chū zhòngdiǎn. The content of this article is so scrappy that it's difficult to find its focal point.｜我每天都有干不完的~事儿。Wǒ měitiān dōu yǒu gàn bù wán de ~ shìr. I have endless odd jobs to do everyday.

L

⁴ **零星** língxīng ❶〈形 adj.〉零碎；少量的 odd; fragmentary; spotty; piecemeal:~小事 ~xiǎoshì trivial matters; trivialities; trifles｜~消息 ~xiāoxi odd scraps of news｜他用~的木料做了个小镜框。Tā yòng ~ de mùliào zuòle gè xiǎo jìngkuàng. He made a small picture frame with some small pieces of wood. ❷〈形 adj.〉零散；稀疏 scattered; sporadic:~小雨 ~xiǎoyǔ occasional drizzles; scattered showers｜山坡上有~几朵小花。Shānpō shang yǒu ~ jǐ duǒ xiǎo huā. Several small flowers are scattered on the hillside.｜深夜里她听见远处有~的狗吠声。Shēnyè li tā tīngjiàn yuǎnchù yǒu ~ de gǒu fèi shēng. Late at night she heard some sporadic barks in the distance.

⁴ **岭** lǐng ❶〈名 n.〉顶上有路可通的山 mountain; ridge of a mountain; mountain with roads accessible to the top:山~ ~shān~ mountain ridge｜翻山越~ ~fānshān-yuè~ cross hill and dale; climb mountain after mountain｜崇山峻~ ~chóngshān-jùn~ towering mountain ridges ❷〈名 n.〉高大的山脉 mountain range; high(or lofty) mountains:秦~ Qín~ Qinling Mountains｜大兴安~ Dà Xīng'ān~ the Great Xing'an Mountains ❸〈名 n.〉专指位于中国南方的大庾岭、骑田岭、越城岭、都庞岭、萌渚岭等五岭 the Five Ridges in

south China, including Dayu Ridge, Qitian Ridge, Yuecheng Ridge, Dupang Ridge and Mengzhu Ridge：~南~*nán* south of the Five Ridges

² **领** líng ❶〈动 v.〉引导；带领 lead; take; usher; head：~路~*lù* lead the way ｜~唱~*chàng* leading singer ｜她~我去见经理。*Tā ~ wǒ qù jiàn jīnglǐ.* She led me to see the manager. ❷〈动 v.〉领有；管辖 possess; own; occupy：占~*zhàn~* occupy ｜~土~*tǔ* territory ｜~海~*hǎi* territorial waters ｜~空~*kōng* territorial sky ❸〈动 v.〉取 receive; draw; take：~工资~*gōngzī* get（or draw）one's salary（or wages）｜~劳保用品~*láobǎo yòngpǐn* get the articles for labor safety ｜~护照~*hùzhào* get the passport ❹〈动 v.〉接受 accept; take：~奖~*jiǎng* receive the award ｜~教~*jiào* ask advice; consult ｜~情~*qíng* appreciate the kindness; feel grateful to sb.｜这礼物请收回去，我心~了。*Zhè lǐwù qǐng shōu huíqù, wǒ xīn~ le.* Please take back the gift, but I appreciate your kindness. ❺〈动 v.〉了解（意思）understand; comprehend; grasp：~会~*huì* understand; comprehend; grasp ｜~略~*lüè* experience; have a taste of; understand a matter and realize its significance, or discern its flavor; appreciate ｜心~神会 *xīn~shénhuì* immediately understand what sb. wants before he or she speaks; deeply realize; understand tacitly; readily take a hint ｜他终于~悟了这个道理。*Tā zhōngyú ~wùle zhège dàolǐ.* He finally comprehends the truth in it. ❻〈名 n.〉颈部 neck：~巾~*jīn* scarf; neckerchief ｜引~而望 *yǐn ér wàng* crane one's neck to see; eagerly look forward to ❼(~儿)〈名 n.〉衣领 collar：翻~儿 *fān~r* turn down collar ｜她穿了件无~儿衫。*Tā chuānle jiàn wú~r shān.* She wore a collarless shirt. ❽(~儿)〈名 n.〉领口 collar band; neckband：圆~儿~*yuán~r* round neck ｜鸡心~儿~*jīxīn~r* V-neck ｜尖~儿~*jiān~r* V-neck ❾〈名 n.〉大纲；要点 outline; main points：纲~*gāng~* platform; pitch; guiding principle ｜要~*yào~* main points; essentials ｜提纲挈~ *tígāng-qiè~* bring out the essence; concentrate on the main points; give the gist（of sth.）❿〈名 n.〉头目 head of a gang：将~*jiàng~* general ⓫〈名 n.〉职员；职工 office worker; staff member; employee：白~*bái~* white collar ｜蓝~*lán~* blue collar ｜金~*jīn~* golden collar ｜粉~*fěn~* pink collar ⓬〈量 meas.〉用于衣物、席子等 used for gown, mat, etc.：一~皮大衣 *yì ~ pídàyì* a leather coat ｜两~席子 *liǎng ~ xízi* two mats

¹ **领导** lǐngdǎo ❶〈动 v.〉率领；引导 lead; exercise leadership; act as head and guide sb. in specific direction：这项技术~着世界潮流。*Zhè xiàng jìshù ~zhe shìjiè cháoliú.* This technology leads the trend in the world.｜这个集团由她~。*Zhège jítuán yóu tā ~.* This group is led by her.｜他~乡亲们走上富裕的道路。*Tā ~ xiāngqīnmen zǒushang fùyù de dàolù.* He led the villagers on the road to being rich. ❷〈名 n.〉(位wèi、个gè、名míng) 负责率领、引导的人；行政、事业、企业等的主管人 leader; leadership：他新近成了国家~人。*Tā xīnjìn chéngle guójiā ~rén.* He has just become one of the leaders of the country.｜她是公司的~。*Tā shì gōngsī de ~.* She's a leader of the company.

³ **领会** lǐnghuì 〈动 v.〉理解；领悟 understand; comprehend; grasp：对这一番话，要~其中深意。*Duì zhè yì fān huà, yào ~ qízhōng shēnyì.* You should grasp the profound meaning in his words.｜她没嘲笑你的意思，你~错了。*Tā méi cháoxiào nǐ de yìsi, nǐ ~ cuò le.* You got her wrong. She didn't mean to mock at you.

⁴ **领事** lǐngshì 〈名 n.〉(位wèi)一个国家派驻别国某一城市或地区的外交官员，负责保护领事区内本国和它的侨民的法律权利和经济权益，管理侨民事务等 consul：~馆~*guǎn* consulate ｜总~*zǒng~* consul general

⁵ **领土** lǐngtǔ 〈名 n.〉一国主权管辖的区域，包括陆地、领水、领海和领空 territory：神圣~不容侵犯。*Shénshèng ~ bùróng qīnfàn.* Our sacred territory can't be invaded.

⁶ **领先** lǐngxiān 〈动 v.〉走在最前面；在某一方面位列前茅 lead; be in the lead; take the

lead; take the foremost position in an advance：她~登上山顶。*Tā ~ dēngshàng shāndǐng.* She was the first to reach the top of the mountain. ｜在足球联赛中，这个队积分~。*Zài zúqiú liánsài zhōng, zhège duì jīfēn ~.* In the football league, this team takes the lead by total mark. ｜在开发市场上，他们已~于同行。*Zài kāifā shìchǎng shang, tāmen yǐ ~ yú tóngháng.* As to market development, they are in the lead in the same trade.

² **领袖** lǐngxiù〈名 n.〉(位wèi)国家、政治团体、群众组织等的领导人，多指具有权威的最高领导人 leader：工人~ *gōngrén ~* workers' leader ｜学生~ *xuésheng ~* student's leader ｜伟大的~ *wěidà de ~* great leader

³ **领域** lǐngyù ❶〈名 n.〉一个国家行使主权的区域 territory; domain：在我国~内必须遵守我国的法律。*Zài wǒ guó ~ nèi bìxū zūnshǒu wǒ guó de fǎlù.* In the territory of our country, the law of our country must be observed. ❷〈名 n.〉从某一活动的范围 field; sphere; realm; domain; range of academic thinking or social activity：经济~ *jīngjì* ~ economic field ｜政治~ *zhèngzhì* ~ political sphere ｜学术研究~ *xuéshù yánjiū* ~ field of academic research ｜高新技术~ *gāoxīn jìshù* ~ field of high and new technology

⁴ **领子** lǐngzi〈名 n.〉衣领，即衣服上围绕颈部的部分 collar：衣服最容易脏的地方是~。*Yīfu zuì róngyì zāng de dìfang shì ~.* Of all parts on a garment, collar most likely gets dirty.

² **另** lìng ❶〈代 pron.〉指所说范围以外的 other; another; separate：~一码事 *yì mǎ shì* another matter ｜~案处理 *~àn chǔlǐ* be handled as a separate case ｜咱们乘~一辆车走。*Zánmen chéng ~ yí liàng chē zǒu.* Let's take another car. ❷〈副 adv.〉表示在所说的范围之外（做某事）in addition; besides; in place of that：~说 ~ *shuō* discuss separately ｜~选 ~ *xuǎn* choose another one ｜~作别论 ~ *zuò bié lùn* should be regarded as a different matter ｜你别在我背后~搞一套。*Nǐ bié zài wǒ bèihòu ~ gǎo yí tào.* Don't go your own way behind my back.

² **另外** lìngwài〈副 adv.〉在所说范围之外 in addition; besides; moreover; other：他~写了一篇文章。*Tā ~ xiěle yì piān wénzhāng.* He wrote another article. ｜~，我们还要去参观博物馆。*~, wǒmen hái yào qù cānguān bówùguǎn.* In addition, we will visit the museum.

³ **令** lìng ❶〈动 v.〉使；让 make; cause：~人陶醉 *rén táozuì* intoxicating ｜~人失望 *rén shīwàng* disappointing ｜~人深思 *rén shēnsī* thought-provoking ｜利~智昏 *lì~zhìhūn* be blinded by lust for gain ❷〈动 v.〉命令 order：~第三师在凤凰岭狙击来敌。*~dì-sān shī zài Fènghuánglǐng jūjī lái dí.* Order the Third Division to block the coming enemy at the Phoenix Mountain. ｜挟天子以~诸侯（比喻假借权威的名义发号施令）*xié tiānzǐ yǐ ~zhūhóu (bǐyù jiǎjiè quánwēi de míngyì fāhào-shīlìng)* have the emperor in one's power and order the nobles about in his name; control the emperor and command the nobles (*fig.* give orders in the name of the authorities) ❸〈名 n.〉权威部门或权威人物发布的条令、命令 regulations or orders issued by departments or people with authority：政~ *zhèng~* government decree ｜法~ *fǎ~* laws and decrees ｜军~ *jūn~* military order ｜嘉奖~ *jiājiǎng~* citation ｜动员~ *dòngyuán~* mobilization order ｜三~五申 *sān~wǔshēn* instruct and warn repeatedly ｜发号施~ *fāhào-shī~* issue orders; give orders; boss around ｜~出如山。*~chū rú shān.* Order given cannot be disobeyed. ❹〈名 n.〉酒令 drinking game：猜拳行~ *cāiquán xíng~* play a finger-guessing drinking game ❺〈名 n.〉古代官名 official title of ancient times：尚书~ *shàngshū~* minister ｜郎中~ *lángzhōng~* (of old times) director of a section or bureau ｜县~ *xiàn~* county magistrate ❻〈名 n.〉时节 season：当~ *dāng~* in season ｜时~ *shí~* season ｜夏~ *xià~* summer-weather; summertime ｜冬~ *dōng~* winter-weather; wintertime ❼〈名 n.〉中国古诗词中的词调、曲调名，即'小

L

令'（of ancient Chinese poetry）usu. used in the name of a tonal pattern and rhyming scheme of *ci* poetry or tune of a song：如梦~ *rúmèng*~ short poem（or lyric）set to the tune of '*Rumeng Ling*' | 十六字~ *shíliùzì*~ short poem（or lyric）set to the tune of '*Sixteen-word Ling*' | 叨叨~ *dāodāo*~ short poem（or lyric）set to the tune of '*Daodao （Chattering）Ling*' ❸〈形 adj.〉美好 good; excellent：~名 *míng* good name or reputation | ~德 – *dé* excellent virtue | ~誉 – *yù* good reputation ❹〈形 adj.〉敬称对方 的家属或亲戚 used for a relative or related person of the other party; your：~尊 *~zūn* your father | ~亲 *~qīn* your relation or relative; kinsman | ~兄 *~xiōng* your brother | 爱~*ài* your daughter

³ 溜 liū ❶〈动 v.〉滑行 slid; glide：~冰 *~bīng* skating | 他们乘雪橇~下了山坡。*Tāmen chéng xuěqiāo ~xiàle shānpō.* They slid down the slope by sled. ❷〈动 v.〉悄悄走开 slip away; sneak off：~号 *~hào* sneak off | 我们正干着，他~了。*Wǒmen zhèng gànzhe, tā ~ le.* He sneaked off when we were doing it. ❸〈动 v. 方 dial.〉看：扫视 glance; take a look：她~ 一眼就走了。*Tā ~ yì yǎn jiù zǒu le.* She took a look and then walked away. ❹〈动 v.〉 沿；顺着 along：~边儿 *~biānr* keep to the edge（of a road, river, etc.）| 咱们~河岸走。 *Zánmen ~ hé'àn zǒu.* Let's walk along the riverside. ❺〈形 adj.〉光滑 smooth; glossy：~ 光 *~guāng* very smooth; glossy; sleek | 滑 – *huá* slippery | 圆 – *yuán* ~ round and smooth ❻〈副 adv. 口 colloq.〉非常；很 very; extremely：~直 *~zhí* very straight; straight as a ramrod | ~圆 *~yuán* very round | ~齐 *~qí* very evenly | ~平 *~píng* very even; very smooth

¹ 留 liú ❶〈动 v.〉不移动；不离开 remain; stay in a place：~校 *~xiào* stay at school during the vacation | ~任 *~rèn* retain a post; remain or continue in office | ~守 *~shǒu* stay behind to take care of things | 他~在家里搞卫生。*Tā ~ zài jiālǐ gǎo wèishēng.* He stayed at home to do some cleaning. ❷〈动 v.〉使留 ask sb. to stay; keep sb. where he or she is; detain：挽~ *wǎn*~ persuade sb. to stay | 强~ *qiáng*~ press sb. to stay or out of hospitality | 拘~ *jū*~ hold in custody | 客~ *kè*~ ask a guest to stay | 你得~住他。*Nǐ děi ~ zhù tā.* You should make him stay. ❸〈动 v.〉出国居留上学 study abroad：~洋 *~yáng* study abroad | ~日 *~ Rì* study in Japan | ~美 *~ Měi* study in the United States ❹〈动 v.〉保 存；不丢弃 keep; reserve; save; retain：~胡子 *~húzi* grow a beard（or moustache）| ~底稿 *dǐgǎo* keep the draft（or manuscript）| ~有余地 *~yǒu yúdì* allow for some leeway | 寸草 不~ *cùncǎo-bù*~ leave not even a blade of grass | ~得青山在，不怕没柴烧（比喻只要保 住根本，就会有办法）。*~ dé qīngshān zài, bú pà méi chái shāo（bǐyù zhǐyào bǎozhù gēnběn, jiù huì yǒu bànfǎ）* As long as the mountain is still standing, we shan't lack fuel; While green mountains exist, there is no need to worry about firewood（*fig.* There will be way out as long as the base is kept. / Where there is life, there is hope）. ❺〈动 v.〉把注 意力放在某方面 concentrate on sth. ：~心 *~xīn* be careful; take care | ~意 *~yì* be careful; take care | ~神 *~shén* be careful; take care ❻〈动 v.〉遗留 leave behind：~言 *~yán* leave a message | ~便条 *~biàntiáo* leave a note | 雁过~声，人过~名。 *Yàn guò ~ shēng, rén guò~ míng.* Wild geese leave behind some sound after passing by, while people leave behind a good reputation. ❼〈动 v.〉收下；接受 accept; take; keep：你把书~下吧。*Nǐ bǎ shū ~ xià ba.* Please accept the book. | 她~下了我送的花。*Tā ~ xiàle wǒ sòng de huā.* She accepted my flowers.

⁴ 留恋 liúliàn ❶〈动 v.〉舍不得丢弃或离开 be reluctant to leave（a place）; be loath to part（from sb. or with sth.）：~不舍 *~bùshě* be reluctant to part with | 他没有~国外的优 厚待遇，毅然回国发展。*Tā méiyǒu ~ guówài de yōuhòu dàiyù, yìrán huíguó fāzhǎn.* He

parted with the excellent pay and conditions abroad without any hesitation and resolutely came back to his country to pursue his career. ❷ 〈动 v.〉怀念 cherish the memory of; recall with nostalgia：她常常~儿时的生活。 *Tā chángcháng ~ ér shí de shēnghuó.* She often yearns for her childhood life.

¹ **留念** liúniàn 〈动 v.〉留作纪念 accept or keep as a memento：毕业~ *bìyè* ~ graduation memento | 合影~ *héyǐng* ~ have a group picture taken as a memento | 签名 *qiānmíng* ~ sign one's name as a memento

⁴ **留神** liú//shén 〈动 v.〉注意；当心 be careful; take care; look out for：你在商店~一下有没有适合咱孩子穿的裙子。 *Nǐ zài shāngdiàn ~ yíxià yǒu-méi yǒu shìhé zán háizi chuān de qúnzi.* See if there are skirts fit for our child when you are in the shop. | 过马路要~来往车辆。 *Guò mǎlù yào ~ láiwǎng chēliàng.* Look out for the vehicles from both directions when you cross the street. | 说不定草丛里有蛇，走路要留点儿神。 *Shuō bú dìng cǎocóng li yǒu shé, zǒulù yào liú diǎnr shén.* There may be snakes in the grass. You'd better be careful when you walk in it.

⁴ **留心** liú//xīn 〈动 v.〉注意 be careful; take care：处处~ *chùchù* ~ always be careful | 她很~展馆的每一幅画的画法。 *Tā hěn ~ zhǎnguǎn de měi yì fú huà de huàfǎ.* She paid great attention to the technique of every painting in the exhibition hall. | 你留点心儿，别让孩子着了凉。 *Nǐ liú diǎnr xīn, bié ràng háizi zháole liáng.* Take care, and don't let your child catch cold.

³ **留学** liú//xué 〈动 v.〉留居外国上学或研究 study abroad：他在英国~。 *Tā zài Yīngguó ~.* He studies in Britain. | 留了两年学，他还真学到了不少东西。 *Liúle liǎng nián xué, tā hái zhēn xuédàole bùshǎo dōngxi.* After studying abroad for two years, he really learned a lot.

¹ **留学生** liúxuéshēng 〈名 n.〉（名 míng、个 gè、位 wèi）在外国学习的学生 foreign student; student studying abroad; returned student：这所学校招收了不少~。 *Zhè suǒ xuéxiào zhāoshōule bùshǎo ~.* This school recruited many foreign students. | 暑假长，许多~出外旅游。 *Shǔjià cháng, xǔduō ~ chū wài lǚyóu.* The summer vacation is long and many foreign students go traveling.

⁴ **留意** liú//yì 〈动 v.〉注意；小心 be careful; take care; look out; keep one's eyes open：同数字打交道的工作要集中精力，不~就会出错。 *Tóng shùzì dǎ jiāodào de gōngzuò yào jízhōng jīnglì, bù ~ jiù huì chū cuò.* You should concentrate your mind when you do the work relating to figures, or you will make mistakes. | 雨天路滑，开车要留点儿意。 *Yǔ tiān lù huá, kāichē yào liú diǎnr yì.* The road is slippery on rainy days. You should be careful when driving.

¹ **流** liú ❶ 〈动 v.〉液体移动 (of liquid) flow：~水 ~ *shuǐ* flowing water | ~汗 ~ *hàn* perspire; sweat; perspire profusely | ~血 ~ *xuè* shed blood; bleed | ~泪 ~ *lèi* shed tears | 川~不息 *chuān*~*bùxī* flowing past in an endless stream; ever-ending; (of people, vehicles, etc.) come and go like an endless stream | 汗~浃背 *hàn*~*jiābèi* be soaked with sweat | 细水长~ (比喻节约地使用钱财，也比喻坚持不懈地做某事) *xìshuǐ-cháng*~ (*bǐyù jiéyuē de shǐyòng qiáncái, yě bǐyù jiānchí búxiè de zuò mǒu shì*) A small stream flows far (*fig.* economize to avoid running short; go about sth. little by little without a letup) ❷ 〈动 v.〉流传；传播 spread; circulate; propagate：~言蜚语 ~ *yán-fēiyǔ* rumor and slander | ~芳百世 ~ *fāng-bǎishì* leave a good name for a hundred generations; leave a good name for posterity; leave a lasting reputation; win immortal fame ❸ 〈动 v.〉无固定方向地移动 drift; move; wander; migrate：~浪 ~ *làng* roam about | ~离失所 ~ *lí-shīsuǒ* be forced to

leave home and lead a vagrant's life; become destitute and homeless │ ~落他乡~*luò tāxiāng* lead a wretched life far from one's home ❹ 〈动 v.〉趋向;(向坏的方向)演变 degenerate; change for the worse:放任自~*fàngrèn-zì* let things drift (or slide) │ ~为草寇~*wéi cǎokòu* take to the woods to become a bandit │ ~于形式 ~*yú xíngshì* become a mere formality; become formalistic ❺ 〈动 v.〉放逐,古代的一种刑罚 banish; send into exile; send a criminal to a remote area as a punishment (a practice in old times):~放~ *fàng* banish; send into exile ❻ 〈形 adj.〉移动的 moving:~星~*xīng* meteor │ ~沙~*shā* shifting sand; quicksand; drift sand ❼ 〈形 adj.〉像流水一样顺畅 smooth like flowing water:~畅~*chàng* easy and smooth; fluent │ ~利~*lì* smooth; sleek; fluent; speak fluently or glibly; smooth writing style of an article ❽ 〈名 n.〉指江河的流水 stream; stream of water; current; torrent:河~*hé* river │ 湍~*tuān* turbulence; rushing waters; rapids │ 洪~*hóng* mighty torrent; powerful current │ 支~*zhī* tributary │ 源远~长 *yuányuǎn-cháng* distant source and long river; long standing and well established │ 逆~而上 *nì ~ ér shàng* sail against the current ❾ 〈名 n.〉像水流一样的东西 sth. resembling a stream of water; current:气~*qì* air current │ 寒~*hán* cold current; cold wave │ 车~*chē* flow of traffic │ 人~*rén* stream of people │ 电~*diàn* electric current ❿ 〈名 n.〉品类;等级 class; rate; grade:名~*míng* well-known people │ 女~*nǚ* women │ 一~*yī* first class; first grade │ 末~*mò* the later and decadent stage of a school of thought or literature; inferior; low-grade │ 上~社会 *shàng ~ shèhuì* upper class │ 三教九~ (泛指社会上的各行各业) *sānjiào-jiǔ~ (fànzhǐ shèhuìshang de gèháng-gèyè)* the three religions and the nine schools of thought (*derog.* people in various trades; people of all walks)

³ **流传** liúchuán 〈动 v.〉传下来或传播开 spread; circulate; hand down:这是一个至今仍~着的古代神话 *Zhè shì yí gè zhìjīn réng ~zhe de gǔdài shénhuà.* This is an ancient mythology which has been handed down to this very day. │ 这消息~到了海外。*Zhè xiāoxi ~dàole hǎiwài.* The news has been spred abroad.

³ **流动** liúdòng ❶〈动 v.〉(液体或气体)移动 (of liquid or gas) flow; run; circulate; move:开开窗可使室内空气~. *Kāikai chuāng kě shǐ shìnèi kōngqì ~.* We can make the indoor air flow by opening the windows. │ 这湖里的水,看上去很平静,其实是~的。*Zhè hú li de shuǐ, kàn shàngqù hěn píngjìng, qíshí shì ~ de.* Water in the lake looks still, but in fact it is flowing. ❷〈动 v.〉经常变换位置(与'固定'相对)going from place to place; mobile; on the move (opposite to '固定 gùdìng'):~资金 ~ *zījīn* circulating funds; working funds │ ~人口 ~ *rénkǒu* a transient population │ 双向~ *shuāngxiàng ~* two-way flow

⁴ **流寇** liúkòu 〈名 n.〉行踪不定、四处流窜的盗匪 roving bandits; roving rebel bands:围剿~ *wéijiǎo* roundup the roving bandit

⁴ **流浪** liúlàng 〈动 v.〉到处漂泊以糊口 wander; roam about; lead a vagrant's life; be a drifter; move from place to place; living on no assured source of income:~汉~*hàn* vagabond │ ~生活 ~ *shēnghuó* a vagrant life │ 四处~ *sìchù~* roam about │ ~街头 ~ *jiētóu* roam the street

² **流利** liúlì ❶〈形 adj.〉说话、写作又清楚又流畅 speak fluently or write in a smooth style:她能说一口~的汉语。*Tā néng shuō yì kǒu ~ de Hànyǔ.* She speaks Chinese fluently. │ 这篇通讯,行文挺~。*Zhè piān tōngxùn, xíngwén tǐng ~.* This news report is written in a very smooth style. ❷〈形 adj.〉灵活;不呆板 smooth; sleek; fluent:书写~ *shūxiě ~* write smoothly │ 他能~地运用多种笔法画山水 *Tā néng ~ de yùnyòng duō zhǒng bǐfǎ huà shānshuǐ.* He can draw landscape paintings in various styles.

⁴ **流露** liúlù 〈动 v.〉(思想、情感)不经意地显露出来(of intent or feeling) reveal; betray; show unintentionally：自然~ zìrán ~ reveal naturally│真情~ zhēnqíng ~ reveal one's true feelings│字里行间~出她的思乡之情。Zìlǐ-hángjiān ~ chū tā de sīxiāng zhī qíng. Her homesick feeling is revealed between lines.

³ **流氓** liúmáng ❶〈名 n.〉(个 gè、群 qún)原指无业游民,后来指不务正业、为非作歹、滋事扰民的人 rogue; hooligan; hoodlum; ruffian; rascal：地痞~ dìpǐ ~ thugs and rascals│那个~又在闹事! Nàge ~ yòu zài nàoshì! That rascal is making trouble again. ❷〈名 n.〉指流氓惯用的放刁、撒赖、猥亵等卑劣行为 immoral or indecent behavior; hooliganism; indecency：瞧,他又在耍~了! Qiáo, tā yòu zài shuǎ ~ le! Look! He's behaving like a hooligan again.

³ **流水** liúshuǐ ❶〈名 n.〉流动的水 running water：~潺潺 ~ chánchán murmuring stream│~不腐 (比喻不停运动的事物才不易受到侵蚀)。~bùfǔ (bǐyù bù tíng yùndòng de shìwù cái bú yì shòudào qīnshí). Running water is never stale (fig. things in use does not easily erode).│花钱如~。Huāqián Rú ~. Money burns a hole in one's pocket. ❷〈名 n.〉像流水一样连贯的 continuous or flowing (like running water)：~作业 ~ zuòyè flow process; streamlined operation; assembly line method; conveyer system ❸〈名 n.〉指商店的营业额 turnover (in business of a shop)：这家小店日~千元以上。Zhè jiā xiǎo diàn rì ~ qiān yuán yǐ shàng. This small shop has a daily turnover of over one thousand yuan.

⁴ **流通** liútōng ❶〈动 v.〉流动；畅通 circulate; flow：空气~ kōngqì ~ air circulation ❷〈动 v.〉指货币、商品流动周转 circulation (of commodities or currencies)：人民币可以在东南亚一些国家~。Rénmínbì kěyǐ zài Dōngnányà yìxiē guójiā ~. Renminbi can circulate in some Southeastern Asian countries.│要疏通商品~渠道。Yào shūtōng shāngpǐn ~ qúdào. The circulation of commodities should be facilitated.

³ **流行** liúxíng ❶〈动 v.〉广泛传播；盛行 prevail; be about：瘟疫~。Wēnyì ~. The pestilence prevails.│许多国家都~牛仔服。Xǔduō guójiā dōu ~ niúzǎifú. Jeans are popular in many countries. ❷〈形 adj.〉传播很广的；盛行的 popular; prevalent; fashionable; in vogue：~音乐 ~ yīnyuè pop music│~性感冒 ~xìng gǎnmào influenza; flu│她那发型很~。Tā nà fàxíng hěn ~. Her hairdo is very popular.

³ **流域** liúyù 〈名 n.〉江河流经的区域,通常包括其干流与支流所组成的整个水系流经的区域 river valley; river basin; drainage area：黄河~ Huáng Hé ~ the Yellow River basin│长江~ Cháng Jiāng ~ the Yangtze River basin

⁴ **硫酸** liúsuān 〈名 n.〉无机化合物,化学式为 H_2SO_4 sulphuric acid (H_2SO_4), an inorganic compound

³ **柳树** liǔshù 〈名 n.〉(棵 kē)落叶乔木或灌木,有垂柳、旱柳等不同种类 willow：沿河栽有一排~。Yán hé zāi yǒu yì pái ~. There planted a row of willows along the river.

¹ **六** liù ❶〈数 num.〉汉字的数目字,即阿拉伯数字6,大写为 '陆' six, Chinese numerical, namely the Arabic numeral 6, capitalized as '陆 liù'：~畜~xù six domestic animals (pig, ox, goat' horse, poultry and dog); all domestic animals and poultry│~亲不认 ~qīn-búrèn refuse to recognize one's closest relatives and friends; refuse to have anything to do with all one's relatives and friends; be unfeeling, cold or arrogant│~神无主~shén-wúzhǔ distracted; be frightened out of one's wits; be at a loss what to do│木船上坐了一个人。Mù chuán shang zuòle ~ gè rén. There sat in the wooden boat six people. ❷〈名 n.〉中国古代乐谱 '工尺' 的记音符号,相当于简谱的 '5' a note of the scale in gongche in ancient China, corresponding to 5 in numbered musical notation

⁴ **陆** liù 〈数 num.〉数字 '六' 的大写；为防止涂改,一般在票据上应采用大写 six, capital

of numeral '六liù', on bills, accounts, etc. to avoid mistakes or alterations：~佰叁拾元整. ~bǎi sānshí yuán zhěng. 630 yuan in all.

☞ lù, p. 657

²龙 lóng ❶〈名 *n.*〉（条tiáo）中国古代传说中的神异动物，身如蟒而有爪，头有角、齿、须，能兴云作雨 dragon; mythological animal with a long body, scales, horns, wings and feet, which could walk, fly, swim and gather clouds to pour down rain：~腾虎跃（形容动作矫健有力，生气勃勃）~téng-hǔyuè（xíngróng dòngzuò jiǎojiàn yǒulì, shēngqì-bóbó）dragons rising and tigers leaping（scene of bustling activity; vigorous and enthusiastic）| 虎踞~盘（形容地势险要）hǔjù~-pán（xíngróng dìshì xiǎnyào）like a coiling dragon and a crouching tiger（a fobidding strategic point）**❷**〈名 *n.*〉中国封建王朝皇帝的象征，或与皇帝有关的人和物 the symbol of the emperor in feudal China; of the emperor; imperial：~颜 ~yán face of the emperor | ~体 ~tǐ body of the emperor | ~子~孙 ~zǐ-sūn offsprings of the emperor | ~座 ~zuò seat of the emperor | ~袍 ~páo imperial robe **❸**〈名 *n.*〉形状像龙的或有龙图案的事物 dragon-shaped thing; with the design of a dragon： 救火水~ jiù huǒ shuǐ~ fire hose | ~灯 ~dēng dragon lantern; dragon-shaped lantern | ~舟 ~zhōu dragon boat | 车水马~ （形容交通繁忙，城市繁华）chēshuǐ-mǎ-（xángróng jiāotōng fánmáng, chéngshì fánhuá）an incessant stream of carriages and horses（indicating a flourishing city with heavy traffic）**❹**〈名 *n.*〉古生物学上指某些大型爬行动物（of palaeontology）ancient reptiles：恐~ kǒng~ dinosaur | 翼手~ yìshǒu~ pterodactyl **❺**〈名 *n.*〉比喻杰出的人才 outstanding talented people：望子成~ wàngzǐ-chéng~ to see one's son succeed in life **❻**〈名 *n.*〉比喻经济腾飞的国家和地区 *fig.* countries or regions of rapid economic development： 亚洲四小~ Yàzhōu sì xiǎo ~ Four Asian Small Tigers **❼**〈名 *n.*〉排成的长队 long queue：今天举办促销活动，一大早门口就排起了长~。Jīntiān jǔbàn cùxiāo huódòng, yídàzǎo ménkǒu jiù páiqǐle cháng ~. There will be a sales promotion today. A long queue is formed in front of the gate early in the morning.

⁴龙头 lóngtóu ❶〈名 *n.*〉龙的头部 head of a dragon：~尾 ~ lóngwěi head and tail of a dragon **❷**〈名 *n.*〉自来水管的放水、关水活门 water tap; faucet：人离开要关好~，避免浪费水. Rén líkāi yào guānhǎo ~, bìmiǎn làngfèi shuǐ. Turn off the water tap before leaving so as not to waste water. **❸**〈名 *n.*〉自行车的把 handlebar（of a bicycle）：你自行车的~歪了！Nǐ zìxíngchē de ~ wāi le! The handlebar of your bicycle is aslant. **❹**〈名 *n.*〉比喻起领头作用的人或事物 leader; things or people taking a leading role：~老大 ~ lǎodà leading enterprise | ~产品 ~ chǎnpǐn leading products | ~企业 ~ qǐyè leading enterprise

⁴聋 lóng〈形 *adj.*〉耳朵听不见声音；听觉迟钝 deaf：~哑人 ~yárén deaf-mute | 耳~眼花 ěr~-yǎnhuā both deaf and dim-sighted | 我叫你半天你不应，你~了？Wǒ jiào nǐ bàntiān nǐ bú yìng, nǐ ~ le? Why didn't you answer when I called you so long? Are you deaf?

³笼子 lóngzi〈名 *n.*〉用竹篾、树枝、铁丝等编制的器具，可用于养动物或装东西 cage made of bamboo, wood, twig or iron wire for keeping birds, insects or holding things：鸟~ niǎo~ bird cage | 铁~ tiě~ iron cage

⁴隆重 lóngzhòng 〈形 *adj.*〉盛大而庄重 grand; solemn; ceremonious：~的庆功大会 ~ de qìnggōng dàhuì a grand meeting to celebrate victory | ~开幕 ~ kāimù （of a meeting, etc.) inaugurate ceremoniously

³拢 lǒng ❶〈动 *v.*〉合在一起 close：他笑得合不~嘴了 Tā xiào de hé bù ~ zuǐ le. He grinned from ear to ear. | 你可别受他的拉~. Nǐ kě bié shòu tā de lā~. Don't be drawn over to his side. **❷**〈动 *v.*〉靠近 approach; reach：你往我这边靠一点儿。Nǐ wǎng wǒ zhè biān kào~ yìdiǎnr. Stand closer to me. ❸〈动 v.〉总计 add up; sum up:我这里一共只有500块钱。Wǒ zhèli ~gòng zhǐyǒu wǔbǎi kuài qián. I have only 500 yuan in all. ❹〈动 v.〉梳理(头发) comb (hair):把你的头发好好儿一一~. Bǎ nǐ de tóufa hǎohāor ~ yì ~. Comb your hair well. ❺〈动 v.〉归拢;使不松散 bring together:柴火撒了一地,你把它们一一~. Cháihuo sàle yí dì, nǐ bǎ tāmen ~ yì ~. The firewood was scattered all over the ground. Tidy it up.

³ **垄断** lǒngduàn 〈动 v.〉把持或独占（多指商贸）monopolize:~市场 = shìchǎng monopolize (or corner) the market｜~价格 = jiàgé monopoly price

³ **笼罩** lǒngzhào 〈动 v.〉罩住;覆盖 envelop; shroud:云雾~山峦。yúnwù ~ shānluán. Cloud and mist shrouded the mountains.｜心头~着一片阴影。Xīntóu ~zhe yí piàn yīnyǐng. My mind is cast with shadows.｜那里战云~. Nàli zhànyún ~. That region is enveloped in the cloud of war.

¹ **楼** lóu ❶〈名 n.〉(座zuò、栋dòng、层céng)多层的房子 storeyed building:~房 ~fáng a building｜大~ dà~ tall building｜那座~有三十多层。Nà zuò ~ yǒu sānshí duō céng. That building is over 30 storeys. ❷〈名 n.〉楼房的一层 floor; level; storey:三~ sān~ the third floor｜顶~ dǐng~ top floor ❸(~儿)〈名 n.〉房屋或其他建筑物上加盖的房子 superstructure: 城~儿 chéng~r gate tower｜箭~儿 jiàn~r battlements｜角~儿 jiǎo~r turret; corner tower ❹〈名 n.〉下有通道的装饰性建筑物 ornamental buildings with passages in the lower part:牌~ pái~ archway; temporary ceremonial gateway｜门~ mén~ arch over a gateway ❺〈名 n.〉某些店铺、娱乐场所或妓院的名称 used in the names of shops, entertainment places or whorehouses:酒~ jiǔ~ restaurant｜茶~ chá~ tea house｜戏~ xì~ theatre｜青~ qīng~ brothel

³ **楼道** lóudào 〈名 n.〉(个gè、条tiáo)楼房里的通道 corridor:这房子的~很宽。Zhè fángzi de ~ hěn kuān. The passageway in the building is very wide.｜~里不应堆放杂物。~ li bù yīng duīfàng záwù. Don't leave odds and ends in the corridor.

³ **楼房** lóufáng 〈名 n.〉(座zuò、栋dòng)两层(含两层)以上的房屋 building of two or more storeys:上年纪的人爱住平房,不爱住~. Shàng niánjì de rén ài zhù píngfáng, bú ài zhù ~. Aged people prefer living in bungalows to living in buildings.

² **楼梯** lóutī 〈名 n.〉(级jí、座zuò)上楼的阶梯 stairs; staircase; stairway:进门的右手有~. Jìnmén de yòushǒu yǒu ~. Inside the door there are stairs on the right.｜上五层楼要爬72级。Shàng wǔ céng lóu yào pá qīshí'èr jí ~. You have to climb 72 stairs to reach the fifth floor.

² **搂** lǒu ❶〈动 v.〉双臂合抱 hold in one's arms; hug; embrace; cuddle:她~着孩子亲个没完。Tā ~zhe háizi qīn gè méiwán. She cuddled her kid and kissed him again and again. ❷〈量 meas.〉两臂环抱为一搂 one arm-span:这棵树有两~粗。Zhè kē shù yǒu liǎng ~ cū. The tree is of two-armspans.

² **漏** lòu ❶〈动 v.〉东西从孔眼、缝隙中掉出 leak; (of sth.) drip:袋里的米~了好多。Dài li de mǐ ~le hǎo duō. Much rice has dropped out of the bag. ❷〈动 v.〉物体有孔眼或缝隙会掉出东西 sth. with holes or cracks from which water or oil leaks:锅~了。Guō ~ le. The pan is leaking.｜那房子~雨。Nà fángzi ~ yǔ. That room is leaking.｜管子~水了。Guǎnzi ~ shuǐ le. The pipe is leaking water. ❸〈动 v.〉疏漏;遗漏 be missing; leave out by mistake:~网之鱼 (比喻侥幸逃脱的人)~wǎngzhīyú (bǐyù jiǎoxìng táotuō de rén) fish that has slipped through the net (fig. fugitive; someone who has escaped by sheer luck)｜挂一~万 (谦词,比喻列举不全,遗漏很多) guàyī-~wàn (qiāncí, bǐyù lièjǔ bù quán, yílòu hěn duō) list one point while missing ten thousand

(*hum.* incomplete listing with many missings) ❹ 〈动 *v.*〉泄漏 divulge; leak:~底 ~dǐ leak the inside story; leak the bottom line | 走~消息 zǒu~ xiāoxi leak information; divulge a secret ❺ 〈动 *v.*〉逃避 evade:~税 ~shuì evade payment of a tax ❻ 〈名 *n.*〉古代计时器漏壶的简称 abbr. for the ancient time-piece '漏壶lòuhú':~尽更深。~jìn gēngshēn. The night is waning.

⁴ **漏税** lòushuì 〈动 *v.*〉通常指逃避税法不纳税，也指疏忽大意而未能依法纳税 evade payment of a tax; taxpayer failing to pay tax due to carelessness or ignorance of tax regulations:~要受罚。~ yào shòu fá. Evading payment taxation should be punished. | 偷税~是违法的。Tōushuì ~ shì wéifǎ de. Evading tax payment is an unlawful practice.

² **露** lòu 〈动 *v.*〉显出；冒出 show; reveal; betray:~怯 ~qiè display one's ignorance in speech or behavior | ~丑 ~chǒu make a fool of oneself in public | ~底 ~dǐ let a secret out | ~风 ~fēng divulge a secret; leak out information | ~相 ~xiàng show one's true colors | 见别人下棋，他心里痒痒，总想自己~一手。Jiàn biéren xiàqí, tā xīn li yǎngyang, zǒng xiǎng zìjǐ ~ yì shǒu. Seeing others playing chess, he felt anxious to show himself off.

☞ lù, p. 660

³ **露面** lòu//miàn 〈动 *v.*〉出现在人们面前(多指应酬场合) make an appearance (usu. to socialize or meet friends); show up: 抛头~ pāotóu~ show oneself in public in order to steal the limelight | 这几天她躲在家里写东西，老不~。Zhè jǐ tiān tā duǒ zài jiā li xiě dōngxi, lǎo bú ~. She's been writing at home these days and seldom showed up. | 他是个大忙人，一星期在办公室里最多露一次面。Tā shì gè dà máng rén, yì xīngqī zài bàngōngshì li zuì duō lòu yí cì miàn. He's a very busy person and shows up in the office once a week at most.

³ **嘍** lou ❶ 〈助 *aux.*〉用在句末带有提醒注意的语气 used at the end of a sentence to call attention to a new situation: 火着~! Huǒ zháo ~! The fire is on! | 来洪水~! Lái hóngshuǐ ~! The flood is closing in! ❷ 〈助 *aux.*〉表示顺理成章的语气 used to indicate that sth. is well reasoned or quite natural:他只能这样~Tā zhǐ néng zhèyàng ~. He has no other way out.

³ **炉子** lúzi 〈名 *n.*〉供烹饪、取暖、冶炼等用的器具或装置 stove; oven; furnace:煤球儿~ méiqiúr~ stove using egg-type briquette | 电~ diàn~ electric stove | 火~ huǒ~ stove

⁴ **陆** lù 〈名 *n.*〉高出水面的土地 land:~地 ~dì land | ~路 ~lù land route; by land | 登~ dēng~ land | 着~ zhuó~ land | 水~交通 shuǐ~ jiāotōng land and water transport

☞ liù, p. 654

³ **陆地** lùdì 〈名 *n.*〉(块kuài、片piān)地球上未被水淹没的部分 dry land; land:在大海中航行了两天才看见远方有一片~。Zài dàhǎi zhōng hángxíngle liǎng tiān cái kànjiàn yuǎnfāng yǒu yí piàn ~. Only after sailing for two days on the sea did he saw a piece of land in the distance.

³ **陆军** lùjūn 〈名 *n.*〉陆地作战的军队，如步兵、炮兵、装甲兵、工程兵、铁道兵等 ground force; land force; army:~官兵 ~ guānbīng army officers and soldiers | 这里的~与空军、海军进行联合实战演习。Zhèlǐ de ~ yǔ kōngjūn, hǎijūn jìnxíng liánhé shízhàn yǎnxí. The land force here are having a combined actual combat maneuver with the air force and the navy.

² **陆续** lùxù 〈副 *adv.*〉先先后后；时断时续 one after another; in succession:开赛前，公司职工~来到了体育场。Kāisài qián, gōngsī zhígōng ~ láidàole tǐyùchǎng. Before the match, employees of the company arrived at the sports field one after another. | 这么多

L

工作堆在一起，但他在三天里~都做完了。Zhème duō gōngzuò duī zài yìqǐ, dàn tā zài sān tiān li ~ dōu zuòwán le. Though much work had been accumulated, he finished them in succession within three days.

² 录 lù ❶〈动 v.〉记载；抄写 record; write down; copy：笔~ bǐ~ notes ｜ 辑~ jí~ compile ｜ 选~ xuǎn~ collect ｜ 摘~ zhāi~ extracts ❷〈动 v.〉用仪器录制音像 record：~音 ~yīn record song, music, etc. ｜ ~像 ~xiàng videotape; video ｜ 他的演讲已被电视台~下来了。Tā de yǎnjiǎng yǐ bèi diànshìtái ~xiàlái le. His lecture has been recorded by the TV station. ❸〈动 v.〉采用；任用 choose; employ; hire：~取 ~qǔ enroll; recruit; admit (those who are qualified in an exam) ｜ 择优~ zéyōu~yòng choose the best candidate for a job ❹〈名 n.〉用作记载物的名称 list of items：通讯~ tōngxùn~ address book ｜ 回忆~ huíyì~ memoirs; reminiscences; recollections ｜ 备忘~ bèiwàng~ memorandum

⁴ 录取 lùqǔ ❶〈动 v.〉选中（合格人材）enroll; recruit; admit (those who are qualified in an exam)：择优~ zéyōu~ enroll only those who excel in an exam ｜ ~新生 ~xīnshēng enroll new students ｜ 他被北京大学~了。Tā bèi Běijīng Dàxué ~ le. He was admitted by Peking University. ❷〈动 v.〉指记录讯问内容 record what has been interrogated：~口供 ~kǒugòng take down statements made by the accused under examination

² 录像 lùxiàng ❶〈动 v.〉用仪器记录图像和伴音 videotape; video：昨天的郊游已~。Zuótiān de jiāoyóu yǐ ~. The outing yesterday has been videotaped. ｜ 这次~很成功。Zhè cì ~ hěn chénggōng. The videotaping this time is very successful. ❷〈名 n.〉录制下来的图像和伴音 video：这个~你拿去看吧。Zhège ~ nǐ náqù kàn ba. You can take this video to have a watch.

¹ 录音 Ｉ lù//yīn ❶〈动 v.〉用仪器记录声音 record; tape：她去~了。Tā qù ~ le. She went to have her singing (reciting) recorded. ｜ 他的歌唱，已录了音。Tā de gēchàng, yǐ lùle yīn. His singing has been recorded. Ⅱ lùyīn 〈名 n.〉（盘 pán）录制下来的声音 sounds recorded：我们听过他的~。Wǒmen tīngguo tā de ~. We have listened to his recording.

² 录音机 lùyīnjī 〈名 n.〉（台 tái、个 gè）能录制并重放声音的机器 recorder：他买了一个小巧新款的~。Tā mǎile yí gè xiǎoqiǎo xīnkuǎn de ~. He bought a new-style small cassette recorder.

⁴ 录用 lùyòng 〈动 v.〉选中任用 employ; take sb. on the staff：量才~ liàngcái~ assign jobs to people according to their abilities ｜ 她被工厂优先~了。Tā bèi gōngchǎng yōuxiān ~ le. She was given the priority in getting admitted by the factory.

L

¹ 鹿 lù ❶〈名 n.〉（只 zhī、头 tóu）一种哺乳动物，反刍类 deer; ruminant mammal：~茸 róng pilose antler of a young stag ｜ 梅花~ méihuā~ sika ｜ 长颈~ chángjǐng~ giraffe ❷〈名 n.〉比喻争夺的对象 target being fought for：~死谁手 （喻指最后胜利属于谁尚未知晓）~sǐ shéishǒu (yùzhǐ zuìhòu shènglì shǔyú shéi shàngwèi zhīxiǎo) at whose hand will the deer die; chasing of a deer to see who's the winner (fig. one is uncertain which rivaling side will be the winner) ｜ 逐~中原（比喻群雄并起争夺天下）zhú~ Zhōngyuán (bǐyù qúnxióng bìngqǐ zhēngduó tiānxià) chase the deer on the Central Plains (fig. try to seize control of the empire)

¹ 路 lù ❶〈名 n.〉（条 tiáo）道路 road; path; way：小~ xiǎo~ path ｜ 大~ dà~ main road ｜ 水~ shuǐ~ water route; waterway ｜ 陆~ lù~ land route ｜ 我们一~同行。Wǒmen yí~ tóngxíng. We went all the way together. ｜ 走那条山~近些。Zǒu nà tiáo shān~ jìn xiē. It is shorter to take that mountain path. ❷〈名 n.〉路程 journey; distance：~漫漫 ~mànmàn endless road ｜ ~不远 ~ bù yuǎn short in distance ｜ 遥知马力（比喻只有经过长期考察

才能判定一个人的好坏）~ yáo zhī mǎ lì（bǐyú zhǐyǒu jīngguò chángqī kǎochá cái néng pàndìng yí gè rén de hǎohuài）Know a horse's stamina only after a long distance./ Distance tests a horse's stamina（*fig.* over a long time, you learn about the true character of a person; time reveals a person's heart）| 从这里到娱乐城有两公里~. *Cóng zhèli dào yúlèchéng yǒu liǎng gōnglǐ* ~. There are two kilometers from here to the Entertainment Club. ❸〈名 *n.*〉门径；途径 way; means：门~ *mén*~ means | 活~ₙ *huó*~r means of livelihood; way out | 走投无~ *zǒutóu-wú*~ have no way out | 广开言~ *guǎngkāi-yán*~ encourage the free airing of views | 致富之~ *zhìfùzhī*~ means of becoming rich ❹〈名 *n.*〉条理；纹理 logic; line; sequence：思~ *sī*~ train of thought; thinking | 纹~ *wén*~ grain; lines ❺〈名 *n.*〉路线 route：328～公共汽车 *sān-èr-bā* ~ *gōnggòng qìchē* bus No. 328 | 兵分两~ *Bīng fēn liǎng* ~. The armed forces advance along two routes. ❻〈名 *n.*〉种类；类型；等次 sort; type; class; grade：他们是一~货色。*Tāmen shì yí* ~ *huòsè*. They are birds of a feather. | 这~人，她不喜欢。*Zhè* ~ *rén, tā bù xǐhuan*. She does not like this sort of people. ❼〈名 *n.*〉地区；方面 region; district：外~人 *wài*~ *rén* outsiders | 各~豪杰 *gè*~ *háojié* heroes from different fields or different parts of the country

⁴ **路程** lùchéng〈名 *n.*〉（段 duàn）路途的里程 total distance of a journey：进城有三公里的~。*Jìn chéng yǒu sān gōnglǐ de* ~. There is a distance of three kilometers between here and the town. | ~已不远，天黑前准能赶到。~ *yǐ bù yuǎn, tiān hēi qián zhǔn néng gǎn dào*. We are not far away and sure to get there before dusk.

³ **路过** lùguò〈动 *v.*〉途中经过（某地，某处）pass by or through（a place）：~门而不入 ~ *jiāmén ér bú rù* pass by one's home without dropping in | 我去上海，~苏州。*Wǒ qù Shànghǎi,* ~ *Sūzhōu*. I pass through Suzhou en route to Shanghai.

³ **路口** lùkǒu〈名 *n.*〉道路会合的地方 crossroads; street crossing; street intersection; entrance to a road or street：三岔~ *sān chà* ~ road fork | 十字~ *shízì* ~ crossroads | 丁字~ *dīngzì* ~ T-shaped road junction | 高速路~ *gāosùlù* ~ expressway entrance

⁴ **路面** lùmiàn〈名 *n.*〉路的表面；道路的表层 road surface：~不平 ~ *bùpíng* rough road surface | ~光滑 ~ *guānghuá* smooth road surface | ~平整 ~ *píngzhěng* level road surface | ~宽敞 ~ *kuānchǎng* wide road

² **路上** lùshang ❶〈名 *n.*〉道路上面 on the road：~有头牛。~ *yǒu tóu niú.* There's a cow on the road. | 孩子别在~玩儿，车多，危险。*Háizi bié zài* ~ *wánr, chē duō, wēixiǎn.* Don't let kids play on the road, since it is dangerous with so many vehicles coming and going. ❷〈名 *n.*〉在路途中 on the way; en route：这水果，带在~吃吧。*Zhè shuǐguǒ, dài zài* ~ *chī ba.* Take these fruits for your journey.

² **路线** lùxiàn ❶〈名 *n.*〉（条 tiáo）从一地前往另一地的道路 route; itinerary：我没去过那山里，不知走哪条~好儿。*Wǒ méi qùguo nà shān li, bù zhī zǒu nǎ tiáo* ~ *hǎor*. I've never been into those mountains, so I don't know which route to take. | 北京国际马拉松赛的~已定下来了。*Běijīng Guójì Mǎlāsōng Sài de* ~ *yǐ dìng xiàlái le*. The route for the Beijing International Marathon Race has been selected. ❷〈名 *n.*〉思想上、政治上或工作上所遵循的根本途径或基本准则 line; guideline for ideology, politics or work：群众~ *qúnzhòng* ~ mass line | 外交~ *wàijiāo* ~ diplomatic line | ~问题，要认真对待。~ *wèntí, yào rènzhēn duìdài*. Take the problem of guideline seriously.

⁴ **路子** lùzi ❶〈名 *n.*〉途径；门路 way; approach; means; connections; pull：~不对，这事办不成。~ *búduì, zhè shì bàn bù chéng*. The matter cannot be settled with such improper means. | 他发现了公司发展的新~。*Tā fāxiànle gōngsī fāzhǎn de xīn* ~. He found a new approach for the development of the company. ❷〈名 *n.*〉风格；模式 style; mode：她俩

的戏~大不相同。*Tā liǎ de xì~ dà bù xiāngtóng.* The two of them have different styles in performance. | 各地应当根据本地区的情况，走自己的发展~。*Gèdì yīngdāng gēnjù běn dìqū de qíngkuàng, zǒu zìjǐ de fāzhǎn ~.* Different places should adopt their own approaches of development according to their own situations.

³ **露** lù ❶〈动 *v.*〉显现；暴露 show; reveal; betray：裸~ *luǒ~* uncovered | 凶相毕~ *xiōngxiàng bì~* fully reveal one's ferocity | 藏头~尾（形容遮遮掩掩，不愿透露真相）*cángtóu~wěi*（*xíngróng zhēzhē-yǎnyǎn, bú yuàn tòulù zhēnxiàng*) hide the head but show the tail（tell part of the truth but not all of it)❷〈动 *v.*〉没有遮盖；在屋外 have no covering above; outside a house：~天 *~tiān* open air; outdoor | ~营 *~yíng* camp; encamp | ~宿街头 *~sù jiētóu* sleep in the open on the street | 风餐~宿（形容旅途或野外生活的艰苦）*fēngcān~~sù*（*xíngróng lǚtú huò yěwài shēnghuó de jiānkǔ*) eat in the wind and sleep in the open（describing the rigors of travel or outdoor living)❸〈名 *n.*〉气温下降而凝结在地面或接近地面的物体上的水珠 dew：阳光雨~ *yángguāng yǔ~* sunshine, rain and dew | 清晨，花草上的~珠闪闪发光。*Qīngchén, huācǎo shang de ~zhū shǎnshǎn fāguāng.* Early in the morning, dew drops glitter on flowers and grass. ❹〈名 *n.*〉蒸馏而成的液体药剂或饮料 syrup：川贝枇杷~ *chuānbèi pípá~* fritillary and loquat cough syrup | 果子~ *guǒzi~* fruit syrup | 樱桃~ *yīngtáo~* cherry syrup
☞ lòu, p.657

³ **驴** lǘ〈名 *n.*〉（头tóu、条tiáo）哺乳动物，似马而小，多用作力畜 ass; donkey：草~ *cǎo~* jenny ass; female donkey | 毛~ *máo~* donkey | 叫~ *jiào~* male donkey; jackass | 好心当做~肝肺（比喻好心待人却被当作恶意）*hǎoxīn dàngzuò ~gānfèi*（*bǐyù hǎoxīn dàirén què bèi dàngzuò èyì*) treat an honest man's heart as a donkey's liver and lungs（take somebody's good will for ill intent)

⁴ **旅** lǚ ❶〈名 *n.*〉军队编制单位。上古一般以500人为旅，现代指介于师与团之间的指挥单位 brigade：步兵~ *bùbīng~* infantry brigade | 骑兵~ *qíbīng~* cavalry brigade | 派两个~去堵截敌人。*Pài liǎng gè ~ qù dǔjié dírén.* Send two brigades to intercept the enemy. ❷〈名 *n.*〉泛指军队 army; troops; forces：军~ *jūn~* army; troops | 劲~ *jìn~* powerful army ❸〈动 *v.*〉出门在外 stay away from home：~游 *~yóu* tourism | ~行~*xíng* travel | ~欧 *~Ōu* reside in Europe ❹〈名 *n.*〉出门在外的人 person staying away from home：商~ *shāng~* travelling traders | 行~ *xíng~* traveller

⁴ **旅店** lǚdiàn〈名 *n.*〉（家jiā、个gè）供出门在外的人食宿的地方 hotel; inn：你住哪家~？*Nǐ zhù nǎ jiā ~?* Which hotel do you live in?

² **旅馆** lǚguǎn〈名 *n.*〉（家jiā、个gè）同旅店，一般比旅店规模大 same as '旅店lǚdiàn', usu. larger than '旅店'：这家~虽不豪华，但服务周到。*Zhè jiā ~ suī bù háohuá, dàn fúwù zhōudào.* This hotel is not luxurious, but offers good service.

² **旅客** lǚkè〈名 *n.*〉（位wèi、个gè）旅行的人 hotel guest; traveller; passenger：有26位~组团去东南亚观光。*Yǒu èrshíliù wèi ~ zǔ tuán qù Dōngnányà guānguāng.* Twenty-six travellers formed a team to go singhtseeing in Southeast Asia. | 那位~爬山像走平路，真行！*Nà wèi ~ pá shān xiàng zǒu pínglù, zhēn xíng!* That traveller climbs the mountains as if he were walking on the ground. He's really terrific.

² **旅途** lǚtú〈名 *n.*〉旅行途中 on a journey; during a trip：~愉快 *~yúkuài* a happy journey | ~劳累 *~láolèi* be exhausted by a journey; travel-worn | 人生的~，哪能没有一点儿坑坑洼洼？*Rénshēng de ~, nǎ néng méiyǒu yìdiǎnr kēngkeng-wāwā?* How can it be possible to have no difficulties and hardships in the journey of life.

¹ **旅行** lǚxíng〈动 *v.*〉为了游览或办事到远处去 travel; journey; tour; go to a distant place

for sightseeing or on business：环球～ *huánqiú* ～ travel around the world｜徒步～ *túbù* ～ travel on foot｜驾车～ *jiàchē* ～ travel on wheels｜蜜月～ *mìyuè* ～honeymoon trip｜～结婚～ *jiéhūn* get married on a trip｜近日他们要去长江三峡～。*Jìnrì tāmen yào qù Chángjiāng Sānxiá* ～. They will go to the Three Gorges of the Yangtze River for sightseeing shortly.

³ **旅游** lǚyóu 〈动 v.〉外出游览自然景观或人文景观 tour; go out for sightseeing; visit places of scenic spots, historical interest, etc.：探险～ *tànxiǎn* ～ venture tour｜文化～ *wénhuà* ～ culture tour｜～景点～ *jǐngdiǎn* sightseeing spot｜～路线～ *lùxiàn* tourist route｜她退休了，常去名山大川～。*Tā tuìxiū le, cháng qù míngshān-dàchuān* ～. She has retired and often travels in to famous mountains and along big rivers.

⁴ **旅游业** lǚyóuyè 〈名 n.〉从事旅游服务的行业 tourism; tourist industry：这里的～很发达。*Zhèli de* ～ *hěn fādá*. The tourist industry here is very much developed.

铝 lǚ 〈名 n.〉金属元素，符号 aluminium （Al），metallic chemical element：～锅 ～*guō* aluminium pan｜～合金的用途很广泛，可以制造飞机、火箭等等。～*héjīn de yòngtú hěn guǎngfàn, kěyǐ zhìzào fēijī, huǒjiàn děngděng*. Aluminium alloy has a very wide range of application, such as manufacturing plane, rocket, etc.

⁴ **屡次** lǚcì 〈副 adv.〉一次又一次 time and again; repeatedly：她～被评为劳动模范。*Tā bèi píngwéi láodòng mófàn*. She has been cited as model worker many times.｜他～三番犯规。*Tā ~-sānfān fànguī*. He broke the rules once and again.

⁵ **履行** lǚxíng 〈动 v.〉兑现（诺言、协议等）；实行（职责、义务、规定等）honor (a promise or an agreement, etc.); fulfil (responsibility, duty, provision, etc.)：～合同 ～ *hétong* honor a contract｜～手续～ *shǒuxù* go through the procedures｜他认真～自己的职责。*Tā rènzhēn* ～ *zìjǐ de zhízé*. He fulfilled his duties earnestly.

⁴ **律师** lǜshī 〈名 n.〉(位wèi、名míng、个gè)受当事人委托或由法院指定，依法协助当事人进行诉讼、辩护或处理其他法律事务的专业人员 lawyer; （British）barrister; （British）solicitor; （American）attorney：辩护～ *biànhù* ～ counsel for the defence｜～事务所～ *shìwùsuǒ* law office｜聘请～ *pìnqǐng* ～ hire a lawyer｜她是位名～。*Tā shì wèi míng* ～. She's a famous lawyer.

⁴ **率** lǜ 〈名 n.〉两个相关的数在一定条件下的比值（of two related numbers under certain condition）rate; proportion; ratio：比～ *bǐ* ～ ratio｜速～ *sù* ～ speed; rate｜效～ *xiào* ～ efficiency｜税～ *shuì* ～ tax rate｜圆周～ *yuánzhōu* ～ pi; ratio of the circumference of a circle to its diameter｜合格～ *hégé* ～ rate of the qualified; yield｜增长～ *zēngzhǎng* ～ rate of increase

¹ **绿** lǜ ❶〈形 adj.〉颜色的一种，黄与蓝的混合色 green：深～ *shēn* ～ deep green｜浅～ *qiǎn* ～ light green｜草～ *cǎo* ～ grass green｜～树成荫。～ *shù chéng yīn*. Green trees give a pleasant shade.｜红花还需～叶扶持（比喻一个人再有才干也需要别人的帮助）。*Hónghuā hái xū* ～*yè fúchí (bǐyù yí gè rén zài yǒu cáigàn yě xūyào biérén de bāngzhù)*. Red flowers should be set off beautifully against green leaves （*fig*. No matter how capable a person is, he always needs others' help). ❷〈动 v.〉使成为绿色 green; make sth. green：春风又～江南岸。*Chūnfēng yòu* ～ *jiāng nán àn*. Life-giving spring breeze greens the southern bank of the Yangtze River again.

⁴ **绿化** lǜhuà 〈动 v.〉用种植树木、花草的办法来改善自然条件和生活环境 afforest; make a place green by planting trees, flowers, etc. to improve natural conditions and living environment：～荒山 ～ *huāngshān* make the wild mountains green｜～家园 ～ *jiāyuán* make one's homeland green｜人们重视城市～工作。*Rénmen zhòngshì chéngshì*

L

~ *gōngzuò*. People attach great importance to planting trees in and around the cities.

³ **卵** luǎn ❶〈名 n.〉(个gè)雌性动植物的生殖细胞 ovum; egg; spawn：排~ *pái*~ ovulate │受精~ *shòujīng*~ zygote │ 这个~没受精，不可能孵化成小鱼 *Zhège ~ méi shòujīng, bù kěnéng fūhuà chéng xiǎo yú.* The fish egg has not been fertilized and cannot be hatched. ❷〈名 n.〉特指动物的蛋 egg (of birds)：杀鸡取~ *shājī-qǔ*~ kill the hen to get the eggs (kill the goose that lays the golden eggs) │以~击石（比喻自不量力，自取灭亡）*yǐ-jīshí* (*bǐyù zìbùliànglì, zìqǔ mièwáng*) throw an egg against a rock (*fig.* court defeat by fighting against overwhelming odds) ❸〈名 n.〉称男人的睾丸或阴茎 (of a man) testis; testicle; penis; genitals：~毛~*máo* pubes; pubic hair

¹ **乱** luàn ❶〈形 adj.〉没有条理；没有秩序 having no order; in disorder; in a mess; in confusion：凌~ *líng*~ in disorder; in a mess │杂~ *zá*~ chaotic; untidy; disorderly; in a jumble; messy; in a mess │~七八糟~*qī-bāzāo* at sixes and sevens; a nice mess; be messy │手忙脚~ *shǒumáng-jiǎo*~ in a frantic rush; in a great fluster ❷〈形 adj.〉心绪不宁 in a confused state of mind; in turmoil：心烦意~ *xīnfán-yì*~ be fretful and confused; be vexed and confused; be terribly upset │今天她心里很~，干什么都干不成。*Jīntiān tā xīnli hěn ~, gàn shénme dōu gàn bù chéng.* She's so confused today that she can do nothing. ❸〈动 v.〉弄乱；使乱 confuse; mix up：扰~ *rǎo*~ disturb; disrupt; harass; confuse │捣~ *dǎo*~ make or cause trouble; create a disturbance │以假~真 *yǐjiǎ*~*zhēn* mix the false with the true │自~阵脚 *zì*~ *zhènjiǎo* unable to hold one's own position; throw oneself into confusion ❹〈副 adv.〉任意；随便 indiscriminately; randomly; arbitrarily：~叫 ~*jiào* scream frantically │ ~飞 ~*fēi* fly about │~收费 ~ *shōufèi* arbitrary charges │胡言~语 húyán-~*yǔ* talk nonsense; rave ❺〈名 n.〉骚乱 riot；不太平~叛~ *pàn*~ rebellion; revolt; insurrection │避~ *bì*~ take refugee │兵荒马~ *bīnghuāng-mǎ*~ turmoil and chaos of war │~则国危,治则国安。*~ zé guó wēi, zhì zé guó ān.* Upheavals will throw the state into danger; rules will keep the state peaceful. ❻〈名 n.〉指不正当的男女关系 illicit sexual relations：淫~ *yín*~ illicit sexual relations; promiscuous.

⁴ **乱七八糟** luànqībāzāo〈形 adj.〉十分混乱 at sixes and sevens; a nice mess：这文章写得~，连一点儿条理也没有。*Zhè wénzhāng xiě de ~, lián yìdiǎnr tiáolǐ yě měiyǒu.* The article is written in an awful mess and it is completely illogical. │他找东西,把屋子翻得~。*Tā zhǎo dōngxi, bǎ wūzi fān de ~.* He threw the room into a great mess while searching it.

³ **掠夺** lüèduó〈动 v.〉用强力夺取(多指财物) plunder; rob; pillage (usu. of one's property)：~资源 ~ *zīyuán* plunder resources │~土地 ~ *tǔdì* rob the land resources │经济~ *jīngjì* ~ economic plunder

² **略** lüè ❶〈动 v.〉省去；忽略 omit; delete; leave out：从~ *cóng*~ be omitted │省~ *shěng*~ omit; leave out; delete │这段话不重要,~去为好。*Zhè duàn huà bú zhòngyào, ~qù wéi hǎo.* This passage is not important. It's better to leave it out. ❷〈动 v.〉夺取(多指土地) usu. of land) capture; seize：侵~ *qīn*~ aggression │攻城~地 *gōngchéng*-~*dì* take cities and seize territories ❸〈形 adj.〉简单（与'详'相对）brief; sketchy (opposite to '详 xiáng'）：粗~ *cū*~ rough; sketchy │简~ *jiǎn*~ simple; brief; sketchy │~传 ~ *zhuàn* brief biography ❹〈名 n.〉计划；计谋 plan; scheme; stragegy：方~ *fāng*~ plan; scheme; program │韬~ *tāo* ~ strategies and tactics; military strategy │谋~ *móu* ~ scheme; strategy; astuteness and resourcefulness │策~ *cè*~ strategy │雄才大~ *xióngcái-dà*~ of great capability and bold vision ❺〈名 n.〉扼要的叙述 brief account：史~ *shǐ*~ historical outline; outline history │传 ~*zhuàn*~ brief biography │要~ *yào*~ outline;

summary：事～ *shì* ~ biographical sketch ❻ 〈副 *adv.*〉稍微；大致 slightly; approximately：~知一二 ～ *zhī yī èr* know only a little │~有所闻 ～ *yǒu suǒ wén* have heard a little │~具雏形 ～ *jù chúxíng* just take on an embryonic form; take initial shape

⁴ **略微** lüèwēi 〈副 *adv.*〉稍微 slightly; a little; somewhat：她～知道一点儿。*Tā ~zhīdào yīdiǎnr.* She knows a little about it. │这篇文章你～改就成。*Zhè piān wénzhāng nǐ ~ gǎigǎi jiù chéng.* It's quite OK for you to just make some slight changes to this article.

⁴ **抡** lūn 〈动 *v.*〉用力挥动 brandish; swing：~锤子 ～ *chuízi* brandish a hammer │~大刀 ～ *dàdāo* brandish a broadsword

² **轮船** lúnchuán 〈名 *n.*〉(艘sōu、条tiáo、只zhī)用蒸气、电力等作动力的机器船 steamer; ship; streamboat：远洋 ～ *yuǎnyáng* ~ ocean-going ship │前方有艘 ～。*Qiánfāng yǒu sōu ~.* There's a ship ahead.

³ **轮廓** lúnkuò ❶〈名 *n.*〉构成物体或图形的外缘的线条 contour; rough sketch; profile; silhouette; outline of a figure or an object：他在昏暗中依稀看见了古庙的～。*Tā zài hūn'àn zhōng yīxī kànjiànle gǔ miào de ~.* In the darkness, he saw dimly the silhouette of the ancient temple. │这张图的～已经画好了。*Zhè zhāng tú de ~ yǐjīng huàhǎo le.* The outline of the picture has been drawn. ❷〈名 *n.*〉大致情况；粗略形式 survey; general situation：他了解了合作开办工厂的～。*Tā liǎojiěle hézuò kāibàn gōngchǎng de ~.* He has already had a rough idea of setting up a joint factory.│他心中有了设计方案的～。*Tā xīn zhōng yǒule shèjì fāng'àn de ~.* He has alrealy had an outline of the project.

³ **轮流** lúnliú 〈动 *v.*〉依照一定的次序，一个接一个，周而复始 take turns; do sth. in turn：~值班 ～ *zhíbān* work on shifts in turn │~打扫楼道。～ *dǎsǎo lóudào.* Take turns to clean the corridor

³ **轮子** lúnzi 〈名 *n.*〉(个gè、只zhī)圆盘状能转动的东西 wheel：汽车 ～ *qìchē* ~ automobile wheel │自行车 ～ *zìxíngchē* ~ bicycle wheel

³ **论** lùn ❶〈动 *v.*〉分析、议论、说明事理 analyse and explain：~事 ～*shì* talk about a matter │~理 ～*lǐ* reason with sb. │讨～ *tǎo* ~ discuss │辩～ *biàn* ~ argue; debate │平心而～ *píngxīn'er* ~ comment in all fairness ❷〈动 *v.*〉权衡；评定 decide on; determine; appraise; evaluate：~功 ～*gōng* judge one's contribution │~罪 ～*zuì* decide on the nature of one's crime │按质~价 ànzhì ~jià determine the price according to quality ❸〈动 *v.*〉看待 speak of; mention; treat：相提并~ *xiāngtí-bìng~* mention in the same breath; place on a par; group together │不可一概而~ *bùkě yígài'er~* cannot be treated all alike; not to be lumped together ❹〈名 *n.*〉指分析、议论、说明事理的言论或文章 words or articles that analyse and explain sth.：政~ *zhèng~* political comment │舆~ *yú~* public opinion │社~ *shè~* editorial │奇谈怪~ *qítán-guài~* ridiculous theory; a strange tale; an absurd argument ❺〈名 *n.*〉学说；理论 theory; doctrine：相对~ *xiāngduì~* theory of relativity │进化~ *jìnhuà~* evolutionism │唯物~ *wéiwù~* materialism │唯心~ *wéixīn~* idealism ❻〈名 *n.*〉观点;结论 view; opinion; conclusion：这事已有定~,不必再讨论了。*Zhè shì yǐ yǒu dìng~, búbì zài tǎolùn le.* The question has been decided already. There is no need for further discussion. │是非自有公~。*Shìfēi zì yǒu gōng~.* The public will judge the right and wrong of the case. ❼〈介 *prep.*〉从某个方面说；按某个标准衡量 by; in terms of：~经验，你比他强。～ *jīngyàn, nǐ bǐ tā qiáng.* As far as experience is concerned, You are better than him. │~年龄,他是长辈。～ *niánlíng, tā shì zhǎngbèi.* Concerning age, he is a senior. │这个山区里鸡~只不~斤卖,挺有意思。*Zhège shānqū li jī ~ zhī bú ~ jīn mài, tǐng yǒu yìsi.* It's quite interesting that chickens are sold by piece rather than weight in

L

this mountainous place.

⁴ **论点** lùndiǎn〈名 n.〉(个gè、种zhǒng)表明的观点；用于说明、论证的事理 argument; thesis: 这篇文章的~是明确的。*Zhè piān wénzhāng de ~ shì míngquè de.* The argument set forth in the article is clear-cut. │这个~有说服力。*Zhège~ yǒu shuōfúlì.* This argument is persuasive.

⁴ **论述** lùnshù〈动 v.〉叙述和分析 analyse; expound: 他对这个问题作了全面的~。*Tā duì zhège wèntí zuòle quánmiàn de ~.* He thoroughly analysed this problem. │她~的是有关生态平衡的问题。*Tā~ de shì yǒuguān shēngtài pínghéng de wèntí.* What she has analysed is the problem of ecological balance.

² **论文** lùnwén〈名 n.〉(篇piān)对某一问题作全面、系统论述的文章 thesis; dissertation; treatise; paper or essay on a certain problem: 博士~ *bóshì* ~ doctoral dissertation │学术~ *xuéshù* ~ research paper; scientific paper; academic thesis │毕业~ *bìyè* ~ undergraduate thesis; graduate dissertation │~答辩 ~ *dábiàn* thesis defence │最近她写了一篇探讨典型人物与典型环境关系的~。*Zuìjìn tā xiěle yì piān tàntǎo diǎnxíng rénwù yǔ diǎnxíng huánjìng guānxì de ~.* Recently she wrote a paper on the relationship between typical person and typical environment.

⁴ **论证** lùnzhèng ❶〈动 v.〉论述与证明 expound and prove: 他们慎密地~了实现目标的可能性。*Tāmen shènmì de ~le shíxiàn mùbiāo de kěnéngxìng.* They have carefully assessed the possibility of achieving the target. │这个方案是经过专家~的。*Zhège fāng'àn shì jīngguò zhuānjiā ~ de.* This scheme has been assessed by experts. ❷〈名 n.〉用论据来证明论题的思维过程 process of deduction that proves the truth of a proposition on the basis of evidence: 这个~还达不到水平。*Zhége ~ hái dá bú dào shuǐpíng.* This reasoning fails to come up to the standards. ❸〈名 n.〉立论的依据 grounds of argument; evidence: 你提供的情况，是个有力的~。*Nǐ tígōng de qíngkuàng, shì gè yǒulì de ~.* The information you provided is a persuasive evidence.

⁴ **啰唆** luōsuo ❶〈形 adj.〉说话唠叨 long-winded; loquacious; garrulous; wordy; repetitive: 那个老大娘嘴碎，说话真~。*Nàge lǎodàniáng zuǐsuì, shuōhuà zhēn ~.* The old lady is quite garrulous. │她这篇文章写得太~。*Tā zhè piān wénzhāng xiě de tài ~.* Her article is too long-winded. ❷〈形 adj.〉事情琐碎、麻烦(of things) trivial; petty; troublesome; fussy: 手续，挺烦人的~。*Shǒuxù, tǐng fánrén de.* It's so annoying that the formalities are troublesome. │这件事不好办，~得很。*Zhè jiàn shì bù hǎo bàn, ~ de hěn.* This matter is not easy to deal with. It's very troublesome.

⁴ **罗列** luóliè ❶〈动 v.〉分布；陈列 distribute; set out; exhibit; display: 石人石马~在大路两边。*Shí rén shí mǎ ~ zài dàlù liǎng biān.* Stone men and stone horses are displayed on both sides of the road. │展厅里~着各式各样的古铜器。*Zhǎntīng li ~zhe gèshì-gèyàng de gǔ tóngqì.* Various ancient bronzes are on display in the exhibition hall. ❷〈动 v.〉列举 enumerate: ~数字 ~ *shùzì* enumerate figures │~罪状 ~ *zuìzhuàng* list out one's crimes │他~了一大堆理由。*Tā ~le yí dà duī lǐyóu.* He listed a great number of reasons.

² **萝卜** luóbo ❶〈名 n.〉蔬菜之一，草本植物 radish; turnip: 她在菜园里种了两畦~。*Tā zài càiyuán li zhòngle liǎng qí ~.* She grew two plots of radishes in the vegetable garden. ❷〈名 n.〉(个gè、根gēn)这种植物的主根 root of this plant: 她买了两个白~。*Tā mǎile liǎng gè bái ~.* She bought two white turnips.

³ **逻辑** luóji ❶〈名 n.〉思维的规律 logic; order of thinking: 说话、写文章都要合乎~。*Shuōhuà, xiě wénzhāng dōu yào héhū ~.* We should be logical in talking and writing. ❷〈名 n.〉客观的规律性 objective law; logic: 生活的~ *shēnghuó de ~* logic of life │历史

发展的～lìshǐ fāzhǎn de～law of historical development ❸〈名 n.〉指某种说法 certain wording; way of putting sth. into words: 这是你的～，谁信呢？Zhè shì nǐ de～, shéi xìn ne? That's your way of saying it. Who will believe you? ❹〈名 n.〉逻辑学 logic; science that studies the form and order of thinking: 形式～xíngshì～formal logic | 辩证～biànzhèng～dialectial logic | 数理～shùlǐ～mathematical logic | 她在大学学～。Tā zài dàxué xué～. She studies logic in university.

³ **锣** luó〈名 n.〉(面 miàn、个 gè)铜制的打击乐器，形似圆盘，用槌子敲打发声 gong; percussion instrument made of copper in the shape of a disk beaten with a wooden hammer to produce sound: 小～xiǎo～small gong; hang gong | 云～yún～chiming gongs; Chinese gong chimes | 敲～打鼓 qiāo～dǎgǔ beat drums and gongs | 鸣～开道 (比喻制造舆论) míng～kāidào (bǐyù zhìzào yúlùn) strike gongs clear the way (fig. stir up public opinion; prepare the public for a coming event; pave the way for sth.) | 戏台上挂了一面大铜～。Xìtái shang guàle yí miàn dà tóng～. There hangs on the stage a big bronze gong.

⁴ **笤筐** luókuāng〈名 n.〉(只 zhī、副 fù)用竹篾、柳条等编织而成的筐形器具，可用来装粮食、果蔬等 bamboo (or wicker) basket: 他挑了一副～赶集买猪饲料。Tā tiāole yí fù～ gǎnjí mǎi zhū sìliào. Shouldering a pair of bamboo baskets, he went to the market to buy pig feed.

⁴ **骡子** luózi〈名 n.〉(头 tóu、匹 pǐ)哺乳动物，是驴和马杂交而生的品种，多用作力畜 mule: 是～是马，拉出来遛遛 (比喻到底谁的本领高，比试一下就知道)。Shì～shì mǎ, lā chūlái liùliù (bǐyù dàodǐ shéi de běnlǐng gāo, bǐshì yíxià jiù zhīdào). As to whether it is a mule or a horse, we will get the answer only after pulling it out and walking it (fig. People will see who on earth is more capable through a competition).

⁴ **螺丝钉** luósīdīng〈名 n.〉(颗 kē、枚 méi、只 zhī、个 gè)圆锥形或圆柱形的带有螺纹的金属零件 screw: ～虽小，用途可不小。～suī xiǎo, yòngtú kě bù xiǎo. Small as it is, a screw is very useful.

³ **骆驼** luòtuo〈名 n.〉(匹 pǐ、峰 fēng、只 zhī)哺乳动物，是沙漠地区的主要力畜 camel: 瘦死的～比马大 (比喻富裕的人家再艰苦也比普通人家强)。Shòusǐ de～bǐ mǎ dà (bǐyù fùyù de rénjiā zài jiānkǔ yě bǐ pǔtōng rénjiā qiáng). Thin as it is, a camel died from hunger is still bigger than a horse (fig. No matter how straitened the life of a well-to-do family is, it is still better than that of common family).

² **落** luò ❶〈动 v.〉掉下 drop; fall: ～泪～lèi shed tears | ～叶～yè fallen leaves | ～雨～yǔ falling rain | ～灰～huī collecting dust | 花开花～。Huā kāi huā～. Flowers bloom and wither. ❷〈动 v.〉下降 go down; set: 太阳～山。Tàiyáng～shān. The sun sets | 水～石出 (比喻真相大白)。Shuǐ～shíchū (bǐyù zhēnxiàng dàbái). When the water subsides the rocks emerge (fig. The whole thing to comes to light). ❸〈动 v.〉使下降 lower: 下帷幕～xià wéimù lower the curtains | 下卷帘～xià juǎnlián let down the blinds ❹〈动 v.〉遗留在后面 lag behind; fall behind: ～伍～wǔ drop behind the ranks; become outdated | ～选～xuǎn be defeated in an election ❺〈动 v.〉留下，停留 sojourn; stay: ～户～hù settle down | ～脚～jiǎo stay for a time; put up | 她受伤的腿上～下了一块疤。Tā shòushāng de tuǐ shang～xiàle yí kuài bā. A scar was left on her wounded leg. ❻〈动 v.〉掉进，陷入 fall into; get into: ～难～nàn be in distress; meet with misfortune | ～入圈套～rù quāntào fall into a trap; play into sb.'s hands | 他是怎么～进如此惨境的？Tā shì zěnme～jìn rúcǐ cǎnjìng de? How did he get into such a hardship? ❼〈动 v.〉丢失 lose: 失～shī～lose | 她吓得丢魂～魄。Tā xià de diūhún～pò. She was scared out of her wits. | 那座城池已经陷～。Nà zuò chéngchí yǐjīng xiàn～. That city has been occupied by

enemies. ❽〈动 v.〉得到;受到 get; have; win:~个平安 ~ gè píng'ān get safety | ~埋怨 ~ mányuàn get nothing but blame | ~几个零花钱 ~ jǐ gè línghuāqián get some pocket money | 两头~空 liǎng tóu ~kōng come to naught both ways ❾〈动 v.〉衰败; 飘零 decline; come down:败~ shuài~ decline | 破~ pò~ dilapidated | 堕~ duò~ degenerate | 没~ mò~ decline; decay | 沦~ lún~ degenerate; come down in the world | 零~ líng~ decayed; scattered | 家道中~ jiādào zhōng~ decline of a formerly rich and influential ❿〈动 v.〉归属 fall into; belong to:工作的重担~到他的肩上.Gōngzuò de zhòngdàn ~dào tā de jiān shang. The heavy burden of work falls on his shoulders. | 那幅名画~在了她手里.Nà fú míng huà ~zàile tā shǒu li. The famous painting falls into her hand. ⓫〈动 v.〉计入; 书写 write; put to paper:~账 ~zhàng make an entry in an account book; enter sth. in an account | ~款 ~kuǎn sign one's name | 他~笔如飞.Tā ~ bǐ rú fēi. He writes very quickly. ⓬〈名 n.〉停留的地方 place to stay:着~zháo~ whereabouts | 下~不明.Xià~bù míng. The whereabouts is unknown. ⓭〈名 n.〉聚居地 settlement; place to gather together:村~cūn~ village ⓮〈名 n.〉小的地方; 小的范围 a small place; a narrow range:角~jiǎo~ corner; nook | 段~duàn~ paragraph

☞ là, p. 606

⁴ **落成** luòchéng〈动 v.〉(建筑物)完工 (of a building) be completed:新楼~.Xīn lóu ~. The new building has been completed. | 大桥 ~.Dà qiáo ~. The bridge has been completed. | 今天要举行音乐堂~典礼.Jīntiān yào jǔxíng yīnyuètáng ~ diǎnlǐ. Today an inauguration ceremony will be held in the music hall.

⁴ **落地** luòdì ❶〈形 adj.〉下端直到地面或放在地面的 (the lower part of sth.) reaching the ground or being put on the ground:~ 窗 ~chuāng French window | ~电风扇 ~diànfēngshàn floor electric fan ❷〈动 v.〉掉落到地上 fall to the ground:人头~ ~réntóu be killed | 秋叶~.Qiūyè ~. Autumn leaves fall to the ground. ❸〈动 v.〉婴儿出世 (of an enfant) be born:呱呱~ ~gūgū come into this world with a loud cry; be born

² **落后** luòhòu ❶〈形 adj.〉发展水平或认识程度比较低 backward; underdeveloped:经济~ jīngjì ~ underdeveloped economy | 文化 ~ wénhuà ~ lagging behind in cultural development | 贫穷~ pínqióng ~ poor and underdeveloped | 观念~ guānniàn ~ backward in ideology ❷〈动 v.〉落在了后面 lag behind; fall behind:赛场上, 他的马~了.Sàichǎng shang, tā de mǎ ~ le. On the racing field his horse fell behind. | 她不甘~, 奋起直追.Tā bùgān ~, fènqǐ-zhízhuī. Unwilling to fall behind, she exerts herself to catch up.

⁴ **落实** luòshí ❶〈动 v.〉(计划、设想、措施等)切实得以办理; 落到了实处 (of a plan, assumption, measure, etc.) carry out; ascertain:订了计划就要好好儿~, 不能做表面文章.Dìngle jìhuà jiù yào hǎohāor ~, bù néng zuò biǎomiàn wénzhāng. After making a plan, you should carry it out and should not just pay lip service. | 责任要~到人.Zérèn yào ~ dào rén. Responsibilities should be ascertained to every individual. ❷〈形 adj.〉安稳; 塌实 feel at ease:事办妥了, 他心里也~了.Shì bàntuǒ le, tā xīn li yě ~ le. He felt at ease after getting the matter settled.

⁴ **落选** luòxuǎn〈动 v.〉没有被选上 fail to be chosen or elected; lose an election:这次村主任选举, 他~了.Zhè cì cūnzhǔrèn xuǎnjǔ, tā ~ le. He failed in the election of village director.

M

妈妈 māma〈名 n. 口colloq.〉(位wèi、个gè)称呼母亲，也说'妈'mother; mum; also as '妈mā': 我~是一个医生。Wǒ ~ shì yí gè yīshēng. My mother is a doctor. │ 您真是一位好~。Nín zhēnshi yí wèi hǎo ~. You are really a good mother.

抹布 mābù〈名 n.〉(块kuài)擦器物用的布块儿 dishcloth; rag: 这块新~是擦桌子用的。Zhè kuài xīn ~ shì cā zhuōzi yòng de. This new rag is used for wiping tables. │ 用旧棉布当~比较好用。Yòng jiù miánbù dāng ~ bǐjiào hǎo yòng. Old cotton-cloth can be used as good rags.

麻 má ❶〈名 n.〉(棵kē、绺liǔ)麻类植物的统称。种类有很多种，如大麻、黄麻、亚麻、剑麻等，其纤维是纺织等工业的重要原料 hemp; any plants resembling the hemp, such as jute, flax, sisal hemp, etc. the fiber of which is an important raw material for textile industry: ~布 ~bù sackcloth; burlap │ ~纱 ~shā yarn of ramie, flax, etc. │ ~纺品 ~fǎngpǐn flax product │ 快刀斩乱~ (比喻采取果断的措施) kuài dāo zhǎn luàn~ (bǐyù cǎiqǔ guǒduàn de cuòshī) cut a tangled skein of jute with a sharp knife; cut the Gordian knot (fig. solve a complicated problem swiftly and resolutely) │ ~可以制绳、织布。~ kěyǐ zhì shéng, zhī bù. Hemp can be used for making ropes and cloth. ❷〈名 n.〉芝麻的简称 sesame: ~油 ~yóu sesame oil │ ~糖 ~táng sesame candy ❸〈形 adj.〉表面不光滑 (of surface) rough; coarse: ~子 ~zi pocked; pockmarked │ 洗手间通常使用一面光一面~的玻璃。Xǐshǒujiān tōngcháng shǐyòng yímiàn guāng yímiàn ~ de bōli. Glass with one rough side and one smooth side is often used in a washroom ❹〈形 adj.〉人体局部失去知觉或因血流不畅而产生不舒服感 numb; having pins and needles: ~药 ~yào anesthetic │ 蹲久了脚会~。Dūnjiǔle jiǎo huì ~. Crouching for too long will make your feet numb. │ 吃花椒舌头会发~。Chī huājiāo shétou huì fā ~. Your tongue will feel pins and needles after eating Chinese prickly ash.

麻痹 mábì ❶〈动 v.〉身体某一部分因疾病造成失去知觉能力 get paralyzed; lose sensation in a certain part of the human body due to disease: 四肢 ~ sìzhī ~ paralysis of one's limbs │ 神经 ~ shénjīng ~ nervous paralysis │ 小儿 ~症 xiǎo'ér ~zhèng infantile paralysis; polio │ 高烧以后，他下半身~了。Gāoshāo yǐhòu, tā xià bàn shēn ~ le. The lower part of his body was paralyzed after a high fever. ❷〈形 adj.〉疏忽大意；失去警惕性 be remiss of; slacken one's vigilance: ~大意 ~ dàyì lower one's guard and become careless │ 过马路要小心，可别太~了。Guò mǎlù yào xiǎoxīn, kě bié tài ~ le. Be careful when crossing a road; don't lower your guard. ❸〈动 v.〉使失去警惕性 benumb; lull: 敌人绝不能~我们的斗志。Dírén jué bù néng ~ wǒmen de dòuzhì. The enemy can never lull our fighting will.

M

⁴ **麻袋** mádài〈名 n.〉(条tiáo、个gè)用粗麻布做成的袋子 gunny-bag; sack：这个旧~装粮食。Zhège jiù ~ zhuāng liángshi. The old sack is used for keeping grains. ｜仓库买了100条新~。Cāngkù mǎile yìbǎi tiáo xīn ~. The warehouse has purchased 100 new sacks.

¹ **麻烦** máfan ❶〈形 adj.〉烦琐；费事（与'方便'相对）troublesome; inconvenient (opposite to '方便fāngbiàn')：非常~ fēicháng ~ very troublesome ｜ 这事真是一极了。Zhè shìr zhēnshì ~ jí le. This is a knotty problem. ｜办事情别怕~ Bàn shìqing bié pà ~. One should go to all lengths to do things. ❷〈动 v.〉劳累别人或使人增加负担 put sb. to trouble; bother sb.：他常常~别人。Tā chángcháng ~ biéren. He always bothers other people. ｜我~不了你几次。Wǒ ~ bù liǎo nǐ jǐ cì. I'll just bother you for a few times. ｜我还得~您一下儿。Wǒ hái děi ~ nín yíxiàr. I'll have to bother you once again.

⁴ **麻木** mámù ❶〈形 adj.〉人体某一位置部分失去感觉或感觉完全丧失 numb：他感觉手指有点儿~。Tā gǎnjué shǒuzhǐ yǒudiǎnr ~. He is feeling numb in his fingers. ｜双腿出现了~的现象。Shuāng tuǐ chūxiànle ~ de xiànxiàng. (One's) legs have become numb. ❷〈形 adj.〉比喻对外界事物反应迟钝或没有反应 apathetic; insensitive (to the outside)：~不仁 ~ bùrén apathetic; unresponsive ｜思想~ sīxiǎng ~ wooden mind ｜他对什么都不关心，精神都~了。Tā duì shénme dōu bù guānxīn, jīngshén dōu ~ le. He doesn't care about anything; his mind has become completely numb.

⁴ **麻雀** máquè〈名 n.〉(只zhī、个gè、群qún)一种常见的鸟，吃谷粒或昆虫等 sparrow：草地上飞来了一群~。Cǎodì shang fēiláile yì qún ~. A flock of sparrows flew to the lawn. ｜~虽小，五脏俱全（比喻规模虽小，却十分完备）。~ suī xiǎo, wǔzàng jù quán (bǐyù guīmó suī xiǎo, què shífēn wánbèi). The sparrow may be small but it has all the vital organs (fig. small but complete).

⁴ **麻醉** mázuì ❶〈动 v.〉用药物或针刺等方法使身体的整体或某一部分暂时失去知觉 anesthetize; use of medication or acupuncture to induce temporary insensitivity of part or whole of the body：局部~ júbù ~ local anesthesia ｜小手术就不用~了。Xiǎo shǒushù jiù bú yòng ~ le. A small operation like this doesn't need an anesthesia. ｜针灸也能~。Zhēnjiǔ yě néng ~. Acupuncture can be used for the purpose of anesthesia. ❷〈动 v.〉比喻用某种手段使人精神麻木或意志消沉 poison; corrupt one's mind：他被人用花言巧语~了。Tā bèi rén yòng huāyán-qiǎoyǔ ~ le. He has been hypnotized by others' blandishments. ｜敌人~不了我们的意志。Dírén ~ bù liǎo wǒmen de yìzhì. The enemy can never lull our will!

¹ **马** mǎ〈名 n.〉(匹pǐ、群qún)哺乳动物，是重要的力畜之一 horse：骏~ jùn ~ fine horse; steed ｜跑~ pǎo~ run a horse; horse race ｜鞍~ ~ān saddle ｜~掌 ~zhǎng horseshoe ｜~不停蹄（比喻毫不停顿地做某事）~bùtíngtí (bǐyù háo bù tíngdùn de zuò mǒu shì) the horse gallops on without stop (fig. keep doing sth. without stop) ｜万马奔腾（形容声势十分浩大）wànmǎ-bēnténg (xíngróng shēngshì shífēn hàodà) ten thousand horses galloping ahead (going full steam ahead) ｜战士们翻身跨上了战~。Zhànshìmen fānshēn kuàshangle zhàn~. The soldiers mounted battle steeds.

⁴ **马车** mǎchē〈名 n.〉(辆liàng)马拉的车，用于载人或运货 horse-drawn carriage; cart for carrying people or cargo：~在农村用来跑运输。~ zài nóngcūn yòng lái pǎo yùnshū. The horse-drawn carriages are used in the countryside as a means of transportation. ｜村里的小伙子都会赶~。Cūn li de xiǎohuǒzi dōu huì gǎn ~. All the young men in the villages are able to drive a cart.

⁴ **马达** mǎdá〈名 n. 外 forg.〉(台tái、个gè)电动机，英语motor的音译 motor：这台机器

M

的~坏了。Zhè tái jīqì de ~ huài le. The motor of this machine has broken down.

⁴ 马虎 mǎhu〈形 adj.〉形容做事不认真、不细心，草率 careless; casual：做事~ zuò shì ~ be careless in doing things｜这件事你可丝毫~不得。Zhè jiàn shì nǐ kě sīháo ~ bude. As far as this affair is concerned, the slightest bit of carelessness will not be allowed.｜他对自己的生活总是马马虎虎的。Tā duì zìjǐ de shēnghuó zǒngshì mǎmǎ-hūhū de. He is always rather casual toward his own life.

² 马克 mǎkè〈名 n. 外 forg.〉德国、芬兰等国过去的货币单位，德语Mark的音译 mark (former monetary unit of Germany and Finland)：使用欧元以后，~已经不通行了。Shǐyòng Ōuyuán yǐhòu, ~ yǐjīng bù tōngxíng le. The Mark is no longer in circulation since the adoption of the Euro.

⁴ 马克思主义 Mǎkèsī zhǔyì〈名 n.〉马克思和恩格斯所创立的无产阶级思想体系，由马克思主义哲学、政治经济学和科学社会主义三个基本部分组成 Marxism, proletarian ideological system initiated by Karl Marx and Friedrich Engels, the main components of which are Marxist philosophy, political economics and scientific socialism：研究~ yánjiū ~ study Marxism｜~是指导工人阶级政党思想的理论基础。~ shì zhǐdǎo gōngrén jiējí zhèngdǎng sīxiǎng de lǐlùn jīchǔ. Marxism is the theoretical basis guiding the thoughts of the political parties of the working class.

⁴ 马力 mǎlì〈量 meas.〉功率的计量单位，合0.735千瓦 horsepower; unit of power equal to 0.735 kw：拖拉机的~比汽车的~大很多。Tuōlājī de ~ bǐ qìchē de ~ dà hěn duō. The tractor has much bigger horsepower than the car.

⁴ 马铃薯 mǎlingshǔ〈名 n.〉（块kuài、个gè）多年生草本植物，地下块茎可食用，口语叫'土豆儿''洋芋''山药蛋'potato (colloq. called '土豆儿tǔdòur', '洋芋yángyù' or '山药蛋shānyàodàn')：~能做成很多种菜。~ néng zuòchéng hěn duō zhǒng cài. One can make many dishes with potatoes.｜午饭他就吃了两个~。Wǔfàn tā jiù chīle liǎng gè ~. For lunch he just ate two potatoes.

² 马路 mǎlù〈名 n.〉（条tiáo）城市中及郊区的供车马行走的宽阔平坦的道路；也泛指公路 road; street; avenue：北京的~又宽又直。Běijīng de ~ yòu kuān yòu zhí. The roads in Beijing are both broad and straight.｜村子里修了一条柏油~。Cūnzi li xiūle yì tiáo bǎiyóu ~. A asphalt road has been built in the village.

¹ 马上 mǎshàng〈副 adv.〉立刻，表示动作或状态将要发生 at once; immediately：~结束~ jiéshù finish straight away｜~开工~ kāigōng start to work at once｜请稍等，老师~就来。Qǐng shāoděng, lǎoshī ~ jiù lái. Please wait for a while; the teacher will be here soon.

⁴ 马戏 mǎxì〈名 n.〉（场chǎng、出chū）原指人骑在马上所做的各种表演，现指由受过训练的动物参加的杂技表演 circus; originally referring to the performances of actors and actresses on horseback; now referring to a show of acrobats and performing animals：~团~tuán circus troupe｜大家都爱看~。Dàjiā dōu ài kàn ~. All of us like watching a circus.

² 码头 mǎtou〈名 n.〉（座zuò、个gè）在江河湖海岸边修建的供停船时装卸货物或供乘客上下的建筑物 wharf; dock; quay; pier：~上堆放着很多货物。~ shang duīfàngzhe hěn duō huòwù. The quay is piled up with a lot of cargo.｜船开出了~。Chuán kāi chū le ~. The ship has left the dock.

⁴ 蚂蚁 mǎyǐ〈名 n.〉（只zhī、群qún、窝wō）一种昆虫 ant：热锅上的~（比喻陷于困境，焦躁不安的人）rè guō shang de ~（bǐyù xiànyú kùnjìng, jiāozào bù'ān de rén）like ants on a hot pan（fig. sb. caught in trouble, feeling restless）｜花园里有一个~窝。Huāyuán li *yǒu yí gè ~ wō*. There is an ant's nest in the garden. | 一群~在搬家。*Yì qún ~ zài bānjiā.* A swarm of ants are moving the nest.

² **骂** mà 〈动 v.〉用粗野或恶意的语言侮辱别人；严厉地责备 curse; verbally abuse: ~ 大街 ~ *dàjiē* shout abuses in the street; call people names in public | 辱~ *rǔ~* hurl insults | 妈妈教育孩子不能~人。*Māma jiàoyù háizi bù néng ~rén.* Mum should not adopt verbal abuse as a way to teach her child. | 考试不理想，我被爸爸臭~了一顿。*Kǎoshì bù lǐxiǎng, wǒ bèi bàba chòu ~le yí dùn.* Since I didn't get a good result in the exam, I was severely dressed down by my father.

¹ **吗** ma ❶〈助 aux.〉用于句末，表示疑问 used at the end of a question: 你到过北京~? *Nǐ dàoguo Běijīng ~?* Have you ever been to Beijing | 你今天有时间~? *Nǐ jīntiān yǒu shíjiān ~?* Do you have time today? ❷〈助 aux.〉用于句末，表示反问，带质问、责备语气 used at the end of a sentence to indicate a rhetorical question with a scolding tone: 你这不是胡闹~? *Nǐ zhè bú shì húnào ~?* You're just trying to make a mess! | 你这样做对得起父母~? *Nǐ zhèyàng zuò duìdeqǐ fùmǔ ~?* Is the way you behaved worthy of your parents' expectations? ❸〈助 aux.〉用在句中停顿处，以引起听话人注意下文 used as a pause to draw the listener's attention to the following words: 这件事~，还得讨论讨论。*Zhè jiàn shì ~, hái děi tǎolùn tǎolùn.* This, well, needs more discussions. | 钱~，能省就省着点儿。*Qián ~, néng shěng jiù shěngzhe diǎn.* Speaking of money, well, save it wherever you can.

¹ **嘛** ma ❶〈助 aux.〉用在句尾，表示道理很明显 used at the end of a sentence to indicate that sth. speaks for itself: 顾虑那么多，该说就说~。*Gùlù nàme duō, gāi shuō jiù shuō ~.* You're full of misgivings; actually you should just air whatever you want to say. | 汉字确实很难写好。*Hànzì quèshí hěn nán xiěhǎo ~.* It is far from easy to write Chinese characters well. ❷〈助 aux.〉表示期望，劝告 expressing hope or giving advice: 你早点儿起床，别再迟到了。*Nǐ zǎo diǎnr qǐchuáng, bié zài chídào le.* Get up early so that you'll not be late again. | 你多吃点儿~，别客气。*Nǐ duō chī diǎnr ~, bié kèqì.* Do make yourself at home and eat more. ❸〈助 aux.〉用在句中停顿处，表示让听话人注意下文 used as a pause to draw the listener's attention to the following words: 学习外语~，就得多练习。*Xuéxí wàiyǔ ~, jiù děi duō liànxí.* As for learning a foreign language, well, more practice is a must. | 参考书~，该看的还得看。*Cānkǎoshū ~, gāi kàn de hái děi kàn.* As for the reference books, well, some worthy ones should be read after all.

² **埋** mái ❶〈动 v.〉用土、沙等盖住 bury; cover up; 也指被盖住 cover up: ~葬 ~*zàng* bury | 掩~ *yǎn~* bury | ~管道 ~*guǎndào* cover up a pipeline | 麦苗被大雪~住了。*Màimiáo bèi dàxuě ~zhù le.* The wheat seedlings were buried under the heavy snow. ❷〈动 v.〉隐藏 hide; conceal: 隐姓~名 *yǐnxìng~míng* live incognito; conceal one's identity | 这句话~在心里好几年了。*Zhè jù huà ~zài xīnli hǎo jǐ nián le.* These words have been buried in my mind for several years.

⁴ **埋没** máimò ❶〈动 v.〉掩埋；埋起来 cover up; bury: 考古队发掘了一座被沙漠~了的古代城堡。*Kǎogǔduì fājuéle yí zuò bèi shāmò ~de gǔdài chéngbǎo.* The archeological team uncovered an ancient castle buried in the desert. | 积雪~了公路。*Jīxuě ~le gōnglù.* The accumulated snow buried the highway. ❷〈动 v.〉指人才、功绩受到漠视，使发挥不出作用或不被发现 sweep sb. under the carpet; stifle; neglect: ~功绩~ *gōngjì* neglect one's achievements | 千万别~了人才。*Qiānwàn bié ~le réncái.* Don't stifle talents. | 他的才华是不会被~的。*Tā de cáihuá shì bú huì bèi ~ de.* His talent will never be neglected.

M

⁴ **埋头** mái//tóu 〈动 v.〉低头，比喻专心用功，勤奋努力 be engrossed in; immerse oneself in: ~苦干 ~ kǔgàn quietly immerse oneself in hard work; quietly put one's shoulder to the wheel | ~学习 ~ xuéxí be engrossed in studies | 他整天埋着头写个没完。Tā zhěngtiān máizhe tóu xiě ge méi wán. He is immersed in writing all day long.

¹ **买** mǎi ❶〈动 v.〉用钱换取东西（与'卖'相对）buy; purchase (opposite to '卖mài'): ~衣服 ~ yīfu buy clothes | ~词典 ~ cídiǎn buy a dictionary | 购~ gòu~ purchase; buy | 市场里什么东西都~得到。Shìchǎng li shénme dōngxi dōu ~ de dào. Everything is available in the market. ❷〈动 v.〉用财物等拉拢 buy over; bribe: 他这样做是在收~人心。Tā zhèyàng zuò shì zài shōu~ rénxīn. He did so in order to buy over popular support.

² **买卖** mǎimai ❶〈名 n.〉（笔bǐ）生意；交易 deal; transaction: 做~ zuò~ do business | ~兴隆 ~ xīnglóng. Business is brisk. | 不赚钱谁做？~ bù zhuànqián shéi zuò? Who would make a profitless deal? | 他做成功了第一笔。~ Tā zuò chénggōngle dì-yī bǐ ~. He closed his first ever successful transaction. ❷〈名 n.〉（处chù、家jiā）商店 store; shop: 他在小区里开了一家小~。Tā zài xiǎoqū li kāile yì jiā xiǎo ~. He opened a small shop in the community.

² **迈** mài ❶〈动 v.〉抬起腿向前走；跨步 step; stride: ~步 ~bù make a step | ~进 ~jìn stride forward | 运动员~着整齐的步伐走进体育场。Yùndòngyuán ~zhe zhěngqí de bùfá zǒujìn tǐyùchǎng. The athletes marched into the stadium in step. ❷〈形 adj.〉年老 old; advanced in age: 老~ lǎo~ senile | 年~ nián~ aged ❸〈量 meas.〉英里，用于机动车行车时速，英语mile的音译 mile: 限速60~ Xiàn sù liùshí ~. The speed limit is 60 miles per hour.

¹ **卖** mài ❶〈动 v.〉用物品或技艺等换钱（与'买'相对）sell（opposeite to '买mǎi'）: 出~ chū~ sell | 贩~ fàn~ peddle | ~服装 ~fúzhuāng sell clothes | ~苦力 ~kǔlì make a living by hard manual work | 货物都~出去了。Huòwù dōu ~chūqù le. The goods are sold out. | 他~的是手艺 Tā ~ de shì shǒuyì. He makes money through his craftsmanship. ❷〈动 v.〉背叛、出卖祖国或亲友而换取个人利益 betray: ~国 ~guó betray one's nation | ~身投靠 ~shēn tóukào barter away one's honor for sb.'s patronage | ~友求荣 ~yǒu-qiúróng betray one's friends for personal gains | 你可别把我们都给~了。Nǐ kě bié bǎ wǒmen dōu gěi ~ le. I hope that you'll not betray us. ❸〈动 v.〉尽量使出来 exert to the utmost: 为了班里的事，他可~了不少力气。Wèile bān li de shì, tā kě ~le bùshǎo lìqi. He spared no effort for the class affairs. ❹〈动 v.〉故意显示自己 show off: ~俏 ~qiào show off one's charm | ~乖 ~guāi show off one's cleverness | 你别在我面前倚老~老。Nǐ bié zài wǒ miànqián yǐlǎo~lǎo. Don't flaunt your seniority before me.

⁴ **卖国** màiguó 〈动 v.〉为了个人的名利权势投靠敌人，出卖祖国的利益 betray one's country: ~贼 ~zéi traitor to one's motherland | 这分明是个~条约 Zhè fēnmíng shì gè ~ tiáoyuē. This is obviously a traitorous treaty.

⁴ **脉搏** màibó 〈名 n.〉心脏收缩时，由于输出血液的冲击引起的动脉的跳动；常比喻事物的变化动态 pulse; fig. changing nature of sth.: 病人的~跳得太快。Bìngrén de ~ tiào de tài kuài. The patient has a rather quick pulse. | 我们要抓住时代的~。Wǒmen yào zhuāzhù shídài de ~. We shall keep abreast with the times.

⁴ **埋怨** mányuàn 〈动 v.〉因为事情不如意而不满或责怪 complain; grumble: 互相~ hùxiāng ~ blame each other | 我们别都~他一个人，大家都有一定的责任嘛。Wǒmen bié dōu ~ tā yí gè rén, dàjiā dōu yǒu yídìng de zérèn ma. We should not blame him alone; every one of us shares part of the responsibility.

² **馒头** mántou〈名 n.〉(个 gè)一种将面粉发酵后蒸制的食品，圆形或长方形而下平，没有馅儿 steamed bun(without stuffing)：~是中国北方人的主食。~ shì Zhōngguó běifāng rén de zhǔshí. The steamed bun is the staple food for the northerners in China. | 我学会蒸~了。Wǒ xuéhuì zhēng ~ le. I have learnt to make steamed bread.

³ **瞒** mán〈动 v.〉隐藏真实情况，不让别人知道 conceal; hide the truth from：~上欺下~ shàng-qīxià deceive those above and bully those below | 天过海（比喻背着别人暗中行动）~tiān-guòhǎi（bǐyù bèizhe biéren ànzhōng xíngdòng）cross the sea under camouflage(fig. carry out clandestine act) | ~得了初一，~不了十五（实情迟早都会暴露）。~ de liǎo chūyī, ~ bù liǎo shíwǔ（shíqíng chízǎo dōu huì bàolù）. You can conceal yourself until the first day of the month but not to the fifteenth day(fig. the truth will be revealed sooner or later). | 这件事大家都知道，只~着他一个人。Zhè jiàn shì dàjiā dōu zhīdào, zhǐ ~ zhe tā yí gè rén. This affair is known to all, and he is the only one who is kept in the dark.

¹ **满** mǎn❶〈形 adj.〉全部充实，达到容量的极点 full; filled：充~ chōng~ fill up | 教室里人已经~了。Jiàoshì li rén yǐjīng ~ le. The classroom is packed with people. | 口袋里装~了东西。Kǒudài li zhuāng~le dōngxi. The pocket is filled up. ❷〈形 adj.〉全；普遍 complete; entire：~身泥水 ~shēn níshuǐ be covered all over with mud | ~口应允 ~kǒu yīngyǔn consent readily | 他累得~头大汗。Tā lèi de ~ tóu dà hàn. He is so tired that he is sweating all over the head. ❸〈形 adj.〉感到足够 satisfied; contented：~意 ~yì satisfaction | ~足 ~zú feel contented | 心~意足 xīn~-yìzú feel perfectly satisfied | 他对这儿的条件很不~。Tā duì zhèr de tiáojiàn hěn bù ~. He is very dissatisfied with the conditions in this place. ❹〈形 adj.〉傲慢 complacent; conceited：自~ zì~ be conceited | ~招损，谦受益。~zhāo sǔn, qiān shòu yì. One loses by pride and gains by modesty. ❺〈动 v.〉达到一定的期限 expire; reach the limit：刑~释放 xíng~-shìfàng be released after serving the full term of a sentence | 她的孩子刚~月。Tā de háizi gāng ~yuè. Her baby has just been one month old. ❻〈动 v.〉遍布 spread everywhere：桃李~天下（比喻所教的学生遍及各地）。Táolǐ ~ tiānxià（bǐyù suǒ jiāo de xuéshēng biànjí gèdì）. Peaches and plums are blooming everywhere(fig. have pupils and disciples everywhere). ❼〈动 v.〉使满 fill：来，我再给你~一杯(酒)。Lái, wǒ zài gěi nǐ ~shang yì bēi(jiǔ). Come on; let me fill your glass(with wine). ❽〈副 adv.〉表示完全 completely：~打~算只有一天时间，我怎么干得完这么多事? ~dǎ~suàn zhǐyǒu yì tiān shíjiān, wǒ zěnme gàn de wán zhème duō shì? I have only one day available at the very most. How can I fulfill so many tasks? ❾(Mǎn)〈名 n.〉中国的少数民族之一——满族 Manchu(a minority ethnic people in China)：~文 ~wén the Manchu language

⁴ **满怀** mǎnhuái❶〈动 v.〉心中充满 have one's heart filled with; be imbued with：~信心 ~xìnxīn full of confidence | ~喜悦 ~xǐyuè be imbued with joy | 大家~豪情走进大学。Dàjiā ~ háoqíng zǒu jìn dàxué. Filled with pride and enthusiasm, we started our college life. ❷〈名 n.〉指整个前胸部分 chest：我一出门跟他撞了个~。Wǒ yì chūmén gēn tā zhuàngle gè ~. I bumped right into him as I was going out.

³ **满腔** mǎnqiāng〈形 adj.〉充满在心中 filled with sth. in one's bosom：~热忱 ~rèchén filled with ardor and sincerity | 他们对敌人仇恨~。Tāmen duì dírén chóuhèn ~. They are burning with hatred for the enemy. | 他是个~热血的青年。Tā shì yí gè rèxuè de qīngnián. He is a young man filled with patriotic fervor.

¹ **满意** mǎnyì〈形 adj.〉很符合自己的心意；完全满足自己的愿望 satisfied：他对这里的生活条件很~。Tā duì zhèlǐ de shēnghuó tiáojiàn hěn ~. He is very pleased with the

living conditions here. | 老师对他的成绩~极了。*Lǎoshī duì tā de chéngjì ~ jí le.* The teacher is extremely satisfied with his scores. | 她露出了~的微笑。*Tā lùchūle ~ de wēixiào.* She gave a satisfied smile.

⁴ **满月** I **mǎn//yuè** 〈动 *v.*〉婴儿出生后满一个月 (of an infant) completes its first month of life: 孩子快~了。*Háizi kuài ~ le.* The baby is soon to be one month old. | 待孩子满了月我请大家客。*Dāi háizi mǎnle yuè wǒ qǐng dàjiā kè.* I'll host you for a meal when the baby completes its first month of life. II **mǎnyuè** 〈名 *n.*〉农历每月十五日的月亮,也称'望月' full moon (also known as '望月 wàngyuè'): 一轮~当空照。*Yī lún ~ dāng kōng zhào.* A full moon is shining bright in the sky.

² **满足** **mǎnzú** ❶ 〈动 *v.*〉感到已经足够 satisfied; contented: ~现状 ~ xiànzhuàng be pleased with things as they are | 他从不~已经取得的成绩。*Tā cóng bù ~ yǐjīng qǔdé de chéngjì.* He never rested satisfied with his achievements. | 这下你~了吧。*Zhè xià nǐ yīnggāi ~ le ba.* So, you should feel contented now. ❷ 〈动 *v.*〉使要求等得到实现 satisfy(one's demands): ~需要 ~ xūyào meet one's needs | ~愿望 ~ yuànwàng meet one's wishes | 学校会~同学们的要求。*Xuéxiào huì ~ tóngxuémen de yāoqiú.* The school authorities will meet the demands of the students.

⁴ **蔓延** **mànyán** 〈动 *v.*〉像蔓草一样向周围扩展延伸 spread: 森林大火继续~。*Sēnlín dà huǒ jìxù ~.* The forest fire continued to spread. | 一定要防止传染病向农村~。*Yídìng yào fángzhǐ chuánrǎnbìng xiàng nóngcūn ~.* Measures must be taken to prevent the contagious diseas from spreading to the rural areas.

³ **漫长** **màncháng** 〈形 *adj.*〉长得没有尽头的(时间、道路等) endless; long: 我们终于度过了~的艰苦岁月。*Wǒmen zhōngyú dùguòle ~ de jiānkǔ suìyuè.* The long hard years finally came to an end. | 人生的道路是~的。*Rénshēng de dàolù shì ~ de.* The life journey is long.

¹ **慢** **màn** ❶ 〈形 *adj.*〉速度不快;走路、做事等用的时间长(与'快'相对) slow; time-consuming (opposite to '快 kuài'): 他说话太~。*Tā shuōhuà tài ~.* He is too slow in speaking. | 他写字~极了。*Tā xiězì ~ jí le.* He is extremely slow in writing. ❷ 〈形 *adj.*〉从容、延缓 leisurely; postponing; deferring: 这事让他~点儿知道也好。*Zhè shì ràng tā ~ diǎnr zhīdào yě hǎo.* It's OK to wait for a couple of days before letting him in on it.

⁴ **慢性** **mànxìng** 〈形 *adj.*〉发作时缓慢的;时间拖得长久的 slow in taking effect; chronic: 他得了~胃炎。*Tā déle ~ wèiyán.* He has caught chronic gastritis. | 农药会让人~中毒。*Nóngyào huì ràng rén ~ zhòngdú.* Pesticide can be a slow poison.

¹ **忙** **máng** ❶ 〈形 *adj.*〉事情多,没有空闲(与'闲'相对) busy; occupied (opposite to '闲 xián'): 当了班长以后,他更~了。*Dāngle bānzhǎng yǐhòu, tā gèng ~ le.* Once becoming a monitor, he was even busier. | 他是个大~人。*Tā shì gè dà ~ rén.* He is a busy man. ❷ 〈形 *adj.*〉急;急迫 hasty; urgent: 他做事总是不慌不~的。*Tā zuòshì zǒngshì bù huāng bù ~ de.* Whatever he does, he is never in a hurry. | 她一回家就~着给孩子做饭。*Tā yì huíjiā jiù ~ zhe gěi háizi zuòfàn.* Upon getting back home, she began to busy herself in making a meal for her children. ❸ 〈动 *v.*〉急迫不停、加紧去做 be busy with doing sth.：她白天~工作,晚上~家务,太辛苦了。*Tā báitiān ~ gōngzuò, wǎnshang ~ jiāwù, tài xīnkǔ le.* She is busy with her work in the daytime and the housework at night; life is so hard for her. | 最近你都~些什么呢?*Zuìjìn nǐ dōu ~ xiē shénme ne?* What have you been busy with lately?

⁴ **忙碌** **mánglù** ❶ 〈形 *adj.*〉紧张而没有空闲 busy and having no leisure time：他学习很~。*Tā xuéxí hěn ~.* He is very busy with his school work. | 学生们的生活很~。

Xuéshengmen de shēnghuó hěn ~. The students are leading a busy life. ❷〈动 v.〉忙着做各种事 busy oneself with doing sth.：他在家~了一天，累极了 *Tā zài jiā ~le yì tiān, lèi jí le.* After working busily for a whole day at home, he felt worn out.

³ **盲从** mángcóng〈动 v.〉不分辨是非地附和别人，随从别人 follow blindly：要认真思考，不能~ *Yào rènzhēn sīkǎo, bù néng ~.* Use your brain and don't ever follow others blindly. | 经理不喜欢~的人。 *Jīnglǐ bù xǐhuan ~ de rén.* The manager doesn't like employees who just follow him blindly.

³ **盲目** mángmù〈形 adj.〉眼睛看不见东西，比喻认识不清或没主见 blind; *fig.* muddle-headed; unquestioning：~乐观 = *lèguān* unrealistically optimistic | 他办事也太~了 *Tā bànshì yě tài ~ le.* He does everything in a blind way. | 你这是~的行为 *Nǐ zhè shì ~ de xíngwéi.* You are taking a blind action.

⁴ **盲人** mángrén〈名 n.〉(位wèi、个gè) 失去视力的人，瞎子 blind person：这位钢琴师是位~。 *Zhè wèi qínshī shì wèi ~.* The pianist is blind. | ~学习文化有很多困难。 ~ *xuéxí wénhuà yǒu hěn duō kùnnan.* The blind face a lot of difficulties when learning to read and write.

⁴ **茫茫** mángmáng〈形 adj.〉没有边际，看不清楚 boundless and indistinct：远处水天相接，一片~ *Yuǎn chù shuǐ tiān xiāng jiē, yí piàn ~.* The sky and water are joined together in the far distance. | 小船在~的大海上漂泊。 *Xiǎochuán zài ~ de dàhǎi shang piāobó.* The small boat is floating on the vast sea. | 他失了业，前途~ *Tā shīle yè, qiántú ~.* As he has lost his job, his prospects seem bleak.

⁴ **茫然** mángrán〈形 adj.〉完全不知道或失意的样子 oblivious; at a loss：这事的来龙去脉，我十分~ *Zhè shì de láilóng-qùmài, wǒ shífēn ~.* I'm really in the dark about the cause and process of this incident. | 他露出了~的神色。 *Tā lùchūle ~ de shénsè.* He showed an ignorant look.

² **猫** māo〈名 n.〉(只zhī) 哺乳动物，常见的宠物 cat：~是老鼠的天敌。 ~ *shì lǎoshǔ de tiāndí.* Cat is the natural enemy of mouse. | 她很喜欢养~。 *Tā hěn xǐhuan yǎng ~.* She loves keeping cat as a pet.

¹ **毛** máo ❶〈名 n.〉(根gēn、撮zuǒ) 动植物的皮上长的丝一样的东西；鸟类的羽毛 hair; feather：绒~ *róng* fine hair | down | 羽~ *yǔ* feather | 小狗长了一身细细的长~ *Xiǎogǒu zhǎngle yì shēn xìxì de cháng ~.* The little puppy is covered with long fine hair. | 动物到了春天要换~。 *Dòngwù dàole chūntiān yào huàn ~.* The animals shed and grow new hair in spring. | 冬瓜表皮上有一层~。 *Dōngguā biǎopí shang yǒu yì céng ~.* The wax gourd is covered with hair on its skin. ❷〈名 n.〉某些东西上长的霉 mildew：面包长~了，别吃了 *Miànbāo zhǎng ~ le, bié chī le.* The bread since it is mildewed. | 长了~的食品可不能再吃了 *Zhǎngle ~ de shípǐn kě bù néng zài chī le.* The mildewed food is not edible. ❸〈形 adj.〉小的；细的 little; small; fine：~孩子~ *háizi* a little kid | ~贼~ *zéi* petty thief; pilferer | ~细血管~ *xìxuèguǎn* capillary | ~~雨 ~~*yǔ* drizzle ❹〈形 adj.〉粗糙的；未经加工的 coarse; unprocessed：~布~ *bù* coarse cotton cloth | ~坯~ *pī* semi-finished product ❺〈形 adj.〉粗率；不细心 careless; rash：~手~脚~ *shǒu*~~ *jiǎo* clumsy and brash | 这孩子做事就是~糙 *Zhè háizi zuòshì jiùshì ~ cāo.* This kid is careless in doing things. ❻〈形 adj.〉不纯净的 not pure; gross：~利~ *lì* gross profit | ~重~ *zhòng* gross weight ❼〈形 adj.〉惊慌；害怕 frightened; panicky：小偷一见警察就吓~了 *Xiǎotōu yí jiàn jǐngchá jiù xià~ le.* The thief panicked at the sight of a policeman. ❽〈形 adj.〉发脾气 enraged：我两句话就把他给惹~了 *Wǒ liǎng jù huà jiù bǎ tā gěi rě~ le.* He was enraged by the few words I said. ❾〈量 meas.〉口

M

colloq.〉人民币的货币单位,1元的十分之一 *mao; fractional Renminbi unit that equals* 0.1 *yuan*:~票ㄦ~*piàor* Renminbi banknote of one, two or five *jiao* denominations | 苹果8~一斤。*Píngguǒ bā ~ yì jīn.* The apples sell for 8 *jiao* per *jin.*

³ **毛笔** máobǐ〈名 *n.*〉(支zhī、管guǎn)笔头用羊毛、鼬máo等制成的笔,用来写字、画画ㄦ *writing brush; brush made from goat or weasel hair to write or paint*:中国人以前用~写字。*Zhōngguórén yǐqián yòng ~ xiězì.* The Chinese people used to write with brushes. | 我学习写~字。*Wǒ xuéxí xiě ~ zì.* I am learning to write with a brush.

² **毛病** máobìng ❶〈名 *n.*〉(个gè、种zhǒng)指人或物的缺点 *defect; shortcoming*:他上课爱说话的~又犯了。*Tā shàngkè ài shuōhuà de ~ yòu fàn le.* Once again he made a mistake of speaking in class. | 你要改掉这个坏~。*Nǐ yào gǎidiào zhège huài ~.* You must get rid of this bad habit. ❷〈名 *n.*〉(个gè)指器物等发生故障 *(of a machine, etc.) trouble; failure*:这台机器的~找到了。*Zhè tái jīqì de ~ zhǎodào le.* The trouble of the machine has been identified. | 自行车出了点ㄦ小~。*Zìxíngchē chūle diǎn xiǎo ~.* The bike is in a little trouble. ❸〈名 *n.* 方 *dial.*〉(个gè)疾病 *disease; illness*:这关节炎是我年轻时落下的~。*Zhè guānjiéyán shì wǒ niánqīng shí làoxià de ~.* I caught arthritis when I was young. | 小~已经治好了。*Xiǎo ~ yǐjīng zhìhǎo le.* The petty illness has been cured.

² **毛巾** máojīn〈名 *n.*〉(条tiáo)用棉纱织成的针织品,用来擦脸或擦身子 *towel*:~被~*bèi* toweling coverlet | 用长~洗澡方便。*Yòng cháng ~ xǐzǎo fāngbiàn.* It is convenient to take a bath with a long towel. | 你的擦脸~该换一块了。*Nǐ de cā liǎn ~ gāi huàn yí kuài le.* Your face cloth needs to be changed.

³ **毛线** máoxiàn〈名 *n.*〉(根gēn、股gǔ、团tuán)通常指羊毛纺成的线,也指用羊毛和人造毛混合纺成的线或人造毛纺成的线 *knitting wool; woolen yarn; blended fabric of wool and synthetic fiber*:商店里~的品种很多。*Shāngdiàn li ~ de pǐnzhǒng hěn duō.* Many varieties of knitting wool are sold in the shop. | 她用~织了一件毛衣。*Tā yòng zhīle yí jiàn máoyī.* She knitted a sweater with woolen yarn.

² **毛衣** máoyī〈名 *n.*〉(件jiàn)用毛线织成的上衣 *woolen sweater; woolly*:春秋两季可以穿~。*Chūnqiū liǎng jì kěyǐ chuān ~.* Woolen sweater can be worn in spring and autumn. | 这件新~很好看。*Zhè jiàn xīn ~ hěn hǎokàn.* The new sweater looks beautiful.

³ **毛泽东思想** Máo Zédōng sīxiǎng〈名 *n.*〉马克思列宁主义的普遍真理和中国革命具体实践相结合而形成的思想体系 *Mao Zedong Thought, an ideological system based on the combination of the universal truths of Marxism and Leninism and the specific practice of the Chinese revolution*

² **矛盾** máodùn ❶〈名 *n.*〉矛和盾是古代用于进攻和防御的两种兵器;比喻自相抵触、互相排斥的两种事物或言行 *spear and shield; weapons used for attack and defend in ancient times; fig. contradiction*:他们俩之间有点ㄦ~。*Tāmen liǎ zhījiān yǒu diǎnr ~.* There is a little contradiction in the relationship between them. | 生活中的~是好解决的。*Shēnghuó zhōng de ~ shì hǎo jiějué de.* The contradictions in daily life are easy to solve. ❷〈名 *n.*〉哲学上指一个事物中所包含的互相排斥又互相依存的两个侧面 *(in philosophy) contradiction; interdependent and mutually repelling relationship between the opposites in any objective matter*:~的对立统一 ~ *de duìlì tǒngyī* the unity of opposites of a contradiction ❸〈形 *adj.*〉形容言语行为自相抵触 *(of speech or behavior) conflicting*:两种看法很~。*liǎng zhǒng kànfǎ hěn ~.* These are two conflicting views. | 去,还是不去,我心里很~。*Qù, háishì bú qù, wǒ xīnli hěn ~.* To go or not to go, I find it hard to decide.

M

³ **茅台酒** máotáijiǔ〈名 n.〉(瓶píng、杯bēi)贵州仁怀县茅台镇出产的白酒，亦称'茅台' Maotai, a famous Chinese liquor, also known as '茅台máotái'：~是中国的名酒。~ shì Zhōngguó de míng jiǔ. Maotai is a famous brand of liquor in China. | 我最喜欢喝~。Wǒ zuì xǐhuan hē ~. Maotai is my favorite liquor.

⁴ **茂密** màomì〈形 adj.〉草木茂盛而繁密 (of plants) luxuriant; flourishing：竹林非常~。Zhúlín fēicháng ~. It is a lush green bamboo grove. | 山上有一片~的树林。Shān shang yǒu yí piàn ~ de zhùlín. There is a patch of dense woods in the mountain.

⁴ **茂盛** màoshèng〈形 adj.〉草木长得多而茁壮 (of plants) luxuriant：大雨过后，树苗更~了。Dàyǔ guò hòu, shùmiáo gèng ~ le. The tree seedlings became more luxuriant after the heavy rain. | 一棵棵枝叶~的果树，果实累累 Yì kēkē zhīyè ~ de guǒshù, guǒshí lěilěi. The luxuriant trees are heavily laden with fruits.

² **冒** mào ❶〈动 v.〉向外透；往上升 emit; give out：他急得脸上直~汗。Tā jí de liǎn shang zhí ~ hàn. His face was sweating with anxiety. | 湖面上~出一串气泡。Húmiàn shang ~chū yí chuàn qìpào. A cluster of gas bubbles were belching from the lake surface. | 浓烟不停地往上~。Nóng yān bùtíng de wǎng shàng ~. Thick smoke was belching without stop. ❷〈动 v.〉不顾；顶着 risk; brave：他~着危险抢救落水儿童。Tā ~zhe wēixiǎn qiǎngjiù luò shuǐ értóng. He saved the drowning child at the risk of his own life. | 他~着倾盆大雨上学去了。Tā ~zhe qīngpén dàyǔ shàngxué qù le. He braved the torrential rain to go to school. | 谁也不想~这么大的风险。Shéi yě bù xiǎng ~ zhème dà de fēngxiǎn. Nobody wants to run such a big risk. ❸〈动 v.〉以假冒充 falsify one's identity; pass for：他~名顶替参加考试。Tā ~míng dǐngtì cānjiā kǎoshì. Assuming the identity of another person, he participated in the examination. | 文件被人~领了。Wénjiàn bèi rén ~lǐng le. Someone has falsely claimed the document as his own. ❹〈动 v.〉触犯 offend：我并不想~犯你。Wǒ bìng bù xiǎng ~fàn nǐ. I didn't want to offend you. ❺〈形 adj.〉轻率；鲁莽 rash; bold：盲目~险 mángmù ~xiǎn venture blindly | 你这么做未免太~失了。Nǐ zhème zuò wèimiǎn tài ~shī le. You were too rash in taking such an action.

⁴ **冒进** màojìn〈动 v.〉不顾具体条件和实际情况的可能，工作过早、过快进行 advance rashly; start doing sth. too soon or when and where conditions do not permit：工作要有计划，不可~。Gōngzuò yào yǒu jìhuà, bùkě ~. Work must be done according to the plan; rash advance is not allowed. | 不顾客观条件地~，会出问题。Búgù kèguān tiáojiàn de ~, huì chū wèntí. Rash advance without considering objective conditions will cause problems.

⁴ **冒牌** mào // pái (~儿)〈动 v.〉原指货物冒充名牌，后泛指以次充好 imitate a well-known trademark; substitute shoddy goods for good cargo：这些~儿货太差了。Zhèxiē ~r huò tài chà le. These fake goods are so poor in quality. | 他们假冒名牌，应该受处罚。Tāmen jiǎmào míngpái, yīnggāi shòu chǔfá. These people, who made imitations of well-known trademarks, deserve to be punished.

⁴ **冒险** mào // xiǎn〈动 v.〉不顾危险(进行某种活动) risk; run a risk：我可不想去~。Wǒ kě bù xiǎng qù ~. I don't want to run a risk. | 他们的~举动，受到了严厉批评。Tāmen de ~ jǔdòng, shòudàole yánlì pīpíng. They were severely criticized for their risky behavior. | 这事他多少冒了点儿险。Zhè shì tā duōshǎo màole diǎnr xiǎn. He ran a certain degree of risk in this affair.

² **贸易** màoyì〈名 n.〉商业活动 trade：两国的~活动越来越频繁。Liǎng guó de ~ huódòng yuèláiyuè pínfán. The trade between the two countries has been on a steady

increase. │ 我国扩大了进出口~。 *Wǒ guó kuòdàle jìnchūkǒu ~.* Our country has expanded its foreign trade.

¹ **帽子** màozi ❶〈名 *n.*〉(顶 dǐng)戴在头上保暖、防雨、遮阳等或做装饰的用品 hat; cap: 出门戴~，又遮太阳又挡雨。 *Chūmén dài ~, yòu zhē tàiyáng yòu dǎng yǔ.* When you go outdoors, you should wear a hat to shield yourself from the sunshine or the rain. ❷〈名 *n.*〉(个 gè)比喻罪名或坏名义 fig. accusation; label: 讨论问题要讲道理，不要乱扣~。 *Tǎolùn wèntí yào jiǎng dàolǐ, bú yào luàn kòu ~.* In discussing an issue, we should argue reasonably instead of putting labels on each other.

¹ **没** méi ❶〈副 *adv.*〉表示'已然'的否定 (negative form of '已然 yǐrán') not yet: 他还~参加比赛呢。 *Tā hái ~ cānjiā bǐsài ne.* He hasn't participated in the competition yet. ❷〈副 *adv.*〉表示'曾经'的否定 (negative form of '曾经 céngjīng') never: 我~见过他。 *Wǒ ~ jiànguo tā.* I never met him. │我~看过那本书。 *Wǒ ~ kànguo nà běn shū.* I never read that book. ❸〈动 *v.*〉无 (与'有'相对) do not have (opposite to '有 yǒu'): 我~课本，只能借别人的用。 *Wǒ ~ kèběn, zhǐnéng jiè biérén de yòng.* Since I don't have a textbook, I'll have to borrow one from others. │你~理由不参加会议。 *Nǐ ~ lǐyóu bù cānjiā huìyì.* You have no excuse for not attending the meeting. ❹〈动 *v.*〉不存在 there is no...: 教室里~人。 *Jiàoshì li ~ rén.* There is nobody in the classroom. │地上~垃圾。 *Dì shang ~ lājī.* There is no garbage on the floor. ❺〈动 *v.*〉表示'全都不'(of all) do not: 这事~人想干。 *Zhè shì ~ rén xiǎng gàn.* Nobody wants to do this. │~谁会参加。 *~ shéi huì cānjiā.* Nobody will participate. │这里~地方放东西了。 *Zhèli ~ dìfang fàng dōngxi le.* There is no more space here. ❻〈动 *v.*〉不如；不及 be not so...: 妹妹~姐姐漂亮。 *Mèimei ~ jiějie piàoliang.* The younger sister is not so pretty as the elder one. │我~他跳得远。 *Wǒ ~ tā tiào de yuǎn.* I couldn't jump as far as he did. ❼〈动 *v.*〉不够；不到 be less than; be no more than: 我们~说两句话就分手了。 *Wǒmen ~ shuō liǎng jù huà jiù fēnshǒu le.* We parted after exchanging only a few words. │来了~两天就走了。 *Láile ~ liǎng tiān jiù zǒu le.* He left after having stayed for barely two days. │她睡了~两小时。 *Tā shuìle ~ liǎng xiǎoshí.* She has slept for less than two hours.

没吃没穿 méichī-méichuān〈熟 *s phr.*〉缺少粮食和衣物 be short of food and clothes: ~的日子真难熬。 *~ de rìzi zhēn nán'áo.* The days when there was little food and clothes were hard to bear. │灾荒年景，家家户户都~。 *Zāihuāng niánjǐng, jiājiā-hùhù dōu ~.* In years of famine, all the households were short of food and clothes.

² **没错** méicuò ❶ 没有错误 be free of error: 你的作业~，全对了。 *Nǐ de zuòyè ~, quán duì le.* You've done your homework all correct. │你写的字没什么错，就是不太整齐。 *Nǐ xiě de zì méi shénme cuò, jiùshì bú tài zhěngqí.* There is no error in the characters you wrote; only that they do not look neat and tidy. ❷ 完全正确，用于表示同意别人说法的场合 completely correct (indicating a full agreement with sb.): 你说的~，他就是爱面子。 *Nǐ shuō de ~, tā jiùshì ài miànzi.* What you said was right: he cared too much about his own dignity. │~，她一说起来就没完。 *~, tā yì shuō qǐlái jiù méiwán.* It is true that once she starts to speak, you can never expect her to stop. │~，他就喜欢开车。 *~, tā jiù xǐhuan kāichē.* I'm quite sure that he is very fond of driving a car.

³ **没关系** méi guānxi ❶ 不要紧；不用顾虑 doesn't matter; don't worry: 这点儿伤~，不用抹药了。 *Zhè diǎnr shāng ~, bú yòng mǒ yào le.* Such a small injury is not serious, so there's no need to apply any ointment. │你来不来都~，反正人已经够用了。 *Nǐ lái bù lái dōu ~, fǎnzhèng rén yǐjīng gòu yòng le.* It doesn't make any difference whether you come or not since there're already enough hands available. ❷ 不存在关系或联系 have no

M

relationship：这件事和他~。*Zhè jiàn shì hé tā ~.* It doesn't have anything to do with him. ｜这事和我没什么关系。*Zhè shì hé wǒ méi shénme guānxì.* This affair has nothing to do with me.

² **没什么** méi shénme 没关系，不要紧 do not matter：摔了一跤~。*Shuāile yì jiāo ~.* I just had a fall, nothing serious. ｜，你先走吧。~，*nǐ xiān zǒu ba.* It doesn't matter, and you may leave first.

² **没事儿** méi shìr ❶〈动 v.〉没有事情做，有空闲 have nothing to do; be free：你~跟我去看电影吧。*Nǐ ~ gēn wǒ qù kàn diànyǐng ba.* Let's go to the movie if you are free. ｜~的时候常来坐坐。*~ de shíhou cháng lái zuòzuo.* Come and visit me whenever you are free. ｜我这几天没什么事儿，你有事叫我。*Wǒ zhè jǐ tiān méi shénme shìr, nǐ yǒu shì jiào wǒ.* Since I'm free these days, you may just call me if there is anything I can do for you. ❷〈动 v.〉没有事故或意外 nothing serious：我~了，伤都好了。*Wǒ ~ le, shāng dōu hǎo le.* I'm all right now; the injury has healed. ｜我~，一点儿也没伤着。*Wǒ ~, yìdiǎnr yě méi shāngzhe.* I'm OK; I didn't get hurt at all.

² **没说的** méishuōde ❶ 指无可指责 perfect; flawless：要说他的英语，那真是~。*Yào shuō tā de Yīngyǔ, nà zhēnshì ~.* He speaks perfect English. ｜他工作~，就是不爱讲话。*Tā gōngzuò ~, jiùshì bú ài jiǎnghuà.* He is flawless in his work, only that he is too quiet. ❷ 指不成问题；理当如此 needless to say; naturally：按时完成任务，那~。*Ànshí wánchéng rènwù, nà ~.* There is no doubt that we shall fulfill the task on time. ｜需要帮忙说一声儿，咱俩~。*Xūyào bāngmáng shuō yì shēngr, zán liǎ ~.* Let me know if you need any help, since we are best friends. ❸ 指没有商量或分辩的余地 no question about it; no doubt：按规定，明天该你了，~！*Àn guīdìng, míngtiān gāi nǐ le, ~!* According to the rule, it'll be your turn tomorrow and there's no question about it! ｜这是我的书，说不借就不借，~！*Zhè shì wǒ de shū, shuō bú jiè jiù bú jiè, ~!* This is my book. I'll not lend it if I don't want to and there's no doubt about that!

² **没意思** méi yìsi ❶ 无聊 bored：整天闲呆着，真~。*Zhěngtiān xiándāizhe, zhēn ~.* I'm bored stiff staying idle all day long. ｜和他在一起真没什么意思。*Hé tā zài yìqǐ zhēn méi shénme yìsi.* I feel so bored to stay with him. ❷ 没有趣味 dull; boring：这本书~。*Zhè běn shū ~.* This book is boring. ｜这个电影太~了。*Zhège diànyǐng tài ~ le.* This movie is so boring. ｜她说这话特别~。*Tā shuō zhè huà tèbié ~.* What she said was so boring.

² **没用** méi//yòng ❶ 没有价值；没有用处 valueless; useless：这些电脑都过时了，~了。*Zhèxiē diànnǎo dōu guòshí le, ~ le.* These computers are all outdated and valueless. ｜~的东西都卖了吧。*~ de dōngxi dōu mài le ba.* Sell all the useless stuff. ｜这些报纸没什么用了。*Zhèxiē bàozhǐ méi shénme yòng le.* These newspapers have no more value. ❷ 指人没有能力，不中用 incapable：你真~，什么事都办不好。*Nǐ zhēn ~, shénme shì dōu bàn bù hǎo.* You're good for nothing; you can't get anything done. ｜我真是个~的人，让您失望了。*Wǒ zhēn shì gè ~ de rén, ràng nín shīwàng le.* Sorry to make you disappointed; I am such an incapable man.

² **没有** méiyǒu ❶〈副 adv.〉表示'已然'的否定 (the negative form of '已然 yǐrán') not yet：会议还~散，你快说两句吧。*Huìyì hái ~ sàn, nǐ kuài shuō liǎng jù ba.* Lose no time saying a few words before the meeting is over. ❷〈副 adv.〉表示'曾经'的否定 (negative form of '曾经 céngjīng') never：他从来~学过汉语。*Tā cónglái ~ xuéguo Hànyǔ.* He never learnt Chinese. ｜我从来~想过当演员。*Wǒ cónglái ~ xiǎngguo dāng yǎnyuán.* I never dreamt of becoming an actor. ｜我还~去过长城呢。*Wǒ hái ~ qùguo*

Chángchéng ne. I have not visited the Great Wall yet. ❸〈副 *adv.*〉用于问句句末，表示客观的询问 used at the end of a question to indicate the inquiry about facts：你吃了药~?*Nǐ chīle yào ~*? Have you taken medicine? ❹〈副 *adv.*〉用于问句句中，表示怀疑或惊讶 used in a question to indicate a tone of doubt or surprise：他~对你说? *Tā ~ duì nǐ shuō*? He hasn't told you about it yet? │你~去应聘? *Nǐ ~ qù yìngpìn*? How come you didn't go for the job interview? ❺〈副 *adv.*〉用于回答问题 not; no; used in answering a question：你去过她家没有? —— 去过。*Nǐ qùguo tā jiā méiyǒu*? —— *qùguo*. Have you been to her home?—Not yet. │你看过这部小说没有? ——~。*Nǐ kàn guo zhè bù xiǎoshuō méiyǒu*? —~. Have you read this novel?—No, I haven't. ❻〈动 *v.*〉表示对'领有''具有'的否定(negative form of '领有lǐngyǒu' or '具有jùyǒu') do not have：我~这么多钱。*Wǒ ~ zhème duō qián*. I don't have so much money. │你~道理反对他。*Nǐ ~ dàolǐ fǎnduì tā*. You have no excuse against him. ❼〈动 *v.*〉表示对'存在'的否定(negative form of '存在cúnzài') there is no...：河里~船。*Hé li ~ chuán*. There is no boat on the river. │操场上一个人也~。*Cāochǎng shang yí gè rén yě ~*. There's nobody on the playground. ❽〈动 *v.*〉用在'谁''哪个'等词前，表示'全都不' used before '谁shéi''哪个nǎge', etc., meaning 'nobody'：~谁会相信他的话。*~ shéi huì xiāngxìn tā de huà*. Nobody can believe what he said. │在我们学校~哪个不知道他的。*Zài wǒmen xuéxiào ~ nǎge bù zhīdào tā de*. In our school, everybody knows him. ❾〈动 *v.*〉不如；比不上 be not so... as：她~你漂亮。*Tā ~ nǐ piàoliang*. She is not as pretty as you are. │北方~南方那么热。*Běifāng ~ nánfāng nàme rè*. The North is not so hot as the South. ❿〈动 *v.*〉不够；不到 be less than：干了还~一个星期他就辞职了。*Gànle hái ~ yí gè xīngqī tā jiù cízhí le*. He resigned after working for no more than a week. │这间房间绝对~20平方米。*Zhè jiān fángjiān juéduì ~ èrshí píngfāngmǐ*. The size of this room is absolutely less than 20 square meters.

⁴ **没辙** méi//zhé〈动 *v.*〉没有办法 can find no way out; be at the end of one's rope：家里不同意，我也~。*Jiā li bù tóngyì, wǒ yě ~*. The family doesn't agree and there is nothing I can do about it. │这件事太难办了，谁都~。*Zhè jiàn shì tài nánbàn le, shéi dōu ~*. It is simply too difficult and nobody can find a way out. │他就是不吃不喝，妈妈也没什么辙。*Tā jiùshì bù chī bù hē, māma yě méi shénme zhé*. He refused to eat and drink; even mother could hardly do anything about it.

⁴ **玫瑰** méigui ❶〈名 *n.*〉(棵kē、株zhū)落叶灌木，花有白、黄、红、紫红等色，是一种观赏植物 rose：~园 ~yuán rose garden │院子里种满了~。*Yuànzi li zhòngmǎnle ~*. The courtyard is full of roses. ❷〈名 *n.*〉(朵duǒ、支zhī、束shù) 这种植物的花朵 rose (as a flower)：他送给女朋友一朵红~。*Tā sòng gěi nǚ péngyou yì duǒ hóng ~*. He sent his girlfriend a red rose.

⁴ **枚** méi ❶〈量 *meas.*〉用于形体较小的成片的东西，与'个'相近 similar to '个gè', used for small, thin layer of sth.：一~奖章 *yì ~ jiǎngzhāng* a souvenir badge │两~硬币 *liǎng ~ yìngbì* two coins │三~邮票 *sān ~ yóupiào* three stamps ❷〈量 *meas.*〉用于某些武器 used for certain weapons：一~火箭 *yì ~ huǒjiàn* a rocket │十数~导弹 *shí shù ~ dǎodàn* a dozen missiles ❸〈量 *meas.*〉一个一个 one after another：新人新事，不胜一举。*Xīnrén xīnshì, búshèng-~jǔ*. The new people and new things emerging are too many to enumerate.

³ **眉毛** méimao〈名 *n.*〉(根gēn)生在眼眶上沿的毛 eyebrow：他的~又粗又黑。*Tā de ~ yòu cū yòu hēi*. He has thick and dark eyebrows. │老爷爷连~都白了。*Lǎoyéye lián ~ dōu bái le*. Old Grandpa's eyebrows have turned white. │火烧~(比喻十分急迫)。

M

Huǒshāo ~（*bǐyù shífēn jípò*）. Fire burning he eyebrows（*fig.* in a desperate situation）.

³ **眉头** méitóu　〈名 *n.*〉两眉之间和附近的地方 brows：这事又没让你办，你皱什么~？ *Zhè shì yòu méi ràng nǐ bàn, nǐ zhòu shénme ~?* This task is not assigned to you, so why are you knitting your brows？│遇到一点儿困难他就皱。*Yùdào yìdiǎnr kùnnan tā jiù zhòu ~.* He frowns even at the slightest difficulty.│一皱，计上心来（意为经过思考就会产生好的主意）。*~ yí zhòu, jì shàng xīn lái*（*yì wéi jīngguò sīkǎo jiù huì chǎnshēng hǎo de zhǔyi*）. Knit the brows and a stratagem comes to mind（meaning: one comes up with a good idea after a period of thinking）.

³ **梅花** méihuā〈名 *n.*〉（朵duǒ）梅树My的花 plum blossom：院子里~都开了，春天不远了。*Yuànzi li ~ dōu kāi le, chūntiān bù yuǎn le.* As the plum in the courtyard is blossoming, it won't be long before the spring comes.

⁴ **媒介** méijiè〈名 *n.*〉（种zhǒng、个gè）使双方发生关系的人或事物 medium; vehicle：报纸是重要的新闻~。*Bàozhǐ shì zhòngyào de xīnwén ~.* The newspaper is an important news medium.│蚊子是某些传染病的~。*Wénzi shì mǒuxiē chuánrǎnbìng de ~.* The mosquito is a vehicle of certain contagious diseases.

² **煤** méi〈名 *n.*〉（块kuài）黑色或黑褐色的矿物，是重要的燃料和化工原料 coal：~是取暖、做饭的主要燃料。*~ shì qǔnuǎn, zuòfàn de zhǔyào ránliào.* Coal is the main fuel for heating and cooking.│中国是产~大国。*Zhōngguó shì chǎn ~ dàguó.* China is a major producer of coal.

² **煤气** méiqì ❶〈名 *n.*〉把煤和空气隔绝加热分解成的气体，可作燃料和化工原料（coal）gas：现在家家户户都用~做饭。*Xiànzài jiājiā-hùhù dōu yòng ~ zuòfàn.* Nowadays all the households use gas for cooking. ❷〈名 *n.*〉煤不完全燃烧时产生的气体，主要成分是一氧化碳，有毒 gas, obtained from incompletely burned coal, mainly consisting of carbon monoxide, poisonous：在屋里烧煤炉，容易中~。*Zài wū li shāo méilú, róngyì zhòng~.* Carbon monoxide poisoning tends to take place in a house where a coal stove is used.

⁴ **酶** méi〈名 *n.*〉（种zhǒng）生物体细胞产生的有机胶状物质，由蛋白质组成 enzyme; ferment; any of various proteins, originating in living cells：淀粉~ *diànfěn*~ starch yeast│蛋白~ *dànbái*~ protease

⁴ **霉** méi ❶〈名 *n.*〉霉菌 mould; mildew：青~ *qīng* ~ penicilium ❷〈动 *v.*〉东西因霉菌的作用而变质 become mildewy; go mouldy：发~ *fā*~ go mouldy│烂 *làn* mildew and rot│~变的食物吃不得。*~biàn de shíwù chī bùdé.* Mildewed food is inedible.

¹ **每** měi ❶〈代 *pron.*〉指全体中的任何一个或一组，表示没有例外（meaning without exception）every; each：~个儿童都要接受义务教育。*~ gè értóng dōu yào jiēshòu yìwù jiàoyù.* Every child is supposed to receive compulsory education.│我要他记住所学的一个字。*Wǒ yào tā jìzhù suǒ xué de ~ yí gè zì.* I required him to remember every single word he learnt.│~个班都有一名辅导老师。*~ gè bān dōu yǒu yì míng fǔdǎo lǎoshī.* Each class has a tutoring coach. ❷〈副 *adv.*〉表示同一动作有规律地重复出现 on each occasion（the regular occurring of an action）：这种周报，~逢周一出版。*Zhèzhǒng zhōubào, ~ féng zhōu yī chūbǎn.* This weekly is published on each Monday.│~逢星期日他都要回家看望父母。*~ féng xīngqīrì tā dōu yào huíjiā kànwàng fùmǔ.* On Sundays he goes back home to visit his parents.│这支球队所向无敌，~战必胜。*Zhè zhī qiúduì suǒxiàngwúdí, ~ zhàn bì shèng.* This team is invincible and has always been a winner.

² **美** měi ❶〈形 *adj.*〉漂亮；好看（与‘丑’相对）pretty; beautiful（opposite to ‘丑chǒu’）：西湖的景色真~。*Xīhú de jǐngsè zhēn ~.* The scenery of the West Lake is really beautiful.

M

| 长得~，不如心灵~。*Zhǎng de ~, bùrú xīnlíng ~.* A pretty look is not as valuable as a beautiful mind. | 爱~之心人皆有之。*Ài ~ zhī xīn rén jiē yǒu zhī.* It is in human nature to love beauty. ❷〈形 *adj.*〉令人满意的；好 good; satisfactory: 他们的生活过得很~。*Tāmen de shēnghuó guò de hěn ~.* They're leading a happy life. | 光想玩儿不想努力，又想得好成绩，哪儿有这样的~事！*Guāng xiǎng wánr bù xiǎng nǔlì, yòu xiǎng dé hǎo chéngjì, nǎr yǒu zhèyàng de ~ shì!* All play and no work in the hope of obtaining good grades; how can such a thing be possible? ❸〈动 *v.*〉使事物变美 beautify: ~容 ~*róng* cosmetology | ~发 ~*fà* (of men) get a haircut; (of women) go to the hairdresser's ❹〈动 *v. ƒ dial.*〉高兴；得意 be pleased with oneself: 她听了老师的称赞，心里~极了。*Tā tīngle lǎoshī de chēngzàn, xīnli ~jí le.* She felt pleased with herself after hearing a few words of praise from the teacher. ❺〈名 *n.*〉美好的事物；好事 beautiful things: 君子成人之~。*Jūnzǐ chéng rén zhī ~.* A virtuous man should help others to fulfill their wishes. | 我们要去郊游，偏偏天公不作~，下起了大雨。*Wǒmen yào qù jiāoyóu, piānpiān tiāngōng bú zuò~, xiàqǐle dà yǔ.* We were about to go on an outing. However, Heaven was not cooperative and it started to rain. ❻(Měi)〈名 *n.*〉指美洲或美国 America; the United States of America: 北~ *Běi* ~ North America | 欧~ *Ōu* ~ Europe and America | ~元 ~*yuán* US dollar | ~籍华人 ~*jí huárén* Chinese American

美德 měidé〈名 *n.*〉(种zhǒng)可作模范的好品德 virtue; moral excellence: 讲究卫生的~应该发扬光大。*Jiǎngjiū wèishēng de ~ yīnggāi fāyáng-guāngdà.* Paying attention to hygiene is a virtue that should be carried forward. | 尊老爱幼是中国人的传统~。*Zūnlǎo-àiyòu shì Zhōngguórén de chuántǒng ~.* Showing respect for the old and love for the young is a traditional virtue of the Chinese people.

美观 měiguān〈形 *adj.*〉外形好看；漂亮 (of appearance) pleasing to the eye; beautiful: 这些服装~大方。*Zhèxiē fúzhuāng ~ dàfang.* These costumes are elegant and in good taste. | 室内装修得十分~。*Shìnèi zhuāngxiū de shífēn ~.* The interior decoration is exceedingly pleasing to the eye. | 家具的样式又新潮又~。*Jiājù de yàngshì yòu xīncháo yòu ~.* The style of the furniture is both fashionable and beautiful.

美好 měihǎo〈形 *adj.*〉好 (多用于生活、前途、愿望等抽象事物)(of life, future, aspiration, etc.) fine; glorious: 我们的生活会更~。*Wǒmen de shēnghuó huì gèng ~.* Our life is bound to be even better. | 青年人都有一个~的前途。*Qīngniánrén dōu yǒu yí gè ~ de qiántú.* The young people all have a glorious future. | 他给我留下了~的印象。*Tā gěi wǒ liúxiàle ~ de yìnxiàng.* He left me with a good impression.

美丽 měilì ❶〈形 *adj.*〉漂亮，好看；使人看后产生快感的 beautiful; good-looking: 公园里到处盛开着~的鲜花。*Gōngyuán li dàochù shèngkāizhe ~ de xiānhuā.* Beautiful flowers are blooming in every corner of the park. | 祖国的山河多么~! *Zǔguó de shānhé duōme ~!* How beautiful are the motherland's mountains and rivers! | 她是一位~动人的姑娘。*Tā shì yí wèi ~ dòngrén de gūniang.* She is a beautiful andcharming girl. ❷〈形 *adj.*〉美丽而高尚 fine and noble: 她的内心世界是崇高而~的。*Tā de nèixīn shìjiè shì chónggāo ér ~ de.* She has a lofty and noble mind.

美满 měimǎn〈形 *adj.*〉美好，圆满 satisfactory; perfect: 他们的家庭幸福~。*Tāmen de jiātíng xìngfú ~.* They are living a happy family life. | 他们过着~的生活。*Tāmen guòzhe ~ de shēnghuó.* They are leading a happy life. | 他们日子过得挺~。*Tāmen rìzi guò de tǐng ~.* They are living in happiness.

美妙 měimiào〈形 *adj.*〉美好、奇妙 beautiful; splendid; wonderful: 这里~的风光给人留下了深刻印象。*Zhèli ~ de fēngguāng gěi rén liúxiàle shēnkè yìnxiàng.* The beautiful

M

scenery here left the visitors with a deep impression. │ 远处传来了~的琴声。*Yuǎn chù chuánláile ~ de qín shēng.* The pleasant sound of violin can be heard from afar.

² **美术** měishù 〈名 *n.*〉泛指造型艺术，包括绘画、雕塑等；有时也专指绘画 fine arts; sometimes only referring to painting: 她从小就喜欢~。*Tā cóngxiǎo jiù xǐhuan ~.* She has always liked fine arts since her childhood. │ 老师送给了我一幅~作品。*Lǎoshī sòng-gěile wǒ yì fú ~zuòpǐn.* The teacher gave me a work of fine arts.

² **美元** měiyuán 〈名 *n.*〉美国的本位货币，也叫'美金' US dollar; monetary unit of the USA, also called '美金měijīn': 1~等于100美分。*Yì ~ děngyú yìbǎi měifēn.* One US dollar equals to 100 cents. │ ~可以兑换成人民币。*~ kěyǐ duìhuàn chéng rénmínbì.* The US dollar can be converted into RMB *yuan.*

⁴ **美中不足** měizhōng-bùzú 〈成 *idm.*〉虽然很好，但还有缺陷或不够好的地方 a blemish in an otherwise perfect thing: 北京之游大家都很高兴，~之处是时间太紧。*Běijīng zhī yóu dàjiā dōu hěn gāoxìng，~ zhī chù shì shíjiān tài jǐn.* All of us felt pleased with the Beijing tour, except that the time was a little too short. │ 这次去上海玩儿得很高兴，可是没见到老朋友，总感到有点儿~。*Zhè cì qù Shànghǎi wánr de hěn gāoxìng，kěshì méi jiàndào lǎo péngyou, zǒng gǎndào yǒudiǎnr ~.* I enjoyed my Shanghai tour to my heart's content except that we didn't see my old friends.

⁴ **镁** měi 〈名 *n.*〉一种金属元素，符号Mg magnesium: ~光 ~*guāng* magnesium light │ ~光灯 ~*guāngdēng* magnesium lamp

¹ **妹妹** mèimei ❶〈名 *n.*〉(个gè)同父母所生而比自己年龄小的女子 younger sister: 我~已经上学了。*Wǒ ~ yǐjīng shàngxué le.* My younger sister already attends school. │ 他有一个又聪明又活泼的小~。*Tā yǒu yí gè yòu cōngming yòu huópo de xiǎo ~.* He has a clever and lively younger sister. ❷〈名 *n.*〉(个gè)同辈而比自己年龄小的女子 younger female of the same generation: 同学中她最小，大家都把她当作小~。*Tóngxué zhōng tā zuì xiǎo, dàjiā dōu bǎ tā dàngzuò xiǎo ~.* Being the youngest among all her classmates, she is regarded as a younger sister by them all.

³ **闷** mēn ❶〈形 *adj.*〉气压低或空气不流通而引起的不舒畅的感觉 stuffy; stifling: 天气又热又~。*Tiānqì yòu rè yòu ~.* It is hot and stifling. │ 教室里太~了。*Jiàoshì li tài ~ le.* It is so stuffy in the classroom. │ 屋子小，人又多，~极了。*Wūzi xiǎo, rén yòu duō, ~jí le.* With so many people in such a small room, it is extremely stuffy. ❷〈形 *adj.* 方 *dial.*〉声音低沉 (of a voice) muffled: 这把提琴的声音有点儿~。*Zhè bǎ tíqín de shēngyīn yǒudiǎnr fā ~.* The sound of this violin is a little muffled. ❸〈动 *v.*〉使不透气 cover tightly: 茶刚泡上，一~一会儿才能有香味。*Chá gāng pàoshang, ~ yíhuìr cái néng yǒu xiāngwèi.* The tea is just made, so it needs to draw for a while before giving out fragrance. ❹〈动 *v.*〉呆在屋里不出门 confine oneself indoors: 出去走走，别老~在家里。*Chūqù zǒuzou, bié lǎo ~ zài jiāli.* Don't just shut yourself indoors; do go out and take a walk. ❺〈动 *v.*〉不吭声；不张扬 be speechless; remain silent: 他就知道~头儿干活。*Tā jiù zhīdào ~tóur gànhuó.* He always works quietly.

☞ mèn, p. 684

¹ **门** mén ❶〈名 *n.*〉(道dào、个gè)房屋、车船、院子的出入口 (of a house, vehicle, ship, courtyard, etc.) door; gate: 坐公共汽车，前~上，后~下。*Zuò gōnggòng qìchē, qián ~ shàng, hòu ~ xià.* When taking a bus, one should get on through the front door and get off through the rear door. │ 公园只有一道~。*Gōngyuán zhǐ yǒu yí dào ~.* The park has only one gate. ❷〈名 *n.*〉(扇shàn、个gè、道dào)安装在出入口的装置 door: 教室的~坏了。*Jiàoshì de ~ huài le.* The door of the classroom is broken. ❸〈~儿〉〈名 *n.*〉(扇

shàn、个gè)器物可以开关的部分 any opening：柜~ㄦ *guì* ~r cupboard door｜炉~ㄦ *lú* ~r stove door｜书柜安了个推拉~ㄦ. *Shūguì ānle gè tuīlā* ~r. The bookcase is equipped with a pull-and-push door. ❹〈名 *n.*〉形状或作用像门的valve; switch：球~ *qiú*~ goal｜电~ *diàn*~ switch｜闸~ *zhá*~ floodgate ❺(~ㄦ)〈名 *n.*〉门路；门径 way to do things; knack：窍~ *qiào*~ key to a problem; knack｜《汉语语法入~》'*Hànyǔ Yǔfǎ Rù*~' *Introduction to Chinese Grammar*｜这活ㄦ我已经有点ㄦ摸着~ㄦ了. *Zhè huór wǒ yǐjīng yǒudiǎnr mōzháo* ~r *le*. I've got the hang of this job. ❻〈名 *n.*〉家族或家庭 family; clan：名~闺秀 *míng~ guīxiù* daughter of an eminent famliy｜他出身于书香~第. *Tā chūshēn yú shūxiāng~dì*. He was born in a scholar's family. ❼〈名 *n.*〉宗教或学术上的派别 school (of thought); (religious) sect：佛~ *fó*~ Buddhism｜~户之见 *~hùzhījiàn* sectarian bias ❽〈名 *n.*〉传统指跟师傅有关的 relating to the master or teacher：他是你的得意~生,所以你总是护着他. *Tā shì nǐ de déyì ~shēng, suǒyǐ nǐ zǒngshì hùzhe tā*. He is your favorite student, so you're always partial to him. ❾〈名 *n.*〉事物的类别 category：分~别类 *fēn~biélèi* classify according to catergories｜热~ *rè*~ in great demand; popular｜冷~ *lěng*~ not much in demand; a profession or branch of learning that receives little attention ❿〈名 *n.*〉生物学的分类等级之一 phylum：原生动物~ *yuánshēng dòngwù* ~ protozoa｜被子植物~ *bèizǐ zhíwù* ~ angiosperm ⓫〈量 *meas.*〉用于炮 of artillery：两~大炮 *liǎng* ~ *dàpào* two cannons｜三~高射炮 *sān* ~ *gāoshèpào* three antiaircraft guns ⓬〈量 *meas.*〉用于功课、专业、学问等 of course, major, field of study, etc.：五~功课 *wǔ* ~ *gōngkè* five courses｜一~学问 *yì* ~ *xuéwèn* a field of study｜这~技术很有用处. *Zhè* ~ *jìshù hěn yǒu yòngchu*. This technique is of great use. ⓭〈量 *meas.*〉用于婚姻、亲戚 of marriage, relative, etc.：这~亲事门当户对. *Zhè* ~ *qīnshì méndāng-hùduì*. This couple are well-matched in social and economic status.｜他是我的一~远房亲戚. *Tā shì wǒ de yì* ~ *yuǎnfáng qīnqi*. He is a distant relative of mine. ⓮〈量 *meas.*〉用于电话交换机 of telephone switchboard：一年之内这座城市新增电话50万~. *Yì nián zhī nèi zhè zuò chéngshì xīn zēng diànhuà wǔshí wàn* ~. The number of telephones in this city has increased by 500,000 within one year. ⓯〈量 *meas.*〉用于心思,数词限用'一' of one's attention; used with the only numeral '一yì'：他一~心思想上大学. *Tā yì~xīnsī xiǎng shàng dàxué*. He throws himself wholeheartedly into hard work in the hope of attending college.

⁴ **门当户对** méndāng-hùduì〈成 *idm.*〉指男女双方家庭的社会地位和经济状况相当,结亲很合适 well-matched in social and economic status (for purposes of marriage)：年轻人讲究自由恋爱,不在乎什么~. *Niánqīngrén jiǎngjiū zìyóu liàn'ài, búzàihu shénme* ~. The young people pursue the freedom to choose their spouses and do not care about the so-called 'well-matched social and economic status'.

¹ **门口** ménkǒu (~ㄦ)〈名 *n.*〉门前的附近 entrance; doorway：我家~就是大街. *Wǒ jiā* ~ *jiùshì dàjiē*. There's a street in front of my house.｜车停在大~了. *Chē tíng zài dà* ~ *le*. The car is parked in the doorway.

⁴ **门市部** ménshìbù〈名 *n.*〉(家jiā、个gè)零售货物的商店 salesroom; retail store：公司开了两个~,卖自己的产品. *Gōngsī kāile liǎng gè* ~, *mài zìjǐ de chǎnpǐn*. The company has opened two retail stores selling its own products.｜小~商品还不少. *Xiǎo* ~ *shāngpǐn hái bù shǎo*. The small salesroom sells a lot of commodities.

³ **门诊** ménzhěn〈名 *n.*〉医生在医院给不住院的病人看病 outpatient service：星期日医院没有~. 平常时间, 医院的~病人很多. *Xīngqīrì yīyuàn méiyǒu* ~. *Píngcháng shíjiān, yīyuàn de* ~ *bìngrén hěn duō*. On Sundays, the hospital does not provide outpatient

service, while at other times the hospital is crowded with outpatients.

³ **闷 mèn ❶**〈形 *adj.*〉心情不舒畅；心烦 bored; depressed; agitated：愁~ *chóu* ~ feel gloomy｜烦~ *fán* ~ be unhappy｜~~不乐 ~~*búlè* in low spirits｜下了几天雨，心里~极了。*Xiàle jǐ tiān yǔ, xīn li ~ jí le.* It has been raining for several days and I feel so depressed. **❷**〈形 *adj.*〉不透气的；密封的 tightly closed; sealed：~罐车 ~*guànchē* boxcar

☞ **mēn**, p. 682

¹ **们 men**〈词尾 *suff.*〉用在代词或指人的名词后面，表示复数 used after a personal pronoun or a noun, indicating a plural form：我~ *wǒ* ~ we｜你~ *nǐ* ~ you｜他~ *tā* ~ they｜同学~，你~好。*Tóngxué~, nǐ ~ hǎo.* Hello, everyone (of my students).

³ **蒙 méng ❶**〈动 *v.*〉欺哄 deceive; hoodwink; swindle：大家都被他~了。*Dàjiā dōu bèi tā ~ le.* He has cheated us all.｜你别~人了。*Nǐ bié ~rén le.* Stop kidding.｜你~不了我。*Nǐ ~ bù liǎo wǒ.* You can never deceive me. **❷**〈动 *v.*〉乱猜 make a wild guess：我这是瞎~的。*Wǒ zhè shì xiā ~ de.* I was just guessing.｜不知道别乱~。*Bù zhīdào bié luàn ~.* No wild guessing if you don't know the answer.｜他想了半天也没~对。*Tā xiǎngle bàntiān yě méi ~duì.* He didn't get it right after thinking it over for a long time. **❸**〈形 *adj.*〉迷糊；不清醒；昏迷 unconscious; senseless：昨晚没睡好，今天头直发~。*Zuó wǎn méi shuì hǎo, jīntiān tóu zhí fā ~.* I feel my head swim since I didn't sleep well last night.｜强盗一棍子把他打~了。*Qiángdào yí gùnzi bǎ tā dǎ~ le.* The robber knocked him out with a stick.

⁴ **萌芽 méngyá ❶**〈动 *v.*〉植物发芽，比喻新生事物刚刚产生 sprout; germinate; *fig.* (of new things) originate：春天到了，柳树~了。*Chūntiān dào le, liǔshù ~ le.* With the coming of spring, the willow trees are sprouting.｜他们的爱情在共同的事业中~了。*Tāmen de àiqíng zài gòngtóng de shìyè zhōng ~ le.* Their love has sprouted in their common cause. **❷**〈名 *n.*〉植物新生出来的幼芽，比喻刚产生而还未成长壮大的事物 bud; germ; *fig.* sth. rudimentary：花草的~，预示春的到来。*Huācǎo de ~, yùshì chūn de dàolái.* The buds of flowers and grass foretell the coming of spring.｜我们要扶植处于~状态的新事物 *Wǒmen yào fúzhí chǔyú ~ zhuàngtài de xīn shìwù.* We should support the growth of new things in their embryonic stage.

³ **猛 měng ❶**〈形 *adj.*〉凶猛 fierce; violent：这是一只白额吊睛~虎。*Zhè shì yì zhī bái é diào jīng ~ hǔ.* This is a fierce tiger with white forehead and wide-open eyes.｜我军的炮火很~。*Wǒ jūn de pàohuǒ hěn ~.* The shellfire by our troops was very heavy.｜洪水~涨，大堤很危险。*Hóngshuǐ ~ zhǎng, dàdī hěn wēixiǎn.* The flood water wildly surged, putting the dam in great danger. **❷**〈形 *adj.*〉勇猛 bold and powerful：他是我队的一员~将。*Tā shì wǒ duì de yì yuán ~ jiàng.* He is a bold and powerful member of our team. **❸**〈副 *adv.*〉突然，忽然 suddenly; abruptly：~一看，姐妹俩还真有点儿像。*~ yí kàn, jiěmèi liǎ hái zhēn yǒudiǎnr xiàng.* At the first glance, you'll find the two sisters a little alike.｜5号球员~地抬脚劲射，啊！球进了。*Wǔ hào qiúyuán ~ de tái jiǎo jìnshè, ā! qiú jìn le.* Number 5 player abruptly raised his foot and shot a goal. Oh, a goal is scored. **❹**〈副 *adv.*〉迅猛；猛烈 violently; vigorously：我们的事业突飞~进地发展。*Wǒmen de shìyè tūfēi~jìn de fāzhǎn.* Our cause has advanced by leaps and bounds. **❺**〈副 *adv.*〉尽情地 to one's heart's content：昨天我们在他家~侃了一个晚上。*Zuótiān wǒmen zài tā jiā ~kǎnle yí gè wǎnshang.* Yesterday we spent the whole night talking heartily at his home.

³ **猛烈 měngliè**〈形 *adj.*〉气势凶，力量大，来得突然 fierce; sudden：大火~地燃烧着

Dà huǒ ~ de ránshāozhe. The fire was burning fiercely. ｜敌人的炮火非常～。*Dírén de pàohuǒ fēicháng ~.* The enemy gunfire was very heavy. ｜～的攻势没有冲破我们的阵地。~ *de gōngshì méiyǒu chōngpò wǒmen de zhèndì.* The violent offensive failed to break our position.

³ **猛然** měngrán〈副 *adv.*〉表示动作、行为迅速而突然（of action, behavior）rapidly and abruptly：他～站起身来，向门外走去。*Tā ~ zhànqǐ shēn lái, xiàng mén wài zǒu qù.* He stood up abruptly and walked toward the door. ｜音乐～停了下来。*Yīnyuè ~ tíngle xià lái.* The music came to an abrupt halt. ｜听了这话，他一惊，差点儿摔倒。*Tīngle zhè huà, tā ~ yì jīng, chàdiǎnr shuāidǎo.* He was startled at those words and almost fell down.

² **梦** mèng ❶〈名 *n.*〉（个gè、场chǎng）睡眠时由于一部分大脑皮层还在活动或受其他刺激而引起的大脑中的表象活动 dream：这个美妙的～令人难以忘怀。*Zhège měimiào de ~ lìngrén nányǐ wànghuái.* This fond dream will remain unforgettable. ｜我做了一个～。*Wǒ zuòle yí gè ~.* I had a dream. ❷〈动 *v.*〉做梦：睡觉时大脑出现不真实的表象 dream：我每天都～见大海。*Wǒ měitiān dōu ~jiàn dàhǎi.* Every night I see the sea in my dream. ｜我～见了故乡和亲人。*Wǒ ~jiànle gùxiāng hé qīnrén.* I dreamed of my hometown and relatives.

³ **梦想** mèngxiǎng ❶〈动 *v.*〉渴望；妄想 dream of; vainly hope：他～当宇航员，遨游太空。*Tā ~ dāng yǔhángyuán, áoyóu tàikōng.* He dreams of becoming an astronaut to travel in the outer space. ｜他～长生不死。*Tā ~ chángshēng-bùsǐ.* He dreams of becoming immortal. ❷〈名 *n.*〉（个gè、种zhǒng）梦里的想法，比喻不切实际的想法 wishful thinking; fanciful vision：他有一个美丽的～。*Tā yǒu yí gè měilì de ~.* He has a fanciful vision for the future. ｜他的～破灭了。*Tā de ~ pòmiè le.* His fond dream has been shattered. ｜同一个世界，同一个～（2008奥运会主题口号）*tóng yí gè shìjiè, tóng yí gè ~*（èr-líng-líng-bā nián Àoyùnhuì zhǔtí kǒuhào）one world, one dream (a theme slogan of 2008 Olympic Games)

³ **眯** mī ❶〈动 *v.*〉眼皮微微合着 narrow one's eyes：老先生～上眼睛仔细瞧了瞧。*Lǎo xiānsheng ~shang yǎnjing zǐxì qiáole qiáo.* The old gentleman narrowed his eyes and took a close look. ｜他看东西眼睛总～着。*Tā kàn dōngxi yǎnjing zǒng ~zhe.* He always looks at things with narrowed eyes. ｜他笑得眼睛～成一条缝。*Tā xiào de yǎnjing ~ chéng yì tiáo fèng.* His eyes narrowed into a slit when he smiled. ❷〈动 *v.* 方 *dial.*〉小睡 take a nap：每天中午我都要～一会儿。*Měitiān zhōngwǔ wǒ dōu yào ~ yíhuìr.* I always take a short nap at noontime everyday.

⁴ **弥补** míbǔ〈动 *v.*〉补足不足之处，用以抵消其亏损、欠缺的方面 make up for; remedy：～不足～*bùzú* make up for the inadequacy ｜～漏洞～*lòudòng* cover a loophole ｜这是难以～的重大损失。*Zhè shì nányǐ ~ de zhòngdà sǔnshī.* This is a heavy loss hard to remedy.

⁴ **弥漫** mímàn〈动 *v.*〉本指水过满，四处流出。引申指烟、雾气、风雪、尘沙、光线和气味等充满空间或遍布各地 overflow;（of smoke, fog, wind and snow, dust, light, smell, etc.）spread all over the place：大雾～*dà wù ~* be enveloped in heavy fog ｜风沙～*fēngshā ~* be engulfed in duststorm ｜硝烟～*xiāoyān ~* be permeated with smoke of gun powder ｜清晨，炊烟～了小山村。*Qīngchén, chuīyān ~le xiǎo shāncūn.* Early in the morning, the small mountain village was blanketed in cooking smoke.

³ **迷** mí ❶〈动 *v.*〉分辨不清，失去判断能力 be confused; lose one's sense of judgement：我们在山上～了方向。*Wǒmen zài shān shang ~le fāngxiàng.* We lost our way in the

mountain. | 这里我很熟，~不了路。*Zhèli wǒ hěn shóu, ~ bù liǎo lù.* I know this place like the back of my hand and will never get lost. ❷〈动 v.〉因对某人或某物过于爱好而沉醉 indulge in：他~上了游戏机。*Tā ~shangle yóuxìjī.* He indulged himself in video games. | 他看小说都入了~了。*Tā kàn xiǎoshuō dōu rù le ~ le.* He was crazy about reading novels. ❸〈动 v.〉使迷惑或陶醉 fascinate or enchant sb.：你财~心窍了。*Nǐ cái~xīnqiào le.* You're obsessed with lust for money. ❹〈名 n.〉非常喜爱某一事物的人 devotee (of sth.); enthusiast：财~cái~ moneygrubber | 歌~gē~ singing fan | 棋~qí~ chess fiend | 球~qiú~ ball fan | 影~yǐng~ movie fan

³ **迷糊** míhu〈形 adj.〉(神志或眼睛)模糊不清 (of mind) muddled; (of vision) dim：你这么说，我更~了。*Nǐ zhème shuō, wǒ gèng ~ le.* Your words have made me all the more confused. | 她整天迷迷糊糊的，不知想什么呢。*Tā zhěngtiān mímí-hūhū de, bù zhī xiǎng shénme ne.* She looks dazed all day long and no one knows what she is thinking about. | 我最近视力下降，看东西有些~。*Wǒ zuìjìn shìlì xiàjiàng, kàn dōngxi yǒuxiē ~.* My eyesight has become poor and what I see always seems blurred.

⁴ **迷惑** míhuò ❶〈动 v.〉辨不清是非，摸不着头脑 puzzle; confuse：听了他的话，我心中又~起来。*Tīngle tā de huà, wǒ xīn zhōng yòu ~ qǐlái.* I felt puzzled again after hearing his words. | 想来想去，我总觉得~不解。*Xiǎng lái xiǎng qù, wǒ zǒng juéde ~ bùjiě.* After pondering over and over again, I still feel confused about it. ❷〈动 v.〉使迷惑 confuse sb.; mislead：我们不会被他的花言巧语所~。*Wǒmen bú huì bèi tā de huāyán-qiǎoyǔ suǒ ~.* We will never be misled by his honeyed words. | 谣言~了不少人。*Yáoyán ~ le bùshǎo rén.* The rumor misled a lot of people.

⁴ **迷失** míshī〈动 v.〉弄不清道路、方向等 lose (one's way, etc.)：~航向 ~ hángxiàng drift off course | 山路盘旋，我们一时竟~了归路。*Shānlù pánxuán, wǒmen yìshí jìng ~ le guīlù.* We lost our way home on the winding mountain path.

³ **迷信** míxìn ❶〈动 v.〉信仰鬼神、命运等；泛指盲目信仰崇拜 be superstitious; have blind faith in：奶奶特别~鬼神。*Nǎinai tèbié ~ guǐshén.* Grandma has superstitious beliefs in ghosts and immortals. | 他不~任何人，只相信科学。*Tā bù ~ rènhé rén, zhǐ xiāngxìn kēxué.* He has no blind faith in anyone; he only believes in science. ❷〈名 n.〉(种 zhǒng) 信仰鬼神、命运的行为，引申为盲目信仰崇拜的行为 act of being superstitious; superstition：破除~，解放思想。*Pòchú ~, jiěfàng sīxiǎng.* Do away with superstitions and emancipate the mind. | 盲目相信名人，也是一种~。*Mángmù xiāngxìn míngrén, yě shì yì zhǒng ~.* Blind belief in celebrities is a kind of superstition.

³ **谜语** míyǔ〈名 n.〉(个 gè, 条 tiáo)暗射事物或文字等供猜测的隐语 riddle：老师说了一个~让大家猜。*Lǎoshī shuōle yí gè ~ ràng dàjiā cāi.* The teacher devised a riddle for the students to guess.

M

米 mǐ ❶〈量 meas.〉国际单位制长度的主单位，俗称'公尺'，符号m，法语 metre 的音译 (colloq. called '公尺 gōngchǐ', shortened as m) meter：1~合3市尺。*Yī ~ hé sān shìchǐ.* 1 meter equals 3 Chinese *chi.* | 他身高1.75米。*Tā shēn gāo yī diǎn qī wǔ ~.* He is 1.75m tall. ❷〈名 n.〉稻米 rice：糯~nuò~ glutinous rice | 饭~fàn cooked rice ❸〈名 n.〉泛指某些植物去皮壳后的种子 shelled seed; husked seed：花生~huāshēng~ peanut kernel | 小~xiǎo~ millet ❹〈名 n.〉颗粒状的食物 small grain of food：海~hǎi~ dried sea shrimp | 蒜~suàn~ garlic clove

¹ **米饭** mǐfàn〈名 n.〉用大米或小米做成的饭 cooked rice or millet：学校食堂的~蒸得很好吃。*Xuéxiào shítáng de ~ zhēng de hěn hǎo chī.* The school canteen serves very delicious steamed rice.

² **秘密** mìmì ❶〈形 adj.〉有所隐藏,不让人知道(与'公开'相对) secret; confidential (opposite to '公开gōngkāi'): 这次行动很~。*Zhè cì xíngdòng hěn ~.* This is a highly confidential operation. | 他做的是~工作。*Tā zuò de shì ~ gōngzuò.* He is engaged in secret work. | 你们必须~行动。*Nǐmen bìxū ~ xíngdòng.* You must take secret action. ❷〈名 n.〉(个gè)指秘密的事情 secret: 军事~ *jūnshì* ~ military secret | 这个~被人发现了。*Zhège ~ bèi rén fāxiàn le.* The secret has been uncovered. | 这是我们之间的一个小~。*Zhè shì wǒmen zhījiān de yí gè xiǎo ~.* This is a small secret between us.

³ **秘书** mìshū ❶〈名 n.〉管理文书并协助机关或部门的负责人处理日常工作的人员;秘书职务 secretary; person who manages documents and assists his/her superior in handling day-to-day affairs: ~工作她很喜欢。*~ gōngzuò tā hěn xǐhuan.* She loves her job as a secretary. | 她是总经理的~。*Tā shì zǒngjīnglǐ de ~.* She is Managing Director's secretary. ❷〈名 n.〉使馆中介于参赞和随员之间的外交人员(at an embassy, a post at the level between counselor and attaché) secretary: 他是德国使馆的一等~。*Tā shì Déguó Shǐguǎn de yīděng ~.* He is the first secretary of the German Embassy.

² **密** mì ❶〈形 adj.〉事物之间的距离近,空隙小(与'稀''疏'相对) dense; close; thick (opposite to '稀xī' or '疏shū'): 小树种得太~了。*Xiǎo shù zhòng de tài ~ le.* The trees are planted too densely. | 庄稼太~了,得间苗。*Zhuāngjia tài ~ le, děi jiànmiáo.* The crops are grown too densely and it is necessary to thin out seedlings. ❷〈形 adj.〉关系近,感情好 close; intimate: ~切 ~qiè close; intimate | ~友 ~yǒu a close friend | 亲qīn~ intimate ❸〈形 adj.〉细致;精细 fine; meticulous: 精~仪器 jīng~yíqì precision instrument | 老奶奶在灯下~~地缝着衣服。*Lǎonǎinai zài dēng xià ~~ de féngzhe yīfu.* Old Grandma is sewing a dress meticulously in the lamp light. ❹〈形 adj.〉隐蔽的;不公开的 secret; confidential: ~件 ~jiàn secret message or document | ~谋 ~móu conspire; scheme | ~谈 ~tán secret talk | ~信 ~xìn confidential letter ❺〈名 n.〉秘密的事物 secret: 是叛徒向敌人告的~。*Shì pàntú xiàng dírén gào de ~.* It was the traitor who disclosed the secret to the enemy.

⁴ **密度** mìdù〈名 n.〉疏和密的程度 density; thickness: 中国的人口,东部大,西部小。*Zhōngguó de rénkǒu, dōngbù dà, xībù xiǎo.* The density of the Chinese population in the East is larger than that in the West. | 种庄稼要讲究~。*Zhòng zhuāngjia yào jiǎngjiū ~.* Much attention should be paid to the density of crops when growing them.

⁴ **密封** mìfēng〈动 v.〉严严实实地封闭 tightly seal; seal hermetically: ~舱 ~cāng sealed cabin | 用胶带可以~门窗。*Yòng jiāodài kěyǐ ~ ménchuāng.* The doors and windows can be sealed up with adhesive tape. | 窗户~不严,有点儿透风。*Chuānghu ~ bù yán, yǒudiǎnr tòufēng.* The window is not airtight and the wind is blowing through it.

² **密切** mìqiè ❶〈形 adj.〉关系近;感情好 close; intimate: 他们的关系非常~。*Tāmen de guānxì fēicháng ~.* They are very close to each other. | 他们之间有着~的联系。*Tāmen zhījiān yǒuzhe ~ de liánxì.* They have an intimate relationship. | 我们双方要~合作。*Wǒmen shuāngfāng yào ~ hézuò.* We should build a close cooperative relationship between both sides. ❷〈形 adj.〉仔细周到 careful; close: ~关注 ~guānzhù keep a close watch | ~配合 ~pèihé close cooperation | ~注视 ~zhùshì pay close attention to ❸〈动 v.〉使关系近 build close relationship: 要~师生之间的关系。*Yào ~ shīshēng zhījiān de guānxì.* The relationship between the teacher and the students should be fostered. | 文化交流可以~两国之间的关系。*Wénhuà jiāoliú kěyǐ ~ liǎng guó zhījiān de guānxì.* Cultural exchange can help build a closer relationship between two countries.

³ **蜜** mì ❶〈名 n.〉蜂蜜 honey: 蜜蜂正在花丛中采~ *Mìfēng zhèng zài huācóng zhōng*

cǎi ~. Bees are gathering honey among the flowers. │ 胃不舒服可以每天喝点ㄦ~。*Wèi bù shūfu kěyǐ měitiān hē diǎnr~*. If you have a sick stomach, you're advised to take some honey every day. ❷ 〈形 *adj.*〉甜美 sweet; honeyed：甜 ~ *tián* ~ sweet │ ~月 *~yuè* honeymoon │ 甜言~语 *tiányán~~yǔ* sweet words; fine-sounding words

² **蜜蜂** mìfēng〈名 *n.*〉(只zhī、个gè、群qún、窝wō)一种昆虫，能采花粉酿蜜 bee：花丛中飞来了一群~。*Huācóng zhōng fēiláile yì qún ~*. A swarm of bees flew to the flowers. │ 他养了一箱~。*Tā yǎngle yì xiāng ~*. He raises a box of bees.

⁴ **棉** mián ❶〈名 *n.*〉棉花 cotton; kapok：这个省是全国产~大省。*Zhège shěng shì quánguó chǎn ~ dà shěng*. This province is the country's major producer of cotton. │ 人们都喜欢穿~制品。*Rénmen dōu xǐhuan chuān ~zhìpǐn*. People like wearing cotton clothes. ❷〈名 *n.*〉草棉 cotton; levant cotton：木~枕头 *mù~ zhěntou* a pillow of kapok ❸〈名 *n.*〉像棉花的絮状物 cotton-like floss：石~ *shí~* asbestos │ 膨松~ *péngsōng~* high-loft cotton

² **棉花** miánhuā〈名 *n.*〉棉铃中的纤维，用来纺纱、絮衣服等 fiber in the cotton boll used for spinning yarn or making cotton wadding：~主要用于纺织工业。*~ zhǔyào yòngyú fǎngzhī gōngyè*. The cotton fiber is mainly used in the textile industry. │ 这个村每年都要种很多~。*Zhège cūn měinián dōu yào zhòng hěn duō ~*. A lot of cotton is planted in the village every year.

² **棉衣** miányī〈名 *n.*〉(件jiàn、身shēn)在里子和面料之间絮了棉花的衣服 cotton-padded clothes：寒冷的冬季，人们穿~御寒。*Hánlěng de dōngjì, rénmen chuān ~ yùhán*. In cold winter people wear cotton-padded clothes to keep warm. │ 新~比较保暖。*Xīn ~ bǐjiào bǎonuǎn*. New cotton-padded clothes can keep warmth effectively.

⁴ **免** miǎn ❶〈动 *v.*〉除去不要 exempt; dispense with; excuse sb. from sth.：不必要的手续就~了吧。*Bú bìyào de shǒuxù jiù ~ le ba*. All unnecessary formalities should be dispensed with. │ 校方~了他的副校长职务。*Xiàofāng ~le tā de fùxiàozhǎng zhíwù*. The school authorities removed him from the post of vice-chancellor of the school. ❷〈动 *v.*〉脱避 avoid; avert：~疫功能 *~yì gōngnéng* immunity │ 你的责任是~不了的。*Nǐ de zérèn shì ~ bù liǎo de*. You cannot shirk your responsibility. ❸〈副 *adv.*〉不可以；不要 can not; no：办公区域，闲人~进。*Bàngōng qūyù, xiánrén ~ jìn*. No admittance into the office area except on business.

⁴ **免除** miǎnchú〈动 *v.*〉去掉，解除 remit; relieve; prevent：上级领导~了他的职务。*Shàngjí lǐngdǎo ~le tā de zhíwù*. The superior leadership relieved him of his post. │ 海关不可能~他们的关税。*Hǎiguān bù kěnéng ~ tāmen de guānshuì*. The customs will not grant tax exemption to their goods.

⁴ **免得** miǎnde〈连 *conj.*〉以免，用在复句两个分句之间 so as not to; lest：到了上海，先给家里打个电话，~家里着急。*Dàole Shànghǎi, xiān gěi jiā li dǎ gè diànhuà, ~ jiā li zháojí*. When you arrive in Shanghai, make a phone call home lest your family worry about you. │ 还是带点ㄦ吃的吧，~路上饿着。*Háishi dài diǎnr chī de ba, ~ lù shang èzhe*. Take some food with you so that you'll not be hungry on the way. │ 话说得慢点ㄦ，~别人听不清。*Huà shuō de mmàndiǎnr, ~ biéren tīng bù qīng*. Speak slowly so that people can hear you clearly.

⁴ **免费** miǎn//fèi〈动 *v.*〉免缴费用；不收费 be free of charge：饭店~供应饮料。*Fàndiàn ~ gōngyìng yǐnliào*. The hotel provides drinks free of charge. │ 医院为他~治疗。*Yīyuàn wèi tā ~ zhìliáo*. The hospital provided him with free treatment. │ 书展可以~参观。*Shūzhǎn kěyǐ ~ cānguān*. Visitors are admitted to the book expo free of charge. │ 周日还

观博物馆可免交门票费。*Zhōurì cānguān bówùguǎn kě miǎn jiāo ménpiào fèi.* On Sundays, visitors can get free entry into the museum.

⁴ **勉励** miǎnlì 〈动 v.〉在肯定成绩的基础上劝人努力;鼓励 encourage; urge: 我们应该互相~,共同进步。*Wǒmen yīnggāi hùxiāng ~, gòngtóng jìnbù.* We should encourage each other so as to make progress together. | 妈妈总是~孩子独立思考问题。*Māma zǒng shì ~ háizi dúlì sīkǎo wèntí.* Mother always encourages her child to think independently. | 老师的~给了我很大鼓舞。*Lǎoshī de ~ gěile wǒ hěn dà gǔwǔ.* The teacher's encouragement greatly inspired me.

³ **勉强** miǎnqiǎng ❶〈副 adv.〉能力不够仍要去做 with an effort; with difficulty: 她病了,还~上班。*Tā bìng le, hái ~ shàngbān.* Though she was sick, she managed to keep on with her work. | 不能承担的事就别~去做。*Bù néng chéngdān de shì jiù bié ~ qù zuò.* Don't try to do anything that is beyond your ability. | 这项工作我还勉勉强强能对付。*Zhè xiàng gōngzuò wǒ hái miǎnmiǎn-qiǎngqiǎng néng duìfu.* I can barely manage to deal with this job. ❷〈副 adv.〉不是心甘情愿地 reluctantly; grudgingly: 妈妈~同意了我参加登山队。*Māma ~ tóngyìle wǒ cānjiā dēngshānduì.* Mother reluctantly agreed to let me join the mountaineering team. | 他能出面说话实在很~。*Tā néng chūmiàn shuōhuà shízài hěn ~.* He spoke up rather reluctantly. | 他总算勉勉强强答应了。*Tā zǒngsuàn miǎnmiǎn-qiǎngqiǎng dāyìng le.* He finally agreed, though with much reluctance. ❸〈副 adv.〉将就;凑合 inadequately; unconvincingly; barely: 小点儿,~还能穿。*Xiǎo diǎnr, ~ hái néng chuān.* Though it is a little too small, the dress can do. | 这点儿食品勉勉强强能吃到月底。*Zhè diǎnr shípǐn miǎnmiǎn-qiǎngqiǎng néng chīdào yuèdǐ.* This bit of food can barely last till the end of the month. ❹〈动 v.〉让人做不愿做的事 force sb. to do sth.: 你不想说,我们决不~你。*Nǐ bù xiǎng shuō, wǒmen juébù ~ nǐ.* If you don't want to speak, we'll not force you to. | 不能~孩子去做他不乐意做的事。*Bù néng ~ háizi qù zuò tā bú lèyì zuò de shì.* We should not force the children to do what they are unwilling to do. | 婚姻大事是~不得的。*Hūnyīn dàshì shì ~ bù dé de.* Marriage is not a matter that can be forced on people.

² **面** miàn ❶〈名 n.〉脸 face: 脸~ liǎn~ face | 油头粉~ yóutóu-fěn~ sleek-haired and creamy-faced | 他~如死灰,肯定吓坏了。*Tā ~ rú sǐhuī, kěndìng xiàhuài le.* He looks deadly pale; he must have been scared. ❷(~儿)〈名 n.〉表面;物体外面的 surface; top; face: 表~ biǎo~ surface | 海~ hǎi~ surface of the sea | 玻璃~儿很平。*Bōli ~r hěn píng.* The glass surface is well polished. ❸〈名 n.〉粮食磨成的粉 grain powder; flour: 白~ bái~ fine wheat flour | 玉米~ yùmǐ~ maize flour | 买了三斤~。*Mǎile sān jīn ~.* (I) bought three *jin* of flour. ❹〈名 n.〉指面条儿 noodles: 方便~ fāngbiàn~ instant noodles | 挂~ guà~ dried noodles | 中午吃了两碗~。*Zhōngwǔ chīle liǎng wǎn ~.* (I) ate two bowls of noodles for lunch. | ~太咸了。*~ tài xián le.* The noodles are too salty. ❺〈名 n.〉面子 face; prestige: 你怎么一点儿也不讲情~? *Nǐ zěnme yìdiǎnr yě bù jiǎng qíng~?* Why don't you have any consideration for other people's feelings? | 她为了钱连脸~都不要了。*Tā wèile qián lián liǎn~ dōu bú yào le.* For the sake of money, she even discarded her self-respect. ❻〈名 n.〉当面 at sb's presence; face to face: ~试 ~shì interview | ~交 ~jiāo deliver personally; hand-deliver | 成交的条件可以~谈。*Chéngjiāo de tiáojiàn kěyǐ ~tán.* The conditions for the deal can be discussed face to face. ❼〈名 n.〉几何学上指线移动所构成的有长和宽、没有厚薄的图形 surface; (in geometry) figure formed by moving a line, having length and breadth, but no thickness: 平~ píng~ plane | 斜~ xié~ oblique plane ❽〈名 n.〉部位;方面 part; side: 对立~ duìlì~ opposite | 四~

八方 sì~-bāfāng all directions｜你不应只听他的一~之辞。*Nǐ bù yīng zhǐ tīng tā de yí~zhīcí.* You should not listen only to his statement; that's only one side of the story.｜我已经可以独当一~地工作了。*Wǒ yǐjīng kěyǐ dúdāng-yí~ de gōngzuò le.* I can single-handedly take charge of one locality now. ❾〈名 n.〉指较大的范围（与'点'相对）area; range（opposite to '点 diǎn'）：我们在抓点的同时，~上的工作也不能放松。*Wǒmen zài zhuā diǎn de tóngshí, ~ shang de gōngzuò yě bù néng fàngsōng.* As we are concentrating our efforts on work at specific points, the overall work cannot be overlooked. ❿（~儿）〈名 n.〉粉状物 powder：胡椒~儿 *hújiāo~r* ground pepper｜辣椒~儿 *làjiāo~r* powdered chilly ⓫〈量 meas.〉用于扁平或能展开的东西 for flat, thin object or the one that can be unfolded：一~旗 *yí ~ qí* a flag｜一~墙 *yí ~ qiáng* a wall｜妹妹买了一~镜子。*Mèimei mǎile yí ~ jìngzi.* My sister bought a mirror. ⓬〈量 meas.〉用于见面的次数 for the number of times people meet each other：我们过去见过两~。*Wǒmen guòqù jiànguo liǎng ~.* We've met twice. ⓭〈量 meas.〉用于计算书页等 for pages：这本辞典有一千来~。*Zhè běn cídiǎn yǒu yì qiān lái ~.* This dictionary has nearly one thousand pages. ⓮〈词尾 suff.〉附在方位词后面，相当于'边'，similar to '边 biān'：上~ *shàng~* above｜东~ *dōng~* east｜前~ *qián~* front｜里~ *lǐ~* inside｜左~ *zuǒ~* left ⓯〈动 v.〉面对 face; confront：~壁而坐 *~ bì ér zuò* sit facing the wall｜一种新型轿车即将~世。*Yì zhǒng xīnxíng jiàochē jíjiāng ~shì.* A new model of car will come out soon. ⓰〈形 adj. 方 dial.〉食物软而纤维少（of food）soft and floury, low in fiber：这种红薯挺~的。*Zhè zhǒng hóngshǔ tǐng ~ de.* This kind of sweet potato is soft and floury. ⓱〈形 adj. 方 dial.〉形容人窝囊；动作不敏捷 cowardly and timid; slow in movement：他这个人太~，总让人欺负。*Tā zhège rén tài ~, zǒng ràng rén qīfu.* He is so cowardly that he is always being bullied by others.｜这司机开车真~。*Zhè sījī kāichē zhēn ~.* This driver is not adept at driving.

面包 miànbāo〈名 n.〉（个 gè、块 kuài、片 piàn）把面粉加水等调匀，发酵后烤制而成的食品 bread：~可以当早点。*~ kěyǐ dāng zǎodiǎn.* Bread can be taken as breakfast.｜我很爱吃。*Wǒ hěn ài chī ~.* I like eating bread.

面包车 miànbāochē〈名 n.〉（辆 liàng、部 bù）样子像面包的汽车 minibus; van：一辆~开进了学校。*Yí liàng ~ kāijìnle xuéxiào.* A van drove into the school.｜公司买了一部~。*Gōngsī mǎile yí bù ~.* The company has bought a minibus.

面对 miànduì ❶〈动 v.〉面前对着 face：火车站~着广场。*Huǒchēzhàn ~zhe guǎngchǎng.* The railway station faces a square.｜他不愿意~大家讲话。*Tā bú yuànyì ~ dàjiā jiǎnghuà.* He is unwilling to speak in front of us.｜你要大胆地~现实。*Nǐ yào dàdǎn de ~ xiànshí.* You should face the reality bravely. ❷〈动 v.〉面临 be faced with; be confronted with：~公众的压力，他不得不公开道歉。*~ gōngzhòng de yālì, tā bùdébù gōngkāi dàoqiàn.* Faced with public pressure, he had to make an apology openly.｜~危险，他毫不退缩。*~ wēixiǎn, tā háo bù tuìsuō.* In the face of the danger, he did not shrink back at all.

面粉 miànfěn〈名 n.〉用小麦子实磨成的粉 wheat flour：~可以蒸馒头、包饺子。*~ kěyǐ zhēng mántou, bāo jiǎozi.* Wheat flour can be used to make steamed buns and dumplings.｜买了10斤~。*Mǎile shí jīn ~.*（I）bought ten jin of wheat flour.

面积 miànjī〈名 n.〉物体平面或整体表面的大小 area：操场的~很大。*Cāochǎng de ~ hěn dà.* The playground covers a huge area.｜老师让我们计算地球的~。*Lǎoshī ràng wǒmen jìsuàn dìqiú de ~.* The teacher asked us to calculate the area of the earth.

面孔 miànkǒng ❶〈名 n.〉（副 fù、张 zhāng）面部的表情 face; facial expression：这是

一张多么生动的~。*Zhè shì yì zhāng duōme shēngdòng de ~.* What an expressive face it is! | 他那张刻板的~变得舒缓了。*Tā nà zhāng kèbǎn de ~ biànde shūhuǎn le.* His stern face relaxed. | 他总板着~说话。*Tā zǒng bǎnzhe ~ shuōhuà.* He always speaks with a stern face. ❷ 〈名 *n.*〉相貌 looks; appearance：这女孩儿的~真漂亮。*Zhè nǚháir de zhēn piàoliang.* This girl is really pretty. ❸ 〈名 *n.*〉比喻器物的式样 *fig.* style of sth.：你设计的东西总是一副老~，想法换换新~吧。*Nǐ shèjì de dōngxi zǒngshì yí fù lǎo ~, xiǎngfǎ huànhuàn xīn ~ ba.* The things you design always have the same appearance. You should think about adopting a new style.

³ **面临** miànlín ❶ 〈动 *v.*〉面前遇到(问题、形势等) be faced with; be confronted with：我们正~着新的经济变革。*Wǒmen zhèng ~zhe xīn de jīngjì biàngé.* We are being faced with new economic transformation. | 毕业生~着就业的压力。*Bìyèshēng ~zhe jiùyè de yālì.* The graduates are faced with employment pressure. | 企业经营不力，~破产。*Qǐyè jīngyíng búlì, ~ pòchǎn.* The enterprise has been poorly run and is now confronted with bankruptcy. ❷ 〈动 *v.*〉面对；靠近 face：休养所~大海。*Xiūyǎngsuǒ ~ dàhǎi.* The sanatorium faces the sea.

² **面貌** miànmào ❶ 〈名 *n.*〉相貌；脸的形状 facial features; looks：他的~特征很一般。*Tā de ~tèzhēng hěn yìbān.* He has plain facial features. | 他的~很英俊。*Tā de ~ hěn yīngjùn.* He looks handsome. ❷ 〈名 *n.*〉比喻事物所呈现的形象 *fig.* appearance of things：城市的~已经起了很大变化。*Chéngshì de ~ yǐjīng qǐle hěn dà biànhuà.* The city has taken on a new look. | 我们立志改变国家经济落后的~。*Wǒmen lìzhì gǎibiàn guójiā jīngjì luòhòu de ~.* We are resolved to improve the backward economy of the country. | 生活富裕了，人的精神~也变了。*Shēnghuó fùyù le, rén de jīngshén ~ yě biàn le.* As people become well-off, their mentality has also changed.

³ **面面俱到** miànmiàn-jùdào 〈成 *idm.*〉各方面都照顾到，没有遗漏、疏忽 attend to each and every aspect of a matter：他的讲话~，可是没有突出重点。*Tā de jiǎnghuà ~, kěshì méiyǒu tūchū zhòngdiǎn.* His speech has covered every single aspect of the subject matter without highlighting the main points. | 学校把学生的生活安排得~。*Xuéxiào bǎ xuéshēng de shēnghuó ānpái de ~.* The school has arranged well all the aspects of the students' lives.

⁴ **面目** miànmù 〈名 *n.*〉相貌；泛指事物的外形、状态、情况 looks; appearance, state or condition of things：那个坏蛋~可憎。*Nàge huàidàn ~ kězēng.* That bad guy is repulsive in appearance. | 没看清他的~。*Méi kàngqīng tā de ~.* I failed to see through him. | 事实让大家了解了他的真~。*Shìshí ràng dàjiā liǎojiěle tā de zhēn ~.* The fact has enabled people to see his true colors. | 这就是历史的本来~。*Zhè jiù shì lìshǐ de běnlái ~.* This is history in its true colors.

² **面前** miànqián 〈名 *n.*〉面对着的，某事物较近的地方 place facing sth.; front：他~放着很多书。*Tā ~fàngzhe hěn duō shū.* There's a lot of books in front of him. | 现在你只有两种选择：上学和工作。*Xiànzài nǐ ~ zhǐyǒu liǎng zhǒng xuǎnzé: shàngxué hé gōngzuò.* You are facing two choices: either going to school or taking a job. | 事实~你无话可说。*Shìshí ~ nǐ wú huà kě shuō.* You have nothing to say in the face of facts.

⁴ **面容** miànróng 〈名 *n.*〉面貌；容貌 face; facial features：奶奶慈祥的~令我难忘。*Nǎinai cíxiáng de ~ lìng wǒ nánwàng.* I can never forget grandma's kind looks. | 我时时想起姑娘那美丽的~。*Wǒ shíshí xiǎng qǐ gūniang nà měilì de ~.* The girl's beautiful face keeps coming to my mind.

¹ **面条儿** miàntiáor 〈名 *n.*〉(根 gēn、把 bǎ)用面粉调水做的细条状的食品 noodles：~是

北京人的主食。~ *shì Běijīngrén de zhǔshí.* Noodles are the staple food for Beijingers. | 中国人过生日都要吃~，叫做长寿面。*Zhōngguórén guò shēngrì dōu yào chī ~, jiàozuò chángshòumiàn.* The noodles that Chinese people eat on their birthdays are called 'noodles of longevity'.

⁴ **面子** miànzi ❶〈名 n.〉体面；光荣 face; prestige：爱～ *ài ~* be concerned about face-saving | 你看人家年年获奖，多有～。*Nǐ kàn rénjia niánnián huòjiǎng, duō yǒu ~.* (He) wins a prize every year. How honorable he is! ❷〈名 n.〉情面 feelings; sensibilities：你就看在朋友的~上原谅他吧。*Nǐ jiù kàn zài péngyou de ~ shang yuánliàng tā ba.* Please forgive him for the sake of your friends. | 你就给人家留点~吧。*Nǐ jiù gěi rénjia liú diǎn ~ ba.* You should show a little respect for their feelings. ❸〈名 n.〉物体的表面 outside; outer part：这件小棉袄的~是缎子的。*Zhè jiàn xiǎo mián'ǎo de ~ shì duànzi de.* The outside of the cotton-padded jacket is made of satin.

³ **苗** miáo ❶(～儿)〈名 n.〉(棵kē、株zhū)初生的植物嫩茎或嫩叶 seedling; young plant：地里的~儿长得真壮。*Dì li de ~r zhǎng de zhēn zhuàng.* The seedlings in the field are growing luxuriantly. | 羊把这里的~儿吃光了。*Yáng bǎ zhèli de ~r chīguāng le.* The goats ate up all the seedlings here. ❷〈名 n.〉某些初生的动物 the young of some animals：鱼～ *yú~* fry | 猪～ *zhū~* piglet ❸(～儿)〈名 n.〉后代 offspring：他是他们家的独～儿。*Tā shì tāmen jiā de dú~r.* He is the only offspring of their family. ❹〈名 n.〉疫苗 vaccine：牛痘～ *niúdòu~* bovine vaccine | 卡介～ *kǎjiè~* BCG vaccine ❺(～儿)〈名 n.〉形状像苗的 sth. resembling a young plant：火～儿 *huǒ~r* flame | 灯～儿 *dēng~r* tongue of a lamp flame ❻〈名 n.〉事物出现的迹象 symptom of a trend; suggestion of a new development：一定要抓住可能发生事故的~头。*Yídìng yào zhuāzhù kěnéng fāshēng shìgù de ~tou.* We must watch out for the symptoms of possible accidents. ❼〈名 n.〉矿藏露出地表的部分（of mines）part of rock or vein that protrudes from the ground：矿～ *kuàng~* outcropping

⁴ **描** miáo ❶〈动 v.〉用薄而透明的纸蒙在底样子上画或写 trace; copy：她～了一张花样。*Tā ~ le yì zhāng huāyàng.* She copied a floral pattern. | 小学生练毛笔字要先~红。*Xiǎoxuéshēng liàn máobǐzì yào xiān ~hóng.* In practicing Chinese calligraphy, the young pupils should begin with tracing in black ink over red printed characters. | 图案~得很仔细。*Tú'àn ~ de hěn zǐxì.* The pattern was carefully copied. ❷〈动 v.〉在原来颜色浅或需要修改的地方重复涂抹 retouch; touch up：写字不要反复地~. *Xiězì bú yào fǎnfù de ~.* You should not retouch repeatedly when writing characters. | 她照着镜子~了~眉毛。*Tā zhàozhe jìngzi ~ le ~ méimao.* She painted her eyebrows in front of a mirror.

⁴ **描绘** miáohuì〈动 v.〉描画图形，也指用形象生动的语言来描写 depict; describe：我要用画笔~出家乡的美景。*Wǒ yào yòng huàbǐ ~ chū jiāxiāng de měijǐng.* I shall depict the beautiful scenery of my hometown with my painting brush. | 小说中的人物~得活灵活现。*Xiǎoshuō zhōng de rénwù ~ de huólíng-huóxiàn.* The characters in the novel are portrayed vividly. | 作品生动地~了战争场面。*Zuòpǐn shēngdòng de ~ le zhànzhēng chǎngmiàn.* The works vividly depicted the battle scene.

⁴ **描述** miáoshù〈动 v.〉描写叙述 describe; portray：他娓娓动人地~了这个优美的故事。*Tā wěiwěi-dòngrén de ~ le zhège yōuměi de gùshi.* He related the beautiful story with absorbing interest. | 他把那个传说~得真切感人。*Tā bǎ nàge chuánshuō ~ de zhēnqiè gǎnrén.* He told the legendary story with sincerity and vividness. | 小说中有很多精彩的~。*Xiǎoshuō zhōng yǒu hěn duō jīngcǎi de ~.* The novel contains a lot of vivid descriptions.

² **描写** miáoxiě〈动 v.〉用生动形象的语言文字把人物、事件、环境等形象具体地表现出来 depict; express sth. in descriptive language：小说生动地~了一个感人的爱情故事。*Xiǎoshuō shēngdòng de ~le yí gè gǎnrén de àiqíng gùshi.* The novel tells a moving love story. | 作品~的人物就像活在身边。*Zuòpǐn ~ de rénwù jiù xiàng huó zài shēn biān.* The characters depicted in the work are just like people living around us. | 人物~得栩栩如生。*Rénwù ~ de xǔxǔ-rúshēng.* The characters are vividly depicted.

² **秒** miǎo〈量 meas.〉时间的计量单位 second：分~必争 *fēn~bìzhēng* seize every minute and second; every second counts | 他用了3分18~跑到终点。*Tā yòngle sān fēn shíbā ~ pǎodào zhōngdiǎn.* He ran to the finishing line within 3 minutes and 18 seconds.

⁴ **渺小** miǎoxiǎo〈形 adj.〉形容形象、思想、力量等低微 tiny; insignificant：在英雄面前，我们~得不值一提。*Zài yīngxióng miànqián, wǒmen ~ de bùzhíyìtí.* We are negligible as compared with the heroes. | 个人的得失是~的事情。*Gèrén de déshī shì ~ de shìqing.* Personal gain or loss is a matter of insignificance.

² **妙** miào ❶〈形 adj.〉美好；高明 wonderful; excellent：你的办法真~。*Nǐ de bànfǎ zhēn ~.* Your method is so excellent. | 这个主意~极了。*Zhège zhǔyi ~jí le.* This is a wonderful idea. | 情况有点儿不大~。*Qíngkuàng yǒudiǎnr bú dà ~.* Things don't look fine. ❷〈形 adj.〉神奇；巧妙 ingenious; clever：奇思~想 *qísī~xiǎng* intriguing thought and ingenious idea | 神机~算 *shénjī~suàn* wonderful foresight | 他的话让大家感到莫名其~。*Tā de huà ràng dàjiā gǎndào mòmíng-qí~.* His words baffled us all. ❸〈形 adj.〉精微；深奥 delicate; subtle：他俩的关系有些微~。*Tā liǎ de guānxì yǒuxiē wēi~.* The relations between them are somewhat subtle. | 你不知道其中的奥~。*Nǐ bù zhīdào qízhōng de ào~.* You have no idea about the subtlety behind it.

² **庙** miào ❶〈名 n.〉供祖宗神位的建筑 temple; shrine：家~ *jiā~* family shrine | 宗~ *zōng~* ancestral temple ❷〈名 n.〉(座 zuò) 供神佛或历史名人的建筑 temple; monastery：喇嘛~ *lǎma~* Lamasery | 孔~ *Kǒng~* Confucian temple | 这座~里的香火很盛。*Zhè zuò ~ li de xiānghuǒ hěn shèng.* This monastery is frequented by many people. | 这里的人为他建了一座~。*Zhèli de rén wèi tā jiànle yí zuò ~.* The local people built a temple in his memory. ❸〈名 n.〉庙会 temple fair：他们一家人一早就去赶~去了。*Tāmen yì jiā rén yì zǎo jiù qù gǎn ~ qù le.* The family set off for the fair early in the morning.

² **灭** miè ❶〈动 v.〉火、灯等熄灭 (of fire, light, etc.) go out：油灯已经~了。*Yóudēng yǐjīng ~ le.* The oil lamp has gone out. | 炉火~不了。*Lúhuǒ ~ bù liǎo.* The stove fire can hardly be put out. ❷〈动 v.〉使熄灭 extinguish; put out：赶快把灯~了，别浪费电。*Gǎnkuài bǎ dēng ~ le, bié làngfèi diàn.* Turn off the light and not waste electricity. | 油着了用水不太好~。*Yóu zháole yòng shuǐ bù tài hǎo ~.* The burning oil can hardly be put out with water. ❸〈动 v.〉消灭；使灭亡 destroy; exterminate：这种杀虫剂连蚊子都~不了，真没用。*Zhè zhǒng shāchóngjì lián wénzi dōu ~ bù liǎo, zhēn méiyòng.* This kind of pesticide is actually useless; it can't even kill mosquitoes. | 全市今天统一投药~鼠。*Quánshì jīntiān tǒngyī tóu yào ~ shǔ.* Today the whole city will take a concerted action to kill rats. ❹〈动 v.〉沉没 submerge; drown：~顶之灾 *~dǐngzhīzāi* fatal disaster

³ **灭亡** mièwáng〈动 v.〉(国家、种族等)不再存在或使不存在 (of a country, race, etc.) perish; destroy; become extinct：法西斯~了。*Fàxīsī ~ le.* Fascism has perished. | 敌人逃脱不了~的下场。*Dírén táotuō bù liǎo ~ de xiàchǎng.* The enemy is doomed to be destroyed.

M

⁴ **蔑视** mièshì 〈动 v.〉轻视；看不起 despise; scorn：~敌人 ~ dírén despise the enemy │ ~困难 ~ kùnnan scorn difficulties │ ~死神 ~ sǐshén show contempt for death │ 大家非常~他这种极端自私的行为。Dàjiā fēicháng ~ tā zhè zhǒng jíduān zìsī de xíngwéi. All of us despise his act of extreme selfishness.

³ **民兵** mínbīng 〈名 n.〉（支zhī、个gè）不脱离生产的群众性的武装组织，也指这种组织的成员（members of）militia; people's armed organization not divorced from production：他是一个好~。Tā shì yí gè hǎo ~. He is a good militia man. │ 村子的保卫工作就靠~了。Cūnzi de bǎowèi gōngzuò jiù kào ~ le. The security of the village relies on the militia.

⁴ **民航** mínháng 〈名 n.〉民用航空的简称 civil aviation, abbr. for '民用航空 mínyòng hángkōng'：中国~口碑很好，我爱乘坐中国~班机。Zhōngguó ~ kǒubēi hěn hǎo, wǒ ài chéngzuò Zhōngguó ~ bānjī. Since the CAAC (Civil Aviation Administration of China) has a good reputation, I like taking its fights. │ 他在~工作。Tā zài ~ gōngzuò. He works for the civil aviation.

⁵ **民间** mínjiān ❶ 〈名 n.〉人民群众中间 folk：~故事 ~ gùshì folk story │ ~艺术 ~ yìshù folk art │ 有关他的传奇故事早在~流传开了。Yǒuguān tā de chuánqí gùshì zǎo zài ~ liúchuán kāi le. Legends about him already spread among the people. ❷ 〈形 adj.〉非政府方面的 non-governmental; people-to-people：~团体 ~ tuántǐ non-governmental organization │ ~组织 ~ zǔzhī non-governmental organization (NGO) │ ~往来 ~ wǎnglái people-to-people exchange │ 政府鼓励两国间的~交往。Zhèngfǔ gǔlì liǎng guó jiān de ~ jiāowǎng. The governments encourage people-to-people exchange between the two countries.

⁴ **民事** mínshì 〈名 n.〉有关民法的事件（区别于'刑事'）incident relating to civil law (different from '刑事xíngshì')：~纠纷可以调解。~ jiūfēn kěyǐ tiáojiě. Civil disputes can be solved through mediation. │ 法院处理了两起~案件。Fǎyuàn chǔlǐle liǎng qǐ ~ ànjiàn. The court handled two civil cases.

⁴ **民意** mínyì 〈名 n.〉人民群众的共同意见和愿望 the will of the people：~测验 ~ cèyàn public opinion poll │ 代表~的事情会得到大家支持。Dàibiǎo ~ de shìqing huì dédào dàjiā zhīchí. The affairs representing the popular will are bound to gain support from the people. │ 这项政策很符合~。Zhè xiàng zhèngcè hěn fúhé ~. This policy is in conformity with the will of the people.

³ **民用** mínyòng 〈形 adj.〉人民群众生活所用的 civil; civilian：大力发展~产品，满足群众生活需求。Dàlì fāzhǎn ~ chǎnpǐn, mǎnzú qúnzhòng shēnghuó xūqiú. Make major efforts to develop products for civilian use and meet people's daily needs. │ 这些电器产品都是~的。Zhèxiē diànqì chǎnpǐn dōu shì ~ de. These electric appliances are for civilian use.

⁴ **民众** mínzhòng 〈名 n.〉人民大众 the masses; common people：~支持这项改革方案。~ zhīchí zhè xiàng gǎigé fāng'àn. The populace supported this reform plan. │ 政府的一切工作应该为了~。Zhèngfǔ de yíqiè gōngzuò yīnggāi wèile ~. Whatever the government does should be in the interests of the common people.

² **民主** mínzhǔ ❶ 〈名 n.〉指人民在政治上享有的自由发表意见、参与国家政权管理等的权利 democracy; democratic rights：~是人民的一种权力。~ shì rénmín de yì zhǒng quánlì. Democracy is a right of the people. │ 人民应当享有真正的~。Rénmín yīngdāng xiǎngyǒu zhēnzhèng de ~. The people should enjoy democracy in the true sense. ❷ 〈形 adj.〉指合于民主原则的 democratic：他处理事情很~。Tā chǔlǐ shìqing hěn ~. He

deals with things on a democratic basis. ｜班长的~作风很不够。*Bānzhǎng de ~ zuòfēng hěn búgòu.* The monitor's style of work is not democratic enough. ｜我们学校有着十分~的气氛。*Wǒmen xuéxiào yǒuzhe shífēn ~ de qìfēn.* Our school has an intense democratic atmosphere.

¹ **民族** mínzú〈名 n.〉(个 gè)指在一定的历史发展阶段形成的,有共同语言、共同地域、共同经济生活和表现在共同文化上的共同心理素质的人的共同体 nation; nationality; ethnic groups; community of people with a common language, a common territory, a common economic life and common psychological quality manifested in a common culture：~是在历史上产生的。*~ shì zài lìshǐ shang chǎnshēng de.* Nations appeared in the course of history. ｜中国有56个~。*Zhōngguó yǒu wǔshíliù gè ~.* China has 56 different ethnic groups.

⁴ **敏感** mǐngǎn ❶〈形 adj.〉生理上或心理上对外界事物反应很快 sensitive：他对新事物很~。*Tā duì xīn shìwù hěn ~.* He is quite sensitive to novel things. ｜他~地提出了疑问。*Tā ~ de tíchūle yíwèn.* He was quick to raise his doubts. ❷〈形 adj.〉使人容易做出极快反应的 sensitive; prompting quick response：在第一次会谈中我方不要提对方~的问题。*Zài dì-yī cì huìtán zhōng wǒfāng bú yào tí duìfāng ~ de wèntí.* In the first round of talks, our side should not touch upon issues considered sensitive by the other side.

³ **敏捷** mǐnjié〈形 adj.〉(动作或思维)迅速而灵敏 (of movement or thinking) quick and agile：他投篮的动作非常~。*Tā tóulán de dòngzuò fēicháng ~.* He is quite nimble in shooting at the basket. ｜她思维很~。*Tā sīwéi hěn ~.* She is quick-witted. ｜小花猫~地跳上了房顶。*Xiǎohuāmāo ~ de tiàoshàngle fángdǐng.* The spotted kitty jumped with agility onto the roof.

⁴ **敏锐** mǐnruì〈形 adj.〉感觉灵敏;眼光锐利 keen; sharp; acute：他的观察力非常~。*Tā de guānchálì fēicháng ~.* He is a keen observer. ｜她那~的目光表现出她的性格。*Tā nà ~ de mùguāng biǎoxiàn chū tā de xìnggé.* Her sharp eyes manifest her personality. ｜他~地观察到四周的变化。*Tā ~ de guānchá dào sìzhōu de biànhuà.* He made a keen observation of the surroundings.

² **名** míng ❶(~儿)〈名 n.〉(个 gè)称号 name：人~ *rén~* name of a person ｜书~ *shū~* title of a book ｜花~ *huā~* name of a flower ｜孩子有两个~儿,一个大~儿,一个小~儿。*Háizi yǒu liǎng gè ~r, yí gè dà~r, yí gè xiǎo~r.* The child has two names: one is his formal name and the other is his pet name. ｜爸爸给他起了个~儿。*Bàba gěi tā qǐle gè ~r.* Father gave him a name. ❷〈名 n.〉名望;声誉 reputation; fame：~扬四海 *~yáng-sìhǎi* world-renowned; become famous all over the world ｜驰~中外 *chí~zhōngwài* be famous both at home and abroad ｜他本来没什么~,现在出了~了。*Tā běnlái méi shénme ~, xiànzài chūle ~ le.* He used to be little known, but now he has risen to fame. ❸〈名 n.〉名义 name：~分 *~fèn* (of a person) status or position ｜有~无实 *yǒu~-wúshí* in name but not in reality; titular ｜别以考察为~,到处游玩。*Bié yǐ kǎochá wéi ~, dàochù yóuwán.* Don't take a sightseeing trip in the name of an inspection tour. ❹〈形 adj.〉有名声的,出名的 renowned; well-known：~画 *~huà* masterpiece; famous painting ｜~人 *~rén* celebrity ｜~医 *~yī* famous physician ｜~山大川 *~shān-dàchuān* famous mountains and great rivers ｜四大~著(指中国四部古典文学作品:《红楼梦》、《三国演义》、《水浒传》《西游记》) *sì dà ~zhù* (zhǐ Zhōngguó de sì bù gǔdiǎn wénxué zuòpǐn: 'Hónglóu Mèng', 'Sānguó Yǎnyì', 'Shuǐhǔ Zhuàn', 'Xīyóu Jì') the Four Famous Literary Classics (four Chinese classical novels: *A Dream of Red Mansions, Three Kingdoms, Outlaws of the Marsh, and Journey to the West*) ❺〈量 meas.〉用于人

或表示名次 indicating a person or a rank：他是一~学生。*Tā shì yì ~ xuésheng.* He is a student. | 他长跑比赛得了第一~。*Tā chángpǎo bǐsài déle dì-yī ~.* He won the first prize in long-distance running. ❻〈动 *v.*〉名字叫 be called; have as one's given name：他姓张~大川。*Tā xìng Zhāng ~ Dàchuān.* Zhang is his family name and Dachuan, his given name. ❼〈动 *v.* 书 *lit.*〉说出 describe; express：莫~其妙 *mò~qímiào* baffling; be unable to make head or tail of sth. | 一种不可~状的不安压在他的心头。*Yì zhǒng bùkě ~ zhuàng de bù'ān yā zài tā de xīntóu.* He felt indescribably anxious.

⁴ **名称** míngchēng 〈名 *n.*〉（个 gè）事物的名字 name (of sth.)：我们球队还没有~。*Wǒmen qiúduì hái méiyǒu ~.* Our team hasn't got a name yet. | 公司的~不可随便更改。*Gōngsī de ~ bùkě suíbiàn gēnggǎi.* The name of the company cannot be changed at will.

⁴ **名次** míngcì 〈名 *n.*〉（个 gè）按照一定标准排列的姓名或事物名称的次序 position in a name list; place in a competition; standing：他的~排全校第一。*Tā de ~ pái quánxiào dì-yī.* He ranks first in the whole school. | 他的比赛成绩没排上~。*Tā de bǐsài chéngjì méi páishàng ~.* With his performance in the competition, he failed to obtain a place in the name list.

⁴ **名单** míngdān 〈名 *n.*〉（个 gè、张 zhāng、份 fèn）记录人名的单子 name list：这是参加考试人员的~。*Zhè shì cānjiā kǎoshì rényuán de ~.* This is a name list of examinees. | 这张~没有他的名字。*Zhè zhāng ~ méiyǒu tā de míngzi.* His name is not in this list.

⁴ **名额** míng'é 〈名 *n.*〉（个 gè）规定的人员的数量 number of people assigned or allowed; quota of people：学校扩大招生~。*Xuéxiào kuòdà zhāoshēng ~.* The school has expanded its enrollment. | ~有限，欲报从速。*~ yǒuxiàn, yù bào cóngsù.* Since the number of people allowed is limited, sign up as soon as possible.

⁴ **名副其实** míngfùqíshí 〈成 *idm.*〉名声与实际相称 name matches the reality; be worthy of the name：他是一个~的好医生。*Tā shì yí gè ~ de hǎo yīshēng.* He is a good physician worthy of the name. | 青藏高原，人称'世界屋脊'，的确~。*Qīng-Zàng Gāoyuán, rén chēng 'Shìjiè Wūjǐ', díquè ~.* The Qinghai-Tibetan Plateau, which is called 'Roof of the World', well deserves this.

⁴ **名贵** míngguì 〈形 *adj.*〉有名而且珍贵 famous and precious：这是一件~的艺术品。*Zhè shì yí jiàn ~ de yìshùpǐn.* This is a valuable work of art. | 这种药材是相当~的。*Zhè zhǒng yàocái shì xiāngdāng ~ de.* This medicinal herb is of great value.

⁴ **名牌** míngpái（~儿）〈名 *n.*〉（个 gè）出名的牌子 famous brand：他穿的服装都是~儿。*Tā chuān de fúzhuāng dōu shì ~r.* His clothes are all famous brands. | 企业要创出世界~。*Qǐyè yào chuàngchū shìjiè ~.* The enterprise should strive to make a world-class famous brand. | 这所~大学很难考上。*Zhè suǒ ~ dàxué hěn nán kǎoshàng.* It is very hard to enter this prestigious university.

⁴ **名人** míngrén 〈名 *n.*〉（位 wèi、个 gè）著名的人物 celebrity; eminent person：他是学术界的~。*Tā shì xuéshùjiè de ~.* He is an eminent scholar in academic circles. | 艺术界的~都参加演出。*Yìshùjiè de ~ dōu cānjiā yǎnchū.* The celebrities in art circles will participate in the performance.

⁴ **名声** míngshēng 〈名 *n.*〉（个 gè）在群众中或在社会上流传的评价 reputation; estimation in which a person or thing is commonly held：他~很大。*Tā ~ hěn dà.* He enjoys a big fame. | 他已经~在外。*Tā yǐjīng ~ zài wài.* He has become well-known.

² **名胜** míngshèng 〈名 *n.*〉（处 chù）古迹或风景著名的地方 historical relics; scenic spot：北京的~古迹很多。*Běijīng de ~ gǔjì hěn duō.* There are a lot of scenic spots and historical sites in Beijing. | 他游览了很多~。*Tā yóulǎnle hěn duō ~.* He has visited

many scenic spots.

⁴ **名义** míngyì ❶〈名 n.〉(个 gè) 做某事时用来作为依据的身份、资格等 name; name or title by which sth. is being done：他不应该假借公司的~。*Tā bù yīnggāi jiǎjiè gōngsī de ~.* He should not have done this in the name of the company. | 他以个人的~帮助我们。*Tā yǐ gèrén de ~ bāngzhù wǒmen.* He helped us in his own name. ❷〈名 n.〉表面上；形式上 nominal; in name：他~上是个记者，实际上是个密探。*Tā ~ shang shì gè jìzhě, shíjì shang shì gè mìtàn.* He is a journalist in name and yet a secret agent in reality. | 他只是~上的校长。*Tā zhǐshì ~ shang de xiàozhǎng.* He is only a nominal principal of the school.

⁴ **名誉** míngyù ❶〈名 n.〉个人或集团的名声（of a person or group）fame; reputation：我们要维护集体的~。*Wǒmen yào wéihù jítǐ de ~.* We should maintain the reputation of the collective. | 公司的~不容破坏。*Gōngsī de ~ bùróng pòhuài.* No harm should be done to the company's reputation. ❷〈形 adj.〉名义上的（用于职务、学位，含尊重的意思）(of a post or academic degree, showing respect) honorary：他是公司的~董事长。*Tā shì gōngsī de ~ dǒngshìzhǎng.* He is the honorary chairman of the company. | 他被聘为学校的~教授。*Tā bèi pìn wéi xuéxiào de ~ jiàoshòu.* He was appointed as professor emeritus of the university.

¹ **名字** míngzi〈名 n.〉(个 gè) 人或事物的名称 (of a person or thing) name：他叫什么~？*Tā jiào shénme ~?* What is his name? | 她的~真好听。*Tā de ~ zhēn hǎotīng.* Her name sounds beautiful. | 这条船还没有起~。*Zhè tiáo chuán hái méiyǒu qǐ ~.* This ship has not got a name yet.

³ **明白** míngbai ❶〈形 adj.〉清楚；明确；内容、意思等使人容易了解 clear; obvious：这句话的意思很~。*Zhè jù huà de yìsi hěn ~.* The meaning of this sentence is quite clear. | 他讲得非常~。*Tā jiǎng de fēicháng ~.* He has made it very clear. | 事情已经是明明白白了。*Shìqing yǐjīng shì míngmíng-báibái le.* This affair is quite clear now. ❷〈形 adj.〉懂道理的 sensible; reasonable：你是个~人，用不着我跟你做更多的解释。*Nǐ shì gè ~ rén, yòng bù zháo wǒ gēn nǐ zuò gèng duō de jiěshì.* You are a sensible person and there's no need to make further explanations to you. ❸〈动 v.〉知道；了解，懂得 know; understand：他非常~学习的目的。*Tā fēicháng ~ xuéxí de mùdì.* He has a clear understanding of what he studies for. | 这个道理你还~不了。*Zhège dàolǐ nǐ hái ~ bù liǎo.* You are unable to understand the reason behind it yet. | 谁心里都~他说的是什么。*Shéi xīnli dōu ~ tā shuō de shì shénme.* Everybody understands what he is driving at.

² **明亮** míngliàng ❶〈形 adj.〉光线充足 bright; well-lit：我们的教室宽敞~。*Wǒmen de jiàoshì kuānchǎng ~.* Our classroom is spacious and bright. | 大厅里~极了。*Dàtīng li ~ jí le.* The great hall is brightly lit. ❷〈形 adj.〉发亮的 shining; bright：她头发乌黑，眼睛~。*Tā tóufa wūhēi, yǎnjing ~.* She has jek-black hair and bright eyes. | 东方升起了~的启明星。*Dōngfāng shēngqǐle ~ de qǐmíngxīng.* The bright Venus is rising in the east of the sky. ❸〈形 adj.〉明白 clear; plain to the mind：听他这么一解释，我心里~多了。*Tīng tā zhème yì jiěshì, wǒ xīnli ~ duō le.* I got a better understanding after his explanation.

³ **明明** míngmíng〈副 adv.〉表示显然如此或确实 obviously; plainly：你~知道下午开会，为什么还去看电影？*Nǐ ~ zhīdào xiàwǔ kāihuì, wèishénme hái qù kàn diànyǐng?* Since you obviously knew that there was going to be a meeting in the afternoon, why did you go to the movies then? | ~你亲眼见过，怎么说不知道。~ *nǐ qīnyǎn jiànguo, zěnme shuō bù zhīdào?* It is obvious that you have seen it with your own eyes but why did you

say that you were not aware of it! ｜你~是在给我出难题! *Nǐ ~ shì zài gěi wǒ chū nántí!* Obviously you are trying to baffle me!

¹ **明年** míngnián〈名 *n.*〉今年的下一年 next year: 我~大学毕业。*Wǒ ~ dàxué bìyè.* I'll graduate next year. ｜~有很多国际体育比赛。*~ yǒu hěn duō guójì tǐyù bǐsài.* Many international sporting events will be held next year.

² **明确** míngquè ❶〈形 *adj.*〉清晰明白而确定不移 clear-cut; explicit; unequivocal: 他学习目的十分~。*Tā xuéxí mùdì shífēn ~.* He has a clear aim in his study. ｜他对问题有~的认识。*Tā duì wèntí yǒu ~ de rènshi.* He has a clear understanding of the issue. ｜老师把话说得非常~。*Lǎoshī bǎ huà shuō de fēicháng ~.* The teacher has made it very clear. ❷〈动 *v.*〉使清晰明白而确定不移 clarify; make clear and definite: 会议~了今后的方针和任务。*Huìyì ~ le jīnhòu de fāngzhēn hé rènwù.* The meeting clarified the policy and task in the future. ｜你应该~自己的态度。*Nǐ yīnggāi ~ zìjǐ de tàidù.* You should make clear your stand. ｜你再把问题~~。*Nǐ zài bǎ wèntí ~ ~.* Please clarify the issue once again.

¹ **明天** míngtiān ❶〈名 *n.*〉今天的下一天 tomorrow: ~是什么日子? *~ shì shénme rìzi?* What kind of day is tomorrow? ｜我~去中国。*Wǒ ~ qù Zhōngguó.* I'll go to China tomorrow. ❷〈名 *n.*〉不远的将来 near future: 祖国的~会更美好。*Zǔguó de ~ huì gèng měihǎo.* Our motherland will have a better tomorrow. ｜今天的努力是为了美好的~。*Jīntiān de nǔlì shì wèile měihǎo de ~.* We work hard today for a better tomorrow.

² **明显** míngxiǎn〈形 *adj.*〉清楚地显现出来, 让人容易看得见或感觉得到 clear; evident; distinct: 问题十分~。*Wèntí shífēn ~.* The problem is evident. ｜他的错误~极了。*Tā de cuòwù ~ jí le.* His mistake can't be more evident. ｜农村的卫生有了~变化。*Nóngcūn de wèishēng yǒule ~ biànhuà.* Distinct changes have taken place to the hygienic conditions in rural areas.

³ **明信片** míngxìnpiàn〈名 *n.*〉(张zhāng)供写信用的长方形硬纸片, 邮寄时不用装入信封 postcard: 他常常用~给家里写信。*Tā chángcháng yòng ~ gěi jiālǐ xiě xìn.* He often writes a postcard to his family.

⁴ **明星** míngxīng〈名 *n.*〉(位wèi、个gè)有名的演员、运动员 star; famous actor, athlete, etc.: 足球~、影视~让让很多年轻人崇拜。*Zúqiú ~, yǐngshì ~ ràng hěn duō niánqīngrén chóngbài.* Star soccer-players and movie and TV stars as well are admired by many young people. ｜他是一位电影~。*Tā shì yí wèi diànyǐng ~.* He is a movie star.

³ **鸣** míng ❶〈动 *v.* 书 *lit.*〉鸟兽或昆虫叫 (of a bird or insect) chirp; cry: ~叫~jiào chirp ｜集市上驴~马嘶。*Jíshì shang lú ~ mǎ sī.* Donkeys are braying and horses are neighing at the market place. ❷〈动 *v.*〉发出声音; 使发生声音 ring; make a sound: 电闪雷~*diànshǎn-léi~* thundering and lightning ｜礼炮齐~*lǐpào qí ~* fire a gun salute in unison ｜孤掌难~(比喻力量单薄, 办不成事)。*Gūzhǎng-nán~* (*bǐyù lìliàng dānbáo, bàn bù chéng shì*). It's impossible to clap with one hand (*fig.* it's difficult to achieve anything without support). ｜警察~枪示警。*Jǐngchá ~ qiāng shìjǐng.* The policeman shoot to give warning. ❸〈动 *v.*〉表达感情; 发表意见 express (feeling, complaint): 百家争~*bǎijiā zhēng~* a hundred schools of thought contend ｜你别自~得意了。*Nǐ bié zì-déyì le.* Stop being smug about it.

³ **命** mìng ❶〈名 *n.*〉(条tiáo)生命; 性命 life: 他的小~是医生从病魔那里抢回来的。*Tā de xiǎo ~ shì yīshēng cóng bìngmó nàlǐ qiǎng huílái de.* Doctors saved his life from the devil of illness. ｜猎人赶跑了狼, 救了小鹿的~。*Lièrén gǎnpǎole láng, jiùle xiǎolù de ~.* The hunter drove away the wolf and saved the life of the fawn. ❷〈名 *n.*〉寿命

life-span：小蜜蜂~不长，贡献很大。*Xiǎo mìfēng ~ bù cháng, gòngxiàn hěn dà.* The bees are short-lived and yet make great contributions. ❸〈名 *n.*〉命运 fate; destiny：别怪自己~不好，生活要靠自己努力。*Bié guài zìjǐ ~ bù hǎo, shēnghuó yào kào zìjǐ nǔlì.* Don't just complain about your ill fate. One should make efforts to improve one's lot. ｜她从来不认~。*Tā cónglái bú rèn ~.* She never resigns herself to fate. ❹〈名 *n.*〉命令；指示 order; command; instruction：待~ *dài*~ await instruction｜奉~行事 *fèng~ xíngshì* act under orders ❺〈动 *v.*〉上级对下级有所指示 instruct; order：公司~你做全权代表。*Gōngsī ~ nǐ zuò quánquán dàibiǎo.* The company appointed you as its plenipotentiary representative.｜现~你部停止施工。*Xiàn ~ nǐ bù tíngzhǐ shīgōng.* Your department is ordered to cease the construction work. ❻〈动 *v.*〉给与（名称等）give (a name, etc.)：~名 *~míng* name (sb. or sth.)｜~题 *~tí* assign a topic; set a question

² **命令** mìnglìng ❶〈名 *n.*〉(个 gè、道 dào、条 tiáo) 上级对下级的指示 command; order; instruction：上级的~必须坚决执行。*Shàngjí de ~ bìxū jiānjué zhíxíng.* The orders from the higher authorities must be resolutely carried out.｜部队接到两道紧急~。*Bùduì jiēdào liǎng dào jǐnjí ~.* The troops received two urgent orders. ❷〈动 *v.*〉上级对下级有所指示 command; order; instruct：上级~队伍马上出发。*Shàngjí ~ duìwu mǎshàng chūfā.* The higher authorities commanded the troops to depart promptly.｜公司~施工队停工。*Gōngsī ~ shīgōngduì tínggōng.* The company ordered the constructing team to cease the construction work.

⁴ **命名** mìng//míng〈动 *v.*〉给人或事物定名 name (sb. or sth.)：总公司把他们队~为'铁人钻井队'。*Zǒnggōngsī bǎ tāmen duì ~ wéi 'Tiěrén Zuànjǐngduì'.* The general company named their team 'Iron-man Drilling Team'.｜这座楼是以他的名字~的。*Zhè zuò lóu shì yǐ tā de míngzi ~ de.* This building is named after him.｜这个学校是怎么命的名? *Zhège xuéxiào shì zěnme mìng de míng?* How was this school named?

⁴ **命题** mìng//tí〈动 *v.*〉出题目 assign a topic; set a question：语文考试由两位老师~。*Yǔwén kǎoshì yóu liǎng wèi lǎoshī ~.* The questions in the Chinese exam will be set by two teachers.｜这次作文考试是校长亲自命的题。*Zhècì zuòwén kǎoshì shì xiàozhǎng qīnzì mìng de tí.* The topic for the writing exam was set by the principal himself.

² **命运** mìngyùn ❶〈名 *n.*〉(种 zhǒng) 指生死、贫富和一切遭遇 fate; destiny：各人的~其实是由自己掌握的。*Gèrén de ~ qíshí shì yóu zìjǐ zhǎngwò de.* People's destiny actually lies in their own hands.｜他要靠自己的奋斗改变自己的~。*Tā yào kào zìjǐ de fèndòu gǎibiàn zìjǐ de ~.* He shall strive to change his own fate through hard efforts. ❷〈名 *n.*〉比喻人或事物发展变化的趋势 fig. trend of development and change：国家的~掌握在人民手里。*Guójiā de ~ zhǎngwò zài rénmín shǒu li.* The country's destiny depends on its people.｜工厂没能逃脱破产的~。*Gōngchǎng méi néng táotuō pòchǎn de ~.* The factory failed to avert the destiny of bankruptcy.

⁴ **谬论** miùlùn〈名 *n.*〉(种 zhǒng、个 gè) 错误的不合情理的言论 fallacy; false theory：这种~不攻自破。*Zhè zhǒng ~ bùgōng-zìpò.* This kind of fallacy is self-defeating.｜我们绝不能相信这样的~。*Wǒmen jué bù néng xiāngxìn zhèyàng de ~.* We shall never believe such fallacies.

² **摸** mō ❶〈动 *v.*〉用手接触或接触后轻轻移动 touch; feel; stroke：商品不能随便~。*Shāngpǐn bù néng suíbiàn ~.* The commodities cannot be touched without permission.｜这东西~不坏。*Zhè dōngxi ~ bú huài.* A mere touch will not damage it.｜请大家别~展品。*Qǐng dàjiā bié ~ zhǎnpǐn.* Don't touch the exhibits, please. ❷〈动 *v.*〉用手探取；寻找 feel for; grope for：他从口袋里~出了一块糖。*Tā cóng kǒudài li ~chūle yí kuài táng.*

M

He fumbled in his pocket and took out a piece of candy. | 我~了半天也没~着。*Wǒ ~le bàntiān yě méi ~zháo.* I fumbled for a long time only to find nothing. | 他蹲在地上仔细~着。*Tā dūn zài dìshang zǐxì ~zhe.* Squatting on the ground, he groped carefully for something. ❸〈动 v.〉试着了解；探求 get to know; find out：这道题我刚~到点儿门路。*Zhè dào tí wǒ gāng ~dào diǎnr ménlù.* I am about to find out a way to solve this problem. | 你再~~他们的底细。*Nǐ zài ~ ~ tāmen de dǐxì.* You should try to learn more details about them. | 我们已经~出了运行规律。*Wǒmen yǐjīng ~chūle yùnxíng guīlù.* We have worked out the regular pattern of the movement. ❹〈动 v.〉在黑暗中行动；在不熟悉的路上行进 grope in the dark：路上没灯，只能~着黑赶路。*Lù shang méi dēng, zhǐnéng ~zhe hēi gǎnlù.* Since there was no lamp by the road, we had to grope in the dark to move ahead. | 他费了很大劲儿才~到这里。*Tā fèile hěn dà jìnr cái ~dào zhèlǐ.* He found his way here with much difficulty. ❺〈动 v.〉偷窃 steal：别干那种偷鸡~狗的勾当。*Bié gàn nàzhǒng tōujī~~gǒu de gòudàng.* Never engage yourself in this kind of pilfering and pinching.

⁴ **摸索** mōsuǒ ❶〈动 v.〉试探着做 grope; fumble：在森林里，我们只能~着前行。*Zài sēnlín li, wǒmen zhǐnéng ~zhe qiánxíng.* In the forest we had to fumble our way forward. | 天这么黑，我们能~到目的地吗？*Tiān zhème hēi, wǒmen néng ~ dào mùdìdì ma?* Since it is so dark, can we fumble our way to the destination? ❷〈动 v.〉寻找，寻求 find out; search for：我慢慢~出一套学习方法。*Wǒ mànmàn ~ chū yí tào xuéxí fāngfǎ.* Gradually I found out a learning method. | 老师已经~出一些成功的教学经验。*Lǎoshī yǐjīng ~ chū yìxiē chénggōng de jiàoxué jīngyàn.* The teacher has gained some successful experience in teaching.

³ **模范** mófàn ❶〈名 n.〉（位 wèi、名 míng、个 gè）值得学习的、可以作为榜样的人 role model; exemplary person：这位新当选的~有很多动人的事迹。*Zhè wèi xīn dāngxuǎn de ~ yǒu hěn duō dòngrén de shìjì.* The newly-elected model has done many moving deeds. | 单位里每年都要评选出几名劳动~。*Dānwèi li měi nián dōu yào píngxuǎn chū jǐ míng láodòng ~.* Each year the work unit will elect a few model workers. ❷〈形 adj.〉值得学习的；可以作为榜样的 exemplary：她是一位~教师。*Tā shì yí wèi ~ jiàoshī.* She is an exemplary teacher. | 他的~事迹值得大家学习。*Tā de ~ shìjì zhídé dàjiā xuéxí.* His exemplary deeds are worth following.

² **模仿** mófǎng 〈动 v.〉照着现成的样子做 imitate; copy：他们都很认真地~老师的动作。*Tāmen dōu hěn rènzhēn de ~ lǎoshī de dòngzuò.* They are all earnestly imitating the teacher's movements. | 他~得不太像。*Tā ~ de bú tài xiàng.* His imitation is not quite successful. | 他的~能力很强。*Tā de ~ nénglì hěn qiáng.* He is good at imitating.

M

³ **模糊** móhu ❶〈形 adj.〉不清楚；不分明 blurred; indistinct; vague：纸上的字迹很~。*Zhǐ shang de zìjì hěn ~.* The writing on the paper is rather blurred. | 书稿上的字迹已经~不清了。*Shūgǎo shang de zìjì yǐjīng ~ bù qīng le.* The handwriting in the manuscripts is rather unintelligible. | 远处的房子模模糊糊的，看不清楚。*Yuǎn chù de fángzi mómóhūhū de, kàn bù qīngchu.* The houses in the distance seem rather blurry. ❷〈动 v.〉使不清楚 confuse; blur：是非不容~。*Shìfēi bùróng ~.* The distinction between right and wrong should not be obscured. | 眼泪~了她的眼睛。*Yǎnlèi ~le tā de yǎnjing.* Tears blurred her eyes.

⁴ **模式** móshì 〈名 n.〉（种 zhǒng、个 gè）某种事物的标准形式或样式 pattern; model：这种工作~值得借鉴。*Zhè zhǒng gōngzuò ~ zhídé jièjiàn.* This type of work pattern can be used as a reference. | 我不愿意仿效别人的生活~。*Wǒ bú yuànyì fǎngxiào biérén de*

shēnghuó ~. I don't want to copy other people's life patterns.

³ **模型** móxíng〈名 *n.*〉(个 gè、种 zhǒng) 根据实物的形状和结构按其比例制成的样品 model; a copy of sth.: 展览馆摆放着几架飞机~。*Zhǎnlǎnguǎn bǎifàngzhe jǐ jià fēijī* ~. A few plane models are on display in the exhibition hall. | 建筑~很有新意。*Jiànzhù* ~ *hěn yǒu xīnyì.* The architectural models are quite original.

⁴ **膜** mó (~儿)〈名 *n.*〉(层 céng) 生物体内像薄皮一样的组织；泛指像膜的薄皮 membrane: 耳~ěr~ eardrum | 视网~ shìwǎng~ retina | 牛奶表面结了一层~。*Niúnǎi biǎomiàn jiēle yì céng* ~. A thin film formed on the surface of the milk. | 竹子里面有一层~儿。*Zhúzi lǐmiàn yǒu yì céng* ~r. There's a thin film in the bamboo.

⁴ **摩擦** mócā ❶〈动 *v.*〉物体和物体表面接触后来回移动 rub; move two objects against each other back and forth: ~生热。~ *shēng rè.* Friction causes heat. ❷〈名 *n.*〉(个人或党派团体) 因彼此利害矛盾引起的冲突 conflict; clash between persons or parties arising from conflict of interest: 他尽量避免与别人发生~。*Tā jǐnliàng bìmiǎn yǔ biérén fāshēng* ~. He tried his best to avoid clashes with others. | 他俩闹了点儿~。*Tā liǎ nàole diǎnr* ~. The two of them are caught in a small conflict.

³ **摩托车** mótuōchē〈名 *n.*〉(辆 liàng) 装有内燃发动机的两轮或三轮的机动车，英语 motorcycle 的半音译半意译词 motorbike; motorcycle: 这种~性能很好。*Zhèzhǒng* ~ *xìngnéng hěn hǎo.* This model of motorbike performs satisfactorily. | 年轻人特别爱骑这个牌子的~。*Niánqīngrén tèbié ài qí zhège páizi de* ~. Young people are particularly fond of this brand of motorcycle. | 他每天骑~上学。*Tā měitiān qí* ~ *shàngxué.* Everyday he goes to school by motorbike.

² **磨** mó ❶〈动 *v.*〉物体间互相摩擦 rub; wear: 手套~了一个洞。*Shǒutào* ~ *le yí gè dòng.* I wore a hole in my glove. | 衣服袖子都~破了。*Yīfu xiùzi dōu* ~ *pò le.* The sleeves of the clothes are worn and torn. | 皮沙发~得都发白了。*Pí shāfā* ~ *de dōu fā bái le.* The leather sofa has been so worn that it looks white. ❷〈动 *v.*〉用研磨材料磨物体使光滑、锋利 sharpen; grind; polish: 他正在~切菜刀呢。*Tā zhèngzài* ~ *qiēcàidāo ne.* He is whetting a kitchen knife. | 他把刀~得很锋利。*Tā bǎ dāo* ~ *de hěn fēnglì.* He has well sharpened the knife. | 他慢慢地~着墨，准备写字。*Tā mànmàn de* ~ *zhe mò, zhǔnbèi xiězì.* He rubbed an ink-stick slowly and got ready to write. ❸〈动 *v.*〉纠缠 trouble; pester: 这孩子太~人了。*Zhè háizi tài* ~ *rén le.* What an annoying child he is! | 他真有一股子~劲儿。*Tā zhēn yǒu yìgǔzi* ~ *jìnr.* He never gives up pestering. ❹〈动 *v.*〉波折；折磨 torment; torture: 好事多~。*Hǎoshì duō* ~. Good things never come easy. | 这场病把他~得不像人样了。*Zhè chǎng bìng bǎ tā* ~ *de bú xiàng rényàng le.* The illness has tortured him out of shape. ❺〈动 *v.*〉拖时间 waste time; dawdle: 抓紧时间干，别~洋工。*Zhuājǐn shíjiān gàn, bié* ~ *yánggōng.* Lose no time in doing it and don't dawdle on your work. | 他办事总是~~蹭蹭的。*Tā bànshì zǒng shì* ~~*cèngcèng de.* He always dawdles on everything he does. ❻〈动 *v.* 书 *lit.*〉消亡 obliterate; die out: 不可~灭的功勋 bùkě ~*miè de gōngxūn* feats that are indelible

⁴ **蘑菇** mógu ❶〈名 *n.*〉(朵 duǒ、个 gè) 指供食用的蕈类 edible mushroom: 草地上长出一片~。*Cǎodì shang zhǎngchū yí piàn* ~. A patch of mushrooms are growing on the lawn. | 炖鸡肉非常好吃。~*dùn jīròu fēicháng hǎochī.* Stewed chicken with mushrooms is a delicious dish. ❷〈动 *v.*〉故意纠缠、捣乱 pester: 我是照章办事，你~也没有用。*Wǒ shì zhàozhāng bànshì, nǐ* ~ *yě méiyǒu yòng.* I just act according to the rules; your pestering will be useless. ❸〈动 *v.*〉拖延时间 dawdle; dillydally: 我们就要出发了，你还~什么？*Wǒmen jiùyào chūfā le, nǐ hái* ~ *shénme?* We are about to set off. What are

you dawdling for?

⁴ **魔鬼** móguǐ〈名 n.〉(个 gè)宗教或神话传说中指迷惑人、害人性命的鬼怪，比喻邪恶的人或势力 demon; monster; *fig.* evil person or force: 童话中的~经常变成人形来害人。*Tónghuà zhōng de ~ jīngcháng biàn chéng rénxíng lái hàirén.* In fairy tales, the evil spirits often disguised themselves as humans to harm people. ｜他长得像~一样丑恶。*Tā zhǎng de xiàng ~ yíyàng chǒu'è.* He looks as ugly as a demon.

⁴ **魔术** móshù〈名 n.〉(个 gè、场 chǎng)杂技的一种，也叫'幻术''戏法'magic; conjuring; also known as '幻术huànshù' or '戏法xìfǎ': 我喜欢看他表演的~。*Wǒ xǐhuan kàn tā biǎoyǎn de ~.* I like to watch the magic shows he performs. ｜这场~真精彩。*Zhè chǎng ~ zhēn jīngcǎi.* It was an excellent magic show.

³ **抹** mǒ ❶〈动 v.〉涂上；搽 apply; plaster: 涂脂~粉(比喻掩盖丑恶的本质) *túzhī-~fěn* (*bǐyù yǎngài chǒu'è de běnzhì*) apply powder and paint (*fig.* whitewash or prettify an ugly thing) ｜伤口上~了一点儿药。*Shāngkǒu shang ~le yìdiǎnr yào.* (I) applied some ointment on the wound. ｜脸上的粉~得太多了。*Liǎn shang de fěn ~ de tài duō le.* The face is covered with too much powder. ❷〈动 v.〉擦；揩 wipe: 她边说边~眼泪。*Tā biān shuō biān ~ yǎnlèi.* She wiped off her tears as she talked. ｜他吃了饭，把嘴一~就玩儿去了。*Tā chīle fàn, bǎ zuǐ yì ~ jiù wánr qù le.* After having the meal, he wiped his mouth with the back of his hand and then went out to play. ｜他用抹布使劲~也没把桌子~干净。*Tā yòng mābù shǐjìn ~ yě méi bǎ zhuōzi ~ gānjìng.* He was unable to wipe the table clean even though he tried very hard with a table-cloth. ❸〈动 v.〉除去；勾销；不计算在内 delete; cross out; erase: 这笔账的零头儿就~了吧。*Zhè bǐ zhàng de língtóur jiù ~ le ba.* Cross out the fraction from the bill. ｜时间再长，也~不掉他心中的仇恨。*Shíjiān zài cháng, yě ~ bú diào tā xīn zhōng de chóuhèn.* No matter how long it has been, the hatred in his heart can never be obliterated. ｜他不小心把那盘录像给~掉了。*Tā bù xiǎoxīn bǎ nà pán lùxiàng gěi ~diào le.* With carelessness, he erased that video-tape. ❹〈量 meas.〉用于阳光、云霞、色彩等 of sunlight, rosy clouds, color, etc.: 一~阳光 *yì ~ yángguāng* a patch of sunlight ｜几~晚霞 *jǐ ~ wǎnxiá* a few wisps of sunset glow ｜刚刚返青的麦苗给田野添了几~新绿。*Gānggāng fǎnqīng de màimiáo gěi tiányě tiānle jǐ ~ xīn lǜ.* The wheat seedlings have just turned from yellow to green, adding green color to the fields.

⁴ **抹杀** mǒshā〈动 v.〉勾销；完全不计 obliterate; blot out: 不应该~他的功劳。*Bù yīnggāi ~ tā de gōngláo.* His feats should not be blotted out. ｜成绩谁也~不了。*Chéngjì shéi yě ~ bù liǎo.* No one can obliterate the achievements.

³ **末** mò ❶〈名 n.〉东西的梢端，事物的最后部分 tip; end: ~端 *~duān* end ｜~梢 *~shāo* tip ｜秋毫之~(比喻极微细的东西) *qiūháozhī-~* (*bǐyù jí wēixì de dōngxi*) the tip of an animal's autumn hair (*fig.* very small thing) ｜周~ *zhōu~* weekend ｜年~ *nián~* year-end ❷〈名 n.〉不是根本的、不重要的事物(与'本'相对) non-essentials; minor details (opposite to '本běn'): 本~倒置 *běn~-dàozhì* take the branch for the root; put the non-essentials before the fundamentals ｜舍本求~ *shěběn-qiú~* attend to the trifles to the neglect of essentials ❸(~儿)〈名 n.〉碎末儿 powder; dust: 茶叶~儿 *cháyè ~r* tea dust ｜粉~儿 *fěn~r* powder ｜把药片研成~儿。*Bǎ yàopiàn yánchéng ~r.* Pestle the tablets into powder. ❹〈名 n.〉中国传统戏剧中的一种配角，扮演中老年男子，现归入老生行当 minor role of a middle-aged man in traditional operas; old man in Peking Opera ❺〈形 adj.〉最后的 last; final: ~班车 *~bānchē* last bus ｜~代 *~dài* the last reign of a dynasty ｜~年 *~nián* last years of a dynasty or reign ｜~尾 *~wěi* end; last part ｜大年~一天。

Dà nián zuì ~ yì tiān. the 30th day of lunar December.

³ **陌生** mòshēng〈形 *adj.*〉不熟悉;生疏(与'熟悉'相对) unfamiliar; strange (opposite to '熟悉 shúxī'):~的地方 ~ *de dìfang* unfamiliar place│~的环境 ~ *de huánjìng* unfamiliar surroundings│初来到这儿,一切都感到很~。*Chū lái dào zhèr, yíqiè dōu gǎndào hěn ~.* Since I'm new here, I've found everything in this place rather unfamiliar. │开门进来的是一个~人。*Kāimén jìnlái de shì yí gè ~ rén.* The door opened and a stranger came in.

⁴ **莫** mò❶〈副 *adv.*〉不要;别 don't:办公场所,非公~入。*Bàngōng chǎngsuǒ, fēi gōng ~ rù.* No admittance into the office building except on business.│~开玩笑。~ *kāi wánxiào.* Don't be kidding.│要振作,~悲伤。*Yào zhènzuò, ~ bēishāng.* Cheer up and don't be sad.❷〈副 *adv.*〉不;不能 no; not:爱~能助 *ài~néngzhù* willing to help but unable to do so│一夫当关,万夫~开。*Yì fū dāng guān, wàn fū ~ kāi.* With one man guarding at the entrance, even ten thousand men can hardly break in.❸〈副 *adv.*〉表示揣测或反问 indicating speculation or questioning:~非是他干的? *~fēi shì tā gàn de?* Could it be that he did it?│~不是他又病了? *~ bú shì tā yòu bìng le?* Is it possible that he has fallen ill again?❹〈代 *pron.* 书 *lit.*〉没有谁;没有哪一种东西 nothing; no one:闻此喜讯,~不欢欣鼓舞。*Wén cǐ xǐxùn, ~ bù huānxīn-gǔwǔ.* Everyone was happy upon hearing the good news.

⁴ **莫名其妙** mòmíngqímiào〈成 *idm.*〉无法说出它的奥妙(道理),表示事情很奇怪,难于理解 be unable to make head or tail of sth; be baffled:大家对他的变化都感到有点儿~。*Dàjiā duì tā de biànhuà dōu gǎndào yǒudiǎnr~.* We all felt confused about his changes. │她~地哭了起来。*Tā ~ de kūle qǐlái.* She began to cry without reason.

⁵ **墨** mò❶〈名 *n.*〉(块kuài)写字绘画的用品,一般是用煤烟或松烟等制成的黑色块状物;也指用墨和水研出来的汁 China ink; ink stick; black stick made of coal soot or burned pine soot for writing, painting, etc.:~汁 *~zhī* prepared Chinese ink│一块~ yí kuài ~ an ink stick│笔~纸砚是中国的文房四宝。*Bǐ ~ zhǐ yàn shì Zhōngguó de wénfáng-sìbǎo.* The writing brush, ink stick, paper and inkslab are the four treasures of a Chinese study.│研~时用力一定要匀,~才研得好。*Yán ~ shí yònglì yídìng yào yún, ~ cái yán de hǎo.* To make good ink, you need to apply the force evenly when rubbing the ink stick on an inkslab.❷〈名 *n.*〉(幅fú)借指写的字和画的画 handwriting or painting:~宝 *~bǎo* treasured calligraphy or painting│遗~ *yí~* writing or painting left behind by the deceased❸〈名 *n.*〉比喻学问 *fig.* learning:此人胸无点~。*Cǐrén xiōng wú diǎn ~.* He is an unlettered man.❹〈形 *adj.*〉黑色 dark; black:~镜 *~jìng* sunglasses │~菊 *~jú* dark chrysanthemum

² **墨水**儿 mòshuǐr❶〈名 *n.*〉(瓶píng)写钢笔字用的各种颜色的水 ink of different colors for writing with a pen:红~ *hóng* ~ red ink│蓝~ *lán* ~ blue ink│我买了一瓶黑~。*Wǒ mǎile yì píng hēi~.* I bought a bottle of black ink.❷〈名 *n.*〉(瓶píng)墨汁 prepared Chinese ink:这种~写毛笔字很好用。*Zhèzhǒng ~ xiě máobǐzì hěn hǎo yòng.* This kind of Chinese ink is very suitable for writing with a writing brush.❸〈名 *n.*〉比喻学问或读书识字的能力 *fig.* learning or the ability to read:别谦虚了,你肚子里的~比我多多了。*Bié qiānxū le, nǐ dùzi li de ~ bǐ wǒ duō duō le.* Don't be so modest; you are much more learned than I am.

⁴ **默** mòmò〈副 *adv.*〉不说话;不出声 silently:~无闻 *~wúwén* unknown to the public │~无语 *~wúyǔ* without saying a word│她~地呆坐在那里。*Tā ~ de dāi zuò zài nàli.* She sat there in a silent trance.│同学们站在纪念碑前向烈士们~致敬。*Tóngxuémen*

zhàn zài jìniànbēi qián xiàng lièshìmen ~ zhìjìng. The students stood in front of the monument, silently paying tribute to the martyrs.

⁴ **谋** móu ❶〈名 n.〉主意；计策 stratagem; scheme; plan：~略 ~*lüè* strategy; astuteness and resourcefulness｜计~ *jì*~ scheme｜阴~ *yīn*~ conspacy; plot｜出~划策 *chū~huàcè* offer advice; mastermind a scheme｜足智多~ *zúzhì-duō*~ wise and resourceful｜将军作战历来是有勇有~，百战百胜。*Jiāngjūn zuòzhàn lìlái shì yǒuyǒng-yǒu~, bǎizhàn-bǎishèng.* The general has always been both brave and resourceful, emerging victorious in every battle. ❷〈动 v.〉策划；为达到某个目的而想办法 conspire; work out a plan for a purpose：~害 ~*hài* plot to murder sb.｜~杀 ~*shā* murder｜合~ *hé*~ conspire; plot together｜预~ *yù*~ premeditate｜图~不轨 *tú~bùguǐ* hatch a sinister plot｜深~远虑 *shēn~-yuǎnlǜ* be circumspect and farsighted｜你们几个想要~反吗？*Nǐmen jǐ gè xiǎng yào ~fǎn ma?* Are you plotting a rebellion?｜为完成这个任务，我们~划好几天了。*Wèi wánchéng zhège rènwù, wǒmen ~huà hǎojǐ tiān le.* We have been planning for several days to fulfill the task. ❸〈动 v.〉设法寻求 seek：~生 ~*shēng* seek a livelihood｜~职 ~*zhí* seek a job｜以权~私 *yǐquán~sī* use one's power to seek personal gains｜他为人民~幸福。*Tā wèi rénmín ~ xìngfú.* He worked for the welfare of the people.｜你得另~出路了。*Nǐ děi lìng ~ chūlù le.* You have to seek another way out. ❹〈动 v.〉商议 consult：与虎~皮（比喻商议的事情和对方有利害冲突，断然不能成功）*yúhǔ~pí (bǐyù shāngyì de shìqing hé duìfāng yǒu lìhài chōngtū, duànrán bù néng chénggōng)* ask a tiger for its skin (*fig.* request sb. to act against his own interests)｜双方意见不~而合。*Shuāngfāng yìjiàn bù~érhé.* The two sides are in full agreement without previous consultation.

⁴ **谋求** móuqiú〈动 v.〉设法寻找 seek; strive for：~职务 ~*zhíwù* seek a post｜公司准备到国外去~发展。*Gōngsī zhǔnbèi dào guówài qù ~fāzhǎn.* The company is ready to seek further development overseas.｜大家尽快~一个解决问题的办法。*Dàjiā jǐnkuài ~ yí gè jiějué wèntí de bànfǎ.* We should try to find out a solution as soon as possible.

² **某** mǒu ❶〈代 pron.〉指一定的人或事物，用于知道名称而不说出（know sb. or sth. without naming it）certain; some：我国在~地发现了一个大油田。*Wǒguó zài ~dì fāxiànle yí gè dà yóutián.* A big oil field was discovered at a certain place in our country.｜今天，~人又迟到了。*Jīntiān, ~rén yòu chídào le.* Today, someone was late again. ❷〈代 pron.〉指不定的人或事物 certain person or thing：~年~月~ *nián ~ yuè* certain month in a certain year｜如果因为~个同学不努力，而影响全班成绩，就不好了。*Rúguǒ yīnwèi ~ gè tóngxué bù nǔlì, ér yǐngxiǎng quánbān chéngjì, jiù bù hǎo le.* It'll be really bad if the scores of the whole class are affected by someone who doesn't work hard.｜药吃多了会引起~种副作用。*Yào chīduōle huì yǐnqǐ ~ zhǒng fùzuòyòng.* Overdose of medicine will cause some side effect. ❸〈代 pron.〉用在姓氏后代替自己或他人的名字 used after one's family name to replace one's own name or name of another person：别瞎说，我王~不是那种人。*Bié xiāshuō, wǒ Wáng ~ bú shì nà zhǒng rén.* Stop talking nonsense. This Wang is not that kind of person.｜李~参加比赛大家不同意。*Lǐ ~ cānjiā bǐsài dàjiā bù tóngyì.* We are opposed to Li's participation in the competition.

³ **某些** mǒuxiē〈代 pron.〉一些人或事物 a few; certain：~现象 ~*xiànxiàng* some phenomena｜~同学 ~*tóngxué* certain students｜~经验 ~*jīngyàn* certain experience｜会上，~单位受到了表扬。*Huì shang, ~ dānwèi shòudàole biǎoyáng.* Some units were praised at the meeting.

² **模样** múyàng ❶〈名 n.〉人的长相或穿着打扮的样子 appearance; look：她的~俊极

了。*Tā de ~ jùnjí le.* She is very good-looking. | 你穿牛仔服的~真帅。*Nǐ chuān niúzǎifú de ~ zhēn shuài.* You look so smart in jeans. | 他满脸不在乎的~。*Tā mǎnliǎn búzàihu de ~.* He looks as if he doesn't care at all. ❷〈名 n.〉表示大约,大概的情况(仅用于时间、年龄)(of time or age only) proximity; neighborhood: 过了10分钟的~他才来。*Guòle shí fēnzhōng de ~ tā cái lái.* It was not until some ten minutes later that he came. | 那人也就40来岁的~。*Nà rén yě jiù sìshí lái suì de ~.* That man is around 40 years old. ❸〈名 n.〉形势;情况 situation; trend: 他家冷冷清清的,不像办喜事的~。*Tā jiā lěnglěng-qīngqīng de, bú xiàng bàn xǐshì de ~.* His home looks deserted. It's not likely to be celebrating a joyous occasion. | 看~,马上要下雨了。*Kàn ~, mǎshàng yào xiàyǔ le.* It looks like rain soon.

² **母** mǔ ❶〈名 n.〉母亲,有子女的妇女 mother: ~子 ~ zǐ mother and son | 父~ fù~ parents | 慈~ cí~ loving mother | 爱是伟大的。*~ài shì wěidà de.* Maternal love is great. | 她是我的继~。*Tā shì wǒ de jì~.* She is my step-mother. ❷〈名 n.〉称家族或亲戚中的长辈女子 one's female elder: 祖~ zǔ~ grandmother | 姑~ gū~ father's sister; aunt | 伯~ bó~ wife of father's elder brother; aunt | 我有两个姨~ *Wǒ yǒu liǎng gè yí~.* I have two maternal aunts. ❸〈形 adj.〉(禽兽)雌性的(与'公'相对)(of animals) female (opposite to '公gōng'): ~猪 ~zhū sow | ~狗 ~gǒu bitch | 这是一头~牛。*Zhè shì yì tóu ~niú.* This is a cow. ❹〈名 n.〉最初的或可由此产生其他事物的东西 origin; parent: ~带 ~dài master tape | ~机 ~jī machine tool | 酵~ jiào~ yeast | 失败乃成功之~。*Shībài nǎi chénggōng zhī ~.* Failure is the mother of success. ❺〈名 n.〉指凹凸相配的物件中凹形的一件 nut: 螺~ luó~ nut | 子~扣 zǐ~kòu snap button

¹ **母亲** mǔqīn〈名 n.〉(位wèi,个gè)有子女的妇女,其子女对那个妇女的称呼。有时也用于比喻 mother; woman having a child or children; sometimes used figuratively: ~看起来很年轻。*~ kàn qǐlái hěn niánqīng.* The mother looks young. | 孩子都爱自己的~。*Háizi dōu ài zìjǐ de ~.* The children all love their own mothers. | 祖国啊,我的~! *Zǔguó ā, wǒ de ~!* Homeland, my mother!

² **亩** mǔ〈量 meas.〉中国计算土地面积的市制单位,1亩等于60平方丈,合666.7平方米 mu; a Chinese unit of area, 1 mu equals 60 square zhang or 666.7 square meters: 我家一共承包了15~土地。*Wǒ jiā yígòng chéngbāole shíwǔ ~ tǔdì.* My family contracted to farm 15 mu of land. | 我种的大豆每~产了200公斤。*Wǒ zhòng de dàdòu měi ~ chǎn le èrbǎi gōngjīn.* The unit production of the soybean I grow is 200 kilos per mu.

² **木** mù ❶〈名 n.〉树木 tree: 果~ guǒ~ fruit tree | 乔~ qiáo~ arbor | 独~不成林。*Dú ~ bù chéng lín.* One tree does not make a forest. | 要爱护一草一~。*Yào àihù yì cǎo yí ~.* We should take good care of all grass and trees. | 工人正在伐~。*Gōngrén zhèngzài fá~.* The workers are felling trees. ❷〈名 n.〉木头 wood; timber: ~板 ~bǎn plank | ~料 ~liào timber; lumber | ~制家具 ~zhì jiājù wooden furniture | ~已成舟(比喻事情已成定局)。*~yǐchéngzhōu (bǐyù shìqing yǐ chéng dìngjú).* The wood is already made into a boat (fig. what is done cannot be undone). ❸〈名 n.〉棺材 coffin: 行将就~ xíngjiāngjiù~ have one foot in the grave ❹〈形 adj.〉反应慢 slow-witted: ~呆呆 ~dāidāi wooden-headed | 这个人怎么这么~! *Zhège rén zěnme zhème ~!* Why is he so dull-witted! ❺〈形 adj.〉局部感觉不灵或丧失 numb: 看了一天书,头都发~了。*Kànle yì tiān shū, tóu dōu fā ~ le.* After reading for a whole day, I feel numb in my head. | 我的脚趾头都冻~了。*Wǒ de jiǎo zhítou dōu dòng ~ le.* My toes were numb with cold.

³ **木材** mùcái〈名 n.〉树木采伐后经过初步加工的材料 timber; lumber: ~可以制作家具。*~ kěyǐ zhìzuò jiājù.* Timber can be made into furniture. | 古建筑用的都是优质~。*Gǔ*

M

jiànzhù yòng de dōu shì yōuzhì ~. Ancient buildings were all built with quality timber.

⁴ **木匠** mùjiàng〈名 n.〉(个 gè、位 wèi) 制作木器或房屋木质构件等工作的工人 carpenter: 这个~干活儿很细。*Zhège ~ gànhuór hěn xì.* This carpenter is meticulous in his work. │他是个很有名气的~。*Tā shì gè hěn yǒu míngqì de ~.* He is a well-known carpenter.

² **木头** mùtou〈名 n. 口 colloq.〉(根 gēn、块 kuài) 木材和木料的通称 wood; log; timber: 这几块~可以钉一个画框。*Zhè jǐ kuài ~ kěyǐ dìng yí gè huàkuāng.* A frame can be made with these pieces of wood. │他用锯锯了几根~。*Tā yòng jù jùle jǐ gēn ~.* He sawed a few pieces of wood. │这是~桌子,不是铁的。*Zhè shì ~ zhuōzi, bú shì tiě de.* This is a wooden table, not an iron one.

⁴ **目** mù ❶〈名 n.〉眼睛 eye: ~光 ~guāng sight; vision │~测 ~cè range estimation │~不识丁 ~bùshídīng be illiterate │有~共睹 yǒu~gòngdǔ be perfectly obvious │~不暇接 ~bùxiájiē there are too many things for the eye to take in ❷〈名 n.〉大项目中再分出来的小项 item: 账~ zhàng~ items of an account │项~ xiàng~ item │细~ xì~ detailed items ❸〈名 n.〉名称 name; title: 题~ tí~ title; topic │巧立名~ qiǎolì-míng~ create all sorts of names; concoct various pretexts ❹〈名 n.〉生物学的分类等级,在 '纲' 之下 '科' 之上 order; classification of a group of related plants or animals ranking above a family and below a class: 鹤形~ hèxíng~ the crane order │蔷薇~ qiángwēi~ the rose order ❺〈名 n.〉目录 catalogue: 剧~ jù~ a list of plays │书~ shū~ booklist ❻〈名 n.〉计算围棋胜负的单位 eye; unit of moves in weiqi or go: 我方选手以一~半险胜 *Wǒfāng xuǎnshǒu yǐ yí ~ bàn xiǎnshèng.* Our side won narrowly by one and a half eyes. ❼〈动 v.〉看 look: 他的用心是一~了然的。*Tā de yòngxīn shì yí~-liǎorán de.* His intention is clear at a glance.

² **目标** mùbiāo ❶〈名 n.〉(个 gè) 射击、攻击或寻找的对象 target; objective: ~被我们侦察到了。*~ bèi wǒmen zhēnchá dào le.* We discovered the target. │我们终于发现了~。*Wǒmen zhōngyú fāxiàn le ~.* At last we detected the target. ❷〈名 n.〉(个 gè) 认定要达到的标准 aim; goal: 她的奋斗~是当医学家。*Tā de fèndòu ~ shì dāng yīxuéjiā.* She aims to become a medical scientist. │我们一定能实现这个宏伟~。*Wǒmen yídìng néng shíxiàn zhège hóngwěi ~.* We shall surely fulfill this grand goal.

² **目的** mùdì〈名 n.〉(个 gè) 想要达到的境地;要求得到的结果 purpose; aim; objective; end: 我们的~一定会实现。*Wǒmen de ~ yídìng huì shíxiàn.* Our purpose will surely be attained. │我的学习~很明确。*Wǒ de xuéxí ~ hěn míngquè.* I have a definite purpose of study. │他说这话没有什么~。*Tā shuō zhè huà méiyǒu shénme ~.* He had no specific purpose of saying those words.

³ **目睹** mùdǔ〈动 v.〉亲眼所见 witness; see with one's eyes: 我们~了这一起交通事故。*Wǒmen ~le zhè yì qǐ jiāotōng shìgù.* We eye-witnessed that traffic accident. │我耳闻~的事情也不少了。*Wǒ ěrwén ~ de shìqing yě bù shǎo le.* The things I have seen and heard so far are many.

³ **目光** mùguāng ❶〈名 n.〉视线 sight; vision; view: 大家的~都集中到了她的身上。*Dàjiā de ~ dōu jízhōng dàole tā de shēn shang.* All eyes were on her. │他无法躲避大家的~。*Tā wúfǎ duǒbì dàjiā de ~.* He couldn't shun people's eyes. ❷〈名 n.〉眼神 expression in one's eyes: ~炯炯 ~ jiǒngjiǒng piercing eyes │狼的眼睛闪动着凶恶的~。*Láng de yǎnjing shǎndòng zhe xiōng'è de ~.* The wolf's eyes are shining with ferocity. ❸〈名 n.〉见解;见识 opinion; vision: ~如豆 ~rú dòu vision as narrow as a bean; of narrow vision │~如炬 ~rú jù eyes blazing like torches; far-sighted │要把~放

得远一些。*Yào bǎ ~ fàng de yuǎn yìxiē.* We should take a long-term perspective. | 此人~短浅。*Cǐrén ~ duǎnqiǎn.* This man is a short-sighted person.

⁴ **目录** mùlù ❶〈名 n.〉按照一定的次序列出来以供查考的事物名目 catalogue; list: 这是公司的财产~。*Zhè shì gōngsī de cáichǎn ~.* This is an inventory of the company's property. | 图书~都是按音序排列的。*Túshū ~ dōu shì àn yīnxù páiliè de.* The book catalogue is alphabetically ordered. ❷〈名 n.〉书刊正文前列出的章节篇次 table of contents: 看看书的~，可能有你需要的文章。*Kànkàn shū de ~, kěnéng yǒu nǐ xūyào de wénzhāng.* Take a look at the book's table of contents and you may find some articles you need. | 和正文对不上了。*~ hé zhèngwén duì bú shàng le.* The table of contents does not match the text itself.

¹ **目前** mùqián〈名 n.〉指说话的时候，有时也指最近一段时间 present; recent period of time: 他~的身体状况很好。*Tā ~ de shēntǐ zhuàngkuàng hěn hǎo.* At the moment he is in good health. | 我们~还不能确定事情的结果。*Wǒmen ~ hái bù néng quèdìng shìqing de jiéguǒ.* At present the result cannot be confirmed yet.

⁴ **目中无人** mùzhōng-wúrén 〈成 idm.〉形容骄傲自大，谁都看不起 consider everyone beneath one's notice; supercilious: 他自高自大，太~了。*Tā zìgāo-zìdà, tài ~ le.* He is supercilious and arrogant. | 他那~的态度，引起了大家反感。*Tā nà ~ de tàidù, yǐnqǐ le dàjiā fǎngǎn.* We felt disgusted at his arrogance.

³ **牧场** mùchǎng ❶〈名 n.〉〈个 gè、片 piàn〉牧放牲畜的草地 pastureland; grazing land: 这片~真够大的。*Zhè piàn ~ zhēn gòu dà de.* This is a fairly large piece of pastureland. | 她把羊群赶到了一片水草肥美的~。*Tā bǎ yángqún gǎndàole yí piàn shuǐcǎo féiměi de ~.* She drove the herd into a piece of fertile pasture. ❷〈名 n.〉〈个 gè〉饲养牲畜的企业单位 ranch; livestock farm: 这个~有几十名工人。*Zhège ~ yǒu jǐshí míng gōngrén.* There are dozens of workers in our livestock farm. | 割草机隆隆地开进了~。*Gēcǎojī lónglóng de kāijìnle ~.* Mowers roared into the ranch.

³ **牧民** mùmín〈名 n.〉〈个 gè、位 wèi〉牧区中以畜牧为生的人 herdsman: 草原上的~每天放牧牛羊。*Cǎoyuán shang de ~ měitiān fàngmù niú yáng.* The herdsmen on the grassland graze sheep and cattle everyday. | 他们家三代都是~。*Tāmen jiā sān dài dōu shì ~.* Three generations of their family are herdsmen.

⁴ **牧区** mùqū ❶〈名 n.〉〈片 piàn、个 gè〉放牧的地方 pastureland: 这片~真不小。*Zhè piàn ~ zhēn bù xiǎo.* This is a fairly large piece of pastureland. | 一进入~就看见成群的牛羊。*Yí jìnrù ~ jiù kànjiàn chéngqún de niú yáng.* On entering the pasture, we saw herds of cattle and sheep. ❷〈名 n.〉以畜牧为主的地区 pastoral area: ~的牧民都会做奶茶。*~ de mùmín dōu huì zuò nǎichá.* The herdsmen in the pastoral area are all able to make milk tea. | 她愿意留在~生活。*Tā yuànyì liú zài ~ shēnghuó.* She is willing to stay and live in the pastoral area.

⁴ **牧业** mùyè〈名 n.〉饲养放牧牲畜或家禽的产业 animal husbandry: ~有了很大发展。*~ yǒule hěn dà fāzhǎn.* The animal husbandry has achieved great development. | 在条件适当的地区要大力发展~。*Zài tiáojiàn shìdàng de dìqū yào dàlì fāzhǎn ~.* We shall devote major efforts to developing animal husbandry in areas with appropriate conditions.

³ **墓** mù〈名 n.〉〈座 zuò、个 gè〉坟墓 tomb; grave: ~碑 ~bēi tombstone | 烈士~ lièshì ~ martyrs' cemetery | 他死后被葬在了国家公~。*Tā sǐ hòu bèi zàng zài le guójiā gōng~.* After his death he was buried in the state cemetery. | 清明节，中国人有扫~的习惯。*Qīngmíngjié, Zhōngguórén yǒu sǎo~ de xíguàn.* The Chinese people sweep graves to pay

respect to the deceased on the Pure Brightness Day. | 十三陵是明代的皇家~地。 *Shísānlíng shì Míngdài de huángjiā ~dì.* The Ming Tombs are mausoleums for the imperial families of the Ming Dynasty.

³ **幕** mù ❶ 〈名 n.〉作遮盖用的大幅的布等织物，或像幕一样的东西 curtain; screen：帐~ *zhàng~* tent | 烟~ *yān~* shroud of smoke | 雨~ *yǔ~* rain screen | 夜~笼罩着大地。*Yè~ lǒngzhàozhe dàdì.* The land is enveloped in a curtain of darkness. ❷ 〈名 n.〉垂挂着的大块的布、绸、丝绒等(用于放电影或演剧) curtain; a large piece of hanging cloth, silk, velvet, etc. used in stage performances or film showing：~布 *~bù* curtain | ~后 ~ *hòu* behind the scenes; backstage | 开~ *kāi~* open; inaugurate | 银~ *yín~* projection screen | 大~徐徐拉开，戏开场了。*Dà ~ xúxú lākāi, xì kāichǎng le.* As the curtain slowly rose, the performance began. ❸ 〈名 n.〉戏剧的一个相对完整的段落(一幕可分为若干场) act：独~剧 *dú~jù* one-act play | 序~ *xù~* prelude | 这出戏有五~八场。*Zhè chū xì yǒu wǔ ~ bā chǎng.* This play is divided into five acts and eight scenes.

⁴ **穆斯林** Mùsīlín 〈名 n. 外 *forg.*〉(位 wèi、名 míng、个 gè) 伊斯兰教信徒，阿拉伯语 Muslim 的音译 Muslim; Moslem：这位~来自阿拉伯国家。*Zhè wèi ~ lái zì Ālābó guójiā.* This is a Muslim from an Arab country. | 中国也有很多~。*Zhōngguó yě yǒu hěn duō ~.* There are many Muslims in China.

M

N

¹ 拿 ná ❶〈动 v.〉用手抓住或用其他方式搬动；取得 hold; take; bring; obtain：他手里～着一条毛巾。Tā shǒu li ~zhe yì tiáo máojīn. He is holding a towel in his hand. | 你把这个箱子～走。Nǐ bǎ zhège xiāngzi ~zǒu. Take this box away. | 他从钱包里～出几块钱来。Tā cóng qiánbāo li ~chū jǐ kuài qián lái. He took a few *yuan* out of his wallet. | 我抽签～了个一等奖。Wǒ chōuqiān ~le gè yī děng jiǎng. I won a first prize in the lottery. ❷〈动 v.〉用；使用 use; utilize：～这药治病 ~zhè yào zhìbìng cure the illness with this medicine | ～稻草做肥料 ~dàocǎo zuò féiliào use rice straw as a fertilizer ❸〈动 v.〉(用强力) 捉拿; 攻取; 干完 seize; capture; complete：捉～小偷 zhuō ~xiǎotōu catch a thief | ～下敌人的碉堡 ~xia dírén de diāobǎo seize an enemy pillbox | 年底这个工程到～下一下。Niándǐ zhège gōngchéng jiù kěyǐ ~xià. This project will be completed by the end of this year. ❹〈动 v.〉刁难；要挟 bluff; blackmail：这技术谁不会呀，还想～人！Zhè jìshù shéi bú huì ya, hái xiǎng ~ rén! I don't think you can bluff me, as everybody can handle things like this. | 你～谁呀，我才不怕呢。Nǐ ~shéi ya, wǒ cái bú pà ne. You can never bluff me. I'm not scared at all. ❺〈动 v.〉掌握；把握 control; grasp; be able to do：这事他十～九稳。Zhè shì tā shí~jiǔwěn. He is quite sure to bring it off. | 我还～不准主意。Wǒ hái ~ bù zhǔn zhǔyi. I haven't made a decision yet. ❻〈介 prep.〉引进所凭借的工具、材料、方法等，意思与‘用’相同 (used to introduce the tool, method, material, etc., for doing sth., similar to the function of ‘用 yòng’) with; by：这个案例说明问题 ~zhège ànlì shuōmíng wèntí explain the issue with this case | ～新观点观察世界 ~xīn guāndiǎn guānchá shìjiè observe the world from a new perspective ❼〈介 prep.〉引进处置的对象，动词仅限‘当’‘开玩笑’‘没办法’等几个，意思与‘把’相同 used to introduce the object, the verb is limited to ‘当 dāng’, ‘开玩笑 kāi wánxiào’, ‘没办法 méi bànfǎ’, etc., similar to the function of ‘把 bǎ’：大家都～他当傻瓜。Dàjiā dōu ~ tā dàng shǎguā. Everybody takes him for a fool. | 你们别～残疾人开玩笑。Nǐmen bié ~cánjírén kāi wánxiào. You should not make fun of the disabled people. | 谁也～他没办法。Shéi yě ~ tā méi bànfǎ. No one knows how to cope with him.

³ 拿…来说 ná…láishuō〈介 prep.〉引进处置的对象，表示从某一方面论述 (used to introduce the object) as far as ... is concerned; take ... as an example：～汉语水平～，他比两年前强多了。~ Hànyǔ shuǐpíng ~, tā bǐ liǎng nián qián qiángduō le. His Chinese proficiency has been greatly improved as compared with two years ago. | ～产品质量～，的确还存在不少问题。~ chǎnpǐn zhìliàng ~, díquè hái cúnzài bùshǎo wèntí. Many problems exist indeed as far as the product quality is concerned. | ～北京～，这两年变化可大啦！~ Běijīng ~, zhè liǎng nián biànhuà kě dà la! Just take Beijing as an example, it

has seen so many changes in the past two years!

¹ 哪 nǎ ❶〈代 *pron.*〉用于疑问句,单用或后面跟量词或数量词组,表示要求在几个人或几个事物中先定一个或几个(used in an interrogative sentence; used singularly or followed by a classifier or numeral-classifier combination to decide on one or several among a few persons or objects)which: 您是~位? *Nín shì ~ wèi?* Who are you? | 你是~年~月生的? *Nǐ shì ~ nián ~ yuè shēng de?* In which month and year were you born? | ~几件行李是你的? *~ jǐ jiàn xíngli shì nǐ de?* Which pieces of luggage are yours? **❷**〈代 *pron.*〉用于疑问句,表示要求在同类事物中加以确指(used in an interrogative sentence to request clarification among things of the same category)which; which one: 你是~个班的? *Nǐ shì ~ge bān de?* Which class are you in? | 这里边的东西~是你的? *Zhè lǐbian de dōngxi ~ shì nǐ de?* Which one of these things is yours? **❸**〈代 *pron.*〉用于虚指,表示不确定的一个(used to refer to an uncertain one)whichever: 你~天有空儿就过来玩儿。 *Nǐ ~ tiān yǒukòngr jiù guòlái wánr.* Come here and have fun whenever you are free. | 住~家旅馆好呢? *Zhù ~ jiā lǚguǎn hǎo ne?* Whichever hotel is suitable for us? **❹**〈代 *pron.*〉用于任指,表示任何一个。后面常有 ‘都’ ‘也’ 呼应,或者用两个 ‘哪’ 一前一后呼应(use to refer to any one of a few things; often followed by ‘都dōu’, ‘也yě’, or used in a ‘哪nǎ… 哪nǎ’ structure)whichever: 你上~家买都行。 *Nǐ shàng ~ jiā mǎi dōu xíng.* You may buy it in whichever store. | 这几件衣服,~一件也不好看。 *Zhè jǐ jiàn yīfu, ~ yí jiàn yě bù hǎokàn.* None of these dresses is pretty. | ~路车快就搭~路车。 *~ lù chē kuài jiù dā ~ lù chē.* Take a bus which is faster than the others.

☞ na, p. 714

² 哪个 nǎge〈代 *pron.*〉哪一个 which one: 是~人告诉你的? *Shì ~ rén gàosù nǐ de?* Who told you this? | ~书店卖外文杂志? *~ shūdiàn mài wàiwén zázhì?* Which book store sells foreign-language magazines? | 你住~旅馆? *Nǐ zhù ~ lǚguǎn?* Which hotel did you stay at?

¹ 哪里 nǎli ❶〈代 *pron.*〉什么地方 where: 他住在~? *Tā zhù zài ~?* Where does he live? | 从~来? 到~去? *Cóng ~ lái? dào ~ qù?* Where are you from and where are you going? | 请问~卖这书? *Qǐng wèn ~ mài zhè shū?* Could you please tell me which book store sells this book? **❷**〈代 *pron.*〉不确定的地方、处所 somewhere: 我好像在~听过她讲学。 *Wǒ hǎoxiàng zài ~ tīngguo tā jiǎngxué.* It seems that I've listened to her lecture somewhere. | 你在~碰见过她? *Nǐ zài ~ pèngjiànguo tā?* Where did you meet her? **❸**〈代 *pron.*〉泛指任何地方 wherever: 无论你走到~,都有人向你伸出援手。 *Wúlùn nǐ zǒu dào ~, dōu yǒu rén xiàng nǐ shēn chū yuánshǒu.* Wherever you go, there's always someone lending you a helping hand. | ~有空气和水,~就有生命。 *~ yǒu kōngqì hé shuǐ, ~ jiù yǒu shēngmìng.* Where there are air and water, there is life. **❹**〈代 *pron.*〉用于反问,表示否定 used in the negative in rhetorical questions: 这一小碗面条,~够吃。 *Zhè yì xiǎo wǎn miàntiáo, ~ gòu chī.* This small bowl of noodles is far from enough. | 我~会跳舞。 *Wǒ ~ huì tiàowǔ.* I don't know how to dance. **❺**〈代 *pron.*〉用来婉转地推辞对自己的夸奖 used when responding politely to a compliment: 你汉语说得真好! ——, ~! *Nǐ Hànyǔ shuō de zhēn hǎo!* ——, ~! You speak very good Chinese! -Oh, by no means. I feel flattered.

² 哪怕 nǎpà〈连 *conj.*〉表示假设(后面多用 ‘也’ ‘都’ ‘还’ 等呼应)(expression of an assumption, usually followed by ‘也yě’, ‘都dōu’, ‘还hái’ etc.)even though; even if: ~失败一百次,我们也要把试验继续下去。 *~ shībài yìbǎi cì, wǒmen yě yào bǎ shìyàn* *jixù xiàqù.* Even if we might fail for a hundred times, we shall go on with the experiment. | 千难万险，我们还要登上珠峰。 ~ *qiānnán-wànxiǎn, wǒmen hái yào dēngshàng Zhūfēng.* No matter how difficult it is, we shall still try to scale Mount Qomolangma. | 学好汉语~要花三五年时间，我都愿意。 *Xuéhǎo Hànyǔ ~ yào huā sān wǔ nián shíjiān, wǒ dōu yuànyì.* Even though it may take three or five years to learn Chinese well, I am willing to do so.

² **哪些** nǎxiē 〈代 *pron.*〉哪一些 which (ones); who: 这个班都有~国家的学生？ *Zhège bān dōu yǒu ~ guójiā de xuésheng?* Which countries are the students in this class from? | 这次学术研讨会都有~人参加？讨论了~问题？ *Zhècì xuéshù yántǎohuì dōu yǒu ~ rén cānjiā? Tǎolùnle ~ wèntí?* Who were present at the seminar? Which topics were discussed? | 这次欧洲之行，你去了~国家？ *Zhècì Ōuzhōu zhī xíng, nǐ qùle ~ guójiā?* Which countries did you visit during your Europe tour?

¹ **那** nà ❶〈代 *pron.*〉单用，或用在名词、量词、数量词组前,指代比较远的人或事物（与‘这’相对）(used singularly, or followed by a noun, classifier or numeral-classifier compound to refer to sb. or sth. farther away from the speaker) (opposite to ‘这zhè'): 这是我哥，~是我弟。 *Zhè shì wǒ gē, ~ shì wǒ dì.* This is my elder brother and that is my younger brother. | 你~堂课讲得非常好。 *Nǐ ~ táng kè jiǎng de fēicháng hǎo.* That lecture you gave was so successful. | ~时候我还是一个孩子呢。 *~ shíhou wǒ hái shì yí gè háizi ne.* I was only a little child at that time. ❷〈代 *pron.*〉与‘这’相对着用，表示不确定的事物 used as an opposite to ‘这zhè', demonstrating something unspecified: 这也看看，~也看看，真不知你要看什么。 *Zhè yě kànkan, ~ yě kànkan, zhēn bù zhī nǐ yào kàn shénme.* You want to see this and that. I wonder what you really want to see. | 这不吃，~也不吃，你到底想吃什么？ *Zhè bù chī, ~ yě bù chī, nǐ dàodǐ xiǎng chī shénme?* Neither this nor that is to your taste. What on earth do you want to eat? ❸〈代 *pron.*〉指代复数，同‘那些’(used to refer to a plural form, same as ‘那些nàxiē') those: ~都是从国外来的同学。 *~ dōu shì cóng guówài lái de tóngxué.* Those are students from abroad. | 你看，~都是甲班同学写的。 *Nǐ kàn, ~ dōu shì jiǎ bān tóngxué xiě de.* Look, those articles were written by students in Class A. ❹〈连 *conj.*〉顺接上文的语意，引出应有的结果(上文可以是对方的话，也可以是自己提出的问题或假设)；与‘那么’的意思相当 (indicating a presumable result from what is entailed in the preceding sentence uttered by oneself or someone else; same as ‘那么nàme') then; in that case: 要是你不去看电影，~我也不去了。 *Yàoshì nǐ bú qù kàn diànyǐng, ~ wǒ yě bú qù le.* If you don't go to the movies, then I'll not go either. | 要赶火车，~你就快走吧！ *Yào gǎn huǒchē, ~ nǐ jiù kuài zǒu ba!* You need to hurry up if you want to catch the train.

² **那边** nàbian 〈代 *pron.*〉那一边；远处的一方（与‘这边’相对) there; that place (opposite to ‘这边zhèbian'): 我家在河的~。 *Wǒ jiā zài hé de ~.* My home in on the other side of the river. | 山的~是别的国家。 *Shān de ~ shì bié de guójiā.* The other side of the mountain is another country.

¹ **那个** nàge ❶〈代 *pron.*〉指代比较远的人或事物；那一个（与‘这个’相对）(demonstrating sb. or sth. farther away from the speaker) that (opposite to ‘这个zhège'): 刚才来的~人是谁？ *Gāngcái lái de ~ rén shì shéi?* Who is that person who just came here? | ~地方四季如春。 *~ dìfang sìjì rú chūn.* In that place it is like spring all the year around. | ~班现在一个同学也不在。 *~ bān xiànzài yí gè tóngxué yě bú zài.* Nobody can be found in that class now. ❷〈代 *pron.* 口 *colloq.*〉用在动词、形容词前，

表示夸张 preceding a verb or an adjective to indicate a certain degree of exaggeration：你看他~吃相，好像饿了三天三夜似的。*Nǐ kàn tā ~ chīxiàng, hǎoxiàng èle sān tiān sān yè shìde.* Just look at how much he is eating. It seems as if he had been without food for three days and nights. | 出差外地买回一套玩具，你看儿子~高兴啊！*Chūchāi wàidì mǎihuí yí tào wánjù, nǐ kàn érzi ~ gāoxìng a!* When I gave my son a set of toys I bought during a business trip out of town, I could hardly describe how happy he was. ❸ 〈代 *pron.*〉代替名词（事物、原因、情况）(used in place of a noun, indicating a thing, reason or state of affairs) that thing; that matter：你说的~，我已经办好了。*Nǐ shuō de ~, wǒ yǐjīng bànhǎo le.* The thing you mentioned has been settled. | 就因为~，俩人至今还不说话。*Jiù yīnwèi ~, liǎ rén zhìjīn hái bù shuōhuà.* Even now these two persons are not on speaking terms just because of that. ❹ 〈代 *pron.* 口 colloq.〉代替不愿或不便直接说出的形容词 used in place of certain words for euphemism：东西好是好，只是价钱太~了（表示'贵'）。*Dōngxi hǎo shì hǎo, zhǐshì jiàqián tài ~ le (biǎoshì 'guì').* It is a nice product; only a little... you know what I mean (meaning 'too expensive'). | 他什么都好，只是脾气有点儿~（表示'不好'）。*Tā shénme dōu hǎo, zhǐshì píqì yǒu diǎnr ~ (biǎoshì 'bùhǎo').* He is good in all respects except that his temper is a little bit ... ,well, I guess you know the word for it (meaning 'not good'). ❺ 〈代 *pron.* 口 colloq.〉与'这个'对举，表示不确定的众多事物 (used as an opposite to '这个 zhège' to refer to a number of things unspecified) those：尝尝这个，尝尝~，觉得都很好吃。*Chángchang zhège, chángchang ~, juéde dōu hěn hǎochī.* I tried these and those foods and found them all very delicious. | 他这个~地买了一大堆东西。*Tā zhège ~ de mǎile yí dà duī dōngxi.* He has bought so many things.

¹ **那里 nàli**〈代 *pron.*〉指比较远的，也说'那儿'（与'这里'相对）(referring to a place farther away from the speaker; also as '那儿 nàr') that place; there (opposite to '这里 zhèli')：他们~靠近海边。*Tāmen ~ kàojìn hǎibiān.* That place where they live is close to the sea. | 我先去香港，再从~去新加坡。*Wǒ xiān qù Xiānggǎng, zài cóng ~ qù Xīnjiāpō.* I'll first go to Hong Kong and then from there go to Singapore.

¹ **那么 nàme** ❶ 〈代 *pron.*〉指性质、状态、方式、程度等 indicating property, state, method, degree, etc.）so; to the extent that; like that：脸像苹果~红。*Liǎn xiàng píngguǒ ~ hóng.* The face is as red as an apple. | 他对人总是~横，谁还敢跟他说话。*Tā duì rén zǒng shì ~ hèng, shéi hái gǎn gēn tā shuōhuà.* Nobody dares to speak to him since he always behaves so rudely to others. | 你对爷爷怎么~说话？*Nǐ duì yéye zěnme ~ shuōhuà?* How could you speak to your grandfather in that way? | 作业~多，恐怕半天也做不完。*Zuòyè ~ duō, kǒngpà bàn tiān yě zuò bù wán.* There is so much homework that it can hardly be finished within half a day. ❷ 〈代 *pron.*〉放在数量词组前，表示不确定的语气 (preceding a numeral-classifier compound to indicate a rough count) about; or so：找~十来个同学帮忙也就够了。*Zhǎo ~ shí lái gè tóngxué bāngmáng yě jiù gòu le.* It will probably be enough to have assistance from about ten classmates. | 恐怕得有~两三个小时才能干完。*Kǒngpà děi yǒu ~ liǎng sān gè xiǎoshí cái néng gànwán.* I'm afraid that it will take two or three hours to finish it. | 估计还有~二十多里路呢！*Gūjì hái yǒu ~ èrshí duō lǐ lù ne!* I estimate that there are still another twenty *li* to go! ❸ 〈连 conj.〉同'那' same as '那 nà'：既然你们都去了，~我就留下。*Jìrán nǐmen dōu qù le, ~ wǒ jiù liúxià.* Since all of you will go, then I'll stay. | 如果不下雨，~我也会去的。*Rúguǒ bú xiàyǔ, ~ wǒ yě huì qù de.* If it doesn't rain, then I'll go too.

¹ **那儿 nàr**〈名 *n.*〉同'那里' same as '那里 nàli'

⁴ 那时 nàshí 〈代 *pron.*〉那个时候（指过去或未来某一时间）(used to refer to either a past time or a future time) at that time; then; by the time：~我还在上幼儿园呢！*~ wǒ hái zài shàng yòu'éryuán ne!* I was still in the kindergarten at that time! | 从~起，我们就相识了。*Cóng ~ qǐ, wǒmen jiù xiāngshí le.* We have known each other since then. | 北京举办奥运会，~我都80岁了。*Běijīng jǔbàn Àoyùnhuì, ~ wǒ dōu bāshí suì le.* I'll be 80 years old by the time when the Olympic Games are held in Beijing.

¹ 那些 nàxiē 〈代 *pron.*〉指比较远的两个以上的人或事物（与'这些'相对）(demonstrating more than two persons or things farther away from the speaker) those (opposite to '这些zhèxiē')：~人刚从美国来。*~ rén gāng cóng Měiguó lái.* Those people just came from the United States. | 演出的~人不是专业演员。*Yǎnchū de ~ rén bú shì zhuānyè yǎnyuán.* Those performers are not professional actors. | 他老放~歌曲，我都听烦了。*Tā lǎo fàng ~ gēqǔ, wǒ dōu tīngfán le.* He always plays those songs and I feel quite fed up with them. | 他就爱说~不三不四的话。*Tā jiù ài shuō ~ bùsān-búsì de huà.* He is fond of saying those nasty words.

¹ 那样 nàyàng 〈代 *pron.*〉指性质、状态、方式、程度等 (indicating property, state, method, degree, etc.) so; such; like that; of that kind：花儿是~的红。*Huār shì ~ de hóng.* The flowers are so red. | 看你急得~，出什么事了？*Kàn nǐ jí de ~, chū shénme shì le?* Why are you so anxious? What is the matter? | 你别~客气了。*Nǐ bié ~ kèqi le.* Don't stand on ceremony that like. | 尽管大家都知道，他还是~详细地解说。*Jǐnguǎn dàjiā dōu zhīdào, tā hái shì ~ xiángxì de jiěshuō.* Though everybody knew about it, he insisted on giving such a detailed explanation.

⁴ 纳闷 nà//mènr 〈动 *v.*〉感到疑惑不解 feel puzzled; be perplexed：都过点儿了还不来，真叫人~。*Dū guò diǎnr le hái bù lái, zhēn jiào rén ~.* It's already time and he hasn't arrived yet. How perplexing it is! | 同事告诉我有国际长途，我正~，原来是你打来的呀！*Tóngshì gàosu wǒ yǒu guójì chángtú, wǒ zhèng ~, yuánlái shì nǐ dǎlái de ya!* When told by my colleague that someone had made a long-distance call from abroad, I was wondering who it could be. It turned out that it was you who made the call! | 刚才我还纳着闷儿谁会给我送礼呀，原来这礼是你送的。*Gāngcái wǒ hái nàzhe mènr shéi huì gěi wǒ sòng lǐ ya, yuánlái zhè lǐ shì nǐ sòng de.* Just now I felt puzzled about who had sent me the gift. It turned out that you did it.

⁴ 纳税 nà//shuì 〈动 *v.*〉交纳税款 pay tax：~是公民的义务。*~ shì gōngmín de yìwù.* The citizens have an obligation to pay taxes. | 你纳的什么税？*Nǐ nà de shénme shuì?* What type of tax are you paying? | 我按国家的规定，按时纳了所有的税。*Wǒ àn guójiā de guīdìng, ànshí nàle suǒyǒu de shuì.* As required by the state regulations, I have paid all the taxes on time.

¹ 呐 na ❶〈助 *aux.*〉用在选择疑问句、正反疑问句、特指疑问句的末尾，使疑问的语气舒缓 used at the end of an alternative question, affirmative-negative question, or special question to indicate a softened interrogative tone：你喝酒~，还是喝饮料？*Nǐ hē jiǔ ~, háishì hē yǐnliào?* Will you have wine or soft drinks? | 你到底看不看~? *Nǐ dàodǐ kàn bu kàn ~?* Do you wish to see it or not? | 哪个是你的~? *Nǎge shì nǐ de ~?* Which one is yours? ❷〈助 *aux.*〉用在陈述句的末尾，表示确认事实 used at the end of a declarative sentence to confirm a fact：作业还没有做~。*Zuòyè hái méiyǒu zuò ~.* The homework hasn't been done yet. | 火车10点才能到~。*Huǒchē shí diǎn cái néng dào ~.* The train will not arrive until 10. ❸〈助 *aux.*〉用在陈述句的末尾，表示动作正在进行 used at the end of a declarative sentence to indicate that something is happening：我在做作业~。

Wǒ zài zuò zuòyè ~. I am doing my homework. ｜外面下大雪~. *Wàimian xià dà xuě ~*. Heavy snow is falling outside. ❹〈助 *aux.*〉用在句中表示停顿(多用于对举或列举) used in a sentence to indicate a pause (usually used in enumeration): 关门~,太热;不关门~, 又太凉。*Guānmén ~, tài rè; bù guānmén ~, yòu tài liáng.* It will be too hot if the door is closed; it will be too cold if the door is kept open. ｜同意~,就聚,不同意~,就散。*Tóngyì ~, jiù jù, bù tóngyì ~, jiù sàn.* We may stay together if we see eye to eye; otherwise we may separate. ｜他的两个儿子都在外边工作,老大,当干部,老二,当工人。*Tā de liǎng gè érzi dōu zài wàibian gōngzuò, lǎodà ~, dāng gànbù, lǎo'èr ~, dāng gōngrén.* Both of his sons work away from home, the elder one works as a cadre and the younger one a worker.

¹ **哪** na〈助 *aux.*〉'啊'的变音。当前一个字的韵尾是n时,'啊'变成'哪'。用在句末,表示惊讶、嘱咐、疑问等语气;用在句中,稍作停顿,让人注意下面的话 same as '啊ā'; when the terminal consonant of the word before '啊ā' is -n, '哪na' is to be used instead of '啊ā'; used at the end of a sentence to indicate surprise, exhortation, or doubt; used in a sentence to indicate a pause, drawing the listener's attention to the following remarks: 来了这么多人~! *Láile zhème duō rén ~!* So many people have come! ｜要多留神~! *Yào duō liúshén ~!* You should be more careful! ｜还没干完~? *Hái méi gànwán ~?* Hasn't the work finished yet! ｜做人~, 应该谦逊。*Zuòrén ~, yīnggāi qiānxùn.* One should be modest.

☞ *nǎ*, p. 710

⁴ **乃** nǎi ❶〈动 *v.* 书 *lit.*〉是;就是;确实是 be: 失败~成功之母。*Shībài ~ chénggōng zhī mǔ.* Failure is the mother of success. ｜此~非凡之举。*Cǐ ~ fēifán zhī jǔ.* This is an extraordinary act. ❷〈副 *adv.* 书 *lit.*〉才;于是 therefore; hence; thus: 事毕~还。*Shì bì ~ huán.* He finished the task, therefore he went back. ｜他终于觉悟,~发奋读书。*Tā zhōngyú juéwù, ~ fāfèn dúshū.* He came to realize this, thus he began to study hard. ❸〈副 *adv.*〉竟; 居然 unexpectedly; to one's surprise: 事之出于意料~至于此。*Shì zhī chūyú yìliào ~ zhì yú cǐ.* We were surprised at such an unexpected turn of events. ｜走过去细看,~是一木人。*Zǒu guòqù xìkàn, ~ shì yí mùrén.* He went there and took a close look, only to find it was a wooden dummy. ❹〈代 *pron.* 书 *lit.*〉你;你的 you; your: 父~ *fù* your father

³ **奶** nǎi ❶〈名 *n.*〉乳房 breasts: 奶牛的~特别大。*Nǎiniú de ~ tèbié dà.* The cow has very large breasts. ｜~罩又叫胸罩。*~zhào yòu jiào xiōngzhào.* The brassiere is also called a bra. ❷〈名 *n.*〉(杯bēi、袋dài、瓶píng)乳汁的通称 milk: 他不爱喝热~,爱喝酸~。*Tā bú ài hē rè ~, ài hē suān~.* He prefers yogurt to hot milk. ❸〈动 *v.*〉用乳汁喂养 suckle; breast-feed: 这孩子是大妈~大的。*Zhè háizi shì dàmā ~dà de.* The child was breastfed by his aunt.

⁴ **奶粉** nǎifěn〈名 *n.*〉(袋dài、桶tǒng)牛奶除去水分后制成的粉末 dehydrated milk; milk powder: ~好保存好携带。*~ hǎo bǎocún hǎo xiédài.* Milk powder is easy to store and carry. ｜~不如鲜奶营养高。*~ bùrú xiānnǎi yíngyǎng gāo.* Milk powder is not so nutritious as fresh milk.

N

² **奶奶** nǎinai ❶〈名 *n.*〉祖母 paternal grandmother; grandma: 我~今年都80岁了。*Wǒ ~ jīnnián dōu bāshí suì le.* My grandma is 80 years old. ｜~常给我们讲她童年的故事。*~ cháng gěi wǒmen jiǎng tā tóngnián de gùshì.* Grandma always tells us stories about her childhood. ❷〈名 *n.*〉(位wèi)称与祖母辈分相同或年纪相仿的妇女 respectful term of address for an elderly woman about the age of one's grandmother; granny: 隔壁那位~

都快九十了，还做针线活呢！ *Gébì nà wèi ~ dōu kuài jiǔshí le, hái zuò zhēnxiànhuó ne!* Though nearly 90, the granny next door is still able to do the sewing!

³ **耐** nài 〈动 *v.*〉忍得住；禁得起 be able to bear or endure：用 ~*yòng* durable ｜ ~磨~*mó* wear-resistent ｜ 这事~人寻味。*Zhè shì ~rén xúnwèi.* This incident is quite thought-provoking. ｜他一生吃苦~劳。*Tā yìshēng chīkǔ~~láo.* He bore hardships and stood hard work throughout his life. ｜炉子是用~火材料砌起来的。*Lúzi shì yòng ~huǒ cáiliào qì qǐlái de.* The furnace is built with refractory material.

³ **耐烦** nàifán 〈形 *adj.*〉有耐心；不急躁；不怕麻烦 patient; composed：待人处事不要不~。*Dàirén chǔshì bú yào bú ~.* One should be patient when dealing with people and things. ｜这孩子太闹，闹得人实在不~了。*Zhè háizi tài nào, nào de rén shízài bú ~ le.* The child is so noisy that people are losing their patience. ｜她很~地为我们讲了一遍又一遍。*Tā hěn ~ de wèi wǒmen jiǎngle yí biàn yòu yí biàn.* She kept explaining to us again and again with great patience.

⁴ **耐力** nàilì 〈名 *n.*〉耐久的能力 stamina; endurance：长跑运动员需要很好的~。*Chángpǎo yùndòngyuán xūyào hěn hǎo de ~.* Long-distance runners need to have a lot of stamina.

² **耐心** nàixīn ❶〈形 *adj.*〉长时间里不急躁，不厌烦 patient：你要~说服大家。*Nǐ yào ~ shuōfú dàjiā.* You should try to persuade everybody patiently. ｜只要~学习，一定能把汉语学好。*Zhǐyào ~ xuéxí, yídìng néng bǎ Hànyǔ xuéhǎo.* As long as we study with patience, we are bound to learn Chinese well. ❷〈名 *n.*〉不厌烦，不急躁的心态 patience：凡事贵在坚持，有~。*Fán shì guì zài jiānchí, yǒu ~.* The most valuable thing is persisting with patience.

² **耐用** nàiyòng 〈形 *adj.*〉能够长久使用，不容易坏 durable：这东西十分~。*Zhè dōngxi shífēn ~.* This thing is highly durable. ｜搪瓷器具要比玻璃器具~得多。*Tángcí qìjù yào bǐ bōli qìjù ~ de duō.* Enamelware stands wear and tear much better than glassware. ｜我们厂的产品是价廉、物美、~。*Wǒmen chǎng de chǎnpǐn shì jià lián, wù měi, ~.* Our factory's products are cheap in price, good in quality and can stand wear and tear very well.

¹ **男** nán ❶〈形 *adj.*〉男性（与'女'相对）male（opposite to '女 *nǚ*'）：~生~*shēng* male student ｜这是~病房。*Zhè shì ~bìngfáng.* This is a ward for male patients. ｜那是~厕所。*Nà shì ~cèsuǒ.* That is a gents' room. ❷〈名 *n.*〉儿子 son：他家有一~一女。*Tā jiā yǒu yì ~ yì nǚ.* He has a son and a daughter. ❸〈名 *n.*〉中国古代贵族五等爵位中最末的一等 baron; the lowest of five ranks of aristocracy in ancient China：公、侯、伯、子、~*gōng, hóu, bó, zǐ* ~ duke, marquis, count, viscount, baron

² **男人** nánrén 〈名 *n.*〉（个 *gè*）男性成年人（与'女人'相对）man（opposite to '女人 *nǚrén*'）：站着的那个~就是你要找的人。*Zhànzhe de nàge ~ jiùshì nǐ yào zhǎo de rén.* The man standing there is the one you are looking for. ｜这个~腰圆体壮力气大。*Zhège ~ yāoyuán tǐzhuàng lìqì dà.* This man is big, robust and strong.

☞ nánren, p. 715

² **男人** nánren 〈名 *n.* 口 *colloq.*〉丈夫（与'女人'相对）husband（opposite to '女人 *nǚrén*'）：她~是教书的。*Tā ~ shì jiāoshū de.* Her husband is a teacher. ｜他是我的~。*Tā shì wǒ de ~.* He is my husband.

☞ nánren, p. 715

⁴ **男性** nánxìng ❶〈名 *n.*〉人类两性之一（与'女性'相对）（of humans）male sex（opposite to '女性 *nǚxìng*'）：这个女孩ɹ被他的~魅力征服了。*Zhège nǚháir bèi tā*

de ~ mèilì zhēngfú le. The girl was conquered by his masculine charm. │ 拳击适合于~运动。*Quánjī shìhé yú ~ yùndòng.* Boxing is a men's sport. ❷〈名 *n.*〉(个 gè、位 wèi、名 míng)指男人 man: 应聘职员大多是~。*Yìngpìn zhíyuán dàduō shì ~.* The applicants for the job mainly consist of men.

³ **男子** nánzǐ〈名 *n.*〉(个 gè、名 míng)男性的人(与'女子'相对)male; man (opposite to '女子 nǚzǐ'): 大~主义 dà ~ zhǔyì male-chauvinsm │ 羽毛球~双打冠军 yǔmáoqiú ~ shuāngdǎ guànjūn a men's doubles badminton champion │ 他是一个美~。*Tā shì yí gè měi ~.* He is a handsome man.

¹ **南** nán ❶〈名 *n.*〉方位名称,四个主要方向之一(与'北'相对)(one of the four directions) south (opposite to '北 běi'): 朝~ cháo ~ facing the south │ 走~闯北 zǒu~chuǎngběi roam all over the country; travel widely │ 大雁~飞。*Dàyàn ~ fēi.* The wild geese fly toward the south. │ 澳洲在~半球。*Àozhōu zài ~bànqiú.* The Australian Continent lies in the southern hemisphere. ❷〈名 *n.*〉南部地区 the south; southern area: 华~ Huá~ south China │ 晋~ Jìn ~ the southern area of Shanxi Province ❸〈名 *n.*〉特指中国长江流域及其以南地区 (of China) regions south of the Yangtze River: ~味 ~wèi southern flavor │ ~货 ~huò native produce from south China

¹ **南边** nánbian〈名 *n.*〉南面 south: ~的屋子 ~ de wūzi a house on the south side │ 在~的书架上 zài ~ de shūjià shang on the book shelf of the south side │ 他住在河的~。*Tā zhù zài hé de ~.* He lives to the south of the river. │ 往~走不远就到了。*Wǎng ~ zǒu bù yuǎn jiù dào le.* You will arrive there after a short walk toward the south.

² **南部** nánbù〈名 *n.*〉某一地域靠南的部分 south; southern part: 学校的~挨着体育中心。*Xuéxiào de ~ āizhe tǐyù zhōngxīn.* The southern part of the school is adjacent to the sports center. │ 河的~是一片良田。*Hé de ~ shì yí piàn liángtián.* To the south of the river lies a nice piece of fertile farmland. │ 中国~雨水比北部多。*Zhōngguó ~ yǔshuǐ bǐ běibù duō.* The south of China has more rainfall than the north.

² **南方** nánfāng ❶〈名 *n.*〉靠南边的地方 south: 车子向~开去。*Chēzi xiàng ~ kāiqù.* The car is going toward the south. │ 广场的~有座纪念碑。*Guǎngchǎng de ~ yǒu zuò jìniànbēi.* In the southern part of the square stands a monument. ❷〈名 *n.*〉特指中国长江流域及其以南地区 (of China) regions south of the Yangtze River: 我是~人。*Wǒ shì ~ rén.* I am a southerner. │ ~的方言相当复杂。*~ de fāngyán xiāngdāng fùzá.* Southern dialects are very complicated.

² **南面** nánmiàn〈名 *n.*〉向南的一面 the south: 把~的窗户关上。*Bǎ ~ de chuānghu guānshang.* Close the window of the southern side. │ 山的~阳光充足。*Shān de ~ yángguāng chōngzú.* The area south of the mountain has plenty of sunshine. │ 我家就住在操场~那栋楼。*Wǒ jiā jiù zhù zài cāochǎng ~ nà dòng lóu.* My home is in the building south of the playground.

¹ **难** nán ❶〈形 *adj.*〉做起来费劲(与'易'相对)difficult; hard (opposite to '易 yì'): ~点 ~diǎn difficult point │ ~题 ~tí tough question │ 世上无~事,只怕有心人。*Shì shang wú ~shì, zhǐ pà yǒuxīnrén.* Nothing in the world is difficult for one who sets his heart on it. ❷〈形 *adj.*〉表示不容易(与'易''好'相对)hard (opposite to '易 yì' or '好 hǎo'): 这条路~走,那条路好走。*Zhè tiáo lù ~ zǒu, nà tiáo lù hǎo zǒu.* This road is hard for travelers while that one is easy to take. │ 京剧~学,芭蕾舞也不好学。*Jīngjù ~ xué, bālěiwǔ yě bù hǎo xué.* Peking Opera is hard to learn and ballet is no less difficult. ❸〈形 *adj.*〉不容易;不大可能 not easy; unlikely: 我看这一次他是性命~保。*Wǒ kàn zhè yí cì tā shì xìngmìng ~ bǎo.* I think that his life can hardly be spared this time. │ 你这样做,

~免不出问题。*Nǐ zhèyàng zuò, ~miǎn bù chū wèntí.* If you do it this way, then problems will be unavoidable. ❹〈形 *adj.*〉表示形象、声音、气味、味道、感觉等的效果不好（与'好'相对）indicating an unpleasant image, sound, smell, taste or feeling; disagreeable; unpleasant（opposite to '好hǎo'）: 你穿这衣服太~看了。*Nǐ chuān zhè yīfu tài ~kàn le.* You look awful in this dress. | 他说话~听死了。*Tā shuōhuà ~tīng sǐ le.* His voice sounds rather unpleasant. | 这味道~闻极了。*Zhè wèidào ~wén jí le.* The smell is extremely bad. | 这药很~吃。*Zhè yào hěn ~ chī.* This medicine is hard to take. | 我心里有点儿~受。*Wǒ xīn li yǒu diǎnr~shòu.* I am feeling a little bit unhappy. ❺〈动 *v.*〉使人感到困难 make things difficult for sb.; put sb. in a difficult position: 你们出个题~他。*Nǐmen chū gè tí ~~ tā.* Raise a question to baffle him. | 这个问题真把我~住了。*Zhège wèntí zhēn bǎ wǒ ~zhù le.* This question really baffled me. | 什么困难都~不倒我们。*Shénme kùnnan dōu ~ bù dǎo wǒmen.* No difficulty can beat us.
☞ *nàn,* p. 719

² **难道** *nándào* 〈副 *adv.*〉用在反问句中，加强语气，句尾常有'吗'和'不成'相呼应 used to reiterate a rhetorical question; always echoed with '吗mā' or '不成bùchéng' at the end of the sentence: 他已去中国留学，~你不知道吗？*Tā yǐ qù Zhōngguó liúxué, ~ nǐ bù zhīdào ma?* Don't you know that he has already gone to China for studies? | 这么有名的一本书，~你没看过吗？*Zhème yǒumíng de yì běn shū, ~ nǐ méi kànguo ma?* This is quite a famous book. Haven't you read it yet? | ~就这样算了不成？*~ jiù zhèyàng suànle bùchéng?* Could it be said that we shall let them get away with it like that?

³ **难得** *nándé* ❶〈形 *adj.*〉不易得到或做到 hard or not possible to come by: 你要抓住这~的机遇。*Nǐ yào zhuāzhù zhè ~ de jīyù.* You must seize this rare opportunity. | 连续三届拿冠军，是十分~的。*Liánxù sān jiè ná guànjūn, shì shífēn ~ de.* It was not easy to retain the championship for three successive times. ❷〈形 *adj.*〉不常发生或出现 rare; not happening very often: 金星凌日，~一见。*Jīnxīng líng rì, ~ yí jiàn.* Venus eclipse is a rare sight.

⁴ **难度** *nándù* 〈名 *n.*〉技术或处理问题、办事等方面的困难程度 degree of difficulty: 这是高~动作。*Zhè shì gāo ~ dòngzuò.* It is a highly difficult movement. | 三峡工程~很大。*Sānxiá gōngchéng ~ hěn dà.* The Three Gorges Dam is a project of tremendous difficulty. | 这个项目~大，投资大，风险也大。*Zhège xiàngmù ~ dà, tóuzī dà, fēngxiǎn yě dà.* This project is highly difficult, involving tremendous investment and risk as well.

³ **难怪** *nánguài* ❶〈动 *v.*〉可以谅解，不应责怪 be understandable; be pardonable: 这也~他，一个孩子哪能想得那么周到。*Zhè yě ~ tā, yí gè háizi nǎ néng xiǎng de nàme zhōudào.* He is really not to blame. How can you count on a child like him to be so thoughtful? ❷〈连 *conj.*〉明白了原因，不再觉得奇怪 no wonder: 他是专业演员，~表演得那么精彩。*Tā shì zhuānyè yǎnyuán, ~ biǎoyǎn de nàme jīngcǎi.* He is a professional actor. No wonder his performance was so excellent.

⁴ **难关** *nánguān* 〈名 *n.*〉（道dào）难通过的关口，比喻不易克服的困难或不易打通的关节 barrier; knotty problem: 攻克征途上的~。*Gōngkè zhēngtú shang de ~.* Surmount the barriers encountered in the journey. | 学习汉语要先闯过四声的~。*Xuéxí Hànyǔ yào xiān chuǎngguo sìshēng de ~.* To learn the Chinese language, one needs to break down the barrier of four tones first. | 大学入学考试对每个学生都是一道~。*Dàxué rùxué kǎoshì duì měige xuéshēng dōu shì yí dào ~.* The college entrance examination is a hard nut for every student. | 人的一生要过无数道~。*Rén de yìshēng yào guò wúshù dào ~.* One has to go through countless barriers during his life.

² **难过 nánguò** ❶〈动 v.〉难以过日子 be hard off; have a hard time：一个人养活一大家人，日子~。Yí gè rén yǎnghuo yí dà jiā rén, rìzi ~. We had a hard time feeding a big family on only one person's income. ｜期盼的日子真是~。Qīpàn de rìzi zhēn shì ~. The days in anticipation are really hard to go through. ❷〈形 adj.〉难受；不好受 bad; sorry; grieved：他心里~得不得了。Tā xīnli ~ de bùdéliǎo. He is feeling so bad. ｜看她~得那样，我也很~。Kàn tā ~ de nàyàng, wǒ yě hěn ~. I was terribly sad as I found her so grieved. ❸〈动 v.〉难以通过 be difficult to pass：看来这次～这道考试关了。Kànlái zhècì ~ zhè dào kǎoshì guān le. It seems that it is difficult to pass the exam this time.

⁴ **难堪 nánkān** ❶〈形 adj.〉难以忍受 intolerable; unbearable：他的话真叫人~！Tā de huà zhēn jiào rén ~! His remarks are simply unbearable! ｜天气闷热，她终于昏倒。Tiānqì mēnrè ~, tā zhōngyú hūndǎo. It is so hot and stuffy that she finally fainted. ❷〈形 adj.〉难为情；不好意思 embarrassed; abashed：他当众出丑，感到十分~。Tā dāngzhòng chūchǒu, gǎndào shífēn ~. Disgraced in public, he felt very embarrassed. ｜她站在那里很~，脸涨得红红的。Tā zhàn zài nàli hěn ~, liǎn zhàng de hónghóng de. Her face went red as she stood there embarrassed.

² **难看 nánkàn** ❶〈形 adj.〉丑陋；不好看 ugly; unsightly：他个头不矮，但长得~。Tā gètóu bù ǎi, dàn zhǎng de ~. He is not too short, but looks ugly. ｜她病了几天，脸色很~。Tā bìngle jǐ tiān, liǎnsè hěn ~. She looks terrible after a few days' illness. ｜丑媳妇越打扮越~。Chǒu xífù yuè dǎbàn yuè ~. The more make-up an ugly married woman wears, the more ghastly she looks. ❷〈形 adj.〉不光彩；不体面 disgraceful; shameful：年轻人干活儿还比不上老年人，那就太~了。Niánqīngrén gànhuór hái bǐ bú shàng lǎoniánrén, nà jiù tài ~ le. It is shameful that young people can't work as hard as the elders. ｜明知我不会唱歌，这不是让我~吗？Míng zhī wǒ bú huì chànggē, zhè bú shì ràng wǒ ~ ma? You are well aware that I can't sing (but push me to sing songs). You are intentionally trying to embarrass me, aren't you?

⁴ **难免 nánmiǎn**〈形 adj.〉不容易避免 unavoidable：不努力学习，~要落后。Bù nǔlì xuéxí, ~ yào luòhòu. You are bound to fall behind if you don't study hard. ｜做工作谁都~出差错。Zuò gōngzuò shéi dōu ~ chū chācuò. Mistakes are unavoidable no matter who does the work.

² **难受 nánshòu** ❶〈形 adj.〉身体不舒服，不好受 uneasy; ill; sick：饿了，肚子~；太饱了，肚子也~。È le, dùzi ~; tài bǎo le, dùzi yě ~. When hungry, one will feel sick in the stomach; when over-filled, one will also feel sick. ｜患感冒，浑身~。Huàn gǎnmào, húnshēn ~. Having caught a cold, I feel ill all over. ❷〈形 adj.〉心里不痛快，不好过 unhappy; sad：当众挨批评，~极了。Dāngzhòng ái pīpíng, ~ jí le. Criticized in public, I felt terribly sad. ｜他突然去世，大家心里都很~。Tā tūrán qùshì, dàjiā xīnli dōu hěn ~. All of us felt quite sad over his sudden death.

难题 nántí〈名 n.〉(道dào)不容易解答的知识题目；不容易解决的问题 difficult problem; a hard nut to crack：一道物理~ yí dào wùlǐ ~ a difficult physical problem ｜一道道~摆在他面前。Yí dàodào ~ bǎi zài tā miànqián. He is facing one difficult question after another. ｜再大的~也难不倒我们。Zài dà de ~ yě nán bù dǎo wǒmen. Nothing can baffle us no matter how difficult it is.

³ **难以 nányǐ**〈副 adv.〉不能，不易 hard to; difficult to：~适应 ~ shìyìng hard to adapt to ｜~想象 ~ xiǎngxiàng unimaginable ｜~接受 ~ jiēshòu hard to accept ｜~发现 ~ fāxiàn difficult to find out ｜激动的心情一时~平静。Jīdòng de xīnqíng yìshí ~ píngjìng. (He)

was so excited that he found it difficult to calm down.

⁴ **难** nàn 〈名 n.〉遭到重大不幸；灾患 disaster; catastrophe：多灾多～ duōzāi-duō~ endless disasters | 出了车祸，一家人不幸遇～。 *Chūle chēhuò, yì jiā rén búxìng yù~.* Unfortunately, the family were killed in a traffic accident. | 他大～当头，却临危不惧。 *Tā dà~ dāngtóu, què línwēi-bújù.* He faced the imminent disaster fearlessly.

　　☞ nán, p. 716

⁴ **难民** nànmín 〈名 n.〉(批 pī)因受战争或自然灾害的影响而逃离家乡、生活困难的人 refugee; victim of war, natural disaster, etc.：那个国家连年内战，一批一批～涌向邻国。 *Nàge guójiā liánnián nèizhàn, yì pī yì pī ~ yǒng xiàng línguó.* Since the civil war has been raging in that country for many years, swarms of refugees flock to its neighboring countries. | 这些～饥寒交迫，急需国际社会紧急救援 *Zhèxiē ~ jīhán-jiāopò, jíxū guójì shèhuì jǐnjí jiùyuán.* Suffering from cold and hunger, these refugees are in urgent need of assistance from the international community.

⁴ **恼火** nǎohuǒ 〈动 v.〉生气 be annoyed; be irritated：这事实在让人～! *Zhè shì shízài ràngrén ~!* This affair is really annoying. | 这点儿小事，不值得～ *Zhè diǎnr xiǎo shì, bù zhídé ~.* It is not worth getting irritated at such a trifle.

² **脑袋** nǎodai ❶ 〈名 n.〉(个 gè、颗 kē)人的头 head：孩子的～上戴了一顶贝雷帽。 *Háizi de ~ shang dàile yì dǐng bèiléimào.* The kid is wearing a beret. | 教授的～都秃了。 *Jiàoshòu de ~ dōu tū le.* The professor is bald. ❷ 〈名 n. 口 colloq.〉脑筋 memory; brain：他的～比别人灵。 *Tā de ~ bǐ biéren líng.* He is cleverer than others. | 他的～真好，小时候的事还记得一清二楚。 *Tā de ~ zhēn hǎo, xiǎoshíhou de shì hái jì de yìqīng-èrchǔ.* He can even remember things that happened in his childhood. He has a really good memory.

³ **脑筋** nǎojīn 〈名 n.〉指记忆、思考等能力 brains; capacities of thinking, memory, etc.：伤～ shāng ~ troublesome; bothersome | 他的～真好使。 *Tā de ~ zhēn hǎoshǐ.* He is very intelligent. | 太费～了。 *Tài fèi ~ le.* It is quite a knotty thing. | 动～，好好儿想想。 *Dòng ~, hǎohāor xiǎngxiang.* Use your brains and think it over. ❷ 〈名 n.〉指意识、观念 concepts; ideas：老～ lǎo ~ old ideas | 你还那么死板，该换换了。 *Nǐ hái nàme sǐbǎn, gāi huànhuàn ~ le.* It is high time that you changed your stiff and outdated ideas.

³ **脑力** nǎolì 〈名 n.〉人的记忆、理解、想象等的能力 mental power; intelligence, such as memory, understanding, imagination, etc.：教书是～劳动。 *Jiāoshū shì ~ láodòng.* Teaching pertains to mental work. | 他是～劳动者。 *Tā shì ~ láodòngzhě.* He is a mental worker. | 睡眠可以恢复～。 *Shuìmián kěyǐ huīfù ~.* Sleeping helps restore the mental power.

² **脑子** nǎozi ❶ 〈名 n.〉脑 brain：～动手术 ~ dòng shǒushù a surgical operation be performed on the brain | 瘤子长在～里。 *Liúzi zhǎng zài ~ li.* A tumor grew in the brain. ❷ 〈名 n.〉脑筋 brains; mind：～笨 ~ bèn be foolish | ～聪明 ~ cōngming have a good brain | 动～想一想。 *dòng ~ xiǎng yì xiǎng.* Use your brains and think hard.

² **闹** nào ❶ 〈动 v.〉喧扰；吵嚷 make noises; be boisterous：他们敲锣鼓，扭秧歌，～了一宿。 *Tāmen qiāo luógǔ, niǔ yāngge, ~le yì xiǔ.* Playing gongs and drums and doing the yangge dance, they created much hustle and bustle throughout the night. | 施工扰民，～得一夜没睡好觉。 *Shīgōng rǎomín, ~ de yí yè méi shuì hǎo jiào.* The construction work made such a noise that I couldn't have a good sleep during the night. | 这两口子又吵又～，～得不可开交。 *Zhè liǎngkǒuzi yòu chǎo yòu ~, ~ de bùkěkāijiāo.* This couple have

never stopped quarreling with each other. ❷〈动 v.〉戏耍；开玩笑 tease; joke: 年轻人在一起总爱～着玩儿。*Niánqīngrén zài yìqǐ zǒng ài ～zhe wánr.* Young people always like to joke when they get together. ｜别跟他～了。*Bié gēn tā ～ le.* Stop fooling around with him. ❸〈动 v.〉干；搞；弄 go in for; do; be engaged in sth. : ～革命～*gémìng* carry out a revolution ｜这事要～清楚。*Zhè shì yào ～ qīngchu.* This issue must be clarified. ❹〈动 v.〉发作(多指感情) give vent to: ～脾气～*píqi* lose one's temper ｜～情绪～*qíngxù* be discontented ❺〈动 v.〉发生灾害、疾病 suffer from; be troubled by (a misfortune): ～病～*bìng* fall ill ｜～气喘～*qìchuǎn* suffer from asthma ｜去年南方～早灾，粮食减产不少。*Qùnián nánfāng ～ hànzāi, liángshi jiǎnchǎn bùshǎo.* The crop yield in the south was greatly reduced due to the drought last year. ❻〈形 adj.〉嘈杂；不安静 noisy; not quiet: 这里太～，没法写东西。*Zhèli tài ～, méifǎ xiě dōngxi.* It is too noisy to write here.

⁴ 闹事 nào//shì〈动 v.〉滋事捣乱，破坏社会秩序 create a disturbance; make trouble to disrupt social order: 有人故意，制造事端。*Yǒu rén gùyì ，, zhìzào shìduān.* Someone created a disturbance on purpose in order to provoke incidents. ｜几个小流氓闹不起什么大事来。*Jǐ gè xiǎo liúmáng nào bù qǐ shénme dàshì lái.* A few hooligans can't create a great disturbance.

³ 闹笑话 nào xiàohua〈动 v.〉因粗心或缺乏知识经验而发生可笑的事情 make a laughing stock of oneself due to carelessness, lack of experience or knowledge: 他常常～。*Tā chángcháng ～.* He often makes a fool of himself. ｜刚来中国，因语言不通，闹了不少笑话。*Gāng lái Zhōngguó, yīn yǔyán bù tōng, nàole bùshǎo xiàohuà.* When I first arrived in China, I often made a laughing stock of myself because I didn't know the Chinese language.

³ 闹着玩儿 nàozhe wánr ❶〈动 v.〉做游戏 frolic; play games: 一群小孩儿在树下～呢。*Yì qún xiǎoháir zài shù xia ～ ne.* A group of children are playing under a tree. ❷〈动 v.〉用言语或行动开玩笑、戏弄人 tease; make fun of sb. : 他是跟你~的，你何必当真。*Tā shì gēn nǐ ～ de, nǐ hébì dàngzhēn!* He was only kidding you, why take it so seriously? ｜拿别人的缺陷～，是不道德的。*Ná biéren de quēxiàn ～, shì bú dàodé de.* It is immoral to make fun of people's defects. ❸〈动 v.〉用轻率的态度对待人和事情 treat sb. or sth. in a frivolous manner: 千万别酒后开车，这可不是～的。*Qiānwàn bié jiǔ hòu kāichē, zhè kě bú shì ～ de.* Never drive after drinking. It is no laughing matter.

¹ 呢 ne ❶〈助 aux.〉用在疑问句(特指问句、选择问句、反问句)的末尾，表示疑问的语气 used at the end of a special, alternative, or rhetorical question to express an interrogative tone: 问题到底出在哪儿～? *Wèntí dàodǐ chū zài nǎr ～?* What on earth has gone wrong? ｜去香山，还是去颐和园? *Qù Xiāngshān ～, háishi qù Yíhéyuán?* Where should we go, the Fragrant Hills or the Summer Palace? ｜我怎么知道他要来～? *Wǒ zěnme zhīdào tā yào lái ～?* How could I know that he would be coming? ❷〈助 aux.〉用在陈述句的末尾，表示动作正在进行 used at the end of a declarative sentence to indicate the continuation of an action: 她在厨房做饭。*Tā zài chúfáng zuòfàn ～.* She's preparing a meal in the kitchen. ｜过一会儿去吧，外边还下着雨。*Guò yíhuìr qù ba, wàibian hái xiàzhe yǔ ～.* Wait for a while before we go. It is still raining out there. ❸〈助 aux.〉用在句中表示停顿或表示对举、列举 used to mark a pause in the middle of a sentence (often meaning 'one way or another'): 如今～，日子可比过去强多了。*Rújīn ～, rìzi kě bǐ guòqù qiángduō le.* The situation today, well, is much better than the past. ｜爱吃～，就吃；不爱吃～，就别吃。*Ài chī ～, jiù chī; bú ài chī ～, jiù bié chī.* If you like it,

eat it; if you don't, then don't eat it. ❹〈助 *aux.*〉用在陈述句的末尾,表示肯定兼夸张的语气 used at the end of a declarative sentence to reinforce the assertion or play up the effect of exaggeration:昨天收获不小～。*Zuótiān shōuhuò bùxiǎo ~.* The harvest of yesterday was not bad at all, was it? | 这药灵得很～,数上一会儿就不疼了。*Zhè yào líng de hěn ~, fūshang yíhuìr jiù bù téng le.* This ointment was very effective. I no longer felt the pain just a while after applying it.

¹ 内 nèi ❶〈名 *n.*〉里头;内部(与'外'相对)in; inside (opposite to '外wài'):校～*xiào ~* on campus | 屋～*wū ~* indoors | 请勿入～。*Qǐng wù rù ~.* No entry. | ～设雅座。*~ shè yǎ zuò.* Private rooms are set inside. ❷〈名 *n.*〉指妻子或妻子的亲属 referring to wife or wife's relative:～人 ～*rén* my wife | ～弟 ～*dì* my wife's brother | ～侄 ～*zhí* my wife's nephew ❸〈名 *n.*〉指内心或内脏 heart; internal organ:～疚 ～*jiù* guilty conscience | 色厉～荏 *sèlì~rěn* fierce of mien but faint of heart; threatening in manner but cowardly at heart | 五～俱焚(形容极端焦虑或忧愁)*wǔ~jùfén（xíngróng jíduān jiāolù huò yōuchóu）*feel as if one's viscera were burning (describing extreme anxiety or worry) ❹〈名 *n.*〉指皇宫 imperial palace:大～*dà~* residential quarters of the imperial palace

² 内部 nèibù 〈名 *n.*〉某一范围之内(与'外部'相对)interior (opposite to '外部 wàibù'):房屋～*fángwū ~* interior of the house | 学校～*xuéxiào ~* within the school | 人员～*rényuán ~* internal staff; authorized personnel | ～陈设 ～*chénshè* interior furnishings | 进行～整顿 *jìnxíng ~ zhěngdùn* implement internal consolidation

⁴ 内地 nèidì 〈名 *n.*〉离边疆(或沿海)较远的地区 inland region; hinterland; area far from a country's frontier (or coast):去～工作 *qù ~ gōngzuò* go to the inland area to work | 在～参观 *zài ~ cānguān* visit an inland area | 去中国～旅游 *qù Zhōngguó ~ lǚyóu* make a trip to China's hinterland

⁴ 内阁 nèigé 〈名 *n.*〉(届jiè)某些国家中的最高行政机关,由总理或首相和一些阁员组成 cabinet, the supreme executive organ in some countries, consisting of a prime minister (or premier) and a number of cabinet members (ministers):组建新的～*zǔjiàn xīn de ~* organize a new cabinet | 他是～总理。*Tā shì ~ zǒnglǐ.* He is the prime minister of the cabinet.

⁴ 内行 nèiháng ❶〈形 *adj.*〉对某事或工作很熟悉,有丰富的知识和经验(与'外行'相对)adept; being knowledgeable about or experienced in an issue or certain work (opposite to '外行wàiháng'):对于电脑,你不如他～。*Duìyú diànnǎo, nǐ bùrú tā ~.* He knows more about the computer than you do. | 这是新技术,他不怎么～。*Zhè shì xīn jìshù, tā bù zěnme ~.* It is a new technology and he is not quite adept at it. ❷〈名 *n.*〉(个 gè、位wèi)内行的人(与'外行'相对)expert (opposite to '外行wàiháng'):买衣服她可是个～。*Mǎi yīfu tā kě shì gè ~.* She is an expert at buying dresses. | 外行看热闹,～看门道。*Wàiháng kàn rènao, ~ kàn méndào.* The layman stops at the surface only while the maestro will study in-depth. | 他是不是～,一动手你就知道了。*Tā shì bú shì ~, yí dòngshǒu nǐ jiù zhīdào le.* You'll see whether he is an expert or not as soon as he gets to work.

³ 内科 nèikē〈名 *n.*〉医疗机构中主要用药物来治疗内脏疾病的科室 internal medicine; department of a hospital where ailing internal organs are treated mostly with medication rather than surgery:他是～大夫。*Tā shì ~ dàifu.* He is a physician. | 我找～护士。*Wǒ zhǎo ~ hùshi.* I need a nurse from the department of internal medicine. | 我要挂一个～门诊。*Wǒ yào guà yí gè ~ ménzhěn.* I want to register for an outpatient service in the

department of internal medicine.

⁴ **内幕** nèimù 〈名 n.〉外界不知道的内部实际情况（多指不好的）(oft. scandalous) inside story; what goes on behind the scenes: 发现~ *fāxiàn* ~ uncover the inside story | ~被捅破 *bèi tǒng pò* the inside story be unveiled | 你知道选举的~吗？*Nǐ zhīdào xuǎnjǔ de ~ ma?* Do you know about the inside story of the elections? | 记者揭穿了这家公司的肮脏~. *Jìzhě jiēchuānle zhè jiā gōngsī de āngzāng ~.* The journalists have disclosed the dirty inside story of the company.

¹ **内容** nèiróng 〈名 n.〉事物内部所含的东西或意义（与'形式'相对）content; substance (opposite to '形式 xíngshì'): 课文~ *kèwén~* the contents of the text | ~广泛 ~ *guǎngfàn* covering a wide range of topics | ~十分丰富 ~ *shífēn fēngfù* be rich in substance | 文章的形式固然重要，但~更重要. *Wénzhāng de xíngshì gùrán zhòngyào, dàn ~ gèng zhòngyào.* The form of an article is certainly important, but its content is even more important.

⁴ **内心** nèixīn 〈名 n.〉心里头 innermost being; bottom of the heart: ~深处 ~ *shēnchù* in one's heart of hearts | 姑娘透露了~的秘密. *Gūniang tòulùle ~ de mìmì.* The girl revealed the secrets in her heart. | 他的话出自~，令人可信. *Tā de huà chū zì ~, lìngrén kěxìn.* Those words, which were uttered from the bottom of his heart, were quite convincing.

⁴ **内在** nèizài 〈形 adj.〉事物内部所固有的（与'外在'相对）inherent; intrinsic (opposite to '外在 wàizài'): 找出~的规律和~的联系 *zhǎo chū ~ de guīlǜ hé ~ de liánxì* find out the inherent laws and internal relations | 长相美是外在美，思想美是~美. *Zhǎngxiàng měi shì wàizài měi, sīxiǎng měi shì ~ měi.* The beauty of appearance is an external beauty while a good morality pertains to inner beauty.

⁴ **内脏** nèizàng 〈名 n.〉人或动物胸腔和腹腔内器官的统称 viscera; internal organs of a human being or an animal: 这次体检，发现我的~有点儿问题. *Zhècì tǐjiǎn, fāxiàn wǒ de ~ yǒudiǎnr wèntí.* The physical check-up revealed some problems of my internal organs. | 他们拿一副动物的~做试验. *Tāmen ná yí fù dòngwù de ~ zuò shìyàn.* They conducted an experiment with a set of animal organs.

⁴ **内战** nèizhàn ❶〈名 n.〉(场 chǎng)国内的战争 civil war: 这是一场~. *Zhè shì yì chǎng ~.* This is a civil war. | ~给人民带来深重的灾难. ~ *gěi rénmín dàilái shēnzhòng de zāinàn.* The civil war brought a catastrophe to the people. ❷〈名 n.〉比喻单位内部的争斗 fig. internal strife: 这单位有些人常打~. *Zhè dānwèi yǒuxiē rén cháng dǎ ~.* Some people in this work place often have an internal strife with each other.

⁴ **内政** nèizhèng 〈名 n.〉国家内部的政治事务 internal affairs: 他是~大臣. *Tā shì ~ dàchén.* He is an interior minister. | 台湾问题是中国~，外国无权干涉. *Táiwān wèntí shì Zhōngguó ~, wàiguó wú quán gānshè.* The Taiwan issue concerns the internal affairs of China. No foreign country has the right to interfere.

³ **嫩** nèn ❶〈形 adj.〉新生的；柔弱 tender; delicate: 树枝上长出了~芽. *Shùzhī shang zhǎngchūle ~yá.* Tender sprouts grow on the twigs. | 她的手又白又~. *Tā de shǒu yòu bái yòu ~.* Her hands are fair and delicate. ❷〈形 adj.〉指某些食物烹调的时间短，好嚼 (of cooked food) underdone; tender: 煎得一点儿~. *Jiān de ~ yìdiǎnr.* Fry it tender. | 这肉炒得挺~的. *Zhè ròu chǎo de tǐng ~ de.* The stir-fried meat is very tender. ❸〈形 adj.〉颜色淡、浅 (of color) light; pale: ~绿 ~ *lǜ* pale green | ~黄 ~ *huáng* light yellow | 这毛衣的颜色~了点儿. *Zhè máoyī de yánsè ~le diǎnr.* The color of the sweater is a little bit too light. ❹〈形 adj.〉比喻不老练，阅历浅 fig. inexperienced; green: 他当总经理还~

点儿。*Tā dāng zǒngjīnglǐ hái ~ diǎnr.* He is too inexperienced to be the general manager.

¹ 能 néng ❶ 〈助动 aux. v.〉能够，表示有能力有条件做某事 can; be able to：猫~捉老鼠。*Māo ~ zhuō lǎoshǔ.* Cat can catch mouse. │ 这家工厂~生产小型拖拉机。*Zhè jiā gōngchǎng ~ shēngchǎn xiǎoxíng tuōlājī.* This factory can manufacture small tractors. │ 这辆面包车~拉二十来个人。*Zhè liàng miànbāochē ~ lā èrshí lái gè rén.* This minibus can carry some twenty passengers. **❷** 〈助动 aux. v.〉表示情理、环境、条件上许可 permitted by the logic, circumstance, conditions, etc.：我们不~不尊重教授的意见。*Wǒmen bù ~ bù zūnzhòng jiàoshòu de yìjiàn.* We should be respectful of the professor's opinion. │ 会议室不~吸烟。*Huìyìshì bù ~ xīyān.* Smoking is not allowed in the conference room. │ 今年~加薪吗？*Jīnnián ~ jiā xīn ma?* Can we get a pay raise this year? **❸** 〈助动 aux. v.〉表示在某方面见长 be good at：~歌善舞~gē-shànwǔ be good at singing and dancing │ ~说会道~shuō-huìdào have a glib tongue │ 他很~团结人。*Tā hěn ~ tuánjié rén.* He is good at rallying people together. **❹** 〈形 adj.〉有才干的 able; capable：他是个~人。*Tā shì gè ~rén.* He is an able man. │ 她是个设计~手。*Tā shì gè shèjì ~shǒu.* She is a talented designer. **❺** 〈名 n.〉本领；才干 capability; talent：智~zhì ~ intelligence │ 他博学多~，不可等闲视之。*Tā bóxué duō~, bùkě děngxián shì zhī.* Learned and talented, he is a man to be treated with respect. **❻** 〈名 n.〉能量的简称 energy：热~rè~ thermal energy │ 原子~yuánzǐ~ atomic energy │ 体~tǐ~ physical energy

² 能干 nénggàn 〈形 adj.〉有才能，会办事 gifted; competent：小伙子很~。*Xiǎohuǒzi hěn ~.* The young man is highly competent. │ 这么~的人谁都想要。*Zhème ~ de rén shéi dōu xiǎng yào.* Every employer is willing to recruit such a talented person.

³ 能歌善舞 nénggē-shànwǔ 〈成 idm.〉擅长歌舞 be good at both singing and dancing：少数民族的年轻人大都~。*Shǎoshù mínzú de niánqīngrén dàdū ~.* Most of the young people of the ethnic minorities are good singers and dancers. │ 姑娘既漂亮又~。*Gūniang jì piàoliang yòu ~.* The young girl is pretty and good at singing and dancing as well.

¹ 能够 nénggòu ❶ 〈助动 aux. v.〉同'能'❶ same as '能néng'❶：他~解决这个问题。*Tā ~ jiějué zhège wèntí.* He is able to solve this problem. │ 我完全~担负这项工作。*Wǒ wánquán ~ dānfù zhè xiàng gōngzuò.* I am fully able to take over this assignment. │ 谁说我不~完成任务？*Shéi shuō wǒ bù ~ wánchéng rènwù?* Who said that I couldn't fulfill this task? **❷** 〈助动 aux. v.〉同'能'❷ same as '能néng'❷：~团结同志~tuánjié tóngzhì be good at uniting the comrades together │ ~以身作则~yǐshēn-zuòzé be able to set an example with one's own conduct │ ~挑重担~tiāo zhòngdàn be able to shoulder heavy burdens **❸** 〈助动 aux. v.〉同'能'❸ same as '能néng'❸：这事不~随便告诉别人。*Zhè shì bù ~ suíbiàn gàosù biéren.* This affair cannot be disclosed indiscreetly to others. │ 现在这条河~通航了。*Xiànzài zhè tiáo hé ~ tōngháng le.* The river is now navigable.

² 能力 nénglì 〈名 n.〉(种zhǒng)能做好某项工作的才干和本领 ability; capability：他工作~差。*Tā gōngzuò ~ chà.* His working ability is rather poor. │ 我们有~战胜一切困难。*Wǒmen yǒu ~ zhànshèng yíqiè kùnnan.* We are fullly capable to conquer all difficulties.

³ 能量 néngliàng ❶ 〈名 n.〉物质做功的能力 energy; power：发电机的~fādiànjī de ~ energy of the generator │ 太阳的~tàiyáng de ~ energy of the Sun **❷** 〈名 n.〉比喻人的活动能力 fig. capability：这位新闻记者的~可不小。*Zhè wèi xīnwén jìzhě de ~ kě bùxiǎo.* This news reporter is quite capable. │ 这人有一定的活动~。*Zhè rén yǒu yídìng*

de huódòng ~. This person has a certain ability to get things done.

⁴ **能手** néngshǒu〈名 *n.*〉(名míng、位wèi、批pī)具有某种技能，对某项工作、运动特别熟练的人 dab; expert：培养~ *péiyǎng* ~ train sb. to be an expert｜各行各业都会涌现一批~。*Gèháng-gèyè dōu huì yǒngxiàn yì pī* ~. Skilled professionals will emerge from all trades.｜她获得养牛~的称号。*Tā huòdé yǎng niú* ~ *de chēnghào.* She has acquired a title of an expert at raising cattle.

² **能源** néngyuán〈名 *n.*〉(种zhǒng)能产生能量的物质 energy resources：开发~ = *kāifā* ~ develop energy resources｜~危机 = *wēijī* energy crisis｜注意节约~ = *zhùyì jiéyuē* ~ pay attention to energy conservation｜风力、水力都可以作为~。*Fēnglì, shuǐlì dōu kěyǐ zuòwéi* ~. Wind power and hydraulic power can both be utilized as energy resources.

¹ **嗯** ńg〈叹 *interj.*〉表示疑问 indicating doubt：~? 你去哪儿? ~? *Nǐ qù nǎr*? Well, where are you going?｜~? 这是什么字? ~? *Zhè shì shénme zì*? Eh, what does this word mean?
　☞ ňg, p. 724; ǹg, p. 724

¹ **嗯** ňg〈叹 *interj.*〉表示出乎意外或不以为然 indicating surprise or disapproval：~! 你怎么还没走? ~! *Nǐ zěnme hái méi zǒu*? Hey, haven't you gone yet?｜~! 书找不到了? ~! *Shū zhǎo bú dào le*? Well, the book is missing?
　☞ ńg, p. 724; ǹg, p. 724

¹ **嗯** ǹg〈叹 *interj.*〉表示答应 indicating a response：他~了一声就走了。*Tā* ~ *le yì shēng jiù zǒu le.* He muttered an 'Eh' and then left.｜~! 就这么办吧。~! *jiù zhème bàn ba.* Well, let's do it in this manner.
　☞ ńg, p. 724; ňg, p. 724

⁴ **尼龙** nílóng〈名 *n.* 外 *forg.*〉一种由树脂制成的纤维，英语nylon的音译，也叫'锦纶'nylon, also known as '锦纶jǐnlún'：~绳 ~ *shéng* nylon cord｜他还是提着一个过时的~包。*Tā háishì tízhe yí gè guòshí de* ~ *bāo.* He still carried an outdated nylon bag.

² **泥** ní ❶〈名 *n.*〉(堆duī、滩tān、坨tuó、把bǎ)含水的半固体状的土 mud; mire：~沙 ~ *shā* silt｜烂~ *làn*~ mud｜和稀~ (比喻不分是非地调和) *huò xī*~ (*bǐyù bù fēn shìfēi de tiáohé*) mix earth with water(mediate at the expense of principle)｜~石流 ~*shíliú* mud-rock flow｜汽车溅了我一身~。*Qìchē jiànle wǒ yìshēn* ~. A car drove past, splashing me with muddy water all over. ❷〈名 *n.*〉半固体状像泥的东西 semi-solid mash：枣~ *zǎo*~ mashed dates｜土豆~ *tǔdòu*~ mashed potato｜印~ *yìn*~ red ink paste used for seals

³ **泥土** nítǔ〈名 *n.*〉(把bǎ)土壤；土 earth; soil：沾了满身~ = *zhānle mǎnshēn* ~ be stained with mud all over｜装满一车~ = *zhuāngmǎn yì chē* ~ load a truck fully with soil｜我闻到了故乡的~的芳香。*Wǒ wéndàole gùxiāng* ~ *de fāngxiāng.* I can smell the fragrance of the soil of my hometown.

⁴ **拟** nǐ ❶〈动 *v.*〉初步设计；起草 draw up; draft：初~一个方案 *chū* ~ *yí gè fāng'àn* draw up a plan｜草~一份报告 *cǎo* ~ *yí fèn bàogào* draft a report ❷〈动 *v.*〉打算；想要 plan; intend：她~于下月初去中国。*Tā* ~ *yú xià yuè chū qù Zhōngguó.* She plans to go to China early next month.｜这项活动~由甲班承担。*Zhè xiàng huódòng* ~ *yóu jiǎ bān chéngdān.* This assignment is to be undertaken by Class A.

⁴ **拟定** nǐdìng〈动 *v.*〉起草制定 formulate：~计划 ~ *jìhuà* formulate a plan｜~解决方案 ~ *jiějué fāng'àn* formulate a plan for solution to the problem

¹ **你** nǐ ❶〈代 *pron.*〉指说话的对方 you (singular)：~是谁? ~ *shì shéi*? Who are you?｜~还认识我吗? ~ *hái rènshi wǒ ma*? Can you still recognize me?｜文章数~写得好。*Wénzhāng shǔ* ~ *xiě de hǎo.* Your article is the best of all. ❷〈代 *pron.*〉单位、部门间互相称对方 used by an institution or organization to address its counterpart：~校 ~ *xiào*

N

your school｜请~处派人来洽谈。*Qǐng ~ chù pàirén lái qiàtán.* Please send someone from your office to discuss with us. ❸〈代 *pron.*〉泛指任何人（有时实际指'我'）everyone; anyone（sometimes referring to the speaker himself/herself）：不管谁，想将来成功，~就得努力。*Bùguǎn shéi, xiǎng jiānglái chénggōng, ~ jiù děi nǔlì.* No matter who he is, one has to work hard in order to be successful in the future. ｜朋友，~想健美吗？*Péngyou, ~ xiǎng jiànměi ma?* My friends, do you want to look healthy and fit? ｜这孩子太调皮了，真让~没办法。*Zhè háizi tài tiáopí le, zhēn ràng ~ méi bànfǎ.* The kid is too naughty and there is nothing you can do about it.

¹你们 nǐmen 〈代 *pron.*〉称不止一个人的对方或包括对方在内的若干人（second person plural）you：~几个同学谁年龄最大？*jǐ gè tóngxué shéi niánlíng zuì dà?* Who is the oldest among you classmates? ｜~先歇一会儿，我们接着干。*~ xiān xiē yíhuìr, wǒmen jiēzhe gàn.* You may take a short rest and we will keep on with the job. ｜~三个人都到教研室来。*~ sān gè rén dōu dào jiàoyánshì lái.* The three of you, come to the teachers' office.

⁴逆流 nìliú ❶〈名 *n.*〉（股gǔ）跟顺流方向相反的水流 adverse current; countercurrent：这桥下有一股，游泳时要特别小心。*Zhè qiáo xià yǒu yì gǔ ~, yóuyǒng shí yào tèbié xiǎoxīn.* There is a stream of countercurrent under the bridge. You should take extra care while swimming here. ｜这里水下有一漩涡，危险！*Zhèlǐ shuǐ xià yǒu ~ xuánwō, wēixiǎn!* Danger! There is an adverse current whirlpool in the water. ❷〈名 *n.*〉比喻与历史潮流相对抗的反动的思想或行动上的潮流 *fig.* reactionary trend：爱好和平是当今的主流，而鼓动战争则是一股~。*Àihào hépíng shì dāngjīn de zhǔliú, ér gǔdòng zhànzhēng zé shì yì gǔ ~.* Love of peace is the mainstream mentality in the contemporary world while war mongering goes against the public will.

¹年 nián ❶〈名 *n.*〉时间单位,地球绕太阳一周为公历一年 year, time taken by the earth to make one orbit round the sun：今~ jīn~ this year ｜明~ míng~ next year ｜复一~~ *fùyì~* year after year ❷〈名 *n.*〉时期；时代 times; period of time：近~来 jìn~ lái in recent years ｜康熙~间 *Kāngxī ~ jiān* during the reign of Emperor Kangxi of the Qing Dynasty ｜唐朝初~ *Tángcháo chū ~* in early years of the Tang Dynasty ❸〈名 *n.*〉岁数 age：~满十八岁的公民才有选举权和被选举权。*~ mǎn shíbā suì de gōngmín cái yǒu xuǎnjǔ quán hé bèi xuǎnjǔ quán.* Only the citizens who are 18 in age or above have the right to vote and the right to be elected. ｜他正是~轻力壮。*Tā zhèng shì ~qīnglìzhuàng.* He is young and strong. ❹〈名 *n.*〉人的一生按年龄划分阶段 stage in one's life：童~ tóng~ childhood ｜青~ qīng~ youth ｜老~ liǎo~ old age ❺〈名 *n.*〉一年中农作物的收成 harvest：今年是丰~还是歉~？*Jīnnián shì fēng~ háishì qiàn~?* Is this year a year of bumper harvest or poor harvest? ｜今年~成怎么样？*Jīnnián ~chéng zěnmeyàng?* How is the harvest of this year? ❻〈名 *n.*〉每年的 annual; yearly：~历 ~lì single-page calendar ｜~会 ~huì annual meeting ｜~鉴 ~jiàn yearbook; almanac ❼〈名 *n.*〉年节；有关年节的用品 festival; articles associated with the Spring Festival：买~货 mǎi ~huò purchase commodities and foods for New Year celebrations ｜贴~画 tiē ~huà paste New Year's paintings ｜欢欢喜喜过个~。*Huānhuān-xǐxǐ guò gè ~.* Let's celebrate the New Year with joy and happiness.

²年代 niándài ❶〈名 *n.*〉（个gè）时代 times; age：战乱~过去了，现在人们都生活在和平的~里。*Zhànluàn ~ guòqù le, xiànzài rénmen dōu shēnghuó zài hépíng de ~ li.* Since the end of the war, people have been living in an age of peace. ｜这是一个改革的~、创造的~、充满希望的~。*Zhè shì yí gè gǎigé de ~, chuàngzào de ~, chōngmǎn xīwàng de*

~. This is an age of reform, creativity and hope. ❷〈名 n.〉〈个 gè〉每个世纪中从 '0' 到 '9' 的十年 decade: *1950-1959是20世纪50~。Yī-jiǔ-wǔ-líng zhì yī-jiǔ-wǔ-jiǔ shì èrshí shìjì wǔshí ~.* The 1950s denotes the decade from 1950 to 1959 of the 20th century. | *20世纪40~末到50~初，中国社会发生了翻天覆地的变化。Èrshí shìjì sìshí ~ mò dào wǔshí ~ chū, Zhōngguó shèhuì fāshēngle fāntiān-fùdì de biànhuà.* Earthshaking changes took place in China from the end of 1940s to early 1950s. | *20世纪80~中国经济开始飞跃发展。Èrshí shìjì bāshí ~ Zhōngguó jīngjì kāishǐ fēiyuè fāzhǎn.* In 1980s, China's economy began to develop by leaps and bounds.

⁴ **年度** niándù〈名 n.〉〈个 gè〉根据业务需要而定的有一定起止日期的12个月 year; any 12-month period prescribed for a purpose: 财政-预算 *cáizhèng ~ yùsuàn* annual fiscal budget | *你们尽快做出本~的总结和下~的计划。Nǐmen jǐnkuài zuòchū běn ~ de zǒngjié hé xià ~ de jìhuà.* You should make a summary for this year and a plan for next year as early as possible.

¹ **年级** niánjí〈名 n.〉〈个 gè〉学校中根据学制分成的班级 grade: 高~ *gāo ~* senior grades | 低~ *dī ~* junior grade | *你是哪个~的? Nǐ shì nǎge ~ de?* Which grade are you in? | *我们~有四个班。Wǒmen ~ yǒu sì gè bān.* There are four classes in our grade.

¹ **年纪** niánjì〈名 n.〉〈把 bǎ〉人的岁数 (of a person) age: *爷爷的~有多大? Yéye de ~ yǒu duō dà?* How old is Grandpa? | *他是上了~的人。Tā shì shàngle ~ de rén.* He is advanced in years. | *我都一大把~喽! Wǒ dōu yí dà bǎ ~ lou!* I am quite advanced in years.

² **年龄** niánlíng 〈名 n.〉人或其他生物已经生存的年数 age; number of years a person, animal or plant has lived: 虚报~ *xūbào ~* lie about one's age | 退休~ *tuìxiū ~* retiring age | *这棵柏树的~，没有一千也有八百。Zhè kē bǎishù de ~, méiyǒu yì qiān yě yǒu bā bǎi.* This cypress has lived for 800, if not 1,000 years. | *熊猫 '珍珍' 的~有八岁了。Xióngmāo 'Zhēnzhēn' de ~ yǒu bā suì le.* Panda Zhenzhen is eight years old.

² **年青** niánqīng 〈形 adj.〉处在青少年时期 young; juvenile: *现在的~一代，什么都讲究 '时尚'。Xiànzài de ~ yídài, shénme dōu jiǎngjiu 'shíshàng'.* The younger generation is very particular about 'fashion' in every regard. | *~人应把精力放在学习上。~rén yīng bǎ jīnglì fàng zài xuéxí shang.* The youngsters should concentrate their efforts on studies. | *~人要尊重老年人。~ rén yào zūnzhòng lǎoniánrén.* The young people should respect the senior citizens.

¹ **年轻** niánqīng 〈形 adj.〉岁数不大，常指十几岁到二十几岁 young (usually from teens to twenties): *~的时候 ~ de shíhou* in youth | *~有为 ~yǒuwéi* young and promising | *突然间觉得自己好像~起来了。Tūrán jiān juéde zìjǐ hǎoxiàng ~ qǐlái le.* All of a sudden, he felt as if he had turned young. | *小伙子~又英俊。Xiǎohuǒzi ~ yòu yīngjùn.* The lad is both young and handsome.

⁴ **年头儿** niántóur ❶〈名 n.〉〈个 gè〉年份; 许多年的时间 years; ages: *我来中国已三个~了。Wǒ lái Zhōngguó yǐ sān gè ~ le.* It has been three years since I came to China. | *这东西有~了。Zhè dōngxi yǒu ~ le.* This stuff is ages old. ❷〈名 n.〉年代，时代 times: *那~别提了，要穿没穿的，要吃没吃的。Nà ~ béng tí le, yào chuān méi chuān de, yào chī méi chī de.* Those days were so miserable: there was nothing to wear and nothing to eat. | *这~，可是过上好日子啦! Zhè ~, kěshì guòshang hǎo rìzi la!* Nowadays we are living a happy life. ❸〈名 n.〉年成 harvest: *今年~好，麦子比去年多收两三成。Jīnnián ~ hǎo, màizi bǐ qùnián duō shōu liǎng sān chéng.* The harvest is good this year

with the yield of wheat being 20 or 30 percent more than that of last year.

捻 niǎn 〈动 v.〉用手指搓转 twist with fingers：大爷～着胡须。*Dàye ~zhe húxū.* Grandpa is twisting his beard. | 大娘～棉线。*Dàniáng ~ miánxiàn.* Grandma twisted a cotton thread.

撵 niǎn ❶〈动 v. 口 colloq.〉轰走；赶走 drive out; oust：把猪～进圈。*Bǎ zhū ~jìn juàn.* I drove the pigs into the sty. | 他这个人我想～都～不走。*Tā zhège rén wǒ xiǎng ~ dōu ~ bù zǒu.* I can never be able to drive him away. ❷〈动 v. 口 colloq.〉赶上；追上 catch up with：我～不上他。*Wǒ ~ bú shàng tā.* I could hardly catch up with him. | 他骑着摩托车～前面的汽车去了。*Tā qízhe mótuōchē ~ qiánmian de qìchē qù le.* He rode a motorbike to catch up with the car moving ahead of him.

念 niàn ❶〈动 v.〉惦记，心里时常想起 miss; think of：妈妈总是～着在国外工作的姐姐。*Māma zǒngshì ~zhe zài guówài gōngzuò de jiějie.* Mother always misses the elder sister who is working abroad. | 我十分怀～我的母校。*Wǒ shífēn huái~ wǒ de mǔxiào.* I cherish the memory of my Alma Mater. ❷〈动 v.〉读书出声 read aloud：你把这篇课文～一遍。*Nǐ bǎ zhè piān kèwén ~ yí biàn.* Read this text aloud one time. | 我～了三遍还记不住。*Wǒ ~le sān biàn hái jì bú zhù.* Though having read it aloud for three times, I failed to keep it in my mind. ❸〈动 v.〉指上学 attend school：你～几年级？*Nǐ jǐ niánjí?* Which grade are you in? | 你～完大学打算接着～研究生吗？*Nǐ ~wán dàxué dǎsuàn jiēzhe ~ yánjiūshēng ma?* Do you intend to study as a postgraduate after completing your studies at the college? ❹〈名 n.〉心里的想法；打算 idea; thought：私心杂～ sīxīn-zá~ selfish ideas and personal considerations | 这是一个悬～。*Zhè shì yí gè xuán~.* This remains as a suspense.

念书 niàn//shū ❶〈动 v.〉同'念'❷ same as '念niàn'❷：他在～。*Tā zài ~.* He is reading aloud. | 念了两遍书 niànle liǎng biàn shū read the book aloud twice ❷〈动 v.〉泛指看书学习 read and study：你是在～还是干别的？*Nǐ shì zài ~ háishì gàn bié de?* Are you studying or doing something else? | ～可要专心致志。*~ kě yào zhuānxīn-zhìzhì.* When studying, you must concentrate all your efforts on it. ❸〈动 v.〉同'念'❸ same as '念niàn'❸：我在小学五年级～。*Wǒ zài xiǎoxué wǔ niánjí ~.* I am studying in Grade Five in primary school. | 我哥在大学念它五年书。*Wǒ gē zài dàxué niànle wǔ nián shū.* My elder brother studied for five years at university.

念头 niàntou 〈名 n.〉（个gè、种zhǒng）同'念'❹ same as '念niàn'❹：我有去中国读书的～。*Wǒ yǒu qù Zhōngguó dúshū de ~.* I have an intention of going to China for studies. | 这个～太可笑了。*Zhège ~ tài kěxiào le.* This idea is simply ridiculous.

娘 niáng ❶〈名 n.〉母亲 mother：她是我～。*Tā shì wǒ ~.* She is my mother. | 儿子惦记着～。*Érzi diànjìzhe ~.* The son is missing his mother. ❷〈名 n.〉称长一辈或年纪大的已婚妇女 a form of address for a married woman who is elderly or of an older generation：大～ dà~ aunt | 姨～ yí~ aunt | 老板～ lǎobǎn~ proprietress ❸〈名 n.〉年轻妇女 young woman：新～ xīn~ bride | 伴～ bàn~ bridesmaid ❹〈名 n.〉少女 young girl：姑～ gū~ girl

酿 niàng ❶〈动 v.〉利用发酵作用制造(酒、醋、酱油等)；蜜蜂做蜜 make (wine, vinegar, soya sauce, etc.); brew (beer);(of bees) make (honey)：这是农家自己～的酒。*Zhè shì nóngjiā zìjǐ ~ de jiǔ.* The wine was home-made by the farmers. | 蜜蜂～蜜。*Mìfēng ~ mì.* Bees make honey. ❷〈动 v.〉事情逐渐演化形成 lead to; result in：险些～成大祸。*Xiǎn xiē ~chéng dà huò.* A great calamity almost took place. ❸〈名 n.〉酒 wine; liquor：百年陈～ bǎinián chén ~ aged mellow wine

² **鸟** niǎo 〈名 n.〉(个 gè、只 zhǐ)脊椎动物的一纲 bird：这是一只小~. *Zhè shì yì zhī xiǎo ~.* This is a small bird. | 树上的~叫得欢. *Shù shang de ~r jiào de huān.* Birds are twittering on the trees. | 鸵~是现代一类中最大的~. *Tuó ~ shì xiàndài ~lèi zhōng zuì dà de ~.* The ostrich is the biggest bird in the modern world.

⁴ **尿** niào ❶〈动 v.〉撒尿 piss; urinate：~尿~ niào piss; pee | 小孩~裤子了. *Xiǎoháir ~ kùzi le.* The kid passed water in the pants. ❷〈名 n.〉(泡 pāo)人或动物从尿道排出的液体 urine; liquid discharged through the urethra in the bodies of humans or animals：马在路边撒~. *Mǎ zài lù biān sǎ ~.* The horse discharged urine on the roadside. | 孩子尿了一泡~. *Háizi niàole yì pāo ~.* The child passed water.

⁴ **捏** niē ❶〈动 v.〉用拇指和其他手指夹；用手指把软东西做成一定的形状 hold between the fingers or press and stretch sth. soft into a desired shape with the fingers; pinch; mould：~鼻子~ bízi pinch one's nose | 面人~是中国一种传统的民间手工艺. *~ miànrénr shì Zhōngguó yì zhǒng chuántǒng de mínjiān shǒugōngyì.* Moulding dough figurines is a traditional Chinese folk handicraft. | 全家人在一起~饺子. *Quán jiā rén zài yìqǐ ~ jiǎozi.* All the family members gather together to make dumplings. ❷〈动 v.〉将人或物撮合在一起 put together; bring together：这班人像一盘散沙，~都不到一块~. *Zhè bān rén xiàng yìpán-sǎnshā, ~ dōu ~ bú dào yíkuàir.* Like a sheet of loose sand, these people can hardly be brought together. | 你去把他们~合一合. *Nǐ qù bǎ tāmen ~hé ~hé.* Why don't you try to bring them together? ❸〈动 v.〉故意假造事实 concoct; fabricate; make up：~造谎言~zào huǎngyán fabricate a lie | 这事完全是他~出来的. *Zhè shì wánquán shì tā ~ chūlái de.* He cooked up the whole story.

⁴ **捏造** niēzào 〈动 v.〉同'捏'❸ same as '捏 niē'❸：~莫须有的罪名~ mòxūyǒu de zuìmíng trump up charges | 这个谣言~得荒唐可笑. *Zhège yáoyán ~ de huāngtáng kěxiào.* It is a ridiculously fabricated rumor.

¹ **您** nín 〈代 pron.〉'你'的敬称(不止一人时，后面加数量词)(indicating respect, followed by a numeral when indicating more than one person) you：请问~贵姓? *Qǐng wèn ~ guìxìng?* May I have your family name, please? | ~三位请到里边坐. *~ sān wèi qǐng dào lǐbian zuò.* Would the three of you come and sit inside, please?

◆'您'不可用复数. 不能说'让您们久等了'. 只能说'让你们久等了'，或者'让您几位久等了'. '您' cannot be used in a plural form. One can only say '让你们久等了 ràng nǐmen jiǔ děng le' or '让您几位久等了 ràng nín jǐ wèi jiǔ děng le' instead of '让您们久等了 ràng nínmen jiǔ děng le'.

⁴ **宁静** níngjìng 〈形 adj.〉环境、心情安静 (of environment, mind) peaceful; quiet; tranquil：夜深了，这里格外~. *Yè shēn le, zhèlǐ géwài ~.* It is all the more quiet and tranquil in the dead of night. | 游人走了，湖面十分~. *Yóurén zǒu le, húmiàn shífēn ~.* After the tourists left, the surface of the lake became very quiet.

⁴ **柠檬** níngméng 〈名 n.〉(个 gè)指柠檬树或这种植物的果实 lemon：~汁~ zhī lemonade | ~的果实可制饮料、香料，也可榨油. *~ de guǒshí ~ kě zhì yǐnliào, xiāngliào, yě kě zhàyóu.* The fruit of the lemon can be used to make soft drinks, spice and oil.

⁴ **凝固** nínggù ❶〈动 v.〉液体凝结而成固体 solidify：气温降到零度，水就会~成冰. *Qìwēn jiàng dào língdù, shuǐ jiù huì ~ chéng bīng.* Once below 0 degree, the water will turn into ice. | 鲜血流出来很快就~了. *Xiānxuè liú chūlái hěn kuài jiù ~ le.* The blood flowing out will soon coagulate. ❷〈动 v.〉比喻固定不变；没有变化 be stiff; be stubborn：我们不能把变化的事物看成僵死的、~的东西. *Wǒmen bù néng bǎ*

biànhuà de shìwù kànchéng jiāngsǐ de，~ *de dōngxi*. We should not regard ever-changing things as being stiff and inflexible.

⁴ 凝结 níngjié 〈动 *v*.〉物质由气态变为液态或由液态变为固态的过程 condense: coagulate; (of gas) transform into liquid; (of a liquid) transform into a solid: 河面上了一层薄冰。*Hémiàn shang ~le yì céng báo bīng*. The river is covered with a thin layer of ice.｜一口热气吹去，玻璃上了一片小水珠。*Yì kǒu rè qì chuīqù, bōli shang ~le yí piàn xiǎo shuǐzhū*. A hot breath made some small water drops on the glass. ❷〈动 *v*.〉比喻聚集着；建立起来 cement; accumulate: 他的成长～着老师的心血。*Tā de chéngzhǎng ~zhe lǎoshī de xīnxuè*. His growth is a crystallization of his teachers' hard effort.｜两国的友谊是用鲜血～成的。*Liǎng guó de yǒuyì shì yòng xiānxuè ~ chéng de*. The friendship between the two countries is cemented with blood.

⁴ 凝视 níngshì 〈动 *v*.〉集中注意力盯着 gaze at; fix one's eyes upon: ～着碧绿的大海 ~*zhe bìlù de dàhǎi* stare at the dark-green sea｜将军～着地图，几乎忘掉了周围的一切。*Jiāngjūn ~zhe dìtú, jīhū wàngdiàole zhōuwéi de yíqiè*. The general gazed at the map, oblivious to everything around him.

³ 拧 níng ❶〈动 *v*.〉用手或工具控制住物体向一个方向转动 screw; twist; hold and turn an object with a hand or tool: 螺丝要用螺丝刀。*Luósī yào yòng luósīdāo ~*. The screw can only be unscrewed with a screwdriver.｜笔帽太紧，~不下来。*Bǐmào tài jǐn, ~ bú xiàlái*. The cap of the pen is too tight to be twisted off. ❷〈动 *v*.〉走样；颠倒 go wrong; mistake: 他把话传~了。*Tā bǎ huà chuán~ le*. He passed on the message to a mistaken effect.｜你把对方的意思弄~了。*Nǐ bǎ duìfāng de yìsi nòng~ le*. You misunderstood what the other side meant to say. ❸〈动 *v*.〉别扭；抵触 disagree; be at cross-purposes: 他俩越说越~。*Tā liǎ yuè shuō yuè ~*. The more they talked, the more they disagreed.

³ 宁可 nìngkě ❶〈连 *conj*.〉连接有取舍关系的分句，表示比较利害得失后选取的一面,常与上文的'与其'或下文的'也不''也要'相呼应(一般用在动词前,也可用在主语前)(often preceded by '与其 *yǔqí* or followed by '也不 *yěbù*'or '也要 *yěyào*', expressing the preferred choice after comparing the advantages and disadvantages of two choices) would rather: 与其在这里等车，~慢慢走回家。*Yǔqí zài zhèli děngchē, ~ mànmàn zǒu huíjiā*. I would rather stroll back home than wait here for the bus.｜~少睡几觉，也要把任务完成好。*~ shǎo shuì jǐ jiào, yěyào bǎ rènwù wánchéng hǎo*. I would rather sleep less to finish the task in a satisfactory way. ❷〈副 *adv*.〉只单说选取的一面(后面常常加'的好''为好',意思等于'最好是…')(the speaker can state the preferred choice without mentioning the choice given up, often followed by '的好 *de hǎo*' or '为好 *wéi hǎo*',meaning 'it would be best') had better: 我们~警惕一点儿的好。*Wǒmen ~ jǐngtì yìdiǎnr de hǎo*. We had better be more vigilant.｜大家~多带一点儿为好。*Dàjiā ~ duō dài yìdiǎnr wéi hǎo*. We'd better bring a little more (food, clothes, etc.).

⁴ 宁肯 nìngkěn 〈连 *conj*.〉宁可(侧重心里想法) would rather (stressing the inner thought): ～自己吃亏，也不能让同学为难。~*zìjǐ chīkuī, yě bù néng ràng tóngxué wéinán*. I would rather stand to lose than put my classmates in a difficult position.｜为让孩子上好的学校，他～自己受苦受累。*Wèi ràng háizi shàng hǎo de xuéxiào, tā ~ zìjǐ shòukǔ-shòulèi*. In order to enable his child to attend a good school, he would rather bear hardships all by himself.

⁴ 宁愿 nìngyuàn 〈连 *conj*.〉宁可；宁肯 would rather: 她不喜欢跳舞，~独自呆在屋里。*Tā bù xǐhuan tiàowǔ, ~ dúzì dāi zài wū li*. Not fond of dancing, she would rather stay at home alone. | 她~自己饿着，也要让孩子吃饱。*Tā ~ zìjǐ èzhe, yěyào ràng háizi chībǎo.* She would rather go without food in order to feed her kids well.

¹ 牛 niú ❶〈名 *n.*〉(头tóu、条tiáo)哺乳类反刍动物 ox; cattle：喂~ *wèi ~* feed the cattle | 黄~ *huáng~* ox | 水~ *shuǐ~* buffalo | ~奶 *~ nǎi* (cow) milk | 初生~犊不怕虎(比喻经验不多的年轻人勇敢大胆，敢作敢为)。*Chū shēng ~dú bú pà hǔ*（*bǐyù jīngyàn bù duō de niánqīngrén yǒnggǎn dàdǎn, gǎnzuò-gǎnwéi*). A newborn calf is not even afraid of the tiger(fig. Inexperienced young people tend to be fearless). ❷〈形 *adj.* 方 *dial.*〉比喻有本领，有办法 fig. able：那小子真~。*Nà xiǎozi zhēn ~.* That guy is an able man. ❸〈形 *adj.* 方 *dial.*〉比喻骄傲、固执、倔强 fig. stubborn; arrogant：~气十足 *~qì shízú* arrogant and overbearing | ~脾气 *~píqì* bullheadedness; obstiny | 三番五次请他都不来，~得很。*Sānfān-wǔcì qǐng tā dōu bù lái, ~ de hěn.* He is so arrogant as to refuse my repeate invitations. ❹〈名 *n.*〉二十八宿之一 niu, one of the 28 constellations into which the celestial sphere was divided in ancient Chinese astronomy

¹ 牛奶 niúnǎi〈名 *n.*〉(瓶píng、袋dài、盒hé)牛的乳汁 milk：挤~ *jǐ~* milk a cow | 煮~ *zhǔ~* boil the milk | ~比不上母乳。*~ bǐ bú shàng mǔrǔ.* Cow milk is not so good as breast-feeding. | 他不喜欢喝鲜~，喜欢喝酸~。*Tā bù xǐhuan hē xiān ~, xǐhuan hē suān ~.* He likes yogurt instead of fresh milk.

² 扭 niǔ ❶〈动 *v.*〉转过来 turn around：~过脸来 *~guo liǎn lái* turn around (the face) | 一句话不顺耳，她~头就走了。*Yí jù huà bú shùn'ěr, tā ~tóu jiù zǒu le.* Displeased with this remark, she turned around and walked away. ❷〈动 *v.*〉因转动而受伤 sprain：~了脚 *~ le jiǎo* sprain one's feet | 我昨晚睡觉~了脖子。*Wǒ zuó wǎn shuìjiào ~le bózi.* Last night I sprained my neck in my sleep. ❸〈动 *v.*〉身体左右摇动 (of one's body) roll; swing：~秧歌 *~ yānggē* do the yanggo dance | 她一走路就~屁股，真难看。*Tā yì zǒulù jiù ~ pìgu, zhēn nánkàn.* It looks really indecent for her to swing her hips in every step. ❹〈动 *v.*〉用力拧 twist hard：这铅丝一~就断。*Zhè qiānsī yì ~ jiù duàn.* The lead wire snaps with hard twist. ❺〈动 *v.*〉紧紧抓住，揪住 grasp; seize：两人~作了一团。*Liǎng rén ~zuòle yìtuán.* The two were grappling with each other.

³ 扭转 niǔzhuǎn ❶〈动 *v.*〉转过来 turn around：前方堵车，他只好~车头绕道而行了。*Qiánfāng dǔchē, tā zhǐdé ~ chētóu ràodào ér xíng le.* The traffic was jammed ahead so he had to turn his car around and make a detour. | 听到喊声，他~身子朝校门外跑去。*Tīng dào hǎnshēng, tā ~ shēnzi cháo xiàomén wài pǎoqù.* Hearing the cry, he turned round and ran out of the school gate. ❷〈动 *v.*〉纠正或改变事物的发展方向 correct or change the course of events：力挽狂澜，~乾坤。*Lì wǎn kuánglán, ~ qiánkūn.* Make vigorous efforts to turn the tide and bring about a radical change in the situation. | 当前这种被动局面必须尽快~。*Dāngqián zhèzhǒng bèidòng júmiàn bìxū jǐnkuài ~.* Now it is imperative to put an end to the passive state of affairs as soon as possible.

⁴ 纽扣儿 niǔkòur〈名 *n.*〉(颗kē、粒lì、个gè)可以把衣服扣起来的小形球状物或片状物 button; small ball-shaped or disk-shaped fastener used to join two parts of a garment：把西服的~扣好。*Bǎ xīfú de ~ kòuhǎo.* Button up your suit. | 你解开~，凉快凉快吧。*Nǐ jiěkāi ~, liángkuai liángkuai ba.* Unbutton your dress to cool off a bit.

⁴ 农产品 nóngchǎnpǐn〈名 *n.*〉(种zhǒng)农业中生产的物品，如稻子、小麦、玉米、棉花等等 farm produce, eg., rice, wheat, corn, cotton, etc.：~的种类繁多 *~ de zhǒnglèi fánduō* various kinds of agricultural products | 我们要确保~的数量和提高~的质量。*Wǒmen yào quèbǎo ~ de shùliàng hé tígāo ~ de zhìliàng.* We shall see to it that the quantities of farm produce should be guaranteed and its quality be improved.

N

³ **农场** nóngchǎng〈名 n.〉(座zuò、个gè、家jiā)使用机器、大规模进行农业生产的企业单位 farm; enterprise engaged in large-scale mechanized agricultural production：这个~是合资企业。*Zhège ~ shì hézī qǐyè.* This a joint-venture farm.│这是一座大型的国营~。*Zhè shì yí zuò dàxíng de guóyíng ~.* It is a large-scale state farm.│~里有各种类型的生产、加工和运输工具。*~ li yǒu gèzhǒng lèixíng de shēngchǎn, jiāgōng hé yùnshū gōngjù.* There are all types of tools for manufacturing, processing and transportation on the farm.

¹ **农村** nóngcūn〈名 n.〉从事农业生产为主的人聚居的地方 rural area; countryside：我在~住了十年。*Wǒ zài ~ zhùle shí nián.* I lived in the countryside for ten years.│现在中国的~正在迅速地小城镇化。*Xiànzài Zhōngguó de ~ zhèngzài xùnsù de xiǎo chéngzhènhuà.* Nowadays the rural areas in China are rapidly being turned into small towns.│这十几年~变化也很大。*Zhè shíjǐ nián ~ biànhuà yě hěn dà.* Great changes have also taken place in rural areas for the past ten years.

⁴ **农户** nónghù〈名 n.〉(家jiā、个gè)从事农业生产的人家 farmer household：这家~种了八亩地，还养了三头奶牛。*Zhè jiā ~ zhòngle bā mǔ dì, hái yǎngle sān tóu nǎiniú.* This farmer household cultivates eight *mu* of land and raises three cows.│这个村里的~完全靠种田过日子的已经很少了。*Zhège cūn li de ~ wánquán kào zhòngtián guò rìzi de yǐjīng hěn shǎo le.* In this village, there are very few households that rely only on farm work for a living.

³ **农具** nóngjù〈名 n.〉(件jiàn、套tào)农业生产所使用的工具 farm implement; farm tool：过去的~主要是耕牛和锄头。*Guòqù de ~ zhǔyào shì gēngniú hé chútou.* In the past, the main farm implements were farm cattle and pickaxes.│现在的~多种多样。*Xiànzài de ~ duōzhǒng-duōyàng.* Nowadays there are various kinds of farm tools.│现代化大型~有拖拉机、收割机等。*Xiàndàihuà dàxíng ~ yǒu tuōlājī, shōugējī děng.* Modern large farm tools include tractors, harvester and others.

³ **农贸市场** nóngmào shìchǎng〈名 n.〉(个gè)进行农副产品买卖的地方 market of farm produce：我常去~买菜。*Wǒ cháng qù ~ mǎi cài.* I often go to the rural market to buy food.│~的东西又新鲜又便宜。*~ de dōngxi yòu xīnxiān yòu piányi.* The market of farm produce sells fresh and cheap stuff.│~里的摊主多是附近的农民。*~ li de tānzhǔ duō shì fùjìn de nóngmín.* The stall-owners at the rural market are mostly farmers from the neighboring areas.

¹ **农民** nóngmín〈名 n.〉(个gè、位wèi)长期从事农业生产的劳动者 farmer; peasant：~完全种地的越来越少了。*~ wánquán zhòngdì de yuèláiyuè shǎo le.* The farmers who do farm work only are becoming fewer and fewer.│几个~合伙办了一家工厂。*Jǐ gè ~ héhuǒ bànle yì jiā gōngchǎng.* Several farmers set up a factory in a cooperative manner.│不少地方的~已经富裕起来。*Bùshǎo dìfang de ~ yǐjīng fùyù qǐlái.* Farmers in many places have become well-off.

² **农田** nóngtián〈名 n.〉(片piàn、块kuài、亩mǔ)种植农作物的田地 farmland; cropland：这里大片的~种水稻。*Zhèli dàpiàn de ~ zhòng shuǐdào.* Rice grows in large tracts of paddy field here.│这里的~管理得很好。*Zhèli de ~ guǎnlǐ de hěn hǎo.* The cropland here is well managed.│一望无际的~，麦浪滚滚。*Yíwàngwújì de ~, mài làng gǔngǔn.* The wheat is rippling in the fields that stretch as far as the eye can see.

³ **农药** nóngyào〈名 n.〉(瓶píng、包bāo、袋dài)农业上用来杀虫、灭菌、除草以及促进农作物生长的药物的统称 pesticide; general term for chemicals used to kill pests, germs, for weeding and promoting crop growth：打~ *dǎ ~* spray pesticide│定量合理使

用~ *dìngliàng hélǐ shǐyòng* ~ rationally use pesticide with set quantity ｜禁用剧毒~。 *Jìnyòng jùdú* ~. The use of highly poisonous pesticide is banned.

¹ **农业** nóngyè〈名 n.〉以种植农作物为主的产业(有时泛指包括林业、渔业以及副业等在内的产业) agriculture; farming (sometimes also including forestry, fishery and rural sideline occupations)：现代化~ *xiàndàihuà* ~ modern agriculture ｜只有~上去了，工业的发展才有保障。 *Zhǐyǒu* ~ *shàngqù le, gōngyè de fāzhǎn cái yǒu bǎozhàng.* Only when the agriculture grows can the development of industry be guaranteed. ｜大力发展工业、~和第三产业。 *Dàlì fāzhǎn gōngyè,* ~ *hé dì-sān chǎnyè.* Devote major efforts to developing industry, agriculture and the tertiary sector.

³ **农作物** nóngzuòwù〈名 n.〉(种zhǒng)农业上栽种的各种作物 crops：掌握~的生长规律 *zhǎngwò* ~ *de shēngzhǎng guīlǜ* master the growth pattern of the crops ｜加强~的田间管理 *jiāqiáng* ~ *de tiánjiān guǎnlǐ* reinforce the field management of the crops ｜防治~的病虫害 *fángzhì* ~ *de bìngchónghài* prevention and treatment of plant diseases and insect pests of the crops

² **浓** nóng ❶〈形 adj.〉气体或液体含某种成分多，稠密 (of liquid or gas) containing much of a certain component; thick; dense：~茶 ~ *chá* strong tea ｜屋子里烟味很~。 *Wūzi li yānwèi hěn* ~. The room is thick with the smell of smoke. ❷〈形 adj.〉繁密 thick：她的头发又黑又~。 *Tā de tóufa yòu hēi yòu* ~. Her hair is thick and black. ❸〈形 adj.〉程度深 (of degree or extent) great; keen：~情厚谊 ~*qíng hòuyì* great affection and deep friendship ｜游兴正~。 *Yóuxìng zhèng* ~. (He) showed a great interest in the sightseeing trip. ❹〈形 adj.〉颜色重 (of color) thick：~妆艳抹 ~*zhuāng-yànmǒ* richly attired and heavily made-up

⁴ **浓度** nóngdù〈名 n.〉单位溶液中所含溶质的量叫做该溶液的浓度 density; concentration：~太大了。 ~ *tài dà le.* The concentration is too high. ｜这酒~高，要少喝。 *Zhè jiǔ* ~ *gāo, yào shǎo hē.* This liquor is too strong so you shouldn't drink too much of it.

⁴ **浓厚** nónghòu ❶〈形 adj.〉气氛、色彩、意识、感情等厚重，强烈 (of atmosphere, color, mentality, affection etc.) strong; pronounced：~的节日气氛 ~ *de jiérì qìfēn* a strong festive holiday atmosphere ｜~的宗教色彩 ~ *de zōngjiào sècǎi* pronounced religious flavor ❷〈形 adj.〉偏爱，兴趣高 (of interest) keen; intense：他们对足球有~的兴趣。 *Tāmen duì zúqiú yǒu* ~ *de xìngqù.* They have a keen interest in soccer. ｜小孩儿对电子游戏的兴趣很~。 *Xiǎoháir duì diànzǐ yóuxì de xìngqù hěn* ~. The children are keenly interested in video games. ❸〈形 adj.〉(烟雾、云等)多而厚 (of smoke, cloud, etc.) thick; dense：飞机穿过~的云层。 *Fēijī chuānguò* ~ *de yúncéng.* The airplane flew through thick clouds.

² **弄** nòng ❶〈动 v.〉做；搞 do; make; handle：~饭 ~*fàn* prepare a meal ｜我一定要把学习~上去。 *Wǒ yídìng yào bǎ xuéxí* ~ *shàngqù.* I must improve my studies. ｜我真~不明白他想干什么。 *Wǒ zhēn* ~ *bù míngbai tā xiǎng gàn shénme.* I can hardly figure out what he wants to do. ❷〈动 v.〉摆弄；戏耍 play with; fiddle with：退休以后他就在家里~~花养养鸟。 *Tuìxiū yǐhòu tā jiù zài jiālǐ* ~~ *huā yǎngyǎng niǎo.* After retirement, he just stayed at home, raising birds and growing flowers. ｜他从小就爱使枪~棒。 *Tā cóngxiǎo jiù ài shǐ qiāng* ~ *bàng.* Since his childhood, he has always liked fiddling with martial arts weapons. ❸〈动 v.〉想办法得到 manage to obtain：给我~点儿饮料来。 *Gěi wǒ* ~ *diǎnr yǐnliào lái.* Fetch some drinks for me. ｜她好不容易才~到两张票。 *Tā hǎobù róngyì cái* ~ *dào liǎng zhāng piào.* Only after hard efforts did she manage to get two tickets. ❹〈动

v.〉耍手段；炫耀 manipulate; show off：~权术 *shuǎ– quánshù* manipulate power for personal ends｜搬~是非 *bān~ shìfēi* sow discord｜舞文~墨 *wǔwén–~mò* show off literary skill

⁴ **弄虚作假 nòngxū-zuòjiǎ**〈成 *idm.*〉耍花招,欺骗人；说假话,夸大成绩 practice fraud; resort to trickery; tell lies; exaggerate achievements：要实事求是,不要~。*Yào shíshì- qiúshì, bú yào ~.* We should be practical and realistic rather than practice fraud and resort to deception.｜要纠正~的不良作风 *Yào jiūzhèng ~ de bùliáng zuòfēng.* It is necessary to reverse the unhealthy tendencies of practicing fraud.｜要打击那些~的人。*Yào dǎjī nàxiē ~ de rén.* We should crack down on those who practice fraud and deception.

³ **奴隶 núlì ❶**〈名 *n.*〉(个 gè) 为奴隶主劳动而没有人身自由和权利的人 slave; one who works for a slave-owner and has no personal freedom or right：~社会实行的是~制度。*~ shèhuì shíxíng de shì ~ zhìdù.* The slave society practiced slavery.｜主残酷地剥削~。*~zhǔ cánkù de bōxuē ~.* Slave-owners ruthlessly exploited their slaves. **❷**〈名 *n.*〉泛指被奴役被压迫的人 the exploited and oppressed people：饥寒交迫的~ *jīhán-jiāopò de ~* the exploited people living in hunger and cold

⁴ **奴役 núyì**〈动 *v.*〉把人当奴隶使用 enslave; keep in bondage：~妇女的情况已成历史。*~ fùnǚ de qíngkuàng yǐ chéng lìshǐ.* The times when women were enslaved have gone.｜有的国家总想~别的国家。*Yǒu de guójiā zǒng xiǎng ~ bié de guójiā.* Some countries have always wanted to enslave others.

¹ **努力 I nǔ//lì**〈动 *v.*〉尽量用力 make great efforts; exert oneself：继续~,争取更大胜利。*Jìxù ~, zhēngqǔ gèng dà shènglì.* Make more efforts in order to win a greater victory.｜大家再努一把力,这项任务就能完成了。*Dàjiā zài nǔ yì bǎ lì, zhè xiàng rènwù jiù néng wánchéng le.* Let's all make still greater efforts and then the task will be fulfilled. **II nǔlì**〈形 *adj.*〉形容十分尽力 strenuous：在学习上,同学们都很~。*Zài xuéxí shang, tóngxuémén dōu hěn ~.* The students all work hard in their schoolwork.

³ **怒 nù ❶**〈形 *adj.*〉形容气势很大 overwhelming; great：江河入海,~涛汹涌。*Jiāng hé rù hǎi, ~ tāo xiōngyǒng.* Billows are raging with great fury as the rivers flow into the sea.｜狂风~号,惊天动地。*Kuáng fēng ~ háo, jīngtiān-dòngdì.* The wind howled and the earth shook. **❷**〈形 *adj.*〉生气；气愤 angry; furious：~火冲天 *~huǒ-chōngtiān* be ablaze with wrath｜不可遏~ *bùkě'è–nù* beside oneself with rage

⁴ **怒吼 nùhǒu ❶**〈动 *v.*〉猛兽发威吼叫,比喻发出雄壮的声音（of beasts）howl; roar：狮子~着向小鹿猛扑过去。*Shīzi ~zhe xiàng xiǎo lù měng pū guòqù.* The lion sprang on the fawn with a roar.｜澎湃的海水~着冲向堤岸。*Péngpài de hǎishuǐ ~zhe chōng xiàng dī'àn.* The roaring sea waves are pounding against the dykes. **❷**〈动 *v.*〉比喻声势浩大的反抗压迫的革命斗争 *fig.* (of revolution) struggle against oppression：唯有~,方能唤起民众。*Wéiyǒu ~, fāngnéng huàn qǐ mínzhòng.* Only a revolutionary call can awaken the people.

⁴ **怒火 nùhuǒ**〈名 *n.*〉(腔 qiāng、团 tuán) 形容极大的愤怒 rage; fury：~在心中燃烧。~ *zài xīn zhōng ránshāo.* He is burning with anger.｜她压住心头的~。*Tā yāzhù xīntóu de ~.* She managed to restrain her fury.

¹ **女 nǚ ❶**〈形 *adj.*〉女性的（与'男 nán'相对）female (opposite to '男 nán')：~生 *~shēng* girl students｜飞行员 *~fēixíngyuán* female pilot｜~经理 *~jīnglǐ* woman manager｜我们的校长也是~的。*Wǒmen de xiàozhǎng yě shì ~ de.* Our principal is also a woman. **❷**〈名 *n.*〉女儿 daughter; girl：生儿育~ *shēng'ér-yù~* bear and bring up children｜现在儿~都

成了家，我也可以享福了。*Xiànzài ér~ dōu chéngle jiā, wǒ yě kěyǐ xiǎngfú le.* With my children married off, I can enjoy myself now.

¹ **女儿** nǚ'ér ❶〈名 n.〉(个 gè) 女孩子 (对父母而言) daughter：他有两个~，大~在国外工作，小~上大学。*Tā yǒu liǎng gè~, dà~zài guówài gōngzuò, xiǎo~shàng dàxué.* He has two daughters, the elder one working abroad and the younger one studying at college. │ ~心细，常给父母打电话。*~xīnxì, cháng gěi fùmǔ dǎ diànhuà.* Being more considerate, the daughter often gives a phone call to her parents. ❷〈名 n.〉(个 gè) 泛指未出嫁的女子 unmarried woman：那是谁家的~? *Nà shì shéi jiā de~?* Whose daughter is that girl?

² **女人** nǚrén〈名 n.〉(个 gè) 成年女性 (与'男人' nánrén' 相对) woman (opposite to '男人' nánrén')：很多方面不比男人差。*~hěn duō fāngmiàn bù bǐ nánrén chà.* In many respects, women are not inferior to men. │ 办事痛快点儿，别像~那样婆婆妈妈的。*Bànshì tòngkuài diǎnr, bié xiàng~nàyàng pópo-māma de.* Be straightforward and stop being sissy.

☞ nǚrén, p. 734

² **女人** nǚren〈名 n. 口 colloq.〉(个 gè) 指妻子 (与'男人' nánren' 相对) wife (opposite to '男人' nánren')：他的~到南方打工去了。*Tā de~dào nánfāng dǎgōng qù le.* His wife has gone to the south for work.

☞ nǚren, p. 734

² **女士** nǚshì〈名 n.〉(位 wèi) 对妇女的尊称 (多用于外交场合) (polite form of address for women) lady; madam (usually used on a diplomatic occasion)：各位~ *gèwèi*~ ladies │ 尊敬的~们 *zūnjìng de*~*men* respectable ladies │ ~优先 *~yōuxiān* ladies first │ 那两位~的穿戴很时髦。*Nà liǎng wèi~de chuāndài hěn shímáo.* Those two ladies are fashionably dressed.

⁴ **女性** nǚxìng ❶〈名 n.〉人类两性之一 (与'男性' nánxìng' 相对) the female sex (opposite to '男性' nánxìng')：~有~的特征。*~yǒu~de tèzhēng.* Females have their own characteristics. │ 她创办了一个杂志，专门介绍~科学。*Tā chuàngbànle yí gè zázhì, zhuānmén jièshào~kēxué.* She started a magazine to disseminate knowledge about the female sex. ❷〈名 n.〉(个 gè、位 wèi、名 míng) 指妇女 woman：她是一位伟大的~。*Tā shì yí wèi wěidà de~.* She was a great woman. │ 新时代的~应自尊、自立、自强。*Xīn shídài de~yīng zìzūn, zìlì, zìqiáng.* Modern women should make efforts toward the ends of self-esteem, self-independence and self-improvement. │ 社会各方面都不应歧视~。*Shèhuì gè fāngmiàn dōu bù yīng qíshì~.* Discrimination against women should not be allowed to exist in any respect of social life.

³ **女子** nǚzǐ〈名 n.〉女性成年人 (与'男子' nánzǐ' 相对) female adult (opposite to '男子' nánzǐ')：这是一所~学校。*Zhè shì yì suǒ~xuéxiào.* This is a women's school. │ 不宜做重体力劳动。*~bùyí zuò zhòng tǐlì láodòng.* Hard manual labor is not suitable for women. │ 她获得~体操全能冠军。*Tā huòdé~tǐcāo quánnéng guànjūn.* She won the women's individual all-round title of gymnastics.

² **暖** nuǎn ❶〈形 adj.〉天气、环境等不冷不热 (of weather, environment, etc.) warm：春~花开。*Chūn~huā kāi.* In the warmth of spring all flowers are blooming. │ 今年出现~冬。*Jīnnián chūxiàn~dōng.* This year has a warm winter. │ ~壶的水开了。*~hú de shuǐ kāi le.* The water in the thermos flask is boiled. ❷〈动 v.〉使温暖 warm up：外面冷，进屋~~身子。*Wàimian lěng, jìn wū~~shēnzi.* It's quite cold outside. Come in and get yourself warm. │ 他温~了大家的心。*Tā wēn~le dàjiā de xīn.* He warmed the hearts

of all of us.

¹ 暖和 nuǎnhuo ❶〈形 adj.〉同'暖'❶ same as '暖nuǎn'❶：北京一过3月，天气就~了。*Běijīng yí guò sān yuè，tiānqì jiù ~ le.* In Beijing, it turns warm immediately after March. │ 这两间屋都向阳，很~。*Zhè liǎng jiān wū dōu xiàngyáng，hěn ~.* Both the two rooms are south-facing and very warm. ❷〈动 v.〉同'暖'❷ same as '暖nuǎn'❷：屋里有火，快进来~~吧! *Wū li yǒu huǒ，kuài jìnlái ~ ~ ba!* There is a fire in the room. Come in quickly and get yourself warm. │ 大家喝点儿姜汤，~~身子。*Dàjiā hē diǎnr jiāngtāng，~ ~ shēnzi.* Let's take some ginger soup to get warm.

² 暖气 nuǎnqì ❶〈名 n.〉为建筑物供热的设备 central heating equipment：我们小区~设备齐全。*Wǒmen xiǎoqū ~ shèbèi qíquán.* Our community has a whole set of central heating equipment. │ ~管道要经常检修。*~ guǎndào yào jīngcháng jiǎnxiū.* The central heating pipes need constant check-ups and repair. ❷〈名 n.〉指制热设备输送的蒸汽或热水 hot water or steam produced by heating equipment：来~了! *Lái ~ le!* The central heating is on. │ 每年11月初供~，次年3月中旬停~。*Měinián shíyī yuè chū gòng ~，cìnián sān yuè zhōngxún tíng ~.* Central heating is provided from early November until the middle of next March.

² 暖水瓶 nuǎnshuǐpíng 〈名 n.〉（个gè、只zhī）同'热水瓶' same as '热水瓶 rèshuǐpíng'

⁴ 挪 nuó 〈动 v.〉（人或物体）搬动；移动；转移 move; shift：这大书柜往东边~一~。*Zhè dà shūguì wǎng dōngbian ~ yì ~.* Move the big bookcase a few inches toward the east. │ 你们往前~几步。*Nǐmen wǎng qián ~ jǐ bù.* Move a few steps forward. │ 不许~用公款! *Bù xǔ ~yòng gōngkuǎn!* Embezzlement of public funds is prohibited!

N

O

³ **噢** ō〈叹 *interj.*〉表示了解、明白了，或恍然大悟，同'喔' expressing understanding or sudden realization, same as '喔wō'：~，原来是这么回事！*~, yuánlái shì zhème huí shì!* So, it was like that! ｜~，你是找数学老师呀！*nǐ shì zhǎo shùxué lǎoshī ya!* Oh, you're looking for the maths teacher! ｜我总算弄懂了。*~, wǒ zǒngsuàn nòngdǒng le.* Oh, I finally understood what it meant.

³ **哦** ó〈叹 *interj.*〉表示半信半疑 expressing doubt：~，这样说来，你的成绩不小啊！*~, zhèyàng shuōlái, nǐ de chéngjì bùxiǎo a!* So, we can say that your achievement is not small at all! ｜~，是这样的吗? *~, shì zhèyàng de ma?* Oh, is that so?

⁴ **殴打** ōudǎ〈动 *v.*〉打人 beat up; hit：这个疯子在街上~过往行人。*Zhège fēngzi zài jiē shang ~ guòwǎng xíngrén.* The lunatic beat the passers-by on the street. ｜夫妻俩为一点儿小事吵得不可开交，然后就互相~起来。*Fūqī liǎ wèi yìdiǎnr xiǎoshì chǎo de bùkěkāijiāo, ránhòu jiù hùxiāng ~ qǐlái.* The couple were engaged in a quarrel over a trifle and then started to exchange blows.

⁴ **呕吐** ǒutù〈动 *v.*〉胃里食物被迫吐出来 vomit; throw up：我坐车时间长了就会~。*Wǒ zuò chē shíjiān chángle jiù huì ~.* I tend to vomit after riding in a bus for a long time. ｜病人~了。*Bìngrén ~ le.* The patient vomited.

³ **偶尔** ǒu'ěr ❶〈副 *adv.*〉表示某种动作、行为很少发生，或某种情况、现象很少出现，有'间或''有时候'的意思 now and then; at long intervals; occasionally, similar to '间或jiānhuò' and '有时候yǒushíhou'：他~回老家看看，也是来去匆匆。*Tā ~ huí lǎojiā kànkan, yě shì láiqù cōngcōng.* Occasionally he paid a brief visit to his hometown. ｜河水清澈，~发现几条小鱼。*Héshuǐ qīngchè, ~ fāxiàn jǐ tiáo xiǎo yú.* The river is so clear that once in a while you can find some fish in it. ❷〈形 *adj.*〉间或发生的 accidental：那次交通事故是~的事。*Nà cì jiāotōng shìgù shì ~ de shì.* That traffic accident was purely a chance event.

³ **偶然** ǒurán ❶〈形 *adj.*〉意想不到的(与'必然'相对) unexpected (opposite to '必然 bìrán')：竟会在国际图书展览会上碰到久别的亲人，也太~了。*Jìng huì zài guójì túshū zhǎnlǎnhuì shang pèngdào jiǔbié de qīnrén, yě tài ~ le.* After a long separation, I came across a relative at the international book expo. How unusual it was! ｜发生这样的事绝不是~的。*Fāshēng zhèyàng de shì jué bú shì ~ de.* Such an incident was by no means a chance event. ❷〈副 *adv.*〉间或地 occasionally; once in a while：住在郊区~会听到狼的嗥叫声。*Zhù zài jiāoqū ~ huì tīngdào láng de háojiào shēng.* Occasionally, the howling of wolves can be heard in the suburban area.

P

³ **趴** pā ❶〈动 v.〉胸腹朝下卧倒 lie on one's stomach; lie prone: 战士~在地上射击。*Zhànshì ~ zài dì shang shèjī.* The soldier was lying prone and shooting. ｜马~在路边起不来了。*Mǎ ~ zài lù biān qǐ bù lái le.* The horse was lying on its stomach at the roadside, unable to rise. ❷〈动 v.〉身体向前靠在物体上 bend over; lean on: 他~在桌子上睡着了。*Tā ~ zài zhuōzi shang shuìzháo le.* He was leaning on a desk and sleeping. ｜她~在窗台上向远处望去。*Tā ~ zài chuāngtái shang xiàng yuǎnchù wàngqù.* Bending over the windowsill, she gazed into the distance.

⁴ **扒** pá ❶〈动 v.〉用手或工具使东西聚拢或散开 rake up; gather up: 把稻草~成一堆 *bǎ dàocǎo ~chéng yì duī* rake up the rice straw into a pile ｜麦子晾晒 ~ *màizi liàngshài.* Rake up the wheat and dry it in the sun. ❷〈动 v. 方 dial.〉用手搔;抓;挠 scratch; scrape: ~痒 ~ *yǎng* scratch an itch ｜轻点儿 ~ *qīng diǎnr.* Scratch lightly. ❸〈动 v.〉扒窃 pick sb.'s pocket; pilfer: ~手 ~*shǒu* pickpocket ｜钱包被人~走了。*Qiánbāo bèi rén ~zǒu le.* The wallet was stolen. ❹〈动 v.〉一种煨烂的烹调法 stew; braise: ~白菜 ~*báicài* braised Chinese cabbage ｜~羊腿 ~*yángtuǐ* stewed lamb leg ☞ bā, p. 9

¹ **爬** pá ❶〈动 v.〉昆虫、爬行动物等蠕动或人用手和脚一起着地向前移动 (of insects, reptiles or human beings) crawl; go on all fours: 蜜罐边~满了蚂蚁。*Mì guàn biān ~mǎnle mǎyǐ.* The rim of the bee jar is covered all over with ants. ｜老鼠从下水道~了出来。*Lǎoshǔ cóng xiàshuǐdào ~le chūlái.* The rat crawled out of the sewer. ｜婴儿在床上~来~去。*Yīng'ér zài chuáng shang ~ lái ~ qù.* The baby crawled to and fro on the bed. ❷〈动 v.〉抓着东西往上去; 攀登 climb: 学校组织~香山。*Xuéxiào zǔzhī ~Xiāngshān.* The school organized a mountain-climbing tour to the Fragrant Hills. ｜他~树~得很快。*Tā ~ shù ~ de hěn kuài.* He can climb a tree very fast. ｜葡萄~满了架。*Pútáo ~mǎnle jià.* The trellises are covered all over with grapes. ❸〈动 v.〉由躺着到坐起或站起 sit up; get up: 他挣扎着从床上~起来。*Tā zhēngzházhe cóng chuáng shang ~ qǐlái.* He struggled up from the bed.

¹ **怕** pà ❶〈动 v.〉害怕; 恐惧 be afraid of; fear; dread: 我最~虫子。*Wǒ zuì ~ chóngzi.* Insects are what I fear most. ｜人~出名猪~壮。*Rén ~ chūmíng zhū ~ zhuàng.* Fame portends trouble for men just as fattening does for pigs. ❷〈动 v.〉担心 be worried: 我~你累了, 所以没让你去。*Wǒ ~ nǐ lèi le, suǒyǐ méi ràng nǐ qù.* I didn't let you go lest you get too tired. ｜妈妈~我着凉, 让我多穿点儿衣服。*Māma ~ wǒ zháoliáng, ràng wǒ duō chuān diǎnr yīfu.* Mother told me to wear more clothes for fear that I might catch a cold. ❸〈动 v.〉经受不了(与动词宾语合用) be unable to bear: 这塑像是泥坯做的, ~磕碰。

Zhè sùxiàng shì nípēi zuò de, ~ kēpèng. This statue is made of clay and very fragile. ❹ 〈副 *adv.*〉表示估计，相当于'也许''恐怕' perhaps, same as '也许*yěxǔ*'or '恐怕 *kǒngpà*': 雨这么大，~他不会来了。*Yǔ zhème dà, ~ tā bú huì lái le.* I suppose he will not come since it is raining so heavily. │这次集体出游,~要吹了。*Zhè cì jítǐ chūyóu, ~ yào chuī le.* I'm afraid that the outing will be cancelled.

¹ 拍 pāi ❶ 〈动 *v.*〉用手掌或片状物打 pat; clap: ~苍蝇 ~ *cāngying* swat fly │ ~皮球把手都~红了。*~ píqiú bǎ shǒu dōu ~hóng le.* I bounced the ball and my hands turned red. │进屋前,~~身上的雪。*Jìn wū qián, ~~ shēn shang de xuě.* Pat the snow off your clothes before entering the room. **❷**〈动 *v.*〉拍摄; 拍照 shoot; take（a picture）: 他们在~故事片。*Tāmen zài ~ gùshìpiàn.* They are shooting a feature film. │ 快上医院~一张片子看看。*Kuài shàng yīyuàn ~ yì zhāng piānzi kànkan.* Go to hospital immediately to have an X-ray taken. **❸** 〈动 *v.*〉发（电报等）send（a telegram）: ~电报 ~ *diànbào* send a telegram │ ~加急的 ~ *jiājí de* send an urgent telegram **❹**〈动 *v.*〉献媚; 奉承 flatter; lick sb's boots: 今天~这个领导,明天~那个领导,他就会吹吹~~。*Jīntiān ~ zhège lǐngdǎo, míngtiān ~ nàge lǐngdǎo, tā jiù huì chuīchuī~~.* He keeps licking the boots of one leader after another; boasting and flattering is all that he can do. **❺** 〈动 *v.*〉拍卖 auction: 这件古董~出了200万元的高价。*Zhè jiàn gǔdǒng ~chūle èrbǎi wàn yuán de gāojià.* This antique fetched 2 million *yuan* at auction. **❻**〈名 *n.*〉拍打东西的用具 racket; bat: 苍蝇~ *cāngyíng~* fly swatter │ 乒乓球~ *pīngpāngqiú ~* table-tennis bat **❼**〈名 *n.*〉音乐的节拍 beat; time: 很合~ *hěn hé~* in step; in harmony │ 四分之一~ *sì fēn zhī yī ~* one-fourth time

³ 拍摄 pāishè 〈动 *v.*〉用照相机或摄像机把人、景物摄成照片、影片等（using a camera or a video camera）shoot（a picture, movie, etc.）: 把这山光水色~下来。*Bǎ zhè shānguāng-shuǐsè ~ xiàlái.* Take a picture of the landscape of lakes and mountains. │他们正在~电视连续剧。*Tāmen zhèngzài ~ diànshì liánxùjù.* They are shooting a TV serial. │他~了大量珍贵的照片。*Tā ~le dàliàng zhēnguì de zhàopiàn.* He took many valuable pictures.

⁴ 拍照 pāi // zhào 〈动 *v.*〉照相 take a picture; photograph: 快毕业了,我们一起~留念。*Kuài bìyè le, wǒmen yìqǐ ~ liúniàn.* Let's have a picture taken together for memory since we're graduating soon. │我们拍的照,送去冲洗了。*Wǒmen pāi de zhào, sòng qù chōngxǐ le.* The pictures we took have been sent to the photo development shop. │我拍的是彩照。*Wǒ pāi de shì cǎizhào.* The pictures I took were color ones.

³ 拍子 pāizi ❶〈名 *n.*〉(个gè、副fù)拍打东西的用具 bat; racket: 羽毛球~ *yǔmáoqiú ~* badminton racket │ 苍蝇~ *cāngying ~* fly swatter │ 这副乒乓球~多少钱? *Zhè fù pīngpāngqiú ~ duōshao qián?* How much does this pair of table-tennis bats cost? **❷** 〈量 *meas.*〉计算音乐历时长短的单位（of music）time; beat: 打~(按照乐曲挥手或敲打）*dǎ ~ (ànzhào yuèqǔ huīshǒu huò qiāodǎ)* beat time（using either hands or clappers）│这是二分之一~。*Zhè shì èr fēn zhī yī ~.* This is a one-half time. │按照~的节奏来唱。*Ànzhào ~ de jiézòu lái chàng.* Sing the song to the beat.

² 排 pái ❶〈名 *n.*〉排成的行列 line; row: 排成三~。*Páichéng sān ~.* Arrange them in three lines. │ 前后~对齐。*Qián hòu ~ duì qí.* Put the front and back rows in neat lines. │第一~排得不整齐。*Dì-yī ~ pái de bù zhěngqí.* The first row in not in a neat line. **❷**〈名 *n.*〉(个gè)军队的编制单位 platoon: 我是三连二~新兵。*Wǒ shì sān lián èr ~ xīn bīng.* I am a new recruit of Platoon Two, Company Three. │我们连有三个~。*Wǒmen lián yǒu sān gè ~.* Our company has three platoons. **❸**〈名 *n.*〉(个gè)用竹子或木头平排地连在

P

一起做成的一种水上交通工具 raft; buoyant platform made by binding parallel bamboo poles or logs together and used as a vessel：一个小竹~ *yí gè xiǎo zhú*~ a small bamboo raft ｜ 坐木~漂流 *zuò mù*~*piāoliú* drift on a timber raft ❹〈名 *n.*〉砍伐后，为便于在水中运走而捆扎成排的竹子或木头 raft of bamboo poles or logs which can be transported down a river：放~ *fàng*~ transport rafts on the river ｜ 汽轮拖着长长的木~向下游驶去。*Qìlún tuōzhe chángcháng de mù*~*xiàng xiàyóu shǐqù.* The steam boat towing a long raft of logs was going toward the lower reaches of the river. ❺〈名 *n.*〉一种西式食品，用大而厚的肉片油煎制成 steak：牛~ *niú*~ beefsteak ｜ 一块鸡~ *yí kuài jī*~ a piece of chicken filet ❻〈名 *n.*〉排球运动的简称 volleball, abbr. for '排球运动*páiqiú yùndòng*'：亚洲~联 *Yàzhōu*~*lián* Asian Volleyball Confederation ｜ 女~ *nǚ*~ women's volleyball ❼〈量 *meas.*〉用于成行列东西 row; line：站成两~ *zhànchéng liǎng*~ stand in two rows ｜ 三~平房 *sān*~*píngfáng* three rows of single-storey houses ｜ 一~子弹 *yì*~ *zǐdàn* a clip of cartridges ❽〈动 *v.*〉一个挨一个地按次序摆 align; put in order：大家~队入场。*Dàjiā*~*duì rù chǎng.* Line up and enter. ｜ 全班~名次，他得第一名。*Quánbān*~*míngcì, tā dé dì-yī míng.* He ranks No. 1 in his class. ❾〈动 *v.*〉除去 remove：~雷 ~*léi* clear mines ｜ ~水 ~*shuǐ* drain off water; dewater ❿〈动 *v.*〉排出；使出去 exclude; eject; discharge：把烟~出去.*Bǎ yān*~*chūqù.* Discharge the smoke. ｜ 脓~出来了。*Nóng*~*chūlái le.* The pus was discharged. ⓫〈动 *v.*〉推：推开 push; push away：~山倒海 ~*shān-dǎohǎi* topple the mountains and overturn the sea; overwhelming and sweeping ⓬〈动 *v.*〉排演 rehearse：彩~ *cǎi*~ rehearsal ｜ ~话剧 ~*huàjù* rehearse a stage play

3 **排斥** *páichì*〈动 *v.*〉互不相容；排除 expel; exclude：~异己 ~*yìjǐ* discriminate against those who hold different views ｜ 磁铁同极相~，异极相吸引。*Cítiě tóng jí xiāng* ~, *yì jí xiāng xīyǐn.* In case of magnets, those with the same electric charges repel each other while those with opposing charges attract each other. ｜ 发扬传统并不~创新。*Fāyáng chuántǒng bìng bù* ~ *chuàngxīn.* Promoting the tradition is not necessarily at odds with innovation. ｜ 提倡百家争鸣，不应~不同的意见。*Tíchàng bǎijiā-zhēngmíng, bù yīng* ~ *bùtóng de yìjiàn.* We should advocate the principle of 'a hundred schools of thought contending' and should not attempt to reject opposing views.

4 **排除** *páichú*〈动 *v.*〉除掉；消除；排泄出去 remove; eliminate; discharge：~积水 ~*jīshuǐ* drain off the excessive water ｜ ~故障 ~*gùzhàng* fix a breakdown ｜ ~险情 ~ *xiǎnqíng* avert a dangerous situation ｜ ~心中的烦恼 ~ *xīn zhōng de fánnǎo* eliminate one's worries in the heart ｜ ~了对他的怀疑。~*le duì tā de huáiyí.* Suspicion toward him has been eliminated.

4 **排队** *pái*／*duì*〈动 *v.*〉一个挨一个顺次排列成行 form a line; queue up：大家~上车。*Dàjiā* ~ *shàng chē.* Queue up and get on the bus. ｜ 把问题排排队，分析分析。*Bǎ wèntí páipái duì, fēnxī fēnxī.* List the problems and then analyze them. ｜ 怎么排这么长的队？*Zěnme pái zhème cháng de duì?* How come there is such a long queue?

4 **排挤** *páijǐ*〈动 *v.*〉利用势力或手段使不利于自己的人失去地位或利益 elbow sb. out; push out：不要~不同意见的人。*Bú yào* ~ *bùtóng yìjiàn de rén.* Don't expel those who hold opposing views. ｜ 他被~出了领导班子。*Tā bèi* ~ *chūle lǐngdǎo bānzi.* He was ousted from the leadership.

3 **排列** *páiliè*〈动 *v.*〉按次序排成行列 align; put in order：~名单 ~ *míngdān* arrange the names ｜ 队伍~得十分整齐。*Duìwu* ~ *de shífēn zhěngqí.* The queue was neatly formed. ｜ 书籍分类~在书架上。*Shūjí fēnlèi* ~ *zài shūjià shang.* The books are put on the

bookshelf by category. ｜同学们~在校门口，迎接参观团。*Tóngxuémen ~ zài xiào ménkǒu, yíngjiē cānguāntuán.* The students formed a line at the school gate to welcome the visiting delegation.

排球 páiqiú ❶〈名 n.〉球类运动项目之一 volleyball (as a ball game)：进行~比赛 *jìnxíng ~ bǐsài* hold a volleyball match ｜喜欢~运动 *xǐhuan ~ yùndòng* be fond of volleyball ❷〈名 n.〉(个 gè) 排球运动使用的球 volleyball：小孩子在玩儿~。*Xiǎoháizi zài wánr ~.* The children are playing volleyball.

排长 páizhǎng〈名 n.〉(名 míng、个 gè、位 wèi) 军队编制中排的领导 platoon leader：他是三~。*Tā shì sān ~.* He is chief of the third platoon. ｜老~调走了，我是新~。*Lǎo ~ diàozǒu le, wǒ shì xīn ~.* I'm new leader of the platoon as the old one has been transferred. ｜这位是正~，那位是副~。*Zhè wèi shì zhèng ~, nà wèi shì fù ~.* This is the platoon chief and that one is the deputy chief.

徘徊 páihuái ❶〈动 v.〉在一个地方来回地走；比喻犹豫不决 loiter; pace up and down; fig. waver; vacillate：他一个人在河边~。*Tā yí gè rén zài hé biān ~.* He paced up and down by the river alone. ｜~了半天，还是没有拿定主意。*~le bàntiān, háishi méiyǒu ná dìng zhǔyi.* Though vacillating for quite a long time, I haven't made up my mind yet. ❷〈动 v.〉比喻事物在某个范围内来回摆动，不再前进 rise and fall; oscillate：这个村的粮食亩产一直~在200公斤左右。*Zhège cūn de liángshí mǔchǎn yìzhí ~ zài èrbǎi gōngjīn zuǒyòu.* The grain production of this village has long been hovering around 200 kilos per *mu*. ｜这个厂的年产值一直在300万元左右~。*Zhège chǎng de nián chǎnzhí yìzhí zài sānbǎi wàn yuán zuǒyòu ~.* The annual turnover of this factory has always hovered around three million *yuan*.

牌 pái ❶(~儿)〈名 n.〉(个 gè) 用木板或其他材料做的标志 plate; sign; tablet：校门口挂着校~儿。*Xiào ménkǒu guàzhe xiào ~r.* A school-name tablet is hanging at the gate of the school. ｜路边有个大广告~。*Lù biān yǒu gè dà guǎnggào ~.* A big billboard is erected by the roadside. ❷〈名 n.〉(个 gè) 企业为自己的产品起的名称 brand; brand name：'同仁堂'是一个老~儿中药店。*'Tóngréntáng' shì yí gè lǎo ~r zhōngyàodiàn.* 'Tongrentang' is the brand name of an old TCM drugstore. ｜小心，那是个冒~货。*Xiǎoxīn, nà shì gè mào~huò.* Watch out; that is a fake brand. ❸〈名 n.〉(张 zhāng、副 fù) 一种娱乐用品 cards; dominoes：一副麻将~ *yí fù májiàng~* a set of mahjong ｜一张扑克~ *yì zhāng pūkè~* a poker card ❹〈名 n.〉词曲的调子 title of *ci* or *qu*：词~ *cí~* title of a *ci* poem ｜曲~ *qǔ~* title of a ballad-singing tune ❺〈名 n.〉(张 zhāng、副 fù、面 miàn) 士兵用来遮挡身体的武器 shield：盾~ *dùn~* shield ｜挡箭~ *dǎngjiàn~* pretext; excuse

牌子 páizi ❶〈名 n.〉(块 kuài、个 gè) 用木板或其他材料做成的上边有文字或画图的标志 sign; plate：饭馆门口的~上写着特色菜的价格。*Fànguǎn ménkǒu de ~ shang xiězhe tèsè cài de jiàgé.* The prices of specially offered dishes are written on the tablet hanging at the gate of the restaurant. ｜学校路口的那块~上画的是禁止鸣笛的标志。*Xuéxiào lùkǒu de nà kuài ~ shang huà de shì jìnzhǐ míngdí de biāozhì.* The sign at the crossing near the school means 'no honking'. ❷〈名 n.〉(种 zhǒng、个 gè) 厂家给自己产品起的专用名称 brand name：你买什么~的？*Nǐ mǎi shénme ~ de?* What brand would you buy? ｜我就认这个~的货。*Wǒ jiù rèn zhège ~ de huò.* I only accept this brand of goods.

派 pài ❶〈动 v.〉分派；派遣；委派 distribute; dispatch; appoint：学校~他出国进修。*Xuéxiào ~ tā chūguó jìnxiū.* The school sent him abroad to further his study. ｜~学生代

表参加。~ *xuésheng dàibiǎo cānjiā.* Student representatives will be dispatched to participate. | ~经验丰富的老师去辅导。 *~ jīngyàn fēngfù de lǎoshī qù fǔdǎo.* Experienced teachers will be assigned to do the tutoring. ❷〈动 *v.*〉摊派 apportion：~款 *~ kuǎn* levy money | ~粮 *~ liáng* levy grain ❸〈名 *n.*〉指立场、见解、作风、习气相同的一些人 group of people with the same political stand, views, life style：党~ *dǎng~* political party | 学~ *xué~* school of thought | 我们是乐天~。 *Wǒmen shì lètiān~.* We are optimists. ❹〈名 *n.*〉风度 manners; mien：这个人很有气~。 *Zhège rén hěn yǒu qì~.* He looks very stylish. | 他的一头不小。 *Tā de ~tóu bù xiǎo.* He is quite superior. ❺〈名 *n.*〉一种西式点心，英语 pie 的音译 pie：苹果~ *píngguǒ~* apple pie ❻〈形 *adj.* 方 *dial.*〉有风度；有派头 chic; stylish：她的这一身穿戴可是够~的。 *Tā de zhè yì shēn chuāndài kě shì gòu ~ de.* She looks very stylish in this dress. ❼〈量 *meas.*〉用于派别 of a faction：两~学者的观点截然相反。 *Liǎng ~ xuézhě de guāndiǎn jiérán xiāngfǎn.* Scholars of the two different schools of thought have opposite views on this issue. ❽〈量 *meas.*〉与数量词'一'连用，用于风光、气象、声音等 used with the numeral '一yī' to indicate scenery, weather, sound, etc.：一~胡言乱语 *yí ~ húyán-luànyǔ* sheer nonsense | 一~节日景象 *yí ~ jiérì jǐngxiàng* a festive scene | 一~春光。 *Yí ~ chūnguāng.* What a spring scene! | 一~新气象。 *Yí ~ xīn qìxiàng.* What a thriving atmosphere!

⁴ **派别** pàibié〈名 *n.*〉(个 gè、种 zhǒng)政党、宗教、学术等内部主张不同而形成的分支或小团体 faction; sect; small organized groups within a larger one, esp. in politics, religion, academics, etc.：政治~ *zhèngzhì ~* political factions | 禅宗是佛教的一个~。 *Chánzōng shì fójiào de yí gè ~.* The Zen Buddhism is one of Buddhist sects. | 戏曲界的不同~叫流派。 *Xìqǔjiè de bùtóng ~ jiào liúpài.* The different sects of traditional opera are called liupai. | 应当提倡不同的学术~展开争鸣。 *Yīngdāng tíchàng bùtóng de xuéshù ~ zhǎnkāi zhēngmíng.* Different schools of thought should be encouraged to vie with each other.

⁴ **派出所** pàichūsuǒ〈名 *n.*〉(个 gè)中国公安部门的最基层的机构，负责管理户口、治安等工作 police substation; the public security organ in charge of residence administration and public security work at the grassroots level in China：小偷被~抓走了。 *Xiǎotōu bèi ~ zhuāzǒu le.* The thief was caught and taken away by the policemen from the police substation.

⁴ **派遣** pàiqiǎn〈动 *v.*〉指派；差遣 appoint; dispatch：~事故调查组 *~ shìgù diàochá zǔ* dispatch an accident investigation team | ~外交使团 *~ wàijiāo shǐtuán* dispatch diplomatic delegations | 他被~去边疆工作。 *Tā bèi ~ qù biānjiāng gōngzuò.* He was dispatched to work in a border area. | 学校~一批教师去贫困山区支教。 *Xuéxiào ~ yì pī jiàoshī qù pínkùn shānqū zhījiào.* The school dispatched a group of teachers to poverty-striken mountain areas to assist with the teaching.

³ **攀** pān ❶〈动 *v.*〉抓住东西向上爬 climb：登~ *dēng~* climbing | 高不可~ *gāobùkě~* too high to climb | 他~着绳子往上爬。 *Tā ~zhe shéngzi wǎng shàng pá.* He grabbed the rope to climb up. ❷〈动 *v.*〉跟地位高的人结成亲戚或拉拢关系 associate with sb. of importance; seek connections in high places：~附权贵 *~fù quánguì* play up to people of power and influence | 我可不敢高~。 *Wǒ kě bù gǎn gāo ~.* I dare not aspire to have the honor to claim ties with you. | 他女儿~了一门高亲。 *Tā nǚ'ér ~le yì mén gāo qīn.* His daughter was married into a family of a high social status. ❸〈动 *v.*〉设法接触、交往 involve; implicate：他跟老人~谈起来。 *Tā gēn lǎorén ~tán qǐlái.* He struck up a conversation with the old man.

P

³ **攀登** pāndēng 〈动 v.〉抓住东西爬上去 clamber; scale: ~悬崖峭壁 ~ xuányá qiàobì climb steep cliffs ｜~科学高峰 ~ kēxué gāofēng scale new heights of science ｜ 中国登山队成功地~上了珠穆朗玛峰。Zhōngguó Dēngshānduì chénggōng de ~shàngle Zhūmùlǎngmǎ Fēng. The Chinese Mountaineering Team managed to climb to the top of Mount Qomolangma.

² **盘** pán ❶〈动 v.〉弯曲；绕 wind; coil: ~腿 ~tuǐ with crossed legs ｜我们~着山道走上去。Wǒmen ~zhe shāndào zǒu shàngqù. We wound our way up the hill. ｜她把辫子~在头上。Tā bǎ biànzi ~zài tóu shang. She coiled her hair in braids on her head. ❷〈动 v.〉仔细问询(情况)或清点(账目、货物) cross-question; make an inventory of: ~问过往行人。~wèn guòwǎng xíngrén. The passers-by were cross-questioned. ｜他在~算着明年怎么过日子。Tā zài ~suànzhe míngnián zěnme guò rìzi. He is trying to figure out how to make a living next year. ｜商店正在进行年底~货。Shāngdiàn zhèngzài jìnxíng niándǐ ~huò. The store is currently making a year-end inventory of the stock. ❸〈动 v.〉指转让(工商企业) transfer (the ownership of a business or enterprise): 我准备将这家店~出去。Wǒ zhǔnbèi jiāng zhè jiā diàn ~ chūqù. I plan to sell this shop. ❹〈动 v.〉垒砌(炕、灶) construct (brick *kang* or stove): ~炕 ~kàng construct a brick *kang* ｜~了一个灶 ~le yí gè zào constructed a stove ❺(~儿)〈名 n.〉(个gè、只zhī)盘子；也指用盘子盛放的冷菜 plate; cold dish on a plate: 茶~儿 chá ~r tea tray ｜菜~儿 cài ~r dish tray ｜拼~ pīn~ assorted cold dish ｜要几个冷~儿。Yào jǐ gè lěng~r. Order a few hors d'oeuvres. ❻〈名 n.〉形状作用像盘子的东西 sth. in the shape of a plate: ~石 ~shí rock ｜方向~ fāngxiàng~ steering wheel ｜棋~ qí~ chess board ❼〈名 n.〉依托的处所 domain: ~营 ~yíng~ military camp ｜地~ dì~ sphere of influence ❽〈名 n.〉商品或证券行情 market situation: 平~ píng~ balanced stock exchange quotation ｜今天开~价比收~价高很多。Jīntiān kāi~ jià bǐ shōu~ jià gāo hěn duō. The opening quoatation for today is much higher than the closing quotation. ❾〈量 meas.〉用于形状像盘的东西 for something coiled up or wound together: 一~录像带 yì ~ lùxiàngdài a video tape ｜这~香烧完了。Zhè ~ xiāng shāowán le. This coil of incense has burnt out. ❿〈量 meas.〉用于盘装的食品 for foods held in dishes or plates: 一~肉 yì ~ ròu a plate of meat ｜两~水果 liǎng ~ shuǐguǒ two plates of fruit ｜三~菜 sān ~ cài three dishes ⓫〈量 meas.〉某些比赛项目的计数 for a game of chess or cards or for some ball games: 这~棋你输定了。Zhè ~ qí nǐ shūdìng le. You're doomed to lose this game of chess. ｜打了两~乒乓球。Dǎle liǎng ~ pīngpāngqiú. (He) played two games of table tennis.

⁴ **盘旋** pánxuán ❶〈动 v.〉环绕着；回旋 circle; whirl: 飞机在天空~. Fēijī zài tiānkōng ~. An airplane is circling in the sky. ｜山路曲折，游人~而上。Shānlù qūzhé, yóurén ~ ér shàng. Tourists trudged up the mountain along a winding path. ❷〈动 v.〉比喻反复思虑 think over: 这件事在我脑子里~了很久。Zhè jiàn shì zài wǒ nǎozi li ~le hěn jiǔ. I've been mulling over this issue for quite a long time.

² **盘子** pánzi ❶〈名 n.〉(只zhī、个gè、摞luò)盛放物品的一种扁而浅的器具 plate; tray: 把鱼盛在这个~，把肉盛在那个~。Bǎ yú chéng zài zhège ~, bǎ ròu chéng zài nàge ~. Put the fish on this plate and the meat on that one. ｜菜好了，快端~上桌。Cài hǎo le, kuài duān ~ shàng zhuō. The dish is done, be quick to serve it on a plate. ❷〈名 n.〉指商品或证券买卖行情 market situation: 天冷了，冬装~看好。Tiān lěng le, dōng zhuāng ~ kànhǎo. As it is becoming cold, market prices for winter clothes are expected to rise. ｜这种股票~太大了。Zhè zhǒng gǔpiào ~ tài dà le. The market situation for this stock looks very bullish. ❸〈名 n.〉(个gè)比喻整体规模、规划、方案等 scale; project; plan: 要想

尽办法把市政建设这个~搞大搞活。*Yào xiǎngjìn bànfǎ bǎ shìzhèng jiànshè zhège ~ gǎodà gǎohuó.* We must try every means to enlarge and vitalize the municipal construction. ❹ 〈量 *meas.*〉用于盘装的食品 of dish on a plate：上四~冷菜三~热菜。*Shàng sì ~ lěngcài sān ~ rècài.* Serve four hors d'oeuvres and three main courses. ┃ 这几~菜总共多少钱?*Zhè jǐ ~ cài zǒnggòng duōshao qián?* How much do these dishes cost in total?

⁴ **判处** pànchǔ 〈动 *v.*〉法院对审理结束的案件做出处罚的决定 condemn sb. to a certain penalty：罪犯被~有期徒刑五年。*Zuìfàn bèi ~ yǒuqī túxíng wǔ nián.* The criminal was sentenced to five years of imprisonment. ┃ 这个案子~得有点儿重。*Zhège ànzi ~ de yǒu diǎnr zhòng.* The penalty in this case is a little too severe.

⁴ **判定** pàndìng 〈动 *v.*〉分辨断定 judge：一听声音,我就~是谁了。*Yì tīng shēngyīn, wǒ jiù ~ shì shéi le.* Judging from the voice, I immediately knew who it was. ┃ 听他说的那些话, 你很难~他到底是赞成还是反对。*Tīng tā shuō de nàxiē huà, nǐ hěn nán ~ tā dàodǐ shì zànchéng háishì fǎnduì.* Merely judging from his words, one can hardly tell if he is for or against it. ┃ 看现在这天气,你还不好~今天会不会下雨。*Kàn xiànzài zhè tiānqì, nǐ hái bù hǎo ~ jīntiān huì bú huì xiàyǔ.* Judging from the weather at present, you can hardly tell if it will rain or not.

² **判断** pànduàn ❶ 〈动 *v.*〉比较鉴别,提出看法 judge：~真假 ~ zhēnjiǎ tell the true from the false ┃ ~好坏 ~ hǎohuài distinguish the good from the bad ❷ 〈名 *n.*〉(个gè)经过比较鉴别而提出的看法 judgement：只有认真而充分的调查研究,才能得出正确的~。*Zhǐyǒu rènzhēn ér chōngfèn de diàochá yánjiū, cái néng déchū zhèngquè de ~.* Only after conscientious and thorough research and studies can we make a correct judgement. ┃ 这个~很值得商榷。*Zhège ~ hěn zhídé shāngquè.* This judgement is still open to discussion. ❸ 〈名 *n.*〉对事物作出肯定或否定的思维形式 basic form of thinking (either affirmative or negative)：概念、~与推理是形式逻辑的三个步骤。*Gàiniàn, ~ yǔ tuīlǐ shì xíngshì luójí de sān gè bùzhòu.* Conception, judgement and deduction are the three steps of formal logic.

⁴ **判决** pànjué ❶ 〈动 *v.*〉法院对审理结束的案件做出决定 (of the court) pass judgement on a case：对犯人进行~。*Duì fànrén jìnxíng ~.* Verdict was made on the criminal. ┃ 案子已经~了。*Ànzi yǐjīng ~ le.* The verdict has been made. ❷ 〈动 *v.*〉判断；决定 make a decision：裁判~3号队员带球撞人。*Cáipàn ~ sān hào duìyuán dài qiú zhuàng rén.* The referee signaled a charging foul on No. 3 player. ┃ 比赛中队员要服从裁判的~。*Bǐsài zhōng duìyuán yào fúcóng cáipàn de ~.* In sports competition, the athletes should obey the referee's decision.

³ **盼** pàn ❶ 〈动 *v.*〉盼望 yearn for; long for：父母总是~儿女呆在自己身边。*Fùmǔ zǒng shì ~ érnǚ dāi zài zìjǐ shēnbiān.* Parents always expect their children to stay with them. ┃ ~星星~月亮, 终于~来了心上人。*~ xīngxing ~ yuèliang, zhōngyú ~láile xīnshàngrén.* She waited day in and day out and at last her beloved one was back home. ❷ 〈动 *v.*〉看 look：左顾右~ zuǒgù-yòu~ look around; glance right and left ┃ ~不到边 ~ bú dào biān wait without hope

² **盼望** pànwàng 〈动 *v.*〉殷切地期望并等待着 look forward to：~胜利的喜讯 ~ shènglì de xǐxùn look forward to the good news of victory ┃ ~事业成功 ~ shìyè chénggōng look forward to success in the career ┃ ~世界和平 ~ shìjiè hépíng yearn for world peace ┃ 衷心地~你们平安到达目的地。*Zhōngxīn de ~ nǐmen píng'ān dàodá mùdìdì.* We sincerely look forward to your safe arrival at the destination.

⁴ **叛变** pànbiàn 〈动 v.〉背叛自己一方，采取敌对行为或投向敌对的一方 turn traitor; defect: ~祖国 ~ zǔguó commit treason ┃ ~投敌 ~ tóudí turn traitor and cross over to the enemy ┃ ~革命 ~ gémìng betray the revolution ┃ 公开~ gōngkāi ~ defect publicly

⁴ **叛徒** pàntú 〈名 n.〉(个 gè)有叛变行为的人 traitor: 他成了一个可耻的~。Tā chéngle yí gè kěchǐ de ~. He has made himself a shameless traitor. ┃ 因~的出卖，他不幸被捕。Yīn ~ de chūmài, tā búxìng bèibǔ. Unfortunately he was put under arrest due to the traitor's betrayal. ┃ ~决没有好下场。~ jué méiyǒu hǎo xiàchǎng. The traitors will certainly come to no good end.

³ **畔** pàn ❶〈名 n.〉(江、湖、道路等)旁边；附近 side; border (of a river, lake, road, etc.): 池~垂柳轻扬。Chí ~ chuí liǔ qīng yáng. Weeping willows are swaying by the pond. ┃ 桥~彩旗飘飘。Qiáo ~ cǎi qí piāopiāo. Colorful flags fluttered on the side of the bridge. ┃ 湖~游人如梭。Hú ~ yóurén rú suō. There are throngs of tourists on the lakeside. ❷〈名 n.〉田地的边界 border of a field: 一群农家女在田~休息。Yì qún nóngjiānǚ zài tián ~ xiūxi. A group of women farmers are taking a rest on the border of the field.

⁴ **庞大** pángdà 〈形 adj.〉特别大(常含过大或大而无当的意思，指形体、组织或数量等)(oft. oversized, or inappropriately large, referring to size, organization, number, etc.) enormous: ~的机构 ~ de jīgòu cumbersome organization ┃ ~的队伍 ~ de duìwu enormous procession ┃ ~的数字 ~ de shùzì enormous numbers

² **旁** páng ❶〈名 n.〉旁边 side; edge: 路~ lù ~ roadside ┃ ~门 ~mén side door ┃ ~听 ~tīng audit ┃ ~若无人 ~ruòwúrén be overweening; supercilious ❷〈名 n.〉其他；另外 other; else: ~证 ~zhèng circumstantial evidence; side witness ┃ 我有~的事先走一步。Wǒ yǒu ~ de shì xiān zǒu yí bù. I must beg to leave for some other business. ❸(~儿)〈名 n.〉汉字的偏旁 (of Chinese character) lateral radical: 竖心~儿 shùxīn~r radical written as 忄┃ 立人~儿 lìrén~r radical written as 亻❹〈形 adj.〉不正派的 heretical: ~门左道 ~mén-zuǒdào heretical sect

¹ **旁边** pángbiān(~儿)〈名 n.〉左右两侧；附近的地方 side: 桌子~ zhuōzi ~ by the table ┃ 池塘~ chítáng ~ by the pond ┃ 图书馆~ túshūguǎn ~ by the library ┃ 我家~是公园。Wǒ jiā ~ shì gōngyuán. There is a park close to my home. ┃ 学校~是文化宫。Xuéxiào ~ shì wénhuàgōng. There is a Palace of Culture beside the school. ┃ 在他~站着的是一位老教授。Zài tā ~ zhànzhe de shì yí wèi lǎo jiàoshòu. The person standing beside him is an old professor. ┃ 马路~停着一辆轿车。Mǎlù ~ tíngzhe yí liàng jiàochē. A car is parked by the road.

² **胖** pàng 〈形 adj.〉(只用于人体)脂肪多；肉多(与'瘦'相对) (of human body) fat (opposite to '瘦shòu'): 肥~ féi ~ obese ┃ 虚~ xū ~ puffiness ┃ ~乎乎 ~hūhū chubby; plump ┃ 我才60公斤，还不算太~。Wǒ cái liùshí gōngjīn, hái bú suàn tài ~. Weighing only 60 kilos, I should not be considered fat.

⁴ **胖子** pàngzi 〈名 n.〉肥胖的人 fat person; fatty: 大~ dà ~ a big fat person ┃ 小~ xiǎo ~ a little fatty ┃ 一口吃不成个~(比喻事情不可能一下子成功) Yì kǒu chī bù chéng gè ~ (bǐyù shìqing bù kěnéng yíxiàzi chénggōng). One can't build up one's constitution on one mouthful (fig. It is impossible to achieve instant success). ┃ 别叫人家~啦。'小~'是昵爱的称呼，而'~'虽不是憎称，却有时会令人不快的。Bié jiào rénjiā ~ la. '小~' shì nì'ài de chēnghu, ér '~' suī bú shì zēngchēng, què yǒushí huì lìngrén búkuài de. Don't call him 'a fat person'. 'Fatty' is a term of endearment, while 'a fat person' can sometimes cause people to feel offended though it is not a really derogatory term.

³ **抛** pāo ❶〈动 v.〉扔；投掷 throw; fling: ~锚 ~máo drop anchor ┃ ~绣球 ~ xiùqiú toss a

ball made of strips of silk ｜~砖引玉 (比喻用自己的不成熟的见解或粗浅的文字引出别人的高见、佳作) ~zhuān-yǐnyù (*bǐyù yòng zìjǐ de bù chéngshú de jiànjiě huò cūqiǎn de wénzì yǐnchū biéren de gāojiàn, jiāzuò*) cast a brick to attract jade（*fig.* offer a few commonplace remarks by way of introduction so that others may come up with valuable opinions）｜他~过来一个球，我没接住。*Tā ~ guòlái yí gè qiú, wǒ méi jiēzhù.* He threw a ball toward me but I failed to catch it. ❷〈动 *v.*〉丢下不管；舍弃不要或不用 desert; discard：你不能一~下老人和小孩儿自己走。*Nǐ bù néng ~xia lǎorén hé xiǎoháir zìjǐ zǒu.* You should not go on your own while leaving your parents and children behind. ｜这块地已一~荒多年了。*Zhè kuài dì yǐ ~huāng duō nián le.* This piece of land has been left uncultivated for several years. ❸〈动 *v.*〉大量卖出 dump; sell in large quantities：~售 ~ shòu dump ｜快把这批货~出去 *kuài bǎ zhè pī huò ~ chūqù*. Be quick to dump these goods.｜你快把股票~掉，再不~就要亏本了 *Nǐ kuài bǎ gǔpiào ~diào, zài bù ~ jiùyào kuīběn le.* Be quick to dump your stock shares; otherwise you will lose money. ❹〈动 *v.*〉暴露 expose：~头露面 ~tóu-lòumiàn show one's face in public

⁴ **抛弃** pāoqì〈动 *v.*〉扔掉不要 discard; cast away：~垃圾 ~ lājī discard garbage ｜~陈旧的观念 ~ chénjiù de guānniàn forsake old traditional ideas ｜他~富裕的生活，只身支援边疆。*Tā ~ fùyù de shēnghuó, zhīshēn zhīyuán biānjiāng.* He gave up his wealthy life and went alone to work in the frontier region. ｜这个负心汉~了自己的妻子和儿女。*Zhège fùxīnhàn ~le zìjǐ de qīzi hé érnǚ.* The heartless man abandoned his wife and children.

⁴ **刨** páo ❶〈动 *v.*〉挖掘 dig：~坑种树 ~ kēng zhòng shù dig holes to plant trees ｜~地瓜 ~ dìguā dig sweet popatoes ｜~根问底 ~gēn-wèndǐ get into the whys and wherefores of things; get to the root of the matter ❷〈动 *v.* 口 *colloq.*〉从原有事物中减去 substract; exclude：这个月工资~去水电费、物业管理费，还剩800元。*Zhège yuè gōngzī ~qù shuǐdiànfèi, wùyè guǎnlǐfèi, hái shèng bābāi yuán.* With water, electricity and property management bills subtracted, there is 800 *yuan* left in this month's salary. ｜这个村~去老弱病残的，能出来的都出来了。*Zhège cūn ~qù lǎoruò-bìngcán de, néng chūlái de dōu chūlái le.* All the people in the village, except the old and the sick, have come out.

¹ **跑** pǎo ❶〈动 *v.*〉人或动物迅速前进；也指车、船等迅速前进 (of person or animal) run; (of vehicle, vessel, etc.) speed forward：他~得太快了。*Tā ~ de tài kuài le.* He was running too fast. ｜小车刚~30公里就抛锚了 *Xiǎo chē gāng ~ sānshí gōnglǐ jiù pāomáo le.* The car ran only a distance of 30 kilometers before it broke down. ❷〈动 *v.*〉为躲避不利于自己的事物、环境而离开：逃跑 escape; run away：别让小偷~了! *Bié ràng xiǎotōu ~ le!* Don't let the thief run away! ｜~得了和尚~不了庙 (比喻总归是躲不过去，逃脱不掉)。~ de liǎo héshang ~ bù liǎo miào (*bǐyù zǒngguī shì duǒ bú guòqù, táotuō bú diào*). The runaway monk can't run away with the temple (*fig.* one can't evade from the punishment he deserves).｜防止走私分子从海上~走。*Fángzhǐ zǒusī fènzǐ cóng hǎi shang ~zǒu.* We must prevent the smugglers from escaping by the sea. ❸〈动 *v.*〉物体离开应该在的地方；泄露 挥发 be off a place; leak; evaporate：~电 ~diàn electricity leakage ｜~气儿 ~qìr gas leakage ｜~味儿 ~wèir smell leakage ❹〈动 *v.*〉为某事务而奔走 go about doing sth.; run errands：~机票 ~jīpiào go about getting flight tickets ｜这艘船~上海。*Zhè sōu chuán ~ Shànghǎi.* This ship heads for Shanghai.｜~了几天也该~出名堂来了。*~le jǐ tiān yě gāi ~chū míngtang lái le.* Running errands for the past few days should have yielded some results.

¹跑步 pǎo//bù ❶〈动 v.〉体育锻炼常用方式之一，较快向前跑动 (of sports) run：坚持每天早上～，对身体大有益处。*Jiānchí měitiān zǎoshang ~, duì shēntǐ dà yǒu yìchu.* Jogging every morning does much good to one's health. ｜他跑了一会儿步，就满头大汗。*Tā pǎole yíhuìr bù, jiù mǎn tóu dà hàn.* After jogging for a while, he was wet with sweat. ❷〈动 v.〉比喻不甘落后，快速赶上 fig. march quickly to catch up：形势逼人，我们要～赶上先进。*Xíngshì bīrén, wǒmen yào ~ gǎnshàng xiānjìn.* Faced with the pressing situation, we must march quickly to catch up.｜如不～前进，咱们小组肯定要落后了。*Rú bù ~ qiánjìn, zánmen xiǎozǔ kěndìng yào luòhòu le.* If we do not run forward quickly, our team will surely lag behind.

⁴跑道 pǎodào ❶〈名 n.〉(条 tiáo)运动场上赛跑或滑冰用的路 racing track; skating rink：我们学校环形～400米长。*Wǒmen xuéxiào huánxíng ~ sìbǎi mǐ cháng.* Our school has a 400-meter-long racing ring.｜这是新建的一条200米速滑～。*Zhè shì xīn jiàn de yì tiáo èrbǎi mǐ sùhuá ~.* This is a newly built 200-meter-long fast skating rink. ❷〈名 n.〉(条 tiáo)飞机起飞或降落时滑行用的路 runway：这条～什么飞机都可以起降。*Zhè tiáo ~ shénme fēijī dōu kěyǐ qǐjiàng.* Aeroplanes of any type can take off or land on this runway.｜直升机不用～。*Zhíshēngjī bú yòng ~.* Helicopters do not need runway.

³泡 pào ❶〈动 v.〉较长时间放在液体中 soak; infuse：～茶～*chá* make tea｜～～脚～～*jiǎo* soak one's feet in hot water｜衣服先用洗衣粉～一～再洗。*Yīfu xiān yòng xǐyīfěn ~ yí ~ zài xǐ.* The clothes should be soaked in water with detergent before being washed. ❷〈动 v.〉故意消磨(时间) dawdle; dillydally：～蘑菇～*mógu* use delaying tactics; stall for time｜他在这里都～了两小时了，怎么还不走？*Tā zài zhèlǐ dōu ~le liǎng xiǎoshí le, zěnme hái bù zǒu?* He has been hanging about here for two hours and why isn't he ready to leave yet? ❸(～儿)〈名 n.〉气体在液体中鼓起的气泡 bubble：肥皂～*féizào ~* soap bubbles｜壶里的水冒～了，开啦！*Hú li de shuǐ mào ~ le, kāi la!* Bubbles are coming out from the kettle; the water is boiling! ❹(～儿)〈名 n.〉像泡一样的东西 bubble; sth. in the shape of a bubble：灯～儿*dēng~r* light bulb｜我手上打了一个～。*Wǒ shǒu shang dǎle yí gè ~.* A blister appeared on my hand.

⁴泡沫 pàomò〈名 n.〉(些 xiē、点儿 diǎnr)聚在一起的许多小泡 bubbles; foam：肥皂抹多了，盆里尽是～。*Féizào mǒduō le, pén li jìn shì ~.* With too much soap used, the basin was filled with foam.｜他在刷牙，满嘴～。*Tā zài shuā yá, mǎn zuǐ ~.* He is brushing his teeth and his mouth is filled with foam.｜啤酒倒急了，大半杯是～。*Píjiǔ dàojí le, dà bàn bēi shì ~.* The beer was poured so fast that half of the glass was filled with foam.

²炮 pào ❶〈名 n.〉(门 mén)一种射击武器 cannon; gun：～兵～*bīng* artillery｜～艇～*tǐng* gunboat｜～楼～*lóu* blockhouse｜打～*dǎ* fire a gun｜火箭～*huǒjiàn* rocket gun｜～弹～*dàn* (artillery) shell ❷〈名 n.〉(个 gè、串 chuàn)爆竹 firecracker：花～*huā~* fireworks and firecrackers｜鞭～*biān~* firecrackers｜玩儿～*wánr ~* play firecrackers ❸〈名 n.〉(个 gè)建筑工程或开矿时用来爆破的炸药包 load of explosives for demolition purposes：山那边在点～，快躲开！*Shān nàbian zài diǎn ~, kuài duǒkāi!* Loads of explosives are being detonated on that side of the mountain, so be quick to hide yourself!｜这座大烟囱安放二十几个～，准备一次炸倒。*Zhè zuò dà yāncōng ānfàng èrshí jǐ gè ~, zhǔnbèi yí cì zhàdǎo.* We have placed more than twenty loads of explosives in the big chimney, hoping to bring it down in one stroke. ❹〈名 n.〉比喻令人震动的话语 fig. shocking words：今天他在大会上放了一～。*Jīntiān tā zài dàhuì shang fàngle yí ~.* He shot off his mouth at the meeting today.

³炮弹 pàodàn〈名 n.〉(颗 kē、发 fā、个 gè、枚 méi、箱 xiāng)用火炮发射的弹药 shell：

装~*zhuāng* ~ load the gun with ammo ｜ 发射~*fāshè* ~ fire shells ｜ 一发发~飞向敌人阵地。*Yì fāfā ~ fēi xiàng dírén zhèndì.* Shells flew toward the enemy position one round after another. ｜ 有一颗~没有爆炸。*Yǒu yì kē ~ miéyǒu bàozhà.* One shell failed to explode.

⁴ **炮火** pàohuǒ 〈名 *n.*〉指战场上发射炮弹和炮弹爆炸后发出的火焰 gunfire：密集的~ *mìjí de* ~ thick gunfire ｜ ~映红了半边天。*~ yìnghóng bàn biān tiān.* Gunfire lit up half of the skies. ｜ 我们冒着敌人的~前进。*Wǒmen màozhe dírén de ~ qiánjìn.* We pressed ahead despite the enemy gunfire.

² **陪** péi ❶〈动 *v.*〉同别人作伴 accompany; keep sb. company：~伴 ~ *bàn* keep sb. company ｜ ~衬 ~*chèn* serve as a foil; set off ｜ 作~ *zuò*~ accompany sb. ｜ 失~。*Shī~.* Excuse me, but I must be leaving now. ❷〈动 *v.*〉在旁协助(办某事) assist：~审 ~*shěn* serve on a jury ｜ ~祭 ~*jì* person who helps preside over a sacrificial ceremony

³ **陪同** péitóng 〈动 *v.*〉陪伴着一同(进行某一活动) accompany：~代表团观光~ *dàibiǎotuán guānguāng* accompany the delegation on a tour ｜ ~宾客赴宴 ~ *bīnkè fùyàn* accompany the guests to the banquet ｜ ~朋友游览长城。~ *péngyou yóulǎn Chángchéng.* I accompanied my friends on a visit to the Great Wall. ❷〈名 *n.*〉(位*wèi*)作伴进行某事的人 companion：总统的~是外交部长。*Zǒngtǒng de ~ shì wàijiāo bùzhǎng.* The President was accompanied by the Foreign Minister. ｜ 这次欧洲之旅,这位小姐是~。*Zhè cì Ōuzhōu zhī lǚ, zhè wèi xiǎojiě shì ~.* This lady is our guide during our European tour. ｜ 旅游全程的~称为'全陪'。*Lǚyóu quán chéng de ~ chēngwéi 'quánpéi'.* The person who accompanies the tour group all the way is called a 'all-trip guide'.

⁴ **培训** péixùn 〈动 *v.*〉培养和训练 train：~班 ~*bān* training class ｜ ~教师 ~ *jiàoshī* train teachers ｜ 定期 ~ *dìngqī* ~ regular training ｜ 专业 ~ *zhuānyè* ~ professional training ｜ 这是一所专门~汉语口语的学校。*Zhè shì yì suǒ zhuānmén ~ Hànyǔ kǒuyǔ de xuéxiào.* This is a school specialized in oral Chinese training.

³ **培养** péiyǎng ❶〈动 *v.*〉按照一定的目标进行管理、教育或训练,使人才成长 train; prepare sb. for a particular task, occupation, etc. through specially planned, training or education：~专业技术人才 ~*zhuānyè jìshù réncái* train technical professionals ｜ ~接班人 ~ *jiēbānrén* groom sb. as a successor ｜ ~良好的生活习惯 ~ *liánghǎo de shēnghuó xíguàn* cultivate good living habits ❷〈动 *v.*〉给适宜的条件,使动物、植物繁殖 cultivate; develop：~幼苗 ~ *yòumiáo* grow saplings ｜ ~食用菌 ~ *shíyòngjūn* cultivate edible fungus ｜ 这是一个~军犬的基地。*Zhè shì yí gè ~ jūnquǎn de jīdì.* This is a training base for military dogs.

³ **培育** péiyù 〈动 *v.*〉培养幼小的生物,使其发育成长 cultivate; breed：~花卉新品种 ~ *huāhuì xīn pǐnzhǒng* breed new varieties of flowers ｜ ~纯种狗 ~ *chúnzhǒng gǒu* nurture a pure breed of dogs ｜ 认真~下一代 *rènzhēn* ~ *xiàyídài* conscientiously bring up the next generation ｜ 她是水稻良种~专家。*Tā shì shuǐdào liángzhǒng ~ zhuānjiā.* She is an expert on cultivating improved strains of rice.

² **赔** péi ❶〈动 *v.*〉赔偿 compensate：丢了图书馆的书,要~的。*Diūle túshūguǎn de shū, yào ~ de.* You must pay for the lost books borrowed from the library. ｜ 参观文物千万别动手,万一有个闪失,~不起的! *Cānguān wénwù qiānwàn bié dòngshǒu, wànyī yǒu gè shǎnshī, ~ bù qǐ de!* Never touch the antiques on display. Any damage to them is hard to compensate. ❷〈动 *v.*〉向人道歉或认错 apologize：~礼道歉 ~ *lǐ dàoqiàn* make an apology ｜ 你向他~个不是算了。*Nǐ xiàng tā ~ gè búshì suàn le.* Just apologize to him.

P

❸〈动 v.〉买卖亏损 lose money in business transactions：这笔买卖不但没赚，反而~本了。*Zhè bǐ mǎimai búdàn méi zhuàn, fǎn'ér ~běn le.* Instead of making any profit, I lost money in this transaction.│我上个月炒股，~惨了！*Wǒ shàng gè yuè chǎo gǔ, ~cǎn le!* I lost so much money in trading on the stock market last month.

³ **赔偿** péicháng 〈动 v.〉补偿因自己的原因而使他人或集体所受的损失 compensate; make up for a loss：损坏公物，应照价~。*Sǔnhuài gōngwù, yīng zhàojià ~.* In case of damaging public property, you should compensate according to the price.│这起事故，医院负责~医疗费。*Zhè qǐ shìgù, yīyuàn fùzé ~ yīliáofèi.* In this accident, the hospital is supposed to pay the medical cost.

⁴ **赔款** I péi // kuǎn ❶〈动 v.〉损坏、遗失别人或集体的东西用钱来补偿 pay compensation for damaging or losing sb.'s property：延误交货日期，按合同是要~的。*Yánwù jiāo huò rìqī, àn hétong shì yào ~ de.* According to the contract, compensation must be made in case of delay in the delivery date.│他开车撞伤了人，赔了一大笔款。*Tā kāi chē zhuàngshāngle rén, péile yí dà bǐ kuǎn.* His car bumped into a person and he had to pay a big sum of money for the injury caused. ❷〈动 v.〉战败国向战胜国赔偿损失和作战费用 indemnify; (of a defeated nation) pay for the losses and war costs inflicted on a victorious nation：腐败的清王朝多次向侵略者割地~。*Fǔbài de Qīng Wángcháo duō cì xiàng qīnlüèzhě gēdì ~.* For several times, the corrupt court of the Qing Dynasty was forced to cede territory and pay reparations to the aggressors. Ⅱ péikuǎn 〈名 n.〉赔给别人或集体作补偿的钱；也指战败国向战胜国赔偿损失或作战费用的款项 payment as a compensation for a financial loss caused to sb.; indemnity：这300元是打碎厨窗玻璃的~。*Zhè sānbǎi yuán shì dǎsuì chúchuāng bōli de ~.* The payment of 300 *yuan* was made to compensate for the broken windows.│帝国主义国家单从庚子~中就掠夺了中国六亿五千多万两的白银。*Dìguó zhǔyì guójiā dān cóng gēngzǐ ~ zhōng jiù lüèduóle Zhōngguó liùyì wǔqiān duō wàn liǎng de báiyín.* The imperialist countries robbed China of more than 650 million *liang* of silver through the treaty signed in the year of *gengzi* (1900) alone.

³ **佩服** pèifú 〈动 v.〉感到可敬可爱；钦佩 revere; admire：大家对毫不利己专门利人的人十分~。*Dàjiā duì háo bú lìjǐ zhuānmén lìrén de rén shífēn ~.* We all admire those who are dedicated to serving others without any thought for themselves.│他那种全身心奉献给教育事业的高尚品格令人~不已。*Tā nàzhǒng quán shēnxīn fèngxiàn gěi jiàoyù shìyè de gāoshàng pǐngé lìngrén ~ bùyǐ.* His noble character of devoting all his energy to the cause of education deserves our admiration.│我对这位博学而谦逊的教授~得五体投地。*Wǒ duì zhè wèi bóxué ér qiānxùn de jiàoshòu ~ de wǔtǐ-tóudì.* From the bottom of my heart I admire this learned and modest professor.

³ **配** pèi ❶〈动 v.〉男女结合为夫妻 join in wedlock：婚~hūn~ marriage│许~xǔ~ (of a girl) be betrothed to sb. ❷〈动 v.〉使动物(雌雄)交合 (of animals) mate：~种~zhǒng breed animals│交~jiāo~ mate ❸〈动 v.〉把缺少的物品补足 replenish; complete：~件~jiàn replacement│修~xiū~ make repairs and supply replacements ❹〈动 v.〉按适当比例或标准把东西凑在一起 mingle; mix things according to a proper standard or ratio：调~diào~ blend│~料~liào burden ❺〈动 v.〉有计划地分派 distribute according to plan; apportion：~给~jǐ ration│~电~diàn power distribution ❻〈动 v.〉为突出某事物特点，用另外的事物做对比、衬托 match; set off：~角~jué supporting role│红花~绿叶。*Hóng huā ~ lǜ yè.* Red flowers set off beautifully against green leaves. ❼〈动 v.〉够得上；相称；符合 measure up to; be worthy of：般~bān~ be well matched│他~

得上劳动模范这个光荣称号。*Tā ~ de shàng láodòng mófàn zhège guāngróng chēnghào.* He is worthy of the glorious title of model worker. │ 这个人不~当教师。*Zhège rén bú ~ dāng jiàoshī.* This man is not qualified to be a teacher. ❽ 〈动 v. 书 lit.〉流放 banish: 发~ *fā*~ exile

⁴ **配备** pèibèi ❶〈动 v.〉根据需要分配（人力或物力）distribute（manpower or resources）according to need: ~骨干力量 ~ *gǔgàn lìliàng* staff an organization with people who can handle knotty problems │ ~秘书 ~ *mìshū* provide secretaries │ ~汽车 ~ *qìchē* allocate cars │ ~全套厨具 ~ *quántào chújù* be equipped with a complete set of kitchen utensils ❷〈动 v.〉布置（兵力）deploy（troops）: 按地形~火力。*Àn dìxíng ~ huǒlì.* We should deploy firepower according to the terrain of the place. ❸〈名 n.〉成套的设备、装备 complete set of equipment: 这个学校实验室的~很齐全。*Zhège xuéxiào shíyànshì de ~ hěn qíquán.* The school lab has a complete set of equipment.

⁴ **配方** I pèi//fāng〈动 v.〉按照药方配置药品 prescribe a medicine: 这药店缺一味药，配不成方了。*Zhè yàodiàn quē yí wèi yào, pèi bù chéng fāng le.* The drug store is short of a herb, so the prescription is incomplete. II pèifāng（~儿）〈名 n.〉（个gè、种zhǒng）指药品、化学制品等的配制方法，通称'方子'formula for compounding a chemical or metallurgical product, generally called '方子fāngzi': 这种~很复杂。*Zhè zhǒng ~ hěn fùzá.* This formula is highly complex. │ 他是专门研究药~的。*Tā shì zhuānmén yánjiū yàowù ~ de.* He specializes in the studies of pharmaceutical formulas. │ 用这个~，可配制系列化妆品。*Yòng zhège ~, kě pèizhì xìliè huàzhuāngpǐn.* This formula can be used to make series of cosmetics.

² **配合** pèihé〈动 v.〉各方面合作完成共同任务 coordinate; cooperate: 这项工程在几个单位的密切~下胜利地完成了。*Zhè xiàng gōngchéng zài jǐ gè dānwèi de mìqiè ~ xià shènglì de wánchéng le.* The project was successfully accomplished through close collaboration of several organizations. │ 这对双打选手~得十分默契。*Zhè duì shuāngdǎ xuǎnshǒu ~ de shífēn mòqì.* This couple of doubles players acted in perfect harmony.

⁴ **配偶** pèi'ǒu〈名 n.〉夫妇；也可指丈夫或妻子（多用于法律文件）husband and wife;（oft. used in legal documents）spouse: 他找了一个年轻的~。*Tā zhǎole yí gè niánqīng de ~.* He married a young woman. │ 她的~已去世5年。*Tā de ~ yǐ qùshì wǔ nián.* Her husband has been dead for five years. │ ~的任何一方都应尽到抚养子女的责任。*~ de rènhé yì fāng dōu yīng jìndào fǔyǎng zǐnǚ de zérèn.* The spouse, either husband or wife, is supposed to fulfill the obligation of raising his/her children. │ 家庭财产属于~双方共有。*Jiātíng cáichǎn shǔyú ~ shuāngfāng gòngyǒu.* The family property belongs to both spouses.

⁴ **配套** pèi//tào〈动 v.〉把若干相关的事物组合成一个完整的系列 form a complete set: 这是一个~工程。*Zhè shì yí gè ~ gōngchéng.* This is a project forming part of a package. │ 学校实验室的仪器已~成龙。*Xuéxiào shíyànshì de yíqì yǐ ~ chéng lóng.* The instruments in the school lab have formed a complete set. │ 这条生产线上的机器还没有配上套。*Zhè tiáo shēngchǎnxiàn shang de jīqì hái méiyǒu pèishàng tào.* The machinery on the production line has not yet been formed into a complete set.

² **喷** pēn〈动 v.〉（气体、液体、粉末等）受压力而冲射出（of liquid, gas, powder, etc.）spurt; spout: ~气飞机 ~*qì fēijī* jet plane │ ~泉 ~*quán* fountain │ 岩浆~发 *yánjiāng* ~*fā* eruption of magma │ 打~嚏 *dǎ* ~*tì* sneeze │ ~药灭虫 ~ *yào miè chóng* spray insecticide to kill insects │ 他乐得饭都~出来了。*Tā lè de fàn dōu ~ chūlái le.* He laughed so hard as to spew his food.

P

⁴ **喷射** pēnshè〈动 v.〉施以压力把气体、液体或固体物喷出去 spew; spurt (gas, liquid or solid)：火焰～器 huǒyàn ~qì flamethrower ｜～水枪 ~shuǐqiāng water sprayer ｜火箭～升空。Huǒjiàn ~ shēngkōng. The rocket roared into the sky. ｜飞机尾部～出长长的一道白色烟雾。Fēijī wěibù ~ chū chángcháng de yí dào báisè yānwù. A long trail of white smoke was spurting out of the tail of the plane.

² **盆** pén ❶〈名 n.〉(个gè、只zhī)盛东西或洗东西用的器具，口大底小，多呈圆形；也指形状像盆的东西 basin; round utensil with a large opening and small bottom for use as a receptacle or for washing; something in the shape of a basin：菜～cài~ vegetable basin ｜脸～ liǎn~ wash basin ｜～栽 ~zāi potted flower or tree ｜～景 ~jǐng miniature trees and rockery ｜这是一个聚宝～。Zhè shì yí gè jùbǎo~. This is a treasure trove. ｜花～里的牡丹开了。Huā~ li de mǔdān kāi le. The peony in the flower-pot is blooming. ｜洗衣～里泡着一大堆衣服。Xǐyī~ li pàozhe yí dà duī yīfu. A big pile of clothes is soaked in the basin. ❷〈量 meas.〉用于盆装的东西 of sth. put in a pot：一～水 yì ~ shuǐ a basin of water ｜几～花 jǐ ~ huā a few pots of flowers

³ **盆地** péndì〈名 n.〉(块kuài)周围是山或高地，形状像盆子的土地 basin; plain area surrounded by mountains or highland：这里是一块～。Zhèlǐ shì yí kuài ~. Here it is a basin. ｜～四周高山，夏天气候往往比较炎热。~ sìzhōu gāoshān, xiàtiān qìhòu wǎngwǎng bǐjiào yánrè. Since the basin is surrounded by high mountains, it is usually hot in summer.

⁴ **烹饪** pēngrèn〈动 v.〉做菜做饭 cook food：～是一门技术也是一门艺术。~ shì yì mén jìshù yě shì yì mén yìshù. Cooking is a technique as well as an art. ｜他擅长中国风味的～。Tā shàncháng Zhōngguó fēngwèi de ~. He is good at cooking food with Chinese flavor. ｜他从事～工作有三十多年，现在是有名的～大师了。Tā cóngshì ~ gōngzuò yǒu sānshí duō nián, xiànzài shì yǒumíng de ~ dàshī le. Having worked as a cook for more than thirty years, he has become a well-known chef.

⁴ **烹调** pēngtiáo〈动 v.〉烹炒调制(菜肴) cook (dishes)：～手艺 ~ shǒuyì cooking techniques ｜他的～技术有两下子。Tā de ~ jìshù yǒu liǎngxiàzi. He has good cooking skills. ｜中国的～讲究刀工和火候。Zhōngguó de ~ jiǎngjiu dāogōng hé huǒhou. The chopping skills and degree of heating are considered very important aspects in the Chinese cuisine. ｜他～的菜色味香俱佳。Tā ~ de cài sè wèi xiāng jù jiā. The dishes he cooks have excellent color, flavor and fragrance.

¹ **朋友** péngyou ❶〈名 n.〉(位wèi、个gè、伙huǒ、帮bāng)彼此有交情的人 friend; buddy：他是我的知心～。Tā shì wǒ de zhīxīn ~. He is my bosom friend. ｜我的这个～厚道、守信。Wǒ de zhège ~ hòudao, shǒuxìn. This friend of mine is honest and trustworthy. ｜今天有几位老年～来家聚会。Jīntiān yǒu jǐ wèi lǎonián ~ lái jiā jùhuì. Today I'll have a few aged friends coming to my home for a gathering. ❷〈名 n.〉(位wèi、个gè)指恋爱的对象 boyfriend; girlfriend：你有～了没有？Nǐ yǒu ~ le méiyǒu? Have you got a boyfriend/girlfriend? ｜我给你介绍一个～。Wǒ gěi nǐ jièshào yí gè ~. I want to introduce a boyfriend/girlfriend to you. ｜他俩现在还是～关系。Tā liǎ xiànzài hái shì ~ guānxì. At present they are only friends. ｜她的～是一位教师。Tā de ~ shì yí wèi jiàoshī. Her boyfriend is a teacher.

³ **棚** péng ❶(～儿)〈名 n.〉(个gè)遮太阳或蔽风雨的蓬架 awning; canopy：瓜～ guā~ melon booth ｜凉～ liáng~ awning ｜搭什么～儿? —搭个自行车～儿。Dā shénme ~r? —Dā gè zìxíngchē ~r. What kind of shed are you trying to build? —I'm building a bicycle shed. ❷(～儿)〈名 n.〉(个gè)简易的房屋 shack; shed：工～ gōng~ work shed ｜牛

niú~ cow shed │这个~里养了几头猪。*Zhège ~ li yǎngle jǐ tóu zhū.* A few pigs are being raised in this pen. ❸〈名 n.〉天花板 ceiling：纸糊的~顶 *zhǐ hú de ~dǐng* paper ceiling │~上铺的是苇席。*~ shang pū de shì wěixí.* The ceiling is covered with reed mats. ❹〈动 v.〉用棚子遮蔽起来 cover with shelter：要下雨了，快把麦子~起来。*Yào xiàyǔ le, kuài bǎ màizi ~ qǐlái.* It looks like rain; be quick to cover the wheat with shelter.

P

³ **蓬勃** péngbó〈形 adj.〉繁荣；旺盛 burgeoning; prosperous：~的生机 *~ de shēngjī* burgeoning vitality │年轻人朝气~。*Niánqīngrén zhāoqì ~.* Young people are filled with youth and vitality. │这几年教育事业得到~发展。*Zhè jǐ nián jiàoyù shìyè dédào ~ fāzhǎn.* The past few years have seen a prosperous development of education. │群众性的体育运动蓬蓬勃勃地开展起来了。*Qúnzhòngxìng de tǐyù yùndòng péngpéng-bóbó de kāizhǎn qǐlái le.* Mass sports activities have been growing vigorously.

膨胀 péngzhàng ❶〈动 v.〉由于温度升高或其他因素，物体的长度增加或体积增大 expand; swell; extend in length or size due to high temperature or other factors：金属受热~，过冷收缩。*Jīnshǔ shòu rè ~, yù lěng shōusuō.* Metal expands with heat and contracts with cold. │木耳泡水会~起来。*Mù'ěr pào shuǐ huì ~ qǐlái.* Edible fungus will expand when soaked in water. ❷〈动 v.〉借指某些事物扩大或增长 expand; increae：机构~臃肿，要实行精兵简政。*Jīgòu ~ yōngzhǒng, yào shíxíng jīngbīng-jiǎnzhèng.* The organization is overstaffed and needs streamlining. │政府制订新的金融政策，抑制通货~。*Zhèngfǔ zhìdìng xīn de jīnróng zhèngcè, yìzhì tōnghuò ~.* The government has formulated new financial policies to curb inflation. │目前恶性案件出现~的势头。*Mùqián èxìng ànjiàn chūxiàn ~ de shìtóu.* At present serious crimes have shown a tendency of increasing in number.

² **捧** pěng ❶〈动 v.〉两手托着 clasp; hold in both hands：她~着奖杯，站在台上。*Tā ~ zhe jiǎngbēi, zhàn zài tái shang.* Holding the trophy, she stood on the platform. │老人手~哈达，献给尊贵的客人。*Lǎorén shǒu ~ hǎdá, xiàn gěi zūnguì de kèrén.* The old man held a *hada* in his hands and presented it to the honored guest. │他~起酒杯，为新年祝福。*Tā ~qǐ jiǔbēi, wèi xīnnián zhùfú.* He held up his wine cup and proposed a toast for the New Year. ❷〈动 v.〉奉承或代人吹嘘 flatter; exalt：吹~ *chuī~* flatter │~上了天 *~shàngle tiān* praise sb. to the skies ；~场 *~chǎng* sing the praises of sb. ; patronize an actor's stage performance ❸〈量 meas.〉用于能捧在手里的东西 double-handful of：一~花生 *yī~ huāshēng* a double-handful of peanuts │捧了两~小枣。*Pěngle liǎng ~ xiǎozǎo.* I scooped up two double-handfuls of jujubes.

¹ **碰** pèng ❶〈动 v.〉运动中的物体与另一物体突然接触；碰撞 touch; bump：~锁 *~suǒ* spring lock │小心，可别~到钉子上！*Xiǎoxīn, kě bié ~dào dīngzi shang!* Be careful! Don't bump against the nails. │不小心把杯子~破了。*Bù xiǎoxīn bǎ bēizi ~pò le.* I accidentally broke the glass. ❷〈动 v.〉碰见；遇到 meet by chance; come across：他俩约好在电影院门口~面。*Tā liǎ yuēhǎo zài diànyǐngyuàn ménkǒu ~miàn.* They have made an appointment to meet at the gate of the cinema. │我在车上~到一位老同学。*Wǒ zài chē shang ~dào yí wèi lǎo tóngxué.* I came across an old classmate on the bus. ❸〈动 v.〉试探 take one's chance：买张彩票~~运气 *Mǎi zhāng cǎipiào ~~ yùnqì.* I bought a lottery ticket to try my luck. │你去~一~，或许他会同意你去参加研讨会。*Nǐ qù ~ yí ~, huòxǔ tā huì tóngyì nǐ qù cānjiā yántǎohuì.* You should go and take a chance; perhaps he will allow you to attend the seminar. │~了一鼻子灰。*~le yì bízi huī.* I met with a rebuff.

³ **碰钉子** pèng dīngzi〈动 v.〉比喻遭到拒绝或受到斥责 be rebuffed; hit a snag：我去找领导会不会~? *Wǒ qù zhǎo lǐngdǎo huì bú huì ~*? Will I hit a snag when turning to the

leader? | 他正生气呢，你去找他肯定～。*Tā zhèng shēngqì ne, nǐ qù zhǎo tā kěndìng ~.* He is angry now. You are sure to be rebuffed if you try to approach him. | 我已经碰过好几次钉子了。*Wǒ yǐjīng pèngguo hǎo jǐ cì dīngzi le.* I have been rebuffed for several times.

² **碰见** pèng//jiàn 〈动 *v.*〉事先没有约定而见到 meet unexpectedly：昨天上街～中学时的老师。*Zuótiān shàngjiē ~ zhōngxué shí de lǎoshī.* I ran into my middle school teacher on the street yesterday. | 这种怪事，我从来没～过。*Zhè zhǒng guàishì, wǒ cónglái méi ~guo.* I have never run into such a strange thing before. | 你能～他吗？*Nǐ néng ~ tā ma?* Can you encounter him? | 我今天碰不见他，也许明天碰得见他。*Wǒ jīntiān pèng bú jiàn tā, yěxǔ míngtiān pèng de jiàn tā.* I will not meet him today, but I may probably run into him tomorrow.

² **批** pī ❶〈量 *meas.*〉用于大宗的货物和数量较多的人 batch; bulk：一大～新书 *yí dà ~ xīn shū* a large batch of new books | 一～又一～救灾物资 *yì ~ yòu yì ~ jiùzāi wùzī* batches of relief materials | 一～学生 *yì ~ xuéshēng* a group of students ❷〈动 *v.*〉指示；批改 correct; instruct：领导～了意见。*Lǐngdǎo ~le yìjiàn.* The leader has written down his instructions. | 你的申请报告昨天～下来了。*Nǐ de shēnqǐng bàogào zuótiān ~xiàlái le.* Your application was approved yesterday. | 老师在我的作文上～了几句话。*Lǎoshī zài wǒ de zuòwén shang ~le jǐ jù huà.* The teacher wrote a few words of comments on my composition. ❸〈动 *v.*〉批评；批判 criticize：今天他又挨～了。*Jīntiān tā yòu ái~ le.* He was criticized once again today. | 大家把他狠狠地～了一顿。*Dàjiā bǎ tā hěnhěn de ~le yí dùn.* All of us gave him a good dressing-down. | 这种官僚主义作风应该好好儿～一～。*Zhè zhǒng guānliáo zhǔyì zuòfēng yīnggāi hǎohāor ~ yì ~.* This bureaucratic manner deserves severe repudiation. ❹〈动 *v.*〉大量地买卖货物；批发 buy and sell wholesale：这批货很快就～出去了。*Zhè pī huò hěn kuài jiù ~chūqù le.* Soon this batch of goods was sold out wholesale. | 昨天我从上海～进了一批衣服。*Zuótiān wǒ cóng Shànghǎi ~jìnle yì pī yīfu.* Yesterday I bought a batch of clothes on a wholesale basis from Shanghai.

⁴ **批发** pīfā ❶〈动 *v.*〉成批地出售或购买商品 buy or sell on the wholesale basis：～价比零售价要便宜一点儿。*~ jià bǐ língshòu jià yào piányi yìdiǎnr.* The wholesale price is a bit lower than the retail price. | 这批服装是从上海～来的。*Zhè pī fúzhuāng shì cóng Shànghǎi ~ lái de.* This batch of clothes was bought on the wholesale basis from Shanghai. | ～商说这批服装质量不错。*~shāng shuō zhè pī fúzhuāng zhìliàng búcuò.* The wholesaler said that this batch of clothes was of fairly good quality. ❷〈动 *v.*〉批准转发 authorize to dispatch：～文件 *wénjiàn* authorize to dispatch a document

⁴ **批复** pīfù 〈动 *v.*〉对下级的书面报告写上处理意见作为答复 give an official reply on a written report submitted by a subordinate body：昨天的报告今天～了。*Zuótiān de bàogào jīntiān ~ le.* The report submitted yesterday received an offical reply today. | 领导～得很具体。*Lǐngdǎo ~ de hěn jùtǐ.* The leaders have given detailed replies. | 不知为什么，我们的报告迟迟得不到～。*Bù zhī wèishénme, wǒmen de bàogào chíchí dé bú dào ~.* For some unknown reasons, our report has not received an official reply yet.

⁴ **批改** pīgǎi 〈动 *v.*〉修改文章、作业等并加批语 correct (article or homework)：～作文 *zuòwén* correct a composition | ～文章 *wénzhāng* correct an article | ～论文 *lùnwén* correct papers | ～卷子 *juànzi* correct test papers | 老师对学生的作业～得十分认真、仔细。*Lǎoshī duì xuéshēng de zuòyè ~ de shífēn rènzhēn, zǐxì.* The teachers were very careful and conscientious in correcting the students' homework.

² **批判** pīpàn ❶〈动 v.〉对错误的或反动的思想、言行进行分析并加以否定 criticize; repudiate：对错误思想进行~ *duì cuòwù sīxiǎng jìnxíng* ~ criticize wrong ideas ｜~卖国主义和洋奴哲学 ~ *màiguó zhǔyì hé yángnú zhéxué* criticize national betrayal and slavish comprador philosophy ❷〈动 v.〉批评 criticize：自我~ *zìwǒ* ~ self-criticism ❸〈动 v.〉分清正确的和错误的或有用的和无用的（去分别对待）(critically) discriminate between the right and the wrong, between the useful and the useless (so as to treat them differently)：~地继承历史文化遗产 ~ *de jìchéng lìshǐ wénhuà yíchǎn* critically inherit historical and cultural legacies

¹ **批评** pīpíng ❶〈动 v.〉对错误和缺点提出意见 criticize mistakes and shortcomings：挨~ *ái* ~ be criticized ｜接受~ *jiēshòu* ~ accept criticism ｜尖锐地~ *jiānruì de* ~ acutely criticize ❷〈动 v.〉指出优点和缺点；评论好坏 criticize; comment：文艺~ *wényì* ~ criticism of literature and art ｜请~指教。*Qǐng* ~ *zhǐjiào.* Your comments are welcome. ❸〈名 n.〉指出错误和缺点的言语与行为 criticism：你的~是有道理的。*Nǐ de* ~ *shì yǒu dàolǐ de.* Your criticism can be justified. ｜~与自我~是改进工作的有力武器。~ *yǔ zìwǒ* ~ *shì gǎijìn gōngzuò de yǒulì wǔqì.* Criticism and self-criticism are effective means to improve our work.

⁴ **批示** pīshì ❶〈动 v.〉（上级对下级的公文）用书面表示意见 (of a superior) write instructions on a document (submitted by a subordinate)：这个问题事关重大，要报上级~。*Zhège wèntí shì guān zhòngdà, yào bào shàngjí* ~. This affair is of great importance and needs to be submitted to the leaders for approval. ❷〈名 n.〉在公文上批示的意见 instructions written on a document：主管领导在文件上作了重要~。*Zhǔguǎn lǐngdǎo zài wénjiàn shang zuòle zhòngyào* ~. The leader in charge wrote important instructions on the document. ｜上级的~很重要，要认真执行。*Shàngjí de* ~ *hěn zhòngyào, yào rènzhēn zhíxíng.* The instructions by the leaders are very important and must be well executed.

² **批准** pī//zhǔn〈动 v.〉对下级的意见、建议或请求表示准许 approve (of ideas, suggestions or demands proposed by the subordinate)：校长~我休假探亲。*Xiàozhǎng* ~ *wǒ xiūjià tànqīn.* The school principal approved of my request for home leave. ｜全国人民代表大会~政府工作报告。*Quánguó Rénmín Dàibiǎo Dàhuì* ~ *Zhèngfǔ Gōngzuò Bàogào.* The National People's Congress has approved of the Government's Work Report. ｜国务院~上海市的建设规划。*Guówùyuàn* ~ *Shànghǎi Shì de jiànshè guīhuà.* The State Council has approved of the construction plans for the city of Shanghai. ｜我的请调报告不知领导批~准批不准？*Wǒ de qǐng diào bàogào bù zhī lǐngdǎo pī de zhǔn pī bù zhǔn?* I was wondering if the leaders would approve of my application for a transfer or not.

⁴ **坯** pī ❶〈名 n.〉用原材料制作的未经窑烧的器物 base; blank：砖~ *zhuān*~ adobe ｜景泰蓝花瓶的铜~ *jǐngtàilán huāpíng de tóng* ~ copper base of a cloisonné vase ❷〈名 n.〉特指土坯 adobe：托~ *tuō* ~ mould adobe bricks ｜打~ *dǎ* ~ build a rammed earth wall ❸〈~儿〉〈名 n. 方 dial.〉指半成品 semi-finished product：钢~ *gāng*~ steel ingot ｜面~ *miàn*~ cooked noodles without seasoning ｜酱~儿 *jiàng*~r fermented soya paste before adding seasoning

² **披** pī ❶〈动 v.〉把衣物搭在肩背上 drape (a dress) over one's shoulders：~着一件大衣~*zhe yí jiàn dàyī* have an overcoat draped over one's shoulders ｜~红戴花（表示喜庆或光荣）~*hóng-dàihuā*（*biǎoshì xǐqìng huò guāngróng*）have red silk draped over one's shoulders and flowers pinned on one's chest (on a festive occasion or as a token of honor)

❷〈动 v.〉比喻蒙上；伪装 be clothed in; be disguised as：~着羊皮的狼 ~zhe yángpí de láng a wolf in sheep's clothing ｜~着合法的外衣 ~zhe héfǎ de wàiyī under the legal cloak ❸〈动 v.〉敞开；打开 open：~肝沥胆（比喻诚恳相见）~gān-lìdǎn（bǐyù tǎnchéng xiāngjiàn）split one's liver and gall with exertion（fig. be open and sincere）｜~卷 ~juàn open a book ❹〈动 v.〉裂开 split：指甲~了。Zhǐjiǎ ~ le. My nail split.

⁴ 劈 pī ❶〈动 v.〉用刀斧等砍；破开 chop; cleave（with a sword or an ax）：~成两半 ~chéng liǎng bàn cleave sth. in two ｜~了几斧头才~开。~le jǐ fǔtóu cái ~kāi. Only after several chops with an ax was it cleaved open. ❷〈动 v.〉裂开 crack：这木板~了，不能用。Zhè mùbǎn ~ le, bù néng yòng. The wooden board has cracked and can't be used any more. ｜运笔太重，笔尖都~了。Yùn bǐ tài zhòng, bǐjiān dōu ~ le. The pen was used with so much force that its nib split. ❸〈动 v.〉雷电毁坏或击毙（of lightning）destroy or strike：百年老树让雷~了。Bǎi nián lǎo shù ràng léi ~ le. The hundred-year-old tree was struck by lightning. ❹〈介 prep.〉正对着；冲着（人的头、脸、胸部）right against（one's face, head, chest, etc.）：大雨~头盖脸浇下来。Dà yǔ ~tóu-gàiliǎn jiāo xiàlái. The heavy rain was pouring down straight over the head. ❺〈形 adj.〉方〈dial.〉（嗓音）嘶哑（of a voice）hoarse：我喊了老半天，嗓子都喊~了。Wǒ hǎnle lǎo bàntiān, sǎngzi dōu hǎn~ le. I shouted for a long time until I became hoarse. ❻〈名 n.〉一种由两个斜面合成的纵剖面呈三角形的简单机械，如木楔、刀刃等，也叫'尖劈'wedge, also called'尖劈 jiānpī'.

² 皮 pí ❶〈名 n.〉(块 kuài、张 zhāng、层 céng)人或生物体表面的一层组织 skin; surface tissue of human or organism：猪~ zhū~ pigskin ｜葡萄~ pútáo~ grape skin ｜碰破了一块~ pèngpòle yí kuài ~ scrape a piece of skin off ❷〈名 n.〉皮革 leather; hide：~鞋 ~xié leather shoes ｜~衣 ~yī fur jacket ｜这包是真~的。Zhè bāo shì zhēn ~ de. This handbag is made of genuine leather. ❸(~ㄦ)〈名 n.〉包在或围在外面的一层东西 cover; wrapper：书~ㄦ shū~r book cover ｜饺子~ㄦ jiǎozi ~r dumpling wrapper ｜这~ㄦ是塑料的。zhè ~r shì sùliào de. The cover is made of plastic. ❹(~ㄦ)〈名 n.〉表面 surface：地~ㄦ dì~r ground surface ❺(~ㄦ)〈名 n.〉薄片的东西 thin sheet：豆腐~ㄦ dòufu~r beancurd sheet ｜粉~ㄦ fěn~r sheet jelly made from bean starch ❻〈名 n.〉指橡胶制品或像橡胶一样有韧性的东西 rubber product or sth. as resilient as like rubber：橡~ xiàng~ rubber ｜糖~ táng~ hard candy ｜筋~ jīn~ rubber band ❼〈形 adj.〉顽皮 naughty：太调皮。Tài tiáo~. He/She is too naughty. ｜这孩子真~。Zhè háizi zhēn ~. What a naughty child! ❽〈形 adj.〉受申斥或责罚次数多而感到无所谓 case-hardened：这孩子让你骂~了。Zhè háizi ràng nǐ mà~ le. You have blamed this child so often that he no longer cares. ❾〈形 adj.〉身体结实，不易得病（of body）sturdy：我身体~着呢，不会病的。Wǒ shēntǐ ~zhe ne, bú huì bìng de. I am quite sturdy and seldom fall ill. ❿〈形 adj.〉失去原有的松脆 soggy; no longer crisp：炸花生米放~了，不好吃。Zháhuāshēngmǐ fàng~ le, bù hǎochī. The fried peanuts have gone soft and don't taste as good as before.

⁴ 皮带 pídài ❶〈名 n.〉(条 tiáo、根 gēn)用皮革制成的带子；特指用皮革制成的腰带 leather belt：一条军用~ yì tiáo jūnyòng ~ a military leather belt ｜这根~是牛皮的。Zhè gēn ~ shì niúpí de. This belt is made of cowhide. ❷〈名 n.〉(条 tiáo、根 gēn)指传送带 conveyer belt：机器上的~松了，轮子不转了。Jīqì shang de ~ sōng le, lúnzi bú zhuàn le. The belt on the machine is loose and the wheels have stopped turning. ｜危险！~快断了。Wēixiǎn! ~ kuài duàn le. Danger! The belt is about to break.

² 皮肤 pífū ❶〈名 n.〉(块 kuài、片 piàn)(人或高等动物)身体表面包在肌肉外边的组织

skin (of human or higher animals)：亚洲人黄~。*Yàzhōu rén huáng ~*. Asians have yellow skin. | 她的~被太阳晒黑了。*Tā de ~ bèi tàiyáng shàihēi le*. Her skin was tanned dark. | 小宝宝的~嫩嫩的。*Xiǎo bǎobao de ~ nènnèn de*. The baby's skin is very tender. | 抹点儿护肤霜，防止~干裂。*Mǒ diǎnr hùfūshuāng, fángzhǐ ~ gānliè*. Spread some cream on your skin to prevent it from becoming parched. ❷ 〈形 *adj.* 书 *lit.*〉比喻看问题肤浅 superficial：~之见 *~ zhī jiàn* superficial views

⁴ **皮革** pígé 〈名 *n.*〉用牛、羊、猪等的皮去毛后制成的熟皮，可用做鞋、箱、包等用品 leather; hide：~制品 *~ zhìpǐn* leather products | 你那公文包是什么~做的？*Nǐ nà gōngwénbāo shì shénme ~ zuò de*? What kind of leather is your briefcase made of? | 这~背包既耐用又美观。*Zhè ~ bēibāo jì nàiyòng yòu měiguān*. This leather rucksack is both durable and beautiful.

⁴ **疲惫** píbèi ❶ 〈形 *adj.*〉非常疲乏 tired; exhausted：劳累一天，~不堪。*Láolèi yì tiān, ~ bùkān*. After a day's hard work, I felt extremely tired. | 我体质差，工作半天就~得不得了。*Wǒ tǐzhì chà, gōngzuò bàn tiān jiù ~ de bùdéliǎo*. Having a poor constitution, I felt worn out after only half a day's work. ❷ 〈动 *v.* 书 *lit.*〉使之疲乏 tire out：用计~敌军 *yòng jì ~ díjūn* use tactics to tire out the enemy troops

⁴ **疲乏** pífá 〈形 *adj.*〉疲劳；累 tired：走了一天，身体十分~。*Zǒule yì tiān, shēntǐ shífēn ~*. After a day's walk, I felt very tired. | 过分的~，使得她病倒了。*Guòfèn de ~, shǐde tā bìngdǎo le*. Extreme fatigue has made her fall ill. | 意外的喜讯，使她忘记了一天的~。*Yìwài de xǐxùn, shǐ tā wàngjìle yì tiān de ~*. The unexpected good news made her forget the fatigue after the day's work.

³ **疲倦** píjuàn 〈形 *adj.*〉疲乏；困倦 tired and sleepy：全身~ *quánshēn ~* feel tired all over | 连续奋战了两天两夜，一个个工人都非常~。*Liánxù fènzhànle liǎng tiān liǎng yè, yí gègè gōngrén dōu fēicháng ~*. After continuously working for two days and nights, all the workers were very tired. | 他拖着~的身体回到了家。*Tā tuōzhe ~ de shēntǐ huídàole jiā*. He dragged himself home, weary and tired. | 他没日没夜不知~地工作。*Tā méirì-méiyè bù zhī ~ de gōngzuò*. He kept working day and night without showing any sign of fatigue.

² **疲劳** píláo ❶ 〈形 *adj.*〉体力或脑力消耗过大，需要休息 tired; requiring rest after being drained of physical or mental strength：他太~了，靠在椅子上就睡着了。*Tā tài ~ le, kào zài yǐzi shang jiù shuìzháo le*. He was so tired that he fell asleep while leaning against the chair. | 你别搞得太~了，明天还要上课呢。*Nǐ bié gǎo de tài ~ le, míngtiān háiyào shàngkè ne*. Don't get too tired; you'll have to attend class tomorrow. ❷ 〈形 *adj.*〉（因运动过度或刺激过强）肌肉或器官的机能或反应能力减弱 fatigued; decreased in power to respond on the part of the functions of muscles or organs caused by overwork or excessive stimulation：老蹲着干活，腿部肌肉~，都麻木了。*Lǎo dūnzhe gànhuó, tuǐbù jīròu ~, dōu mámù le*. Working in a crouching position for too long has made the leg muscles fatigued and numb. | 打电脑时间一长，眼睛特别容易~。*Dǎ diànnǎo shíjiān yì cháng, yǎnjing tèbié róngyì ~*. Typing on the computer for too long will easily tire the eyes. ❸ 〈形 *adj.*〉因外力过强或作用时间过久而不能继续起原有的作用 failing to maintain normal functions under tremendous or sustained stress：技术人员做金属~试验。*Jìshù rényuán zuò jīnshǔ ~ shìyàn*. The technicians were doing fatigue tests on the metal. | 沙发弹簧坏了，多数是出于弹性~。*Shāfā tánhuáng huài le, duōshù shì chūyú tánxìng ~*. The springs of the sofa have broken. This was most probably due to elastic fatigue.

¹ **啤酒** píjiǔ 〈名 *n.*〉（杯bēi、瓶píng、扎zhā）以大麦和啤酒花为主要原料发酵制成的酒，

'啤'为英语beer、德语bier的音译 beer：生~ *shēng* ~ draft beer ｜ ~肚 – *dù* beer belly ｜ 我只能喝一杯~。 *Wǒ zhǐ néng hē yì bēi* ~. I can only drink a glass of beer. ｜ 今天大家喝了十几瓶黑~。 *Jīntiān dàjiā hēle shíjǐ píng hēi* ~. Today we drank more than a dozen bottles of stout. ｜ 夏天大家爱喝冰镇~。 *Xiàtiān dàjiā ài hē bīngzhèn* ~. In summer we all like drinking cold beer.

² **脾气** píqi ❶〈名 n.〉在对人、事的态度和行为方式上表现出的心理特点；性情 temperament; disposition：我们的老师~特别好，从不发火。 *Wǒmen de lǎoshī* ~ *tèbié hǎo, cóng bù fāhuǒ.* Our teacher has a very good temper and never gets angry. ｜ 按我的~，早都不想理他了。 *Àn wǒ de* ~, *zǎo dōu bù xiǎng lǐ tā le.* In my nature, I would have chosen to ignore him long ago. ❷〈名 n.〉容易发怒、急躁的性情 bad temper; irritable disposition：这人牛~，可别理他。 *Zhè rén niú* ~, *kě bié lǐ tā.* He is hot-tempered so avoid meddling with him. ｜ 你别动不动就乱发~。 *Nǐ bié dòngbudòng jiù luàn fā* ~. You should not lose your temper easily for no reason at all.

² **匹** pǐ ❶〈量 meas.〉用来指马、骡等牲口 for horses, mules, etc.：两~马 *liǎng* ~ *mǎ* two horses ｜ 三~骡子 *sān* ~ *luózi* three mules ❷〈量 meas.〉用于整卷的布或绸（of silk or cloth）bolt; bale：一~布 *yì* ~ *bù* a bolt of cloth ｜ 两~绸子 *liǎng* ~ *chóuzi* two bolts of silk ❸〈动 v.〉比得上；相当 be equal to; match for：这两个人也太不~配了。 *Zhè liǎng gè rén yě tài bù* ~ *pèi le.* These two are so ill-matched. ❹〈形 adj.〉单独 single; alone：天下兴亡，~夫有责。 *Tiānxià xīngwáng, ~fū yǒu zé.* Every man has a share of responsibility for the fate of his country.

⁴ **屁** pì ❶〈名 n.〉（个gè）由肛门排出的臭气 fart; pungent intestinal gas discharged through the anus：放一个臭~ *fàng yí gè chòu* ~ break wind ｜ 吃黄豆再喝凉水，~多。 *Chī huángdòu zài hē liángshuǐ,* ~ *duō.* Drinking cold water after eating soybeans will cause you to fart more. ❷〈名 n.〉比喻说的臭话 fig. rubbish talk：这是~话！ *Zhè shì* ~ *huà!* Sheer nonsense! ｜ 放你的狗~！ *Fàng nǐ de gǒu* ~! Bullshit! ❸〈名 n.〉比喻没用的或不足道的事物 fig. useless or negligible things：就这么点儿事，还唠叨个没完。 *Jiù zhème diǎnr* ~ *shì, hái láodao gè méiwán.* You've been nagging so much about such a trifle. ｜ 这么点儿钱顶个~用。 *Zhème diǎnr qián dǐng gè* ~ *yòng.* Such a trivial sum of money is far from enough. ❹〈名 n.〉泛指任何事物，相当于'什么'，多用于否定或斥责 anything; nothing, same as '什么shénme'（usu. used for negation or blame）：你懂个~！ *Nǐ dǒng gè* ~! You know nothing! ｜ 关你~事！ *Guān nǐ* ~ *shì!* It's none of your business!

³ **屁股** pigu ❶〈名 n. 口 colloq.〉臀部 buttocks; bottom：她轻轻地拍着小孩儿的~说：'宝宝，快睡吧'。 *Tā qīngqīng de pāizhe xiǎoháir de* ~ *shuō: 'bǎobǎo, kuài shuì ba.'* Gently patting on the baby's bottom, she said, 'Baby, go to sleep.' ｜ 老太太一~坐在地上哭喊起来。 *Lǎotàitai yí* ~ *zuò zài dì shang kūhǎn qǐlái.* The old woman sat down on the ground and began to cry out. ❷〈名 n.〉泛指动物身体后端靠近肛门的部分 rump; hindquarters：黄蜂的~上有毒刺。 *Huángfēng de* ~ *shang yǒu dú cì.* The wasp's sting is in its rump. ｜ 老虎的~摸不得（比喻人很蛮不讲理，碰不得）。 *Lǎohǔ de* ~ *mō bude*（*bǐyù rén hěn mánbùjiǎnglǐ, pèng bude*）. No one dares to touch the backside of a tiger（fig. referring to sb. who is impervious to reason）. ❸〈名 n.〉借指某些事物末尾的部分 end; butt：烟~不能随地乱扔。 *Yān* ~ *bù néng suí dì luàn rēng.* Don't litter the cigarette butts. ｜ 汽车的~后面冒着白烟。 *Qìchē de* ~ *hòumiàn màozhe bái yān.* The car is emitting white fumes from its rear.

³ **譬如** pìrú〈动 v.〉比如；比方说 take... for example：中国有好多海滨城市，~大连、青岛、

上海、厦门等等。*Zhōngguó yǒu hǎoduō hǎibīn chéngshì，~ Dàlián，Qīngdǎo，Shànghǎi，Xiàmén děngděng.* There are many coastal cities in China, such as Dalian, Qingdao, Shanghai, Xiamen, etc.｜她很会干家务事，～做饭、洗衣服、收拾房间样样都干得很好。*Tā hěn huì gàn jiāwùshì，~ zuò fàn，xǐ yīfu，shōushi fángjiān yàngyàng dōu gàn de hěn hǎo.* She is very good at doing housework, everything from cooking to washing and cleaning the rooms.｜说他吧，学习、工作样样都走在前头。*~ shuō tā ba，xuéxí，gōngzuò yàngyàng dōu zǒu zài qiántou.* Take him for example; he is ahead of us in both study and work.

² 偏 piān ❶〈副 adv.〉表示故意跟客观要求或客观情况相反（后面常与'要'、'不'合用）(oft. followed by '要yào' or '不bù') wilfully; insistently：不让他去，他～要去。*Bù ràng tā qù，tā ~ yào qù.* He was not allowed to go, but he insisted on going.｜老天～不作美，下起大雨来了。*Lǎotiān ~ bú zuòměi，xiàqǐ dà yǔ lái le.* Heaven is just not cooperative and it has begun to rain heavily. ❷〈形 adj.〉不正；不居中；歪斜（与'正'相对）inclined to one side; leaning (opposite to '正zhèng')：球踢～了。*Qiú tī~ le.* The kick went astray.｜太阳～西了。*Tàiyáng ~ xī le.* The sun is to the west.｜画挂～了。*Huà guà~ le.* The hanging picture is inclined to one side.｜你把话传～了。*Nǐ bǎ huà chuán~ le.* The message you have passed on deviated from the original meaning. ❸〈形 adj.〉只重视一方面而忽视另一方面或待人处事不公正；偏向 partial; discriminatory：～心 ~xīn partiality; bias｜纠～ jiū~ rectify a deviation｜～听 ~tīng heeding only one side｜偏～信 ~xìn believe in a one-side story｜老人对孩子有点儿～爱。*Lǎorén duì háizi yǒudiǎnr ~ài.* The old man is a little partial to the child. ❹〈形 adj.〉与某个标准相比有差距 different from a certain standard：工资～低 gōngzī ~ dī relatively low salary｜今年冬天气温～高。*Jīnnián dōngtiān qìwēn ~ gāo.* In this winter the temperature was on the high side. ❺〈形 adj.〉边远 remote; faraway：我家住的地方太～，上班很不方便。*Wǒ jiā zhù de dìfang tài ~，shàngbān hěn bù fāngbiàn.* I live in an out-of-the-way place and getting to work is rather inconvenient. ❻〈形 adj.〉不占主要地位的；起辅助作用的 assistant; auxiliary：～将 ~jiàng assistant general｜～师 ~shī auxiliary force

³ 偏差 piānchā ❶〈名 n.〉运动的物体与确定方向之间的差距 deviation; angle formed by the departure of a moving object from an established direction：这一箭射的～太大。*Zhè yí jiàn shè de ~ tài dà.* The arrow was shot with too much deviation.｜第二发炮弹要注意修正～。*Dì-èr fā pàodàn yào zhùyì xiūzhèng ~.* You should try to rectify the deviation when firing the second shell. ❷〈名 n.〉比喻工作中的差错 fig. error in one's work：你最近老出～，到底怎么回事？*Nǐ zuìjìn lǎo chū ~，dàodǐ zěnme huí shì?* You've made so many mistakes in your work recently. What's the matter with you?｜你们要努力纠正工作中的～。*Nǐmen yào nǔlì jiūzhèng gōngzuò zhōng de ~.* You should try your best to correct the deviations in your work.

⁴ 偏见 piānjiàn〈名 n.〉(种zhǒng)对人或事不公正的看法 prejudice; bias：认为女的不如男的，这就是一种～。*Rènwéi nǚ de bùrú nán de，zhè jiùshì yì zhǒng ~.* It is a prejudice to think that women are inferior to men.｜他总认为我说的都是错的，这不是～又是什么？*Tā zǒng rènwéi wǒ shuō de dōu shì cuò de，zhè bú shì ~ yòu shì shénme?* He always thinks whatever I say is wrong. Isn't it a prejudice?｜他对我一直有～。*Tā duì wǒ yìzhí yǒu ~.* He has always had a prejudice against me.

⁵ 偏僻 piānpì〈形 adj.〉离城市或中心区很远，交通不便，人烟稀少 remote; out-of-the-way：学校在～的山村里。*Xuéxiào zài ~ de shāncūn li.* The school is located in a remote mountain village.｜那地方～，空气好，但交通很不方便。*Nà dìfang ~，kōngqì hǎo，dàn*

jiāotōng hěn bù fāngbiàn. That is an out-of-the-way place with fresh air and inconvient transportation. ｜晚上我不敢走那条~的小路。*Wǎnshang wǒ bù gǎn zǒu nà tiáo ~ de xiǎo lù.* In the evening I dare not take the out-of-the-way path.

偏偏 piānpiān ❶〈副 *adv.*〉表示故意跟客观要求或客观情况相反 insistently; purposely against the objective requirement or situation：明知道那里危险，可她~要去。*Míng zhīdào nàli wēixiǎn, kě tā ~ yào qù.* Though well aware of the danger in that place, she insisted on going there. ｜刚想出门，天~下起大雪来了。*Gāng xiǎng chūmén, tiān ~ xiàqǐ dà xuě lái le.* It began to snow at the moment I was about to leave home. ❷〈副 *adv.*〉表示事实跟所希望或期待的恰恰相反 contrary to expectations：父亲希望他出国深造，可他~要留在国内工作。*Fùqīn xīwàng tā chūguó shēnzào, kě tā ~ yào liú zài guónèi gōngzuò.* His father wanted him to go abroad for studies, while he himself insisted on staying in his own country for work. ｜昨天上你家串门，~一个人都不在。*Zuótiān shàng nǐ jiā chuànmén, ~ yí gè rén dōu bú zài.* Yesterday I called at your house, but every one of you happened to be out. ❸〈副 *adv.*〉表示范围，与'单单'‘唯独'略同（similar to '单单dāndān' or '唯独wéidú') only; alone：别的班都放学了，~乙班还在上课。*Bié de bān dōu fàngxué le, ~ yǐ bān hái zài shàngkè.* All the other classes have finished school with the exception of Class B. ｜大家都说芒果好吃，~他说难吃。*Dàjiā dōu shuō mángguǒ hǎochī, ~ tā shuō nánchī.* Every one of us said that mango was delicious and only he said that it was not tasty at all.

偏向 piānxiàng ❶〈动 *v.*〉支持和倾向于某一方；不公正地对待 be partial to; take sides with：爸爸太~妹妹了。*Bàba tài ~ mèimei le.* Father is so partial to my younger sister. ｜裁判要公正，不能~任何一方。*Cáipàn yào gōngzhèng, bù néng ~ rènhé yì fāng.* The referee should be fair and avoid being partial to any side. ❷〈名 *n.*〉(个gè、种zhǒng)不正确的倾向 erroneous tendency; deviation：只注重经济利益，不重视社会效益，是不少企业存在的一个~。*Zhǐ zhùzhòng jīngjì lìyì, bú zhòngshì shèhuì xiàoyì, shì bù shǎo qǐyè cúnzài de yí gè ~.* Heeding financial returns without giving thought to social benefits is a deviation existing in quite a few enterprises. ｜政府已注意到这种~，并正采取措施纠正这种~。*Zhèngfǔ yǐ zhùyì dào zhè zhǒng ~, bìng zhèng cǎiqǔ cuòshī jiūzhèng zhè zhǒng ~.* The government has paid attention to this erroneous tendency and taken measures to rectify it.

篇 piān ❶(~儿)〈量 *meas.*〉用于文章、纸张、书页（两页为一篇)等(for article, paper, book leaves) sheet; piece：今天报纸发表了一~社论。*Jīntiān bàozhǐ fābiǎole yì ~ shèlùn.* An editorial is published in today's newspaper. ｜这~小说写得很动人。*Zhè xiǎoshuō xiě de hěn dòngrén.* This is a moving novel. ｜这封信写了三~纸。*Zhè fēng xìn xiěle sān ~r zhǐ.* The letter is written on three sheets of paper. ｜这本书怎么缺了两~儿? *Zhè běn shū zěnme quēle liǎng ~r?* How come two leaves are missing from this book? ❷(~儿)〈名 *n.*〉写着或印着文字的单张纸 a sheet of paper, usu. written or printed with words：单~儿广告 *dān ~r guǎnggào* a sheet of advertisement ｜歌~儿 *gē~r* song sheet ❸〈名 *n.*〉首尾完整的文章 full article：新出的这本论文集共收15~论文。*Xīn chū de zhè běn lùnwénjí gòng shōu shíwǔ ~ lùnwén.* The newly published collection of papers contains a total of 15 articles. ｜孔子的《论语》共二十~，'为政'是其中的一~。*Kǒngzǐ de 'Lún Yǔ' gòng èrshí ~, 'Wéi Zhèng' shì qízhōng de yì ~.* The Analects by Confucius has twenty chapters in total, one of which is 'Political Ruling.'

便宜 piányi ❶〈形 *adj.*〉价钱低 cheap：农贸市场蔬菜~。*Nóngmào shìchǎng shūcài ~.* The market place sells cheap vegetables. ｜这几天老下雨，蔬菜不~了。*Zhè jǐ tiān lǎo* *xià yǔ, shūcài bù ~ le.* Due to continuous rain for the past few days, the prices of vegetables are not low any more. | 处理品~是~，但质量没有保证。*Chǔlǐpǐn ~ shì ~, dàn zhìliàng méiyǒu bǎozhèng.* Goods on sale are cheap indeed, but their quality can't be guaranteed. ❷〈名 *n.*〉不应得的利益 unmerited advantage：这人就爱占点儿小~。*Zhè rén jiù ài zhàn diǎnr xiǎo ~.* He is fond of gaining small advantages. | 他没捞着~，反上了大当。*Tā méi lāozháo ~, fǎn shàngle dà dāng.* Instead of getting petty gains, he fell into a big trap. ❸〈动 *v.*〉使得到便宜 let sb. off lightly：真是~了你。*Zhēn shì ~ le nǐ.* You have been let off lightly. | 这一次决不能~了他! *Zhè yí cì jué bù néng ~le tā!* We shall not let him off lightly this time!

¹ 片 piàn ❶ (~儿)〈量 *meas.*〉用于平而薄的东西 (for flat, thin, small piece of things) slice; flake：上无~瓦，下无立锥之地 (比喻极端贫困)。*Shàng wú ~ wǎ, xià wú lì zhuī zhī dì* (*bǐyù jíduān pínkùn*). There is not a single tile remaining and no space even for the point of an awl (*fig.* being in an utterly destitute state). | 他只吃了几~儿面包就上班去了。*Tā zhǐ chīle jǐ ~r miànbāo jiù shàngbān qù le.* Having taken a few slices of bread, he set off for work. ❷〈量 *meas.*〉用于地面、水面等(面积、范围数) for a piece of land, a stretch of water, etc.：一大~绿地 *yí dà ~ lùdì* a vast tract of meadow | 这~鱼塘里有不少鱼。*Zhè ~ yútáng li yǒu bù shǎo yú.* There is a lot of fish in this fish pond. ❸〈量 *meas.*〉用于景色、气象、声音、心意等(前边限用'一'字)(used with the numeral '一 *yí*') for a scenario, kind of atmosphere, sound, feeling, etc.：一~丰收景象 *yí ~ fēngshōu jǐngxiàng* a scene of harvest | 一~乌云 *yí ~ wūyún* a vast stretch of dark clouds | 一~歌声 *yí ~ gēshēng* sounds of singing | 一~柔情 *yí ~ róuqíng* tender feelings ❹ (~儿)〈名 *n.*〉扁平而薄的东西 flat, thin piece of sth.：雪~儿 *xuě~r* snow flakes | 贺年~儿 *hènián~r* New Year's greeting cards | 卡~儿 *kǎ~r* cards ❺ (~儿)〈名 *n.*〉指较大地区内划分出来的较小地区 part of a place：卫生工作分~包干。*Wèishēng gōngzuò fēn ~r bāogān.* Divide up the sanitation work and assign a part to each individual or group. | 他是这儿的~儿警。*Tā shì zhèr de ~rjīng.* He is the policeman responsible for social security in this community. ❻〈动 *v.*〉用刀平行着切成薄片 carve into slices：~羊肉片儿 *~ yángròu piànr* slice mutton | 把土豆一~儿。*Bǎ tǔdòu ~ yí ~.* Cut the potatoes into slices. ❼〈形 *adj.*〉不全的；零星的 short;brief; incomplete; brief：~面 *~miàn* one-sided | 只言~语 *zhǐyán~yǔ* brief words | ~刻 *~kè* a short while

⁴ 片刻 piànkè〈名 *n.*〉极短的时间；一会儿 a short while; an instant：~之间 *~ zhījiān* in a short while | ~的工夫 *~de gōngfu* for a moment | 休息~ *xiūxi ~* have a short rest | 他思索了~，点头表示同意。*Tā sīsuǒle ~, diǎntóu biǎoshì tóngyì.* Having pondered for a short while, he nodded in agreement.

² 片面 piànmiàn ❶〈形 *adj.*〉单方面的 unilateral：~之词 ~ *zhī cí* an account given by one party only | ~反映 *~fǎnyìng* one party's version of the story | ~撕毁协议 *~ sīhuǐ xiéyì* unilaterally tear up the agreement ❷〈形 *adj.*〉偏于一面的(与'全面'相对) one-sided; lopsided (opposite to '全面 *quánmiàn*')：理解~ *lǐjiě ~* a one-sided understanding | 报道~ *bàodào ~* lopsided reports | 看法~ *kànfǎ ~* a lopsided view | ~地下结论 *de xià jiélùn* draw a one-sided conclusion | ~地看待问题 *de kàndài wèntí* take a one-sided approach to problems | 你不该~地强调困难。*Nǐ bù gāi ~de qiángdiào kùnnan.* You should not put one-sided stress on the difficulties.

² 骗 piàn ❶〈动 *v.*〉用谎言或诡计使人上当；欺骗 cheat; deceive：蒙~过关 *méng~ guò guān* get by under false pretences | 上当受~ *shàngdàng shòu~* be deceived | ~子 *~zi* swindler; imposter ❷〈动 *v.*〉用欺骗的手段得到 cheat; obtain by deceitful means：~钱

P

~ _qián_ cheat sb. out of his money | ~奸 ~ _jiān_ seduce through deceitful means ❸〈动 _v._〉侧身抬起一条腿骑上马、自行车或摩托车 swing one's leg sideways：他右腿轻轻 一~，骑上车走了。_Tā yòutuǐ qīngqīng yí ~, qíshàng chē zǒu le._ He swung his right leg with ease over the saddle of the bike and rode off.

⁴ 漂 piāo ❶〈动 _v._〉停留在液体表面不下沉 float; stay on the surface of liquid：~浮 ~ _fú_ float | 水面上~着几片树叶。_Shuǐmiàn shang ~zhe jǐ piàn shùyè._ A few leaves are floating on the water. ❷〈动 _v._〉顺着风向、液体流动的方向移动 drift; move downstream or in the direction of the wind：小纸船顺水向远处~去 _Xiǎo zhǐ chuán shùnshuǐ xiàng yuǎnchù ~ qù._ The paper boat drifted downstream to the far distance. | 小 帆船毫无目的地在海上~流。_Xiǎo fānchuán háowú mùdì de zài hǎi shang ~liú._ The small sailboat drifted aimlessly on the sea. ❸〈动 _v._〉一种水上冒险运动（an adventurous water sport）drift：黄河第一~ _Huánghé dì-yī_ ~ the first attempt to drift on the Yellow River ❹（~儿）〈名 _n._〉钓鱼用的浮子 fishing float：~儿一动也不动。~_r yí dòng yě bú dòng._ The fishing float remains still. | ~儿往下沉了，快起竿儿。_~r wǎng xià chén le, kuài qǐgānr._ The fishing float is sinking; lift the fishing rod now.

² 飘 piāo ❶〈动 _v._〉随风摇动或飞扬 wave to and fro; flutter (in the wind)：~起了鹅毛 大雪。_~qǐle émáo dàxuě._ Big snowflakes are drifting down. | ~来一阵油菜花的清香。~ _lái yí zhèn yóucàihuā de qīngxiāng._ Fragrance of rape flowers is drifting in the wind. | 蓝 天上~着朵朵白云。_Lántiān shang ~zhe duǒduǒ bái yún._ White clouds are drifting in the blue sky. ❷〈形 _adj._〉形容腿部发软，走路不稳 unsteady due to weakness in the legs：重病过后，走起路来两腿发~。_Zhòng bìng guò hòu, zǒuqǐ lù lái liǎng tuǐ fā ~._ After recovering from a serious illness, I walked with weak and unsteady legs. ❸〈形 _adj._〉轻 浮；不踏实 giddy：此人作风轻浮，做事有点儿~。_Cǐ rén zuòfēng qīngfú, zuòshì yǒudiǎnr ~._ He is frivolous and giddy in behavior.

³ 飘扬 piāoyáng 〈动 _v._〉在空中随风摆动 wave in the wind; fly：五星红旗迎风~。 _Wǔxīng hóngqí yíngfēng ~._ Five-star red flags are fluttering in the wind. | 锣鼓齐鸣，彩 旗~。_Luógǔ qí míng, cǎiqí ~._ Gongs and drums were ringing and colorful flags were fluttering in the wind. | 大厦前~着五颜六色的旗帜。_Dàshà qián ~zhe wǔyán-liùsè de qízhì._ Colorful flags waved in front of the building.

¹ 票 piào ❶〈名 _n._〉（张zhāng）作为凭证的纸片 ticket：戏~ _xì_~ theater ticket | 机~ _jī_~ flight ticket | 门~ _mén_~ entrance ticket ❷（~儿）〈名 _n._〉（张zhāng）钞票 banknote：大~ _dà_~ notes of high facevalue | 零~ _líng_~ notes of small denominations; change ❸（~儿） 〈名 _n._〉强盗称抢来做抵押的人 hostage; person held for ransom by kidnappers：绑~儿 _bǎng_~r kidnapping | 赎~儿 _shú_ ~r ransom a kidnapped person | 撕~儿 _sī_~r kill the hostage ❹〈名 _n._〉指非职业性的戏曲表演 non-professional performance（of opera, etc.）：玩~儿 _wánr_ ~ perform as an amateur | ~友儿 ~_yǒur_ amateur performer ❺〈量 _meas._ 方 _dial._〉用于买卖 for business transaction：一~货 _yí_ ~ _huò_ a shipment of goods | 一~生意 _yí_ ~ _shēngyi_ a deal | 一~买卖 _yí_ ~ _mǎimai_ a business transaction ❻（~儿） 〈动 _v._〉票友唱戏（of amateur performer）sing opera：他们一起~出戏。_Tāmen yìqǐ ~ yì chū xì._ They put on an amateur opera show together.

¹ 漂亮 piàoliang ❶〈形 _adj._〉好看；美观 nice-looking; beautiful; pretty：小女孩儿长得 很~。_Xiǎo nǚháir zhǎng de hěn ~._ The little girl is pretty. | 她打扮得~极了。_Tā dǎban de ~ jí le._ She is smartly dressed. | 这衣服太~了。_Zhè yīfu tài ~ le._ This dress is so beautiful. ❷〈形 _adj._〉出色 remarkable; brilliant：这事情办得真~。_Zhè shìqing bàn de zhēn ~._ A nice job indeed. | 这一仗打得多~呀！_Zhè yí zhàng dǎ de duō ~ ya!_ We won

P

a brilliant victory in the battle. | 你中国话说得满~嘛。*Nǐ Zhōngguóhuà shuō de mǎn ~ ma.* You speak very good Chinese.

⁴ **撇** piē ❶〈动 v.〉弃之不顾；抛弃 cast aside; abandon: 别把人家~在一边。*Bié bǎ rénjia ~ zài yì biān.* Don't leave him aside. | 你不能~下老婆孩子不管。*Nǐ bù néng ~xià lǎopo háizi bù guǎn.* You should not cast aside your wife and children. ❷〈动 v.〉从液体表面上轻轻地舀 skim; carefully scoop off the surface of liquid: ~沫ㄦ ~ mòr skim off the scum | 你把浮在上面那一层油~出来。*Nǐ bǎ fú zài shàngmian nà yì céng yóu ~ chūlái.* Skim off the grease from the surface.

⁴ **瞥** piē〈动 v.〉很快地看；略看 shoot a glance at; dart a look at: 她~了他一眼，他心里就明白了。*Tā ~le tā yì yǎn, tā xīnlǐ jiù míngbai le.* She darted a look at him and immediately he understood what it meant. | 不许~别人的卷子 You are not allowed to take looks at others' test papers. | 这次北京一~，印象还满深的。*Zhècì Běijīng yì ~, yìnxiàng hái mǎn shēn de.* I made a short tour around Beijing this time and it was highly impressive indeed.

³ **拼** pīn ❶〈动 v.〉合在一起；连合 join together: ~音 ~yīn combine sounds into syllables | ~写 ~xiě spelling | ~版 ~bǎn making up | ~盘 ~pán assorted cold dishes | 东~西凑 dōng~~xīcòu scrape together | 小孩ㄦ在~七巧板。*Xiǎoháir zài ~ qīqiǎobǎn.* The kids are trying to piece together the tangram. ❷〈动 v.〉豁出去；不顾一切地干 be ready to risk one's life; do one's utmost: ~杀 ~shā go all out | ~刺 ~cì bayonet fight | ~死~活 ~ sǐ~huó put up a life-and-death struggle | 跟他~了。*Gēn tā ~ le.* I'll fight against him with all my might.

⁴ **拼搏** pīnbó〈动 v.〉尽力搏斗；争取 struggle hard: 战场上~ zhànchǎng shang ~ fight hard on the battlefield | 在运动场上~ zài yùndòngchǎng shang ~ struggle hard on the sport ground | 敢于~ gǎnyú ~ be ready to struggle hard | 奋力~ fènlì ~ exert one's strength to the utmost | 顽强地~ wánqiáng de ~ struggle hard | 他有一股~的精神。*Tā yǒu yì gǔ ~ de jīngshén.* He has a spirit of hard struggle.

² **拼命** pīn//mìng〈动 v.〉性命豁出去；比喻尽最大的努力 risk one's life; go all out regardless of danger to one's life: 跟歹徒~ gēn dǎitú ~ fight with the villain at the risk of one's life | ~追赶 ~zhuīgǎn try hard to catch up | ~学习 ~ xuéxí spare no efforts in studying | ~工作 ~gōngzuò work with all one's might | ~攀登 ~ pāndēng climb with an indomitable will | ~抽烟 ~ chōuyān smoke desperately | ~喝酒 ~ hējiǔ drink excessively | 他没日没夜地~干。*Tā méirì-méiyè de ~ gàn.* He worked with all his might day and night. | 她决心拼上老命也要干到底。*Tā juéxīn pīnshàng lǎo mìng yě yào gàn dào dǐ.* She has made up her mind to stick to the end at any cost.

⁴ **贫** pín ❶〈形 adj.〉穷（与'富'相对）poor (opposite to '富fù'): ~苦 ~kǔ poverty-stricken | ~民 ~mín pauper | ~寒 ~hán poverty-stricken ❷〈形 adj.〉缺少；不足 deficient; scanty: ~血 ~xuè anaemia | ~油 ~yóu poor in oil | ~矿 ~kuàng lean ore; low grade ore ❸〈形 adj. 方dial.〉废话很多，絮叨可厌 garrulous; loquacious: 这人够~的。*Zhè rén gòu ~ de.* This person is really garrulous. | 你快一边ㄦ玩去吧，别在这ㄦ~了。*Nǐ kuài yìbiānr wán qù ba, bié zài zhèr ~ le.* Stop babbling here; go and have fun elsewhere.

⁴ **贫乏** pínfá ❶〈形 adj.〉穷；物质条件极度缺乏 poor; impoverished: 家境~ jiājìng ~ poor family | 物质生活~ wùzhì shēnghuó ~ poor material life ❷〈形 adj.〉单调；欠缺 lacking; deficient: 内容~ nèiróng ~ pale in content | 资源~ zīyuán ~ poor in natural resources | 思想~ sīxiǎng ~ devoid of ideas | 经验~ jīngyàn ~ inexperienced

P

³ 贫苦 pínkǔ 〈形 adj.〉贫困穷苦 poor; badly off; poverty-stricken：出身~ chūshēn be born into a poor family｜生活~ shēnghuó ~ live a poor life｜一生~ yìshēng be badly off throughout one's life｜他是~人家的孩子。Tā shì ~ rénjiā de háizi. He is a child of a poor family.

⁴ 贫困 pínkùn 〈形 adj.〉生活贫穷困难 impoverished; in straitened circumstances：老人十分~。Lǎorén shífēn ~. The old man is in extremely straitened living conditions.｜他家境很~。Tā jiājìng hěn ~. His family is in dire necessity.｜他过一辈子~的生活。Tā guò yíbèizi ~ de shēnghuó. He has lived an impoverished life.｜~的日子真难熬。~ de rìzi zhēn nán'áo. A miserable existence is so hard to endure.

⁴ 贫民 pínmín 〈名 n.〉(个 gè)生活苦的人 poor people; pauper：城市~ chéngshì ~ the urban poor｜~出身 ~ chūshēn from a poor family｜他在~窟里长大。Tā zài ~kū li zhǎngdà. He grew up in a slum.｜这是讲一个~变成国王的故事。Zhè shì jiǎng yí gè ~ biànchéng guówáng de gùshi. This is a story about how a pauper turned into a king.

³ 贫穷 pínqióng 〈形 adj.〉贫困，穷苦 poor; impoverished：他家很~。Tā jiā hěn ~. His family is very poor.｜他的家乡十分~。Tā de jiāxiāng shífēn ~. His hometown is too poor.｜他虽然~，但精神却很富有。Tā suīrán ~, dàn jīngshén què hěn fùyǒu. Though poor in material life, he possesses so much spiritual wealth.｜~并不可怕，可怕的是没有志气。~ bìng bù kěpà, kěpà de shì méiyǒu zhìqì. Poverty itself is not dreadful; the dreadful thing is lack of aspirations.

⁴ 频繁 pínfán 〈形 adj.〉(次数)多 frequent：来往~ láiwǎng ~ frequent exchange of visits｜活动~ huódòng ~ frequent activities｜战斗~ zhàndòu ~ frequent battles｜接触~ jiēchù frequent contacts｜~发生 ~ fāshēng frequent occurrences｜学生时期, 社会交往不宜过于~。Xuésheng shíqī, shèhuì jiāowǎng bùyí guòyú ~. Students should avoid having too much social life.

⁴ 频率 pínlǜ ❶〈名 n.〉(种 zhǒng)物体每秒振动的次数(单位是赫兹) frequency; (of objects) number of vibrations per second：人能听到的声音的~是20-20,000赫兹。Rén néng tīngdào de shēngyīn de ~ shì èrshí dào liǎngwàn hèzī. The frequencies of sounds discernible to the human ear range from 20 HZ to 20,000 HZ.｜~太低了, 人听不见, 而~太高了, 人照样听不见。~ tài dī le, rén tīng bú jiàn, ér ~ tài gāo le, rén zhàoyàng tīng bú jiàn. The sounds either too high or too low in frequency cannot be heard by humans. ❷〈名 n.〉(种 zhǒng)在单位时间内某种事情发生的次数 number of occurrences of sth. per unit of time：这台仪器使用的~很低。Zhè tái yíqì shǐyòng de ~ hěn dī. This machine is rarely used.｜这里是发生这类案件的高~地区。Zhèlǐ shì fāshēng zhè lèi ànjiàn de gāo ~ dìqū. This is an area where such a crime often occurs.

⁴ 品 pǐn ❶〈动 v.〉辨别、评论好坏；品评 taste sth. with discrimination; savor：~茶 ~chá sample tea｜~味 ~wèi savor the flavor｜~头论足 ~tóu-lùnzú find fault with｜这酒好坏你~得出来吗？Zhè jiǔ hǎo huài nǐ ~ de chūlái ma? Can you judge the quality of this wine by tasting it? ❷〈动 v.〉吹(管乐器, 多指箫) play (wind instrument, esp. a vertical bamboo flute)：~箫 ~xiāo blow a bamboo flute｜~竹弹丝 ~zhú tánsī blow a bamboo flute and play a stringed instrument ❸〈词尾 suff.〉跟某些名词或动词后, 构成名词, 表示按原料、性能、用途、制作方法分类的物品 used after a noun or verb, forming a noun to describe sth. classified according to the raw material, function, use, production method, etc.：奶~ nǎi~ milk products｜毒~ dú~ narcotics｜纪念~ jìniàn~ souvenir｜毛织~ máozhī~ woollen textiles ❹〈词尾 suff.〉跟某些形容词或动词后面, 构成名词, 表示按质量、规格或等级分类的物品 used after an adjective or verb, forming a

noun to describe sth. classified according to the quality, size or grade: 精~ *jīng*~ articles of fine quality | 正~ *zhèng*~ quality product | 成~ *chéng*~ finished product | 等外~ *děngwài*~ substandard product ❺〈词尾 *suff.*〉跟在某些名词后面，构成名词，表示品格、风格 used after a noun, forming a noun to describe the character and style of sb. or sth.: 人~ *rén*~ character; moral quality | 书~ *shū*~ style of a book | 棋~ *qí*~ style of playing chess ❻〈名 *n.*〉品质 character: ~德 ~*dé* moral character | ~位 ~*wèi* quality of an article; grade | ~学兼优 ~*xué-jiānyōu* excellent in both moral character and scholastic achievements ❼〈名 *n.*〉旧时中国官吏的等级 rank of an official in feudal China: 一~大员 *yī* ~ *dàyuán* an official of the first rank | 七~芝麻官 *qī* ~ *zhīmaguān* a petty official of the seventh rank

⁴ **品尝** pǐncháng〈动 *v.*〉辨别；尝试(滋味) taste; savor: ~水果 ~ *shuǐguǒ* taste fruit | ~点心 ~ *diǎnxīn* taste dim sum | 中国的菜肴请各位~~. *Zhōngguó de càiyáo qǐng gè wèi* ~ ~. Please enjoy the Chinese food.

⁴ **品德** pǐndé〈名 *n.*〉(种zhǒng)品质道德；指做人的基本道理 moral character: 思想~ *sīxiǎng* ~ ideology and morality | 优秀~ *yōuxiù* ~ excellent in moral character | 这种崇高的~永远值得我们学习. *Zhè zhǒng chónggāo de* ~ *yǒngyuǎn zhídé wǒmen xuéxí.* We should always emulate this lofty moral character. | 学校对青少年进行~教育. *Xuéxiào duì qīngshàonián jìnxíng* ~ *jiàoyù.* The school conducts moral education on the young students.

⁴ **品行** pǐnxíng〈名 *n.*〉(种zhǒng)品质行为，指有关道德的行为 moral conduct; behavior concerning sb.'s morality: 不轨~ *bùguǐ* having bad conduct | 培养良好的~ *péiyǎng liánghǎo de* ~ cultivate good conduct | 他~端正，受人尊敬. *Tā* ~ *duānzhèng, shòu rén zūnjìng.* He behaves himself well and has won respect from people. | 这是一个~优等的学生. *Zhè shì yí gè* ~ *yōuděng de xuésheng.* He is a student of excellent conduct.

³ **品质** pǐnzhì ❶〈名 *n.*〉(种zhǒng)人在思想作风、行为品质方面所表现出来的本质 character reflected in one's actions and manners: 大家要学习他舍己救人的好~. *Dàjiā yào xuéxí tā shějǐ-jiùrén de hǎo* ~. We should all emulate his meritable character of sacrificing his own life to save others. | 事情虽小，却可以看出一个人的~. *Shìqing suī xiǎo, què kěyǐ kànchū yí gè rén de* ~. Though petty in nature, this affair is a reflection of a person's moral character. ❷〈名 *n.*〉(种zhǒng)物品的质量 quality (of a product): 江西景德镇瓷器的~特别优良. *Jiāngxī Jǐngdézhèn cíqì de* ~ *tèbié yōuliáng.* Chinaware made in Jingdezhen, Jiangxi is of the best quality. | 杭州的丝绸~上等. *Hángzhōu de sīchóu* ~ *shàngděng.* Silk made in Hangzhou is of top quality. | 像这一种~差的货以后不要再进了. *Xiàng zhè yì zhǒng* ~ *chà de huò yǐhòu bú yào zài jìn le.* Commodities of such poor quality should never again be purchased.

² **品种** pǐnzhǒng ❶〈名 *n.*〉(个gè)物品的种类 variety; assortment: 花色~ *huāsè* ~ variety of colors and designs | 服装的~ *fúzhuāng de* ~ variety of clothes | 水果的~ *shuǐguǒ de* ~ variety of fruits | ~单一 ~ *dānyī* lack of variety ❷〈名 *n.*〉(个gè)经过人工选择和培育有共同遗传特点的生物体 breed; strain; group of organisms that are artificially selected and cultivated with common inherited characteristics: 这是农科所培育的新~. *Zhè shì Nóngkēsuǒ péiyù de xīn* ~. This is a new breed cultivated by the Institute of Agricultural Science. | 这是优良~的奶牛. *Zhè shì yōuliáng* ~ *de nǎiniú.* This is a cow of an improved breed. | 他培育成功了三个不同~的水稻. *Tā péiyù chénggōngle sān gè bùtóng* ~ *de shuǐdào.* He has successfully cultivated three different strains of rice.

P

⁴ **聘** pìn ❶〈动 v.〉请人担任某职 engage：~用 ~yòng employ｜~任 ~rèn appoint sb. to a position｜招~ zhāo~ employ｜解~ jiě~ fire sb.; dismiss an employee｜返~ fǎn~ be employed after retirement ❷〈动 v.〉以礼物定亲 betroth：~金 ~jīn betrothal money; bride price｜~礼 ~lǐ betrothal gifts｜下~ xià~ present betrothal gifts（to the bride's family）❸〈动 v. 口 colloq.〉女子出嫁（of women）get married：出~ chū~（of a woman）get married｜~闺女 ~ guīnǚ marry one's daughter off

⁴ **聘请** pìnqǐng〈动 v.〉请人担任职务 engage; invite：~律师 ~ lùshī hire a barrister｜~顾问 ~ gùwèn hire an advisor｜他被正式~为大学教授。Tā bèi zhèngshì ~ wéi dàxué jiàoshòu. He has been formally engaged as a university professor.

⁴ **聘任** pìnrèn〈动 v.〉聘请担任（职务）engage sb. as; appoint sb. to a position：~制 ~zhì appointment system｜~厂长 ~ chǎngzhǎng appoint sb. to a factory director｜~工程师 ~ gōngchéngshī engage sb. as an engineer｜办理~手续bànlǐ ~ shǒuxù go through formalities of employment

⁴ **聘用** pìnyòng〈动 v.〉聘请任用；聘任 employ; engage：~技术工人 ~ jìshù gōngrén engage technical workers｜~专业人才 ~ zhuānyè réncái employ professionals｜公开招收 gōngkāi zhāoshōu – invite applications for a job｜应当大胆地选拔~年轻干部。Yīngdāng dàdǎn de xuǎnbá ~ niánqīng gànbù. We should take a bold step to select and engage young cadres.

² **乒乓球** pīngpāngqiú ❶〈名 n.〉（场chǎng）球类运动项目之一 ping-pong; table tennis：~爱好者 ~ àihàozhě ping-pong fans｜打一场 ~ dǎ yì chǎng – play a table-tennis game｜他是~世界冠军。Tā shì ~ shìjiè guànjūn. He is a table-tennis world champion. ❷〈名 n.〉（只zhī、个gè）乒乓球运动使用的球 table-tennis ball：正式比赛用橘黄色~。Zhèngshì bǐsài yòng júhuángsè ~. Balls of orange color are used in formal table-tennis games.

² **平** píng ❶〈形 adj.〉表面平坦；不倾斜 even; smooth; not inclined：这张桌子放得不~。Zhè zhāng zhuōzi fàng de bù ~. This table is not laid even.｜用水泥把地面抹~。Yòng shuǐní bǎ dìmiàn mǒ~. Smooth the ground with cement.｜这条马路十分直。Zhè tiáo mǎlù shífēn ~zhí. The road is flat and straight. ❷〈形 adj.〉跟别的东西高度相等；不相上下 on the same level; equal：把这张桌子垫得跟窗台一样~。Bǎ zhè zhāng zhuōzi diàn de gēn chuāngtái yíyàng ~. Pad the table higher and make it on the same level with the windowsill.｜双方踢成一局。Shuāngfāng tī chéng ~jú. The two teams drew. ❸〈形 adj.〉公平；均等 fair; impartial：把这西瓜~分两半。Bǎ zhè xīguā ~ fēn liǎng bàn. Divide the watermelon into two equal halves.｜菜价仍然持~。Cài jià réngrán chí~. The prices of vegetables remain unchanged. ❹〈形 adj.〉安宁；平静 calm; peaceful：~稳 ~ wěn stable｜心~气和 xīn~-qìhé be even-tempered and good-humored｜风~浪静 fēng~ -làngjìng calm and tranquil ❺〈形 adj.〉普通的；寻常的 ordinary; common：成绩~~ chéngjì ~ ~ average scores｜~时 ~shí at ordinary times; usually｜~常 ~cháng ordinary; common ❻〈动 v.〉平整 level up：把这条沟给~了。Bǎ zhè tiáo gōu gěi ~ le. Level up the ditch.｜~了这块地种草。~le zhè kuài dì zhòng cǎo. We'll level up this piece of land to grow grass. ❼〈动 v.〉平定；武力镇压 quell; suppress by armed force：~叛 ~pàn put down a rebellion｜~乱 ~luàn put an end to the chaos ❽〈动 v.〉抑止（怒气）restrain (one's anger)：我好说歹说终于把老大爷的气~下去了。Wǒ hǎo shuō dǎi shuō zhōngyú bǎ lǎodàye de qì ~ xiàqù le. The old grandpa finally restrained his anger, but only after I had pleaded with him in every possible way. ❾〈动 v.〉使平缓 assuage：~民愤 ~ mínfèn redress the grievances of the people ❿〈名 n.〉平声 level tone：

~仄 ~zè level and oblique tones | 阴～ ~yīn~ the high and level tone | 阳～ ~yáng~ the rising tone ⓫ (Píng)〈名 n.〉北京旧称北平的简称 short for Beiping, the old name of Beijing: ~剧 ~jù Beiping Opera

² 平安 píng'ān〈形 adj.〉安宁；平稳安全 safe and sound: ~到达 ~dàodá arrive safe and sound | 平平安安过个年 píngpíng-ān'ān guò gè nián celebrate the New Year without accident | 祝你~. Zhù nǐ ~. Wish you safe and sound. | 一路～. Yí lù ~. Have a safe journey! | 一家人都～. Yì jiā rén dōu ~. The whole family is safe and sound.

² 平常 píngcháng ❶〈名 n.〉平日；平时 ordinary times: 他~很少请假. Tā ~ hěn shǎo qǐngjià. He seldom asks for leave. | 她~总是爱说爱笑. Tā ~ zǒngshì ài shuō ài xiào. Normally she loves talking and joking. | 这时候他该起床了. ~ zhè shíhou tā gāi qǐchuáng le. At ordinary times he should have got up by now. ❷〈形 adj.〉普通；正常 ordinary; not special: 话虽~，意义却深刻. Huà suī ~, yìyì què shēnkè. Though these were plain words, they were of great significance. | 这事很~, 有什么值得大惊小怪的？Zhè shì hěn ~, yǒu shénme zhídé dàjīng-xiǎoguài de? This is only a common thing. Why make such a fuss about it? ❸〈形 adj.〉不佳；不特别 average; mediocre: 这书写得太～了, 不值得看. Zhè shū xiě de tài ~, bù zhídé kàn. This is only a mediocre book and is not worth reading.

² 平等 píngděng ❶〈形 adj.〉泛指地位相等 equal: ~待人 ~ dàirén treat people equally | ~互利 ~ hùlì equality and mutual benefit | 男女～ nánnǚ ~ equality between both sexes | 不～条约 bù ~ tiáoyuē unequal treaty | 法律面前, 人人～. Fǎlǜ miànqián, rénrén ~. All are equal before the law. ❷〈名 n.〉指人们在社会、政治、经济、法律等方面享有相等待遇 (of people) equality in social status, politics, economy, and law, etc.: 为争取～而斗争. Wèi zhēngqǔ ~ ér dòuzhēng. Struggle for equality.

³ 平凡 píngfán〈形 adj.〉平常；无奇 ordinary; not rare: ~的人 ~ de rén common people | ~的生活 ~ de shēnghuó ordinary life | ~的经历 ~ de jīnglì ordinary experiences | 他在~的岗位上做出了不~的业绩. Tā zài ~ de gǎngwèi shang zuòchūle bù ~ de yèjì. He made an extraordinary achievement in his ordinary post.

² 平方 píngfāng ❶〈名 n.〉指一个数的自乘 square: 3的~是9. Sān de ~ shì jiǔ. The square of 3 is 9. | 25是5的~. Èrshíwǔ shì wǔ de ~. 25 is the square of 5. ❷〈量 meas.〉用于面积(一般指平方米) for area (usually meaning square meter): 他家的房子有90~(米). Tā jiā de fángzi yǒu jiǔshí ~ (mǐ). His apartment has an area of 90 square meters. | 我们那个区大约有300~公里. Wǒmen nàge qū dàyuē yǒu sānbǎi ~ gōnglǐ. The district we are in has an area of about 300 square kilometers.

³ 平衡 pínghéng ❶〈形 adj.〉对立的各方面在数量或质量上相等或相抵 balanced: 收支~ shōuzhī ~ balance between income and expenditure | 产销~ chǎnxiāo ~ balance between production and sales | 基本上～ jīběnshàng ~ basically balanced | 他的心里很不～. Tā de xīnli hěn bù ~. His equilibrium has been badly upset. ❷〈动 v.〉使相等或相抵 balance; offset: ~双方的力量对比 ~ shuāngfāng de lìliàng duìbǐ balance the strength of the two sides | ~城市的规划布局 ~ chéngshì de guīhuà bùjú keep a balanced lay-out of the city ❸〈名 n.〉哲学概念, 指矛盾暂时的、相对的统一 (in philosophy, meaning a temporary and relative unity of contradictions) balance; equilibrium: ~是相对的、暂时的。~ shì xiāngduì de, zànshí de. Equilibrium is relative and temporary.

² 平静 píngjìng〈形 adj.〉安静(心情、环境) (of mood, environment, etc.) quiet; calm: 内心~ nèixīn ~ a peaceful mind | 他的情绪~了下来. Tā de qíngxù ~le xiàlái. He has calmed down. | 他的心久久不能~. Tā de xīn jiǔjiǔ bù néng ~. It was a long time before

P

he calmed down. | 生活过得很~。 *Shēnghuó guò de hěn ~.* I am living a tranquil life. | 他只求过平平静静的日子。 *Tā zhǐ qiú guò píngpíng-jìngjìng de rìzi.* What he longs for is a peaceful and tranquil life.

² **平均** píngjūn ❶〈动 v.〉把总数按份儿均匀计算 average：山里人~寿命83岁。 *Shānlǐrén ~ shòumìng bāshísān suì.* The average life-span of the people in mountainous areas is 83 years. | 那里年气温~20度。 *Nàli nián qìwēn ~ èrshí dù.* The annual average temperature of that place is 20 degrees. ❷〈形 adj.〉没有轻重或多少的区别 equal; same in weight or amount：财产~ *cáichǎn ~* equal sharing of property | 力量~ *lìliàng ~* equal distribution of strength | 不可能做到绝对~，基本~就可以了。 *Bù kěnéng zuòdào juéduì ~, jīběn ~ jiù kěyǐ le.* It is impossible to achieve absolute equality, so it is good enough to be basically equal.

⁴ **平面** píngmiàn 〈名 n.〉(个 gè)没有高低曲折的面 plane：正方体的表面有六个相等的~。 *Zhèngfāngtǐ de biǎomiàn yǒu liù gè xiāngděng de ~.* The surface of a cube has six planes of equal size. | 这是一张~图。 *Zhè shì yì zhāng ~ tú.* This is a plane figure. | 太阳从海~升起。 *Tàiyáng cóng hǎi ~ shēngqǐ.* The sun rises from the sea surface.

⁴ **平民** píngmín 〈名 n.〉(个 gè)泛指普通的人 common people; the populace：我是一个~。 *Wǒ shì yí gè ~.* I am an ordinary person. | 我们是~百姓。 *Wǒmen shì ~ bǎixìng.* We are common people. | 城市~的文化生活丰富多彩。 *Chéngshì ~ de wénhuà shēnghuó fēngfù-duōcǎi.* The cultural life of the urban populace is colorful. | 政府对这里的~十分照顾，为~办了许多实事。 *Zhèngfǔ duì zhèli de ~ shífēn zhàogù, wèi ~ bànle xǔduō shíshì.* The government has given much care to the local populace and has done a lot of practical work for them.

⁴ **平日** píngrì 〈名 n.〉一般的日子(区别于特定的日子) ordinary days (as compared with special days)：除了过年过节，~他很少休息。 *Chúle guònián guòjié, ~ tā hěnshǎo xiūxi.* Except on holidays, he seldom has days off. | 他~总住在学校。 *Tā ~ zǒng zhù zài xuéxiào.* On ordinary days he usually lives at school. | 今天与~不同，她打扮得漂漂亮亮的回娘家了。 *Jīntiān yǔ ~ bùtóng, tā dǎbàn de piàopiào-liàngliàng de huí niángjia le.* Today is different from ordinary days. She dressed herself up and went to visit her own parents.

² **平时** píngshí ❶〈名 n.〉一般的、通常的时候(区别于特定的或特指的时候) ordinary times (as compared with special times)：~他除了上学，还帮家里干点儿杂活儿。 *~ tā chúle shàngxué, hái bāng jiālǐ gàn diǎnr záhuór.* Normally, apart from attending school, he spent some time helping with the household chores. | 考得好，是他~用功的结果。 *Kǎo de hǎo, shì tā ~ yònggōng de jiéguǒ.* The good scores he achieved in the exams result from his hard work at ordinary times. | ~他很少看电视。 *~ tā hěn shǎo kàn diànshì.* Normally he seldom watches TV. ❷〈名 n.〉指平常时期(区别于非常时期，如战时、戒严时) peacetime (as compared with special periods of time, such as wartime, periods under martial law, etc.)：~多流汗，战时少流血。 *~ duō liúhàn, zhànshí shǎo liúxuè.* Sweating more in peacetime will result in less blood-shed in wartime. | ~常备不懈，战时方才不乱。 *~ chángbèi búxiè, zhànshí fāngcùn bú luàn.* Only if we are on the alert in peacetime can we avoid confusion and turmoil in wartime.

⁴ **平坦** píngtǎn ❶〈形 adj.〉没有高低凹凸的地方 (of land) even; smooth：地势~ *dìshì ~* smooth terrain | 广阔~的原野 *guǎngkuò ~ de yuányě* vast and smooth open country | 这片草地十分~。 *Zhè piàn cǎodì shífēn ~.* This is a smooth stretch of grassland. ❷〈形 adj.〉比喻没有波折 (fig. without twists and turns) even; smooth：他的一生很~。 *Tā de*

yìshēng hěn ~. He has led a smooth life. | 攀登科学高峰，没有~的道路可走。*Pāndēng kēxué gāofēng, méiyǒu ~ de dàolù kě zǒu.* There is no smooth path to take when scaling the heights of science.

P

⁴ **平稳** píngwěn ❶〈形 *adj.*〉平安稳定，没有波动或危险 stable; steady; without fluctuation or danger: 局势~。*júshì ~* stable situation | 病情~。*Bìngqíng ~.* The patient's condition is stable. | 市场~。*Shìchǎng ~.* The market is stable. ❷〈形 *adj.*〉(物体)稳定，不摇晃 (of objects) stable; not swaying or rocking: 飞机~着陆。*Fēijī ~ zhuólù.* The plane had a smooth landing. | 把电视机放~了。*Bǎ diànshìjī fàng ~ le.* Steady the TV set.

³ **平行** píngxíng ❶〈形 *adj.*〉等级相同，没有隶属关系 of the same level; on an equal footing; without one being subordinate to the other: ~机关 ~ *jīguān* government departments of equal rank | ~院校 ~ *yuàn xiào* colleges and universities at the same level | 我和他的职务~。*Wǒ hé tā de zhíwù ~.* My position is parallel to his. ❷〈形 *adj.*〉同时进行的 simultaneous; parallel: ~作业 ~ *zuòyè* simultaneous operations | ~前进 ~ *qiánjìn* parallel march | 队形保持~。*Duìxíng bǎochí ~.* The formations are kept in parallel. ❸〈形 *adj.*〉面与面、面与线以及同一平面内线与线之间始终没有相交，叫做平行 parallel: 这两条线是~线。*Zhè liǎng tiáo xiàn shì ~ xiàn.* These are two parallel lines. | 这个几何图是~四边形。*Zhège jǐhétú shì ~ sìbiānxíng.* This geometric figure is a parallelogram.

² **平原** píngyuán 〈名 *n.*〉(片 piàn、块 kuài) 起伏较小、海拔较低的广大平地 plain: 一片大~ *yí piàn dà* ~ a vast expanse of plain | 辽阔的~ *liáokuò de* ~ a vast plain | 肥沃的~ *féiwò de* ~ a fertile plain | 河下游的这块~住着几百户人家。*Hé xiàyóu de zhè kuài ~ zhùzhe jǐbǎi hù rénjiā.* Several hundreds of households live on the stretch of plain in the lower reaches of the river. | 华北~一望无际。*Huáběi ~ yíwàngwújì.* The North China Plain stretches as far as the eye can see.

⁴ **平整** píngzhěng ❶〈形 *adj.*〉平正整齐; (土地)平坦整齐 smooth; level: 这里马路修得又宽又~。*Zhèli mǎlù xiū de yòu kuān yòu ~.* The roads here are broad and smooth. | ~的农田，一片片像绿色的地毯。~ *de nóngtián, yí piànpiàn xiàng lǜsè de dìtǎn.* The smooth farmland stretches like patches of green carpets. | 战士的棉被叠得平平整整的。*Zhànshì de miánbèi dié de píngpíng-zhěngzhěng de.* The soldiers' quilts are folded smooth and even. ❷〈动 *v.*〉填挖土方使土地平坦整齐 level up: ~土地 ~ *tǔdì* level up the land | ~操场 ~ *cāochǎng* level off the playground | ~路面 ~ *lùmiàn* level the road up.

³ **评** píng ❶〈动 *v.*〉议论; 分析得失、长短、优劣 comment; review (gains and losses, strengths and weaknesses, advantages and disadvantages): ~议 ~*yì* appraise sth. through discussion | ~理 ~*lǐ* judge between right and wrong | 讲~ *jiǎng*~ make comments | ~书 ~*shū* book review | ~头品足 ~*tóu-pǐnzú* find fault with ❷〈动 *v.*〉评判; 分出好坏或等级 judge; appraise: ~奖 ~*jiǎng* grant awards through comparison and appraisal | ~功摆好 ~*gōng-bǎihǎo* appraise sb.'s merits and evaluate his/her achievements | ~分 ~*fēn* give a mark; score | 他被~为劳动模范。*Tā bèi ~ wéi láodòng mófàn.* He has been elected a model worker.

⁴ **评比** píngbǐ 〈动 *v.*〉通过比较，评出高低等级 compare and assess: ~质量 ~ *zhìliàng* compare and appraise the quality | ~先进 ~ *xiānjìn* choose and award advanced individuals | ~卫生 ~ *wèishēng* compare and appraise the sanitary conditions | 专家~ *zhuānjiā*~ expert appraisal | 组织进行~ *zǔzhī jìnxíng*~ organize appraisal | ~出标兵 ~ *chū biāobīng* select and award pacesetters

P

⁴ **评定** píngdìng 〈动 v.〉经过评判或审核来决定 pass judgement through appraisal or examination; assess：~分数 ~ fēnshù assess the grades ｜~级别 ~ jíbié determine the ranks ｜~职称 ~ zhíchēng determine professional titles ｜~工作业绩 ~ gōngzuò yèjì evaluate the achievements in one's work

⁴ **评估** pínggū 〈动 v.〉评议估测 assess; evaluate：~质量 ~ zhìliàng evaluate the quality ｜~等级 ~ děngjí assess the grades ｜他们对企业的资产进行了一次全面的~。Tāmen duì qǐyè de zīchǎn jìnxíngle yí cì quánmiàn de ~. They have conducted comprehensive assessment of the enterprise's assets. ｜学校组织专家组对教学进行~工作，他们写出了~报告。Xuéxiào zǔzhī zhuānjiāzǔ duì jiàoxué jìnxíng ~ gōngzuò, tāmen xiěchūle ~ bàogào. After the school authorities organized a panel of experts to evaluate the teaching, the experts produced an evaluation report.

³ **评价** píngjià ❶〈动 v.〉分析评定(人或事)价值高低 evaluate; appraise：~作品 ~ zuòpǐn appraise a work of art ｜对一个人要全面、正确地~。Duì yí gè rén yào quánmiàn, zhèngquè de ~. A person should be appraised in a comprehensive and proper manner. ❷〈名 n.〉(个 gè) 分析评定价值的结果 assessed value：老师对他的~很高。Lǎoshī duì tā de ~ hěn gāo. The teacher spoke highly of him. ｜读者对这本书给予很高的~。Dúzhě duì zhè běn shū jǐyǔ hěn gāo de ~. The readers set a high value on this book.

³ **评论** pínglùn ❶〈动 v.〉比较、分析、议论 comment on; discuss：~员 ~ yuán commentator ｜~作品 ~ zuòpǐn comment on a work of art ｜~历史事件 ~ lìshǐ shìjiàn comment on a historical event ｜电视台邀请观众对这台节目进行~。Diànshìtái yāoqǐng guānzhòng duì zhè tái jiémù jìnxíng ~. The TV Station invited the viewers to comment on this program. ❷〈名 n.〉(种 zhǒng、个 gè、篇 piān) 比较、分析、议论的结果(口头的或书面的)(oral or written) evaluation：他的这个~很中肯。Tā de zhège ~ hěn zhòngkěn. His comment is right to the point. ｜他以写~见长。Tā yǐ xiě ~ jiàncháng. He is good at writing commentary.

⁴ **评审** píngshěn 〈动 v.〉评议、审查并作出判断 examine and appraise：~委员会 ~ wěiyuánhuì appraisal committee ｜他每年要~好多书稿。Tā měi nián yào ~ hǎoduō shūgǎo. Every year he has many manuscripts to examine. ｜我最近~了十几份申报材料。Wǒ zuìjìn ~le shíjǐ fèn shēnbào cáiliào. Recently I have examined and appraised a dozen applications. ｜他对~工作十分认真负责。Tā duì ~ gōngzuò shífēn rènzhēn fùzé. He is very conscientious in the appraisal work.

⁴ **评选** píngxuǎn 〈动 v.〉评比推选 choose through public appraisal：~先进班组 ~ xiānjìn bānzǔ choose advanced work groups ｜~劳动模范 ~ láodòng mófàn choose model workers ｜~品学兼优的学生 ~ pǐnxué-jiānyōu de xuésheng choose students excellent in both moral character and scholastic achievement ｜~优秀作品 ~ yōuxiù zuòpǐn choose (artistic or literary) works of excellence ｜年终进行~工作。Niánzhōng jìnxíng ~ gōngzuò. Appraisal work is conducted at the end of the year.

¹ **苹果** píngguǒ ❶〈名 n.〉(株 zhū、棵 kē) 一种落叶乔木，果实是普通水果 apple tree：这一片种的是~。Zhè yí piàn zhòng de shì ~. Apple trees are grown on this piece of land. ｜这三亩地都是~。Zhè sān mǔ dì dōu shì ~. All the three mu of land is used for growing apples. ｜这棵~长虫了。Zhè kē ~ zhǎng chóng le. Insects are found on this apple tree. ❷〈名 n.〉(只 zhī、个 gè) 苹果树的果实 apple：这~又红又大。Zhè ~ yòu hóng yòu dà. This apple is big and red. ｜今年的~大丰收。Jīnnián de ~ dà fēngshōu. This year has seen a bumper harvest of apples.

³ **凭** píng ❶〈动 v.〉依靠；依赖 rely on; depend on：~借 ~ jiè rely on ｜一切都听~你的

安排。*Yíqiè dōu tīng~ nǐ de ānpái.* All is done according to your arrangement. | 工程提前完成，全~大家的努力。*Gōngchéng tíqián wánchéng, quán ~ dàjiā de nǔlì.* By virtue of everybody's efforts, the project was completed ahead of schedule. ❷ 〈介 *prep.*〉根据、依靠、借着…而 by virtue of; thanks to: 你~什么打人？*Nǐ ~ shénme dǎ rén?* What on earth prompted you to beat people？ | 光~老师在课上讲的是不够的。*Guāng ~ lǎoshī zài kè shang jiǎng de shì bú gòu de.* It is far from enough to rely only on the teacher's lectures. | 他~着多年的经验攻下这道难关。*Tā ~zhe duō nián de jīngyàn gōngxià zhè dào nánguān.* Thanks to his experience accumulated throughout the years, he managed to overcome this obstacle. ❸ 〈名 *n.*〉可以作为依据的东西；证据 certification; evidence：~证 ~*zhèng* proof; evidence | 真~实据 *zhēn ~shíjù* hard evidence | 不足为~ *bùzúwéi~* cannot be taken as evidence ❹ 〈连 *conj.*〉无论 no matter：~你说得天花乱坠，我也不信。*~ nǐ shuō de tiānhuā-luànzhuì, wǒ yě bú xìn.* No matter how extravagantly you describe it, I will never believe it anyway.

⁴ **屏障** píngzhàng ❶ 〈名 *n.*〉(道道、座座)像屏风一样能遮挡的东西 barrier; shield：中国江南的一道天然~就是长江。*Zhōngguó Jiāngnán de yí dào tiānrán ~ jiùshì Chángjiāng.* The Yangtze River serves as a natural shield for south China. | 长城在古代是保护中国中原地区的一道~。*Chángchéng zài gǔdài shì bǎohù Zhōngguó zhōngyuán dìqū de yí dào ~.* In ancient times, the Great Wall provided a protective screen for central China. | 战士们冲破了敌人设置的一道道~。*Zhànshìmen chōngpòle dírén shèzhì de yí dàodào ~.* The soldiers broke through one barrier after another set by the enemy. ❷ 〈动 *v.* 书 *lit.*〉遮挡着 shelter; provide a protective screen for：~中原 *~ zhōngyuán* provide a protective shield for central China | ~京城 *~ jīngchéng* provide a defense for the capital city

¹ **瓶** píng ❶ (~儿) 〈名 *n.*〉瓶子 bottle; vase：花~儿 *huā~r* flower vase | 酒~儿 *jiǔ~r* wine bottle | ~~罐罐 *~~guànguàn* bottles and jars ❷ 〈量 *meas.*〉计算用瓶子来装的东西 for sth. contained in a bottle：一~醋 *yì ~ cù* a bottle of vinegar | 两~啤酒 *liǎng ~ píjiǔ* two bottles of beer

² **瓶子** píngzi 〈名 *n.*〉(个个)容器，一般口较小，颈细肚大 bottle; jar; container typically having a comparatively small mouth, a narrow neck and a full body：酱油~ *jiàngyóu ~* sauce cruet | 玻璃~ *bōli ~* glass bottle | 塑料~ *sùliào ~* plastic bottle | 这酒~是瓷的。*Zhè jiǔ ~ shì cí de.* This wine bottle is made of porcelain. | 不小心，打碎了一个油~。*Bù xiǎoxīn, dǎsuìle yí gè yóu ~.* I was so careless that I broke an oil bottle.

⁴ **萍水相逢** píngshuǐ-xiāngféng 〈成 *idm.*〉比喻素不相识的人偶然相遇 fig. (of strangers) meet by chance：我和他在北京~，后来却成了好朋友。*Wǒ hé tā zài Běijīng ~, hòulái què chéngle hǎo péngyou.* I met him by chance in Beijing and then we became good friends. | 我和她只是~，那以后就没有来往了。*Wǒ hé tā zhǐshì ~, nà yǐhòu jiù méiyǒu láiwǎng le.* It was only a chance encounter between her and me and we have lost contact ever since.

² **坡** pō ❶ (~儿) 〈名 *n.*〉(个个、道道)地势倾斜的地方 slope：这个~很陡。*Zhège ~ hěn dǒu.* This is a steep slope. | 这里有一道山~。*Zhèlǐ yǒu yí dào shān ~.* There is a hilly slope here. | 我家住在黄土高~。*Wǒ jiā zhù zài huángtǔ gāo~.* My home is on the high Loess Plateau. ❷ 〈形 *adj.*〉倾斜 slanting; sloping：~度 *~dù* degree of slant | 梯子要~着放。*Tīzi yào ~zhe fàng.* The ladder should be put on a slant.

³ **泼** pō ❶ 〈动 *v.*〉用力把液体向外倒或向外洒，使散开 splash; sprinkle; forcibly pour or scatter liquid：~水节很热闹。*~shuǐjié hěn rènao.* The Water-Splashing Festival is

always bustling with activity. | 扫地前先~点儿水。Sǎo dì qián xiān ~ diǎnr shuǐ. Sprinkle some water on the floor before sweeping it. | 脏水别~在院子里。Zāng shuǐ bié ~ zài yuànzi li. Don't splash the dirty water in the courtyard. | 大家热情高,千万别~冷水。Dàjiā rèqíng gāo, qiānwàn bié ~ lěngshuǐ. We are all very enthusiastic. Don't do anything to dampen our enthusiasm. ❷〈形 adj.〉态度粗暴不讲理 rude and unreasonable: ~妇骂街 ~fù màjiē like a shrew shouting abuse in the street | 这家伙在大街上又撒~,又打滚儿,一副无赖相。Zhè jiāhuo zài dàjiē shang yòu sā~, yòu dǎ gǔnr, yí fù wúlài xiàng. That guy made a scene on the street by rolling about the ground just like a rascal. ❸〈形 adj. 方 dial.〉活跃、有生气、胆子大 bold and vigorous; daring and resolute: 这女孩儿很~辣, 像个假小子。Zhè nǚháir hěn ~là, xiàng gè jiǎxiǎozi. Bold and resolute, this girl behaves just like a tomboy. | 他们干得真~。Tāmen gàn de zhēn ~. They are working so vigorously.

⁴ 颇 pō ❶〈副 adv. 书 lit.〉很;相当地 quite; rather; considerably: ~有道理 ~ yǒu dàolǐ quite reasonable | ~费心思 ~ fèi xīnsi rather brain-racking | 感触~深 gǎnchù ~ shēn be deeply moved ❷〈形 adj. 书 lit.〉偏;不正 inclined to one side; oblique: 此种观点,未免偏~。Cǐ zhǒng guāndiǎn, wèimiǎn piān~. This view is a little biased. | 此人循规蹈矩而不偏~。Cǐ rén xúnguī-dǎojǔ ér bù piān~. He always conforms to convention and never strays off the line.

⁴ 婆婆 pópo ❶〈名 n.〉(位 wèi)丈夫的母亲 husband's mother; mother-in-law: 这位是我的~。Zhè wèi shì wǒ de ~. She is my mother-in-law. | 她的~对她像对女儿一样亲。Tā de ~ duì tā xiàng duì nǚ'ér yíyàng qīn. Her mother-in-law treats her dearly like her own daughter. ❷〈名 n. 方 dial.〉(位 wèi)祖母;外祖母 grandmother: ~和她的外孙相依为命。~ hé tā de wàisūn xiāngyīwéimìng. Grandmother and her grandson depended on each other for survival. ❸〈名 n.〉比喻领导部门或领导者 fig. leaders or superior authorities: 现在~太多,事情很难办。Xiànzài ~ tài duō, shìqing hěn nánbàn. It's hard to get things done since there are too many higher-ups. | 这么多~, 这报告哪年哪月才能批下来? Zhème duō ~, zhè bàogào nǎ nián nǎ yuè cái néng pī xiàlái? How long will it take to get approval for the report from so many leaders?

³ 迫害 pòhài 〈动 v.〉压迫并加害 persecute: ~革命者 ~ gémìngzhě persecute revolutionaries | 遭受~ zāoshòu~ suffer persecution | 残酷地~ cánkù de ~ cruelly persecute sb. | ~致残 ~zhìcán hound sb. to disability | ~身亡 ~shēnwáng die from persecution | 他受到长达八年的政治~。Tā shòudào chángdá bā nián de zhèngzhì ~. He suffered political persecution for as long as eight years.

² 迫切 pòqiè 〈形 adj.〉需要到难以等待的程度;十分急切 pressing; urgent; needing immediate attention or action: ~要求 ~yàoqiú urgent demand | ~盼望 ~ pànwàng eager desire | ~的心情 ~de xīnqíng eagerness | ~地期待 ~de qīdài eagerly anticipate | 这孩子上学的愿望十分~。Zhè háizi shàngxué de yuànwàng shífēn ~. This child is eager to go to school. | 他~需要帮助。Tā ~ xūyào bāngzhù. He badly needs help.

⁴ 迫使 pòshǐ〈动 v.〉用强力或压力使(做某事) force sb. (to do sth.); coerce: ~敌人投降 ~ dírén tóuxiáng force the enemy to surrender | ~对方让步 ~duìfāng ràngbù force one's opponent to make concessions | 情况的变化~我们不得不改变计划。Qíngkuàng de biànhuà ~ wǒmen bùdébù gǎibiàn jìhuà. We had to revise our plan due to changes in the situation. | 一定要~他们接受我们的条件。Yídìng yào ~ tāmen jiēshòu wǒmen de tiáojiàn. We must press them into accepting our conditions.

¹ 破 pò ❶〈形 adj.〉不完好的;受过损伤的;破烂的 broken; torn; damaged: ~损 ~sǔn

damaged; breakage │ 书皮儿都使~了。*Shūpír dōu shǐ~ le.* The book cover is torn from use. │ 他穿的是~衣烂衫。*Tā chuān de shì ~yī-lànshān.* He is in rags. ❷〈形 *adj.*〉不好的, 令人嫌弃的 lousy; shabby: 这~玩艺儿谁要? *Zhè ~ wányìr shéi yào?* Who wants this lousy stuff! │ 谁爱看那~节目! *Shéi ài kàn nà ~ jiémù!* Who wants to see that poor show! ❸〈动 *v.*〉突破; 破除(规定、习惯、思想、制度等) break; eradicate; do away with (rules and regulations, habits, ideas, customs, etc.): 他~了全国纪录。*Tā ~le quánguó jìlù.* He broke the national record. │ 你别~人家的规矩。*Nǐ bié ~ rénjia de guīju.* You should not break their rules. │ 他被~格提拔为局长。*Tā bèi ~gé tíbá wéi júzhǎng.* As an exception to the rule, he has been promoted to a bureau director. ❹〈动 *v.*〉打败; 攻下 defeat; capture: 大~敌军。*Dà ~ díjūn.* We inflicted a crushing defeat on the enemy. │ 我军击~了敌人的三道防线。*Wǒ jūn jī~le dírén de sān dào fángxiàn.* Our troops broke three defence lines of the enemy. ❺〈动 *v.*〉使损坏; 使分裂; 劈开 cleave; split: 势如~竹 *shìrú~zhú* like splitting a bamboo; with a crushing force │ 牢不可~ *láobùkě~* unbreakable │ 乘风~浪 *chéngfēng~~làng* brave the wind and the waves ❻〈动 *v.*〉整的换成零的(限于和'开''成'构成动补式) change (money) (used with '开 kāi' or '成 chéng'): 把这张100元的~成两张50的。*Bǎ zhè zhāng yìbǎi yuán de ~chéng liǎng zhāng wǔshí de.* Change the 100-*yuan* note into two 50-*yuan* bills. │ 这大票儿~得开~不开? *Zhè dàpiàor ~ de kāi ~ bù kāi?* Can you change this bill of large denomination? ❼〈动 *v.*〉使真相显露 expose the truth of sth.: ~案 *~àn* solve a case; crack a criminal case │ 一语道~ *yìyǔdào~* get to the heart of the matter in a few words │ ~个谜儿 *~ gè mír* solve a riddle ❽〈动 *v.*〉花费(带名词宾语) spend (time or money): ~财 *~cái* suffer unexpected personal financial losses │ 让您~费了, 真不好意思。*Ràng nín ~fèi le, zhēn bù hǎoyìsi.* Sorry about having you go to some expense. ❾〈动 *v.* 口 *colloq.*〉豁出去; 不顾惜(带'着'和'性命''脸皮'等名词宾语, 用作连动词的前一部分) do sth. at the expense of (followed by '着 zhe' with '性命 xìngmìng', '脸皮 liǎnpí', etc): 多亏你~着性命把孩子救上来。*Duōkuī nǐ ~zhe xìngmìng bǎ háizi jiù shànglái.* Thank you for saving the child at the risk of your own life. │ 我可不想~着脸皮去求她。*Wǒ kě bù xiǎng ~zhe liǎnpí qù qiú tā.* I will never go and beg her at the expense of my own dignity.

³ 破产 pò//chǎn ❶〈动 *v.*〉丧失全部财产 go bankrupt: 这场金融危机, 使得许多企业纷纷~。*Zhè chǎng jīnróng wēijī, shǐde xǔduō qǐyè fēnfēn ~.* The financial crisis caused many enterprises to go bankrupt. │ 这场大火使那么多人破了产。*Zhè chǎng dà huǒ shǐ nàme duō rén pòle chǎn.* The big fire made so many people bankrupt. ❷〈动 *v.*〉比喻彻底失败 *fig.* fall through; come to naught: 他的阴谋彻底~了。*Tā de yīnmóu chèdǐ ~ le.* His plot has completely fallen through. │ 这个计划完全~了。*Zhège jìhuà wánquán ~ le.* The plan has fallen through. ❸〈名 *n.*〉债务人不能偿还债务时, 法院依法裁定, 把债务人的财产变卖还债, 其不足之数不再偿付 bankruptcy: ~法 ~ *fǎ* law of bankruptcy │ 这个公司依法宣告~。*Zhège gōngsī yīfǎ xuāngào ~.* This company has been legally declared bankrupt.

⁴ 破除 pòchú〈动 *v.*〉打破或废除(原来被人遵守、执行或信仰的不好的东西) do away with; break with (sth. bad one used to obey, practice or believe in): ~陈规陋习 ~ *chéngguī-lòuxí* break with outmoded conventions and undesirable customs │ ~情面, 秉公办事 ~ *qíngmiàn, bǐnggōng bànshì* spare nobody's feelings and handle a matter impartially │ 迷信思想必须~。*Míxìn sīxiǎng bìxū ~.* The superstitions must be done away with.

²破坏 pòhuài ❶〈动 v.〉使建筑物等损坏 destroy（buildings, etc.）: ~大桥 ~ dàqiáo destroy a bridge ｜~房屋 ~ fángwū destroy houses **❷**〈动 v.〉使事物受损害 disrupt; do damage to: ~生产 ~ shēngchǎn sabotage production ｜~校风 ~ xiàofēng disrupt the school spirit **❸**〈动 v.〉不遵守（规章、条约等）violate; break（rules, agreements, etc.）: ~纪律 ~ jìlǜ breach discipline ｜~协议 ~ xiéyì violate an agreement **❹**〈动 v.〉从根本上改变 demolish; change completely: 一切旧制度 ~ yíqiè jiù zhìdù demolish all the old customs ｜一个旧世界，建设一个新世界。~ yí gè jiù shìjiè, jiànshè yí gè xīn shìjiè. Demolish the old world and build a new one. **❺**〈动 v.〉物体内部的组织或结构受损失 decompose; destroy（the composition of a substance）: 营养成分因高温而受到~。Yíngyǎng chéngfèn yīn gāowēn ér shòudào ~. The nutritive elements are destroyed by the high temperature.

⁴破获 pòhuò ❶〈动 v.〉侦破并捕获 crack a case and capture the criminal: 海关~了一个毒品走私团伙。Hǎiguān ~le yí gè dúpǐn zǒusī tuánhuǒ. The Customs House cracked a drug-trafficking ring. ｜公安局~了一起制造假钞的大案。Gōng'ānjú ~le yì qǐ zhìzào jiǎchāo de dà'àn. The police bureau cracked a big counterfeit money case. **❷**〈动 v.〉识破并获得 unearth; uncover（a secrecy）: 我公安人员~了敌人的军事秘密。Wǒ gōng'ān rényuán ~le dírén de jūnshì mìmì. The police have uncovered the military secrets of the enemy.

⁴破旧 pòjiù〈形 adj.〉破烂陈旧 old and shabby; dilapidated: ~的房子 ~ de fángzi a dilapidated house ｜~的庭院 ~ de tíngyuàn a dilapidated courtyard ｜~衣服 ~ yīfu worn-out clothes ｜大衣柜~不堪了。Dàyīguì ~bùkān le. The wardrobe is old and worn-out.

³破烂 pòlàn ❶〈形 adj.〉又破又烂；因时间久或使用久而残破 tattered; ragged; worn-out（due to age or long-time use）: 这院子因年久失修而显得十分~。Zhè yuànzi yīn nián jiǔ shīxiū ér xiǎnde shífēn ~. The courtyard looks old and dilapidated due to the age and lack of renovation. ｜都什么年代了，还穿这么~的衣服！Dōu shénme niándài le, hái chuān zhème ~ de yīfu! We are in modern times and why are you dressed in such shabby clothes? **❷**（~儿）〈名 n.〉又破又烂的东西；废品 junk; scrap: 一堆~儿 yì duī ~r a heap of junk ｜收~儿 shōu ~r collect waste for recycling ｜可别把这些古书当~儿卖了！Kě bié bǎ zhèxiē gǔshū dàng ~r mài le! Don't sell these ancient books as garbage.

⁴破裂 pòliè ❶〈动 v.〉（完整的东西）出现裂缝；开裂（of sth. intact）break; split; rupture: 水管，自来水哗哗地往外直流。Shuǐguǎn , zìláishuǐ huāhuā de wǎng wài zhí liú. The pipe cracked and the tap water was leaking out. ｜冰面已，在这里滑冰危险！Bīngmiàn yǐ , zài zhèlǐ huábīng wēixiǎn! The ice surface has broken, so it is dangerous to skate here. **❷**〈动 v.〉双方的关系、感情等遭破坏而分裂（affections or relations）break; sever: 两国关系从此~。Liǎng guó guānxì cóngcǐ ~. The relations between the two countries have broken off ever since. ｜他俩的感情早已~了。Tā liǎ de gǎnqíng zǎoyǐ ~ le. Their bond has been severed long ago.

⁴破碎 pòsuì ❶〈动 v.〉破裂散碎 break into pieces: 杯子掉地上~了。Bēizi diào dì shang ~ le. The glass fell on the floor and broke into pieces. ｜那时，山河~,民不聊生。Nà shí, shānhé ~, mínbùliáoshēng. At that time, the country was disintegrated and the people lived in dire poverty. **❷**〈动 v.〉使之破裂散碎 crush; smash sth. to pieces: 这机器是专门用来~石头的。Zhè jīqì shì zhuānmén yòng lái ~ shítou de. This machine is specially used to crush stones. ｜现实~了她的梦想。Xiànshí ~le tā de mèngxiǎng. The reality crushed her dreams.

P

²**扑** pū ❶〈动 v.〉用力向前冲，使全身突然伏在人身或物体上 throw oneself on or at sb. or sth.; pounce on：孩子～进妈妈的怀里。*Háizi ~jìn māma de huái li.* The child threw himself into his mother's arms. │ 守门员～下了一个险球。*Shǒuményuán ~xiàle yí gè xiǎnqiú.* The goalkeeper pounced on the ball that would have nearly hit the goal. ❷〈动 v.〉冲向；进攻 charge; attack：直～匪徒的巢穴 *zhí~ fěitú de cháoxué* launch a direct attack on the den of bandits │ ～向火海 *~xiàng huǒhǎi* charge toward the fire ❸〈动 v.〉把全部心力用到（工作、事业方面）devote oneself to; dedicate all one's energies to (the work, cause, etc.)：她的心全～在孩子的身上了。*Tā de xīn quán ~ zài háizi de shēn shang le.* She has dedicated all her energies to taking care of her children. │ 他一心～在教育事业上。*Tā yìxīn ~ zài jiàoyù shìyè shang.* He devotes himself heart and soul to the cause of education. ❹〈动 v.〉扑打；拍打 flap; pat：～打身上的尘土 *~dǎ shēn shang de chéntǔ* dust off one's clothes │ 大火被～灭了。*Dà huǒ bèi ~ miè le.* The fire has been put out. ❺〈动 v.〉（气体）直冲 (of gas) assail (the nostrils)：臭气～鼻。*Chòuqì ~ bí.* An offensive smell assailed the nostrils. │ 一阵清风～面而来。*Yí zhèn qīngfēng ~miàn ér lái.* A gentle breeze greeted us. ❻〈动 v. 方 dial.〉伏 bend over：他～在桌上睡着了。*Tā ~ zài zhuō shang shuìzháo le.* He bent over the desk, sleeping. ❼（～儿）〈名 n.〉轻拍或拂拭用的工具 soft pad; puff：粉～ *fěn~* powder puff

⁴**扑克** pūkè〈名 n.〉（副fù）一种纸牌，英语 poker 的音译 poker：他们在打～。*Tāmen zài dǎ ~.* They are playing poker. │ 我喜欢打麻将，不喜欢打～。*Wǒ xǐhuan dǎ májiàng, bù xǐhuan dǎ ~.* I like playing mahjong instead of poker. │ 他是玩儿～老手。*Tā shì wánr ~ lǎoshǒu.* He is an experienced poker player.

⁴**扑灭** pū//miè〈动 v.〉扑打消灭 put out; annihilate：～蚊子 *~wénzi* wipe out mosquitoes │ ～害虫 *~hàichóng* exterminate insects │ 这山火太大了，一时扑不灭。*Zhè shānhuǒ tài dà le, yìshí pū bú miè.* The bush fire is too rampant to be put out at the moment.

²**铺** pū ❶〈动 v.〉把东西展开或摊平；铺设 unfold; spread：～地毯 *~dìtǎn* spread a carpet │ 修桥～路 *xiū qiáo ~ lù* build bridges and pave roads │ 床～好了，可以睡觉了。*Chuáng ~hǎo le, kěyǐ shuìjiào le.* The bed is made and it's time to go to sleep. ❷〈动 v.〉把文章、话题等扩展开 develop (an article or topic)：这篇文章写得平～直叙，不精彩。*Zhè piān wénzhāng xiě de píng~-zhíxù, bù jīngcǎi.* This article was written in an easy, straight forward way and was not interesting at all. ❸〈量 meas. 方 dial.〉用于炕 (for *kang*, a heatable brick bed)：一～炕 *yì ~kàng* a kang

⁴**仆人** púrén〈名 n.〉（个gè）指被雇到家中做杂务、供役使的人 servant; person employed to perform domestic services or run errands：雇～ *gù ~* employ a servant │ 她当了一辈子～。*Tā dāngle yíbèizi ~.* She worked as a servant all her life. │ 这个～受尽了压迫和剥削。*Zhège ~ shòujìnle yāpò hé bōxuē.* This servant suffered all the oppression and exploitation.

³**葡萄** pútáo ❶〈名 n.〉（棵kē）落叶藤本植物，果实是常见水果，也是酿酒原料 grape：～园 *~yuán* vineyard │ 他种了十几亩～。*Tā zhòngle shíjǐ mǔ ~.* He planted a dozen *mu* of grapes. │ 这片～长势喜人。*Zhè piàn ~ zhǎngshì xǐrén.* This piece of vineyard is doing well. ❷〈名 n.〉（串chuàn、粒lì）指这种植物的果实 fruit of grape：这～太酸了。*Zhè ~ tài suān le.* These grapes are too sour. │ 这是新品种，一粒粒～有乒乓球那么大。*Zhè shì xīn pǐnzhǒng ~, yí lìlì ~ yǒu pīngpāngqiú nàme dà.* This is a new strain of grapes; every one of them is as big as a ping-pong ball. │ 葡萄架上挂满了一串串～。*Pútáo jià shang guàmǎnle yí chuànchuàn ~.* Bunches of grapes are hanging on the trellis.

⁴**葡萄糖** pútáotáng〈名 n.〉有机化合物，化学式为 $C_6H_{12}O_6$ glucose, whose chemical

P

formula is $C_6H_{12}O_6$: 水果里含有丰富的~。*Shuǐguǒ li hányǒu fēngfù de ~.* Fruits are rich in glucose. │ 老人低血糖，你给他喝点儿~水。*Lǎorén dīxuètáng, nǐ gěi tā hē diǎnr ~ shuǐ.* The old man is low in blood sugar level, so give him some glucose to drink. │ 医生给病人输了一瓶~。*Yīshēng gěi bìngrén shūle yì píng ~.* The doctor gave the patient an infusion of glucose.

⁴ **朴实** pǔshí ❶〈形 *adj.*〉朴素 simple; plain：他穿得很~。*Tā chuān de hěn ~.* He is plainly dressed. │ 这房子装修得~大方。*Zhè fángzi zhuāngxiū de ~ dàfang.* This is decorated in a simple and graceful manner. ❷〈形 *adj.*〉质朴诚实 sincere and honest：这个人很~。*Zhège rén hěn ~.* This person is sincere and honest. │ 他性格~。*Tā xìnggé ~.* He has a guileless disposition. ❸〈形 *adj.*〉踏实；不浮夸 earnest; down-to-earth：他办事一向~。*Tā bànshì yíxiàng ~.* He always does things in an earnest manner. │ 他的表演风格十分~。*Tā de biǎoyǎn fēnggé shífēn ~.* He performs in an earnest style.

² **朴素** pǔsù ❶〈形 *adj.*〉(颜色、式样等)不华丽、不浓艳 (of color, style, etc.) simple; plain：风格~。*fēnggé ~* a plain style │ 她的穿戴十分~大方。*Tā de chuāndài shífēn ~ dàfang.* She was plainly but gracefully dressed. ❷〈形 *adj.*〉(生活)节约，不奢侈 (of life style) frugal; thrifty：生活~。*shēnghuó ~* plain living │ 艰苦~。*jiānkǔ ~* hard work and plain living ❸〈形 *adj.*〉朴实，不浮夸；不虚假 simple; unaffected：~的语言。*~ de yǔyán* unaffected language │ ~的感情。*~ de gǎnqíng* simple feelings ❹〈形 *adj.*〉萌芽状态的；初期的 embryonic：~的唯物主义思想。*~ de wéiwù zhǔyì sīxiǎng* naive materialism

² **普遍** pǔbiàn〈形 *adj.*〉存在的面很广；具有共同性的 universal; common; widespread：~问题。*~ wèntí* common problems │ ~真理。*~ zhēnlǐ* universal truth │ ~意义。*~ yìyì* universal significance │ ~看法。*~ kànfǎ* common views │ 人的寿命~延长。*Tén de shòumìng ~ yáncháng.* The life-span of mankind has been generally extended. │ 大众的利益~受到关注。*Dàzhòng de lìyì ~ shòudào guānzhù.* The public interest has drawn wide attention.

⁴ **普查** pǔchá〈动 *v.*〉普遍调查 general investigation; general survey：人口~。*rénkǒu ~* census │ 妇科~。*fùkē ~* gynaecological examination │ 通过~获得第一手材料。*Tōngguò ~ huòdé dìyīshǒu cáiliào.* First-hand materials were obtained through a general survey. │ 这是一次全国性的资源~工作。*Zhè shì yí cì quánguóxìng de zīyuán ~ gōngzuò.* This is a national survey on natural resources.

³ **普及** pǔjí ❶〈形 *adj.*〉传到的面很广泛 popular; widespread：乒乓球运动在中国很~。*Pīngpāngqiú yùndòng zài Zhōngguó hěn ~.* Ping-pong is a popular sport in China. ❷〈动 *v.*〉普遍推广，使之大众化 (与'提高'相对) popularize (oppsite to '提高' tígāo')：义务教育~。*yìwù jiàoyù ~* make compulsory education universal │ 这种先进的栽培技术，要在全区~。*Zhè zhǒng xiānjìn de zāipéi jìshù, yào zài quán qū ~.* This advanced cultivating technique should be disseminated across the whole region.

² **普通** pǔtōng〈形 *adj.*〉平常的；一般的 common; average：~百姓。*~ bǎixìng* the average person │ ~中学。*~ zhōngxué* regular middle school │ ~的式样。*~ de shìyàng* a common style │ ~的技术。*~ de jìshù* ordinary techniques │ 他是一个~的干部。*Tā shì yí gè ~ de gànbù.* He is an ordinary cadre.

³ **普通话** pǔtōnghuà〈名 *n.*〉现代汉语的标准语，以北京语音为标准音，以北方话为基础方言，以典范的现代白话文著作作为语法规范 putonghua; common speech of Chinese; mandarin Chinese; standard Chinese taking Beijing dialect as the basic pronunciation, the northern dialects as the basis and the modern Chinese vernacular writings as grammatical standards：推广~。*tuīguǎng ~* popularize putonghua │ 学会讲~。*xuéhuì jiǎng ~* learn to

speak *putonghua* │ 他~说得很地道。*Tā ~ shuō de hěn dìdao.* He speaks very good *putonghua*. │ 她能说一口流利的~。*Tā néng shuō yìkǒu liúlì de ~.* She speaks *putonghua* fluently. │ 你~怎么说得这么好！*Nǐ ~ zěnme shuō de zhème hǎo!* How come you speak *putonghua* so well!

P

⁴ **谱** pǔ ❶ 〈名 *n.*〉(本 běn) 把相关的材料，按照对象的类别或系统，采取规范、统一的表格或文字等形式，编辑起来供参考的书 register or record for easy reference in the form of charts, tables, writings, etc., according to the category or system of the object：菜~ *cài~* menu │ 年~ *nián~* chronicle of sb.'s life ❷ 〈名 *n.*〉(本 běn) 可用来指导练习的格式或图形 manual; instruction or diagram guiding practice：棋 ~ *qí~* chess manual │ 画~ *huà~* picture copybook ❸ 〈名 *n.*〉(张 zhāng) 指曲谱 music score：乐~ *yuè~* music score │ 歌~ *gē~* music of a song │ 五线~ *wǔxiàn~* staff; stave ❹(~儿)〈名 *n.*〉大致的标准；把握 sth. to count on; a fair amount of confidence：这事我心里实在没~儿。*Zhè shì wǒ xīnli shízài méi~r.* Concerning this matter, I have nothing definite in mind. │ 这个人办事没~儿，可别找他！*Zhège rén bànshì méi~r, kě bié zhǎo tā!* Don't rely on him for anything; he never knows what he is doing! ❺(~儿)〈名 *n.*〉显示出来的派头、排场等 wealth or splendor displayed：他为儿子做满月办了18桌酒席，真会摆~。*Tā wèi érzi zuò mǎnyuè bànle shíbā zhuō jiǔxí, zhēn huì bǎi~.* To show off his wealth, he arranged a banquet of 18 tables to celebrate his son's completion of the first month of life. ❻〈动 *v.*〉为歌词配曲 set to music; compose music：他把这首词~成歌曲。*Tā bǎ zhè shǒu cí ~ chéng gēqǔ.* He set this lyric poem to music.

⁴ **谱曲** pǔ//qǔ 〈动 *v.*〉给歌词配曲 set to music：请一位作曲家给这首词~。*Qǐng yí wèi zuòqǔjiā gěi zhè shǒu cí ~.* Invite a composer to set this lyric poem to music. │ 他谱的曲子很有民族风味。*Tā pǔ de qǔzi hěn yǒu mínzú fēngwèi.* The music he composes displays an ethnic style. │ 他一天谱了两首曲子。*Tā yìtiān pǔle liǎng shǒu qǔzi.* He composed two pieces of music scores within one day.

⁴ **瀑布** pùbù 〈名 *n.*〉(道 dào) 从山崖上或河身突然降落的地方倾泻下来的水流 waterfall：这山崖里有一道~。*Zhè shānyá li yǒu yí dào ~.* There is a waterfall in the cliffs. │ 中国贵州的黄果树大~非常壮观。*Zhōngguó Guìzhōu de Huángguǒshù dà ~ fēicháng zhuàngguān.* The Huangguoshu Waterfalls in Guizhou Province look so magnificent. │ 湍急的~从一百多米高的山上飞泻下来，美极了！*Tuānjí de ~ cóng yìbǎi duō mǐ gāo de shān shang fēixiè xiàlái, měijí le!* The torrential waterfall rushes down from 100 meters high. What a beautiful sight!

Q

¹ **七** qī〈数 *num.*〉汉字数目字,即阿拉伯数字7,大写为'柒' seven, Chinese numerical, namely the Arabic numeral 7, capitalized as '柒qī': ~个人 ~ *gè rén* seven people │~棵树 ~ *kē shù* seven trees │~斤苹果 ~ *jīn píngguǒ* seven *jin* of apples │~大姑八大姨(形容女眷之多) ~ *dàgū bā dàyí* (*xíngróng nǚjuàn zhī duō*) female relatives, distant or close（fig. having many female relatives）│~老八十（形容年纪很老）~*lǎo-bāshí* (*xíngróng niánjì hěn lǎo*) in one's late seventies or early eighties (fig. very old)│~零八落(形容零星散乱)~*líng-bāluò*（*xíngróng língxīng sǎnluàn*) scattered here and there (fig. in great confusion or in disarray)│~拼八凑（指把各种各样的人或物凑合在一起）~*pīn-bācòu*（*zhí bǎ gèzhǒng-gèyàng de rén huò wù còuhe zài yìqǐ*）put or knock together (fig. putting all kinds of people or things together)│~上八下(形容心神不安)~*shàng-bāxià*(*xíngróng xīnshén bù'ān*) be on pins and needles (fig. be in a nervous state of mind)│~手八脚(形容人多,动作不协调)~*shǒu-bājiǎo*(*xíngróng rén duō, dòngzuò bù xiétiáo*) with everybody lending a hand（fig. unharmonious movements by many people）

⁴ **七嘴八舌** qīzuǐ-bāshé〈成 *idm.*〉形容人多嘴杂,各说各的 with many people speaking all at once: ~不停口,一个个伸出拇指把你夸 ~ *bù tíng kǒu, yígègè shēnchū mǔzhǐ bǎ nǐ kuā.* All talking at once without a stop, everyone is praising you with a pointing thumb.

¹ **沏** qī〈动 *v.*〉(用开水)冲;泡 (with boiling water) infuse: ~一壶茶 ~ *yì hú chá* infuse (or make) a pot of tea │水开了,可以~茶了 *Shuǐ kāi le, kěyǐ ~chá le.* The water is boiling, and we can make tea now.

² **妻子** qīzi〈名 *n.*〉(个gè、位wèi)男子的配偶(与'丈夫'相对) wife (opposite to '丈夫 zhàngfū'): 她是一个贤惠的~ *Tā shì yí gè xiánhuì de ~.* She is a virtuous wife. │你的~很能干 *Nǐ de ~ hěn nénggàn.* Your wife is very capable.

⁴ **柒** qī〈数 *num.*〉汉字数字'七'的大写。为防止涂改,一般在票据上多采用大写 seven, capital of numeral '七qī', on bills, accounts, etc. to avoid mistakes or alterations: ~仟~佰~拾圆整 *~qiān ~bǎi ~shí yuán zhěng.*（with a total number of）Seven thousand seven hundred and seventy *yuan* sharp.

⁴ **凄惨** qīcǎn〈形 *adj.*〉凄凉悲惨 wretched: ~的哭声 ~ *de kūshēng* heartrending cries │~的生活 ~ *de shēnghuó* wretched life │~的境遇 ~ *de jìngyù* wretched circumstances

⁴ **凄凉** qīliáng〈形 *adj.*〉寂寞冷落 (多用以形容景色或环境) bleak; desolate; dreary (often used to describe scenery or environment): ~的秋色 ~ *de qiūsè* a bleak autumn scene │残垣断壁,一片~。*Cányuán-duànbì, yí piàn ~.* There is a desolate scene of crumbling walls.

² **期 qī ❶**〈名 n.〉预定的时日;日期 scheduled time; date: 定~ *dìng~* fix a date; at regular intervals | 限~ *xiàn~* set a deadline; time limit | 到~ *dào~* fall due | 过~作废 *guò~ zuòfèi* become invalid upon expiration | 开会延~了。 *Kāihuì yán~ le.* The meeting has been postponed. **❷**〈名 n.〉一段时间 a period of time: 学~ *xué~* term; semester | 周~ *zhōu~* cycle | 假~ *jià~* vacation; holiday | 潜伏~ *qiánfú~* incubation period **❸**〈名 n.〉约定时日 appoint a time: 不~而遇 *bù~ěryù* meet by chance | 后会有~。 *Hòuhuì~yǒu~.* See you later (again). **❹**〈动 v.〉等待;盼望 expect: ~待 *~dài* anticipate; look forward to | ~盼 *~pàn* look forward to | ~望 *~wàng* hope | ~求 *~qiú* hope to get; desire | ~许 *~xǔ* ardently hope **❺**〈量 meas.〉用于分期的事物 for things scheduled by periods; period; term: 这本杂志全年出版十二~。 *Zhè běn zázhì quánnián chūbǎn shí'èr ~.* This magazine publishes twelve issues in a year. | 汉语高级班办了三~了。 *Hànyǔ gāojíbān bànle sān ~ le.* There have been three sessions of the advanced Chinese class.

² **期待 qīdài**〈动 v.〉期望;等待 expect; await: 她正在~远方的来信。 *Tā zhèngzài ~ yuǎnfāng de láixìn.* She is looking forward to her letter from afar. | 他~着早日拿到绿卡。 *Tā ~zhe zǎorì nádào lùkǎ.* He is expecting to get his green card as early as possible.

² **期间 qījiān**〈名 n.〉在某一段时间以内 during a period of time: 节日~ *jiérì ~* during holidays | 暑假~ *shǔjià ~* during the summer vacation | 留学~ *liúxué ~* in the period of studying abroad | 出国~ *chūguó ~* during one's stay abroad | 他用打工~挣的钱购买了一台电脑。 *Tā yòng dǎgōng ~ zhèng de qián gòumǎile yì tái diànnǎo.* He bought a computer with the money he had earned by doing manual work.

⁴ **期刊 qīkān**〈名 n.〉(本běn、份fèn)定期出版的刊物,如周刊、月刊、季刊等 periodical; publications issued regularly, such as weekly, monthly, quarterly, etc.: 中文~ *Zhōngwén ~* Chinese periodicals | 外文~ *wàiwén ~* foreign periodicals | 文艺~ *wényì ~* literature and art periodicals | 学术~ *xuéshù ~* academic periodicals | 他订阅了三种~。 *Tā dìngyuèle sān zhǒng ~.* He has prescribed three periodicals. | 图书馆里有~阅览室。 *Túshūguǎn li yǒu ~ yuèlǎnshì.* There is a periodical reading room in the library.

⁴ **期望 qīwàng**〈动 v.〉对人的前途或事物的未来有所希望和期待 ardently expect: 他~儿子早日学成归国创业。 *Tā ~ érzi zǎorì xuéchéng guīguó chuàngyè.* He places high hopes on his son to finish his study abroad as soon as possible and return home to start an undertaking. | 对加薪的~值不能过高。 *Duì jiāxīn de ~zhí bù néng guò gāo.* We should not have high expectations for an increase in wages. | 工薪阶层~轿车的价格能降下来。 *Gōngxīn jiēcéng ~ jiàochē de jiàgé néng jiàng xiàlái.* Wage-earners hope that car prices can go down.

⁴ **期限 qīxiàn**〈名 n.〉限定的一段时间,也指所限时间的最后界限 time limit; deadline: ~到了。 *~ dào le.* The deadline is coming. | ~延长了。 *~ yáncháng le.* The time limit is extended. | 我的电话卡已经超过了规定的使用~。 *Wǒ de diànhuàkǎ yǐjīng chāoguòle guīdìng de shǐyòng ~.* My telephone card is overdue. | 违章罚款的~已到,再不交就要吊扣驾照了。 *Wéizhāng fákuǎn de ~ yǐ dào, zài bù jiāo jiù yào diàokòu jiàzhào le.* It's time to pay the fine for breaking traffic rules, or your driving licence will be suspended.

³ **欺负 qīfu**〈动 v.〉用蛮横无礼的手段侵犯、侮辱他人 bully; take advantage of sb.: 你别~老实人。 *Nǐ bié ~ lǎoshi rén.* Don't bully an honest man. | 他生性软弱,总是受人~。 *Tā shēngxìng ruǎnruò, zǒngshì shòu rén ~.* Weak by nature, he is often bullied by others.

² **欺骗 qīpiàn**〈动 v.〉用虚假的言语或行为来掩盖事实真相,使人上当受骗 cheat; deceive: ~是不道德的。 *~ shì bú dàodé de.* It is immoral to cheat. | 商家应该讲诚信,

不应用假冒伪劣商品来~顾客。 *Shāngjiā yīnggāi jiǎng chéngxìn, bù yīng yòng jiǎmào wěiliè shāngpǐn lái ~ gùkè.* Merchants should take honesty as their cardinal principle and should not deceive the customers with fake and inferior goods. | ~行为应该受到全社会的谴责。 *~ xíngwéi yīnggāi shòudào quán shèhuì de qiǎnzé.* Cheating should be denounced by the whole society.

³ 漆 qī ❶〈名 n.〉(桶tǒng、层céng、遍biàn)一种涂料,涂于物器上有防腐和增加光泽的作用 lacquer; paint: 生~ *shēng~* raw lacquer | 油~ *yóu~* paint | 快干~ *kuàigān~* quick-drying paint or varnish | 乳胶~ *rǔjiāo~* emulsion paint; latex paint | 雕~ *diāo~* carved lacquerware | ~器 *~qì* lacquerware ❷〈动 v.〉指把油漆涂在器物上 cover an object with paint: 他家的门窗都~成白色的了。 *Tā jiā de ménchuāng dōu ~chéng báisè de le.* The doors and windows of his house are all painted white. | 为了保护古建筑,每隔两年都要重新~一遍。 *Wèile bǎohù gǔ jiànzhù, měi gé liǎng nián dōuyào chóngxīn ~ yí biàn.* Ancient buildings are given a new coat of paint every two years for the sake of protection.

⁴ 漆黑 qīhēi〈形 adj.〉非常黑;光线很暗 pitch-dark: ~的头发 *~ de tóufa* jet-black hair | ~的夜晚 *~ de yèwǎn* a pitch-dark night | 一团什么也看不清。 *~yìtuán, shénme yě kàn bù qīng.* It was pitch-dark and nothing could be seen.

² 齐 qí ❶〈动 v.〉达到同等高度 be level with: ~腰 *~yāo* be waist deep | ~眉 *~méi* hang down to the eyebrows | 枣树长得快~屋檐了。 *Zǎoshù zhǎng de kuài ~ wūyán le.* Jujube trees have grown so tall that they are level with the eaves of the house. ❷〈动 v.〉与某一点或某一线取齐 be level with a point or a line; cut close to; even out: 他把竹子~根儿砍了下来。 *Tā bǎ zhúzi ~ gēnr kǎnle xiàlái.* He cut the bamboo right down to the root. | 她留着~耳的短发。 *Tā liúzhe ~ ěr de duǎnfà.* Her hair is evenly trimmed along her ears. ❸〈形 adj.〉完全;完备 in order; all ready: 人到~了,可以开会了。 *Rén dào~ le, kěyǐ kāihuì le.* Everyone is here and let's have our meeting. | 万事~备,只欠东风(一切都准备好了,只差一个最重要的条件)。 *Wànshì ~bèi, zhǐ qiàn dōngfēng (yíqiè dōu zhǔnbèi hǎo le, zhǐ chè yí gè zuì zhòngyào de tiáojiàn)* All is ready except that the east wind hasn't risen (All is in hand except what is crucial). ❹〈形 adj.〉整齐 neat; even; uniform: 摆~ *bǎi~* arrange in an orderly way | 剪~ *jiǎn~* be evenly trimmed | 团体操的动作不~就不好看。 *Tuántǐcāo de dòngzuò bù ~ bù hǎokàn.* The group callisthenics will be less enjoyable to watch if the individuals fail to move in unison. ❺〈副 adv.〉同样;一致 similarly; alike: ~名 *~míng* enjoy equal fame | ~心协力 *~xīn-xiélì* work as one ❻〈副 adv.〉一起;同时 together; at the same time: ~唱 *~chàng* chorus; sing in unison | ~奏 *~zòu* play (musical instruments) in unison | ~动手 *~dòngshǒu* do something together | 百花~放(指艺术上的不同风格和形式自由发展)*bǎihuā-~fàng (zhǐ yìshùshang de bùtóng fēnggé hé xíngshì zìyóu fāzhǎn)* A hundred flowers blossom at the same time (free development of different forms and styles of art) ❼(Qí)〈名 n.〉中国古代诸侯国名或朝代名 name of a kingdom or a dynasty in ancient China: ~国(公元前11世纪中叶-前221年,在今山东省北部和河北省东南部)*~guó (gōngyuán qián shíyī shìjì zhōngyè zhì qián èr-èr-yī nián, zài jīn Shāndōng Shěng běibù hé Héběi Shěng dōngnánbù)* Kingdom Qi (the middle of the 11th century B. C. -221 B. C., a state during the Zhou Dynasty, in what is present-day north Shandong and southeast Hebei) | 南~(公元479-502年,中国南北朝时期南朝之一)*Nán~ (gōngyuán sì-qī-jiǔ zhì wǔ-líng-èr nián, Zhōngguó Nánběi Cháo shíqī Nán Cháo zhīyī)* Southern Qi Dynasty (A.D. 479-A.D. 502, one of the Southern Dynasties during the Northern and Southern Dynasties) |

北~(公元550-577年，中国南北朝时期北朝之一) *Běi~* (*gōngyuán wǔ-wǔ-líng zhì wǔ-qī-qī nián, Zhōngguó Nánběi Cháo shíqī Běi Cháo zhīyī*) Northern Qi Dynasty (A.D. 550-A.D. 577, one of the Northern Dynaeties during the Northern and Southern Dynasties) ❽(Qí)〈名 *n.*〉中国唐朝末期农民起义军领袖黄巢所建国号 Qi, reign title of a kingdom founded by Huang Chao, a peasant uprising leader towards the end of the Tang Dynasty

Q

⁴ **齐全** qíquán 〈形 *adj.*〉应有尽有 (多指物品) (often of having everything that one expects to find) complete; all in readiness：型号 ~ *xínghào ~* in all specifications or models｜商品~。*Shāngpǐn ~*. With all goods available.｜花色~。*Huāsè ~*. A satisfactory variety of designs, sizes and colors available.｜办理签证所需的各种文件都准备~了。*Bànlǐ qiānzhèng suǒxū de gèzhǒng wénjiàn dōu zhǔnbèi ~ le.* All the documents necessary for obtaining a visa have been get ready.

³ **其** qí ❶〈代 *pron.*〉第三人称代词，相当于'他(她、它)'或'他(她、它)们' the third person pronoun, similar to '他 tā'('她 tā' or '它 tā') or '他们 tāmen'('她们 tāmen' or '它们 tāmen')：出~不意 *chū~búyì* take sb. by surprise｜名副~实 *míngfù~shí* be worthy of the name｜这种状况再也不能任~发展了。*Zhèzhǒng zhuàngkuàng zài yě bùnéng rèn~fāzhǎn le.* We could no longer let the situation run its own course. ❷〈代 *pron.*〉相当于'他(她、它)的'或'他(她、它)们的' his, her, its, or their, similar to '他的 tāde', '她的 tāde', '它的 tāde', or '他们的 tāmende', '她们的 tāmende', '它们的 tāmende'：各得~所。*Gèdé~suǒ.* Each is in his proper place.｜各行~事。*Gèxíng~shì.* Each does what he or she thinks right.｜自圆~说 *zìyuán~shuō* make one's statement valid｜自食~果(指做了坏事，结果害了自己) *zìshí~guǒ* (*zhǐ zuòle huàishì, jiéguǒ hàile zìjǐ*) eat one's own bitter fruit (do sth. bad, which will do harm oneself at last.) ❸〈代 *pron.*〉相当于'那个''那样' that; such, similar '那个 nàge' or '那样 nàyàng'：查无~事。*Cháwú~shì.* No such thing is found ofter investigation.｜不厌~烦。*Búyàn~fán.* Not mind taking all the trouble.｜不乏~人 *Bù fá ~ rén.* There is no lack of such people. ❹〈代 *pron.*〉虚指 used as a functional word：忘~所以 *wàng~suǒyǐ* forget oneself ❺〈词尾 *suff.*〉只起构词作用，无具体意义 used only as a suffix, without any concrete meanings：极~ *jí~* extremely｜与~吃饭，不如吃面。*Yǔ~ chī fàn, bùrú chī miàn.* It's better to have noodles than rice.｜他们家尤~好客。*Tāmen jiā yóu~ hàokè.* Their family is particularly hospitable.

² **其次** qícì ❶〈代 *pron.*〉指次序较后；第二(用于列举事项) next; then; second (when enumerating items, events, etc.)：服装好坏首先要看面料，~才是做工和款式。*Fúzhuāng hǎohuài shǒuxiān yào kàn miànliào, ~ cáishì zuògōng hé kuǎnshì.* The quality of a costume is first decided by the material it uses and then by the workmanship and the design.｜会上他第一个发言，~才轮到我。*Huì shang tā dì-yī gè fāyán, ~ cái lúndào wǒ.* At the meeting he was the first to take the floor, and then it's my turn. ❷〈代 *pron.*〉次要的地位 secondary：挑选对象人品是最主要的，相貌还在~。*Tiāoxuǎn duìxiàng rénpǐn shì zuì zhǔyào de, xiàngmào hái zài ~.* When we look for a partner in marriage, moral quality is most important and appearance is secondary.

⁴ **其间** qíjiān ❶〈名 *n.*〉那个中间；其中 between; among; amidst; in the midst of：涉足~ *shèzú~* be involved｜~必有隐情。*~ bì yǒu yǐnqíng.* There must be something they wish to hide. ❷〈名 *n.*〉指某一段时间 indicating a period of time：大学毕业快两年了，~他换了好几个工作。*Dàxué bìyè kuài liǎng nián le, ~ tā huànle hǎo jǐ gè gōngzuò.* He has changed his job several times in nearly two years since he graduated from college.

³ **其实** qíshí〈副 *adv.*〉表示所说的是实际情况（承接上文并含转折意）in fact; as a matter of fact（connecting the preceding text with an adversative meaning）：这道题看起来似乎很难，~并不难。*Zhè dào tí kàn qǐlái sìhū hěn nán, ~ bìng bù nán.* This question seems a hard nut to crack but actually it is not so difficult. | 我原先以为她是日本人，后来才知道她~是韩国人。*Wǒ yuánxiān yǐwéi tā shì Rìběnrén, hòulái cái zhīdào tā ~ shì Hánguórén.* I thought that she was a Japanese, but later I get to know that she is actually a Korean.

² **其他** qítā〈代 *pron.*〉别的；另外的 other than; else：~人 ~*rén* other people | ~事 ~*shì* sth. else | 你还有什么~的要求？*Nǐ háiyǒu shénme ~ de yāoqiú?* Do you still have any other requests? | 他只会说英语，~的语言他都不会。*Tā zhǐhuì shuō Yīngyǔ, ~ de yǔyán tā dōu bú huì.* He can speak no other language than English.

² **其它** qítā〈代 *pron.*〉同'其他qítā'，只用于事物 same as '其他qítā', but only referring to things：~情况 ~*qíngkuàng* other circumstances | ~消息 ~*xiāoxi* other news | 他只喜欢吃苹果，~水果都不爱吃。*Tā zhǐ xǐhuan chī píngguǒ, ~ shuǐguǒ dōu bú ài chī.* He likes eating no other fruits than apples.

² **其余** qíyú〈代 *pron.*〉剩下的；另外的 the remainder; the rest：公司里除留下一人值班外，~的人都去参加植树。*Gōngsī li chú liúxià yì rén zhíbān wài, ~ de rén dōu qù cānjiā zhíshù.* Only one person stayed on duty in the company, and the rest went to plant trees.

² **其中** qízhōng〈名 *n.*〉那里面；那中间 in; among; of：乐在~ *lèzài~* find pleasure in it | 颐和园每天都要接待大量游客，~很大一部分是国外的旅游团。*Yíhéyuán měitiān dōu yào jiēdài dàliàng yóukè, ~ hěn dà yí bùfen shì guówài de lǚyóutuán.* Everyday the Summer Palace receives a great number of tourists, a large part of which are overseas touring parties. | 他们一行几十人，~只有一人是女性。*Tāmen yìxíng jǐshí rén, ~ zhǐyǒu yì rén shì nǚxìng.* There were dozens of people in the visiting group; only one of them was female.

² **奇怪** qíguài ❶〈形 *adj.*〉与通常的不一样 strange; unusual：这种动物的样子很~。*Zhèzhǒng dòngwù de yàngzi hěn ~.* This kind of animal looks very strange. | 海洋深处有许多~的生物。*Hǎiyáng shēnchù yǒu xǔduō ~ de shēngwù.* There are a lot of strange creatures in the depths of the sea. ❷〈形 *adj.*〉出乎意料；难以理解的 unexpected; incomprehensible：真~，怎么到现在他还不来呢？*Zhēn ~, zěnme dào xiànzài tā hái bù lái ne?* Strangely enough, why hasn't he come yet?

⁴ **奇花异草** qíhuā-yìcǎo〈成 *idm.*〉奇异的花草 exotic flowers and rare herbs：植物园里种植了许多~。*Zhíwùyuán li zhòngzhíle xǔduō ~.* There are many exotic flowers and rare herbs in the botanical garden.

³ **奇迹** qíjì〈名 *n.*〉（个gè）想象不到的不平凡的事情 miracle; wonder：创造~ *chuàngzào* ~ perform miracles | 出现~。*Chūxiàn ~.* Miracles occur. | 他的病能治愈真是医学上的~。*Tā de bìng néng zhìyù zhēnshì yīxué shang de ~.* It's really a miracle in medical science that his disease was cured.

⁴ **奇妙** qímiào〈形 *adj.*〉新奇巧妙 wonderful; marvellous：~的构思 ~ *de gòusī* a wonderful conception | 不看不知道，世界真~。*Bú kàn bù zhīdào, shìjiè zhēn ~.* Only after you have seen a lot do you know that the world is so marvellous.

⁴ **奇特** qítè〈形 *adj.*〉奇怪而特别；非同寻常 singular; unusual：~的造型 ~ *de zàoxíng* in a strange form | 海市蜃楼的景象十分~。*Hǎishì-shènlóu de jǐngxiàng shífēn ~.* Mirage is a very unusual scene.

⁴ **歧视** qíshì〈动 *v.*〉不平等地看待 discriminate against：反对种族~ *fǎnduì zhǒngzú ~*

oppose to racial discrimination｜弱势群体不应受到~. *Ruòshì qúntǐ bù yīng shòudào ~.* The underprivileged group should not be discriminated in the society.

¹ **骑** qí〈动 *v.*〉双腿分开跨坐 ride: ~马 ~*mǎ* ride a horse｜摩托车 ~*mótuōchē* ride a motorcycle ❷〈动 *v.*〉兼跨两边 straddle: ~缝 ~*féng* junction of the edges of two sheets of paper｜~楼 ~*lóu* terrace ❸〈名 *n.*〉骑的马或其他供乘骑的动物或车子 horses or other animals one rides: 坐~ *zuò*~ one's mount ❹〈名 *n.*〉指骑兵 cavalry: 轻~ *qīng*~ light cavalry｜铁~ *tiě*~ strong cavalry

² **棋** qí ❶〈名 *n.*〉文娱、体育活动的一类 chess or any board game: 象~ *xiàng*~ Chinese chess｜围~ *wéi*~ weiqi; go｜跳~ *tiào*~ Chinese checkers｜国际象~ *guójì xiàng*~ chess｜~艺高超 ~*yì gāochāo* be an expert in chess｜~逢对手（比喻双方本领不分高下）*féngduìshǒu*（*bǐyù shuāngfāng běnlǐng bù fēn gāoxià*）meet one's match in a game of chess（be well-matched）❷〈名 *n.*〉指棋子儿 piece; chessman: 悔~ *huǐ*~ retract a false move in a chess game

³ **旗号** qíhào〈名 *n.*〉原指中国古代标明军队和将领姓氏的旗子，现比喻为干不正当事情所借用的某种名义 originally refering to banners that bears the name of an army or the surname of the commander; *fig.* pretext（oft. for doing sth. bad）; excuse: 他打着'名医'的~行骗。*Tā dǎzhe 'míngyī' de ~ xíngpiàn.* He pretended to be a prominent doctor and practised fraud.

³ **旗袍** qípáo〈名 *n.*〉(件jiàn) 中国妇女穿的一种长袍服装，原为北方满族（旗人）妇女所穿 a close-fitting woman's dress with high neck and slit shirt as worn by women of the Manchus; cheongsam: 穿~最能显出女人的苗条身材。*Chuān ~ zuì néng xiǎnchū nǚrén de miáotiao shēncái.* Wearing a cheongsam better displays the slim figure of a woman.

³ **旗帜** qízhì ❶〈名 *n.*〉(面miàn) 旗子 flag: 广场上五颜六色的~迎风飘扬。*Guǎngchǎng shang wǔyán-liùsè de ~ yíngfēng piāoyáng.* In the square colorful flags were fluttering in the breeze. ❷〈名 *n.*〉(面miàn) 比喻榜样或模范 *fig.* example; model: 她被树立为全行业的~。*Tā bèi shùlì wéi quán hángyè de ~.* She was made an example for all in her profession. ❸〈名 *n.*〉比喻有代表性或号召力的某种思想、学说或政治力量 idea, theory or political force that represents certain people or has a certain rallying force: 革命的~ *gémìng de ~* banner of revolution

² **旗子** qízi〈名 *n.*〉(面miàn) 用绸、布、纸等做成的长方形、方形或三角形的标志 banner; flag: 他举着~走在运动员队伍的前面。*Tā jǔzhe ~ zǒu zài yùndòngyuán duìwu de qiánmiàn.* Holding a banner, he is marching ahead of the formation of athletes.

⁴ **乞求** qǐqiú〈动 *v.*〉态度谦卑地请求 beg for; implore: ~帮助 ~*bāngzhù* beg for help｜~宽恕 ~*kuānshù* beg for one's forgiveness｜和平不能靠~，只能靠我们自己去争取。*Hépíng bù néng kào ~, zhǐnéng kào wǒmen zìjǐ qù zhēngqǔ.* Peace can only be obtained by our struggles rather than by entreaties.

⁴ **岂不** qǐbù〈副 *adv.* 书 *lit.*〉用反问的语气加强肯定，表示'难道不' used to emphasize the affirmative mood by asking a rhetorical question, such as 'isn't it' or 'wouldn't it be': 你这样做~让别人看笑话？*Nǐ zhèyàng zuò ~ ràng biérén kàn xiàohua?* Isn't it silly to turn yourself into a laughing stock by doing things this way?｜明知不成非要去做，~白费力气？*Míngzhī bù chéng fēi yào qù zuò, ~ báifèi lìqi?* Wouldn't it be a waste of energy to do things that are impossible?

⁴ **岂有此理** qǐyǒucǐlǐ〈成 *idm.*〉哪有这样的道理（对不合情理的事表示强烈的气愤）outrageous; shameless（expressing one's outrage at unreasonable things）: 得了便宜还

卖乖，真是~！ Déle piányi hái màiguāi, zhēnshì ~！ Swagger and brag after having gained some advantages. How outrageous!

² **企图** qǐtú ❶〈动 v.〉图谋；打算（多含贬义）attempt; seek（often derogatory）：罪犯~越狱逃跑。 Zuìfàn ~ yuèyù táopǎo. The criminals tried to escape from the prison. ｜敌人~突围。 Dírén ~ tūwéi. The enemy attempted to break through the encirclement. ❷〈名 n.〉（种zhǒng）事先做的打算（多含贬义）intention（often derogatory）：罪恶的~ zuì'è de ~ a vicious motive ｜决不能让敌人的~得逞。 Jué bù néng ràng dírén de ~ déchěng. By all means we should prevent the enemies from implementing their plan.

⁴ **企业** qǐyè〈名 n.〉（个gè、家jiā）指从事生产、销售等经营活动的部门 enterprise; business：民营 ~ mínyíng ~ private enterprises ｜外资 ~ wàizī foreign-funded enterprises ｜国有 ~ guóyǒu ~ state-owned enterprises

⁴ **启程** qǐchéng〈动 v.〉动身上路；出发 start on a journey; set out：旅行团何时~? Lǚxíngtuán héshí ~? When will the touring party set out? ｜她已经~到欧洲去了。 Tā yǐjīng ~ dào Ōuzhōu qù le. She has already left for Europe.

² **启发** qǐfā ❶〈动 v.〉通过举例和说理引起对方的联想而有所领悟 enlighten：老师用讲故事的形式~孩子们学习的兴趣。 Lǎoshī yòng jiǎng gùshi de xíngshì ~ háizimen xuéxí de xìngqù. The teacher told stories to arouse the children's interests in learning. ❷〈名 n.〉启发的作用或效果 enlightenment; the effect of being enlightened：他的一番话给了我很大的~。 Tā de yì fān huà gěile wǒ hěn dà de ~. His words greatly inspired me.

⁴ **启示** qǐshì〈动 v.〉启发指示，使之有所领悟 enlighten; inspire; revelation：他从苹果落地的现象中得到了~。 Tā cóng píngguǒ luò dì de xiànxiàng zhōng dédào le ~. He got the revelation from an apple falling down from the tree.

⁴ **启事** qǐshì〈名 n.〉（张zhāng、条tiáo、则zé）为了说明某件事而刊登在报刊上或贴在墙上的文字 notice; announcement：招聘~ zhāopìn ~ notice inviting applications for a job ｜征文~ zhēngwén ~ notice soliciting articles for special issues, etc. ｜征婚~ zhēnghūn ~ lonely-heart ad ｜失物招领~ shīwù zhāolǐng ~ lost-and-found notice

¹ **起** qǐ ❶〈动 v.〉由躺而坐；由坐、卧而站立 rise; get up; stand up：~床 ~chuáng get up ｜~立 ~lì stand up ｜他每天都~得很早。 Tā měi tiān dōu ~ de hěn zǎo. He gets up very early every day. ❷〈动 v.〉离开原来的位置 remove; leave one's original place：~身 ~shēn get up; set out ｜~飞 ~fēi take off ｜~航 ~háng set sail; take off ❸〈动 v.〉长出 appear：~痱子 ~fèizi get miliaria ｜~鸡皮疙瘩 ~jīpí gēda be gooseflesh; break into goose pimples ｜我的鼻子上~了个疱。 Wǒ de bízi shang ~le gè pào. I got a blister on the nose. ❹〈动 v.〉取出；拔出 take out; pull out：~赃 ~zāng search for and recover stolen goods ｜~钉子 ~dīngzi pull out a nail ｜~锚 ~máo weigh anchor ❺〈动 v.〉发生 occur：~风了。 ~fēng le. The wind rose. ｜~火了。 ~huǒ le. A fire broke out. ｜他对你~了疑心。 Tā duì nǐ ~le yíxīn. He began to suspect you. ｜我的话不~任何作用。 Wǒ de huà bù ~ rènhé zuòyòng. My words takes no effect. ❻〈动 v.〉发动 launch：~兵 ~bīng dispatch troops ｜~事 ~shì start an armed rebellion ｜~义 ~yì revolt ❼〈动 v.〉拟写 draft：他帮我~了一份草稿。 Tā bāng wǒ ~le yí fèn cǎogǎo. He helped me make a draft. ❽〈动 v.〉建立 establish：白手~家 báishǒu~jiā start from scratch ｜院子里~了两栋高楼。 Yuànzi li ~le liǎng dòng gāolóu. Two tall buildings were built in the compound. ❾〈动 v.〉开始 start：~步 ~bù start; make a beginning ｜~初 ~chū at the beginning ｜~点 ~diǎn starting point ｜~跑 ~pǎo start a race ｜~动 ~dòng start（a machine, etc.）｜~运 ~yùn start shipment ❿〈动 v.〉办理领取（凭证）go through some procedures to obtain

(certificates)：你明天可以~护照了。 *Nǐ míngtiān kěyǐ ~ hùzhào le.* You can get your passport tomorrow. │请给我~三张到上海的机票。 *Qǐng gěi wǒ ~ sān zhāng dào Shànghǎi de jīpiào.* Please get me three plane tickets to Shanghai. ⓫〈动 v.〉与'从''由'配合，用在动词后面，表示开始 used together with '从 cóng' or '由 yóu' after verbs to indicate starting doing something：从今天~，我要学汉语了。 *Cóng jīntiān ~, wǒ yào xué Hànyǔ le.* I am going to learn Chinese as off today. ⓬〈动 v.〉用动词后，表示（'从''由'…）开始 used after a verb to indicate beginning：我们从汉语拼音开始学~。 *Wǒmen cóng Hànyǔ pīnyīn kāishǐ xué ~.* We started learning Chinese from Chinese phonetic alphabet. ⓭〈动 v.〉用在动词后面，表示动作趋向 use after verbs to indicate upward movement：拿~ *ná* ~ pick up│抬~ *tái* ~ raise; lift│搬~ *bān* ~ lift│抱~ *bào* ~ carry in arms ⓮〈动 v.〉用在动词后面，表示事物随动作出现 used after verbs to indicate something happening right after the action：唱~山歌 *chàng* ~ *shāngē* sing a folk song│奏~迎宾曲 *zòu* ~ *yíngbīnqǔ* play a tune of welcome│会场上响~了热烈的掌声。 *Huìchǎng shang xiǎng ~le rèliè de zhǎngshēng.* The assembly hall was resounded with warm applauses. ⓯〈动 v.〉用在动词后面，常与'得'或'不'连用，表示能力够得上够不上 used after verbs and often preceded by '得 de' or '不 bù' to indicate whether it is within or beyond one's power to do sth.：他经得~艰苦的考验。 *Tā jīng de ~ jiānkǔ de kǎoyàn.* He is able to stand the hard test. │这么贵的首饰我买不~。 *Zhème guì de shǒushì wǒ mǎi bù ~.* I can't afford such an expensive piece of jewellery. ⓰〈量 meas.〉件；次 case; instance：三~案件 *sān ~ ànjiàn* three cases│两~事故 *liǎng ~ shìgù* two accidents ⓱〈量 meas.〉批；群 batch; group：咱们十个人分两~出发。 *Zánmen shí gè rén fēn liǎng ~ chūfā.* The ten of us set out in two batches. ⓲〈介 prep. 方 dial.〉放在事件或处所词前表示起点，相当于'从'used before incidents or nouns of place to indicate the starting point, same as '从 cóng'：他~小儿就没了父母。 *Tā ~xiǎor jiù méile fùmǔ.* He lost his parents when he was young. │~这儿往东走半站地就是邮局。 *~ zhèr wǎng dōng zǒu bàn zhàn dì jiùshì yóujú.* Go east from here, about half the distance between two bus stations, and you will find the post office. ⓳〈介 prep. 方 dial.〉放在处所词前表示经过某处 used before nouns of place to indicate passing a certain place：他刚骑着自行车~大门口过去。 *Tā gāng qízhe zìxíngchē ~ dà ménkǒu guòqù.* He just passed by the gate on a bike.

⁴ **起草** qǐ//cǎo〈动 v.〉拟草稿 make a draft：~文件 *~ wénjiàn* draft a document│~通知 *~ tōngzhī* draft a notice│~报告 *~ bàogào* draft a report│你~的那份计划我已经看过了。 *Nǐ ~ de nà fèn jìhuà wǒ yǐjīng kànguo le.* I have already read the plan you drafted. │提交董事会的报告，你先帮我起个草吧。 *Tíjiāo dǒngshìhuì de bàogào, nǐ xiān bāng wǒ qǐ gè cǎo ba.* Please help me draft the report to be sumitted to the board of directors.

³ **起初** qǐchū〈名 n.〉最初的时候，开始 at first; at the beginning：~他学英语，后来才改学汉语的。 *~ tā xué Yīngyǔ, hòulái cái gǎi xué Hànyǔ de.* At first, he learned English, but later he changed to Chinese. │这件事~我并不赞成，经他解释后我才同意的。 *Zhè jiàn shì ~ wǒ bìng bù zànchéng, jīng tā jiěshì hòu wǒ cái tóngyì de.* I didn't agree on this matter originally, but after his explanation I gave my consent.

¹ **起床** qǐ//chuáng〈动 v.〉起身下床（多指早晨睡醒之后）get out of bed (usually after one wakes up in the morning) get up：他每天早上6点就~。 *Tā měitiān zǎoshang liù diǎn jiù ~.* He gets up at six o'clock every morning. │他的腿摔伤了，好几天起不来床。 *Tā de tuǐ shuāishāng le, hǎo jǐ tiān qǐ bù lái chuáng.* He broke his legs and couldn't get up for quite a few days.

Q

⁴ **起点** qǐdiǎn 〈名 n.〉开始的地点或时间 starting point of place or time：我们这次旅游的~是北京。 *Wǒmen zhè cì lǚyóu de ~ shì Běijīng.* Our starting point for this trip is Beijing. ｜ 进入大学是我们学习生活的一个新~。 *Jìnrù dàxué shì wǒmen xuéxí shēnghuó de yí gè xīn ~.* Attending college is a new starting point for us in our study. ｜ 马拉松比赛的~设在体育场内。 *Mǎlāsōng bǐsài de ~ shè zài tǐyùchǎng nèi.* The starting line for the marathon race is set in the stadium.

⁴ **起飞** qǐfēi ❶〈动 v.〉飞机、火箭等开始飞行 (of an aeroplane, a rocket, etc.) take off：去上海的航班几点~？ *Qù Shànghǎi de hángbān jǐ diǎn ~?* When will the flight to Shanghai take off? ❷〈动 v.〉比喻事业开始上升、发展 (of an undertaking) get off to a good start：经济~ *jīngjì ~* economic takeoff

⁴ **起伏** qǐfú ❶〈动 v.〉一起一落有起伏：波涛~。 *Bōtāo ~.* The waves rise and fall. ｜ 这里的地形~很大。 *Zhèlǐ de dìxíng ~ hěn dà.* There are dramatic changes in terrain here. ❷〈动 v.〉比喻感情、关系等的起落变化 (of emotions, relationship, etc.) rise and fall：心潮~ *xīncháo ~* the rising and falling of emotions ｜ 他们两人的关系最近出现了~。 *Tāmen liǎng rén de guānxì zuìjìn chūxiànle ~.* There have been ups and downs in their relations recently.

⁴ **起哄** qǐ//hòng ❶〈动 v.〉众多的人在一起胡闹；捣乱 (of a crowd of people) create a disturbance; make trouble; kick up a fuss：大家正经点儿，别瞎~。 *Dàjiā zhèngjing diǎnr, bié xiā ~.* Everyone of you should be serious and shouldn't create a disturbance. ❷〈动 v.〉众多的人跟一两个人开玩笑 (of a crowd of people) make fun of one or two persons; jeer; boo and hoot, tease clamorously：这些年轻人拿我开玩笑，你跟着起什么哄？ *Zhèxiē niánqīngrén ná wǒ kāi wánxiào, nǐ gēnzhe qǐ shénme hòng?* These young people are making fun of me. Why should you get a piece of action too?

⁴ **起劲** qǐjìn (~儿)〈形 adj.〉情绪高；劲头大 in high spirits; vigorous; energetic; enthusiastic：干得很~儿 *gàn de hěn ~r* work energetically ｜ 玩儿得很~儿 *wánr de hěn ~r* play enthusiastically

¹ **起来 I** qǐ//lái ❶〈动 v.〉由卧而坐；由坐而立 rise; stand up：坐的时间长了，要~活动活动。 *Zuò de shíjiān cháng le, yào ~ huódòng huódòng.* One needs to stand up and relax a little after sitting for a long time. ｜ 他刚躺下没多会儿就~了。 *Tā gāng tǎng xià méi duō huìr jiù ~ le.* No sooner had he lain down than he got up. ❷〈动 v.〉起床 get up：他早上一~就到公园打太极拳。 *Tā zǎoshang yì ~ jiù dào gōngyuán dǎ tàijíquán.* As soon as he gets up in the morning, he goes to the park to play shadow boxing. ｜ 晚上睡得太晚，第二天就起不来了。 *Wǎnshang shuì de tài wǎn, dì-èr tiān jiù qǐ bù lái le.* If one stays up late, he will probably sleep late the next morning. ❸〈动 v.〉泛指升起、兴起等现象 rise：烟雾~了。 *Yānwù ~ le.* The smoke has risen. ｜ 民众~了。 *Mínzhòng ~ le.* The masses have risen up. II //qǐ//lái ❶〈动 v.〉用在动词后面，表示动作的趋向 used after verbs to indicate an upward movement：站~ *zhàn ~* stand up ｜ 升~ *shēng ~* rise ｜ 抬~ *tái ~* lift ｜ 拿~ *ná ~* pick up ❷〈动 v.〉用在动词或形容词后面，表示动作或情况开始并继续 used after verbs or adjectives to indicate the beginning and continuation of an action or a state：跑~ *pǎo ~* start to run ｜ 跳~ *tiào ~* start to dance ｜ 唱~ *chàng ~* start to sing ｜ 笑~ *xiào ~* start to laugh ｜ 天气一天天热，草地也渐渐的绿~了。 *Tiānqì yì tiāntiān rè ~, cǎodì yě jiànjiàn de lǜ ~ le.* It is getting hot day by day, and the grassland is gradually turning green. ｜ 他说起话来总带着浓重的乡音。 *Tā shuō qǐ huà lái zǒng dàizhe nóngzhòng de xiāngyīn.* He always speaks with a strong local accent. ❸〈动 v.〉用在动词后面，表示动作完成或达到目的 used after verbs to indicate the completion of

an action or achievement of a goal：这幢写字楼是去年盖~的。*Zhè zhuàng xiězìlóu shì qùnián gài ~ de.* This office building was set up last year. │我想~了，这本书是跟他借的。*Wǒ xiǎng ~ le, zhè běn shū shì gēn tā jiè de.* I have got it, the book was borrowed from him. ❹〈动 v.〉用在动词后面，表示估计 used after verbs to indicate an estimate：看~, 他是不会来了。*Kàn ~, tā shì búhuì lái le.* It seems that he won't come.

⁴**起码** qǐmǎ〈形 adj.〉最低限度 minimum：~的要求 *~ de yāoqiú* minimum requirements │~的条件 *~ de tiáojiàn* basic requirements │这块表~值500块钱。*Zhè kuài biǎo ~ zhí wǔbǎi kuài qián.* This watch costs at least 500 *yuan*. │做这种工作~得有高中以上文化水平。*Zuò zhèzhǒng gōngzuò ~ děi yǒu gāozhōng yǐshàng wénhuà shuǐpíng.* High school education is the basic requirement for doing this job.

⁴**起身** qǐ//shēn ❶〈动 v.〉动身；出发 leave; set out：他明天~去北京。*Tā míngtiān ~ qù Běijīng.* He'll leave for Beijing tomorrow. │车在外面等着呢，怎么还不~? *Chē zài wàimian děngzhe ne, zěnme hái bù ~?* The car is waiting outside. Why are you still here? ❷〈动 v.〉起床 get up：你每天几点~? *Nǐ měi tiān jǐ diǎn ~?* When do you get up every day? │他早上~后就去室外跑步。*Tā zǎoshang ~ hòu jiù qù shìwài pǎobù.* He goes jogging outdoors after getting up. ❸〈动 v.〉由坐、卧而立 stand up or rise：他累得躺在床上起不了身了。*Tā lèi de tǎng zài chuáng shang qǐ bù liǎo shēn le.* He is too tired to rise from bed.

⁴**起诉** qǐsù〈动 v.〉向法院提出诉讼 bring a suit or an action against sb.; sue; prosecute：~书 *~shū* indictment │他已向法院提出~。*Tā yǐ xiàng fǎyuàn tíchū ~.* He has sued to the court.

³**起义** qǐyì ❶〈动 v.〉人民为反抗反动统治而进行的武装暴动 an armed uprising of the ordinary people to oppose the reactionary rule; rise in an uprising：农民~ *nóngmín ~* peasant uprising ❷〈动 v.〉反动统治集团内部一部分人为投身革命而举行的武装暴动 an armed uprising staged by people within the reactionary ruling class to come over to the revolutionary side; revolt and cross over：敌军的一个团昨晚~了。*Díjūn de yí gè tuán zuówǎn ~ le.* One of the enemy's regiments crossed over to our side last night.

³**起源** qǐyuán ❶〈动 v.〉开始发生 originate：火药~于中国。*Huǒyào ~ yú Zhōngguó.* Gunpowder originates in China. ❷〈名 n.〉根源 origin：生命的~ *shēngmìng de ~* the origin of life │人类的~ *rénlèi de ~* the origin of human beings

²**气** qì ❶〈名 n.〉气体 gas：空~ *kōng~* air │氧~ *yǎng~* oxygen │毒~ *dú~* poisonous gas │煤~ *méi~* coal gas │天然~ *tiānrán~* natural gas ❷〈名 n.〉特指空气 air：~压 *~yā* atmospheric pressure │我要到院子里透透~。*Wǒ yào dào yuànzi li tòutou ~.* I'll go out to the yard to breathe some fresh air. ❸〈名 n.〉自然现象 natural phenomena：~象 *~xiàng* meteorological phenomena │天~ *tiān~* weather │秋高~爽 *qiūgāo~shuǎng* fine autumn weather ❹〈名 n.〉气息 breath：喘口~ *chuǎn kǒu ~* take a breath │上~不接下~ *shàng ~ bù jiē xià ~* can hardly breathe │病人已经没~了。*Bìngrén yǐjīng méi ~ le.* The patient has ceased breathing. ❺〈名 n.〉气味 smell：香~ *xiāng~* sweet smell │臭~ *chòu~* foul odor │腥~ *xīng~* the smell of fish, seafood, etc. ❻〈名 n.〉人的精神状态 spirit：勇~ *yǒng~* courage │朝~蓬勃 *zhāo~péngbó* brim over with vigor and vitality ❼〈名 n.〉作风；气质 airs; bearing; manners：官~ *guān~* bureaucratic airs │娇~ *jiāo~* finicky airs │傲~ *ào~* arrogance │书生~ *shūshēng~* bookishness │孩子~ *háizi~* childishness │土里土~ *tǔlitǔ~* cloddish ❽〈名 n.〉气势 momentum：雄纠纠，~昂昂 *xióngjiūjiū, ~áng'áng* valiant and spirited │~汹汹 *~shì-xiōngxiōng* overbearing │~吞山河（形容气魄很大）*~tūn shānhé* (*xíngróng qìpò hěn dà*) filled with heroic spirit that

conquers mountains and rivers (full of daring)｜~冲宵汉 (形容大无畏的精神和气概) ~chōng xiāohàn (xíngróng dàwúwèi de jīngshén hé qìgài) the wrath soaring to the clouds; spirit soaring to the firmament (dauntless) ❾〈名 n.〉欺压；欺负 insult; bully：忍~吞声 rěn~-tūnshēng submit to humiliation｜我再也不受他的~了。Wǒ zài yě bú shòu tā de ~ le. I can hardly to tolerate with him any more. ❿〈名 n.〉中医指人体内使各种器官正常运行的原动力，也指某种病象 In traditional Chinese medical science, it refers to the vital energy that guarantees the normal function of all kinds of organs inside the human body; it also refers to certain symptoms：元~ yuán~ vital energy; vitality｜~虚 ~xū deficiency of vital energy｜疝~ shàn~ hernia｜肝~ gān~ diseases with symptoms such as costal pain, vomiting, diarrhea, etc. ⓫〈名 n.〉恼怒的情绪 anger：满面怒~ mǎnmiàn nù~ beaming with anger｜您先消消~。Nín xiān xiāoxiao ~. Please cool down for awhile. ⓬〈动 v.〉生气 become angry：她~得说不出话来。Tā ~ de shuō bù chū huà lái. She was too angry to say a word. ⓭〈动 v.〉使生气 make angry：你别~我了。Nǐ bié ~ wǒ le. Stop annoying me.｜我是故意想~他一下。Wǒ shì gùyì xiǎng ~ tā yíxià. It was on purpose that I got him angry.

⁴ **气喘** qìchuǎn〈动 v.〉指每分钟呼吸次数增多,呼吸困难的症状,也称'哮喘' asthma, also '哮喘xiàochuǎn'：天一冷他就~得厉害。Tiān yì lěng tā jiù ~ de lìhai. He suffers from asthma terribly once it gets cold.

³ **气氛** qìfēn〈名 n.〉形成于某一特定环境中的气息和情调 atmosphere：欢乐的~ huānlè de ~ joyous atmosphere｜热烈的~ rèliè de ~ lively atmosphere｜紧张的~ jǐnzhāng de ~ tense atmosphere

³ **气愤** qìfèn〈形 adj.〉生气；愤恨 indignant; furious：十分~ shífēn ~ be overcome with indignation｜对于破坏环境的行为人们极为~。Duìyú pòhuài huánjìng de xíngwéi rénmen jíwéi ~. People are extremely furious with behavior that will damage the environment.

³ **气概** qìgài〈名 n.〉在对待重大问题上所表现出来的精神状态 lofty quality; mettle; spirit：英雄~ yīngxióng ~ heroic spirit｜男子汉~ nánzǐhàn ~ manly spirit｜他的眉宇间透露出一种职业军人的~。Tā de méiyǔ jiān tòulù chū yì zhǒng zhíyè jūnrén de ~. His forehead reveals the spirit of a professional serviceman.

⁴ **气功** qìgōng〈名 n.〉中国的一种传统的健身术 qigong, a traditional Chinese breathing exercise：~可以增强身体机能,达到健身的目的,还可以治疗某些慢性疾病。~ kěyǐ zēngqiáng shēntǐ jīnéng, dádào jiànshēn de mùdì, hái kěyǐ zhìliáo mǒuxiē mànxìng jíbìng. Practising qigong can not only improve one's physical functions to keep him fit, but also cure some chronic diseases.

² **气候** qìhòu ❶〈名 n.〉在一定地区经过长年观察所得到的概括性气象情况 climate：大陆性~ dàlùxìng ~ continental climate｜海洋性~ hǎiyángxìng ~ maritime climate｜今年的~有些反常。Jīnnián de ~ yǒuxiē fǎncháng. The climate is a bit abnormal this year. ❷〈名 n.〉比喻动向或形势 trend; situation：政治~ zhèngzhì ~ political climate ❸〈名 n.〉比喻结果或成就 result; achievement：做生意没有雄厚的资本难成~。Zuò shēngyi méiyǒu xiónghòu de zīběn nán chéng ~. Without sufficient funds, one can hardly make real achievements in business.

⁴ **气力** qìlì〈名 n.〉力气 strength：~不足~ bùzú do not have enough strength｜费尽~ fèijìn ~ with all one's strength｜他累得连说话的~都没有了。Tā lèi de lián shuōhuà de ~ dōu méiyǒu le. He was too tired to speak a word.

⁴ **气流** qìliú ❶〈名 n.〉(股 gǔ)指流动的空气 air current：高空~移动的速度很快。

Gāokōng ~ yídòng de sùdù hěn kuài. The air current in the upper air flows very fast. | 这股暖湿～明天将移出本市上空。*Zhè gǔ nuǎnshī ~ míngtiān jiāng yíchū běnshì shàngkōng.* This warm and humid air current over our city will move away tomorrow. ❷ 〈名 *n.*〉(股 gǔ)由气管吸入或呼出的气，是发音的动力 air inhaled and exhaled in respiration which serves as the motive power for making sounds: ～振动声带发出声音。*~ zhèndòng shēngdài fāchū shēngyīn.* Airflow vibrates the vocal cords to produce sounds.

⁴ **气魄** qìpò ❶〈名 *n.*〉魄力 daring and resolution; boldness: 他说话办事很有～。*Tā shuōhuà bànshì hěn yǒu ~.* He speaks and acts with boldness and decisiveness. | 这个人具有政治家的～。*Zhège rén jùyǒu zhèngzhìjiā de ~.* The man has a stateman's boldness of vision. ❷〈名 *n.*〉气势 momentum: 万里长城～雄伟。*Wànlǐ Chángchéng ~ xióngwěi.* The Great Wall is marked for its imposing grandeur.

⁴ **气球** qìqiú〈名 *n.*〉(个 gè、只 zhī)充入空气、氢气或氦气等气体的球 balloon: 氢～ *qīng ~* hydrogen balloon | 热～ *rè~* hot balloon | 彩色～ *cǎisè ~* colored balloon | 高空探测～ *gāokōng tàncè~* high-altitude exploration balloon

⁴ **气势** qìshì〈名 *n.*〉人或物表现出来的某种力量或状态 momentum; imposing manner: ～不凡 *~ bùfán* imposing and magnificent; of outstanding momentum | ～磅礴 *~ pángbó* of great momentum | 盛大的阅兵式～威武雄壮。*Shèngdà de yuèbīngshì ~ wēiwǔ xióngzhuàng.* The massive military parade is imposing and magnificent.

³ **气体** qìtǐ〈名 *n.*〉没有一定的形状和体积，可以流动的物体 gas: 有毒～ *yǒudú ~* poisonous gas | 在常温下，空气、氧气、天然气都是～。*Zài chángwēn xià, kōngqì, yǎngqì, tiānránqì dōu shì ~.* Under normal temperature, air, oxygen and natural gas are all in the form of gas.

³ **气味** qìwèi ❶〈名 *n.*〉(股 gǔ)鼻子可以闻到的味儿 smell; flavor; odor: ～芳香 *~ fāngxiāng* a sweet and pleasant smell | 我闻到一股烧糊的～儿。*Wǒ wéndào yì gǔ shāo hú de ~r.* I smell a scorching smell. ❷〈动 *v.*〉比喻性格和志趣(多含贬义) character and interest; taste; reek; smack (often derogatory): ～相投 *~xiāngtóu* having the same tastes and temperament.

² **气温** qìwēn〈名 *n.*〉空气的温度 air temperature: 夏季～升高。*Xiàjì ~ shēnggāo.* Air temperature rises in summer. | 这几天～下降了好几度。*Zhè jǐ tiān ~ xiàjiàngle hǎo jǐ dù.* The temperature has dropped several degrees these days.

⁴ **气息** qìxī ❶〈名 *n.* 书 *lit.*〉呼吸时出入的气 (rather formal) breath: ～奄奄 *~yǎnyǎn* be at one's last gasp ❷〈名 *n.*〉指气味，也指一种心理感受 scent or feeling: 大海的～ *dàhǎi de ~* scent of sea | 春天的～ *chūntiān de ~* scent of spring | 时代的～ *shídài de ~* ethos of the times | 生活的～ *shēnghuó de ~* smack of life

² **气象** qìxiàng ❶〈名 *n.*〉大气的状态和现象，如刮风、下雨、闪电、雷鸣等 meteorological phenomena such as wind, rain, lightning, thunder, etc.: ～观测 *~ guāncè* meteorological observation | ～学 *~xué* meteorology | ～专业 *~ zhuānyè* specialty of meteorology | ～台 *~tái* meteorological observatory | ～卫星 *~ wèixīng* meteorological satellite ❷〈名 *n.*〉情景；气派 scene; spectacle: ～万千 *~wànqiān* in all its majesty | 一新 *~yìxīn* a completely new scene | ～雄伟 *~ xióngwěi* magnificent appearance | 农村一片新～。*Nóngcūn yípiàn xīn ~.* The countryside has taken on an entirely new look.

³ **气压** qìyā〈名 *n.*〉气体的压强；气象学上指大气的压强 barometric pressure; atmospheric pressure in meteorology: ～低～*dī.* The air pressure is low. | ～稳定。*~ wěndìng.* The air pressure is stable. | 低～会让人感到不适。*Dī ~ huì ràng rén gǎndào*

bùshì. Low pressure makes one feel uncomfortable.

⁴ **汽** qì ❶〈名 n.〉指液体或某些固体受热后变成的气体 vapor; steam: 蒸~ *zhēng~* steam ❷〈名 n.〉特指水蒸气 steam: ~轮机 *~lúnjī* steam turbine | ~缸 *~gāng* cylinder | ~锤 *~chuí* steam hammer | ~艇 *~tǐng* motorboat

¹ **汽车** qìchē〈名 n.〉(辆liàng)主要在马路或公路上行驶的交通工具 automobile: 小~ *xiǎo~* car | 公共~ *gōnggòng~* bus | 载重~ *zàizhòng~* truck | ~司机 *~sījī* car driver | 他用银行贷款买了一辆小~。*Tā yòng yínháng dàikuǎn mǎile yí liàng ~.* He bought a car with a loan from the bank.

³ **汽船** qìchuán〈名 n.〉(艘sōu)以蒸汽机为动力的小型船只 steamship; steamer: 他驾驶着一艘~在海面上游玩。*Tā jiàshǐzhe yì sōu ~ zài hǎimiàn shang yóuwán.* He steered a steamboat on the sea for fun.

¹ **汽水** qìshuǐ〈名 n.〉(瓶píng、杯bēi)一种含二氧化碳的清凉饮料 aerated water; soda water: 冰镇~ *bīngzhèn~* iced soda water | ~是消暑的饮料。*~ shì xiāoshǔ de yǐnliào.* Soda water is a drink that can relieve the summer heat.

² **汽油** qìyóu〈名 n.〉(桶tǒng、立升lìshēng)从石油中分馏出来的一类轻质石油产品 gasoline; gas: 普通~ *pǔtōng~* ordinary gasoline | 航空~ *hángkōng~* aviation gasoline | ~价格上涨了。*~jiàgé shàngzhǎng le.* Petrol prices have risen.

⁴ **砌** qì ❶〈名 n.〉用和好的灰或泥把砖石粘合垒起 lay bricks or stones with mortar or mud: ~砖 *~zhuān* lay bricks | ~墙 *~qiáng* build a wall | ~花坛 *~huātán* build a flower bed ❷〈名 n. 书 lit.〉台阶 step: 雕栏玉~ *diāolán-yù~* carved balustrades and marble steps

⁴ **器** qì ❶〈名 n.〉器具 ware; utensil: ~物 *~wù* utensil | ~皿 *~mǐn* container; household utensils | ~材 *~cái* equipment | ~械 *~xiè* apparatus; weapon | 瓷~ *cí~* chinaware | 木~ *mù~* wooden articles | 铁~ *tiě~* ironware ❷〈名 n.〉器官 organ: 呼吸~ *hūxī~* respiratory organ | 生殖~ *shēngzhí~* reproductive organ ❸〈名 n.〉度量 capacity: ~量 *~liàng* tolerance ❹〈名 n.〉才能 talent: 大~晚成。*Dà~wǎnchéng.* Great minds mature slowly. ❺〈动 v. 书 lit.〉看重（某人的品德、才能）think highly of (one's virtue and ability): 他深受领导的~重。*Tā shēnshòu lǐngdǎo de ~zhòng.* His leader thinks highly of him.

³ **器材** qìcái〈名 n.〉(种zhǒng、件jiàn、套tào)器具和材料 equipment and material: 运动~ *yùndòng~* sports gear | 广播~ *guǎngbō~* broadcasting equipment | 电讯~ *diànxùn~* telecommunication equipment | 照相~ *zhàoxiàng~* photographic equipment | 消防~ *xiāofáng~* fire-fighting equipment

³ **器官** qìguān〈名 n.〉(个gè)生物体的构成部分 organ: 消化~ *xiāohuà~* digestive organs | 神经~ *shénjīng~* nervous organs

⁴ **器具** qìjù〈名 n.〉(种zhǒng、件jiàn、套tào)用具；工具 utensil: 手术~ *shǒushù~* operating utensils | 实验~ *shíyàn~* laboratory utensils | 医疗~ *yīliáo~* medical instruments

⁴ **器械** qìxiè〈名 n.〉(种zhǒng、副fù、套tào)有专门用途的或构造精密的器具 apparatus: 体育~ *tǐyù~* sports apparatus | 医疗~ *yīliáo~* medical instruments

⁴ **掐** qiā ❶〈动 v.〉用手指甲按；用拇指和食指用力捏或截断(物体) pinch; nip: 人中 *~rénzhōng* press one's philtrum | ~花 *~huā* nip off flowers | ~豆芽 *~dòuyá* pick bean sprouts ❷〈动 v.〉用手的虎口紧紧按住 press; squeeze or break sth. between the thumb and the index finger: ~脖子 *~bózi* grip one's neck ❸〈动 v. 方 dial.〉吵架 quarrel: 他俩一见面就~。*Tā liǎ yí jiànmiàn jiù ~.* Once they meet, they quarrel with each other as soon as they meet. ❹〈动 v. 方 dial.〉截断管道或线路 cut off a tube or line: 他家的自来水给~了。*Tā jiā de zìláishuǐ gěi ~ le.* Water supply in his family was cut off. | 我忘了交电话费，给~了电话线。*Wǒ wàngle jiāo diànhuàfèi, gěi ~ le diànhuàxiàn.* I forgot

to pay the phone bill and my telephone line was cut off.

⁴ 洽谈 qiàtán 〈动 *v.*〉接洽商谈 consult: 他正在和客户~一笔生意。*Tā zhèngzài hé kèhù ~ yì bǐ shēngyì.* He is negotiating on a transaction with his clients. │ 明天将举办贸易~会。*Míngtiān jiāng jǔbàn màoyì ~huì.* There will be a trade conference tomorrow.

⁵ 恰当 qiàdàng 〈形 *adj.*〉合适;妥当 suitable; proper: 现在去北方还有点冷,最好选一个~的时候再去。*Xiànzài qù běifāng hái yǒu diǎn lěng, zuìhǎo xuǎn yí gè ~ de shíhou zài qù.* Now it is a bit cold in northern China. You'd better choose an appropriate time to go there. │ 你这样做是再~不过了。*Nǐ zhèyàng zuò shì zài ~ bú guò le.* It could not be more appropriate for you to do so. │ 他是公司经理的最~人选。*Tā shì gōngsī jīnglǐ de zuì ~ de rénxuǎn.* He is the most suitable person for the company manager.

⁴ 恰到好处 qiàdàohǎochù 〈惯 *usg.*〉办事或说话正合分寸 just right for the purpose, occasion, etc. when doing sth. or saying sth.: 她煮的米饭不软不硬,~。*Tā zhǔ de mǐfàn bù ruǎn bú yìng, ~.* She cooks rice to a turn, neither soft nor hard. │ 演员们的表演,既很充分又不过火。*Yǎnyuánmen de biǎoyǎn ~, jì hěn chōngfèn yòu bú guòhuǒ.* The performers have acted appropriately, quite to the full while without going too far.

³ 恰好 qiàhǎo 〈副 *adv.*〉正好 just right: 我正准备去找你,~你就来了。*Wǒ zhèng zhǔnbèi qù zhǎo nǐ, ~ nǐ jiù lái le.* I was just going to look for you when you came. │ 你要找的那本书,~我这儿有。*Nǐ yào zhǎo de nà běn shū, ~ wǒ zhèr yǒu.* I happen to have the book you are looking for.

³ 恰恰 qiàqià 〈副 *adv.*〉正好;正巧 precisely; exactly: ~相反 *~ xiāngfǎn* on the contrary │ 他急匆匆地跑到汽车站,~赶上末班车。*Tā jícōngcōng de pǎodào qìchēzhàn, ~ gǎnshang mòbānchē.* He ran hurriedly to the bus station, just catching the last bus in time.

⁴ 恰巧 qiàqiǎo 〈副 *adv.*〉凑巧 by chance: 我在地铁里~遇上了一位多年未见的老朋友。*Wǒ zài dìtiě li ~ yùshangle yí wèi duō nián wèi jiàn de lǎo péngyou.* I ran into an old friend whom I haven't seen for years at the metro station. │ 我去超市买东西,~碰上了打折促销活动。*Wǒ qù chāoshì mǎi dōngxi, ~ pèngshangle dǎzhé cùxiāo huódòng.* I went shopping in the supermarket and ran across sales promotion.

⁴ 恰如其分 qiàrúqífèn 〈惯 *usg.*〉说话或办事正合分寸 appropriate; just right: 话说得~,别人才容易接受。*Huà shuō de ~, biéren cái róngyì jiēshòu.* Proper words may easily be accepted by others.

¹ 千 qiān **❶**〈数 *num.*〉汉字的数目字, 即阿拉伯数字 1,000, 大写是‘仟’ Chinese numerical, namely the Arabic numeral 1,000, capitalized as ‘仟 qiān’: ~米 *~ mǐ* one thousand meters; kilometer │ ~克 *~ kè* one thousand grams; kilogram │ 这座剧场能容纳三~人。*Zhè zuò jùchǎng néng róngnà sān~ rén.* This theatre can hold three thousand people. **❷**〈数 *num.*〉比喻很多 countless; innumerable: ~变万化 *~biàn-wànhuà* be constantly changing │ ~篇一律 *~piān-yílǜ* stereotyped; monotonous │ ~言万语 *~yán-wànyǔ* innumerable words │ ~载难逢 *~zǎi-nánféng* unlikely to occur once in a thousand years │ 百孔~疮 (比喻残破缺漏, 破坏严重) *bǎikǒng-~chuāng* (bǐyù cánpò quēlòu, pòhuài yánzhòng) riddled with gaping wounds (seriously damaged)

³ 千方百计 qiānfāng-bǎijì 〈成 *idm.*〉形容想尽或用尽各种办法 by every possible means: 他~地收集世界各国的邮票。*Tā ~ de shōují shìjiè gèguó de yóupiào.* He tries every possible means to collect stamps of different countries. │ 我一定~完成公司交给我的任务。*Wǒ yídìng ~ wánchéng gōngsī jiāo gěi wǒ de rènwù.* I will try my best to finish the work assigned to me by the company.

⁴ 千军万马 qiānjūn-wànmǎ 〈成 *idm.*〉形容兵马众多或声势浩大 thousands upon thousands of horses and soldiers; a powerful army; a mighty force: 他像一位久经沙场 的司令员，指挥着在三峡工程的工地奋战。 *Tā xiàng yí wèi jiǔ jīng shāchǎng de sīlìngyuán, zhǐhuīzhe ~ zài Sānxiá Gōngchéng de gōngdì fènzhàn.* Like a commander who has gone through many battles, he directed a great number of workers at the construction site of the Three-Gorge Project.

¹ **千克** qiānkè 〈量 *meas.*〉公制重量和质量的计量单位，也叫'公斤'，符号kg kilogram, also '公斤gōngjīn', abbr. for kg: 袋装面粉有1.5~装的，也有5~装的。 *Dài zhuāng miànfěn yǒu yì diǎn wǔ ~ zhuāng de, yě yǒu wǔ ~ zhuāng de.* There are two kinds of package of flour, 1.5 kg per sack and 5 kg per sack. ｜ 这袋大米重25~。 *Zhè dài dàmǐ zhòng èrshíwǔ ~.* This sack of rice weighs 25 kilograms.

¹ **千瓦** qiānwǎ 〈量 *meas.*〉电的实用功率单位，符号kw，旧称'瓩'kilowatt, abbr. for kw, also called '瓩qiānwǎ'in the past: 小时 ~ *xiǎoshí* kilowatt-hour ｜ 这台电炉的功率为 1~。 *Zhè tái diànlú de gōnglǜ wéi yì ~.* The power of this electric stove is one kilowatt.

² **千万** qiānwàn 〈副 *adv.*〉务必；一定(表示恳切叮咛) must; be sure to (used in an earnest admonition): ~要小心！别摔下去。 *~ yào xiǎoxīn! Bié shuāi xiàqù.* Do be careful! Don't fall down. ｜ 外出旅游，~要注意安全。 *Wàichū lǚyóu, ~ yào zhùyì ānquán.* Do make sure that you are safe and sound when going out on a trip.

¹ **迁** qiān ❶〈动 *v.*〉迁移 move: ~居 ~ *jū* change one's dwelling place ｜ ~徙 ~*xǐ* migrate ｜ 这片房子要拆~了。 *Zhè piàn fángzi yào chāi~ le.* These buildings are going to be pulled down. ❷〈动 *v.*〉转变 change: 变~*biàn*~ changes ｜ 时过境~。 *Shíguò-jìng~.* Things have changed with the lapse of time.

¹ **迁就** qiānjiù 〈动 *v.*〉将就；顺从他人的意愿 give in to: 孩子的这些坏脾气，都是平时 父母过于~的结果。 *Háizi de zhèxiē huài píqi, dōushì píngshí fùmǔ guòyú ~ de jiéguǒ.* The child's bad temper results from his parents' willingness to give in to his demands.

² **牵** qiān ❶〈动 *v.*〉拉着行走或移动 pull along by the nose or move: 他~着一匹马。 *Tā ~zhe yì pǐ mǎ.* He led a horse along by the nose. ｜ 他们手~着手逛大街。 *Tāmen shǒu ~zhe shǒu guàng dàjiē.* They roamed the streets hand in hand. ❷〈动 *v.*〉牵涉 involve: ~连 ~*lián* incriminate; implicate ｜ ~扯 ~*chě* involve ❸〈动 *v.*〉惦念 remember with concern: ~挂 ~*guà* worry about ｜ ~肠挂肚 (形容非常挂念，很不放心) ~*chángguàdù (xíngróng fēicháng guàniàn, hěn bú fàngxīn)* be very worried

¹ **牵扯** qiānchě 〈动 *v.*〉牵连；有联系 drag in; implicate: 这宗案件~到好几个人。 *Zhè zōng ànjiàn ~ dào hǎo jǐ gè rén.* Quite a few people have become involved in this case. ｜ 这件事你千万别把我~进去。 *Zhè jiàn shì nǐ qiānwàn bié bǎ wǒ ~ jìnqù.* Do not drag me in this matter in any case.

¹ **牵引** qiānyǐn 〈动 *v.*〉拖拉着往前走 drag forward: ~力 ~*lì* traction force ｜ 机车~着列车 驶进车站。 *Jīchē ~zhe lièchē shǐ jìn chēzhàn.* The locomotive is pulling the train into the station.

¹ **牵制** qiānzhì 〈动 *v.*〉拖住使之不能自由活动(多用于军事) pin down (often used in military affairs): 他用一个连~了敌人一个团的兵力。 *Tā yòng yí gè lián ~le dírén yí gè tuán de bīnglì.* He pinned down an enemy's regiment with one company. ｜ 你一定要 设法摆脱他的~。 *Nǐ yídìng yào shèfǎ bǎituō tā de ~.* You must try to get rid of his check.

³ **铅** qiān ❶〈名 *n.*〉一种金属元素，符号为Pb plumbum: ~版 ~*bǎn* stereotype ｜ ~球 ~*qiú* shot ｜ ~字 ~*zì* type ｜ ~丝 ~*sī* galvanized wire ❷〈名 *n.*〉铅笔芯 lead, the thin rod of graphite in a pencil: 这种铅笔的~很粗。 *Zhèzhǒng qiānbǐ de ~ hěn cū.* The black

lead in this kind of pencil is very thick.

¹ **铅笔** qiānbǐ〈名 n.〉(支 zhī、根 gēn)用石墨或加颜料的粘土做笔芯的笔 pencil：普通 ~ *pǔtōng* ~ ordinary pencil │ 制图 ~ *zhìtú* ~ drafting pencil │ 彩色 ~ *cǎisè* ~ colored pencil

³ **谦虚** qiānxū〈形 adj.〉虚心；不骄傲 modest：~谨慎 ~ *jǐnshèn* modest and circumspect │ 他说话的态度很 ~。*Tā shuōhuà de tàidù hěn* ~. He speaks modestly. │ ~是一种美德。~ *shì yì zhǒng měidé.* Modesty is a virtue.

⁴ **谦逊** qiānxùn〈形 adj.〉谦虚；恭敬 modest and unassuming; unpretentious：他虽然是著名教授，但为人十分 ~。*Tā suīrán shì zhùmíng jiàoshòu, dàn wéirén shífēn* ~. A well-known professor as he is, he is very modest and unassuming. │ 我们应当抱着 ~ 的态度认真学习他国的先进科技成果。*Wǒmen yīngdāng bàozhe* ~ *de tàidù rènzhēn xuéxí tā guó de xiānjìn kējì chéngguǒ.* We should learn from other countries' advanced science and technology with modesty.

² **签订** qiāndìng〈动 v.〉订立条约或合同并签字 sign (a contract, treaty, etc.)：~友好合作条约 ~ *yǒuhǎo hézuò tiáoyuē* conclude a treaty of friendship and cooperation │ ~贸易议定书 ~ *màoyì yìdìngshū* sign a trade protocol │ ~购房合同 ~ *gòufáng hétong* sign a real estate contract

⁴ **签发** qiānfā〈动 v.〉由主管人审核同意后签名发出 sign and issue：~文件 ~ *wénjiàn* issue a document │ ~通知 ~ *tōngzhī* issue a notice │ ~护照 ~ *hùzhào* issue a passport │ ~许可证 ~ *xǔkězhèng* issue a license

⁴ **签名** qiān // míng〈动 v.〉用笔写上自己的名字 sign one's name：个人支票必须由本人~方能生效。*Gèrén zhīpiào bìxū yóu běnrén* ~ *fāngnéng shēngxiào.* The personal check takes effect only after it is signed by the owner himself. │ 请大家在签到簿上签上自己的名字。*Qǐng dàjiā zài qiāndàobù shang qiān shang zìjǐ de míngzi.* Please sign your name on the attendance book.

⁴ **签署** qiānshǔ〈动 v.〉在重要文件上签字 sign an important document：两国总理~了联合公报。*Liǎng guó zǒnglǐ* ~ *le liánhé gōngbào.* The prime ministers of the two countries signed a joint communiqué. │ 双方~了边界协定。*Shuāngfāng* ~ *le biānjiè xiédìng.* The two parties signed a boundary agreement.

⁴ **签证** qiānzhèng ❶〈动 v.〉一国主管机构在本国或外国公民所持的护照或其他旅游证件上签注、盖章，表示准许其出入本国境 visa, official authorization appended to passport or other tourist certificates of a citizen or alien, permitting entry into or exit from particular country：他在使馆排队等候~。*Tā zài shǐguǎn páiduì děnghòu* ~. He was waiting in queues for his visa in the embassy. ❷〈名 n.〉指经过上述手续的护照或证件 a passport or certificate obtained by going through the above procedures：入境~ *rùjìng* ~ entry visa │ 旅游~ *lǚyóu* ~ tourist visa │ 他的~还没有办下来。*Tā de* ~ *hái méiyǒu bàn xiàlái.* His visa hasn't been issued yet.

⁴ **签字** qiān // zì〈动 v.〉在文件或票据上写上自己的名字，表示负责或有效 affix one's signature on a document or bill to make it valid or to indicate responsibility：~仪式 ~ *yíshì* signing ceremony │ 两国贸易部长在贸易协定上~。*Liǎng guó màoyì bùzhǎng zài màoyì xiédìng shang* ~. The trade ministers of both countries signed the trade agreement. │ 请你在收据上签个字。*Qǐng nǐ zài shōujù shang qiān gè zì.* Please sign on the receipt.

¹ **前** qián ❶〈名 n.〉在正面的(与'后 hòu'相对) front (opposite to '后 hòu')：~面 *~miàn* ahead │ ~门 *~mén* front door │ 房~屋后 *fáng~ wūhòu* in front of and behind the house │

Q

瞻~顾后（形容做事周密谨慎，也形容做事顾虑过多，犹豫不决）zhān~~gùhòu (xíngróng zuòshì zhōumì jǐnshèn, yě xíngróng zuòshì gùlǜ guòduō, yóuyù-bùjué) look ahead into the future and back into the past (think twice beofce taking action; be overcautious and indecisive) ❷ 〈名 n.〉次序在先的（与'后'相对）first (opposite to '后hòu'）：靠~ kào~ in front ｜~舱 ~cāng front cabin ｜~排 ~pái front row ｜三名 ~ sān míng the first three places; the top three ｜~赴后继 ~fù-hòujì advance wave upon wave ❸ 〈名 n.〉过去的；较早的（与'后'相对）ago; before (opposite to '后hòu'）：从~ cóng~ in the past ｜~期 ~qī early stage ｜~年 ~nián the year before last ｜~夕 ~xī eve ｜功尽弃 ~gōng-jìnqì all one's previous efforts have been in vain ｜所未有 ~suǒwèiyǒu hitherto unknown; unprecedented ❹ 〈名 n.〉从前的（指现在已经改变了的）former (different from the present state)：~任 ~rèn predecessor ｜~妻 ~qī ex-wife; former wife ｜~总统 ~ zǒngtǒng former president ❺ 〈名 n.〉未来 future: 向~看 xiàng~kàn look into the future ｜~景 ~jǐng prospect ｜~程似锦 ~chéng-sìjǐn have a brilliant future ｜~途无量 ~tú-wúliàng have a bright future ❻ 〈名 n.〉某事物产生之前的 earlier; prior to: ~资本主义 ~zīběn zhǔyì pre-capitalism ❼ 〈名 n.〉前线 the front: 支~ zhī~ support the front ❽ 〈动 v.〉往前走 walk ahead: 畏缩不~ wèisuō-bù~ hang back in fear ｜勇往直~ yǒngwǎng-zhí~ march forward courageously

⁴ **前辈** qiánbèi 〈名 n.〉年长的, 资历深的人（区别于'晚辈'）senior (different from '晚辈wǎnbèi')：老~ lǎo~ veteran ｜作为晚辈应很好地总结~们的经验。Zuòwéi wǎnbèi yīng hěn hǎo de zǒngjié ~ men de jīngyàn. We, the younger generation should sum up the experience of the older generations.

¹ **前边** qiánbian (~儿)〈名 n.〉前面（与'后边'相对）in front (opposite to '后边 hòubian')：走在~儿 zǒu zài ~r walk ahead ｜坐在~儿 zuò zài ~r sit in front ｜站在~儿 zhàn zài ~r stand ahead ｜他一直跑在~儿。Tā yìzhí pǎo zài ~r. He has been running ahead. ｜~儿没多远就是车站。~r méi duō yuǎn jiùshì chēzhàn. The bus station is not far from here.

⁴ **前程** qiánchéng 〈名 n.〉前途 future: ~远大 ~ yuǎndà have bright future ｜锦绣~ jǐnxiù ~ a glorious future ｜孩子的~早晚要断送在你的手里。Háizi de ~ zǎowǎn yào duànsòng zài nǐ de shǒu li. The child's future will sooner or later be ruined in your hand.

³ **前方** qiánfāng ❶ 〈名 n.〉前面 ahead: 左~ zuǒ ~ ahead to the left ｜他的目光一直注视着~。Tā de mùguāng yìzhí zhùshìzhe ~. He looked fixedly ahead of him. ｜~修路, 车辆绕行。~ xiū lù, chēliàng rào xíng. The road ahead is under construction and all vehicles must make a detour. ❷ 〈名 n.〉指接近前线的地区（与'后方'相对）the area near the front (opposite to '后方hòufāng')：支援~ zhīyuán ~ support the front ｜开赴~ kāifù ~ march to the front ｜往~运送物资 wǎng ~ yùnsòng wùzī transport goods to the front

⁴ **前赴后继** qiánfù-hòujì 〈成 idm.〉形容奋力向前, 连续不断 advance wave upon wave: 在抗洪救灾中, 战士们~地冲上堤坝抢险。Zài kànghóng jiùzāi zhōng, zhànshìmen ~ de chōngshang dībà qiǎngxiǎn. The soldiers advanced wave upon wave onto the dykes in combating the flood.

³ **前后** qiánhòu ❶ 〈名 n.〉指比某一特定时间稍早和稍晚的一段时间 around; about shortly before and after a particular time: 春节~ Chūnjié ~ round about the Spring Festival ｜圣诞节~ Shèngdànjié ~ around the Christmas ❷ 〈名 n.〉指某一物体的前面和后面 in front and behind: 饭店~各有一个停车场。Fàndiàn ~ gè yǒu yí gè tíngchēchǎng. There is a parking lot in front of the restaurant and another behind it. ❸ 〈名 n.〉指从开始到结束的一段时间 from beginning to end: 这项工程从开工到建成~花了一年时间。Zhè

xiàng gōngchéng cóng kāigōng dào jiànchéng ~ huāle yì nián shíjiān. It took one year altogether to complete this project.

² **前进** qiánjìn 〈动 v.〉向前移动或发展 march on; develop：他命令军队停止~。 *Tā mìnglìng jūnduì tíngzhǐ ~.* He ordered his troops to stop advancing. │人类社会在不断地~。 *Rénlèi shèhuì zài búduàn de ~.* The human society has always been developing.

³ **前景** qiánjǐng ❶〈名 n.〉图画、屏幕、舞台离观者最近的景物，也说'近景' foreground, also called '近景jìnjǐng'：舞台上的~是一棵树。 *Wǔtái shang de ~ shì yì kē shù.* There is a tree in the foreground of the stage. ❷〈名 n.〉将要出现的景象 future; prospect：~光明 ~ *guāngmíng* bright prospect │~堪忧 ~ *kānyōu* bleak future │他对公司的发展~很乐观。 *Tā duì gōngsī de fāzhǎn ~ hěn lèguān.* He is very optimistic about the future of the company.

⁴ **前列** qiánliè 〈名 n.〉最前面的一列，比喻领头的地位 forefront; *fig.* a leading position：站在最~ *Zhàn zài zuì* ~ stand in the forefront │他的研究成果处于世界的~。 *Tā de yánjiū chéngguǒ chǔyú shìjiè de ~.* His research achievement leads the world.

² **前面** qiánmian ❶(~儿)〈名 n.〉空间或位置靠前的部分（与'后面'相对）in front (in space or in position)（opposite to '后面hòumian'）：公寓楼的~是一座花园。 *Gōngyùlóu de ~ shì yí zuò huāyuán.* There's a garden in front of the apartment building. │再走几步，~就是地铁站。 *Zài zǒu jǐ bù, ~ jiùshì dìtiězhàn.* Walk a few more steps and the metro station is right ahead. ❷〈名 n.〉文章或说话中先于现在所叙述的部分（与'后面'相对）above; preceding what is now mentioned in articles or speeches（opposite to '后面hòumian'）：课文的~列有本课的生词。 *Kèwén de ~ liè yǒu běn kè de shēngcí.* New words of this lesson are listed before the text. │~讲的是基本原理，现在开始讲实际操作。 *~ jiǎng de shì jīběn yuánlǐ, xiànzài kāishǐ jiǎng shíjì cāozuò.* What we have discussed are the basic principles. Now let's get down to practical operation.

² **前年** qiánnián 〈名 n.〉比去年更早的一年 the year before last：他~提出申请，今年才拿到签证。 *Tā ~ tíchū shēnqǐng, jīnnián cái ná dào qiānzhèng.* He applied for a visa the year before last but only got it this year. │这孩子是~出生的，现在快两岁了。 *Zhè háizi shì ~ chūshēng de, xiànzài kuài liǎng suì le.* The child was born the year before last, and now he is going on two.

⁴ **前期** qiánqī 〈名 n.〉某一时期的前一阶段 early stage：这个住宅小区的~工程已经竣工。 *Zhège zhùzhái xiǎoqū de ~ gōngchéng yǐjīng wángōng.* The front-end engineering of this residential area has been completed. │基础建设的~投资都比较大。 *Jīchǔ jiànshè de ~ tóuzī dōu bǐjiào dà.* The initial investment in infrastructure construction is fairly large.

⁴ **前人** qiánrén 〈名 n.〉古人；以前的人 forefathers; predecessors：~的梦想今天已成为现实。 *~ de mèngxiǎng jīntiān yǐ chéngwéi xiànshí.* Our forefathers' dream has come true today. │~种树，后人乘凉（比喻为后人造福）。 *~ zhòngshù, hòurén chéngliáng（bǐyù wèi hòurén zàofú）.* While earlier generations plant trees, posterity will enjoy the cool under the shade（toil for the benefit of future generations）.

⁴ **前所未有** qiánsuǒwèiyǒu 〈成 idm.〉历史上从来没有过 unprecedented：中国的经济正以~的速度发展着。 *Zhōngguó de jīngjì zhèng yǐ ~ de sùdù fāzhǎnzhe.* China's economy is developing with an unprecedented speed. │三峡水利工程具有~的规模。 *Sānxiá Shuǐlì Gōngchéng jùyǒu ~ de guīmó.* The Three Gorges Project has an unprecedented scale.

⁴ **前提** qiántí ❶〈名 n.〉(个gè)逻辑学术语，指在推理上可以从它推出另一个判断的判

断 premise：大~ dà~ major premise | 小~ xiǎo~ minor premise ❷〈名 n.〉(个 gè)指事物发生和发展的先决条件 prerequisite; presupposition; predicate;：创办公司的~是必须有一定的资金。Chuàngbàn gōngsī de ~ shì bìxū yǒu yídìng de zījīn. Having a certian amount of funds is a prerequisite for setting up a company.

¹ **前天** qiántiān〈名 n.〉昨天的前一天 the day before yesterday：这个旅游团是~乘飞机抵达的。Zhège lǚyóutuán shì ~ chéng fēijī dǐdá de. This touring party arrived by plane the day before yesterday. | 他们是~出发的，今天才能到。Tāmen shì ~ chūfā de, jīntiān cái néng dào. They set out the day before yesterday and are supposed to arrive today.

³ **前头** qiántou〈名 n.〉前面(与'后头'相对) at the head (opposite to '后头 hòutou')：他是近视眼，上课总坐在~。Tā shì jìnshìyǎn, shàngkè zǒng zuò zài ~. He is shortsighted and always sits in front in class. | ~没几个人，马上就轮到我了。~ méi jǐ gè rén, mǎshàng jiù lún dào wǒ le. There are only a few people ahead of me, and soon it'll be my turn.

² **前途** qiántú〈名 n.〉原意指前面的道路,现比喻事物发展的前景 originally referred to the road ahead, now indicating the prospect of something：~光明 ~ guāngmíng bright future | ~远大 ~ yuǎndà have a brilliant future | ~无量 ~ wúliàng have boundless prospects | 他从事的这项工作,有很广阔的发展~。Tā cóngshì de zhè xiàng gōngzuò, yǒu hěn guǎngkuò de fāzhǎn ~. He has a broad prospect in taking up this job.

⁴ **前往** qiánwǎng〈动 v.〉前去；去 make for; go to：他已启程~纽约出席联合国大会。Tā yǐ qǐchéng ~ Niǔyuē chūxí Liánhéguó Dàhuì. He has left for New York to attend the United Nations General Assembly.

⁴ **前线** qiánxiàn〈名 n.〉交战时双方军队接近的地带(与'后方'相对) front (opposite to '后方 hòufāng')：战争~ zhànzhēng ~ battlefront | ~无战事。~ wú zhànshì. There are no battles on the front.

¹ **钱** qián ❶〈名 n.〉货币 money：一块~ yí kuài ~ one yuan | 整~ zhěng~ a round sum of money | 零~ líng~ change | ~币 ~bì coin | ~包 ~bāo wallet; purse | 中国的~是人民币。Zhōngguó de ~ shì rénmínbì. Chinese money is RMB. | 铜~是中国古代的一种货币。Tóng~ shì Zhōngguó gǔdài de yì zhǒng huòbì. The copper coin is a kind of money of ancient China. ❷〈名 n.〉款项 sum of money：存~ cún~ save money | 取~ qǔ~ draw money | 花~ huā~ spend money | 借~ jiè~ borrow money | 还~ huán~ return money ❸〈名 n.〉费用 fund：饭~ fàn~ money for food | 车~ chē~ fares ❹〈名 n.〉钱财 wealth：着着经济的发展,农民越来越有~了。Suízhe jīngjì de fāzhǎn, nóngmín yuèláiyuè yǒu ~ le. With the development of the economy, farmers are getting richer and richer. ❺〈量 meas.〉中国的市制重量单位,10钱等于1两 a unit of weight in China, ten qian equals one liang.

⁴ **钳子** qiánzi〈名 n.〉(把 bǎ)一种用来夹住或夹断东西的工具 pliers; pincers; forceps：老虎~ lǎohǔ~ pincer pliers | 钢丝~ gāngsī~ combination pliers

⁴ **潜伏** qiánfú〈动 v.〉隐藏；埋伏 hide; lurk：~期 ~qī incubation period | ~着危机。~ zhe wēijī. There exists the latent crisis.

⁴ **潜力** qiánlì〈名 n.〉潜在的力量 potential strength; potentials：挖掘~ wājué ~ tap one's potentials | 发挥~ fāhuī ~ bring out one's potentials | 这种新技术有很大的~。Zhèzhǒng xīn jìshù yǒu hěn dà de ~. This new technology has great potentialities

¹ **浅** qiǎn ❶〈形 adj.〉从上到下或从外到里的距离小(与'深'相对) shallow; of little depth (opposite to '深 shēn')：~水 ~shuǐ shallow water | ~滩 ~tān shoal | ~海 ~hǎi

shallow sea; epicontinental sea｜这口矿井很~. Zhè kǒu kuàngjǐng hěn ~. This mine is very shallow. ❷〈形 adj.〉字句、内容简明易懂（与‘深’相对）simple; easy; not difficult (opposite to ‘深shēn’)：～近 ~jìn simple; plain; easy to understand｜~显 ~xiǎn plain; obvious ❸〈形 adj.〉缺乏学识或修养（与‘深’相对）lack in knowledge or self-cultivation (opposite to ‘深shēn’)：~薄 ~bó superficial｜~陋 ~lòu meager｜这个人肤~得很. Zhège rén fū~ de hěn. He is very superficial. ❹〈形 adj.〉经验、资格不足（与‘深’相对）lack in experience and qualifications (opposite to ‘深shēn’)：资历~ ~zīlì have a short record of service; have very little previous experience｜阅历~ yuèlì have scanty experience ❺〈形 adj.〉感情不深厚（与‘深’相对）not chummy (opposite to ‘深shēn’)：交情~ jiāoqíng not on familiar terms｜关系~ guānxì of nodding acquaintance ❻〈形 adj.〉颜色淡（与‘深’相对）(of colors) light (opposite to ‘深shēn’)：~红 ~hóng light red｜~绿 ~lǜ light green｜~颜色 ~yánsè light colors｜~色上衣 ~sè shàngyī a light-colored jacket ❼〈形 adj.〉离开始的时间短 not long in time：你和他相处的日子还~，对他不很了解. Nǐ hé tā xiāngchǔ de rìzi hái ~, duì tā bù hěn liǎojiě. You are not very familiar with him as you have only been together for a short time. ❽〈形 adj.〉程度低；分量轻 (of degree) slight：害人不~ hài rén bù ~ do people great harm ❾〈副 adv.〉略微 slightly：~尝辄止 ~cháng-zhézhǐ put away the cup after taking a sip; make a superficial study only; stop striving after obtaining a little knowledge about something; be satisfied with a smattering of knowledge

⁴ **谴责** qiǎnzé〈动 v.〉严正申斥；责备 denounce; condemn：严厉~ yánlì ~ strongly condemn｜这种行为受到舆论的一致~. Zhè zhǒng xíngwéi shòudào yúlùn de yízhì ~. This act is condemned by all public opinions.

² **欠** qiàn ❶〈动 v.〉借别人的钱物等没有还或应当给人东西没有给 owe; be in debt; be behind with：~账 ~zhàng bills due｜~债 ~zhài owe a debt｜~人情 ~rénqíng be indebted to somebody for a favor done; owe somebody a debt of gratitude｜他~我一笔钱没还。Tā ~ wǒ yì bǐ qián méi huán. He owes me a sum of money. ❷〈动 v.〉不够；缺乏 insufficient; wanting：~佳 ~jiā not good enough｜~妥 ~tuǒ not proper｜~火候 ~huǒhou be undercooked｜你这么做实在~考虑. Nǐ zhème zuò shízài ~ kǎolù. It is really without due consideration for you to handle the matter in such a way. ❸〈动 v.〉身体的一部分微微向上抬起 raise part of the body slightly：~脚 ~jiǎo slightly raise one's heels｜他~起身子向来人打了个招呼. Tā ~qǐ shēnzi xiàng láirén dǎle gè zhāohu. He rose a bit to say hello to the man who has just entered. ❹〈动 v.〉困倦时张开口呼气 yawn; open the mouth and breathe deeply when one is tired：打哈~ dǎ hā~ yawn

⁴ **嵌** qiàn〈动 v.〉把较小的东西卡进较大的东西的凹处（多指美术工艺品的装饰）inlay：~画 ~huà inlaid pictures｜~花 ~huā inlaid designs｜~银 ~yín be set with silver pieces｜~有宝石的戒指 ~ yǒu bǎoshí de jièzhi a ring inlaid with jewels

³ **歉意** qiànyì〈名 n.〉抱歉的意思 regret; apology：表示~ biǎoshì ~ express regrets｜深致~. Shēn zhì ~. Please accept my sincere apologies.

² **枪** qiāng ❶〈名 n.〉(支zhī、杆gǎn、条tiáo)一种发射子弹的武器 rifle; gun; firearm：~手 ~shǒu pistol｜步~ bù~ rifle｜机关~ jīguān~ a machine gun｜~弹 ~dàn cartridge｜~林弹雨(形容火力密集，战斗激烈) ~lín-dànyǔ (xíngróng huǒlì mìjí, zhàndòu jīliè) a forest of guns and a hail of bullets (intense fire and fierce battle)｜~打出头鸟(比喻首先打击或惩办带头的人). ~dǎ chūtóuniǎo (bǐyù shǒuxiān dǎjī huò chéngbàn dàitóu de rén). One who sticks his neck out gets hit first (attack or punish the person who takes the lead). ❷〈名 n.〉(支zhī、杆gǎn、条tiáo)旧式兵器，长柄的一端装有金属尖头 spear：

Q

红缨~ *hóngyīng~* red-tasselled spear ❸〈名 n.〉性能或形状像枪的器物 any appliance which functions or is shaped like a gun：焊~ *hàn~* welding torch｜电子~ *diànzǐ~* electron gun ❹〈动 v.〉冒名顶替，代别人参加考试 sit in for sb. at an examination：~手 *~shǒu* substitute for another at an examination ❺〈量 meas.〉用于计量枪发射的次数 shot：他一连发了5~，~~中靶。*Tā yì lián fāle wǔ ~, ~ ~ zhòngbǎ.* He fired five shots in succession and all hit the target.

⁴ **枪毙** qiāngbì〈动 v.〉用枪打死（多用于执行死刑）execute by shooting in death penalties：~杀人犯 *~ shārénfàn* execute the murderer by shooting

⁴ **腔** qiāng ❶〈名 n.〉人或动物体内空的部分 cavity：口~ *kǒu~* oral cavity｜鼻~ *bí~* nasal cavity｜胸~ *xiōng~* thoracic cavity｜腹~ *fù~* abdominal cavity ❷〈名 n.〉说话 speech：开~ *kāi~* start talking｜我问了半天，他就是不搭~。*Wǒ wènle bàntiān, tā jiùshì bù dā~.* He made no response even though I had been asking him questions for some time. ❸〈名 n.〉说话的腔调 tone; accent：京~ *jīng~* pure Beijing accent｜广东~ *Guǎngdōng~* Guangdong accent｜娘娘~（形容男子说话、举止像女子的样子）*niángniang~*（*xíngróng nánzǐ shuōhuà, jǔzhǐ xiàng nǚzǐ de yàngzi*）womanish talk（of a man like a woman in speech and behavior, etc.）｜南~北调（指口音不纯，夹杂各地的口音）*nán~-bèidiào*（*zhǐ kǒuyīn bù chún, jiāzá gèdì de kǒuyīn*）a mixed accent ❹〈名 n.〉曲调；唱腔 tune：高~ *gāo~* high-pitched tune｜秦~（流行于中国西北地区的地方戏）*qín~*（*liúxíng yú Zhōngguó xīběi dìqù de dìfāngxì*）Shaanxi opera, popular in China's northwestern provinces ❺〈量 meas.〉用于内心的情感 used to modify inner feelings：满~热情 *mǎn~rèqíng* brim with enthusiasm｜一~怒火 *yì ~ nùhuǒ* be full of anger ❻〈量 meas.〉用于宰杀了的羊 slaughtered sheep：一~羊 *yì ~ yáng* a mutton carcass

² **强** qiáng ❶〈形 adj.〉力量大；健壮（与'弱'相对）mighty; strong（opposite to '弱ruò'）：~大 *~dà* powerful｜~国 *~guó* strong countries｜~健 *~jiàn* strong and healthy｜身~体壮 *shēn~-tǐzhuàng* strong and healthy｜奋发图~ *fènfā-tú~* go all out to achieve success ❷〈形 adj.〉标准高；程度高（多用于感情或意志方面）of high standard; of high degree（often used to modify one's emotion or will）：要~ *yào~* be eager to excel｜争~好胜 *zhēng~-hàoshèng* seek to outdo others｜他的责任心很~。*Tā de zérènxīn hěn ~.* He has a strong sense of responsibility. ❸〈形 adj.〉优越；好（多用于比较）superior; better（used for comparison）：他比我~。*Tā bǐ wǒ ~.* He is better than me.｜今年的粮食收成比去年~。*Jīnnián de liángshi shōuchéng bǐ qùnián ~.* This year we have a better harvest than last year. ❹〈形 adj.〉略多；有余 a little over; plus：我的股份占二分之一~。*Wǒ de gǔfèn zhàn èr fēn zhī yī ~.* I hold a little over one half of the total stock. ❺〈动 v.〉使用强力 use force：~暴 *~bào* ravish; rape｜~攻 *~gōng* attack violently and force one's way into; storm｜~加 *~jiā* impose｜~迫 *~pò* force

² **强大** qiángdà〈形 adj.〉指力量雄厚 big and strong; powerful; mighty：国力~ *guólì ~* strong national power｜阵容~ *zhènróng ~* have a strong lineup｜~的军队 *~ de jūnduì* a powerful army

² **强盗** qiángdào〈名 n.〉（个gè、伙huǒ）用暴力抢夺别人财物的人 robber; bandit：~行径~ *xíngjìng* banditry｜~逻辑~ *luójí* gangster logic

² **强调** qiángdiào〈动 v.〉特意着重或着重提出某一方面 emphasize; underline, lay stress on：~困难 *~ kùnnan* overstress difficulties｜客观因素~ *kèguān yīnsù* overstress objective factors｜我们再三~要注意安全。*Wǒmen zàisān ~ yào zhùyì ānquán.* We have repeatedly emphasized the importance of safety.

² **强度** qiángdù ❶〈名 n.〉指力量大小的程度 intensity：训练~ *xùnliàn ~* exercise intensity

| 劳动~ *láodòng* ~ labor intensity ❷ 〈名 *n.*〉物体抵抗外力作用的能力 strength; ability of an object to resist external force：抗震~ *kàngzhèn* ~ shock strength | 钢筋的~ *gāngjīn de* ~ strength of reinforcing bars

⁴ **强化** qiánghuà 〈动 *v.*〉使之增强巩固 strengthen; consolidate; intensify：~训练 ~ *xùnliàn* intensify the training | ~记忆 ~ *jìyì* improve one's memory

² **强烈** qiángliè ❶〈形 *adj.*〉极强的；力量很大的 strong; powerful：夏天的阳光十分~。 *Xiàtiān de yángguāng shífēn* ~. The sunlight is very intense in summer. | 他有很~的求知欲。 *Tā yǒu hěn* ~ *de qiúzhīyù*. He has a yearning for knowledge. ❷〈形 *adj.*〉程度很高的；鲜明的 keen; sharp：~的对比 ~ *de duìbǐ* sharp contrast | ~的责任感 ~ *de zérèngǎn* keen sense of responsibility ❸〈形 *adj.*〉强硬激烈 strong and vehement：提出~抗议 *tíchū* ~ *kàngyì* lodge a strong protest | 对此表示~的反对。 *Duì cǐ biǎoshì* ~ *de fǎnduì*. We strongly oppose it.

⁴ **强盛** qiángshèng 〈形 *adj.*〉强大而昌盛（多指国家或民族）(of a country or nationality) powerful and prosperous：我们的国家日益~。 *Wǒmen de guójiā rìyì* ~. Our country is getting more and more powerful and prosperous with each passing day.

⁴ **强制** qiángzhì 〈动 *v.*〉用政治、经济或法律等手段强迫做某件事 force to do something by political, economic or legal means：~措施 ~ *cuòshī* compulsory measures | ~执行 ~ *zhíxíng* enforce; execute by force

¹ **墙** qiáng 〈名 *n.*〉(堵dǔ、面miàn)用砖、石、土等筑成的屏障或外围 wall：围~ *wéi* ~ enclosing wall | 砖~ *zhuān* ~ brick wall | 土~ *tǔ* ~ earthen wall | ~头 ~ *tóu* top of a wall | ~脚 ~ *jiǎo* foot of a wall; foundation | ~倒众人推（比喻失势或倒霉时受到各方的欺负） ~ *dǎo zhòngrén tuī*（*bǐyù shīshì huò dǎoméi shí shòudào gèfāng de qīfu*）. If a wall starts tottering, everybody gives it a shove (*fig.* Everybody hits a man who is down. / Be browbeaten and bullied in every way when one is out of power or has bad luck).

³ **墙壁** qiángbì 〈名 *n.*〉墙 wall：不要在~上乱涂乱画 *Búyào zài* ~ *shang luàn tú luàn huà*. No scribbling on the wall.

² **抢** qiǎng ❶〈动 *v.*〉用强力把他人的东西夺过来；争夺 seize by force; rob; loot; snatch; grab：~夺 ~ *duó* snatch; grab; seize | ~劫 ~ *jié* loot; rob | ~球 ~ *qiú* snatch the ball from other's hands | 他把我手里的笔给~走了。 *Tā bǎ wǒ shǒu li de bǐ gěi* ~ *zǒu le*. He snatched away the pen in my hand. ❷〈动 *v.*〉抢先；争先 compete for; vie for：~购商品 ~ *gòu shāngpǐn* rush to purchase; run on the shops | 他总是~着说话。 *Tā zǒngshì* ~ *zhe shuōhuà*. He always snatches the chance to speak. | 大家~着埋单。 *Dàjiā* ~ *zhe máidān*. They all compete to pay the bill. ❸〈动 *v.*〉突击；加紧 hurry; rush：~修 ~ *xiū* rush to repair | ~收~种 ~ *shōu* ~ *zhòng* rush-harvest and rush-plant | ~救病人 ~ *jiù bìngrén* give emergency treatment to a patient ❹〈动 *v.*〉刮去或擦掉物体的表层 scrape; scratch; sharpen：磨剪子，~菜刀。 *Mó jiǎnzi，* ~ *càidāo*. Sharpen scissors and kitchen knives. | 我不小心胳膊肘被~去了一块皮。 *Wǒ bù xiǎoxīn gēbózhǒu bèi* ~ *qùle yí kuài pí*. I scratched my elbow for not being careful enough.

⁴ **抢劫** qiǎngjié 〈动 *v.*〉使用暴力抢夺他人财物 rob; loot; seize others' property by force：~犯 ~ *fàn* robber | ~案 ~ *àn* robbery case | 拦路~ *lánlù* ~ waylay and rob; mug

⁴ **抢救** qiǎngjiù 〈动 *v.*〉在紧急或危险的情况下迅速救护 rescue; save; salvage：~伤员 ~ *shāngyuán* give emergency treatment to the injured | ~文物 ~ *wénwù* salvage historical relics | ~濒临灭绝的野生动物 ~ *bīnlín mièjué de yěshēng dòngwù* salvage wildlife on the verge of extinction

³ **强迫** qiǎngpò 〈动 *v.*〉施加压力使之服从 force somebody to obey; compel; coerce：~戒

毒~ jièdú force sb. to come off drugs │ 捐款完全自觉自愿，决不~。 Juānkuǎn wánquán zìjué-zìyuàn, juébù ~. Donation is a totally voluntary action, and no one should be forced to do so.

² **悄悄** qiāoqiāo (~儿)〈副 adv.〉没有声音或声音很低；行动不让别人知道 secretly; quietly; on the quiet; (of one's movement) without being noticed：黎明静~。 Límíng jìng~. The dawn is very quiet. │ 老虎~儿地走近猎物。 Lǎohǔ ~r de zǒujìn lièwù. The tiger approaches his prey very quietly.

锹 qiāo〈名 n.〉(把bǎ)一种挖土、铲砂石的工具 spade; shovel：植树前要先用~挖个坑。 Zhíshù qián yào xiān yòng ~ wā gè kēng. One needs to dig a pit with the shovel before planting a tree.

² **敲** qiāo ❶〈名 n.〉打击物体表面，使其发出声音 knock; rap; beat; strike：~门 ~mén knock at the door │ ~钟 ~zhōng ring the bell │ ~锣打鼓 ~luó-dǎgǔ beat drums and gongs (in celebration of sth.) ❷〈动 v. 口 colloq.〉利用别人的弱点或以某种借口勒索财物或获取某种利益 swindle money out of somebody; fleece; ~诈 ~zhà extort; blackmail │ 今天我给他~去了500块钱。 Jīntiān wǒ gěi tā ~qùle wǔbǎi kuài qián. He swindled out of me 500 yuan today. │ 他中了个大奖，咱们今天好好~他一顿。 Tā zhòngle gè dàjiǎng, zánmen jīntiān hǎohāor ~ tā yí dùn. He has won a big prize in the lottery, so we can make him treat us a big meal.

⁴ **乔装** qiáozhuāng〈动 v.〉通过改换服饰来隐瞒自己的身份 disguise; simulate; conceal one's true identity by changing one's clothes：~打扮 ~ dǎbàn deck oneself out as somebody; masquerade; disguise │ 他~成一个瘾君子，打入了贩毒集团。 Tā ~chéng yí gè yǐnjūnzǐ, dǎrùle fàndú jítuán. He disguised himself as a drug addict and thus mingled into the drug smuggling organization.

⁴ **侨胞** qiáobāo〈名 n.〉(位wèi、名míng、个gè)侨居海外的同胞 compatriots living abroad; overseas compatriots：海外~ hǎiwài~ overseas compatriots │ 世界各地的~纷纷回国投资办厂。 Shìjiè gè dì de ~ fēnfēn huíguó tóuzī bànchǎng. The overseas Chinese living all over the world return to their homeland to invest in factories one after another.

¹ **桥** qiáo〈名 n.〉(座zuò)桥梁 bridge：木~ mù~ plank bridge; wooden bridge │ 石~ shí~ stone bridge │ 公路~ gōnglù~ highway bridge │ 铁路~ tiělù~ railway bridge │ 立交~ lìjiāo~ flyover; overpass │ 过街天~ guòjiē tiān~ overbridge

² **桥梁** qiáoliáng ❶〈名 n.〉(座zuò)架在水面和空中供行人或车辆通行的建筑物 bridge：~专家 ~ zhuānjiā bridge expert ❷〈名 n.〉比喻能起到沟通作用的人或事 people and things that can serve as a link：~作用 ~ zuòyòng play the role of a bridge │ 友谊的~ yǒuyì de ~ a bridge of friendship

² **瞧** qiáo ❶〈动 v. 口 colloq.〉看 look; watch; see：~病 ~bìng (of a patient) see or consult a doctor │ ~热闹 ~rènao watch the fun │ 我可~不起这种拍马屁的人。 Wǒ kě ~ bù qǐ zhè zhǒng pāimǎpì de rén. I despise sycophants like him. │ 咱不可能让人家~咱的笑话。 Zán kě bù néng ràng rénjia ~ zán de xiàohua. We should not let others gloat over us. ❷〈动 v.〉看望；访问 visit; see; drop in on：~朋友 ~ péngyou call on one's friends │ 回家~病中的母亲。 Huíjiā ~ bìng zhōng de mǔqīn. Go back home to see one's sick mother.

² **巧** qiǎo ❶〈形 adj.〉灵敏；技艺高超 skilful; adept; ingenious; clever：灵~ líng~ dexterous; ingenious │ 心灵手~ ~xīnlíng-shǒu~ be clever and deft │ 能工~匠 nénggōng~-jiàng skilful worker and ingenious artisan │ ~夺天工 ~duó-tiāngōng so marvelous in workmanship as to excel nature │ ~妇难为无米之炊(比喻缺少必要的条件，再有能力

的人也办不成事）~**妇难为无米之炊**（bǐyù quēshǎo bìyào de tiáojiàn, zài yǒu néngnài de rén yě bàn bù chéng shì）. Even the cleverest housewife cannot cook a meal without rice(one cannot make bricks without straw). ❷〈形 *adj.*〉恰好；正好遇到某种机会 opportunely; luckily; accidentally：~**遇**~yù encounter by chance; run into sb. | **凑~** còu~ luckily; as luck would have it | **你来得真~，我正要去找你呢** Nǐ lái de zhēn ~, wǒ zhèng yào qù zhǎo nǐ ne. As luck would have it, you turn up when I am about to look for you. ❸〈形 *adj.*〉虚浮不实的话语 (of words) fine-sounding; sly; artful：**花言~语** huāyán~~yǔ fine-sounding words | **~言令色** ~yán-lìngsè have a glib tongue and an ingratiating manner; be hypocritical ❹〈形 *adj.*〉精妙的 smart; exquisite：~**计** ~jì smart trick | **~安排** ~ānpái reasonable arrangement ❺〈名 *n.*〉技术；技艺 skill：**技~** jì~ skill; technique; craftsmanship

² **巧妙** qiǎomiào〈形 *adj.*〉灵巧高明；超乎寻常 ingenious; smart; clever：**方法~** ~fāngfǎ smart methods | **构思~** ~gòusī be ingeniously conceived | **戏法人人会变，各有不同**（比喻即使是人人会做的事，由于方法不同，也会产生不同的效果）。Xìfǎ rénrén huì biàn, gè yǒu ~ bù tóng（bǐyù jíshǐ shì rénrén huì zuò de shì, yóuyú fāngfǎ bù tóng, yě huì chǎnshēng bùtóng de xiàoguǒ）. Everybody can do some tricks, but each in his own way (Different people will do the same thing in different ways, which will lead to different results).

³ **翘** qiào〈动 *v.*〉物体的一头向上仰起 (of one end) stick up; hold up; turn upwards：~**尾巴**（比喻骄傲自大）~wěiba（bǐyù jiāo'ào zìdà）stick one's tail up (be cocky; be haughty and snooty) | **~辫子**（指人死亡，含诙谐意）~biànzi（zhǐ rén sǐwáng, hán huīxié yì）kick the bucket (humorous saying for being dead) | **他~着腿坐在沙发上**. Tā ~zhe tuǐ zuò zài shāfā shang. He stuck up one leg while sitting on the sofa.

² **切** qiē ❶〈动 *v.*〉用刀或其他工具把物品分割 cut; chop; slice：~**菜** ~cài cut up vegetable | ~**肉** ~ròu slice meat | ~**西瓜** ~xīguā slice up a watermelon | ~**成块** ~chéng kuài stripping and slicing | ~**成丝** ~chéng sī shred ❷〈动 *v.*〉使断可 cut off：**我们已经~断了敌人的退路**. Wǒmen yǐjīng ~duànle dírén de tuìlù. We have cut off the enemy's retreat. ❸〈动 *v.*〉几何学名词。指直线、圆、面等与圆、弧或球只有一个交点 tangency：~**线** ~xiàn tangent | ~**点** ~diǎn point of tangency

⁴ **茄子** qiézi ❶〈名 *n.*〉(棵 kē) 一年生草本植物，果实是普通蔬菜 eggplant; aubergine：**温室大棚里种植着一片~**. Wēnshì dàpéng li zhòngzhízhe yí piàn ~. There are a plot of eggplants in the greenhouse. ❷〈名 *n.*〉(个 gè) 指这种植物的果实 the fruit of eggplant; eggplant：**红烧~** hóngshāo ~ eggplant braised in soy sauce | **鱼香~** yúxiāng ~ fish-flavored eggplant

² **且** qiě ❶〈副 *adv.*〉暂且；姑且 just; for the time being：~**慢，我还有话说**. ~màn, wǒ háiyǒu huà shuō. Wait a minute. I still have something to say. | **质量好坏~不说，这价格就够吓人的**. Zhìliàng hǎohuài ~ bù shuō, zhè jiàgé jiù gòu xiàrén de. We can discuss its quality later, it's extremely expensive. ❷〈副 *adv.* 方 *dial.*〉表示时间久；东西使用经久 for a long time; for quite some time：**我作业~做不完呢，你们先去玩~吧**. Wǒ zuòyè ~ zuò bù wán ne, nǐmen xiān qù wánr ba. It will be quite a while before I finish my homework. You go to play first. | **这条牛仔裤~穿呢**. Zhè tiáo niúzǎikù ~ chuān ne. This pair of jeans can last you quite some time. ❸〈连 *conj.* 书 *lit.*〉尚且 even：**死~不怕，何惧困难乎！** Sǐ ~ bú pà, hé jù kùnnan hū! Even death cannot frighten me. How should I be afraid of difficulties? ❹〈连 *conj.* 书 *lit.*〉表示进一层 also; and：**既快~好** jì kuài ~ hǎo both quick and good ❺〈连 *conj.* 书 *lit.*〉用两个'且'分别连接两个平列的

动词,表示两个动作同时进行 while; as; two '且' used before two verbs respectively to indicate two simultaneous actions: ~歌~舞 ~*gē*~*wǔ* sing while dancing | ~战~退 ~*zhàn*~*tuì* carry on fighting while retreating

³ **切实** qièshí〈形 *adj.*〉符合实际;实实在在 practical; feasible; realistic; in earnest: ~可行 ~ *kěxíng* practical | ~有效 ~ *yǒuxiào* feasible and effective | 我们一定要切切实实做好本职工作。*Wǒmen yídìng yào qièqiè-shíshí zuòhǎo běnzhí gōngzuò.* We should do our job conscientiously.

⁴ **窃取** qièqǔ ❶〈动 *v.*〉偷窃 steal; seize: ~国家机密 ~*guójiā jīmì* steal the national secrets | ~经济情报 ~*jīngjì qíngbào* steal economic intelligence ❷〈动 *v.*〉比喻用不正当的手段获取 usurp; grab with indecent means: ~职位 ~*zhíwèi* usurp an official position | 胜利果实 ~*shènglì guǒshí* grab the fruits of victory

⁴ **窃听** qiètīng〈动 *v.*〉用不合法的手段偷听他人谈话 eavesdrop with illegal means; wiretap; bug: ~器 ~*qì* tapping device; bug | ~他人谈话是违法行为。 ~ *tārén tánhuà shì wéifǎ xíngwéi.* It's illegal to eavesdrop on others' conversations.

⁴ **钦佩** qīnpèi〈动 *v.*〉敬重佩服 hold in high regard; admire: 十分~ *shífēn* ~ admire very much | ~的目光 ~ *de mùguāng* admiring look | 他的见义勇为行为令人~。*Tā de jiànyì-yǒngwéi xíngwéi lìngrén* ~. His brave deeds for the just cause commands our admiration.

³ **侵犯** qīnfàn ❶〈动 *v.*〉非法干涉他人并损害其权益 encroach up; infringe on; violate: ~群众利益 ~*qúnzhòng lìyì* infringe upon the interests of the masses | ~版权 ~ *bǎnquán* copyright infringement ❷〈动 *v.*〉侵入别国领域 invade (the territory of another country): ~领空 ~ *lǐngkōng* invade a country's territorial air space | ~边境 ~ *biānjìng* invade the border of a country

⁴ **侵害** qīnhài ❶〈动 *v.*〉侵入并损害 invade; make inroads on: 这种农药能有效地防止害虫对农作物的~。*Zhè zhǒng nóngyào néng yǒuxiào de fángzhǐ hàichóng duì nóngzuòwù de* ~. This kind of pesticide can effectively prevent pests from harming farm crops. | 病菌通过不洁食物~人体。*Bìngjūn tōngguò bùjié shíwù* ~ *réntǐ.* Pathogenic bacteria invade human body through unclean food. ❷〈动 *v.*〉用暴力或非法手段损害他人 damage or harm by force or by illegal means: 销售伪劣产品严重~了消费者的利益。*Xiāoshòu wěiliè chǎnpǐn yánzhòng* ~*le xiāofèizhě de lìyì.* Selling shoddy products does great harm to the interests of consumers.

² **侵略** qīnlüè〈动 *v.*〉指侵犯别国的领土、主权,并掠夺、奴役别国人民的行为 invade: ~者 ~*zhě* aggressor; invader | ~战争 ~ *zhànzhēng* aggression war | 经济~ *jīngjì* economic invasion

³ **侵入** qīnrù ❶〈动 *v.*〉用武力强行进入别国境内 intrude into another country by force: 敌机~领空。*Díjī* ~ *lǐngkōng.* The Enemy planes intruded into our air space. ❷〈动 *v.*〉外来的或有害的物体进入内部 (of harmful things) invade the interior: 防止有害物质~肌体。*Fángzhǐ yǒuhài wùzhì* ~ *jītǐ.* Prevent harmful substances from invading our bodies.

⁴ **侵蚀** qīnshí ❶〈动 *v.*〉逐渐侵害使之变坏 corrode; erode: 病毒~人体。*Bìngdú* ~ *réntǐ.* Viruses corrode the human body. | 经过长年的风雨~,山体发生滑坡。*Jīngguò chángnián de fēngyǔ* ~, *shāntǐ fāshēng huápō.* After years of erosion by winds and rains, a landslide occurred. ❷〈动 *v.*〉暗中一点一点地侵占财物 misappropriate or embezzle property bit by bit: ~公共财产 ~ *gōnggòng cáichǎn* misappropriate public property bit by bit

⁴ **侵占** qīnzhàn〈动 v.〉非法占有他人的财产或以侵略手段占有别国领土 take illegal possession of another's property or invade and occupy another country's territory：他利用权势～我家财产。*Tā lìyòng quánshì ~ wǒ jiā cáichǎn.* He occupied my family's property through influence and power│～别国的大片土地。*~ bié guó de dàpiàn tǔdì.* Seize a large stretch of another country's land.

³ **亲** qīn ❶〈名 n.〉指父母；单指父或母 parents or parent：父母双～ *fūmǔ shuāng~* parents│父～ *fù~* father│母～ *mǔ~* mother ❷〈名 n.〉有血缘或婚姻关系的 relative; kin：～戚 *~qi* relatives│～属 *~shǔ* kinsfolk│沾～带故 *zhān~dàigù* have ties of kinship or friendship ❸〈名 n.〉婚姻 marriage：～事 *~shì* marriage│提～ *~tí* propose a marriage alliance│定～ *dìng~* be engaged ❹〈名 n.〉指新娘 bride：迎～ *yíng~* (of the bridegroom) send a party to meet the bride at her home and escort her to the bridegroom's home for the wedding│娶～ *qǔ~* (of a man) get married ❺〈形 adj.〉血缘关系最近 next of kin：～叔叔 *~ shūshu* one's first uncle│～姑姑 *~gūgu* one's first aunt│～舅舅 *~jiùjiu* one's first uncle│～弟弟 *~dìdi* blood brother ❻〈形 adj.〉自己生育或生育自己的 one's own (flesh and blood) or one's biological parent：～爹 *~ diē* natural father│～妈 *~ mā* natural mother│～儿子 *~érzi* one's own son│～闺女 *~ guīnü* one's own daughter ❼〈形 adj.〉关系密切；感情好（与'疏'相对）close; intimate (opposite to '疏shū')：～爱 *~ài* dear│～切 *~qiè* warm; close; affectionate│～热 *~rè* warmhearted; affectionate; intimate│～信 *~xìn* be close with and trust ❽〈动 v.〉用嘴唇互相接触，表示喜爱 kiss; touch with the lips as a form of endearment：～吻 *~wěn* kiss│～嘴 *~zuǐ* kiss 妈妈～了～孩子的脸。*Māma ~le ~ háizi de liǎn.* The mother kissed the baby on its cheek. ❾〈动 v.〉靠近；亲近 be close to; be friendly with; be on intimate terms with：对部下要一视同仁，不能～一个，疏一个。*Duì bùxià yào yíshìtóngrén, bù néng ~ yí gè, shū yí gè.* One should treat his subordinates equally without discrimination, and should not be close to one while cold-shouldering another.│～一派打一派是阴谋家的惯用手法。*~ yí pài dǎ yí pài shì yīnmóujiā de guànyòng shǒufǎ.* It is a customary tactic of a conspirator to be on intimate terms with one party while attacking anoter (party). ❿〈副 adv.〉动作、行为是有自己发出的 in person; personally：～笔信 *~bǐ xìn* letter in longhand; handwritten letter│这是他～口告诉我的。*Zhè shì tā ~kǒu gàosu wǒ de.* He told me this himself.│这一切都是我～眼所见的。*Zhè yíqiè dōushì wǒ ~yǎn suǒjiàn de.* I saw all this with my own eyes.│看来这件事要你～自出马了。*Kànlái zhè jiàn shì yào nǐ ~zì chūmǎ le.* I am afraid you have to deal with the matter personally.

² **亲爱** qīn'ài〈形 adj.〉关系密切，感情深厚 dear; beloved：～的人 *~ de rén* the beloved│～的妈妈 *~ de māma* dear mother│～的祖国 *~ de zǔguó* one's beloved country

⁴ **亲笔** qīnbǐ ❶〈名 n.〉亲自写的字 one's own handwriting：这幅字是他的～。*Zhè fú zì shì tā de ~.* This piece of calligraphy is his handwriting. ❷〈副 adv.〉亲自动笔（写）write in one's own hand：～信 *~ xìn* an autograph letter│～签名 *~ qiānmíng* autograph

⁴ **亲密** qīnmì〈形 adj.〉关系密切；感情好 close; intimate：～无间 *~ wújiàn* be on very intimate terms with each other│～交谈 *~ jiāotán* talk intimately│～的朋友 *~ de péngyou* close friends│他俩的关系非常～。*Tā liǎ de guānxì fēicháng ~.* The two of them are on very intimate terms.

² **亲戚** qīnqi〈名 n.〉（个 gè、位 wèi、门 mén）指有血缘关系和婚姻关系的家庭及其成员 relative; kinfolks：～关系 *~ guānxì* kinship│我们两家是～。*Wǒmen liǎng jiā shì ~.* Our two families are relatives.│他在北京有好多～。*Tā zài Běijīng yǒu hǎoduō ~.* He has many relatives in Beijing.

Q

² 亲切 qīnqiè〈形 adj.〉亲近;亲密;热情关心 kind; cordial; enthusiastic and caring: ~的话语 – de huàyǔ kind words | ~的声音 – de shēngyīn warm voice | ~的目光 ~ de mùguāng kind eyes | ~的会见 – de huìjiàn cordial meeting | ~的关怀 – de guānhuái kind attention

³ 亲热 qīnrè ❶〈形 adj.〉亲密而热情 warmhearted; loving; intimate: 他们~得像一家人。Tāmen ~ de xiàng yì jiā rén. They are as intimate as one family. | 她的样子显得十分~。Tā de yàngzi xiǎnde shífēn ~. She looks very warmhearted. ❷〈动 v.〉用动作表示亲近 show intimacy through actions: 她们姐儿俩一见面就~起来。Tāmen jiěr liǎ yí jiànmiàn jiù ~ qǐlái. The two sisters became so intimate with each other as soon as they met.

³ 亲人 qīnrén〈名 n.〉(位wèi、个gè)直系亲属或配偶;关系密切、感情深厚的人 kinsfolk; relative: 他的~都在国外。Tā de ~ dōu zài guówài. All his relatives are abroad. | 不是~,胜似~。Bú shì ~, shèng sì ~. (Someone) be dearer than one's own family members. | 他把我当~一样对待。Tā bǎ wǒ dāng ~ yíyàng duìdài. He treated me as his family member.

⁴ 亲身 qīnshēn〈形 adj.〉亲自的 personal: ~感受 ~ gǎnshòu personal feelings | ~经历 ~ jīnglì personal experiences

⁴ 亲生 qīnshēng〈形 adj.〉自己生育的或生育自己的 one's own (children or parents): ~儿女 ~ érnǚ one's own children | ~父母 ~ fùmǔ one's own parents | 这个孩子不是她的。Zhège háizi bú shì tā ~ de. This is not her own child.

⁴ 亲手 qīnshǒu〈副 adv.〉自己动手(做)with one's own hands; in person: 这件衣服是她妈妈~做的。Zhè jiàn yīfu shì tā māma ~ zuò de. This garment is made by her mother personally. | 来,尝尝我~做的菜。Lái, chángchang wǒ ~ zuò de cài. Come on to taste the dishes I made with my own hands.

³ 亲眼 qīnyǎn〈副 adv.〉用自己的眼睛(看)see with one's own eyes; eye witness: 要不是~所见,我还真不敢相信呢。Yào bú shì ~ suǒ jiàn, wǒ hái zhēn bù gǎn xiāngxìn ne. If I had not seen it with my own eyes, I really could not believe it.

⁴ 亲友 qīnyǒu〈名 n.〉(个gè、位wèi)亲戚朋友 relatives and friends: 婚礼上来了许多~。Hūnlǐ shang láile xǔduō ~. Many relatives and friends have come to the wedding. | 他身后坐的~团为他鼓劲。Tā shēn hòu zuò de ~tuán wèi tā gǔjìn. His relatives and friends sitting behind him cheered for him.

² 亲自 qīnzì〈副 adv.〉自己去做 in person; personally: ~动手 ~ dòngshǒu do it oneself | ~过问 ~ guòwèn take up a matter personally | 这件事还是由我~处理吧。Zhè jiàn shì háishi yóu wǒ ~ chǔlǐ ba. I'll do it myself.

⁴ 芹菜 qíncài〈名 n.〉(棵kē、株zhū)一年生或二年生草本植物,是一种普通蔬菜 celery: ~炒肉丝 ~ chǎo ròusī stir-fried celery with shredded meat

³ 琴 qín〈名 n.〉一些乐器的总称,如钢琴、风琴、小提琴、口琴、电子琴等 general name for certain musical instruments, such as piano, organ, violin, harmonica, electronic keyboard, etc.: ~声 ~shēng music performed by a piano | ~谱 ~pǔ music score used when playing the piano, organ, etc. | ~师 ~shī fiddler | 弹钢~ tán gāng~ play the piano | 拉小提~ lā xiǎotí~ play the violin

⁴ 禽 qín〈名 n.〉即鸟类 birds; fowl: 飞~ fēi~ flying birds | 鸣~ míng~ songbird; singing bird | 家~ jiā~ domestic fowl; poultry | ~兽 ~shòu birds and beasts | 衣冠~兽 (比喻行为卑鄙恶劣的人)yīguān~shòu (bǐyù xíngwéi bēibǐ èliè de rén) beast in human attire; brute

⁴ 勤 qín ❶〈形 adj.〉做事努力,不偷懒(与'懒''惰'相对)diligent; assiduous:

industrious; hardworking（opposite to '懒lǎn' or '惰duò'）: ~奋 ~fèn diligent; industrious; hardworking ｜ ~快 ~kuài diligent; hardworking; industrious ｜ ~劳 ~láo diligent; assiduous; hardworking; industrious ｜ ~学苦练 ~xué-kǔliàn study diligently and train hard ❷〈形 adj.〉经常做；次数多 frequent; often: ~洗衣 ~xǐ yī wash clothes frequently ｜ ~洗手 ~xǐ shǒu wash hands regularly ｜ ~洗澡 ~xǐzǎo take baths regularly ❸〈名 n.〉在规定时间内到班上工作或劳动（office, school, etc.）attendance: 出~ ~chū~ turn out for work ｜ 缺~ ~quē~ absent from school or work ｜ 考~ ~kǎo~ check on attendance ｜ 执~ ~zhí~ (of soldiers, policemen, etc.) be on duty ❹〈名 n.〉勤务 work; duty: 内~ ~nèi~ office work ｜ 外~ ~wài~ field work ｜ 空~ ~kōng~ air duty ｜ 地~ ~dì~ ground service

⁴ **勤奋** qínfèn〈形 adj.〉不懈地努力(工作或学习) diligent; industrious; assiduous: ~好学 ~hàoxué diligent and eager to learn ｜ ~读书 ~dúshū study assiduously ｜ 他工作很~。 Tā gōngzuò hěn ~. He works very hard.

⁴ **勤工俭学** qíngōng-jiǎnxué〈惯 usg.〉学生利用课余时间从事劳动并把所得作为学习、生活的费用 part-work and part-study system; work-study program; work after school and use the earnings to pay for the study and cover the living espenses: 他在国外靠~维持学业。 Tā zài guówài kào ~ wéichí xuéyè. He depends on the work-study program to sustain his studies abroad. ｜ 大学生利用暑假搞~活动。 Dàxuéshēng lìyòng shǔjià gǎo ~ huódòng. College students work in the summer holidays to pay for their tuition.

⁴ **勤俭** qínjiǎn〈形 adj.〉勤劳而节俭 hardworking and frugal; industrious and thrifty: ~持家 ~ chíjiā be industrious and thrifty in managing a household ｜ ~是一种美德。 ~ shì yì zhǒng měidé. It is a virtue to be industrious and thrifty.

⁴ **勤恳** qínkěn〈形 adj.〉勤劳而踏实 diligent and earnest: ~的工作态度 ~ de gōngzuò tàidù the diligent and earnest attitude toward work ｜ 多年来，他一直勤勤恳恳地为公司效力。 Duō nián lái, tā yìzhí qínqínkěnkěn de wèi gōngsī xiàolì. For years he has been working industriously and conscientiously for his company.

³ **勤劳** qínláo〈形 adj.〉努力劳动，不怕辛苦 diligent; assiduous; industrious; hardworking: ~勇敢 ~yǒnggǎn diligent and courageous ｜ ~的一生 ~ de yìshēng an industrious life ｜ 他是一个~的人。 Tā shì yí gè ~ de rén. He is a hardworking man.

² **青** qīng ❶〈形 adj.〉蓝色 blue: ~天 ~tiān blue sky ❷〈形 adj.〉绿色 green: ~菜 ~cài green vegetables ｜ ~草 ~cǎo green grass ｜ ~松 ~sōng pine ｜ ~苔 ~tái moss ｜ 山绿水 shān-lùshuǐ green hills and blue waters ❸〈形 adj.〉黑色 black: ~布 ~bù black cloth ｜ ~衣 ~yī black clothes ❹〈形 adj.〉比喻年轻 young: ~年 ~nián youth ❺〈名 n.〉绿色的植物 green grass; young crop; green plant: 踏~ ~tà~ walk on green meadow; go for an outing in early spring ｜ 看~ ~kān~ keep watch on the ripening crops ❻〈名 n.〉指青年 youth; young people: ~工 ~gōng young worker ｜ 知~ (通常指文革中未能接受高等教育的中学毕业生) zhī~ (tōngcháng zhǐ Wéngé zhōng wèinéng jiēshòu gāoděng jiàoyù de zhōngxué bìyèshēng) educated youth (usu. refer to secondary school graduates who were unable to pursue their studies in institutions of higher learning during the 'cultural revolution') ｜ 老中一三结合 lǎo zhōng ~ sān jiéhé three-in-one combination of the old, middle-aged and young people ❼(Qīng)〈名 n.〉中国青海省的简称 short for Qinghai Province of China: ~藏公路 ~Zàng Gōnglù Qinghai-Tibet Highway

³ **青菜** qīngcài ❶〈名 n.〉一种普通蔬菜，也叫'小白菜' pakchoi; a common vegetable, also called '小白菜xiǎobáicài': 素炒~ sùchǎo ~ stir-fried pakchoi ｜ ~的营养价值较高。 ~ de yíngyǎng jiàzhí jiào gāo. Pakchoi has a high nutritive value. ❷〈名 n.〉蔬菜的统

称 general name for green vegetables：这些~都很新鲜。 *Zhèxiē ~ dōu hěn xīnxiān.* All these green vegetables are very fresh. │ 超市里摆放着各种~。 *Chāoshì li bǎifàng zhe gèzhǒng ~.* All kinds of green vegetables are placed in the supermarket.

³ **青春** qīngchūn ❶〈名 *n.*〉青年时期；比喻处于生命力旺盛的时期 youth; youthfulness; the prime of life：~期 ~*qī* puberty; adolescence │ 年少 ~ *niánshào* young │ 永驻 ~ *yǒng zhù* be always young │ 焕发 ~ *huànfā* full of youth │ 不可虚度。 ~ *bùkě xūdù.* Youth should not be wasted. ❷〈名 *n.*〉喻指年龄（多用于年轻人）fig. age (mostly of young people)：~几何？ ~ *jǐhé?* How old are you?

¹ **青年** qīngnián ❶〈名 *n.*〉指人处于十五六岁到三十岁左右的阶段 youthful; young; (of humans) age ranging from 15 or 16 to approximately 30 years old：~人 ~*rén* young people │ ~时期 ~*shíqī* one's youth │ ~时代 ~*shídài* one's youth ❷〈名 *n.*〉（个 gè、名 míng、位 wèi、群 qún）指上述年龄段的人 people of the above-defined age：~男子 ~*nánzǐ* young man │ ~妇女 ~*fùnǚ* young woman │ 当代 ~ *dāngdài* ~ contemporary youth

³ **青蛙** qīngwā ❶〈名 *n.*〉（只 zhī）一种两栖动物，俗称'田鸡' frog, also called '田鸡 tiánjī'：~对农作物有益，应当保护。 ~ *duì nóngzuòwù yǒuyì, yīngdāng bǎohù.* Frogs are good for the crops, so we should protect them.

¹ **轻** qīng ❶〈形 *adj.*〉分量小；比重小（与'重'相对）of little weight; light (opposite to '重zhòng')：~型武器 ~*xíng wǔqì* light arms; small arms │ 身~如燕 shēn~rúyàn （of a high jumper, gymnast, etc.）as light and nimble as a swallow │ 这只箱子很~。 *Zhè zhī xiāngzi hěn ~.* This suitcase is very light. │ 油的比重比水~。 *Yóu de bǐzhòng bǐ shuǐ ~.* The specific gravity of oil is weaker than that of water. ❷〈形 *adj.*〉负载小；装备简单 easy to carry; with light load or simple equipment：~骑兵 ~*qíbīng* light cavalry │ ~装上阵（比喻放下思想包袱投入学习或工作）~*zhuāng shàngzhèn* (bǐyù fàngxià sīxiǎng bāofu tóurù xuéxí huò gōngzuò) go into a battle with a light pack (fig. get down to work or study without anything weighing on one's mind) │ ~车熟路（比喻做起来很顺手容易）~*chē-shúlù* (bǐyù zuò qǐlái hěn shùnshǒu róngyì) (drive in) a light carriage on a familiar road (fig. do something one knows well enough and can manage with ease) ❸〈形 *adj.*〉数量少 small in number：年纪~ niánjì ~ be young │ 千里送鹅毛，礼~人意重。 *Qiānlǐ sòng émáo, lǐ ~ rényì zhòng.* The gift itself may be light as a goose feather; but sent from a thousand li away, it conveys deep feeling. ❹〈形 *adj.*〉程度浅（与'重'相对）small in degree (opposite to '重zhòng')：~伤 ~*shāng* slight injury; minor wound │ ~度近视眼 ~ *dù jìnshìyǎn* slightly near-sighted ❺〈形 *adj.*〉没有负担 relaxed; without burden; carefree：~松 ~*sōng* carefree; light-hearted │ 无官一身~。 *Wú guān yìshēn ~.* Out of office, out of cares. / Happy is the man who is relieved of his officral duties ❻〈形 *adj.*〉用力小 gentle; soft：~活 ~*huó* light work │ ~拿~放 ~*ná~fàng* handle gently ❼〈形 *adj.*〉不重要（与'重'相对）not important; of no significance (opposite to '重zhòng')：你的责任可~。 *Nǐ de zérèn kě bù ~.* You have great responsibility. │ 做事要分清~重缓急。 *Zuòshì yào fēnqīng ~zhòng-huǎnjí.* Matters should be handled in priority. ❽〈形 *adj.*〉随便；不严谨 rashly; impetuously：~信 ~*xìn* be easily convinced │ ~率 ~*shuài* thoughtless; rash; hasty │ ~佻 ~*tiāo* frivolous; skittish; flirtatious │ ~薄 ~*bó* frivolous; flirtatious ❾〈形 *adj.*〉细微；低弱 slight; subtle：~声细语 ~*shēng-xìyǔ* speak softly │ 风~云淡 fēng ~*yúndàn* moderate wind and light cloud （a set phrase for desclibing fine weather）❿〈形 *adj.*〉稀薄的 thin; rare：~雾 ~*wù* thin fog; patchy fog ⓫〈动 *v.*〉不重视 regard sb. or sth. of no importance; make light of; belittle：~视 ~*shì* despise; scorn; look down upon │ ~慢 ~*màn* treat sb. rudely; slight │ ~敌 ~*dí*

underestimate the strength of the enemy; take the enemy lightly | ~财重义 ~cái-zhòngyì treasure friendship more than wealth

⁴ **轻便** qīngbiàn 〈形 adj.〉重量较小, 结构简单, 使用方便 light; portable; easy to use: ~铁路 ~ tiělù light railroad | ~自行车 ~zìxíngchē light-bodied bicycle

⁴ **轻工业** qīnggōngyè 〈名 n.〉以生产生活资料为主的工业 (与 '重工业' 相对) light industry; industry that mainly produces the means of livelihood (opposite to '重工业 zhònggōngyè'): 发展~ —fāzhǎn ~ develop the light industry | ~在国民经济发展中占有重要的地位。 ~ zài guómín jīngjì fāzhǎn zhōng zhànyǒu zhòngyào de dìwèi. Light industry plays an important role in the national economic development.

⁴ **轻快** qīngkuài 〈形 adj.〉动作不费力; 轻松愉快 brisk; light; spry; lively; relaxed: ~的步伐 ~ de bùfá brisk steps | ~的曲调 ~ de qǔdiào lively tune | ~的舞步 ~ de wǔbù graceful dancing steps

³ **轻视** qīngshì 〈动 v.〉不重视; 不认真对待 despise; belittle; scorn; look down upon: ~劳动 ~ láodòng look down upon manual labor | 一些地方仍然存在~妇女的现象。 Yìxiē dìfang réngrán cúnzài ~ fùnǚ de xiànxiàng. Women are still discriminated in some places. | 他在公司里一直受人~。 Tā zài gōngsī li yìzhí shòu rén ~. He has always been looked down upon in his company.

² **轻松** qīngsōng 〈形 adj.〉不紧张; 不感到有负担 carefree; relaxed: ~愉快 ~ yúkuài carefree and happy | 这个工作很~。 Zhège gōngzuò hěn ~. This work is very easy. | 他专挑~的活儿干。 Tā zhuān tiāo ~ de huór gàn. He always chooses soft jobs.

⁴ **轻微** qīngwēi 〈形 adj.〉不重的; 程度浅的 light; slight: ~脑震荡 ~nǎozhèndàng slight cerebral concussion | 地震给建筑物造成了~的破坏。 Dìzhèn gěi jiànzhùwù zàochéng le ~ de pòhuài. The earthquake has damaged the buildings slightly. | 他说话的声音很~。 Tā shuōhuà de shēngyīn hěn ~. He speaks very softly.

³ **轻易** qīngyì 〈形 adj.〉简单容易; 随便 easy; simple; rash; offhand: 这个成绩不是~取得的。 Zhège chéngjì bú shì ~ qǔdé de. It is not easy to get such achievements. | 他从不~作出许诺。 Tā cóng bù ~ zuòchū xǔnuò. He never promises anything rashly.

⁴ **氢** qīng 〈名 n.〉气体元素, 化学符号为H, 通称 '氢气' hydrogen (H), usually called '氢气qīngqì': ~元素 ~yuánsù hydrogen | ~离子 ~lízǐ hydrogen ion | ~气球 ~qìqiú hydrogen balloon | ~弹 ~dàn hydrogen bomb

⁴ **倾听** qīngtīng 〈动 v.〉认真仔细地听取 (多用于上对下) (usually of a superior) listen attentively or carefully to: ~意见 ~ yìjiàn listen attentively to views | ~呼声 ~hūshēng heed opinions | ~发言 ~fāyán listen attentively to the speeches | 侧耳~ cè'ěr ~ incline one's ear to listen attentively

³ **倾向** qīngxiàng ❶〈动 v.〉偏于赞同对立事物中的一方 be inclined to; be in favor of; prefer (one party of a contradiction): 这两种意见我~于后者。 Zhè liǎng zhǒng yìjiàn wǒ ~ yú hòuzhě. Of the two opinions, I prefer the latter. | 他的发言带有明显的~性。 Tā de fāyán dàiyǒu míngxiǎn de ~xìng. His statement was obviously tendentious. ❷〈名 n.〉发展的方向; 趋势 tendency; trend; inclination; deviation: 纠正不良~ jiūzhèng bùliáng ~ stop unhealthy trend | 这种危险的~不能任其发展。 Zhè zhǒng wēixiǎn de ~ bù néng rènqí fāzhǎn. We should not let this dangerous trend develop any further.

⁴ **倾斜** qīngxié ❶〈形 adj.〉不正; 歪斜 slant: ~度 ~dù gradient | 这座塔因年久失修, 塔身有点儿~。 Zhè zuò tǎ yīn niánjiǔ shīxiū, tǎshēn yǒudiǎnr ~. Being in disrepair, the tower tilts a little. | 因所载货物堆放不均匀, 导致船体发生~。 Yīn suǒ zài huòwù duīfàng bù jūnyún, dǎozhì chuántǐ fāshēng ~. The lean of the ship is attributed to the ill-

distributed stacking of its load. ❷〈动 v.〉喻指在政策上对某方面、某部门或某种人有意侧重和扶持 fig. (of a policy) give preferential treatment to certain departments or people: 在信贷方面实行向农村~的政策。Zài xìndài fāngmiàn shíxíng xiàng nóngcūn ~ de zhèngcè. Rural areas will enjoy preference when bank loans are being granted.

² **清** qīng ❶〈形 adj.〉(液体或气体)纯净透明,无杂质(与'浊'相对) (of liquids or gases) pure; clear (opposite to '浊zhuó'): ~泉 ~quán limpid spring; cool spring | ~澈见底 ~chè jiàn dǐ be so limpid that the bottom can be seen | ~~的小溪 ~~ de xiǎoxī crystal-clear brook | 森林里的空气十分~。Sēnlín li de kōngqì shífēn ~xīn. Air in the woods are very pure and fresh. ❷〈形 adj.〉明白;容易让人了解 clear; plain: ~楚 ~chu clear; explicit | ~晰 ~xī clear; distinct | 说不~ shuō bù ~ hard to explain; talk confusingly | 问~底细 wèn ~ dǐxì get to the bottom of the matter by thorough inquiry ❸〈形 adj.〉寂静 quiet; silent; still: ~静 ~jìng quiet; tranquil; serene | ~心 ~xīn undisturbed | 夜~ yè ~ in the still of night ❹〈形 adj.〉廉洁;没有污点 honest and upright: ~廉 ~lián honest and upright | ~官 ~guān honest and upright official | ~白 ~bái pure; clean ❺〈形 adj.〉单纯 pure; simple; plain: ~唱 ~chàng sing opera arias without makeup and acting | ~茶一杯 ~chá yì bēi a cup of green tea; a cup of tea served without refreshments ❻〈形 adj.〉太平;不乱 peaceful: ~平世界 ~píng shìjiè times of peace and prosperity; peaceful world ❼〈动 v.〉彻底整理或消除 get rid of sth. completely; straighten out: ~理 ~lǐ sort out; clear up | ~道 ~dào sweep the streets; clean the way (for a high official in imperial times) | ~扫 ~sǎo sweep; clean up | ~洗 ~xǐ rinse; wash; clean; purge; comb out ❽〈动 v.〉结算账目 settle accounts: ~算 ~suàn carefully calculate and check | ~账 ~zhàng close or wind up an account; settle an account | ~偿 ~cháng pay off ❾〈动 v.〉核查 count; check: ~点 ~diǎn sort and count | ~查 ~chá check; examine | ~库 ~kù make an inventory of warehouses; take stock ❿ (Qīng)〈名 n.〉中国朝代名(公元1644-1911年)the name of a Chinese dynasty (1644-1911): 满~王朝 Mǎn~ Wángcháo Qing Dynasty

⁴ **清查** qīngchá〈动 v.〉彻底检查 thoroughly examine: ~账目 ~ zhàngmù examine the account | ~资产 ~ zīchǎn check the property | ~仓库 ~ cāngkù make an inventory of a warehouse

³ **清晨** qīngchén〈名 n.〉日出前后的一段时间 early morning: ~空气好。~ kōngqì hǎo. The air is fresh in early morning.

³ **清除** qīngchú〈动 v.〉扫除净尽;全部去掉 clear away; get rid of; clean up: ~污垢 ~ wūgòu clear away the dirt | ~垃圾 ~ lājī remove the garbage | ~积雪 ~ jīxuě clean up the snow on the road | ~隐患 ~ yǐnhuàn remove a hidden peril | ~障碍 ~ zhàng'ài remove an obstacle

¹ **清楚** qīngchu〈形 adj.〉易辨认;易了解;不混乱 clear; explicit; distinct: 他的字迹很~。Tā de zìjì hěn ~. His handwriting is quite legible. | 阳光下看得~。Yángguāng xià kàn de ~. One can see things clearly in the sunshine. | 他的话说得很~了。Tā de huà shuō de hěn ~ le. He has stated it very clearly. | 年纪大了,脑子不是很~。Niánjì dà le, nǎozi bú shì hěn ~. I am old and have a muddled head.

³ **清洁** qīngjié〈形 adj.〉很干净;没有脏东西 clean; with no dirt: ~剂 ~jì detergent | ~工 ~gōng street cleaner; sanitation worker | 房间里很~。Fángjiān li hěn ~. The room is very clean. | 人人都要讲究~卫生。Rénrén dōuyào jiǎngjiu ~ wèishēng. Everyone should pay attention to sanitation and hygiene.

⁴ **清理** qīnglǐ〈动 v.〉彻底整理或处理 sort out; clear up: ~账目 ~ zhàngmù sort out the

accounts; clear up debts │~仓库 ~ *cāngkù* take stock │~废弃物 ~ *fèiqìwù* clear away the garbage │~场地 ~ *chǎngdì* tidy up the place │~图书 ~ *túshū* put the books in order

³ **清晰** qīngxī〈形 *adj.*〉很清楚；不模糊 clear; distinct：高~度彩电 *gāo~dù cǎidiàn* high-definition TV │屏幕上的图像很~. *Píngmù shang de túxiàng hěn ~.* The images on the screen are very distinct.

⁴ **清新** qīngxīn ❶〈形 *adj.*〉清爽而新鲜 fresh;：~的空气 ~ *de kōngqì* fresh air │~的花香 ~ *de huāxiāng* refreshing fragrance of flowers ❷〈形 *adj.*〉新颖别致，不落俗套 original; tasteful：~的设计风格 ~ *de shèjì fēnggé* original design │~的文风 ~ *de wénfēng* original writing style

³ **清醒** qīngxǐng ❶〈形 *adj.*〉头脑清楚、明白 clear-headed：~的头脑 ~ *de tóunǎo* a clear head │他~地认识到问题的严重性. *Tā ~ de rènshi dào wèntí de yánzhòngxìng.* He is sober-minded and fully aware of the seriousness of the matter. ❷〈动 *v.*〉由昏迷状态恢复正常 regain consciousness：病人的神志开始~了. *Bìngrén de shénzhì kāishǐ ~ le.* The patient has come to himself.

⁴ **清早** qīngzǎo〈名 *n.*〉清晨 early in the morning：每天大~他就去公园跑步. *Měi tiān dà ~ tā jiù qù gōngyuán pǎobù.* Every day he jogs in the park in early morning.

⁴ **清真寺** qīngzhēnsì〈名 *n.*〉(座zuò)伊斯兰教的寺院，也叫'礼拜寺' mosque, also called '礼拜寺lǐbàisì'：~的建筑风格一般都是尖塔圆顶式. *~ de jiànzhù fēnggé yìbān dōu shi jiāntǎ yuándǐng shì.* Mosques always have pointed towers and round domes.

⁴ **蜻蜓** qīngtíng〈名 *n.*〉一种常见的益虫 dragonfly：红~ *hóng~* red dragonfly │~点水（比喻做事肤浅不深入）~diǎnshuǐ（*bǐyù zuòshì fūqiǎn bù shēnrù*）like a dragonfly skimming the surface of the water（*fig.* just touch on sth. lightly without going into it deeply）

³ **情** qíng ❶〈名 *n.*〉因外界事物的刺激引起的各种心理反应 feeling emotion; affection; sentiment：~感 ~*gǎn* emotion │~怀 ~*huái* sentiments; feelings │~结 ~*jié* complex │~绪 ~*xù* morale │~谊 feeling ❷〈名 *n.*〉情分和面子 kindness; favor：人~ *rén~* human sympathy; human relationships; favor │求~ *qiú~* beg for leniency │托~ *tuō~* ask for a favor; ask sb. to intercede │讲~ *jiǎng~* intercede; plead for sb.; put in a good word for sb. ❸〈名 *n.*〉男女之间的欢爱之情 love; affection：爱~ *~ài* love │~场 *~chǎng* arena of love │~敌 *~dí* rival in a love triangle │~妇 *~fù* mistress │~歌 *~gē* love song │~书 *~shū* love letter │一见钟~ *yíjiàn-zhōng~* fall in love at first sight ❹〈名 *n.*〉实际情况；事实 situation; circumstance; state：~报 *~bào* intelligence; information │~节 *~jié* plot │病~ *bìng~* condition of an illness │灾~ *zāi~* condition of a disaster │实~ *shí~* truth ❺〈名 *n.*〉事情的一般道理 reason：~理 *~lǐ* reason; sense │合~合理 *hé~~hélǐ* reasonable ❻〈名 *n.*〉对异性的爱欲；性欲 sexual desire; lust：色~ *sè~* sex │发~ *fā~* be in heat │偷~ *tōu~* carry on a clandestine love affair

³ **情报** qíngbào〈名 *n.*〉(份fèn、件jiàn)带有机密性质的情况和报告 intelligence; information：~员 *~yuán* intelligence agent │搜集~ *sōují ~* collect intelligence │提供~ *tígōng ~* provide intelligence │出卖~ *chūmài ~* sell information │军事~ *jūnshì ~* military intelligence │科技~ *kējì ~* technological intelligence

³ **情感** qínggǎn ❶〈名 *n.*〉对外界刺激所作出的心理反应，如喜欢、愤怒、悲伤、恐惧、爱慕、憎恨等 emotion; feeling; mental state that responds to outside stimulation or disturbance, e. g. joy, anger, sorrow, fear, love, hatred, etc.：复杂的~ *fùzá de ~* mixed feelings │丰富的~ *fēngfù de ~* full of emotions │控制~ *kòngzhì ~* control one's feelings

｜抒发 ~ *shūfā* ~ express one's emotion ｜沟通 ~ *gōutōng* ~ promote mutual understanding of each other's feelings ❷〈名 *n.*〉感情 affection; attachment：他俩一向~不错。*Tā liǎ yíxiàng ~ búcuò.* They have been strongly attached to each other.

⁴ **情节** qíngjié〈名 *n.*〉事情的变化和过程 plot：故事 ~ *gùshì* ~ plot; story ｜ ~生动曲折 *shēngdòng qūzhé* a lively and complicated plot ｜这部电视剧的~都是虚构的。*Zhè bù diànshìjù de ~ dōu shì xūgòu de.* The plot of this TV series is fictitious.

¹ **情景** qíngjǐng〈名 *n.*〉一定场合的情形和景象 scene; spectacle; sight：难忘的~ *nánwàng de* ~ unforgettable scene ｜十分感人的~ *shífēn gǎnrén de* ~ very moving scene ｜当时的~你是无法想象的。*Dāngshí de ~ nǐ shì wúfǎ xiǎngxiàng de.* You cannot imagine the scene at that time.

¹ **情况** qíngkuàng〈名 *n.*〉事物表现出来的样子；状况 situation; condition; case; state of affairs：了解 ~ *liǎojiě* ~ find out what's going on ｜分析 ~ *fēnxī* ~ size up the situation; analyze the situation ｜ ~复杂。*fùzá.* The situation is complicated. ｜特殊~ *tèshū.* The case is special. ｜ ~严重。~ *yánzhòng.* The situation is grave. ｜遇到紧急~应及时向有关方面反映。*Yùdào jǐnjí ~ yīng jíshí xiàng yǒuguān fāngmiàn fǎnyìng.* One should immediately report to the parties concerned in case of emergency.

⁴ **情理** qínglǐ〈名 *n.*〉人的常情和事情的一般道理 reason; sense：这一切都在~之中。*Zhè yíqiè dōu zài ~ zhīzhōng.* All this is reasonable. ｜他这样做也是符合~的。*Tā zhèyàng zuò yě shì fúhé ~ de.* What he did is reasonable.

² **情形** qíngxing〈名 *n.*〉事物本身呈现出来的样子；状况 situation; condition; state of affairs：生活~ *shēnghuó* ~ living conditions ｜请说说你在国外的~。*Qǐng shuōshuo nǐ zài guówài de ~.* Please tell us your experiences abroad. ｜这里的~比过去有了很大的变化。*Zhèli de ~ bǐ guòqù yǒule hěn dà de biànhuà.* Compared with those in the past, conditions here have changed a lot.

² **情绪** qíngxù ❶〈名 *n.*〉人在从事某种活动时产生的心理状态 morale; feeling：~高涨。~ *gāozhàng.* The morale is high. ｜ ~低落 ~ *dīluò* be in low spirits ｜急躁~ *jízào* impetuous ｜乐观的~ *lèguān de* ~ optimism; optimistic mood ｜悲观的~ *bēiguān de* ~ pessimism; pessimistic mood ｜对立的~ *duìlì de* ~ antagonistic mood ❷〈名 *n.*〉指不愉快的情感 moodiness; dejection; depression：闹 ~ *nào* ~ be in low spirits ｜我看他最近有点儿~。*Wǒ kàn tā zuìjìn yǒudiǎnr ~.* I think he has been a little bit moody recently.

¹ **晴** qíng〈形 *adj.*〉天空中没有或只有很少的云 sunny; fine; clear; with few or no clouds in the sky：~空 *kōng* clear sky ｜ ~朗 *lǎng* fine; sunny ｜ ~间多云 *jiàn duō yún* clear with occasional clouds ｜ ~转阴 *zhuǎn yīn* sunny to overcast ｜天~了。*Tiān ~ le.* It is clearing up.

⁴ **晴朗** qínglǎng〈形 *adj.*〉天空没有云雾，日光充足 fine; sunny; cloudless：~的天空 ~ *de tiānkōng* clear sky ｜ ~的夏日 ~ *de xiàrì* a sunny summer day

³ **晴天** qíngtiān〈名 *n.*〉天空没有或只有很少云的天气 fine day; sunny day：明天又是个大~。*Míngtiān yòu shì gè dà ~.* Tomorrow will be another sunny day.

¹ **请** qǐng ❶〈动 *v.*〉有礼貌地提出要求 request or ask with politeness：~教 ~ *jiào* seek advice; consult ｜ ~假 ~ *jià* ask for leave ｜ ~示 ~ *shì* ask for or request instructions ｜有件事想~您帮忙。*Yǒu jiàn shì xiǎng ~ nín bāngmáng.* I'm wondering if I can ask you for help. ❷〈动 *v.*〉邀请；聘请 invite; engage：~客 ~ *kè* play the host ｜ ~律师 ~ *lùshī* engage a lawyer ｜ ~家教 ~ *jiājiào* employ a tutor ❸〈动 *v.* 敬 *pol.*〉希望对方做某件事 please：~进！~ *jìn!* Please come in! ｜ ~坐！~ *zuò!* Sit down please! ｜ ~准时出席。~ *zhǔnshí chūxí.* Please present yourself on time. ❹〈动 *v.*〉旧时指买佛像、佛龛等

迷信用品(of old times)buy an image or a statue of Buddha, Buddhist shrine, etc. : ~了一张佛像。*~le yì zhāng fóxiàng* buy an image of Buddha ❺〈名 n.〉指宴请 banquet; feast: 生意场上应酬多，吃~不断。*Shēngyìchǎng shang yìngchou duō, chī ~ búduàn.* There are endless social engagements and feasts in the business circle. | 吃了人家的~，就得给人回报。*Chīle rénjia de ~, jiù děi gěi rén huíbào.* If you accept a dinner invitation, you will have to do something as reciprocation.

¹ **请假** qǐng//jià〈动 v.〉请求同意给假期 ask for leave : 他~去南方探亲了。*Tā ~ qù nánfāng tànqīn le.* He has asked for leave to visit his family in the south. | 我因病请了一个星期的假。*Wǒ yīn bìng qǐngle yí gè xīngqī de jià.* I have asked for a week's sick leave.

⁴ **请柬** qǐngjiǎn〈动 v.〉(张 zhāng、份 fèn)向客人发出邀请的通知，也说'请帖' invitation card, also called '请帖 qǐngtiě': 我收到了一份新年联欢会的~。*Wǒ shōudàole yí fèn Xīnnián Liánhuānhuì de ~.* I have received an invitation card for the New Year's get-together. | 他的婚礼发出了100份。*Tā de hūnlǐ fāchūle yì bǎi fèn ~.* He has sent out 100 invitation cards for his wedding.

³ **请教** qǐngjiào〈动 v.〉请求指教 consult; seek advice: ~专家 *~ zhuānjiā* consult the experts | 虚心~ *xūxīn ~* learn modestly from | 为了弄懂这个问题他先后~了许多人。*Wèile nòngdǒng zhège wèntí tā xiānhòu ~le xǔduō rén.* He has consulted many people to solve this problem.

² **请客** qǐng//kè〈动 v.〉邀请别人吃饭、娱乐、游玩等 play the host; entertain guests: 今晚他在饭店~。*Jīnwǎn tā zài fàndiàn ~.* He played the host in the restaurant this evening. | 今天我~看电影，你们去不去？*Jīntiān wǒ ~ kàn diànyǐng, nǐmen qù bú qù?* I will pay the bill for the film today. Would you go with me? | 他给父亲过生日请了十几桌客。*Tā gěi fùqīn guò shēngrì qǐngle shíjǐ zhuō kè.* He invited many guests to his father's birthday banquet and the guests sat around over ten tables.

² **请求** qǐngqiú ❶〈动 v.〉有礼貌地提出要求 ask or request politely: ~原谅 *~ yuánliàng* ask for forgiveness | ~支援 *~ zhīyuán* ask for support ❷〈名 n.〉提出的要求 request: 他提出的~得到了批准。*Tā tíchū de ~ dédàole pīzhǔn.* His request has been approved. | 这点儿~不算过分吧。*Zhè diǎnr ~ bú suàn guòfèn ba.* This small request is not too far, isn't it?

³ **请示** qǐngshì〈动 v.〉请求指示 ask for instructions: 这件事须~有关部门才能决定。*Zhè jiàn shì xū ~ yǒuguān bùmén cái néng juédìng.* Instructions from related departments have to be obtained before this matter can be settled. | 重大问题应向上级~，未经~不能擅自作主。*Zhòngdà wèntí yīng xiàng shàngjí ~, wèijīng ~ bù néng shànzì zuòzhǔ.* You have to ask your superintendent for instructions before dealing with important issues. Actions without authorization are prohibited.

⁴ **请帖** qǐngtiě〈名 n.〉(张 zhāng、份 fèn)向客人发出邀请的通知 invitation card: 你收到座谈会的~没有？*Nǐ shōu dào zuòtánhuì de ~méiyǒu?* Have you received the invitation card for the symposium? | 这份~制作得很精美。*Zhè fèn ~ zhìzuò de hěn jīngměi.* This invitation card is beautifully made.

¹ **请问** qǐngwèn〈动 v.〉请求对方回答问题 excuse me; please: ~贵姓？*~ guìxìng?* May I know your name, please? | ~去友谊商店乘哪路车？*~ qù Yǒuyì Shāngdiàn chéng nǎ lù chē?* Excuse me, but could you tell me which bus I should take to the Friendship Store? | 这个航班几点起飞？*~ zhège hángbān jǐ diǎn qǐfēi?* May I ask when will this plane take off?

⁴ 请愿 qǐngyuàn〈动 v.〉采取集体行动,要求政府或主管当局满足某些愿望或改变某种政策措施 present a petition; (of a large number of people) petition the government or the authorities to meet a certain demand or change a certain policy or course of action: ~书 ~shū petition | 向当局~ xiàng dāngjú ~ present a petition to the government

⁴ 庆贺 qìnghè〈动 v.〉庆祝共同的喜事或向办喜事的人道喜 celebrate; congratulate: 亲朋好友都来~我们的婚礼。Qīnpéng-hǎoyǒu dōu lái ~ wǒmen de hūnlǐ. My relatives and good friends all come to celebrate our wedding. | 同事们~他升任部门经理。Tóngshìmen ~ tā shēngrèn bùmén jīnglǐ. His colleagues congratulated him on having been promoted to department manager.

² 庆祝 qìngzhù〈动 v.〉为共同的喜事举行活动,表示欢庆或纪念 celebrate: ~国庆 ~Guóqìng celebrate National Day | ~元旦 ~Yuándàn celebrate New Year's Day | 大厦落成典礼 ~dàshà luòchéng diǎnlǐ inauguration ceremony to celebrate the completion of the mansion | ~会开得真热闹。~huì kāi de zhēn rènao. The celebration meeting is very lively.

² 穷 qióng ❶〈形 adj.〉缺乏钱财,生活困苦(与'富'相对) with little or no money; poor (opposite to '富 fù'): ~苦 ~kǔ poverty-striken; impoverished | ~困 ~kùn poverty-stricken; impoverished | ~光蛋 ~guāngdàn pauper; poor wretch | ~山恶水 ~shān-èshuǐ barren hills and untamed rivers; place lacking natural resources | 一~二白 yì-~èrbái poor and blank; poor economic foundation **❷**〈形 adj.〉尽头;完了 end; limit: ~尽 ~jìn limit; end | 无~无尽 wú-~-wújìn endless | ~途末路 ~tú-mòlù be in an impasse; have come to a dead end | 理屈辞~ lǐqū-cí~ fall silent on finding oneself bested in argument | 日暮途~ rìmù-tú~ the day is waning and the road is ending; approach the end of one's day; be on one's last legs **❸**〈形 adj.〉阻塞;闭塞(与'通'相对)blocked; inaccessible(opposite to '通 tōng'): ~巷 ~xiàng a dead lane | 乡僻壤 ~xiāng-pìràng remote and out-of-the-way place **❹**〈形 adj.〉处境困难,没有出路的 be in a difficult situation; having no way out: ~寇 ~kòu cornered enemy **❺**〈动 v.〉用尽 exhaust: ~兵黩武 ~bīng-dúwǔ wantonly engage in military ventures; indulge in wars of aggression and crave military exploits | ~目远望 ~mù yuǎnwàng gaze into the distance **❻**〈动 v.〉深入探究 thoroughly investigate: ~根究底 ~gēn-jiūdǐ get to the root of sth. **❼**〈副 adv.〉极端 utterly; extremely: ~奢极侈 ~shē-jíchǐ live in extreme extravagance; wallow in luxury | ~凶极恶 ~xiōng-jí'è extremely brutal and vicious; incredibly ferocious and wicked **❽**〈副 adv.〉彻底;极力 thoroughly; doing one's utmost: ~究 ~jiū make a thorough study of sth. | ~追猛打 ~zhuī-měngdǎ run down (enemy troops) **❾**〈副 adv. 口 colloq.〉偏偏做原本做不到的事;勉强地做 persistently do sth. impossible; do sth. with diffculty: ~凑合 ~còuhe barely make do; manage to make do with difficulty | ~大方 ~dàfang manage to be generous with difficulty | ~讲究 ~jiǎngjiu manage to be lastidious about sth. with difficulty | ~开心 ~kāixīn manage to make oneself happy

⁴ 穷苦 qióngkǔ〈形 adj.〉贫穷困苦 poor and miserable: ~的日子 ~de rìzi impoverished days | ~的生活 ~de shēnghuó a poor life | 他出生在~的家庭。Tā chūshēng zài ~ de jiātíng. He was born in a poor family.

³ 穷人 qióngrén〈名 n.〉(个gè)穷苦的人 the poor; poor people: ~的孩子早当家。~ de háizi zǎo dāngjiā. Children in poor families can manage household affairs early. | 我虽然是个~,但人穷志不穷。Wǒ suīrán shì gè ~, dàn rén qióng zhì bù qióng. Poor as I am, I still have high aspirations.

³ 丘陵 qiūlíng〈名 n.〉(片piàn)连绵成片的小山 continuous hills: ~起伏 ~ qǐfú a chain of undulating hills｜～地带 ~ *dìdài* hilly country; hilly land｜这片～种满了果树。 *Zhè piàn ~ zhòngmǎnle guǒshù.* This hilly land is overgrown with fruit trees.

¹ **秋** qiū ❶〈名 *n.*〉秋季 autumn; fall：～风 ~*fēng* autumn wind｜～雨 ~*yǔ* autumn rain｜高气爽 ~*gāo-qìshuǎng* clear sky and crisp air in autumn; fine autumn day｜叶落知～(比喻从个别的现象能够洞察事物发展的势头) *Yè luò zhī~* (*bǐyù cóng gèbié de xiànxiàng nénggòu dòngchá shìwù fāzhǎn de shìtóu*). The falling leaves herald the autumn（*fig.* a small sign can indicate a great trend）. ❷〈名 *n.*〉秋季庄稼收成或收成的时节 harvest or harvest time：麦～ *mài~* wheat harvest｜大伙都在地里忙大～呢。 *Dàhuǒ dōu zài dì li máng dà~ ne.* They are all busy harvesting in the field. ❸〈名 *n.*〉指一年的时间 year：千～万代 *qiān~-wàndài* for thousands of years; for ever｜一日不见如隔三～(形容思念心切)。 *Yí rì bú jiàn rú gé sān~.* (*xíngróng sīniàn xīnqiè*). One day away from you is like three years (miss sb. very much). ❹〈名 *n.*〉指某个特定的时期 (troubled) period of time; juncture：多事之～ *duōshìzhī~* eventful period of time; troubled times｜民族存亡之～ *mínzú cúnwáng zhī~* critical time for national survival

³ **秋季** qiūjì〈名 *n.*〉一年四季中的第三季, 中国习惯指立秋至立冬的三个月时间, 也指中国农历七、八、九三个月 autumn, the third season of a year; in China means the three months between the Beginning of Autumn（August 7, 8 or 9）and the Beginning of Winter（November 7 or 8）, or the three months of the seventh, the eighth and the ninth mouth in Chinese lunar calendar：～是收获的季节。 ~ *shì shōuhuò de jìjié.* Autumn is the season for harvest.｜～是到中国旅游的最好季节。 ~ *shì dào Zhōngguó lǚyóu de zuì hǎo jìjié.* Autumn is the best tourist season in China.

⁴ **秋收** qiūshōu ❶〈动 *v.*〉秋季收获农作物 autumn harvest：～种 ~*qiūzhǒng* autumn harvest and planting｜～大忙季节 ~*dàmáng jìjié* the busy season of autumn harvest ❷〈名 *n.*〉秋季收获的农产品 harvested autumn crops：今年～比去年提高了三成。 *Jīnnián ~ bǐ qùnián tígāole sān chéng.* The harvest this autumn is 30% higher than that of last year.

¹ **秋天** qiūtiān〈名 *n.*〉秋季 fall; autumn：～是凉爽的季节。 ~ *shì liángshuǎng de jìjié.* Autumn is a cool season.｜今年～我就要上大学了。 *Jīnnián ~ wǒ jiùyào shàng dàxué le.* I will go to college this fall.

² **求** qiú ❶〈动 *v.*〉请求；要求 ask; beg; request：～爱 ~*ài* court｜～婚 ~*hūn* ask for a lady's hand; make an offer of marriage｜～救 ~*jiù* ask for help; ask sb. to come to the rescue｜～教 ~*jiào* ask for advice; seek counsel｜～饶 ~*ráo* beg for mercy｜～援 ~*yuán* ask for help or assistance; request reinforcements｜精益～精 *jīngyì~jīng* keep improving one's work, etc. ❷〈动 *v.*〉设法得到 try（to get sth.）; seek; search：～解 ~*jiě* find the solution of a mathematical problem（by working from given postulates according to laws and theorems）｜～偶 ~*ǒu* seek a spouse｜追～ *zhuī~* pursue｜探～ *tàn~* seek; pursue; search for｜实事～是 *shíshì~~shì* seek truth from facts; be realistic and practical ❸〈动 *v.*〉需要 demand：需～ *xū~* demand｜供～关系 *gōng~guānxì* relation between supply and demand｜供大于～。 *Gōng dà yú ~.* Supply exceeds demand.

⁴ **求得** qiúdé〈动 *v.*〉请求到；追求到 get：～帮助 ~*bāngzhù* get help｜～同情 ~*tóngqíng* gain sympathy

¹ **球** qiú ❶〈名 *n.*〉（个gè）圆形的立体物 sphere; globe：～体 ~*tǐ* sphere; spheroid｜～面 ~*miàn* spherical surface｜～心 ~*xīn* center of a sphere or ball｜～形 ~*xíng* spherical; globular ❷（～儿）〈名 *n.*〉球形或接近球形的物体 spherical object or any thing of similar shape; ball：火～ *huǒ~* fire ball｜眼～ *yǎn~* eyeball｜棉花～儿 *miánhua~r* cotton

ball｜樟脑~ㄦ *zhāngnǎo~r* camphor ball ❸〈名 *n.*〉特指球形的体育用品 ball (used in games)：乒乓~ *pīngpāng~* table tennis｜篮~ *lán~* basketball｜足~ *zú~* football｜~台~ *tái* billiard or ping-pong table ❹〈名 *n.*〉特指地球或其他星体 globe; earth; world：环~ *huán~* around the world｜南半~ *nánbàn~* Southern Hemisphere｜星~ *xīng~* celestial body｜月~ *yuè~* moon

² **球场** qiúchǎng〈名 *n.*〉球类运动项目使用的场地 ground or court for ball games：篮~ *lán~* basketball court｜足~ *zú~* football field｜羽毛~ *yǔmáo~* badminton court｜网~ *wǎng~* tennis court

⁴ **球队** qiúduì〈名 *n.*〉(支 zhī)指为参加球类比赛而组成的运动员队伍 (ball game) team：篮~ *lán~* basketball team｜足~ *zú~* football team｜学校的~ *xuéxiào de ~* school team｜国家的~ *guójiā de ~* national team

⁴ **球迷** qiúmí〈名 *n.*〉(个 gè, 群 qún) 喜欢球类运动或看球赛入迷的人 ball game fan; buff; aficionado：他从小就是个足~，每天一下课就踢球。*Tā cóngxiǎo jiùshì gè zú~, měitiān yí xiàkè jiù tīqiú.* He has been a football fan from childhood and he plays football after class every day.｜他们组织了一个~协会，参加者都是铁杆~。*Tāmen zǔzhīle yí gè ~ xiéhuì, cānjiāzhě dōushì tiěgǎn ~.* They have organized an association of football fans and all the participants are real fans.

² **区** qū ❶〈名 *n.*〉行政区划单位 an administrative division：特别行政~ *tèbié xíngzhèng~* special administrative region｜自治~ *zìzhì~* autonomous region｜市辖~ *shìxiá~* district under municipal jurisdiction ❷〈名 *n.*〉陆地、水面或空中的一定范围 area; zone：山~ *shān~* mountainous area｜林~ *lín~* forest zone; forest region; forest｜城~ *chéng~* the city proper; urban district｜郊~ *jiāo~* suburb｜工业~ *gōngyè~* industrial area｜住宅~ *zhùzhái~* residential district｜风景~ *fēngjǐng~* scenic spot｜经济开发~ *jīngjì kāifā~* economic development zone｜禁渔~ *jìnyú~* no-fishing area｜禁飞~ *jìnfēi~* no-fly zone ❸〈动 *v.*〉划分；区别 distinguish; differentiate; classify：~分 *~fēn* differentiate; distinguish｜~别 *~bié* distinguish

² **区别** qūbié ❶〈动 *v.*〉将两个以上不同的事物加以比较，区分其不同之处 make a distinction between; discriminate：~好坏 *~ hǎohuài* distinguish between good and bad｜~对待 *~ duìdài* deal with sb. or sth. in different ways｜你能~出他是哪个国家的人吗？*Nǐ néng ~ chū tā shì nǎge guójiā de rén ma?* Can you tell his nationality? ❷〈名 *n.*〉彼此不同的地方 difference; distinction：这两件衣服的颜色没有多大~。*Zhè liǎng jiàn yīfu de yánsè méiyǒu duō dà ~.* There is little difference in color between these two garments.｜你能看出这两个图形的~在哪里吗？*Nǐ néng kànchū zhè liǎng gè túxíng de~ zài nǎli ma?* Can you find the difference between the two drawings?

⁴ **区分** qūfēn〈动 *v.*〉区别 differentiate; distinguish：~优劣 *~ yōuliè* distinguish between good and bad｜~不同性质的矛盾 *~ bùtóng xìngzhì de máodùn* differentiate different types of contradictions

³ **区域** qūyù〈名 *n.*〉(个 gè)地区范围 region; district; area：~性经济 *~xìng jīngjì* regional economy｜~自治 *~ zìzhì* regional autonomy｜行政~ *xíngzhèng ~* administrative region

⁴ **曲线** qūxiàn ❶〈名 *n.*〉(条 tiáo) 弯曲的线条 curve：在图表上画出一条~。*Zài túbiǎo shang huàchū yì tiáo ~.* Draw a curve in the chart.｜模特ㄦ的身体~很美。*Mótèr de shēntǐ ~ hěn měi.* The model has a graceful figure. ❷〈副 *adv.*〉不直接地 not directly：~救国 *~ jiùguó* save the nation in a devious way

³ **曲折** qūzhé ❶〈形 *adj.*〉弯曲而不直 tortuous; winding：~的小路 *~ de xiǎolù* a winding alley｜汽车沿着~的山路行驶。*Qìchē yánzhe ~ de shānlù xíngshǐ.* The car drove along

the winding mountain road. ❷〈形 adj.〉复杂的; 不顺当的 complicated; intricate: ~的经历 ~ de jīnglì complicated experiences | ~的人生 ~ de rénshēng intricate life | ~的故事情节 ~ de gùshì qíngjié a complicated plot

⁴ 驱逐 qūzhú〈动 v.〉赶走 expel; drive out; oust: ~出境 ~ chūjìng deport | 入侵者 ~ rùqīnzhě drive out the invaders

⁴ 屈服 qūfú〈动 v.〉对外来的压力妥协让步 succumb; yield: 决不能向敌人 ~. Jué bù néng xiàng dírén ~. Never bow down to the enemies.

⁴ 趋势 qūshì〈名 n.〉事物发展的动向 trend; tendency; inclination: 大 ~ dà~ great trend | 发展 ~ fāzhǎn ~ the trend of development | 必然的 ~ bìrán de ~ inexorable trend; inevitable trend | 上升的 ~ shàngshēng de ~ the rising trend

⁴ 趋向 qūxiàng ❶〈动 v.〉朝某个方向发展 tend to; incline to: 她的病情已经~好转。 Tā de bìngqíng yǐjīng ~ hǎozhuǎn. Her condition has taken a favorable turn. | 这部法律正在逐步~完善。 Zhè bù fǎlù zhèngzài zhúbù ~ wánshàn. This law is being perfected gradually. ❷〈名 n.〉趋势 trend; inclination: 近年来物价出现了稳中有降的~。 Jìnniánlái wùjià chūxiànle wěn zhōng yǒu jiàng de ~. In recent years, the commodity prices have had the tendency of being steady or even declining.

² 渠 qú〈名 n.〉(条 tiáo, 道 dào)人工开凿的水道 man-made canal; conduit; ditch: 水~ shuǐ~ canal | 修~ xiū~ build a canal | 挖~ wā~ dig a canal | 灌溉~ guàngài~ irrigation canal | 这条人工~很长。 Zhè tiáo réngōng ~ hěn cháng. This man-made channel is very long.

³ 渠道 qúdào ❶〈名 n.〉(条 tiáo)在河湖和水库周围开挖的水道 canal made near rivers, lakes and reservoirs: 引水~ yǐnshuǐ~ inlet channel; aqueduct | 这条~的水主要用于农田灌溉。 Zhè tiáo ~ de shuǐ zhǔyào yòngyú nóngtián guàngài. Water from the canal is mostly used to irrigate the farmland. ❷〈名 n.〉(条 tiáo, 个 gè, 种 zhǒng)途径; 门路 medium of communication; channel; means: 扩大商品流通 ~ kuòdà shāngpǐn liútōng ~ expand commodity circulation | 开辟两国民间交流~ kāipì liǎng guó mínjiān jiāoliú ~ open up avenues of non-governmental exchanges between the two countries

⁴ 曲子 qǔzi ❶〈名 n.〉(支 zhī, 首 shǒu, 段 duàn)中国传统戏曲中有唱词有曲调的唱段 qu; lyric; a type of verse for singing originated in folk ballads; an aria with libretto and melody in traditional Chinese opera: 她唱了几段京剧~。 Tā chàngle jǐ duàn jīngjù ~. She sang several arias from the Peking Opera. | 这段~演唱的难度很大。 Zhè duàn ~ yǎnchàng de nándù hěn dà. It is very difficult to sing this aria. ❷〈名 n.〉(支 zhī, 首 shǒu, 段 duàn)指歌曲的音乐部分; 曲谱 music (of a song): 这首歌的~是他写的。 Zhè shǒu gē de ~ shì tā xiě de. The music of this song is composed by him. |《茉莉花》的~是根据中国江南民歌改编的。 'Mòlìhuā' de ~ shì gēnjù Zhōngguó Jiāngnán míngē gǎibiān de. The music of Jasmine is adapted from a Chinese folk ballad popular in areas south of the Yangtze River.

² 取 qǔ ❶〈动 v.〉拿到手里 get; draw; collect: ~钱 ~qián draw money | ~票 ~piào get the ticket | ~行李 ~xíngli get one's luggage | 火中~栗(比喻替别人冒险出力, 自己受苦却一无所获) huǒzhōng~lì (bǐyù tì biéren màoxiǎn chūlì, zìjǐ shòukǔ què yìwúsuǒhuò) pull chestnuts out of the fire; be a cat's paw (fig. be duped into taking risks for sb. else but get no benefit to oneself after suffering the hardships) ❷〈动 v.〉得到; 招致 get; gain; seek; aim at: ~暖 ~nuǎn warm oneself (by a fire, etc.); keep warm | ~乐 ~lè enjoy or amuse oneself; make merry | ~巧 ~qiǎo resort to wiles or trickery (for personal gain or for avoiding difficulties) | ~信于民 ~xìnyúmín gain the confidence of the people;

win public trust｜自~灭亡 *zì~mièwáng* court or invite destruction; work for one's own doom ❸〈动 *v.*〉采用；选取 adopt; assume; select; choose: ~道 *~dào* by way of; through; via｜~景 *~jǐng* find a view or scene（to paint, photograph, etc.）｜~名儿 *míngr* give a name; name｜录~ *lù~* enrol; admit; recruit｜考~ *kǎo~* pass an entrance exam｜你的方案不可~。 *Nǐ de fāng'àn bù kě ~.* Your plan is inadvisable. ❹〈动 *v.*〉去除；禁止 get rid of; ban: ~消 *~xiāo* cancel; call off｜~缔 *~dì* outlaw; prohibit; ban; suppress ❺〈动 *v.*〉攻占；夺取 attack and occupy（an enemy position）; seize: 这一战役攻~敌城池十余座。 *Zhè yí zhànyì gōng~ dí chéngchí shí yú zuò.* More than ten enemy cities are captured after this compaign.

⁴ 取代 *qǔdài*〈动 *v.*〉排除别人或别的事物而占有其位置 replace; take over; substitute; supersede: 城市要用烧天然气逐步~烧煤。 *Chéngshì yào yòng shāo tiānránqì zhúbù ~ shāo méi.* Natural gas will gradually replace coal as the fuel for city dwellers.｜他的作用别人无法~。 *Tā de zuòyòng biérén wúfǎ ~.* No one can play the same role as that of his.

¹ 取得 *qǔdé*〈动 *v.*〉得到; gain; obtain: ~成就 *~chéngjiù* make achievements｜~胜利 *~shènglì* succeed｜~资格 *~zīgé* gain the qualification｜~经验 *~jīngyàn* gain experience｜~冠军 *~guànjūn* win the first prize

² 取消 *qǔxiāo*〈动 *v.*〉使原有的规章、资格、权利等失去效力（of rules, regulations, qualifications, etc.）cancel; call off; rescind: ~原定计划 *~yuándìng jìhuà* call off the plan｜~参赛资格 *~cānsài zīgé* be disqualified from the contest｜~不合理的规章制度 *~ bù hélǐ de guīzhāng zhìdù* abolish unreasonable rules and regulations

³ 娶 *qǔ*〈动 *v.*〉把女子接过来成婚（与'嫁'相对）marry（a woman）(opposite to '嫁 *jià*'): ~亲 *~qīn* (of a man) get married｜~妻 *~qī* take a wife｜~媳妇儿 *~xífùr* take a daughter-in-law｜车队去迎~新娘了。 *Chēduì qù yíng~ xīnniáng le.* The motorcade has been sent to bring the bride over.

¹ 去 *qù* ❶〈动 *v.*〉从说话所在地到别的地方（与'来'相对）go (from here to another place)（opposite to '来 *lái*'）: ~国外 *~guówài* go to the abroad｜~南方 *~nánfāng* go to the south｜~农村 *~nóngcūn* go to the countryside｜~超市 *~chāoshì* go to the supermarket ❷〈动 *v.*〉离开 depart from; leave: ~国 *~guó* depart from one's motherland or its capital; leave one's country｜~世 *~shì* pass away; die｜~职 *~zhí* no longer hold the post; quit the job ❸〈动 *v.*〉失掉；除掉 lose; remove; get rid of: 失~ *shī~* lose｜除~ *chú~* get rid of｜火~ *huǒ~* reduce internal heat; relieve inflammation or fever｜~皮 *~pí* remove the peel or skin｜大势已~。 *Dàshì yǐ ~.* The game is as good as lost. ❹〈动 *v.* 婉 *euph.*〉指人死亡 pass away; depart; die: 告诉你一个不幸的消息，我父亲今天早上~了。 *Gàosù nǐ yí gè búxìng de xiāoxi, wǒ fùqīn jīntiān zǎoshang ~ le.* I have something sad to tell you that my father was gone this morning. ❺〈动 *v.*〉距离 be away from; be apart from: 两地相~八十里。 *Liǎng dì xiāng ~ bāshí lǐ.* The two places are 80 *li* apart.｜我和他的见解相~甚远。 *Wǒ hé tā de jiànjiě xiāng ~ shèn yuǎn.* My ideas are far apart from his. ❻〈动 *v.*〉放在另一个动词或动词结构前，表示要做一件事 used before another verb or verbal structure to indicate a future action: ~吃饭 *~chīfàn* go for meal｜~开会 *~kāihuì* go to have a meeting｜~看球赛 *~kàn qiúsài* go to watch the game ❼〈动 *v.*〉放在另一个动词或动词结构后，表示行为的目的 used after another verb or a verbal structure to indicate the purpose of the action: 出差~ *chūchāi~* go on business｜游泳~ *yóuyǒng~* go swimming ❽〈动 *v.*〉放在动词之后，表示人或物随动作离开说话人所在地 used after a verb to indicate movement away from the speaker: 他朝着公园方向走~。 *Tā cháozhe gōngyuán fāngxiàng zǒu~.* He walked toward the park.

│汽车向远方驶~。Qìchē xiàng yuǎnfāng shǐ~. The car drove afar. ❾〈动 v.〉放在动词之后，表示人或物离开原来地方或改变原有状态 used after a verb to indicate movement away from the speaker or some changes：夺~ duó~ seize away│拿~ ná~ take away│死~ sǐ~ die ❿〈动 v.〉放在动词之后，表示动作的继续 used after a verb to indicate continuation of an action：你就让他说~。Nǐ jiù ràng tā shuō ~. You just let him say it. ⓫〈动 v. dial.〉用在'大''多''远'等形容词后，后面加'了'，表示非常的意思 very; extremely (used after adjectives like '大dà', '多duō', '远yuǎn' etc. and followed by '了le' to indicate degree)：广场上人多了~了。Guǎngchǎng shang rén duōle ~ le. There are a great many people in the square.│你的工资和他相比可差得远了~了。Nǐ de gōngzī hé tā xiāngbǐ kě chà de yuǎnle ~ le. Your salary is far less than his. ⓬〈形 adj.〉已过去的 past; last：~年~nián last year│~冬今春~dōng jīnchūn last winter and this spring ⓭〈名 n.〉去声 falling tone：平上~入 píng-shàng-~-rù level tone, rising tone, falling tone and entering tone

¹ 去年 qùnián〈名 n.〉今年的前一年 last year：他是~到国外留学的。Tā shì ~dào guówài liúxué de. He went abroad to study last year.│~我在全年级考了第一。~ wǒ zài quán niánjí kǎole dì-yī. I got the highest mark of my grade in the examination last year.

⁴ 去世 qùshì〈动 v.〉死去；逝世（指成年人）(of an adult) die; expire; pass away：得知老朋友~的噩耗，十分悲痛。Dézhī lǎopéngyou ~ de èhào, shífēn bēitòng. I am grief-stricken to hear that my old friend has passed away.│他因患心脏病不治，不幸~。Tā yīn huàn xīnzàngbìng búzhì, búxìng ~. He unfortunately died of heart disease.

³ 趣味 qùwèi ❶〈名 n.〉使人愉快，感到有意思和有吸引力的情味 interest; delight：~无穷~wúqióng be of infinite interest│饶有~ráoyǒu ~ full of interest ❷〈名 n.〉诱人沉迷、使人偏爱的兴趣 liking; preference; taste (derogatory)：低级~ dījí ~ bad taste; vulgar interests

² 圈 quān ❶ (~儿)〈名 n.〉环形的物体 circle; ring; hoop：圆~儿 yuán~r circle│套~儿 tào~r hoop│面包~儿 miànbāo~r doughnut; ring-shaped bread ❷〈名 n.〉一定的范围 certain scope：敌人已经进入了我们的包围~。Dírén yǐjīng jìnrùle wǒmen de bāowéi~. The enemy have entered our encirclement.│我们队进入了决赛~。Wǒmen duì jìnrùle juésài~. Our team has entered the finals. ❸〈名 n.〉某种群体 circle; a certain group of people：影视~ yǐngshì~ show business; film and television circles│娱乐~ yúlè~ entertainment circle│文化~ wénhuà~ cultural circle│~内 ~nèi in the circle│~外 ~wài outside the circle│~中人 ~ zhōng rén insider ❹〈动 v.〉在周围划定范围 enclose; surround; encircle：我们在海边~了一块地，用来建别墅。Wǒmen zài hǎibiān ~le yí kuài dì, yòng lái jiàn biéshù. We enclosed a piece of land near the sea to build some villas. ❺〈动 v.〉画圆圈儿做记号 mark with a circle：这个文件已经领导~阅。Zhège wénjiàn yǐ jīng lǐngdǎo ~yuè. The leader has circled his name on the document to show that he has read it.│请大家在重点的词句下~上圈儿。Qǐng dàjiā zài zhòngdiǎn de cíjù xià ~ shàng quānr. Please draw circles under the key words and sentences.

☞ juàn, p. 560

⁴ 圈套 quāntào〈名 n.〉(个gè)使人上当受骗的计谋 snare; trap; ploy：设~ shè~ lay a snare; set a trap│小心别中了他的~。Xiǎoxīn bié zhòngle tā de ~. Be careful not to fall into his trap.│他的这种小~骗不了我。Tā de zhèzhǒng xiǎo ~ piàn bù liǎo wǒ. His small tricks cannot deceive me.

³ 圈子 quānzi ❶〈名 n.〉(个gè)圆而中空的平面形；环形 ring; circle：同学们在操场上围成了一个~。Tóngxuémen zài cāochǎng shang wéichéngle yí gè ~. The students

formed a circle in the playground. | 他骑车绕着街心绿地兜~。 *Tā qíchē ràozhe jiēxīn lùdì dōu ~.* He rode the bike around the greeney patches at the street intersection. | 有话直说，别绕~。 *Yǒu huà zhíshuō, bié rào ~.* If you have anything to say, say it. Don't beat about the bush. ❷〈名 n.〉一定的活动范围 circle; coterie; clique: 他的生活~很窄。 *Tā de shēnghuó ~ hěn zhǎi.* He has a very small circle of life. | 不要搞小~。 *Búyào gǎo xiǎo ~.* Don't band together to form a clique.

权 quán ❶〈名 n.〉权力 power; authority: 当~ *dāng~* be in power | 掌~ *zhǎng~* wield power; exercise control | 有职有~ *yǒu zhí yǒu~* hold office and have power | 大~旁落 *dà~pángluò* power has fallen into the hands of others | 争~夺利 *zhēng~duólì* scramble for power and wealth ❷〈名 n.〉权利 right: 公民~ *gōngmín~* civil right | 所有~ *suǒyǒu~* proprietary rights; ownership | 使用~ *shǐyòng~* right of use | 每个人都有~向上级反映问题。 *Měi gè rén dōu yǒu ~ xiàng shàngjí fǎnyìng wèntí.* Everybody has the right to report problems to the higher authorities. ❸〈名 n.〉有利的形势 advantageous or favorable position: 主动~ *zhǔdòng~* initiative | 控制~ *kòngzhì~* the right to take control | 制空~ *zhìkōng~* air supremacy ❹〈动 v.〉衡量利弊而应变 weigh advantages against disadvantages and adapt to self-interest: ~衡 *~héng* weigh; balance | ~变 *~biàn* adaptability or flexibility in tactics; tact | ~宜之计 *~yízhījì* expedient; makeshift device ❺〈副 adv.〉姑且 tentatively; provisionally; for the time being: 你就~当我不知道好了。 *Nǐ jiù ~ dāng wǒ bù zhīdào hǎo le.* You just assume that I knew nothing about it. | 既然大家推举我，我就~充此任吧。 *Jìrán dàjiā tuījǔ wǒ, wǒ jiù ~ chōng cǐ rèn ba.* As you all elected me, I will assume the post just for the time being.

³ **权力** quánlì ❶〈名 n.〉政治上的强制力量 power; authority: 国家的~ *guójiā de ~* state power | 掌握~ *zhǎngwò ~* be in power | 行使~ *xíngshǐ ~* exercise one's authority | ~机关 *~jīguān* organ of power ❷〈名 n.〉职责范围内的支配力量 jurisdiction: 监察机关行使监察的~。 *Jiānchá jīguān xíngshǐ jiānchá de ~.* The supervisory unit performs its supervision functions. | 他行使大会执行主席的~。 *Tā xíngshǐ dàhuì zhíxíng zhǔxí de ~.* He performs his functions as the executive chairman of the conference.

³ **权利** quánlì 〈名 n.〉公民或法人依法行使的权力和应当享受的利益（与'义务'相对）right to be performed by a citizen or juridical person and the interest he enjoys (opposite to '义务yìwù'): 公民有选举和被选举的~。 *Gōngmín yǒu xuǎnjǔ hé bèi xuǎnjǔ de ~.* Each citizen has the rights to elect and to be elected. | 公民依法享有言论自由的~。 *Gōngmín yīfǎ xiǎngyǒu yánlùn zìyóu de ~.* Every citizen enjoys the freedom of speech.

⁴ **权威** quánwēi ❶〈名 n.〉在某一领域内被公认为最有影响的人或事物 authority; person or thing generally acknowledged as the most influential in a certain area: 学术~ *xuéshù ~* academic authority | 他是经济学界的~。 *Tā shì jīngjìxuéjiè de ~.* He is an authority on economics. | 这部著作是中国文学史的~。 *Zhè bù zhùzuò shì Zhōngguó wénxuéshǐ de ~.* This is an authoritative book in the field of Chinese literary history. ❷〈形 adj.〉具有使人信服的力量和威望的 authoritative: ~的理论 *~de lǐlùn* authoritative theory | ~的著作 *~de zhùzuò* authoritative book

⁴ **权限** quánxiàn 〈名 n.〉职权范围 jurisdiction; competence: 确定~ *quèdìng ~* define the competence | 超越~ *chāoyuè ~* overstep or exceed one's authority | 这件事不属于我的~范围。 *Zhè jiàn shì bù shǔyú wǒ de ~fànwéi.* It goes beyond my authority.

⁴ **权益** quányì 〈名 n.〉应该享受的不容侵犯的利益 rights and interests: 享受~ *xiǎngshòu ~* enjoy one's rights | 消费者的合法~应该受到保护。 *Xiāofèizhě de héfǎ ~ yīnggāi shòudào bǎohù.* The legitimate rights of customers should be protected.

全 quán ❶ 〈形 adj.〉完整；完备 complete; all: 完~ wán~ complete ｜ 齐~ qí~ complete; having everything one expects; well-stocked ｜ 安~ ān~ safe ｜ 健~ jiàn~ sound; perfect ｜ 这套书不~。Zhè tào shū bù ~. This set of books is incomplete. ❷ 〈形 adj.〉整个的 whole; entire: ~部 ~bù whole; entire ｜ ~程 ~chéng entire journey; whole course ｜ ~国 ~guó the whole nation or country; all over the country ｜ ~景 ~jǐng panorama ｜ ~局 ~jú general situation; situation as a whole ｜ ~球 ~qiú whole world; entire globe ｜ ~权 ~quán full authority; full powers ｜ ~文 ~wén full text ❸ 〈动 v.〉使之不受损失，完整无缺 keep from harm or damage; keep intact: 保~ bǎo~ save from damage; preserve ｜ 周~ zhōu~ circumspect; thorough; comprehensive ｜ 两~其美 liǎng~qíměi gratify both sides; satisfy rival claims ❹ 〈副 adv.〉都 wholly; entirely; completely: 花园里花~开了。Huāyuán li huā ~ kāi le. All the flowers in the garden blossomed. ｜ 他说的话~听见了。Tā shuō de huà ~ tīngjiàn le. All he said was overheard by others. ❺ 〈副 adv.〉完全 completely; entirely: 他~然不顾个人的安危，勇敢地冲向歹徒。Tā ~rán búgù gèrén de ānwēi, yǒnggǎn de chōng xiàng dǎitú. He gave no thought to his own safety and rushed to the robber courageously.

全部 quánbù 〈名 n.〉整个；各个部分的总和 whole; entire; full; complete: ~时间 ~shíjiān full time ｜ ~精力 ~jīnglì every ounce of one's energy ｜ ~资金 ~zījīn all the funds ｜ 写字楼的工程已~竣工。Xiězìlóu de gōngchéng yǐ ~ jùngōng. The construction of the office building has been entirely completed. ｜ 所有的问题都已~解决。Suǒyǒu de wèntí dōu yǐ ~ jiějué. All the problems have been solved.

全都 quándōu 〈副 adv.〉全；都 all; every; without exception: 开会的人~到齐了。Kāihuì de rén ~ dàoqí le. All the attendants have come to the meeting. ｜ 春天到了，草坪里的草~绿了。Chūntiān dào le, cǎopíng li de cǎo ~ lù le. Spring comes and all the grass in the meadow turns green. ｜ 他们学校参加高考的考生~被录取了。Tāmen xuéxiào cānjiā gāokǎo de kǎoshēng ~ bèi lùqǔ le. All the students of their school who have attended the college entrance examinations are admitted.

全会 quánhuì 〈名 n.〉全体会议的简称（多指政党、团体）plenary meeting（usually of a political party or an organization）：中央~ zhōngyāng ~ the Plenary Session of the Central Committee of the Party ｜ ~公报 ~ gōngbào the communiqué of the plenary meeting

全集 quánjí 〈名 n.〉（套tào、部bù）一个作者或几个关系密切的作者的全部著作编在一起的书（多用于书名）complete works; collected works （usually used in the titles of books）：《鲁迅~》 'Lǔ Xùn ~' Complete Works of Lu Xun ｜《马克思恩格斯~》'Mǎkèsī Ēngésī ~' Collected Works of Marx and Engels

全局 quánjú 〈名 n.〉整个的局面 general situation; situation as a whole: ~观念 ~guānniàn an overall point of view ｜ 局部利益要服从~利益。Júbù lìyì yào fúcóng ~ lìyì. Regional interests should be subordinate to the overall interests. ｜ 这是稳定~的关键之举。Zhè shì wěndìng ~ de guānjiàn zhī jǔ. This is a key act to stabilize the general situation.

全力 quánlì 〈名 n.〉全部力量或精力 exerting all one's strength; going all out; sparing no effort: 用尽~ yòngjìn ~ spare no effort ｜ 医生们正~对病人进行抢救。Yīshēngmen zhèng ~ duì bìngrén jìnxíng qiǎngjiù. The doctors are doing all they can to rescue the patient. ｜ 各行各业~支援站在抗击'非典'第一线的医务工作者。Gèháng-gèyè ~ zhīyuán zhàn zài kàngjī 'fēidiǎn' dì yī xiàn de yīwù gōngzuòzhě. All trades and professions give their full support to medical workers who are fighting at the front against

SARS.

⁴ **全力以赴** quánlìyǐfù〈成 *idm.*〉把全部力量或精力用上去 go all out; spare no effort; do one's utmost：干事业就要有～的精神。*Gàn shìyè jiù yào yǒu ～ de jīngshén.* One should pursue his career to the best of his ability.

² **全面** quánmiàn〈形 *adj.*〉各个方面的总和（与'片面'相对）overall; all-round; general; comprehensive（opposite to '片面piànmiàn'）：～性～xìng comprehensiveness | 你要～了解情况。*Nǐ yào ～ liǎojiě qíngkuàng.* You should know the overall picture. | 他的看法很～。*Tā de kànfǎ hěn ～.* His view is quite comprehensive.

⁴ **全民** quánmín〈名 *n.*〉一个国家内的全体人民 whole people; entire people; all the people：～总动员～zǒngdòngyuán general mobilization of the whole nation | ～公决 gōngjué general referendum | ～所有制～suǒyǒuzhì ownership by the whole people

¹ **全体** quántǐ〈名 *n.*〉各个部分的总和（多指人）all; entire; total; whole：～人员都到齐了。～ rényuán dōu dào qí le. All are present. | ～起立鼓掌致意。～ qǐlì gǔzhǎng zhìyì. All stand up and applaud to extend our greetings. | 既要照顾到部分，更要考虑到～。*Jì yào zhàogù dào bùfen, gèng yào kǎolǜ dào ～.* While we should take both the parts into occount, even more consideration should be given to the whole.

⁴ **全心全意** quánxīn-quányì〈成 *idm.*〉用全部的精力 wholeheartedly：～为人民服务。～ wèi rénmín fúwù. Serve the people wholeheartedly. | 只有～为顾客着想，才能得到顾客的信任。*Zhǐyǒu ～ wèi gùkè zháoxiǎng, cái néng dédào gùkè de xìnrèn.* Only when you take the customers into consideration wholeheartedly can you gain their trust.

⁴ **泉** quán ❶〈名 *n.*〉从地底下流出来的水 spring：山～shān～ mountain spring | 温～wēn～ hot spring | 清～qīng～ clear spring; cool spring | 矿～水 kuàng～shuǐ mineral water ❷〈名 *n.*〉（眼yǎn、处chù）流出泉水的洞 mouth of a spring：附近的山上有好几眼～。*Fùjìn de shān shang yǒu hǎo jǐ yǎn ～.* There are several springs in the nearby mountain. ❸〈名 *n.*〉旧时称人死后所在的地方 an ancient term for Hades; the nether world：黄～huáng～ nether world | 如果她能知道儿子今日的成就，她也可以含笑九～了。*Rúguǒ tā néng zhīdào érzi jīnrì de chéngjiù, tā yě kěyǐ hánxiào jiǔ～ le.* If she could see the achievements of her son, she would smile in the underworld.

³ **拳头** quántóu〈名 *n.*〉（个gè）手指向内弯曲合拢的手 fist：示威群众举起～高呼口号。*Shìwēi qúnzhòng jǔqǐ ～ gāo hū kǒuhào.* The demonstrators raised their fists and shouted slogans. | 他打了我一～。*Tā dǎle wǒ yì ～.* He gave me a punch. ❷〈名 *n.*〉引申为优秀的、有市场竞争力的（产品）(product) of good quality and competitiveness：～产品 ～chǎnpǐn highly competitive product

⁴ **犬** quǎn〈名 *n.*〉（只zhī、条tiáo）狗 dog：警～jǐng～ police dog | 猎～liè～ hunting dog | 牧羊～mùyáng～ shepherd dog | 军用～jūnyòng～ military dog | 丧家之～（比喻失去后台，无处投靠的人）sàngjiāzhī～（bǐyù shīqù hòutái, wúchù tóukào de rén）a stray cur (fig. people who lose their backstage supporters and have no one to turn to）| 愿为您效～马之劳。*Yuàn wèi nín xiào ～mǎzhīláo.* I'm perfectly willing to render my humble service.

² **劝** quàn ❶〈动 *v.*〉以道理说服人，使人听从 persuade：～导～dǎo persuade; advise; exhort | ～告～gào advise; urge; exhort | ～说～shuō persuade; advise | 规～guī～ admonish; advise | 他在宴席上频频～酒。*Tā zài yànxí shang pínpín ～jiǔ.* He proposed toasts again and again at the banquet. ❷〈动 *v.*〉勉励；诱导 encourage; guide：～学～xué encourage learning | ～业～yè encourage starting an undertaking | ～勉～miǎn admonish and encourage

³**劝告** quàngào ❶〈动 v.〉用道理说服人，使人改正错误或接受意见 advise; urge：再三~ *zàisān* – advise sb. again and again｜我~了他多次，他就是不听。*Wǒ –le tā duō cì, tā jiùshì bù tīng.* I have advised him many times, but he never took it to heart. ❷〈名 n.〉劝告时所说的话 exhortation：他把别人的~当做耳旁风。*Tā bǎ biérén de ~ dàngzuò ěrpángfēng.* He turns a deaf ear to others' exhortations

⁴**劝说** quànshuō〈动 v.〉劝人做某事或使其对某事表示同意 persuade sb. to do sth. or to agree to sth.：反复~ *fǎnfù* – repeatedly exhort｜不听~ *bù tīng* – disregard one's exhortations｜他这样做的后果严重，你好好儿~~他吧。*Tā zhèyàng zuò de hòuguǒ yánzhòng, nǐ hǎohāor ~ ~ tā ba.* He will face severe consequences if he does like this, so please go and talk to him.

⁴**劝阻** quànzǔ〈动 v.〉劝人不要做某件事或进行某种活动 advise sb. against; dissuade：警察~了闹事者。*Jǐngchá ~le nàoshìzhě.* The policemen calmed down the troublemakers.｜如果~无效，只能采取强制措施了。*Rúguǒ ~ wúxiào, zhǐnéng cǎiqǔ qiángzhì cuòshī le.* If the exhortations had no effects, we would have to adopt coercive methods.

⁴**券** quàn〈名 n.〉票据或作为凭证的纸片 certificate; ticket; voucher：公债~ *gōngzhài~* public or government bonds｜入场~ *rùchǎng~* admission ticket｜奖~ *jiǎng~* lottery ticket

²**缺** quē ❶〈动 v.〉不足；短少 be short of; be deficient; lack：~德 *~dé* wicked; mean; vicious｜~钱 *~qián* be short of money; lack money｜~零件 *~língjiàn* be short of spare parts｜不少农村还~医少药。*Bùshǎo nóngcūn hái ~yī-shǎoyào.* A dearth of doctors and medicine still exists in many rural areas. ❷〈动 v.〉该到未到 be absent from：~课 *~kè* be absent from class; miss a class｜~勤 *~qín* absence from duty or work｜~席 *~xí* absent (from a meeting, etc.) ❸〈形 adj.〉不完善 imperfect：~点 *~diǎn* shortcoming; defect｜~陷 *~xiàn* defect; blemish ❹〈形 adj.〉不完整 incomplete; with parts missing：~口 *~kǒu* breach; gap; (of funds, materials, etc.) shortfall｜~损 *~sǔn* damaged; torn; physiological deficiency ❺〈名 n.〉职位的空额 unfilled official position; vacancy; opening：空~ *kōng~* vacancy; vacant position｜肥~ *féi~* lucrative job or post

²**缺点** quēdiǎn〈名 n.〉欠缺或不完善的地方（与'优点'相对）shortcoming; defect; weakness （opposite to '优点 yōudiǎn'）：正视~ *zhèngshì* – acknowledge one's shortcomings｜克服~ *kèfú* – overcome one's shortcomings｜改正~ *gǎizhèng* – remedy one's shortcomings｜这种型号的彩电的~比较明显。*Zhè zhǒng xínghào de cǎidiàn de ~ bǐjiào míngxiǎn.* This type of color TVs has obvious flaws.

²**缺乏** quēfá〈动 v.〉（所需要的、想要的或一般应有的）没有或不够 be in want of; lack; be deficient：~经验 *~jīngyàn* have little experience; be inexperienced｜~能力 *~nénglì* lack ability｜~人才 *~réncái* be in want of qualified personnel｜~物资 *~wùzī* be short of goods and materials｜他们之间~了解和沟通。*Tāmen zhījiān ~ liǎojiě hé gōutōng.* They are in want of understanding of and communication with each other.

⁴**缺口** quēkǒu ❶（~儿）〈名 n.〉（个gè、处chù）物体上缺掉一块而形成口子 breach; gap; crack：堵住~ *dǔzhù* – plug the gap｜打开~ *dǎkāi* – make a breach｜堤坝上出现了一个~。*Dībà shang chūxiànle yí gè ~.* There is a gap in the dam.｜墙上的裂缝已经修补好了。*Qiáng shang de ~ yǐjīng xiūbǔ hǎo le.* The cracks in the wall have been mended. ❷〈名 n.〉指物资、资金等短缺的部分 (of funds, materials, etc.) gap; shortfall：钢材还有一个不小的~。*Gāngcái háiyǒu yí gè bùxiǎo de ~.* There is still a major shortfall in the supply of steel products.

Q

² **缺少** quēshǎo〈动 v.〉数量不够;缺乏 lack; be short of: ~ 资金 ~ zījīn be short of funds ｜ ~ 人才 ~ réncái be short of qualified personnel ｜ ~ 合作伙伴 ~ hézuò huǒbàn lack cooperative partners ｜ 他新买的车~好几个配件。Tā xīn mǎi de chē ~ hǎo jǐ gè pèijiàn. His newly bought car lacks several spare parts.

⁴ **缺席** quē//xí〈动 v.〉一般指开会或上课时未到;未在应在的席位上 be absent from class or meeting; not present: ~ 审判 ~ shěnpàn trial by default ｜ 上课时间不得无故~。Shàngkè shíjiān bù dé wúgù ~. No one can be absent from class without explanation. ｜ 今天的会三人因病~。Jīntiān de huì sān rén yīn bìng ~. Three people are absent from today's meeting on account of being sick. ｜ 她从来没有缺过席。Tā cónglái méiyǒu quē guo xí. She has never been absent from class (or a meeting, etc.).

⁴ **缺陷** quēxiàn〈名 n.〉(个 gè、处 chù)欠缺或不够完善的地方 defect; blemish: 身体~ shēntǐ ~ defect in one's body ｜ 生理~ shēnglǐ ~ physical defect ｜ 弥补~ míbǔ ~ remedy a defect

⁴ **瘸** qué ❶〈动 v.〉腿脚有病,不能正常走路 limp; be lame; cannot walk normally: ~ 着腿走路 ~zhe tuǐ zǒulù walk with a limp ❷〈形 adj.〉跛 lame: 他不小心把腿摔~了。Tā bù xiǎoxīn bǎ tuǐ shuāi~ le. He was crippled by a fall for being careless.

² **却** què ❶〈副 adv.〉表示轻微的转折,相当于'可''倒' used to indicate a transition, about equal to '可kě' and '倒dào': 他个头不高,~显得挺精神。Tā gètou bù gāo, ~ xiǎnde tǐng jīngshen. He is not tall but looks vigorous. ｜ 他说了半天,大家~还没明白他的意思。Tā shuōle bàntiān, dàjiā ~ hái méi míngbai tā de yìsi. He talked for quite a long time, but we still could not understand what he meant. ❷〈动 v.〉后退 retreat: 退~ tuì~ fall back ｜ ~ 步 ~bù step back ❸〈动 v.〉使之退却 drive back: ~ 敌于国门之外。~ dí yú guómén zhī wài. Drive the enemy out of the country. ❹〈动 v.〉推辞;拒绝 refuse; decline; reject: 推 ~ tuī~ decline ｜ 盛情难~ shèngqíng nán~ would be ungracious not to accept a kind offer ｜ ~ 之不恭。~zhī-bùgōng. It would be impolite to decline. ❺〈动 v.〉用在单音节的动词或形容词后,表示结果,相当于'去''掉' used after monosyllabic verbs or adjectives to indicate results, equal to '去qù'and '掉diào': 失 ~ shī~ lose ｜ 冷 ~ lěng~ cool off

⁴ **确保** quèbǎo〈动 v.〉确实的保持或保证 see to it; ensure; guarantee: ~ 万无一失 ~ wànwúyīshī ensure success under any circumstances ｜ ~ 人身安全 ~ rénshēn ānquán guarantee personal safety ｜ ~ 交通顺畅 ~ jiāotōng shùnchàng ensure smooth flow of traffic

² **确定** quèdìng ❶〈动 v.〉明确地定下来 determine; decide on; fix: 选举之前要先~候选人名单。Xuǎnjǔ zhīqián yào xiān ~ hòuxuǎnrén míngdān. The list of candidates must be fixed before the election. ｜ 通过网上招聘,他已~了工作单位。Tōngguò wǎng shang zhāopìn, tā yǐ ~le gōngzuò dānwèi. Through the on-line job application, he has got his job landed. ❷〈形 adj.〉明确而肯定 definite; certain: ~ 的想法 ~ de xiǎngfǎ a definite idea ｜ ~的答复 ~ de dáfù definite reply

⁴ **确立** quèlì〈动 v.〉稳固建立或树立 set up; establish: ~ 信念 ~ xìnniàn set up one's belief ｜ ~ 规章制度 ~ guīzhāng zhìdù establish rules and regulations ｜ ~ 生活目标 ~ shēnghuó mùbiāo set up one's goal in life ｜ ~ 公众形象 ~ gōngzhòng xíngxiàng set up the public image

⁴ **确切** quèqiè〈形 adj.〉准确而贴切;确实可靠 appropriate; exact; true; reliable: ~ 的消息 ~ de xiāoxi reliable news ｜ 这种说法不很~。Zhèzhǒng shuōfǎ bù hěn ~. This kind of saying is not exact. ｜ 他的讲话用词很~。Tā de jiǎnghuà yòngcí hěn ~. His wording is

quite unequivocal.

⁴ **确认** quèrèn〈动 v.〉非常肯定地承认 confirm; affirm; acknowledge: ~身份 *shēnfèn* affirm one's identity｜双方一致~合同中的各项条款。*Shuāngfāng yīzhì ~ hétong zhōng de gèxiàng tiáokuǎn.* Both sides affirmed the items in the contract.

¹ **确实** quèshí ❶〈形 adj.〉真实可靠 reliable; exact; true: 这条消息是~的。*Zhè tiáo xiāoxi shì ~ de.* This news is reliable.｜这件事是否~尚需进一步调查。*Zhè jiàn shì shìfǒu ~shàngxū jìnyíbù diàochá.* It still needs further investigation to decide whether it is true. ❷〈副 adv.〉对客观情况的真实性表示肯定 truly; really; indeed: 经过调查他当时~不在现场。*Jīngguò diàochá tā dāngshí ~ bú zài xiànchǎng.* Investigations show that he was really absent from the scene.｜他的汉语水平近来~有很大的提高。*Tā de Hànyǔ shuǐpíng jìnlái ~ yǒu hěn dà de tígāo.* His Chinese has indeed improved a lot recently.

⁴ **确信** quèxìn〈动 v.〉确实的相信; 坚信 be certain; be sure; be convinced: ~无疑 *wúyí* firmly believe｜我们~全面建成小康社会的目标一定能达到。*Wǒmen ~ quánmiàn jiànchéng xiǎokāng shèhuì de mùbiāo yídìng néng dádào.* We firmly believe that we can achieve the goal of building a well-off society in an all-round way.

⁴ **确凿** quèzáo〈形 adj.〉非常确实 authentic; undeniable; irrefutable: ~的事实 *de shìshí* indisputable facts｜~的材料 *de cáiliào* undeniable data｜证据~ *zhèngjù ~* conclusive evidence

² **裙子** qúnzi〈名 n.〉(条 tiáo)一种围在腰部以下的服装 skirt: 长~ *cháng~* long skirt｜短~ *duǎn~* short skirt｜花~ *huā~* bright-colored skirt｜漂亮的~ *piàoliang de ~* beautiful skirt

² **群** qún ❶〈量 meas.〉用于成群的人或物 (of people, things, animals, etc.) group; herd; swarm; flock: 一~羊 *yì ~ yáng* a herd of sheep｜一~小孩儿 *yì ~ xiǎoháir* a group of children｜一~小岛 *yì ~ xiǎodǎo* a cluster of small islands ❷〈名 n.〉聚在一起的人或物 (composed of people, things, animals, etc.) crowd; group: 人~ *rén~* crowd｜马~ *mǎ~* drove of horses｜建筑~ *jiànzhú~* architectural complex cluster of buildings｜成~结队 *chéng~jiéduì* in crowds ❸〈形 adj.〉众多的 in large numbers: ~岛 *~dǎo* archipelago｜~山 *~shān* continuous hills｜~居 *~tī* colony; group｜~雄 *~xióng* warlords ❹〈副 adv.〉成群地 in groups: ~集 *~jí* get together; assemble｜~居 *~jū* gregarious; living in groups

³ **群岛** qúndǎo〈名 n.〉海洋中彼此距离很近的一群岛屿 a group of scattered islands: 西沙~ *Xīshā~* Xisha Archipelage｜菲律宾~ *Fēilǜbīn~* the Philippines

⁴ **群体** qúntǐ〈名 n.〉泛指本质上有共同点的个体组成的整体 group; generally referring to a collective whose members have sth. in common in essence: 雕塑~ *diāosù ~* group sculptures｜建筑~ *jiànzhù ~* cluster of buildings｜英雄~ *yīngxióng ~* group of heroes

² **群众** qúnzhòng ❶〈名 n.〉泛指人民大众 (in a broad sense) the masses; the people: ~组织 *~ zǔzhī* mass organization; non-government organization｜~团体 *~ tuántǐ* mass or non-government organization｜~路线 *~ lùxiàn* mass line｜~观点 *~ guāndiǎn* mass viewpoint｜~关系 *~ guānxì* one's relations or ties with the masses｜~运动 *~ yùndòng* mass movement｜深入~ *shēnrù ~* go among the masses; maintain close ties with the masses｜关心~疾苦 *guānxīn ~ jíkǔ* be concerned about the weal and woe of the people｜倾听~意见 *qīngtīng ~ yìjiàn* listen attentively to what people at the grass roots have to say; heed public opinion ❷〈名 n.〉未担任领导职务的人 people who occupy no official positions; rank and file; grass-roots: 领导的一言一行，~是看在眼里的。*Lǐngdǎo de yìyán-yìxíng, ~ shì kàn de yìqīng-èrchǔ de.* The masses know clearly the leaders' every word and deed. ❸〈名 n.〉(名 míng, 个 gè)指没有加入中国共产党和共

青团的人 person who is not a member of the Chinese Communist Party or the Chinese Communist Youth League：我们班有12名党团员，8名~。*Wǒmen bān yǒu shí'èr míng dǎng-tuányuán, bā míng ~.* There are 12 Party and League members and eight non-Party, non-League students in our class.

Q

R

² **然而** rán'ér〈连 *conj.*〉表示转折 but; yet; nevertheless: 他生活艰难，~充满了快乐。*Tā shēnghuó jiānnán, ~ chōngmǎnle kuàilè.* His life is hard, but is full of happiness. ｜我一直想帮助他，~未能实现。*Wǒ yìzhí xiǎng bāngzhù tā, ~ wèi néng shíxiàn.* I have been hoping to help him all the time, yet I haven't.

¹ **然后** ránhòu〈副 *adv.*〉表示接着某一行动或情况以后 afterwards; then; after that: 先吃饭，~我们再谈。*Xiān chīfàn, ~ wǒmen zài tán.* Let's have our meal first and then discuss it. ｜你们先开会，~大家一块儿走。*Nǐmen xiān kāizhe huì, ~ dàjiā yíkuàir zǒu.* You just have your meeting first, and then we go together.

⁴ **燃** rán ❶〈动 *v.*〉烧 burn; light: ~烧~*shāo* burn; kindle ｜~油~*yóu* fuel oil ｜死灰复~*sǐhuī-fù~* dying embers glowing again; resurgence, revival ｜~眉之急（形容非常紧急的情况）~*méizhījí*（*xíngróng fēicháng jǐnjí de qíngkuàng*）as pressing as a fire singeing one's eyebrows (a matter of extreme urgency; a pressing need; an urgent situation) ❷〈动 *v.*〉引火点着 ignite: 点~*diǎn~* light up; kindle; ignite ｜没有掐灭的烟头儿~着了柴火。*Méiyǒu qiāmiè de yāntóur ~zháole cháihuo.* A cigarette end that had not been snuffed out ignited the firewood. ｜几次成功，~起了他心中的希望。*Jǐ cì chénggōng, ~qǐle tā xīn zhōng de xīwàng.* After several successes, hopes are ignited in his heart.

³ **燃料** ránliào〈名 *n.*〉（种 *zhǒng*）能燃烧的材料，专指那些能产生热能或动力的可燃物质 fuel; inflammable material that can be burnt to produce heat or energy: ~油~*yóu* fuel oil ｜固体~*gùtǐ* ~ solid fuel ｜优质~*yōuzhì* ~ high-grade fuel ｜快用完了。~*kuài yòngwán le.* The fuel is running out. ｜汽车使用的~有好几种，有汽油的，有柴油的，甚至还有酒精的。*Qìchē shǐyòng de ~ yǒu hǎo jǐ zhǒng, yǒu qìyóu de, yǒu cháiyóu de, shènzhì háiyǒu jiǔjīng de.* There are many kinds of fuel for anto mobiles, including petrol, diesel oil and even alcohol.

² **燃烧** ránshāo〈动 *v.*〉烧；比喻发出强烈的光热或感情、欲望高涨 burn; kindle; be consumed with strong emotion, desire, etc.: ~物~*wù* blazer, inflamer ｜激情~的岁月 *jīqíng ~ de suìyuè* years of burning passion ｜晚霞如~的火。*Wǎnxiá rú ~ de huǒ.* The sunset glow is like burning flames. ｜森林大火在继续~着。*Sēnlín dà huǒ zài jìxù ~zhe.* The forest fire continues burning.

² **染** rǎn ❶〈动 *v.*〉给素色或浅色的物品上色 dye: 漂~*piǎo~* bleach and dye ｜~缸~*gāng* dye vat ｜浸~*jìn~* dip-dye ｜那位歌星~红了头发。*Nèi wèi gēxīng ~hóngle tóufa.* The star singer had her hair dyed red. ❷〈动 *v.*〉沾上；传上 come down with; contract; catch; contaminate: ~病~*bìng* catch an illness; be infected with a disease; fall ill; come

down with a disease｜污~ *wū*~ contaminate; pollute｜感~ *gǎn*~ infect; be influenced by; be tinged with｜一尘不~ *yìchén-bù*~ be not soiled with a particle of dust; spotless; pure-hearted｜他~上了吸毒的恶习。*Tā* ~*shàngle xīdú de èxí.* He falls into the habit of drug taking.

³ **染料** rǎnliào 〈名 *n.*〉(种zhǒng)能使物品着色的有色物质 dyestuff; dye：黄色~ *huángsè* ~ yellow dye｜请把这些~调均匀了。*Qǐng bǎ zhèxiē* ~ *tiáo jūnyún le.* Please mix these dyes thoroughly.

² **嚷** rǎng ❶〈动 *v.*〉叫喊；大声吵闹 shout; yell; make an uproar：大~大叫 *dà*~-*dàjiào* make an uproar｜你~什么?*Nǐ* ~ *shénme?* What are you shouting for?｜刚才他又~上了。*Gāngcái tā yòu* ~*shàng le.* He began to yell again just now.｜你就是~~到中午也没用。*Nǐ jiùshì* ~ ~ *dào zhōngwǔ yě méi yòng.* It will be no use even if you yell till noon. ❷〈动 *v.* 方dial.〉训责 blame：会上对大家~一顿，是不解决根本问题的。*Huì shang duì dàjiā* ~ *yí dùn, shì bù jiějué gēnběn wèntí de.* It serves as no fundamental solution to blame people at the meeting.

¹ **让** ràng ❶〈动 *v.*〉不计较；把好处或方便留给别人 give way; give ground; yield：谦~ *qiān*~ modestly decline｜~座 ~*zuò* offer or give one's seat to sb.｜~路 ~*lù* make way for sb. or sth.; give way｜当仁不~ *dāngrén-bú*~ not pass on to others what one is called upon to do; take sth. as one's obligation｜见荣誉就~，见困难就上才是好同志。*Jiàn róngyù jiù* ~*, jiàn kùnnan jiù shàng cái shì hǎo tóngzhì.* A good comrade is one who always retreats before honor and goes ahead to face difficulties. ❷〈动 *v.*〉使，派；容许或听任 send; let; make; allow：全班同学~我代表大家来探望您。*Quánbān tóngxué* ~ *wǒ dàibiǎo dàjiā lái tànwàng nín.* I was sent here by all the classmates to visit you on their behalf.｜学校只~我来听课。*Xuéxiào zhǐ* ~ *wǒ lái tīngkè.* The school only allows me to attend the lecture.｜不能~丑恶、落后的思想在集体里有生存的空间。*Bù néng* ~ *chǒu'è, luòhòu de sīxiǎng zài jítǐ li yǒu shēngcún de kōngjiān.* No ugly and backward ideas can be allowed to survive in the collective. ❸〈动 *v.*〉转移东西、权利的所有权或使用权 trade in; sell：出~ *chū*~ sell｜转~ *zhuǎn*~ transfer the possession of｜你能把这台计算机~给我用吗? *Nǐ néng bǎ zhè tái jìsuànjī* ~ *gěi wǒ yòng ma?* Could you let me use this computer? ❹〈动 *v.*〉请人接受招待 invite; offer：~菜 ~ *cài* offer food｜递烟~酒 *dì yān* ~ *jiǔ* offer cigarette and wine｜你们别这样~过来~过去的，大家自己动手吧。*Nǐmen bié zhèyàng* ~ *guòlái* ~ *guòqù de, dàjiā zìjǐ dòngshǒu ba.* Don't offer food to each other like this; just help yourselves.｜招待员把来宾~到休息室去。*Zhāodàiyuán bǎ láibīn* ~*dào xiūxishì qù.* The usher led the guests into the lounge. ❺〈介 *prep.*〉同「被」same as'被bèi'：那小子~人抓起来了。*Nà xiǎozi* ~ *rén zhuā qǐlái le.* The guy had been taken into custody.｜这次上山去玩儿，他不慎~蛇咬了一口 *Zhè cì shàng shān qù wánr, tā búshèn* ~ *shé yǎole yì kǒu.* He was inadvertently bitten by a snake while climbing the mountain.

⁴ **让步** ràng//bù 〈动 *v.*〉在争执中部分或全部地放弃 concede; give in; yield; make an concession：决定~ *juédìng* ~ decide to give in｜绝不~ *jué bù* ~ make no concession｜~是要有条件的。~ *shì yào yǒu tiáojiàn de.* The concession is conditional.｜在这件事上我们让不了步。*Zài zhè jiàn shì shang wǒmen ràng bù liǎo bù.* We can't make any concession on this matter.｜怎么能让起步来呢? *Zěnme néng ràng qǐ bù lái ne?* How can you begin to give in?｜我们一步也不能让! *Wǒmen yí bù yě bù néng ràng!* We can make no concession!

⁵ **饶** ráo ❶〈动 *v.*〉宽恕；不再处罚 forgive; spare; let sb. off：不能轻~ *bù néng qīng*~

cannot let sb. off lightly｜我已经~过他两次了。*Wǒ yǐjīng ~guo tā liǎng cì le.* I have spared him twice.｜他的嘴从不~人。*Tā de zuǐ cóng bù ~ rén.* He would never let people off without speaking of them bitterly. ❷〈动 *v.*〉额外加上 make an extra offer; give sth. extra：~头 *~tou* sth. extra given free; profit｜已经很便宜了，怎么能再~上几个呢？*Yǐjīng hěn piányi le, zěnme néng zài ~shàng jǐ gè ne?* It is already cheap enough; how can you expect more? ❸〈形 *adj.*〉多；富足 rich; abundant; plentiful：富~ *fù~* fertile; abundant｜丰~的土地 *fēng~ de tǔdì* rich and fertile land｜~有风趣 *~yǒu fēngqù* humorous; full of wit and humor

⁴扰乱 rǎoluàn〈动 *v.*〉使无秩序或不安定 harass; disturb; trouble; upset; disorder; create confusion：~人心 *~rénxīn* undermine the morale of the people｜课堂被~得不成样子。*Kètáng bèi ~ de bù chéng yàngzi.* The class was made disordered into a mess.｜这种举动严重地~了社会秩序。*Zhè zhǒng jǔdòng yánzhòng de ~le shèhuì zhìxù.* This move has upset social order seriously.

²绕 rào ❶〈动 *v.*〉缠 coil; wind：~绳子 *~shéngzi* wind a rope｜你~得太松了。*Nǐ ~ de tài sōng le.* You wind it too loosely.｜你帮我把毛线~在椅子上。*Nǐ bāng wǒ bǎ máoxiàn ~ zài yǐzi shang.* Help me to wind the knitting wool around the chair. ❷〈动 *v.*〉围着转 move round; revolve; circle｜围~ *wéi~* around; round; center on｜~弯~ *~ huán~* encircle; surround｜~圈子 *~quānzi* go round｜~了两圈，没见人影。*~le liǎng quān, méi jiàn rényǐng.* I have walked round the place twice, finding no trace of him. ❸〈动 *v.*〉从旁迂回，不走正面 make a detour; bypass; go round：~道而行 *~dào ér xíng* make a detour｜他跟我~起了弯子。*Tā gēn wǒ ~qǐle wānzi.* He begins to beat around the bush with me. ❹〈动 *v.*〉事情、问题纠缠在一起 baffle; befuddle; confuse：问题越~越弄不清。*Wèntí yuè ~ yuè nòng bù qīng.* The more you get onto the problem the more confusing it would become.｜小心点儿，别被人家~进去。*Xiǎoxīn diǎnr, bié bèi rénjia ~ jìnqù.* Take care not to get baffled.

²惹 rě ❶〈动 *v.*〉引起不好的事情 court or invite sth. bad; ask for sth. bad：~祸 *~huò* court trouble; make trouble; ask for trouble｜~麻烦 *~máfan* make trouble; invite trouble｜~火烧身 *~huǒ shāoshēn* bring trouble upon oneself｜~事生非 *~shì-shēngfēi* stir up trouble; provoke a dispute ❷〈动 *v.*〉触犯对方 offend; provoke; tease：~不起 *~bùqǐ* not to be provoked｜~急了 *~jí le* really offended｜你这番话~大家不高兴了。*Nǐ zhè fān huà ~dàjiā bù gāoxìng le.* Your words have offended everyone.｜那些冷言冷语~得他发了火。*Nàxiē lěngyán-lěngyǔ ~ de tā fàle huǒ.* Those sarcastic comments provoked him into anger. ❸〈动 *v.*〉引得对方作出某种反应 cause; attract：~人怜爱 *~rén lián'ài* cause tender affection｜~起注意 *~qǐ zhùyì* attract attention｜花粉的香气~得蜜蜂纷纷来采蜜。*Huāfěn de xiāngqì ~ de mìfēng fēnfēn lái cǎimì.* The sweet smell of pollen attracts bees to come in a throng for honey.

¹热 rè ❶〈形 *adj.*〉温度高（与'冷'相对）warm; hot; high temperature（opposite to '冷 lěng'）：~风 *~fēng* hot wind｜~浪 *~làng* heat wave; hot wave｜~辣辣的 *~làlà de* scorching hot｜~血沸腾 *~xuè-fèiténg* burning with righteous indignation; with heart afire｜天气不太~。*Tiānqì bú tài ~.* It is not too hot.｜你的屋里~不~? *Nǐ de wū li ~ bú ~?* Is it hot in your room? ❷〈形 *adj.*〉情意热烈 ardent; warmhearted; passionate：~恋 *~liàn* lovestruck; be deeply in love｜~心 *~xīn* enthusiastic; warmhearted｜亲~ *qīn~* affectionate; intimate｜狂~ *kuáng~* delirious; demented; feverish; mad｜~舞劲歌 *~wǔ-jìngē* dance and sing vigorously ❸〈形 *adj.*〉羡慕或热情从事 envious; crazy for; eager：见钱眼~ *jiàn qián yǎn~* feel envious at the sight of money｜~衷于跳舞 *~zhōng yú* *tiàowǔ* be crazy about dancing ❹〈形 *adj.*〉吸引人追求的 popular; in great demand: ~销 ~*xiāo* sell well; in hot sale｜求助~线 *qiúzhù* ~*xiàn* seek help from hot line｜~点话题 ~*diǎn huàtí* hot topic｜~门儿货 ~*ménrhuò* commodity in short demand ❺〈形 *adj.*〉兴盛；兴旺 prosperous; blossom: ~闹 ~*nao* bustling with activity; lively｜~潮 ~*cháo* upsurge; vigorous mass campaign ❻〈动 *v.*〉使温度升高 heat; heat up; warm: 加~ *jiā*~ heat up｜你把饭一~再吃。*Nǐ bǎ fàn* ~ *yí* ~ *zài chī.* Heat up the meal before you eat it.｜鸡蛋汤~在炉子上。*Jīdàntāng* ~ *zài lúzi shang.* Egg soup is kept warm over the oven. ❼〈名 *n.*〉物质在燃烧时或其内部分子、原子做不规则运动时所释放出的一种能 heat; a form of energy released by irregular motion of atoms or molecules in a matter when it is burnt: ~能 ~*néng* heat energy｜~学 ~*xué* thermotics; heat （a branch of physics）｜~量 ~*liàng* heat quantity of heat｜~力 ~*lì* heating power ❽〈名 *n.*〉得病引起的高体温 fever; high body temperature caused by illness: 发~ *fā*~ run a temperature｜身体的~度不低，吃点儿退~的药吧。*Shēntǐ de* ~*dù bù dī, chī diǎnr tuì* ~ *de yào ba.* Your body temperature is not low; take some medicine to bring it down. ❾〈名 *n.*〉一段时期内社会所崇尚的风潮 craze; fad; fever: 电脑~ *diànnǎo* ~ computer craze｜出国~ *chūguó* ~ craze for going abroad｜汉语~ *Hànyǔ* ~ craze for learning Chinese

² **热爱** rè'ài〈动 *v.*〉热烈地爱 love deeply; ardently love: ~生活 ~*shēnghuó* have deep love for life｜~家乡 ~*jiāxiāng* love one's hometown deeply｜无限~ *wúxiàn* ~ infinite deep love｜值得~ *zhídé* ~ deserve ardent love

⁴ **热潮** rècháo〈名 *n.*〉（股gǔ）蓬勃兴旺的形势或向往追求的潮流 upsurge; vigorous mass campaign; mass enthusiasm: 掀起劳动的~ *xiānqǐ láodòng de* ~ launch a campaign of taking part in labor｜球场内~翻涌，人声鼎沸。*Qiúchǎng nèi* ~ *fānyǒng, rénshēng dǐngfèi.* Great enthusiasm and a hubbub of voices permeated through the court field.｜出国留学的~一浪高过一浪。*Chūguó liúxué de* ~ *yí làng gāoguò yí làng.* Great upsurges of going to study abroad come over one wave higher than the other.

³ **热带** rèdài〈名 *n.*〉以地球赤道为中心，南、北回归线之间的地带 the tropics; the torrid zone: ~鱼 ~*yú* tropical fish｜~水果 ~*shuǐguǒ* tropical fruit｜~作物 ~*zuòwù* tropical crops｜有'千岛之国'美誉的印度尼西亚正处在~地区。*Yǒu 'qiāndǎozhīguó' měiyù de Yìndùníxīyà zhèng chǔ zài* ~ *dìqū.* Indonesia, known as 'the nation of thousand islands', is just located in the torrid zone.

⁴ **热泪盈眶** rèlèi-yíngkuàng〈成 *idm.*〉因情绪激动而使泪水充满了眼眶 tears well up in one's eyes; one's eyes brimming with tears: 激动得~ *jīdòng de* ~ be moved to tears｜~地说 ~ *de shuō* say with tears in one's eyes｜灾民们望着救灾物资，不禁~。*Zāimínmen wàngzhe jiùzāi wùzī, bùjīn* ~. At the sight of these relief goods, the afflicted people became tearful.

³ **热量** rèliàng〈名 *n.*〉温度高的物体把能量传递到温度低的物体上，所传递的能量即为热量，也指食品所包含的热能量 quantity of heat: ~足 ~*zú* adequate heat｜增加~ *zēngjiā* ~ increase the quantity of heat｜~的单位是焦耳。~ *de dānwèi shì jiāo'ěr.* Thermal unit is joule.｜很多食品有足够的~来保证人体所需。*Hěnduō shípǐn yǒu zúgòu de* ~ *lái bǎozhèng réntǐ suǒ xū.* Many foods provide enough quantity of heat to meet the need of the human body.

² **热烈** rèliè〈形 *adj.*〉形容兴奋而激动 animated; vivacious; warm; enthusiastic; ardent: 气氛~ *qìfēn*~ ebullient atmosphere｜~的掌声 ~ *de zhǎngshēng* warm applause｜~欢迎 ~ *huānyíng* a warm welcome｜会场的气氛渐渐~起来。*Huìchǎng de qìfēn jiànjiàn* ~ *qǐlái.* The atmosphere in the assembly room is getting animated.

² **热闹 rènao** ❶〈形 *adj.*〉景象繁荣;气氛活跃 bustling with activity; full of excitement; lively; busy:~的集市 *de jíshì* a busy market｜真~。*zhēn* ~. It's really lively.｜旧货摊上~得厉害。*Jiùhuòtān shang ~ de lìhai.* The flea market is really busy.｜这里~过一阵子。*Zhèlì ~guo yízhènzi.* The place had once been busy. ❷〈动 *v.*〉使活跃, 使繁荣 enliven; liven up; have a jolly time:全家人难得在一起~~。*Quán jiā rén nándé zài yìqǐ ~~.* It is seldom for the whole family to have a happy time together.｜他们一来, 会场上顿时~了起来。*Tāmen yì lái, huìchǎng shang dùnshí ~le qǐlái.* The meeting place is beginning to liven up at their arrival.｜随着商业街区的不断扩大, 这里渐渐地~了。*Suízhe shāngyè jiēqū de búduàn kuòdà, zhèlì jiànjiàn de ~ le.* With the enlargement of this commercial block, this place is becoming more and more lively.

¹ **热情 rèqíng** ❶〈名 *n.*〉热烈的感情 zeal; enthusiasm; warmth: 爱国~ *àiguó* ~ patriotic zeal｜大家的工作~十分高涨。*Dàjiā de gōngzuò ~ shífēn gāozhàng.* Our devotion to work is running high.｜我们要爱护学生的学习~。*Wǒmen yào àihù xuésheng de xuéxí* ~. We have to cherish students' zeal for learning. ❷〈形 *adj.*〉有热情 enthusiastic; warmhearted; fervent: 格外~ *géwài* ~ especially enthusiastic｜~地支持 ~ *de zhīchí* give enthusiastic support｜你也~得过分了。*Nǐ yě ~ de guòfèn le.* You are excessively warmhearted.｜他待人不够~。*Tā dàirén búgòu* ~. He is not warmhearted enough towards other people.

² **热水瓶 rèshuǐpíng**〈名 *n.*〉(个gè, 只zhǐ) 用来保存热水的瓶子, 也叫'暖水瓶' thermos bottle; vacuum bottle; vacuum flask, also '暖水瓶 nuǎnshuǐpíng': 新~ *xīn* ~ a new thermos bottle｜这是刚买来的~。*Zhè shì gāng mǎilái de* ~. This is a newly-bought thermos bottle.

² **热心 rèxīn** ❶〈形 *adj.*〉有热情, 肯帮忙、尽力 enthusiastic; warmhearted; ardent; earnest: ~观众 ~ *guānzhòng* enthusiastic audience｜~地帮助 ~ *de bāngzhù* offer earnest help to｜~的老人 ~ *de lǎorén* a warmhearted old man｜他再也~不起来了。*Tā zài yě ~ bù qǐlái le.* He could no longer be enthusiastic. ❷〈动 *v.*〉做事非常积极 be active in; be eager to: 他一向~社会工作。*Tā yíxiàng* ~ *shèhuì gōngzuò.* He is always active in social work.

¹ **人 rén** ❶〈名 *n.*〉(个gè、帮bāng、伙huǒ、群qún) 能制造和使用工具进行劳动, 并能用语言进行交际与思维的高等动物 humanity; human being; man; person; people: 男~ *nán* ~ man｜女~ *nǚ* ~ woman｜~民 ~*mín* the people｜~类 ~*lèi* mankind; humanity｜~口 ~*kǒu* population｜~体 ~*tǐ* human body｜~为 ~*wéi* artificial; man-made｜~与自然 ~ *yǔ zìrán* man and nature ❷〈名 *n.*〉指成年人 adult; grown-up: 成~节 *chéng~jié* rite of adulthood｜长大成~ *zhǎngdà chéng~* become a grown-up｜孩子快成~了。*Háizi kuài chéng~ le.* This child is getting mature. ❸〈名 *n.*〉指有某种特点的人 certain category of people: 工~ *gōng* ~ worker｜军~ *jūn* ~ army man; serviceman｜法~ *fǎ* ~ legal person｜工作~员 *gōngzuò* ~*yuán* staff｜介绍~ *jièshào* ~ matchmaker ❹〈名 *n.*〉别人; 其他人 people; other people: 平易近~ *píngyì-jìn* ~ easy to approach; amiable｜出~意料 *chū* ~*yìliào* come as surprise｜对~诚恳 *duì* ~ *chéngkěn* be honest and sincere to people｜请~帮忙 *qǐng* ~ *bāngmáng* ask for help ❺〈名 *n.*〉指人的品格、才能、名誉等内在素质 personality; character; morality: 丢~现眼 *diū-xiànyǎn* lose face; make a spectacle of oneself｜他~还不错。*Tā* ~ *hái búcuò.* He is not a bad person. ❻〈名 *n.*〉指每个人或一般人 everybody; each; everyone: ~所共知 ~ *suǒ gòng zhī* be known to all｜~手一册 ~ *shǒu yí cè* a copy to everyone｜~~为我, 我为~~。~ ~ *wèi wǒ, wǒ wèi* ~ ~. All for one, and one for all. ❼〈名 *n.*〉指人的身体及其感觉 one's state of health and mind: ~正在

路上，即刻就到。~ *zhèngzài lù shang, jíkè jiù dào*. He is on the way, and will soon arrive.│已经恢复神智了。~ *yǐjīng huīfù shénzhì le*. The patient has already come back to consciousness. ❸〈名 *n.*〉人力、人才的简称 manpower; hand: 后继乏~ *hòujì-fá*~ be short of successors │~手够用了。~*shǒu gòu yòng le*. There are enough hands (for the work). │你们公司缺不缺~? *Nǐmen gōngsī quē bù quē* ~? Is your company short of hands?

² **人才** réncái ❶〈名 *n.*〉(个 gè、位 wèi) 品德与才华出众的人或具有某种特长的人 a person of ability; a talented people; talent; qualified personnel: ~辈出 ~ *bèichū* people of talent coming forth in large numbers │看重~ *kànzhòng* ~ value talent │杰出的~ *jiéchū de* ~ excellent talent │技术型~ *jìshùxíng* ~ technical talent ❷〈名 *n.*〉端庄美丽的相貌 handsome appearance: 一表~ *yìbiǎo* ~ a man of striking appearance.

人道主义 réndào zhǔyì〈名 *n.*〉一种以人为中心的世界观，倡导尊重人和关怀人 humanitarianism: ~精神 ~ *jīngshén* spirit of humanitarianism │ 打着~的幌子，干着不可告人的勾当。*Dǎzhe* ~ *de huǎngzi, gànzhe bùkěgàorén de gòudàng*. The ulterior activity conducted in the name of humanitarianism.

⁴ **人格** réngé ❶〈名 *n.*〉有关个人性格、气质、能力等特质的总和 personality; character; moral quality: ~魅力 ~ *mèilì* charming personality │高尚~ *gāoshàng* ~ noble character │以~担保 yǐ ~ *dānbǎo* take one's moral quality as a guarantee │你这个人也太没有~了。*Nǐ zhège rén yě tài méiyǒu* ~ *le*. You have no moral quality at all. ❷〈名 *n.*〉人拥有的社会权利和义务等的资格 human dignity: 在工作中，各级领导要尊重每个人的~。*Zài gōngzuò zhōng, gèjí lǐngdǎo yào zūnzhòng měige rén de* ~. Leaders at all levels should pay respect to everyone's dignity in their work. │执法机关在执法中不得侵犯公民的~。*Zhífǎ jīguān zài zhífǎ zhōng bùdé qīnfàn gōngmín de* ~. Law-enforcement department should not violate a citizen's human dignity in law enforcement. │神话是把神~化了的文学作品。*Shénhuà shì bǎ shén* ~*huàle de wénxué zuòpǐn*. Mythology is a literary form in which gods are personified.

² **人工** réngōng ❶〈名 *n.*〉由人所为(与'自然'相对) man-made; artificial (opposite to '自然 zìrán'): ~饲养 ~ *sìyǎng* artificial feeding │~草坪 ~ *cǎopíng* artificial lawn │~流产 ~ *liúchǎn* induced abortion ❷〈名 *n.*〉由人力做的工 (与'机械'相对) manual labor; manual work; work done by hand (opposite to '机械 jīxiè'): 饺子是~的，不是机制的。*Jiǎozi shì* ~ *de, bú shì jīzhì de*. The dumplings are made by hand rather than by machine. │机器坏了，只能用~来操作。*Jīqì huài le, zhǐnéng yòng* ~ *lái cāozuò*. The machine has broken down, so we have to operate on manual labor. ❸〈名 *n.*〉(个 gè) 一个人在一天八小时内完成的工作量 man-day; manpower: ~费 ~ *fèi* labor cost │这项工程需要多少个~? *Zhè xiàng gōngchéng xūyào duōshao gè* ~? How many man-days will be needed for this project?

² **人家** rénjiā ❶〈名 *n.*〉(户 hù、个 gè) 住户；家庭 household; family: 隔壁~ ~ *gébì* ~ the next-door household │庄户~ *zhuānghù* ~ peasant household │小山村里有十几户~。*Xiǎo shāncūn li yǒu shíjǐ hù* ~. There are more than ten families in the mountain village. ❷〈名 *n.*〉姑娘未来的丈夫的家 fiancé's family; family of one's husband-to-be: 她是有~的人了。*Tā shì yǒu* ~ *de rén le*. She's already been engaged. │将来等你有了~，看你婆婆怎么说你! *Jiānglái děng nǐ yǒule* ~*, kàn nǐ pópo zěnme shuō nǐ*! When you are married, we'll see how your mother-in-law would speak of you!
☞ rénjia, p. 828

³ **人家** rénjia ❶〈代 *pron.*〉专指说话人与听话人以外的人 another person; other

R

persons: 大家瞧瞧，~的班级走得多么整齐啊。*Dàjiā qiáoqiao, ~ de bānjí zǒu de duōme zhěngqí a.* Look, everyone, how orderly the other classes walk in parade. │ 你不要管~怎么说。*Nǐ búyào guǎn ~ zěnme shuō.* Don't care about how others would say. ❷ 〈代 *pron.*〉指代自己（有亲热或俏皮的意思）I; me: 你老是拿~开心，真讨厌！*Nǐ lǎoshì ná ~ kāixīn, zhēn tǎoyàn!* What a nuisance you are! You always make fun of me! │ ~说过了，还问什么？*~ shuōguo le, hái wèn shénme?* Why do you ask again? I have already told you. ❸ 〈代 *pron.*〉指某个人或某些人，相当于'他'或'他们' he; they, same as '他tā' or '他们tāmen': ~前后几次拜访你，你也该去回访一下呀！*qiánhòu jǐ cì bàifǎng nǐ, nǐ yě gāi qù huífǎng yíxià ya!* He has already paid a few visits to you, and now you'd better return a visit to him! │ ~其他部门都放假了，我们什么时候放呢？*~ qítā bùmén dōu fàngjià le, wǒmen shénme shíhou fàng ne?* All the other departments have already been on vacation, and when will our vacation start?

☞ rénjiā, p. 828

³ **人间** rénjiān 〈名 *n.*〉人世间；人类社会 world; human world: 来到 ~ *láidào ~* come into the world │ 爱心满~。*Àixīn mǎn ~.* The world is full of compassion.

⁴ **人均** rénjūn 〈动 *v.*〉按每人平均计算 per capita: ~分配 ~ *fēnpèi* per-capita distribution │ ~创利 ~ *chuànglì* the profit made per head │ 去年我们的收入~在五万元以上。*Qùnián wǒmen de shōurù ~ zài wǔwàn yuán yǐshàng.* Our average income per capita was more than 50,000 *yuan* last year.

² **人口** rénkǒu ❶ 〈名 *n.*〉某一地区或某一家庭中人的总和 population: 世界~ *shìjiè* world population │ 中国~ *Zhōngguó ~* Chinese populaion; population of China │ 家庭~ *jiātíng ~* number of family members │ ~增长率 ~ *zēngzhǎnglǜ* population growth rate │ 控制~ *kòngzhì ~* population control ❷ 〈名 *n.*〉泛指人 person: 拐骗~ *guǎipiàn ~* abduction; human trafficking │ ~贩子 ~ *fànzi* human trafficker ❸ 〈名 *n.*〉人们的嘴 mouth: 脍炙~ *kuàizhì~* much vaunted

² **人类** rénlèi 〈名 *n.*〉人的总称 humanity; mankind: 全~ *quán ~* all humanity │ ~社会 ~ *shèhuì* human society │ ~的前途 ~ *de qiántú* the future of mankind │ 地球是~的家园。*Dìqiú shì ~ de jiāyuán.* The earth is the homestead of mankind.

³ **人力** rénlì ❶ 〈名 *n.*〉人的劳动力 manpower; labor power: ~资源部 ~ *zīyuánbù* human resources department │ ~充足 ~ *chōngzú* adequate manpower │ 合理调配~ *hélǐ diàopèi ~* appropriate deployment of labor power ❷ 〈名 *n.*〉人的力量 physical labor; ability of human beings: ~车 ~ *chē* rickshaw │ 自然力有时非~所及。*Zìránlì yǒushí fēi ~ suǒ jí.* Natural power is sometimes beyond the ability of human beings.

¹ **人们** rénmen 〈名 *n.*〉许多人 people; man; the public: 赶集的~ *gǎnjí de ~* people who go to a fair │ 你要耐心地向~解说。*Nǐ yào nàixīn de xiàng ~ jiěshuō.* You have to make a patient explanation to the public. │ ~的脸上洋溢着笑容。*~ de liǎn shang yángyìzhe xiàoróng.* People were wearing smiling faces.

¹ **人民** rénmín 〈名 *n.*〉广大的社会成员 the people: 世界各国~ *shìjiè gèguó ~* people of all the countries in the world. │ ~的权利 ~ *de quánlì* people's right │ 代表~的愿望 *dàibiǎo ~ de yuànwàng* represent people's wishes │ 代表中国最广大~的根本利益 *dàibiǎo Zhōngguó zuì guǎngdà ~ de gēnběn lìyì* represent the fundamental interests of the overwhelming majority of the people of China

² **人民币** rénmínbì 〈名 *n.*〉中国的法定货币 Renminbi（RMB）: ~汇率 ~ *huìlǜ* exchange rate of Renminbi

⁴ **人情** rénqíng ❶ 〈名 *n.*〉人的情感 human feelings; common sense; human sympathy;

sensibilities: ~味儿 ~*wèir* natural human feelings; human touch; human interest │ 你也太 不近~了。*Nǐ yě tài bú jìn ~ le.* You are too indifferent to the human feelings. │ ~薄如纸。 ~ *báo rú zhǐ.* Human feelings are as thin as paper. ❷〈名 *n.*〉情面；情谊 human relationship; favor: 托~ *tuō* ~ seek sb.'s favor │ 他从来不讲~。*Tā cónglái bù jiǎng ~.* He never sees the human side of things. │ 你就会走关系，拉 ~。*Nǐ jiù huì zǒu guānxì, lā* ~. You could only rely on human relationship and seek favor from others. ❸〈名 *n.*〉礼 节应酬等习俗 etiquette; custom: 不懂~世故 *bù dǒng ~ shìgù* know nothing about the ways of the world; to have no worldly wisdom │ 这里的~淳朴、自然。*Zhèli de ~ chúnpǔ, zìrán.* The social etiquette here is pure and natural.

R

⁴ **人权** rénquán〈名 *n.*〉享有的人身自由和各种民主权利 human rights: ~法 ~ *fǎ* human right act │ 享受~ *xiǎngshòu* ~ enjoy human rights │ 侵犯~ *qīnfàn* ~ violate human rights │ ~领域对话~ *lǐngyù duìhuà* a dialogue in the field of human rights │ ~主义者 *zhǔyìzhě* an advocate of human rights │ 为争取~而斗争 *wèi zhēngqǔ* ~ *ér dòuzhēng* fight for human rights

⁴ **人群** rénqún〈名 *n.*〉成群的人 crowd; multitude: 围观的~ *wéiguān de* ~ the watching crowd │ 挤进~ *jǐjìn* ~ elbow one's way into the crowd │ ~沸腾了。~ *fèiténg le.* The crowd is seething with excitement. │ 讲话者扫视了一下会场上的~。*Jiǎnghuàzhě sǎoshìle yíxià huìchǎng shang de ~.* The speaker gave a glance at the crowd in the assembly room.

⁴ **人身** rénshēn〈名 *n.*〉指个人的生命、健康、行动、名誉等各个方面 person; living body of a human being: ~保险 ~ *bǎoxiǎn* personal insurance │ ~攻击 ~ *gōngjī* personal attack │ ~自由 ~ *zìyóu* personal freedom │ 进行~迫害 jìnxíng ~ *pòhài* make personal persecution

⁴ **人参** rénshēn〈名 *n.*〉(棵kē、支zhī、枝zhī)一种多年生草本植物，根是天然名贵的滋补 品 ginseng: ~汤 ~ *tāng* ginseng soup │ 种植~ *zhòngzhí* ~ cultivate ginseng

⁴ **人生** rénshēng〈名 *n.*〉(种zhǒng)人的生存与生活 life; human existence and life: ~观 ~*guān* outlook on life │ ~价值 ~ *jiàzhí* life value │ 虚度~ *xūdù* ~ idle life away │ 与天 地、自然相比，~是短暂的。*Yǔ tiāndì, zìrán xiāngbǐ, ~ shì duǎnzàn de.* Life is brief in comparison with heaven, earth and nature.

³ **人士** rénshì〈名 *n.*〉(位wèi)有一定社会名望或有一定社会地位的人物 personage; public figure: 民主~ *mínzhǔ* ~ democratic personage │ 知名~ *zhīmíng* ~ well-known figures; celebrities │ 各界~ *gèjiè* ~ people from all walks of life │ 出席会议的~ *chūxí huìyì de* ~ participants at the meeting

⁴ **人事** rénshì ❶〈名 *n.*〉人世间的事理 ways of the world; occurrences in human life; human affairs: ~复杂 ~ *fùzá* complex ways of the world │ ~纷繁 ~ *fēnfán* numerous and complicated human affairs │ 刚毕业的他不懂一点~。*Gāng bìyè de tā bù dǒng yìdiǎnr ~.* Fresh from school, he has no idea of the ways of the world. ❷〈名 *n.*〉有关工作人员 的录用、培养、调配、奖惩等事务 personnel matters: ~关系 ~ *guānxì* personnel relationship │ ~档案 ~ *dàng'àn* personnel record; personnel files │ 主管~ *zhǔguǎn* be mainly responsible for personnel matters │ 有关~问题 *yǒuguān* ~ *wèntí* relevant personnel issues ❸〈名 *n.*〉人的意识的对象 consciousness: 老人被摔得不省~。 *Lǎorén bèi shuāi de bùxǐng ~.* The old man lost consciousness from his tumble. ❹〈名 *n.*〉人与人之间的关系 relations between people: 调解~纠纷 tiáojiě ~ jiūfēn mediate in interpersonal disputes │ 他被牵扯到一些~瓜葛中去了。*Tā bèi qiānchě dào yìxiē ~ guāgě zhōng qù le.* He has been involved in some interpersonal frictions.

³ **人体** réntǐ〈名 n.〉人的身体 human body：解剖~ jiěpōu ~ dissect the human body｜~的特征 ~ de tèzhēng traits of the human body｜模特ル ~ mótèr human model

⁴ **人为** rénwéi〈形 adj.〉由人造成的（多指不如意的事）artificial; man-made：破坏~ pòhuài sabotage｜种种·阻力 zhǒngzhǒng ~ zǔlì a variety of man-made obstacles｜他地制造着紧张局势。Tā ~ de zhìzàozhe jǐnzhāng júshì. He caused tension on purpose.

² **人物** rénwù ❶〈名 n.〉(个gè、类lèi) 有所作为或有突出特点的人 personage; person of distinction; figure：英雄 ~ yīngxióng ~ heroic figure; hero; heroine｜风云 ~ fēngyún ~ man of the moment｜在班里，他是个~。Zài bān lǐ, tā shì gè ~. He is quite a figure in the class. ❷〈名 n.〉(个gè) 文艺作品中所描写的角色 (in works of literature and arts) character：典型~ diǎnxíng ~ a typical character｜故事~ gùshì ~ a character in the story｜塑造~形象 sùzào ~ xíngxiàng shape the image of a character ❸〈名 n.〉中国画中的人物画 (of traditional Chinese painting) figure painting：他是一位多才多艺的画家，尤其擅长~。Tā shì yí wèi duōcái-duōyì de huàjiā, yóuqí shàncháng ~. He is a versatile painter, especially good at figure painting.

³ **人心** rénxīn ❶〈名 n.〉众人的愿望或想法 popular feeling; public feeling; the will of the people：~所向 ~ suǒxiàng the popular sentiment; the feelings of the people; accord with public will｜大快~ dàkuài ~ to the great satisfaction of the people; to the immense satisfaction of the people｜赢得~ yíngdé ~ enjoy popular support; have the support of the people ❷〈名 n.〉良心 conscience：没~ méi ~ heartless｜近来，他忽然~发现。Jìnlái, tā hūrán ~ fāxiàn. He has been stung by conscience recently.

⁴ **人性** rénxìng〈名 n.〉人应当具有的正常感情和理性 normal human feelings; reason：灭绝~ mièjué ~ utterly inhuman｜没有~ méiyǒu ~ without humanity｜~的描写 ~ de miáoxiě a reflection of human nature｜爱情是一种~的表现。Àiqíng shì yì zhǒng ~ de biǎoxiàn. Love is a reflection of human nature.｜有很多小动物通~。Yǒu hěnduō xiǎo dòngwù tōng ~. Many petty animals understand human feelings.

² **人员** rényuán〈名 n.〉担任某种工作的人 personnel; staff：技术~ jìshù ~ technical personnel｜机关工作~ jīguān gōngzuò ~ office worker｜~来往 ~ láiwǎng personnel contact｜闲散~ xiánsǎn ~ idlers; loafers

² **人造** rénzào〈形 adj.〉由人工造成的（区别于‘天然’）man-made; artificial; imitation; synthetic (different from '天然tiānrán')：~钻石 ~ zuànshí artificial diamond｜~景观 ~ jǐngguān artificial landscape｜那种黄油是~的。Nà zhǒng huángyóu shì ~ de. That sort of butter is an imitation.

⁴ **人质** rénzhì〈名 n.〉(名míng、个gè、批pī) 被某一方扣留的人，以便用来胁迫对方履行诺言或接受某些条件 hostage：解救~ jiějiù ~ rescue hostages｜绑架~ bǎngjià ~ kidnap hostages｜~危机 ~ wēijī hostage crisis｜一批~获得了自由。Yì pī ~ huòdéle zìyóu. A batch of hostages were set free.

⁴ **仁慈** réncí〈形 adj.〉仁爱友善 benevolent; kind; merciful：~的样子 ~ de yàngzi a merciful look｜~的上帝 ~ de shàngdì benevolent God｜对于恶人不能讲~。Duìyú èrén bù néng jiǎng ~. We can't be kind to the evil person.

² **忍** rěn ❶〈动 v.〉用力控制着某种感觉或情绪，不使流露或表现 endure; tolerate; bear：~耐 ~nài control; restrain oneself｜~无可~ ~wúkě~ beyond one's endurance｜~俊不禁 ~jùn-bùjīn cannot help laughing｜请你再~一会ル。Qǐng nǐ zài ~ yíhuìr. Please hold on a little further. ❷〈动 v.〉狠下心去做 bring oneself to do; have the heart to do; be hardhearted enough to do：惨不~睹 cǎnbù~dǔ be too horrible to look at; be horrified to witness the sight of｜你就~心把孩子抛下不管吗? Nǐ jiù ~xīn bǎ háizi pāoxià bù guǎn

ma? Are you hardhearted enough to leave your child to take care of himself? ❸〈形 *adj.*〉凶狠毒辣 vicious; venomous; 残～ *cán*~ cruel; ruthless

³ **忍不住** rěnbuzhù 忍受不了或忍耐不住 unable to bear; cannot help doing; cannot refrain from doing: 她～笑了。*Tā* ~*xiào le.* She could not help laughing. | 刚考完试,有的学生就～去问考试的分数了。*Gāng kǎowán shì, yǒu de xuésheng jiù* ~ *qù wèn kǎoshì de fēnshù le.* Some students cannot refrain from asking about their scores right after the test.

³ **忍耐** rěnnài〈动 *v.*〉控制住,不使表露出来 show restraint; control; exercise patience; restrain oneself: ～度 ~*dù* endurance | 我对他已经～了相当长一段时间。*Wǒ duì tā yǐjīng* ~*le xiāngdāng cháng yí duàn shíjiān.* I have tolerated him for quite a long time. | 再一会儿,饭马上就要做好了。*Zài* ~ *yíhuìr, fàn mǎshàng jiùyào zuòhǎo le.* Wait for another while; the meal is to sever soon.

³ **忍受** rěnshòu〈动 *v.*〉勉强承受下来 bear; tolerate; put up with; endure; stand: 无法～ *wúfǎ* ~ unbearable; beyond one's endurance | ～着痛苦 ~*zhe tòngkǔ* put up with agony | 难以～ *nányǐ* ~ intolerable; unbearable | 我不知要～到何时才算完。*Wǒ bù zhī yào* ~ *dào héshí cái suàn wán.* I don't see the day when I can stop tolerating it.

² **认** rèn ❶〈动 *v.*〉识别;分辨 recognize; identify; know; make out: ～生 ~*shēng* be shy with strangers | ～路 ~*lù* be familiar with the road | 他连一段字也～不下来。*Tā lián yí duàn zì yě* ~ *bú xiàlái.* He can read less than a paragraph. | 你先到那里去～～门。*Nǐ xiān dào nàli qù* ~ ~ *mén.* You go there to know the route first. ❷〈动 *v.*〉表示同意或肯定;承认 admit; own: ～输 ~*shū* admit defeat; give up; throw in the towel | 否～ *fǒu*~ deny | ～死理 ~*sǐlǐ* be stubborn; be bull-hearted; be inflexible | 购买者不相信别的,只～这个牌子。*Gòumǎizhě bù xiāngxìn bié de, zhǐ* ~ *zhège páizi.* Purchasers trust nothing but this brand. ❸〈动 *v.*〉建立或明确某种关系 enter into a relationship with; adopt: ～亲戚 *qīnqi* acknowledge relationship with a relative | ～贼作父 ~*zéizuòfù* take a rascal as one's father; befriend an enemy | 老师傅一起徒弟来了。*Lǎo shīfu* ~*qǐ túdì lái le.* The old master began to accept an apprentice. ❹〈动 *v.*〉不情愿地接受(对自己不利的现实) accept as unavoidable; resign oneself to: ～倒霉 ~*dǎoméi* accept one's bad luck | ～跟头头了 ~ *zāigēntou le* resign oneself to a setback | 吃点儿亏,我们～了。*Chī diǎnr kuī, wǒmen* ~ *le.* We resign ourselves to the losses we have suffered. ❺〈动 *v.* 口 *colloq.*〉许诺(出钱) subscribe for, underwrite: ～购一万元国库券 ~*gòu yíwàn yuán guókùquàn* subscribe for ten thousand *yuan* of treasury bonds

² **认得** rènde〈动 *v.*〉能分辨并确定;认识 know; recognize: 不～字 *bú* ~ *zì* unable to read; be illiterate | 我～回去的路。*Wǒ* ~ *huíqù de lù.* I know the way back. | 我～那小子。*Wǒ* ~ *nā xiǎozi.* I know the guy.

² **认定** rèndìng ❶〈动 *v.*〉确切地认为 firmly believe; maintain; hold, be sure: 无法～ *wúfǎ* ~ be unable to get sure | 招生办公室～录取他了。*Zhāoshēng bàngōngshì* ~ *lùqǔ tā le.* The enrollment office has affirmed the admittance of him. | 现在还不能～就是他干的。*Xiànzài hái bù néng* ~ *jiùshì tā gàn de.* It is too early to be sure that he has done it. ❷〈动 *v.*〉明确承认;确定 affirm; endorse: 这份协议已经主管部门审核～。*Zhè fèn xiéyì yǐ jīng zhǔguǎn bùmén shěnhé* ~. The agreement has been examined and endorsed by the department in charge. | 考古专家～,这里曾经是一片海洋。*Kǎogǔ zhuānjiā* ~, *zhèli céngjīng shì yí piàn hǎiyáng.* The archaeologists affirmed that it used to be an expanse of ocean.

⁴ **认可** rènkě〈动 *v.*〉许可;认为可以 approve of; endorse; accept; confirm: 完全～

wánquán ~ accept fully｜经学校~ *jīng xuéxiào* ~ with approval by the school｜你这样做，老师~了吗？ *Nǐ zhèyàng zuò, lǎoshī ~ le ma?* Has the teacher approved of your action?｜上级~双方的协议。*Shàngjí ~ shuāngfāng de xiéyì.* The higher authorities endorsed the agreement signed by the two parties.

¹认识 rènshi ❶〈动 *v.*〉认得；能分辨并确定 recognize; know; understand: ~社会 ~ *shèhuì* understand society｜大家应该~一下她。*Dàjiā yīnggāi ~ yíxià tā.* We should get to know her.｜那地方外地人不~。*Nà dìfang wàidìrén bú ~.* People from other places don't know how to get there. **❷**〈名 *n.*〉(个gè、点diǎn) 人的头脑对客观事物的理解或体会 understanding; knowledge; cognition: 感性~ *gǎnxìng* ~ perceptual knowledge｜请你谈谈对这个问题的~。*Qǐng nǐ tántan duì zhège wèntí de ~.* Will you please tell us your understanding of this matter?｜~来源于实践。*~ láiyuán yú shíjiàn.* Knowledge originates in practice.

¹认为 rènwéi〈动 *v.*〉(对人或事物) 提出某种看法，做出某种判断 think; hold; consider; believe: 人们都~他考不上大学。*Rénmen dōu ~ tā kǎo bú shàng dàxué.* It is a popular belief that he will fail in the college entrance examination.｜我坚持~他没有资格当班长。*Wǒ jiānchí ~ tā méiyǒu zīgé dāng bānzhǎng.* I insist that he is not qualified for monitor.｜我一向~他是个难得的人才。*Wǒ yíxiàng ~ tā shì gè nándé de réncái.* I always hold that he is a valuable asset.

¹认真 Ⅰ rènzhēn〈形 *adj.*〉仔细地对待；不马虎草率 conscientious; earnest; serious: ~的态度 ~ *de tàidù* an earnest attitude｜这件事我作了~的调查。*Zhè jiàn shì wǒ zuòle ~ de diàochá.* I have made an earnest inquiry into the matter.｜他工作非常~。*Tā gōngzuò fēicháng ~.* He is very conscientious in his work.｜我们要认认真真地学习。*Wǒmen yào rènrèn-zhēnzhēn de xuéxí.* We have to study conscientiously. **Ⅱ rèn // zhēn**〈动 *v.*〉以为是真的 take seriously; take to heart: 别跟她随便开玩笑，她爱~的。*Bié gēn tā suíbiàn kāiwánxiào, tā ài ~ de.* She tends to take things seriously.｜这只是玩儿，你怎么认起真来了？*Zhè zhǐshì wánr, nǐ zěnme rèn qǐ zhēn lái le.* It is only a joke. Why do you take it so seriously?

³任 rèn ❶〈介 *prep.*〉听凭；随便 let; allow; permit: ~劳~怨 *~láo~yuàn* work hard regardless of criticism; bear responsibility without grudge; be hardworking and never complain｜为了完成这项设计，公司的人力、物力~你调用。*Wèile wánchéng zhè xiàng shèjì, gōngsī de rénlì, wùlì ~ nǐ diàoyòng.* The human and material resources of the company are utterly at your disposal for the completion of this design.｜这种现象不能再~其下去了。*Zhè zhǒng xiànxiàng bù néng zài ~ qí xiàqù.* This phenomenon can no longer be allowed. **❷**〈连 *conj.*〉不管；不论；无论 no matter: ~海浪怎样颠簸，真正的海员都不会晕船的。*~ hǎilàng zěnyàng diānbǒ, zhēnzhèng de hǎiyuán dōu bú huì yùnchuán de.* Whatever the sea waves may be, a real seaman would not feel seasick.｜你说什么，他也不理。~ *nǐ shuō shénme, tā yě bù lǐ.* He turns a deaf ear to whatever you say. **❸**〈动 *v.*〉担当；担任 assume a post; take up a job: 历~工人、车间主任和厂长 *lì~gōngrén, chējiān zhǔrèn hé chǎngzhǎng* work successively as a worker, section director and factory manager｜他现在~职于某公司。*Tā xiànzài ~zhí yú mǒu gōngsī.* He is now working in a company.｜会长的职务可以连选连~。*Huìzhǎng de zhíwù kěyǐ lián xuǎn lián ~.* The presidency of the association could be assumed with no limit of terms. **❹**〈动 *v.*〉派给职务；任用 appoint; assign to a post: 调~ *diào~* be transferred to another post｜委~书 *wěi~shū* letter of appointment｜~命决定 *~mìng juédìng* appointment decision｜~人唯贤 *~rénwéixián* appoint people on their merits **❺**〈名 *n.*〉职务；职责 official post;

office: 走马上～ *zǒumǎ-shàng*~ assume office | ～重道远（比喻责任重大，要经过努力奋斗）。~*zhòng-dàoyuǎn*（*bǐyù zérèn zhòngdà, yào jīngguò nǔlì fèndòu*）. The burden is heavy and the road is long. | 他在～上为百姓干过不少好事。*Tā zài ~ shang wèi bǎixìng gànguo bùshǎo hǎoshì.* He has done quite a lot of good things for the people during his term of office. ❻〈量 *meas.*〉用于任职的次数 numbers of terms served on an official post: 第一～会长 *dì-yī ~ huìzhǎng* the first term president of the association | 他担任过几～总理。*Tā dānrèn guo jǐ ~ zǒnglǐ.* He has been prime minister for several terms.

¹ **任何** rènhé〈代 *pron.*〉无论什么；不论什么 any; whichever; whatever; whoever: ~人～ *rén* anybody | ～单位～ *dānwèi* any unit | ～事情他都要亲自过问。~ *shìqing tā dōu yào qīnzì guòwèn.* He takes care of everything himself.

⁴ **任命** rènmìng ❶〈动 *v.*〉下命令使担当 appoint; commission; designate: 公开~*gōngkāi* ~ an open appointment | 上级～他为局长。*Shàngjí ~ tā wéi júzhǎng.* He was appointed director general by the higher authorities. | 被～到这样重要的岗位上，是你的光荣。*Bèi ~ dào zhèyàng zhòngyào de gǎngwèi shang, shì nǐ de guāngróng.* It is your honor to be designated to such an important post. ❷〈名 *n.*〉（项 xiàng、个 gè）任用的命令 commission: 这项～已于上个月下达。*Zhè xiàng ~ yǐ yú shàng gè yuè xiàdá.* This commission was issued last month. | 会上宣布了对他的～。*Huì shang xuānbùle duì tā de ~.* His commission was read in the meeting.

² **任务** rènwu〈名 *n.*〉（项 xiàng、个 gè）指定担当的责任或工作 task; assignment; quota; mission; job: 学习～ *xuéxí* ~ task of study | 迫切的～ *pòqiè de* ~ an urgent task | ～交给他，我放心。~ *jiāo gěi tā, wǒ fàngxīn.* I feel assured to give him the job.

³ **任性** rènxìng〈形 *adj.*〉由着自己的性子，不加约束 have no self-restraint; wayward; headstrong; self-willed; willful; impulsive: ~的女孩儿 ~ *de nǔháir* a willful girl | 过于~ *guòyú* ~ excessively headstrong | 这孩子从小～。*Zhè háizi cóngxiǎo ~.* The child has been self-willed since childhood.

³ **任意** rènyì ❶〈副 *adv.*〉不加限制地；非常自由地 arbitrarily; willfully; wantonly; at will; at random: ~发挥 ~ *fāhuī* give no reign to one's imagination | ～选择 ~ *xuǎnzé* choose freely | ~走动 ~ *zǒudòng* walk about at will | 你可以～挑选其中一个问题回答。*Nǐ kěyǐ ~ tiāoxuǎn qízhōng yí gè wèntí huídá.* You can choose any question you like to answer. ❷〈形 *adj.*〉无条件限制的 unconditional: ~六边形 ~ *liùbiānxíng* unconditional hexagon | 在～的方向上 *zài ~ de fāngxiàng shang* in any direction | 裁判判罚～球。*Cáipàn pànfá ~qiú.* The referee imposed a free-kick penalty.

² **扔** rēng ❶〈动 *v.*〉挥动手臂，把东西抛出 throw; toss; cast: 把东西～上去 *bǎ dōngxi ~ shàngqù* throw sth. up | ～得不够远 ~ *de búgòu yuǎn* not cast far enough | 孩子把书包～在书桌上就走了。*Háizi bǎ shūbāo ~ zài shūzhuō shang jiù zǒu le.* The child threw his schoolbag onto the desk, and then left. ❷〈动 *v.*〉丢弃；抛弃 throw away; cast aside; litter: 乱～果皮 *luàn ~ guǒpí* litter peels | 把烦恼～在脑后 *bǎ fánnǎo ~ zài nǎo hòu* forget about vexations | 有的人责任心太差，～下工作就不管了。*Yǒu de rén zérènxīn tài chà, ~xià gōngzuò jiù bù guǎn le.* Some people have so little sense of responsibility and pass over their work in silence.

² **仍** réng〈副 *adv.*〉还；依旧 remain: ～旧 ~*jiù* remain the same | ～不灰心 ~ *bù huīxīn* not to lose heart all the same | ～未回答 ~ *wèi huídá* remain irresponsive | 虽然病倒了，他的头脑～在思考问题。*Suīrán bìngdǎo le, tā de tóunǎo ~ zài sīkǎo wèntí.* He is still pondering over problems despite his illness.

³ **仍旧** réngjiù〈副 *adv.*〉依然；照旧 still; yet: 几十年后的他~保持着老习惯。*Jǐshí nián*

hòu de tā ~ *bǎochízhe lǎo xíguàn.* Several decades later, he still keeps his old habit｜说多少遍了，你~不改。*Shuō duōshao biàn le, nǐ ~ bù gǎi.* You still remain the same even though you have been told so many times.

²仍然 réngrán 〈副 *adv.*〉表示继续或恢复原状 still; yet；离别了许多日子，她对人~热情有加。*Líbiéle xǔduō rìzi, tā duì rén ~ rèqíng yǒu jiā.* Having been away for so many days, she remains very passionate.｜吃完饭我们~回学校。*Chīwán fàn wǒmen ~ huí xuéxiào.* We are still going back to the school after the meal.

¹日 rì ❶〈名 *n.*〉太阳（与'月'相对）sun (opposite to '月*yuè*')：~头 ~*tou* the sun｜~出 ~*chū* sunrise｜旭～ *xù*~ the rising sun｜蒸蒸～上 *zhēngzhēng*-~*shàng* become more prosperous every day ❷〈名 *n.*〉白天（与'夜'相对）day; daytime (opposite to '夜*yè*')：夜以继～ *yèyǐjì*~ day and night｜～夜兼程 ~*yè jiānchéng* travel from night to morning｜~场电影 ~*chǎng diànyǐng* daytime movie｜白～做梦 bái~*zuòmèng* daydream ❸〈名 *n.*〉一昼夜（地球自转一周的时间）day：~程 ~*chéng* agenda; schedule｜数～ *shù*~ several days｜一~千里 yí~*qiānlǐ* a thousand *li* a day; at a tremendous pace｜~进斗金 ~*jìn dǒu jīn* earn a great deal of money every day ❹〈名 *n.*〉指某天或某段时间 particular day; period of time; time：~前 ~*qián* a few days ago; the other day｜~后 ~*hòu* in the days to come; in the future｜生～ shēng~ birthday｜往～ wǎng~ former days; bygone days｜秋~ qiū~ autumn days ❺（Rì）〈名 *n.*〉日本国的简称 Japan：~元 ~*yuán* Japanese yen｜~语 ~*yǔ* Japanese ❻〈副 *adv.*〉一天天地；每天 daily; everyday：~新月异 ~*xīn-yuèyì* change with each passing day｜~趋完善 ~*qū wánshàn* get improved day by day｜~思夜想 ~*sī-yèxiǎng* yearn day and night

²日报 rìbào 〈名 *n.*〉(份fèn、张zhāng) 每日早上出版的报纸 daily paper; daily：《中国~》'*Zhōngguó* ~' China Daily｜《人民~》'*Rénmín* ' People's Daily｜我订了两份，一份晚报。*Wǒ dìngle liǎng fèn ~, yí fèn wǎnbào.* I have subscribed to two dailies and one evening paper.

²日常 rìcháng 〈形 *adj.*〉平日的；平时的 everyday; day-to-day; daily：~用语 ~ *yòngyǔ* words or expressions for daily use｜~工作 ~ *gōngzuò* routine work; day-to-day work｜~安排 ~*ānpái* daily arrangement

²日程 rìchéng 〈名 *n.*〉(个gè) 按日排定的活动程序 agenda; schedule：会议~ *huìyì* ~ conference agenda｜~安排 ~*ānpái* schedule｜~表 ~*biǎo* schedule｜紧张的~ *jǐnzhāng de* ~ tight schedule｜请你排出个~来。*Qǐng nǐ páichū gè ~ lái.* Please make out a schedule.

⁴日光 rìguāng 〈名 *n.*〉太阳光 sunlight; sunbeam：~浴 ~*yù* sun bath｜~灯 ~*dēng* daylight lamp; fluorescent lamp｜充足的~ *chōngzú de* ~ ample sunlight

²日记 rìjì 〈名 *n.*〉(篇piān、本běn) 每天日常工作、学习、生活及感想的记录 diary：~本 ~*běn* diary｜工作~ *gōngzuò* ~ work diary｜写~是个好习惯。*Xiě* ~ *shì gè hǎo xíguàn.* It is a good habit to keep a diary.｜最近报上连载了他的《旅欧~》。*Zuìjìn bào shang liánzǎile tā de '* Lǚ Ōu'~. His Travel Diary in Europe was serialized on newspaper recently.

²日期 rìqī 〈名 *n.*〉(个gè) 发生或确定的日子或时期 date：放假的~ *fàngjià de* ~ the date for the holiday｜考试的~挪后了。*Kǎoshì de* ~ *nuóhòu le.* The day for the examination has been postponed.｜4月6日为最后付款~。*Sì yuè liù rì wéi zuìhòu fùkuǎn* ~. April 6th is the deadline for payment.

¹日文 Rìwén 〈名 *n.*〉同'日语'same as '日语Rìyǔ'

³日夜 rìyè 〈名 *n.*〉(个gè) 白天黑夜,表示持续不断 day and night; round the clock：~兼程 ~ *jiānchéng* travel at double speed day and night｜不分~ *bù fēn* ~ round the clock｜

多少个日日夜夜 duōshao gè rìrì-yèyè for numerous days and nights

³ **日益** rìyì〈副 adv.〉一天比一天更加 increasingly; day by day：~严重 ~ yánzhòng increasingly serious｜~好转 ~ hǎozhuǎn get better day by day｜两国间来往~频繁。Liǎng guó jiān láiwǎng ~ pínfán. Exchanges between the two countries are getting increasingly frequent.

³ **日用** rìyòng ❶〈形 adj.〉日常生活使用的 of daily use; of everyday use：~电器 ~ diànqì electrical appliances for daily use｜~百货 ~ bǎihuò commodities for daily use｜这些东西都是~的。Zhèxiē dōngxi dōu shì ~ de. All these articles are for daily use. ❷〈名 n.〉日常生活的费用 daily expenses：我的~是由姐姐供给的。Wǒ de ~ shì yóu jiějie gōngjǐ de. My daily expenses are financed by my elder sister.

² **日用品** rìyòngpǐn〈名 n.〉(件jiàn、批pī)日常生活使用的物品 necessities for daily use; articles of everyday use; commodity：~商店 ~ shāngdiàn store of daily-use necessities｜生活 ~ shēnghuó ~ daily necessities｜带上几件~就行了。Dàishàng jǐ jiàn ~ jiù xíng le. It will be enough to bring with you some articles of everyday use.

¹ **日语** Rìyǔ〈名 n.〉日本的语言(文字) Japanese (language)：~课 ~kè Japanese lessons｜~教师 ~ jiàoshī Japanese teacher｜学习 ~ xuéxí ~ to learn Japanese｜我不会 ~ 。Wǒ bú huì ~. I don't know Japanese.

² **日元** rìyuán〈名 n.〉日本国的货币单位 Yen：兑换 ~ duìhuàn ~ change Yen｜~汇率 ~ huìlǜ exchange rate of Yen｜~账户 ~ zhànghù Yen account

¹ **日子** rìzi ❶〈名 n.〉(个gè)特定的日期 date; day：大喜的~ dàxǐ de ~ a day of great joy; wedding day｜今天是什么~，你忘了吧。Jīntiān shì shénme ~, nǐ wàng le ba. You might forget what a special day it is today.｜结婚的~到了。Jiéhūn de ~ dào le. The wedding day has come. ❷〈名 n.〉一段时间 (指天数) days; time：前段 ~ qiánduàn ~ the previous days｜在学校读书的~里 zài xuéxiào dúshū de ~ li during the days at school｜有些~没见到你了。Yǒu xiē ~ méi jiàndào nǐ le. It is quite a few days since I saw you last time. ❸〈名 n.〉(种zhǒng)指生活、生计 life; livelihood：贫穷的~ pínqióng de ~ a poor life｜过 ~ guò ~ lead a life｜这~没法过了。Zhè ~ méifǎ guò le. Life could hardly go on like this.

³ **荣幸** róngxìng〈形 adj.〉光荣而幸运 feel lucky; feel honored; be honored：十分~ shífēn ~ greatly honored; a great honor｜我~地得知贵国总统将到我国访问。Wǒ ~ de dézhī guìguó zǒngtǒng jiāng dào wǒguó fǎngwèn. It's a great honor for me to know the upcoming visit of your president to our country.｜能见到那些大明星，他感到很~。Néng jiàndào nàxiē dà míngxīng, tā gǎndào hěn ~. He felt so honored to have been able to see those superstars.

⁴ **荣誉** róngyù〈名 n.〉(种zhǒng、项xiàng、个gè)光荣的名誉 honor; credit; glory：祖国的 ~ zǔguó de ~ glory of one's motherland｜称号 ~ chēnghào honorary title｜~属于大家。~ shǔyú dàjiā. The honor belongs to you all.

⁴ **绒** róng ❶〈形 adj.〉又细又软的短毛 fine hair; down; villus：~毛 ~máo fine hair; down｜驼~ tuó~ camel's hair｜毛~的 máo~ de hairy; downy ❷〈名 n.〉有一层细绒毛的纺织品 cloth with pile; fabric with soft nap or pile：丝~被 sī~bèi velvet quilt｜衣 ~yī sweat｜~毯 ~tǎn flannelette blanket

³ **容** róng ❶〈动 v.〉收纳; 包含 hold; contain：收 ~ shōu~ take in; accept; house｜~器 ~ qì container｜房间~不下这么多人。Fángjiān ~ bú xià zhème duō rén. The house cannot hold so many people. ❷〈动 v.〉对人宽厚; 谅解 tolerate; forgive：~忍 ~rěn tolerate; put up with; condone; abide｜包 ~ bāo~ comprehend; forgive｜不能~人 bù néng ~rén be

unable to tolerate others | ~人之过 ~*rén zhī guò* be tolerant of other's faults ❸〈动 *v.*〉 许可；允许 allow; permit：~许 ~*xǔ* permit; allow | 不~思考 *bù* ~ *sīkǎo* allow no thinking ❹〈名 *n.*〉相貌；外观 looks; appearance：~貌 ~*mào* facial features; looks; appearance | 怒~ *nù*~ an angry look | 军~ *jūn*~ bearing of a soldier; military discipline | 阵~ *zhèn*~ battle formation; lineup; battle array | 音~笑貌 *yīn*~*xiàomào* one's voice and expression

⁴ **容积** róngjī〈名 *n.*〉能够容纳物质的器物的体积 volume：仓库的~ *cāngkù de* ~ volume of the storehouse | 船体~ *chuántǐ* ~ volume of the hull | ~大小不一。~ *dàxiǎo bù yī.* The volume varies from one to another.

⁴ **容量** róngliàng ❶〈名 *n.*〉容积的大小 capacity：水库~约有十几亿立方米。*Shuǐkù* ~ *yuē yǒu shíjǐ yì lìfāngmǐ.* The capacity of the reservoir amounts to more than a billion cubic meters of water. | 这只油桶的~是5公升。*Zhè zhī yóutǒng de* ~ *shì wǔ gōngshēng.* The capacity of this oil drum is five liters. ❷〈名 *n.*〉容纳的数量 volume; capacity：电~ *diàn*~ electric capacity | 通讯~ *tōngxùn*~ communications capacity

⁴ **容纳** róngnà〈动 *v.*〉在一定的空间或范围内许接纳 accommodate; hold; have a capacity of or for：~数万人 ~ *shù wàn rén* hold tens of thousands of people | 不下那么多人~ *búxià nàme duō rén* ~ cannot accommodate so many people | ~不同意见 ~ *bùtóng yìjiàn* tolerate opinions different from one's own

³ **容器** róngqì〈名 *n.*〉(件 jiàn、个 gè、种 zhǒng) 盛物品的器具 container; receptacle; vessel：化学~ *huàxué* ~ chemical vessel | 倒入~中 *dàorù* ~ *zhōng* pour into the container | 盐酸在那个~里。*Yánsuān zài nàge* ~ *li.* The hydrochloric acid is in that vessel.

³ **容忍** róngrěn〈动 *v.*〉不追究，不计较；忍耐，宽容 condone; put up with; endure; abide; tolerate：不能~ *bù néng* ~ cannot put up with | 尽量~ *jǐnliàng* ~ do one's utmost to tolerate | 再~一下吧。*Zài* ~ *yíxià ba.* Endure it for another while. | 对她我已经~到极点了。*Duì tā wǒ yǐjīng* ~ *dào jídiǎn le.* I simply can't tolerate her any longer.

³ **容许** róngxǔ〈动 *v.*〉许可；同意 permit; allow; tolerate：决不~ *juébù* ~ don't permit in any case | ~改正 ~ *gǎizhèng* allow to correct | 要~人犯错误。*Yào* ~ *rén fàn cuòwù.* Allow people to make mistakes. | 家长~了吗？*Jiāzhǎng* ~ *le ma?* Do you have permission from your parents?

¹ **容易** róngyì ❶〈形 *adj.*〉简便；不难（与'困难'相对）easy (opposite to '困难 kùnnan')：比较~ *bǐjiào* ~ rather easy | 这东西~坏。*Zhè dōngxi* ~ *huài.* It is easy to break down. | 考试的题目很~。*Kǎoshì de tímù hěn* ~. The examination questions are very easy. | 学写汉字不~。*Xué xiě Hànzì bù* ~. It is not an easy task to learn to write Chinese characters. ❷〈形 *adj.*〉发生某种变化的可能性大 easy; likely; liable; apt to：天热，~出汗。*Tiān rè,* ~ *chūhàn.* It is easy to sweat in hot weather. | 这首诗没有几行，~背诵。*Zhè shǒu shī méiyǒu jǐ háng,* ~ *bèisòng.* The poem, has only a few lines, and it is easy to recite. | 痼疾不~康复。*Gùjí bù* ~ *kāngfù.* A chronic disease is not likely to heal up.

⁴ **溶** róng〈动 *v.*〉固体物质在液体中均匀地化解开 dissolve：~剂 ~*jì* solvent; dissolvent | ~解 ~*jiě* dissolve | ~液 ~*yè* solution | 糖、盐等可~于水。*Táng, yán děng kě* ~ *yú shuǐ.* Substances like sugar and salt dissolve in water.

⁴ **溶化** rónghuà〈动 *v.*〉(固体) 在液体中化解 (of solid matter) dissolve：~缓慢 ~ *huǎnmàn* dissolve slowly | 冰雪~了。*Bīngxuě* ~ *le.* Ice and snow melted away. | 方糖放进水里就~了。*Fāngtáng fàngjìn shuǐ li jiù* ~ *le.* Cubic sugar dissolves once it is put into water.

⁴ **溶解** róngjiě〈动 *v.*〉物质的分子均匀地分布在一种液体中 dissolve：~液 ~*yè* solution | 迅速~ *xùnsù* ~ dissolve rapidly | ~于汽油中 ~ *yú qìyóu zhōng* dissolve into gasoline

| 盐粒在热水中一下就～开了。*Yánlì zài rèshuǐ zhōng yíxià jiù ～ kāi le.* Granulated salt dissolves once it is put in hot water.

³ **溶液** róngyè〈名 *n.*〉（种zhǒng）物质溶解在液体中所形成的混合物 solution: ～试剂 *shìjì* solution reagent ｜各种～ *gèzhǒng ～* all sorts of solutions ｜经过稀释了的～ *jīngguò xīshìle de ～* diluted solution

⁴ **熔** róng 〈动 *v.*〉固体在高温下变成液体 melt; fuse; smelt: ～铁炉 *～tiělú* smelting furnace ｜～点 *～diǎn* melting point ｜～铸 *～zhù* founding; casting

⁴ **融化** rónghuà〈动 *v.*〉冰雪等受热变为液态水；也指使某物（多为抽象物）消融 thaw; melt: 阳光～了冰雪。*Yángguāng ～le bīngxuě.* The sun thawed the ice and melted the snow. ｜一番感人肺腑的话，～了她那邢冰冷的心。*Yì fān gǎnrén fèifǔ de huà，～le tā nà kē bīnglěng de xīn.* A few moving words melted her frozen heart. ｜人们～在欢乐的海洋中。*Rénmen ～ zài huānlè de hǎiyáng zhōng.* People are immersed in the sea of joy.

⁴ **融洽** róngqià 〈形 *adj.*〉彼此感情和美，没有抵触 harmonious; on good terms; on friendly terms: 关系～ *guānxì ～* have a congenial relation ｜～的氛围 *～de fēnwéi* a friendly atmosphere ｜～与和谐 *～yǔ héxié* friendliness and harmony ｜她和婆婆的关系渐渐地～起来。*Tā hé pópo de guānxì jiànjiàn de ～ qǐlái.* She gradually becomes harmonious with her mother-in-law.

³ **柔和** róuhé ❶〈形 *adj.*〉温和不强烈 soft; gentle; mild: 性情～ *xìngqíng ～* be gentle in temperament; have a gentle temperament ｜曲调～ *qǔdiào ～* a soft melody ｜～的月光 *de yuèguāng* soft moonlight ｜声音变得～起来。*Shēngyīn biàn de ～ qǐlái.* His voice is getting softer. ❷〈形 *adj.*〉软和 soft: 身段～ *shēnduàn ～* a soft figure ｜这件毛衣的手感非常～。*Zhè jiàn máoyī de shǒugǎn fēicháng ～.* This sweater feels very soft.

³ **柔软** róuruǎn〈形 *adj.*〉软而不硬 soft; lithe: 细腻而～ *xìnì ér ～* fine and soft ｜～的腰肢～ *de yāozhī* soft waistline ｜质地～ *zhìdì ～* soft in texture ｜丝绸般～平滑 *sīchóu bān ～ pínghuá* as soft and smooth as silk

³ **揉** róu ❶〈动 *v.*〉用手来回搓、擦 rub; caress: 轻轻地～ *qīngqīng de ～* rub gently ｜～～肩膀 *～～ jiānbǎng* rub shoulders ❷〈动 *v.*〉用手掌团弄；使弯曲 knead; roll; cause sth. to bend: ～面 *～miàn* knead dough ｜～成一团儿 *～chéng yì tuánr* knead into a round shape

¹ **肉** ròu ❶〈名 *n.*〉（块kuài、片piàn）人体或动物体皮下柔软的物质 meat; flesh: 牛羊～ *niú-yáng～* beef and mutton ｜～体～ *～tǐ* human body; flesh ｜吃～ *chī～* eat meat ｜鲜～ *xiān～* fresh meat ❷〈名 *n.*〉果实内可食的部分 pulp; flesh of fruit: 果～香甜。*Guǒ～ xiāngtián.* The pulp is delicious. ｜敲开硬壳，才能吃到里面的核桃～。*Qiāokāi yìngké，cái néng chīdào lǐmiàn de hétáo～.* The pulp of a walnut can only be eaten when the crust is knocked open. ❸〈名 *n.*〉指经人工饲养并以食其肉为主的牲畜或禽类 livestock and poultry raised for meat: ～鸽 *～gē* pigeon for meat ｜～牛～niú* beef cattle ❹〈形 *adj. 方dial.*〉不爽快，动作慢 slow moving; slow-tempered; sluggish: 人家做了十几个了，你连一个还没做完，太～了！*Rénjia zuòle shíjǐ gè le，nǐ lián yí gè hái méi zuòwán，tài ～ le!* You are so sluggish, for you haven't even finished one while others have made more than ten! ｜这人半天说不出一句话，～得厉害。*Zhè rén bàntiān shuō bù chū yí jù huà，～ de lìhai.* This man is so slow-tempered that he can hardly utter a word for quite a while.

² **如** rú ❶〈动 *v.*〉同……一样；好像 like; as; as if: 一见～故 *yíjiàn～gù* become friends at first sight; feel like old friends at the first meeting ｜～花似锦 *～huā-shìjǐn* like flowers and brocade; beautiful; bright ｜往事～过眼云烟。*Wǎngshì ～ guòyǎnyúnyān.* Past events are as transient as a fleeting cloud. ❷〈动 *v.*〉表示举例；例如 for instance; such as; for

example; as: ~下 ~xià as follows | 比~ bǐ~ for example; for instance; such as | 货架上蔬菜品种很多,~茄子、豆角、黄瓜、菠菜等。 Huòjià shang shūcài pǐnzhǒng hěn duō, ~ qiézi, dòujiǎo, huángguā, bōcài děng. There are many kinds of vegetables on the storage rack, such as eggplant, bean, cucumber, spinage and so on. ❸〈动 v.〉适合;顺从 be in keeping with; be in accordance with; be in compliance with: ~愿~yuàn in keeping with one's wish; see one's dream come true | 这可~了你的意了。 Zhè kě ~le nǐ de yì le. You have finally had your wish fulfilled. | 我一定~数补偿。 Wǒ yídìng ~shù bǔcháng. I will surely redeem it in full. ❹〈动 v.〉比得上;赶得上(用在否定词后表示比较)(used after a negative word to make a comparison) be as good as; stand comparison with: 知子莫~父。 Zhī zǐ mò ~ fù. Father knows son best. | 照片不~本人漂亮。 Zhàopiàn bù~ běnrén piàoliang. He looks less good-looking in photo than in person. ❺〈动 v. 书 lit.〉到;往 go to: ~厕~cè go to the lavatory | 不知其所~。 Bù zhī qí suǒ ~. Where he goes is not known. ❻〈连 conj.〉如果;假如(表示假设) if; in case: ~不能来,请事先通知。 ~ bù néng lái, qǐng shìxiān tōngzhī. Please give a notice in advance, if you can't come. | ~有问题,请用电话查询。 ~ yǒu wèntí, qǐng yòng diànhuà cháxún. Please inquire through telephone if there is any problem. ❼〈介 prep.〉按照;依照(后面必须伴有动词) according to (followed by a verb): ~约而至~yuē ér zhì turn up according to the appointment | ~鱼得水(形容得到与自己很投缘的人或很适合的环境)~yúdéshuǐ (xíngróng dédào yǔ zìjǐ hěn tóuyuán de rén huò hěn héshì de huánjìng) feel just like a fish in water (be in one's element; like a duck to water) | ~实交代~shí jiāodài make a truthful confession ❽〈助 aux.〉附着在形容词或副词后,表示事物或动作的状态 a suffix indicating a certain state (used after a verb or an adjective): 突~其来 tū~qílái arise suddenly; appear suddenly; happen suddenly; come all of a sudden | 空空~也 kōngkōng~yě empty; nothing left

³ 如此 rúcǐ ❶〈代 pron.〉这样 so; such: ~可怕~kěpà so horrible | ~幸福~xìngfú so happy | 您~照顾我,实在不好意思。 Nín ~ zhàogù wǒ, shízài bù hǎoyìsi. You take so good care of me as to let me feel really embarrassed. ❷〈代 pron.〉指上文提到的某种情况 that: 一到冬天这里就要封山,年年~。 Yí dào dōngtiān zhèli jiù yào fēngshān, niánnián ~. When winter comes, the traffic into the mountain is closed, and so is it every year. | 老板要我在三天之内把这些活干完,非但~,还不给加班费。 Lǎobǎn yào wǒ zài sān tiān zhī nèi bǎ zhèxiē huó gànwán, fēidàn ~, hái bù gěi jiābānfèi. My boss ordered me to finish all this work within three days, and in addition to that, no premium pay was given.

² 如果 rúguǒ〈连 conj.〉表示假设 if; in case; in event of: ~要去,大家都去。 ~ yào qù, dàjiā dōu qù. If anybody goes, all of us will go. | ~现在还不行动的话,那么就没有更好的机会了。 ~ xiànzài hái bù xíngdòng de huà, nàme jiù méiyǒu gèng hǎo de jīhuì le. If no action is taken at this moment, there will be no better chance.

² 如何 rúhé〈代 pron.〉怎么;怎么样 how: 近况~? Jìnkuàng ~? How's everything going recently? | 我不知道~回答这个问题。 Wǒ bù zhīdào ~ huídá zhège wèntí. I don't know how to answer this question. | 设计项目搞得~了? Shèjì xiàngmù gǎo de ~ le? How is the design project going?

² 如今 rújīn〈名 n.〉现在(比'现在'时间要长一些) now; nowadays (indicating a period of time longer than '现在xiànzài'): ~的孩子是身在福中不知福。 ~ de háizi shì shēn zài fú zhōng bù zhī fú. Nowadays children do not appreciate the happy life they lead. | 事到~,我不同意有什么用! Shì dào ~, wǒ bù tóngyì yǒu shénme yòng! As things stand

now, it is of no use at all for me to disagree！｜~人们的生活是越来越好了。~ *rénmen de shēnghuó shì yuèláiyuè hǎo le*. Nowadays people's lives are getting better and better.

³ **如同** rútóng〈动 *v.*〉好像 like; as; same as：他们之间~陌生人。*Tāmen zhījiān ~ mòshēngrén*. They seem to be strangers to each other. ｜这里布置得~过节一样。*Zhèli bùzhì de ~ guòjié yíyàng*. This place is decorated as if to celebrate a festival.

³ **如下** rúxià〈动 *v.*〉正如下面所说的或所列举的 as follows：所述~。*Suǒshù ~*. The statement is as follows｜意见~。*Yìjiàn ~*. The opinions are as follows.｜我有~几条想法。*Wǒ yǒu ~ jǐ tiáo xiǎngfǎ*. I have the following thoughts.

³ **如意** I rú//yì〈动 *v.*〉与心意相符合 be satisfied; as one wishes：称心~ *chènxīn-~* after one's own heart; be perfectly satisfied｜~算盘 *suànpán* wishful thinking; smug calculation｜~郎君 *lángjūn* a satisfactory husband｜这里事事都不如我的意。*Zhèli shìshì dōu bú rú wǒ de yì*. Everything is against my wish here. II rúyì〈名 *n.*〉中国的一种象征祥瑞的器物，用玉、骨等制成，一端呈云形或灵芝形，柄微曲，供赏玩 an S-shaped ornamental object, made of jade etc., formerly a symbol of good luck

⁴ **如醉如痴** rúzuì-rúchī〈成 *idm.*〉如同喝醉或痴呆一样，形容沉浸在某种境界中或为某事着了迷 be imbedded in; indulge in：听得~ *tīng de ~* listen with keen interest｜一地读着~ *de dúzhe* completely lost in reading｜这歌声一下就把观众带进了~的狂热中。*Zhè gēshēng yíxià jiù bǎ guānzhòng dàijìnle ~ de kuángrè zhōng*. The singing brought the audience into joyous zeal right off.

⁴ **乳** rǔ ❶〈名 *n.*〉奶水，奶汁 milk：母~ *mǔ~* mother's milk｜哺~ *bǔ~* breast-feed｜~制品 *~zhìpǐn* dairy product｜水~交融 *shuǐ~jiāoróng* get along with each other like water and milk; as well blended as milk and water ❷〈名 *n.*〉人或哺乳动物特有的分泌奶汁的器官 breast：~房 *~fáng* breast; mamma｜~头 *~tóu* nipple; teat; mammilla｜~腺 *~xiàn* mammary gland｜~罩 *~zhào* bra; brassiere ❸〈名 *n.*〉像奶水一样的东西 any milk-like liquid; milk-like substance：豆~ *dòu~* soya bean milk｜~胶漆 *~jiāoqī* emulsion paint; latex paint｜~白色 *~báisè* milky white; cream color ❹〈形 *adj.*〉初生的，幼小的 new-born; young：~鸽 *~gē* young pigeon｜~牙 *~yá* deciduous teeth; primary teeth; temporary teeth｜~毛 *~máo* young hair ❺〈动 *v.* 书 *lit.*〉繁殖，生育 breed; give birth to：草~ *~zī* reproduction; multiply

² **入** rù ❶〈动 *v.*〉进；从外到内（与'出'相对）enter (opposite to '出chū')：~口 *~kǒu* entrance｜~境 *~jìng* enter a country｜进~ *jìn~* enter｜由浅~深 *yóuqiǎn~shēn* from the simple to the complex ❷〈动 *v.*〉参加（某种组织）join; enroll; become a member of; be admitted into：~会 *~huì* unionize｜~伙 *~huǒ* join a gang; join in partnership｜~学 *~xué* start school; enter school; enroll in a school｜~伍 *~wǔ* enlist in the armed forces; join the army｜~托 *~tuō* start going to a nursery｜加~ *jiā~* affiliate; join; accede to ❸〈动 *v.*〉合乎；合于 conform to; agree with：~情~理 *~qíng-~lǐ* be fair and reasonable; perfectly logical and reasonable｜打扮~时 *dǎbàn ~shí* fashionably dressed ❹〈动 *v.*〉达到（某个范围或某种状态）attain; reach：~夜 *~yè* at nightfall｜~迷 *~mí* be fascinated; be enchanted｜~闱 *~wéi* enter the examination shed; be qualified as a member of｜走火~魔 *zǒuhuǒ~mó* be hypnotized; be infatuated; be spellbound ❺〈名 *n.*〉收进的钱财 income：纯收~ *chún shōu~* net income｜不敷出 *~bùfūchū*. One's income is not adequate to one's needs. ❻〈名 *n.*〉入声，古代汉语四声中的第四声（现存于中国某些方言区）entering tone, one of the four tones in classical Chinese pronunciation (existing in some dialectal regions of China)：中国广东一带方言里还有~声。*Zhōngguó Guǎngdōng yídài fāngyán lǐ háiyǒu ~shēng*. The entering tone could still be found in the

Guangdong dialects of China.

⁴入境 rù//jìng〈动 v.〉进入国境 enter a country：~手续 ~ shǒuxù entry formalities; entry procedures｜旅客~了。Lǚkè ~ le. The passengers have entered the country.｜他先后入过多次境。Tā xiānhòu rùguo duō cì jìng. He has successively entered the country for many times.

⁴入口 Ⅰ rùkǒu〈名 n.〉(个gè、处chù)进入场地或建筑物的门或口儿(与'出口'相对) entrance (opposite to '出口chūkǒu')：胡同一处 hútòng ~ chù the entrance to the alley｜机舱~ jīcāng ~ the entrance of the cabin｜剧院的~在哪里？Jùyuàn de ~ zài nǎli? Where is the entrance of the theatre?　Ⅱ rù//kǒu〈动 v.〉吃进嘴里 put into the mouth：外用药不得~。Wàiyòngyào bùdé ~. Put no medicine for eternal use into the mouth.｜糖块儿入了口就会化的。Tángkuàir rùle kǒu jiù huì huà de. Sweets dissolves when they are put into the mouth.

⁴入侵 rùqīn〈动 v.〉侵犯进(某个区域或环境) invade; intrude; make an incursion; make inroads：~之敌 ~ zhī dí invading enemy｜我国领空的敌机已被击落。~ wǒguó lǐngkōng de díjī yǐ bèi jīluò. The enemy airplane intruding the air space of our country has been shot down.｜细菌已经~到身体里了。Xìjūn yǐjīng ~ dào shēntǐ li le. Bacteria have already made an incursion into the body.

⁴入手 rùshǒu ❶〈动 v.〉着手；下手 start with; begin with; proceed from：从抓纪律~ cóng zhuā jìlǜ ~ proceed from discipline｜现在是~解决问题的时候了。Xiànzài shì ~ jiějué wèntí de shíhou le. It is time to solve the problem now.｜这么多的头绪，我们从哪里~呢？Zhème duō de tóuxù, wǒmen cóng nǎli ~ ne? Where should we start in face of such a mess? ❷〈动 v.〉到手 be in one's hands; be in possession：东西未~前，我们先不忙表态。Dōngxi wèi ~ qián, wǒmen xiān bù máng biǎotài. We shouldn't make any commitment before it is in our hands.

⁴入学 rù//xué ❶〈动 v.〉开始进某校学习 enter school：~考试 ~ kǎoshì entrance examination｜明天办~手续。Míngtiān bàn ~ shǒuxù. Go through the enrollment procedures tomorrow.｜入了学后，一定要努力学习。Rùle xué hòu, yídìng yào nǔlì xuéxí. Make sure to study hard after you enter the school. ❷〈动 v.〉开始上小学学习 start school：孩子已到了~的年龄。Háizi yǐ dàole ~ de niánlíng. The child is at school age.｜家里没钱，该上学的孩子入不了学。Jiāli méi qián, gāi shàngxué de háizi rù bù liǎo xué. The family is rather poor, and its children at school age cannot go to school.

²软 ruǎn ❶〈形 adj.〉不硬的；受外力后易变形的(与'硬'相对) soft; flexible; supple; pliable (opposite to '硬yìng')：~化水 ~huàshuǐ softened water; demineralized water｜~管儿 ~guǎnr soft pipe｜柔~的沙发 róu~ de shāfā soft sofa｜细~的腰身 xì~ de yāoshēn a slender and soft waist ❷〈形 adj.〉懦弱 coward; feeble; weak：~弱 ~ruò; feeble｜欺~怕硬 qī~-pàyìng bully the weak and fear the strong ❸〈形 adj.〉没有气力 weak；跑了半天，两腿累得发~。Pǎole bàntiān, liǎng tuǐ lèi de fā ~. My legs feel weak after walking for so long a time. ❹〈形 adj.〉不坚决；容易被感动或动摇 soft-hearted; easy to change one's mind; easily moved：她的心太~。Tā de xīn tài ~. She is too tenderhearted.｜这家伙是个~骨头。Zhè jiāhuo shì gè ~gǔtou. This is a weak-kneed guy.｜他耳朵根子~，人家一说就答应。Tā ěrduōgēnzi ~, rénjiā yì shuō jiù dāyìng. He is so credulous that he makes easy promises on request. ❺〈形 adj.〉柔顺温和 gentle; mild; soft：柔声~语 róushēng-~yǔ soft words｜~硬兼施 ~yìng-jiānshī use both hard and soft tactics; couple threats with promises; use the stick and the carrot｜中国江南一带女子的话语，听来总是~绵绵的。Zhōngguó Jiāngnán yídài nǚzǐ de huàyǔ, tīnglái zǒngshì ~

miánmián de. Women in the south of the Yangtze River in China always speak in a soft tone. ❻〈形 *adj.*〉质量差的或力量弱的 poor in quality; poor in ability: 货～*huò* ～ shabby goods; poor-quality goods | 功夫～*gōngfu* ～ inadequate skill; half-baked skill

⁴ **软件** ruǎnjiàn ❶〈名 *n.*〉(个gè) 人为编制的、用来指挥计算机进行运算、判断、处理信息的程序系统(与'硬件'相对) software (opposite to '硬件 yìngjiàn'): 计算机～ *jìsuànjī* ～ computer software | ～开发～ *kāifā* develop a software | ～技术～ *jìshù* software technology ❷〈名 *n.*〉比喻某项工作过程中与物质设备相对的人员素质、管理水平、工作质量等方面 software: 我们的宾馆不能'硬件'是五星级的,'～'却是四星级的,甚至更低。*Wǒmen de bīnguǎn bù néng 'yìngjiàn' shì wǔxīngjí de, '～' què shì sìxīngjí de, shènzhì gèng dī*. It is not desirable that the hardware of our hotel is five-star standard, whereas the software is that of four-star or even of lower class.

³ **软弱** ruǎnruò〈形 *adj.*〉缺乏力气;也形容不坚强 weak; feeble; flabby: ～无力～ *wúlì* weak and powerless | ～的决定～ *de juédìng* a weak decision | 我们不能如此～下去了 *Wǒmen bù néng rúcǐ* ～ *xiàqù le*. We can't be weak like this any more. | 这孩子身体从小就比较～。*Zhè háizi shēntǐ cóngxiǎo jiù bǐjiào* ～. The child has been quite weak physically since childhood.

⁴ **锐利** ruìlì ❶〈形 *adj.*〉(刀尖、牙齿等)锋利 sharp: ～的爪子～ *de zhuǎzi* sharp claws | 异常～的牙齿 *yìcháng* ～ *de yáchǐ* extremely sharp teeth | 刺刀～极了。*Cìdāo* ～ *jí le*. The bayonet is extremely sharp. ❷〈形 *adj.*〉(眼光、文笔、言论等)尖锐 sharp; keen; acute; shrewd; sagacious; discerning; perceptive: ～的目光～ *de mùguāng* sharp-eyed; sharp-sighted | 文辞～ *wéncí* ～ sagacious language | ～地指出～ *de zhǐchū* point out sharply

⁴ **瑞雪** ruìxuě〈名 *n.*〉(场chǎng) 适时的好雪 timely snow; auspicious snow: ～纷飞～ *fēnfēi* swirling auspicious snow | 飘扬的～ *piāoyáng de* ～ flying auspicious snow | 一场～ *yì chǎng* ～ a timely snow | 近日北方地区普降～。*Jìnrì běifāng dìqū pǔjiàng* ～. A timely snow fell over the north recently.

³ **若** ruò ❶〈连 *conj.*〉如果(表示假设) if: 他～能来,是再好不过了。*Tā* ～ *néng lái, shì zài hǎo búguò le*. It would be so wonderful if he could come. | ～不是等他,我们早就到了。～ *bú shì děng tā, wǒmen zǎo jiù dào le*. We should have arrived much earlier if we had not been waiting for him. ❷〈动 *v.*〉像;同 like; seem; as if: 门庭～市 *méntíng*-～*shì* a much visited house with the courtyard as crowded as a marketplace; be swarmed with visitors | 呆～木鸡 *dāi*-～*mùjī* as dumb as a wooden chicken; dumb struck | 固～金汤 *gù*-～*jīntāng* impregnable; strongly fortified ❸〈副 *adv.*〉用在动词前,相当于'好像'(used before a verb, same as '好像hǎoxiàng') as if; seem; like: ～有所思～*yǒusuǒsī* as if thinking of something; as if deep in thought; seem lost in thought | ～有～无～ *yǒu*-～*wú* vague; faintly discernible | ～即～离～*jí*-～*lí* keep sb. at arm's length

³ **若干** ruògān〈数 *num.*〉多少(表示不定量的数) several: 衣物～ *yīwù* ～ several pieces of clothing | ～年后～ *nián hòu* several years later | 有～现金 *yǒu* ～ *xiànjīn* have some cash

² **弱** ruò ❶〈形 *adj.*〉势力差;力量小(与'强'相对) weak; feeble (opposite to '强 qiáng'): 实力～ *shílì* ～ 的队 *de duì* a weak team | 小国和～国 *xiǎo guó hé* ～ *guó* small and weak nations ❷〈形 *adj.*〉体质差 weak: 气力小 *qìlì xiǎo* ～ weak: 瘦～*shòu*～ thin and weak; emaciated; frail | ～不禁风～*bùjìnfēng* too weak to stand a gust of wind; extremely delicate; fragile | ～小的身材～*xiǎo de shēncái* weak and small body | 她从小体～多病。*Tā cóngxiǎo tǐ*～*duō bìng*. She has been weak and sickly since childhood. ❸〈形 *adj.*〉性格不坚强 weak: 脆～*cuì*～ fragile; delicate | 怯～*qiè*～ timid | 懦～*nuò*～ coward; weak

❹〈形 *adj.*〉用在分数、小数后，表示不够或差一点儿 a little less than (following a fraction or decimal)：占三分之一~ *zhàn sān fēn zhī yī* ~ account for a little less than one third ｜ 增长20%~ *zēngzhǎng bǎi fēn zhī èrshí* ~ increase by a little less than 20 percent ❺〈形 *adj.*〉年纪小 young：老~病残 *lǎo~bìngcán* old and young, sick and disabled ❻〈形 *adj.*〉差；不如（表示比较）inferior; compare unfavorably with; not as good as：说到跑步，他不比你~。*Shuōdào pǎobù, tā bù bǐ nǐ ~.* As far as running is concerned, he is no less capable than you. ｜英语是我的~项。*Yīngyǔ shì wǒ de ~xiàng.* English is what I am not good at.

⁴ **弱点** ruòdiǎn〈名 *n.*〉不足之处；薄弱环节 weakness; weak point; failing; shortcoming：性格~ *xìnggé* ~ a weakness in character ｜ 共同的~ *gòngtóng de* ~ a shared weakness ｜ 他的~十分突出。*Tā de ~ shífēn tūchū.* He has very conspicuous weak points. ｜尽管夺取了冠军，我们队不是就没有~了。*Jǐnguǎn duóqǔle guànjūn, wǒmen duì bú shì jiù méiyǒu ~ le.* The winning of the championship does not mean that our team is free from shortcomings.

S

² 撒 sā ❶〈动 v.〉松开；放开 let go; cast:~手 ~shǒu let go one's hold | ~网 ~wǎng cast a net | 小偷一见警察～丫子就跑。Xiǎotōu yí jiàn jǐngchá ~yāzi jiù pǎo. The pilferer ran away at the sight of the policeman. ❷〈动 v. 贬 derog.〉故意使出或尽量表现出 exert oneself intentionally; throw off all restraint:~刁 ~diāo play a trick | ~赖 ~lài make a scene | 你别~酒疯儿了。Nǐ bié ~ jiǔfēngr le. Don't get drunk and act crazy. ❸〈动 v. 口 colloq.〉排泄，泄出 excrete; let off: ~尿 ~niào piss

⁴ 撒谎 sā// huǎng〈动 v. 口 colloq.〉说假话或说骗人的话 tell a lie; make up a story：不要~ búyào ~ don't lie | 撒了个谎 sǎ le gè huǎng tell a lie | 你连谎都不会撒。Nǐ lián huǎng dōu bú huì sā. You even can't tell a lie well.

² 洒 sǎ ❶〈动 v.〉使（水或其他东西）分散地落下 sprinkle (water, etc.):~扫 ~sǎo sprinkle water and sweep the floor | ~水 ~shuǐ sprinkle water ❷〈动 v.〉散落 spill：油～了。Yóu ~ le. The oil spilled. | 酒被~了多一半儿。Jiǔ bèi ~le duō yí bànr. Most of the wine had spilled out. ❸〈形 adj.〉言谈举止不拘束 (of speech and manner) unrestrained：潇~ xiāo~ natural and unrestrained; carefree | 脱~ ~tuō easy and carefree

⁴ 腮 sāi〈名 n.〉脸部两边的下半部，俗称'腮帮子'gill, commonly called '腮帮子'sāibāngzi：~腺 ~xiàn parotid gland | 那女孩儿两～泛起了红云。Nà nǚháir liǎng~ fàn qǐle hóngyún. The girl blushed.

³ 塞 sāi ❶〈动 v.〉堵住；阻隔；不留缝隙 stop; fill：快~住洞口 Kuài ~zhù dòngkǒu. Quick, stop the oppening of the cave. | 箱子里~满了东西 Xiāngzi li ~mǎnle dōngxi. The case is filled with things. | ~些报纸在抽屉里面。~ xiē bàozhǐ zài chōuti lǐmiàn. Put some newspapers into the drawer. ❷〈动 v.〉填满东西或胡乱放入 stuff：那人把钱一把~给了他。Nà rén bǎ qián yì bǎ ~gěile tā. That man stuffed a roll of money into his hand. ❸〈名 n.〉用来堵住容器口、洞口的东西 stopper; cork：耳~ ěr~ ear-piece | 瓶~ píng~ bottle stopper.

² 赛 sài ❶〈动 v.〉比较高低、强弱、胜负 compete; contest：~跑 ~pǎo have a race | ~球 ~qiú have a ball game | 比~ ~bǐ~ competition | ~出水平 ~chū shuǐpíng give the best account of oneself in a competition ❷〈动 v.〉比得上；胜过 be comparable to; surpass：一个~一个的厉害。Yí gè ~ yí gè de lìhai. One is more formidable than another. | 他悠闲得~过神仙。Tā yōuxián de ~guo shénxiān. He lives a more leisurely life than a god. ❸〈动 v.〉中国旧时祭祀和酬报神灵的活动 (in ancient China) offer sacrifices to gods：~社 ~shè offer sacrifices to the god of land | ~神 ~shén offer sacrifices to gods ❹〈名 n.〉指比赛活动 match; game; contest; competition：大奖~ dàjiǎng~ Grand Prix | 友谊~ yǒuyì~ friendship contest

¹ **三** sān ❶ 〈数 *num.*〉汉字数目字，即阿拉伯数字3，大写为 '叁' three, Chinese numerical, namely the Arabic numeral 3, capitalized as '叁'sān：~军 (陆海空军) *jūn* (*lù-hǎi-kōngjūn*) the three armed services (army, navy and air force) ｜约法~章 *yuēfǎ~zhāng* agree on a three-point law ｜~本书 = *běn shū* three books ❷ 〈数 *num.*〉虚指多数或多次 several; many：屡次~番 *lǚcì ~fān* time and again ｜~思而行 ~*sī'érxíng* think twice before acting ❸ 〈数 *num.*〉虚指少数 very few：~言两语 ~*yán-liǎngyǔ* in one or two words ❹ 〈数 *num.*〉表序数 ordinal number：~姐 ~*jiě* third sister ｜我住在~层。*Wǒ zhù zài ~ céng.* I live on the third floor.

⁴ **三番五次** sānfān-wǔcì 〈成 *idm.*〉指屡次、多次 time and again; again and again：你~来此胡闹，是何道理？*Nǐ ~ lái cǐ húnào, shì hé dàolǐ?* What do you mean by coming here and making trouble again and again?

⁴ **三角** sānjiǎo ❶ 〈名 *n.*〉数学中三角学的简称 trigonometry, short for '三角学 sānjiǎoxué'：平面 ~学 *píngmiàn ~xué* plane trigonometry ｜~与几何 ~ *yǔ jǐhé* trigonometry and geometry ❷ 〈名 *n.*〉 (个 gè) 外形如同三角的东西 something triangular：~板 ~*bǎn* set square ｜~铁 ~*tiě* angle iron ｜~洲 ~*zhōu* delta ｜拉了个一口子 *lále gè ~ kǒuzi* receive a triangular cut ❸ 〈名 *n.*〉指构成或形成三方的关系 a triangular relationship：~关系 ~*guānxì* triangular relations ｜~贸易 ~*màoyì* triangular trade ｜~债 ~*zhài* triangular debt

⁴ **叁** sān 〈数 *num.*〉汉字数目字 '三' 的大写。为防止涂改，一般在票据上应采用大写 three, capital of numeral '三 sān', on bills, accounts, etc. to avoid mistakes or alterations：~仟零~拾元整 ~*qiān líng ~shí yuán zhěng* exactly 3, 030 yuan

² **伞** sǎn ❶ 〈名 *n.*〉 (把bǎ) 挡雨遮阳的用具 umbrella：布~ *bù~* cloth umbrella ｜太阳~ *tàiyáng~* parasol ｜折叠~ *zhédié~* folding umbrella ｜保护~ (比喻起保护作用的人或物) *bǎohù~* (*bǐyù qǐ bǎohù zuòyòng de rén huò wù*) umbrella (fig. safeguard) ❷ 〈名 *n.*〉形状像伞一样的东西 an umbrella-shaped object：降落~ *jiàngluò~* parachute ｜~形 ~*xíng de shù* an umbrella-like tree

³ **散** sǎn ❶ 〈动 *v.*〉松开；解体 come loose; fall apart：~架 ~*jià* fall to pieces ｜~不了 ~*bù liǎo* unable to fall apart ｜头发~开了。*Tóufa ~ kāi le.* The hair hangs loose. ｜人心~了。*Rénxīn ~ le.* People are no longer of one mind. ❷ 〈形 *adj.*〉零碎的；不集中的 scattered; not concentrated：~居 ~*jū* live scattered ｜一盘~沙 (比喻分散的、不团结的状态) *yìpán~shā* (*bǐyù fēnsàn de, bù tuánjié de zhuàngtài*) a tray of loose sand (fig. in a state of disintegration or disunity) ｜~装 ~*zhuāng* in bulk ｜松~ *sōng~* loose ｜大家住得很~。*Dàjiā zhù de hěn ~.* We live scattered. ❸ 〈形 *adj.*〉无拘束 unrestrained：懒~ *lǎn~* sluggish ｜闲~ *xián~* free and at leisure ❹ 〈名 *n.*〉粉末状药物 medicine in powder form：~剂 ~*jì* powder ｜丸~膏丹 *wán~~gāo-dān* pill, powder, plaster and pellet
☞ sàn, p. 845

³ **散文** sǎnwén ❶ 〈名 *n.*〉 (篇ppiān) 一种文学体裁，包括杂文、随笔、小品、特写等 prose：~创作 ~*chuàngzuò* prose writing ｜抒情~ *shūqíng ~* lyric prose ❷ 〈名 *n.*〉指中国古代不讲究韵律、字句长短不一的文章 (区别于 '韵文') (in ancient China) article that is not particular about rules of rhyming or length of sentence (different from '韵文 yùnwén')

³ **散** sàn ❶ 〈动 *v.*〉由聚集而分开 break up; disperse：~场 ~*chǎng* (of a theatre, etc.) let out ｜~会 ~*huì* (of a meeting) be over ｜~摊子 ~*tānzi* (of an organization) break up ｜失~ *shī~* be separated from and lose touch with each other ｜云开雾~ (常比喻疑虑、怨愤得以消除)。*Yúnkāi-wù~* (*cháng bǐyù yílǜ, yuànfèn déyǐ xiāochú*). The clouds lift and the

fog disperses (*fig.* the doubt or discontent is removed). ❷〈动 *v.*〉分布到各处 distribute; disseminate: 发~ *fā*~ diffuse | ~布~*bù* spread | ~置~*zhì* let sth. lie loose | 婚礼上，他不断地给大家~派糖果。*Hūnlǐ shang, tā búduàn de gěi dàjiā ~ pài tángguǒ.* At the wedding party, he kept giving out sweets. ❸〈动 *v.*〉消除；排遣 dispel; let out: ~心~*xīn* drive away one's cares | ~热~*rè* dissipate the heat | ~~屋里的味儿。*~ ~ wūli de wèir.* Let out the bad smell in the room.

☞ sǎn, p. 845

³ 散布 sànbù ❶〈动 *v.*〉分散、传布到各处 scatter; disseminate: ~细菌 ~ *xìjūn* disseminate germs | 迅速~ *xùnsù* ~ spread quickly | 蒲公英依靠风~种子。*Púgōngyīng yīkào fēng ~ zhǒngzi.* Dandelion relies on the wind to spread its seeds. | 他的学生~在全国各高等院校。*Tā de xuésheng ~ zài quánguó gè gāoděng yuànxiào.* His disciples are scattered in all the institutions of higher learning across the nation. ❷〈动 *v.*〉到处传播(某种言论、观点、理论或消息) spread (remarks, viewpoints, theory or news): ~谣言 ~*yáoyán* spread rumors | ~消息~*xiāoxi* disseminate news | ~奇谈怪论 ~*qítán-guàilùn* spread fantastic stories and theories

¹ 散步 sàn//bù〈动 *v.*〉(为了休息)随意地走动、溜达 (for relaxation) take a walk; go for a walk: 咱们出去散会儿步。*Zánmen chūqù sàn huìr bù.* Let's go out and take a walk. | 几个人~到了小树林。*Jǐ gè rén ~ dàole xiǎo shùlín.* Several people strolled to the woods. | 老人们经常在一起散散步、聊聊天。*Lǎorénmen jīngcháng zài yìqǐ sànsànbù, liáoliáotiān.* The old people often take a stroll and have a talk together.

⁴ 散发 sànfā ❶〈动 *v.*〉向外发出并散开 send out; diffuse: 山谷里~着野花的幽香。*Shāngǔ li ~zhe yěhuā de yōuxiāng.* The wild flowers in the valley are sending forth a delicate fragrance. | 热气都~掉了。*Rèqì dōu ~ diào le.* The heat has dispersed completely. ❷〈动 *v.*〉分发 distribute; give out: ~辅导材料 ~*fǔdǎo cáiliào* distribute supplementary materials | 他将传单~到了每个人的手里。*Tā jiāng chuándān ~ dàole měi gè rén de shǒu li.* He gave out the leaflets to everyone.

⁴ 桑树 sāngshù〈名 *n.*〉(棵kē、株zhū)落叶乔木 mulberry, a deciduous tree: ~叶可以养蚕、造纸。*~ yè kěyǐ yǎngcán, zàozhǐ.* Mulberry leaves can be used for feeding silkworms and making paper. | ~上落满了吃桑葚儿的小鸟。*~ shang luòmǎnle chī sāngrènr de xiǎo niǎo.* Many birds are perched on the deciduous tree, pecking the mulberry.

² 嗓子 sǎngzi ❶〈名 *n.*〉喉咙 throat: 这些天~疼。*Zhè xiē tiān ~ téng.* I have a sore throat these days. | ~红肿起来了。*~ hóngzhǒng qǐlái le.* I have a swollen throat. ❷〈名 *n.*〉(副fù、个gè)嗓音 voice: 他~低沉浑厚。*Tā ~ dīchén húnhòu.* He has a deep and sonovous voice. | 一亮~，这位演员就赢得满堂喝彩。*Yí liàng ~, zhè wèi yǎnyuán jiù yíngdé mǎntáng hècǎi.* As soon as he lifted his voice, the actor won applause from the whole house.

³ 丧失 sàngshī〈动 *v.*〉失去；失掉 lose; forfeit: ~人格 ~ *réngé* forfeit one's integrity | 自由~ *zìyóu* lose freedom | ~理智~*lǐzhì* depart from reason | 我母亲卧病多年，已经~了自理的能力。*Wǒ mǔqīn wòbìng duō nián, yǐjīng ~le zìlǐ de nénglì.* Having been seriously ill for many years, my mother has lost the ability of looking after herself.

² 扫 sǎo ❶〈动 *v.*〉用笤帚清除垃圾、尘土等脏物 clear away (litter, dust, etc.) with a broom: ~雪 ~ *xuě* sweep away the snow | ~干净院子 ~ *gānjìng yuànzi* clear the courtyard ❷〈动 *v.*〉消除；除去 remove; eliminate: 横~ *héng* ~ make a clean sweep of | ~黄~*huáng* wipe out pornography | ~雷 ~*léi* mine-sweeping | 他的话~了大家的

S

兴。*Tā de huà ~le dàjiā de xìng.* What he said disappointed all. ❸〈动 *v.*〉迅速地掠过 pass quickly along or over: ~描 *~miáo* scan | ~视 *~shì* run down | 班长手中的枪~出了一排子弹。*Bānzhǎng shǒu zhōng de qiāng ~chūle yì pái zǐdàn.* The squad leader fired a whole clip of ammunition.

⁴ **扫除** sǎochú ❶〈动 *v.*〉清理、去除脏物，使整洁干净 clean; clean up: 大~ *dà~* general cleaning | 我们学校每周五要进行~。*Wǒmen xuéxiào měi zhōu wǔ yào jìnxíng ~.* We have a cleaning in our school every Friday. ❷〈动 *v.*〉除去有碍、有害的人或事物 remove; clear away; eliminate (an obstructive or harmful person or thing): ~文盲 *wénmáng* eliminate illiteracy | ~障碍 *~zhàng'ài* remove an obstacle | ~害人虫 *hàirénchóng* sweep away pests

² **嫂子** sǎozi ❶〈名 *n.* 口 *colloq.*〉哥哥的妻子 elder brother's wife: 哥哥~年年出国，孩子都让我妈照看着。*Gēge ~ niánnián chūguó, háizi dōu ràng wǒ mā zhàokànzhe.* My elder brother and his wife go abroad every year and their child is put to the care of my mother. ❷〈名 *n.* 口 *colloq.*〉尊称朋友的妻子 a friend's wife: 邻居家~昨天回娘家去了。*Línjū jiā ~ zuótiān huí niángjia qù le.* My neighbor's wife went back to her parents' home yesterday.

² **色** sè ❶〈名 *n.*〉颜色；色彩 color; hue: 七~光 *qī~guāng* seven-color light | 湖蓝~ *húlán~* lake blue | 彩~ *cǎi~* colored | 五颜六~ *wǔyán-liù~* colorful ❷〈名 *n.*〉表情；气色 expression; look: 脸~ *liǎn~* complexion | 神~ *shén~* look | 面如土~ *miànrútǔ~* look pale | ~厉内荏（外表强硬，内心却胆怯）*~lì-nèirěn* (*wàibiǎo qiángyìng, nèixīn què dǎnqiè*) fierce of visage but faint of heart (firmness in countenance, but weakness within) ❸〈名 *n.*〉景象；情景 scene; scenery: 暮~ *mù~* dusk | 秋~ *qiū~* autumn scenery | 春~满园 *chūn~ mǎnyuán* a garden full of the beauty of spring | 景~怡人 *jǐng~ yírén* delightful scenery ❹〈名 *n.*〉女子美貌 woman's looks: 美~ *měi~* woman's beauty | 绝~佳人 *jué~ jiārén* the most beautiful woman ever seen | 她是个~艺双全的女子。*Tā shì gè ~-yì-shuāngquán de nǚzǐ.* She is a woman unparalleled both in beauty and art. ❺〈名 *n.*〉表示某种物品的质量 quality (of an object): 足~ *zú~* of standard purity | 音圆润 *yīn~ yuánrùn* a sweet and mellow tone | 这块翡翠的成~不错。*Zhè kuài fěicuì de chéng~ búcuò.* The jadeite is good in quality. ❻〈名 *n.*〉种类；品种 kind; description: 清一~ *qīngyí~* all of the same color | 角~ *jué~* role | 各~各样 *gè~gèyàng* all kinds | 花~齐全 *huā~ qíquán* a complete variety ❼〈名 *n.*〉情欲 lust; sexual passion: ~情~qíng pornographic | ~胆~dǎn be bold to risk sex adventures | ~欲 ~yù sexual passion | 贪财好~ *tāncái-hào~* be greedy for money and fond of women

³ **色彩** sècǎi ❶〈名 *n.*〉（种zhǒng）颜色 color: ~缤纷 *~bīnfēn* colorful | 逼真的~ *bīzhēn de~* color true to life | 这身衣服的~偏暗了些。*Zhè shēn yīfu de ~ piān àn le xiē.* The dress looks a bit dark in color. ❷〈名 *n.*〉比喻思想倾向或某种情调 color; flavor (in ideology or emotion): 东方~ *dōngfāng* Oriental color | 情感~ *qínggǎn~* emotional coloring | 浓郁的宗教~ *nóngyù de zōngjiào~* a strong religious flavor

² **森林** sēnlín〈名 *n.*〉（处chù、片piàn）占地广大并且连片生长的树木群落 forest: 原始~ *yuánshǐ ~* primitive forest | ~面积 *~ miànjī* forest area | 保护~ *bǎohù ~* protect the forest | ~是地球的地表形态之一。*~ shì dìqiú de dìbiǎo xíngtài zhī yī.* Forest is one of the forms of the earth's surface. | 老虎是~之王。*Lǎohǔ shì ~ zhī wáng.* The tiger is king of the forest.

² **杀** shā ❶〈动 *v.*〉把人或动物弄死 kill; slaughter: ~鸡宰鹅 *~jī zǎi é* kill chickens and geese | 英勇~敌 *yīngyǒng ~dí* fight heroically | 自~ *zì~* commit suicide | 被~ *bèi~* be

killed ❷〈动 v.〉搏斗：战斗 struggle；fight：拼~ *pīn*~ grapple｜厮~ *sī*~ fight at close quarters｜~出重围 *~chū chóngwéi* fight one's way out of a heavy encirclement｜饭后，你们再~上一盘(棋)。*Fàn hòu, nǐmen zài ~shang yì pán (qí).* You may play a game of chess after dinner. ❸〈动 v.〉消除；削弱 weaken；reduce：~傲气 *~ àoqì* deflate one's arrogance｜~风景 *~ fēngjǐng* spoil the fun｜~~对方的威风 *~~ duìfāng de wēifēng* puncture the opponent's arrogance ❹〈名 n.〉药物等刺激伤口或皮肤、黏膜而感觉疼痛 smart：用碘酒~~伤口。*Yòng diǎnjiǔ ~ shāngkǒu.* Apply iodine to smart the cut.｜白灰粉尘钻进眼里，~得人眼泪都流出来了。*Báihuī fěnchén zuānjìn yǎn li, ~ de rén yǎnlèi dōu liú chūlái le.* The lime powder got into my eyes and smarted me to tears. ❺〈动 v.〉结束；终止 finish；end：~笔 *~bǐ* stop writing｜~账 *~zhàng* close accounts｜~青 *~qīng* finish and finalize one's manuscript ❻〈动 v.〉跟在某些动词后表示程度深 (used after some verbs) exceedingly；extremely：这个小品真是乐~人了。*Zhège xiǎopǐn zhēn shì lè~ rén le.* The short act is extremely funny.｜痛~我也！*Tòng~ wǒ yě!* I feel exceedingly painful!｜七月的天儿真热~了人！*Qīyuè de tiānr zhēn rè~ le rén!* It is terribly hot in July!

⁴ 杀害 shāhài 〈动 v.〉非法使人致死 murder；kill illegally：绑匪~了几十名人质。*Bǎngfěi ~le jǐshí míng rénzhì.* The kidnapper killed dozens of hostages.

⁵ 沙 shā ❶〈名 n.〉(粒儿)又细又碎的小石粒 sand：~尘 *~chén* fine sand flying up in the air｜~土 *~tǔ* sandy soil｜~漠 *~mò* desert｜细~ *xì~* fine sand｜聚~成塔 (比喻积少成多)。*Jù~chéngtǎ (bǐyù jīshǎo-chéngduō).* Many grains of sand piled up will make a pagoda (Many a little makes a mickle). ❷〈名 n.〉像沙一样松散细小的东西 sand-like thing：~糖 *~táng* granulated sugar｜~金 *~jīn* alluvial gold｜豆~ *dòu~* bean paste｜西瓜是~瓤的。*Xīguā shì ~ráng de.* The watermelon has mushy pulp. ❸〈名 n.〉经烧制而成的含有沙土成分的器皿 utensil that contains sand：~罐 *~guàn* sand jar｜~锅 *~guō* marmite ❹〈形 adj.〉声音不圆润，嘶哑 (of a voice) not mellow；husky：~哑 *~yǎ* hoarse｜喉咙有点儿~了。*Hóulóng yǒudiǎnr ~ le.* The voice has become a little husky.

² 沙发 shāfā 〈名 n. 外 forg.〉(只zhī、套tào、张zhāng、对duì)一种坐具，英语sofa的音译 sofa (a transliteration from English)：~椅 *~yǐ* sofa｜~垫 *~diàn* sofa cushion｜皮~ *pí~* leather sofa｜他坐在~里看书 *Tā zuò zài ~ li kànshū.* He sat in the sofa, reading a book.

² 沙漠 shāmò 〈名 n.〉(片piàn)一种地表形态。地面被沙覆盖，气候干燥，水源奇缺，植物稀少 desert：~化 *~huà* desertification｜治理 *zhìlǐ* ~ harness a desert｜骆驼被誉为~之舟。*Luòtuo bèi yù wéi ~ zhī zhōu.* The camel is honorably called the boat of the desert.

⁴ 沙滩 shātān 〈名 n.〉(片piàn)由水流冲击而成的沙质陆地，分别在水中或水边 sandy beach：荒凉的~ *huāngliáng de ~* a bleak and desolate beach｜鸟儿在那片~上做了窝。*Niǎor zài nà piàn ~ shang zuòle wō.* Birds made their nests on that beach.

⁴ 沙土 shātǔ 〈名 n.〉含沙量大的土壤 sandy soil：~地 *~dì* sandy field｜花生适宜在~中生长。*Huāshēng shìyí zài ~ zhōng shēngzhǎng.* Peanuts grow well in sandy soil.

² 沙子 shāzi ❶〈名 n.〉(粒儿、把bǎ)细碎、微小的石粒 sand；grit：抓了一把~ *zhuāle yì bǎ ~* grab a handful of sand｜眼里揉不得半点~ (比喻不容忍任何不良现象或行为)。*Yǎn li róu bù dé bàn diǎn ~ (bǐyù róngbùde rènhé bùliáng xiànxiàng huò xíngwéi).* No sands are allowed to be rubbed into the eye (*fig.* unreasonable things are offensive to the eye). ❷〈名 n.〉像沙子一样的东西 small grains：铁~ *tiě~* iron pellets

³ 纱 shā ❶〈名 n.〉(团tuán、支zhī)用棉、麻、尼龙等纺成的细线 yarn：棉~ *mián~* cotton

yarn | ~锭 ~*dìng* spindle | ~厂 ~*chǎng* cotton mill ❷〈名 n.〉经纬稀疏的织物 gauze; sheer: ~窗 ~*chuāng* gauze for screening windows | ~布 ~*bù* gauze | ~罩 ~*zhào* gauze covering ❸〈名 n.〉像纱的织物一样的制品 gauze-like product: 铁~ *tiě*~ wire gauze | 塑料~ *sùliào*~ plastic gauze ❹〈名 n.〉一些纺织品的名称 used in some textile products: 麻~ *má*~ cambric | 泡泡~ *pàopao*~ puffy gauze

⁴ **刹** Ⅰ shā//chē ❶〈动 v.〉用闸或其他制动装置止住车辆行进或机器运转 stop a vehicle or a machine by applying the brakes or cutting off the power: 突然~ ~*tūrán* put on the brake suddenly | 我猛地来了个急~. *Wǒ měng de láile gè jí*~. I slammed the brakes on the car. | 他一时没刹住车，撞上了隔离墩。 *Tā yìshí méi shāzhù chē, zhuàngshàngle gélídūn.* He could not stop his car for a moment and ran into the isolation barrier. | 雪天刹起车来很困难。 *Xuětiān shāqǐ chē lái hěn kùnnan.* It is very difficult to stop a car on a snowy day. ❷〈动 v.〉比喻停止进行或制止 fig. stop; prevent: 这件事不能再进行了，该刹刹车了。 *Zhè jiàn shì bù néng zài jìnxíng le, gāi shāsha chē le.* It can not be going on. It is time to call a stop. Ⅱ shāchē〈名 n.〉使车辆、机器停止运动的装置 brake; skid: 这辆车的~坏了。 *Zhè liàng chē de ~huài le.* The brake of the car went bad.

⁴ **砂** shā ❶〈名 n.〉细碎的石粒(多为工业用) grit (used mostly in industry): ~浆 ~*jiāng* mortar | 矿~ *kuàng*~ ore | ~纸 ~*zhǐ* abrasive paper ❷〈名 n.〉像砂一样的东西 grit-like thing: 白~糖 *bái-táng* white granulated sugar | ~眼 ~*yǎn* blowhole

² **傻** shǎ ❶〈形 adj.〉智力低下 呆笨 stupid; silly: ~孩子 ~*háizi* silly child | ~帽儿 ~*màor* muddle-headed | ~瓜 ~*guā* fool | 这人被吓~了。 *Zhè rén bèi xià*~ *le.* The man was stupefied with terror. ❷〈形 adj.〉心眼不活，迟钝 tactless; dull: ~等 ~*děng* be silly to keep on waiting | ~干 ~*gàn* do sth. tactlessly.

³ **傻子** shǎzi〈名 n.〉(个 gè)痴呆而不明事理的人；傻瓜 blockhead; fool: 你怎么跟~一般见识! *Nǐ zěnme gēn ~ yìbān jiànshi!* How could you lower yourself to the same level as a fool?

⁴ **厦** shà ❶〈名 n.〉高大的房屋 a tall building: 广~ *guǎng*~ high building | 大~ *dà*~ mansion | 商~ *shāng*~ commercial building ❷〈名 n. 方 dial.〉房后顶部伸出的部分 the protruding part at the back of a big house: 后~ *hòu*~ covered corridor in the rear | 房屋古色古香，前有回廊，后拥~。 *Fángwū gǔsè-gǔxiāng, qián yǒu huíláng, hòu yōng bào*~. The house has an antique flavor, with an ambulatory in the front and a covered corridor at the back.

⁴ **筛** shāi ❶〈动 v.〉用筛子过滤东西，漏下细小的，留下粗大的 sift; sieve: ~土 ~*tǔ* sift the earth | 把米~一~ *bǎ mǐ* ~ *yì* ~ sieve the rice | 面粉中~出不少虫子来。 *Miànfěn zhōng* ~*chū bù shǎo chóngzi lái.* Quite a few worms were sifted from the flour. ❷〈动 v.〉使酒热；也指斟酒 warm a pot of wine; pour (wine): ~一~酒 ~*yì* ~ *jiǔ* warm the wine a bit | ~几盅酒 ~*jǐ zhōng jiǔ* pour a few cups of wine ❸〈动 v. 方 dial.〉敲；击 beat; strike: ~锣掌号 ~*luó zhǎng hào* strike gongs and blow horns ❹〈名 n.〉用细竹条或铁丝等编织而成的用以过滤东西的器物 sieve; sifter: 煤~ *méi*~ coal screen | 细~ *xì*~ sieve | ~子 ~*zi* griddle

⁴ **筛子** shāizi〈名 n.〉(个 gè)用细竹条或铁丝等编织而成的用以过滤东西的器物 sieve; sifter: 粗~ *cū*~ riddle | 铁~ *tiě*~ iron screen

² **晒** shài ❶〈动 v.〉使阳光照射 bask; bathe: ~被褥 ~*bèirù* air the bedclothes | ~太阳 ~*tàiyáng* bask in the sun | ~干 ~*gān* dry in the sun ❷〈动 v.〉太阳照射 (of the sun) shine on: 暴~ *bào*~ be under the blazing sun for quite a long time | 日~雨淋 *rì*~ *yǔlín* be

exposed to the sun and rain｜~掉了一层皮 ~diàole yì céng pí be so sunburned that a skin is cast off ❸〈动 v. 方 dial.〉把人搁在一边，不理睬 ignore; take no notice of sb. : 谁也不理他，把他~在一边。Shéi yě bù lǐ tā, bǎ tā ~zàile yìbiān. Everyone takes no notice of him and just puts him aside.

¹ **山** shān ❶〈名 n.〉(座zuò)由土石构成的高耸于地表的部分 hill; mountain：群~ qún~ mountains｜高大河 gāo~ dàhé high mountains and large rivers｜~南海北(指遥远的地方或说话漫无边际)~nán-hǎiběi (zhǐ yáoyuǎn de dìfang huò shuōhuà mànwúbiānjì) south of the mountains and north of the seas (all over the country or in the distant places; fig. rambling)｜~摇地动 ~yáo-dìdòng as though sky and earth were shaking ❷〈名 n.〉像山的东西 anything resembling a mountain：冰~ bīng~ iceberg｜靠~ kào~ a mountain that one can rely on (fig. patron)｜人~人海 rén~-rénhǎi huge crowds of people ❸〈名 n.〉山间出产的物品 goods produced in the mountains：~货 huò mountain products｜~梨 ~lí sorb｜~珍海味 ~zhēn-hǎiwèi delicacies from mountains and seas ❹〈名 n.〉供蚕吐丝、做茧用搭建的蚕簇 bushes in which silkworms spin cocoons：蚕~ cán~ man-made bushes for silkworms to spin cocoons｜蚕已经上~作茧了。Cán yǐjīng shàng ~ zuò jiǎn le. The silkworms have gone into the bushes to spin their cocoons. ❺〈形 adj.〉形容声音大 (of a sound) very loud：~响 ~xiǎng terribly loud

³ **山地** shāndì ❶〈名 n.〉(片piàn)多山岳的地区 (与'平原'相对) mountainous region; hilly country (opposite to ' 平原 píngyuán'): ~资源 ~ zīyuán resources in the mountainous regions｜~作战 ~ zuòzhàn fight in the hilly land｜~师 ~shī mountain division ❷〈名 n.〉山上耕种的田地 (多较贫瘠) fields on a hill (usually relatively barren)：改造~ ~gǎizào ~ improve the fields on the hill｜家里只有几分~。Jiā li zhǐyǒu jǐ fēn ~. Our family has only a few fen of field on the hill.

³ **山峰** shānfēng〈名 n.〉(座zuò)高耸而突出的山尖 mountain peak; mountain top：险峻的~ xiǎnjùn de ~ the steep mountain peak｜攀登~ pāndēng ~ climb the mountain top｜座座~林立。Zuòzuò ~ línlì. There stand a forest of mountain peaks.

⁴ **山冈** shāngāng〈名 n.〉(道dào、座zuò)顶端平缓而低矮的山 low hill; hillock：绕过一道~ ràoguò yí dào ~ go round a hillock｜我们登上了那座小~。Wǒmen dēngshàngle nà zuò xiǎo ~. We ascended the hillock.

⁴ **山沟** shāngōu ❶〈名 n.〉(道dào、条tiáo)两山之间深凹的狭长地貌 ravine; mountain valley：大~ dà~ a big ravine｜深~ shēn~ a deep ravine｜沿着~前进 yánzhe ~ qiánjìn go along the valley｜~里有几个茅草棚。~ li yǒu jǐ gè máocǎopéng. There are a few thatched cottages in the valley. ❷〈名 n.〉(道dào、条tiáo)山间流水的沟 gully：~的水清澈见底。~ de shuǐ qīngchè jiàndǐ. The water in the gully is so clear that you can see the bottom.｜淌过~，就到前面那个小山村了。Tǎngguò ~, jiù dào qiánmian nàge xiǎo shāncūn le. Wade across the gully and you will see the little mountain village ahead. ❸〈名 n.〉(个gè)泛指较为偏僻的山区 remote hilly country：~里的孩子 ~ li de háizi a child in the hilly country｜穷~里办起了学校。Qióng ~ li bànqǐle xuéxiào. A school was set up in the remote hilly country.

³ **山谷** shāngǔ〈名 n.〉(条tiáo)两山间低凹而狭长的地带 valley; gorge：~回声 ~huíshēng the echo in the valley｜穿越~ chuānyuè ~ go across the mountain valley｜长长的~ chángcháng de ~ a long ravine

⁴ **山河** shānhé ❶〈名 n.〉山岭江河；也指某一地区的土地 mountains and rivers; the land in a certain area：壮丽的~ zhuànglì de ~ the magnificent mountains and rivers｜这一

带~十分秀丽。*Zhè yídài ~ shífēn xiùlì.* The land here is quite beautiful. ❷〈名 *n.*〉指国土、疆界，也作'河山' the land of a country, also '河山 héshān'：还我~ *huán wǒ* ~ restore our lost territories ｜祖国的好~ *zǔguó de hǎo* ~ the fine land of our motherland

⁴ **山脚** shānjiǎo〈名 *n.*〉山根下靠近平地的部分 the foot of a hill：~下 *~xià* at the foot of a hill ｜由~往上 *yóu ~ wǎng shàng* upwards from the foot of a hill ｜一座寺庙坐落在~。*Yí zuò sìmiào zuòluò zài ~.* A temple stands at the foot of the hill.

⁴ **山岭** shānlǐng〈名 *n.*〉连绵不断的高山大岭 mountain ridge; ridge：高高的~ *gāogāo de* ~ high mountain ridge ｜漫漫~ *mànmàn* ~ ridges upon ridges ｜无边无际的~通向云海的深处。*Wúbiān-wújì de ~ tōngxiàng yúnhǎi de shēnchù.* Boundless mountain ridges extend to the depth of the clouds.

² **山脉** shānmài〈名 *n.*〉(条 tiáo、道 dào)众多山岭依照一定方向延伸并形成如人的血脉一样的山系 mountain range; mountain chain：~的走向 *~ de zǒuxiàng* the run of the mountain range ｜海底~ *hǎidǐ* ~ submarine mountain range ｜世界最高峰珠穆朗玛峰属于喜玛拉雅~。*Shìjiè zuìgāo fēng Zhūmùlǎngmǎ Fēng shǔyú Xǐmǎlāyǎ ~.* Mount Qomolangma, the highest mountain peak in the world, belongs to the Himalayas.

² **山区** shānqū〈名 *n.*〉(个 gè)多山或近山的地区 mountain area：~小学 *~ xiǎoxué* a primary school in the mountain area ｜建设~ *jiànshè* ~ build up the mountain areas ｜我的家在偏远的~。*Wǒ de jiā zài piānyuǎn de ~.* My family lives in the remote hilly country.

¹ **山水** shānshuǐ ❶〈名 *n.*〉山和水，泛指自然景色 mountains and rivers; natural scenery with hills and waters：~秀美 *~ xiùměi* elegant scenery ｜家乡的~ *jiāxiāng de* ~ mountains and rivers of the hometown ｜他走遍了祖国的山山水水。*Tā zǒubiànle zǔguó de shānshān-shuǐshuǐ.* He has traveled all the mountains and rivers of the motherland. ❷〈名 *n.*〉山中流下来的水 water from a mountain：清冽的~ *qīngliè de* ~ cool mountain water ｜叮咚作响。*~ dīngdōng zuò xiǎng.* The mountain water tingles. ❸〈名 *n.*〉中国'山水画'的简称 traditional Chinese painting of mountains and waters, short for '山水画 shānshuǐhuà'：泼墨~ *pōmò* ~ landscape painting done with splashes of ink ｜他是~名家。*Tā shì ~ míngjiā.* He is a well-known landscape painter.

⁴ **山头** shāntóu ❶〈名 *n.*〉(座 zuò)山顶；山巅 hilltop; the top of a mountain：~云雾缭绕。*~ yúnwù liáorào.* The mountain top is shrouded in mist and clouds. ❷〈名 *n.*〉特指称霸一方的某个宗派或势力 mountain-stronghold; faction：~主义 *~ zhǔyì* mountain-stronghold mentality ｜拉~，搞宗派 *lā ~, gǎo zōngpài* form a faction and practice sectarianism

⁴ **山腰** shānyāo〈名 *n.*〉山的中间地带，俗称'半山腰' half way up the mountain, commonly called '半山腰 bànshānyāo'：~处 *~ chù* at the hillside ｜云雾在半~浮动着。*Yúnwù zài bàn ~ fúdòngzhe.* Mist and clouds float at the mountainside.

³ **删** shān〈动 *v.*〉去除；勾掉 delete; cross out：~减 *~jiǎn* leave out ｜~改 *~gǎi* make corrections and deletions ｜这篇文章的第一节完全可以~掉。*Zhè piān wénzhāng de dì-yī jié wánquán kěyǐ ~diào.* The first section of this article can be left out anyway. ｜把他的名字~去。*Bǎ tā de míngzi ~qù.* Cross out his name.

² **珊瑚** shānhú〈名 *n.*〉海中珊瑚虫(一种腔肠动物)骨骼的聚集物 coral：~礁 *~jiāo* coral reef ｜~岛 *~dǎo* coral island ｜红~ *hóng* ~ red coral

² **闪** shǎn ❶〈动 *v.*〉迅速侧身躲开 dodge; get out of the way：往旁边一~ *wǎng pángbiān ~ yì* dodge to one side ｜~开一条路 *~kāi yì tiáo lù* jump out of the way ｜赶快~开！*Gǎnkuài ~kāi!* Get out of the way! ❷〈动 *v.*〉突然出现 flash; appear

suddenly: 灯光一~ **dēngguāng yì** ~ a light flashes | 黑影在月光地里~了~，就没了。 **Hēiyǐng zài yuèguāng dì li** ~**le~, jiù méi le.** A shadow flashed in the moonshine and then disappeared. | 我头脑里曾经~过一个出国留学的念头。 **Wǒ tóunǎo li céngjīng** ~**guo yí gè chūguó liúxué de niàntou.** An idea of going abroad to study flashed across my mind. ❸〈动 v.〉猛地扭伤 twist; sprain: ~了腰 ~**le yāo** sprain one's back ❹〈动 v.〉忽暗忽明；动摇不定 sparkle; glisten: ~光雷 ~**guāngléi** flash mine | ~烁不定 ~**shuò bú dìng** flicker | 电~雷鸣 **diàn**~**léimíng** lightning flashing and thunders roaring | 霓虹灯不断~着。 **Níhóngdēng búduàn** ~**zhe.** The neon lights flickered. ❺〈动 v. 方 dial.〉扔下；抛下；遗留 leave behind; throw out: 快停车！车上~下去一个人了。 **Kuài tíng chē! Chē shang** ~**xiàqù yí gè rén le.** Stop! A passenger is thrown out of the truck. | 父母双双去世，~下了这个孩子。 **Fùmǔ shuāngshuāng qùshì,** ~**xiàle zhège háizi.** Both the father and mother died, leaving behind the child. ❻〈名 n.〉空中的电光 lightning: 打~ **dǎ**~ flashes of lightning

³ 闪电 **shǎndiàn**〈名 n.〉（道 dào）云与云之间、云与地面之间、云与空气之间放电时产生的强光，也比喻迅猛 lightning; fig. being swift and violent: 一道道~ **yí dàodào** ~ flashes of lightning | ~战 ~**zhàn** blitz | ~过后是一声炸雷。 ~**guò hòu shì yì shēng zhàléi.** The lightning was followed by a terrific thunder.

³ 闪烁 **shǎnshuò** ❶〈动 v.〉不停地晃动；忽明忽暗 twinkle; flicker; glimmer: 星光~ **xīngguāng** ~ the starlight twinkles | ~着灯光 ~**zhe dēngguāng** the lamplight flickers | 警灯又~起来。 **Jǐngdēng yòu** ~ **qǐlái.** The light of the police car flickered again. ❷〈动 v.〉半吞半吐，欲遮又掩 dodge about; speak hesitatingly: ~其词 ~**qící** speak evasively | 你今天说话怎么总是闪闪烁烁的？ **Nǐ jīntiān shuōhuà zěnme zǒngshì shǎnshǎn-shuòshuò de?** Why are you always speaking hesitatingly today?

⁴ 闪耀 **shǎnyào**〈动 v.〉（光线）摇晃不定，明亮耀眼 (of light) flash; glitter; radiate: ~着迷人的光彩 ~**zhe mírén de guāngcǎi** radiate fascinating splendor | 繁星~ **fánxīng** ~ the stars twinkle | 这个理论~着智慧的光彩。 **Zhège lǐlùn** ~**zhe zhìhuì de guāngcǎi.** The theory radiates the splendor of wisdom.

³ 扇子 **shànzi**〈名 n.〉（把 bǎ、柄 bǐng）能够摇动生风取凉的用具 fan: 纸~ **zhǐ**~ paper fan | ~面 ~**miàn** the covering of a fan

⁴ 善 **shàn** ❶〈形 adj.〉心地好或言行好（与'恶'相对）good; kind (opposite to '恶 è'): ~良 ~**liáng** good and honest | 心~ **xīn**~ kindhearted | 你这个人太~了。 **Nǐ zhège rén tài** ~ **le.** You are too kindhearted. ❷〈形 adj.〉友好；和睦 friendly; kind: 亲~ **qīn**~ goodwill | 慈眉~目 **címéi**~**mù** having a benevolent countenance ❸〈形 adj.〉熟悉 familiar: 看着他有些面~。 **Kànzhe tā yǒuxiē miàn**~. He looks somewhat familiar. ❹〈形 adj.〉美好；良好 fine; good: 改~ **gǎi**~ improve | 完~ **wán**~ perfect | 多多益~ **Duōduōyì**~. The more, the better. ❺〈动 v.〉长于；擅长 be expert in; be good at: ~斗 ~**dòu** be skilful in fight | 循循~诱 **xúnxún**~**yòu** be good at giving systematic guidance | ~交际 ~**jiāojì** be a good mixer ❻〈动 v.〉办好；做好 do a good job: ~始~终 ~**shǐ**~**zhōng** start well and end well | ~后 ~**hòu** cope with the aftermath of a disaster ❼〈名 n.〉善行或善事 good acts and good deeds: 积德行~ **jīdé-xíng**~ accumulate virtue and do good deeds | ~有善报，恶有恶报。 ~**yǒushànbào, èyǒu'èbào.** Good will be rewarded with good, and evil with evil. ❽〈副 adv.〉好好地；妥善地 properly: ~处 ~**chǔ** deal discreetly with | ~自珍重 **zì zhēnzhòng** take good care of yourself | ~罢甘休 ~**bà-gānxiū** be willing to give up ❾〈副 adv.〉容易 be apt to: ~变 ~**biàn** be apt to change | ~忘 ~**wàng** be forgetful | 多愁~感 **duōchóu**~**gǎn** always melancholy and moody

⁴ **善良** shànliáng〈动 v.〉纯真友爱，不存恶意 good and honest; kindhearted：~的人 ~ *de rén* a goodhearted person｜~的愿望 *de yuànwàng* the best of intentions｜心地~ *xīndì* ~ kind at heart

² **善于** shànyú〈动 v.〉在某方面有专长；长于 be good at; be expert in：~绘画、写作 *huìhuà, xiězuò* be good at painting and writing｜~处理矛盾纠纷 *chǔlǐ máodùn jiūfēn* be good at dealing with contradictions and disputes｜有些学生不~思考，只会死记硬背。*Yǒuxiē xuéshēng bú ~ sīkǎo, zhǐ huì sǐjì-yìngbèi.* Some students can only learn by rote, not good at thinking deeply.

⁴ **擅长** shàncháng〈动 v.〉在某方面有特长；特别善于 be good at; be skilled in; be expert in：~歌唱 *gēchàng* be good at singing｜大师十分~于山水画的创作。*Dàshī shífēn ~ yú shānshuǐhuà de chuàngzuò.* The master is very good at creating landscape paintings.

⁴ **擅自** shànzì〈副 adv.〉越权而自作主张 do sth. without authorization：~决定 *juédìng* make an arbitrary decision｜~处理 *chǔlǐ* deal with authorization｜不得~行动 *bùdé ~ xíngdòng* not take presumptuous action on one's own

² **伤** shāng ❶〈动 v.〉受到损害；使受到损害 hurt; injure：~脑筋 ~ *nǎojīn* cause sb. enough headache｜~和气 ~ *héqi* affect good relationship｜~筋动骨 ~ *jīn-dònggǔ* be injured in the sinews or bones｜~了大家的心 ~ *le dàjiā de xīn* break the heart of all｜小心别~了旁边的孩子。*Xiǎoxīn bié ~ le pángbiān de háizi.* Be careful not to hurt the child right by. ❷〈动 v.〉难过；悲哀 be depressed：~痛 ~ *tòng* be sad at heart｜悲~ *bēi* be grieved｜~怀 ~ *huái* be sick at heart ❸〈动 v.〉因过度而厌烦 get sick of sth.; develop an aversion to sth.：~酒 ~ *jiǔ* get sick from drinking too much wine｜~食 ~ *shí* dyspepsia caused by excessive eating｜吃~了 *chī* ~ *le* get sick of eating sth. ❹〈动 v.〉妨害 harm; hinder：无~大雅 *wú~dàyǎ* unimportant defects; involving no major principle; not affect the whole｜有~风化 *yǒu~fēnghuà* be harmful to social morality ❺〈动 v.〉诋毁 vilify; slander：造谣中~ *zàoyáo-zhòng~* spread slanderous rumors｜出口~人 *chūkǒu~rén* speak bitingly ❻〈动 v.〉因某种原因而得病 fall ill for some reason：~风 ~*fēng* catch cold｜~寒 ~*hán* suffer from typhoid fever｜~湿 ~*shī* suffer from eczema ❼〈名 n.〉〈处 chù、块 kuài〉指人体或其他物体受到的损害 wound; injury：硬~ *yìng~* a wound caused by an accident｜刀~ *dāo~* a cut｜疤~ *bā~* scar｜小病~小 *xiǎo bìng xiǎo* a minor illness and a small wound｜致命~（通常指致命的弱点）*zhìmìng~*（*tōngcháng zhǐ zhìmìng de ruòdiàn*）a fatal wound (often referring to a serious weakness)

³ **伤害** shānghài〈动 v.〉使（肉体或精神上）受到损害 hurt/harm (one's body or spirit)：~他人 ~ *tārén* inflict damage on others｜恶意~ *èyì* ~ hurt people viciously｜别~小动物。*Bié ~ xiǎo dòngwù.* Don't hurt the small animals.｜这样做，岂不是~了大家的感情。*Zhèyàng zuò, qǐbúshì ~ le dàjiā de gǎnqíng?* Wouldn't this hurt the feelings of us all?

⁴ **伤痕** shānghén〈名 n.〉〈道 dào、条 tiáo〉物体受损害后留下的痕迹，也叫'伤疤'scar, also '伤疤 shāngbā'：道道~ *dàodào~* scars｜感情的~ *gǎnqíng de* ~ scar in one's feelings｜那株老树身上已经~累累了。*Nà zhū lǎo shù shēnshang yǐjīng ~ lěilěi le.* There are lots of scars on the trunk of that old tree.

³ **伤口** shāngkǒu〈名 n.〉〈处 chù、道 dào〉生物体因受伤而破裂的创口 wound：~化脓 ~ *huànóng* the wound gathers｜清理~ *qīnglǐ* ~ clean a wound｜~的深度 ~ *de shēndù* the depth of a wound｜~还在流血。*~ hái zài liúxuè.* The wound is still bleeding.

⁵ **伤脑筋** shāng nǎojīn〈惯 usg.〉形容遇到难办的事情，很费心神 cause sb. enough headache; bothersome：大~ *dà* ~ cause sb. a serious headache｜这事儿你就别~啦。*Zhè shìr nǐ jiù bié ~ la.* Don't puzzle your brains about the matter.｜大家正为这事儿~呢。

Dàjiā zhèng wèi zhè shìr ~ ne. Everybody is bothered about the matter. | 他也为这事儿伤起脑筋来了。 *Tā yě wèi zhè shìr shāngqǐ nǎojīn lái le.* He is also puzzling his brains about the matter.

² **伤心** shāng // xīn 〈动 v.〉因不幸而内心难受 be sad; be grieved: ~过度 = *guòdù* extremely sad | 她~得晕过去了。 *Tā ~ de yūn guòqù le.* She was so grieved that she fainted. | 你不要伤了大家的心。 *Nǐ búyào shānglè dàjiā de xīn.* Don't try to break our hearts.

⁴ **伤员** shāngyuán 〈名 n.〉(名míng、个gè、位wèi)受伤者(多用于战争或事故中) the wounded (mostly in war or accident): 重~ *zhòng* ~ the severely wounded | 赶快抢救~。 *Gǎnkuài qiǎngjiù ~.* Give emergency treatment to the wounded person at once.

⁴ **商** shāng ❶〈名 n.〉从事买卖商品的经济活动 commerce; trade; business: ~家 ~*jiā* businessman | ~务 ~*wù* business affairs | 经~ *jīng*~ engage in trade ❷〈名 n.〉从事买卖货物的人 merchant; businessman; trader: ~人 ~*rén* businessman | ~贩 ~*fàn* small retailer | 官~ *guān*~ bureaucratic trader | 外~ *wài*~ foreign businessman | 零售~ *língshòu*~ retailer ❸〈名 n.〉除法运算的得数 quotient: *8被4除的~是2。 Bā bèi sì chú de ~ shì èr.* 8 divided by 4 is 2. ❹(Shāng)〈名 n.〉中国古朝代名,汤灭夏朝后建立(约公元前16世纪-公元前11世纪) the Shang Dynasty in ancient China (c. 16th-11th B. C.), which was established after its overthrow of the Xia Dynasty ❺〈名 n.〉中国古代五音音阶(宫、商、角、徵、羽)之一,相当于简谱中的'2' a note of the ancient Chinese five-tone scale '宫gōng', '商shāng', '角jué', '徵zhǐ' and '羽yǔ', corresponding to 2 in numbered musical notation ❻〈动 v.〉交换意见;讨论 discuss; consult: ~讨 ~*tǎo* discuss | ~量 ~*liang* consult | 协~ *xié*~ talk things over | 相~ *xiāng*~ talk over with

⁴ **商标** shāngbiāo 〈名 n.〉(种zhǒng、个gè)某种商品的表面或包装上由特定图案、文字组成的特殊标志,用于区别同类产品 trade mark/brand, a symbol consisting of special design and words to identify a product: ~法 ~*fǎ* trademark law | 注册~ *zhùcè* ~ registered trademark.

² **商场** shāngchǎng ❶〈名 n.〉(家jiā)指各种商店聚集在一起的市场或面积大、品种齐全的综合性商店 market; shopping arcade: 大~ *dà*~ a big market | 百货~ *bǎihuò*~ department store | 几家~彼此竞争十分激烈。 *Jǐ jiā ~ bǐcǐ jìngzhēng shífēn jīliè.* Several markets are competing with each other fiercely. ❷〈名 n.〉指商界 business circles: ~如战场。 *~rú zhànchǎng.* The business circles are like a battlefield.

¹ **商店** shāngdiàn 〈名 n.〉(家jiā)室内经销商品的单位或场所 shop; store: 药品~ *yàopǐn* ~ drugstore | 批发~ *pīfā* ~ wholesale store | 零售~ *língshòu*~ retail shop | 综合~ *zōnghé* ~ comprehensive store | ~还没有开门。 *~ hái méiyǒu kāimén.* The store is not open yet.

² **商量** shāngliang 〈动 v.〉交换意见或看法以解决问题 discuss; consult: ~工作 ~*gōngzuò* discuss the work | 大伙儿还没~出结果来。 *Dàhuǒr hái méi ~ chū jiéguǒ lái.* The discussion among us has not yet had a result. | 这事儿你们再~~吧。 *Zhè shìr nǐmen zài ~ ~ ba.* You'd better talk it over.

² **商品** shāngpǐn ❶〈名 n.〉为交换而生产的劳动产品(属于政治经济学概念) commodity (a concept of political economics): ~经济 ~*jīngjǐ* commodity economy | 体现在~里的社会必要劳动是价值。 *Tǐxiàn zài ~ li de shèhuì bìyào láodòng shì jiàzhí.* Necessary social labor embodied in commodity is value. ❷〈名 n.〉(个gè、件jiàn、批pī)泛指市场上买卖的物品 goods on the market: 各式~ *gèshì* ~ a variety of goods | 出售~ *chūshòu* ~ sell goods | 进口~ *jìnkǒu* ~ import goods

⁴商榷 shāngquè〈动 v. 书 lit.〉商讨研究 discuss; consult：这个问题值得~。*Zhège wèntí zhídé ~.* The problem is open to discussion.

³商人 shāngrén〈名 n.〉（名míng、位wèi、个gè）做买卖经商的人 businessman; merchant; trader：奸诈的~ *jiānzhà de ~* crafty trader｜外国~ *wàiguó ~* foreign merchant｜~总要以谋利为目的。*~ zǒng yào yǐ móulì wéi mùdì.* A businessman always aims for profit.

⁴商讨 shāngtǎo〈动 v.〉商议 discuss; consult：~问题 ~ *wètí* discuss a question｜进行 ~ *jìnxíng ~* enter into a discussion｜你的建议正在~中。*Nǐ de jiànyì zhèngzài ~ zhōng.* Your suggestion is under discussion.

²商业 shāngyè〈名 n.〉从事商品买卖、流通的经济活动 commerce; trade; business：~秘密 ~ *mìmì* commercial secret｜~网点 ~ *wǎngdiǎn* commercial outlets｜~英语 ~ *Yīngyǔ* commercial English｜发展~ *fāzhǎn ~* develop commerce

⁴商议 shāngyì〈名 n.〉交换意见；讨论研究 exchange opinions; discuss：这个问题不必再~下去了。*Zhège wèntí búbì zài ~ xiàqù le.* This problem needs no further discussion.｜你们再~~吧。*Nǐmen zài ~ ~ ba.* You'd better talk it over.

⁴晌午 shǎngwu〈名 n. 口 colloq.〉中午；正午 noon; midday：一~都没见他。*Yì ~ dōu méi jiàn tā.* I haven't seen him for the whole noon.｜明天~后，你到我家里来吧。*Míngtiān ~ hòu, nǐ dào wǒ jiālǐ lái ba.* Will you come to my house tomorrow afternoon?

⁴赏 shǎng ❶〈动 v.〉奖励（与'罚'相对）grant a reward（opposite to '罚fá'）：~罚分明 *~fá fēnmíng* be strict and fair in meting out rewards or punishments｜老板~给他一笔钱。*Lǎobǎn ~ gěi tā yì bǐ qián.* The boss granted him a sum of money. **❷**〈动 v.〉富于情趣地观看或品味 admire; appreciate：欣~ *xīn~* enjoy｜观~ *guān~* view and admire｜雅俗共~ *yǎsú-gòng~* for the enjoyment of both the educated and the common people｜中秋~月 *Zhōngqiū ~yuè* admire the full moon at the Mid-autumn Festival **❸**〈动 v.〉称赞；看重 praise; think highly of：~识 *~shí* recognize the worth of｜赞~ *zàn~* appreciate｜称~ *chèng~* speak highly of｜孤芳自~（自己看重自己，比喻自命清高）*gūfāngzì~（zìjǐ kànzhòng zìjǐ, bǐyù zìmìng qīnggāo）* a solitary flower in love with its own fragrance（a lone soul admiring his own purity; indulge in self-admiration） **❹**〈动 v. 敬 pol.〉希望他人接受邀请或要求的客气话语 used to express the hope that the other party would accept the invitation or request：~光 *~guāng* have the honor｜~一脸 *~liǎn* do me the favor **❺**〈名 n.〉奖励的财物 reward; award：领~之下 *lǐng~* receive an award｜悬~ *xuán~* offer a reward｜重~之下，必有勇夫。*Zhòng~ zhī xià, bì yǒu yǒngfū.* Where the reward is large, there is sure to be some men to brave dangers.

¹上 shàng ❶〈名 n.〉高处（与'下'相对）up; upper; upward（opposite to '下xià'）：~面 *~miàn* above｜~头 *~tou* at the top｜朝~看 *cháo ~ kàn* look upward｜~知天文，下晓地理。*~ zhī tiānwén, xià xiǎo dìlǐ.* Know everything in heaven above and the earth underneath. **❷**〈名 n.〉等级高或质量好的 higher or superior in level or quality：~级 *~jí* superiors｜~等 *~děng* first-class｜~宾 *~bīn* distinguished guest｜~品 *~pǐn* highest grade｜~流社会 *~liú shèhuì* high society **❸**〈名 n.〉时间或次序在前的 first or preceding in time or order：~辈 *~bèi* predecessor｜~半年 *~bànnián* first half of the year｜~文 *~wén* preceding part of the text｜~限 *~xiàn* upper limit **❹**〈名 n.〉旧称皇帝、长辈等或地位高的人（in old times）referring to the emperor, seniors or people at higher position：皇~ *huáng~* the emperor｜~谕 *~yù* imperial decree｜欺~瞒下 *qī~-mánxià* deceive one's superiors and delude one's inferiors｜~行下效 *~xíng-xiàxiào* the inferior imitate the superiors **❺**〈又读shǎng〉(also pronounced shǎng)上声，古代汉语四个声调（平、上、去、入）之一。现代汉语普通话四声（阴平、阳平、上声、去声）中的第三声

fall-rise tone, one of the four tones （i. e.）in classical Chinese （level, fall-rise, fall and entering）and the third tone of the four tones （i. e. high and level, rise, fall-rise and fall） in contemporary Chinese Putonghua ❻〈名 n.〉中国古代乐谱'工尺'的记音符号，相当于简谱的'1' a note of the scale in *gongche* in ancient China, corresponding to 1 in numbered musical notation ❼〈动 v.〉由低处到高处；由一处到另一处 go up; mount; go from one place to another: ~山 —*shān* go up a hill｜逆流而～*niúliú'ér*~ go upstream ❽〈动 v.〉向前 go ahead: ~前 —*qián* forge ahead｜见困难就～ *jiàn kùnnan jiù* ~ dash forward where there are difficulties to overcome ❾〈动 v.〉往上送；进献 submit; present: ~供 —*gòng* offer a sacrifice｜~书 —*shū* submit a written statement to a higher authority｜呈~ *chéng*~ submit｜敬~ *jìng*~ yours respectfully ❿〈动 v.〉按规定时间进行某种活动 be engaged in some activity at fixed time: ~班 —*bān* go to work｜~学 —*xué* go to school｜~朝 —*cháo* go to court｜~早操 —*zǎocāo* do morning exercises ⓫〈动 v.〉出场；端出 appear; serve: ~阵 —*zhèn* go into battle｜你先一场踢几分钟球 *Nǐ xiān yì chǎng tī jǐ fēnzhōng qiú.* You enter the court and play the ball for some minutes first.｜菜～齐了吗? *Cài* ~*qí le ma?* Are all the dishes served? ⓬〈动 v.〉涂;抹 apply;paint: ~药 —*yào* apply ointment｜~色 —*sè* apply color｜给家具~点儿漆 *gěi jiājù* ~ *diǎnr qī* paint the furniture a little ⓭〈动 v.〉安装;拧紧 set; fix; screw: ~刺刀 —*cìdāo* fix the bayonet｜给表~弦 *gěi biǎo* ~*xián* wind the watch｜门已~锁了。 *Mén yǐ* ~*suǒ le.* The door is locked. ⓮〈动 v.〉刊登；播出 publish; broadcast: ~报纸 —*bàozhǐ* be carried in the newspaper｜~广告 —*guǎnggào* appear in an advertisement｜~账 —*zhàng* enter in an account｜她～了两回电视了。 *Tā* ~*le liǎng huí diànshì le.* She appeared twice on TV. ⓯〈动 v.〉够；达到 reach: ~了岁数 —*le suìshu* be getting on in years｜日～三竿（表示时间不早了）。 *Rì*~*sāngān* （*biǎoshì shíjiān bù zǎo le*）. The sun is three poles high （meaning that it is getting late）.｜等这只股票~到10元就抛出。 *Děng zhè zhī gǔpiào* ~*dào shí yuán jiù pāochū.* Sell it when the share reaches 10 *yuan*. ⓰〈动 v.〉补充；增加 fill; supply; add: ~货 —*huò* replenish the stock of goods｜给车轴~~油 *gěi chēzhóu* ~~ *yóu* grease the axle｜瓜果~市的季节 *guāguǒ* ~*shì de jìjié* a season for melons and fruit ⓱〈副 adv.〉向上 upwards: ~诉 —*sù* appeal to a higher court｜~缴 —*jiǎo* turn over sth. to the higher authorities｜~访 —*fǎng* apply for an audience with the higher authorities to appeal for help｜~报材料 —*bào cáiliào* materials to be submitted to the authorities

➾ shang, p. 861

² **上班** shàng // bān 〈动 v.〉按规定时间出勤工作 go to work at a fixed time: ~族 —*zú* commuter｜每天八点开始~。 *Měitiān bā diǎn kāishǐ* ~. Work starts at 8 every morning.｜昨天一连上了两个班。 *Zuótiān yìlián shàngle liǎng gè bān.* He went on two shifts of duty in succession yesterday.｜昨天她上着上着班突然晕倒了。 *Zuótiān tā shàngzhe shàngzhe bān tūrán yūndǎo le.* She fainted suddenly during work hours yesterday.

⁴ **上报** shàngbào ❶〈动 v.〉向上级报告 report to the leadership: ~材料 ~ *cáiliào* send the materials to the leadership｜事故必须立即~。 *Shìgù bìxū lìjí* ~. The accident must be reported to the authorities immediately.｜文件必须~给局里。 *Wénjiàn bìxū* ~ *gěi júlǐ.* The document must be reported to the bureau. ❷〈动 v.〉登在报纸上 appear in the newspapers: 他的事迹~了。 *Tā de shìjì* ~ *le.* His deeds were reported in the newspapers. ｜这消息明天务必在头版头条~。 *Zhè xiāoxi míngtiān wùbì zài tóubǎn tóutiáo* ~. This must appear as the headline news in the front page tomorrow.

¹ **上边** shàngbian ❶〈名 n.〉位置高（与'下边'相对）top side （opposite to '下边 xiàbian'）: 把书放在~，下边放些别的东西。 *Bǎ shū fàng zài* ~, *xiàbian fàng xiē bié de*

dōngxi. Put the books on the upper side and something else on the lower side. ❷ (~儿) 〈名 *n.*〉指上级领导或负责人(与'下边'相对) leaders; responsible persons(opposite to '下边xiàbian'):~就是这么要求的,我们也没有办法。 *~r jiùshì zhème yāoqiú de, wǒmen yě méiyǒu bànfǎ.* We can do nothing, for it is the requirement of the leadership. ❸ (~儿) 〈名 *n.*〉用在介词后,做介词的宾语 used after a preposition as prepositional object:往~儿看 *wǎng ~r kàn* look upwards | 从~儿流过来的 *cóng ~r liú guòlái de* flow here from upstream | 经~儿批准 *jīng ~r pīzhǔn* approved by the superiors ❹ (~儿) 〈名 *n.*〉 表面;表层(与'下边'相对) surface; top layer(opposite to '下边xiàbian'):桌子~ *zhuōzi* on the table | 水~儿漂着油花儿。 *Shuǐ ~r piāozhe yóuhuār.* Drops of oil floated on the surface of the water. | 把字写在信封的~儿。 *Bǎ zì xiě zài xìnfēng de ~ ér.* Write the characters on the top side of the envelope. ❺ 〈名 *n.*〉前面;前边(与'下边'相对) above; above-mentioned(opposite to '下边xiàbian'):~所言 *~suǒyán* what is said above | ~几条 *~jǐtiáo* the few points mentioned above | 请大家记住~说的话。 *Qǐng dàjiā jìzhù ~ shuō de huà.* Please remember what was said above.

⁴ **上层** shàngcéng 〈名 *n.*〉位置高的一层或几层(常指机构、组织、阶层) the upper level or levels(often referring to an institution, organization or rank):~机关 *~ jīguān* an institution at the upper level | ~社会 *~ shèhuì* upper-class society | 地铁的最~是柏油大道。 *Dìtiě de zuì ~ shì bǎiyóu dàdào.* On the topmost level of the underground railway lies the asphalt road.

² **上当** shàng // dàng 〈动 *v.*〉受骗而吃亏 be taken in; be fooled:小心~ *xiǎoxīn* ~ be careful not to tricked | 你可上了他的大当了。 *Nǐ kě shàngle tā de dà dàng le.* You have fallen into a big trap.

⁴ **上等** shàngděng 〈形 *adj.*〉质量好的或地位高的 high in quality; superior in position; first-class:~货 *~huò* first-class goods | ~人 *~rén* the upper class | 被评为~ *bèi píngwéi* ~ be appraised as first-class | 这茶叶是~的。 *Zhè cháyè shì ~ de.* This is top-class tea.

³ **上帝** Shàngdì ❶ 〈名 *n.*〉中国古人心目中主宰万物的神;基督教奉的最高的神 god who controls everything in the world in the minds of the ancient Chinese; God in Christianity:~鬼神 *~ guǐshén* ghosts and gods | ~保佑 *~ bǎoyòu* God bless! | 啊! 我的~。 *À! wǒ de ~.* Oh, my God! ❷ 〈名 *n.*〉比喻顾客、读者、观众等 *fig.* customer, reader, audience, etc.:读者是~。 *Dúzhě shì ~.* The reader is the god. | 作为~的顾客最公正。 *Zuòwéi ~ de gùkè zuì gōngzhèng.* Customers as gods are the fairest.

² **上级** shàngjí 〈名 *n.*〉在本系统内等级较高的领导部门或个人 leading departments or persons at a higher level; higher authorities:老~ *lǎo~* old chief | ~部门 *~ bùmén* departments at a higher level | 向~报告 *xiàng ~ bàogào* report to the superiors | ~的指示 *~ de zhǐshì* higher-ups' instructions

⁴ **上交** shàngjiāo 〈动 *v.*〉交给上级有关部门 turn over to the higher departments:~罚款 *~ fákuǎn* turn over the fines | ~国库 *~ guókù* turn over to the national treasury | 把材料~给检察院。 *Bǎ cáiliào ~ gěi jiǎncháyuàn.* Hand in the materials to the procuratorate.

⁴ **上进** shàngjìn 〈动 *v.*〉积极向上;追求进步 go upward; pursue progress:~心 *~xīn* the desire to do better | ~的要求 *~ de yāoqiú* the demand for progress | 这孩子知道~了。 *Zhè háizi zhīdào ~ le.* The child has the demand for progress now. | 你怎么不求~呢? *Nǐ zěnme bù qiú ~ ne?* Why don't you strive for progress?

¹ **上课** shàng // kè 〈动 *v.*〉教师讲课;学生听讲课(of a teacher)give a lesson;(of a student)attend class:~铃 *~líng* the bell for class | ~时间不许交头接耳。 *~ shíjiān bùxǔ jiāotóu-jiē'ěr.* Whispering is not allowed in class. | 他还上着课呢。 *Tā hái*

shàngzhe kè ne. He is still in class.

⁴ 上空 shàngkōng〈名 n.〉和某地相对的天空 the sky over some place：广场~飘着几只风筝。*Guǎngchǎng ~ piāozhe jǐ zhī fēngzheng.* Some kites are floating over the square. ｜飞机经过该国~。*Fēijī jīngguò gāiguó ~.* The plane flew over that country.

¹ 上来 Ⅰ shànglái〈动 v.〉开始 at the beginning：他一~就把我批评了一通。*Tā yí ~ jiù bǎ wǒ pīpíngle yítòng.* He criticized me the moment he opened his mouth. Ⅱ shàng//lái ❶〈动 v.〉由低处到高处；由一处到另一处 come up；go from one place to another：你快~看看。*Nǐ kuài ~ kànkan.* Come up and have a look. ｜菜~了。*Cài ~ le.* The food is being served. ｜你一下。*Nǐ ~ yíxià.* Will you come up for a minute? ｜上不来别~了。*Shàng bù lái jiù bié ~ le.* You don't have to come up if you can't. ❷〈动 v.〉表示人员或事物从低层到高层 (of a person or a thing) go from the lower to the higher level：进城的一切关系都办妥了，你很快就可以~了。*Jìnchéng de yíqiè guānxì dōu bàntuǒ le, nǐ hěn kuài jiù kěyǐ ~ le.* All is ready for you to move to the city. You can soon come up. ｜报表到底上得来上不来? *Bàobiǎo dàodǐ shàng de lái shàng bù lái?* Can the report come up or not? ❸〈动 v.〉表示出现 appear：新鲜的瓜果很快就要~了。*Xīnxiān de guāguǒ hěn kuài jiù yào ~ le.* Fresh fruit and melons will soon be in season. ｜突然~了几个匪徒。*Tūrán ~le jǐ gè fěitú.* Some bandits appeared all of a sudden. Ⅲ //shàng//lái ❶〈动 v.〉用在动词后面 used after a verb: a) 表示从较低的部门到较高的部门 go from a department at the lower level to one at the higher level：下面的建议都反映~了。*Xiàmian de jiànyì dōu fǎnyìng ~ le.* Suggestions at the lower levels are all reported. ｜他是从基层调~的。*Tā shì cóng jīcéng diào ~ de.* He was transferred up here from the grassroots level. b) 表示动作由下向上或由远朝近进行 (of a movement) go from the lower to the higher or from the distant to the near：摆~摆~ put sth. up ｜抬上楼来 *táishàng lóu lái* lift sth. upstairs ｜他走上前来和我握手。*Tā zǒushàng qián lái hé wǒ wòshǒu.* He stepped forward and shook hands with me. c) 表示完成 complete；finish：说不~就先不要说。*Shuō bú ~ jiù xiān búyào shuō.* Don't say it if you do not know how to. ｜题目全答~了。*Tímù quán dá ~ le.* All the questions were answered. ❷〈形 adj.〉用在形容词后面，表示程度深、范围扩大 used after an adjective to express the deepening of degree and the expanding of scope：水温热~了。*Shuǐwēn rè ~ le.* The water is warming up. ｜天渐渐地黑~了。*Tiān jiànjiàn de hēi ~ le.* It is getting dark.

² 上面 shàngmian ❶〈名 n.〉位置较高的地方 above；over (opposite to '下面 xiàmian')：那份文件就放在~。*Nà fèn wénjiàn jiù fàng zài ~.* The document was put just on top of that. ｜楼~太热。*Lóu ~ tài rè.* It is too hot upstairs. ｜山~有风。*Shān ~ yǒu fēng.* It is windy on top of the mountain. ❷〈名 n.〉靠前的部分或方面 above-mentioned; aforesaid：~的发言 *~ de fāyán* the above speech ｜~列举了几个事例。*~ lièjǔle jǐ gè shìlì.* Above-mentioned are a few examples. ❸〈名 n.〉东西的表面 on the surface of sth.：贴在玻璃~ *tiē zài bōli ~* stick sth. to the glass ｜把衣服~的灰尘掸一掸。*Bǎ yīfu ~ de huīchén dǎn yì dǎn.* Brush the dust off your clothes. ❹〈名 n.〉方面 aspect; respect：你的孩子最近在学习~不太专心。*Nǐ de háizi zuìjìn zài xuéxí ~ bú tài zhuānxīn.* Your child did not concentrate on the studies recently. ｜你在交际~需要下点儿工夫。*Nǐ zài jiāojì ~ xūyào xià diǎnr gōngfu.* You should devote more time and energy to social intercourse. ❺〈名 n.〉上级或上辈 the higher authorities; the elder generations：~要找你谈话。*~ yào zhǎo nǐ tánhuà.* The superiors want to have a talk with you. ｜你~还有几个舅舅? *Nǐ ~ hái yǒu jǐ gè jiùjiu?* How many uncles do you still have?

¹ **上去** I shàng//qù ❶〈动 v.〉到高处去 go up：快~瞧瞧！ *Kuài ~ qiáoqiao!* Go up and have a look! | 现在已经封山，这座山不让~了。*Xiànzài yǐjīng fēngshān, zhè zuò shān bú ràng ~ le.* The hill is now closed, no one is allowed to climb it. | 生产~了，物价就会下去的。*Shēngchǎn ~ le, wùjià jiù huì xiàqù de.* When the production goes up, the price will come down. ❷〈动 v.〉表示出现 appear：新~几台车，施工进度加快了。*Xīn ~ jǐ tái chē, shīgōng jìndù jiākuài le.* Upon the arrival of more machines, the process of construction quickened. ❸〈动 v.〉表示去向 describing the direction in which sb. is going or has gone：上哪儿去？ *Shàng nǎr qù?* Where are you going? | 我上图书馆去。*Wǒ shàng túshūguǎn qù.* I am going to the library. ❹〈动 v.〉（人员、动作）从低层到高层（of a person or movement）go from a lower level to a higher level：干部要能上得去下得来。*Gànbù yào néng shàng de qù xià de lái.* Cadres must be able to work both at the top and down below. | 意见不能光~不下来。*Yìjiàn bù néng guāng ~ bú xiàlái.* Opinions should be able both to go up and come down. II //shàng//qù〈动 v.〉用在动词后面 used after a verb: a) 表示动作由低处向高处（of a movement）from a lower level to a higher level：攀~ *pān ~* climb up | 跳了~ *tiàole ~* jump up | 计划交了吗？*Jìhuà jiāo ~ le ma?* Have you handed in the plan? | 不要让小孩儿爬上树去玩耍。*Búyào ràng xiǎoháir pá shàng shù qù wánshuǎ.* Don't let children climb the tree and play. b) 表示动作由近处向远处（of a movement）go from the near to the distant：迎~ *yíng ~* go towards | 走上前去 *zǒushàng qián qù* step forward c) 表示增添回合拢在某处 add and join somewhere：加~几条建议 *jiā ~ jǐ tiáo jiànyì* add some suggestions | 劲儿使不~ *jìnr shǐ bú ~* not be able to put in one's energy | 把插头接~ *bǎ chātóu jiē ~* insert the plug in a socket d) 表示动作离开说话人所在地（of a movement）go away from the sayer：跟~ *gēn ~* follow | 把椅子搬上前去 *bǎ yǐzi bānshàng qián qù* move the chair over e) 表示某种状态 a certain state：看~不错 *kàn ~ búcuò* look good | 这张光盘听~音质比较纯美。*Zhè zhāng guāngpán tīng ~ yīnzhì bǐjiào chúnměi.* The disc sounds pure and nice in tone quality.

⁴ **上任** I shàng//rèn〈动 v.〉官员到任就职（of an official）assume office：他到外交部~已经一年了。*Tā dào wàijiāobù ~ yǐjīng yì nián le.* A year has passed since he assumed office in the ministry of foreign affairs. | 新官~三把火（比喻新上任的官员一定要办几件大事以显示自己的能力）*Xīn guān ~ sān bǎ huǒ (bǐyù xīn shàngrèn de guānyuán yídìng yào bàn jǐ jiàn dàshì yǐ xiǎnshì zìjǐ de nénglì)* A new official lights three fires (*fig.* a new official often does a few special things to demonstrate his ability). | 由于身体原因，他总上不了任。*Yóuyú shēntǐ yuányīn, tā zǒng shàng bù liǎo rèn.* For the sake of health, he was not able to take up the post for a long time. II shàngrèn〈名 n.〉指前任官员或领导人 former official or leader：~总经理 *~ zǒngjīnglǐ* former general manager | ~校长 *~ xiàozhǎng* former headmaster.

³ **上升** shàngshēng ❶〈动 v.〉升高 rise; go up; ascend：~的空气 *~ de kōngqì* the rising air | 电梯快速~着。*Diàntī kuàisù ~zhe.* The lift goes up at a quick speed. ❷〈动 v.〉指程度、数量、等级的升高 increase in degree, number, rank, etc.：血压~ *xuèyā ~* one's blood pressure goes up | 人数~ *rénshù ~* the number of people grows | 他的地位正在不断~。*Tā de dìwèi zhèngzài búduàn ~.* His position keeps going up.

² **上述** shàngshù〈名 n. 书 *lit.*〉上面所说或上文提到的 aforesaid; above-mentioned：~见解 *~ jiànjiě* the aforesaid views | ~人员 *~ rényuán* the aforesaid people | ~问题 *~ wèntí* the above-mentioned question

⁵ **上诉** shàngsù〈动 v.〉不服裁定或审判，依法向上一级法院提请重新审理 appeal to a

higher court: 允许~ *yǔnxǔ* ~ be permitted to appeal │ ~的理由 *de lǐyóu* grounds of appeal │ 驳回~ *bóhuí* ~ reject an appeal │ 此案已经~到高级法院。*Cǐ àn yǐjīng ~ dào gāojí fǎyuàn.* Concerning this case, an appeal has been made to the high court.

⁴ **上台** shàng//tái ❶〈动 *v.*〉走上舞台或讲台 step onto the stage or platform: 轮流~演唱 *lúnliú ~ yǎnchàng* go up onto the stage and sing in turn │ ~发言 *~ fāyán* go up onto the platform and make a speech │ 走上了台 *zǒushàngle tái* step onto the platform ❷〈动 *v.*〉出任官职或掌权 assume power; come to power: 新政府~。*Xīn zhèngfǔ ~.* The new government assumes power. │ 民众都不赞成他~掌权。*Mínzhòng dōu bú zànchéng tā ~ zhǎngquán.* The public did not approve of him taking up the post. │ 上了台就该为百姓办好事。*Shàngle tái jiù gāi wèi bǎixìng bànhǎo shì.* You must do good deeds for the common people when in office.

³ **上头** shàngtou ❶〈名 *n.* 口 *colloq.*〉较高的地方 at the top of: 旗杆~ *qígān* ~ at the top of the flagpole │ 屋顶~ *wūdǐng* ~ at the top of the roof ❷〈名 *n.* 口 *colloq.*〉物体的表面 on the surface of sth.: 书桌~ *shūzhuō* ~ on the desk │ 柜台~ *guìtái* ~ on the counter │ 腿~长了一个小疮。*Tuǐ ~ zhǎngle yí gè xiǎo chuāng.* There is a boil on his leg. ❸〈名 *n.* 口 *colloq.*〉方面 aspect: 生活~ *shēnghuó* ~ in life │ 交友~要慎going *Jiāoyǒu ~ yào shènzhòng.* Be careful in making friends. ❹〈名 *n.* 口 *colloq.*〉上级领导 superiors; leaders at a higher level: ~的命令 *de mìnglìng* an order of the higher-ups │ 他是~派来的人。*Tā shì ~ pàilái de rén.* He was assigned here by the superiors. │ 这件事的责任在~。*Zhè jiàn shì de zérèn zài ~.* The higher-ups should be responsible for it.

¹ **上午** shàngwǔ 〈名 *n.*〉指清晨到中午12点这段时间 morning (from early hours to 12 o'clock at noon): 今天~开会。*Jīntiān ~ kāihuì.* There is a meeting this morning. │ 我花费了整整一个~看完了这份稿子。*Wǒ huāfèile zhěngzhěng yí gè ~ kànwánle zhè fèn gǎozi.* I spent the whole morning reading through this manuscript.

³ **上下** shàngxià ❶〈名 *n.*〉指级别、辈分、地位等较高的人和较低的人 high and low (in rank, seniority, position, etc.): 全军~ *quánjūn* ~ the whole army │ 全国~ *quánguó* ~ the whole nation │ ~一心。*~ yìxīn.* The leadership and the rank and file are of one mind. │ 上上下下都愿意和他交往。*Shàngshàng-xiàxià dōu yuànyì hé tā jiāowǎng.* All people, both at the higher and lower levels, are willing to associate with him. ❷〈名 *n.*〉从上到下；上边和下边 from top to bottom; up and down: 浑身~ *húnshēn* ~ from head to foot │ 楼高~有几十层。*Lóu gāo ~ yǒu jǐshí céng.* The building is dozens of stories high. │ 大妈把他上上下下打量了一番。*Dàmā bǎ tā shàngshàng-xiàxià dǎliang le yìfān.* Auntie looked him up and down. ❸〈名 *n.*〉(程度)高低、好坏、优劣 high and low (in degree); good and bad: 难分~ *nán fēn* ~ hard to make a distinction between good and bad │ 他俩的能力不相~。*Tā liǎ de nénglì bùxiāng-~.* They two are about the same in ability. ❹〈名 *n.*〉用于数量词后面，表示这个数是约数 used after a number to show that it is an approximate one: ~五千年 *~ wǔqiān nián* about five thousand years │ 500公斤~ *wǔbǎi gōngjīn* ~ about 500 kilograms ❺〈动 *v.*〉上去和下来 go up and come down: 楼梯过高，老年人~不方便。*Lóutī guògāo, lǎoniánrén ~ bù fāngbiàn.* The staircase is so tall that it is not convenient for old people to ascend and descend it. │ 节日的地铁，人们上上下下，十分拥挤。*Jiérì de dìtiě, rénmen shàngshàng-xiàxià, shífēn yōngjǐ.* The subway during the festival is very crowded with people getting on and off.

¹ **上学** shàng//xué ❶〈动 *v.*〉到学校学习 go to school: ~的日期 *de rìqī* the date for going to school │ 我今天病了，没去。*Wǒ jīntiān bìng le, méi qù* ~. I have not gone to school today for I am ill. │ 她蹦蹦跳跳地~去了。*Tā bèngbèng-tiàotiào de ~ qù le.* She

bounced to school. | 他才上了一个月的学，就能认二百多个字了。Tā cái shàngle yí gè yuè de xué, jiù néng rèn èrbǎi duō gè zì le. He has been at school only for a month but has already learned more than 200 characters. ❷〈动 v.〉开始上小学 begin to attend the primary school: 六岁开始~ liù suì kāishǐ ~ start to attend the primary school at six | 明年就不上幼儿园了，这孩子该~了。Míngnián jiù bú shàng yòu'éryuán le, zhè háizi gāi ~ le. The child should leave the kindergarten and go to school next year.

³ **上旬** shàngxún〈名 n.〉十天为一旬，每月头十天为上旬（区别于'中旬''下旬'）the first ten days of a month (different from '中旬 zhōngxún' or '下旬 xiàxún'): 下月~ xià yuè ~ the first ten days of next month | 月亮在~逐渐明亮起来。Yuèliang zài ~ zhújiàn mínglliàng qǐlái. The moon brightened gradually in the first ten days of a lunar month.

² **上衣** shàngyī〈名 n.〉（件 jiàn）上身穿的衣服 jacket: 皮~ pí~ leather jacket | 你穿的~太单薄了。Nǐ chuān de ~ tài dānbó le. The jacket that you wear is too thin.

³ **上游** shàngyóu ❶〈名 n.〉河流接近源头的一段 head water; upstream; upper reaches of a river: ~地带 ~ dìdài the upstream area | 长江~ Cháng Jiāng ~ the upper reaches of the Yangtze ❷〈名 n.〉比喻先进 fig. advanced position: 力争~ lìzhēng ~ go all out and aim high

⁴ **上涨** shàngzhǎng〈动 v.〉（水位或商品价位）上升 (of water level or the price of a commodity) rise; go up: 河水~。Héshuǐ ~. The river has risen. | 物价~。Wùjià ~. The prices have gone up. | 连日大雪，蔬菜价格~不少。Liánrì dàxuě, shūcài jiàgé ~ bùshǎo. The prices of vegetables have risen much because it has been snowing heavily for days.

⁴ **尚** shàng ❶〈副 adv. 书 lit.〉还；依然 yet; still: ~未报到 ~ wèi bàodào not register yet | 时间~早 shíjiān ~ zǎo still early | 除了这所学校外，报名点~有另外两所。Chúle zhè suǒ xuéxiào wài, bàomíng diǎn ~ yǒu lìngwài liǎng suǒ. There are two more places for signing up, except for this school. ❷〈形 adj.〉崇高 sublime; high: 高~ gāo~ noble ❸〈动 v.〉注重 esteem; value: 崇~ chóng~ advocate | ~武文 ~wǔ xíwén set great store by martial qualities and be good at talking nonsense ❹〈名 n.〉流行的风气或追求的东西 vogue; trend: 时~ shí~ fad | 如今泡网吧已成风。Rújīn pào wǎngbā yǐ chéng fēng~. Visiting the cyber café has become a vogue nowadays. ❺〈连 conj. 书 lit.〉尚且 even: 这本书用心读~有不懂之处，又怎能随意浏览呢？Zhè běn shū yòngxīn dú ~ yǒu bù dǒng zhī chù, yòu zěnnéng suíyì liúlǎn ne? There are still some parts that I don't quite understand even if I read it carefully. How can I just browse it?

¹ **上** shang ❶〈名 n.〉用在某些名词后面 used after some nouns: a)表示物体的顶部或表面 expressing at the top of or on the surface of an object: 黑板~ hēibǎn ~ on the blackboard | 地~ dì~ on the ground | 你身~落了只虫子。Nǐ shēn~ luòle zhī chóngzi. An insect landed on you. b) 表示在某种事物的范围内 within the scope of sth.: 会~ huì~ at the meeting | 文学~ wénxué~ in literature | 报刊~ bàokān~ in the newspapers and magazines | 事实~ shìshí~ in fact | 行动~ xíngdòng~ in action | 思想~ sīxiǎng~ ideologically | 实际~ shíjì~ actually ❷〈动 v.〉用在某些动词后面做补语时 used after some verbs as a complement: a) 表示由低往高的趋向 expressing the upward trend: 走~台 zǒu~ tái step onto the platform | 攀~山顶 pān~shāndǐng scale the top of a hill b) 表示达到目的或标准 satisfy one's goal or standard: 住~新房 zhù~ xīnfáng reside in a new house | 比不~北京 bǐbú~ Běijīng not comparable to Beijing | 她当~了一名教师。Tā dāng~le yì míng jiàoshī. She became a teacher. c) 表示开始或继续 start or continue:

又聊～了 yòu liáo～ le start chatting again | 喜欢～她了 xǐhuan～ tā le take to her | 种～了庄稼 zhǒng～le zhuāngjia start growing crops

☞ shàng, p. 856

⁴ **捎** shāo 〈动 v.〉顺便带上 take along sth. to or for sb. : 请你帮我～一封信吧。 Qǐng nǐ bāng wǒ～ fēng xìn ba. Take along this letter for me, please. | 搂草打兔子——带的(〈歇 alleg.〉形容顺带得了个便宜)。 Lōu cǎo dǎ tùzi——~dài de (xíngróng shùndài déle gè piányi) Catch a rabbit while gathering up hay (gain some additional advantage while doing sth.).

² **烧** shāo ❶〈动 v.〉令物体着火燃烧 burn: ~煤～méi burn coal | 别～着衣服! Bié～zhe yīfu! Be careful not to have your clothes burned! | 房子～起来了。 Fángzi～qǐlái le. The house is burning. ❷〈动 v.〉加热使物体产生变化 heat: ~开水～ kāishuǐ boil water | ~砖～zhuān bake bricks | ~制瓷器～zhì cíqì bake chinaware ❸〈动 v.〉烹饪加工食品的一种手段，或用油炸过后烧、炖，或煮熟后再用油炸 cook; stew after frying or fry after stewing: ~茄子～qiézi stewed eggplant | 爸爸回家后就～起鱼来了。 Bàba huíjiā hòu jiù～qǐ yú lái le. Father began to cook fish as soon as he was back home. | 再～上十分钟就可以端锅了。 Zài～shang shí fēnzhōng jiù kěyǐ duān guō le. Put the pot away after the food is cooked for ten more minutes. ❹〈动 v.〉发烧 run a fever; have a temperature: 孩子昨晚～到40℃。 Háizi zuó wǎn～dào sìshí shèshì dù. The child had a temperature of 40℃ last night. | 他现在还～着呢。 Tā xiànzài hái～zhe ne. He is running a fever at the moment. ❺〈动 v.〉施肥过量，植物枯萎或死亡 apply too much fertilizer so that the plants wither or die: 肥不可多上，否则，花会被～死的。 Féi bùkě duō shàng, fǒuzé, huā huì bèi～sǐ de. Don't spread too much fertilizer. Otherwise, the flowers will die. ❻〈名 n.〉比正常体温高的体温 fever: ~高～ gāo～ a high fever | 孩子已经退～了。 Háizi yǐjīng tuì～ le. The fever of the child is down. ❼〈形 adj.〉因得势或发财而得意忘形 elated because one is in power or makes big money: 刚当个小官儿，瞧他～得不知姓什么了。 Gāng dāng gè xiǎo guānr, qiáo tā～ de bù zhī xìng shénme le. Look, he is elated to the degree of forgetting his own name because he has just become a petty official.

⁴ **烧饼** shāobing 〈名 n.〉(个gè、块kuài)一种面食。用发面经烘烤制成的小圆饼，表面多有芝麻 sesame seed cake: 一碗豆腐脑儿，两个～，就是以往老北京人的早点。 Yì wǎn dòufunǎor, liǎng gè～, jiùshì yǐwǎng lǎo Běijīngrén de zǎodiǎn. A bowl of jellied bean curd and two sesame seed cakes, that was what the local Beijing people had for breakfast in the past.

⁴ **烧毁** shāohuǐ 〈动 v.〉经焚烧而毁灭 burn down; burn up: ~证据～ zhèngjù burn up evidence | ~的面容～ de miànróng burned face | 房屋被完全～。 Fángwū bèi wánquán ~. The house was burned down.

⁴ **梢** shāo 〈名 n.〉树枝或长条形物较细的一端 the thin end of a twig or a similar thing; tip: 眉～méi~ the tip of the brow | 辫～biàn~ the tip of a pigtail | 鞭～biān~ the tip of a whip | 神经末～shénjīng mò~ nerve ending

² **稍** shāo 〈副 adv.〉略微 slightly; a little: ~等～děng wait a moment | ~胜一筹～shèng yì chóu slightly better | 光线～暗。 Guāngxiàn～àn. The light is a bit dim.

² **稍微** shāowēi 〈副 adv.〉表示数量少或程度浅; 略微 a little; a bit; slightly: ~放点儿盐～fàng diǎnr yán put in a little salt | 这一枪～偏了点儿，不然就是十环了。 Zhè yì qiāng～piānle diǎnr, bùrán jiùshì shí huán le. This shot leaned a little. Otherwise, it would have hit the ten-point ring. | ~不小心，便会酿成大祸。 ~bù xiǎoxīn, biàn huì niàngchéng dà huò. A little carelessness will lead to a great disaster.

² **勺子** sháozi 〈名 n.〉(把bǎ、个gè)比勺儿大的半球形餐具，有柄 ladle：用~盛汤 yòng ~ chéng tāng ladle out soup

¹ **少** shǎo ❶〈形 adj.〉数量小；不多 (与'多'相对) few; little; not many; not much (opposite to '多duō')：你挣得也太~了! *Nǐ zhèng de yě tài ~ le!* You are making too little money! | 僧多粥~ (比喻人多物少，不够分配) *sēngduō-zhōu~(bǐyù rén duō wù shǎo, búgòu fēnpèi)* little gruel and many monks (fig. not enough to go around) ❷〈动 v.〉不足；短缺 be short; lack：缺吃~穿 *quēchī-~chuān* have not enough food and clothing | 别着急，~不了你的钱。*Bié zháojí, ~ bù liǎo nǐ de qián.* Don't worry. You will get your share of the money. | 机器上还~几个零件。*Jīqì shang hái ~ jǐ gè língjiàn.* The machine still lacks some parts. ❸〈动 v.〉丢失 be missing：查一查~了哪些东西? *Chá yì chá ~le nǎxiē dōngxi?* Check to see what is missing. | 包里的钱~了。*Bāo li de qián ~ le.* Some money in the bag is missing. ❹〈副 adv.〉稍稍；稍微 slightly; a moment：~歇一会儿 *~ xiē yíhuìr* take a short rest | ~候~hòu wait a moment | ~安毋躁。*~ān-wùzào.* Don't get impatient. Wait a while.

⁴ **少量** shǎoliàng 〈形 adj.〉数量或分量不多 a small amount; a little; a few：~的水 ~ de shuǐ a little water | 我身上只带~的零花钱。*Wǒ shēn shang zhǐ dài ~ de línghuāqián.* I have only a little pocket money with me.

² **少数** shǎoshù 〈名 n.〉不足一半的数或较少的数 (与'多数'相对) less than half; minority; a small number (opposite to '多数duōshù)：~派 ~pài the minority section | 占~ zhàn~ be in the minority | 班里只有~的同学不同意我的意见。*Bān li zhǐyǒu de tóngxué bù tóngyì wǒ de yìjiàn.* Only a small number of classmates do not agree with me. | ~服从多数。*~fúcóng duōshù.* The minority submits to the majority.

⁸ **少数民族** shǎoshù mínzú 〈名 n.〉多民族国家中人口占少数的民族 minority ethnic group; ethnic minority：在中国，除汉族以外的其他五十多个民族都是~。*Zài Zhōngguó, chú Hànzú yǐwài de qítā wǔshí duō gè mínzú dōu shì ~.* In China, all the more than fifty ethnic groups but the Han are minority ones.

² **少年** shàonián ❶〈名 n.〉指十岁到十五六岁的年龄段 early youth (from 10 to 16)：~儿童 ~értóng child | ~时代 ~shídài boyhood; girlhood | 关心和教育~ guānxīn hé jiàoyù ~ care for and educate the juveniles ❷〈名 n.〉(个gè、名míng、位wèi)指十岁到十五六岁年龄段的人 people aged 10 to 16：顽皮的~ wánpí de ~ a naughty child | ~宫 ~gōng children's palace | 唱歌的是位~。*Chànggē de shì wèi ~.* The singer is a boy.

³ **少女** shàonǚ 〈名 n.〉年轻未婚的女孩子 young unmarried girl：美丽的~ měilì de ~ a pretty girl | 文静的~ wénjìng de ~ a gentle and quiet girl | 她是个情窦初开的~。*Tā shì gè qíngdòu-chūkāi de ~.* She is a young girl first dawning of love.

³ **少先队** Shàoxiānduì 〈名 n.〉'少年先锋队'的简称 Young Pioneers, short for '少年先锋队 Shàonián Xiānfēngduì'：~员 ~yuán a Young Pioneer | ~活动日 ~huódòng rì an activity day of the Young Pioneers

⁴ **哨** shào ❶〈名 n.〉(个gè)巡逻、警戒、防守或侦察的哨位 a post for patrol, guard, defense or reconnaissance：瞭望~ liàowàng~ observation post | ~位 ~wèi post | 岗~ gǎng~ sentry post ❷〈名 n.〉哨子 whistle：比赛的~声 bǐsài de ~ shēng the whistle of the match | 人们焦急地等待着裁判终场的~音。*Rénmen jiāojí de děngdàizhe cáipàn zhōngchǎng de ~yīn.* People were anxiously waiting for the judge to blow the whistle to end the match. ❸〈名 n.〉利用舌头和嘴唇调节口中气流而发出的清脆响声 whistling sound made through rounded lips：吹口~ chuī kǒu~ whistle ❹〈动 v. 书 lit.〉巡逻；侦察 patrol; conduct reconnaissance：~探 ~tàn detective | ~马 ~mǎ scout | ~船 ~chuán spy

boat ❺〈动 v.〉鸟叫 (of birds) warble; chirp：林中那只鸟~得真好听啊。*Lín zhōng nà zhī niǎo ~ de zhēn hǎotíng a.* The bird in the woods is chirping sweetly. ❻〈动 v.〉将手指放在嘴里吹出清脆响声 whistle (by putting fingers in the mouth)：呼一一声，眼前闪出几个壮汉。*Hū ~ yì shēng, yǎnqián shǎnchū jǐ gè zhuànghàn.* At the sound of a whistle, several vigorous men emerged from nowhere.

³ **哨兵** shàobīng〈名 n.〉(个 gè、名 míng) 担任警戒任务的士兵 sentry; guard：警惕的~ *jǐngtì de ~* vigilant sentry｜今晚要多加几个~。*Jīn wǎn yào duō jiā jǐ gè ~.* More guards should be assigned tonight.

⁴ **奢侈** shēchǐ〈形 adj.〉大手大脚花钱，以追求过分享受 luxurious：排场~ *páichǎng* a luxurious scene｜~品 ~*pǐn* luxury goods｜~得惊人 ~ *de jīngrén* surprisingly luxurious

² **舌头** shétou ❶〈名 n.〉(条 tiáo、个 gè) 人与动物口腔内辨别滋味、帮助咀嚼和发音的器官 tongue：大~(指说话不利落) *dà~* (*zhǐ shuōhuà bú lìluò*) lisping (thick-tongued)｜嚼~(胡说八道，挑拨是非) *jiáo~* (*húshuō-bādào, tiǎobō shìfēi*) wag one's tongue (talk nonsense; gossip) ❷〈名 n.〉指侦察敌情时被抓来的敌方俘虏 an enemy soldier captured for the purpose of extracting information：先抓个~，了解一下敌情。*Xiān zhuā gè ~, liǎojiě yíxià díqíng.* First of all, let's take a prisoner and get some information about the enemy.

² **蛇** shé〈名 n.〉(条 tiáo) 一种爬行动物，俗称"长虫" snake, a reptile, commonly called 'cháng chóng 长虫'：蝮~ *fù~* adder｜眼镜~ *yǎnjìng~* cobra｜一朝被~咬，十年怕井绳 (形容那种失败一回，就不敢再去尝试的心态) *Yì zhāo bèi ~ yǎo, shí nián pà jǐng shéng* (*xíngróng nà zhǒng shībài yì huí, jiù bù gǎn zài qù chángshì de xīntài*) Once bitten by a snake, one shies at a coiled rope for the next ten years (When a person failed, he would be afraid of another try).

⁴ **舍** shě ❶〈动 v.〉放弃；丢掉 give up; abandon：~命 ~*mìng* sacrifice oneself｜~生忘死 ~*shēng-wàngsǐ* risk one's life｜~去不少麻烦 ~ *qù bù shǎo máfan* save a lot of trouble ❷〈动 v.〉把财物施舍给他人 give alms; dispense charity：~钱 ~ *qián* give money in charity｜~物 ~ *wù* offer things in charity｜不要别人的施~ *búyào biérén de shī~* not accept alms from others

³ **舍不得** shěbude ❶〈动 v.〉不忍分离或离开 be loath to part with or leave：~离开家乡 ~*líkāi jiāxiāng* be loath to leave one's hometown｜她~孩子去外国留学。*Tā ~ háizi qù wàiguó liúxué.* She is loath to let her child go abroad to study. ❷〈动 v.〉因爱惜不忍放弃或使用 hate to part with or use sth. because one cherishes it very much：~穿 ~*chuān* hate to wear｜~扔掉 ~ *rēngdiào* hate to throw it away｜~花钱 ~ *huāqián* grudge one's money

² **舍得** shěde〈动 v.〉愿意割舍；不吝惜 be willing to part with; not begrudge：~花钱 ~ *huāqián* be willing to part with one's money｜他为了学电脑还真~下本钱。*Tā wèile xué diànnǎo hái zhēn ~ xià běnqián.* He does not begrudge the money spent on learning the computer.｜把这件衣服送给他，你是~还是舍不得? *Bǎ zhè jiàn yīfu sòng gěi tā, nǐ shì ~ háishí shěbude?* Are you willing to give this garment to him?

³ **设** shè ❶〈动 v.〉摆放；置放 put; arrange：陈~ *chén~* set out｜摆~ *bǎi~* furnish and decorate (a room)｜~宴 ~*yàn* give a banquet｜~在大厅 ~ *zài dàtīng* be arranged in the hall ❷〈动 v.〉创立；开办 set up; establish：开~ *kāi~* open｜立~ ~*lì* set up｜天造地~ *tiānzào-dì~* created by Heaven and put in one's place by earth｜市政府新~了一个办事机构。*Shì zhèngfǔ xīn ~le yí gè bànshì jīgòu.* The municipal government set up a new agency. ❸〈动 v.〉筹划；谋划 work out：~法 ~*fǎ* think of a way｜~计 ~*jì* design｜~了

几道防线 ~le jǐ dào fángxiàn build several defense lines ❹〈动 v.〉假定 assume; suppose: ~想 ~xiǎng conceive | ~身处地 ~shēn-chǔdì put oneself in sb. else's position ❺〈连 conj. 书 lit.〉假如；假若 if; in case: ~遇强手，将如何应对？ yù qiángshǒu, jiāng rúhé yìngduì? What are you going to do if you come across a strong opponent?

² 设备 shèbèi〈名 n.〉(件jiàn、套tào)可供专项使用的成套建筑或器材 equipment; apparatus; installation: ~更新 ~gēngxīn renewal of equipment | 陈旧的~ chénjiù de ~ outmoded equipment | 完善~ wánshàn ~ improve the installations | 教学~ jiàoxué ~ teaching facilities | 进口成套 jìnkǒu chéngtào import complete sets of equipment

³ 设法 shèfǎ〈动 v.〉找出办法；想办法 find a way; think of a way: 想方~ xiǎngfāng-~ do everything possible | 请你~帮我找到他。 Qǐng nǐ ~ bāng wǒ zhǎodào tā. Please try to find him for me.

² 设计 shèjì ❶〈动 v.〉为达到某个目的而预先制定方案、图样等 make a plan or drawing for certain purpose in advance; design: ~课程 ~kèchéng design the courses | 这身衣服~得非常巧妙 Zhè shēn yīfu ~ de fēicháng qiǎomiào. This garment is cleverly designed. | 这项大工程我们~了不到一年。 Zhè xiàng dà gōngchéng wǒmen ~le bú dào yì nián. We spent only less than a year designing this big project. ❷〈动 v.〉想出计策 find a way; manage: ~脱身 ~tuōshēn manage to get away | ~擒敌 ~qíndí manage to capture the enemy ❸〈名 n.〉(个gè)指预先制定的方案,图样等 plan or drawing made in advance: 不符合原来的~ bù fúhé yuánlái de ~ not conform with the original design | 这个封面~很典雅大方。 Zhège fēngmiàn ~ hěn diǎnyǎ dàfang. The design of the cover is quite elegant and tasteful.

⁴ 设立 shèlì〈动 v.〉成立；建立 establish;set up: 新~的网点 xīn ~ de wǎngdiǎn a newly established outlet | 医务所就~在居民小区。 Yīwùsuǒ jiù ~ zài jūmín xiǎoqū. The clinic was set up right in the neighborhood. | 山上风太大，无法~标志杆。 Shān shang fēng tài dà, wúfǎ ~ biāozhìgān. It was so windy on the mountain that we were unable to erect a signpost.

³ 设施 shèshī〈名 n.〉(批pī、套tào)为某项需要而建立的机构、系统、组织、建筑等 installation; facilities: 军事~ jūnshì ~ military installations | 安全~ ānquán ~ safety facilities | 这家工厂的~很简陋。 Zhè jiā gōngchǎng de ~ hěn jiǎnlòu. The facilities in this factory are simple and crude. | 我们正在安装一套先进的通讯~。 Wǒmen zhèng zài ānzhuāng yí tào xiānjìn de tōngxùn ~. We are fixing a set of advanced communications equipment.

² 设想 shèxiǎng ❶〈动 v.〉推想；假想 imagine;assume; conceive: 不堪~ bùkān ~ inconceivable | 我们~了不少方案。 Wǒmen ~le bùshǎo fāng'àn. We conceived quite a number of plans. ❷〈动 v.〉着想 have consideration for: 替他人~一下吧。 Tì tārén ~ yíxià ba. Will you have some consideration for others? | 我们应当为集体~。 Wǒmen yīngdāng wèi jítǐ ~. We should take the interests of the collective into consideration. ❸〈名 n.〉(个gè)指一种想象或假想 tentative idea; supposition: 我们最初的~是在这里建一家工厂 Wǒmen zuìchū de ~ shì zài zhèlǐ jiàn yì jiā gōngchǎng. Our original idea was to build a factory here. | 这个~很有创意。 Zhège ~ hěn yǒu chuàngyì. This idea is rather creative.

⁴ 设置 shèzhì ❶〈动 v.〉设立 put up; set up: ~障碍 ~zhàng'ài erect a barrier | ~课程 ~kèchéng offer a course | 拐弯处应当~一个路标。 Guǎiwānchù yīngdāng ~ yí gè lùbiāo. A road sign should put up at the corner. ❷〈动 v.〉安排；布置 arrange; install: 每间教室~了两台空调机。 Měi jiān jiàoshì ~le liǎng tái kōngtiáojī. Every classroom is

installed with two air conditioners. ｜大门口～了岗哨。*Dà ménkǒu ~le gǎngshào.* A sentry post was assigned at the gate.

⁴ **社** shè ❶〈名 *n.*〉(个gè、家jiā)集体性组织或团体 organization; society：结～ *jié~* form an association ｜报～ *bào~* newspaper office ｜杂志～ *zázhì~* magazine publisher ｜新闻～ *xīnwén~* news agency ❷〈名 *n.*〉(个gè、家jiā)某些服务性单位 some service unit：旅行～ *lǚxíng~* travel agency ｜茶～ *chá~* tea club ❸〈名 *n.*〉中国古代指社土地神或祭祀土地神的地方、日子和祭礼 (in ancient China) the god of the land; sacrifices to that god; the place and date for such sacrifices：～戏 *~xì* village performance given on religious festivals ｜～火 *~huǒ* campfire on religious festivals ｜春～ *chūn~* spring sacrifice

¹ **社会** shèhuì ❶〈名 *n.*〉由一定的经济基础和上层建筑构成的整体 society：原始～ *yuánshǐ ~* primitive society ｜资本主义～ *zīběn zhǔyì ~* capitalist society ｜共产主义～ *gòngchǎn zhǔyì ~* communist society ❷〈名 *n.*〉由共同的物质条件为基础而相互联系的人群 a given interrelated human group based on common material conditions：～保障 *~ bǎozhàng* security security ｜～关系 *~ guānxì* social relations ｜～群体 *~ qúntǐ* social groups ｜人类～ *rénlèi ~* human society

³ **社会主义** shèhuì zhǔyì ❶〈名 *n.*〉指马克思的科学社会主义学说 socialism, the Marxist theory of scientific socialism ❷〈名 *n.*〉指社会主义制度 the socialist system：～社会 *~ shèhuì* socialist society ｜～的初级阶段 *~ de chūjí jiēduàn* the initial stage of socialism

³ **社论** shèlùn 〈名 *n.*〉(篇piān)报刊编辑部就当前重大问题发表的评论，也称'社评' editorial, an artcle in a newspaper, usually written by the editorial office, giving an opinion on an important subject, also '社评 shèpíng'：元旦～ *Yuándàn ~* New Year's Day editorial ｜各大报纸均转载了《人民日报》的国庆节～。*Gè dà bàozhǐ jūn zhuǎnzǎile 'Rénmín Rìbào' de Guóqìngjié ~.* All major newspapers reprinted the National Day editorial of the *People's Daily.*

⁴ **社员** shèyuán 〈名 *n.*〉(个gè、名míng)社团组织的成员 member of a society/organization：登山～ *dēngshānshè ~* member of the mountaineers' club ｜诗社～ *shīshè ~* member of the poets' club

² **射** shè ❶〈动 *v.*〉借助推力或弹力发出 shoot; fire：～击 *~jī* shoot ｜卧～ *wò~* prone fire ｜箭向那边～了出去。*Jiàn xiàng nà biān ~le chūqù.* The arrow was shot in that direction. ❷〈动 *v.*〉液体受到压力从小孔中迅速喷出 (of liquid) be discharged out of a small hole under pressure：注～ *zhù~* inject ｜喷～ *pēn~* jet ｜精～ *jīng~* ejaculate semen ｜水从水枪里～出来。*Shuǐ cóng shuǐqiāng li ~ chūlái.* Water shoots out of a water pistol. ❸〈动 *v.*〉释放出光、热、电波等 send out (light, heat, electric waves, etc.)：～电望远镜 *~diàn wàngyuǎnjìng* radio telescope ｜光芒四～ *guāngmáng-sì~* radiate brilliant light ｜放～线 *fàng~xiàn* radioactive ray ｜热辐～ *rèfú~* thermal radiation ｜阳光～进丛林。*Yángguāng ~jìn cónglín.* The sun shone through the woods. ❹〈动 *v.*〉另有所指 allude：隐～ *yǐn~* allude to ｜影～ *yǐng~* insinuate ｜含沙～影 *hánshā~yǐng* make insinuations

³ **射击** shèjī ❶〈动 *v.*〉用枪炮等向预定目标开火 shoot; fire：开枪～ *kāiqiāng ~* open fire ｜训练～ *xùnliàn ~* shooting practice ｜猛烈地～ *měngliè de ~* fire fiercely ❷〈名 *n.*〉体育项目之一，用不同规格的枪械打击目标，以命中环数或靶数多少判定胜负 shooting, a sports event：～金牌 *~jīnpái* a gold medal in shooting ｜这次他打破了～世界纪录。*Zhè cì tā dǎpòle ~shìjiè jìlù.* He broke the world record in shooting this time.

⁴ **涉及** shèjí 〈动 *v.*〉关涉到；牵连到 involve; relate to：～面 *~miàn* the re,ated aspect ｜这

件事~到许多人。 Zhè jiàn shì ~ dào xǔduō rén. Many people got involved in the matter.

⁴ **涉外** shèwài 〈形 adj.〉涉及到与外国有关的或对外方面的 concerning foreign countries or foreign affairs：~案件 ~ ànjiàn an overseas-related case ｜~工作 ~ gōngzuò work concerning foreign affairs

⁴ **摄** shè ❶〈动 v.〉拍照 take a photograph：~影棚 ~yǐngpéng film studio ｜~像机 ~ xiàngjī video camera ｜我把这片景致~进了镜头。 Wǒ bǎ zhè piàn jǐngzhì ~jìnle jìngtóu. I took a picture of this scene. ❷〈动 v.〉吸收；吸引 absorb；attract：~入养分 ~ rù yǎngfèn take in nutrient ｜勾魂~魄 gōuhún-~pò summon spirits；(of a woman) have the power to make a man crazy ｜磁石~铁。 Císhí ~ tiě. The magnet attracts iron. ❸ 〈动 v. 书 lit.〉保养 conserve (one's health)：善为~生。 Shànwéi-~shēng. Good conduct is conducive to health. ｜~养 ~yǎng conserve ❹〈动 v. 书 lit.〉代理 act for：~政王 ~zhèngwáng regent ｜~位 ~wèi be an acting ruler ｜~理国政 ~lǐ guózhèng manage state affairs on sb's behalf

³ **摄氏** shèshì 〈名 n.〉由瑞典天文学家摄尔修斯创制的一种计算温度的方法 Celsius degree; centigrade; a way of measuring temperature created by the Swedish astronomer Anders Celsius：30~度 sānshí ~ dù 30℃ ｜~表 ~biǎo centigrade thermometer ｜~与华氏 ~ yǔ huáshì Centigrade and Fahrenheit

⁴ **摄影** shèyǐng ❶〈动 v.〉借助照相设备等仪器拍下实物影像的过程 take a photograph; photography：水下 ~ shuǐxià ~ underwater photography ｜他的~技术不高。 Tā de ~ jìshù bù gāo. He is not good at taking a photo. ❷〈名 n.〉有关拍摄的活动或成果 the process or result of taking a photo：~展 ~zhǎn photo exhibition ❸〈名 n.〉指拍摄的人 photographer：整个剧组就差~没来了。 Zhěngge jùzǔ jiù chà ~méi lái le. All but the photographer in the theatrical team are here.

¹ **谁** shéi ❶〈代 pron.〉虚指某人，表示询问不能肯定或不知道的人 used to inquire about someone you are not sure of or do not know：有~来过？ Yǒu ~ láiguo? Who was here? ｜好像~在唱歌。 Hǎoxiàng ~ zài chànggē? It seems that someone is singing. ｜你没看见~进来过吗？ Nǐ méi kànjiàn ~ jìnláiguo ma? Have you seen anyone come in? ❷ 〈代 pron.〉指代任何人 anyone：a) 常与'也'、'都'等呼应 often used with '也yě'、'都dōu'、etc.：无论~叫，都不要答应。 Wúlùn ~ jiào, dōu búyào dāyìng. No matter who calls, don't answer. ｜也不知道是什么。 ~ yě bù zhīdào shì shénme. Nobody knows what it is. b) 两个'谁'前后照应 used in the double-'谁' structure：~先来~先发言。 ~ xiān lái ~ xiān fāyán. Whoever comes first speaks first. ｜~想好~就讲。 ~ xiǎng hǎo ~ jiù jiǎng. Speak when you are ready. c) 用于否定句，两个'谁'分别指任何两个人 used in a negative sentence, in which the two '谁' refer to any two persons respectively：他们~也不服~。 Tāmen ~ yě bù fú ~. Neither of them could convince the other. ｜~都不理~。 ~ dōu bù lǐ ~. Neither of them would speak to the other. ❸〈代 pron.〉问人 who：~讲课呢？ ~ jiǎng kè ne? Who gave the lecture? ｜~的钱包丢了？ ~ de qiánbāo diū le? Who lost his purse? ｜你找~？ Nǐ zhǎo ~? Who are you looking for? ❹〈代 pron.〉用在反问句中，表示没有一个人 no one （used in rhetorical question）：~能比得上你呀？ ~ néng bǐ de shàng nǐ ya? Who can be compared with you? ｜~不说这所学校好？ ~ bù shuō zhè suǒ xuéxiào hǎo? Everybody says that this is a good school. ｜~知道他竟会这样？ ~ zhīdào tā jìng huì zhèyàng? Nobody expected that he would have been like this.

⁴ **申报** shēnbào 〈动 v.〉以书面形式向上级或有关部门报告 report and apply to a higher

body or related department in written form：~户口 ~ hùkǒu register one's residence │ ~ 职称 ~ zhíchēng apply for an academic title │ ~专利 ~ zhuānlì apply for a patent │ ~的理 由 ~ de lǐyóu reasons for the application

³ **申请** shēnqǐng ❶〈动 v.〉向有关部门说明理由，提出请求 apply for：~入学 ~ rùxué apply for enrollment in a school │ ~补助 ~ bǔzhù apply for subsidy │ ~签证 ~ qiānzhèng apply for a visa ❷〈名 n.〉(份 fèn) 提出的请求 application; request：你的~不予受理。 Nǐ de ~ bùyǔ shòulǐ. Your application is not accepted. │ 最晚明天必须递交。 Zuì wǎn míngtiān bìxū dìjiāo ~. The application must be submitted tomorrow at the latest.

⁴ **申述** shēnshù 〈动 v.〉详细地叙述 explain in detail：~立场 ~ lìchǎng state one's standpoint │ 我已经~了好几遍了，可他还是不同意。 Wǒ yǐjīng ~le hǎo jǐ biàn le, kě tā háishì bù tóngyì. I have explained many times but he still does not agree.

² **伸** shēn〈动 v.〉拉长；展开（与'缩''屈'相对）extend；stretch（opposite to 'suō 缩' or '屈 qū'）：~长脖子 ~cháng bózi stretch out one's neck │ ~了~舌头 ~le ~shétou stick out one's tongue │ 大丈夫能屈能~。 Dàzhàngfu néngqū-néng~. A great man knows when to yield and when not. │ 他把脑袋~向了窗外。 Tā bǎ nǎodai ~ xiàng le chuāngwài. He put his head out of the window.

⁴ **伸手** shēn // shǒu ❶〈动 v.〉把手伸出，比喻向他人或组织要（东西或荣誉等）stretch out one's hand; fig. ask for（sth. or honor）：他~接过衣服。 Tā ~ jiē guò yīfu. He stretched out his hand and took over the clothes. │ 见荣誉不能~，见困难不能缩手。 Jiàn róngyù bù néng ~, jiàn kùnnan bù néng suōshǒu. Don't reach out your hand at the sight of honor; don't shrink at the sight of difficulty. │ 东西在柜子顶上，你伸一下手就 能拿到。 Dōngxi zài guìzi dǐng shang, nǐ shēn yíxià shǒu jiù néng nádào. It is placed on the top of the cabinet, and you can reach it by stretching out your hand. ❷〈动 v. 贬 derog.〉插手或干预别人的事物 have a hand in; meddle in：~别国的事务 ~ biéguó de shìwù meddle in the affairs of other countries │ 不该管的，就别乱~。 Bùgāi guǎn de, jiù bié luàn~. Don't poke your nose into what is not within your jurisdiction.

⁴ **伸展** shēnzhǎn 〈动 v.〉扩展；舒展 expand；extend；spread：新修的柏油路还在向远 方~。 Xīn xiū de bǎiyóulù hái zài xiàng yuǎnfāng ~. The new asphalt road is extending still farther. │ 美丽的山茶花丛向四外不断地~着枝蔓。 Měilì de shānchá huācóng xiàng sìwài búduàn de ~zhe zhīmàn. The beautiful camellia bush keeps spreading out. │ 空间过小，不容易~开手脚。 Kōngjiān guò xiǎo, bù róngyì ~ kāi shǒujiǎo. There is little room for the movement of hands and feet.

² **身** shēn ❶〈名 n.〉人或动物的身躯 body（of a person or animal）：~子 ~zi body │ ~条 ⼉ ~tiáor figure │ ~体力行 ~tǐ-lìxíng set an example by taking personal part │ 半~不遂 bàn~bùsuí half-paralyzed ❷〈名 n.〉生命；性命 life：奋不顾~ fènbúgù~ dash ahead regardless of one's safety │ 献~精神 xiàn~ jīngshén devotion; the spirit of devoting oneself to ❸〈名 n.〉自身 oneself：~世 ~shì one's life experience │ ~不由己 ~bùyóujǐ act in spite of oneself │ 亲~经历 qīn~ jīnglì personal experience │ ~正不怕影斜（比喻自 己行为端正，不怕别人的流言蜚语）。~zhèng búpà yǐng xié (bǐyù zìjǐ xíngwéi duānzhèng, búpà biéren de liúyán-fēiyǔ). Stand straight and never mind if the shadow inclines (fig. A clear conscience laughs at false accusation). ❹〈名 n.〉物体的主要部分 the main part of an object; body：机~ jī~ fuselage │ 河~ hé~ bed of a river │ 树~ shù~ trunk ❺ 〈名 n.〉人的社会地位 the social position（of a person）：~价 ~jià social status │ ~份~ fèn status │ 出~ chū~ family background │ ~败名裂 ~bài-míngliè lose one's standing and reputation ❻〈名 n.〉品德；修养 moral character；accomplishment：修~养性 xiū~

yǎngxìng cultivate one's mind and improve one's moral character │ 立～行事 *lì-xíngshì* conduct oneself in society ❼〈~儿〉〈量 *meas.*〉用于成套衣服 suit：做两～儿套装 *zuò liǎng ~r tàozhuāng* make two suits ❽〈量 *meas.*〉用于塑像、画像 used to describe statue and portrait：塑像一～ *sùxiàng yì* ~ a statue │ 彩绘中有织女六～。*Cǎihuì zhōng yǒu zhīnǚ liù ~.* There are six weaving girls in the colored pattern. ❾〈量 *meas.*〉用于修饰人的气节、神气、力量、技艺等 used to describe integrity, expression, strength, skill, etc.：一～正气 *yì ~ zhèngqì* full of righteousness │ 满～酒气 *mǎn ~ jiǔqì* the whole body smelling of liquor │ 一～绝技 *yì ~ juéjì* possessing many unique skills

² **身边** shēnbiān ❶〈名 *n.*〉身体的近旁左右 at one's side：在～ *dāi zài ~* remain at one's side │ 我～没人。*Wǒ ~ méi rén.* There is nobody near me. │ 他来到父母的～。*Tā láidào fùmǔ de ~.* He has come to stay with his parents. ❷〈名 *n.*〉随身 on one; with one：我～还有点儿钱。*Wǒ ~ hái yǒu diǎnr qián.* I have some money on me. │ 他～总放着药。*Tā ~ zǒng fàngzhe yào.* He always has some medicine with him.

³ **身材** shēncái 〈名 *n.*〉人身的外型体征 figure; statue：～苗条 *~ miáotiáo* have a slender figure │ 瘦小的～ *shòuxiǎo de ~* slight of figure │ 她的～不高也不矮。*Tā de ~ bù gāo yě bù ǎi.* She is neither short nor tall in statue. │ 他的～看起来有些发福了。*Tā de ~ kàn qǐlái yǒuxiē fāfú le.* He seems to be putting on weight.

³ **身份** shēnfèn ❶〈名 *n.*〉人在社会上或法律上的地位 social or legal status of a person：～证 *~zhèng* identity card（ID card）│ 区别～ *qūbié ~* differentiate one's identity │ ～不明 *~ bùmíng* of unknown identity │ 他以公证人的～宣布这次竞赛的结果有效。*Tā yǐ gōngzhèngrén de ~ xuānbù zhè cì jìngsài de jiéguǒ yǒuxiào.* He declared the result of the competition valid in the capacity of a notary. ❷〈名 *n.*〉特指受尊重的地位 dignity：令人羡慕的～ *lìngrén xiànmù de ~* admirable dignity │ 有～的人物 *yǒu ~ de rénwù* a man of dignity │ 这样做，不符合你的～。*Zhèyàng zuò, bù fúhé nǐ de ~.* This is incompatible with your dignity.

¹ **身体** shēntǐ 〈名 *n.*〉人或动物生理组织的整体；有时也指头以外的四肢和躯干 the whole body of a person or animal; sometimes just referring to the limbs and torso, not including the head：锻炼～ *duànliàn ~* take exercises │ ～素质 *~ sùzhì* physical quality │ ～的忍受力 *~ de rěnshòulì* one's endurance │ 活动一下～ *huódòng yíxià ~* stretch one's legs

³ **身子** shēnzi ❶〈名 *n.* 口 *colloq.*〉身体；躯干 body; torso：～骨 *~gǔ* one's health │ ～坐直了 *~ zuòzhí le* sit straight │ 他的～不太舒服。*Tā de ~ bú tài shūfu.* He does not feel well. ❷〈名 *n.* 口 *colloq.*〉指有身孕 pregnancy：她挺着七个月的～还在地里干活呢。*Tā tǐngzhe qī gè yuè de ~ hái zài dìlǐ gànhuó ne.* She is still working in the field though she is 7 months pregnant.

⁴ **呻吟** shēnyín 〈动 *v.*〉发出表示痛苦或疼痛的低微声音 groan; moan：～的声音 *~ de shēngyīn* moaning │ 无病～ *wúbìng~* moan and groan without being ill │ 老人～了一夜。*Lǎorén ~le yí yè.* The old man moaned all night.

⁴ **绅士** shēnshì 〈名 *n.*〉（位wèi、个gè、名míng）旧指地方上有名望、有地位、有势力的人士 gentry, people of high reputation, superior position and much power in a region in old society：～风度 *~ fēngdù* gentleman-like manner │ ～派头 *~ pàitóu* gentleman-like air │ 开明～ *kāimíng ~* enlightened gentry │ 外国～ *wàiguó ~* foreign gentry

¹ **深** shēn ❶〈形 *adj.*〉从上到下或从外往里的距离大（与'浅'相对）deep（opposite to 'qiǎn浅'）：～渊 *~yuān* abyss │ ～井 *~jǐng* a deep well │ ～巷 *~xiàng* deep lane │ ～海 *~hǎi* deep sea │ ～耕 *~gēng* deep ploughing │ ～宅大院 *~zhái-dàyuàn* a mansion with many

courtyards and high walls ❷〈形 *adj.*〉(道理、学问等)难懂，深奥 (of reason, learning, etc.) difficult; profound：高～莫测 *gāo~-mòcè* too profound to be understood | 讲解要～入浅出。*Jiǎngjiě yào ~rù-qiǎnchū.* The profound should be explained in simple terms. | 这次考试出的题目～了一些。*Zhè cì kǎoshì chū de tímù ~le yīxiē.* The questions for this examination are a bit difficult. | 他的文字过于艰～。*Tā wénzì guòyú jiān~.* His writing is difficult to understand. ❸〈形 *adj.*〉强烈；透彻：达到事物的内部或本质的 intense; thoroughgoing; penetrating：～透 *~tòu* penetrating | ～刻 *~kè* profound | 很～的印象 *hěn ~ de yìnxiàng* a very deep impression | 他给人们的影响极～。*Tā gěi rénmen de yǐngxiǎng jí ~.* He exerted a profound influence on people. ❹〈形 *adj.*〉感情好；关系密切 close; intimate：～交 *~jiāo* be on intimate terms | ～情 *~qíng* deep feeling | 一往情～ *yìwǎng-qíng~* cherish a deep-seated affection for | ～挚的友谊 *~zhì de yǒuyì* deep and sincere friendship | 我们的关系渐渐地～了起来。*Wǒmen de guānxi jiànjiàn de ~ le qǐlái.* We gradually became intimate friends. ❺〈形 *adj.*〉色彩浓(与'浅'相对)(in color) dark; deep (opposite to '浅qiǎn')：～色 *~sè* deep color | ～蓝 *~lán* dark blue | ～的那一辆车是我的。*~ de nà yí liàng chē shì wǒ de.* The car in dark color is mine. ❻〈形 *adj.*〉离开始时间久远 late：～秋 *~qiū* late autumn | ～更半夜 *~gēng-bànyè* at dead of night | 日久年～ *rìjiǔ-nián~* after a long lapse of time | 夜～了。*Yè ~ le.* It was late at night. ❼〈名 *n.*〉从上到下或从外往里的距离 depth：纵～ *zòng~* depth | 进～ *jìn~* depth | ～度 *~dù* depth | 测一测沿～洞 *cè yí cè dòng ~* survey the depth of the cave | 河水达十几米～。*Héshuǐ dá shí mǐ ~.* The river is more than ten meters deep. ❽〈副 *adv.*〉很；非常 very; greatly; deeply：～信 *~xìn* be deeply convinced | ～表同情 *~ biǎo tóngqíng* show great sympathy for | ～感遗憾 *~gǎn yíhàn* feel deeply sorry

⁴ **深奥** shēn'ào〈形 *adj.*〉道理、含义等高深难以理解 (of reason, meaning, etc.) profound; difficult to understand：～的学问 *~ de xuéwèn* profound learning | 他讲得似乎过于～，谁都听不明白。*Tā jiǎng de sìhū guòyú ~, shéi dōu tīng bù míngbai.* His talk seemed to be over-profound so nobody understood.

⁴ **深沉** shēnchén ❶〈形 *adj.*〉形容程度深 deep in degree：暮霭～ *mù'ǎi ~* deepening dusk | ～的忧思 *~ de yōusī* deep worry | 老人昨晚睡得很～。*Lǎorén zuó wǎn shuì de hěn ~.* The old man had a heavy sleep last night. ❷〈形 *adj.*〉音色低沉 (of a sound) deep：嗓音～ *sǎngyīn ~* a deep voice | 乐曲一下变得～起来。*Yuèqǔ yīxià biàn de ~ qǐlái.* All of a sudden, the music deepened. ❸〈形 *adj.*〉含蓄而不外露 concealing one's feelings：为人～ *wéirén ~* a man of great depth | ～的目光 *~ de mùguāng* a deep look

⁴ **深处** shēnchù〈名 *n.*〉很深、很远的地方 depth; a very deep and distant place：矿井～ *kuàngjǐng ~* deep in the pit | 内心～ *nèixīn ~* in the depth of one's heart | 山林的～ *shānlín de ~* the depth of the forest

³ **深度** shēndù ❶〈名 *n.*〉往下或往里的距离；深浅的程度 depth; the degree of depth：井下～ *jǐngxià ~* the depth of the well | 海洋～ *hǎiyáng ~* the depth of the sea | 院落～ *yuànluò ~* the depth of the yard ❷〈名 *n.*〉表现事物本质的程度 profundity; depth：理论～ *lǐlùn ~* theoretical depth | 这篇文章的～不够。*Zhè piān wénzhāng de ~ bú gòu.* This article does not have enough depth. ❸〈名 *n.*〉事物向更高阶段发展的程度 the degree of a thing developing to a higher stage：研究的～和广度 *yánjiū de ~ hé guǎngdù* the depth and width of the research | 拓展改革的～ *tuòzhǎn gǎigé de ~* extend the depth of the reform ❹〈形 *adj.*〉程度深的 deep in degree：～近视 *~jìnshì* very near-sighted

² **深厚** shēnhòu ❶〈形 *adj.*〉(基础)扎实；坚固 (of a foundation) solid; firm：～的功力 *de gōnglì* remarkable craftsmanship | 功底～ *gōngdǐ ~* a deep-seated foundation | 基础扎

得非常~。 *Jīchǔ dǎ de fēicháng ~.* A very solid foundation is laid. ❷〈形 *adj.*〉感情等程度深 (of feelings, etc.) deep in degree: ~的友情 *de yǒuqíng* a profound friendship | 两人的情感日渐~起来。 *Liǎng rén de qínggǎn rìjiàn ~ qǐlái.* The affections between the two of them deepened gradually. ❸〈形 *adj.*〉物体从上到下的距离大 thick; deep: 中国的黄土高原土层十分~。 *Zhōngguó de Huángtǔ Gāoyuán tǔcéng shífēn ~.* The soil layer of the Loess Plateau in China is very thick. | 草泽之中往往有许多~的泥沼。 *Cǎozé zhī zhōng wǎngwǎng yǒu xǔduō ~ de nízhǎo.* There are often many deep mires in the marsh.

⁴ **深化** shēnhuà 〈动 *v.*〉向更深的程度或阶段发展 deepen: 不断地~改革 *búduàn de ~ gǎigé* continuously deepen the reform | 我们的认识得到了~。 *Wǒmen de rènshi dédào le ~.* Our cognition has deepened.

² **深刻** shēnkè ❶〈形 *adj.*〉深入而透彻的 deep; profound; deep-going: ~变化 ~ *biànhuà* profound change | ~地反映 *de fǎnyìng* reflect profoundly | 你分析得很~。 *Nǐ fēnxī de hěn ~.* You have made penetrating analysis. | 我们的认识一天天地~起来。 *Wǒmen de rènshi yìtiāntiān de ~ qǐlái.* Our cognition is deepening with each passing day. ❷〈形 *adj.*〉感受很强烈 (of a feeling) intense: ~的体会 *de tǐhuì* deep understanding | ~地领悟到 *de lǐngwù dào* have a sound grip of | 印象非常~。 *Yìnxiàng fēicháng ~.* It is a very deep impression.

⁴ **深浅** shēnqiǎn ❶〈名 *n.*〉深与浅的程度 the degree of depth and shallowness; shade: 河水的~ *héshuǐ de ~* the depth of the river | 探听一下那人的~。 *Tàntīng yíxià nà rén de ~.* Sound out the depth of that man. | 那颜色~不一。 *Nà yánsè ~ bùyī.* The color is different in shade. ❷〈形 *adj.*〉比喻说话、做事的程度 fig. proper limits of speech or action: 说话注意~,别得罪人。 *Shuōhuà zhùyì ~, bié dézuì rén.* Speak properly so as not to offend people. | 他做事~总那么适度。 *Tā zuòshì ~ zǒng nàme shìdù.* He is always so proper in action.

⁴ **深切** shēnqiè ❶〈形 *adj.*〉(感情)深厚,亲切 (of feelings) deep; profound: ~的慰问 *de wèiwèn* express heart-felt sympathy for | 我们~地怀念逝去的亲人。 *Wǒmen ~ de huáiniàn shìqù de qīnrén.* We cherish the memory of the late dear ones in our hearts. ❷〈形 *adj.*〉(认识、感受)深刻,切实 (of cognition or feeling) deep; real: ~的了解 *de liǎojiě* deep understanding | ~地感受到大家给我的温暖。 *Wǒ ~ de gǎnshòu dào dàjiā gěi wǒ de wēnnuǎn.* I feel deeply the kindness of all of you.

⁴ **深情** shēnqíng ❶〈名 *n.*〉(片 piàn)深厚的感情 deep feeling; deep love: 片片~ *piànpiàn ~* pieces of kindness | ~似海 *~ sì hǎi* a sea of love ❷〈形 *adj.*〉情感深厚 profound in feelings: ~地遥望 *de yáowàng* look into the distance with deep feeling | ~地告别 *de gàobié* bid farewell with deep feeling

² **深入** shēnrù ❶〈动 *v.*〉进入事物的内部或中心 go deep into; penetrate into: ~人心 ~ *rénxīn* go deep into the hearts of people | ~敌方腹地 *dífāng fùdì* penetrate into the heart of the enemy territory | 孤军~ *gūjūn ~* an isolated force going deep into the enemy territory | ~到群众中去 *dào qúnzhòng zhōng qù* go deep into the masses of the people ❷〈形 *adj.*〉深刻而透彻 thorough; deep-going: ~的分析 *de fēnxī* deep analysis | ~调查 ~ *diàochá* make a deep investigation

⁴ **深信** shēnxìn 〈动 *v.*〉非常相信,毫不怀疑 be deeply convinced; have not the slightest doubt: ~不疑 *~ bù yí* believe firmly | 我~他是不会欺骗我的。 *Wǒ ~ tā shì búhuì qīpiàn wǒ de.* I am deeply convinced that he will not cheat me.

³ **深夜** shēnyè 〈名 *n.*〉指夜里12点以后 late at night (referring to the time after

midnight)：事情发生在昨天~。*Shìqing fāshēng zài zuótiān ~.* It happened late last night.

⁴ **深远** shēnyuǎn ❶〈形 *adj.*〉深刻，长远 far-reaching; profound and lasting：~的影响 ~ *de yǐngxiǎng* far-reaching influence｜含义～*hányì* ~ profound implication｜这个结论不久将会显出十分~的意义。*Zhège jiélùn bùjiǔ jiāng huì xiǎnchū shífēn ~ de yìyì.* The conclusion will display its lasting and profound significance soon. ❷〈形 *adj.*〉（空间）深而远 (of space) deep and distant：星空～而虚幻。*Xīngkōng ~ ér xūhuàn.* The starry sky is deep and illusory.

⁴ **深重** shēnzhòng〈形 *adj.*〉程度高而深（多形容苦难、罪恶、危机等）high and deep in degree; very grave (often describing sufferings, crime, crisis, etc.)：~的灾难 ~ *de zāinàn* a very serious disaster｜负担～*fùdān* ~ a very heavy burden｜罪孽～*zuìniè* ~ sinful

¹ **什么** shénme ❶〈代 *pron.*〉表示疑问 used to express a question：a) 问事物或行为（单用）asking about a thing or behavior：那是~？ *Nà shì ~?* What is that?｜你在讲~ *Nǐ zài jiǎng ~ ?* What were you talking about?｜~叫诚信？ *~ jiào chéngxìn?* What is sincerity? b) 问人或事物（用在名词前）asking about a person or a thing (used before a noun)：~书？ *~ shū?* What book is it?｜他担任~职务？ *Tā dānrèn ~ zhíwù?* What duty do you shoulder?｜你找~人？ *Nǐ zhǎo ~ rén?* Who are you looking for? ❷〈代 *pron.*〉表示不确定的事物（虚指）expressing an uncertain thing：你随便拿点儿~来。*Nǐ suíbiàn ná diǎnr ~ lái.* Bring here whatever you think proper.｜~要，~不要，我都清楚。*~ yào, ~ bú yào, wǒ dōu qīngchu.* I'm quite clear about what I want and what I don't. ❸〈代 *pron.*〉表示任指 expressing anything：a) 用于'也''都'前，表示所指范围内无例外 used before '也yě' or '都dōu' to indicate no exception within the related realm：~也不管～*yě bù guǎn* not care about anything｜干~都行 *gàn ~ dōu xíng* any job will do b) 两个'什么'前后照应，表示由前者决定后者 double '什么' is used to indicate that the former decides the latter：~种子发～芽～*zhǒngzi fā ~ yá* what seeds put forth what sprouts｜想~就有~ *xiǎng ~ jiù yǒu ~* have sth. as long as you want it｜该买~便买 *gāi mǎi ~ biàn mǎi* buy what should be bought ❹〈代 *pron.*〉表示惊讶或不满 expressing surprise or dissatisfaction：~！他得了癌症？ *~! Tā déle áizhèng?* What! He suffers from cancer?｜~破笤帚！连地都扫不干净！ *~ pò tiáozhou! Lián dì dōu sǎo bù gānjìng!* What a poor broom! It even couldn't sweep the ground clean! ❺〈代 *pron.*〉表示责难 expressing blame：你胡闹~！ *Nǐ húnào ~!* Stop making a row!｜哭~？就知道哭，没别的本事了！ *Kū ~? jiù zhīdào kū, méi bié de běnshi le!* What are you crying for? You can do nothing but cry! ❻〈代 *pron.*〉表示否定 expressing negation：a) 不同意对方的看法或做法 disagreeing with the other party's view or action：~讲理不讲理的，全是瞎话！ *~ jiǎnglǐ bù jiǎnglǐ de, quán shì xiāhuà!* To reason or not to reason, it's all nonsense!｜~征求意见，还不是他说了算！ *~ zhēngqiú yìjiàn, hái bú shì tā shuōle suàn!* To the devil with soliciting opinions! It's none but him who has the final say.｜你这是~话！ *Nǐ zhè shì ~ huà!* What do you mean by this! b) 有不以为然的意味 thinking otherwise：他知道~！ *Tā zhīdào ~!* He knows nothing!｜不就是90分吗，有~了不起！ *Bú jiùshì jiǔshí fēn ma, yǒu ~ liǎobuqǐ!* It's just 90 points. What's the reason for being swollen with pride! ❼〈代 *pron.*〉表示列举未尽 expressing it is not the end of enumeration：~写信、~打电话，他都忘了。*~ xiěxìn、~ dǎ diànhuà, tā dōu wàng le.* He forgot writing a letter, making a telephone call, anything.｜假期一到，~作业啦、~练习啦，全被他扔在脑后了。*Jiàqī yí dào, ~ zuòyè la, ~ liànxí la, quán bèi tā rēng zài nǎohòu le.* When the vacation arrived, he put homework, exercises, anything out

of mind. ⑧〈代 *pron.*〉表示肯定 expressing certainty：我早就想写点儿~。*Wǒ zǎo jiù xiǎng xiě diǎnr ~.* I have long intended to write something. ｜你应当读点儿~。*Nǐ yīngdāng dú diǎnr ~.* You ought to read something. ｜看样子他今天来是有~目的的。*Kànyàngzi tā jīntiān lái shì yǒu ~ mùdì de.* It seemed that he came here purposefully today.

² **什么的** shénmede〈代 *pron.* 口 *colloq.*〉表示列举，用于一个成分或并列的几个成分之后，相当于'等等'and so on; and so forth（used to enumerate, same as '等等 děngděng'）：校运动会有跑步、跳远、铅球~，任你们选。*Xiào yùndònghuì yǒu pǎobù, tiàoyuǎn, qiānqiú ~, rèn nǐmen xuǎn.* There are running, broad jumping, shot putting and other events for the school sports meet. You may pick any of them. ｜业余时间，父亲喜欢看报纸、杂志~。*Yèyú shíjiān, fùqīn xǐhuan kàn bàozhǐ, zázhì ~.* During his spare time, my father likes reading newspapers, magazines and so on.

² **神** shén ❶〈名 *n.*〉(个 gè、尊 zūn)宗教及神话中所指的天地万物的创造者和主宰者；迷信则指神仙或人死后的精灵（in religion）god; deity；（in superstition）supernatural being; immortal：爱~ *ài~* the god (goddess) of love ｜~兵天将 *~bīng-tiānjiàng* soldiers and generals from heaven ｜牛鬼蛇~（比喻形形色色的坏人）*niúguǐ-shé~*（bǐyù xíngxíng-sèsè de huàirén）monsters and freaks (*fig.* bad persons of all descriptions) ｜有~论和无~论 *yǒu~lùn hé wú~lùn* theism and atheism ❷〈名 *n.*〉人的精神与注意力 spirit; mind：劳~ *láo~* ｜~志 *~zhì* consciousness ｜六~无主（形容心慌意乱，不知所措）liù~*wúzhǔ*（xíngróng xīnhuāng-yìluàn, bùzhīsuǒcuò）all six vital organs failing to function (lose one's presence of mind) ｜全~贯注（形容注意力高度集中）*quán~-guànzhù*（xíngróng zhùyìlì gāodù jízhōng）be all eyes (be utterly concentrated) ❸〈名 *n.*〉表情；神气 look; expression：~色 *~sè* look ｜~采 *~cǎi* expression ｜眼~ *yǎn~* expression in one's eyes; eyesight ｜貌合~离（表面上一致，实际上另有想法）*màohé~lí*（biǎomiàn shang yízhì, shíjì shang lìng yǒu xiǎngfǎ）be at one in appearance but each goes his own way (apparently in harmony but actually at variance) ❹〈形 *adj.*〉高超或出奇的；神妙的 magical; supernatural：~医 *~yī* highly skilled doctor ｜~枪手 *~qiāngshǒu* sharpshooter ｜~机妙算（形容机智过人，计谋高明）*~jī-miàosuàn*（xíngróng jīzhì guòrén, jìmóu gāomíng）divine strategy and shrewd calculations (wonderful stratagems) ❺〈形 *adj.* 方 *dial.*〉奇怪 strange：刚放在这儿的东西现在就不见了，真~了。*Gāng fàng zài zhèr de dōngxi jiù bú jiàn le, zhēn ~ le.* It's strange that the thing I placed here just now has disappeared. ❻〈形 *adj.* 方 *dial.*〉无节制的 without restraint：~侃 *~kǎn* talk without restraint ｜~聊 *~liáo* chat freely

³ **神话** shénhuà ❶〈名 *n.*〉(个 gè)把神人格化的故事 mythology; fairy tale：~传说 *~chuánshuō* fairy story ｜~色彩 *~sècǎi* the tincture of a fairy tale ｜美丽的~ *měilì de ~* a beautiful fairy tale ❷〈名 *n.*〉指荒诞的、没有根据的说法 absurd or groundless talk：胡编滥造、近乎~的情节，谁能相信？*Húbiān-lànzào, jìnhū ~ de qíngjié, shéi néng xiāngxìn?* Who will believe those plots that are baseless and close to a fairy tale? ｜我们必须打破对方不可战胜的~。*Wǒmen bìxū dǎpò duìfāng bùkě zhànshèng de ~.* We must break the myth of invincibility of the other party.

² **神经** shénjīng ❶〈名 *n.*〉(根 gēn、条 tiáo)人和动物体内专门传导兴奋等知觉的组织 nerve; nervus：~器官 *~qìguān* nerve organ ｜~组织 *~zǔzhī* nerve tissue ｜中枢~ *zhōngshū~* nerve center ❷〈名 *n.*〉特指精神失常（esp.）mental disorder：发~ *fā~* go mad ｜~病 *~bìng* nervous trouble ｜~兮兮 *~xīxī* be mystical

³ **神秘** shénmì〈形 *adj.*〉让人难以捉摸的；深奥莫测的 mysterious; mystical：~人物 *~rénwù*

S

rénwù a mysterious person │ ~化~*huà* make a mystery of │ 他~地笑了笑。 *Tā ~ de xiàole xiào.* He smiled a mystical smile.

⁴ **神奇** shénqí 〈形 *adj.*〉神秘而奇妙 magical; mystical: ~的色彩 *~ de sècǎi* a mystical look │ 十分~ *shífēn ~* rather magical │ 魔术师的表演吸引了全场观众。 *Móshùshī de ~ biǎoyǎn xīyǐnle quánchǎng guānzhòng.* The magician's wonderful performance attracted the whole audience.

³ **神气** shénqì ❶〈名 *n.*〉面部神态和表情 facial expression; air; manner: 得意的~*déyì de ~* an air of complacency │ 看~他似乎不太高兴。 *Kàn ~ tā sìhū bú tài gāoxìng.* He does not look very happy. ❷〈形 *adj.*〉精神饱满 spirited; vigorous: 真~! *Zhēn ~!* How spirited! │ 他显得很~。 *Tā xiǎnde hěn ~.* He appeared in high spirits. ❸〈形 *adj.*〉得意而傲慢: 自以为了不起 complacent; cocky: ~活现 *~huóxiàn* act in a proud way │ 十足~ *shízú* extremely cocky │ 他被撤了职，再也~不起来了。 *Tā bèi chèle zhí, zài yě ~ bù qǐlái le.* Being dismissed, he can no longer put on airs.

³ **神情** shénqíng 〈名 *n.*〉〈副fù〉脸上显露出的神态或表情 expression; look: ~紧张~ *jǐnzhāng* look intense │ 快活的~*kuàihuo de ~* a lively expression │ 他的~有些不对头。 *Tā de ~ yǒuxiē bú duìtóu.* He looks queer.

⁴ **神色** shénsè 〈名 *n.*〉神情 expression; look: ~慌张~ *huāngzhāng* look confused │ ~坦然~ *tǎnrán* look calm │ ~匆匆~ *cōngcōng* look hurried

³ **神圣** shénshèng ❶〈形 *adj.*〉极其庄严崇高的 sacred; holy: ~的使命~ *de shǐmìng* a sacred mission │ ~的事业~ *de shìyè* a sacred cause │ ~领土~ *lǐngtǔ* sacred territory │ 无比~ *wúbǐ* extremely sacred │ ~不可侵犯~ *bùkě qīnfàn* sacred and inviolable ❷〈名 *n.*〉神灵 god; deity: 你是何方~? *Nǐ shì hé fāng ~?* Where do you come from, this god?

⁴ **神态** shéntài 〈名 *n.*〉〈副fù〉神情态度 expression; manner: ~可掬~ *kějū* an expressive look │ ~逼真~ *bīzhēn* look true to life │ 今天他的~有些失常。 *Jīntiān tā de ~ yǒuxiē shīcháng.* He does not look himself today.

⁴ **神仙** shénxiān ❶〈名 *n.*〉(个gè、位wèi)神话传说中有超自然力的人物 supernatural being in a fairy tale: 从来就没有什么救世主，也不靠~皇帝。 *Cónglái jiù méiyǒu shénme jiùshìzhǔ, yě bú kào ~ huángdì.* There has never been the so-called savior, nor should we pin hopes on any god or emperor. ❷〈名 *n.*〉比喻能猜测或预料诸多事情的人 *fig.* a person who can foretell or predict many things: 人称小~的他，不过是个能说会道的骗子。 *Rén chēng xiǎo ~ de tā, búguò shì gè néngshuō-huìdào de piànzi.* He, known as a little supernatural being, is only a swindler with a glib tongue. ❸〈名 *n.*〉比喻自在逍遥、无拘无束无牵挂的人 *fig.* a carefree person: 他整日悠闲自在，赛过活~。 *Tā zhěng rì yōuxián zìzài, sàiguò huó ~.* Being leisurely and carefree all day, he lives a happier life than a living god.

⁴ **审** shěn ❶〈动 *v.*〉仔细地考查核对 examine; go over carefully: ~查~*chá* check │ ~定 *~dìng* examine and approve ❷〈动 *v.*〉讯问案件 hear/try (a case): ~案~*àn* try a case │ 预~ *yù~* antecedent trial │ 受~ *shòu~* be tried ❸〈动 *v.* 书 *lit.*〉知道 know: 悉~*xī* get to know │ 不~详情 *bù ~ xiángqíng* not know the details ❹〈动 *v.*〉仔细地观察 observe carefully: ~时度势~ *shí-duóshì* judge the hour and size up the situation ❺〈形 *adj.*〉精细而周密 careful: ~慎~*shèn* cautious │ 详~ *xiáng~* very careful

³ **审查** shěnchá 〈动 *v.*〉检查核对人的情况有否出入或书稿、文字等内容是否正确、妥当 examine; check: ~代表资格~ *dàibiǎo zīgé* examine the qualifications of the delegates │ ~提案~ *tí'àn* examine a motion │ 严格~ *yángé ~* strict examination │ 这部稿子已经~了好几遍了。 *Zhè bù gǎozi yǐjīng ~le hǎo jǐ biàn le.* The manuscript has

gone through several examinations.

⁴ **审定** shěndìng〈动 v.〉审查决定 examine and approve：~稿 ~gǎo examine and approve manuscripts｜尚未~ shàngwèi~ be not yet examined and approved｜有关方案将报上级~。 Yǒuguān fāng'àn jiāng bào shàngjí ~. The related plan will be sent to the authorities for examination and approval.

⁴ **审理** shěnlǐ〈动 v.〉对案件进行查查和处理 try/ hear (a case)：依法~ yīfǎ ~ try a case according to law｜这个案件正在~之中。 Zhège ànjiàn zhèngzài ~ zhī zhōng. This case is under trial.

⁴ **审美** shěnměi〈动 v.〉欣赏自然事物或艺术品中的美或作出评价 appreciate the beauty and make a comment：~情趣 ~qíngqù a taste in appreciating beauty｜~观 ~guān a sense of aesthetics｜~的对象 ~de duìxiàng targets for appreciating beauty

⁴ **审判** shěnpàn 〈动 v.〉对案件进行审理和判决 try; bring to trial：~时间 ~shíjiān hearing time｜推迟~ tuīchí~ postpone the trial｜~长 ~zhǎng chief judge｜他已经~了几件大案和要案。 Tā yǐjīng ~le jǐ jiàn dà'àn hé yào'àn. He has tried several major and important cases.

⁴ **审批** shěnpī〈动 v.〉(上级对下级的报告)审查批示或批准 (of superiors) examine and approve (the report of inferiors)：~计划 ~jìhuà examine and approve a plan｜这个方案已报上级~。 Zhège fāng'àn yǐ bào shàngjí ~. This plan has been sent to the higher-ups for examination and approval. ｜你的报告已经~下来了。 Nǐ de bàogào yǐjīng ~xiàlái le. Your report is approved.

⁴ **审讯** shěnxùn 〈动 v.〉对民事案件中的当事人或刑事案件中的嫌疑人查询有关事实 interrogate the litigants in a civil case or the suspects in a criminal case about the related facts：开庭~ kāitíng~ hold hearings｜~疑犯 ~yífàn interrogate the suspect

⁴ **审议** shěnyì〈动 v.〉审查评议并作出决定 examine and make a decision：~报告 ~bàogào examine a report｜代表们对各项议案进行了认真~。 Dàibiǎomen duì gèxiàng yì'àn jìnxíng rènzhēn ~. The delegates considered all the motions seriously.

³ **婶子** shěnzi〈名 n. 口 lit.〉叔叔的妻子，或称呼与母亲年龄相当的妇女 wife of father's younger brother; woman similar to mother in age：我~在学校当老师。 Wǒ ~ zài xuéxiào dāng lǎoshī. My aunt teaches in a school.｜刚才隔壁那家~给我送来了一盘饺子。 Gāngcái gébì nà jiā ~ gěi wǒ sòngláile yì pán jiǎozi. The aunt next door brought me a plate of dumplings just now.

⁴ **肾炎** shènyán 〈名 n.〉肾脏炎炎的疾病 nephritis：急性~ jíxìng~ acute nephritis｜慢性~ mànxìng~ chronic nephritis

³ **甚至** shènzhì ❶〈副 adv.〉强调突出的事例 even; go so far as to (used for emphasis)：他高兴得~跳了起来。 Tā gāoxìng de ~ tiàole qǐlái. He was so glad that he even jumped up.｜这种题目~连小学生也能答得上来。 Zhè zhǒng tímù ~ lián xiǎoxuéshēng yě néng dá de shànglái. Even a schoolchild could answer such a question. ❷〈连 conj.〉用于几个并列词语或分句的最后一项之前，以突出这一项 used before the last of a series of enumeration for emphasis：人物、山水、~花鸟都是他绘画的对象。 Rénwù, shānshuǐ, ~ huāniǎo dōushì tā huìhuà de duìxiàng. People, landscape and even flowers and birds are all materials for his painting.｜现在不但年轻人学外语，~老年人及孩子也在学外语 Xiànzài búdàn niánqīngrén xué wàiyǔ, ~ lǎoniánrén jí háizi yě zài xué wàiyǔ. Nowadays, not only young people but also old people and children study foreign languages.

³ **甚至于** shènzhìyú 〈连 conj.〉表示递进，指出突出事例 used to express progressive increase to point out the outstanding case：谁劝也不行，~他的父母。 Shéi quàn yě

bùxìng, ~ tā de fùmǔ. No one could persuade him, even his parents. ｜他的身体越来越差, ~在家里走几步都喘得厉害。*Tā de shēntǐ yuèláiyuè chà, ~ zài jiālǐ zǒu jǐ bù dōu chuǎn de lìhai.* He is getting worse and worse in health. Even a few steps' walk at home makes him puff and blow.

⁴ **渗** shèn 〈动 v.〉液体渐渐地透过或漏出 seep; ooze: ~入 ~rù seep into ｜防~墙 *fáng~qiáng* leakproof wall ｜~在纸上 ~ *zài zhǐ shang* seep onto the paper ｜血~出了纱布。*Xiě ~chūle shābù.* The blood oozed out of the gauze.

⁴ **渗透** shèntòu ❶ 〈动 v.〉液体、气体从细小的缝隙中透过 (of liquid or air) permeate; seep: 汗水~了薄薄的衣衫。*Hànshuǐ ~le báobáo de yīshān.* Sweat permeated the thin dress. ｜外面的寒气缓缓地~进来。*Wàimian de hánqì huǎnhuǎn de ~jìnlái.* The cold air outside seeped slowly in. ❷ 〈动 v.〉比喻某种事物或势力逐渐侵入 (多用于抽象事物) fig. (of something, often abstract, or some influence) infiltrate: 思想~ *sīxiǎng ~* ideological infiltration ｜~到各个领域 ~ *dào gègè lǐngyù* infiltrate into every field ｜这部词典里~了他的心血。*Zhè bù cídiǎn li ~le tā de xīnxuè.* This dictionary is permeated with his painstaking labor.

³ **慎重** shènzhòng 〈形 adj.〉小心、认真、持重 careful; cautious; prudent: ~对待 ~ *duìdài* treat carefully ｜非常~ *fēicháng ~* very prudent ｜经过这次挫折, 他变得~起来了。*Jīngguò zhè cì cuòzhé, tā biàn de ~qǐlái le.* He became prudent through this setback.

² **升** shēng ❶ 〈动 v.〉由低往高移动 (与'降'相对) go up; rise; hoist (opposite to '降 jiàng'): ~旗 ~qí hoist a flag ｜太阳从东方~起。*Tàiyáng cóng dōngfāng ~qǐ.* The sun rises from the east. ❷ 〈动 v.〉(等级)提高 (与'降'相对) promote (opposite to '降 jiàng'): ~官ㄦ ~guānr win promotion ｜~班 ~bān go up one grade in school ｜荣~ *róng~* be promoted ｜~级考试 ~jí kǎoshì examination for promotion ｜他~到师长的职位了。*Tā ~dào shīzhǎng de zhíwèi le.* He is promoted to division commander. ❸ 〈名 n.〉中国旧时称量谷物等粮食的容器 sheng, a vessel for measuring grain in old times in China: 一~是一斗的十分之一。*Yì ~ shì yì dǒu de shí fēn zhī yī.* A sheng is one tenth of a dou. ❹ 〈量 meas.〉容量单位 a unit of volume: 公~ *gōng~* litre ｜市~ *shì~* sheng

⁴ **升学** shēng // xué 〈动 v.〉进入高一级的学校学习 enter a higher school: ~率 ~lǜ enrollment quotas ｜~考试 ~ *kǎoshì* entrance examination ｜他今年没能升上学。*Tā jīnnián méi néng shēngshàng xué.* He failed to enter a higher school this year.

² **生** shēng ❶ 〈动 v.〉生育 bear; give birth to: 胎~ *tāi~* vivipation ｜蛋~ *dàn~* lay an egg ｜孩子~ *~háizi* give birth to a baby ｜我~在北京。*Wǒ ~ zài Běijīng.* I was born in Beijing. ｜产妇~了。*Chǎnfù ~ le.* The woman gave birth to a baby. ｜~出一窝小兔ㄦ。*~chū yì wō xiǎo tùr.* A litter of little rabbits were born. ❷ 〈动 v.〉生长 grow: ~疮 *~chuāng* grow a boil ｜野~ *yě~* grow wild ｜~出新芽 *~chū xīnyá* sprout ｜节外~枝 (比喻在原有的问题之外又岔出新的问题, 多指故意设置障碍) *Jiéwài~zhī (bǐyù zài yuányǒu de wèntí zhīwài yòu chàchū xīn de wèntí, duō zhǐ gùyì shèzhì zhàng'ài).* A sprout grows outside the joint (fig. Side issues crop up unexpectedly). ｜米里~小虫了。*Mǐ li ~ xiǎo chóng le.* Small worms have grown in the millet. ❸ 〈动 v.〉活着; 生存 (与'死'相对) live; exist (opposite to '死sǐ'): ~死 ~sǐ life and death ｜永~ ~yǒng be immortal ｜贪~怕死 *tān~pàsǐ* cling to life and fear death ❹ 〈动 v.〉产生; 发生 get; have: ~财 *~cái* make money ｜~效 *~xiào* come into force ｜急中~智 *jízhōng~zhì* hit upon an idea in desperation ｜别到处~事! *Bié dàochù ~shì!* Don't make trouble wherever you go! ❺ 〈动 v.〉点燃 (燃烧物) light (a fire): ~炉子 ~lúzi light a stove ｜火~起来了。*Huǒ ~ qǐlái le.* A fire was lit. ❻ 〈形 adj.〉尚未成熟或做熟的 (与

'熟'相对) unripe; raw (opposite to '熟shóu'): ~瓜 ~*guā* unripe melon | ~鱼片 *yúpiàn* raw fish slices | 夹~饭 *jiā~fàn* half-cooked rice | 肉有些~，还要煮一下。*Ròu yǒuxiē~, háiyào zhǔ yíxià.* The meat needs more cooking for it is still somewhat raw. ❼ 〈形 *adj.*〉尚未加工或训练的 unprocessed; untrained; crude: ~铁 ~*tiě* pig iron | ~土~*tǔ* immature soil | ~橡胶 ~*xiàngjiāo* raw rubber | ~马驹儿 ~*mǎjūr* untrained pony ❽ 〈形 *adj.*〉不熟悉或不熟练的 unfamiliar; unskilled: ~词 ~*cí* new words | ~手 ~*shǒu* new hand | 面~ *miàn~* look unfamiliar | 欺~ *qī~* bully strangers | 陌~ *mò~* strange ❾ 〈形 *adj.*〉有生命力的；鲜活的 living; fresh: ~机 ~*jī* vitality | ~龙活虎(比喻有朝气，充满活力)~*lóng-huóhǔ* (*bǐyù yǒu chāoqì, chōngmǎn huólì*) a living dragon and an active tiger (fig. full of vim and vigor) | 刚摘下来的青菜总是翠~~的。*Gāng zhāi xiàlái de qīngcài zǒngshì cuì ~~ de.* Newly picked vegetables are always green and fresh. ❿ 〈名 *n.*〉学习者；读书人 pupil; student: 师~ *shī~* teachers and students | 书~ *shū~* scholar | ~源 ~*yuán* resources of students | 男女~ *nánnǚ~* boy and girl students | 中专~ *zhōngzhuān~* students of a technical secondary school ⓫ 〈名 *n.*〉生命 life: ~灵 ~*líng* the people | 杀~ *shā~* destroy life | 有~之年 *yǒu~zhīnián* the remaining years of one's life ⓬ 〈名 *n.*〉人的一辈子 lifetime: 今~ *jīn~* this life | 一~ *yì~* a lifetime | 素昧平~ *sùmèi-píng~* a total stranger ⓭ 〈名 *n.*〉维持生活的方法或手段；有关生活的事情 the ways or means of livelihood; sth. concerning daily life: ~计 ~*jì* means of livelihood | 营~ *yíng~* make a living | 国计民~ *guójì-mín~* the national economy and the people's livelihood ⓮ 〈名 *n.*〉中国传统戏曲中的男子角色 the male character type in Chinese traditional operas: 京剧老~、小~和武~ *jīngjù lǎo~, xiǎo~ hé wǔ~* the parts of old gentleman, young man and martial man in Peking opera ⓯ 〈后缀 *suff.*〉对某些职业或某些人的称呼 used in address to certain professions or people: 先~ *xiān~* Sir; mister | 医~ *yī~* doctor ⓰ 〈副 *adv.*〉表示程度深，很 very: ~怕 ~*pà* be very much afraid | ~疼 ~*téng* be very painful | ~恐 ~*kǒng* for fear that ⓱ 〈副 *adv.*〉生硬；勉强 stiff; mechanical: ~凑 ~*còu* mechanically put together | ~造 ~*zào* coin (words) | ~搬硬套 ~*bān-yìngtào* accept and imitate blindly | ~拉硬拽 ~*lā-yìngzhuài* drag sb. along against his will; stretch the meaning ⓲ 〈助 *aux.* 书 *lit.*〉在某些副词后 used after certain adverbs: 怎~ *zěn~* how | 好~ *hǎo~* carefully | 偏~ *piān~* just

³ **生病** shēng // bìng 〈动 *v.*〉人或动植物得病 (of a person, an animal or a plant) fall ill: 我身体很好，不太~。*Wǒ shēntǐ hěn hǎo, bú tài ~.* I am in good health and seldom falls ill. | 孩子刚刚生了一场大病。*Háizi gānggāng shēngle yì chǎng dà bìng.* The child has just recovered from a serious illness.

¹ **生产** shēngchǎn ❶ 〈动 *v.*〉使用工具创造各种生产和生活资料 produce; manufacture: ~家电 ~ *jiādiàn* manufacture household electric appliances | ~粮食 ~ *liángshi* produce grain ❷ 〈动 *v.*〉特指分娩 (esp.) give birth to a child: 她快临盆~了。*Tā kuài línpén ~ le.* She will be having a baby. ❸ 〈名 *n.*〉创造各种生产和生活资料的活动 production: ~过剩 ~ *guòshèng* overproduction | 扩大~ ~ *kuòdà* expand production | 一定要把~搞上去。*Yídìng yào bǎ ~ gǎo shàngqù.* We must increase production.

⁴ **生产力** shēngchǎnlì 〈名 *n.*〉指人们在征服自然和改造自然过程中进行生产的能力 productivity; productive forces: ~水平 ~ *shuǐpíng* level of productivity | 劳动~ *láodòng* ~ labor productivity | 发展~ ~ *fāzhǎn* develop productivity

⁴ **生产率** shēngchǎnlǜ 〈名 *n.*〉单位时间内劳动的生产效果或能力，也叫'劳动生产率' productivity, also '劳动生产率 láodòng shēngchǎnlǜ': 提高~ *tígāo* ~ raise

productivity | ~提高了30%。 ~ *tígāole bǎifēnzhī sānshí.* The productivity was raised by 30%.

¹ **生词** shēngcí 〈名 *n.*〉(个 gè)不认识或不熟悉的词 new word: 抄~ *chāo* ~ copy new words | 汉语~ *Hànyǔ* ~ new Chinese characters | 课文中~太多。 *Kèwén zhōng* ~ *tài duō.* There are too many new words in the text.

³ **生存** shēngcún 〈动 *v.*〉保存生命;活着(与'死亡'相对)exist;live (opposite to '死亡' sǐwáng): ~的意义 ~ *de yìyì* the significance of life | ~的环境 ~ *de huánjìng* living environment | ~极限 ~ *jíxiàn* life limit | ~在宇宙空间 ~ *zài yǔzhòu kōngjiān* live in space

² **生动** shēngdòng 〈形 *adj.*〉有活力的;能感动人的 vivid;lively: 表情~ *biǎoqíng* ~ vivid expression | ~的语言 ~ *de yǔyán* lively language

¹ **生活** shēnghuó ❶〈名 *n.*〉(人或动物)为生存和发展而进行的各种活动 activities carried on by human beings or animals for existence and development; life: 集体~ *jítǐ* ~ collective life | 鸟类的~环境越来越差。 *Niǎolèi de* ~ *huánjìng yuèláiyuè chà.* The living environment of the birds is getting worse and worse. | 人们的精神~丰富多彩。 *Rénmen de jīngshén* ~ *fēngfù duōcǎi.* People's spiritual life is colorful. ❷〈名 *n.*〉(种 zhǒng)在衣、食、住、行等方面的境况 livelihood: ~小窍门 ~ *xiǎo qiàomén* small knacks in daily life | 改善~ *gǎishàn* ~ improve one's life | 平日里~还算宽裕。 *Píngrì lǐ* ~ *hái suàn kuānyù.* Life is comfortable under ordinary circumstances. ❸〈动 *v.*〉为生存、发展而进行各种活动 carry on all kinds of activities for existence and development; live: 愉快地~着 *yúkuài de* ~*zhe* live happily | ~过的地方 ~*guo de dìfang* places where one has lived | 他一辈子~在大山的深处。 *Tā yíbèizi* ~ *zài dà shān de shēnchù.* He has lived all his life in the depth of the great mountains. ❹〈动 *v.*〉生存 subsist; exist: 没有激烈的竞争,任何物种在地球上都是无法~的。 *Méiyǒu jīliè de jìngzhēng, rènhé wùzhǒng zài dìqiú shang dōu shì wúfǎ* ~ *de.* No species can survive on earth without a fierce struggle.

⁴ **生机** shēngjī ❶〈名 *n.*〉生存的机会 chance of life: 一线~ *yí xiàn* ~ a slim chance of survival | 唯一的~就是杀出重围。 *Wéiyī de* ~ *jiùshì shāchū chóngwéi.* The only chance of survival is to fight your way out of the heavy encirclement. ❷〈名 *n.*〉生命力;活力 life;vitality: ~盎然 ~ *àngrán* overflowing with vigor | 我们的国家到处是一派~勃勃的景象。 *Wǒmen de guójiā dàochù shì yí pài* ~*bóbó de jǐngxiàng.* Our country is full of vitality everywhere.

⁵ **生理** shēnglǐ 〈名 *n.*〉生物的生命活动和身体内各器官的机能 physiology: ~现象 ~ *xiànxiàng* physiological phenomenon | ~盐水 ~ *yánshuǐ* physiological saline | 这个人有~缺陷。 *Zhège rén yǒu* ~ *quēxiàn.* The man has some physiological defects.

² **生命** shēngmìng ❶〈名 *n.*〉(条 tiáo)生物体所具有的活动能力;性命 life;vita: ~的历程 ~ *de lìchéng* the course of life | 珍惜~ *zhēnxī* ~ value life | ~在于运动。 ~ *zàiyú yùndòng.* Life exists in exercises. | 这也是一条小~啊。 *Zhè yě shì yì tiáo xiǎo* ~ *a.* It is a small life after all. ❷〈名 *n.*〉比喻能使事物存在发展下去的能力 fig. the ability that an object has for survival and development: 艺术~ *yìshù* ~ artistic life | 政治~ *zhèngzhì* ~ political life | 运动~ *yùndòng* ~ life in sports ❸〈名 *n.*〉比喻旺盛的活力 fig. vitality: 传统文化中有~的,才是真正值得学习和继承的。 *Chuántǒng wénhuà zhōng yǒu* ~ *de, cái shì zhēnzhèng zhíde xuéxí hé jìchéng de.* Only those that have vitality in traditional culture are worth learning and inheriting.

⁴ **生命力** shēngmìnglì 〈名 *n.*〉事物生存和发展的能力;身体或精神的活力 the ability of

survival and development; vitality: 旺盛的~ *wàngshèng de* ~ exuberant vitality | 缺乏~ *quēfá* ~ lack vitality | 野草的~很强。 *Yěcǎo de* ~ *hěn qiáng.* Wild grasses have good bioenergy. | 新事物一出现就显示了巨大~。 *Xīn shìwù yì chūxiàn jiù xiǎnshìle jùdà* ~. New things display a strong life force as soon as they emerge.

⁴ **生怕** shēngpà 〈副 *adv.*〉只恐; 唯恐 for fear that; lest: ~冻着 *dòngzhe* for fear of catching cold | ~赶不上飞机 *gǎn bú shàng fēijī* for fear of missing the plane | 他逢人就说, ~别人不知道似的。 *Tā féngrén jiù shuō,* ~ *biérén bù zhīdào shìde.* He told everyone that he met, lest they not know.

² **生气** Ⅰ shēng//qì 〈动 *v.*〉因不高兴而气恼或发脾气 get angry; fall into a rage: 快别~了。 *Kuài bié* ~ *le.* Don't be angry. | 你生什么气呀? *Nǐ shēng shénme qì ya?* Why are you angry? | 他一听这话就生起气来。 *Tā yì tīng zhè huà jiù shēngqì qì lái.* He flew into a rage the moment he heard these words. Ⅱ shēngqì 〈名 *n.*〉活力; 生命力 life; vitality; vigor: ~勃勃 ~*bóbó* full of life | 他看起来虎虎有~。 *Tā kàn qǐlái hǔhǔ yǒu* ~. He looks vigorous and energetic.

⁴ **生前** shēngqián 〈名 *n.*〉指死者活着的时候 before one's death: ~友好 ~ *yǒuhǎo* friends of the deceased | 他~留下遗言, 要把一切收藏捐赠给国家博物馆。 *Tā* ~ *liúxià yíyán, yào bǎ yíqiè shōucáng juānzèng gěi guójiā bówùguǎn.* He made a will to donate all his collections to the national museum.

⁴ **生人** shēngrén ❶〈名 *n.*〉(个 *gè*)不认识或陌生的人(区别于'熟人') stranger (different from '熟人 shóurén'): 有个~走了进来。 *Yǒu gè* ~ *zǒule jìnlái.* A stranger came in. ❷〈动 *v.*〉(人)出生 (of a person) be born: 您是哪年~? *Nín shì nǎ nián* ~? In which year were you born? | 他们都是中国上海~。 *Tāmen dōu shì Zhōngguó Shànghǎi* ~. They were all born in Shanghai, China.

¹ **生日** shēngrì ❶〈名 *n.*〉出生的日子 the day on which one was born; birthday: ~快乐 ~*kuàilè* happy birthday | 过~ *guò* ~ observe one's birthday | 他连自己的~都忘了。 *Tā lián zìjǐ de* ~ *dōu wàng le.* He has forgotten even his own birthday. ❷〈名 *n.*〉指某些国家或组织建立或成立的日子 the day on which a nation or an organization was founded: 今天是我们学校的~。 *Jīntiān shì wǒmen xuéxiào de* ~. Today is the birthday of our school.

⁴ **生疏** shēngshū ❶〈形 *adj.*〉不熟悉; 没接触过或很少接触的 not familiar; having no or little contact: 人地~ *réndì* ~ be unfamiliar with the people and the place | ~的环境 ~ *de huánjìng* an unfamiliar environment | 有几个~的单词 *yǒu jǐ gè* ~ *de dāncí* have a few unfamiliar words ❷〈形 *adj.*〉长期搁置或荒废而不熟练 out of practice; rusty: 我干了几年行政工作, 业务都~了。 *Wǒ gànle jǐ nián xíngzhèng gōngzuò, yèwù dōu* ~ *le.* Having been engaged in administration for several years, I am rusty in professional work. | 英语~得快开不了口了。 *Yīngyǔ* ~ *de kuài kāi bù liǎo kǒu le.* My English is so rusty that I can hardly speak it now. ❸〈形 *adj.*〉淡漠疏远; 不亲密 not as close as before: 关系~ *guānxì* ~ the relationship not as close as it used to be | 多年不见, 两人显得~了许多。 *Duō nián bú jiàn, liǎng rén xiǎnde* ~*le xǔduō.* Having not seen each other for years, the two persons appear much less close than before.

⁴ **生态** shēngtài 〈名 *n.*〉指生物在周围环境中生存、发展的状态。 也指生物的生理特征和生活习性 modes of existence and development of organisms in the environment; physiological characteristics and habits of organisms; ecology: ~环境 ~ *huánjìng* ecological environment | ~工程 ~ *gōngchéng* ecological engineering | ~平衡 ~ *pínghéng* ecological balance | 城市~研究 *chéngshì* ~ *yánjiū* study of urban ecology

² 生物 shēngwù ❶〈名 n.〉(种 zhǒng)自然界有生命的物体 living beings; organisms：~链 ~liàn chain of living beings｜~学 ~xué biology｜陆地 ~lùdì ~ terrestrial organisms｜~武器 ~ wǔqì biological weapon｜动物、植物、微生物都是~。Dòngwù, zhíwù, wēishēngwù dōushì ~. Animals, plants and microbes are all organisms. ❷〈名 n.〉生物学 biology：~系 ~xì the department of biology｜我在大学里是学~的。Wǒ zài dàxué li shì xué ~ de. I studied biology at college.

⁴ 生效 shēng // xiào 〈动 v.〉产生或发生效力 come into force; go into effect：条约~ tiáoyuē ~ the treaty goes into effect｜不签字，合同就生不了效。Bù qiānzì, hétong jiù shēng bù liǎo xiào. The contract is not effective without a signature.

² 生意 shēngyi〈名 n.〉(笔 bǐ、宗 zōng)商业经营或商品买卖 business; trade：~经 ~jīng the knack of doing business｜谈 ~tán~ negotiate the business｜他的~做得不错 Tā de ~ zuò de búcuò. He does his business well.｜在~这一行里他是前辈 Zài ~ zhè yì háng li tā shì qiánbèi. He is a veteran in the field of business.

⁴ 生育 shēngyù〈动 v.〉生孩子 give birth to/bear a baby：~年龄 ~ niánlíng child-bearing age｜计划~是中国的一项国策。Jìhuà ~ shì Zhōngguó de yí xiàng guócè. Family planning is a national policy of China.

² 生长 shēngzhǎng ❶〈动 v.〉生物体出生、发育、成长 (of living things) grow; grow up：苗壮 ~zhuózhuàng ~ grow well｜正在~期 zhèng zài ~qī during the season of growth｜刚翻过的土地~出不少小草来。Gāng fānguo de tǔdì ~ chū bùshǎo xiǎocǎo lái. Quite a lot of small grasses have grown out of the newly ploughed field.｜他~在一个工人家庭。Tā ~ zài yí gè gōngrén jiātíng. He grew up in a worker's family. ❷〈动 v.〉比喻某些事物产生或增长 fig. (of certain things) appear; grow：考了第一名后，他的自满情绪不断~。Kǎole dì-yī míng hòu, tā de zìmǎn qíngxù búduàn ~. He is growing self-conceited after he ranked the first in the examination.

⁴ 生殖 shēngzhí ❶〈动 v.〉生物体生育和繁殖下代个体 (of living things) reproduce; multiply：~后代 ~ hòudài reproduce posterity｜繁衍与 ~fányǎn yǔ ~ multiply and reproduce ❷〈名 n.〉生物体产生下代个体的现象 reproduction：有性 ~yǒuxìng ~ sexual reproduction｜无性 ~wúxìng ~ asexual reproduction

¹ 声 shēng ❶〈名 n.〉物体振动时发出的音响；声音 sound that is produced when an object vibrates; voice：吼 hǒu~ roar｜掌 ~zhǎng~ applause｜~响 ~xiǎng sound｜如洪钟 ~rúhóngzhōng voice like a big bell ❷〈名 n.〉汉语音节的声调 tone (of a syllable in Chinese)：平 ~píng~ level tone｜去 ~qù~ falling tone ❸〈名 n.〉特指汉语拼音里的声母(处在一个音节开头位置的辅音字母) initial consonant in Chinese pinyin：~韵 ~yùn phonology｜双 ~shuāng~ alliteration ❹〈名 n.〉名誉；威望 reputation; prestige：望 ~wàng reputation｜~誉 ~yù fame｜~名大振 ~míng dà zhèn the reputation be greatly boosted ❺〈名 n.〉消息；音讯 news; tidings：~讯皆无 ~xùn jiē wú be not heard of at all｜~销~匿迹 (比喻秘密地隐藏起来，不出声，不露面) xiāo~-nìjì (bǐyù mìmì de yǐncáng qǐlái, bù chūshēng, bú lòumiàn) keep silent and lie low (fig. hide oneself and cease all public activities) ❻〈动 v.〉发出声音；宣扬 make a sound; announce：~言 ~yán declare｜~称 ~chēng claim｜~东击西 (军事战术之一。表面声称攻打东边，实际却进攻西边) ~dōng-jīxī (jūnshì zhànshù zhī yī. biǎomiàn shēngchēng gōngdǎ dōngbiān, shíjì què jìngōng xībiān) make a feint to the east but attack in the west (a military tactic)｜不~不响 bù ~ bù xiǎng not utter a word ❼〈量 meas.〉用于声音发出的次数 used to express the times for which a sound is made：几~鸟叫 jǐ ~ niǎojiào a few twitters of birds｜喊了数~ hǎnle shù ~ call several times

¹ 声调 shēngdiào ❶〈名 n.〉音调 pitch of voice; note; tone: ~沙哑 ~ shāyǎ husky voice ｜孩子的~ háizi de ~ the voice of a child ❷〈名 n.〉(个gè、种zhǒng)字音高低升降的调子，也叫'字调'the tone of Chinese character, also '字调zìdiào': 现代汉语的~有五种：阴平、阳平、上声、去声和轻声。Xiàndài Hànyǔ de ~ yǒu wǔ zhǒng: yīnpíng, yángpíng, shǎngshēng, qùshēng hé qīngshēng. There are five tones in contemporary Chinese: high and level tone, rising tone, falling-rising tone, falling tone and light tone.

³ 声明 shēngmíng ❶〈动 v.〉公开发表看法或说明真相 announce; declare (one's view or the truth): 严正~ yánzhèng ~ solemnly state ｜我国政府已经多次~了对此事的态度。Wǒ guó zhèngfǔ yǐjīng duō cì ~le duì cǐ shì de tàidù. Our government has made known its attitude to this matter many times. ❷〈名 n.〉(项xiàng、篇piān)声明的文告 statement; declaration: 发表~ fābiǎo ~ make a statement ｜两国首脑签署了一项联合~。Liǎng guó shǒunǎo qiānshǔle yí xiàng liánhé ~. The heads of state of the two countries signed a joint statement.

⁴ 声势 shēngshì 〈名 n.〉(种zhǒng)声威和气势 momentum: ~巨大 ~ jùdà great momentum ｜虚张~ xūzhāng~ make a show of strength ｜我们要造成一种志在必得的~。Wǒmen yào zàochéng yì zhǒng zhìzàibìdé de ~. We must put up a front that we are determined to get it.

¹ 声音 shēngyīn 〈名 n.〉(种zhǒng、个gè)听觉对声波所感知的印象 sound; voice: ~嘈杂 ~ cáozá noisy ｜民众的~ mínzhòng de ~ the voice of the public ｜~小点儿好不好？ ~ xiǎo diǎnr hǎo bù hǎo? Will you sink your voice a bit?

⁵ 声誉 shēngyù 〈名 n.〉声望名誉 reputation; prestige: ~不错 ~ búcuò good reputation ｜极高的~ jígāo de ~ very high reputation ｜保持~ bǎochí ~ preserve one's prestige

⁶ 牲畜 shēngchù 〈名 n.〉(头tóu)家畜的总称 livestock; domestic animals: 贩运~ fànyùn ~ traffic in livestock ｜他家有很多~。Tā jiā yǒu hěn duō ~. His family has many domestic animals.

⁷ 牲口 shēngkou 〈名 n.〉(头tóu)能协助人们干活的、形体和力气较大的家畜 beasts of burden; draught animals: ~贩子 ~ fànzi a dealer of draught animals ｜他赶着~去地里干活了。Tā gǎnzhe ~ qù dì li gànhuó le. He went to work in the field. ｜牛、马、驴、骡等都是~。Niú, mǎ, lǘ, luó děng dōushì ~. Cattle, horses, donkeys, mules, etc; are all big beasts of burden.

² 绳子 shéngzi 〈名 n.〉(根gēn、条tiáo)用两股以上各种纤维或金属丝拧成的长条形东西 rope; string; cord: 拴~ shuān ~ tie a string ｜你去商店买几根~。Nǐ qù shāngdiàn mǎi jǐ gēn ~. Go to the shop and buy a few ropes.

¹ 省 shěng ❶〈名 n.〉(个gè)某些国家行政区划单位，直属中央政府 province, an administrative unit in some countries, directly under the central government: 中国台湾~ Zhōngguó Táiwān~ Taiwan Province of China ｜~辖市 ~xiáshì a city subordinate to the province ❷〈动 v.〉节俭；不浪费(与'费'相对) economize; save (opposite to '费fèi': 能~一点儿就~一点儿。Néng ~ yìdiǎnr jiù ~ yìdiǎnr. Save a little whenever you can. ｜别~了，该花的钱还得花。Bié ~ le, gāi huā de qián hái děi huā. Don't be so thrifty. Spend the money that should be spent. ❸〈动 v.〉免去；减少 leave out; reduce: ~了麻烦 ~le máfan save trouble ｜文章的重复处可以~去。Wénzhāng de chóngfù chù kěyǐ ~ qù. The repetitions in the article can be omitted. ❹〈形 adj.〉简略的 simplified: ~称 ~ chēng the abbreviated form ｜写~ xiě simplify

³ 省得 shěngde 〈连 conj.〉免得 (避免不必要的情形发生) so as to save; so as to avoid (sth. unnecessary): 还是说一下好，~人家误会。Háishì shuō yíxià hǎo, ~ rénjia *wùhuì.* I'd better mention it so as to avoid misunderstanding. │ 这回好了，~我去了。 *Zhè huí hǎo le, ~ wǒ qù le.* That's good so that I don't have to go.

⁴ **省会** shěnghuì 〈名 *n.*〉省政府所在地，又称'省城' the seat of a provincial government; provincial capital, also '省城 shěngchéng'：到~出差 *dào ~ chūchāi* go to the provincial capital on official business │ 中国江苏省的~是南京。 *Zhōngguó Jiāngsū Shěng de ~ shì Nánjīng.* Nanjing is the provincial capital of Jiangsu Province, China.

⁴ **省略** shěnglüè ❶〈动 *v.*〉减去；免除（以保证简单扼要）reduce; omit (to achieve simplicity and concision)：~手续 *~ shǒuxù* simplify the procedures │ 应当~掉这些繁琐的文字。 *Yīngdāng ~ diào zhèxiē fánsuǒ de wénzì.* These redundant words should be omitted. ❷〈动 *v.*〉语法中指在一定条件下，省去句子的某些成分 leave out some parts of a sentence under certain conditions：这句话~了主语。 *Zhè jù huà ~le zhǔyǔ.* The subject of the sentence is left out. │ 祈使句常常~主语。 *Qíshǐjù chángcháng ~ zhǔyǔ.* The subject is often left out in commands.

³ **省长** shěngzhǎng 〈名 *n.*〉（位 wèi、名 míng、个 gè）一省的最高行政长官 provincial governor, the highest executive official of a province：~办公室 *~ bàngōngshì* the provincial governor's office

³ **圣诞节** Shèngdàn Jié 〈名 *n.*〉基督教纪念耶稣诞生的节日 the birthday of Jesus Christ; Christmas Day; Christmas：~快乐 *~ kuàilè* Merry Christmas.

² **胜** shèng ❶〈动 *v.*〉胜利（与'败''负'相对）win; succeed (opposite to '败 bài' and '负 fù')：~仗 *~zhàng* victorious battle │ 获~ *huò ~* win a victory │ 百战百~ *bǎizhàn-bǎi-*fight a hundred battles and win a hundred victories; be invincible │ 反败为~ *fǎnbàiwéi-*turn defeat into victory │ 我们~了。 *Wǒmen ~ le.* We won. ❷〈动 *v.*〉打败（对方）defeat (the opponent)：战~ *zhàn ~* triumph over │ 以弱~强 *yǐruò ~qiáng* defeat the strong by the weak │ 以少~多 *yǐshǎo~duō* use the few to defeat the many ❸〈动 *v.*〉压倒或超过（对方）overwhelm; surpass; get the better of (the opponent)：略~一筹 *lüè~yìchóu* slightly better │ 人定~天。 *Réndìng~tiān.* Man will conquer nature. │ 与君一席话，~读十年书。 *Yǔ jūn yì xí huà, ~ dú shí nián shū.* A talk with you benefits me more than ten years of schooling. ❹〈动 *v.*〉比另外的优越 be superior to：~于 *~ yú* be superior to │ ~似 *~sì* be better than │ 满山红叶~过天边的晚霞。 *Mǎn shān hóngyè ~guo tiānbiān de wǎnxiá.* The red autumnal leaves all over the mountain surpass the evening glow on the horizon in beauty. ❺〈动 *v.*〉有能力担当或承受 be equal to; can bear：~任 *~rèn* be competent │ 不~其烦 *bú~qífán* so bothersome as to be unbearable ❻〈名 *n.*〉优美的景致或地方 wonderful scenery; lovely place; lovely：~地 *~dì* famous scenic spot │ ~景 *~jǐng* wonderful scenery │ ~迹 *~jì* famous historical spot ❼〈副 *adv.*〉尽 exhaustively; too many to enumerate one by one：美不~收 *měibú~shōu* so many beautiful things that one simply can't take them all in │ 防不~防 *fángbú~fáng* be impossible to prevent

¹ **胜利** shènglì ❶〈动 *v.*〉打败对方；获得成功（与'失败'相对）defeat the opponent; succeed (opposite to '失败 shībài')：~归来 *~ guīlái* return triumphantly │ ~闭幕 *~ bìmù* come to a successful close │ ~会师 *~ huìshī* succeed in joining forces │ 我们~了。 *Wǒmen ~ le.* We succeeded. ❷〈名 *n.*〉经过战斗、竞争、奋斗所达到预期的结果（与'失败'相对）victory; triumph; success (opposite to '失败 shībài')：迎来 ~ *yínglái ~* see in victory │ ~的曙光 *~de shǔguāng* the dawn of victory │ 伟大的~ *wěidà de ~* a great victory

⁴ **盛** shèng ❶〈形 *adj.*〉兴旺；繁茂（与'衰'相对）prosperous; flourishing (opposite to '衰 shuāi')：昌~ *chāng~* prosperity │ ~世 *~shì* flourishing age. │ 鲜花~开 *xiānhuā ~kāi*

flowers in full bloom｜~极必衰。~jíbìshuāi. When prosperity reaches its height, it will inevitably begin to wane. ❷〈形 adj.〉强壮；气势旺 strong；energetic：~年~nián the prime of one's life｜旺~wàng vigorous｜~气凌人~qì-língrén be haughty towards others｜少年气~shàonián qì~ young and energetic｜火势强~。Huǒshì qiáng~. The fire is raging. ❸〈形 adj.〉规模大；隆重 large in scale；grand：~典~diǎn grand ceremony｜~宴~yàn grand banquet｜~况空前~kuàng kōngqián an unprecedented grand occasion ❹〈形 adj.〉大；广泛 great；wide：~怒~nù be furious｜~名~míng great reputation｜~传~chuán be widely known｜~行~xíng prevail｜健美之风很~。Jiànměi zhī fēng hěn ~. It is now in vogue to be healthy and beautiful. ❺〈形 adj.〉深；厚 deep；great：~情~qíng great kindness｜~夏~xià the height of summer｜~意~yì generosity ❻〈形 adj.〉丰；足 abundant；plentiful：丰~fēng~ sumptuous｜~馔~zhuàn feast ❼〈形 adj.〉华美 splendid：~景~jǐng splendid scenery｜~装~zhuāng splendid attire ❽〈副 adv.〉很；非常 greatly；very：~赞~zàn highly praise｜~夸~kuā speak of sb. in glowing terms

　☞ chéng，p. 114

⁴ 盛产 shèngchǎn 〈动 v.〉大量出产 abound in：~药材 ~ yàocái abound in medicinal herbs｜热带~椰子。Rèdài ~ yēzi. The tropical area abounds in coconuts｜近海~石油。Jìnhǎi ~ shíyóu. The offshore areas are rich in oil.

⁴ 盛大 shèngdà 〈形 adj.〉隆重；规模很大 grand；large-scale：~的庆典 ~ de qìngdiǎn grand ceremony｜规模~guīmó ~ on a grand scale

⁴ 盛开 shèngkāi 〈形 adj.〉开得繁茂 being in full bloom：像~的鲜花 xiàng ~ de xiānhuā like a flower in full bloom｜迎春花~在田野上。Yíngchūnhuā ~ zài tiányě shang. Winter jasmines are in full blossom in the field.

⁴ 盛情 shèngqíng 〈名 n.〉(份)热烈而深厚的情谊 warm and great kindness：~招待 ~ zhāodài treat sb. with the utmost hospitality｜~难却 ~ nánquè difficult to refuse such kindness｜我很高兴地接受贵方的~邀请。Wǒ hěn gāoxìng de jiēshòu guìfāng de ~ yāoqǐng. I am very glad to accept your kind invitation.

⁴ 盛行 shèngxíng 〈动 v.〉广泛地流行 be in vogue；be current：~于欧美 ~ yú Ōu-Měi be current in Europe and America｜这支歌曾经~一时。Zhè zhī gē céngjīng ~ yìshí. This song was in vogue for a time.｜中国的文言文~到19世纪末，以后便衰落了。Zhōngguó de wényánwén ~ dào shíjiǔ shìjì mò, yǐhòu biàn shuāiluò le. Classical style of writing prevailed in China till the end of the 19th century, then declined.

¹ 剩 shèng 〈动 v.〉余下；多余 be left over；remain：~余~yú remainder｜~菜~cài leftovers｜过~guò~ surplus｜饭~在锅里。Fàn ~ zài guō li. The food remains in the pot.｜别~下一个人。Bié ~xià yí gè rén. Don't leave over anyone.

³ 剩余 shèngyú 〈动 v.〉遗留；余留 remainder；surplus：~品~pǐn remainder｜~物资~wùzī surplus materials｜昨儿发的东西还有没有~？Zuór fā de dōngxi hái yǒu méiyǒu ~? Does any of the things issued yesterday remain?

⁴ 尸体 shītǐ〈名 n.〉(具jù、个gè)人或动物死去后的躯体 dead body (of a human being or an animal)；corpse：~解剖 ~ jiěpōu autopsy｜掩埋~ yǎnmái ~ bury a dead body｜僵硬的~ jiāngyìng de ~ a stiff corpse

⁴ 失 shī ❶〈动 v.〉原有的没了；丢掉 (与'得'相对) lose (opposite to '得dé)：流~ liú~ run off｜遗~ yí~ lose｜~恋 ~liàn be disappointed in love｜~学 ~xué be unable to go to school｜~而复得 ~érfùdé find what one has lost｜因小~大 yīnxiǎo-~dà lose the main goal for small gains ❷〈动 v.〉没有控制住或把握住 fail to get control or hold of：~策

~测 misjudge ｜ ~足 ~zú take a false step in life ｜ ~声痛哭 ~shēng tòngkū lose control and cry out loud ｜惊慌~措 jīnghuāng-~cuò be frightened out of one's wits ❸〈动 v.〉违背；背弃 go back on one's words; break one's promise：~信 ~xìn break one's promise ｜~约 ~yuē fail to keep an appoint ｜报道~实。Bàodào ~shí. The report is unfounded. ❹〈动 v.〉没达到目的 fail to achieve one's end：~望 ~wàng be disappointed ｜~意 ~yì be frustrated ❺〈动 v.〉改变常态 deviate from the normal：~色 ~sè turn pale ｜~常 ~cháng not normal ｜~真 ~zhēn distortion ❻〈动 v.〉找不着 fail to find; get lost：~踪 ~zōng disappear ｜迷~方向 mí~fāngxiàng lose one's bearings ❼〈动 v.〉产生意外 (something unexpected) break out：~火 ~huǒ catch fire ｜~密 ~mì give away secrets due to carelessness ｜~事 ~shì have a fatal accident ❽〈名 n.〉过错；损失 mistake; loss：过~ guò~ fault ｜~误 ~wù blunder ｜有得有 ~ yǒudé yǒu~ gain something while losing something ｜智者千虑，必有一~。Zhìzhěqiānlǜ, bìyǒuyì~. Even the wise are not always free from error.

² **失败** shībài ❶〈动 v.〉被对方打败（与'胜利'相对）be defeated (opposite to '胜利 shènglì')：敌人~了。Dírén ~ le. The enemy was defeated. ❷〈动 v.〉没能成功；没能达到目的（与'成功'相对）failed; come to nothing (opposite to '成功 chénggōng')：试验~。Shìyàn ~. The test failed. ｜考试~。Kǎoshì ~. The examination failed. ❸〈名 n.〉被打败或未成功的情况（与'胜利'、'成功'相对）defeat; failure (opposite to '胜利 shènglì' or '成功 chénggōng')：不怕~ bú pà ~ be not afraid of failure ｜~是成功之母。~ shì chénggōng zhī mǔ. Failure is the mother of success.

³ **失掉** shīdiào ❶〈动 v.〉原有的丢了或不再具有 lose：~选票 ~xuǎnpiào lose votes ｜~民心 ~mínxīn lose popular support ｜~作用 ~zuòyòng be ineffective ❷〈动 v.〉错过；未把握住 miss; fail to grasp：~战机 ~zhànjī lose an opportunity for combat

³ **失眠** shīmián〈动 v.〉夜间辗转不能入睡 suffer from insomnia：经常~ jīngcháng ~ often lose sleep ｜严重~ yánzhòng suffer from serious insomnia

² **失去** shīqù〈动 v.〉失掉 lose：~信任 ~xìnrèn lose credit ｜不讲信用的经营，~的一定是顾客。Bù jiǎng chéngxìn de jīngyíng, ~ de yídìng shì gùkè. Dishonest management will inevitably lead to the loss of customers.

⁴ **失事** shī // shì〈动 v.〉发生事故；出现意外不幸 have an accident; be met with unexpected misfortune：轮船~ lúnchuán ~ shipwreck ｜~的地点 ~de dìdiǎn scene of an accident ｜等到失了事再抓就晚了。Děngdào shīle shì zài zhuā jiù wǎn le. It will be too late to take measures when an accident happens.

² **失望** shīwàng ❶〈动 v.〉丧失希望和信心 lose hope and confidence：令人~ lìngrén ~ disappointing ｜人们对他~了。Rénmen duì tā ~ le. People have lost confidence in him. ❷〈动 v.〉因未实现愿望而懊恼 be disappointed：她~得哭了起来。Tā ~ de kūle qǐlái. She was so disappointed that she burst into cry.

⁴ **失误** shīwù ❶〈动 v.〉由于举措不当或能力不足而出现错误 make a mistake：判断~ pànduàn ~ misjudge ｜那个动作又~了。Nàge dòngzuò yòu ~ le. There was another blunder in that movement. ❷〈名 n.〉差错；过失 blunder; fault：减少~ jiǎnshǎo ~ reduce mistakes ｜工作的~ gōngzuò de ~ a blunder in work

⁴ **失效** shī // xiào〈动 v.〉原有的效力已经丧失 lose effectiveness; be no longer in force：合约~了。Héyuē ~ le. The contract has become invalid. ｜这种药剂慢慢地~了。Zhè zhǒng yàojì mànmàn de ~ le. The medicament does not have effect any longer. ｜这合同可能失了效。Zhè hétong kěnéng shīle xiào. The contract may possibly have ceased to be in force.

⁴ **失学** shī//xué 〈动 v.〉因故不能上学或中途辍学 be not able to go to school; drop out：~儿童 *értóng* children unable to go school ｜他经历过~的痛苦。 *Tā jīnglìguo ~ de tòngkǔ.* He experienced the sorrow of being deprived of education. ｜失过学的他又背上了书包。 *Shīguo xué de tā yòu bēishàngle shūbāo.* He who was once unable to go to school has now picked up his schoolbag again.

² **失业** shī//yè 〈动 v.〉有工作能力的人失去了职业或找不到就业机会 lose one's job; be out of work：~人员 *rényuán* the unemployed ｜他正为~而苦闷呢。 *Tā zhèng wèi ~ ér kǔmèn ne.* He felt low for being out of employment. ｜失业过的人更珍惜工作机会。 *Shīguo yè de rén gèng zhēnxī gōngzuò jīhuì.* Those who had been out of work would treasure an opportunity to work all the more.

⁴ **失约** shī//yuē 〈动 v.〉未履行约会 fail to keep one's appointment：小伙子又~了。 *Xiǎohuǒzi yòu ~ le.* The young man failed to keep his appointment again. ｜你已经失约多次约了。 *Nǐ yǐjīng shīle duō cì yuē le.* You have broken promise many times.

⁴ **失踪** shī//zōng 〈动 v.〉下落不明；没有踪迹 disappear; be missing：这只猫了好几天。 *Zhè zhī māo le hǎo jǐ tiān.* The cat has disappeared for many days. ｜这次泥石流中~的人数已经增加到15名。 *Zhè cì níshíliú zhōng ~ de rénshù yǐjīng zēngjiā dào shíwǔ míng.* The number of people who are missing in this mud-rock flow has reached 15. ｜失了踪的文件又找回来了。 *Shīle zōng de wénjiàn yòu zhǎo huílái le.* The missing documents have appeared.

⁴ **师** shī ❶〈名 n.〉传授知识、技能或手艺的人 teacher; master：拜~ *bài* take sb. as one's teacher ｜~生 *~shēng* teachers and students ｜能者为~ *néngzhě wèi ~* let those who can teach ｜严~出高徒。 *Yán ~ chū gāotú.* A strict teacher brings up outstanding students. ❷〈名 n.〉指有某种学问或技能的人 a person with certain learning or skill：律~ *lǜ~* lawyer ｜牧~ *mù~* pastor ｜工程~ *gōngchéng~* engineer ｜~爷 *~yé* private advisor ❸〈名 n.〉对僧、道等出家人的尊称 a title of respect for a Buddhist or Taoist priest：法~ *fǎ~* Master ｜禅~ *chán~* Chan master ❹〈名 n.〉因师徒关系而产生的叫法 related to one and the same master：~兄 *~xiōng* senior male fellow apprentice ｜~母 *~mǔ* the wife of one's teacher or master ❺〈名 n.〉军队编制之一，在军以下，旅或团以上；泛指军队 division; troops：骑兵~ *qíbīng~* cavalry division ｜~级 *~jí* divisional level ｜会~ *huì~* join forces ｜百万雄~ *bǎiwàn xióng~* a million bold warriors ｜出师不利 ~不利 *~búlì* be rebuffed in the first encounter ｜正义之~，文明之~ *zhèngyì zhī ~, wénmíng zhī ~* a civilized army fighting for a just cause ❻〈名 n.〉榜样 example; model：~表 *~biǎo* a person of exemplary virtue ｜宗~ *zōng~* master of great learning and integrity ｜前事不忘，后事之~。 *Qiánshì bú wàng, hòushì zhī ~.* Lessons learned from the past can guide one in the future. ❼〈动 v. 书 lit.〉学习；效法 learn; imitate：~古 *~gǔ* imitate the ancients ｜~承 *~chéng* the succession of teachings from a master to his disciples ｜~法自然 *~fǎ zìrán* natural imitation

³ **师范** shīfàn ❶〈名 n.〉师范学校的简称 normal school, short for '师范学校*shīfàn xuéxiào*'：~生 *~shēng* a student at a normal school ｜~院校 *~yuànxiào* normal colleges and schools ｜我是学~的。 *Wǒ shì xué ~ de.* I graduated from a normal school. ❷〈名 n. 书 lit.〉楷模 model; example：为世~ *wèishì ~* serve as a model for the people in the world

¹ **师傅** shīfu ❶〈名 n.〉(位wèi、个gè) 徒弟对教授技能的老师的尊称 master; master worker：拜~学艺 *bài ~ xuéyì* take sb. as one's master and learn skill from him ｜跟~练功 *gēn ~ liàngōng* learn gongfu from one's master ｜~领进门，修行在个人。 *~ lǐng jìn*

mén, xiūxíng zài gèrén. The master can teach you only the rudiments while it is up to yourself to become a man of integrity. ❷〈名 *n.*〉(位 wèi、个 gè)对具有某方面技艺专长的人的尊称 a title of respect for a person with certain skill: 修车~ *xiūchē* ~ master repairman｜木匠老~ *mùjiàng lǎo* ~ old master carpenter

⁴ **师长** shīzhǎng ❶〈名 *n.*〉(位 wèi)对老师和年长者的尊称 a title of respect for a teacher or elder: 关心和尊敬 ~ *guānxīn hé zūnjìng* ~ care for and respect the elders｜既是~又是朋友。*Jì shì* ~ *yòu shì péngyou.* He is my teacher as well as my friend. ❷〈名 *n.*〉(位 wèi、名 míng、个 gè)军队中师级最高指挥官 division commander: 新任 ~ *xīnrèn* ~ the new division commander

² **诗** shī ❶〈名 *n.*〉(句 jù、首 shǒu、行 háng)一种文学体裁，以抒情为主，讲究节奏、韵律，多数押韵 poetry; poem; verse: ~集 ~*jí* a collection of poems｜~作 ~*zuò* poetic writings｜古~ *gǔ*~ ancient poems｜散文 ~ *sǎnwén* ~ prose poem｜写 ~ *xiě* ~ write a poem｜这首很短。*Zhè shǒu* ~ *hěn duǎn.* This poem is very short. ❷ (Shī)〈名 *n.*〉特指中国的《诗经》,《诗经》是中国现存最早的现实主义诗歌总集。 大约形成于公元前6世纪 *The Book of Songs* (诗经 shījīng), the earliest collection of realistic poems that has ever existed in China. It took shape approximately in the 6th century, B. C.

⁴ **诗歌** shīgē 〈名 *n.*〉(首 shǒu) 泛指各类体裁的诗 poetry; poems and songs: ~创作 *chuàngzuò* write poems｜民间~ *mínjiān* ~ folk poems｜外国 ~ *wàiguó* ~ foreign poetry｜我在迎春晚会上朗诵了一首。 *Wǒ zài yíngchūn wǎnhuì shang lǎngsòngle yì shǒu* ~. I recited a poem at the Spring Festival evening party.

³ **诗人** shīrén 〈名 *n.*〉(位 wèi、名 míng、个 gè)擅长诗歌创作的人 poet: 著名~ *zhùmíng* ~ a famous poet｜爱国 ~ *àiguó* ~ a patriotic poet

² **狮子** shīzi 〈名 *n.*〉(头 tóu)一种凶猛的大型猫科动物 lion: ~王 ~ *wáng* the king of lions｜~舞是中国流行非常广泛的民间舞蹈。 ~ *wǔ shì Zhōngguó liúxíng fēicháng guǎngfàn de mínjiān wǔdǎo.* The lion dance is a folk dance very popular in China.

⁴ **施** shī ❶〈动 *v.*〉实行；施展 carry out; implement; execute: ~工 ~*gōng* be under construction｜实~ *shí*~ execute｜无计可~ *wújìkě*~ at a loss as to what to do｜我对他~些小小的计策。 *Wǒ duì tā* ~ *xiē xiǎoxiǎo de jìcè.* I played some small tricks on him. ❷〈动 *v.*〉(给某些东西)加上或用上 use; apply: ~肥 ~*féi* apply fertilizer｜~粉 ~*fěn* powder ❸〈动 *v.*〉给；给予 give; bestow: ~恩 ~*ēn* bestow favor｜~压 ~*yā* exert pressure ❹〈动 *v.*〉把财物送给穷人或寺庙 hand out sth. to the poor or a temple: ~舍 ~*shě* give in charity｜~主 ~*zhǔ* alms giver｜布~ *bù*~ alms giving｜乐善好~ *lèshàn-hào*~ be always glad to give in charity

⁴ **施肥** shī//féi 〈动 *v.*〉给植物上肥 apply fertilizer to plants: 人们正忙着在地里~呢。 *Rénmen zhèng mángzhe zài dì li* ~ *ne.* People are busy spreading fertilizer in the fields.｜小麦该~了。*Xiǎomài gāi* ~ *le.* It's time to apply fertilizer to the wheat.｜这块地施过几遍肥了？ *Zhè kuài dì shī jǐ biàn féi le?* How many times has fertilizer been applied to this field?

² **施工** shī//gōng 〈动 *v.*〉按设计要求对工程实施修建工作 be in the process of construction: 春季 ~ *chūnjì* ~ construction in spring｜~现场 ~ *xiànchǎng* construction site｜加紧 ~ *jiājǐn* ~ speed up the construction｜我们以前在这里施过工。 *Wǒmen yǐqián zài zhèli shīguo gōng.* We were once engaged in construction here.

⁴ **施加** shījiā 〈动 *v.*〉加给 exert; bring to bear on: ~影响 ~ *yǐngxiǎng* exert influence｜你倒对我~起压力来了。 *Nǐ dào duì wǒ* ~ *qǐ yālì lái le.* But you are imposing pressure on me.

施行 shīxíng ❶〈动 v.〉按某种方式或程序做 perform or enforce in certain way or order: ~方案 ~ *fāng'àn* carry out a plan | ~急救 ~ *jíjiù* administer first aid ❷〈动 v.〉执行或实施（规章、法令等）execute/implement（regulations, statutes, etc.）: 开始 ~ *kāishǐ* ~ begin to put in force | ~新法规 ~ *xīn fǎguī* apply new laws and regulations | 本条例~到今年底为止。*Běn tiáolì ~ dào jīnnián niándǐ wéizhǐ.* These regulations are in force until the end of this year.

施展 shīzhǎn〈动 v.〉发挥；展现 give free play to; put to good use: ~手段 ~ *shǒuduàn* use artifices | ~伎俩 ~ *jìliǎng* play tricks | 将才华~出来 *jiāng cáihuá ~ chūlái* bring one's talent into full play

湿 shī〈形 adj.〉沾了水的或含水多的（与'干'相对）wet; damp（opposite to '干' *gān*）: ~布 ~*bù* wet cloth | ~地 ~*dì* damp ground | 阴~ *yīn* ~ dark and damp | ~度 ~*dù* humidity | 我的衣服全给雨淋了。*Wǒ de yīfu quán gěi yǔ lín~ le.* I got soaked through in the rain.

湿度 shīdù〈名 n.〉空气及某些物质的含水多少或潮湿的程度 humidity; dampness: 暖房~ *nuǎnfáng* ~ the humidity in the greenhouse | 很大 ~ *hěn dà* high humidity | 土壤的~ *tǔrǎng de* ~ the dampness of soil

湿润 shīrùn〈形 adj.〉潮湿润泽 moist: ~的双眼 ~ *de shuāngyǎn* moist eyes | 这里气候常年~。*Zhèli qìhòu chángnián* ~. It is moist here all the year round.

十 shí ❶〈数 num.〉汉字数目字，即阿拉伯数字10，大写为'拾' ten, Chinese numerical, namely the Arabic numeral 10, capitalized as '拾shí': ~月 ~*yuè* October | ~进制 ~*jìnzhì* decimal system | ~个人 ~ *gè rén* ten people | 一目~行 *yīmù~háng*（形容阅读速度很快）*yìmù-~háng*（*xíngróng yuèdú sùdù hěn kuài*）read ten lines at a glance（read rapidly）❷〈数 num.〉表示达到顶点 topmost: ~拿九稳 ~*ná-jiǔwěn* be nine-tenths certain | ~恶不赦（形容罪大恶极，不能赦免）~*è-búshè*（*xíngróng zuìdà-èjí, bù néng shèmiǎn*）guilty of ten unpardonable crimes（be guilty of such extremely serious crimes that the criminal should not be pardoned）| ~足的大傻瓜 ~*zú de dà shǎguā* a downright big fool ❸〈名 n.〉指形状类似'十'的物体 cross; 十-shaped object: 红~字 *hóng~zì* red cross | ~字架 ~*zìjià* cross | ~字路口 ~*zì lùkǒu* crossroads

十分 shífēn ❶〈副 adv.〉很；非常 very; quite: ~生气 ~ *shēngqì* very angry | 天气~热。*Tiānqì ~ rè.* It is very hot. ❷〈名 n.〉指10这个数量，又表示百分之百或多数 topmost; hundred percent; most: ~劲儿才使出九分。~ *jìnr cái shǐchū jiǔ fēn.* Only ninety percent of the strength was put forth. | 顾客的满意度还不到~。*Gùkè de mǎnyì dù hái bú dào* ~. The customers are not yet completely satisfied.

十全十美 shíquán-shíměi〈成 idm.〉形容每一方面都完美无缺 be perfect in every way: 世上没有~的事。*Shìshàng méiyǒu ~ de shì.* There is no such a thing as perfection in the world.

十足 shízú ❶〈形 adj.〉十分充足 full; downright: 信心~ *xìnxīn* ~ full of confidence | 分量~ *fēnliàng* ~ give full measure | ~的笨蛋 ~ *de bèndàn* an out-and-out fool ❷〈形 adj.〉形容（成色）纯或纯净（of silver and gold）pure: ~的黄金 ~ *de huángjīn* pure gold

石灰 shíhuī〈名 n.〉由石灰石烧制而成的白色不定型固体 lime: ~岩 ~*yán* limestone | ~窑 ~*yáo* limekiln | 搅拌~ *jiǎobàn* ~ mix lime | ~是建筑原料之一。~ *shì jiànzhù yuánliào zhīyī.* Lime is one of the building materials.

石头 shítou〈名 n.〉（块kuài）石的俗称，构成地壳的坚硬物质 stone; rock: ~心肠 ~ *xīncháng* stone-hearted | ~缝儿 ~ *fèngr* a crack in the rock | 儿子考上了大学，她心里的一块~终于落了地。*Érzi kǎoshàngle dàxué, tā xīn li de yí kuài ~ zhōngyú luòle dì.* She was finally relieved when her son was admitted to a university.

² 石油 shíyóu〈名 n.〉(桶tǒng、吨dūn)重要的液体燃料，因埋于地下岩石中而得名 petroleum; oil：~大亨 ~ dàhēng oil magnate｜盛产~ shèngchǎn ~ be rich in oil｜~多为褐色、暗绿色或黑色。~ duō wéi hèsè, ànlǜsè huò hēisè. Petroleum is mostly grey, dark green or black.

⁴ 时 shí ❶〈名 n.〉时间或岁月，也指较长的一段时间 time; times; days：旧 ~ jiù ~ old times｜~空 ~kōng time and space｜~期 ~qī period｜在学校 ~zài xuéxiào ~ during the schooldays｜等候多~ děnghòu duō~ wait for a long time｜此一~，彼一~(表示时过境迁)。Cǐ yì ~, bǐ yì ~ (biǎoshì shíguò-jìngqiān). The condition at present is very much different from that of the past (Times have changed). ❷〈名 n.〉规定的时间 fixed time：及~ jí ~ in time｜届~ jiè ~ when the time comes｜过~不候 guò ~ bú hòu not wait after the set time ❸〈名 n.〉时令；季节 season：农~ nóng ~ farming season｜~令风 ~lìngfēng seasonal wind｜应~瓜果摆满了柜台。Yìng~ guāguǒ bǎimǎn le guìtái. Seasonal melons and fruit are all over the counter. ❹〈名 n.〉钟点儿；时辰 o'clock; hour; one of the twelve two-hour periods in a day：子~ zǐ ~ the period of the day from midnight to 2 p. m.｜报~ bào~ announce the hour｜三~整 sān ~ zhěng three o'clock sharp ❺〈名 n.〉机会 opportunity; chance：~不再来 ~búzàilái Opportunity once missed will never come again. ❻〈名 n.〉语法范畴之一，指动作发生的时间 (in grammar) tense：~态 ~tài tense｜现代汉语也有过去~、现在~和将来~的用法。Xiàndài hànyǔ yě yǒu guòqù~, xiànzài~ hé jiānglái~ de yòngfǎ. There are also past tense, present tense and future tense in modern Chinese. ❼〈形 adj.〉现在的；当前的 present; current：~事 ~shì current affairs｜~价 ~jià current price｜~尚 ~shàng vogue｜~装 ~zhuāng fashionable dress ❽〈副 adv.〉经常；常常 now and then; often：~常 ~cháng frequently｜~~刻刻 ~~kèkè at every moment｜图书盗版的情况~有发生。Túshū dàobǎn de qíngkuàng ~ yǒu fāshēng. Piracy of books takes place very often. ❾〈副 adv.〉有时候 sometimes：~断~续 ~duàn~xù sometimes on, sometimes off｜~阴~晴 ~yīn~qíng now overcast, now fine

³ 时常 shícháng〈副 adv.〉经常；常常 often; frequently：这个地方~有雾。Zhège dìfang ~ yǒu wù. It is often foggy here.｜他~到图书馆去看书。Tā ~ dào túshūguǎn qù kànshū. He frequently goes to the library to read books.

² 时代 shídài ❶〈名 n.〉(个gè)根据政治、经济、文化等特点划分出的历史时期 historical period; age; epoch; era：~的标志 ~ de biāozhì symbol of the era｜~先锋 ~xiānfēng vanguard of the times｜伟大的~ wěidà de ~ a great epoch｜划~ huà~ epoch-making｜封建~ fēngjiàn~ feudal period ❷〈名 n.〉人一生中的某个时期 a period in one's life：青少年~ qīngshàonián ~ teenage｜中老年~ zhōnglǎonián ~ middle and old ages

⁴ 时而 shí'ér ❶〈副 adv.〉单用，表示无规律、不定时地重复出现或发生 from time to time; now and then：林中~传来几声鸟叫。Lín zhōng ~ chuán lái jǐ shēng niǎojiào. Birds are heard singing now and then from the woods.｜脑海里~有些奇怪的念头闪过。Nǎohǎi li ~ yǒuxiē qíguài de niàntou shǎnguo. Some strange ideas flash across the mind from time to time. ❷〈副 adv.〉连用，表示不同事情或现象在一定时间里交替发生 now...now...; sometimes...sometimes...：~高兴~悲伤 ~ gāoxìng ~ bēishāng sometimes happy, sometimes sad｜这病~好~坏，总不稳定。Zhè bìng ~ hǎo ~ huài, zǒng bù wěndìng. The illness is not stable, now better and now worse.

⁴ 时光 shíguāng ❶〈名 n.〉时间；光阴 time：~易逝。~ yì shì. Time passes easily.｜~隧道 ~ suìdào the tunnel of time｜宝贵的~ bǎoguì de ~ precious time ❷〈名 n.〉(段

duàn）时期 period：学生时代是人生中最美好的~。*Xuésheng shídài shì rénshēng zhōng zuì měihǎo de ~.* Schooldays are the best period in a man's life. ❸ 〈名 n.〉（段 duàn）日子 days：难熬~ *nán áo* days hard to endure｜那些快乐的~令人难忘。*Nàxiē kuàilè de ~ lìngrén nánwàng.* Those happy days are unforgettable.

³ **时候** shíhou ❶ 〈名 n.〉时间里的某一点 a point in time; moment：什么~ *shénme* what time｜进门的~ *jìnmén de ~* the moment when one entered the door｜不早了。~ *bù zǎo le.* It's no longer early. ❷ 〈名 n.〉有起止点的一段时间 (the duration of) time：小~ *xiǎo ~* during one's childhood｜前些~ *qián xiē* some time ago｜上大学的~ *shàng dàxué de ~* during the college days

³ **时机** shíjī 〈名 n.〉（个 gè）有利的机会、条件或时间 favorable opportunity, condition or time：最好~ *zuìhǎo ~* the best opportunity｜抓住~ *zhuāzhù ~* grasp the opportunity｜不失~ *bùshí ~* lose no time｜决战的~还不成熟。*Juézhàn de ~ hái bù chéngshú.* The time for the decisive battle has not yet arrived.

¹ **时间** shíjiān ❶ 〈名 n.〉物质存在的方式之一。由过去、现在、将来构成，无始无终，始终向着一个方向流逝 time, one of the ways in which matter exists, which passes endlessly in the same direction, consisting of the past, the present and the future：~的长河 *~ de chánghé* the endless flow of time｜爱惜~ *àixī ~* make the best use of one's time｜和空间 *~ hé kōngjiān* time and space ❷ 〈名 n.〉指某一点或某一段时间 a point or a period of time：上课~ *shàngkè ~* time for class｜事情发生的~在下午。*Shìqing fāshēng de ~ zài xiàwǔ.* The story took place in the afternoon.｜一周的~很快就过去了。*Yì zhōu de ~ hěn kuài jiù guòqù le.* A week's time elapses in a wink.

³ **时节** shíjié ❶ 〈名 n.〉季节；节令 season：清明~ *Qīngmíng ~* at or around the Qing Ming festival｜早春~ *zǎochūn ~* early spring｜现在正值农忙~，大家都在地里干活。*Xiànzài zhèngzhí nóngmáng ~, dàjiā dōu zài dìli gànhuó.* Everybody is working in the fields for it is the busy season for farming. ❷ 〈名 n.〉时候 time：落花~ *luòhuā ~* the time when flowers fade｜那~不兴这种发型。*Nà ~ bùxīng zhèzhǒng fāxíng.* This hairstyle was not in vogue at that time.

² **时刻** shíkè ❶ 〈名 n.〉时间的某一点或某一段 a point or a period of time; moment：临别的~ *línbié de ~* the time for saying goodbye｜这一~我终生难忘。*Zhè yì ~ wǒ zhōngshēng nánwàng.* I will never forget the moment in my life.｜在艰难的~他帮助过我。*Zài jiānnán de ~ tā bāngzhùguo wǒ.* He lent me a helping hand during my hard times. ❷ 〈副 adv.〉随时；每时每刻 ever; all the time：~准备着 *~ zhǔnbèizhe* be ever ready｜时时刻刻不忘学习。*Shíshí-kèkè bú wàng xuéxí.* Never forget study.

⁴ **时髦** shímáo 〈形 adj.〉新颖，追随潮流 fashionable; in vogue：~人物 *~ rénwù* a man of fashion｜赶~ *gǎn ~* follow the vogue

² **时期** shíqī 〈名 n.〉（个 gè）有着明显特征的一段时间 a period of time with remarkable characteristics：少年~ *shàonián ~* teenage｜学习~ *xuéxí ~* time for study｜新~ *xīn ~* a new period｜历史~ *lìshǐ ~* historical period

³ **时时** shíshí 〈副 adv.〉经常；常常 constantly; often：我~提醒自己，我已经不是一个孩子了。*Wǒ ~ tíxǐng zìjǐ, wǒ yǐjīng bú shì yí gè háizi le.* I often remind myself that I am no longer a child.｜往事~涌上心头。*Wǎngshì ~ yǒngshàng xīntóu.* The past constantly upwells in my mind.

⁴ **时事** shíshì 〈名 n.〉当前的国内外大事 current events; current affairs：~述评 *~ shùpíng* comments on current affairs｜了解~ *liǎojiě ~* know current events｜最新~报道 *zuìxīn ~ bàodào* the latest report on current events

S

⁴ **时装** shízhuāng 〈名 *n.*〉(件jiàn、套tào)式样新潮的服装 fashionable dress：~表演 ~ *biǎoyǎn* fashion show｜~模特儿 ~ *mótèr* fashion model｜设计 ~ *shèjì* ~ design fashion

⁴ **识** shí ❶〈动 *v.*〉认得；可以辨认 know；be able to distinguish：结－ *jié*~ get to know sb.｜~字 ~*zì* learn to read｜~别 ~*bié* discriminate｜素不相～ *sùbùxiāng* have never met before ❷〈动 *v.*〉知道；了解 know；understand：~货 ~*huò* know what's what｜~水性 *shuǐxìng* know how to swim｜见多～广 *jiànduō*-~*guǎng* be experienced and knowledgeable｜不～时务 *bù*-~*shíwù* show no understanding of the times ❸〈名 *n.*〉知识；见识 knowledge；insight：学～ *xué*~ knowledge｜常～ *cháng*~ common sense｜胆～ *dǎn*~ courage and insight｜远见卓～ *yuǎnjiàn-zhuó*~ foresight and sagacity｜有～之士 *yǒu*~*zhīshì* a person with broad vision

⁴ **识别** shíbié 〈动 *v.*〉辨别；区分开 distinguish；tell the difference：语音～ *yǔyīn*~ discern speech sounds｜难以～ *nányǐ*~ hard to distinguish｜~好坏 ~*hǎohuài* tell the good from the bad

⁴ **实** shí ❶〈形 *adj.*〉里面填满，没有空隙(与'空'相对) solid (opposite to '空kōng')：~心球 ~*xīnqiú* a solid ball｜充～ *chōng*~ substantiate｜坚～ *jiān*~ solid｜严～~ *yányán-* ~~ very tight ❷〈形 *adj.*〉真诚；实在(与'虚'相对) sincere；honest；real (opposite to '虚xū')：~心眼儿 ~*xīnyǎnr* having a one-track mind｜真心～意 *zhēnxīn-*~*yì* genuine and sincere｜~事求是 ~*shì-qiúshì* seek truth from facts ❸〈名 *n.*〉实际；事实 reality；fact：务～ *wù*~ deal with concrete matters｜现～ *xiàn*~ reality｜～质 ~*zhì* essence｜有名无～ *yǒumíng-wú*~ in name, but not in reality ❹〈名 *n.*〉果实；种子 fruit；seed：子～ *zǐ*~ seed｜春花秋～ *chūnhuā-qiū*~ spring flowers and autumn fruit ❺〈副 *adv.*〉的确；really：~不相瞒 ~*bù xiāng mán* to be candid with you｜~属不易 ~*shǔ búyì* truly not easy

⁴ **实话** shíhuà 〈名 *n.*〉(句jù)真话；与实际相符的话 truth；words that conform to the facts：大～ *dà*~ the perfect truth｜说～ *shuō*~ tell the truth｜~实说 ~*shíshuō* talk straight｜他这个人从来不讲～。 *Tā zhège rén cónglái bù jiǎng* ~. He is a man who never tells the truth.

⁴ **实惠** shíhuì ❶〈形 *adj.*〉有实在利益或好处的 substantial；solid：这家饭馆的饭菜挺～的。 *Zhè jiā fànguǎn de fàncài tǐng ~ de.* This restaurant provides quite substantial food.｜这里的商品既经济又～。 *Zhèlǐ de shāngpǐn jì jīngjì yòu ~.* The goods here are both inexpensive and useful. ❷〈名 *n.*〉实际的好处 tangible benefits：捞～ *lāo*~ reap some tangible benefits｜没什么～ *méi shénme* ~ no tangible benefits at all

² **实际** shíjì ❶〈名 *n.*〉客观存在的现实(与'理论'相对) reality；practice (opposite to '理论lùn')：理论与～ *lǐlùn yǔ* ~ theory and practice｜不切～ *búqiè*~ not correspond with reality｜~上 ~*shang* in reality ❷〈形 *adj.*〉实有的；具体的 real；actual；concrete：~工作 ~*gōngzuò* actual work｜~的事例 ~ *de shìlì* concrete example｜~工资是多少？ ~*gōngzī shì duōshao?* How much is the real wage? ❸〈形 *adj.*〉合乎事实或真的 practical；realistic：你的想法不够～。 *Nǐ de xiǎngfǎ bú gòu* ~. Your idea is not realistic enough.

¹ **实践** shíjiàn ❶〈动 *v.*〉实行；履行 carry out；put into practice：~誓言 ~*shìyán* keep one's promise｜付诸～ *fùzhū*~ put it into practice｜不断地～ *búduàn de* ~ practice unceasingly ❷〈名 *n.*〉有目的地改造世界和社会的活动(与'理论'相对) practice (opposite to '理论lùn')：成功的～ *chénggōng de* ~ successful practice｜社会～ *shèhuì*~ social practice｜知识源于～。 *Zhīshi yuányú* ~. Knowledge originates from practice.

³ **实况** shíkuàng 〈名 *n.*〉真实情况；实际情况 what is actually happening；the actual

situation：~解说 ~ *jiěshuō* live interpretation | 会议~ *huìyì* ~ the facts of the meeting | 比赛~ *bǐsài* ~ the reality of the match

⁴ **实力** shílì 〈名 *n.*〉实有的力量或实在的力量 strength; actual strength：经济~ *jīngjì* ~ economic strength | ~薄弱 ~ *bóruò* weak strength | 这是一支颇具~的球队。 *Zhè shì yì zhī pō jù* ~ *de qiúduì*. This is a rather strong team.

³ **实施** shíshī 〈动 *v.*〉实行法令、政策等 put into effect/implement（laws, decrees, policies, etc.）：~改革 ~ *gǎigé* carry out reform | 认真~ *rènzhēn* ~ implement seriously | 该项法令~到今天整整一年了。 *Gāi xiàng fǎlìng* ~ *dào jīntiān zhěngzhěng yì nián le*. The decree has been in effect for a whole year.

² **实事求是** shíshì-qiúshì 〈成 *idm.*〉从实际情况出发，恰如其分地对待和处理问题，不夸大，不缩小 seek truth from facts：从~出发 *cóng* ~ *chūfā* from the point of seeking truth from facts | 坚持~的原则 *jiānchí* ~ *de yuánzé* stick to the principle of seeking truth from facts | ~地解决问题 ~ *de jiějué wèntí* solve the problem on the basis of facts

⁴ **实体** shítǐ 〈名 *n.*〉（个 gè）指独立存在并起作用的组织或机构 entity：经济~ *jīngjì* ~ economic entity | 那家公司就是个~。 *Nà jiā gōngsī jiù shì gè* ~. That company is an entity.

³ **实物** shíwù ❶〈名 *n.*〉实际物品（与'货币'相对）matter; in kind（opposite to '货币' *huòbì*'）：~抵押 ~ *dǐyā* mortgage in kind | ~地租 ~ *dìzū* rent in kind | 征收~ *zhēngshōu* ~ levy tax in kind ❷〈名 *n.*〉真实而具体的东西 material object：从收集~入手 *cóng shōují* ~ *rùshǒu* start with collecting objects

³ **实习** shíxí 〈动 *v.*〉有关人员在正式工作前进行实验性操作或预备性培训 practice; field work; internship：~医生 ~ *yīshēng* intern | ~一年 ~ *yì nián* a year's internship

¹ **实现** shíxiàn 〈动 *v.*〉使成为事实 realize; achieve：~目标 ~ *mùbiāo* achieve an end | ~纲领 ~ *gānglǐng* bring about the platform | ~计划 ~ *jìhuà* realize a plan | 我的愿望没能~。 *Wǒ de yuànwàng méi néng* ~. My wish has not come true.

² **实行** shíxíng 〈动 *v.*〉用实际行动来实现 put into practice; carry out：~八小时工作制 ~ *bā xiǎoshí gōngzuòzhì* institute an eight-hour working day system | 贯彻~ *guànchè* ~ carry out | 我们应当~科学种田。 *Wǒmen yīngdāng* ~ *kēxué zhòngtián*. We ought to practice scientific farming.

² **实验** shíyàn ❶〈动 *v.*〉在特定条件下为某种理论或假设是否正确进行检验 conduct an experiment to see a theory or supposition is correct under specific circumstances：开始~ *kāishǐ* ~ start an experiment | 我们已经~了多种办法。 *Wǒmen yǐjīng* ~*le duō zhǒng bànfǎ*. We have tried many ways. ❷〈名 *n.*〉（个 gè）指实验活动 experiment; test; trial：科学~ *kēxué* ~ scientific experiment | 做~ *zuò* ~ conduct a test | 大量的~ *dàliàng de* ~ many experiments

² **实用** shíyòng 〈形 *adj.*〉注重或讲求实际使用的 practical; pragmatic：轻便~ *qīngbiàn* ~ handy and practical | ~技术 ~ *jìshù* practical skill | ~美术 ~ *měishù* practical art | 这套家具很~。 *Zhè tào jiājù hěn* ~. This set of furniture is rather practical.

² **实在** shízài ❶〈形 *adj.*〉真实；不虚伪 true; real：心眼儿~ *xīnyǎnr* ~ true-hearted | 师傅的本事是~的。 *Shīfu de běnshì shì* ~ *de*. The master worker has real ability. ❷〈副 *adv.*〉的确 really; truly：~弄不懂 ~ *nòng bù dǒng* not understandable indeed | ~说不出口 ~ *shuō bù chū kǒu* truly unspeakable | ~太快了 ~ *tài kuài le* very quick indeed ❸〈副 *adv.*〉其实 in fact; in essence：他表面接受了意见，~心里不服。 *Tā biǎomiàn jiēshòule yìjiàn,* ~ *xīnli bùfú*. In appearance he took our advice, but in fact was not convinced.

² **实质** shízhì 〈名 *n.*〉本质特征；根本的属性 substance; essence：理论~ *lǐlùn* ~ the crux

of the theory｜~性问题 ~xìng wèntí an essential problem｜~上 ~shang in essence

² **拾** shí ❶〈动 v.〉捡；从地上拿起来 collect; pick up from the ground：~麦穗儿 ~màisuìr gather up the loose ears of wheat in the fields｜~取 ~qǔ collect｜~到筐子里 ~dào kuāngzi li pick sth. up and put it into the basket｜东西被那个人~走了。Dōngxi bèi nàge rén ~zǒu le. It was picked up and taken away by that man. ❷〈动 v.〉整理 put in order：收~ shōu~ put in order｜把屋里~掇~掇。Bǎ wūli ~duo~duo. Tidy up the room. ❸〈数 num.〉汉字数字'十'的大写；为防止涂改，一般在票据上应采用大写 ten, capital of numeral '十 shí', on bills, accounts, etc. to avoid mistakes or alterations：壹~元整 yī~yuán zhěng ten yuan in all

⁴ **食** shí ❶〈名 n.〉吃的东西 food：主~ zhǔ~ staple food｜面~ miàn~ food made of flour｜~谱 ~pǔ recipes｜丰衣足~ fēngyī-zú~ have enough food and clothing ❷〈名 n.〉动物饲料 feed：猫~ māo~ cat feed｜鱼~ yú~ fish feed ❸〈名 n.〉供食用或调料用的（东西）edible：~品 ~pǐn food｜~盐 ~yán table salt｜~糖 ~táng sugar ❹〈动 v.〉吃 eat：~草动物 ~ cǎo dòngwù herbivore｜侵略者不断蚕~着这片土地。Qīnlüèzhě búduàn cán~ zhe zhè piàn tǔdì. The aggressors keep nibbling at this land ❺〈动 v.〉指吃饭 have a meal：绝~ jué~ fast｜废寝忘~ fèiqǐn-wàng~ (so absorbed as to) forget food and sleep｜饱~终日 bǎo~-zhōngrì spend one's day in food and drink ❻〈动 v.〉日、月被一个暗天体部分或全部地遮住 solar/lunar eclipse：日~ rì~ solar eclipse｜月~ yuè~ lunar eclipse

² **食品** shípǐn〈名 n.〉可供食用或饮用的食物，通常在商店里出售 food; provisions：保健~ bǎojiàn~ health food｜~工业 ~gōngyè food industry｜~卫生 ~wèishēng food hygiene｜过期~就不要再食用了。Guòqī ~ jiù búyào zài shíyòng le. Don't eat the food any longer that has exceeded the time limit.

¹ **食堂** shítáng〈名 n.〉(个 gè)机关、单位等可供工作人员就餐的地方 canteen：小~ xiǎo ~ small canteen｜我们学校的伙食不错。Wǒmen xuéxiào ~ de huǒshí búcuò. Our school serves very good food.｜你去~打点儿饭菜来。Nǐ qù ~ dǎ diǎnr fàncài lái. Go to the canteen to fetch some food.

² **食物** shíwù〈名 n.〉(种 zhǒng)可供食用、充饥的东西 food; eatables：~丰富 ~fēngfù abundant in food｜老虎正在寻找~。Lǎohǔ zhèngzài xúnzhǎo ~. The tiger is seeking for food.

⁴ **食用** shíyòng ❶〈动 v.〉当作食物用；吃 be used for food; eat：这种花既可观赏又可~。Zhè zhǒng huā jì kě guānshǎng yòu kě ~. This flower is both for ornamentation and food.｜食品过期，不可再~了。Shípǐn guòqī, bùkě zài ~ le. The food has exceeded the time limit, so you can no longer eat it. ❷〈形 adj.〉可以供人吃的 edible：~菌 ~jūn edible mushroom｜~油 ~yóu edible oil

⁴ **食欲** shíyù〈名 n.〉进食的欲望 appetite：~不振 ~ bú zhèn have a poor appetite｜促进~ cùjìn ~ stimulate appetite｜一点儿~也没有。Yìdiǎnr ~ yě méiyǒu. There is not the slightest appetite.

⁴ **史** shǐ ❶〈名 n.〉历史 history：文化~ wénhuà~ cultural history｜世界~ shìjiè~ world history｜~学 ~xué historiography｜~无前例 ~wúqiánlì unprecedented in history ❷〈名 n.〉中国古代负责记录和掌管史事的官 an official who was in charge of historical record and historical events in ancient China：太~ tài~ official historian｜良~ liáng~ a good historian

⁴ **史料** shǐliào〈名 n.〉有关历史事实方面的资料 historical materials：~文献 ~ wénxiàn historical data and documents｜收集~ ~shōují ~ collect historical data

² **使** shǐ ❶〈动 v.〉用；使用 used；apply：~劲 ~*jìn* exert one's energy ｜ 见风 ~舵 *jiànfēng-~duò* sail with the wind ｜ 让我一一你的笔。*Ràng wǒ ~ yì ~ nǐ de bǐ.* May I use your pen? ❷〈动 v.〉叫；让；致使 make；cause；enable：~人心烦 ~ *rén xīnfán* vex sb. ｜大家高兴 ~ *dàjiā gāoxìng* make all of us glad ｜~房间空气流通 ~ *fángjiān kōngqì liútōng* enable the air in the room to circulate ❸〈动 v.〉打发，命令人办事 send/order sb. to do sth.：~唤 ~*huan* order about ｜鬼~神差(比喻不自觉地做了原先没想做的事情或比喻原先没想到的事情发生了)*guǐ-shénchāi*（*bǐyù bú zìjué de zuòle yuánxiān méi xiǎng zuò de shìqing huò bǐyù yuánxiān méi xiǎngdào de shìqing fāshēng le*）doings of ghosts and gods（*fig.* unexpected happenings）｜你可真会~人！*Nǐ kě zhēn huì ~ rén!* You are really capable of ordering people about! ❹〈动 v.〉奉命到国外办事 be sent abroad on business：出~ *chū*~ be sent abroad as an envoy ❺〈名 n.〉奉命办理重要事物的人员 envoy；messenger：大~ *dài*~ ambassador ｜天~ *tiān*~ angel ｜~节 ~*jié* diplomatic envoy ｜~臣 ~*chén* envoy ｜两国交兵，不斩来~。*Liǎng guó jiāobīng, bù zhǎn lái*~. When two states are at war, they must not kill each other's envoys. ❻〈连 conj. 书 lit.〉假如；假若 if；supposing：假~ *jiǎ*~ if ｜纵~ *zòng*~ even though

³ **使得** shǐde ❶〈动 v.〉可以使 can be used；be usable：这东西~吗? *Zhè dōngxi ~ ma?* Is it usable? ｜水龙头还~。*Shuǐlóngtóu hái ~.* The water tap is still usable. ❷〈动 v.〉能行得通；可以 can work；will do：你去比他去更~。*Nǐ qù bǐ tā qù gèng ~.* It will be more workable if you go rather than he. ｜他不来如何~? *Tā bù lái rúhé* ~? How will it do if he does not come? ❸〈动 v.〉引起某种后果 cause（a result）；make：大病~他消瘦了许多。*Dà bìng ~ tā xiāoshòule xǔduō.* The serious illness rendered him much thinner than before. ｜天气变冷，~树叶全黄了。*Tiānqì biàn lěng, ~ shùyè quán huáng le.* It is growing cold so that all the leaves have turned yellow.

⁴ **使节** shǐjié〈名 n.〉（位wèi、名míng）派驻他国或国际组织的外交代表，也指临时派出国办理事务的有关代表 diplomatic envoy：外国~ *wàiguó* ~ foreign envoys ｜驻外~ *zhùwài* ~ outposted envoys ｜这位~来自比利时。*Zhè wèi ~ láizì Bǐlìshí.* This envoy is from Belgium. ｜有数十名外交~应邀参加了这次活动。*Yǒu shù shí míng wàijiāo ~ yìngyāo cānjiāle zhè cì huódòng.* Dozens of diplomatic envoys are invited to this event.

³ **使劲** shǐ//jìn〈动 v.〉使出力气；用劲儿 exert one's strength；put in energy：一齐~ *yìqí* ~ exert strength in unison ｜~干活 ~*gànhuó* work hard ｜再使一点儿劲儿！*Zài shǐ yìdiǎnr jìnr!* Put in a little more effort! ｜劲儿都使光了。*Jìnr dōu shǐ guāng le.* All our energy is exhausted.

⁴ **使命** shǐmìng〈名 n.〉（个gè）使者肩负的命令，比喻重大的责任 mission；*fig.* heavy responsibility：~感 ~*gǎn* the sense of mission ｜重大~ *zhòngdà* ~ important mission ｜历史~ *lìshǐ* ~ historical mission ｜肩负的~ *jiānfù de* ~ a mission on one's shoulder ｜他是负有秘密的~。*Tā shì fù yǒu mìmì ~ de.* He is on a secret mission.

¹ **使用** shǐyòng〈动 v.〉用；让某物发挥作用 use；apply：~机器 ~ *jīqì* use a machine ｜~资金 ~ *zījīn* use a fund ｜~说明 ~ *shuōmíng* user's manual ｜他~非法手段获取了公司的技术资料。*Tā ~ fēifǎ shǒuduàn huòqǔle gōngsī de jìshù zīliào.* He obtained the technical data of the company by illegal means.

⁴ **始** shǐ ❶〈动 v.〉开头，开始(与'终zhōng'相对) begin；start（opposite to '终zhōng'）：创~ *chuàng*~ initiate ｜自今日~ *zì jīnrì* ~ begin from today ｜于上个世纪~ *yú shàng gè shìjì* start from the last century ❷〈名 n.〉最早阶段；开端 the earliest stage；beginning：~末 ~*mò* beginning and end ｜~乱终弃(指玩弄女性的不道德行为)~*luàn-zhōngqì*（*zhǐ wánnòng nǚxìng de bú dàodé xíngwéi*）forsake after having dallied with

(referring to dallying with women) ｜有~有终 *yǒu~~yǒuzhōng* having a beginning and an end ❸〈副 *adv.*〉才 only then ｜~见成效 *~jiàn chéngxiào* see results only then ｜会议至下午四时半~散。*Huìyì zhì xiàwǔ sì shí bàn ~ sàn.* The meeting did not end until 4:30 p. m. ❹〈形 *adj.*〉起初的;最早的 initial;earliest: ~祖鸟 *~zǔniǎo* archaeopteryx ｜~愿 *~yuàn* the earliest wish

²**始终** *shǐzhōng* ❶〈副 *adv.*〉表示从开始到最后 from beginning to end: ~不懈地 *~búxiè de* persevere from beginning to end ｜他~没有来。*Tā ~ méiyǒu lái.* He did not appear all along. ❷〈名 *n.*〉指从开始到最后的全过程 from start to finish; the whole process: 学校贯彻~的宗旨是教书育人。*Xuéxiào guànchè ~ de zōngzhǐ shì jiāoshū-yùrén.* Schools should always be aimed at imparting knowledge and educating people.

³**驶** *shǐ* ❶〈动 *v.*〉开动,驾驶(车、船、飞机等) drive(a vehicle); sail (a ship); pilot (a plane): ~停 *~tíng* stop ｜行~在路上 *xíng~ zài lùshang* drive on the road ｜一声汽笛,轮船~进码头。*Yì shēng qìdí, lúnchuán ~jìn mǎtóu.* The ship sailed into dock with a whistle. ❷〈动 *v.*〉(车马等)奔驰 (of a vehicle, horse, etc.) speed: 疾~ *jí~* speed ｜拐角处猛地~出一辆轿车来。*Guǎijiǎochù měngde ~chū yí liàng jiàochē lái.* A car sped out unexpectedly from around the corner.

⁴**屎** *shǐ* ❶〈名 *n.*〉(泡pāo、摊tān)粪便;大便 excrement; dung: 狗~ *gǒu~* dog dung ｜~尿 *~niào* faeces and urine ❷〈名 *n.*〉特指眼、耳、鼻等器官中的分泌物 secretion of the eye, ear, nose, etc. : 耳~ *ěr~* earwax ｜鼻~ *bí~* nose excretion ｜眼~ *yǎn~* eye gum

³**士兵** *shìbīng*〈名 *n.*〉(名míng、个gè、群qún)战士;军士和兵的统称 privates;rank-and-file soldiers: 年轻的~ *niánqīng de ~* young soldiers

⁴**示范** *shìfàn*〈动 *v.*〉做出可供学习的榜样或典范 demonstrate; set an example: ~一下动作 *~yíxià dòngzuò* demonstrate a movement ｜~作用 *~zuòyòng* demonstration effect

³**示威** *shìwēi* ❶〈动 *v.*〉为表示抗议或提出某项要求而进行集体集会、游行等活动 demonstrate; stage a mass rally, demonstration, etc. in protest or making some demand: 游行~ *yóuxíng ~* stage a demonstration ｜人们在街头~。*Rénmen zài jiētóu ~.* People are staging a demonstration in the street. ❷〈动 *v.*〉显示自己的威力 put on a show of force; display one's strength: 对手向他伸出拳头~。*Duìshǒu xiàng tā shēnchū quántou ~.* The opponent stretched out his fist at him to display his strength.

⁴**示意图** *shìyìtú*〈名 *n.*〉(张zhāng)一种为说明较复杂内容的原理或概况而绘制的简明图 diagram; sketch map: 居民小区~ *jūmín xiǎoqū ~* a sketch map of the neighborhood ｜~上有标记。*~ shang yǒu biāojì.* There are some marks on the sketch map.

⁴**世** *shì* ❶〈名 *n.*〉人的一生 life; lifetime: 来~ *lái~* next life ｜生生~~ *shēngshēng-~~* generation after generation ｜今生今~ *jīnshēng-jīn~* this present life ❷〈名 *n.*〉社会;人间；世界 society;human world;world: 问~ *wèn~* come out ｜与~隔绝 *yǔ ~géjué* be secluded from the world ｜举~闻名 *jǔ~wénmíng* be known to the world ｜~态炎凉 (形容人们对得势者亲热逢迎,对失势者冷漠疏远的情形)。*~tài-yánliáng (xíngróng rénmén duì déshìzhě qīnrè féngyíng, duì shīshìzhě lěngmò shūyuǎn de qíngxíng).* Warmth or coldness is the way of the world (describing the fact that people usually flatter and toady those who are in power and turn a cold shoulder to those who have lost power). ❸〈名 *n.*〉一辈又一辈 generation after generation: ~家 *~jiā* a family holding a certain position for generations ｜~族 *~zú* an aristocratic family political influential for generations ｜~仇 *~chóu* family feud ❹〈名 *n.*〉子嗣 offspring; descendants by blood: ~系 *~xì* bloodline ｜二十~孙 *èrshí ~ sūn* grandson of the twentieth generation ❺〈名 *n.*〉指有多代交情的关系 close relationship spanning many

generations：~交 ~jiāo friendship spanning many generations │ ~兄 ~xiōng man who is a friend of the family ❺〈名 n.〉时代 epoch：乱~ luàn~ troubled times

⁴世代 shìdài ❶〈名 n.〉代代；一代又一代 for generations；generation after generation：~不忘 ~ bú wàng never forget │ 世世代代流传下去 shìshì-dàidài liúchuán xiàqù pass on from generation to generation ❷〈名 n.〉朝代；时代 dynasty；epoch；era：~更迭 ~ gēngdié a change of dynasty │ ~演变 ~ yǎnbiàn a change of era

²世纪 shìjì〈名 n.〉（个gè）计算年代的单位，一百年为一个世纪 century（= 100 years）：本~ běn ~ this century │ ~初 ~ chū at the beginning of the century │ 在新~里 zài xīn ~ li in the new century

¹世界 shìjiè ❶〈名 n.〉自然界和人类社会活动的总和 world（nature and the human social activities）：~是客观存在。 ~ shì kèguān cúnzài. The world is an objective existence. │ 认识、改造，永远是人类社会的追求。 Rènshi、gǎizào，yǒngyuǎn shì rénlèi shèhuì de zhuīqiú. It is a lasting pursuit of the human society to know and reform the world. ❷〈名 n.〉指我们居住的星球的各个地方 world；earth；globe：全~ quán~ the whole world │ 走向~ zǒuxiàng ~ take one's place in the world │ ~和平 ~ hépíng world peace ❸〈名 n.〉指人们活动的某一范围或领域 world（human activity in a certain scope or area）：主观~ zhǔguān ~ objective world │ 童话~ tónghuà ~ the world of fairy tales │ 内心~ nèixīn ~ inner world ❹〈名 n. 方 dial.〉处处；到处 everywhere：经他这么一嚷嚷，满~都知道这件事了。 Jīng tā zhème yì rāngrang，mǎn ~ dōu zhīdào zhè jiàn shì le. It is now widely known after he made such a big noise about it.

⁴世界观 shìjièguān〈名 n.〉（种zhǒng）人们对世界的总的根本的看法，也称'宇宙观' world outlook, also '宇宙观 yǔzhòuguān'：正确的~ zhèngquè de ~ correct world outlook │ ~可以是多种多样的。 ~ kěyǐ shì duōzhǒng-duōyàng de. There can be a variety of world outlooks.

¹市 shì ❶〈名 n.〉集中交易货物的固定场所 marketplace；market：~场 ~chǎng market │ ~价 ~jià market price │ 集~ jí~ fair │ 黑~ hēi~ black market │ 门庭若~（形容来客人很多，热闹如赶集一样）。 Méntíng-ruò~（xíngróng kèrén hěn duō，rènao rú jíshì yíyàng）. The courtyard is like a market（A much-visited house is as busy as a fair）. ❷〈名 n.〉人口密集，工商业和文化发达的地方 a place with dense population and developed industry and commerce and culture：城~ chéng~ city │ 都~ dōu~ metropolis │ ~镇 ~zhèn town │ ~民 ~mín residents of a city │ ~郊 ~jiāo suburbs │ ~政建设 ~zhèng jiànshè municipal construction ❸〈名 n.〉行政区划单位 a unit of administrative division：直辖~ zhíxiá ~ municipality directly under the central government │ 省辖~ shěngxiá ~ provincial city ❹〈名 n.〉属于市制的（度量衡单位）pertaining to the Chinese system of weights and measures：1~斤等于500克。 Yí ~ jīn děngyú wǔbǎi kè. One jin is equal to 500 grams. │ 1公斤等于2~斤。 Yì gōngjīn děngyú èr ~jīn. One kilogram is equal to 2 jin. ❺〈动 v.〉买或卖；交易 buy and sell；deal in：股市早上九点开~。 Gǔshì zǎoshang jiǔ diǎn kāi~. The stock market opens at 9 in the morning. │ 商店营业主纷纷罢~。 Shāngdiàn yíngyèzhǔ fēnfēn bà~. Shopkeepers went on strike one after another.

²市场 shìchǎng ❶〈名 n.〉交易商品的场所 market house；marketplace：自选~ zìxuǎn ~ DIY market │ ~预测 ~ yùcè market forecasting │ 逛~ guàng ~ stroll around the market │ 繁荣~ fánróng ~ make the market prosper ❷〈名 n.〉商品行销的区域 market；bazaar：国际~ guójì ~ international market │ 开发欧洲~ kāifā Ōuzhōu ~ open up the European market ❸〈名 n.〉比喻人的思想言行或事物活动影响的范围、场所 fig. a place where one's ideas, etc. can win support：让陈旧观念没有~。 Ràng chénjiù guānniàn méiyǒu

~. Let's give no support to those old concepts. │ 虚假广告在这里还有~. *Xūjiǎ guǎnggào zài zhèlǐ hái yǒu* ~. Here still exist sham advertisements.

⁴ **市民** shìmín〈名 *n.*〉(名míng、位wèi)城市居民 urban residents:~阶层 ~ *jiēcéng* the stratum of urban residents │普通~ *pǔtōng* ~ ordinary residents of a city

³ **市长** shìzhǎng〈名 *n.*〉(位wèi、名míng)城市最高行政官员 mayor:~办公室 ~ *bàngōngshì* the office of the mayor │~热线电话 ~ *rèxiàn diànhuà* the mayor's hotline

⁴ **式** shì ❶〈名 *n.*〉样子；样式 type；style：新 ~ *xīn* ~ a new type │西~ ~ *xī*~ the Western style │款 ~ *kuǎn*~ design ❷〈名 *n.*〉典礼；仪式 ceremony；ritual：阅兵 ~ *yuèbīng* ~ military review │开幕~ *kāimù*~ opening ceremony │结业~ *jiéyè*~ ceremony for completing a course ❸〈名 *n.*〉特定的规格 pattern；form：格 ~ *gé*~ form │模 ~ *mó*~ pattern │程 *chéng*~ formula ❹〈名 *n.*〉指自然科学中表示某种规律的一组符号 formula：方程~ *fāngchéng*~ equation │不等~ *bùděng*~ inequality │分子~ *fēnzǐ*~ molecular formula ❺〈名 *n.*〉语法范畴之一,指词语结构的格式 (in grammar) mood；mode：条件~ *tiáojiàn*~ conditional mood │命令~ *mìnglìng*~ imperative mood

⁴ **式样** shìyàng〈名 *n.*〉(种zhǒng)物体的形状、样式 pattern；style；type：多种~ *duōzhǒng* ~ many patterns │新颖~ *xīnyǐng* ~ novel style │我不喜欢这种陈旧的~. *Wǒ bù xǐhuan zhè zhǒng chénjiù de* ~. I don't like this outmoded style.

³ **似的** shìde〈助 *aux.*〉用在名词、代词或动词后面,表示跟某种事物、情况类似 used after a noun, pronoun or verb to indicate its similarity to something else：这块玉红得像血~.*Zhè kuài yù hóng de xiàng xiě* ~. This jade is as red as blood. │他高兴得什么~.*Tā gāoxing de shénme* ~. He is extremely glad. │孩子看样子哭过~.*Háizi kànyàngzi kūguo* ~. The child looked as if he had cried.

⁴ **势必** shìbì〈副 *adv.*〉根据事情的发展趋势推测其结果必定会怎样 be bound to；certainly will：平时不流汗, 战时~多流血. *Píngshí bù liúhàn, zhànshí* ~ *duō liúxuè.* Less sweating at peacetime will certainly result in more bleeding at wartime. │不加固堤坝,~会带来后患. *Bù jiāgù dībà,* ~ *huì dàilái hòuhuàn.* If the dyke is not reinforced, it would lead to trouble.

³ **势力** shìli ❶〈名 *n.*〉政治、军事和经济等方面拥有的权力或力量 (political, military or economic) force；power；strength：扩大 ~ *kuòdà* ~ extend one's power │地方~ *dìfāng* ~ local power │~很大 ~ *hěn dà* very powerful ❷〈名 *n.*〉权势 power and influence：他在这个地区有不小的~. *Tā zài zhège dìqū yǒu bùxiǎo de* ~. He is rather influential in this area.

¹ **事** shì ❶(~儿)〈名 *n.*〉(件jiàn、桩zhuāng)事情 thing；matter：私~ *sī*~ private matter │就~论~ *jiù*~*lùn*~ consider sth. as it stands │想想看, 这几天你做了哪些~? *Xiǎngxiǎng kàn, zhè jǐ tiān nǐ zuòle nǎxiē* ~? Think it over. What have done these days? ❷(~儿)〈名 *n.*〉职业；工作 job；work：差 ~ *chāi*~ errand │谋 ~ *móu*~ plan matters │找个~儿做做. *Zhǎo gè* ~*r zuòzuo.* Look for a job. ❸(~儿)〈名 *n.*〉关系；责任 responsibility；involvement：碍~儿 *ài*~*r* be in the way │不干你的~ *bú gàn nǐ de* ~ nothing of your concern │有他的~还是没他的~, 现在不能定. *Yǒu tā de* ~ *háishì méi tā de* ~, *xiànzài bù néng dìng.* It is not clear if he is involved or not. ❹(~儿)〈名 *n.*〉事故 accident；trouble：多~之秋 *duō*~*zhīqiū* a year of many troubles │路上出~儿了. *Lù shang chū*~*r le.* There was an accident on the road. │千万别再发生什么~! *Qiānwàn bié zài fāshēng shénme* ~! No accident should happen again. ❺〈动 *v.*〉做 go in for；be engaged in：从~ *cóng*~ go in for │无所~事 *wúsuǒ*~*shì* doing nothing；loafing about

⁴ **事变** shìbiàn〈名 *n.*〉突发事件 (多指军事、政治上料想不到的重大事件) incident；

emergency（usually referring to unexpected major events in military or political fields）：发生~ *fāshēng* ~ an emergency happens ｜我们要有应对突发~的准备。 *Wǒmen yào yǒu yìngduì tūfā ~ de zhǔnbèi.* We must be ready to meet a sudden incident.

³ **事故** shìgù〈名 *n.*〉(起qǐ、次cì)意外的损失或灾祸：变故 accident；trouble：重大~ *zhòngdà* ~ a major accident ｜~原因 *yuányīn* the cause of an accident ｜~的责任 *de zérèn* responsibility for the accident ｜发生~ *fāshēng* ~ an accident happens

⁴ **事迹** shìjī〈名 *n.*〉过去做过的重要而感人的事情 deed；achievement：模范~ *mófàn* ~ examplary deeds ｜英雄~ *yīngxióng* ~ heroic deeds

⁴ **事件** shìjiàn〈名 *n.*〉(次cì、起qǐ)历史上有重大影响或社会突发的事情 event；incident：历史~ *lìshǐ* ~ historical event ｜流血~ *liúxuè* ~ bloody incident ｜这是一起严重的政治~ *Zhè shì yì qǐ yánzhòng de zhèngzhì ~.* This is a serious political incident.

⁴ **事例** shìlì〈名 *n.*〉(个gè)可做例子并具有一定的代表性的事情 example；instance：请举一些实例~来说明。 *Qǐng jǔ yìxiē jùlì ~ lái shuōmíng.* Please cite a few examples to illustrate it. ｜这个~很典型。 *Zhège ~ hěn diǎnxíng.* It is a typical example.

¹ **事情** shìqing ❶〈名 *n.*〉(件jiàn、桩zhuāng)人所进行的一切活动和所发生的一切现象 thing；matter；affair：~太多 *tài duō* too many things ｜小~ *xiǎo* ~ a trifle ｜这件~不大，可是影响不小。 *Zhè jiàn ~ bú dà, kěshì yǐngxiǎng bù xiǎo.* This matter is small but influential. ❷〈名 *n.*〉差错，事故 mishap；accident：慢点儿开，别出~。 *Màn diǎnr kāi, bié chū ~.* Drive slowly to avoid any accident. ｜没有他什么~，都怪我们不好。 *Méiyǒu tā shénme ~, dōu guài wǒmen bù hǎo.* It has nothing to do with him. It is all our fault. ❸〈名 *n.*〉职业或工作 job；work：他想到城里找个~做。 *Tā xiǎng dào chénglǐ zhǎo gè ~ zuò.* He intends to look for a job in town. ｜护理这~挺辛苦的。 *Hùlǐ zhè ~ tǐng xīnkǔ de.* Nursing is a toilsome job.

¹ **事实** shìshí〈名 *n.*〉(个gè)实情；真实情况 fact；truth：与~相反 *yǔ ~ xiāngfǎn* contrary to the fact ｜~上 *shang* in fact ｜用~说话 *yòng ~ shuōhuà* speak on the basis of facts

⁴ **事态** shìtài〈名 *n.*〉(种zhǒng)事情发展的形势或局面(指不好的态势) state of affairs；situation（referring to unfavorable situation）：严重的~ *yánzhòng de* ~ serious situation ｜~正在进一步恶化。 *~ zhèngzài jìnyíbù èhuà.* The situation is getting worse. ｜~渐渐地变得缓和了。 *~ jiànjiàn de biàn de huǎnhé le.* The situation is relaxing.

³ **事务** shìwù ❶〈名 *n.*〉泛指日常要做的事 work；affairs：~缠身 *chánshēn* have a lot of work to do ｜内部~ *nèibù* ~ internal affairs ｜日常~ *rìcháng* ~ ordinary work ❷〈名 *n.*〉杂务 general affairs：~性工作 *xìng gōngzuò* routine work ｜琐碎的~ *suǒsuì de* trivial matters ❸〈名 *n.*〉某项专门业务 special affairs：涉外~ *shèwài* ~ overseas-related affairs ｜民族~ *mínzú* ~ national affairs ｜宗教~ *zōngjiào* ~ religious affairs

² **事物** shìwù〈名 *n.*〉(种zhǒng)泛指客观世界里所有物体和现象 object；thing：新生~ *xīnshēng* ~ a newborn thing ｜腐朽的~ *fǔxiǔ de* ~ a rotten thing ｜任何~都不是孤立静止的。 *Rènhé ~ dōu bú shì gūlì jìngzhǐ de.* Nothing is isolated and static.

² **事先** shìxiān〈名 *n.*〉事前 in advance；beforehand：这事我~就知道。 *Zhè shì wǒ ~ jiù zhīdào.* I knew it beforehand. ｜你~为什么不告诉我？ *Nǐ ~ wèishénme bú gàosu wǒ?* Why didn't you tell me in advance?

⁴ **事项** shìxiàng〈名 *n.*〉事情的项目 item；matter：有关~ *yǒuguān* ~ the relative matter ｜注意~ *zhùyì* ~ matters calling for attention

² **事业** shìyè ❶〈名 *n.*〉(项xiàng)人们从事的具有一定规模、体系并能影响社会发展的活动 cause；undertaking：教育~ *jiàoyù* ~ educational undertakings ｜人民的~ *rénmín de* ~ the people's cause ｜~的需要 *de xūyào* the need of the cause ｜他总是埋头于~，生

活上马马虎虎。*Tā zǒngshì máitóu yú ~, shēnghuó shang mǎmǎ-hūhū.* He is always concentrated on his career and never particular about his daily needs. ❷〈名 n.〉特指由国家、集体或民营、私人团体开支其经费，自身没有生产收入的单位或机构(与'企业'相对) an institution or organization that itself is not engaged in production and therefore has no income and whose expenses are covered by the state, a collective, a civilian-run or private organization（opposite to '企业 qǐyè'）: ~费 *~fèi* operating expenses｜~性开支 *~xìng kāizhī* operating cost

⁴ **侍候** shìhòu〈动 v.〉照料；服侍 look after; attend upon: ~老人 *~ lǎorén* look after the elderly｜~病人 *~bìngrén* attend upon a patient｜他这么大年纪了，身边没人~不行。*Tā zhème dà niánjì le, shēnbiān méi rén ~ bù xíng.* He is so old that there must be somebody at his side to take care of him.

² **试** shì ❶〈动 v.〉按预定想法非正式做 try; attempt: ~办 *~bàn* run an enterprise, etc. as an experiment｜~图 *~tú* attempt｜~~身手 *~~ shēnshǒu* have a try｜她们~起衣服来了。*Tāmen ~qǐ yīfu lái le.* They are trying on clothes. ❷〈动 v.〉用一定方式考查知识或技能 test（one's knowledge or skill）: ~题 *~tí* test question｜测~ *cè~* test｜复~ *fù~* reexamine｜考~ *kǎo~* examination｜笔~ *bǐ~* written test｜口~ *kǒu~* oral test

² **试卷** shìjuàn〈名 n.〉(张zhāng、份fèn)考试时使用的卷子，也指正在评阅或收藏的考卷 examination paper: 发~ *fā~* hand out the examination papers｜~分析 *~fēnxī* analyze the examination papers｜查阅~ *cháyuè ~* look up the examination papers

⁴ **试行** shìxíng〈动 v.〉尝试着实行 try out; put to trial use: ~草案 *~cǎo'àn* a trial draft｜~到月底 *~ dào yuèdǐ* try out until the end of the month｜有关规定待批准后方可~。*Yǒuguān guīdìng dài pīzhǔn hòu fāng kě ~.* The relative regulations are not allowed to be on trial until they win approval.

² **试验** shìyàn ❶〈动 v.〉在实验室或小范围内进行探索性工作或活动 carry out an experiment in a laboratory or in a small area: ~过 *~guo* have been tried out｜先~再推广 *xiān ~ zài tuīguǎng* first try out, then popularize｜不断地~ *búduàn de ~* carry out repeated experiments ❷〈名 n.〉指进行试探观察的活动 experiment: 做~ *zuò ~* carry out an experiment｜化学~ *huàxué ~* chemical experiment｜~成功了。*~ chénggōng le.* The experiment succeeded.

⁴ **试用** shìyòng〈动 v.〉在正式使用或任用前，试用着用一段时间，以检查是否合适 on trial; on probation; try out: ~新产品 *~ xīn chǎnpǐn* try out new products｜~期为一年。*~qī wéi yì nián.* The probationary period is one year.

⁴ **试制** shìzhì〈动 v.〉试验性地制造或生产 trial-produce; trial-manufacture: ~新式武器 *~ xīnshì wǔqì* trial-produce new weapons｜新产品刚刚~成功。*Xīn chǎnpǐn gānggāng ~ chénggōng.* The new products have just succeeded in their trial manufacture.

⁴ **视** shì ❶〈动 v.〉看 look at: 凝~ *níng~* look fixedly｜环~ *huán~* look around｜~觉 *~jué* vision｜~神经 *~shénjīng* optic nerve｜熟~无睹(经常看见却看不见一样，指对事情漠不关心) *shú~-wúdǔ*（*jīngcháng kànjiàn què hé kàn bú jiàn yíyàng, zhǐ duì shìqing mòbùguānxīn*）look at but pay no attention to（take no notice of something familiar; turn a blind eye to）❷〈动 v.〉看作；看待 regard; look upon: 歧~ *qí~* discriminate against｜忽~ *hū~* overlook｜等闲~之(指不予重视，毫不在意) *děngxián-zhī*（*zhǐ bù yǔ zhòngshì, háo bú zàiyì*）regard as unimportant（treat lightly）｜~死如归(把死看做找到归宿，形容不怕死) *~sǐ-rúguī*（*bǎ sǐ kànzuò zhǎodào guīsù, xíngróng bú pàsǐ*）look upon death as going home（be not afraid of death）❸〈动 v.〉考察；审察 inspect; watch: 审~ *shěn~* examine｜巡~ *xún~* make an inspection tour｜监~ *jiān~* keep

watch on │ ~察 ~chá inspect

⁴ 视察 shìchá ❶〈动 v.〉实地考察工作（只用于上级对下级）inspect; make a field inspection（only used in case of the superiors in relation to the inferiors）：~团 ~tuán the inspection group │ ~工厂 ~ gōngchǎng inspect a factory ❷〈动 v.〉仔细了解、察看 have a close look; learn carefully：几名侦察兵到前线去~地形了。Jǐ míng zhēnchábīng dào qiánxiàn qù ~ dìxíng le. Some scouts have gone to the front for an inspection of the terrain.

⁴ 视觉 shìjué〈名 n.〉（种 zhǒng）指物体影像刺激（人或动物）眼睛所产生的感觉；也指（人或动物）眼睛辨认物体明暗和色彩的感觉 visual sense; vision：~器官 ~ qìguān organs of vision

⁴ 视力 shìlì〈名 n.〉指眼睛在一定距离内辨别物体形态的能力 vision; sight：~减退 ~ jiǎntuì one's eyesight is failing │ 保护~ bǎohù ~ protect one's eyesight │ 检查 ~ jiǎnchá ~ test one's vision

⁴ 视线 shìxiàn〈名 n.〉眼睛与所见物体之间的假想直线；比喻注意力 sight line; line of sight; fig. attention：众人的~都集中在他身上。Zhòngrén de ~ dōu jízhōng zài tā shēn shang. All eyes are fixed on him. │ 他的~被挡住了。Tā de ~ bèi dǎngzhù le. His view is obstructed. │ 不要转移大家的~，好不好？Búyào zhuǎnyí dàjiā de ~, hǎo bù hǎo? Will you not divert our attention?

⁴ 视野 shìyě〈名 n.〉视力所及的范围 field of vision：广阔的~ guǎngkuò de ~ wide field of vision │ 人们的~开阔了。Rénmen de ~ kāikuò le. People's vision has widened. │ 接触社会不多，~就会狭窄。Jiēchù shèhuì bù duō, ~ jiù huì xiázhǎi. If you do not make much contact with society, you will have a narrow vision.

¹ 是 shì ❶〈动 v.〉联系两类事物 used to link two matters: a) 表示等同（'是'前后两部分可以互换，意思不变）expressing equality（the two parts before and after '是' are exchangeable with no change of the meaning）：北京～中国的首都。Běijīng ～ Zhōngguó de shǒudū. Beijing is the capital of China. │ 中国的首都～北京。Zhōngguó de shǒudū ～ Běijīng. The capital of China is Beijing. │ 打工挣钱不～学生的首要任务。Dǎgōng zhèngqián bú ～ xuéshēng de shǒuyào rènwù. To make money by doing odd jobs is not the primary task of a student. b) 表示归类（'是'前后两部分不能互换）expressing classification（the two parts before and after '是' are not exchangeable）：蛇～爬行动物，不～两栖动物。Shé ～ páxíng dòngwù, bú ～ liǎngqī dòngwù. The snake is not an amphibian but a reptile. │ 他～我们单位的人。Tā ～ wǒmen dānwèi de rén. He is one of the employees of our institution. │ 这本书不～医学类的。Zhè běn shū bú ～ yīxué lèi de. This is not a medical book. c) 表示领属 expressing possession：这辆车～他家的。Zhè liàng chē ～ tā jiā de. This car belongs to his family. │ 小方桌～四条腿。Xiǎo fāng zhuō ～ sì tiáo tuǐ. The small square table has four legs. │ 他家～一个儿子，我家～两个女儿。Tā jiā ～ yí gè érzi, wǒ jiā ～ liǎng gè nǚ'ér. He has a son while I have two daughters. d) 表示解释或描述 expressing explanation or description：他没来开会，～临时有事。Tā méi lái kāihuì, ～ línshí yǒu shì. He did not appear for the meeting for something turned up incidentally. │ 孩子哭～因为饿了。Háizi kū ～ yīnwèi è le. It is because the child is hungry that it is crying. │ 他骑的～深蓝色的摩托。Tā qí de ～ shēnlánsè de mótuō. He rides a deep blue motorcycle. e) 表示存在 expressing existence：屋顶上～一面迎风飘舞的旗子。Wūdǐng shang ～ yí miàn yíngfēng piāowǔ de qízi. A flag is waving in the wind on top of the roof. │ 大风吹得人满脸～土。Dàfēng chuī de rén mǎnliǎn ～ tǔ. The strong wind blew so hard that people were covered with dirt all over their faces. f) 表示

S

特征 expressing characteristics：黄种人~黑头发。*Huángzhǒngrén ~ hēi tóufa.* The yellow race has black hair. | 那只小狗~花的。*Nà zhī xiǎo gǒu ~ huā de.* That little dog is variegated. g）表示质料 expressing materials：中国古建筑多~木结构的。*Zhōngguó gǔ jiànzhù duō ~ mù jiégòu de.* The ancient buildings in China are mostly of timber. | 这件衣服的面料~真丝的。*Zhè jiàn yīfu de miànliào ~ zhēnsī de.* The material of this coat is real silk. h）表示其他关系 expressing other relationship：少年儿童~国家的未来。（比喻）*Shàonián értóng ~ guójiā de wèilái.* (*bǐyù*) Children are the future of a nation. (comparison) | 第一节课~上午八点。（时间）*Dì-yī jié kè ~ shàngwǔ bā diǎn.* (*shíjiān*) The first period begins at 8 in the morning. (time) | 这根雪糕~一块钱。（价钱）*Zhè gēn xuěgāo ~ yí kuài qián.* (*jiàqián*) This popsicle costs one yuan. (price) ❷〈动 v.〉与'的'呼应，构成'是…的'格式，表示强调、领属、归类、质料等 used with '的de' to form the pattern of '是…的shì…de' to express emphasis, possession, classification, material, etc.：及时汇报~应该的。*Jíshí huìbào ~ yīnggāi de.* It is a must to report in time. | 这台计算机~学校的。*Zhè tái jìsuànjī ~ xuéxiào de.* This computer belongs to the school. | 那些学生~北京大学的。*Nàxiē xuéshēng ~ Běijīng Dàxué de.* Those students are from Peking University. | 楼房~混凝土结构的。*Lóufáng ~ hùnníngtǔ jiégòu de.* The building is of concrete structure. ❸〈动 v.〉表示疑问，用于是非问句、选择问句或反问句 used in general, selective or rhetorical questions to express question：你~本地人吗？*Nǐ ~ běndì rén ma?* Are you a native of this place? | 你~本地人还~外地人？*Nǐ ~ běndì rén hái ~ wàidì rén?* Are you a native or non-native of this place? | 难道你~外地人？*Nándào nǐ ~ wàidì rén?* Could you be a non-native? ❹〈动 v.〉表示肯定，用于是非问句、选择问句或反问句的应答 used in replies to general, selective or rhetorical questions to express to express affirmation：你是本地人吗？—~。*Nǐ shì běndì rén ma?* —~. Are you a native of this place? —Yes. | 你是本地人还~外地人？—我~本地人。*Nǐ shì běndì rén hái~ wàidì rén?* —wǒ ~ běndì rén . Are you a native or non-native of this place? —I'm a native. | 难道你是外地人？—~（~外地人）*Nándào nǐ shì wàidì rén?* — ~ (~ wàidì rén) Could you be a non-native? —Yes. (I'm a non-native.) ❺〈动 v.〉联系前后相同的两个词语 linking the same two parts before and after it：a）表示事物不同，互不相干 expressing no relationship：鸵鸟~鸵鸟，鸸鹋~鸸鹋，两者不能混淆。*Tuóniǎo ~ tuóniǎo, érmiáo ~ érmiáo, liǎngzhě bù néng hùnxiáo.* An ostrich is an ostrich and an emu is an emu. The two can not be confused. | 过去~过去，现在~现在，哪能都一样？*Guòqù ~ guòqù, xiànzài ~ xiànzài, nǎ néng dōu yíyàng?* The past is the past while the present is the present. How can they be the same? b）表示强调事物的客观性 used to emphasize the objectivity of a matter：不会做就~不会做，为什么要装假呢？*Bú huì zuò jiù~ bú huì zuò, wèishénme yào zhuāngjiǎ ne?* Say you can't do it if you can't. Why should you pretend that you can? | 坏就~坏，没必要遮掩。*Huài jiù~ huài, méi bìyào zhēyǎn.* The bad is bad all right. There is no need to cover it. c）表示让步（常和'但是''可是''就是'呼应）expressing concession (usually used with '但是dànshì', '可是kěshì'or'就是jiùshì')：这活儿累~累，但是也有乐趣。*Zhè huór lèi ~ lèi, dànshì yě yǒu lèqù.* The work is toilsome, but there is also some pleasure in it. | 他答应~答应了，就是有个条件。*Tā dāyìng ~ dāyìng le, jiùshì yǒu gè tiáojiàn.* He agreed, but on one condition. d）表示'地道''不含糊' expressing 'genuine', 'really good'：这家餐馆的菜十分可口，荤~荤，素~素。*Zhè jiā cānguǎn de cài shífēn kěkǒu, hūn ~ hūn, sù ~ sù.* The dishes that this restaurant serves are very tasty: a meat dish is a meat dish and a vegetable dish is a vegetable dish. | 他的工笔画很地道，人物~人物，花

鸟~花鸟。*Tā de gōngbǐhuà hěn dìdào, rénwù ~ rénwù, huānniǎo ~ huānniǎo.* His traditional Chinese painting is really good: a character is a character, a flower is a flower and a bird is a bird. e)'是'前后用数量词，表示不勉强或应扎稳打 using numerals before and after '是' to express 'going ahead steadily without any press': 掌握一点~一点，总会进步的。*Zhǎngwò yì diǎn ~ yì diǎn, zǒnghuì jìnbù de.* Master things bit by bit and you will make progress. | 这种植物很难见到了，发现一株~一株吧。*Zhè zhǒng zhíwù hěn nán jiàndào le, fāxiàn yì zhū ~ yì zhū ba.* These plants are rare now. There is one if we find one. ❻〈动 v.〉用在名词前 used before a noun: a) 有'凡是'或'若是'的意思 containing the meaning of 'every' or 'if': 病就得治疗。*~ bìng jiù děi zhìliáo.* If you are ill, you should receive medical treatment. | 在中国，~语文老师就应该讲汉语普通话。*Zài Zhōngguó, ~ yǔwén lǎoshī jiù yīnggāi jiǎng Hànyǔ pǔtōnghuà.* In China, every teacher of Chinese should speak putonghua. b) 有'适合'的意思 containing the meaning of 'proper': 他走的不~时候。*Tā zǒu de bú ~ shíhou.* He did not go away at the right time. | 书放的就~那个地方。*Shū fàng de jiù ~ nàge dìfang.* The book was put right in that place. ❼〈动 v.〉用在形容词或动词前,'是'重读,表示认同或肯定 used before an adjective or verb, with a stress on it, to express agreement or affirmation: 天~冷，都结冰了。*Tiān ~ lěng, dōu jiébīng le.* It is really cold. Even the water has frozen. | 那样做，不~出风头。*Nàyàng zuò, bú ~ chū fēngtou.* In so doing, he did not intend to show off. ❽〈动 v.〉表示强调谓语 used to emphasize the predicate: 大伙儿拥护的~你。*Dàhuǒr yōnghù de ~ nǐ.* We all support you. | 天~那样蓝，水~那样清。*Tiān ~ nàyàng lán, shuǐ ~ nàyàng qīng.* The sky is so blue and the water is so clear. | 他交的英语作业，不~语文作业。*Tā jiāo de ~ Yīngyǔ zuòyè, bú ~ yǔwén zuòyè.* What he handed in is the English assignment, not the Chinese assignment. ❾〈动 v.〉表示应答 expressing a response: 你懂了吗？—~，我懂了。*Nǐ dǒng le ma? —~, wǒ dǒng le.* Do you understand? — Yes, I do. ❿〈形 adj.〉正确（与'非'相对）right (opposite to '非'): 似~而非 *sì~érfēi* apparently right but actually wrong | 一无一处 *yīwú~chù* everything is wrong | 你应当听妈妈的话才~。*Nǐ yīngdāng tīng māma de huà cái ~.* You should take your mother's advice. ⓫〈名 n.〉正确的论断或肯定的结论 a correct judgment or an affirmative conclusion: 实事求~ *shíshì-qiú~* seek truth from facts | 各行其~ *gèxíng-qí~* each goes his own way ⓬〈代 pron. 书 lit.〉这；这个；这样 this; this way: ~日 *~rì* this day | 可忍，孰不可忍（表示绝不能容忍）! *~ kě rěn, shú bù kě rěn (biǎoshì jué bù néng róngrěn)!* If this can be tolerated, what else can not (This can not be tolerated at all)!

³ **是非** shìfēi ❶〈名 n.〉事理的对与错 right and wrong: 明辨~ *míngbiàn ~* distinguish clear between right and wrong | ~曲直 *~ qūzhí* right and wrong, proper and improper | ~自有公论。*~ zì yǒu gōnglùn.* Public opinion will decide which is right and which is wrong. ❷〈名 n.〉争端；口舌 dispute; quarrel: 少惹~ *shǎo rě ~* avoid provoking a dispute | 搬弄~ *bānnòng ~* sow discord through gossip | 挑拨~ *tiǎobō ~* cause alienation by spreading rumors

³ **是否** shìfǒu〈副 adv. 书 lit.〉是不是 if; whether: ~正确，要经过检验。*~ zhèngquè, yào jīngguò jiǎnyàn.* It must be tested to see whether it is correct. | 不知道他~要来。*Bù zhīdào tā ~ yào lái.* I have no idea if he will come or not.

² **适当** shìdàng〈形 adj.〉适合；恰当 proper; appropriate: ~的人选 *~ de rénxuǎn* a suitable person | ~的时候 *~ de shíhou* the proper time | 我会找~的机会找他谈一谈的。*Wǒ huì zhǎo ~ de jīhuì zhǎo tā tán yì tán de.* I will find an appropriate opportunity

to have a talk with him.

² **适合** shìhé〈动 v.〉符合；合宜 be suitable; be fit：你这么说有点儿不~。*Nǐ zhème shuō yǒudiǎnr bú ~.* It is a bit improper for you to say so.｜这部电视剧~大家的胃口。*Zhè bù diànshìjù ~ dàjiā de wèikǒu.* This TV play is to our liking.｜这种土壤~庄稼生长。*Zhè zhǒng tǔrǎng ~ zhuāngjia shēngzhǎng.* This soil is good for the growth of crops.

³ **适宜** shìyí〈形 adj.〉合适；相宜 suitable; fit; proper：这里的气温非常~农作物的生长。*Zhèlǐ de qìwēn fēicháng ~ nóngzuòwù de shēngzhǎng.* The temperature here is fit for the growth of crops.｜这种鞋不~小孩子穿。*Zhè zhǒng xié bú ~ xiǎo háizi chuān.* These shoes are not suitable for children.

² **适应** shìyìng〈动 v.〉适合顺应 fit in with; adapt oneself to; suit：我对这里的环境还不太~。*Wǒ duì zhèlǐ de huánjìng hái bú tài ~.* I have not yet fit in with the environment here.｜孩子慢慢地~了这里的气候。*Háizi mànmàn de ~le zhèlǐ de qìhòu.* The children have gradually adapted themselves to the climate here.

² **适用** shìyòng〈形 adj.〉用起来方便顺手；适合使用 suitable for use; applying to：经济~房 *jīngjì ~fáng* apartments that are economical and suitable for use｜这种方法对你不一定~。*Zhè zhǒng fāngfǎ duì nǐ bù yídìng ~.* This method may not necessarily fit you.｜这种空调~于一般家庭。*Zhè zhǒng kōngtiáo ~ yú yìbān jiātíng.* This air-conditioner is suitable for ordinary households.

² **室** shì ❶〈名 n.〉房间；屋子 room：盥洗~ *guànxǐ~* washroom｜卧~ *wò~* bedroom｜温~ *wēn~* greenhouse｜陋~ *lòu~* a humble room ❷〈名 n.〉机关、团体、企业、学校等内部的工作部门 section/office in an organization, enterprise, school, etc.）：医务~ *yīwù~* clinic｜收发~ *shōufā~* office for incoming and outgoing mail｜教研~ *jiàoyán~* teaching and research office｜档案~ *dàng'àn~* archives office ❸〈名 n.〉家族 house; family：王~ *wáng~* royal family｜宗~ *zōng~* the imperial house｜皇~成员 *huáng chéngyuán* a member of the royal family ❹〈名 n.〉妻子 wife：妻~ *qī~* wife｜继~ *jì~* second wife (taken after the death of the first wife) ❺〈名 n.〉二十八宿之一 shi, one of the 28 constellations into which the celestial sphere was divided in ancient Chinese astronomy

³ **逝世** shìshì〈动 v.〉去世 die; pass away：~百周年纪念 *~ bǎi zhōunián jìniàn* the hundredth anniversary of the death（of sb.）｜老院长不幸于昨晚~。*Lǎo yuànzhǎng búxìng yú zuówǎn ~.* The old president passed away yesterday evening.

⁴ **释放** shìfàng ❶〈动 v.〉放出在押或服刑者，恢复他们的自由 set free; release：~人质 *~ rénzhì* release the hostages｜刑满~ *xíngmǎn ~* be released upon completion of a sentence ❷〈动 v.〉将内存的物质或能量放出 release/discharge (matter or energy contained inside)：少量~ *shǎoliàng ~* release in a small amount｜~的气体 *~ de qìtǐ* the gas discharged｜热能全被~出来了。*Rènéng quán bèi ~chūlái le.* All the heat was released.

⁴ **誓言** shìyán〈名 n.〉发誓的话 oath; pledge：履行~ *lǚxíng ~* fulfil one's pledge｜实践~ *shíjiàn ~* keep one's oath｜~犹在耳边回响。*~ yóu zài ěr biān huíxiǎng.* The oath is still ringing in one's ears.

¹ **收** shōu ❶〈动 v.〉拿到里面；聚拢 put away; take in：~购 *~gòu* purchase｜~缩 *~suō* shrink｜快把你的稿子~起来。*Kuài bǎ nǐ de gǎozi ~qǐlái.* Put away your manuscripts.｜你先把衣服~到衣柜里。*Nǐ xiān bǎ yīfu ~dào yīguì li.* Put the clothes into the wardrobe. ❷〈动 v.〉接到；接受 receive; accept：~养 *~yǎng* adopt｜~徒弟 *~túdì* take in an apprentice｜来信~到。*Láixìn ~dào.* Your letter was received.｜你不该~人家的

礼物。*Nǐ bù gāi ~ rénjia de lǐwù.* You should not have accepted their gift. ❸〈动 v.〉取回、拿回 collect：征~ *zhēng*~ impose (taxes, etc.)｜~水电费 *shuǐdiànfèi* collect water and electricity bills｜所有的账都要~回来。*Suǒyǒu de zhàng dōu yào ~ huílái.* All the debts must be collected. ❹〈动 v.〉获得（利益）（与'支'相对）gain (a benefit) (opposite to '支 zhī')：~入 ~*rù* income｜坐~渔利（比喻利用他人之间的矛盾而得到好处）*zuò~yúlì*（*bǐyù lìyòng tārén zhījiān de máodùn ér dédào hǎochù*）set the snipe and clam at each other and then take advantage of both（profit from others' conflict）❺〈动 v.〉收获（农作物）gather in/harvest (crops)：~麦子 ~ *màizi* harvest wheat｜抢~抢种 *qiǎng~qiǎngzhòng* harvest and plant in a rush｜直到天黑，我们才把地里的庄稼~完。*Zhídào tiānhēi, wǒmen cái bǎ dì li de zhuāngjia ~wán.* We did not finish gathering in the crops in the field until dark. ❻〈动 v.〉控制；约束 control; restrain：~敛 ~*liǎn* restrain oneself｜~住脚步 ~ *zhù jiǎobù* stop one's steps｜暑假结束了，你也该把心~一~啦 *Shǔjià jiéshù le, nǐ yě gāi bǎ xīn ~ yī ~ la.* The summer vacation is over. You'd better concentrate on more serious things.｜写作时心潮澎湃，思路一时竟~不住了。*Xiězuò shí xīncháo péngpài, sīlù yìshí jìng ~ bú zhù le.* Feeling an upsurge of emotion while writing, he could not control his thought for a while. ❼〈动 v.〉结束；停止 end; bring to an end; stop：~尾 ~*wěi* wind up｜~摊儿 ~ *tānr* pack up the stall（wind up the day's work）｜~不了场怎么办？~ *bù liǎo chǎng zěnme bàn?* How about not being able to wind it up? ❽〈动 v.〉逮捕；拘押 arrest; detain：~押 ~*yā* take into custody｜~监 ~*jiān* put in prison｜~审 ~*shěn* arrest and try ❾〈名 n.〉收成；收入 harvest; income：丰~ *fēng~* a good harvest｜~不抵支 ~ *bù dǐ zhī* income not able to meet the expenditure

⁴ **收藏** shōucáng〈动 v.〉收集并保存、珍藏 collect; store up：~古玩字画 ~ *gǔwán zìhuà* collect antiques, calligraphy works and paintings｜爱好~ *àihào* ~ have a love for collections｜在他的~中, 这张邮票最珍贵。*Zài tā de ~ zhōng, zhè zhāng yóupiào zuì zhēnguì.* Of all his collections, this stamp is the most valuable.｜他的这封信我一直~在身边。*Tā de zhè fēng xìn wǒ yìzhí ~ zài shēnbiān.* I have stored his letter up on me ever since.

⁴ **收成** shōucheng〈名 n.〉农副业产品收获的产量 crop; harvest：好~ *hǎo* ~ a good harvest｜~减半 ~*jiǎn bàn* reduction of harvest by 50%｜今年的~不错 *Jīnnián de ~ búcuò.* The harvest is not bad this year.

⁴ **收复** shōufù〈动 v.〉夺回（失去的领土或地盘）recover; recapture (the lost territory or sphere)：~河山 ~*héshān* recover the lost territory｜~失地 ~*shīdì* recover the lost land

³ **收割** shōugē〈动 v.〉割取成熟的农作物 reap; harvest; gather in (the ripe crops)：~机 ~*jī* harvester｜~甘蔗 ~ *gānzhe* gather in sugarcane.

⁴ **收购** shōugòu〈动 v.〉分别向零散卖主或各地卖主购进 purchase/buy (from small sellers)：~旧货 ~ *jiùhuò* purchase second-hand goods｜~农副产品 ~ *nóngfù chǎnpǐn* purchase farm produce and sideline products｜粮食都~上来了。*Liángshi dōu ~ shànglái le.* The purchase of grain is completed.

⁴ **收回** shōuhuí ❶〈动 v.〉把属于己方的东西拿回来 take back (what is one's own)：~主权 ~ *zhǔquán* regain sovereignty｜~成本 ~*chéngběn* recover the cost｜借出去的钱已经全部~了。*Jiè chūqù de qián yǐjīng quánbù ~ le.* All the loans are called in. ❷〈动 v.〉撤回；取消 withdraw; cancel：~建议 ~*jiànyì* withdraw a proposal｜~命令 ~ *mìnglìng* withdraw an order｜必须~对我的一切指控。*Bìxū ~ duì wǒ de yíqiè zhǐkòng.* All accusations against me must be withdrawn.

² **收获** shōuhuò ❶〈动 v.〉收取各种成果 reap; harvest：~水果 ~*shuǐguǒ* harvest fruit｜

这一年他们在写作方面～不小。*Zhè yì nián tāmen zài xiězuò fāngmiàn ~ bù xiǎo.* They reaped more in writings this year. ❷〈名 *n.*〉(个 gè)比喻获得的成果或心得 *fig.* result; gains: 参观的～ *cānguān de ~* the reward of the visit ｜思想～ *sīxiǎng ~* gains in thinking ｜这次实习大家都有不小的～。*Zhè cì shíxí dàjiā dōu yǒu bù xiǎo de ~.* All of us had a lot of gains during this field trip.

³ **收集** shōují〈动 *v.*〉将分散的东西聚拢在一起 collect; gather: ~动物标本 ~ *dòngwù biāoběn* collect animal specimens ｜把零碎的材料～在一起。*Bǎ língsuì de cáiliào ~ zài yìqǐ.* Gather together the bits and pieces of materials

⁴ **收买** shōumǎi ❶〈动 *v.*〉购买 purchase; buy in: ~废旧物品 ~ *fèijiù wùpǐn* buy scrap ｜重金～ *zhòngjīn ~* buy at a high price ❷〈动 *v.*〉利用钱财等手段拉拢他人,使之为自己所用 buy over; bribe: ~人心 ~ *rénxīn* buy popularity ｜他已经被敌人～了。*Tā yǐjīng bèi dírén ~ le.* He is already bought over by the enemy.

² **收入** shōurù ❶〈动 *v.*〉收进来 take in; include: ~不少现金 ~ *bù shǎo xiànjīn* take in quite a lot of cash ｜这本词典～了不少新词条。*Zhè běn cídiǎn ~le bù shǎo xīn cítiáo.* Quite a lot of new entries are included in this dictionary. ❷〈名 *n.*〉(项 xiàng、笔 bǐ)收进的钱 income; revenue: 净～ *jìng ~* net income ｜固定～ *gùdìng ~* fixed income ｜月～ *yuè ~* monthly income ｜～年年增长。*~ niánnián zēngzhǎng.* Income grows yearly. ｜这可是一笔不小的～。*Zhè kěshì yì bǐ bù xiǎo de ~.* It is a quite big income.

¹ **收拾** shōushi ❶〈动 *v.*〉整理;整顿 tidy; clear away; put in order: ~房间 ~ *fángjiān* tidy up the room ｜~局面 ~ *júmiàn* clear up a situation ｜擦桌、扫地、洗碗,就由你～了。*Cāzhuō, sǎodì, xǐwǎn, jiù yóu nǐ ~ le.* You'll be responsible for cleaning the table, sweeping the ground and washing the bowls. ❷〈动 *v.*〉修理 repair; mend: ~沙发 ~ *shāfā* repair the sofa ｜父亲把所有的农具都～好了。*Fùqīn bǎ suǒyǒu de nóngjù dōu ~ hǎo le.* Father has repaired all the farming tools. ❸〈动 *v.* 口 *colloq.*〉使吃苦头; 惩罚 settle with; punish: 要好好儿地～一下他。*Yào hǎohāor de ~ yíxià tā.* He must be severely punished. ｜等你爸回来再～你!*Děng nǐ bà huílái zài ~ nǐ!* Let your father settle with you when he comes back. ❹〈动 *v.* 口 *colloq.*〉消灭;杀死 destroy; kill: 必须先~掉敌人的哨兵。*Bìxū xiān ~ diào dírén de shàobīng.* We must first of all kill the enemy sentry. ｜剩下的饭菜也被我~光了。*Shèngxià de fàncài yě bèi wǒ ~guāng le.* I have even consumed all the leftovers.

³ **收缩** shōusuō ❶〈动 *v.*〉(物体)由大变小、由松变紧或由长变短(与'膨胀'相对) contract; shrink (opposite to '膨胀 péngzhàng'): 心脏~了一下。*Xīnzàng ~le yíxià.* The heart contracts. ｜物体常常遇热膨胀,遇冷~。*Wùtǐ chángcháng yù rè péngzhàng, yù lěng ~.* An object often expands with heat and contracts with cold. ❷〈动 *v.*〉紧缩;缩小 draw back; compress; reduce: ~编制 ~ *biānzhì* reduce the staff ｜通货~ *tōnghuò ~* deflation ｜~兵力 ~ *bīnglì* cut down the armed forces

⁴ **收益** shōuyì〈名 *n.*〉(份 fèn)劳动或经营的收入 profit; gains; earnings: ~不多 ~ *bù duō* not much profit ｜此次活动~甚大。*Cǐ cì huódòng ~ shèn dà.* This activity benefited much.

² **收音机** shōuyīnjī〈名 *n.*〉(台 tái、架 jià、个 gè)接收无线电广播的电器 radio; radio set: 听~ *tīng ~* listen to the radio ｜~零件 ~ *língjiàn* spare parts of a radio set

⁴ **收支** shōuzhī〈名 *n.*〉收入和支出 revenue and expenditure: ~账目 ~ *zhàngmù* balance sheet ｜财政~ *cáizhèng ~* financial expenses and receipts ｜~平衡 ~ *pínghéng* payment balance

⁴ **手** shǒu ❶〈名 *n.*〉(只 zhī、双 shuāng)人体上肢前端腕部以下、能拿东西的部分 hand;

~掌 ~zhǎng palm｜~脚 ~jiǎo hands and feet｜~心 ~xīn palm｜~背 ~bèi the back of the hand｜~拉~~ lā ~ hand in hand｜爱不释~ àibùshì~ love sth. so much that one cannot bear to part with it ❷〈名 n.〉本领；手段 skill; ability：身~不凡 shēn ~bùfán be uncommon in one's skills｜眼高~低 yǎngāo ~-dī have high aim but no real ability｜心狠~辣 xīnhěn ~-là hard-hearted and cruel｜拿~ná~ what one excels in ❸〈名 n.〉专门从事某种职业或擅长某种技能的人 a person good at a certain job：骑~ qí~ rider｜棋~ qí~ chess player｜旗~ qí~ standard bearer｜多面~ duōmiàn~ all-rounder｜神枪~ shénqiāng~ sharp shooter ❹〈名 n.〉用手使用的器具或类似手的东西 sth. for the use of the hand; a hand-shaped thing：门把~ ménbǎ~ door handle｜搬~ bān~ spanner｜佛~ fó~ fingered citron ❺〈名 n.〉(动作)开始或结束(of an act) beginning; end：着~ zhuó~ set about｜下~ xià~ start｜住~ zhù~ stop ❻〈形 adj.〉小巧又便于拿的 portable; handy; convenient：~机 ~jī mobile phone｜~炉 ~lú handwarmer｜~册 ~cè handbook ❼〈形 adj.〉亲笔写的或画的 written or painted in person：~稿 ~gǎo manuscript｜~令 ~lìng a written order from sb.｜~迹 ~jì sb.'s original handwriting/painting ❽(~儿)〈量 meas.〉用于技能、本领等 used in connection with skill, ability, etc.：一~好字 yì ~ hǎo zì write a good hand of Chinese characters｜露两~儿 lòu liǎng ~r show off; display one's abilities or skills｜还真有几~ hái zhēn yǒu jǐ~ really know one's stuff ❾〈量 meas.〉用于经手的次数 used in connection with how many times sth. is passed from one to another：二~货 èr ~huò second-hand goods｜第一~资料 dì-yī ~ zīliào first-hand information ❿〈量 meas.〉用于与手有关的东西 for sth. in connection with the hand：满~油漆 mǎn ~ yóuqī a hand covered with paint｜沾了一~墨汁 zhānle yì ~ mòzhī a hand stained with Chinese ink ⓫〈动 v.〉拿着 hold; have in one's hand：人~一册。Rén ~ yí cè. Everyone has a copy. ⓬〈副 adv.〉亲手 hand-written：~写 ~xiě hand-written｜抄~ chāo~ hand-written｜~书 ~shū write in one's own hand

¹ **手表** shǒubiǎo〈名 n.〉(块kuài、个gè)佩带在手腕上的表 watch; wrist watch：新~ xīn ~ a new watch｜防水~ fángshuǐ ~ a water-proof watch｜~不走了。~ bù zǒu le. The watch has stopped.

¹ **手电筒** shǒudiàntǒng〈名 n.〉(个gè)拿在手里、用电池做电源的小型照明用具，也叫'手电''电筒''电棒'flashlight; electric torch, also '手电shǒudiàn', '电筒diàntǒng' or '电棒diànbàng'：带上~ dàishàng ~ take a flashlight with you｜一~光照别人，不照自己（指专门指摘别人，不作自我批评的人）。~guāng zhào biéren, bú zhào zìjǐ (zhǐ zhuānmén zhǐzhāi biéren, bú zuò zìwǒ pīpíng de rén). You are a flashlight that casts light only on others and not on yourself（referring to a person who only picks others' faults and never criticizes himself）.

² **手段** shǒuduàn ❶〈名 n.〉为达到某种目的而采取的方式方法 means and ways adopted to attain a certain goal：采取~ cǎiqǔ ~ take a measure｜外交~ wàijiāo ~ diplomatic method｜战争的~ zhànzhēng de ~ the means of war ❷〈名 n.〉本领，才能或技巧 skill; ability; technique：有些~ yǒuxiē ~ have some skills｜~高强 ~gāoqiáng play one's cards well｜台上演员施展着各种~，逗引观众发笑。Tái shang yǎnyuán shīzhǎnzhe gè zhǒng ~, dòuyǐn guānzhòng fāxiào. The performers on the stage are putting various skills to use to amuse the audience. ❸〈名 n. 贬 derog.〉不正当的手法 trick：不择~ bù zé ~ by fair means or foul｜要~ shuǎ~ play tricks｜~卑劣 ~bēiliè a base trick

² **手法** shǒufǎ ❶〈名 n.〉文艺创作的技巧和方法 skill/method in literary creation：对比~ duìbǐ ~ the technique of contrast｜夸张~ kuāzhāng ~ the technique of exaggeration｜象征的~ xiàngzhēng de ~ the technique of symbolization ❷〈名 n.〉(个gè、种zhǒng)

待人处事的不正当手段 trick; gimmick：两面派~ *liǎngmiànpài* ~ a double-faced trick｜恶劣~ *èliè* ~ a base trick｜惯用的~ *guànyòng de* ~ a habitual trick

² **手工** shǒugōng ❶〈名 n.〉用手而不是机械操作 by hand, not by machine：劳动 ~ *láodòng* manual labor｜这个作坊还用~缝制衣服。*Zhège zuōfang hái yòng ~ féngzhì yīfu.* The workers in this workshop are still sewing clothes with their hands. ❷〈名 n.〉靠手的技艺做的工作 handwork：~课 *~kè* handwork class｜做~ *zuò* ~ do handwork｜学习~ *xuéxí* ~ learn to do handwork ❸〈名 n.〉手工劳动的报酬 charge for a piece of handwork：这里的~比材料还贵。*Zhèli de ~ bǐ cáiliào hái guì.* The charge for handwork here is even more expensive than the material.｜这件衣服多少~? *Zhè jiàn yīfu duōshao* ~? How much did you pay for the tailoring of this garment?

⁴ **手巾** shǒujīn 〈名 n.〉(块kuài、条tiáo)毛巾 towel; hand towel：洗脸~ *xǐliǎn* ~ a washing towel｜已经放在脸盆里了。 ~ *yǐjīng fàng zài liǎnpén li le.* The hand towel is already in the basin.

² **手绢** shǒujuàn 〈名 n.〉(块kuài)随身携带的小块方形织物，可擦汗或擦鼻涕用 handkerchief：花~ *huā* ~ bright-colored handkerchief｜~上散发着芳香。 ~ *shang sànfāzhe fāngxiāng.* The handkerchief gives forth a fragrance.

⁴ **手榴弹** shǒuliúdàn ❶〈名 n.〉(颗kē、枚méi、个gè)军用武器之一，用手投掷的小型炸弹 handgrenade/grenade (a military weapon) ❷〈名 n.〉体育投掷器械之一，形状类似手榴弹。也指这种田赛项目 a handgrenade-shaped sport apparatus for throwing; the related field event

² **手帕** shǒupà 〈名 n.〉同'手绢' same as '手绢shǒujuàn'

³ **手枪** shǒuqiāng 〈名 n.〉(把bǎ)用单手射击的短枪 pistol; handgun：小~ *xiǎo* ~ a small pistol｜~子弹 *~zǐdàn* pistol cartridge

³ **手势** shǒushì 〈名 n.〉(个gè)为表示某种意思而用手做的姿势 gesture; sign：聋哑人的 *lóngyǎrén de* ~ gestures of the deaf and dumb｜他在远处朝我打着~。*Tā zài yuǎnchù cháo wǒ dǎzhe* ~. He is making a gesture to me in the distance.

² **手术** shǒushù ❶〈名 n.〉(个gè)指医生需用医疗器械进行的切除、移植、缝合等治疗 operation; surgical operation：~刀 *~dāo* surgical knife｜大~ *dà* ~ a major surgical operation｜动~ *dòng* ~ undergo an operation ❷〈动 v.〉医生用医疗器械进行切除、移植、缝合等治疗 (of a doctor) operate (sb. /sth.)：正~呢，别进去。*Zhèng ~ ne, bié jìnqù.* Don't go in, for the operation is under way.｜你需要住院~。*Nǐ xūyào zhùyuàn* ~. You must be hospitalized for an operation.

² **手套** shǒutào 〈名 n.〉(副fù、双shuāng、只zhī)套在手上的防护物品 gloves; mittens：绒线~ *róngxiàn* ~ woolen gloves｜橡皮~ *xiàngpí* ~ rubber gloves｜棉~ *mián* ~ cotton gloves

² **手续** shǒuxù 〈名 n.〉(道dào)办事的规定程序和应履行的事项 procedures; formalities：升学~ *shēngxué* ~ enrollment procedures｜入境的~ *rùjìng de* ~ entrance procedures｜还有几道~没办完? *Háiyǒu jǐ dào ~ méi bàn wán?* How many procedures more do you have to go through?｜请你去办理住院~。*Qǐng nǐ qù bànlǐ zhùyuàn* ~. Will you go and complete the procedures for hospitalization?

⁴ **手艺** shǒuyì 〈名 n.〉(门mén)手工操作的技艺、技巧 workmanship; craftsmanship; skill：~人 *~rén* craftsman｜学~ *xué* ~ learn a skill｜比一比~ *bǐ yì bǐ* ~ have a competition in craftsmanship｜~超群 *~chāoqún* one's handicraft is above the average

² **手指** shǒuzhǐ 〈名 n.〉(根gēn)人手前端的五个指头 finger：十个~不一般齐(比喻人或事物总有差别，不能完全要求一样)。*Shí gè* ~ *bú yìbān qí* (*bǐyù rén huò shìwù*

zǒngyǒu chābié, bù néng wánquán yāoqiú yíyàng). The fingers are different in length (You can't expect people to be all the same).

³ **守** shǒu ❶〈动 v.〉防卫；把守（与'攻'相对）defend; guard (opposite to '攻 gōng'）：坚~ *jiān~* hold fast to | ~城 *~chéng* defend a city | 把~球门 *bǎ~ qiúmén* keep goal ❷〈动 v.〉看护；守候 keep watch：~护 *~hù* defend | ~财奴 *~cáinú* miser | ~仓库 *~cāngkù* guard the warehouse ❸〈动 v.〉依循；遵守 observe; abide by：~信 *~xìn* keep one's word | ~约 *~yuē* keep one's promise | 安分~己 *ānfèn~~jǐ* abide by law and behave oneself | 墨~成规（形容思想守旧，只按现成的老规矩办事，不肯改进）*mò~~chéngguī* (*xíngróng sīxiǎng shǒujiù, zhǐ àn xiànchéng de lǎo guījǔ bànshì, bù kěn gǎijìn*) stick to the accustomed rules (be so conservative in mind that one would only adhere to old habits and refuse to make any improvement) ❹〈动 v.〉挨着；靠近 be close to/near：我们家就~着医院。*Wǒmen jiā jiù ~zhe yīyuàn.* Our house stands close to the hospital. | 小夫妻俩总是厮~在一起。*Xiǎo fūqī liǎ zǒngshì sī~ zài yìqǐ.* The young couple always stay together. ❺〈动 v.〉保持；安于 keep; be reconciled to (a certain situation)：~节 *~jié* preserve chastity after the death of her husband | ~旧 *~jiù* stick to the old ways | 保~ *bǎo~* conservative | 严~秘密 *yán~ mìmì* maintain strict secrecy ❻〈名 n.〉岗位 post; duty：忠于职~ *zhōngyú zhí~* be faithful in the discharge of one's duties

⁴ **守法** shǒu//fǎ〈动 v.〉遵守法规法纪 abide by the law：奉公~ *fènggōng ~* respect justice and abide by the law | ~经营 *~jīngyíng* operate according to law | 人们都自觉地守起法来。*Rénmen dōu zìjué de shǒu qǐ fǎ lái.* People have begun to abide by the laws of their own free will.

⁴ **守卫** shǒuwèi ❶〈动 v.〉防守保卫 defend; guard：日夜~着 *rìyè ~zhe* defend sth. day and night | ~在体育场的大门 *~ zài tǐyùchǎng de dàmén* keep guard at the gate of the stadium ❷〈名 n.〉（名 míng）特指警卫人员 guard; security guard：你告诉~让他进来。*Nǐ gàosu ~ràng tā jìnlái.* Tell the guard to let him in.

² **首** shǒu ❶〈名 n. 书 lit.〉头；脑袋 head：俯~ *fǔ~* lower one's head | ~饰 *~shì* (woman's personal) ornaments | 畏~畏尾 *wèi~~wèiwěi* fear both the beginning and the end (excessive fear) | 不堪回~ *bùkān-huí~* cannot bear to look back ❷〈名 n. 书 lit.〉领导者；带头人 leader; chief; head：~领 *~lǐng* chieftain | ~长 *~zhǎng* senior official/officer | ~魁 *~kuí* the brightest and best | 元~ *yuán~* head of state | 群龙无~（比喻一个组织或团体没有领头的人）*qúnlóngwú~* (*bǐyù yí gè zǔzhī huò tuántǐ méiyǒu lǐngtóu de rén*) a host of dragons without a chief (fig. a group without a leader) | 罪魁祸~ *zuìkuí-huò~* chief criminal ❸〈名 n. 书 lit.〉边；面 aspect; side：左~ *zuǒ~* the left-hand side | 上~ *shàng~* the left-hand seat | 后~ *hòu~* the back side ❹〈量 meas.〉用于歌曲、诗词等 for songs, poems, etc.：《唐诗三百~》*'Tángshī Sānbǎi~'* 300 Poems of the Tang Dynasty | 她在晚会上唱了几~民歌。*Tā zài wǎnhuì shang chàngle jǐ ~ míngē.* She sang several folk songs at the evening party. ❺〈形 adj.〉最高的；supreme：~都 *~dū* capital city | ~席 *~xí* chief ❻〈形 adj.〉最先的；居第一位的 first; occupying the first place：~批 *~pī* the first group | ~届 *~jiè* the first session (of a conference) | ~位 *~wèi* the first man | 岁~ *suì~* the beginning of the year | 位居榜~ *wèi jū bǎng~* be the top candidate of an examination ❼〈动 v. 书 lit.〉出面告发或自己投案 bring charges against; surrender oneself to the judicial department：出~ *chū~* inform against sb. | 自~ *zì~* give oneself up to law ❽〈副 adv.〉最早 earliest; first：~创 *~chuàng* initiate | ~演 *~yǎn* give the first performance | 遭败绩 *~ zāo bàijì* suffer the first defeat

⁴ **首创** shǒuchuàng〈动 v.〉首先创造；最先开创 initiate; originate：~精神 *~jīngshén*

pioneering spirit｜国内~ *guónèi* ~ be first in the country

¹ **首都** shǒudū〈名 n.〉国家最高政权机关所在地，全国政治中心 capital city; capital：北京是中华人民共和国的~。*Běijīng shì Zhōnghuá Rénmín Gònghéguó de ~.* Beijing is the capital of the People's Republic of China.

⁴ **首领** shǒulǐng〈名 n.〉（名 míng、个 gè、位 wèi）为首的人或集团的领导者 chieftain; leader：部落的~ *bùluò de* ~ the chief of a tribe｜黑帮~ *hēibāng* ~ the chieftain of a gang｜推举为~ *tuījǔ wéi* ~ be chosen as the leader

⁴ **首脑** shǒunǎo〈名 n.〉（位 wèi、名 míng）为首的领导人或机关等 the leading person or institution; head：两国~ *liǎng guó* ~ the heads of state of the two countries｜~会谈 *huìtán* talks of heads of state or government｜~机关 *jīguān* leading organ｜~级人物 *jí rénwù* leading figure

⁴ **首席** shǒuxí ❶〈名 n.〉最高的或最尊贵的席位 seat of honor：到访的总统在~就坐。*Dàofǎng de zǒngtǒng zài ~ jiùzuò.* The visiting president sat in the seat of honor. ❷〈形 adj.〉职位居第一位的或最高的 be first or supreme in position; chief：~执行官 *zhíxíngguān* chief executive officer｜~代表 *dàibiǎo* chief representative｜~指挥 *zhǐhuī* chief conductor

² **首先** shǒuxiān ❶〈副 adv.〉最先；最早 first; earliest：看见~ *kànjiàn* see first｜请这位同学~发言。*Qǐng zhè wèi tóngxué ~ fāyán.* Let this student speak first.｜~报名的是他。~ *bàomíng de shì tā.* It was he who entered his name first. ❷〈连 conj.〉第一（用于列举事项）first of all; in the first place (used in enumeration)：~，你冷静下来，然后再解决问题。~, *nǐ lěngjìng xiàlái, ránhòu zài jiějué wèntí.* First of all, you must calm down and then start to settle the question.｜~是安全，其次是工作。~ *shì ānquán, qícì shì gōngzuò.* Safety comes first and work, second.

⁴ **首相** shǒuxiàng〈名 n.〉（位 wèi）君主国家内阁的最高官职，同于内阁总理 prime minister in a monarchy; premier：~府 *~fǔ* the residence of prime minister｜日本~ *rìběn* ~ Japanese Prime Minister

⁴ **首要** shǒuyào ❶〈形 adj.〉最重要的；第一位的 of the first importance; first：~前提 *qiántí* the first prerequisite｜~条件 *tiáojiàn* the most important condition ❷〈名 n.〉首脑；为首的人 head; chief：与会者均是各国~人物。*Yǔhuìzhě jūn shì gèguó ~ rénwù.* The participants in the conference are all leading figures of different countries

⁴ **首长** shǒuzhǎng〈名 n.〉（位 wèi、名 míng）对领导人的尊称 a title of respect for leaders：老~ *lǎo* ~ one's old chief｜中央~ *zhōngyāng* ~ leaders of the central government｜~负责制 *fùzézhì* a system in which the senior leaders will bear responsibility

³ **寿命** shòumìng ❶〈名 n.〉生存的年限 life-span; lifetime; life：平均~ *píngjūn* ~ average life-span｜~很长 *hěn cháng* a long life｜延长~ *yáncháng* ~ prolong the life-span ❷〈名 n.〉使用或存在的期限 service time; existing time：机器的~ *jīqì de* ~ the life of a machine｜使用~ *shǐyòng* ~ service life

² **受** shòu ❶〈动 v.〉接纳而不拒绝；得到 receive; accept：~权 *~quán* authorize｜~聘 *pìn* be employed/engaged｜享~ *xiǎng~* enjoy｜感~ *gǎn~* experience｜我可不愿意~他的指挥。*Wǒ kě bú yuànyì ~ tā de zhǐhuī.* I would not act on his orders. ❷〈动 v.〉遭到；受到 suffer; receive：~苦~难 *~kǔ~nàn* suffer hardships｜~批评 *~pīpíng* be criticized｜腹背~敌 *fùbèi~dí* be attacked by the enemy both from behind and in front ❸〈动 v.〉忍耐；禁受 stand; bear; endure：~不了 *bù liǎo* cannot bear any longer｜忍~ *rěn~* endure｜逆来顺~ *nìlái-shùn~* resign oneself to adversity｜这样的丈夫真够她~的。*Zhèyàng de zhàngfu zhēn gòu tā ~ de.* It is really hard for her to bear such a husband. ❹〈动 v. 方

dial.) 适合；喜爱 be pleasant；like：~看 ~*kàn* be pleasant to look at | 用 ~*yòng* be pleasant to use | 听 ~*tīng* be pleasant to listen

⁴ **受伤** shòu // shāng 〈动 *v.*〉受到损伤 be injured；be wounded：~的鸟 ~*de niǎo* an injured bird | 受了重伤 *shòule zhòngshāng* be seriously wounded | 受过好几次伤 *shòuguo hǎo jǐ cì shāng* be wounded several times

⁴ **授** shòu ❶〈动 *v.*〉交给；赋予 give；confer；vest：~衔 ~*xián* confer sb. the title of | ~意 ~*yì* on instructions from sb. | ~予 ~*yǔ* confer (a title) ❷〈动 *v.*〉教 teach；instruct：~课 ~*kè* give lessons | 传 ~ *chuán*~ pass on （knowledge, etc.） | 面~机宜 *miàn*~*jīyí* give confidential instructions in person

⁴ **授予** shòuyǔ 〈动 *v.*〉给予（珍贵的物品或庄重的称号）confer (a title)；grant (sth. valuable)：~奖状 ~ *jiǎngzhuàng* present a certificate of merit | ~称号 ~ *chēnghào* confer a title | ~博士学位 ~ *bóshì xuéwèi* confer a doctor's degree | ~少将军衔 ~*shàojiàng jūnxián* confer the rank of major general

³ **售** shòu ❶〈动 *v.* 书 *lit.*〉卖 sell：~报亭 ~*bàotíng* newspaper stall | 销 ~*xiāo*~ sell | 兜~ *dōu*~ peddle ❷〈动 *v.* 书 *lit.*〉施展；实现 make (one's plan, trick, etc.) work；carry out：以~其奸 *yǐ*~*qíjiān* achieve one's treacherous purpose | 诡计难 ~ *guǐjì nán*~ difficult to carry out a trick

³ **售货** shòu // huò 〈动 *v.*〉出卖货物 sell goods：~亭 ~*tíng* kiosk | 下乡 ~ *xiàxiāng* ~ go and sell goods in the countryside | ~员 ~*yuán* shop assistant | 今天又售出去了一批货。*Jīntiān yòu shòu chūqù le yì pī huò.* Another batch of goods was sold out today.

² **瘦** shòu ❶〈形 *adj.*〉（身上）肉和脂肪少（与'胖''肥'相对）thin (opposite to '胖 *pàng*' or '肥*féi*')：~人 ~*rén* a skinny man | 高高~~的 *gāogāo* ~~ *de* tall and thin | 面黄肌~ *miànhuáng-jī*~ sallow and emaciated | ~骨伶仃(形容人或动物瘦成了皮包骨的样子) ~*gǔ-língdīng* (*xíngróng rén huò dòngwù shòuchéngle píbāogǔ de yàngzi*) skinny and scrawny (describing people or animals to be skin and bones) ❷〈形 *adj.*〉（食用的肉）脂肪少（与'肥'相对）(of meat) lean (opposite to '肥*féi*')：~肉馅儿 ~*ròu xiànr* lean meat stuffing | 肉太~。*Ròu tài* ~. The meat is too lean. ❸〈形 *adj.*〉（衣服等）窄小；不肥大 (of clothes, etc.) tight：~腿儿裤 ~*tuǐr kù* trousers with tight legs | 鞋面太~。*Xiémiàn tài* ~. The shoes are too tight in the instep. ❹〈形 *adj.*〉（土地）贫瘠；不肥沃 (of land) poor；not fertile：~田 ~*tián* poor field | ~瘠的山地 ~*jí de shāndì* barren hilly country ❺〈形 *adj.*〉形容中国书法中那些细长字体 long and thin in style in Chinese calligraphy：字迹~劲。*Zìjì* ~*jìn*. The handwriting is slim and forceful.

¹ **书** shū ❶〈名 *n.*〉（本*běn*、册*cè*、部*bù*、卷*juàn*、套*tào*、摞*luò*）有文字或有图画的、装订成册的著作 book：~本 ~*běn* book | 古 ~ *gǔ* ~ ancient books | 史 ~ *shǐ* ~ history books | 线装 ~ *xiànzhuāng* ~ thread-bound book | 教科 ~ *jiàokē* ~ textbook ❷〈名 *n.*〉文件 document：聘 ~ *pìn* ~ letter of appointment | 申请 ~ *shēnqǐng* ~ letter of application | 递交国 ~ *dìjiāo guó* ~ present credentials | 律师证 ~ *lùshī zhèng* ~ lawyer's certificate ❸〈名 *n.*〉信件；信函 letter；correspondence：家~ *jiā* ~ a letter from/to home | ~简 ~*jiǎn* letters | 修~一封 *xiū* ~ *yì fēng* write a letter ❹〈名 *n.*〉汉字的书法字体 styles of Chinese calligraphy：行 ~ *xíng* ~ cursive handwriting | 草 ~ *cǎo* ~ rapid cursive style of handwriting | 楷 ~ *kǎi* ~ regular script ❺〈动 *v.*〉写字；书写 write：~写 ~*xiě* write | 板~ *bǎn* ~ blackboard writing | 大~特~ *dà* ~*tè* ~ write volumes about | 秉笔直~(指史官抛开顾忌，公正的书写历史) *bǐngbǐ-zhí* ~ （*zhǐ shǐguān pāokāi gùjì, gōngzhèng de shūxiě lìshǐ*）write down the truth (of a historian writing down the facts without fear or favor)

² **书包** shūbāo 〈名 *n.*〉（个gè、只zhǐ）专门放书本及文具的包或袋子（多指学生所用）

schoolbag; satchel (usually used by pupils or students)：小~ *xiǎo* ~ a small schoolbag ｜ ~里放满了书。*~ li fàngmǎnle shū.* The schoolbag is full of books.

³ **书本** shūběn〈名 n.〉书籍的总称。也特指教科书和练习本 book; textbook; exercise-book：~费 *~fèi* book fee ｜~知识 *~zhīshí* book knowledge ｜有些学问是从~里学不到的。*Yǒuxiē xuéwèn shì cóng ~ li xué bú dào de.* Some knowledge is not to be learned from books.

² **书店** shūdiàn 〈名 n.〉（家jiā、个gè）卖书的商店 bookstore; bookshop：科技~ *kējì* ~ technical bookshop ｜新华~ *xīnhuá* ~ Xinhua Bookstore ｜~几点钟开门？*~ jǐ diǎn zhōng kāimén?* When is the bookstore open?

⁴ **书法** shūfǎ〈名 n.〉文字的书写艺术。特指中国传统的毛笔书写汉字的艺术(如今也指用钢笔、圆珠笔书写汉字的艺术) calligraphy（esp. referring to the Chinese traditional art of writing characters with a brush, but nowadays also to that with a pen or ball-point pen)：~家 *~jiā* calligrapher ｜~展览 *~zhǎnlǎn* a calligraphy show ｜硬笔~ *yìngbǐ* ~ hard-pen calligraphy ｜喜爱~ *xǐ'ài* ~ like calligraphy.

³ **书籍** shūjí〈名 n.〉(批pī)书的总称 books：~装帧 *~zhuāngzhèng* book binding ｜~的分类 *~ de fēnlèi* classification of books ｜堆积如山。*duījī rú shān.* Books are piled up like mountains.

² **书记** shūjì ❶〈名 n.〉(位wèi、名míng)党、团等组织中的主要负责人 secretary (of a Communist Party or League organization)：党组~ *dǎngzǔ* ~ secretary of the leading Party group ｜支部~ *zhībù* ~ secretary of the Party branch ❷〈名 n.〉(位wèi、名míng)旧时负责抄写、记录、撰写的人 clerk who did the work of copying, writing, take notes, etc. in old times：~官 *~guān* clerk ｜~员 *~yuán* clerk

² **书架** shūjià〈名 n.〉(个gè、排pái)摆放书籍的架子，也称'书架子'bookshelf, also '书架子shūjiàzi'：新~ *xīn* ~ new bookshelf ｜活动~ *huódòng* ~ movable bookshelf

⁴ **书刊** shūkān〈名 n.〉(种zhǒng)书和刊物的合称 books and periodicals：~杂志 *~zázhì* books and periodicals ｜订阅~ *dìngyuè* ~ subscribe to books and periodicals ｜图书馆里有各种~。*Túshūguǎn li yǒu gèzhǒng ~.* There are all kinds of books and periodicals in the library.

⁴ **书面** shūmiàn ❶〈名 n.〉书籍的封面 the cover of a book; cover：~设计 *~shèjì* cover design ｜漂亮的~ *piāoliang de* ~ a beautiful cover ❷〈名 n.〉用文字表述的(与'口头'相对) in written form; written (opposite to '口头kǒutóu')：~报告 *~bàogào* a written report ｜~质询 *~zhìxún* written inquiry ｜这次下发通知要~的。*Zhè cì xià fā tōngzhī yào ~ de.* This notice must be sent out in written form.

⁴ **书写** shūxiě〈动 v. 书 lit.〉写 write：~艺术 *~yìshù* the art of writing ｜学生们认真地~起来。*Xuéshēngmen rènzhēn de ~ qǐlái.* The students began to write conscientiously.

⁴ **书信** shūxìn〈名 n.〉(封fēng)信 letter：~体 *~tǐ* epistolary style ｜~的格式 *~ de géshì* epistolary form ｜我和他没有~往来。*Wǒ hé tā méiyǒu ~ wǎnglái.* He and I do not write to each other.

² **叔叔** shūshu ❶〈名 n.〉(个gè)父亲的弟弟 father's younger brother; uncle：亲~ *qīn* ~ blood uncle ｜~的女儿是我的堂妹。*~ de nǚ'ér shì wǒ de tángmèi.* My uncle's daughter is my cousin. ❷〈名 n.〉(位wèi、个gè、名míng)与父亲同辈但年纪较小的男子 any man younger than one's father but in the same generation; uncle：隔壁家的~ *gébì jiā de* ~ the uncle next door ｜警察~ *jǐngchá* ~ uncle policeman

³ **梳** shū ❶〈动 v.〉用梳子整理头发或动物的毛发等 comb (one's hair, etc.)：~头 *~tóu* comb one's hair ｜孩子在给小狗~理毛发。*Háizi zài gěi xiǎo gǒu ~lǐ máofà.* The child

is combing the little dog's hair. ❷〈名 n.〉梳子 comb：木~ mù- a wooden comb

³ **梳子** shūzi〈名 n.〉(把bǎ、柄bǐng、个gè) 整理毛发的用具 comb：几把~ jǐ bǎ ~ several combs | ~的把儿是黄色的. ~ de bàr shì huángsè de. The comb has a yellow handle.

³ **舒畅** shūchàng〈形 adj.〉舒朗而畅快 entirely free from worry; happy：身心~ shēnxīn ~ feel happy | ~的心情 ~ de xīnqíng have ease of mind | 这些天我感到很不~. Zhèxiē tiān wǒ gǎndào hěn bù ~. I do not feel happy these days.

¹ **舒服** shūfu ❶〈形 adj.〉感觉轻松愉快(用于人)(used for a person) comfortable：他的日子过得很~. Tā de rìzi guò de hěn ~. He leads a comfortable life. | 舒舒服服地洗了个热水澡. Shūshu-fūfū de xǐle gè rèshuǐzǎo. He took a comfortable hot-water bath. ❷〈形 adj.〉适宜；舒适(用于环境或事物)(used for environment or a thing) comfortable; proper：~的沙发 ~ de shāfā a comfortable sofa | 床铺得很~. Chuáng pū de hěn ~. The bed is neatly made. | 房间既又暖和. Fángjiān jì ~ yòu nuǎnhuo. The room is comfortable and warm.

² **舒适** shūshì〈形 adj.〉轻松安逸 comfortable; snug; cozy：安闲~ ānxián ~ easy and comfortable | 她从小就过着~的日子 Tā cóngxiǎo jiù guòzhe ~ de rìzi. She lived a comfortable life from childhood.

⁴ **舒展** shūzhǎn ❶〈动 v.〉伸展；展开 extend; unfold：~腿脚 ~ tuǐjiǎo stretch one's legs | 枝叶渐渐~了. Zhīyè jiànjiàn ~ le. The leaves unfolded gradually. | 她脸上的愁眉慢慢地~开了. Tā liǎn shang de chóuméi mànmàn de ~ kāi le. Her knitted brows are smoothing out. ❷〈形 adj.〉伸展得开的；不蜷缩的 smooth; not rolled up：~大方 ~ dàfang smooth and unaffected | 字体~ zìtǐ ~ natural style of calligraphy ❸〈形 adj.〉(身心)安闲舒适 (used for one's body and mind) easy and comfortable：意气~ yìqì ~ feel at ease | 经他一说，姑娘的心情~多了. Jīng tā yì shuō, gūniang de xīnqíng ~ duō le. At his words, the girl felt much happier.

⁴ **疏忽** shūhu ❶〈动 v.〉马虎随意而忽略 neglect; overlook：~警戒 ~ jǐngjiè neglect security | 不能~了这个问题. Bù néng ~le zhège wèntí. We must not overlook this problem. ❷〈形 adj.〉粗心大意 careless：太~ tài ~ too careless | 办事~ bànshì ~ do things carelessly ❸〈动 v.〉因大意而造成的错误 a mistake caused by negligence or carelessness：没有赶上班车，是我一时的~造成的. Méiyǒu gǎnshàng bānchē, shì wǒ yìshí de ~ zàochéng de. I did not catch the shuttle bus due to my carelessness. | 小~会带来大事故. Xiǎo ~ huì dàilái dà shìgù. Slight negligence may result in a big accident.

¹ **输** shū ❶〈动 v.〉用工具送达；输送 transport; carry：~电 ~ diàn transmit electricity | ~水管 ~shuǐguǎn water pipe | ~氧气 ~ yǎngqì oxygen therapy | 运~ yùn~ transport | 灌~ guàn~ instill ❷〈动 v.〉失败；败(与'赢'相对) lose; be defeated (opposite to '赢 yíng')：~棋 ~qí lose a game of chess | 不服 ~ bù fú ~ refuse to admit defeat | 这场球我们~得口服心服. Zhè chǎng qiú wǒmen ~ de kǒufú-xīnfú. We accept the defeat in this ball game without any complaint.

⁴ **输出** shūchū ❶〈动 v.〉从内部送往外部(与'输入'相对) send out (opposite to '输入 shūrù')：~人才 ~ réncái send out able people ❷〈动 v.〉(把商品、资本)向国外或境外投放或销售(与'输入'相对) export (goods, capital, etc.) (opposite to '输入 shūrù')：资本~ zīběn ~ export of capital | 石油~国 shíyóu ~ guó petroleum exporting countries | 劳务~ láowù ~ export of labor ❸〈动 v.〉从某种装置或机构发出能量、信号等(与'输入'相对) output (opposite to '输入 shūrù')：~通道 ~ tōngdào output channel | ~键 jiàn output key

⁴ **输入** shūrù ❶〈动 v.〉从外部送入内部(与'输出'相对) bring in; introduce (opposite

to '输出shūchū'）: 文化 ~ *wénhuà* ~ the influx of culture │ ~新鲜血液 ~ *xīnxiān xuèyè* infuse new blood │ 这些教练是从外国~的。*Zhè xiē jiàoliàn shì cóng wàiguó ~ de.* These coaches are recruited from abroad. ❷〈动 v.〉商品或资本从国外或境外进入某一国家（与'输出'相对）import (goods, capital, etc.) (opposite to '输出shūchū'）: 商品~ *shāngpǐn* import goods │ 资本~ *zīběn* the import of capital ❸〈动 v.〉某种装置或机构吸收能量、信号等（与'输出'相对）input (opposite to '输出shūchū'）: ~程序 *chéngxù* input procedure │ ~信号 ~ *xìnhào* input signal │ ~键 ~ *jiàn* input key │ 汉字 *Hànzì* ~ key in Chinese characters

⁴ **输送** shūsòng〈动 v.〉运送；从一处送往另一处 carry; transport: ~物资 ~ *wùzī* transport materials │ ~干部 ~ *gànbù* provide cadres │ 把信息先~过来。*Bǎ xìnxī xiān ~ guòlái.* Transmit the information over at once.

² **蔬菜** shūcài〈名 n.〉可供人做副食用的草本植物的总称 vegetables; edible greens: 瓜~ *guāguǒ* vegetables, melons and fruit │ 新鲜~ *xīnxiān* ~ fresh vegetables │ 贮存~ *chùcún* ~ vegetable storing

¹ **熟** shú ❶〈形 adj.〉食物烧煮到可吃的程度（与'生'相对）cooked; done (opposite to '生shēng'）: ~食 ~ *shí* prepared food │ 蒸 ~ *zhēng* ~ steamed │ 半生不~ *bànshēng-bù-* half-cooked ❷〈形 adj.〉果实等完全长成（与'生'相对）ripe (opposite to '生 shēng'）: ~透的西瓜 ~ *tòu de xīguā* completely ripe watermelons │ 早~稻 *zǎo~dào* early-maturing rice │ 性早~ *xìng zǎo~* sexually precocious ❸〈形 adj.〉因常接触而知道或清楚的 familiar; well acquainted: ~语 ~ *yǔ* idiomatic phrase │ 眼 ~ *yǎn* ~ look familiar │ ~门~路（对情况非常熟悉）~*mén~lù* (*duì qíngkuàng fēicháng shúxī*) a familiar door and a familiar road（things that one knows well）│ 我和他不怎么~。*Wǒ hé tā bù zěnme ~.* He and I do not know each other well. ❹〈形 adj.〉精通；不生疏 skilled; practiced: ~练 ~*liàn* skilled │ 烂~ *làn* ~ know sth. thoroughly │ ~能生巧 ~ *néngshēngqiǎo* practice makes perfect │ 驾轻就~（比喻对某件事情十分熟悉，做起来容易）*jiàqīng-jiù~* (*bǐyù duì mǒu jiàn shìqing shífēn shúxī, zuò qǐlái róngyì*) drive a light carriage on a familiar road（fig. do a familiar job with ease）❺〈形 adj.〉炼制过的、加工过的或耕种过的（与'生'相对）processed (opposite to '生shēng'）: ~铁 ~ *tiě* wrought iron │ ~石灰 ~ *shíhuī* slaked lime │ ~皮子 ~ *pízi* processed leather │ ~地 ~ *dì* cultivated land ❻〈副 adv.〉程度深 deeply; thoroughly: ~览 ~ *lǎn* read by heart │ ~读 ~ *dú* read by heart │ 深思~虑 *shēnsī~lù* ponder deeply over

² **熟练** shúliàn〈形 adj.〉常做而老练纯熟 practiced; skilled: ~工 ~ *gōng* skilled worker │ 业务~ *yèwù* ~ be skilled in one's work │ 我的动作也慢慢地~起来了。*Wǒ de dòngzuò yě mànmàn de ~ qǐlái le.* I also began to be skilled in my movements.

² **熟悉** shúxī ❶〈动 v.〉清楚地知道 know well: ~内情 ~ *nèiqíng* know the inside story well │ 这门课程我不~。*Zhè mén kèchéng wǒ bù ~.* I am not familiar with this course. │ 市长又到那里~情况去了。*Shìzhǎng yòu dào nàlǐ ~qíngkuàng qù le.* The mayor has gone there again to familiarize himself with the situation. ❷〈形 adj.〉了解得清楚而详尽 very familiar; having an intimate knowledge of: 我对这里太~了。*Wǒ duì zhèlǐ tài ~ le.* I'm very familiar with this place. │ 我们俩~极了。*Wǒmen liǎ ~ jí le.* We know each other extremely well.

² **暑假** shǔjià〈名 n.〉学校在每年七八月放的假期 summer vacation (holidays given by schools from July to August every year): ~作业 ~ *zuòyè* homework for the summer vacation │ ~活动 ~ *huódòng* activities during the summer vacation │ 今年~我准备到海滨去度假。*Jīnnián ~ wǒ zhǔnbèi dào hǎibīn qù dùjià.* I intend to spend my summer

vacation at the seaside this year.

⁴ **属** shǔ ❶〈动 v.〉隶属；受管辖 be under; be subordinate to: 附~ *fù*~ be affiliated to | 领~ *lǐng*~ possess and control | ~地 *~dì* dependency ❷〈动 v.〉归属；由某人或某方所有 belong to; be owned by: ~于 *~yú* belong to | 国家权利~人民. *Guójiā quánlì* ~ *rénmín.* The power of the state belongs to the people. ❸〈动 v.〉以中国传统的十二生肖(即鼠、牛、虎、兔、龙、蛇、马、羊、猴、鸡、狗、猪)记年 be born in the year of (one of the 12 zodiac animals according to the Chinese tradition, namely, rat, ox, tiger, hare, dragon, snake, horse, ram, monkey, rooster, dog and pig): ~相 *~xiàng* any one of the 12 zodiac animals associated with the 12-year cycle | 我的孩子~猴. *Wǒ de háizi ~ hóu.* My child was born in the year of the monkey. | 他~龙. *Tā ~ lóng.* He was born in the year of the dragon. ❹〈动 v.〉系；是；符合 be; comply with: ~实 *~shí* prove to be true | 纯~捏造 *chún ~ niēzào* be completely fabricated ❺〈名 n.〉类别 category: 金~ *jīn*~ metal | 非金~ *fēijīn*~ non-metal ❻〈名 n.〉生物分类系统之一，在科以下 genus in biology (under family): 虎和其他大型猫科动物列为豹~. *Hǔ hé qítā dàxíng māokē dòngwù liè wéi bào ~.* The tiger and other large animals of the cat family belong to the leopard genus. ❼〈名 n.〉家眷；亲属 family members; dependents: 眷~ *juàn*~ family dependents | 军~ *jūn*~ serviceman's family | 烈~ *liè*~ martyr's dependents

² **属** shǔyú〈动 v.〉归于某一方面或为某一方所有 belong to; be part of: ~学校管理 *~xuéxiào guǎnlǐ* be within the jurisdiction of the school | 青蛙~两栖动物. *Qīngwā ~ liǎngqī dòngwù.* The frog is an amphibian.

¹ **数** shǔ ❶〈动 v.〉查点(数目)；计算 count: ~钱 *~qián* count money | ~一~ *~yì*~ count | 这么多人我可~不过来了。*Zhème duō rén wǒ kě ~ bú guòlái le.* There are so many people that I have no way to count them. ❷〈动 v.〉比较或计算最前的或最突出的 be reckoned as the first or most outstanding: ~一~二 *~yì-èr* count as one of the very best | 电脑方面他是~得上的高手. *Diànnǎo fāngmiàn tā shì ~deshàng de gāoshǒu.* He can be reckoned as a master-hand in computing. | 我们班~他个子最高. *Wǒmen bān ~ tā gèzi zuì gāo.* He is reckoned as the tallest in our class. | 好玩儿的就~电脑游戏了。*Hǎowánr de jiù ~ diànnǎo yóuxì le.* Only computer games can be counted as very amusing. ❸〈动 v.〉一一列举 enumerate; list: ~叨 *~dao* nag | ~落 *~luo* scold sb. by enumerating his wrongdoings | 历~罪状 *lì ~ zuìzhuàng* cite one crime after another

☞ shù, p. 914

³ **束** shù ❶〈量 meas.〉用于捆起来或聚成条的东西 bundle; bunch; sheaf: 几~花 *jǐ ~ huā* several bunches of flowers | 一~阳光 *yí ~ yángguāng* a sheaf of sunlight ❷〈动 v.〉(用绳子等)捆或绑 bind/tie (with a rope, etc.): ~发 *~fà* tie one's hair | ~腰 *~yāo* wear a belt around one's waist | ~之高阁 (形容对某项意见、理论弃置不用或不管) ~ *zhīgāogé* (*xíngróng duì mǒu xiàng yìjiàn, lǐlùn qìzhì bú yòng huò bù guǎn*) bundle sth. up and place it on the top shelf (lay an opinion or theory aside and neglect it) ❸〈动 v.〉控制；管束 control; restrain: 拘~ *jū*~ constrained | 约~ *yuē*~ restrain | ~手无策 *~shǒuwúcè* be at a loss what to do | 无拘无~ *wújū-wú*~ without any restraint ❹〈名 n.〉聚集成条、成把的东西 things in a bunch or sheaf: 波~ *bō*~ beam | 光~ *guāng*~ light beam | 花~ *huā*~ bouquet | 电子~ *diànzǐ*~ electron beam

² **束缚** shùfù〈动 v.〉约束；受制约 bind; fetter: ~手脚 *~shǒujiǎo* bind sb. hand and foot | 摆脱~ *bǎituō*~ free oneself from restraint | 他的头脑被~在这块狭小的天地里。*Tā de tóunǎo bèi ~ zài zhè kuài xiáxiǎo de tiāndì li.* He is bound to this narrow field in mind.

¹ **树** shù ❶〈名 n.〉(棵kē、株zhū、行háng)木本植物的总称 tree: 桑~ *sāng*~ mulberry

tree | 种 ~ *zhòng*~ plant trees | ~ 荫 ~*yīn* the shade of a tree | 圣 诞 ~ *Shèngdàn* ~ Christmas tree ❷〈动 v.〉建立；竖起 set up; establish：~碑 ~*bēi* erect a monument | ~敌 ~*dí* make an enemy of sb. | 建 ~ *jiàn*~ make a contribution ❸〈动 v.〉培养；种植 cultivate; plant：十年~木，百年~人。*Shínián-~mù, bǎinián-~rén.* It takes ten years to grow a tree, but a hundred years to rear a person.

⁴ **树干** shùgàn 〈名 n.〉(根gēn)树木的主体部分 trunk：粗壮的~ *cūzhuàng de* ~ thick trunk | ~伸展开来，像一把巨大的伞架。~ *shēnzhǎn kāi lái, xiàng yì bǎ jùdà de sǎnjià.* The trunk looks like a large umbrella frame as it stretches itself.

³ **树立** shùlì 〈动 v.〉建立 (多用于抽象的事物) set up/establish (usually used for sth. abstract)：~威信 ~ *wēixìn* establish one's prestige | ~榜样 ~ *bǎngyàng* set an example | ~远大的志向 ~ *yuǎndà de zhìxiàng* foster a lofty ideal

³ **树林** shùlín 〈名 n.〉(片piàn)成片的密集生长的树木 woods; grove：小 ~ *xiǎo* ~ little woods | 杨 ~ *yáng*~ poplar grove | 成片的~ *chéngpiàn de* ~ a tract of woods | 小鸟在~中歌唱。*Xiǎo niǎo zài ~ zhōng gēchàng.* Birds are singing in the woods.

³ **树木** shùmù 〈名 n.〉(种zhǒng)树的总称 trees generally：~品种 ~ *pǐnzhǒng* the variety of trees | 爱护 ~ *àihù* ~ protect trees | 公园里有~，有花草。*Gōngyuán li yǒu ~, yǒu huācǎo.* There are trees, flowers and plants in the park.

⁴ **竖** shù ❶〈动 v.〉将物体立起，与地面垂直 erect; stand：~站牌 ~ *zhànpái* set up a bus-stop plate | ~起电线杆 ~*qǐ diànxiàngān* erect a wire pole | 旗杆在大门口。*Qígān zài dà ménkǒu.* The flag pole stands at the gate. ❷〈形 adj.〉垂直于地面的(与'横héng'相对) vertical; upright(opposite to '横héng')：~井 ~*jǐng* shaft | ~琴 ~*qín* harp ❸〈形 adj.〉由上到下或由前到后的 (与 '横héng' 相对) from up to down; from front to back (opposite to '横héng')：~版 ~*bǎn* vertical format | ~写 ~*xiě* write in a vertical way | 横七~八 *héngqī~bā* in disorder ❹〈名 n.〉汉字笔划之一，形状是'丨'，也叫'直' vertical stroke in Chinese characters, shaped like '丨', also '直zhí'：写汉字时，笔划要横平~直。*Xiě Hànzì shí, bǐhuà yào héng píng ~ zhí.* When you write Chinese characters, you must make the horizontal stroke really level and the vertical stroke really upright.

² **数** shù 〈名 n.〉数目 number：多 ~ *duō*~ the majority | 一口之家 ~ *kǒu zhī jiā* a family of many members | 不识 ~ *bù shí* ~ not know numbers | 心里没 ~ *xīn li méi* ~ not have a good idea of how things stand ❷〈名 n.〉表示事物的量的数学基本概念 number in mathematics：小 ~ *xiǎo* ~ decimal | 分 ~ *fēn* ~ fraction | 正负 ~ *zhèngfù* ~ positive or negative number | 三角函 ~ *sānjiǎo hán* ~ trigonometric function ❸〈名 n.〉一种语法范畴，表示名词或代词所指事物的数量 number in grammar：单 ~ *dān*~ singular number | 复 ~ *fù*~ plural number ❹〈名 n.〉命运 fate; destiny：定 ~ *dìng* ~ fate | 劫 ~ *jié* ~ predestined fate | 气 ~ *qì*~ fate | 天 ~ *tiān*~ predestination ❺〈数 num.〉几；几个 a few; several：~十个 ~ *shí gè* a few dozen | ~小时 ~ *xiǎoshí* several hours

☞ *shǔ*, p. 913

⁴ **数额** shù'é 〈名 n.〉(个gè)一定的数目 a fixed number; a definite amount：~不小 ~ *bù xiǎo* not a small number | 这次提款的~很大，超过了规定的~。*Zhè cì tíkuǎn de ~ hěn dà, chāoguòle guīdìng de ~.* It is a large sum of money that you intend to draw this time, which exceeds the fixed amount.

³ **数据** shùjù 〈名 n.〉(个gè)可以依据的数值；计算仪器可处理的含有特定意义的符号 data：大量 ~ *dàliàng* ~ a large amount of data | 实验 ~ *shíyàn* ~ data of the experiment | ~统计 ~ *tǒngjì* data counting | ~证明 ~ *zhèngmíng* data proving | ~库 ~*kù* data bank | ~存储 ~*cúnchǔ* data storage

² **数量** shùliàng〈名 n.〉人或事物等数目的多少 quantity; number; amount：人口~ *rénkǒu* ~ the size of the population｜~猛增 ~ *měngzēng* a sharp increase in quantity｜惊人的~ *jīngrén de* ~ a surprising number｜不能只求~不求质量。*Bù néng zhǐ qiú ~ bù qiú zhìliàng.* We should not just go after quantity regardless of quality.

³ **数目** shùmù〈名 n.〉(个gè)依照标准单位表示出的事物的多少 number; amount：~字 ~*zì* figure｜财产的~ *cáichǎn de* ~ the amount of property｜库存的~ *kùcún de* ~ the amount in storage｜这笔钱的~很大。*Zhè bǐ qián de ~ hěn dà.* This is a large sum of money.

³ **数学** shùxué〈名 n.〉研究现实世界的空间形式和数量关系的科学 mathematics：~家 ~*jiā* mathematician｜~系 ~*xì* the department of mathematics｜学~ *xué* ~ study mathematics｜~包括算术、代数、几何、三角、微分、积分等内容。~ *bāokuò suànshù, dàishù, jǐhé, sānjiǎo, wēifēn, jīfēn děng nèiróng.* Mathematics covers arithmetic, algebra, geometry, trigonometry, differential, integral, etc.

² **数字** shùzì ❶〈名 n.〉用以记录数目的数字 numeral; figure：会计就是与~打交道。*Kuàijì jiùshì yǔ ~ dǎ jiāodào.* An accountant makes close contact with the numerals. ❷〈名 n.〉用以记录数目的符号 the signs that record numbers; digit：罗马~ *Luómǎ* ~ Roman numerals｜阿拉伯~ *Ālābó* ~ Arabic numerals ❸〈名 n.〉(个gè)数量，也说'数目字' quantity; amount, also '数目字shùmùzì'：生产~ *shēngchǎn* ~ the amount of production｜~准确 ~ *zhǔnquè* an accurate amount｜上报的~ *shàngbào de* ~ the quantity that is reported to the superiors

⁴ **刷** shuā ❶〈动 v.〉用刷子等清除、揩拭、涂抹 clean/daub/paint with a brush, etc.：~鞋 ~*xié* brush shoes｜~油漆 ~ *yóuqī* paint｜印~ *yìn* ~ print｜粉~ *fěn* ~ whitewash｜~墙 ~*qiáng* whitewash a wall ❷〈动 v. 方 dial.〉在选择中除去差的 淘汰 eliminate (the weak); remove：应试的人一个一个地被~掉了。*Yìngshì de rén yí gè yí gè de bèi ~ diào le.* The applicants are eliminated one by one.｜他头一轮就被~了下来。*Tā tóu yì lún jiù bèi ~le xiàlái.* He was eliminated in the first round. ❸〈名 n.〉刷子 brush：牙~ *yá* ~ toothbrush｜棕~ *zōng* ~ palm brush｜短~ *duǎn* ~ short brush ❹〈拟声 onom.〉模拟物体摩擦时或掠过时的声响 swish; rustle：~拉~ *lā* a swishing sound｜'~'地，车子擦身而过。'~'*de, chēzi cāshēn ér guò.* Swish! A car swept past.｜大风刮过树叶~地作响。*Dà fēng guā de shùyè ~ de zuòxiǎng.* The leaves rustled in the strong wind.

³ **刷子** shuāzi〈名 n.〉(把bǎ)将成束的毛、棕、塑料丝或金属丝等固定在板状物上而制成的用具 brush：洗衣的~坏了。*Xǐyī de ~ huài le.* The brush for washing clothes is worn out.

³ **耍** shuǎ ❶〈动 v.〉舞动；表演 wield; perform：~龙 ~*lóng* perform a dragon-dance｜大刀 ~*dàdāo* wield a sword ❷〈动 v.〉戏弄；捉弄 play (tricks)：~猴儿 ~ *hóur* tease｜小心，别被~了! *Xiǎoxīn, bié bèi ~ le!* Be careful not to be made a fool of! ❸〈动 v. 贬 derog.〉施展 make a show of; exercise：~无赖 ~ *wúlài* act shamelessly｜~威风 ~ *wēifēng* make a show of authority｜~心眼儿 ~ *xīnyǎnr* exercise one's wits for personal gain ❹〈动 v.〉玩儿；游乐 play：~闹 ~*nào* have horseplay｜~笑 ~*xiào* make fun

⁴ **衰老** shuāilǎo〈形 adj.〉年迈体弱，精力衰减 old and feeble：~现象 ~ *xiànxiàng* senile condition｜这两年妈妈明显地~了。*Zhè liǎng nián māma míngxiǎn de ~ le.* Mother is visibly aged and weakened in the past two years.

⁴ **衰弱** shuāiruò ❶〈形 adj.〉(身体)不健壮 weak; feeble：身体~ *shēntǐ* ~ feeble health｜神经~ *shénjīng* ~ neurasthenia ❷〈形 adj.〉(事物)由强变弱；不兴盛 (of things) weaken; not prosper：火势慢慢地~了。*Huǒshì mànmàn de ~ le.* The fire is losing its

momentum. | 这个家族已经~了。Zhège jiāzú yǐjīng ~ le. The family has already declined.

⁴衰退 shuāituì ❶〈形 adj.〉（人体机能、人的精神或精力等）趋向衰弱（of one's function, spirit or energy）fail; decline: 视力~ shìlì ~ one's eyesight is failing | 意志~ yìzhì ~ one's will is waning | 真没想到他的精力~到了这个地步。Zhēn méi xiǎngdào tā de jīnglì ~dàole zhège dìbù. I really didn't expect that he would have lost his energy to such an extent. ❷〈形 adj.〉（社会、经济、政治等状况）日渐衰减（of social, economic, political conditions）recess; decline: 经济~ jīngjì ~ economic recession | 购买力~ gòumǎilì ~ the decline of purchasing power

²摔 shuāi ❶〈动 v.〉跌到；使倒下 tumble; cause to fall: ~了跤 ~le jiāo tumble over | 他把我~倒在地。Tā bǎ wǒ ~dǎo zài dì. He tumbled me to the ground. ❷〈动 v.〉快速落下 plunge; fall quickly: 从桌子上~了下来。Cóng zhuōzi shang ~le xiàlái. It plunged from the table. | 楼高，小心别~下去！Lóu gāo, xiǎoxīn bié ~xiàqù! The building is very high. Be careful not to fall down. ❸〈动 v.〉掉下而破损 fall and break: ~坏的台灯 ~huài de táidēng a broken desk lamp | ~破了头 ~pòle tóu fall and break one's head ❹〈动 v.〉用力扔 throw; cast; fling: 把椅子~出了窗外。Bǎ yǐzi ~chūle chuāng wài. The chair was thrown out of the window. | 我拿起杯子朝他~了过去。Wǒ náqǐ bēizi cháo tā ~le guòqù. I grabbed a cup and threw it at him.

²甩 shuǎi ❶〈动 v.〉挥动；摆动 swing; move backward and forward: ~尾巴 ~wěiba wag one's tail | ~了~辫子 ~le ~ biànzi swing one's pigtail ❷〈动 v.〉抛下；摆脱 leave sb. behind; throw off: ~包袱 ~bāofu cast off a burden | ~开那人的跟踪 ~kāi nà rén de gēnzōng throw off that man | 前面的选手一下把他~出了几十米。Qiánmian de xuǎnshǒu yíxià bǎ tā ~chūle jǐshí mǐ. The player in front left him several dozen meters behind all of a sudden. ❸〈动 v.〉用力往外扔 throw; fling: ~手榴弹 ~shǒuliúdàn throw a hand grenade | 他两手用力把那家伙~了出去。Tā liǎng shǒu yònglì bǎ nà jiāhuo ~le chūqù. He exerted himself and threw that stuff away with both hands. ❹〈动 v.〉特指某些昆虫、鱼类产卵（of some insects or fish）lay eggs: 那条鱼正在~子儿呢。Nà tiáo yú zhèngzài ~zǐr ne. The fish is spawning. | 蚕蛾把子儿~在了一张纸上。Cán'é bǎ zǐr ~zàile yì zhāng zhǐ shang. The silk moths laid eggs on a piece of paper.

⁴帅 shuài ❶〈形 adj.〉英俊；潇洒；神气（多用于男子）graceful; smart (usually used to describe men): 小~哥 xiǎo ~gē a smart young man | 动作真~。Dòngzuò zhēn ~. The movement is graceful indeed. ❷〈名 n.〉军队中的最高指挥官 commander-in-chief; marshal: 统~ tǒng~ commander in chief | ~才 ~cái a person who has the talent to become a commander | 大元~ dàyuán~ generalissimo

²率领 shuàilǐng〈动 v.〉带领；统领 lead; command: ~部下 ~ bùxià lead one's subordinates | 他~过这支队伍。Tā ~guo zhè zhī duìwu. This unit was once under his command.

³拴 shuān〈动 v.〉用绳子等系、绕上；也比喻留住人或人的思想、感情等 tie/fasten with a rope, etc.; fig. bind up (sb. or sb.'s mind, feeling, etc.): ~车 ~ chē tie a cart | 你先把这头驴~进棚去。Nǐ xiān bǎ zhè tóu lǘ ~jìn péng qù. Fasten the donkey in its shed first. | ~得住人家的人，~不住人家的心。~ dé zhù rénjia de rén, ~ bú zhù rénjia de xīn. You may bind up his body, but not his mind. | 一大堆事~住了队长。Yí dà duī shì ~zhùle duìzhǎng. The team leader is tied up with a lot of affairs.

¹双 shuāng ❶〈量 meas.〉用于左右对称的或成对的东西 pair: 一~鞋子 yì ~ xiézi a pair of shoes | 两~手套 liǎng ~ shǒutào two pairs of gloves | 几~筷子 jǐ ~ kuàizi several

pairs of chopsticks｜一~大眼睛 yì ~ dà yǎnjing a pair of large eyes ❷〈形 adj.〉两个的；成对的(与'单'相对) two; twin; both(opposite to '单dān'): ~杠 ~gàng parallel bars｜关语 ~guānyǔ pun｜智勇~全 zhìyǒng-~quán both intelligent and courageous｜夫妻~~把家还。 Fūqī ~ ~ bǎ jiā huán. Our couple are going back home. ❸〈形 adj.〉偶数的(与'单'相对) even (opposite to '单dān'): ~日 ~rì even-numbered days (of the month)｜~号座位 ~hào zuòwèi even-numbered seats ❹〈形 adj.〉加倍的; double; twofold: ~薪 ~xīn double pay｜~保险 ~bǎoxiǎn double safety｜~重身份 ~chóng shēnfèn dual identity

² **双方** shuāngfāng〈名 n.〉当事的相关两方 both parties; the two sides: ~队员 ~duìyuán members of both teams｜交战~ jiāozhàn the two belligerent parties｜~各不相让。 ~ gè bù xiāngràng. Each party refuses to give in.

³ **霜** shuāng ❶〈名 n.〉温度降到零度时，空气中的水蒸气在地面或物体上结成的白色而细小冰晶 frost (the white powdery substance that appears when the temperature drops to zero degree): 冰~ bīng~ ice and frost｜风~雪雨 fēng~xuěyǔ wind and frost, snow and rain｜雪上加~ (比喻苦上加苦) xuěshàngjiā~ (bǐyù kǔ shàng jiā kǔ) snow plus frost (calamities came in succession.) ❷〈名 n.〉像霜一样的粉末 frost-like powder: 西瓜~ xīguā~ frosting on watermelons｜美容~ měiróng~ face cream｜柿子上挂着一层薄薄的白~。 Shìzi shang guàzhe yì céng báobáo de bái~. There is a thin layer of white powder on the surface of a persimmon. ❸〈形 adj.〉比喻雪白明亮 fig. white and bright: ~剑 ~jiàn a shining sword｜两鬓如~ liǎng bìn rú ~ grey temples

⁴ **爽快** shuǎngkuài ❶〈形 adj.〉舒服畅快 comfortable; refreshed: 精神~ jīngshén ~ feel energetic｜冲了个澡，身体~多了。 Chōngle gè zǎo, shēntǐ ~ duō le. I feel much refreshed after a bath. ❷〈形 adj.〉直爽而干脆 straightforward; frank: ~人 ~ rén a straightforward person｜他很~地同意了。 Tā hěn ~ de tóngyì le. He agreed readily.

¹ **水** shuǐ ❶〈名 n.〉(滴dī、滩tān)一种没有颜色、气味的透明液体，化学分子式为H_2O water (H_2O): ~池 ~chí pond｜茶~ chá~ tea｜~汪汪的 ~wāngwāng de very wet｜井~不犯河~(比喻双方互不侵犯)。 Jǐng~ bú fàn hé~ (bǐyù shuāngfāng hù bù qīnfàn). Well water does not interfere with river water (fig. None may interfere with each other). ❷〈名 n.〉江、河、湖、海、洋的通称 a general name for river, lake, sea and ocean: ~路 ~lù water route｜~底~ ~dǐ submarine｜~上~ ~shang overwater｜~陆码头 ~lù mǎtóu a dock for both land and water transport service｜万~千山(形容路途遥远艰险)wàn~qiānshān (xíngróng lùtú yáoyuǎn jiānxiǎn) mountains and rivers (travel through numerous difficulties and dangers; the trials of a long journey) ❸〈名 n.〉河流 river: 汉~ Hàn~ the Han River ❹〈名 n.〉与水有关的；像水的汁儿 related with water; water-like liquid: 墨~ mò~ Chinese ink｜药~ yào~ liquid medicine｜奶~ nǎi~ milk｜~酒 ~jiǔ watery wine｜银~ yín~ mercury ❺〈名 n.〉工资或额外的补贴收入 wage; extra incomes: 薪~ xīn~ salary｜油~ yóu~ pickings｜贴~ tiē~ premium ❻〈量 meas.〉用于洗的次数 for times of washing (of a garment): 这件衣服洗过几~了？ Zhè jiàn yīfu xǐguo jǐ ~ le? How many washings has the garment gone through?

⁴ **水产** shuǐchǎn〈名 n.〉江、河、湖、海等水域出产的有经济价值的动、植物的统称 a general term for all the products of economic value in rivers, lakes, seas, etc. ; aquatic products: ~业 ~yè aquatic industry｜~资源 ~zīyuán aquatic resources

² **水稻** shuǐdào〈名 n.〉种在水田里的稻 rice; paddy: ~有种 ~yùzhǒng rice breeding｜种植~ zhòngzhí ~ cultivate rice｜杂交~ zájiāo ~ hybrid rice｜中国是~的原产地。 Zhōngguó shì ~ de yuánchǎndì. China is the native place of rice.

⁴ 水电 shuǐdiàn ❶〈名 *n.*〉水和电的合称 water and electricity：~费 ~*fèi* water and electricity bills｜节约 ~ *jiéyuē* ~ economize on water and electricity ❷〈名 *n.*〉指用 江河等水力发出的电 electricity generated by waterpower：~站 ~*zhàn* hydroelectric power station｜不污染环境。~ *bù wūrǎn huánjìng.* Hydraulic power generation does not pollute the environment.

³ 水分 shuǐfèn ❶〈名 *n.*〉物体内部所含的水 moisture content：~充足 ~ *chōngzú* full of moisture｜麦子已经晒干了，没有一点儿~。*Màizi yǐjīng shàigān le, méiyǒu yì diǎnr ~.* The wheat is dried up with no moisture. ❷〈名 *n.*〉比喻多余或虚假的成分 fig. exaggeration：他的话里的~太大。*Tā de huà li de ~ tài dà.* There is much exaggeration in his words.｜尽是~的作文怎么能得高分呢？*Jìnshì ~ de zuòwén zěnme néng dé gāofēn ne?* How can a composition with so much exaggeration get high marks?

¹ 水果 shuǐguǒ〈名 *n.*〉含水分较多又可食的植物果实的统称 fruit：~拼盘 ~ *pīnpán* assorted fruit dish｜盛产 ~ *shèngchǎn* ~ abound in fruit｜~营养丰富。~ *yíngyǎng fēngfù.* Fruit is very nourishing.

³ 水库 shuǐkù〈名 *n.*〉(个gè、座zuò)人工建造的可拦洪蓄水、调节水流的水利工程设施 reservoir：小~ *xiǎo~* a small reservoir｜修建 ~ *xiūjiàn* ~ build a reservoir｜~大坝 ~ *dàbà* the dam of a reservoir｜~里放养了许多鱼虾。~ *li fàngyǎngle xǔduō yúxiā.* Lots of fish and shrimps are being bred in the reservoir.

³ 水力 shuǐlì〈名 *n.*〉自然界中水流所产生的做功能力，可用作发电和推动机器的动力 waterpower; hydraulic power：~发电 ~ *fādiàn* hydraulic power generation｜中国的~资源十分丰富。*Zhōngguó de ~ zīyuán shífēn fēngfù.* China is rich in hydroelectric resources.

³ 水利 shuǐlì ❶〈名 *n.*〉利用水力资源防御水患的水利事业 water conservancy：~设施 ~ *shèshī* water conservancy facilities｜让~事业利国利民。*Ràng ~ shìyè lìguó-lìmín.* Let the water conservancy undertakings benefit the country and the people. ❷〈名 *n.*〉水利 工程 water conservancy works：兴修 ~ *xīngxiū* ~ build irrigation works｜~工地 ~ *gōngdì* the construction site of a water conservancy project

² 水泥 shuǐní〈名 *n.*〉(袋dài)一种重要的建筑材料，又称'洋灰''水门汀' cement, also '洋灰yánghuī' or '水门汀shuǐméntīng'：~厂 ~*chǎng* cement plant｜彩色 ~ *cǎisè* colored cement｜~的标号 ~ *de biāohào* cement grade｜搅拌 ~ *jiǎobàn* stir cement

¹ 水平 shuǐpíng ❶〈名 *n.*〉在某方面所达到的高度 standard; level：高~ *gāo~* high level｜他的业务~很高。*Tā de yèwù ~ hěn gāo.* He is very high in professional level.｜你怎么说话一点儿也没~。*Nǐ zěnme shuōhuà yìdiǎnr yě méi ~.* How come you had no art of speaking?｜我通过了汉语~测试。*Wǒ tōngguòle Hànyǔ ~ cèshì.* I have passed the level test of Chinese. ❷〈形 *adj.*〉与水面平行的 level; horizontal：~面 ~*miàn* level surface｜~仪 ~*yí* spirit level

⁴ 水土 shuǐtǔ ❶〈名 *n.*〉地表的水和土 water and soil：保持 ~ *bǎochí* ~ conserve water and soil｜这一带的~流失十分严重。*Zhè yídài de ~ liúshī shífēn yánzhòng.* Soil erosion is very serious in this area. ❷〈名 *n.*〉借指气候与自然环境 natural environment and climate：~不服 ~ *bùfú* unaccustomed to the climate of a new place｜一方~养一方人。*Yì fāng ~ yǎng yì fāng rén.* The water and soil in an area provide living resources for the people there.

⁴ 水源 shuǐyuán ❶〈名 *n.*〉(处chù)河流发源地或源头 the source of a river; headwaters：找寻 ~ *zhǎoxún* ~ seek for the source of a river｜丰富 ~ *fēngfù* rich resources of water｜山上融化的雪水是这条河流的~。*Shān shang rónghuà de xuěshuǐ shì zhè tiáo héliú*

de ~. The source of the river is the melted snow from the mountain. ❷ 〈名 n.〉人们生产、生活用水的来源 the source of water：城市 ~ *chéngshì* ~ source of water for the city｜消防 ~ *xiāofáng* ~ source of water for fire fighting｜这里的工业~是地下水。*Zhèli de gōngyè* ~ *shì dìxiàshuǐ*. Groundwater is the source of water for the industry here.

⁴ **水灾** shuǐzāi〈名 n.〉(场 chǎng)由水造成的灾难 flood：闹~ *nào* ~ be hit by floods｜战胜 ~ *zhànshèng* ~ conquer floods

⁴ **水蒸气** shuǐzhēngqì〈名 n.〉指常压下摄氏100度时形成的气态水 steam/water vapor (formed under normal atmospheric pressure at 100°C)：~遇冷又变成水。~ *yù lěng yòu biànchéng shuǐ*. Steam becomes water again with cold.

³ **税** shuì ❶〈名 n.〉(笔 bǐ)国家按一定比例向纳税人征收的货币或实物 tax；duty：~额 ~*é* the amount of tax to be paid｜~法 ~*fǎ* tax law｜关~ *guān* ~ customs duty｜逃 ~ *táo* ~ evade a tax｜所得 ~ *suǒdé* ~ income tax｜苛捐杂 ~ *kējuān-zá* ~ exorbitant taxes and miscellaneous levies ❷〈名 n.〉出版部门按一定比例付给作者的报酬 royalty (an amount of money that is paid by a publisher to a writer at a certain rate：版 ~ *bǎn* ~ royalty

⁴ **税收** shuìshōu〈名 n.〉国家依法征收所得的收入 tax revenue：~人员 ~ *rényuán* tax collector｜地方~ *dìfāng* ~ local tax revenue

¹ **睡** shuì 〈动 v.〉睡觉 sleep：入~ *rù* ~ fall asleep｜午~ *wǔ* ~ nap｜昏昏欲~ *hūnhūnyù*~ drowsy｜孩子~着了。*Háizi* ~*zháo le*. The child is asleep.｜我还不想~。*Wǒ hái bù xiǎng* ~. I do not want to go to bed yet.

¹ **睡觉** shuì//jiào〈动 v.〉睡；进入睡眠状态 sleep；be asleep：快~ *kuài* ~ go to bed at once｜~了。~ *le*. It is time to go to bed.｜睡懒觉 *shuì lǎn jiào* get up late｜觉没睡够真难受。*Jiào méi shuìgòu zhēn nánshòu*. I feel really bad for not having enough sleep.

³ **睡眠** shuìmián 〈名 n.〉大脑进入休眠状态时的生理现象 sleep：~充足 ~ *chōngzú* enough sleep｜缺少 ~ *quēshǎo* ~ short of sleep｜小学生每天的~时间不能少于9小时。*Xiǎoxuéshēng měitiān de* ~ *shíjiān bù néng shǎo yú jiǔ xiǎoshí*. A pupil must have no fewer than nine hours' sleep every day.

² **顺** shùn ❶〈介 prep.〉循着；沿着 along：~竿儿爬(比喻迎合别人的心意说话、办事)~*gānr pá*(*bǐyù yínghé biéren de xīnyì shuōhuà, bànshì*) climb up the pole (*fig.* follow somebody's cue and do everything please him)｜~风使舵(比喻根据局势的变化而改变态度)~*fēngshǐduò*(*bǐyù gēnjù júshì de biànhuà ér gǎibiàn tàidù*) tack with the wind (*fig.* take one's cue from changing conditions)｜~着梯子走下来 ~*zhe tīzi zǒu xiàlái* walk down the ladder ❷〈介 prep.〉趁便；随 at one's convenience；conveniently：我只不过~嘴说说罢了。*Wǒ zhǐbuguò* ~*zuǐ shuōshuō bà le*. I said it just offhandedly.｜我~势把他推倒在地。*Wǒ* ~*shì bǎ tā tuīdǎo zài dì*. I pushed him down by taking advantage of an opportunity as provided by his move. ❸〈介 prep.〉依次 in sequence：~次 ~*cì* in proper sequence｜~延 ~*yán* postpone ❹〈形 adj.〉方向相同的(与'逆'相对) in the same direction as；with (opposite to '逆 nì')：~路 ~*lù* on the way｜~流而下 ~*liú ér xià* go down with the current｜~水推舟(比喻就着情势办事和行事)~*shuǐ-tuīzhōu*(*bǐyù jiùzhe qíngshì bànshì hé xíngshì*) push the boat along with the current (*fig.* make use of an opportunity to gain one's end) ❺〈形 adj.〉有条理的 (of writings) smooth；well organized：通~*tōng*~ clear and coherent｜文理~畅 *wénlǐ* ~*chàng* make smooth reading｜文从字~(指文章的遣词造句通顺妥贴)*Wéncóng-zì*~(*zhǐ wénzhāng de qiǎncí zàojù tōngshùn tuǒtiē*) The language is idiomatic and the wording is apposite (The writing is smooth and flowing). ❻〈形 adj.〉合乎心意的；没有障碍的 agreeing with；

smooth: ~境 ~*jìng* favorable circumstances | ~耳 ~*ěr* pleasing to the ear | 他~~溜溜地就考上了大学。 *Tā ~~-liūliū de jiù kǎoshàngle dàxué.* He was admitted to the university without a hitch. ❼〈动 v.〉适合；如意 suit; find sth. satisfactory: ~眼 ~*yǎn* pleasing to the eye | 这样做~了妈妈的心意。 *Zhè yàng zuò ~le māma de xīnyì.* In so doing, I comply with mother's intention. ❽〈动 v.〉依从；不违背 obey; act in submission to: 归~ *guī*~ come over and pledge allegiance | ~应民意 ~*yìng mínyì* comply with the people's will | 百依百~ *bǎiyī-bǎi*~ be obedient in all things | 就~着他的意见办吧。 *Jiù ~zhe tā de yìjiàn bàn bā.* Just act on his opinions. ❾〈动 v.〉使有条理；使方向一致 put in good order; arrange: 这句句子还要~一~。 *Zhè jù jùzi háiyào ~ yí ~.* This sentence needs polishing. | 把这些筷子~~好，放到抽屉里去。 *Bǎ zhèxiē kuàizi ~ ~ hǎo, fàng dào chōuti li qù.* Put these chopsticks in good order and place them in the drawer.

² **顺便** shùnbiàn〈副 adv.〉趁着做某事的方便(做另一件事) (do sth.) in addition to what one is already doing without much extra effort: 你去书店~帮我买一本《袖珍汉英词典》。 *Nǐ qù shūdiàn ~ bāng wǒ mǎi yì běn 'Xiùzhēn Hànyīng Cídiǎn'.* Please buy a *A Pocket Chinese-English Dictionary* for me when you go to the bookstore. | 你去食堂，~把饭捎过来。 *Nǐ qù shítáng, ~ bǎ fàn shāo guòlái.* Please fetch me the lunch when you go to the canteen.

² **顺利** shùnlì〈形 adj.〉没有或很少遇到阻碍或困难 smooth; without a hitch: 发展~ *fāzhǎn* ~ develop smoothly | ~完成 ~ *wánchéng* fulfil smoothly | 在~的情况下，不要忘乎所以。 *Zài ~ de qíngkuàng xià, bú yào wànghūsuǒyǐ.* When circumstances are favorable, don't forget yourself.

³ **顺手** shùnshǒu ❶〈形 adj.〉顺利；没有阻碍 smooth; without a hitch: 相当~ *xiāngdāng* ~ quite smooth | 这件事办得不太~。 *Zhè jiàn shì bàn de bú tài ~.* This is not done very smoothly. ❷〈形 adj.〉工具适用 (of a tool) handy; easy and convenient to use: 这把剪子使得~儿。 *Zhè bǎ jiǎnzi shǐ de ~r.* This pair of scissors is very handy. ❸〈副 adv.〉随手；捎带着 conveniently; without extra trouble: ~牵羊（比喻趁机盗窃）~*qiānyáng* (*bǐyù chènjī dàoqiè*) lead away a goat in passing (*fig.* steal sth. lying within easy reach) | ~关灯 ~ *guāndēng* turn off the light (when one goes out) | 吃完饭，~把碗洗了。 *Chī wán fàn, ~ bǎ wǎn xǐ le.* You might as well wash the bowls when you finish your meal.

⁴ **顺序** shùnxù ❶〈名 n.〉次序 order; sequence: ~颠倒 ~ *diāndǎo* in inverted order | 编队的~ *biānduì de* ~ in formation ❷〈副 adv.〉依照次序的先后 (进行)(do sth.) in proper order: 请~参观，不要拥挤。 *Qǐng ~ cānguān, bú yào yōngjǐ.* Please visit it in proper order. Don't push and squeeze.

¹ **说** shuō ❶〈动 v.〉用言语表达出意思 speak; say; talk: ~话 ~*huà* speak | ~谎 ~*huǎng* tell a lie | 诉~ *sù*~ relate | ~长道短 ~*cháng-dàoduǎn* make captious comments | 你~你的，我~我的。 *Nǐ ~ nǐ de, wǒ ~ wǒ de.* You say what is in your mind while I say what is in mine. ❷〈动 v.〉解释；讲明 explain: ~理 ~*lǐ* reason things out | 解~ *jiě*~ explain | 对这个问题，他总~不清。 *Duì zhège wèntí, tā zǒng ~ bù qīng.* He can never explain it clearly. ❸〈动 v.〉责备；批评 rebuke; criticize: 数~ *shǔ*~ give sb. a talking-to | 你把她~哭了。 *Nǐ bǎ tā ~kū le.* You criticized her to tears. | 哥哥挨了父亲一顿~。 *Gēge áile fùqīn yí dùn ~.* Father gave my elder brother a good scolding. ❹〈动 v.〉介绍；劝导；调解 introduce; persuade; mediate: ~和 ~*he* mediate a settlement | ~婆家 ~ *pójiā* find a boy friend (for a girl) | 好~歹~ *hǎo~-dǎi~* try every possible to persuade ❺〈动 v.〉谈论；意思上指 refer to; indicate: 这话没~你，你别介意。 *Zhè huà méi ~ nǐ, nǐ bié*

jièyì. Don't take offence. I did not refer to you when I said this. | 让你来，就是~领导同意了。 *Ràng nǐ lái, jiùshì ~ lǐngdǎo tóngyì le.* That you are here means that the leaders have approved. ❻〈动 *v.*〉(用语言)讲授或表演 teach or perform (in words)：~戏 ~*xì* explain how a part is to be acted | ~故事 ~ *gùshi* tell a story | ~相声 ~ *xiàngsheng* perform a comic dialogue | ~评书 ~ *píngshū* tell a story ❼〈名 *n.*〉言论；主张 teachings; remarks; doctrine：杂~ *zá*~ fragmentary writing | 众~纷纭 *zhòng*~*fēnyún* opinions are widely divided | 著书立~ *zhùshū-lì*~ write books and establish one's theory

³ **说不定** shuōbudìng ❶〈副 *adv.*〉可能；也许(表示没有把握的推测) perhaps; maybe (expressing supposition)：~他会来。 ~ *tā huì lái.* He will perhaps come. | 今天~要下雪。 *Jīntiān ~ yào xiàxuě.* It looks as if it might snow today. ❷〈动 *v.*〉讲不确切 not for sure：什么时候来，~。 *Shénme shíhou lái, ~.* I am not sure when he will come.

³ **说法** shuōfa ❶〈名 *n.*〉(个儿、种zhōng)措辞或讲述的方式 way of saying a thing; wording：婉转的~ *wǎnzhuǎn de ~* a mild remark | 换一种~，别人就容易接受了。 *Huàn yì zhǒng ~, biérén jiù róngyì jiēshòu le.* It would be more readily receptive to other people, if it was put in another way. ❷〈名 *n.*〉意见；见解 statement; argument：人们的~不一。 *Rénmen de ~bùyī.* People have different versions of it. | 两种~实际是一个意思。 *Liǎng zhǒng ~ shíjì shì yí gè yìsi.* The two versions actually mean the same thing. ❸〈名 *n.*〉正当的理由 a justifiable reason：你不让我去也行，但总得给个~。 *Nǐ bú ràng wǒ qù yě xíng, dàn zǒngděi gěi gè ~.* It would be all right if you do not let me go, but you have to give me a reason.

³ **说服** shuō/fú 〈动 *v.*〉用充分的理由使他人信服 persuade; convince：~工作 ~ *gōngzuò* persuasive work | ~力 ~*lì* convincing power | 我~不了他。 *Wǒ ~ bù liǎo tā.* I could not convince him. | 只有你说得服他。 *Zhǐyǒu nǐ shuō de fú tā.* Only you can persuade him.

⁴ **说谎** shuō//huǎng 〈动 *v.*〉故意讲不真实的话 lie; tell a lie：不能~。 *Bù néng ~.* You shall not lie. | 谁在~? *Shéi zài ~?* Who is lying? | 孩子也说起谎来了，这怎么行呢？ *Háizi yě shuōqǐ huǎng lái le, zhè zěnme xíng ne?* Even the children are telling lies. How will that do?

¹ **说明** shuōmíng ❶〈动 *v.*〉解释明白 explain; illustrate：~理由 ~ *lǐyóu* explain the reason | ~事情的经过 ~*shìqing de jīngguò* explain the course of the thing | 必须予以~ *bìxū yǔyǐ* ~ must be explained ❷〈动 *v.*〉(用事实等)证明 prove/show (with facts)：事实~你是对的。 *Shìshí ~ nǐ shì duì de.* The facts show that you are right. | 这~我们还需要抓紧时间。 *Zhè ~ wǒmen hái xūyào zhuājǐn shíjiān.* This shows that we need make the best use of the time. ❸〈名 *n.*〉解释的话语或文字 explanation; directions：药品~ *yàopǐn ~* directions of the medicine | 文字~ *wénzì ~* written directions | 使用前要把~看懂。 *Shǐyòng qián yào bǎ ~ kàndǒng.* You must read and understand the directions before using it.

⁴ **说情** shuō//qíng 〈动 *v.*〉替人求情；代人说好话 plead for mercy for sb.; intercede for sb.：要不是你来~，我决不答应。 *Yàobushì nǐ lái ~, wǒ jué bù dāyìng.* I would never have agreed if you had not come to intercede. | 请你替我说一下情。 *Qǐng nǐ tì wǒ shuō yíxià qíng.* Please intercede for me.

⁴ **司法** sīfǎ 〈名 *n.*〉依法对各类民事和刑事案件进行侦查、审判 justice/judicature (including the investigation and trial of various civil and criminal cases according to law)：~机构 ~ *jīgòu* judicial organs | ~人员 ~ *rényuán* judicial personnel

⁵ **司机** sījī 〈名 *n.*〉(个gè、名míng、位wèi)各类陆地机动工具的驾驶员 driver; engine

driver: ~师傅 – *shīfu* master driver｜火车~ – *huǒchē* ~ engine driver

³ **司令** sīlìng〈名 *n.*〉(位wèi、个gè)某些国家军队中主管军事的最高指挥官commander; commanding officer: ~员 – *yuán* commander｜海军~ – *hǎijūn* ~ naval commander｜总~ – *zǒng~* commander in chief

⁴ **司令部** sīlìngbù〈名 *n.*〉(个gè)军队较高级部门中主管军事的机关;常指战场上的最高军事指挥机构 headquarters; command: 军区~ – *jūnqū* ~ the headquarters of a military area command｜战地~ – *zhàndì* ~ field headquarters｜~参谋 – *cānmóu* staff officer of the headquarters

² **丝** sī ❶〈名 *n.*〉(根gēn、缕lǚ)蚕丝 silk: ~锦 – *jǐn* brocade｜~绸~ – *chóu* silk｜真~被面 *zhēn~ bèimiàn* real silk quilt cover｜~织品 – *zhīpǐn* silk fabrics ❷〈名 *n.*〉像丝的东西 a threadlike thing: 灯~ – *dēng* ~ lamp filament｜粉~ – *fěn* ~ vermicelli (made from bean starch, etc.)｜情~ – *qíng* ~ ties of love｜雨~ – *yǔ* ~ fine drizzle ❸〈名 *n.*〉指弦乐器 stringed instrument: ~竹乐 – *zhúyuè* ensemble of traditional stringed and wood wind instruments｜拨动~弦 *bōdòng ~xián* pluck the silk string (of a musical instrument) ❹〈量 *meas.*〉计量长度和重量的微小单位, 10丝等于1毫 *si*, a unit of length and weight (10 *si* = 1 *hao*) ❺〈量 *meas.*〉用于极小或极细微的量 a tiny unit; trace: 一~白发 *yì ~ báifà* a grey hair｜几~云彩 *jǐ ~ yúncǎi* a few traces of cloud｜甜~~的 *tián~~ de* a bit sweet ❻〈量 *meas.*〉用于微笑的表情、感受、行为 for smile, feeling, behavior: 一~笑容 *yì ~ xiàoróng* a trace of a smile｜一~希望 *yì ~ xīwàng* a ray of hope｜一~动静 *yì ~ dòngjìng* a stir｜纹~不动 *wén~búdòng* not the slightest stir｜一~不苟(形容认真仔细, 决不马虎) *yì~bùgǒu* (*xíngróng rènzhēn zǐxì, juébù mǎhu*) not a thread of silk neglected (neglect no detail)

³ **丝毫** sīháo ❶〈形 *adj.*〉极少或很少的; 一点点儿 (一般用于否定句) the slightest degree; a bit (usually used in a negative sentence): ~没有减轻 – *méiyǒu jiǎnqīng* not relieve an iota｜没有~的懈怠 *méiyǒu ~ de xièdài* not get a bit slack ❷〈名 *n.*〉很少或极少的量 the slightest amount: 不差~ *bú chà* ~ perfectly exact｜清点后的钱, ~不少。*Qīngdiǎn hòu de qián, ~ bù shǎo.* The money is found in its exact amount when it is counted.

² **私** sī ❶〈形 *adj.*〉个人的; 自己的(与'公'相对) personal; private (opposite to '公 gōng'): ~章 – *zhāng* personal seal｜~产 – *chǎn* private property｜~生活 – *shēnghuó* private life｜~家车 – *jiāchē* private car ❷〈形 *adj.*〉不合法的; 秘密而不公开的 illegal; illicit: ~情 – *qíng* personal relationship｜~娼 – *chāng* unlicensed prostitute｜~房话 – *fánghuà* confidential remarks｜隐~ – *yǐn~* privacy ❸〈形 *adj.*〉只顾自身的 selfish: ~欲 – *yù* selfish desire｜~念 – *niàn* selfish motive｜自~ – *zì~* selfishness｜~心杂念 – *xīn-zániàn* selfish ideas and personal considerations ❹〈名 *n.*〉个人或与个人有关的事情 a thing of an individual or related with an individual: ~有 – *yǒu* private｜~营 – *yíng* privately owned｜大公无~ – *dàgōng-wú~* just and unselfish｜公~分明 *gōng~-fēnmíng* be scrupulous in separating public from private interests ❺〈名 *n.*〉非法贩运的货物 illegally transported goods: 缉~ – *jī~* seize smuggled goods｜走~烟 *zǒu~yān* smuggled cigarettes ❻〈副 *adv.*〉偷偷地; 暗地里 secretly; privately: ~访 – *fǎng* make an inspection trip incognito｜~下 – *xià* in private｜~吞 – *tūn* privately take possession of｜窃窃~语 *qièqiè~yǔ* whisper to one another

² **私人** sīrén ❶〈形 *adj.*〉个人所有的或以个人身份从事的(与'公家''集体'相对) private; personal (opposite to '公家gōngjiā' or '集体jítǐ'): ~飞机 – *fēijī* private plane｜~资本 – *zīběn* private capital｜~田产 – *tiánchǎn* private real estate ❷〈形 *adj.*〉个人

与个人之间的 between individuals: ~关系 ~ *guānxì* personal relations | ~感情 ~ *gǎnqíng* personal feelings | ~交往 ~ *jiāowǎng* personal association ❸〈名 *n.*〉个人 individual: 这家企业属于~的。*Zhè jiā qǐyè shǔyú ~ de.* This is a private enterprise. ❹〈名 *n.*〉有私交的人 personal friend: 你不应当任用~。*Nǐ bù yīngdāng rènyòng ~.* You should not appoint your personal friend.

⁴ **私营** sīyíng〈动 *v.*〉私人经营 privately owned: ~企业 ~ *qǐyè* privately-owned enterprise | ~经济 ~ *jīngjì* private sector of the economy | 这家店铺是~的。*Zhè jiā diànpù shì ~ de.* This is a privately operated shop.

³ **私有** sīyǒu〈动 *v.*〉私人所有（区别于'公有'等）privately own (different from '公有 gōngyǒu', etc.): ~制 ~*zhì* private ownership | ~观念 ~ *guānniàn* private ownership mentality

⁴ **私有制** sīyǒuzhì〈名 *n.*〉生产资料归私人所有的社会制度（区别于'公有制'等）private ownership (different from '公有制gōngyǒuzhì', etc.): ~社会 ~ *shèhuì* society with private ownership

⁴ **私自** sīzì 〈副 *adv.*〉背着别人，自己偷偷地（做违规违法的事）(do sth. against regulations or law) privately; secretly; without permission: ~外出 ~ *wàichū* go out without permission | ~决定 ~ *juédìng* make a decision without consulting with others | ~携带武器 ~ *xiédài wǔqì* carry weapons secretly

⁴ **思** sī ❶〈动 *v.*〉想；考虑 think; consider: ~虑 ~*lǜ* consider carefully | ~考 ~*kǎo* ponder over | 构~ *gòu*~ work out the plot of (a composition, etc.) | 深~ *shēn*~ think deeply | ~前想后 ~*qián-xiǎnghòu* think back and forth to oneself ❷〈动 *v.*〉挂念；惦记 think of; miss: ~恋 ~*liàn* long for sb. that one loves | ~乡 ~*xiāng* think of one's hometown | 单相~ *dānxiāng*~ unrequited love | 睹物~人 *dǔwù*~*rén* the thing reminds one of its owner ❸〈名 *n.*〉心情；想法 feeling; thought: ~绪 ~*xù* train of thought | ~路 ~*lù* train of thought | 文~ *wén*~ the thread of thought in writing | 愁~ *chóu*~ feelings of melancholy | 挖空~ *wākōng xīn*~ rack one's brains | 集~广益（指集中大家的意见和智慧，可以取得更大的效果）*jí*~*-guǎngyì* (*zhǐ jízhōng dàjiā de yìjiàn hé zhìhuì, kěyǐ qǔdé gèng dà de xiàoguǒ*) draw on collective wisdom and absorb all useful ideas （listen to all useful opinions to achieve better result）

⁴ **思潮** sīcháo ❶〈名 *n.*〉（股gǔ、种zhǒng）某时期内有较大影响的思想倾向 trend of thought in a certain period: 新旧~ *xīnjiù*~ new and old trends of thought | 社会~ *shèhuì* ~ social trend of thought | 极左~ *jízuǒ* ~ trend of ultra-right thought ❷〈名 *n.*〉接连涌现的思想活动 thoughts: ~滚滚 ~ *gǔngǔn* thoughts roll in one's mind | 澎湃~ *péngpài* feel an upsurge of thoughts | ~起伏 ~*qǐfú* the flood of ideas now rising and now falling

³ **思考** sīkǎo〈动 *v.*〉深入全面地思索，考虑 think deeply; ponder over: 善于~ *shànyú* ~ be good at thinking deeply | ~方式 ~ *fāngshì* the way of thinking | 深入地~ *shēnrù de* ~ think deeply

³ **思念** sīniàn〈动 *v.*〉想念 think of; long for; miss: ~故乡 ~ *gùxiāng* long for one's hometown | 日夜~ *rìyè* ~ yearn day and night | 永久的~ *yǒngjiǔ de* ~ permanent memory | ~到如今 ~ *dào rújīn* have missed sb. all along

⁴ **思前想后** sīqián-xiǎnghòu〈成 *idm.*〉既考虑以前，也想着以后，形容考虑问题时前前后后都顾到 ponder over the past and future; think back and forth to oneself: 我~地考虑了半天，还是觉得不去为好。*Wǒ ~ de kǎolǜle bàntiān, háishì juéde bú qù wéi hǎo.* I thought over the problem for a long time and decided that I'd better not go.

³ **思索** sīsuǒ〈动 *v.*〉思考与求索 think deeply; ponder over: 反复~ *fǎnfù* ~ turn (a

problem）over and over in one's mind｜默默地~ *mòmò de* ~ ponder over sth. in silence｜周密地~ *zhōumì de* — consider carefully

³ **思维** sīwéi〈名 n.〉（种zhǒng）人类特有的一种精神活动,指头脑借助语言对客观存在进行认识活动的过程 thought; thinking：~方式 *fāngshì* the mode of thinking｜抽象~ *chōuxiàng* ~ abstract thinking｜逻辑~ *luójí* ~ logical thinking

¹ **思想** sīxiǎng ❶〈名 n.〉（种zhǒng）念头；想法 thought; thinking; idea：我早有回家的~。*Wǒ zǎo yǒu huíjiā de* ~. I have had the idea of going back home for a long time. ❷〈名 n.〉客观存在作用于人脑,经过思维活动后所产生的结果 the result achieved through thinking when the objective world exerts its effect on human brains：~家 *~jiā* thinker｜~体系 *~tǐxì* ideological system｜~水平 *~shuǐpíng* ideological level｜正确的~ *zhèngquè de* ~ correct ideas

⁴ **思绪** sīxù〈名 n.〉（种zhǒng）心情；心绪 feeling; train of thought：~繁多 *~fánduō* a confused train of thought｜别搅乱了他的~。*Bié jiǎoluànle tā de* ~. Don't disturb his train of thought.

⁴ **斯文** sīwen〈形 adj.〉文雅 gentle; refined：举止~ *jǔzhǐ* ~ refined in manner｜不~ *bù* ~ not gentle｜斯文文的一个姑娘 *sīsī-wénwén de yí gè gūniang* a gentle girl

² **撕** sī〈动 v.〉用手扯裂薄片物或使其离开附着物 tear; rip：~破 *~pò* rip up｜~毁 *~huǐ* tear up｜~开信封 *~kāi xìnfēng* rip open a letter｜~下邮票 *~xià yóupiào* tear a stamp（from an envelope）｜书给~了。*Shū gěi* ~ *le.* The book is torn to pieces.

³ **死** sǐ ❶〈动 v.〉失去了生命（与'活''生'相对）die; lose one's life（opposite to '活 huó' or '生shēng'）：~亡 *~wáng* die｜老~ *lǎo* ~ die of old age｜坏~ *huài~* necrosis｜起~回生 *qǐ~huíshēng* make the dead come back to life｜这几盆花都~了。*Zhè jǐ pén huā dōu* ~ *le.* These pots of flowers have all died.｜家里的小狗~了。*Jiā li de xiǎo gǒu* ~ *le.* Our little dog died. ❷〈动 v.〉断了念头；不再活动；没有出路等 drop an idea; be no longer active; have no way out：~心 *~xīn* give up the idea｜贼心不~ *zéixīn bù* ~ not to give up one's gangster desires｜附近的火山并没有~。*Fùjìn de huǒshān bìng méiyǒu* ~. The volcano nearby is still active.｜那局棋早就~了。*Nà jú qí zǎo jiù* ~ *le.* That game of chess is already a dead piece. ❸〈形 adj.〉无法调和的 implacable; deadly：~敌 *~dí* deadly enemy｜~对头 *~duìtou* sworn enemy ❹〈形 adj.〉死板；固定；不灵活 rigid; inflexible; fixed：认~理 *rèn* ~ *lǐ* inflexible in one's argument｜~心眼儿 *~xīnyǎnr* be bent on one purpose｜记硬背 *~jì-yìngbèi* memorize mechanically｜你的脑筋太~。*Nǐ de nǎojīn tài* ~. You are block-headed. ❺〈形 adj.〉不通的 impassable; closed：~路 *~lù* blind alley｜~水 *~shuǐ* stagnant water｜~胡同 *~hútòng* dead end｜门洞被堵~了。*Méndòng bèi dǔ~ le.* The doorway is blocked up. ❻〈形 adj.〉达到极点 extremely; to death：困~了 *kùn~ le* tired to death｜忙得要~ *máng de yào* ~ extremely busy｜气~人了 *qì~ rén le* extremely annoyed ❼〈形 adj.〉已死的或不能再改变的 dead; not changeable：~树 *~shù* a dead tree｜~火山 *~huǒshān* extinct volcano ❽〈副 adv.〉拼命或不顾性命的 to the death：~誓 *~shì* pledge one's life｜~战 *~zhàn* fight to the last｜~守 *~shǒu* defend to the death ❾〈副 adv.〉坚决 firmly：~不承认 *~bù chéngrèn* firmly refuse to admit｜~皮赖脸（厚着脸皮,一味纠缠,形容毫无廉耻）*~pí-làiliǎn*（*hòuzhe liǎnpí, yíwèi jiūchán, xíngróng háowú liánchǐ*）be utterly shameless（cling to sth. obstinately without any sense of shame）

³ **死亡** sǐwáng ❶〈动 v.〉生命结束（与'生存'相对）die; breathe one's last（opposite to '生存shēngcún'）：脑~ *nǎo~* brain death｜~线 *~xiàn* the verge of death｜~人数 *rénshù* the number of the dead ❷〈动 v.〉比喻不起作用或没有出路等 *fig.* not function; have no way out：陈旧、落后的必定是要~的。*Chénjiù, luòhòu de bìdìng shì yào* ~ *de.*

The obsolete and the backward are doomed to death.

⁴ 死刑 sǐxíng〈名 n.〉处死犯人的刑罚 death penalty; death sentence：~犯 ~*fàn* condemned criminal｜判处~ *pànchǔ* ~ be sentenced to death

¹ 四 sì ❶〈数 num.〉汉字数目字，即阿拉伯数字4，大写为'肆' four, Chinese numerical, namely the Arabic numeral 4, capitalized as '肆'：~叔 ~*shū* fourth uncle｜合院 *héyuàn siheyuan* quadrangle, a compound with traditional Chinese houses built around a courtyard ❷〈名 n.〉中国古代乐谱'工尺'的记音符号，相当于简谱的'6' a note of the scale in *gongche* in ancient China, corresponding to 6 in numbered musical notation

¹ 四处 sìchù〈名 n.〉到处；各处 all around; in all directions; everywhere：~求医 ~*qiúyī* go all around to find a doctor who can cure one's illness｜~逃散 ~*táosàn* run away in all directions｜~活动 ~ *huódòng* go hither and thither for a certain purpose｜~张罗 ~*zhāngluo* try to get sth. in all directions

⁴ 四方 sìfāng ❶〈名 n.〉指东、西、南、北四个方向，泛指各处 the four directions of east, west, south and north; everywhere：声震~ ~*shēngzhèn* ~ spread one's reputation everywhere｜~乡邻 ~*xiānglín* villagers from all sides ❷〈形 adj.〉正方形的或正立方体的 square; cubic：~脸 ~*liǎn* square face｜~的匣子 ~*de xiázi* cubic case｜四四方方的一块地 sìsì-fāngfāng de yí kuài dì a square field

⁴ 四季 sìjì〈名 n.〉春、夏、秋、冬四个季节的统称 a general term for the four seasons of spring, summer, autumn and winter：~分明 ~ *fēnmíng* four distinct seasons｜~时装 ~ *shízhuāng* fashionable dresses for the four seasons｜一年~ *yì nián* ~ all the year round｜花开~ *huākāi* ~ blossom at all seasons

³ 四面八方 sìmiàn-bāfāng〈成 idm.〉泛指各处、到处或各方面 all sides; all quarters; all-directions：来自~ ~*láizì* ~ come from far and near｜~的货物 ~*de huòwù* goods from all directions｜送往~ ~*sòngwǎng* send to all quarters

⁴ 四肢 sìzhī〈名 n.〉人体的上下肢；动物的四条腿 the limbs of a human being; the four legs of an animal：~健壮 ~ *jiànzhuàng* strong limbs｜~疼痛 ~ *téngtòng* a pain in the limbs｜活动一下~ *huódòng yíxià* stretch one's legs

³ 四周 sìzhōu〈名 n.〉周围 all around：环顾~ *huángù* ~ look around｜校园~尽是树木。 *Xiàoyuán* ~ *jìnshì shùmù.* The school campus is surrounded by the woods.

⁴ 寺 sì ❶〈名 n.〉〈座zuò〉庙宇 temple：~院 ~*yuàn* temple｜少林~ *Shàolín* ~ the Shaolin Temple ❷〈名 n.〉〈座zuò〉伊斯兰教讲经、礼拜的处所 mosque：清真~ *qīngzhēn* ~ mosque｜礼拜~ *lǐbài* ~ mosque ❸〈名 n.〉中国古代官署的名称 governmental office in ancient China：大理~ *Dàlǐ* ~ the Supreme Court｜太常~ *Tàicháng* ~ the Office for Religious Affairs

⁴ 似 sì ❶〈动 v.〉像；如同 look like; be similar：~烟 ~*yān* like smoke｜~雾 ~*wù* like fog｜貌~ *mào* ~ look like｜形~ *xíng* ~ similar in appearance｜如饥~渴（形容迫切的心情或要求）*rújī* ~ *kě*（*xíngróng pòqiè de xīnqíng huò yāoqiú*）as if thirsty or hungry for sth. (eager in feeling or demand)｜骄阳~火。 *Jiāoyáng* ~ *huǒ.* The sun is scorching hot. ❷〈动 v.〉在'似…非…'的框架里，表示又像又不像 used in the 似sì… 非fēi…-structure to express apparent likeness：~花非花 ~*huā-fēihuā* a flower in appearance but actually not｜~懂非懂 ~*dǒng-fēidǒng* not fully understand ❸〈介 prep.〉表示超过，相当于'于' exceed, equivalent to '于yú'：强~以往 *qiáng* ~*yǐwǎng* better than before｜一个好~一个 *yí gè hǎo* ~ *yí gè* one is better than another ❹〈副 adv.〉似乎 it seems; as if：~是而非 *shì'érfēi* apparently right but actually wrong｜~曾相识 ~*céngxiāngshí* as if having met before

² **似乎** sìhū 〈副 *adv.*〉仿佛；好像 it seems; as if; it looks like: ~知道 ~ *zhīdào* seem to know | ~有理 ~ *yǒulǐ* seem reasonable | 看起来他~还没有进入比赛状态。*Kàn qǐlái tā ~ hái méiyǒu jìnrù bǐsài zhuàngtài.* It seems that he has not yet entered into a competitive state.

⁴ **似是而非** sìshì'érfēi 〈成 *idm.*〉似乎是对的，实际上并不一定对 appear right but be not necessarily so: ~的言论 ~ *de yánlùn* specious remarks | 说的~，让人难以理解。*Shuō de ~, ràng rén nányǐ lǐjiě.* These words are specious and beyond comprehension.

⁴ **似笑非笑** sìxiào-fēixiào 〈成 *idm.*〉笑着但又不像真笑 a smile that does not like one; a faint smile: ~的样子 ~ *de yàngzi* with an attempt at a smile | ~地说 ~ *de shuō* say with a shadow of a smile on one's face

⁴ **饲料** sìliào 〈名 *n.*〉喂养家禽家畜的食物 forage; feed; fodder: ~加工 ~ *jiāgōng* feed processing | 精~ *jīng* ~ fine fodder

⁴ **饲养** sìyǎng 〈动 *v.*〉喂养 raise; rear: ~家禽 ~ *jiāqín* raise poultry | ~员 *~yuán* breeder

⁴ **肆** sì ❶〈数 *num.*〉汉字数目字"四"的大写。为防止涂改，一般在票据上应采用大写 four, capital of numeral '四 sì', on bills, accounts, etc. to avoid mistakes or alterations: ~元五角 ~ *yuán wǔ jiǎo* four yuan and five jiao ❷〈动 *v.* 书 *lit.*〉放纵；任意胡为 unbridled; wanton: 放~ *fàng*~ wanton | 大~意蔑 ~ *dà*~ *yìwūmiè* resort to wanton insults ❸〈名 *n.* 书 *lit.*〉中国古时指铺子 (in ancient China): 茶坊酒~ *cháfáng jiǔ*~ teahouses and wineshops | 瓦~勾栏 (中国古时专指戏班、戏楼等地) *wǎ-gōulán* (*zhōngguó gǔshí zhuānzhǐ xìbān, xìlóu děng dì*) tiled shops and prostitutes' quarters (esp. referring to theatrical troupes and stages in ancient China)

² **松** sōng ❶〈形 *adj.*〉不紧；松散 (与 '紧 jǐn' 相对) loose; slack (opposite to '紧 jǐn'): 稀~ *xī*~ floppy | 蓬~ *péng*~ fluffy | 鞋带儿~了。*Xiédàir ~ le.* The shoelace came loose. ❷〈形 *adj.*〉宽缓；不紧张 (与 '紧' 相对) not hard up (opposite to '紧 jǐn'): 他花钱~得很。*Tā huā qián ~ de hěn.* He spends money freehandedly. | 近来手头很~快。*Jìnlái shǒutou hěn* ~ *kuài.* He is quite well off these days. ❸〈形 *adj.*〉不坚实 soft; not hard: ~糕 *~gāo* soft cake | ~软 *~ruǎn* sponge | 这里的岩石很~脆。*Zhèlǐ de yánshí hěn ~cuì.* The rocks here are quite fragile. ❹〈动 *v.*〉放开；使松弛 loosen; slacken: ~绑 *~bǎng* untie a person | ~腰带 ~ *yāodài* untie one's belt | 不要~气。*Bú yào ~qì.* Don't slack off. ❺〈名 *n.*〉(棵kē)松树 pine: ~柏 *~bǎi* pine and cypress | 青~ *qīng*~ green pine | 白皮~ *báipí*~ white-skin pine ❻〈名 *n.*〉用瘦肉做成的碎末状或茸毛状的食品 dried meat floss; dried minced meat: 肉~ *ròu*~ meat floss | 牛肉~ *niúròu*~ beef floss

³ **松树** sōngshù 〈名 *n.*〉(棵kē)一种常绿乔木 pine: 院子里种了几棵~。*Yuànzi li zhòngle jǐ kē ~.* There are a few pine trees in the yard.

⁴ **耸** sǒng ❶〈动 *v.*〉高高地立起 tower aloft; rise straight up: ~立 *~lì* tower aloft | 高~ *gāo*~ stand tall and erect | ~起一座丰碑 *~qǐ yí zuò fēngbēi* erect a monument ❷〈动 *v.*〉(肌肉或肩膀)向前或向上缩动 (of muscle or shoulder) shrug: ~了一下肩头 *~le yíxià jiāntóu* shrug one's shoulders ❸〈动 *v.*〉惊动；使人注意 alarm; shock: ~人听闻 *~réntīngwén* create a sensation | 危言~听 (故意讲些吓人的话，让人吃惊或害怕) *wēiyán-tīng* (*gùyì jiǎng xiē xiàrén de huà, ràng rén chījīng huò hàipà*) exaggerate just to scare people (deliberately say frightening things just to raise an alarm)

¹ **送** sòng ❶〈动 *v.*〉递交或拿给人 (东西) deliver/carry (a thing): ~货 ~ *huò* deliver goods | 押~ *yā*~ send under guard | 发~ *fā*~ dispatch | ~往迎来 *~wǎng-yínglái* meet and send off (visitors) ❷〈动 *v.*〉赠给 give as a present: ~礼 *~lǐ* give sb. a present | ~人情 ~ *rénqíng* make a gift of sth. | 赠~ *zèng*~ give as a present | 奉~ *fèng*~ offer as a

gift ❸〈动 v.〉陪护他人一起走 escort; accompany：~亲 ~qīn accompany bride to bridegroom's family on wedding day｜~葬 ~zàng take part in a funeral procession｜护~ hù~ escort｜陪~ péi~ accompany｜你用车把他们~回家吧。Nǐ yòng chē bǎ tāmen~ huíjiā ba. Please send them home in your car. ❹〈动 v.〉丧失；了结 lose; finish：断~ duàn~ forfeit (one's life, etc.)｜葬~ zàng~ ruin｜白白~死 báibái ~sǐ lose one's life for nothing

³ **送礼** sònglǐ//Ⅱ〈动 v.〉赠给别人礼物 send gifts：请客~是一种很不好的风气。Qǐngkè ~ shì yì zhǒng hěn bù hǎo de fēngqì. It is a very bad practice to give dinners or send gifts.｜他给局长送了一份大礼。Tā gěi júzhǎng sòngle yí fèn dà lǐ. He presented a lavish gift to the bureau director.

² **送行** sòngxíng ❶〈动 v.〉到离别的人将要启程的地方与其告别 see sb. off; say goodbye to sb.：去机场~ qù jīchǎng ~ go and see sb. off at the airport｜明天我就不去给你~了。Míngtiān wǒ jiù bú qù gěi nǐ ~ le. I am not going to see you off tomorrow. ❷〈动 v.〉置办酒宴饯行 give a send-off party：晚上有酒会为他~。Wǎnshang yǒu jiǔhuì wèi tā ~. There will be a send-off party in his honor tonight.｜会上，大家依依不舍。~ huì shang, dàjiā yīyībùshě. At the send-off party, everybody was distressed at parting.

⁴ **搜** sōu ❶〈动 v.〉到处仔细地找寻、寻求 seek for; look for carefully：~罗 ~luó hunt up｜~求 ~qiú seek for｜~肠刮肚 (比喻苦思苦想) ~cháng-guādù (bǐyù kǔsī-kǔxiǎng) rack one's brains for sth. (*fig.* think hard) ❷〈动 v.〉搜索检查 search：~身 ~shēn search sb.｜~查 ~chá rummage｜~捕 ~bǔ track down and arrest｜他们没有~出什么东西来。Tāmen méiyǒu ~chū shénme dōngxi lái. They searched but found nothing.

⁴ **搜查** sōuchá ❶〈动 v.〉搜索检查 search; ransack：~毒品 ~ dúpǐn search for drugs｜警察从一间库房里~出大量走私香烟。Jǐngchá cóng yì jiān kùfáng li ~ chū dàliàng zǒusī xiāngyān. The police searched a storage room and found a large amount of smuggled cigarettes. ❷〈名 n.〉刑事侦察时，有关人员为收集、获得证据而进行的一种有法律效应的强制行动 search (for evidences in the process of solving a criminal case)：~证 ~ zhèng warrant of search｜这次~是合法的。Zhè cì ~ shì héfǎ de. This search was conducted according to law.

³ **搜集** sōují〈动 v.〉各方搜求并汇聚起来 collect; gather：~材料 ~ cáiliào gather materials｜~文物 ~wénwù collect historical relics｜~证据 ~zhèngjù collect evidences

³ **搜索** sōusuǒ〈动 v.〉对隐藏或失踪的人或物进行仔细找寻 search for; hunt for：~海面 ~ hǎimiàn search the surface of the sea｜全面~ quánmiàn ~ overall search｜对电脑文件进行~ duì diànnǎo wénjiàn jìnxíng ~ search for a document on computer

³ **艘** sōu〈量 meas.〉用于船只的计数 for ships：一~舰艇 yì ~ jiàntǐng a warship｜大小船只几十~ dà xiǎo chuánzhǐ jǐshí ~ dozens of boats, big and small

⁴ **苏醒** sūxǐng ❶〈动 v.〉人从昏迷中醒来 come to; regain consciousness：她渐渐地~过来了。Tā jiànjiàn de ~guòlái le. She gradually came round. ❷〈动 v.〉事物复苏 *fig.* revive：春风使冬眠的大地~了。Chūnfēng shǐ dōngmián de dàdì ~ le. The spring wind wakes up the land in hibernation.｜爱，使她冷寂孤独的情感得以~。Ài, shǐ tā lěngjì gūdú de qínggǎn déyǐ ~. Love revives her lonely heart.

⁴ **俗** sú ❶〈名 n.〉长期形成的社会风尚、礼节或习惯等 custom; convention：世~ shì~ social conventions; customs and traditions｜~尚 ~shàng current fashions｜移风易~ yífēng-yì~ break with old customs｜入乡随~。Rùxiāng-suí~. When in Rome, do as the Romans do. ❷〈名 n.〉特指未入佛门之人或与佛门相对的人世间 secular/lay (as opposed to Buddhist)：~家子弟 ~jiā zǐdì children from secular families｜僧~人众

sēng~rénzhòng crowds of monks and laymen ❸ 〈形 *adj.*〉大众化的；民间习见的 popular; common：~曲 *~qǔ* popular tunes｜通~ *tōng~* popular｜文学 *~wénxué* popular literature｜雅~共赏 *yǎ~-gòngshǎng* appeal to both refined and popular taste ❹ 〈形 *adj.*〉粗俗；低贱(与'雅 *yǎ*'相对) vulgar; humble (opposite to '雅 *yǎ*')：庸~ *yōng~* vulgar｜~气 *~qì* in poor taste｜凡夫~子 *fánfū~zǐ* ordinary people｜那人很低~。*Nà rén hěn dī~.* That man is very vulgar in taste.

³ **俗话** súhuà 〈名 *n.* 口 *dial.*〉(句*jù*)俗语；通俗易懂的话 common saying; words said in simple language：~说得好，天下无难事，只怕有心人。*~ shuō de hǎo, tiānxià wú nánshì, zhǐ pà yǒuxīnrén.* As the saying goes, where there is a will, there is a way.

⁴ **诉讼** sùsòng 〈动 *v.*〉检察院、法院等司法机关和民事、刑事案件的当事人(代理人)解决案件时进行的活动 lawsuit; legal action：民事~ *mínshì~* civil lawsuit｜刑事~ *xíngshì~* criminal lawsuit｜行政~ *xíngzhèng~* administrative lawsuit｜~程序 *~chéngxù* legal proceedings｜~费 *~fèi* legal fee

⁴ **肃清** sùqīng 〈动 *v.*〉彻底清除(社会上丑恶的东西) eliminate; root out (ugly things in society)：~余毒 *~yúdú* eliminate the pernicious influence｜残余~ *cáyú* wipe out the remnants｜~不良影响 *~bùliáng yǐngxiǎng* clean up harmful effects

⁴ **素** sù ❶ 〈形 *adj.*〉本色；白色 white：~绸子 *~chóuzi* white silk｜~装 *~zhuāng* white dress｜~色 *~sè* plain color ❷ 〈形 *adj.*〉色彩单纯；质朴而不艳丽 plain; simple; quiet：~雅 *~yǎ* simple but elegant｜~描 *~miáo* sketch｜衣服的颜色~了些。*Yīfu de yánsè ~ xiē.* The color of the garment is a little too plain. ❸ 〈形 *adj.*〉原本有的或尚未加工的 native; unprocessed：~材 *~cái* source material｜~质 *~zhì* quality｜朴~ *pǔ~* plain ❹ 〈名 *n.*〉瓜果蔬菜等非肉类食物(与'荤'相对) non-meat food, such as melons, fruit and vegetable (opposite to '荤 *hūn*')：~食 *~shí* vegetarian diet｜荤~搭配 *hūn~ dāpèi* meat and vegetable in proper proportion｜那女孩子为减肥又在吃~了。*Nà nǚháizi wèi jiǎnféi yòu zài chī ~ le.* For losing weight, that girl became a vegetarian again. ❺ 〈名 *n.*〉构成事物的基本成分 element; basic element：要~ *yào~* essential factor｜元~ *yuán~* element｜语~ *yǔ~* morpheme｜维生~ *wéishēng~* vitamin ❻ 〈名 *n.*〉平时，平常 normal times; ordinary times：~养 *~yǎng* accomplishment｜~愿 *~yuàn* wish in normal times｜安之若~(对困境毫不介意，如同平常一样) *ānzhīruò~ (duì kùnjìng háo bú jièyì, rútóng píngcháng yíyàng)* regard hardship with indifference (take hardship calmly as if in normal times) ❼ 〈副 *adv.*〉向来；平素 usually; always：~不相识 *~bùxiāngshí* have never met each other before｜~昧平生(从未见过面) *~mèi-píngshēng (cóngwèi jiànguo miàn)* be a complete stranger to (have never met before)｜中国的昆明~有'春城'的美名。*Zhōngguó de Kūnmíng ~ yǒu 'Chūnchéng' de měimíng.* Kunming, China, always enjoys the good reputation of a 'City of Spring.'

⁴ **素质** sùzhì ❶ 〈名 *n.*〉(种*zhǒng*)人本身的生理、心理特质 quality：身体~ *shēntǐ~* physical quality｜心理~ *xīnlǐ~* mental quality ❷ 〈名 *n.*〉(种*zhǒng*)平日的修养或素养 attainment; accomplishment：艺术~ *yìshù~* artistic attainment｜军事~ *jūnshì~* military accomplishment｜政治~ *zhèngzhì~* political quality ❸ 〈名 *n.*〉综合指人的体质、品质、知识和能力等 a combination of health, character, knowledge, ability, etc.：教育~ *jiàoyù~* education in qualifications｜提高全民族的~ *tígāo quán mínzú de~* improve the quality of the whole nation

³ **速成** sùchéng 〈动 *v.*〉短时间内快速学成 speed-up education program：~班 *~bān* crack course｜~识字法 *~shízìfǎ* quick method of achieving literacy｜掌握知识是不可以~的。*Zhǎngwò zhīshi shì bù kěyǐ ~ de.* No quick success can be achieved in mastering

knowledge.

²**速度** sùdù ❶〈名 n.〉物理学名词。单位时间内物体沿着一定的方向所运动的距离（in physics）velocity; speed：宇宙～ *yǔzhòu* ～ space velocity｜行车～为每小时90公里。*Xíngchē ~ wéi měi xiǎoshí jiǔshí gōnglǐ.* The car is going at the speed of 90 kilometers an hour. ❷〈名 n.〉（种zhǒng）指快慢的程度 speed; rate; pace：记录的～ *jìlù de* ～ a recorded speed｜这座城市的发展～很快。*Zhè zuò chéngshì de fāzhǎn ~ hěn kuài.* The city is growing at a great pace.

¹**宿舍** sùshè〈名 n.〉（间jiān、栋dòng）由机关、学校、企业等供给工作人员及其家属或供给学生住宿的房屋 dormitory/hostel（provided by an institution, school, enterprise, etc. for its staff, dependents or students）：员工～ *yuángōng* ～ living quarters for the staff｜～区在学校的南边。*~qū zài xuéxiào de nánbian.* The living quarters lie to the south of the school.

²**塑料** sùliào〈名 n.〉一种由树脂等高分子化合物与其他配料混合制成的人工材料 plastics：～布 ～*bù* plastic cloth｜硬～ *yìng*～ hard plastics｜～制品 ～*zhìpǐn* plastic product

¹**塑造** sùzào ❶〈动 v.〉用泥土、石膏等材料制成人或物体的形象 model/mould（a figure or object with clay, plaster, etc.）：～人像 ～ *rénxiàng* mould a figure｜～铜像 ～*tóngxiàng* mould a bronze statue ❷〈名 n.〉用语言文字或其他艺术手段刻画人物形象 portray：～人物 ～ *rénwù* portray characters｜～艺术形象 ～*yìshù xíngxiàng* portray artistic images｜他～了一个典型的知识分子形象。*Tā ~le yí gè diǎnxíng de zhīshi fènzǐ xíngxiàng.* He portrays a typical intellectual.

¹**酸** suān ❶〈形 adj.〉像醋的味道和气味的 smelling or tasting like vinegar; sour：～菜 ～*cài* pickled Chinese cabbage｜～梅 ～*méi* smoked plum｜～甜苦辣（比喻人生的各种遭遇）~*tián-kǔlà*（bǐyù rénshēng de gèzhǒng zāoyù）sour, sweet, bitter, hot（the hardships of life）｜这汤太～了。*Zhè tāng tài ~ le.* The soup is too sour. ❷〈形 adj.〉伤心; 悲伤 sad; grieved; distressed：心～ *xīn*～ feel sad｜悲～ *bēi*～ be grieved｜楚～ *chǔ*～ distressed ❸〈形 adj.〉因疲惫、劳累或生病而引起的肌肉微痛乏力（of muscle）tingling/sore/aching as a result of tiredness, illness, etc：腰～ *yāo*～ have a pain in the back｜又～又痛 *yòu ~ yòu tòng* both sore and aching｜写了半天作业，手都～了。*Xiěle bàntiān zuòyè, shǒu dōu ~ le.* I wrote off my hand in doing schoolwork for a long time. ❹〈形 adj.〉指文人的迂腐（of a scholar）pedantic; impractical：～秀才 ～*xiùcai* impractical old scholar｜穷～ *qióng*～ poor and pedantic｜寒～ *hán*～ miserable and shabby ❺〈形 adj.〉因不和心意而产生的嫉妒或微微的难过 slightly sad; jealous：～溜溜的～*liūliū* de feel a little envious ❻〈名 n.〉指能在溶剂中电离出氢离子的一类化合物 acid：盐～ *yán*～ hydrochloric acid｜硫～ *liú*～ sulfuric acid｜无机～ *wújī*～ inorganic acid｜有机～ *yǒujī*～ organic acid

⁴**蒜** suàn〈名 n.〉一种草本植物，地下鳞茎有辛辣气味儿，瓣状，可食用和入药 garlic：大～ *dà*～ garlic｜～头 ～*tóu* the bulb of garlic｜装～ *zhuāng*～ pretend not to know; feign ignorance

¹**算** suàn ❶〈动 v.〉计数；计算 calculate; reckon：～钱 ～ *qián* reckon up money｜换～ *huàn*～ convert｜能写会～ *néngxiě-huì*～ be good at writing and reckoning ❷〈动 v.〉包含进去；加入计数 include; count：满打满～（意思是全部计算进去）*mǎndǎ-mǎn*～（yìsi shì quánbù jìsuàn jìnqù）reckon in every item（include everything）｜～上你共十人。*~shang nǐ gòng shí rén.* There are ten people, including you.｜别～我，我有事去不了。*Bié ~ wǒ, wǒ yǒu shì qù bù liǎo.* Don't count me in. I cannot go for I have something to do. ❸〈动 v.〉推算；推测 suppose; think：掐～ *qiā*～ count sth. on one's fingers｜～命 ～*mìng* ～

mìng fortune-telling｜估~他这些天该来北京了。*Gū~ tā zhè xiē tiān gāi lái Běijīng le.* I suppose he will come to Beijing soon. ❹〈动 *v.*〉当作；认作 consider; regard as; count as: 这衣服不~太贵。*Zhè yīfú bú ~ tài guì.* The garment can not be regarded as too expensive.｜你小子还~有骨气。*Nǐ xiǎozi hái ~ yǒu gǔqì.* You guy can be counted as a man of integrity.｜连着遇上些不痛快的事，~我倒霉！*Liánzhe yùshang xiē bú tòngkuài de shì, ~ wǒ dǎoméi!* I am unlucky enough to encounter a series of unhappy things! ❺〈动 *v.*〉作数；认可有效 carry weight; count: 这里谁说了~? *Zhèli shéi shuōle ~?* Who here has the final say?｜~不~数，你说话不管用。*~ bú ~ shù, nǐ shuōhuà bù guǎn yòng.* You are not in a position to say where it counts or not.｜盖上公章才~有效。*Gàishang gōngzhāng cái ~ yǒuxiào.* Only with an official seal on, does it count. ❻〈动 *v.*〉计划；筹划 plan; calculate: 谋~ *móu~* plot｜~计~*jì* consider ❼〈动 *v.*〉不再计较；作罢 let it be; let it pass: ~了吧。*~ le ba.* Let it pass. ❽〈动 *v.*〉表示比较起来最突出 the most outstanding in comparison: 他在班上不~最好的。*Tā zài bān shang bú ~ zuì hǎo de.* He cannot be considered the best in his class.｜中国最长的河流就~长江了。*Zhōngguó zuì cháng de héliú jiù~ Cháng Jiāng le.* The Yangtze can be counted as the longest river in China. ❾〈副 *adv.*〉表示愿望的实现 finally; in the end; at long last（expressing the realization of one's desire）: 总~ *zǒng~* at long last｜~是 *~ shì* in the end｜今天~把期终考试考完了。*Jīntiān ~ bǎ qīzhōng kǎoshì kǎowán le.* We finally finished the terminal examinations today.

² **算了** suànle 不再计较或要求 let it go at that: 人家不来就~，何必强求呢? *Rénjia bù lái jiù ~, hébì qiángqiú ne?* If he doesn't want to come, he doesn't need to. Why should we force him to?｜~? 谁说的? 不能算! *~? Shéi shuō de? Bù néng suàn!* Let it pass? Who said so? It can't go at that!

⁴ **算盘** suànpán ❶〈名 *n.*〉(把bǎ、个gè) 中国沿用至今的计算工具之一。长方形木框，内置一根横梁，十几根小圆棍穿过，横梁上下分别放有两颗珠子和五颗珠子。按规定方法拨动珠子，可做加、减、乘、除等运算 abacus, a frame containing wires with small balls that move along them. It has been used for counting since ancient times in China: ~珠 *~zhū* the balls on an abacus｜打~ *dǎ~* use an abacus ❷〈名 *n.*〉比喻设想或打算 *fig.* intention; calculation: 如意~ *rúyì~* wishful thinking｜他心里正打着小~，根本没听清人家说些什么。*Tā xīnli zhèng dǎzhe xiǎo ~, gēnběn méi tīngqīng rénjia shuō xiē shénme.* He did not hear what other people were saying, for he was calculating in his mind.

³ **算是** suànshì ❶〈动 *v.*〉算作；认作 be considered as: 不到长城，怎么~'好汉'呢? *Bú dào Chángchéng, zěnme ~ 'hǎohàn' ne?* How can you be regarded as a 'hero', if you have not been to the Great Wall?｜这点儿钱不多，~对你们结婚的祝福吧。*Zhè diǎnr qián bù duō, ~ duì nǐmen jiéhūn de zhùfú ba.* This is not much money. Just let it serve as blessing to your wedding. ❷〈副 *adv.*〉表示某种愿望终于实现 at last; finally (expressing the final fulfillment of one's wish): 经过努力，我们~完成了任务。*Jīngguò nǔlì, wǒmen ~ wánchéngle rènwù.* With great efforts, we finally fulfilled the task.｜这笔大生意~做成了。*Zhè bǐ dà shēngyi ~ zuòchéng le.* This big deal is finally made.

⁴ **算术** suànshù〈名 *n.*〉数学的分科，主要研究数的基本关系 arithmetic: ~作业 *~zuòyè* arithmetic schoolwork｜~课 *~ kè* arithmetic class｜做~ *zuò ~* do sums

³ **算数** suàn//shù ❶〈动 *v.*〉承认有效或有作用 count; hold: 唯有校长说话是~的。*Wéiyǒu xiàozhǎng shuōhuà shì ~ de.* Only the president has the final say.｜他的话只算

过一回数。*Tā de huà zhǐ suànguo yì huí shù.* He kept his promise only once. ❷〈动 *v.*〉计算数目 count; calculate：你算一算这个数，对还是不对。*Nǐ suàn yí suàn zhège shù, duì háishì bú duì.* Make a calculation to see if the figure is correct. ❸〈动 *v.*〉表示到此为止 stop here; end here：你必须弄懂了才~。*Nǐ bìxū nòngdǒngle cái ~.* You must not stop making efforts until you get a clear understanding. | 我一定要弄个水落石出才~。*Wǒ yídìng yào nòng gè shuǐluò-shíchū cái ~.* I will not stop making efforts until the whole thing comes to light.

虽 suī ❶〈连 *conj.*〉书 *lit.*〉虽然 though; although：学校~不远，却也不近。*Xuéxiào ~ bù yuǎn, què yě bú jìn.* Though the school is not far, it is not near either. | 孩子~年纪小，但已很懂事了。*Háizi ~ niánjì xiǎo, dàn yǐ hěn dǒngshì le.* Though the child is still small, he is quite sensible. ❷〈连 *conj.*〉即使；纵然 even if; even though：~死犹荣 ~*sǐ-yóuróng* honored though dead | ~不能解决问题，也要让上级知道。*~ bù néng jiějué wèntí, yě yào ràng shàngjí zhīdào.* Even if we can not solve the problem, we must let the superiors know.

¹**虽然** suīrán〈连 *conj.*〉用在表示转折或让步的复句中，后面常有'但是''可是'等呼应 (used in an adversative or concessional clause, usually followed by '但是 dànshì', '可是 kěshì', etc.) though; although：~他没说累，但是已显出疲乏的神态。*~ tā méi shuō lèi, dànshì yǐ xiǎnchū pífá de shéntài.* Although he did not say he was tired, he already appeared so. | 这里毕竟是自己的家啊，~破旧些。*Zhèli bìjìng shì zìjǐ de jiā a, ~ pòjiù xiē.* It is my home after all, though not so homely.

²**虽说** suīshuō〈连 *conj.* 口 *colloq.*〉虽然 though; although：~题目不难，题量还是不小。*~tímù bù nán, tíliàng háishì bùxiǎo.* Though the questions are not difficult, they are in quite a large number. | 这些话还是有道理的，~不太好听。*Zhè xiē huà háishì yǒu dàolǐ de, ~ bú tài hǎotīng.* These words are quite reasonable, though not pleasing to the ear.

²**随** suí ❶〈介 *prep.*〉依着；顺着 along with (some other action)：~波逐流 ~*bō-zhúliú* go with the stream | 知识总~年龄的增长而增长。*Zhīshi zǒng ~ niánlíng de zēngzhǎng ér zēngzhǎng.* Knowledge always grows with one's age. | 你们~他的意思去办。*Nǐmen ~ tā de yìsi qù bàn.* Just act according to his intention. ❷〈介 *prep.*〉趁便 in passing; conveniently：~手 ~*shǒu* conveniently | ~口 ~*kǒu* speak casually ❸〈介 *prep.*〉任凭；听凭 let sb. do as he likes：~他去吧，不会出事的。*~ tā qù ba, bú huì chūshì de.* Just let him go. Nothing will happen. | 不必担心，~别人去说。*Búbì dānxīn, ~ biérén qù shuō.* Don't worry. Let them say whatever they like. ❹〈动 *v.*〉跟；跟从 follow：尾~ *wěi~* tail behind | ~行 ~*xíng* go together | ~大溜（跟大多数人走，没有主见）~*dàliù* (*gēn dàduōshù rén zǒu, méiyǒu zhǔjiàn*) drift with the stream (follow the general trend without one's own judgment) | 紧~其后 jǐn~*qíhòu* be closely behind sb. ❺〈动 *v.*〉相似；像 look like; resemble：他的性格~父亲。*Tā de xìnggé ~ fùqīn.* He resembles his father in character. ❻〈动 *v.*〉顺从 comply with：~和 ~*hé* easy going | ~心所欲 ~*xīnsuǒyù* follow one's bent ❼〈副 *adv.*〉'随…随…'，表示后一个动作紧接前一个动作 used in '随…随…'- structure to describe the second action immediately following the first：~叫~到 ~*jiào* ~ *dào* be on call at any time | ~来~吃 ~ *lái* ~ *chī* guests are served as they arrive

²**随便** suíbiàn Ⅰ〈形 *adj.*〉不加限制 casual; informal：~谈谈 ~*tántan* have a chat | 请大家~坐，别拘束。*Qǐng dàjiā ~ zuò, bié jūshù.* Please sit as you please. ❷〈形 *adj.*〉无拘无束；随意的 as one wishes; slipshod：衣着~ *yīzhuó* ~ be dressed in a slipshod way | 我向来就~。*Wǒ xiànglái jiù ~.* I never pay any attention to formalities. | 那人~惯了，

一时还约束不了他。*Nà rén ~ guàn le, yìshí hái yuēshù bù liǎo tā.* That guy is used to acting as he wishes. There is no way to restrain him for the time being. ❸〈连 *conj.*〉任凭；无论 no matter；anyhow：~在哪里，他都睡得着。*~ zài nǎli, tā dōu shuì dé zháo.* Wherever he goes, he can fall asleep.｜~什么人，我都能和他聊到一块儿去。*~ shénme rén, wǒ dōu néng hé tā liáo dào yíkuàir qù.* No matter who he may be, I can always find a subject of conversation with him. Ⅱ suí/biàn〈动 *v.*〉听任人家的安排 allow oneself to follow others' arrangement：~怎样都行，我照办就是了。*~ zěnyàng dōu xíng, wǒ zhàobàn jiùshì le.* I'll comply with whatever you say.｜随你的便，到哪个餐馆吃都可以。*Suí nǐ de biàn, dào nǎge cānguǎn chī dōu kěyǐ.* I'll go to whatever restaurant you wish.

³ **随后** suíhòu〈副 *adv.*〉立即；马上（表示紧接某种情况后）immediately；soon afterwards：你先说，我~再说。*Nǐ xiān shuō, wǒ ~ zài shuō.* You speak, and I'll follow on.｜下班后，你先回家，我~就到。*Xiàbān hòu, nǐ xiān huíjiā, wǒ ~ jiù dào.* After work, you go home first, and I'll arrive soon afterwards.

³ **随即** suíjí〈副 *adv.*〉立刻；随后就 immediately；right after：合同签订后，你要~带两份过来。*Hétong qiāndìng hòu, nǐ yào ~ dài liǎng fèn guòlái.* When the contract is signed, you should bring two copies here immediately.｜车门一开，他~冲了下去。*Chēmén yì kāi, tā ~ chōng le xiàqù.* Right after the door of the train opened, he rushed out.

² **随时** suíshí ❶〈副 *adv.*〉不限定时候；无论何时 at any time；at all times：~提醒 *~ tíxǐng* remind at any time｜~请教 *~ qǐngjiào* ask for advice at any time｜~报告 *~ bàogào* report at any time ❷〈副 *adv.*〉只要有需要、有可能的时候（就做）(do) whenever necessary; as the occasion demands：要根据天气变化~加减衣服。*Yào gēnjù tiānqì biànhuà ~ jiājiǎn yīfu.* Wear more or fewer clothes as the weather demands.｜电子银行可以~取款。*Diànzǐ yínháng kěyǐ ~ qǔkuǎn.* You may draw money from an electronic bank whenever necessary.

⁴ **随时随地** suíshí-suídì〈副 *adv.*〉在任何时候、在任何地点 whenever and wherever possible; at any time and any place：~恭候 *~ gōnghòu* await respectfully always and everywhere.｜他~不忘学习。*Tā ~ bú wàng xuéxí.* He does not forget to study at any time and any place.

³ **随手** suíshǒu ❶〈副 *adv.*〉顺便；顺手 conveniently; without extra trouble：孩子~捡起地上的纸屑。*Háizi ~ jiǎnqǐ dì shang de zhǐxiè.* The child picked up scraps of paper from the ground as he walked on.｜把你的用具整理好，不要~乱放。*Bǎ nǐ de yòngjù zhěnglǐ hǎo, bú yào ~ luàn fàng.* Place your things in good order. Don't them carelessly. ❷〈形 *adj.*〉手头的；手边的 (carry) on one's person; (take) with one：这是~用品。*Zhè shì ~ yòngpǐn.* These are articles of personal use.｜她打开~的小包。*Tā dǎkāi ~ de xiǎo bāo.* She opened the small bag that she carried on her person.

⁴ **随意** suíyì〈副 *adv.*〉任随自己的心意 at will; as one pleases：~浏览 *~ liúlǎn* scan at will｜请~ *qǐng ~* as you please｜咱们~点几个菜吧。*Zánmen ~ diǎn jǐ gè cài ba.* Let's order something at random.

⁴ **随着** suízhe〈介 *prep.*〉由于某种情况的发展，另一种情况也相应地跟着（变化）along with; as：~社会的进步，人们的观念也在更新。*~ shèhuì de jìnbù, rénmen de guānniàn yě zài gēngxīn.* People's ideas change with the progress of society.｜环境的治理，北京的市容越来越漂亮。*~ huánjìng de zhìlǐ, Běijīng de shìróng yuèláiyuè piàoliang.* With the improvement of the environment, Beijing is taking on a more and more beautiful look.

¹ **岁** suì ❶〈量 *meas.*〉表示年龄单位 year (of age)：两三~ *liǎng sān* ~ two or three years old ｜百~老人 *bǎi* ~ *lǎorén* a centenarian ｜祖国万~。 *Zǔguó wàn* ~. Long live our motherland. ❷〈名 *n.*〉年；年岁 year; age：~初 ~ *chū* the beginning of the year ｜~末 ~ *mò* the end of the year ｜守~ *shǒu* ~ stay up late or all night on New Year's Eve ｜同~ *tóng* ~ the same age ｜压~钱 *yā* ~ *qián* money given to children as a lunar New Year gift ｜年年~~ *niánnián* ~ ~ year after year ❸〈名 *n.* 书 *lit.*〉时间；时光 time：~不我与 ~ *bù wǒ yǔ.* Time waits for no man. ❹〈名 *n.* 书 *lit.*〉指农业一年的收成 year (for crops)：凶~ *xiōng* ~ a famine year. ｜丰~ *fēng* ~ good year ｜歉~ *qiàn* ~ lean year

³ **岁数** suìshu〈名 *n.* 口 *colloq.*〉年龄 (多用于询问年龄比较大的人) age; years (usually used to ask the age of an elderly person)：爷爷上~了。 *Yéye shàng* ~ *le.* Grandfather is getting on in years. ｜您今年多大~? *Nín jīnnián duō dà* ~? How old are you this year? ｜看来他的~不小了。 *Kànlái tā de* ~ *bù xiǎo le.* He does not look young.

⁴ **岁月** suìyuè〈名 *n.*〉(段 *duàn*) 年月；时光 years; time：战斗~ *zhàndòu* ~ years spent on the battlefield ｜逝去的~ *shìqù de* ~ years gone by ｜~如流。 ~ *rúliú.* Time passes by like a stream. ｜~不饶人。 ~ *bù ráorén.* Time and tide await no man.

² **碎** suì ❶〈形 *adj.*〉零星的；不完整的 fragmentary; broken：细~ *xì* ~ in small broken bits ｜零~ *líng* ~ fragmentary ｜~石子 ~ *shízǐ* scattered gravel ｜~步儿 ~ *bùr* quick short steps ｜支离破~ *zhīlí-pò* ~ be reduced to fragments ❷〈形 *adj.*〉说话唠叨，絮烦 gabby; garrulous：嘴~ *zuǐ* ~ talk much ｜~嘴子 ~ *zuǐzi* a chatterbox ｜闲言~语 *xiányán* ~ *yǔ* gossip ❸〈动 *v.*〉完整的东西破裂成许多零片小块 break to pieces; smash：打~ *dǎ* ~ smash ｜心~ *xīn* ~ one's heart breaks ｜摔得粉~ *shuāi de fěn* ~ break to pieces ❹〈动 *v.*〉使破碎 crush to powder：磨~ *mó* ~ mill ｜碾~ *niǎn* ~ grind to powder ｜粉身~骨 (指死得很惨烈) *fěnshēn* ~ *gǔ* (*zhǐ sǐ de hěn cǎnliè*) have one's body pounded to pieces and one's bones ground to powder (die the cruelest death) ❺〈名 *n.*〉小于块、丁，大于茸、末的食物颗粒 grain; particle; granule：花生~ *huāshēng* ~ peanut particles ｜蛋糕上撒上一些巧克力~。 *Dàngāo shang sǎshàng yìxiē qiǎokèlì* ~. Spread chocolate particles on the cake.

⁴ **隧道** suìdào〈名 *n.*〉(条 *tiáo*、个 *gè*) 在山中或地下用人工凿挖、建筑的通道 tunnel：海底~ *hǎidǐ* ~ submarine tunnel ｜时间~ *shíjiān* ~ the tunnel of time ｜挖~ *wā* ~ dig a tunnel ｜长长的~ *chángcháng de* ~ a long tunnel

⁴ **穗** suì ❶〈名 *n.*〉稻麦等禾本科作物簇生在一起的花或果实 the ear of grain; spike：孕~ *yùn* ~ booting ｜抽~ *chōu* ~ jut forth ears ｜大粒多~ *dà lì duō* ~ larger ears with more grains ❷〈名 *n.*〉穗状的装饰物 ear-shaped decorations; tassel; fringe：灯~ *dēng* ~ lamp tassel ｜旗~ *qí* ~ flag tassel ｜剑把上有条金黄~儿。 *Jiànbà shang yǒu tiáo jīnhuáng* ~*r.* There is a golden tassel on the handle of the sword. ❸(Suì)〈名 *n.*〉中国广州市的别称 another name for the Chinese city of Guangzhou

³ **孙女** sūnnǚ〈名 *n.*〉(个 *gè*) 儿子的女儿 son's daughter; granddaughter：乖~ *guāi* ~ good granddaughter ｜~长大了。 ~ *zhǎngdà le.* My granddaughter has grown up.

³ **孙子** sūnzi ❶〈名 *n.*〉(个 *gè*) 儿子的儿子 son's son; grandson：胖~ *pàng* ~ plump grandson ❷〈名 *n.* 詈 *curse*〉骂人的话语 son of bitch：龟~ *guī* ~ son of bitch ｜这家伙忒~。 *Zhè jiāhuo tuī* ~. This guy is too mean.

⁴ **损** sǔn ❶〈动 *v.*〉减少；丧失 (与 '增' 相对) decrease; lose (opposite to '增 *zēng*')：减~ *jiǎn* ~ decrease ｜亏~ *kuī* ~ loss ｜失~ *shī* ~ loss ｜兵折将 (指作战损失惨重) ~*bīng-zhéjiàng* (*zhǐ zuòzhàn sǔnshī cǎnzhòng*) lose one's generals and soldiers (suffer heavy casualties) ❷〈动 *v.*〉伤害 harm; damage：破~ *pò* ~ worn ｜伤 ~*shāng* injured ｜有益无~。 *Yǒuyì-wú* ~. There is benefit but no harm. ❸〈动 *v.* 方 *dial.*〉指苦人 speak

sarcastically; deride：请你别用话~人，行吗？ *Qǐng nǐ bié yòng huà ~ rén, xíng ma?* Please don't deride others, will you? ❹〈形 *adj.* 方*dial.*〉刻薄；狠毒 mean; damaging：手段阴~毒辣。*Shǒuduàn yīn~ dúlà.* The method is sinister and damaging. │说话太~了。*Shuōhuà tài ~ le.* You spoke too meanly.

³ **损害** sǔnhài〈动 *v.*〉使遭受损失或受到伤害 harm; damage; injure：~身体 ~ *shēntǐ* impair one's health │造成~ zàochéng ~ lead to damage │感情受到极大的~。*Gǎnqíng shòudào jí dà de ~.* One's feeling was seriously hurt.

⁴ **损耗** sǔnhào ❶〈动 *v.*〉丧失掉；消耗掉 lose；waste：~精力 ~ *jīnglì* waste one's energy │~能量 ~ *néngliàng* waste energy ❷〈名 *n.*〉因某种原因而造成的消耗损失 loss；waste：自然~ *zìrán* ~ natural loss │~率 ~*lǜ* attrition rate

³ **损坏** sǔnhuài〈动 *v.*〉使破损无法使用或失去原有的功用和效能 damage; spoil; break：~牙齿 ~ *yáchǐ* damage teeth │~东西要赔偿。~ *dōngxi yào péicháng.* If you break things, you have to pay for them. │这座古墓~得不轻。*Zhè zuò gǔmù ~ de bù qīng.* This ancient tomb is seriously damaged.

⁴ **损人利己** sǔnrén-lìjǐ〈成 *idm.*〉使别人受损失，使自己得到好处 harm others to benefit oneself：~的行为 ~ *de xíngwéi* the act of harming others to benefit oneself │~者，最终是损人不利己。~*zhě, zuìzhōng shì sǔnrén bú lìjǐ.* Whoever harms others to benefit himself is bound to harm others but not benefit himself.

⁴ **损伤** sǔnshāng ❶〈动 *v.*〉伤害；挫伤 harm; damage; injure：~身体 ~ *shēntǐ* damage one's health │我们不能~大家的积极性。*Wǒmen bù néng ~ dàjiā de jījíxìng.* We should not dampen everybody's enthusiasm. ❷〈动 *v.*〉失去 lose：人员~不少。*Rényuán ~ bù shǎo.* Quite a number of personnel were lost. ❸〈名 *n.*〉被损伤的部分 loss; the injury：~惨重 ~ *cǎnzhòng* heavy loss │轻微的~ *qīngwēi de* ~ light loss

² **损失** sǔnshī ❶〈动 *v.*〉减损或失去 lose：~钱财 ~ *qiáncái* lose money │~了不少时间 ~*le bù shǎo shíjiān* lose a lot of time ❷〈名 *n.*〉减损或失去的东西 loss：重大~ *zhòngdà* ~ great loss │~惨重 ~ *cǎnzhòng* heavy loss

⁴ **笋** sǔn〈名 *n.*〉(棵kē、根gēn)竹子的嫩芽，可食用 bamboo shoot：竹~ *zhú*~ bamboo shoot │~片 ~*piàn* sliced bamboo shoot │挖~ *wā* ~ dig out bamboo shoots │雨后春~(比喻蓬勃发展) *yǔhòu-chūn*~(*bǐyù péngbó fāzhǎn*) like bamboo shoots after a spring rain (fig. develop vigorously)

² **缩** suō ❶〈动 *v.*〉由大变小；由长变短；由多变少 contract; shrink：压~ *yā*~ compress │~影 ~*yǐng* epitome │热胀冷~ *rèzhàng-lěng*~ expand with heat and contract with cold │船只顺江东下，船影渐渐地~小了。*Chuánzhī shùn jiāng dōng xià, chuányǐng jiànjiàn de ~xiǎo le.* The boat diminished as it drifted down the river. ❷〈动 *v.*〉不伸出或伸出又收回来 draw back：伸~ *shēn*~ stretch out and draw back │萎~ *wěi*~ wither │~头~脑 ~*tóu*~*nǎo* recoil │~成一团 ~*chéng yì tuán* cuddle up in a heap ❸〈动 *v.*〉向后退 withdraw：退~ *tuì*~ shrink back │畏~ *wèi*~ flinch │~脖子(指退缩不前)~ *bózi* (*zhǐ tuìsuō-bùqián*) draw back one's neck (hesitate to press forward)

³ **缩短** suōduǎn〈动 *v.*〉由长而紧缩变短 shorten; curtail; cut down：~路程 ~ *lùchéng* shorten the way │~差距 ~ *chājù* narrow the gap │工期~了两天。*Gōngqī ~le liǎng tiān.* The time for the project is cut short by two days.

³ **缩小** suōxiǎo〈动 *v.*〉使变小紧缩 reduce; narrow：~范围 ~ *fànwéi* reduce the scope │搜索的目标已经~。*Sōusuǒ de mùbiāo yǐjīng ~.* The targets to be combed for have been narrowed down.

² **所** suǒ ❶〈名 *n.*〉处所；地方 place：住~ *zhù*~ dwelling place │场~ *chǎng*~ place │各

得其~ *gèdéqí*~ each in his proper place | 死得其~ *sǐdéqí*~ die a worthy death ❷ 〈名 n.〉
用于机关或其他办事机构的名称 institution; office: ~ 长 ~*zhǎng* director of the
institute | 诊 ~*zhěn*~ clinic | 招待 ~*zhāodài*~ hostel | 研究 ~*yánjiū*~ institute | 工商 ~
gōngshāng~ office of the Industrial and Commercial Administration ❸ 〈量 meas.〉用于
房屋、学校、医院等 for house, school, hospital, etc.: 一~学校 *yì* ~ *xuéxiào* a school |
几~医院 *jǐ* ~ *yīyuàn* several hospitals | 多~房屋被大楼遮挡住了, 常年不见阳光。*Duō*
~ *fángwū bèi dàlóu zhēdǎng zhù le, chángnián bú jiàn yángguāng.* Most houses are
blocked by tall buildings from sunlight all the year round. ❹ 〈助 aux.〉与 "为" "被" 等词
合用, 表示被动 used with "为wèi", "被bèi", etc. in passive voice: 为小虫~吸引 *wèi
xiǎochóng* ~ *xīyǐn* be attracted by a little insect | 被人们~嘲笑 *bèi rénmen* ~ *cháoxiào* be
laughed at by people | 这些情况并不被大家~了解。*Zhèxiē qíngkuàng bìng bú bèi
dàjiā* ~ *liǎojiě.* These things are not quite known by the people. ❺ 〈助 aux.〉用在动词
性词语前, 构成名词性的所字结构, 可以作主语、宾语或名词修饰成分 used before a '所'-structure, to serve as a modifier for subject, object
or noun: ~向无敌 ~*xiàng-wúdí* be irresistible | 闻~未闻 *wén*~*wèiwén* have never heard
of it | 一无~知 *yīwú*~*zhī* know nothing at all | ~答非~问 ~ *dá fēi* ~ *wèn* answer what is
not asked | ~见~闻都被写下来了。~*jiàn*~*wén dōu bèi xiě xiàlái le.* What was seen
and heard has all been written down. ❻ 〈助 aux.〉用在 '的' 字结构的前面, 起修饰或替
代名词的作用 used before a '的de '-structure, to modify or replace a noun: 我~说的都
是实话。*Wǒ* ~ *shuō de dōu shì shíhuà.* What I have said is all truth. | ~耗费的钱粮无
数。~ *hàofèi de qiánliáng wúshù.* The money and grains wasted are countless.

⁴ 所得 suǒdé 〈名 n.〉所获得的东西 income; earnings; gains: 劳动 ~ *láodòng* ~ labor
income | 非法 ~ *fēifǎ* ~ illegal gains | 一年辛苦下来~无几。*Yì nián xīnkǔ xiàlái* ~
wújǐ. Not much is gained after a year's hard work.

⁴ 所得税 suǒdéshuì 〈名 n.〉(笔bǐ)个人或企业从收入中按一定比率向国家交纳的税款
income tax: 个人 ~ *gèrén* ~ personal income tax | 缴纳 ~ *jiǎonà* ~ pay income tax | 企
业~按年度交纳。*Qǐyè* ~ *àn niándù jiǎonà.* The income tax of an enterprise is paid by
the year.

⁴ 所属 suǒshǔ 〈形 adj.〉统辖之下或自己隶属的 subordinate to; affiliated with; under
the command of: ~学校 ~ *xuéxiào* the school affiliated with it | ~公司 ~ *gōngsī*
the company subordinate to it | 所有战士马上到~部队报到。*Suǒyǒu zhànshì mǎshàng
dào* ~ *bùduì bàodào.* All the soldiers must report at once to the units that they belong to.

² 所谓 suǒwèi ❶ 〈形 adj.〉通常所说的 (表示承认) what is called (expressing
acceptance): ~学生, 是指那些在学校里学习的孩子。~ *xuésheng, shì zhǐ nàxiē zài
xuéxiào li xuéxí de háizi.* What is called pupil refers to a child who studies at school. | 这
就是 '天下第一关' 的山海关。*Zhè jiùshì* ' *Tiānxià Dì-yīguān* ' *de Shānhǎiguān.*
This is what is called 'the First Pass under Heaven'—Shanhaiguan Pass. ❷ 〈形 adj.〉某
些人所说的 (含不承认或贬义) so-called (either expressing non-acceptance or used
derogatorily): ~的天才 ~ *de tiāncái* so-called genius | 这套~的教材, 不过是东拼西凑
的算了。*Zhè tào* ~ *de jiàocái, búguò shì dōngpīn-xīcòu de bà le.* This set of so-called
textbooks is nothing but a patchwork.

¹ 所以 suǒyǐ ❶ 〈连 conj.〉用在后一分句中, 表示结果或结论 (常和前一分句的 '由于'
'因为'等呼应) so; therefore; as a result (usually used in concert with '由于yóuyú', '因
为yīnwèi', etc. in the first part of a sentence): 我来晚了, ~不知道前面讲的内容。*Wǒ
lái wǎn le,* ~ *bù zhīdào qiánmiàn jiǎng de nèiróng.* I was late so I missed the first part of

the speech. | 因为雨水大，~今年的蚊子不少。 *Yīnwèi yǔshuǐ dà, ~ jīnnián de wénzi bùshǎo.* It has rained much, therefore mosquitoes abound this year. | 由于大家的努力，~ 这学期全班的成绩格外好。 *Yóuyú dàjiā de nǔlì, ~ zhè xuéqī quánbān de chéngjì géwài hǎo.* Everybody is working hard; as a result, the whole class do well in their studies this term. ❷〈连 *conj.*〉用在前一分句中，有突出原因或理由的作用(后一分句要用'是因为'呼应) used in the first part of a sentence to emphasize a reason ('是因为shì yīnwèi' must be used in concert in the second part of the sentence)：他~没来，是因为家里临时有事。 *Tā ~ méi lái, shì yīnwèi jiālǐ línshí yǒu shì.* It was because something unexpected happened at home that he did not come. | 我之一讲这些，是因为它们属于考试的范围。 *Wǒ zhī ~ jiǎng zhèxiē, shì yīnwèi tāmen shǔyú kǎoshì de fànwéi.* I talked about this, just because it falls within the range of the examination. ❸〈连 *conj.* 书 *lit.*〉前一分句先说明原因，后一分句用'是…所以…的原因(缘故)'导出结果 used in '是shì…所以suǒyǐ…的原因de yuányīn (缘故yuángù)'-structure to describe the result in the second part of a sentence when the first part of the sentence describe the cause：最近工作太忙了，这就是他~病了的原因。 *Zuìjìn gōngzuò tài máng le, zhè jiùshì tā ~ bìngle de yuányīn.* He has been too busy in his work recently; this is the cause for his illness. | 商场里人挤得满满的，这就是我一时~出不来的缘故。 *Shāngchǎng li rén jǐ dé mǎnmǎn de, zhè jiùshì wǒ yìshí ~ chū bù lái de yuángù.* The market is so crowded that I could not get out for a time. ❹〈名 *n.*〉适宜的举止言行或实在的情由 used to express proper behavior or real reason：忘乎~ *wànghū~* forget oneself | 不知~ *bùzhī~* not knowing why it is so | 究其~ *jiū qí ~* trace its reason

¹ **所有** suǒyǒu ❶〈形 *adj.*〉全部的；一切的 all：~的人 *~ de rén* all the people | ~课程 ~ *kèchéng* all the courses | 大家把~问题都提出来。 *Dàjiā bǎ ~ wèntí dōu tí chūlái.* We have put all the problems on the table. ❷〈动 *v.*〉领有 own; possess：一切权利归人民，~。 *Yīqiè quánlì guī rénmín ~.* All power belongs to the people. | 属他家的牧场正在开发中。 *Shǔ tā jiā ~ de mùchǎng zhèngzài kāifā zhōng.* The grazing ground that belongs to his family is under development. ❸〈名 *n.*〉领有的东西 possessions：倾其~ *qīngqí ~* give everything one has | 一无~ *yīwú ~* not have a thing to one's name

⁴ **所有权** suǒyǒuquán〈名 *n.*〉对生产或生活资料的拥有权、占有权 proprietary right; ownership：财产~ *cáichǎn ~* property right | 土地~ *tǔdì ~* ownership of the land

⁴ **所有制** suǒyǒuzhì〈名 *n.*〉(种zhǒng)人们对生产资料的占有形式，是生产关系的基础 ownership (of living or production resources)：~形式 *~ xíngshì* forms of ownership | 多种~ *duōzhǒng ~* many types of ownership | 集体~ *jítǐ ~* collective ownership | 个体~ *gètǐ ~* private ownership | 全民~ *quánmín ~* ownership by the whole people

³ **所在** suǒzài ❶〈名 *n.*〉处所；地方 place; location：清静的~ *qīngjìng de ~* a quiet place | ~地 ~*dì* location | 景色宜人的好~ *jǐngsè yírén de hǎo~* a nice place with delightful scenery ❷〈名 *n.*〉存在的地方 where：矛盾之~ *máodùn zhī~* where the contradiction arises | 希望之~ *xīwàng zhī ~* where hope exists | 问题的~ *wèntí de ~* the crux of the problem

⁴ **索性** suǒxìng〈副 *adv.*〉表示直截了当；干脆：~都去，家里不留人了。 ~ *dōu qù, jiālǐ bù liú rén le.* No need to leave someone behind. | 既然他拿架子，我们~不理他。 *Jìrán tā ná jiàzi, wǒmen ~ bù lǐ tā.* Since he puts on airs, we might as well pay no attention to him.

³ **锁** suǒ ❶〈名 *n.*〉安在可以开合、启闭的器具上，用钥匙或密码方可打开的扣件 lock (opened with a key or a code)：暗~ *àn~* hidden lock | 门~ *mén~* door lock | 撞

zhuàng~ spring lock │自动~ *zìdòng*~ automatic lock ❷〈名 *n.*〉形状像锁一样的物件 a lock-shaped thing: 石~ *shí*~ stone lock │金~ *jīn*~ gold lock │长命~ *chángmìng*~ longevity lock ❸〈名 *n.*〉锁链 chains: 枷~ *jiā*~ shackles │拉~ *lā*~ zipper ❹〈动 *v.*〉用锁关住或栓住 lock up: ~上门 ~*shàng mén* lock the door │文件~在保险柜里了。*Wénjiàn ~ zài bǎoxiǎnguì li le.* The documents are locked up in the safe. │你这样~不住孩子的心。 *Nǐ zhèyàng ~ bú zhù háizi de xīn.* In so doing, you cannot lock up the child's mind. ❺〈动 *v.*〉好像锁住那样,展不开;封闭 as if locked up; knit: 封~ *fēng*~ blockade │~住双眉 ~*zhù shuāng méi* with knitted brows │高高的大坝~住了江水。 *Gāogāo de dàbà ~zhùle jiāngshuǐ.* The high dam locks up the water of the river. ❻〈动 *v.*〉一种用双线连锁缝纫的方法 lockstitch: ~衣服边 ~ *yīfu biān* lockstitch the border of a garment │~扣眼儿 ~*kòuyǎnr* do a lockstitch on a buttonhole

S

T

¹他 tā ❶〈代 *pron.*〉称自己和对方之外的某个男性 he; him: ~走了. ~ *zǒu le.* He is away. | 这是~的字典. *Zhè shì ~ de zìdiǎn.* This is his dictionary. | ~是你们班同学吗? *~ shì nǐmen bān tóngxué ma?* Is he your classmate? **❷**〈代 *pron.*〉虚指(用在动词和数量词之间，有调整语气的作用) used as a function word between a verb and a quantifier: 我真想睡~一天的觉. *Wǒ zhēn xiǎng shuì ~ yì tiān de jiào.* I really want to sleep for a whole day. | 发了薪金，咱们先去吃~个痛快. *Fāle xīnjīn, zánmen xiān qù chī ~ gè tòngkuài.* When we get our pay, let's firstly go for a good eating. **❸**〈代 *pron.* 书 *lit.*〉别的事物、方面、地方 something else; somewhere else: ~杀 ~ *shā* homicide | ~处 ~*chù* somewhere else | 不作~想 *bú zuò ~ xiǎng* have no other thought | 穿旧的衣服先不要处理，我另有~用. *Chuānjiù de yīfu xiān búyào chǔlǐ, wǒ lìng yǒu ~ yòng.* Don't give away old clothes, and I have some other uses with them. **❹**〈代 *pron.* 书 *lit.*〉另外的；其他的 another; other: ~乡~*xiāng* the other place; an alien land | ~年~ *nián* some other year; in the future | ~山之石，可以攻玉(比喻借用朋友的批评和帮助，修正自己的不足或错误). *~shān zhī shí, kěyǐ gōng yù*(*bǐyù jièzhù péngyou de pīpíng hé bāngzhù, xiūzhèng zìjǐ de bùzú huò cuòwù*)Stones from other hills may serve to polish the jade of this one　(*fig.* Advice from others may help one overcome one's shortcomings). **❺**〈代 *pron.*〉(用在同'你'并列的特定语句里)泛指 an indefinite pronoun used in the parallel structure with '你nǐ': 你也来看，~也来看，尚未满月的孩子可受不了. *Nǐ yě lái kàn, ~ yě lái kàn, shàngwèi mǎnyuè de háizi kě shòu bù liǎo.* You come to see, and he comes to see too. A small baby less than one month old cannot tolerate it.

¹他们 tāmen〈代 *pron.*〉称自己和对方以外的一些人 they; them: ~学校~ *xuéxiào* their school | ~的家园~ *de jiāyuán* their homeland | 你告诉~这个好消息去. *Nǐ gàosu ~ zhège hǎo xiāoxi qù.* You go and tell them this good news.

⁴他人 tārén〈代 *pron.*〉别人 others; other people: ~之嫌(指被别人怀疑) ~ *zhī xián*(*zhǐ bèi biérén huáiyí*)other people's suspicion　(indicating being suspected by the other people) | 多为~着想 *duō wèi ~ zhuóxiǎng* be more considerate of the others | 你怎么随便取用~的东西! *Nǐ zěnme suíbiàn qǔ yòng ~ de dōngxi!* How can you use other people's things so freely?

¹它 tā〈代 *pron.*〉指人以外的生物或事物 it: 把~放回书架. *Bǎ ~ fàng huí shūjià.* Put it back on the bookshelf. | ~多么可爱呀，小白兔! ~ *duōme kě'ài ya, xiǎo báitù!* How lovely it is, the rabbit! | 汉语，~难就难在书写上. *Hànyǔ, ~ nán jiù nán zài shūxiě shang.* Chinese is difficult in the writing of characters.

¹ 它们 tāmen 〈代 *pron.*〉称一个以上的生物或事物 they, third plural person, referring to things other than human: 农夫指着地里的秧苗说：'~都枯黄了。' *Nóngfū zhǐzhe dì li de yāngmiáo shuō:* '~ *dōu kūhuáng le.*' The farmer pointed to the seedlings in the field, saying, 'They are withered'. | 是太阳系以外的星球。~ *shì tàiyángxì yǐwài de xīngqiú.* They are celestial bodies outside the solar system. | 爱护树木，不能毁掉~. *Àihù shùmù, bù néng huǐdiào* ~. Protect trees, and don't destroy them.

¹ 她 tā ❶ 〈代 *pron.*〉称自己和对方之外的某个女性 she; her: ~很坚强。~ *hěn jiānqiáng.* She is very strong-minded. | ~的嗓音甜美圆润。~ *de sǎngyīn tiánměi yuánrùn.* Her voice is beautiful and rich. | ~不让我告诉你的。~ *bú ràng wǒ gàosu nǐ de.* She did not let me tell you. ❷ 〈代 *pron.* 书 *lit.*〉指称美好、珍爱的事物，以表示敬爱、尊重的情感 referring to sth. beloved: 黄河，~是中华民族的摇篮。*Huáng Hé,* ~ *shì Zhōnghuá mínzú de yáolán.* The Yellow River is the cradle of the Chinese nation. | 想起故乡，~的山水、人情便涌上心头。*Xiǎngqǐ gùxiāng,* ~ *de shānshuǐ, rénqíng biàn yǒng shàng xīntóu.* When thinking of my hometown, her landscape and customs will appear in my mind.

¹ 她们 tāmen 〈代 *pron.*〉称自己和对方以外的另一些女性 they; them, third plural female person: 不要忙，还应该听一听~女生的意见。*Búyào máng, hái yīnggāi tīng yì tīng* ~ *nǚshēng de yìjiàn.* Don't be hurry. We should also listen to what the girl students say. | 虽然~是女的，干的活却一点儿不比男人少。*Suīrán* ~ *shì nǚ de, gàn de huó què yìdiǎnr bù bǐ nánrén shǎo.* Although they are women, the work they did is no less than that of men.

³ 塌 tā ❶ 〈动 *v.*〉倒；垮；下沉 crumple; gave way: ~陷 ~*xiàn* subside; sink; cave in | 坍~ *tān*~ cave in; collapse | 房倒屋~. *Fáng dào wū* ~. The houses have collapsed. | 大水冲了龙王庙——一家人不认一家人了(龙是中国神话中能兴云致雨的神异动物，故称)。*Dà shuǐ chōng* ~*le lóngwáng miào — yì jiā rén bú rèn yì jiā rén le*(*lóng shì Zhōngguó shénhuà zhōng néng xīngyún-zhìyǔ de shényì dòngwù, gùchēng*). Floods washed away the Dragon Temple — *fig.* people of the same household don't know each other (Dragon King, the God of Rain in Chinese mythology, is in charge of gathering clouds to cause rain). ❷ 〈动 *v.*〉凹下 sink; slump: ~鼻梁 ~*bíliáng* snub-nosed | 蛋糕很松软，稍微用力一按，就~进去了一块。*Dàngāo hěn sōngruǎn, shāowēi yònglì yí àn, jiù* ~ *jìnqùle yí kuài.* The cake is very soft, and it will sink with one little press. | 这一阵没见你，怎么两个眼眶都~下去了？*Zhè yí zhèn méi jiàn nǐ, zěnme liǎng gè yǎnkuàng dōu* ~ *xiàqù le?* I haven't seen you for a while, and why do your eyes sink into the sockets? ❸ 〈动 *v.*〉安定，镇定；使稳定 calm down; ease: 死心~地 sǐxīn-~*dì* be dead set; be hell-bent | ~下心来，认真复习。~*xià xīn lái, rènzhēn fùxí.* You should get settled to review your lessons attentively.

³ 踏实 tāshi ❶ 〈形 *adj.*〉扎实，实在 down-to-earth; steadfast: ~工作 ~*gōngzuò* work steadfastly | 学习~ *xuéxí* ~ study steadfastly | 踏踏实实的作风 *tātā-shíshí de zuòfēng* in down-to-earth way ❷ 〈形 *adj.*〉(情绪)安定，安稳 with peace of mind; free from anxiety: 父亲已经脱离危险，他的心总算~了下来。*Fùqīn yǐjīng tuōlí wēixiǎn, tā de xīn zǒngsuàn* ~*le xiàlái.* When his father is out of danger, he feels at ease finally. | 这回把任务交给你们，我就~了。*Zhè huí bǎ rènwù jiāo gěi nǐmen, wǒ jiù* ~ *le.* This time I feel disburdened to have the task assigned to you.

² 塔 tǎ ❶ 〈名 *n.*〉佛教特有的建筑物，俗称'宝塔' tower; pagoda, commonly called '宝塔 bǎotǎ': 木~ *mù* ~ wooden tower | 佛~ *fó* ~ Buddhist pagoda | 聚沙成~(比喻积少成多) *jùshā-chéng*~(*bǐyù jīshǎochéngduō*) accumulate enough sand grains to make a pagoda (*fig.* many a little makes a mickle) ❷〈名 *n.*〉形状类似塔的建筑物 tower; pagoda-shaped structure：水~ *shuǐ* water tower ｜ ~楼~*lóu* tower; turret ｜ ~吊~ *diào* tower crane ｜ 象牙~ *xiàngyá* ivory tower ｜ 发射~ *fāshè* launching tower ｜ 裂化~ *lièhuà* cracking tower

³ 踏 tà ❶〈动 *v.*〉踩；迈入 tread; stamp：~步 ~*bù* mark time ｜ ~板 ~*bǎn* pedal ｜ 践~ *jiàn* ride down; strample ｜ 脚~实地（比喻做事认真而实在）*jiǎo~-shídì* (*bǐyù zuòshì rènzhēn ěr shízài*) down-to-earth (*fig.* be serious and honest in doing things) ｜ 进社会 ~*jìn shèhuì* go into the society ❷〈动 *v.*〉实地查看 make on-the-spot investigation：~看~ *kàn* make an on-the-spot survey ｜ 勘~ *kān* survey; investigate ｜ 访~ *fǎng* make an on-the-spot study and investigation

² 台 tái ❶〈名 *n.*〉高而平的建筑物（供专用）deck; terrace：凉~ *liáng* balcony; veranda ｜ 观礼~ *guānlǐ* reviewing stand; visitors' stand ｜ 烽火~ *fēnghuǒ* beacon tower ❷〈名 *n.*〉高出地面的设施，专用于集会时讲话或表演，也用来喻指权力或官职 platform; stage：讲~ *jiǎng* podium ｜ 舞~ *wǔ* stage ｜ 主席~ *zhǔxí* rostrum ｜ 上~执政 *shàng zhízhèng* assume power; come into power ｜ 内阁垮~ *Nèigé kuǎ~*. The cabinet fell from power. ❸〈名 *n.*〉某些像台的东西或类似桌子的器物 platform-like thing：写字~ *xiězì* secretaire ｜ 窗~ *chuāng* windowsill ｜ 柜~ *guì* counter ｜ 梳妆~ *shūzhuāng* dresser; toilet table ❹〈名 *n.*〉器物的底座或架子 stand; support：炮~ *pào* emplacement ｜ 烛~*zhú* candlestick ｜ 灯~ *dēng* lamp stand ❺〈名 *n.*〉某些机构的名称 names for some organizations：电视~ *diànshì* television station ｜ 天文~ *tiānwén* astronomical observatory; observatory ｜ 查号~ *cháhào* information directory desk ❻〈名 *n.*〉'台风'的简称，即'热带气旋' typhoon; tropical cyclone, a shortened form of '台风*táifēng*'：做好防~抗~的工作。*Zuòhǎo fáng ~ kàng ~ de gōngzuò*. Make good preparations against typhoon. ❼(Tái)〈名 *n.*〉中国台湾省的简称 an abbreviation for Taiwan Province of China：~商 ~*shāng* businessmen from Taiwan ｜ ~胞~*bāo* compatriot from Taiwan ｜ ~港~电影 *Gǎng ~ diànyǐng* Hong Kong and Taiwan films ❽〈量 *meas.*〉用于演出或戏剧 referring to a performance or theater：一~舞剧 *yì ~ wǔjù* a dance drama ｜ 春节期间，多~相声晚会将丰富城市的舞台节目。*Chūn Jié qījiān, duō ~ xiàngsheng wǎnhuì jiāng fēngfù chéngshì de wǔtái jiémù*. During the Spring Festival, a lot of comic dialogue performances will be shown to enrich the stage in the cities. ❾〈量 *meas.*〉用于机器、设备和某些乐器等 referring to a piece of machinery or equipment, also some musical instruments：一~机车 *yì ~ jīchē* a locomotive ｜ 几~电脑 *jǐ ~ diànnǎo* several computers ｜ 一~钢琴 *yì ~ gāngqín* a piano

⁴ 台风 táifēng ❶〈名 *n.*〉(场cháng) 形成于海洋上的热带空气漩涡，一种非常猛烈的风暴 typhoon：~警报~ *jǐngbào* typhoon alarm ｜ ~中心风力有十二级。~ *zhōngxīn fēnglì yǒu shí'èr jí*. The velocity of typhoon reaches twelve on the Beaufort scale near its center. ❷〈名 *n.*〉指演员在舞台上演出时体现出的气度、风范 (of performers) demeanor on stage：~不正，势必影响演员的声誉。~ *bú zhèng, shìbì yǐngxiǎng yǎnyuán de shēngyù*. Uncomely stage style will certainly have bad influence on the reputation of the performers.

⁴ 台阶 táijiē ❶〈名 *n.*〉(级jí)在大门前或斜坡上一级一级的供人上下的平面 step; staircase：水泥~ *shuǐní* concrete steps ｜ 出门下~注意一些。*Chūmén xià ~ zhùyì yìxiē*. Be careful when you get down the stairways. ❷〈名 *n.*〉(个gè)比喻让人摆脱困境、难堪局面的途径或机会；也比喻工作、学习等开创新局面 chances to extricate sb. from embarrassment or predicament; a new phase in work or study：给自己找~ *gěi zìjǐ zhǎo*

find oneself a way out｜争取再上一个新~ zhēngqǔ zài shàng yí gè xīn ~ try to reach a new height

¹抬 tái ❶〈动 v.〉朝上托举；往上提 lift; raise：~举 ~jǔ favor sb.｜~头挺胸 ~tóu-tǐngxiōng raise one's head and straighten one's back｜~腿就走 ~tuǐ jiù zǒu uplift one's foot and go｜哄~物价 hōng~wùjià drive up prices ❷〈动 v.〉众人用手、肩共同搬运 (of two or more persons) carry：~筐 ~kuāng carry a basket｜~担架 ~dānjià carry a stretcher｜把行李~过来。Bǎ xíngli ~ guòlái. Move the baggage over here. ❸〈动 v. 口 colloq.〉争辩或吵架 quarrel; argue：~杠 ~gàng bicker; wrangle｜两人一说就~起来。Liǎng rén yì shuō jiù ~ qǐlái. They two would quarrel whenever they talked with each other.

¹太 tài ❶〈副 adv.〉表示程度极高 (多用于赞叹) superb; super; very (used positively)：~美丽了。~ měilì le. It's so beautiful.｜~好了。~ hǎo le. It's very good.｜令人感动的~ lìngrén gǎndòng le. It's so touching. ❷〈副 adv.〉表示程度过分或过头 (多用于不如意或不满意) excessively; too; over：商场里~挤了。Shāngchǎng li ~ jǐ le. The department store is overcrowded.｜吃得~多了，会消化不良的。Chī de ~ duō le, huì xiāohuà bùliáng de. You will suffer indigestion if you eat too much. ❸〈副 adv.〉前面加'不'，使否定程度减弱，语气委婉 rather; quite, used after '不bú' to make the tone less strong：她不~想来。Tā bú ~ xiǎng lái. She is rather unwilling to come.｜学生不~满意这位老师的讲课。Xuésheng bú ~ mǎnyì zhè wèi lǎoshī de jiǎngkè. Students are not quite satisfied with the teacher's lecture. ❹〈副 adv.〉后面加'不'，加强否定程度，语气直接而强烈 very; extremely, used before '不bù' to emphasize and make the negative direct and strong：附近没有商店，~不方便了。Fùjìn méiyǒu shāngdiàn, ~ bù fāngbiàn le. It's so inconvenient without a shop nearby.｜自吹自擂者~无自知之明了。Zìchuī-zìléi zhě, ~ wú zìzhīzhīmíng le. Those who are self-dramatizing have not enough ability to know themselves thoroughly. ❺〈形 adj.〉高；大 highest; greatest：~空 ~kōng outer space｜~古 ~gǔ remote antiquity｜~学 (中国古代的最高学府) ~xué (Zhōngguó gǔdài de zuìgāo xuéfǔ) Imperial College (the highest institution of learning in ancient China)｜~仓一粟 (比喻极其渺小，微不足道) ~cāng-yísù (bǐyù jíqí miǎoxiǎo, wēibùzúdào) a grain of millet in a huge granary; a drop of water in the ocean (fig. negligible; insignificant) ❻〈形 adj.〉身份或辈分大两辈 senior; great：~爷 ~yé paternal grandfather｜~祖母 ~zǔmǔ great grandmother｜~上皇 ~shànghuáng super sovereign

⁴太空 tàikōng ❶〈名 n.〉极其高远的天空 high sky; heaven; firmament：遨游于~ áoyóu yú ~ fly in the high sky｜群星闪烁在~。Qúnxīng shǎnshuò zài ~. A galaxy of stars are shining in the sky. ❷〈名 n.〉地球大气层以外的宇宙空间 outer space; astrospace outside the atmosphere：~人 ~rén astronaut｜~飞船 ~fēichuán spaceship｜探索~奥秘 tànsuǒ ~ àomì explore the mystery of the outer space.

⁴太平 tàipíng〈名 n.〉社会安定祥和 (of society) peace and stability：~的日子~ de rìzi peaceful life｜~生活 ~ shēnghuó uneventful life｜安享~ ānxiǎng ~ enjoy peace and stability｜天下~ tiānxià ~ universal peace and tranquility.

²太太 tàitai ❶〈名 n.〉(位wèi) 对已婚女子的尊称 (前面多冠以丈夫的姓) Mrs.：王~ Wáng ~ Mrs. Wang ❷〈名 n.〉对自己或他人妻子的称呼 wife; Mrs.：我~不在家。Wǒ ~ bú zài jiā. My wife is not at home.｜他~和他都是老师。Tā ~ hé tā dōu shì lǎoshī. He and his wife are both teachers. ❸〈名 n.〉旧时称官员的妻子或仆人称女主人 madam; lady：局长~ júzhǎng ~ the director-general's wife｜军官~ jūnguān ~ an officer's wife｜老爷不在家时，我们~就说了算! Lǎoye bú zài jiā shí, wǒmen ~ jiù shuōle suàn! When

the master is not at home, our madam would have the say.

¹ 太阳 tàiyáng ❶〈名 n.〉(个 gè) 地球围绕旋转的恒星，从它那里得到光和热 sun：~帽 ~mào sunbonnet｜清晨的 ~ qīngchén de ~ the morning sun｜~系 ~xì the solar system｜~的光芒要8分多钟才能到达地球。~ de guāngmáng yào bā fēn duō zhōng cái néng dàodá dìqiú. Sunlights will travel eight minutes to reach the earth. ❷〈名 n.〉指阳光 sunshine; sunlight：晒 ~ shài ~ bask in the sun｜今天没 ~ Jīntiān méi ~. It's cloudy today.

⁴ 太阳能 tàiyángnéng〈名 n.〉太阳所发出的能量，是地球上光和热的源泉 solar energy：~资源 ~ zīyuán source of solar energy｜~是绿色能源。~ shì lǜsè néngyuán. Solar energy is a kind of clean energy.

¹ 态度 tàidu ❶〈名 n.〉神情，仪态 manner; conduct：~安详 ~ ānxiáng have a composed manner｜耍~ shuǎ ~ lose one's temper｜谦和的 ~ qiānhé de ~ modest manner ❷〈名 n.〉(种 zhǒng) 对人对事的看法和应对的行动 attitude：表明 ~ biǎomíng ~ make known one's position; declare one's stand｜~暧昧 ~ àimèi take an equivocal attitude｜学习的 ~ xuéxí de ~ attitude towards learning

¹ 泰然 tàirán〈形 adj.〉安定、镇静或若无其事的样子 composed; calm：十分 ~ shífēn ~ be very calm｜~处之 ~-chǔzhī bear with equanimity｜~自若 ~-zìruò behave with perfect composure

⁴ 贪 tān ❶〈动 v.〉竭力谋取钱、财、物，不知满足 be greedy for; have an insatiable desire for：~财 ~cái be greedy; be avaricious｜~得无厌 ~-dé-wúyàn be gluttonously ravenous; flay a flint｜小时懒，大时 ~ xiǎo shí lǎn, dà shí ~ be lazy in childhood and greedy when grown-up ❷〈动 v.〉借助各种便利，非法取得财物 defalcate; graft：~污 ~-wū embezzle; practice graft｜~官污吏 ~guān wūlì corrupt officials｜~赃枉法 ~zāng-wǎngfǎ take bribes and pervert the law ❸〈动 v.〉片面追求，迷恋 covet; hanker after：~吃~睡 ~ chī ~ shuì hanker after eating and sleeping｜~玩儿 ~wánr be fond of enjoyment｜~图享受 ~tú xiǎngshòu seek a leisurely life｜~生怕死 ~shēng-pàsǐ grudge one's life and dread death; be mortally afraid of death

⁴ 贪污 tānwū〈动 v.〉利用职务便利非法获取钱财 embezzle; practice graft：~渎职 ~dúzhí practice graft and misconduct in office｜~腐化 ~ fǔhuà embezzlement and corruption｜反~ ~fǎn fight against embezzlement

³ 摊 tān ❶〈动 v.〉平铺；摆开，展开 lay out; spread out：~鸡蛋 ~ jīdàn scramble eggs; make an omelet｜~开 ~kāi lay out｜不要把被子~在床上。Búyào bǎ bèizi ~ zài chuáng shang. Don't spread the quilt on the bed.｜大家的想法都~到桌面上来，不要在背后瞎议论。Dàjiā de xiǎngfǎ dōu ~ dào zhuōmiàn shang lái, búyào zài bēihòu xiā yìlùn. Please put your opinions on the table and don't discuss them irresponsibly at the backside. ❷〈动 v.〉分派；分担 share; apportion：~派 ~pài apportion｜分~ fēn~ distribute｜今天的活儿，大家平~了。Jīntiān de huór, dàjiā píng ~ le. We will share today's work. ❸〈动 v.〉碰上；落到 (指不如意的事) befall; happen to：这事谁~上谁倒霉。Zhè shì shéi ~shàng shuí dǎoméi. Whoever comes across it will be down on his luck.｜心烦的事都让我~上了。Xīnfán de shì dōu ràng wǒ ~shàng le. All these troubles have happened to me. ❹(~儿)〈名 n.〉没有铺面的临时售货点儿，多摆在街头路边 booth; stall：~主 ~zhǔ street pedlar｜~位 ~wèi vendor's stand; booth｜路边~ lùbiān~ roadside stall｜烂~子 làn~zi an awful mess ❺〈量 meas.〉用于摊开的小片的液体或糊状物 a measure word, referring to a pond or pool of some liquid：一~水 yì ~ shuǐ a pool of water｜一~狗屎 yì ~ gǒushǐ a mud of dog's dung

³ **滩** tān ❶〈名 n.〉河、湖、海边比岸低的地方，这种地方一般是水涨时淹没，水退时露出 waterfront; sands; beach: 沙~ shā~ sands; sand beach | 海~ hǎi~ beach; seashore | 涂~tú low-lying beach land | ~头阵地 ~tóu zhèndì beachhead ❷〈名 n.〉江河中水浅、流急、有漩涡的地方 shoal; rapid: 险~ xiǎn~ perilous shoals and rapids | 暗~ àn~ hidden shoals | ~礁 ~jiāo beach reef | ~多浪大 ~duō làng dà with many shoals and big waves

⁴ **瘫痪** tānhuàn ❶〈动 v.〉身体某部分的运动能力不同程度的丧失 palsy: 半身~ bàn shēn ~ hemiplegia | 与身体~做斗争 yǔ shēntǐ ~ zuò dòuzhēng fight against paralysis ❷〈动 v.〉指机构涣散，指挥失灵，不能正常运作或陷于停顿 paralyse; be at a standstill; break down; (of an organization) total stoppage or severe impairment of activity: 停电致使大楼通讯系统~. Tíng diàn zhìshǐ dàlóu tōngxùn xìtǒng ~. The communication system in the building broke down when the power cut occurred. | 罢工造成工厂~. Bàgōng zàochéng gōngchǎng ~. The factory was paralysed by the strike.

⁵ **坛** tán ❶〈名 n.〉用土、石筑成的高台，古时用于重大仪式 altar: 天~ Tiān~ Temple of Heaven | 地~ Dì~ Temple of Earth | 登~拜将 dēng~ bàijiàng step on the altar and hold the ceremony to appoint a general ❷〈名 n.〉点缀庭院环境的台子，多摆设或种植花草 terrace; flowerbed: 花~ huā~ flowerbed ❸〈名 n.〉指文艺和体育系统的界别 literary circles; sports circles: 文~ wén~ literary circles | 影~ yǐng~ movie world | 体~ tǐ~ sports world | 足~ zú~ football circles ❹〈名 n.〉供演讲、讲学的场所；供发表言论的报刊或专栏 place for speech or lecture; also referring to certain newspapers, magazines or columns: 论~ lùn~ forum; tribune | 讲~ jiǎng~ platform; dais; stand |《军事论~》'Jūnshì Lùn~' Military Forum ❺〈名 n.〉陶器的一种，口小肚大，用来盛酒、醋等 earthen jar: ~~罐罐 ~~guànguàn pots and pans | 酱菜~ jiàngcài~ pickles jar ❻〈量 meas.〉用于坛子装的食物或用品 earthen jar; jug: 一~酒 yì ~ jiǔ a jar of wine | 两~醋 liǎng ~ cù two jars of vinegar | 那里有几~硫酸，注意别碰着. Nàli yǒu jǐ ~ liúsuān, zhùyì bié pèngzhe. There are several jars of sulphuric acid over there. Be careful not to touch them.

¹ **谈** tán ❶〈动 v.〉说；互相对话 talk; discuss: ~恋爱 ~ liàn'ài make boyfriend (or girlfriend) with | 交~ jiāo~ talk | 笔~ bǐ~ written dialogue | ~心 ~xīn have a heart-to-heart talk | 他们总~不拢. Tāmen zǒng ~ bù lǒng. They can hardly make an agreement through talk. ❷〈名 n.〉言论；主张；说的话 remark; uttering: 美~ měi~ salutary tale | 言~话语 yán~ huàyǔ speeches and dictions | 奇~怪论 qí~guàilùn ridiculous theory

² **谈话** tánhuà Ⅰ tán//huà ❶〈动 v.〉双方或多方交谈 chat; discuss: 跟他~很有意思. Gēn tā ~ hěn yǒu yìsi. It's very interesting to talk with him. | 姐妹俩总有谈不完的话. Jiěmèi liǎ zǒng yǒu tán bù wán de huà. The two sisters seem to have endless talk. | 你们的话已经谈完了吗? Nǐmen de huà yǐjīng tánwán le ma? Have you finished your talk? ❷〈动 v.〉（上级对下级、老师对学生、长辈对晚辈）提出意见、方案或要求 talk; speak; (of superior to subordinate, teacher to student, or senior to junior) advise; ask: 明天，领导要找你~. Míngtiān, lǐngdǎo yào zhǎo nǐ ~. The leader will talk with you tomorrow. | 老师和学生谈了一小时的话. Lǎoshī hé xuésheng tánle yì xiǎoshí de huà. The teacher has talked with the student for an hour. | 奶奶已经和孙子谈过话了. Nǎinai yǐjīng hé sūnzi tánguo huà le. Grandmother has talked with her grandson. Ⅱ tánhuà〈名 n.〉用讲话的形式来发表庄重而重大的意见 statement issued in the form of an interview: 市长的~已经见报. Shìzhǎng de ~ yǐjīng jiànbào. The mayor's statement has been printed in the newspaper. | 在~时，他提出了一个重要的问题. Zài ~ shí, tā tíchūle yí gè zhòngyào de

wèntí. He brought forward an important question in the discussion.

³ **谈论** tánlùn 〈动 v.〉交谈议论 talk about：~问题 ~*wèntí* talk about the problem｜关于公司的发展方向我们已经~过几回了。*Guānyú gōngsī de fāzhǎn fāngxiàng wǒmen yǐjīng ~guo jǐ huí le.* We have talked several times about the direction of the company's development.

² **谈判** tánpàn 〈动 v.〉共同就有关问题进行审慎地商讨 negotiate, talk with sb. seriously about certain problems：~桌 ~*zhuō* negotiation table｜进展不大。~*jìnzhǎn bú dà.* There is little achievement in the negotiations.｜各方都有~的诚意。*Gè fāng dōu yǒu ~de chéngyì.* Every side has the sincerity for negotiations.

⁴ **谈天** tán//tiān (~儿) 〈动 v.〉闲聊 chat; conversate：~论地 ~ *lùndì* talk about everything under the sun; random talk｜两人在~儿。*Liǎng rén zài ~r.* The two men are chatting now.｜平时，我们总能在一起谈一会儿天儿。*Píngshí, wǒmen zǒng néng zài yìqǐ tán yíhuìr tiānr.* At normal times, we can always find time to chat for a little while.

² **弹** tán ❶〈动 v.〉借助一物的作用力使另一物射出去 shoot; send forth：~射 ~*shè* catapult; shoot｜~跳 ~*tiào* bounce; spring｜球在网前~了几下。*Qiú zài wǎng qián ~le jǐ xià.* The ball bounced several times before the net. ❷〈动 v.〉用手指或器具拨动或敲打乐器 play（with one's fingers or an object）：~奏 ~*zòu* play（the musical instrument）｜~拨朵 ~*bōyuè* plucked music｜~词（一种流行于中国东南各省的曲艺）~ *cí*（*yì zhǒng liúxíng yú Zhōngguó dōngnán gè shěng de qǔyì*）storytelling; *tanci*（a genre of ballad singing popular in southeast provinces of China）｜老调重~（比喻把陈旧的理论或观点又端出来）*lǎodiào-chóng~*（*bǐyù bǎ chénjiù de lǐlùn huò guāndiǎn yòu duān chūlái*）harp on the same string（*fig.* put forward outmoded theories or notions）❸〈动 v.〉利用手指间的弹力触物，使其移动 flick; flip：~烟灰 ~*yānhuī* flick cigarette ash｜~冠相庆（指为即将做官的人而互相祝贺）~*guān-xiāngqìng*（*zhǐ wèi jìjiāng zuòguān de rén ér xiānghù zhùhè*）congratulate each other and dust off their old official hats in anticipation of fat jobs（congratulate each other on the prospect of getting good appointments）｜把帽子上的土一去。*Bǎ màozi shang de tǔ ~qù.* Beat the dust off the hat. ❹〈动 v.〉借助弓弦的振动使纤维变松软 fluff; tease：~棉花 ~*miánhuā* fluff cotton with a bow ❺〈动 v.〉检举；抨击 accuse; impeach：~劾 ~*hé* impeach｜~抨 ~*pēng*~ accuse ❻〈动 v.〉洒出（泪）shed; cry：~泪 ~*lèi* shed tears; cry in sorrow｜男儿有泪不轻~。*Nán'ér yǒu lèi bù qīng ~.* Boys don't cry（Men only weep when deeply grieved）. ❼〈形 adj.〉有弹性的 elastic：~力 ~*lì* elasticity｜~簧 ~*huáng* spring ☞dàn，p. 180

⁴ **痰** tán 〈名 n.〉（口 kǒu）肺部和气管里分泌出的黏液 phlegm; sputum：~盂 ~*yú* spittoon; cuspidor｜吐~ tǔ~ spit｜化~止咳 huà~ zhǐké rid of phlegm and stop coughing

⁴ **潭** tán 〈名 n.〉深水塘，深水坑（属自然形成的）deep pond：深~ *shēn*~ deep pond｜泥~ *ní*~ mud pit｜一~死水（比喻没有生机的局面）yì ~ *sǐshuǐ*（*bǐyù méiyǒu shēngjī de júmiàn*）a pond of stale water（*fig.* lifeless situation）｜龙~虎穴（比喻十分凶险的地方）*lóng~-hǔxué*（*bǐyù shífēn xiōngxiǎn de dìfang*）dragon's pool and tiger's den（*fig.* extremely dangerous place）

⁴ **坦白** tǎnbái ❶〈形 adj.〉品行诚实，心地纯正，言语直率 honest; guileless：~乐观 *lèguān* honest and optimistic｜襟怀~ *jīnhuái* unselfish and magnanimous｜~地说，大家没有对不起你的地方。~ *de shuō*, *dàjiā méiyǒu duìbùqǐ nǐ de dìfang.* Frankly speaking, nobody does you any harm. ❷〈动 v.〉如实说出（错误或罪行），不留隐情 confess（or admit）one's mistake or crime：~交代问题 ~*jiāodài wèntí* confess one's problems

| ~从宽，抗拒从严。~-cóngkuān, kàngjù-cóngyán. Those who make confession will receive leniency, and those who refuse to do so would be punished with severity.

³ **坦克** tǎnkè 〈名 n. 外 forg.〉(辆liàng)英语 tank 的音译，配有旋转炮塔的履带式装甲战车 tank; armoured combat vehicle that is mounted with revolving barbette

² **毯子** tǎnzi 〈名 n.〉(条tiáo、床chuáng)较厚的毛绒织物 blanket：一条～yì tiáo ~ a blanket｜把～拿出去晒一晒。Bǎ ~ ná chūqù shài yí shài. Take the blanket out in the sun.

⁴ **叹** tàn ❶〈动 v.〉由于哀愁、悲伤或感慨而发出的长声、短气 sigh：长～cháng~ moan｜～息～xī sigh｜望洋兴～(比喻做事时因能力不够而无可奈何) wàngyáng-xīng~ (bǐyù zuòshì shí yīn nénglì búgòu ér wúkěnàihé) view the vast ocean with despair (fig. feel powerless and frustrated at the thought of so many difficulies) ❷〈动 v. 书 lit.〉发出赞美声 acclaim; praise：~服~fú gasp in admiration｜～赏~shǎng express admiration for｜感～gǎn~ sigh with emotion｜惊～jīng~ wonder at; marvel at｜为观止~wéiguānzhǐ hail sth. as the acme of perfection ❸〈动 v. 书 lit.〉吟咏 recite：咏~yǒng~ intone; sing｜～诵~sòng chant

³ **叹气** tàn//qì 〈动 v.〉内心愁苦、哀伤而发出长声、短气 sigh, let out a deep breath to express one's inner sadness, sorrow, etc.：唉声～āishēng-~ sigh in dismay｜摇头～yáotóu ~ shake one's head and let out a sigh｜面对挫折，～是没有用的。Miànduì cuòzhé, ~ shì méiyǒu yòng de. It is no use to sigh in the face of frustration.｜叹了叹气，他又接着说。Tànle tàn qì, tā yòu jiēzhe shuō. He continued his words after a sigh.｜你怎么又叹起气来了? Nǐ zěnme yòu tànqǐ qì lái le? Why do you sigh again?

⁴ **炭** tàn ❶〈名 n.〉(块kuài)木炭 charcoal：～火 ~huǒ charcoal fire｜～盆 ~pén charcoal brazier (container for burning charcoal to get warmth)｜雪中送～(比喻在他人遇到困难时及时给予帮助) xuězhōng-sòng~(bǐyù zài tārén yùdào kùnnan shí jíshí jǐyǔ bāngzhù) offer charcoal in snowy weather (fig. provide timely help) ❷〈名 n.〉像炭一样的东西 charcoal-like things：石～shí~ coal｜泥～ní~ peat

² **探** tàn ❶〈动 v.〉将手伸进去掏取或摸索 dive into：～取 ~qǔ take｜～囊取物 ~nángqǔwù take sth. out of the pouch ❷〈动 v.〉深入寻求 search for; explore：～矿 ~kuàng prospecting｜～险 ~xiǎn explore; tread on uncharted territory｜～照灯 ~zhàodēng searchlight｜～源溯流 (寻求事物的源流) ~yuán-sùliú (xúnqiú shìwù de yuánliú) go up stream to look for the headstream (fig. trace back to the source of sth.)｜钻～zuàn~ drilling｜勘～kān~ prospect ❸〈动 v.〉看望；访问 call on; visit：~看 ~kàn pay a call on｜～监 ~jiàn visit a prisoner｜～亲访友 ~qīn fǎngyǒu visit relatives ❹〈动 v.〉伸出 crane; stretch out：~身 ~shēn stretch one's body｜～头～脑 ~tóu~nǎo pop one's head in and look about ❺〈动 v.〉暗中察看、打听 look into; inquire：侦～zhēn~ detective; spy｜窥～kuī~ spy upon; pry into｜刺～cì~ detect; make indirect or secret inquiries｜~察 ~chá observe; look carefully at｜~听 ~tīng find out about sth.｜这次先一～对方的口气。Zhè cì xiān ~ yí ~ duìfāng de kǒuqì. This time try to find out their attitude first. ❻〈名 n.〉打探、侦察的人 spy; scout：坐～zuò~ mole｜暗～àn~ secret agent｜~子 ~zi spy

⁴ **探测** tàncè 〈动 v.〉利用仪器观察、测量 explore; probe, observe and measure sth. with instrument：~仪 ~yí detector; explorer｜星空～xīngkōng ~ explore the starry sky｜~海洋矿藏 ~hǎiyáng kuàngcáng explore deepsea minerals

⁴ **探亲** tàn//qīn 〈动 v.〉看望亲属(多指父母或配偶) go back home to see one's family：~访友 ~fǎngyǒu visit one's relatives and friends｜每逢年节长假，外出的人们都会回

家~。*Měiféng niánjié chángjià, wàichū de rénmen dōu huì huíjiā ~.* Whenever Spring Festival comes, people away from home would return to visit their families on long holidays. ｜刚探过亲，你怎么又要回去？*Gāng tànguo qīn, nǐ zěnme yòu yào huíqù?* You just returned from a visit of your family. Why do you want to go back home again?

³ **探索** tànsuǒ ❶〈动 v.〉探寻和求索 explore; probe：~真理 ~ *zhēnlǐ* seek for the truth ｜~自然的奥妙 ~ *zìrán de àomiào* probe the mystery of the Nature ❷〈名 n.〉求索，探寻的过程 exploration：有益的~ *yǒuyì de* ~ a meaningful exploration ｜人类对宇宙的~不会停止。*Rénlèi duì yǔzhòu de* ~ *bú huì tíngzhǐ.* Man will never stop the exploration of the universe.

⁴ **探讨** tàntǎo〈动 v.〉寻究和研讨 inquire into; discuss：~ 学问 ~ *xuéwèn* discuss the learning ｜进行~ *jìnxíng* ~ make a discussion ｜大家一起来~一下解决问题的方法。*Dàjiā yìqǐ lái* ~ *yíxià jiějué wèntí de fāngfǎ.* Let's discuss the way to solve the problem.

⁴ **探头探脑** tàntóu-tànnǎo〈成 idm.〉一会儿伸头张望，一会儿又躲避不露（含贬义）pop one's head in and look about：你小子~地看什么呢？*Nǐ xiǎozi* ~ *de kàn shénme ne?* What are you prying about?

⁴ **探望** tànwàng ❶〈动 v.〉窥探，张望（试图有所发现）look about：四处~ *sìchù* ~ look all around ｜时局吃紧，他总不时地~城里的风声。*Shíjú chījǐn, tā zǒng bùshí de* ~ *chéng li de fēngshēng.* The current political situation was rather urgent, and he frequently pried into the news in the city. ❷〈动 v.〉（专程或远道）看望 call on; visit：~亲友 ~ *qīnyǒu* visit family and friends ｜登门~ *dēngmén* ~ pay sb. a visit

¹ **汤** tāng ❶〈名 n.〉热水；开水（古义，多保留在成语中）hot water; boiling water：赴蹈火（比喻奋不顾身，不惧险阻）*fù–~dǎohuǒ*（*bǐyù fènbúgùshēn, bú jù xiǎnzǔ*）go through fire and water (*fig.* be ready to risk one's life) ｜扬~止沸（比喻暂时解决问题，却无法根本解决问题）*yáng~zhǐfèi*（*bǐyù zànshí jiějué wèntí, què wúfǎ gēnběn jiějué wèntí*）stop water from boiling by scooping it up and pouring it back (*fig.* use an ineffectual remedy) ❷〈名 n.〉（碗wǎn、锅guō）煮食物后得到的汁水或烹调出的美味汁水 soup or water in which sth. has been cooked：面 ~ *miàn*~ noodle soup ｜饺子~ *jiǎozi*~ dumpling soup ｜鸡蛋~ *jīdàn*~ egg soup ｜酸辣~ *suānlà*~ sour and hot soup ｜匙 ~ *chí* tablespoon; soupspoon ❸〈名 n.〉特指汤药 decoction：中药~ *zhōngyào*~ decoction of the Chinese traditional medicine ｜~剂 ~ *jì* decoction ｜换~不换药（比喻只改变形式，不改变内容）*huàn~ bú huànyào*（*bǐyù zhǐ gǎibiàn xíngshì, bù gǎibiàn nèiróng*）same medicine under a different name (*fig.* change in form but not in content)

⁴ **塘** táng ❶〈名 n.〉堤岸；提防 dyke; embankment：~坝 ~*bà* small reservoir (in hilly area) ｜海~ *hǎi*~ seawall ❷〈名 n.〉（个gè、片piàn）水池 pool：池~ *chí*~ pond ｜鱼~ *yú*~ fish pond ｜荷~ *hé*~ lotus pond ｜泥~ *ní*~ silt in a pond ❸〈名 n.〉浴池 bathing pool：澡~ *zǎo*~ bathhouse ｜盆~ *pén*~ tub bath

¹ **糖** táng ❶〈名 n.〉有机化合物的一类，人体内产生热能的主要物质 carbohydrate, a kind of organic compound and the major substance to produce heat in human body ❷〈名 n.〉食用糖的统称 a general term for sugar：砂~ *shā*~ (brown or white) sugar ｜~葫芦 ~*húlú* sugarcoated haws ｜~尿病 ~*niàobìng* diabetes ｜~包 ~*bāo* sugar-stuffed bun ｜衣药片 ~*yī yàopiàn* sugarcoated tablet ❸〈名 n.〉（块kuài、颗kē）特指颗粒状的糖块儿 sweets; confection：太妃~ *tàifēi*~ toffee ｜花生~ *huāshēng*~ peanut drops

⁴ **糖果** tángguǒ〈名 n.〉（盒hé、包bāo）各类糖制食品的统称 sweets; confection; candy：~商店 ~ *shāngdiàn* confectionary ｜睡前尽量少吃~。*Shuì qián jǐnliàng shǎo chī* ~. Try to eat as little candy as possible before sleep.

³**倘若** tǎngruò〈连 *conj.*〉如果;假如(表示假设关系,后面常跟'就''便'等) if (used in adverbial clause of condition, usually followed by 'jiùjiù', 'biànbiàn', etc.): 下周~还有问题, 就再来看医生。*Xià zhōu ~ háiyǒu wèntí, jiù zài lái kàn yīshēng.* If there is still any problem next week, you may come to see the doctor again. | ~大家都不管, 那么只有任其发展了。 ~ *dàjiā dōu bù guǎn, nàme zhǐyǒu rèn qí fāzhǎn le.* If nobody wants to take care of it, we can only let it go at that.

¹**躺** tǎng ❶〈动 *v.*〉身体横卧(在其他物体上) recline; lie: ~椅 ~yǐ deck chair; sling chair | 横~竖卧 héng~-shùwò in disorder; higgledy-piggledy | 那只猫舒服地~在沙发上。*Nà zhī māo shūfu de ~ zài shāfā shang.* The cat is lying comfortably in the sofa. | 他累得~下了。*Tā lèi de ~xià le.* He was so tired that he fell ill eventually. | 请不要~在成绩簿上自我欣赏。*Qǐng bú yào ~ zài chéngjībù shang zìwǒ xīnshǎng.* Don't indulge yourself in the achievements you have already made. ❷〈动 *v.*〉物体平放或横倒(在地上) recline; lie flat on the ground: 车站牌被风刮得~在了路边。*Chēzhànpái bèi fēng guā de ~ zài le lùbiān.* The bus-station signboard was blowed down on the roadside.

²**烫** tàng ❶〈动 *v.*〉皮肤接触高温物体而感到疼痛或受灼伤 scald; burn: ~嘴 ~zuǐ feel hot to the mouth | 小心, 别~着!*Xiǎoxīn, bié ~zhe!* Be careful not to be scalded. ❷〈动 *v.*〉通过高温使另一物体温度升高或产生变化 heat: ~酒 ~ jiǔ warm a cup of wine in hot water | ~头发 ~tóufa get a perm | 睡前用热水~一~脚。*Shuì qián yòng rèshuǐ ~ yí ~ jiǎo.* Warm your feet with hot water before going to bed. | 衣服被~坏了。*Yīfu bèi ~ huài le.* My clothes are spoiled in ironing. ❸〈形 *adj.*〉温度很高 very hot; scalding: 孩子烧得浑身滚~, 需要看医生。*Háizi shāo de húnshēn gǔn~, xūyào kàn yīshēng.* The child is burning hot with fever. He needs to see the doctor. | 杯子里刚刚倒进了开水, 所以很~。*Bēizi li gānggāng dàojìnle kāishuǐ, suǒyǐ hěn ~.* The glass is just filled with boiling water, so it's very hot.

²**趟** tàng ❶〈量 *meas.*〉用于往来行走一次 used to indicate a trip to some place: 送~货 sòng ~ huò make a delivering trip | 进这~城可把我累坏了。*Jìn zhè ~ chéng kě bǎ wǒ lèihuài le.* I am so tired to have had this trip to the town. | 刚才你上哪儿去了? 学生找了你三~。*Gāngcái nǐ shàng nǎr qù le? xuésheng zhǎole nǐ sān ~.* Where have you been? Your students have come here three times to look for you. ❷〈量 *meas.*〉用于列车开行的一往一来 used to indicate a train from one place to another: 十分钟前, 刚刚开走一~火车。*Shí fēnzhōng qián, gānggāng kāizǒu yí ~ huǒchē.* A train has just left ten minutes ago. | 从这里开往北京的车次, 一天有四~。*Cóng zhèli kāiwǎng Běijīng de chēcì, yì tiān yǒu sì ~.* There are four trains for Beijing from here every day. ❸〈量 *meas.*〉用于武术套路 used to indicate the stylized martial art: 一~拳 yí ~ quán a set of shadowboxing | 运动员练了几~剑术。*Yùndòngyuán liànle jǐ ~ jiànshù.* The player practices several sets of swordsmanship. ❹〈量 *meas.*〉用于成行或条形的东西 indicating sth. in line or row: 一~脚印 yí ~ jiǎoyìn a trail of footprints | 汽车堵了半~街。*Qìchē dǔle bàn ~ jiē.* Half of the street was blocked by cars. | 往前再走两~地, 就看见体育场了。*Wǎng qián zài zǒu liǎng ~ dì, jiù kànjiàn tǐyùchǎng le.* Go straight ahead for about two rows, and you will see the stadium. ❺(~儿)〈名 *n.*〉行列;行进中的队伍 procession: 杨树~儿 yángshù ~r lines of poplars | 队伍行进得很快, 新兵很难跟上~儿。*Duìwu xíngjìn de hěn kuài, xīn bīng hěn nán gēnshàng ~r.* The troop marched forward very fast, and the new recruits could hardly catch up with the procession. | 不抓紧学习的同学, 一学期下来会跟不上~儿的。*Bù zhuājǐn xuéxí de tóngxué, yì xuéqī xiàlái huì gēn bú shàng ~r de.* Those who don't study hard now will not keep up with the class by

the end of the term.

² **掏** tāo ❶〈动 v.〉(用手或工具)伸进去取或往外拿 draw out; pull out; fish out: ~钱儿 ~ qián take money out of the pocket │ ~手绢儿 ~ shǒujuànr take out a handkerchief │ ~心窝子(比喻无所保留) ~ xīnwōzi (bǐyù háowú bǎoliú) from the bottom of one's heart (*fig.* without reservation) ❷〈动 v.〉挖 dig: ~地道 ~ dìdào dig the underground tunnel │ 在门上~个洞, 把电话线接过去。Zài mén shang ~ gè dòng, bǎ diànhuàxiàn jiē guòqù. Bore a hole in the door, and put the telephone line through.

⁴ **滔滔不绝** tāotāo-bùjué ❶〈成 idm.〉形容水势盛大, 奔流不息 dash along; torrential: ~的洪水 ~ de hóngshuǐ torrential floods │ 江水~, 奔腾向前。Jiāngshuǐ ~, bēnténg xiàngqián. The river dashes along into the distance. ❷〈成 idm.〉比喻连续不断 continuous: ~地讲个没完 ~ de jiǎng gè méiwán talk on and on

² **逃** táo ❶〈动 v.〉迅速离开不利于自身的环境或事物 escape; flee; run away: ~跑 ~ pǎo run away │ ~犯 ~fàn escaper; escaped criminal │ 出~ chū~ flee; run away │ 潜~ qián~ abscond; flee secretly │ 望风而~(远远看见对方气势很大就赶紧逃跑) wàngfēng'ér~ (yuǎnyuǎn kànjiàn duìfāng qìshì hěn dà jiù gǎnjǐn táopǎo) run away at the mere sight of the attacker (*fig.* flee at the mere sight of the oncoming enemy) ❷〈动 v.〉躲避 evade; dodge; shun: ~学 ~xué play truant │ ~荒 ~huāng flee from famine-stricken area │ 罪责难~ zuìzé nán~ be hard to get away from one's responsibility for an offence

³ **逃避** táobì〈动 v.〉躲避或远离(不愿或不敢接触的人或事) evade; run away from: ~责任 ~zérèn escape from one's responsibility │ ~债务 ~zhàiwù evade one's debt │ 他~在外, 不敢回家。Tā ~ zài wài, bù gǎn huíjiā. He ran away and did not dare to go home. │ 面对困难, 是不能~的。Miànduì kùnnan, shì bù néng ~ de. One shouldn't adopt an evasive attitude before difficulties.

⁴ **逃荒** táo//huāng〈动 v.〉遇到灾难无法生存而去外地谋生 flee from the famine-stricken area: ~要饭 ~yàofàn beg around on one's way to flee from famine │ 四处~ sìchù~ lead a vagrant life │ 这个村里的人差不多都逃过荒。Zhège cūn li de rén chàbuduō dōu táoguo huāng. Almost all the people in this village have once fled famine outside.

⁴ **逃跑** táopǎo〈动 v.〉为躲避对自身不利的环境或事物而偷偷地离开 escape; run away: 设法~ shèfǎ ~ manage to escape │ ~在外 ~zài wài be still at large │ 罪犯~了。Zuìfàn ~ le. The criminal has escaped.

⁴ **逃走** táozǒu〈动 v.〉逃脱; 逃离 flee; escape; run away: 笼子里的小鸟~了。Lóngzi li de xiǎoniǎo ~ le. The cage bird has fled away. │ ~的乡亲又回来了。~ de xiāngqīn yòu huílái le. The villagers who ran away came back again.

³ **桃** táo ❶〈名 n.〉桃树, 一种落叶小乔木 peach tree: ~园 ~yuán peach garden │ ~林 ~lín peach woods ❷〈名 n.〉桃树的果实或花朵 peach, fruit or flower of the peach tree: ~子 ~zi peach │ ~脯 ~fǔ preserved peach │ 水蜜~ shuǐmì~ juicy peach │ ~色 ~sè pink │ ~红柳绿 ~hóng-liǔlǜ the red peach flowers and the green willows │ 投~报李(比喻有来有往, 互相赠答) tóu~bàolǐ (bǐyù yǒu lái-yǒu wǎng, hùxiāng zèngdá) give a plum in return for a peach (*fig.* make friendly contacts and exchange gifts) ❸(~儿)〈名 n.〉形状像桃的物体 peach-like things: 棉~儿 mián~r cotton ball │ 核~ hé~ walnut │ 扁~体 biǎn~tǐ tonsil

⁴ **桃花** táohuā〈名 n.〉桃树开的花(在中国古诗词中, 常以桃花比喻美女或很美的景致) flower of the peach tree (usually referring to the beauties or beautiful scenery in ancient

Chinese poetry）：粉红的～ *fěnhóng de* ~ pink peach-blossom ｜～汛 *~xùn* spring flood ｜～运 *~yùn* luck in love ｜去年今日此门中，人面相映红。*Qùnián jīnrì cǐ mén zhōng, rénmiàn～xiāng yìng hóng.* Last year on the same day in this doorway, the pink face and the peach blossoms shone upon each other.

⁴ **陶瓷** táocí〈名 *n.*〉(种zhǒng)陶器和瓷器的统称 ceramics, a general term for pottery and porcelain：～餐具 *~ cānjù* ceramic tableware ｜加工 *~jiāgōng* ~ process ceramics ｜中国江西景德镇的~天下闻名。*Zhōngguó Jiāngxī Jǐngdézhèn de ~ tiānxià wénmíng.* Jingdezhen of Jiangxi Province is world-known for its ceramics.

⁴ **淘气** táoqì〈形 *adj.*〉爱玩儿、爱闹儿，不听劝导 naughty; mischievous：小～儿 *xiǎo~r* imp ｜～包 *~bāo* elf ｜孩子～是正常的，就看大人怎样引导了。*Háizi～shì zhèngcháng de, jiù kàn dàren zěnyàng yǐndǎo le.* It is natural for a child to be naughty, but it's the parents' duty to guide him properly.

⁴ **淘汰** táotài〈动 *v.*〉去掉(坏的、弱的、失败的或不适合的等) rid of; leave out; throw away：～制 *~zhì* knock-out competition ｜旧家具～ *jiù jiājù* leave out the old furniture ｜在社会发展进程中，旧事物总要被～的。*Zài shèhuì fāzhǎn jìnchéng zhōng, jiù shìwù zǒng yào bèi ~ de.* Old things will inevitably be washed out in the course of social development.

⁴ **讨** tǎo ❶〈动 *v.*〉征伐；谴责 go on a punitive expedition：～伐 *~fá* crusade against ｜征～ *zhēng~* start a punitive expedition ｜声～ *shēng~* denounce; condemn ❷〈动 *v.*〉索要；求取 come down on; ask for; request：～债 *~zhài* demand the repayment of a debt ｜～好 *~hǎo* bow and scrape; be obsequious ｜～便宜 *~piányi* seek undue advantage; look for a bargain ｜～教 *~jiào* consult; ask for advice ｜～公道 *~gōngdào* seek for justice ｜乞～ *qǐ~* cadge; go begging ❸〈动 *v.*〉研究；探索 research; study; discuss：商～ *shāng~* consult ｜探～ *tàn~* inquire into; discuss ｜～论 *~lùn* discuss ｜～究 *~jiū* discuss and research ❹〈动 *v.*〉招惹；引起 provoke：～嫌 *~xián* be a pain in the neck ｜～厌 *~yàn* be a nuisance ｜～没趣 *~méiqù* invite ridicule ｜～人欢喜 *~rén huānxǐ* be likable; be lovable ｜自～苦吃 *zì~kǔchī* ask for trouble; make a rod for one's own ❺〈动 *v.* 口 *colloq.*〉娶 get married：～老婆 *~lǎopó* marry a wife

⁴ **讨价还价** tǎojià-huánjià ❶〈成 *idm.*〉买卖双方争议价格 bargain; haggle：他买东西从来不～。*Tā mǎi dōngxi cónglái bù ~.* He never bargains when he does shopping. ｜～是购物必须学习的技巧。*~ shì gòuwù bìxū xuéxí de jìqiǎo.* Bargaining is a necessary skill that must be learned in shopping. ❷〈成 *idm.*〉比喻接受任务或谈判时双方索要和计较条件 talk about the conditions when being assigned a task or in negotiations：～是谈判过程中难以避免的。*~ shì tánpàn guòchéng zhōng nànyì bìmiǎn de.* Haggling is inevitable in negotiations. ｜大家不要～，这次任务必须完成。*Dàjiā bú yào ~, zhè cì rènwù bìxū wánchéng.* There is no bargain. This time the task must be finished.

¹ **讨论** tǎolùn ❶〈动 *v.*〉共同就某一问题进行研究、交换看法或展开辩论 confer; discuss：～计划 *~jìhuà* discuss the plan ｜热烈地～ *rèliè de ~* discuss heatedly ｜认真～ *rènzhēn ~* discuss seriously ❷〈名 *n.*〉讨论的过程 discussion：～要围绕主题进行，这种学术～很有价值。*~ yào wéirào zhǔtí jìnxíng, zhè zhǒng xuéshù ~ hěn yǒu jiàzhí.* The discussion should be focused on the subject, and this kind of academic discussion is very valuable.

² **讨厌** tǎoyàn ❶〈形 *adj.*〉让人厌烦，心里不舒服 disgusting; annoying：～的话题 *~ de huàtí* a disgusting topic ｜别招人～。*Bié zhāo rén ~.* Don't be a nuisance. ｜梅雨天气太～了。*Méiyǔ tiānqì tài ~ le.* It's so annoying to have this intermittent monsoon. ❷〈形

adj.〉事情不好办；糟糕 nasty; troublesome：如果考试还不及格，那就~了。Rúguǒ kǎoshì hái bù jígé, nà jiù ~ le. It will be so bad if you still fail in the exam. ❸〈动 *v.*〉厌恶；不喜欢（与'喜欢'相对）hate; dislike; loathe (opposite to '喜欢xǐhuan')：她最~香烟的味道。Tā zuì ~ xiāngyān de wèidào. She hates the smell of cigarette.｜我~那种嬉皮笑脸的样子。Wǒ ~ nà zhǒng xīpí-xiàoliǎn de yàngzi. I don't like that cheeky grin on his face.

² **套** tào ❶〈动 *v.*〉罩在物体外面 cover with; encase in：~被罩 ~bèizhào put the quilt into a cover｜~上一层保鲜膜 ~shang yì céng bǎoxiānmó cover with a layer of clingfilm｜外面~上一件羽绒服就暖和了。Wàimiàn ~shang yí jiàn yǔróngfú jiù nuǎnhuo le. Put on a downy overcoat, and then you will feel warm. ❷〈动 *v.*〉用绳索拴住或拢住 hitch up an animal to：~车 ~chē harness an animal to a cart｜~马杆 ~mǎgān lasso｜~住一只狼 ~zhù yì zhī láng lasso a wolf ❸〈动 *v.*〉照现成的模式去衡量；模仿 copy; imitate; ape：~公式 ~gōngshì model after a formula｜生搬硬~ shēngbān-yìng~ copy mechanically｜写作文时，尽量不要~用别人说过的话。Xiě zuòwén shí, jǐnliàng bú yào ~ yòng biéren shuōguo de huà. Try to avoid repeating what others have said in your composition. ❹〈动 *v.*〉用计引人说出真情实话 coax a secret out of sb.：~口供 ~kǒugòng trap a suspect into admitting his guilt｜把他的想法~出来。Bǎ tā de xiǎngfǎ ~chūlái. Cajole him into talking about his idea. ❺〈动 *v.*〉拉拢；笼络；欺骗 woo：~近乎 ~ jìnhu try to chum up with sb.; cotton up to｜~交情 ~jiāoqing woo; draw in; pull sb. over to one's side ❻〈动 *v.*〉用欺骗的手段购买 purchase by fraudulent means：~汇 ~huì arbitrage｜~购 ~gòu illegally buy up ❼〈动 *v.*〉相互重叠或相互衔接 overlap; interlink：~色 ~sè chromatography; color process｜麦子地里~种春玉米。Màizi dì li ~ zhòng chūn yùmǐ. Interplant spring corn in the wheat field.｜大房间~着一个小房间。Dà fángjiān ~zhe yí gè xiǎo fángjiān. Within the big room is a small one. ❽〈量 *meas.*〉用于成组或成系统的事物 indicating a set of sth.：全~茶具 quán ~ chájù the whole set of tea service｜几~邮票 jǐ ~ yóupiào several series of stamps｜成~设备 chéng ~ shèbèi a complete set of equipment｜说了一大~废话 shuōle yí dà ~ fèihuà talk a lot of rubbish｜两~班子一~人马 liǎng ~ bānzi yí ~ rénmǎ two leading groups of one team ❾（~儿）〈名 *n.*〉罩在物体外面的东西 cover：外~ wài~ overcoat｜手~ shǒu~ gloves｜笔~ bǐ~ the cap of a pen ❿（~儿）〈名 *n.* 方 *dial.*〉装在衣裤里的棉絮 batting; cotton fiber inside a quilt or a jacket：被~ bèi~ quilt padding｜棉花~ miánhuā~ batting; cotton fiber ⓫（~儿）〈名 *n.*〉用绳子等材料结成的环状物 traces; harness：牲口~ shēngkou ~ harness for a draught animal｜连环~ liánhuán ~ interlink｜~环 ~huán lantern ring｜圈儿 quān~r snare; trap; mesh; toil ⓬〈名 *n.*〉已成固定格式的陈规、旧习或应酬话 settled conventions, practices or social remarks：俗~ sú~ boring conventional formalities｜客~ kè~ pleasantries; polite formalities｜~话 ~huà set expressions for the writing of articles or letters｜拳脚~路 quánjiǎo ~lù Chinese boxing stunts ⓭（~儿）〈名 *n.*〉河流、山势弯曲的地方 river bend; a turn of the mountain ranges：河~ hé~ river bend ⓮〈名 *n.*〉成组或成系统的事物 indicating a set of sth.：~餐 ~cān table d'hote; set meal｜~曲 ~qǔ divertissement; divertimento｜乱了儿 luànle ~r out of order｜成龙配~ chénglóng-pèi~ link up the parts to form a whole ⓯〈形 *adj.*〉罩在外面的 cover：~袖 ~xiù oversleeve

³ **特** tè ❶〈形 *adj.*〉超出一般；不同寻常 unusual; extraordinary：~号 ~hào special number｜~级 ~jí top grade｜~效 ~xiào specially good effect｜独~ dú~ unique; distinctive｜奇~ qí~ peculiar ❷〈副 *adv.*〉专门；特地 go out of one's way; for a special purpose：~许 ~xǔ give special permission｜~聘 ~pìn extra engage｜~赦 ~shè amnesty;

special pardon | ~派员 ~*pàiyuán* specially appointed official ❸〈副 *adv.*〉非常；很 especially; particularly: ~快列车 ~*kuài lièchē* express (train); red ball | ~困生 ~*kùnshēng* needy student | 大错~错 *dàcuò-~cuò* off base ❹〈名 *n.*〉指特务、间谍 secret agent; spy: 匪~ *fěi~* bandit; robber; reactionaries | 敌~ *dí~* enemy spy; enemy agent

¹ **特别** tèbié ❶〈形 *adj.*〉与一般不同的；不普通的；非平常的 unusual; uncommon: ~现象 ~ *xiànxiàng* unusual phenomena | 味道~ ~ *wèidào* ~ unique taste | 这辆汽车的样子很~。*Zhè liàng qìchē de yàngzi hěn* ~. The car looks quite unusual. ❷〈副 *adv.*〉非常；格外 very; quite; particularly: ~喜爱 ~ *xǐ'ài* especially like | 这家商场的东西~便宜。*Zhè jiā shāngchǎng de dōngxi* ~ *piányi*. Goods in this market are particularly cheap. | 请你留意一下。*Qǐng nǐ* ~ *liúyì yíxià*. Please pay special attention to it. ❸〈副 *adv.*〉特地；专为 specially: ~选拔 ~ *xuǎnbá* select for a special purpose | ~专场 ~ *zhuānchǎng* special performance | 我~为你买了件羊绒衫。*Wǒ* ~ *wèi nǐ mǎile jiàn yángróngshān.* I bought a cashmere sweater specially for you. ❹〈副 *adv.*〉相当于'尤其'，有强调或说明的意思 especially, similar to '尤其*yóuqí*': 他爱喝汤，~爱喝甲鱼汤。*Tā ài hē tāng,* ~ *ài hē jiǎyú tāng.* He likes soup, especially soup made from soft-shelled turtle. | 晚会上，大家非常高兴，~是学生们。*Wǎnhuì shang, dàjiā fēicháng gāoxìng,* ~ *shì xuéshengmen.* All the people, especially students, are very happy in the evening party.

⁴ **特产** tèchǎn〈名 *n.*〉(种*zhǒng*、样*yàng*)某地特有的或特别著名的产品 special local produce: 中国~ *Zhōngguó* ~ Special produce from China | ~丰富 ~ *fēngfù* rich resources of local produce | 著名~ *zhùmíng* ~ famous local produce | 出去旅游，总是买点儿当地的~。*Chūqù lǚyóu, zǒng yào mǎi diǎnr dāngdì de* ~. It's a common practice to buy some local produce during the tour.

² **特此** tècǐ〈副 *adv.* 书 *lit.*〉公文、书信的用语，表示特地在此公告、通知或奉告等 hereby (used in a document or formal letter): ~声明。~ *shēngmíng.* Hereby such statement. | ~更正。~ *gēngzhèng.* Hereby such corrections. | ~公布~ *gōngbù.* Hereby such announcement.

⁴ **特地** tèdì〈副 *adv.*〉表示专门为某件事而行动 for a special purpose; specially: ~赶来 ~ *gǎnlái* specially rush over | ~约请 ~ *yuēqǐng* make such a special invitation | 这是~为你定做的衣服。*Zhè shì* ~ *wèi nǐ dìngzuò de yīfu.* This clothes is customized for you.

² **特点** tèdiǎn〈名 *n.*〉(个*gè*)区别于他人或其他事物的独特的地方 characteristic; distinguishing feature; peculiarity: ~鲜明 ~ *xiānmíng* distinct characteristics | 风格和~ *fēnggé hé* ~ style and distinguishing feature | 她的~是见人就脸红。*Tā de* ~ *shì jiàn rén jiù liǎnhóng.* Her distinguishing feature is to blush at the sight of a stranger.

⁴ **特定** tèdìng ❶〈形 *adj.*〉特别指定或确定的 specially designated: ~表格 ~ *biǎogé* a special form | ~人选 ~ *rénxuǎn* a specially appointed candidate | ~的任务 ~ *de rènwù* a special mission ❷〈形 *adj.*〉不同于一般的(某地、某时、某人等) (of a place, time, person, etc.) specific; specified: ~场合 ~ *chǎnghé* specified occasion | ~时间 ~ *shíjiān* specified time | ~的身份 ~ *de shēnfen* specific identity

⁴ **特区** tèqū〈名 *n.*〉(个*gè*)特别行政区域 special zone: 经济~ *jīngjì* ~ special economic zone | 美国华盛顿~ *Měiguó Huáshèngdùn* ~ Washington D. C., U. S. A | ~行政长官 ~ *xíngzhèng zhǎngguān* the administrator of the special zone

⁴ **特权** tèquán〈名 *n.*〉(种*zhǒng*)特别的权力；特殊的权利 privilege; prerogative: ~意识 ~ *yìshí* consciousness of privilege | 外交~ *wàijiāo* ~ diplomatic prerogative | 滥用~ *lànyòng* ~ abuse one's privilege

⁴ **特色** tèsè〈名 *n.*〉(个*gè*、种*zhǒng*)有别于他人他物的风格、色彩 feature; trait: 民族~

mínzú ~ national feature │ ~风味儿 ~ *fēngwèir* special flavor │ 这台节目很有~. *Zhè tái jiémù hěn yǒu* ~. The performance is of distinguishing feature.

² **特殊** tèshū〈形 *adj.*〉不同于平常或一般的（与'一般''平常'相对）special; particular; exceptional（opposite to '一般 yìbān', '平常 píngcháng'）：~任务 ~ *rènwù* special mission │ ~性 ~*xìng* speciality; particularity │ ~教育 ~ *jiàoyù* special education │ 情况~ *qíngkuàng* ~ under special condition │ 气味儿~ *qìwèir* ~ a peculiar smell

³ **特务** tèwu ❶〈名 *n.*〉为了政治和经济目的而专门进行的刺探情报、破坏、颠覆等活动 special task, such as gathering information, sabotage, subversion, etc. for the political and economic purpose：~活动 ~ *huódòng* secret activity │ ~组织 ~*zǔzhī* spy organization │ ~机关 ~*jīguān* secret service ❷〈名 *n.*〉(名 míng、个 gè)指从事刺探情报、破坏、颠覆等活动的人 spy; secret agent：抓~ *zhuā* ~ search for the spy │ 大~ *dà* ~ chief spy │ 潜伏的~ *qiánfú de* ~ hidden spy

⁴ **特性** tèxìng〈名 *n.*〉(个 gè、种 zhǒng)特有的性格、性质或性能 nature; character：军人~ *jūnrén de* ~ the characteristic of a soldier │ 文化~ *wénhuà* ~ cultural character │ 他这个人挺有~的. *Tā zhège rén tǐng yǒu* ~ *de.* He is the person of great characteristic. │ 这个品牌冰箱的~是静音、省电. *Zhège pǐnpái bīngxiāng de* ~ *shì jìngyīn, shěngdiàn.* This brand of refrigerator is characterized by low noise and power-saving.

⁴ **特意** tèyì〈副 *adv.* 口 *colloq.*〉特地 on purpose; specially：~拜访 ~ *bàifǎng* pay a special visit │ 我今天~为请您来的. *Wǒ jīntiān* ~ *wèi qǐng nín lái de.* Today I want to give you a special treat.

³ **特征** tèzhēng〈名 *n.*〉(个 gè、种 zhǒng)人或事物所特有的标志 characteristic; feature; trait; nature：性格~ *xìnggé* ~ nature; disposition │ ~明显 ~ *míngxiǎn* distinctive feature │ 秃顶是他的~. *Tūdǐng shì tā de* ~. He has the characteristic of being bald. │ 我们学校门口的最大~是有座过街天桥. *Wǒmen xuéxiào ménkǒu de zuìdà* ~ *shì yǒu zuò guòjiē tiānqiáo.* Our school is most clearly marked by the overbridge at the gate.

疼 téng ❶〈动 *v.*〉因伤、病引起的不舒服、难受的感觉 ache; pain：嗓子~ *sǎngzi* ~ sore throat │ 头~ *tóu* ~ headache │ 胃~得越来越厉害了. *Wèi* ~ *de yuèláiyuè lìhai le.* My stomachache becomes more and more serious. ❷〈动 *v.*〉喜爱；怜爱 love dearly; be fond of：~爱 ~*ài* love dearly │ 心~ *xīn* ~ love sorry; feel sorry │ 奶奶~孙子. *Nǎinai* ~ *sūnzi.* Grandmother loves her grandson. │ 丈母娘~女婿. *Zhàngmuniáng* ~ *nǚxù.* Mother-in-law is fond of her son-in-law.

⁴ **疼痛** téngtòng〈形 *adj.*〉因伤、病而带来不舒服、难受的感觉 ache; painful：浑身~ *húnshēn* ~ be painful all over the body │ ~消失了. ~ *xiāoshī le.* The pain fades away. │ 伤口十分~. *Shāngkǒu shífēn* ~. The wound was very painful.

腾 téng ❶〈动 *v.*〉跳；跃；奔跑 gallop; jump; prance：奔~ *bēn* ~ gallop; surge forward │ 欢~ *huān* ~ rejoice over │ 龙~虎跃(形容生气勃勃，活跃异常) *lóng* ~*hǔyuè* (*xíngróng shēngqì-bóbó, huóyuè yìcháng*) be full of power and energy like dragons rising and tigers leaping (*fig.* scene of bustling activity) ❷〈动 *v.*〉上升 rise; soar：~空而起 ~*kōng ér qǐ* soar; rise high into the air; rise to the sky │ 升~ *shēng* ~ rise; leap up │ 飞~ *fēi* ~ fly up; climb up quickly │ ~云驾雾 (形容飞快地奔跑或头晕脑胀) ~*yún-jiàwù* (*xíngróng fēikuài de bēnchí huò tóuyūn nǎozhàng*) ride the clouds and ply mist (*fig.* fast or feel giddy) ❸〈动 *v.*〉使空出或找出 make room; clear out; vacate：~出些人手 ~*chū xiē rénshǒu* get some free hands │ 屋子~出来了. *Wūzi* ~*chūlái le.* The house has been vacated. │ 你必须~出时间与人家会面. *Nǐ bìxū* ~*chū shíjiān yǔ rénjia huìmiàn.* You must find time to meet with him. ❹〈动 *v.*〉上下左右翻动 roll up and down：河水翻

Héshuǐ fān~. The river was surging. | 云海~涌。*Yúnhǎi ~yǒng*. The sea of clouds were rolling. ❺〈助动 *aux. v.*〉用于某些动词后面，表示连续或反复(多读轻声) used after certain verbs to indicate repeated actions (not stressed in pronunciation)：扑~ *pū~* move up and down; flounder | 闹~ *nào~* clamorous; noisy

⁴**藤** téng ❶〈名 *n.*〉藤本植物 liana; vine：紫~ *zǐ~* wistaria | 古~ *gǔ* ~ age-old liana | 枯~ *kū* ~ withered liana ❷〈名 *n.*〉指某些植物的匍匐茎或攀缘茎 vine; cane：~萝 *~luó* general term for wistaria | 瓜~ *guā~* the vines of melon | 顺~摸瓜(比喻按照一定的线索找到事情的症结或问题的所在) *shùn~mōguā*（*bǐyù ànzhào yídìng de xiànsuǒ zhǎo dào shìqíng de zhēngjié huò wèntí suǒzài*）follow the vine to get the melon (*fig.* track down sb. or sth. by following clues; find solution to some problem according to certain hints) ❸〈名 *n.*〉专指藤条编制的 rattan weaving; folk handicraft：~椅 *~yǐ* cane chair | ~箱 *~xiāng* cane box; cane suitcase | ~拍 *~pāi* cane bat

¹**踢** tī〈动 *v.*〉用脚(特别是足尖儿)、蹄子使劲儿撞击 kick; play：~球 *~qiú* kick the ball | ~毽子 *~jiànzi* kick the shuttlecock | 拳打脚~ *quándǎ-jiǎo~* cuff and kick

¹**提** tí ❶〈动 *v.*〉用手拎着 carry sth. in one's hand：~包 *~bāo* handbag, shopping bag | ~箱 *~xiāng* suitcase | ~行李 *~xíngli* carry the baggage | 水壶没有~手，拿什么~呢? *Shuǐhú méiyǒu ~shǒu, ná shénme ~ ne?* There is no handle on the kettle. How can we carry it? ❷〈动 *v.*〉从下往上或由低往高移动 lift; raise; highten; improve：~高 *~gāo* improve | ~携 *~xié* guide and support | ~拔 *~bá* promote | ~纲挈领(比喻抓住要领，简单扼要) *~gāng-qièlǐng*（*bǐyù zhuāzhù yàolǐng, jiǎndān éyào*）take a net by the head rope; take a coat by the collar (*fig.* concentrate on the main points; bring out the essentials) ❸〈动 *v.*〉时间或期限往前挪 arrange to an earlier date：~早 *~zǎo* be earlier than planned or expected | ~前 *~qián* ahead of schedule ❹〈动 *v.*〉取出；拿出来 draw out; extract：~货 *~huò* pick up goods; take delivery of goods | ~款 *~kuǎn* draw money from a bank | 取现金 *~qǔ xiànjīn* draw money | ~炼金属 *~liàn jīnshǔ* extract and purify metal ❺〈动 *v.*〉指出来或举出来 put forward; bring up; raise：~出 *~chū* put forward | ~意见 *~ yìjiàn* speak out one's opinion | ~名 *~míng* nominate | ~建议 *~jiànyì* make a suggestion ❻〈动 *v.*〉从关押地带出犯人 summon the prisoner from the prison for interrogation：~审 *~shěn* bring to trial; arraign | ~犯人 *~ fànrén* summon a prisoner for interrogation ❼〈动 *v.*〉说起；谈起 mention; refer to：闭口不~ *bì kǒu bù ~* shut one's mouth; keep one's tongue still | 重~往事 *chóng ~ wǎngshì* bring up a past event | 相~并论 *xiāng~bìnglùn* mention different people or different things in the same breath ❽〈动 *v.*〉比喻悬着；也比喻振作 *fig.* unsettled or keep up one's spirits：~心吊胆 *~xīn-diàodǎn* be in fear of sth. ; have one's heart in one's mouth | 直到孩子回家，奶奶~着的心才放下来。*Zhídào háizi huíjiā, nǎinai ~zhe de xīn cái fàng xiàlái.* The grandma didn't get her mind settled until her grandchild came back. | 这种药醒酒~神。*Zhè zhǒng yào xǐngjiǔ ~shén.* This kind of medicine can sober you up and make you fresh. ❾〈动 *v.*〉指挥；带领 command; guide; lead：~兵 *~bīng* lead a troop | ~督 *~dū* provincial military commander ❿〈名 *n.*〉汉字笔画之一，形状是'丿'，也叫'挑' rising stroke in Chinese characters, also '挑tiāo'

⁴**提案** tí'àn〈名 *n.*〉(个gè、条tiáo、件jiàn、种zhǒng)向会议提交的议案或建议 motion; proposal; draft resolution：~权 *~quán* the right of proposal | ~审查委员会 *~ shěnchá wěiyuánhuì* the committee of proposal examination | 支持~ *zhīchí ~* supporting motion

⁴**提拔** tíbá〈动 *v.*〉选拔提升 promote, give sb. a raise：~英才 *~ yīngcái* promote people with outstanding ability | ~年轻干部 *~ niánqīng gànbù* promote young caders | 多~那

些品行兼优的人。*Duō ~ nàxiē pǐnxíng-jiānyōu de rén.* Give more chances to those with good moral conduct to the higher position.

³ **提包** tíbāo 〈名 *n.*〉（个 gè、只 zhī）一种有提手的包 handbag：女式 ~nǚshì — lady's handbag｜~款式 ~ kuǎnshì the style of the handbag｜请把我的~拿过来。*Qǐng bǎ wǒ de ~ ná guòlái.* Please pass me my handbag.

² **提倡** tíchàng 〈动 *v.*〉鼓励和倡导人们实行 advocate; promote; encourage; recommend：~说汉语普通话 ~ shuō Hànyǔ Pǔtōnghuà advocate to speak Mandarin Chinese｜~民主 ~ mínzhǔ advocate democracy｜我们~独立思考的精神。*Wǒmen ~ dúlì sīkǎo de jīngshén.* We encourage the spirit of independent thinking.

³ **提纲** tígāng 〈名 *n.*〉（个 gè、份 fèn）文章的内容要点 outline：作文 ~zuòwén ~ the outline of a composition｜编写~ biānxiě ~ write the outline of｜详细的~ xiángxì de ~ detailed outline

¹ **提高** tí//gāo 〈动 *v.*〉使在原有基础上升高或增加（与'降低'相对）raise; heighten; enhance; improve（opposite to '降低jiàngdī'）：~产量 ~ chǎnliàng increase the output｜逐年~ zhúnián ~ increase year by year｜车速再也提不高了。*Chēsù zài yě tí bù gāo le.* The speed of the vehicle cannot be increased any more.

² **提供** tígōng 〈动 *v.*〉供给（物品或意见、条件等）provide; supply; furnish; offer：~帮助 ~ bāngzhù give help｜~武器 ~ wǔqì supply weapons｜我~不了什么有价值的线索。*Wǒ ~ bù liǎo shénme yǒu jiàzhí de xiànsuǒ.* I cannot give any valuable clues.

⁴ **提交** tíjiāo 〈动 *v.*〉把问题、事情提出来并交给（有关方面讨论或处理）submit; refer to：~议案讨论 ~ yì'àn tǎolùn submit the proposal for discussion｜~论文 ~ lùnwén submit the thesis｜这个案件~法院审理。*Zhège ànjiàn ~ fǎyuàn shěnlǐ.* The case will be submitted to the court for trial.

⁴ **提炼** tíliàn ❶〈动 *v.*〉用物理或化学的方法从化合物或混合物中提取所需的物质 extract and purify; abstract; refine：~香精 ~ xiāngjīng extract essence｜~石油 ~ shíyóu refine oil｜~黄金 ~ huángjīn refine gold ore ❷〈动 *v.*〉从事物中提取精粹的事理 refine; abstract：~作品主题 ~ zuòpǐn zhǔtí abstract the theme of the work｜~思想精华 ~ sīxiǎng jīnghuá refine the essence of thought

⁴ **提名** tí//míng 〈动 *v.*〉提出候选人或参选物的名单 nominate; suggest or name sb. or sth. for election：大会~ dàhuì ~ be nominated at the conference｜~参加竞选 ~ cānjiā jìngxuǎn be nominated as the candidate for election｜被~的影片 bèi ~ de yǐngpiàn nominated film｜大家提过名的有三位。*Dàjiā tíguo míng de yǒu sān wèi.* There are three nominees.｜名已经提过了，请投票选举吧。*Míng yǐjīng tíguo le, qǐng tóupiào xuǎnjǔ ba.* After the nomination, let's vote for the election.

² **提前** tíqián 〈动 *v.*〉提早；（将原定时间）往前移 ahead of schedule; bring forward; move up：行动~ xíngdòng ~ take the action ahead of schedule｜~到达 ~ dàodá arrive earlier｜~半个小时结束 ~ bàn gè xiǎoshí jiéshù finish sth. half an hour earlier｜一定要~通知，以免到时候无法开会。*Yídìng yào ~ tōngzhī, yǐmiǎn dào shíhou wúfǎ kāihuì.* Notice should be made earlier in case the meeting would be delayed at the time.

⁴ **提取** tíqǔ ❶〈动 *v.*〉通过办理一定手续取出存放或应得的财物 draw; pick up; collect：~存款 ~ cúnkuǎn draw money from a bank deposit; withdraw bank deposits｜~现金 ~ xiànjīn draw cash｜~行李 ~ xíngli pick up the luggage ❷〈动 *v.*〉经过某种工艺提炼而取得 extract; abstract; recover：~香精 ~ xiāngjīng extract essence｜~有用的物质 ~ yǒuyòng de wùzhì extract useful substances｜~营养 ~ yíngyǎng extract nutrients

⁴ **提升** tíshēng ❶〈动 *v.*〉提高（职级等）promote：从士兵~到军官 cóng shìbīng ~ dào

jūnguān be promoted from a soldier to an officer丨~工资 ~ *gōngzī* increase salary ❷〈动 v.〉借助卷扬机等机械向高处运送 hoist; elevate：~ 装置 ~ *zhuāngzhì* hoisting equipment丨塔吊正在把成捆的钢筋~到楼顶。*Tǎdiào zhèngzài bǎ chéng kǔn de gāngjīn ~ dào lóudǐng.* The tower crane is lifting bundles of steel bars to the top of the building.

⁴ **提示** tíshì 〈动 v.〉暗示或提醒对方没想到或想不到的内容 hint; prompt：~标志 ~ *biāozhì* sign; indicator丨小声~ *xiǎoshēng* ~ give a hint in a low voice丨经老师~，学生们才明白过来。*Jīng lǎoshī ~, xuéshēngmen cái míngbai guòlái.* Under the suggestion of the teacher, students became understood at last.

³ **提问** tíwèn ❶〈动 v.〉提出问题询问 ask; put question v.：向老师~ *xiàng lǎoshī* ~ ask the teacher a question丨~学生 ~ *xuéshēng* put question to students ❷〈名 n.〉提出来问的问题 question：他刚才的~很有意思。*Tā gāngcái de ~ hěn yǒu yìsi.* The question he raised just now is very interesting.

³ **提醒** tíxǐng 〈动 v.〉从旁提出或指点，引起注意 remind; warn; call attention to：相互~ *xiānghù* ~ warn each other丨~的方式请不要太直率了。*~ de fāngshì qǐng búyào tài zhíshuài le.* Don't remind me in such an abrupt way.丨别忘记~我交电话费。*Bié wàngjì ~ wǒ jiāo diànhuàfèi.* Don't forget to remind me to pay the telephone bill.

⁴ **提要** tíyào 〈名 n.〉从书中或文中提取的内容要点 precis; summary; abstract; epitome; synopsis：复习~ *fùxí* ~ the main points of reviewing丨内容~ *nèiróng* ~ synopsis丨文章~ *wénzhāng* ~ abstract of the article

³ **提议** tíyì ❶〈动 v.〉在讨论或研究中郑重提出主张、建议 propose; suggest：一致~ *yízhì* ~ a unanimous proposal丨有人~会议暂时不举行。*Yǒurén ~ huìyì zànshí bù jǔxíng.* It's suggested that the meeting should be put off for the moment. ❷〈名 n.〉指提出的主张或建议 proposal; suggestion; motion：~通过了。~ *tōngguò le.* The proposal has been passed.丨那个~没有必要讨论。*Nàge ~ méiyǒu bìyào tǎolùn.* It's unnecessary to discuss that proposal.

⁴ **提早** tízǎo 〈动 v.〉提前 shift to an earlier date; be earlier than planned or expected：~结束 ~ *jiéshù* finish ahead of schedule丨~了一个小时~ *le yí gè xiǎoshí* one hour ahead of time丨你要~告诉大家会议延期了。*Nǐ yào ~ gàosu dàjiā huìyì yánqí le.* You should inform in advance that the meeting is to be postponed.

² **题** tí ❶〈名 n.〉(个 gè、道 dào)写作、演讲及概括各类活动或项目的标题 topic; subject; title; problem; question：专~ *zhuān* ~ special subject丨课~ *kè* ~ topic; issue丨问~ *wèn* ~ problem; question丨话 ~ *huà* ~ subject of a talk; topic for discussion丨文不对~ *wénbúduì* ~ be irrelevant to the subject; not to the point ❷〈名 n.〉特指练习题或考试题 exercises; test questions：~解 ~ *jiě* key to the exercises丨试~ *shì* ~ test questions丨偏~怪~ *piān* ~ *guài* ~ tricky questions; rare and strange questions ❸〈动 v.〉书写；签上 inscribe：~词 ~ *cí* write an inscription or a dedication丨~名 ~ *míng* inscribe one's name丨~款 ~ *kuǎn* inscribe

⁴ **题材** tícái 〈名 n.〉(个 gè)广义指构成文学艺术作品的材料,狭义指作品中的人物、情节、环境等要素 theme; subject matter：爱情~ *àiqíng* ~ love story丨战争~ *zhànzhēng* ~ war theme丨~新颖 ~ *xīnyǐng* original in the choice of subject丨社会生活~是十分丰富的。*Shèhuì shēnghuó ~ shì shífēn fēngfù de.* The themes of social life are very rich.

² **题目** tímù ❶〈名 n.〉(个 gè)概括、标明诗文、词曲或演讲内容等的语句 title; subject; topic：乐曲的~ *yuèqǔ de* ~ the title of the music丨写作文时，不要忘记写~。*Xiě zuòwén shí, bú yào wàngjì xiě ~.* Don't forget the title when you write a composition.丨由于工

作忙，我平时只看一看报纸的~。*Yóuyú gōngzuò máng, wǒ píngshí zhī kàn yí kàn bàozhǐ de ~.* Because I'm very busy, I can only have a look at the titles of the articles in newspaper at normal times. ❷〈名 *n.*〉(道dào、套tào)专为练习、考试而拟定的问题 exercise problems; examination questions: 考试的~ *kǎoshì de ~* examination questions │练习里~较多，同学们要抓紧做。*Liànxí li ~ jiào duō, tóngxuémen yào zhuājǐn zuò.* There are many problems in the exercise; students should take time to finish them. ❸〈名 *n.*〉(个gè)由头或名目 pretext; excuse; item: 找一个~，然后大家去我那里聚一聚。*Zhǎo yí gè ~, ránhòu dàjiā qù wǒ nàli jù yí jù.* Find a pretext to have a gathering at my home.

³ **蹄** tí〈名 *n.*〉某些牲畜生在趾端的角质层；又指有角质层保护的脚 hoof: 猪~ *zhū~* pig hoof │铁~ *tiě~* iron heel │~筋 *~jīn* tendon │马不停~ *mǎbùtíng~* make a hurried journey without stop

⁴ **体** tǐ ❶〈名 *n.*〉人或动物的全身 body: 躯~ *qū~* body │肉~ *ròu~* body; flesh; clay │检~ *jiǎn* physical examination │~格 *~gé* physique; build │~壮如牛 *~zhuàng-rúniú* be as strong as a bull │量~裁衣 (比喻按照实际情况办事) *liàng~-cáiyī* (*bǐyù ànzhào shíjì qíngkuàng bànshì*) cut out the garment to fit the body (*fig.* act according to actual circumstances or conditions) ❷〈名 *n.*〉身体的一部分 part of a body: 四~不勤(指懒惰) *sì~-bùqín* (*zhǐ lǎnduò*) can not toil with one's limbs (*fig.* lazy) │五~投地(比喻钦佩到极点) *wǔ~-tóudì* (*bǐyù qīnpèi dào jídiǎn*) prostrate oneself with all limbs and the head touching the ground before sb. (*fig.* highest form of admiration or esteem for sb.) ❸〈名 *n.*〉物质存在的外在形态或形状 state or form of a substance: 固~ *gù~* solid │气~ *qì~* gas │液~ *yè~* liquid │晶~ *jīng~* crystal │流~ *liú~* fluid ❹〈名 *n.*〉事物的本身或全部 substance: 球~ *qiú~* sphere │母~ *mǔ~* mother's body │物~ *wù~* object │主客~ *zhǔ-kè~* subjective and objective things │浑然一~ *húnrán-yì~* a complete whole; unified entity ❺〈名 *n.*〉文字的书写形式或作品的表现形式 style; form: 楷~ *kǎi~* regular script (of Chinese calligraphy) │宋~ *Sòng~* Song typeface (of Chinese calligraphy) │手写~ *shǒuxiě~* handwritten form; script │文~ *wén~* literary style │裁~ *cái* genre │古~诗 *gǔ~shī* old style poetry; classical poetry ❻〈名 *n.*〉体制 system: 政~ *zhèng~* system of government │国~ *guó~* state system │~统 *~tǒng* decorum; propriety; decency │~例 *~lì* stylistic rules and layout ❼〈名 *n.*〉语法范畴之一，表示动作进行时的状态 one of the aspects of a verb indicating the progressive nature of an action: 进行~ *jìnxíng~* continuous tense │完成~ *wánchéng~* perfect tense ❽〈动 *v.*〉亲身体验；设身处地替人着想 experience sth.; put oneself in another's position: ~谅 *~liàng* show understanding and sympathy; make allowance for │~恤 *~xù* understand and sympathize with; show solicitude for │身~力行 *shēn~-lìxíng* earnestly practice what one advocates; practice what one preaches │~贴入微 *~tiē-rùwēi* look after with great care; be deeply solicitous

³ **体操** tǐcāo〈名 *n.*〉(套tào、种zhǒng)体育运动项目之一 gymnastics: 广播~ *guǎngbō ~* physical exercises accompanied by radio music │艺术~ *yìshù~* rhythmic gymnastics │~运动 *~yùndòng* gymnastic exercise 跳马、高低杠、平衡木和自由~是女子~项目。*Tiàomǎ, gāodīgàng, pínghéngmù hé zìyóu ~ shì nǚzǐ ~ xiàngmù.* Jumping over, uneven bars, balance beam and free-style callisthenics are all women gymnastic items.

² **体会** tǐhuì ❶〈动 *v.*〉体验领会 learn from experience; realize; understand: 细心~ *xìxīn ~* experience carefully │文章的主题 *~ wénzhāng de zhǔtí* understand the theme of the article │做学生的应该~到老师的用心。*Zuò xuéshēng de yīnggāi ~ dào lǎoshī de yòngxīn.* Students should understand teachers' intention. ❷〈名 *n.*〉(种zhǒng)体验领会

后的感受、心得或收获 experience; knowledge：谈 ~ *tán* ~ talk about one's understanding | 几点~ *jǐ diǎn* ~ a few points of understanding | 内心的~ *nèixīn de* ~ inner feeling

² **体积** tǐjī 〈名 *n.*〉物体占据空间位置的大小 size; volume; bulk：盒子的~ *hézi de* ~ the volume of the box | ~庞大 ~ *pángdà* large size | 液体不能用~衡量，只能用容积衡量。*Yètǐ bù néng yòng ~ héngliáng, zhǐnéng yòng róngjī héngliáng.* Liquid cannot be measured in volume but in capacity.

³ **体力** tǐlì 〈名 *n.*〉人体或动物体所能付出的力量 physical strength; physical power：消耗~ *xiāohào* ~ consume one's physical strength; be a drain on one's physical power | ~强壮 ~ *qiángzhuàng* strong-bodied | ~劳动 ~ *láodòng* physical labor | 在动物世界中，~弱的总要被~强的所淘汰。*Zài dòngwù shìjiè zhōng, ~ ruò de zǒng yào bèi ~ qiáng de suǒ táotài.* In the animal world, the weak will always be replaced by the strong.

² **体谅** tǐliàng 〈动 *v.*〉体贴和谅解他人(难处) be considerate of; make allowance for：互相~ *hùxiāng* ~ show mutual understanding | 这孩子就是不懂得~父母的辛苦。*Zhè háizi jiùshì bù dǒngde ~ fùmǔ de xīnkǔ.* The child simply cannot understand the toil its parents have suffered.

³ **体面** tǐmiàn ❶〈名 *n.*〉面子；身份 dignity; face：不失~ *bù shī* ~ not lose one's face | 应聘场合，讲些~是很重要的。*Yìngpìn chǎnghé, jiǎng xiē ~ shì hěn zhòngyào de.* It is very important to pay some attention to the dignity in job application. ❷〈形 *adj.*〉光彩；名誉好 decent; honorable; creditable; respectable：~人家 ~ *rénjiā* decent family | 留学归国的他，真是风光~啊! *Liúxué guīguó de tā, zhēn shì fēngguāng ~ a!* Returning from studying abroad, how honorable he is. ❸〈形 *adj.*〉好看；漂亮 good-looking; handsome; beautiful：她人长得很~。*Tā rén zhǎng de hěn ~.* She looks pretty. | 他如今也穿得~起来了。*Tā rújīn yě chuān de ~ qǐlái le.* He is now also dressed in decent clothes.

⁴ **体贴** tǐtiē 〈动 *v.*〉细心体会他人的情感和处境，并给以关心照顾 show consideration for：相互~ *xiānghù* ~ show consideration for each other | ~老人 ~ *lǎorén* take good care of the old people | ~照料 ~ *zhàoliào* look after with great care

³ **体温** tǐwēn 〈名 *n.*〉身体的温度 temperature：正常~ *zhèngcháng* normal temperature | 测~ *cè* ~ take one's temperature | 剧烈运动可引起~升高。*Jùliè yùndòng kě yǐnqǐ ~ shēnggāo.* Vigorous sports may cause temperature to go up.

² **体系** tǐxì 〈名 *n.*〉(个gè、种zhǒng、套tào)有关的事物或思想观念互相联系而构成的一个整体；健全而有组织的系统 system; a complete set of things in good order：思想~ *sīxiǎng* ~ ideological system | 教育~ *jiàoyù* ~ educational system | 科学~ *kēxué* ~ scientific system | ~健全 ~ *jiànquán* a perfect system

³ **体现** tǐxiàn 〈动 *v.*〉具体表现出来 embody; reflect; give expression to：深刻~ *shēnkè* ~ mostly express | ~时代精神 ~ *shídài jīngshén* reflect the spirit of the time | 乐于助人，~了他的爱心。*Lè yú zhù rén, ~le tā de àixīn.* His willingness to help shows his love.

⁴ **体验** tǐyàn ❶〈动 *v.*〉通过亲身实际考察或实践以认识事物 learn through practice; learn through one's experience：亲身~ *qīnshēn* ~ experience sth. personally; get firsthand experience | ~动感世界 ~ *dònggǎn shìjiè* feel the dynamic world | 孩子们在电脑中~着游戏带来的乐趣。*Háizimen zài diànnǎo zhōng ~zhe yóuxì dài lái de lèqù.* Children experience pleasure from the computer games. ❷〈名 *n.*〉考察、实践后的认识或经验 experience; understanding：一次~不能说明问题。*Yí cì ~ bù néng shuōmíng wèntí.* One experience cannot explain anything. | 你的~是什么? *Nǐ de ~ shì shénme?*

T

What's your experience?

¹ **体育** tǐyù ❶〈名 n.〉开发体力、增强体质的教育 physical culture; physical training：~ 课 ~ kè physical education｜~培训班 ~ péixùnbān training class of physical education ❷〈名 n.〉体育运动 sports：民族 ~ mínzú ~ national sports｜竞技 ~ jìngjì ~ athletics｜ 项目 ~ xiàngmù sports items｜~场馆 ~ chǎngguǎn gymnasium

² **体育场** tǐyùchǎng〈名 n.〉(座zuò、个gè) 专供体育锻炼和比赛的场地 stadium; sports field：孩子们正在 ~ 上踢足球。Háizimen zhèngzài ~ shang tī zúqiú. Children are playing football in the sports field.

² **体育馆** tǐyùguǎn〈名 n.〉(座zuò、个gè) 进行体育锻炼和比赛的室内场所 gymnasium： 他们正在 ~ 里打羽毛球。Tāmen zhèngzài ~ li dǎ yǔmáoqiú. They are playing badminton in the gymnasium.

⁴ **体制** tǐzhì〈名 n.〉(种zhǒng) 有关机构或组织的制度 system; establishment; institution： ~ 改革 ~ gǎigé institutional reform｜健全 ~ jiànquán a perfect system｜政治 ~ zhèngzhì ~ political system｜教育 ~ jiàoyù ~ educational system

⁴ **体质** tǐzhì〈名 n.〉(种zhǒng) 人的身体素质；人体的健康水平及抵抗疾病和适应外界 环境的能力 physique; constitution, health condition：增强 ~ zēngqiáng ~ build up one's health｜他 ~ 太弱，动不动就生病。Tā ~ tài ruò, dòngbudòng jiù shēngbìng. He is too weak and falls ill quite often.｜没有一个良好的 ~ 就很难承担繁重的工作任务。 Méiyǒu yí gè liánghǎo de ~ jiù hěn nàn chéngdān fánzhòng de gōngzuò rènwù. Without good health, it is too difficult for a person to assume heavy work.

⁴ **体重** tǐzhòng〈名 n.〉身体的重量 weight：~超标 ~ chāobiāo be over-weighted｜~下降 ~ xiàjiàng lose weight｜减轻 ~ jiǎnqīng reduce one's weight

⁴ **剃** tì〈动 v.〉用特制的刀具刮去毛发 shave; cut off：~头 ~tóu have one's hair cut｜~刀 ~dāo razor｜~胡子 ~ húzi have a shave; shave oneself｜~发为僧 ~ fà wéi sēng have one's head shaved to become a monk

² **替** tì ❶〈动 v.〉代换 take the place of; replace; substitute：~身 ~shēn substitute; replacement｜更 ~ gēng ~ replace｜~死鬼 ~sǐguǐ scapegoat; fall guy｜冒名顶 ~ màomíng-dǐng ~ assume the identity of another person｜把他 ~ 换下来。Bǎ tā ~huàn xiàlái. Find someone to replace him. ❷〈介 prep.〉为；给 for：门卫临时有事，我 ~他看 一下门。Ménwèi línshí yǒu shì, wǒ ~ tā kān yíxià mén. The gate guard is temporarily engaged with something else, and I have to take his place for a while.｜大家都在 ~ 你高 兴。Dàjiā dōu zài ~ nǐ gāoxìng. Everyone feels pleased for you.

⁴ **替代** tìdài〈动 v.〉代替；取代 substitute for; replace; supersede：自动 ~ zìdòng ~ replace sth. automatically｜不可 ~ bùkě ~ irreplaceable｜谁也无法 ~ 老校长。Shéi yě wúfǎ ~ lǎo xiàozhǎng. Nobody can substitute for the old school master.

⁴ **替换** tìhuàn ❶〈动 v.〉把原来的换成另外的 replace; substitute for; displace; take the place of：~队员 ~ duìyuán substitutes of the team｜学校最近 ~ 了一批旧电脑。Xuéxiào zuìjìn ~le yì pī jiù diànnǎo. The school has recently updated a batch of old computers. ❷ 〈动 v.〉轮流倒换 take turns：~值班 ~zhí bān be on duty by turns｜大家相互 ~ 照 顾病人。Dàjiā xiānghù ~ zhàogù bìngrén. We take turns to look after the patient.

¹ **天** tiān ❶〈名 n.〉天空（与'地'相对）sky; heavens (opposite to '地dì')：蓝 ~ lán~ blue sky｜~体 ~tǐ celestial body｜~文台 ~wéntái (astronomical) observatory｜~上人间 ~ shàng rénjiān gold paradise｜~南海北（形容路途遥远，地区不同，或话题广泛）~nán-hǎiběi (xíngróng lùtú yáoyuǎn, dìqū bùtóng, huò huàtí guǎngfàn) far apart (fig. places far from each other; or wide range of subjects)｜~旋地转（比喻重大的变化，或形容眩

晕时的感觉 ~*xuán-dìzhuàn* (*bǐyù zhòngdà de biànhuà, huò xíngróng xuányūn shí de gǎnjué*) the sky and earth were spinning (fig. major change; dizzy) ❷ 〈名 *n.*〉气候 climate：阴~*yīn*~ overcast｜寒地冻~*hán-dìdòng* freezing cold｜下雪~*xiàxuě*~ snowy days｜雾~开车要多加小心。*Wù~ kāi chē yào duōjiā xiǎoxīn.* Be careful to drive in foggy days. ❸〈名 *n.*〉季节;时令 season：三九~*sānjiǔ*~ bitterly cold weather｜春~*chūn*~ spring｜暑~*shǔ*~ hot summer ❹〈名 *n.*〉一昼夜的时间, 多指白天 day (round the clock); daytime：今~*jīn*~ today｜三~三夜 *sān ~ sān yè* three days and nights｜日久~长 *rìjiǔ~~cháng* in the course of time; year in, year out｜每~坚持锻炼。*Měi~ jiānchí duànliàn.* Insist on physical training everyday. ｜哪~考试? *Nǎ ~ kǎoshì?* On what day is the examination held? ❺〈名 *n.*〉时间;时间的某一段 time; a period of time：三更~*sāngēng*~ midnight｜~近中午 ~ *jìn zhōngwǔ* around the noon day｜下半~*xiàbàn*~ afternoon ❻〈名 *n.*〉自然界 nature：~灾 ~*zāi* natural disaster｜~籁 ~*lài* sounds of nature｜靠~吃饭 kào ~ *chīfàn* live on the natural condition｜改~换地 gǎi~*huàndì* reshape nature｜人定胜~。*Réndìngshèng~.* Man is able to conquer the nature. ❼〈名 *n.*〉古人或宗教信仰者所指的神佛、上帝等居住的地方 the place where God, Buddha, or the gods are supposed to live：~堂 ~*táng* Heaven; paradise｜~国 ~*guó* Heaven; Kingdom of Heaven｜西~ *xī*~ Western Heaven ❽〈名 *n.*〉古人或宗教指万物的主宰者;造物主 God; Heaven, ruler of the natural world：老~爷 *lǎo*~*yé* the Heavenly Lord｜听~由命 *tīng*~*yóumìng* submit to the will of Heaven｜上~的旨意 *Shàng*~ *de zhǐyì* God's will; will of Heaven｜~机不可泄露。*~jī bùkě xièlòu.* Nature's mystery cannot be revealed. ❾〈名 *n.*〉中国古代特指君王 emperor：~恩浩荡 ~*ēn hàodàng* vast and mighty kindness of the emperor｜君为~,臣为地。*Jūn wéi ~, chén wéi dì.* The emperor is the heaven, and the officials are the earth. ❿〈形 *adj.*〉位置在上的或高处的 in an upper or high place：~线 ~*xiàn* aerial; antenna｜~桥 ~*qiáo* overline bridge; platform bridge｜~窗 ~*chuāng* skylight; window in a roof｜~灵盖 ~*línggài* top of the skull; crown｜~花板 ~*huābǎn* ceiling ⓫〈形 *adj.*〉自然存在的或自然生成的 natural：~险 ~*xiǎn* natural barrier｜~敌 ~*dí* natural enemy｜~性 ~*xìng* natural instincts; nature｜~伦之乐(指全家老幼幸福团圆的乐事)~*lún-zhīlè* (*zhǐ quánjiā lǎoyòu xìngfú tuányuán de lèshì*) the pleasures of family love and comfort (referring to the happiness of family gathering)

³ **天才** tiāncái ❶〈名 *n.*〉非凡的才能;超常的智慧 genius; talent; gift; endowment：~的指挥家 ~ *de zhǐhuījiā* gifted conductor｜~有几分 ~ *yǒu jǐ fēn* with some talents｜~来自勤奋。~ *lái zì qínfèn.* Endowment comes from diligence. ❷〈名 *n.*〉(个gè、位wèi)有非凡才能和超常智慧的人 gifted person：他生来就是个幽默的~。*Tā shēnglái jiùshì gè yōumò de ~.* He has an instinct for humor.

⁴ **天长地久** tiāncháng-dìjiǔ〈成 *idm.*〉如天地一般长久, 形容时间长久永恒(多指爱情、友谊) existing as long as heaven and earth; everlasting and unchanging (usu. referring to love and friendship)：友谊~*yǒuyì* ~ have an everlasting friendship｜愿美好的爱情~。*Yuàn měihǎo de àiqíng ~.* May sweet love lasts as long as heaven and earth.

⁴ **天地** tiāndì ❶〈名 *n.*〉天和地, 指自然界和人类社会 heaven and earth, referring to nature and human society：~广大 ~ *guǎngdà* expansive world｜震动~ *zhèndòng* ~ shake the earth｜心底无私~宽。*Xīndǐ wúsī ~ kuān.* A selfless mind, and a boundless world. ❷〈名 *n.*〉活动的范围;境界 field of activity; scope of operation：小~ *xiǎo* ~ small world｜活动~ *huódòng* ~ field of activity｜别有~ *biéyǒu* ~ another world; another realm｜乡村和城市完全是两个~。*Xiāngcūn hé chéngshì wánquán shì liǎng gè*

~. The country and the city are two completely different worlds. | 没想到竟落得这步~. *Méi xiǎngdào jìng luò de zhè bù* ~. It's quite unexpected that things could become so helpless. ❸〈名 *n.*〉园地(用于报刊杂志、电视广播中一些栏目的名称) field (used to indicate certain columns of newspaper, magazine, radio and TV programs, etc): 科普~ *kēpǔ* ~ popular science field | 健身~ *jiànshēn* ~ field of body-building

³ **天空** tiānkōng〈名 *n.*〉(片 piàn) 远离地面的广阔空间 sky: ~高远 ~ *gāoyuǎn* high up in the sky | 仰望~ *yǎngwàng* ~ look up the sky | 夜晚的~群星闪烁。*Yèwǎn de* ~ *qúnxīng shǎnshuò.* A galaxy of stars are shining in the night sky. | 苍鹰在~中翱翔。*Cāngyīng zài* ~ *zhōng áoxiáng.* The eagle is hovering in the sky.

¹ **天气** tiānqì ❶〈名 *n.*〉(种 zhǒng) 发生在一定时间和一定区域内大气的各种气象变化情况 weather: ~预报 ~ *yùbào* weather forecast | ~现象 ~ *xiànxiàng* meteorological phenomenon | 预测~ *yùcè* ~ forcast the weather | 昨天~闷热。*Zuótiān* ~ *mēnrè.* The weather was sweltering yesterday. | 因~的原因, 这次航班取消。*Yīn* ~ *de yuányīn, zhè cì hángbān qǔxiāo.* Due to poor weather, the scheduled flight has been cancelled. ❷〈名 *n.* 方 dial.〉指时间 time: ~还早, 别急着回去。~ *hái zǎo, bié jízhe huíqù.* It's still early. Don't go back in such a hurry.

³ **天然** tiānrán〈形 *adj.*〉自然的; 天生的(区别于'人工''人造') natural (different from '人工 réngōng', '人造 rénzào'): ~景观 ~ *jǐngguān* natural scenery | ~宝石 ~ *bǎoshí* natural precious stone | 两国人民山水相依, 他们之间存在着一种~的联系。*Liǎng guó rénmín shānshuǐ xiāngyī, tāmen zhījiān cúnzàizhe yì zhǒng* ~ *de liánxì.* People of the two countries live at the foot of the same mountain and drink water of the same river, so there exists a natural tie between them.

³ **天然气** tiānránqì〈名 *n.*〉产生于油田、煤田和沼泽地区的可燃气体 natural gas: ~管道 ~ *guǎndào* gas pipeline | 利用~ *lìyòng* ~ make use of natural gas

⁴ **天色** tiānsè ❶〈名 *n.*〉天空的颜色和亮度 color of sky: ~晴朗。~ *qínglǎng.* It is fine. | ~已经大亮。~ *yǐjīng dà liàng.* It is already bright. | 此时乌云密布, 风雨交加, ~更黑了。*Cǐshí wūyún mìbù, fēngyǔ-jiāojiā,* ~ *gèng hēi le.* Right now, the sky clouded over, the storm raged, and the day became even darker. ❷〈名 *n.*〉指时间和天气 time of day; weather: ~已晚, 明日再接着干吧。~ *yǐ wǎn, míngrì zài jiēzhe gàn ba.* It's getting dark. Leave it for tomorrow. | 看~怕是要下雨。*Kàn* ~ *pà shì yào xiàyǔ.* It looks like to rain.

³ **天上** tiānshàng〈名 *n.* 口 colloq.〉天空中(与'地下'相对) sky; heavens (opposite to '地下 dìxià'): 云在~飘。*Yún zài* ~ *piāo.* The clouds are floating in the sky. | 几只风筝被缓缓地放飞到了~。*Jǐ zhī fēngzheng bèi huǎnhuǎn de fàngfēi dàole* ~. Only a few kites were sent slowly to fly in the sky. | 和过去相比, 现在他家的生活简直就在~。*Hé guòqù xiāngbǐ, xiànzài tā jiā de shēnghuó jiǎnzhí jiù zài* ~. Compared with that of the past, life in his family now is just like to live in the heaven.

⁴ **天生** tiānshēng〈形 *adj.*〉天然生成的; 生来就有的 born; inborn; inherent; innate: ~的好嗓子 ~ *de hǎo sǎngzi* an inborn good voice | ~胆小 ~ *dǎnxiǎo* be born a coward | 这石头上的山水图案竟是~的。*Zhè shítou shang de shānshuǐ tú'àn jìng shì* ~ *de.* The landscape scenery on this stone is unexpectedly a nature product.

⁴ **天堂** tiāntáng ❶〈名 *n.*〉某些宗教所指的天上幸福美好的所在(与'地狱'相对) paradise, a wonderful place in the heaven (opposite to '地狱 dìyù'): 升入~ *shēngrù* ~ go up into the heaven | ~有路你不进, 地狱无门偏要行(指好端端的, 却要找死)。~ *yǒu lù nǐ bú jìn, dìyù wú mén piān yào xíng (zhǐ hǎoduānduān de, què yào zhǎosǐ).* Be resolute to enter the gateless hell instead of stepping on the ready road to the heaven (*fig.*

seek for death when everything is all right). ❷〈名 n.〉比喻幸福美妙的生活环境 fig. paradise; excellent living environment：人间～ *rénjiān* ~ paradise in the world｜跟闭塞、穷困的家乡比，这里就是～了。*Gēn bìsè, qióngkùn de jiāxiāng bǐ, zhèlǐ jiùshì ~ le.* Compared with my poor and remote hometown, it's a paradise here.

³ 天文 tiānwén ❶〈名 n.〉日、月、星辰在宇宙间分布、运行和变化的现象 phenomena of the distribution, movement and change of the sun, the moon, and other stars in space：～台 ~*tái* observatory｜观测～ *guāncè* ~ observe astronomy｜上知～，下晓地理。*Shàng zhī ~, xià xiǎo dìlǐ.* Be versatile with the knowledge from astronomy to geography. ❷〈名 n.〉天文学 astronomy：～知识 ~*zhīshi* astronomical knowledge｜他是学～的。*Tā shì xué ~ de.* He majors in astronomy.

³ 天下 tiānxià ❶〈名 n.〉全中国或全世界 land under heaven; realm; world or China：～奇观 ~ *qíguān* marvellous spectacle in the world｜名扬～ *míng yáng* ~ become renowned across the land ❷〈名 n.〉指国家或国家政权 country; political power; rule; domination：得民心者得～。*Dé mínxīn zhě dé ~.* Those who win popular sentiments will obtain the power of the country.｜打～难，坐～更难。*dǎ ~ nán, zuò ~ gèng nán.* It is hard to seize the power, but it is even harder to hold power.

⁴ 天线 tiānxiàn〈名 n.〉(根gēn)用来发射或接收无线电波的装置 aerial; antenna, device used to send or receive radio signals：电视～ *diànshì* ~ TV antenna｜架设～ *jiàshè* ~ put up antenna｜公用～ *gōngyòng* ~ community antenna

² 天真 tiānzhēn ❶〈形 adj.〉纯真直率，不虚假做作 innocent; simple and unaffected; artless：～可爱 ~*kě'ài* innocent and lovely｜～无邪 ~*wúxié* innocent and naïve｜她总爱露出孩子般的微笑。*Tā zǒng ài lùchū háizi bān ~ de wēixiào.* She likes to smile innocently just like a child. ❷〈形 adj.〉简单幼稚，容易受迷惑 simple-minded; naïve：老～(指办事、思考与年龄不成正比，幼稚可笑) *lǎo~ (zhǐ bànshì, sīkǎo yǔ niánlíng bù chéng zhèngbǐ, yòuzhì kěxiào)* very simple-minded｜想法～ *xiǎngfǎ* ~ a naïve idea｜～的幻想 ~ *de huànxiǎng* naïve imagination

³ 天主教 Tiānzhǔjiào〈名 n.〉基督教的一派，与东正教、新教并称为基督教的三大教派 Catholicism.

² 添 tiān ❶〈动 v.〉增加；增补 add; increase：～乱 ~*luàn* give more trouble to sb.｜加衣服 ~*jiā yīfu* put on more clothes｜往锅里～些水 *wǎng guō li ~ xiē shuǐ* add some water into the boiler｜画蛇～足 (比喻做了多余的事反到把事情搞糟了) *huàshé~zú (bǐyù zuò le duōyú de shì fǎndào bǎ shìqing gǎozāo le)* draw a snake and add feet to it (*fig.* ruin the effect by adding sth. superfluous)｜～枝加叶(比喻把没有的说成有的，小的说成大的)~*zhī-jiāyè (bǐyù bǎ méiyǒu de shuōchéng yǒu de, xiǎo de shuōchéng dà de)* add color and emphasis to (*fig.* exaggerate) ❷〈动 v. 口 colloq.〉指生育 give birth to; have a baby：～丁进口(指生了男孩儿) ~*dīng jìn kǒu (zhǐ shēngle nánháir)* have a baby born into the family (esp. boy)｜～男～女都一样。~*nán* ~ *nǚ dōu yíyàng.* It will make no difference to have a baby boy or a baby girl.

² 田 tián ❶〈名 n.〉(块kuài)耕种的土地 field; farmland：～庄 ~*zhuāng* country estate｜稻～ *dào*~ paddyfield｜～园诗 ~*yuánshī* idyll; pastoral poetry｜沧海桑～(比喻世事变化巨大) *cānghǎi-sāng~ (bǐyù shìshì biànhuà jùdà)* seas change into fields and fields change into seas (*fig.* time brings great changes to the world) ❷〈名 n.〉蕴藏矿物，可供开采的地带 area with a workable mineral deposit：油气～ *yóuqì* ~ oilfield｜煤～ *méi*~ coalfield

³ 田地 tiándì ❶〈名 n.〉(块kuài、片piàn)种植农作物的土地 field; farmland：～荒芜 ~

huāngwú desolate field｜山下面那块一种着水稻。*Shān xiàmian nà kuài～zhòngzhe shuǐdào.* The field at the foot of the hill is planted with paddy. ❷〈名 *n.*〉地步；境地(常指不好的情况) wretched situation; plight: 吵到这步～，我们之间还能说什么呢？*Chǎo dào zhè bù～, wǒmen zhījiān hái néng shuō shénme ne?* What else can we say when we have had such a quarrel?

⁴ **田间** tiánjiān〈名 *n.*〉田地里，有时借指农村 field; farm; countryside: ～小路 ～*xiǎolù* path in the field｜～管理 ～*guǎnlǐ* field management

⁴ **田径** tiánjìng〈名 *n.*〉体育运动项目之一，包括跑、跳、投掷、竞走等几个项 track and field events; athletics: ～比赛 ～*bǐsài* track and field meet｜～项目 ～*xiàngmù* athletic events

² **田野** tiányě〈名 *n.*〉(片 *piàn*)田地与原野 field; open country: 绿色的～ *lǜsè de～* green field｜农民辛勤地耕耘在～上。*Nóngmín xīnqín de gēngyún zài～shang.* Farmers are working hard in the fields.

² **甜** tián ❶〈形 *adj.*〉味道如糖和蜜一样甘美 sweet; honeyed: ～酒 ～*jiǔ* sweet wine｜丝丝的～ *sīsī de～* pleasantly sweet ❷〈形 *adj.*〉比喻美满幸福 fig. happy: ～情蜜意 ～*qíngmìyì* sweet feelings｜忆苦思～ *yìkǔ-sī～* recall the suffering and long for the happiness｜生活～美 *shēnghuó～měi* happy life ❸〈形 *adj.*〉说话乖巧好听 honeyed; sweet: ～言蜜语 ～*yán-mìyǔ* honeyed words｜嘴～心狠 *zuǐ-～xīnhěn* sweet words and cruel heart｜这个小姑娘嘴挺～的。*Zhège xiǎo gūniang zuǐ tǐng～de.* The little girl is quite smooth-tongued. ❹〈形 *adj.*〉形容睡得塌实而舒适 comfortable; pleasant: 小女儿～～地睡在摇篮里。*Xiǎo nǚ'ér～～de shuì zài yáolán li.* My little daughter is sleeping soundly in the cradle.

² **填** tián ❶〈动 *v.*〉垫平；塞满 fill; stuff: ～沟 ～*gōu* fill a ditch｜～海造田 ～*hǎi zào tián* reclaim land from the sea｜回～ *huí～* backfill｜～平路面的小水坑。～*píng lùmiàn de xiǎo shuǐkēng.* Fill up the pits in the road. ❷〈动 *v.*〉补充；充满 fill; replenish; complement; supplement: ～充 ～*chōng* fill up｜～料 ～*liào* packing; stuffing; filling; filler｜义愤～膺 *yìfèn-～yīng* be filled with indignation ❸〈动 *v.*〉按要求在空白处写入文字或数字 write; fill in: ～表 ～*biǎo* fill in a form｜～空题 ～*kòng tí* gap filling｜请您一下～会客单。*Qǐng nín～yíxià huìkèdān.* Please fill in the reception form.

⁴ **填补** tiánbǔ〈动 *v.*〉补足空缺或亏欠 fill a vacancy or gap: ～缺额 ～*quē'é* fill a vacancy｜～漏洞 ～*lòudòng* mend a hole｜～亏空 ～*kuīkong* make up the deficit｜～内心的空虚 ～*nèixīn de kōngxū* fill in the inner emptiness

⁴ **填写** tiánxiě〈动 *v.*〉在表格、单据等空白处按要求写上必要的文字或数字 fill in, write words or figures in the blank spaces on a printed form, bills, etc.: ～履历表 ～*lǚlìbiǎo* fill in the form of personal record｜请各位把内容～清楚。*Qǐng gèwèi bǎ nèiróng～qīngchu.* Please fill in the form clearly.｜寄钱要先～一张汇款单。*Jì qián yào xiān～yì zhāng huìkuǎndān.* You have to fill in the remittance bill before sending the money.

² **挑** tiāo ❶〈动 *v.*〉选择；选取 choose; select; pick out: ～演员 ～*yǎnyuán* select actors (or actresses)｜～衣服 ～*yīfu* choose clothes｜～日子 ～*rìzi* select a date｜～来～去 ～*lái～qù* select and pick｜～花了眼 ～*huāle yǎn* too many to select ❷〈动 *v.*〉过分苛求，指摘 nitpick; be hypercritical; be fastidious: ～剔 ～*tī* nitpick; be hypercritical｜～吃讲穿 ～*chī jiǎng chuān* be particular about food and clothes｜～毛病 ～*máobìng* find faults｜～肥拣瘦 ～*féi-jiǎnshòu* be choosy ❸〈动 *v.*〉将扁担两头挂上物体，用肩膀支起搬运 carry on the shoulder with a pole; shoulder: 肩～手提 *jiān～shǒu tí* carry on the shoulder and lift with hand｜～行李 ～*xíngli* carry baggage on one's shoulder｜～重担 (比喻担负繁重艰

苦的工作）~ zhòng dān （bǐyù dānfù fánzhòng jiānkǔ de gōngzuò）shoulder heavy burdens (fig. take on heavy and hard work) ❹〈~ㄦ〉〈名 n.〉(副儿)扁担及两头挂的东西 carry loads with a pole: 撂~子(比喻放弃承担责任)liào ~zi (bǐyù fàngqì chéngdān zérèn) put down a load on a carrying pole （fig. throw off one's responsibilities and stop working）｜柴~ㄦ chái~r a load of firewood｜这副水~ㄦ是谁的？Zhè fù shuǐ~r shì shéi de? Whose water-carrying pole is this? ❺〈量 meas.〉用于成挑儿的东西 loads carried on a pole: 两~土 liǎng ~ tǔ four baskets of earth carried on two shoulder poles｜几~粪 jǐ ~ fèn several barrels of manure carried on shoulder poles

☞ tiǎo, p.965

³**挑选** tiāoxuǎn〈动 v.〉选择；选取 choose; select; pick out: ~人才~ réncái select talents｜~设备~ shèbèi choose equipment

¹**条** tiáo ❶〈量 meas.〉用于细长形的东西 used to indicate long and thin things: 一~鱼 yì ~ yú a fish｜两~路 liǎng ~ lù two roads｜三~枪 sān ~ qiāng three guns｜四~香烟 sì ~ xiāngyān four cartons of cigarettes｜许多~裤子 xǔduō ~ kùzi many pairs of trousers ❷〈量 meas.〉用于分事项 item; article: 一~妙计 yì ~ miàojì an excellent plan｜两~规定 liǎng ~ guīdìng two items of regulation｜三~意见 sān ~ yìjiàn three points of complaint｜四~说明 sì ~ shuōmíng four points of explanation｜若干~注意事项 ruògān ~ zhùyì shìxiàng several items for attention ❸〈量 meas.〉用于与人有关的 be concerned with human: 一~心 yì ~ xīn of one mind｜几~人命 jǐ ~ rénmìng several deaths｜四~大汉 sì ~ dàhàn four big fellows ❹〈名 n.〉植物细长的枝 twig: 柳~ liǔ~ willow twigs; wicker｜枝~ zhī~ branches and twigs｜藤~ téng~ cane; splint ❺〈名 n.〉泛指细长的东西 long narrow piece; strip; slip: 面~ miàn~ noodles｜金~ jīn~ gold bar｜肋~ lèi~ rib｜纸~ zhǐ~ paper strip｜链~ liàn~ chain ❻〈名 n.〉分项目的(事物) item; article: ~令 ~ lìng regulations; rules｜~目 ~mù clauses and subclauses｜~约 ~yuē treaty; pact｜教~ jiào~ doctrine｜信~ xìn~ percept tenet; creed ❼〈名 n.〉秩序；层次；条理 order: 有~不紊 yǒu~-bùwěn well-organised; systematically｜井井有~ jīngjīng-yǒu~ in good order; in perfect order｜慢~斯理 màn~-sīlī with deliberate slowness ❽〈名 n.〉写有简便内容的纸片 scrip; slip: 收~ shōu~ receipt｜假~ jià~ leave permit; application for leave｜欠~ qiàn~ IOU, a bill signed in acknowledgement of debt ❾〈形 adj.〉细长形的 long and slender in pattern or shape; striped; streak: ~幅 ~fú wall scroll｜~纹 ~wén stripe｜~桌 ~zhuō long narrow table

¹**条件** tiáojiàn ❶〈名 n.〉应具备的或能起作用的因素 condition; term; factor: 自然~ zìrán ~ natural conditions｜经济~ jīngjì ~ economic conditions｜内部~ nèibù ~ internal conditions｜~尚不具备，工程暂不实施。~ shàng bú jùbèi, gōngchéng zàn bù shíshī. Due to immature conditions, the project is temporarily suspended. ❷〈名 n.〉(个gè、项xiàng) 为达到某种目的而提出的要求或标准 requirement; prerequisite; qualification: ~苛刻 ~ kēkè harsh conditions｜交换~ jiāohuàn ~ requirements for exchange｜你提的~过高了。Nǐ tí de ~ guò gāo le. The requirement you name is too high. ❸〈名 n.〉情况；状况 conditions: 他的身体~很不错。Tā de shēntǐ ~ hěn búcuò. He is in very good physical conditions.｜这个学校~一般，是不是另选一个？Zhège xuéxiào ~ yìbān, shìbushì lìng xuǎn yí gè? Conditions in this school is quite common. Shall we select one other school?

⁴**条款** tiáokuǎn〈名 n.〉(项xiàng)文件、契约上的条目、款项 clause; article; provision: 几项~ jǐ xiàng ~ several articles｜~分明 ~ fēnmíng clearly stipulated provision｜法律~ fǎlǜ ~ legal provision｜合同~ hétong ~ articles in a contract

⁴ **条理** tiáolǐ〈名 n.〉(思想、言语等的)层次;(工作、生活等的)秩序 proper arrangement or presentation; orderliness; method: ~不清，是文章大忌。*~ bù qīng, shì wénzhāng dà jì.* Bad organization is the first thing you have to avoid in writing. | 生活没~，难免闹病。*Shēnghuó méi ~, nánmiǎn nàobìng.* Irregular living habit will inevitably lead to illness. | 他说话办事都十分有~。*Tā shuōhuà bànshì dōu shífēn yǒu ~.* He is very logical in speaking and handling affairs.

³ **条例** tiáolì〈名 n.〉(项 xiàng)分条制订的章程、规则(通常带有法律效力) regulations or rules (usu. with legal effect): 生活~ *shēnghuó ~* rules for living | 军人~ *jūnrén ~* military regulations | 制订~ *zhìdìng ~* formulate regulations

⁴ **条文** tiáowén〈名 n.〉(个 gè)法规、章程中分条阐述的文字 articles in laws and regulations; clauses: 法律~ *fǎlǜ ~* articles in laws | 政策~ *zhèngcè ~* articles in policy | ~畅达 *~ chàngdá* smooth article

² **条约** tiáoyuē〈名 n.〉(项 xiàng、个 gè)国家之间以条文形式签订的关于政治、经济、军事、文化或科技等方面的权利和义务的文书 treaty; pact: 不平等~ *bù píngděng ~* unequal treaty | 互不侵犯~ *hù bù qīnfàn ~* treaty of non-aggression | 两国缔结了和平友好~。*Liǎng guó dìjiéle hépíng yǒuhǎo ~.* The two countries have signed a treaty of peace and friendship.

⁴ **条子** tiáozi ❶〈名 n.〉细长的东西 strip, thin and long object: 纸~ *zhǐ ~* a slip of paper | 布~ *bù ~* a stripe of cloth | 长~ *cháng ~* long strip ❷〈名 n.〉(张 zhāng、个 gè)便条 note: 递~ *dì ~* pass a note | 他不在家，你给他留个~吧。*Tā bú zài jiā, nǐ gěi tā liú gè ba.* He is not at home. Will you leave a note for him?

⁴ **调和** tiáohé ❶〈动 v.〉调解双方纠纷，使其和好 mediate; reconcile: ~折衷 *~ zhézhōng* mediate and compromise | 无法~ *wúfǎ ~* be irreconcilable | ~主义 *~ zhǔyì* conciliationism ❷〈形 adj.〉配合得均匀恰当 harmonious: 风雨~ *fēngyǔ ~* well-distributed rainfall | 色彩~ *sècǎi ~* harmonious color

⁴ **调剂** tiáojì ❶〈动 v.〉适当调整使达到适宜 adjust; regulate: ~生活 *~ shēnghuó* enliven one's life | 一下人力~ *yíxià rénlì ~* regulate manpower | 适当娱乐、运动，可以~身心。*Shìdàng yúlè, yùndòng, kěyǐ ~ shēnxīn.* Proper recreation and exercises may enliven one's life. ❷〈动 v.〉配制药物 write out a prescription: ~师 *~shī* druggist | 药物~ *yàowù ~* medication

⁴ **调节** tiáojié〈动 v.〉调整控制，使数量或程度令人满意 regulate; adjust: ~器 *~qì* adjuster | 这个按钮起~作用。*Zhège ànniǔ qǐ ~ zuòyòng.* This button has the function of adjustment. | 打开空调，~一下房间的温度。*Dǎkāi kōngtiáo, ~ yíxià fángjiān de wēndù.* Turn on the air conditioner to adjust the temperature in the room.

⁴ **调解** tiáojiě〈动 v.〉调和排解，使双方消除纠纷 mediate; make peace: ~员 *~yuán* mediator | ~矛盾 *~ máodùn* mediate in a dispute | 他想充当争执~人。*Tā xiǎng chōngdāng zhēngzhí ~ rén.* He wants to be the mediator of the dispute.

³ **调皮** tiáopí ❶〈形 adj.〉顽皮;淘气 naughty; mischievous: ~捣蛋的总有他。*~ dǎodàn de zǒng yǒu tā.* He is always among those naughty ones. | 这孩子是个~鬼。*Zhè háizi shì gè ~guǐ.* The child is a mischievous imp. ❷〈形 adj.〉不驯服 disobedient; unruly; tricky: 这牲口~，不好对付。*Zhè shēngkou ~, bù hǎo duìfu.* This domestic animal is too disobedient to control. ❸〈形 adj.〉偷懒取巧，耍小聪明 insincere; scheming; dishonest: ~、投机是做不好学问的。*~, tóujī shì zuò bù hǎo xuéwèn de.* Dishonesty and opportunism will not be helpful to research work. | 他人聪明，就是工作很~。*Tā rén cōngming, jiùshì gōngzuò hěn ~.* He is clever but insincere in working.

² **调整** tiáozhěng〈动 v.〉调配、整顿以适应客观变化和要求 adjust; regulate; revise：~名额 – *míng'é* adjust the number of people｜工资 – *gōngzī* ~ make some adjustment on salary｜~产业结构 ~ *chǎnyè jiégòu* regulate industrial structure｜总经理对公司人员做了~。*Zǒngjīnglǐ duì gōngsī rényuán zuòle* ~. The general manager has made some adjustment on staff of the company.

⁴ **挑** tiāo ❶〈动 v.〉用细长物把东西支起、扎起或捞起 get something up with a thin and long object：~大旗（起领头作用）– *dàqí*（*qǐ lǐngtóu zuòyòng*）put up the banner (*fig.* play the leading role)｜把窗帘~开 *bǎ chuānglián ~kāi* raise the curtain｜快~面条，不然都坨了。*Kuài ~ miàntiáo, bùrán dōu tuó le.* Stir up the noodles quickly, or they would stick together. ❷〈动 v.〉用带尖儿的细长物往上或往外拨 poke with a long, slender stick; pick：~刺 – *cì* pick out a splinter｜~灯芯儿 – *dēngxīnr* poke up the wick of an oil lamp｜现在就把话~明了，免得以后生事端。*Xiànzài jiù bǎ huà ~míng le, miǎnde yǐhòu shēng shìduān.* Let's make it clear now so as not to cause any trouble in the future. ❸〈动 v.〉扬起 raise：~起大拇指 *~qǐ dà mǔzhǐ* raise one's thumb｜眉毛向上~了。*Méimao xiàng shǎng ~le* ~. He raised his eyebrows a bit. ❹〈动 v.〉用言语或行动拨弄，离间 stir up; instigate：~拨 *~bō* instigate; incite｜逗 *~dòu* provoke; tease｜衅 *~xìn* provoke｜~起纠纷 *~qǐ jiūfēn* provoke dispute ❺〈名 n.〉汉字的笔画之一，形状为‘∕’，也叫‘提’ rising stroke of Chinese characters, also '提tí'
☞ tiǎo, p. 962

⁴ **挑拨** tiǎobō〈动 v.〉搬弄是非或离间双方，以引起矛盾纠纷 instigate; incite; sow discord：~离间 *~líjiàn* sow discord; foment dissension｜存心 *~ cúnxīn* ~ incite one against the other intentionally｜故意 *~ gùyì* ~ sow discord wilfully

⁴ **挑衅** tiǎoxìn〈动 v.〉寻衅滋事，借以引起争端或战争 provoke, pick a quarrel in an attempt to start a clash or war：~行为 *~ xíngwéi* defiant behavior｜军事 *~ jūnshì* ~ military provocation｜~的手段 *~ de shǒuduàn* defiant means｜对付~的最好办法就是予以回击。*Duìfù ~ de zuì hǎo bànfǎ jiùshì yǔyǐ huíjī.* The best way to cope with provocation is to strike back.

⁴ **挑战** tiǎo//zhàn ❶〈动 v.〉故意激怒对方，使其出来争斗或打仗 challenge：叫骂 *jiàomà* ~ shout curses to challenge｜向敌人 *~ xiàng dírén* ~ challenge the enemy ❷〈动 v.〉鼓动对方来与自己竞争 challenge to a contest：~书 *~shū* written challenge｜迎接学习中的~ *yíngjiē xuéxí zhōng de* ~ meet the challenge in one's study｜你敢~吗？*Nǐ gǎn ~ ma?* Do you dare to challenge?｜我已经向他挑过三次战了。*Wǒ yǐjīng xiàng tā tiǎoguo sān cì zhàn le.* I have challenged him three times.

¹ **跳** tiào ❶〈动 v.〉双脚用劲蹬，身体向上或向前突然跃动 jump; leap; bounce：~台 – *tái* diving tower; diving platform｜~绳 *~shéng* rope skipping; jump rope｜~高 *~gāo* high jump｜弹~力 *tán~lì* jumping ability｜蹦蹦~~ *bèngbèng ~~* prance and scamper｜一匹马突然~过了小河。*Yì pǐ mǎ tūrán ~guòle xiǎohé.* A horse suddenly leaped over the river. ❷〈动 v.〉借用弹性，物体往上突然移动或弹起 bounce：球~了几下，不见了。*Qiú ~ le jǐ xià, bú jiàn le.* The ball bounced several times and then disapeared. ❸〈动 v.〉上下起伏振动 move up and down; beat：心惊肉~ *xīnjīng-ròu~* be filled with apprehension｜眼皮在~ *yǎnpí zài* ~ one's eyelids keep twitching｜火烛不停地~动。*Huǒzhú bùtíng de ~dòng.* The candle fire keeps flickering. ❹〈动 v.〉越过 skip; make omissions：~级 *~jí* skip a grade｜~过一行字 *~guò yì háng zì* skip a line (of words) ❺〈动 v.〉离开或改变 leave or make a change：~槽 *~cáo* job-hop, jump from one job to another all by one's own will or without approval from above｜~行业 *~hángyè* transfer

to other profession

³ **跳动** tiàodòng 〈动 v.〉一起一伏地跃动 move up and down; beat; pulsate：~的心 ~ de xīn beating heart │ 脉搏~正常。Màibó ~ zhèngcháng. The pulses beat normally.

⁴ **跳高** tiàogāo 〈名 n.〉田径运动项目之一 high jump：~运动 ~ yùndòng high jump sport │ 撑竿~ chēnggān ~ pole vault; pole jump

¹ **跳舞** tiào//wǔ 〈动 v.〉表演舞蹈动作；特指跳交际舞 dance：女演员~，男演员伴唱。Nǚ yǎnyuán ~, nán yǎnyuán bànchàng. The female performers are dancing, while the male performers are singing to accompany. │ 老两口儿时常去俱乐部~。Lǎoliǎngkǒur shícháng qù jùlèbù ~. The old couple often goes to dance in the club. │ 舞厅里的人们欢快地跳起交际舞来。Wǔtīng li de rénmen huānkuài de tiàoqǐ jiāojìwǔ lái. People in the ballroom began to dance happily. │ 舞台上跳的是民间舞。Wǔtái shang tiào de shì mínjiānwǔ. What they perform on the stage is a folk dance.

⁴ **跳远** tiàoyuǎn 〈名 n.〉田径运动项目之一 long jump; broad jump：~比赛 ~ bǐsài long jump match │ 练习~ liànxí ~ practice broad jump │ 三级~ sānjí~ triple jump; hop, step and jump

⁵ **跳跃** tiàoyuè 〈动 v.〉双脚用劲蹬，身体向上或向前突然跃起 jump; leap; bounce：双脚~ shuāng jiǎo ~ jump with two feet │ ~运动 ~ yùndòng jumping sport │ ~式前进 ~shì qiánjìn leapfrogging advance │ ~过这道沟，才能算胜利。~ guò zhè dào gōu, cái néng suàn shènglì. Leap over this ditch, and then you will win.

² **贴** tiē ❶〈动 v.〉粘 paste; stick; glue：~邮票 ~ yóupiào stick on a stamp │ ~对联 ~ duìlián paste the couplet │ 把电影海报~在墙上。Bǎ diànyǐng hǎibào ~ zài qiáng shang. Paste the film poster on the wall. ❷〈动 v.〉挨着；靠近 keep close to; nestle closely to：~近 ~jìn press close to; nestle up against │ ~切 ~qiè apt; suitable │ ~身衣服 ~ shēn yīfu underclothes │ 体~入微 tǐ~rùwēi look after with great care; be extremely considerate │ ~心的朋友 ~xīn de péngyou intimate friend; bosom friend ❸〈动 v.〉补助；补用 subsidize; help financially：~本的买卖 ~běn de mǎimai business at loss │ 倒~钱 dǎo ~ qián lose money instead of making a profit │ 每月要~补几个钱给他。Měi yuè yào ~bǔ jǐ gè qián gěi tā. Give him some pocket money every month. ❹〈名 n.〉补助的费用 financial aid; subsidy：津~ jīn~ subsidy │ 饭~ fàn~ food allowance ❺〈量 meas.〉用于中医的膏药 a piece of plaster：几~狗皮膏药 jǐ ~ gǒupí gāoyào several pieces of dogskin plaster (or quack remedies)

² **铁** tiě ❶〈名 n.〉金属元素，符号 Fe ferrum (Fe); iron：钢~ gāng~ steel and iron │ ~匠 ~jiàng blacksmith; ironsmith │ 生~ shēng~ pig iron │ ~器 ~qì ironware │ 吸~石 xī~shí magnet │ 趁热打~（比喻抓住有利时机，立即去做）chènrè-dǎ~ (bǐyù zhuāzhù yǒulì shíjī, lìjí qù zuò) strike while the iron is hot (fig. seize the chance and lose no time to get things done) ❷〈名 n.〉刀枪等武器 arms; weapon：手无寸~ shǒuwúcùn~ bare-handed; completely unarmed ❸〈形 adj.〉比喻坚硬；坚强；牢固 hard; strong; solid; firm：~汉 ~hàn man of iron will │ ~脚板 ~jiǎobǎn iron soles; toughened feet │ ~哥们儿 ~gēmenr best buddies; die-hard fellowmen │ 铜墙~壁（比喻非常坚固的防御力量）tóngqiáng~~bì (bǐyù fēicháng jiāngù de fángyù lìliang) like walls of brass and iron (fig. impregnable fortress; very solid defence) ❹〈形 adj.〉比喻确定不移的 indisputable; unalterable：~证 ~zhèng irrefutable evidence │ ~案 ~àn ironclad case │ ~的纪律 ~ de jìlù unalterable discipline ❺〈形 adj.〉比喻强暴或冷峻 violent; harsh; cruel; crack：~蹄 ~tí iron heel; cruel oppression │ ~石心肠 ~shí xīncháng be ironhearted; have a hardheart │ 铁面无私 tiěmiàn-wúsī impartial and incorruptible; strictly impartial │ 师傅一着脸，一场训斥

不可避免了。*Shīfu ~zhe liǎn, yì chǎng xùnchì bùkě bìmiǎn le*. The master looked stern, and an scolding seemed inevitable. ❻〈形 *adj.*〉铁一样的颜色 ashen; livid: 他的面色～青。*Tā de miànsè ~qīng.* His face turned ghastly pale.

⁴ **铁道** tiědào〈名 *n.*〉(条 tiáo)铁路 railway; railroad: ～部 ～*bù* Ministry of Railways │ ～学院 ～*xuéyuàn* The Railways Institute │ 修～*xiū* build a railway

⁴ **铁饭碗** tiěfànwǎn〈俗 *infm.*〉如同铁打的饭碗摔不坏,比喻稳固的职位(不易失去) iron rice bowl　(*fig.* secure job): 有好手艺就有～。*Yǒu hǎo shǒuyì jiù yǒu ~.* Good workmanship will bring you a secure job. │ 国家公务员也要竞争上岗,端~的时代过去了。*Guójiā gōngwùyuán yě yào jìngzhēng shànggǎng, duān ~ de shídài guòqù le.* Now the government employees should also get their posts through competition, and the era of holding the iron rice bowl has passed.

² **铁路** tiělù〈名 *n.*〉(条 tiáo)铺设钢轨专供火车行驶的道路 railway; railroad: ～小学 ～*xiǎoxué* primary school of the railway department │ 修建～*xiūjiàn* ~ build a railroad │ ～警察各管一段(比喻只管自己份内的事)。~ *jǐngchá gè guǎn yí duàn* (*bǐyù zhǐguǎn zìjǐ fènnèi de shì*). Railway policemen — in charge of their own section.

³ **厅** tīng ❶〈名 *n.*〉聚会、待客用的房间 hall for holding parties, receiving guests, etc. : 门～*mén*~ entrance hall; vestibule; lobby │ 客～*kè*~ sitting room; drawing room; living room │ 餐～*cān*~ dining room │ 宴会～*yànhuì*~ banquet hall │ 大～*dà*~ main hall; hall ❷〈名 *n.*〉某些政府机构的名称 department in a big government organization; office: 办公～*bàngōng*~ office of general affairs │ 民政～*mínzhèng*~ Department of Civil Affairs ❸〈名 *n.*〉某些营业性娱乐场所的名称 some public place of entertainment : 舞～*wǔ*~ ballroom │ 咖啡～*kāfēi*~ coffee house

¹ **听** tīng ❶〈动 *v.*〉用耳朵接收声音 listen; hear: ～觉 ～*jué* sense of hearing │ ～课 ～*kè* attend a lecture │ ～众 ～*zhòng* audience; listeners │ ～音乐 ～*yīnyuè* listen to music │ 还没见她人,就～见她清脆的声音了。*Hái méi jiàn tā rén, jiù ~jiàn tā qīngcuì de shēngyīn le.* Her clear voice can be heard before she appears. ❷〈动 *v.*〉接受;依顺 accept; heed; obey: ～从 ～*cóng* obey; comply with │ 言～计从 yán ~jìcóng always follow sb's. advice; do whatever sb. says │ 服从命令～指挥 fúcóng mìnglìng ~ zhǐhuī follow the orders and obey the commands ❸〈动 *v.*〉任凭 allow; let: ～便 ～*biàn* do as one pleases; as one pleases │ ～任 ～*rèn* allow; let sb. do as he pleases │ ～天由命 ～*tiān-yóumìng* resign oneself to one's fate ❹〈动 *v.*〉治理;审理 administer; manage; judge: ～讼 ～*sòng* hear a case; hold a hearing │ ～政 ～*zhèng* hold court; administer affairs of state │ ～断 ～*duàn* make judgment or declare verdict after hearing the case ❺〈名 *n.*〉金属薄片制成的密闭小筒罐 tin; can: ～装饮料 ～*zhuāng yǐnliào* tinned drink ❻〈量 *meas.*〉用于听装食品 tin; can: 一～冰镇可乐 yì ~ *bīngzhèn kělè* a tin of iced coke │ 你到商场去买几～奶粉。*Nǐ dào shāngchǎng qù mǎi jǐ ~ nǎifěn.* Will you go to the marketplace to buy several tins of milk powder?

⁴ **听话** tīng // huà ❶〈动 *v.*〉顺从别人(尤其是长辈或领导)的意愿或听从指挥 heed what an elder or a superior says; be obedient: 这孩子从小就～。*Zhè háizi cóngxiǎo jiù ~.* The child behaves just well since his childhood. │ 这台电脑怎么不～了?*Zhè tái diànnǎo zěnme bù ~ le?* What's wrong with this computer? │ 听奶奶的话,不要乱动电视。*Tīng nǎinai de huà, búyào luàn dòng diànshì.* Listen to your grandmother's warning and don't touch the television. ❷〈动 *v.*〉听他人说话 listen; hear: 他的听力丧失了一半,～有困难。*Tā de tīnglì sàngshīle yíbàn, ~ yǒu kùnnan.* He becomes half-deaf and has some trouble in hearing. │ 请大点儿声音,我现在听不清你的话。*Qǐng dà diǎnr*

shēngyīn, wǒ xiànzài tīng bù qīng nǐ de huà. Please speak louder; I cannot hear clearly what you say.

¹ **听见** tīng//jiàn〈动 v.〉听到 hear：~喊声 ~ *hǎnshēng* hear the shouts｜没~什么消息吗? *Méi ~ shénme xiāoxi ma?* Don't you hear any news?｜你说这话已经有几回了｜*nǐ shuō zhè huà yǐjīng yǒu jǐ huí le.* I have heard you say so several times.｜谁能证明他是听得见还是听不见呢? *Shéi néng zhèngmíng tā shì tīng de jiàn háishì tīng bú jiàn ne?* Who can prove that he can hear or not?

² **听讲** tīng//jiǎng〈动 v.〉听讲课、讲座或演讲 listen to a talk; attend a lecture：专心~ *zhuānxīn ~* listen to the class attentively｜学生希望听他讲。*Xuésheng xīwàng tīng tā jiǎng.* Students hope to listen to his lecture.

⁴ **听取** tīngqǔ〈动 v.〉听；倾听 listen to：~发言 ~ *fāyán* listen to one's speech｜~汇报 ~ *huìbào* listen to one's briefing｜稻花香里说丰年，~蛙声一片。*Dàohuā xiāng lǐ shuō fēngnián, ~ wā shēng yí piàn.* Talking about the bumper harvest of the year amid the fragrance of the paddy; spikes can only end in listening to the singing of frogs in unison.

¹ **听说** I tīng//shuō〈动 v.〉听别人说 hear; hear about; hear of：~调来一位新校长。~ *diào lái yí wèi xīn xiàozhǎng.* I hear that a new president will be appointed to our school.｜我~过这位作家的名字。*Wǒ ~guo zhè wèi zuòjiā de míngzi.* I hear of the author's name.｜你听谁说他要出国了? *Nǐ tīng shéi shuō tā yào chūguó le?* Who told you that he would go abroad? II tīngshuō〈动 v.〉听和说（区别于'读写'）listen and speak (different from '读写dúxiě')：这一堂是~课。*Zhè yì táng shì ~ kè.* This is a listening and speaking class.｜孩子的英语~能力不如读写。*Háizi de Yīngyǔ ~ nénglì bùrú dúxiě.* The children's ability in English listening and speaking is inferior to that of reading and writing.

¹ **听写** tīngxiě ❶〈动 v.〉(学生)把听到的字、词、句默写下来 dictate：请大家拿出纸和笔，现在~。*Qǐng dàjiā náchū zhǐ hé bǐ, xiànzài ~.* Take out a piece of paper and a pen, and let's do dictation.｜今天~20个单词。*Jīntiān ~ èrshí gè dāncí.* We dictate twenty words today. ❷〈名 n.〉把听到的字、词、句默写下来的练习形式 dictation：这次考试有~吗? *Zhè cì kǎoshì yǒu ~ ma?* Is there dictation in this exam?｜有些孩子害怕~练习。*Yǒuxiē háizi hàipà ~ liànxí.* Some children are afraid of dictation exercise.

听众 tīngzhòng〈名 n.〉(批pī、群qún、名míng)听演讲、演唱或广播的人（区别于'观众'）audience; listeners (different from '观众guānzhòng')：~之声 ~ *zhī shēng* the voice of listeners｜~来信 ~ *láixìn* letters from listeners

³ **亭子** tíngzi〈名 n.〉(个gè、座zuò)圆形或多边形屋顶，四周有立柱、栏杆而无墙壁的小型建筑物(多建在园林间、山路旁、河岸边)pavilion：路旁有座小~。*Lù páng yǒu zuò xiǎo ~.* There is a small pavilion beside the road.｜建在半山腰，就叫'半山亭'吧。*jiàn zài bàn shānyāo, jiù jiào 'Bànshān Tíng' ba.* The pavilion was built half way up the mountain, let's name it 'Banshan Pavilion'.

¹ **停** tíng ❶〈动 v.〉止住；中止 stop; cease; halt; pause：~产 ~ *chǎn* close down｜~战 ~ *zhàn* armistice; truce; cessation of hostilities｜暂~ zàn~ halt; pause｜马不~蹄（形容片刻不停地前进）*mǎbù~tí* (*xíngróng piànkè bùtíng de qiánjìn*) the horse gallops on without stop (*fig.* make a hurried journey without a stop; keep going without a single halt) ❷〈动 v.〉逗留；暂时不走 stop over; stay：~留 ~ *liú* stay for a time; stop｜不忙赶路，~一天再走。*Bù máng gǎnlù, ~ yì tiān zài zǒu.* No hurry with our journey; we may stop over for one day.｜火车只~三分钟。*Huǒchē ~ sān fēnzhōng.* The train just stops for three minutes. ❸〈动 v.〉停放；停靠 be parked; lie at anchor; be

placed：~车场 ~ *chēchǎng* parking lot｜禁止~车 *jìnzhǐ* ~ *chē* no parking｜船就~在码头。*Chuán jiù* ~ *zài mǎtóu.* The ship lies at anchor in dock. ❹〈形 *adj.*〉稳妥 ready; settled：~当 *~dāng* ready; settled｜收拾~妥，准备起程。*Shōushi ~tuǒ, zhǔnbèi qǐchéng.* Everything has been well prepared; we are ready to set out. ❺〈量 *meas.*〉总体中的一份儿 part of a total; portion：十~家产中有八~被烧光了。*Shí ~ jiāchǎn zhōng yǒu bā ~ bèi shāoguāng le.* Eighty percent of the family property have been burnt out.

⁴ 停泊 tíngbó〈动 *v.*〉(船)停靠在某处 (of ships) on the berth：紧急~ *jǐnjí* ~ lie at anchor urgently｜~码头 ~ *mǎtóu* be at anchor in dock｜~在江边 ~ *zài jiāngbiān* be at anchor by the river

⁴ 停顿 tíngdùn ❶〈动 *v.*〉中止或暂停 stop; halt; pause; be at a standstill：处在~状态 *chǔ zài ~ zhuàngtài* be at a standstill｜交通~。*Jiāotōng ~.* The traffic is at a standstill.｜生产不能~下来。*Shēngchǎn bùnéng ~ xiàlái.* The production cannot be at a standstill. ❷〈动 *v.*〉在说话、演唱或演奏过程中，语音或乐音间歇 pause in speaking, singing or musical performing：顿号~短些，逗号~稍长，句号~最长。*Dùnhào ~ duǎn xiē, dòuhào ~ shāo cháng, jùhào ~ zuì cháng.* Slight-pause mark is often used to indicate a slight pause, comma is used to indicate a longer pause, and full stop is used to indicate the longest pause. ❸〈名 *n.*〉(个ge)语音或乐音的间隔 intervals between speech or music：音乐在这里应该有一个~。*Yīnyuè zài zhèlǐ yīnggāi yǒu yí gè ~.* There should be an interval here in the music.｜正确掌握语音的~，是朗诵的基本功。*Zhèngquè zhǎngwò yǔyīn de ~, shì lǎngsòng de jīběngōng.* The correct mastery of phonetic pause is a basic skill of declamation.

³ 停留 tíngliú ❶〈动 *v.*〉暂时停下来 stay for a time; stop：此处不要~。*Cǐ chù búyào ~.* There is no stop here.｜目光~在那本书的封面上。*Mùguāng ~ zài nà běn shū de fēngmiàn shang.* His sight stayed on the cover of that book.｜他预计在那里~一个星期。*Tā yùjì zài nàlǐ ~ yí gè xīngqī.* It is predicted he will stay there for one week. ❷〈动 *v.*〉原地不动；不继续(发展或前进) stop; remain：他的智力还~在孩童的水平上。*Tā de zhìlì hái ~ zài háitóng de shuǐpíng shang.* His intelligence still remains at the level of a child.｜请客吃饭，别光~在嘴上！*Qǐngkè chīfàn, bié guāng ~ zài zuǐ shang!* Don't just say that you will stand treat.

² 停止 tíngzhǐ〈动 *v.*〉中断；不继续进行 stop; cease; halt; call off：~比赛 ~ *bǐsài* cease the game｜~交易 ~ *jiāoyì* cease the transaction｜心脏~了跳动。*Xīnzàng ~le tiàodòng.* The heart stopped beating.｜人们的认识不可能~不前。*Rénmen de rènshi bù kěnéng ~ búqián.* People will not stop in their understanding of the world.

⁴ 停滞 tíngzhì〈动 *v.*〉受到阻碍而停顿不前 stagnate; be at a standstill; bog down; no movement or development due to hindrance：经济~ *jīngjì* ~ stagnated economy｜~不前 ~ *búqián* stagnate; be at a standstill｜扭转~局面 *niǔzhuǎn* ~ *júmiàn* change the situation of stagnation

¹ 挺 tǐng ❶〈副 *adv.* 口 *colloq.*〉很；非常 very; rather; quite：~便宜 ~ *piányi* very cheap｜他~好的。*Tā ~ hǎo de.* He is quite OK right now.｜大伙儿的话，说得她~不自在。*Dàhuǒr de huà, shuō de tā ~ bú zìzài.* People's words make her feel quite uncomfortable. ❷〈动 *v.*〉伸直或凸出 stick out; straighten up：~直腰板儿 ~*zhí yāobǎnr* straighten one's back｜让你~胸，怎么把肚子~出来了？*Ràng nǐ ~ xiōng, zěnme bǎ dùzi ~ chūlái le?* You are asked to thrust out your chest, but why do you thrust out your belly?｜看了这半天电视，把我的脖子都~酸了。*Kànle zhè bàntiān diànshì, bǎ wǒ de bózi dōu ~ suān le.* My neck ached when I watched the television with a stiffened neck for a long time. ❸

〈动 v.〉勉强支撑或支撑下去 endure; stand; hold out：有病别硬～着。*Yǒu bìng bié yìng ~zhe.* Don't hold out when you are ill. | ～到最后，就是胜利。*~ dào zuìhòu, jiùshì shènglì.* Hold out to the end, and then you will win. ❹〈形 adj.〉直 straight; erect; stiff：～立~*lì* stand upright; stand erect | 笔～*bǐ~* very straight | 直～～的 *zhí~~ de* stand up straight ❺〈形 adj.〉突出 stand out：～拔~*bá* tall and straight; towering | ～秀 ~*xiù* tall and graceful ❻〈量 meas.〉用于机关枪等武器 used to indicate the number of machine guns：数～机枪 *shǔ ~ jīqiāng* several machine guns

挺拔 tǐngbá ❶〈形 adj.〉直立而高耸 tall and straight; towering：～的身材 ~*de shēncái* tall, straight stature | 转过山崖，只见苍松、翠柏傲立。*Zhuǎnguò shānyá, zhǐjiàn cāngsōng ~, cuìbǎi àolì.* Climbing over the cliff, you will see deep green pines standing tall and straight, and dark-green cypresses standing loftily erect. ❷〈形 adj.〉强有力的 forceful：笔力～苍劲。*Bǐlì ~ cāngjìn.* Strokes in handwriting are forceful.

挺立 tǐnglì〈形 adj.〉直立 stand upright; stand firm：昂首～ *ángshǒu ~* stand upright with one's chins up | 士兵～在哨位。*Shìbīng ~ zài shàowèi.* The soldier stood upright on his post. | ～潮头，做时代的弄潮儿。*~ cháotóu, zuò shídài de nòngcháo'ér.* Stand firm at the front of the trend, and become the surfer of the age.

艇 tǐng〈名 n.〉(艘sōu、只zhǐ)吨位不大、比较轻便的船 light boat; 舰～ *jiàn~* naval vessels; warships | 潜～ *qián~* submarine | 赛～ *sài~* gig | 巡逻～ *xúnluó~* patrol boat

¹**通** tōng ❶〈动 v.〉使顺畅而不堵塞 open up; clear out：疏～ *shū~* dredge | 下水道 ~ *xiàshuǐdào* clear out the sewer | 应该吃点儿泻药，～一～大便。*Yīnggāi chī diǎnr xièyào, ~ yì ~ dàbiàn.* You should take some cathartic to relieve nature. ❷〈动 v.〉可以达到或穿过 lead to; go to：贯～ *guàn~* connect; link up | 可以～行 *kěyǐ~ xíng* pass through | 四～八达 *sì~-bādá* extend in all directions | 这里有两条路～往湖边。*Zhèli yǒu liǎng tiáo lù ~wǎng hú biān.* Here are two roads leading to the lake. ❸〈动 v.〉连接；相互往来 connect; communicate：沟～ *gōu~* communicate with; link up; connect | 交～ *jiāo~* traffic | ～邮 *~yóu* be accessible by postal service | ～婚 *~hūn* be related by marriage; intermarriage | 互～有无 *hù~-yǒuwú* supply each other's needs; exchange needed goods | 山里经常与外界不～消息。*Shān li jīngcháng yǔ wàijiè bù ~ xiāoxi.* People living in the mountains seldom make communications with the outside world. ❹〈动 v.〉传达；告知 notify; tell：～知 *~zhī* notify; tell; inform | ～报 *~bào* circulate a notice; bulletin | ～风报信 *~fēng-bàoxìn* furnish secret information; tip somebody off | ～气会 *~qìhuì* informing meeting | 我刚才和妈妈～过电话。*Wǒ gāngcái hé māma ~guo diànhuà.* I telephoned my mother just now. ❺〈动 v.〉懂得或了解 understand; know：精～ *jīng~* be proficient in; have good command of | ～晓 *~xiǎo* be well versed in; have a thorough knowledge of | ～情达理 *~qíng-dálǐ* show good sense; be understanding and reasonable | 博古～今 *bógǔ-~jīn* erudite and informed | 这位翻译～三国外语。*Zhè wèi fānyì ~ sān guó wàiyǔ.* This translator knows three foreign languages. ❻〈形 adj.〉顺畅 logical; coherent：～畅 *~chàng* unobstructed; easy and smooth | 文～字顺 *wén~-zìshùn* lucid writing | 政～人和。*Zhèng~-rénhé.* The government is efficient and the people are united. | 这句话说不～。*Zhè jù huà shuō bù ~.* The sentence is not logical. | 跟他说了多少遍，他就是想不～。*Gēn tā shuōle duōshao biàn, tā jiùshì xiǎng bù ~.* I have told him many times, but he is not convinced. ❼〈形 adj.〉常见的；一般的 common; ordinary; general：～病 *~bìng* common mistake | ～俗 *~sú* popular; common | ～常 *~cháng* general; usual; normal | 普～ *pǔ~* ordinary; common ❽〈形 adj.〉整个；全部 all; whole：～史 *~shǐ* comprehensive history; general history | ～票 *~piào* through ticket | ～观 *~guān* take an

overall view｜~宵达旦 ~xiāo-dádàn all night long; from dusk till dawn; all through the night ❾〈名 n.〉(个 gè、名 míng)对某方面精通的人 expert; specialist; authority：中国~ Zhōngguó~ old China hand; expert on China｜万事~ wànshì~ know-all; versatile person ｜他消息特别灵~。Tā xiāoxi tèbié líng~. He is very well informed. ❿〈副 adv.〉很；十分 very; rather：~红 ~hóng very red; red through｜~亮 ~liàng well-illuminated; brightly lit｜灯火~明 dēnghuǒ-~míng be brilliantly illuminated

⁴**通报** tōngbào ❶〈动 v.〉上级机关用书面形式向下级机关通告有关情况 circulate a notice：~嘉奖 ~jiājiǎng circulate a notice of commendation｜~批评 ~pīpíng circulate a notice of criticism｜~表扬 ~biǎoyáng circulate a notice of commendation ❷〈动 v.〉(将来客)报告、通知(上级或主人)；也指(会面时)相互告知 fill sb. in on sth.; notify or report to (one's superior or master)：他向市政府~了工程进展情况。Tā xiàng shì zhèngfǔ ~le gōngchéng jìnzhǎn qíngkuàng. He reported the progress of the project to the municipal government.｜请~主人，我有要事相商。Qǐng ~ zhǔrén, wǒ yǒu yàoshì xiāngshāng. Please tell your master that I have an important thing to consult with him. ｜会谈双方互相~了各自的观点。Huìtán shuāngfāng hùxiāng ~le gèzì de guāndiǎn. Both sides of the talk notify each other of their own opinions. ❸〈名 n.〉(份 fèn)上级机关通告下级机关的文件 circular：发《会议~》fā 'Huìyì ~' distribute a Conference Circular

³**通常** tōngcháng ❶〈形 adj.〉平常；一般 general; usual; normal：~的做法 ~ de zuòfǎ the usual method ❷〈名 n.〉一般的情况 normal conditions：他~早上不吃早点。Tā zǎoshang bù chī zǎodiǎn. He usually eats nothing in the morning.

⁴**通道** tōngdào〈名 n.〉(条 tiáo)往来的通路 thoroughfare; passageway; passage：地下~ dìxià ~ the underground passage｜楼内有两条~。Lóu nèi yǒu liǎng tiáo ~. There are two passageways in the building.｜河西走廊是中国古代'丝绸之路'通往西域的唯一~。Héxī Zǒuláng shì Zhōngguó gǔdài 'Sīchóuzhīlù' tōngwǎng Xīyù de wéiyī ~. The Hexi Corridor was the only passage named 'Silk Road' to the Western countries in ancient China.

⁴**通风** I tōng//fēng ❶〈动 v.〉使空气流通 ventilate; aerate：早晨要开窗~。Zǎochén yào kāi chuāng ~. We should open the windows to ventilate the room in the morning.｜屋里太憋闷了，应该通风透透气。Wū li tài biēmen le, yīnggāi tōngtōng fēng tòutòu qì. The room is so stuffy. Open the windows to let the air circulate. ❷〈动 v.〉暗中透露消息 divulge information：~报信 ~bàoxìn furnish secret information; tip somebody off ｜肯定有人通了风，要不人家怎么有准备了？Kěndìng yǒurén tōngle fēng, yàobù rénjia zěnme yǒu zhǔnbèi le? There must be someone to tip them off, or they cannot get prepared? II tōngfēng〈形 adj.〉透气 well ventilated：这房间挺~的。Zhè fángjiān tǐng ~ de. The room is well ventilated.

⁴**通告** tōnggào ❶〈动 v.〉(在一定范围内)用文告或口头的方式广泛地告知 give public notice; announce：~全体成员 ~quántǐ chéngyuán notify all the members｜书面~shūmiàn ~ written notice ❷〈名 n.〉(份 fèn、张 zhāng、个 gè)指广泛告知的文告 notice; announcement：政府~zhèngfǔ ~ government announcement｜公司在报纸上发了一个~。Gōngsī zài bàozhǐ shang fāle yí gè ~. The company made an announcement in the newspaper.

¹**通过** I tōng//guò ❶〈动 v.〉经过；穿过 pass; get through：列车准点~小站。Lièchē zhǔndiǎn ~ xiǎo zhàn. The train passed the little station on time.｜受阅部队陆续~主席台。Shòuyuè bùduì lùxù ~ zhǔxítái. Troops accepting inspection passed the reviewing stand in succession.｜敌人戒备森严，一时无法~封锁线。Dírén jièbèi sēnyán, yìshí

wúfǎ ~ fēngsuǒxiàn. Because of the tight guard of the enemy, we could not pass the blockade at the moment. ❷〈动 *v.*〉获得认可或批准 get the permission or authorization：~预算 – *yùsuàn* approve of the budget ｜ 决议被~。*Juéyì bèi ~.* The resolution has been passed. ｜你们的申请~了。*Nǐmen de shēnqǐng ~ le.* Your application has been accepted. ｜英语托福考试你一定通得过的。*Yīngyǔ Tuōfú kǎoshì nǐ yídìng tōng de guò de.* You will certainly pass TOEFL. Ⅱ tōngguò〈介 *prep.*〉引进动作行为的媒介、方式或手段 by means of；by way of：~电话交谈彼此认识了 – *diànhuà jiāotán bǐcǐ rènshi le.* They got to know each other through telephone. ｜~复习，一定能考上理想的学校。*~ fùxí, yídìng néng kǎoshàng lǐxiǎng de xuéxiào.* You will certainly pass the entrance examination for an ideal university through reviewing. ｜警察是~非常手段制服罪犯的。*Jǐngchá shì ~ fēicháng shǒuduàn zhìfú zuìfàn de.* The policemen overrode the criminal by special means.

⁴ **通航** tōngháng〈动 *v.*〉有船只、飞机来往航行 be open to navigation or air traffic：两地准备~。*Liǎng dì zhǔnbèi ~.* The two areas are ready to be open to navigation. ｜~事宜正在商谈中 – *shìyí zhèngzài shāngtán zhōng.* Matters concerning direct navigation are under negotiation.

⁴ **通红** tōnghóng〈形 *adj.*〉非常红；十分红 very red; glowing：~的火光 – *de huǒguāng* glowing blaze ｜孩子的脸冻得~。*Háizi de liǎn dòng de ~.* The child's face was red from the cold. ｜晚霞把天边映照得一片~。*Wǎnxiá bǎ tiānbiān yìngzhào de yípiàn ~.* The evening glow shines red upon the horizon.

⁴ **通货膨胀** tōnghuò péngzhàng〈名 *n.*〉国家货币发行量超过商品流通的需要，引起纸币贬值、物价上涨的现象 (of money) inflation：控制~ – *kòngzhì* ~ control the inflation ｜严重的~ – *yánzhòng de* ~ severe inflation ｜~往往会造成国家的经济危机。*~ wǎngwǎng huì zàochéng guójiā de jīngjì wēijī.* Inflation may lead to economic crises in the country.

⁴ **通商** tōng//shāng〈动 *v.*〉国家或地区之间进行贸易 (of nations or regions) have trade relations：~条约 – *tiáoyuē* trade treaty ｜~口岸 – *kǒu'àn* trading port ｜不要制造人为障碍，使两地通不了商。*Búyào zhìzào rénwéi zhàng'ài, shǐ liǎng dì tòng bù liǎo shāng.* Don't deliberately put obstacles to trade relations between the two areas.

³ **通顺** tōngshùn〈形 *adj.*〉(文章的内容和文字) 十分顺畅，没有逻辑或语法上的毛病 (of writing) clear and coherent; smooth：语句 – *yǔjù* – coherent sentences ｜~是中学生作文的基本要求。*~ shì zhōngxuéshēng zuòwén de jīběn yāoqiú.* For high school students, coherence is one of the basic requirements of writing.

³ **通俗** tōngsú〈形 *adj.*〉大众能够接受并易于领会的(与'高雅'相对) popular; common (opposite to '高雅gāoyǎ')：~音乐 – *yīnyuè* popular music ｜语言 – *yǔyán* – popular language ｜~化与民族化 – *huà yǔ mínzúhuà* popularization and nationalization ｜绝不能将~与庸俗划等号。*Jué bù néng jiāng ~ yǔ yōngsú huà děnghào.* It's not allowable to equate popularity with vulgarity.

³ **通信** Ⅰ tōng//xìn〈动 *v.*〉用书信联系 communicate by letter：靠~往来 *kào ~ wǎnglái* communicate by mail ｜纸条上有我的~地址。*Zhǐtiáo shang yǒu wǒ de ~ dìzhǐ.* My address is written on the paper. ｜我们通过几次信。*Wǒmen tōngguo jǐ cì xìn.* We have exchanged letters several times. Ⅱ tōngxìn〈动 *v.*〉传达或传递信息 transmit or transfer information：~员 *~yuán* messenger; orderly ｜卫星~ *wèixīng ~* satellite communication ｜数字~ *shùzì* – digital communication

⁴ **通行** tōngxíng ❶〈动 *v.*〉在交通线路上通过 pass through：~无阻 *~ wúzǔ* pass through without blockage ｜禁止~。*Jìnzhǐ ~.* No Traffic. ｜请出示~证。*Qǐng chūshì ~zhèng.*

Show your pass please. ❷〈动 v.〉普遍采用 be in common use; be widely adopted：~的做法 ~ de zuòfǎ the common method｜信用卡几年前才在这里开始~。Xìnyòngkǎ jǐ nián qián cái zài zhèlǐ kāishǐ ~. The credit card was only in wide use at this place several years ago.

² **通讯** tōngxùn ❶〈名 n.〉（篇piān）新闻体裁之一，以报道客观事物或典型人物为主 news report; news dispatch; correspondence; newsletter：~员 ~yuán news reporter｜~社 ~shè news agency; news service｜写篇 ~ xiě piān write a news report｜~报道 ~ bàodào news report ❷〈动 v.〉利用电讯设备传递信息 communicate：微波 ~ wēibō ~ microwave communication｜~设备 ~ shèbèi communications equipment｜~卫星 ~ wèixīng communication satellite

⁴ **通讯社** tōngxùnshè〈名 n.〉（家jiā）采访和编辑新闻，供报社、广播、电视等使用的新闻机构 news agency; news service：新华 ~ Xīnhuá ~ Xinhua News Agency｜外国 ~ wàiguó ~ foreign news service｜他是这家~的总编辑。Tā shì zhè jiā ~ de zǒngbiānjí. He is the editor-in-chief of this news agency.

⁴ **通用** tōngyòng〈动 v.〉普遍使用 be in common use; be widely used：全国~ quánguó ~ be used throughout the whole country｜~教材 ~ jiàocái general-purpose teaching material｜汉语是中国的~语言 Hànyǔ shì Zhōngguó de ~ yǔyán. Chinese is commonly used in China.

¹ **通知** tōngzhī ❶〈动 v.〉把应办事项或应知道的事宜告诉有关方面或人员 notify; inform; give notice：~下午两点开会。~ xiàwǔ liǎng diǎn kāihuì. Give notice that the meeting will be held at two o'clock this afternoon.｜请~部门经理一声，不要忘记带汇报的材料。Qǐng ~ bùmén jīnglǐ yì shēng, búyào wàngjì dài huìbào de cáiliào. Please notify the department manager not to forget to bring the report with him. ❷〈名 n.〉（个gè、份fèn）通告有关事项的口信或文字 notice; circular：录取~ lùqǔ ~ admission notice｜请把这份开会~交给校长。Qǐng bǎ zhè fèn kāihuì ~ jiāogěi xiàozhǎng. Please give the conference notice to the president.

² **同** tóng ❶〈形 adj.〉相同；一样 same; alike; similar：~岁 ~suì of the same age｜~辈 ~bèi of the same generation｜~路 ~lù on the same way｜等~ děng~ be equal｜志~道合 zhì~dàohé share the same ideals and thoughts｜不约而~ bùyuē'ér~ do or think the same thing without previous arrangement ❷〈动 v.〉共同；一起 together; in common：~居 ~jū live together｜随~ suí~ be in commpany with｜~吃~住 ~chī~zhù eat and live together｜甘共苦 ~gān-gòngkǔ share comforts and hardships｜~舟共济（比喻团结一致，共同战胜困难）~zhōu-gòngjì（bǐyù tuánjié yízhì, gòngtóng zhànshèng kùnnan）cross a river in the same boat（fig. pull together in times of trouble; cooperate to overcome difficulties）❸〈介 prep.〉引进动作的对象，相当于'跟''向''和'等 used to introduce the object of an action, same as '跟gēn', '向xiàng', '和hé', etc.：这个想法可以~领导谈谈。Zhège xiǎngfǎ kěyǐ ~ lǐngdǎo tántan. You may talk with the leader about your idea.｜不~丑恶的现象斗争，怎么维护学校的秩序？Bù ~ chǒu'è de xiànxiàng dòuzhēng, zěnme wéihù xuéxiào de zhìxù? How can we maintain order in our school without fighting against the evil tendency?｜他~作弊无关。Tā ~ zuòbì wúguān. He has nothing to do with cheating in the examination. ❹〈介 prep.〉引进动作的对象，但有比较的意味 as...as, used to compare two things：今年的试题~去年的不一样。Jīnnián de shìtí ~ qùnián de bù yíyàng. This year's testing questions are different from those of last year.｜他~他夫人的性格差不多。Tā ~ tā fūrén de xìnggé chàbuduō. He is almost the same with his wife in disposition. ❺〈连 conj.〉表示平等的联合关系 together with：请

同学们把课本~练习册都拿出来。*Qǐng tóngxuémen bǎ kèběn ~ liànxícè dōu ná chūlái.* Will you students take out your textbooks and exercise books. | 吃的~用的都准备好了。 *Chī de ~ yòng de dōu zhǔnbèi hǎo le.* Food and daily necessities have been fully prepared.

³ **同伴** tóngbàn 〈名 *n.*〉(个 gè、位 wèi) 一同工作或生活的伴侣 companion：事业上的~ *shìyè shang de ~* companion in one's career | 他是我旅途中结识的~。*Tā shì wǒ lǚtú zhōng jiéshí de ~.* He is the companion with whom I get acquainted on my journey.

³ **同胞** tóngbāo ❶〈名 *n.*〉同一父母所生的兄弟姐妹 brothers or sisters born of the same parents：~兄弟 ~ *xiōngdì* full brothers ❷〈名 *n.*〉同一民族或国家的人 compatriots; fellow contrymen：~们 ~*men* my fellow countrymen | 全国~ *quánguó* ~ compatriots of the whole nation

⁴ **同步** tóngbù ❶〈形 *adj.*〉两个或两个以上随时间变化的量，在变化过程中保持一定的相对关系 synchronism：~转动 ~ *zhuàndòng* turn synchronously | 卫星与地球~。*Wèixīng yǔ dìqiú* ~. The satellite moves synchronously with the Earth. ❷〈形 *adj.*〉比喻步调协调一致 *fig.* coordinate in time of progress; synchronous; in step with; simultaneous：~增长 ~ *zēngzhǎng* increase simultaneously | 进度不~ *jìndù bù* ~ not coodinate in time of progress | 学生的毕业考试和分配两项工作要~进行。*Xuésheng de bìyè kǎoshì hé fēnpèi liǎng xiàng gōngzuò yào ~ jìnxíng.* The graduation examination and assignment work should be done simultaneously.

⁴ **同等** tóngděng 〈形 *adj.*〉同样等级或同一地位的 of the same class, rank, or status; on an equal basis：~重要 ~ *zhòngyào* of equal importance | ~学力 ~ *xuélì* same educational level | 他们年龄、学历差不多，待遇也应当是~的。*Tāmen niánlíng, xuélì chàbuduō, dàiyù yě yīngdāng shì ~ de.* Their age and educational level are alike, so they should also get the same pay.

⁴ **同行** tóngh"áng 〈名 *n.*〉(个 gè、位 wèi) 从事同一行业的人 of the same trade or occupation：~之间有许多共同的语言。~ *zhījiān yǒu xǔduō gòngtóng de yǔyán.* People of the same occupation have much in common. | 这是我以前的~。*Zhè shì wǒ yǐqián de* ~. This is my previous colleague.

⁴ **同类** tónglèi 〈名 *n.*〉同一类别；志趣相同的人 of the same kind; similar：~商品 ~ *shāngpǐn* similar products | ~问题 ~ *wèntí* similar problem | ~的人 ~ *de rén* persons of the same kind | 他们俩脾气、爱好相同，自然视为~。*Tāmen liǎ píqì, àihào xiāngtóng, zìrán shìwéi* ~. Since they have the same disposition and hobbies, it is natural to regard them as two persons of the same kind.

³ **同盟** tóngméng ❶〈动 *v.*〉为共同行动而缔结盟约 form an alliance：各方~，联手御敌。*Gèfāng* ~, *liánshǒu yùdí.* All sides formed an alliance to resist the enemy. ❷〈名 *n.*〉有缔约而形成的整体 alliance; league：军事~ *jūnshì* ~ military alliance | 攻守~ *gōngshǒu* ~ offensive and defensive alliance; a pact to shied each other | 结成~ *jiéchéng* ~ form an alliance

⁴ **同年** tóngnián 〈名 *n.*〉同一年，也指岁数相同 same year：~夏天 ~ *xiàtiān* in the summer of the same year | 我和他~参加工作。*Wǒ hé tā* ~ *cānjiā gōngzuò.* He and I began to work at the same year. | 他俩是~，都是1980年出生的。*Tā liǎ shì* ~, *dōushì yī-jiǔ-bā-líng nián chūshēng de.* They two are of the same age, born in 1980.

⁴ **同期** tóngqī ❶〈名 *n.*〉同一时期 corresponding period：往年~ *wǎngnián* ~ the corresponding period of the former years | 今年的产量远远超过历史~。*Jīnnián de chǎnliàng yuǎnyuǎn chāoguò lìshǐ* ~. This year's output has far exceeded those of the

corresponding periods in history. ❷ 〈名 n.〉同一届 same term, year or class：~毕业 ~ bìyè graduate in the same year｜我们不是~的，他比我高一期。Wǒmen bú shì ~ de, tā bǐ wǒ gāo yì qī. We are not of the same grade in school. He is one year older than me.

² **同情** tóngqíng ❶〈动 v.〉因别人的不幸遭遇而产生感情上的怜悯 feel for; sympathize with; show pity for sb. 富于~心 fùyú ~xīn be full of sympathy｜她很~孤儿院的孩子。Tā hěn ~ gū'éryuàn de háizi. She feels for children in orphanage.｜~弱者是人们的普遍心理。~ ruòzhě shì rénmen de pǔbiàn xīnlǐ. It's common to sympathize with the weak. ❷ 〈动 v.〉对别人的行动在感情上表示理解和赞许 approve of or agree with sb.'s action：对你们的做法，大家表示支持和~。Duì nǐmen de zuòfǎ, dàjiā biǎoshì zhīchí hé ~. We all support and sympathize with what you've done.

¹ **同时** tóngshí ❶〈名 n.〉同一个时候；同一时刻 at the same time; simultaneously; concurrently; meanwhile; in the meantime：同一~发生 ~fāshēng occur at the same time｜~结业 ~jiéyè complete the course at the same time｜听讲的~，他还认真地记笔记。Tīng jiǎng de ~, tā hái rènzhēn de jì bǐjì. He took notes attentively while listening to the class. ❷〈连 conj.〉表示进一步说明；并且 moreover; besides; furthermore; in addition：春节是中国传统佳节中最隆重的节日，~也是农历新春的起始日。Chūn Jié shì Zhōngguó chuántǒng jiājié zhōng zuì lóngzhòng de jiérì, ~ yě shì nónglì xīn chūn de qǐshǐ rì. Spring Festival is the most ceremonious among traditional Chinese festivals, and also the beginning day of a new spring in lunar calendar.

T

⁴ **同事** tóng//shì Ⅰ〈动 v.〉在一个单位共事 work in the same place; work together：我和他同过事。Wǒ hé tā tòngguo shì. I once worked together with him.｜虽然~时间不长，但彼此已经配合默契了。Suīrán ~ shíjiān bù cháng, dàn bǐcǐ yǐjīng pèihé mòqì le. Although we have not worked together for long, we can work in perfect unison. Ⅱ tóngshì〈名 n.〉(个gè、位wèi)同一单位工作的人 colleague; mate; fellow worker：新老~xīn lǎo ~ new and old colleagues｜他是我的~。Tā shì wǒ de ~. He is my colleague.｜~们在一起聚会谈天。~men zài yìqǐ jùhuì tántiān. The fellow workers get together to have a talk in the party.

² **同屋** tóngwū ❶〈动 v.〉住同一房间 live in the same room：在学校，我们~。Zài xuéxiào, wǒmen ~. We lived in the same room when we were in school.｜那年外出旅行，和他~。Nà nián wàichū lǚxíng, hé tā ~. I lived in the same room with him when we were out on our journey that year. ❷〈名 n.〉(位wèi)住在同一房间的人 roommate：周末，我的~回家了。Zhōumò, wǒ de ~huíjiā le. My roommates go home at the weekends.｜~喜欢晚睡，我却愿意早睡。~ xǐhuan wǎn shuì, wǒ què yuànyì zǎo shuì. My roommates like to stay up late at night, but I'd rather go to bed early.

¹ **同学** tóngxué ❶〈名 n.〉(位wēi、个gè)同一所学校学习的人 fellow students; schoolmate：~录 ~lù address book for classmates｜我们不仅在一个学校学习，还是同班~。Wǒmen bùjǐn zài yí gè xuéxiào xuéxí, hái shì tóngbān ~. We studied not only in the same school, but also in the same class. ❷〈名 n.〉(位wèi、个gè)称呼学生 an address used when speaking to a student：小~，不要在马路上乱跑。Xiǎo ~, búyào zài mǎlù shang luàn pǎo. Little pupil, don't run about in the street.｜请找几个~去布置会场。Qǐng zhǎo jǐ gè ~ qù bùzhì huìchǎng. Please find some students to arrange the meeting place.

² **同样** tóngyàng ❶〈形 adj.〉一样；相同 same; equal; similar; alike; of no difference：~的装束 ~ de zhuāngshù be in same clothes｜~对待 ~ duìdài be equally treated｜只要你能改正错误，我们~欢迎。Zhǐyào nǐ néng gǎizhèng cuòwù, wǒmen ~ huānyíng. You are

still welcomed, as long as you may correct your mistakes. ❷〈连 *conj.*〉连接并列的成分，表示与前一小句的情况类似或相同 also, used to connect two coordinate sentences to show likeness of the two situation：你不能来，~，我也不能来。*Nǐ bù néng lái, ~, wǒ yě bù néng lái.* You cannot come, and I cannot either. | 称赞的话语要听，~，批评的意见也要听。*Chēngzàn de huàyǔ yào tīng, ~, pīpíng de yìjiàn yě yào tīng.* We may listen to complimentary words, and also we have to listen to criticism.

⁴ **同一** tóngyī ❶〈形 *adj.*〉相同的；同样的 same; common or one kind：~理念 ~ *lǐniàn* same idea | ~学校 ~ *xuéxiào* same school ❷〈形 *adj.*〉一致；统一 identical; united：~性 ~*xìng* identity | 目标~，做法不一定~。*Mùbiāo ~, zuòfǎ bù yídìng ~.* We may take different methods to achieve the same goal.

¹ **同意** tóngyì 〈动 *v.*〉认可；赞同 agree; consent; approve：~和解 ~ *héjiě* agree to compromise | 勉强~ *miǎnqiǎng ~* reluctantly agree | ~的，请举手。~ *de, qǐng jǔshǒu.* Put up your hand if you agree.

¹ **同志** tóngzhì ❶〈名 *n.*〉(位 *wèi*) 有着相同理想、事业、志向的人；特指同一政党之间的成员 comrade：党内~ *dǎngnèi ~* comrades of our Party | 革命尚未成功，~仍须努力。*Gémìng shàngwèi chénggōng, ~ réng xū nǔlì.* We have not succeeded in revolution and need to make greater efforts. ❷〈名 *n.*〉在中国人和人之间(尤其是成人)的一种习惯称呼 customary title used between people (esp. grown-ups) in China：~，请问邮局怎么走？ ~, *qǐng wèn yóujú zěnme zǒu?* Comrade, do you know where the post office is?

² **铜** tóng〈名 *n.*〉金属元素，符号 Cu cuprum (Cu); copper：~钱 ~*qián* copper cash; copper coin | ~鼓 ~*gǔ* bronze drum | 青~器 *qīng~qì* bronze ware | ~墙铁壁 (比喻坚固的防御体系) ~*qiáng-tiěbì* (*bǐyù jiāngù de fángyù tǐxì*) a wall of bronze or iron (*fig.* stronghold)

⁴ **童年** tóngnián〈名 *n.*〉儿童时期；幼年 childhood：我的~ *wǒ de ~* my childhood | 回忆~ *huíyì~* recall one's childhood | ~时光 ~*shíguāng* childhood

⁴ **统筹** tǒngchóu〈名 *n.*〉整体或通盘筹划 plan as a whole; make overall plans; coordinate in an overall manner：~法 ~*fǎ* an overall planning | ~规划 ~*guīhuà* make overall plans | ~全局 ~*quánjú* take the whole situation into account and plan accordingly

³ **统计** tǒngjì ❶〈动 *v.*〉合计；总括计算 add up; count：~人数 ~*rénshù* count the number of people | ~产量 ~*chǎnliàng* count the output | 请同学们把作文中的错字~一下。*Qǐng tóngxuémen bǎ zuòwén zhōng de cuòzì ~ yíxià.* Will you students check out the wrong characters in your composition. ❷〈名 *n.*〉对某一现象的有关数据进行搜集、计算、整理和分析的做法 statistics; census：~学 ~*xué* statistics | ~方法 ~*fāngfǎ* statistic method | 人口~ *rénkǒu ~* census ❸〈名 *n.*〉(个 *gè*) 担当统计的人员 statistician：她是我们工厂的~。*Tā shì wǒmen gōngchǎng de ~.* She is the statistician of our factory. | 公司的那位~向来认真负责。*Gōngsī de nà wèi ~ xiànglái rènzhēn fùzé.* The statistician of the company is always serious and responsible.

³ **统统** tǒngtǒng〈副 *adv.*〉全部；都 (也说'通通'或'通统') all; entirely; completely (also '通通tōngtōng', '通统tǒngtǒng')：被退回的原因是产品~不合格。*Bèi tuìhuí de yuányīn shì chǎnpǐn ~ bù hégé.* The reason for the return of goods is that they are all disqualified. | 一放假，学生们~走光了。*Yí fàngjià, xuéshengmen ~ zǒuguāng le.* All the students go away as soon as the vacation begins. | 除了那几件家具，其余~处理掉。*Chúle nà jǐ jiàn jiājù, qíyú ~ chǔlǐ diào.* All should be put away except these few pieces of furniture.

² **统一** tǒngyī ❶〈动 *v.*〉使合为整体；使归于一致 unify; unite; integrate, combine the

parts of a thing into a unified whole: ~祖国 ~ *zǔguó* unify the country │ ~文字 ~ *wénzì* integrate the writing of words │ ~认识上的分歧 ~ *rènshi shang de fēnqí* turn divergences into a common understanding ❷〈形 *adj.*〉一致；单一；无差别 unified; unitary; centralized: ~行动 ~ *xíngdòng* unified action │ ~的国家 ~ *de guójiā* unified country │ 大家的想法比较~。 *Dàjiā de xiǎngfǎ bǐjiào* ~. We have almost the same thought.

¹ **统战** tǒngzhàn〈名 *n.*〉'统一战线'的简称，'统一战线'是指为了某种共同的利益，由几个阶级或政党结成的广泛联盟 abbr. for '统一战线*tǒngyī zhànxiàn*', united front, alliance of several classes or parties in order to achieve a common political objective: ~对象 ~ *duìxiàng* target of the united front work │ ~工作 ~ *gōngzuò* united front work

² **统治** tǒngzhì ❶〈动 *v.*〉借助政权进行控制和治理(国家或地区) rule; govern: ~者 ~ *zhě* ruler │ ~阶级 ~ *jiējí* ruling class │ 人民反抗残暴~和独裁。 *Rénmín fǎnkàng cánbào ~ hé dúcái.* The people fought against cruel ruling and dictatorship. ❷〈动 *v.*〉影响、支配和控制 control; dominate: ~行业数十年 ~ *hángyè shù shí nián* dominate the trade for several decades │ 打破一家~的垄断局面 *dǎpò yì jiā ~ lǒngduàn júmiàn* break the monopoly of one company │ 棋坛的~地位 *qítán de ~ dìwèi* the domination in chess circle

⁴ **捅** tǒng ❶〈动 *v.*〉戳；扎；刺 stab; poke: ~了一刀 ~ *le yì dāo* give sb. a stab │ ~娄子 *lóuzi* make a mess of sth.; get into trouble │ ~马蜂窝(比喻闯祸，惹麻烦) ~ *mǎfēngwō* (*bǐyù chuǎnghuò, rě máfan*) stir up (arouse) a hornets' nest (*fig.* invite disaster) │ 淘气的男孩子把小姑娘手里的纸灯笼~破了。 *Táoqì de nánháizi bǎ xiǎo gūniang shǒu li de zhǐ dēnglóng ~pò le.* The naughty boy poked a hole in the Chinese lantern held in the little girl's hand. ❷〈动 *v.*〉碰；触动 poke; touch; nudge: 别~醒了孩子 *Bié ~xǐng le háizi.* Don't touch the child to wake him up. │ 他轻轻地~了~旁边的人，示意不要说话 *Tā qīngqīng de ~le ~ pángbiān de rén, shìyì búyào shuōhuà.* He gave the person beside him a nudge and hinted him not to speak. ❸〈动 *v.*〉揭露；挑明 expose; disclose; let out; give away: 这件事谁~出去谁负责 *Zhè jiàn shì shéi ~ chūqù shéi fùzé.* Those who let out the news will take the responsibility for it. │ 我几句话就~破了他的鬼把戏 *Wǒ jǐ jù huà jiù ~pòle tā de guǐbǎxì.* I disclosed his trick with several words.

² **桶** tǒng ❶〈名 *n.*〉(个gè、只zhī)盛物的圆柱形器具 barrel; tub; pail: 铁~ *tiě*~ iron barrel │ 塑料~ *sùliào* ~ plastic pail │ 油~ *yóu*~ petrol barrel │ ~装食品 ~*zhuāng shípǐn* barreled food ❷〈量 *meas.*〉用于桶装物 a barrel of; a bucket of: 一~水 *yì* ~ *shuǐ* a bucket of water │ 两~汽油 *liǎng* ~ *qìyóu* two barrels of petrol ❸〈量 *meas.*〉石油的容量单位 a measure word for petrol; barrel: 一~石油等于42加仑 *Yì* ~ *shíyóu děngyú sìshí'èr jiālún.* A barrel of petrol equals 42 gallons.

³ **筒** tǒng ❶〈名 *n.*〉粗竹管儿 a section of thick bamboo trunk: 竹~ *zhú* ~ bamboo tube ❷〈名 *n.*〉类似筒状的器物 thick tube-shaped object: 笔~ *bǐ*~ writing brush pot │ 信~ *xìn*~ mailbox; pillar box │ 万花~ *wànhuā*~ kaleidoscope │ 传声~ *chuánshēng*~ megaphone ❸〈名 *n.*〉指衣服、鞋袜等的筒状部分 tube-shaped part of clothes, shoes, etc.: 长~靴 *cháng*~*xuē* long or high boots │ 袖儿~ *xiù*~*r* sleeve │ 裤儿~ *kù*~*r* trouser leg ❹〈形 *adj.*〉呈筒状的 tube-shaped: ~裤 ~*kù* straight-legged trousers │ ~裙 ~*qún* straight skirt; tight skirt

² **痛** tòng ❶〈动 *v.*〉疼 ache; pain: 头~ *tóu*~ headache │ 酸~ *suān* ~ sore │ ~处 ~*chù* sore spot; tender spot │ 不~不痒 *bú*~*bùyǎng* perfunctory; superficial │ ~不可言 *~bùkěyán* be too painful to describe ❷〈形 *adj.*〉悲伤；苦恼 sad; sorrowful; grievous: ~惜 ~*xī* deeply regret; deplore; feel remorse for │ ~不欲生 *~búyùshēng* be overwhelmed with sorrow

不要做亲者~，仇者快的事。*Búyào zuò qīnzhě ~, chóuzhě kuài de shì*. Don't do things that will sadden one's own people and gladden the enemy. ❸〈副 *adv.*〉表示程度很深 extremely; deeply; bitterly：~改前非 ~*gǎi-qiánfēi* repent one's misdeeds; make a clean break with one's misdeeds｜~下决心 ~*xià juéxīn* make up one's mind｜打了一顿 *dǎle yí dùn* give sb. a good beating

⁴ **痛恨** tònghèn〈动 *v.*〉憎恨到极点 abhor; hate bitterly; utterly detest：极端~ *jíduān* ~ utterly detest｜我最~的就是欺骗。*Wǒ zuì ~ de jiùshì qīpiàn*. What I hate most is cheating.

² **痛苦** tòngkǔ〈形 *adj.*〉（身体或精神）极度难受 painful; suffering; agonizing：~难挨 ~*nán ái* be overwhelmed with sorrow｜内心的~ *nèixīn de* ~ inner suffering｜饱受人间~的生活 *bǎoshòu rénjiān* ~ *de shēnghuó* be fed up with misery of the world

¹ **痛快** tòngkuài ❶〈形 *adj.*〉尽兴；舒畅 happy; joyful; delighted; gratified：吃了个~ *chī le gè* ~ eat to one's heart's content｜不能只图一时~。*Bùnéng zhǐ tú yìshí* ~. Don't seek for temporary happiness.｜昨天我痛痛快快地踢了一场球。*Zuótiān wǒ tòngtòng-kuàikuài de tīle yì chǎng qiú*. I had a wonderful time to play football yesterday.｜这篇杂文写得真是~淋漓。*Zhè piān záwén xiě de zhēn shì* ~*-línlí*. The essay is satisfactorily written. ❷〈形 *adj.*〉率直；爽快 straightforward; frank and direct; forthright：办事~ *bànshì* ~ handle affairs forthright｜要么去，要么不去，你一点儿。*Yàome qù, yàome bú qù, nǐ* ~ *yìdiǎnr*. Go or not, you have to be straightforward.

² **偷** tōu ❶〈动 *v.*〉窃取 steal; burglarize; pilfer; make off with：~东西 ~*dōngxi* steal｜~盗 ~*dào* burglarize｜~了不少机密情报 ~*le bùshǎo jīmì qíngbào* steal a lot of confidential information｜~鸡不成蚀把米 ~*jī bù chéng shí bǎ mǐ* try to steal a chicken only to end up losing the rice; go for wool and come home shorn ❷〈动 *v.*〉抽出；挤出 take off; find：~空 ~*kòng* take time off; find time｜忙里~闲 *máng lǐ* ~*xián* snatch a little leisure time in the midst of a busy life ❸〈动 *v.*〉只管眼前 muddle through; think only of the present：~安 ~*ān* seek temporary ease; muddle along｜~生 ~*shēng* drag out an ignoble existence; live on without purpose ❹〈动 *v.*〉瞒着人做事 act secretly; do things stealthily：~情 ~*qíng* have a covert love affair｜~汉子 ~*hànzi* have illicit affairs with a man｜~懒 ~*lǎn* loaf on the job; be lazy｜~工减料 ~*gōng-jiǎnliào* stint on both labor and materials; cheat in work and cut down on materials ❺〈副 *adv.*〉暗暗地；趁人不备地 secretly; stealthily; coverly：~看 ~*kàn* peep; peek; take a covert look at｜~袭 ~*xí* sneak attack; dawn raid; surprise attack｜~眼观察 ~*yǎn guānchá* take a furtive glance｜~越边境线 ~*yuè biānjìngxiàn* slip cross the border ❻〈名 *n.*〉偷窃的人 thief; pilferer：小~ *xiǎo* ~ thief｜惯~ *guàn* ~ habitual thief

⁴ **偷窃** tōuqiè〈动 *v.*〉盗窃；偷 steal; pilfer：~罪 ~*zuì* the crime of stealing｜~钱财 ~*qiáncái* steal property｜合伙~ *héhuǒ* ~ gang stealing

⁴ **偷税** tōu//shuì〈动 *v.*〉故意不缴、少缴或漏缴应缴纳的税款 evade taxes, deliberately avoid paying tax, or pay less tax than required：~大户 ~*dàhù* company or individual that has evaded a large amount of taxes｜去年这家公司就曾偷过税。*Qùnián zhè jiā gōngsī jiù céng tōuguo shuì*. This company evaded taxes last year.

² **偷偷** tōutōu〈副 *adv.*〉私下；秘密地；悄悄地 stealthily; secretly; covertly：~溜出 ~*liū chū* sneak away unnoticed｜~落泪 ~*luòlèi* shed tears in secret｜他~地看了那女孩儿一眼。*Tā* ~ *de kànle nà nǚháir yì yǎn*. He took a furtive glance at the girl.

¹ **头** tóu ❶〈名 *n.*〉人和动物的身体上长有口、鼻、眼等器官的部分，俗称'脑袋' head, colloquially called '脑袋nǎodai'：~疼 ~*téng* headache｜~巾 ~*jīn* scarf; kerchief｜点~

diǎn~ nod one's head | 摇~ *yáo~* shake one's head | 藏~露尾(形容遮遮掩掩，不肯露出全部实情) *cáng~lùwěi*（*xíngróng zhēzhē-yǎnyǎn, bùkěn lùchū quánbù shíqíng*）hide the head but show the tail (*fig.* tell part of the truth but not all of it) | 重脚轻(比喻基础不稳) *~zhòng-jiǎoqīng*（*bǐyù jīchǔ bù wěn*）top-heavy; dizzy (*fig.* unstable foundation) ❷〈名 *n.*〉头发或发式 hair; hairstyle：少白~ *shǎobái~* a young man with greying hair | 剃~ *tì~* have a haircut | 梳~ *shū~* comb the hair | 披~散发 *pī~-sànfà* with hair dishevelled ❸〈名 *n.*〉物体的顶端或末端；事情的起点或终点 top; tip; beginning; end：床~ *chuáng~* top of a bed | 山~ *shān~* hilltop; top of a hill | 从~做起 *cóng ~ zuòqǐ* do from the beginning | 万事开~难。 *Wàn shì kāi~nán.* Everything is difficult at the start. | 游行的队伍望不到~。 *Yóuxíng de duìwu wàng bú dào ~.* It's hard to see the end of the parading procession ❹〈名 *n.*〉某些物品的剩余或残存部分 remnant; remains; leftover; end：烟~ *yān~* cigarette end | 铅笔~ *qiānbǐ ~* pencil stub ❺〈名 *n.*〉（~儿）为首的人；首领 chief; head; boss：土匪~儿 *tǔfěi~* head of the bandits | ~领 *~lǐng* head; chief | 一目~ *mù* head of a gang ❻〈名 *n.*〉方面；aspect：做事情不能光顾一~儿。 *Zuò shìqing bù néng guānggù yì~r.* You should take every aspect of things into consideration when dealing with them. | 他不是这~的人。 *Tā bú shì zhè ~ de rén.* He is not the person on this side. | 你先处理这一~儿，那一~儿的事我去办。 *Nǐ xiān chǔlǐ zhè yì~r, nà yì~r de shì wǒ qù bàn.* You come to solve this problem firstly, and then I will go to deal with that one. ❼〈量 *meas.*〉用于某些家畜 a measure word for domestic animals：一~猪 *yì ~ zhū* a pig | 两~牲口 *liǎng ~ shēngkou* two domestic animals ❽〈量 *meas.*〉用于大蒜 a measure word for garlic：剥几~蒜 *bāo jǐ ~ suàn* rind several bulbs of garlic ❾〈量 *meas.*〉用于头发或与头有关的事物 a measure word for hair or things related to head：一~白发 *yì ~ bái fà* a head of white hair | 满~癫疮 *mǎn ~ lài chuāng* favus-infested scalp ❿〈形 *adj.*〉第一；first; number one：~等舱 *~děngcāng* first-class cabin | ~号儿 *~hàor* Number One | 这次考试他是~名。 *Zhè cì kǎoshì tā shì ~ míng.* He ranks top in this examination. ⓫〈形 *adj.*〉领头的 leading：~羊 *~yáng* leading sheep | ~人 *~rén* tribal chief; headman | ~雁 *~yàn* leading wild goose ⓬〈形 *adj.*〉次序在最前的 first：我~两节有课。 *Wǒ ~ liǎng jié yǒu kè.* I have lectures in the first two periods. | 孩子来这里一个月不习惯。 *Háizi lái zhèli ~ yí gè yuè bù xíguàn.* The child was not used to life here in the first month. ⓭〈介 *prep.*〉临到 right before; about; prior to：~吃饭才想起去买菜。 *~ chīfàn cái xiǎngqǐ qù mǎi cài.* I just remember to buy vegatable before dining. | ~上轿现扎耳朵眼儿(比喻事到临头慌忙应付，毫无准备)。 *~ shàng jiào xiàn zhā ěrduo yǎnr.*（*bǐyù shì dào líntóu huāngmáng yìngduì, háowú zhǔnbèi*）Pierce holes in one's earlobes before going into the bridal sedan chair (*fig.* cope with sth. hastily without preparation).

²**头发** tóufa〈名 *n.*〉（根gēn、绺liǔ、撮zuǒ）头上除眉毛、胡子之外的毛发 hair：乌黑的~ *wūhēi de ~* black hair | 黄~ *huáng~* fair hair | ~太长了，该理一理了。 *~ tài cháng le, gāi lǐ yì lǐ le.* Your hair is too long, and you should have a haircut.

³**头脑** tóunǎo ❶〈名 *n.*〉脑袋 head; brains; mind：~昏沉沉的 *~ hūnchénchén de* feel dizzy. | 这一阵，她~里总在想减肥的事。 *Zhè yí zhèn, tā ~ li zǒng zài xiǎng jiǎnféi de shì.* She is thinking about losing weight all these days. ❷〈名 *n.*〉思想；脑筋 savvy; brains; mind：政治家的~ *zhèngzhìjiā de ~* politician's mind | ~简单，四肢发达 *~ jiǎndān, sìzhī fādá* simple in mind and sound in body | 怎么把他领来了，真是没~。 *Zěnme bǎ tā lǐnglái le, zhēnshì méi ~.* It is unresourceful of you to bring him along. ❸〈名 *n.*〉条理；头绪 main threads：理不出~ *lǐ bù chū ~* cannot make head or tail of sth. ;

be utterly puzzled｜丈二金刚一摸不着~(形容一时理不出条理)。*Zhàng èr jīngāng — mō bù zháo ~ (xíngróng yì shí lǐ bu chū tiáolǐ).* You can't tough the head of the ten-foot monk (cannot make head or tail of sth. ; be in the dark). ❹〈名 *n.*〉首领 head; leader; chief；人物 ~ *rénwù* leader｜头头脑脑都外出开会去了。*Tóutou-nǎonǎo dōu wàichū kāihuì qù le.* All the leaders have gone to attend meetings.

⁴ **头子** tóuzi〈名 *n.*〉(个gè) 当头的人(含贬义) boss; chief; chieftain (derog.): 土匪 ~ *tǔfěi* ~ bandit chief｜贩毒 ~ *fàndú* ~ drug trafficking chief

² **投** tóu ❶〈动 *v.*〉向目标掷或扔 throw; fling; cast：~ 铅球 ~ *qiānqiú* throw the shot｜~ 篮 ~ *lán* shoot (in basketball)｜笔从戎(指放弃做文章，改学武艺当兵)~*bǐ-cóngróng* (*zhǐ fàngqì zuò wénzhāng, gǎi xué wǔyì dāngbīng*) throw away the writing brush and take up the gun (referring to giving up writing to join the army) ❷〈动 *v.*〉放进去 drop; put in; cast：~ 资 ~ *zī* invest｜~ 票 ~ *piào* vote｜~ 递 ~ *dì* deliver｜~ 个硬币 *gè yìngbì* feed (or put) in a coin｜给高炉~料送风 *gěi gāolú ~ liào sòng fēng* put raw materials and blow the wind into the blast furnace ❸〈动 *v.*〉跳入(专指自杀) throw oneself into; plunge into：~ 井 ~ *jǐng* jump into a well to commit suicide｜~ 河自尽 ~ *hé zìjìn* plunge into a river to commit suicide ❹〈动 *v.*〉光线等射向物体 cast; project (a ray of light)：~ 影 ~ *yǐng* projection; silhouette｜目光朝舞台~去。*Mùguāng cháo wǔtái ~ qù.* All the audience cast their glance at the stage.｜探照灯光~向天空。*Tànzhàodēng guāng ~ xiàng tiānkōng.* The searchlight shoots the light into the sky. ❺〈动 *v.*〉寄送(信件等给有关部门) send; deliver; dispatch：~ 稿 ~*gǎo* submit a piece of writing for publication｜~ 诉 ~*sù* complain ❻〈动 *v.*〉找上门去；参加 go to; seek; join; enter：~ 军 ~*jūn* enlist; join the army｜~ 敌 ~*dí* go over to the enemy; surrender to the enemy｜~ 身 ~*shēn* throw oneself into; plunge｜~ 亲靠友 ~*qīn-kàoyǒu* join relatives and friends in order to sustain a means to live｜弃暗~明 *qì'àn~míng* forsake darkness for light; to come over the right side｜走~无路 *zǒu~~wúlù* have no way out ❼〈动 *v.*〉合得来；迎合 fit in with; be attracted to; agree with：~ 缘 ~*yuán* agreeable; congenial｜臭味相~ *chòuwèi-xiāng~* be close to each other in notoriety; be two of a kind｜~ 其所好 ~*qísuǒhào* cater to sb.'s likings ❽〈动 *v.* 方 dial.〉用清水漂洗 wash：~ 毛巾 ~ *máojīn* rinse the towel｜那条裤子，我只随便~了几~就晾上了。*Nà tiáo kùzi, wǒ zhǐ suíbiàn ~le jǐ ~ jiù liàngshang le.* I simply washed the trousers for a little while and hanged it out to dry up.

⁴ **投标** tóu//biāo〈动 *v.*〉承包人或承受人按照招标公告的标准或条件，提出价格，填写标单，以待招标方定夺 submit a tender; enter a bid：~ 方案 ~ *fāng'àn* bid｜争相~ *zhēngxiāng ~* bid against each other｜~ 的办法 ~ *de bànfǎ* method of bidding｜这项工程已经投过标了。*Zhè xiàng gōngchéng yǐjīng tóuguo biāo le.* We have entered a bid for this project.

⁴ **投产** tóu//chǎn〈动 *v.*〉(设备)进入生产状态；(产品)开始生产 go into operation; put into production：试 ~ *shì* ~ trial production｜制造空调的设备正在调试阶段，电冰箱已经~了。*Zhìzào kōngtiáo de shèbèi zhèngzài tiáoshì jiēduàn, diànbīngxiāng yǐjīng ~ le.* The equipment for producing air-conditioners is under test run, but that for refrigerators has been put into production.｜由于材料问题，这批订单还投不了产。*Yóuyú cáiliào wèntí, zhè pī dìngdān hái tóu bù liǎo chǎn.* Due to the problem of raw material, these orders cannot be put into production.

⁴ **投放** tóufàng ❶〈动 *v.*〉(把食物、药物等)投下去；放入 throw in; put in：~ 食物 *shíwù* throw in feedstuff｜~ 鱼饵 ~ *yú'ěr* throw in bait｜一次~了上万尾鱼苗。*Yí cì ~le*

shàng wàn wěi yúmiáo. Put in more than ten thousand fry at one time. ❷ 〈动 *v.*〉向工、农、商业输入（人力、物力和财力）put manpower, resources, capital, etc. into industry, agriculture or business：政府~资金扶持中小企业。*Zhèngfǔ ~ zījīn fúchí zhōng xiǎo qǐyè.* The government invested funds to support the small and medium-size enterprises. ｜ 在这个工程中，共~了数十万个人工。*Zài zhège gōngchéng zhōng, gòng ~le shù shí wàn gè réngōng.* Tens of thousands of manpower has been put into this project. ❸ 〈动 *v.*〉给市场供应商品和货币 put goods or money onto the market; supply the market with commodities or money：每逢年节，大量鲜活水产品被~到市场。*Měiféng niánjié, dàliàng xiānhuó shuǐchǎnpǐn bèi ~ dào shìchǎng.* A great deal of fresh seafood will be put onto the market whenever holidays or festivals come. ｜ 节前将有大批彩电~市场。*Jié qián jiāng yǒu dàpī cǎidiàn ~ shìchǎng.* A large number of colored TV sets will be put onto the market before the holiday.

³ **投机** tóujī ❶ 〈形 *adj.*〉谈得来；相合或相近 agreeable; congenial：谈得~，两人竟忘了时间。*Tán de ~, liǎng rén jìng wàngle shíjiān.* The two men had a congenial talk and even forgot the time. ｜ 话不~半句多（形容因见解不同而无话可说）。*Huà bù ~ bàn jù duō （xíngróng yīn jiànjiě bùtóng ér wú huà kě shuō）.* Half a sentence is too much when having a disagreeable conversation （fig. have nothing to say because of different opinions）. ❷ 〈动 *v.*〉乘机谋求私利（贬义）speculate; be a profiteer (derog.)：~生意 *shēngyi* speculative business ｜ ~分子 *fēnzǐ* opportunist; careerist ｜ ~取巧 *~qǔqiǎo* be opportunistic; seize every chance to gain advantage by trickery

⁴ **投机倒把** tóujī-dǎobǎ 〈成 *idm.*〉利用时机，采用买空卖空、囤积货物、套购转手等手段干扰市场，牟取暴利 engage in speculation and profiteering, go profiteering by such means as buying long and selling short, hoarding and cornering, fraudulent purchase and resale：~分子 *~ fēnzǐ* opportunist; careerist ｜ 严惩~活动 *yánchéng ~ huódòng* severely punish the activities of speculation and profiteering

⁴ **投票** tóu//piào 〈动 *v.*〉选举的一种方式，即将填好的选票投入票箱 vote; cast a vote：无记名~ *wújìmíng ~* anonymous vote ｜ ~选举 *~ xuǎnjǔ* vote for election ｜ 大家都投了他一票。*Dàjiā dōu tóule tā yí piào.* We all give our votes for him.

² **投入** tóurù ❶ 〈动 *v.*〉放进或加入（某种环境或活动中）put into; throw into：~战斗 *zhàndòu* throw into a battle ｜ ~生产 *~ shēngchǎn* put into production ｜ 把选票~票箱 *bǎ xuǎnpiào ~ piàoxiāng* cast a vote into the ballot box ❷ 〈动 *v.*〉注入资金等 invest; input：把全部资金都~进去也不够。*Bǎ quánbù zījīn dōu ~ jìnqù yě búgòu.* It will not be enough even if all the funds are invested into it. ｜ 这项工程还需要再~一些财力。*Zhè xiàng gōngchéng hái xūyào zài ~ yìxiē cáilì.* This project needs further investment. ❸ 〈名 *n.*〉(项xiàng、笔bǐ)专指注入的资金 investment; input：教育~增幅强劲。*Jiàoyù ~ zēngfú qiángjìn.* The growth of educational investment is very rapid. ｜ ~大，尽管风险大，但回报也高。*~ dà, jǐnguǎn fēngxiǎn dà, dàn huíbào yě gāo.* Larger investment will bring greater risk, but also higher returns. ❹ 〈形 *adj.*〉精力集中和专注 attentive; dedicated：十分~ *shífēn ~* quite attentive ｜ 老校长是个干什么都很~的人。*Lǎo xiàozhǎng shì gè gàn shénme dōu hěn ~ de rén.* The old schoolmaster is a very dedicated man in doing everything.

³ **投降** tóuxiáng 〈动 *v.*〉停止抵抗，向对方屈服 surrender; capitulate：~派 *~pài* capitulationist ｜ 假~ *jiǎ ~* pretend to surrender ｜ 无条件~ *wú tiáojiàn ~* unconditional surrender ｜ 敌人不~就叫他灭亡。*Dírén bù ~ jiù jiào tā mièwáng.* Wipe out the enemy if they refuse to surrender.

¹ **投掷** tóuzhì 〈动 v. 书 lit.〉按一定的方向和目标扔、投 throw; hurl; cast：~手榴弹 ~shǒuliúdàn throw a hand grenade | 练习~动作 liànxí ~ dòngzuò practice throwing

⁴ **投资** tóu//zī Ⅰ〈动 v.〉将一定量的资金或实物投入到某项事业 invest：~办学 ~bànxué invest funds to set up a school | 向中西部地区~ xiàng zhōngxībù dìqū ~ invest in the central and western regions | 某企业对这项工程投了一笔巨资。Mǒu qǐyè duì zhè xiàng gōngchéng tóule yì bǐ jùzī. An enterprise has invested a huge sum of money in this project. Ⅱ tóuzī〈名 n.〉(项 xiàng、笔 bǐ)为一定目的而投入的资金 investment; input：国家的~ guójiā de ~ national investment | 收回~ shōuhuí ~ take back the investment | 巨大~ jùdà a large investment | 智力~ zhìlì ~ intellectual investment

² **透** tòu ❶〈动 v.〉渗过或穿通(阻隔的外物) penetrate; pass through; leak or seep through：~亮 ~liàng transparent | ~光 ~guāng allow light to pass through | 穿~ chuān~ penetrate | 渗~ shèn~ filter | 过迷雾，看见一辆车开了过来。~guò míwù, kànjiàn yí liàng chē kāile guòlái. Through the dense fog, I can see a car coming over. ❷〈动 v.〉暗中告知(秘密) leak; divulge; let out：~底 ~dǐ disclose or tell the inside story | ~露 ~lù leak; let on about sth. | 先~个消息给你。Xiān ~ gè xiāoxi gěi nǐ. I'll give you a hint in advance. ❸〈动 v.〉显出；显露 show; appear; look：白里~红 bái lǐ ~ hóng (sth.) white tinged with red | 那孩子两眼~着一股灵气。Nà háizi liǎng yǎn ~zhe yì gǔ língqì. The child's eyes give off his brightness. ❹〈形 adj.〉清楚；分明 thorough; clear：~彻 ~chè thorough | 新来的老师对这篇课文讲得十分~。Xīn lái de lǎoshī duì zhè piān kèwén jiǎng de shífēn ~. The new teacher made a thorough explanation of the text. | 合作这么久了，还摸不~他的脾气？Hézuò zhème jiǔ le, hái mō bú ~ tā de píqi? Working with him so long, don't I come to know him quite well? ❺〈形 adj.〉达到充分、彻底的程度 full; complete; to the extreme：下了一场~雨。Xiàle yì cháng ~ yǔ. There has been a drenching rain. | 树上的果子熟~了。Shù shang de guǒzi shóu ~ le. Fruit in the tree has become fully ripe. | 那家伙让人讨厌~了。Nà jiāhuo ràngrén tǎoyàn ~ le. That guy is so disgusting.

⁴ **透彻** tòuchè 〈形 adj.〉十分详尽、深入 penetrating; thorough：理解~ lǐjiě ~ thorough understanding | ~的说明 ~ de shuōmíng full explanation | 只有做深入细致的调查研究，才能~地把握事情的本质。Zhǐyǒu zuò shēnrù xìzhì de diàochá yánjiū, cái néng ~ de bǎwò shìqíng de běnzhì. Only when a thorough and meticulous investigation is made can we get a deep understanding of the nature of the thing.

³ **透明** tòumíng ❶〈形 adj.〉能让光线透过的 (of an object) transparent; lucid：~体 ~tǐ transparency | 清澈~ qīngchè ~ clear and lucid | ~如水晶 ~rú shuǐjīng as lucid as a crystal ❷〈形 adj.〉不遮掩(事情)；公开的 open：加大~度 jiādà ~dù increase transparency | ~也要有界限，个人隐私怎能~？ ~ yě yào yǒu jièxiàn, gèrén yǐnsī zěnnéng ~? There should be a limit to transparency. How can personal privacy be brought into the public?

⁴ **透明度** tòumíngdù 〈名 n.〉物体透明的程度，常比喻做事的公开度 transparency：政策的~ zhèngcè de ~ the transparency of a policy | 服务机关的~还需要提高。Fúwù jīguān de ~ hái xūyào tígāo. The transparency of the service department needs to be improved.

⁴ **凸** tū ❶〈形 adj.〉高出周围(与'凹'相对) protruding; raised; bulging (opposite to '凹 āo')：~面镜 ~miànjìng convex mirror | ~版纸 ~bǎnzhǐ relief printing paper | 凹~不平 āo~bùpíng bumpy ❷〈动 v.〉鼓起 bulge; swell：腆胸~肚 tiǎnxiōng~dù throw out one's chest and distend one's belly

⁴ **秃** tū ❶〈形 adj.〉(人)没有头发；(禽兽)没有毛 bald; bare; (of a person) hairless：~头

~头 baldhead | ~鹫 ~jiù vulture | ~尾巴鹌鹑 ~ wěiba ānchún tailless quail ❷〈形 adj.〉(山)没有林木；(树)没有枝叶 bare; barren; (of a mountain) treeless; (of a tree) having no branches or leaves: 荒山~岭 huāngshān-~lǐng barren mountains and treeless hills | 光~~的树枝在寒风中瑟瑟颤栗着。Guāng~~ de shùzhī zài hán fēng zhōng sèsè chànlì zhe. Bare branches and twigs were flickering in the cold wind. ❸〈形 adj.〉(物体)尖端缺损，不锐利 blunt; unpointed; pointless: ~笔~bǐ pointless writing brush | 针尖儿快磨了，换一根吧。Zhēnjiānr kuài mó~ le, huàn yì gēn ba. The pinpoint is almost worn out. Change a new one. ❹〈形 adj.〉首位结构不完整 incomplete; unsatisfactory; deficient: 这篇文章的结尾有点儿~。Zhè piān wénzhāng de jiéwěi yǒudiǎnr ~. The article has a rather weak ending.

² **突出** I tūchū ❶〈形 adj.〉凸出或高出 protruding; projecting: 前额~ qián'é ~ prominent forehead ❷〈形adj.〉与众不同；超出一般 outstanding; prominent; conspicuous: 打扮~ dǎban ~ be dazzlingly dressed | 个性~ gèxìng ~ with distinct personality | ~的相貌~ de xiàngmào exceptional appearance | 她的表演，~的是情感。Tā de biǎoyǎn, ~ de shì qínggǎn. What she emphasizes in her performance is her emotion. ❸〈动 v.〉使显露；使超出一般 stress; emphasize; highlight; give prominence to: ~讲重点~ jiǎngkè zhòngdiǎn make prominent the key point of one's lecture | 他那种~个人的做法让人挺反感的。Tā nà zhǒng ~ gèrén de zuòfǎ ràng rén tǐng fǎngǎn de. His behavior of putting himself in the spotlight is really annoying. II tū//chū〈动 v.〉冲出 break through; charge out of: ~重围 ~ chóngwéi break through a tight encirclement | 左冲右杀还是突不出包围圈儿。Zuǒ chōng yòu shā háishì tū bù chū bāowéiquānr. Fail to break through the encirclement after several rounds of charging in different directions.

² **突击** tūjī ❶〈动 v.〉集中兵力猛攻 assault: ~队员 ~duìyuán commando | 拂晓，部队发起~。Fúxiǎo, bùduì fāqǐ ~. The troops made an assault at dawn. ❷〈动 v.〉集中力量在短时间内完成 make a concentrated effort to finish sth. quickly: ~搞卫生 ~ gǎo wèishēng make a concentrated effort in cleaning | 临时~ línshí ~ make a temporary intense effort | ~检查 ~ jiǎnchá a drop quiz

³ **突破** tūpò ❶〈动 v.〉集中力量猛攻对方的薄弱点，打乱其部署与防线 break through; make a breakthrough, concentrate one's forces to attack the enmey's weak point so as to destroy its deployment or line of defense: ~封锁线 ~ fēngsuǒxiàn break through a blockage | 向敌方纵深~ xiàng dífāng zòngshēn ~ break through the enemy's position and push in deep | ~上篮 ~ shànglán layup | 带球~射门 dàiqiú ~ shèmén break through with the ball and shoot ❷〈动 v.〉攻克(难关)；打破(僵局)；超过(限制) surmount difficulty; break limit: ~传统观念 ~ chuántǒng guānniàn break up the traditional concept | ~科学禁区 ~ kēxué jìnqū break the limit of science | 销售额~原计划的5%。Xiāoshòu'é ~ yuán jìhuà de bǎifēnzhī wǔ. The volume of sales is five percent more than the original plan. ❸〈名 n.〉攻击敌方防御体系或部署的作战行动；在原有基础上的创新 military attack on the enemy's defense system and deployment; breakthrough; innovation: 战术~ zhànshù ~ tactical breakthrough | 战役~ zhànyì ~ strategical breakthrough | 历史性~ lìshǐxìng ~ historic innovation | 世界大赛中实现了金牌零的~。Shìjiè dà sài zhōng shíxiànle jīnpái líng de ~. We have broken the zero record of gold medals in the world games.

¹ **突然** tūrán ❶〈形 adj.〉(情况)发生得急促而且出人意料 sudden; unexpected: 情况~ qíngkuàng ~ unexpected situation | 由于事情发生得太~，他一点儿准备都没有。Yóuyú shìqíng fāshēng de tài ~, tā yìdiǎnr zhǔnbèi dōu méiyǒu. Since it occurred so unexpectedly

that he did not have any preparation. ❷〈副 *adv.*〉表示急促而且出人意料 suddenly; unexpectedly: 他~不说了。*Tā ~ bù shuō le.* He suddenly stopped speaking. | 电灯~灭了。*Diàndēng ~ miè le.* The light suddenly went out.

² **图 tú** ❶〈名 *n.*〉(张zhāng、幅fú)用线条、色彩描绘出的形象 picture; drawing; chart: ~画 ~*huà* picture; drawing; painting | 绘~ *huì* ~ draw a picture | 地~ *dì* ~ map | 蓝~ *lán* ~ blueprint | 按~索骥（比喻做事教条死板，不会灵活变化）*àn* ~*suǒjì*（*bǐyù zuòshì jiàotiáo sǐbǎn, búhuì línghuó biànhuà*）look for a steed according to a drawing (*fig.* deal with sth. in a mechanical way without knowing to change with the situation)❷〈名 *n.*〉计划；意图 intent; intention: 宏~伟业 *hóng* ~~*wěiyè* long-range blueprint and grand career | 此计不行，再做他~。*Cǐ jì bù xíng, zài zuò tā* ~. If the plan fails to work, we may turn to another one. ❸〈动 *v.*〉谋划；计议 plan; scheme; attempt: 试~ *shì* ~ attempt to; try to | 发愤~强 *fāfèn* ~*qiáng* make determined efforts to better oneself | 弃旧~新 *qìjiù* ~~*xīn* turn over a new leaf; mend one's ways ❹〈动 *v.*〉谋求得到 pursue; seek; desire; be after: 贪~ *tān* ~ seek; covet | ~财害命 ~*cái-hàimìng* commit murder to seek wealth | 只~省事，反倒引出麻烦了。*Zhǐ ~ shěngshì, fǎndào yǐnchū máfan le.* Seek for the easy way, but only invite trouble.

⁸ **图案 tú'àn**〈名 *n.*〉(种zhǒng、幅fú)带装饰性的花纹、式样或图形 pattern; design: ~新颖。~ *xīnyǐng.* The pattern is quite original. | 花坛的~ *huātán de* ~ the pattern of the flowerbed | 立体~ *lìtǐ* ~ three-dimensional pattern

⁴ **图表 túbiǎo**〈名 *n.*〉(张zhāng、份fèn)表示各种情况、标上有关数字的图和表 chart; diagram; graph: 统计~ *tǒngjì* ~ statistical graphs | 请参阅书中的~。*Qǐng cānyuè shū zhōng de* ~. Please refer to the charts in this book.

³ **图画 túhuà**〈名 *n.*〉(张zhāng、幅fú)用线条、色彩绘制的形象 drawing; picture; painting: 彩色~ *cǎisè* ~ color picture | 精美的~ *jīngměi de* ~ beautiful painting | 画一张~，送给好朋友。*Huà yì zhāng* ~*, sònggěi hǎo péngyou.* Draw a picture for my best friend.

⁴ **图片 túpiàn**〈名 *n.*〉(张zhāng)表现某类主题的画片、照片和拓片的统称 picture; photograph: ~教学 ~*jiàoxué* teach lessons with pictures | ~社 ~*shè* picture agency | 搜集~ *sōují* ~ collect pictures | ~和实物 ~*hé shíwù* picture and real object

¹ **图书馆 túshūguǎn**〈名 *n.*〉(座zuò、个gè)搜集、整理、收藏图书资料和音像制品，以供读者借阅、参考的专门机构 library: 国家~ *guójiā* ~ national library | 我每星期天都去~。*Wǒ měi xīngqītiān dōu qù* ~. I go to the library every Sunday.

⁴ **图像 túxiàng**〈名 *n.*〉画成、印成或摄制而成的形象 painted, printed or photographed image; image as shown on the screen: ~清晰 ~ *qīngxī* clear image | 人物~ *rénwù* ~ the image of the hero | 电视~不清楚。*Diànshì ~ bù qīngchu.* The TV image is not clear.

⁴ **图形 túxíng** ❶〈名 *n.*〉(种zhǒng)绘制在各类材料上的物体形状 shape of an object painted or printed on paper or other things: 纸上的~ *zhǐ shang de* ~ graph on paper | 画~ *huà* ~ draw a graph | 这个~不对称。*Zhège ~ bú duìchèn.* The figure is not symmetrical. ❷〈名 *n.*〉'几何图形'简称 geometric figure, abbr. for '几何图形*hétúxíng*': 你把三角形的~画出来。*Nǐ bǎ sānjiǎoxíng de ~ huà chūlái.* Please draw a triangle.

⁴ **图纸 túzhǐ**〈名 *n.*〉(张zhāng、份fèn、套tào)绘有或印有图样的纸；设计图 blueprint; drawing: 建筑~ *jiànzhù* ~ architectural drawing | 房间设计~ *fángjiān shèjì* ~ the design (for the inner decoration) of the apartment

³ **徒弟** túdì〈名 n.〉（个 gè、名 míng）跟师傅学习的人 apprentice; pupil; disciple：培养 ~ péiyǎng ~ train apprentice｜这是师傅的大 ~。Zhè shì shīfu de dà ~. This is the first disciple of the master.

³ **途径** tújìng〈名 n.〉（条 tiáo、种 zhǒng）路径；解决问题的方法或手段 way; road; approach：外交 ~ wàijiāo ~ diplomatic approach｜有效的 ~ yǒuxiào de ~ effective way｜切断传染的 ~ qiēduàn chuánrǎn de ~ cut off the medium of contagion

² **涂** tú ❶〈动 v.〉抹或刷（油漆、颜料、脂粉、药物等）apply; smear：上一层漆 ~shang yì céng qī coat sth. with paint｜~脂抹粉（比喻对丑恶的事物进行粉饰）~zhī-mǒfěn (bǐyù duì chǒu'è de shìwù jìnxíng fěnshì) apply powder and paint; put on powder and rouge (fig. whitewash or prettify an ugly thing)｜把药膏 ~ 在患处。Bǎ yàogāo ~ zài huànchù. Apply the ointment to the affected part. ❷〈动 v.〉随意写字，胡乱画画儿 scrawl; scribble; daub：~鸦（比喻拙劣的字或诗文，常用作自谦之词）~yā (bǐyù zhuōliè de zì huò shīwén, cháng yòngzuò zìqiān zhī cí) scrawl (fig. poor handwriting or poetry, usu. hum.)｜信手乱 ~ xìnshǒu luàn ~ scribble without much thought; scribble aimlessly｜请把空格用铅笔 ~ 黑。Qǐng bǎ kònggé yòng qiānbǐ ~hēi. Please blacken the blank with a pencil. ❸〈动 v.〉抹去 erase; cross or blot out：~抹 ~mǒ daub｜~改 ~gǎi change; modify; alter｜~掉这段话 ~diào zhè duàn huà cross out this paragraph ❹〈名 n.〉入海口或海岸附近由于泥沙沉积而成的浅海滩 beach; sea shoal; shallows：海 ~ hǎi~ beach; sea shoal｜滩 ~ tān~ low-lying beach land

⁴ **屠杀** túshā〈动 v.〉大量残杀 massacre; slaughter; butcher：惨遭 ~ cǎnzāo ~ be cruelly slaughtered｜~无辜 ~wúgū massacre the innocent people｜盗猎者 ~ 了许多野生动物。Dàolièzhě ~le xǔduō yěshēng dòngwù. The illegal hunters massacred a lot of wild animals.

² **土** tǔ ❶〈名 n.〉泥土；土壤；尘土 soil; earth：~堆 ~duī dyke; mound｜~山 ~shān earthen hill｜~崩瓦解（彻底崩溃，无法收拾）~bēng-wǎjiě (chèdǐ bēngkuì, wúfǎ shōushi) crumble and disintegrate (fig. fall apart and can not be put together)｜一方水 ~，养一方人。Yì fāng shuǐ ~, yǎng yì fāng rén. People within certain area live on the produce of that particular region.｜打扫教室，落了一身 ~。Dǎsǎo jiàoshì, luòle yì shēn ~. Be covered with dust when cleaning the classroom. ❷〈名 n.〉土地；疆域 land; ground; territory：国 ~ guó~ land; a country's territory｜领 ~ lǐng~ territory; domain｜寸 ~ 必争 cùn ~ bìzhēng fight for every inch of land｜守 ~ 军队 shǒu ~ jūnduì forces defending the territory ❸〈名 n.〉家乡；本地 hometown; local place：故 ~ gù~ hometown｜本乡本 ~ běnxiāng běn~ native land; home village｜安 ~ 重迁 ān~-zhòngqiān be used to living in one's homeland and feel disinclined to move elsewhere ❹〈形 adj.〉本地的；地方性的 local; native; indigenous：~货 ~huò local products; native produce｜~特产 ~tèchǎn special local produce｜~政策 ~ zhèngcè local policy｜~生 ~ 长 ~shēng-~zhǎng locally born and bred; born and brought up on one's native land ❺〈形 adj.〉民间的；民间沿用的(与'洋'相对) local; indigenous; homemade (opposite to '洋 yáng')：~暖气 ~ nuǎnqì self-made heating system｜~专家 ~ zhuānjiā self-taught expert; local expert｜~洋结合 ~yáng jiéhé combine the traditional method with the modern one; use both local and foreign methods ❻〈形 adj.〉俗气的；不合潮流 crude; rustic; unenlightened：~气 ~qì rustic; countrified｜~头 ~ 脑 ~tóu-~nǎo rustic; cloddish; unsophisticated｜你的服装样式太 ~ 了。Nǐ de fúzhuāng yàngshì tài ~ le. The style of your clothes is too rustic.

² **土地** tǔdì ❶〈名 n.〉（块 kuài、片 piàn）田地；土壤；管理 ~ guǎnlǐ ~ manage the land

| 黄 ~ *huáng* — the loess land | 面积 ~ *miànjī* the land area ❷ 〈名 *n.*〉疆域；领土 territory; domain: 中国~广大, 民族众多。*Zhōngguó ~ guǎngdà, mínzú zhòngduō.* China covers a large area of land and has a lot of ethnic minorities. | 我们的一寸也不能放弃。*Wǒmen de ~ yí cùn yě bù néng fàngqì.* We will not give up even an inch of our land.

² **土豆** *tǔdòu* 〈名 *n.* 口 *colloq.*〉马铃薯 potato: 买点儿~, 回去炖牛肉。*Mǎi diǎnr ~, huíqù dùn niúròu.* Buy some potatoes to stew with beef. | 西餐厅的~泥很好吃。*Xīcāntīng de ~ní hěn hǎo chī.* The mashed potato supplied in the Western-style restaurant is very tasty.

³ **土壤** *tǔrǎng* ❶〈名 *n.*〉地球表层能生长植物的疏松物质 soil: ~层 ~ *céng* layer of the soil | 肥沃 ~ *féiwò* rich soil | 改良 ~ *gǎiliáng* ~ improve the soil ❷〈名 *n.*〉比喻有利于事物发生、发展的客观条件 *fig.* external conditions favorable for the happening or development of sth.: 必须铲除滋生各种腐败现象的~。*Bìxū chǎnchú zīshēng gèzhǒng fǔbài xiànxiàng de ~.* We must remove the soil of all kinds of corruptions.

吐 *tǔ* ❶〈动 *v.*〉让东西从嘴里出来 spit: ~口水 ~ *kǒushuǐ* spit | ~故纳新 (比喻扬弃旧的、落后的, 吸收好的、先进的) *~gù-nàxīn (bǐyù yángqì jiù de, luòhòu de, xīshōu hǎo de, xiānjìn de)* blow out the old and breathe in the new; get rid of the stale and take in the fresh (*fig.* discard the old and bad, and absorb the new and good) ❷〈动 *v.*〉说出: 讲出 say; tell; speak out: ~字清楚 *~zì qīngchu* pronounce distinctly | 一~为快 *yì~wéikuài* feel at ease after speaking out | 不要吞吞~~的, 有话就说。*Búyào tūntūn~~ de, yǒu huà jiù shuō.* Don't hem and haw. Say whatever you want to say. ❸〈动 *v.*〉(从缝隙或小孔儿里) 长出来或露出来 emit; stick; put forth; send out; grow or expose from an opening or a seam: ~穗 *~suì* put forth ears; earing up | ~出嫩芽 *~chū nènyá* put forth buds | 蚕儿~丝做茧。*Cánr ~ sī zuò jiǎn.* Silkworms spin silk to make cocoon.
☞ *tù*, p. 986

² **吐** *tù* 〈动 *v.*〉呕出 (消化道或呼吸道里的东西); 也指被迫退还 (所侵占的财物) vomit; retch; throw up; (of things in the digestive or reparatory tract) gush out from the mouth; also indicating disgorge (seized property): ~奶 *~ nǎi* vomit milk | 上~下泻 *shàng~xià xiè* suffer from vomiting and diarrhea | 他酒喝多了, 竟~了一地。*Tā jiǔ hēduō le, jìng ~le yí dì.* He had got drunk and vomited everywhere. | 只有~出赃款赃物, 才能争取宽大处理。*Zhǐyǒu ~chū zāngkuǎn zāngwù, cái néng zhēngqǔ kuāndà chǔlǐ.* Only when having disgorged illicit money and bribe can you get lenient treatment.
☞ *tǔ*, p. 986

² **兔子** *tùzi* 〈名 *n.*〉(只*zhī*、窝*wō*) 一种哺乳动物 rabbit; hare: 不见~不撒鹰 (比喻不到关键时刻不动手) *bú jiàn ~ bù sā yīng (bǐyù bú dào guānjiàn shíkè bú dòngshǒu)* not let the eagle go until the rabbit appears (*fig.* take actions at the most critical moment) | ~尾巴一长不了。*~ wěiba — cháng bù liǎo.* Like the rabbit's tail — It will not last long. | 他跑得比~还快。*Tā pǎo de bǐ ~ hái kuài.* He runs even faster than a rabbit.

² **团** *tuán* ❶〈名 *n.*〉军队编制之一, 下辖若干个营 regiment, a military unit that commands several battalions: 警卫~ *jǐngwèi ~* security regiment | 坦克~ *tǎnkè ~* tank regiment | ~长 *~zhǎng* regiment commander | ~部 *~bù* regiment command ❷〈名 *n.*〉工作或活动的集体 group; society; circle; organization: 社~ *shè~* mass organizations | 乐~ *yuè~* philharmonic society; orchestra | 主席~ *zhǔxí~* presidium | 陪同~ *péitóng~* accompany ❸〈名 *n.*〉特指中国共产主义青年团 esp. referring to Communist Youth League of China: ~歌 *~gē* Song of the Youth League | ~旗 *~qí* Flag of the Youth

League | ~章 ~*zhāng* Constitution of the Youth League ❹(~儿)〈名 n.〉成球形或圆形的东西 sth. shaped like a ball; ball-shaped thing：饭~儿 *fàn~r* rice ball | 棉花~儿 *miánhuā~r* cotton ball | 星~ *xīng~* star cluster ❺〈名 n.〉聚成堆的东西(多用于抽象事物) gathered things, oft. used in abstract sense：谜~ *mí~* enigma; mystery | 疑~ *yí~* clouds of suspicion; doubts and suspicion ❻〈量 meas.〉用于团状的物体 used for ball-shaped things：一~火 *yì~huǒ* a fireball | 两~面 *liǎng~miàn* two chunks of dough | 四~毛线 *sì~máoxiàn* four balls of knitting wool ❼〈量 meas.〉修饰某些抽象事物 used to modify some abstract things：一~糟 *yì~zāo* a complete mess | 一~漆黑 *yì~qīhēi* pitch-dark | 一~和气 *yì~héqì* friendly; harmonious ❽〈动 v.〉(把东西)捏合、揉弄成球形 roll into a ball; roll：~药丸 ~*yàowán* roll the medicine into a ball | 他把手里的雪~成一个球。*Tā bǎ shǒu li de xuě ~ chéng yí gè qiú.* He rolled the snow in his hands into a ball. ❾〈动 v.〉会合或集中在一起 unite; conglomerate; rally; assemble：~聚 ~*jù* reunite; gather; assemble | ~拜会 ~*bàihuì* mutual greetings gathering | ~结 ~*jié* unite; rally | ~圆 ~*yuán* reunion ❿〈形 adj.〉圆形的 round; circular：~扇 ~*shàn* circular fan; round fan | ~鱼 ~*yú* soft-shelled turtle

¹ **团结** tuánjié ❶〈动 v.〉为达到共同目的而结合或联合在一起 unite; rally, get together to achieve the common goal or fulfil a common task：~奋斗 ~*fèndòu* unite and strive | 增进 ~*zēngjìn* promote unity | ~就是力量。~*jiùshì lìliàng.* Unity is strength. ❷〈形 adj.〉和睦；友好 harmonious; united; friendly：~的班级 ~*de bānjí* a harmonious class | 大家在一起很~。*Dàjiā zài yìqǐ hěn ~.* We stay together very friendly.

⁴ **团聚** tuánjù ❶〈动 v.〉(亲人)相聚会 reunite; come or join together：骨肉 ~*gúròu* a family reunion | 校庆的日子里，久别的同学~了。*Xiàoqìng de rìzi li, jiǔbié de tóngxué ~ le.* On the anniversary of the founding of the school, all schoolmates get together again after a long separation. ❷〈动 v.〉汇聚；聚集 unite; rally; gather; assemble：在这里，人们经常~在一起纵论天下大事。*Zài zhèli, rénmen jīngcháng ~ zài yìqǐ zònglùn tiānxià dà shì.* It's here that people often gathered together to talk freely about the world affairs.

³ **团体** tuántǐ〈名 n.〉(个gè)由目的和志趣相同的人们组成的集体 organization; group; team; society：宗教~ *zōngjiào~* religious group | 社会~ *shèhuì~* social group | ~比赛 ~*bǐsài* team event | ~采购 ~*cǎigòu* group purchase

³ **团员** tuányuán ❶〈名 n.〉(名míng、个gè、位wèi)某个团体的成员 member of a group, delegation, etc.：代表团~ *dàibiǎotuán~* delegation members | 军乐团~ *jūnyuètuán~* members of the military band | 一批外国旅游团~登上了飞机。*Yì pī wàiguó lǚyóutuán ~ dēngshàngle fēijī.* A group of foreign tourists aboarded the airplane. ❷〈名 n.〉(名míng、个gè)在中国，特指中国共产主义青年团团员 League member; member of the Communist Youth League of China：他在中学就是~。*Tā zài zhōngxué jiùshì ~.* He became the member of the Communist Youth League when he was still in the middle school. | 下午两点开~大会。*Xiàwǔ liǎng diǎn kāi ~ dàhuì.* The League member meeting will be held at two o'clock this afternoon.

⁴ **团圆** tuányuán ❶〈动 v.〉团聚(多指亲人离散后的相聚) reunite; join together：~饭 ~ *fàn* a family reunion dinner | 大~ *dà~* a happy ending | 离散多年的夫妻~了。*Lísàn duōnián de fūqī ~ le.* The husband and the wife joined together after years of separation. ❷〈形 adj.〉浑圆的 round; circular：八月十五月~。*Bā yuè shíwǔ yuè ~.* The moon becomes round on the 15th Lunar August.

³ **团长** tuánzhǎng ❶〈名 n.〉(名míng、位wèi、个gè)军队里的团级主官 regiment commander：飞行团~ *fēixíngtuán ~* the commander of an aero-regiment | ~到二营开会

去了。~ dào èr yíng kāi huì qù le. The regiment commander went to attend the meeting in the second battalion. ❷〈名 n.〉（名míng、位wèi、个gè）某一团体的主要领导者 the first leader of an organization：慰问团~ wèiwèntuán ~ the leader of the condolence team | 剧团~是一位很严厉的领导 Jùtuán ~ shì yí wèi hěn yánlì de lǐngdǎo. The head of the troupe is very severe.

¹ 推 tuī ❶〈动 v.〉向外或向前用力，使物体沿着用力的方向移动（与'拉lā'相对）push; shove; thrust（opposite to '拉lā'）：~开众人 ~kāi zhòngrén push through the crowd | ~土垫路 ~ tǔ diàn lù level the earth and fill up the road | ~波助澜（比喻从旁助长事态发展以扩大影响）~bō-zhùlán（bǐyù cóng páng zhùzhǎng shìtài fāzhǎn yǐ kuòdà yǐngxiǎng）make a stormy sea stormier（facilitate or foster the development of sth. to expand one's own influence）| 自行车坏了，他只能~着车走。 Zìxíngchē huài le, tā zhǐnéng ~ zhe chē zǒu. His bike broke down, so he had to push it. ❷〈动 v.〉使开展；使范围扩大 push forward; promote; advance; extend：~广普通话 ~guǎng pǔtōnghuà popularize Mandarin | ~销商品 ~xiāo shāngpǐn promote sales of commodity | ~向新阶段 ~xiàng xīn jiēduàn promote to a new stage ❸〈动 v.〉借故辞让、拒绝或摆脱 shift; shirk; push away：~脱 ~tuō offer as an excuse; find an excuse to decline | ~辞 ~cí refuse; turn down | ~让 ~ràng submit; yield; decline out of modesty or politeness | 半~半就 bàn~bànjiù yield with show of reluctance ❹〈动 v.〉把预定的往后延迟 delay; postpone; put off：~迟 ~chí delay; postpone; put off | ~延 ~yán postpone; put off; delay | 原定计划要向后~几天了。 Yuándìng jìhuà yào xiàng hòu ~ jǐ tiān le. The original plan will be put off for several days. ❺〈动 v.〉举荐 elect; recommend; choose：~举 ~jǔ choose; elect | 你是大家公~的代言人，应该替我们说话。 Nǐ shì dàjiā gōng~ de dàiyánrén, yīnggāi tì wǒmen shuōhuà. You are the spokesman elected by all of us, so you have to speak for us. ❻〈动 v.〉磨或碾（粮食）turn a mill or grindstone; grind：~米磨面 ~mǐ mó miàn grind rice and flour | 玉米不要~得太细。 Yùmǐ búyào ~ de tài xì. Don't grind the corn too fine. ❼〈动 v.〉用工具贴着物体表面移动进行操作 cut; pare; plane; mow：~头 ~tóu cut one's hair | ~草机 ~cǎojī mower; mowing machine | 这块木板的面不太光滑，再用刨子~一~。 Zhè kuài mùbǎn de miàn bú tài guānghuá, zài yòng bàozi ~ yì ~. The surface of the board is not smooth, polish it again with a plane. ❽〈动 v.〉根据已知的来判定其他 deduce; infer：~断 ~duàn infer; deduce | ~算 ~suàn calculate; reckon; estimate | ~测 ~cè infer; guess; conjecture | 依此类~ yīcǐlèi~ analogize on the basis | ~本溯源 ~běn-sùyuán trace the origin; detect or find out the reason ❾〈动 v. 书 lit.〉尊重；崇敬 praise highly; hold in esteem：~崇 ~chóng extol; hold in esteem | ~戴 ~dài support sb. | ~许 ~xǔ hold in esteem; have a high regard for | ~重 ~zhòng think highly of; have a high regard for

⁴ 推测 tuīcè 〈动 v.〉依据已知事实或前提预测或想象未知 infer; guess：~未来天气 ~wèilái tiānqì guess the weather in the coming days | 不用~，也知道他要说什么。 Búyòng ~, yě zhīdào tā yào shuō shénme. We know what he wants to say without guessing. | 你的~是靠不住的。 Nǐ de ~ shì kàobúzhù de. Your guess is unreliable.

³ 推迟 tuīchí 〈动 v.〉把原定的(时间、计划等)向后延迟 postpone; defer; delay; put off：~访问 ~ fǎngwèn postpone the visit | 因故~ yīngù ~ be put off for some reason | 有关计划不必~进行。 Yǒuguān jìhuà búbì ~ jìnxíng. The related plan need not be postponed.

³ 推辞 tuīcí 〈动 v.〉借故拒绝或不答应 refuse; turn down; decline：再三~ zàisān ~ refuse again and again | 你总是~，恐怕不好。 Nǐ zǒngshì ~, kǒngpà bù hǎo. I'm afraid it's undesirable that you refuse again and again.

²**推动** tuī//dòng 〈动 v.〉使开展;使前进或发展 promote; encourage; motivate; push forward:~学习 ~ xuéxí promote studying | ~事业前进 ~ shìyè qiánjìn promote the development of one's career | 起~作用 qǐ ~ zuòyòng play an encouraging role | 这里的工作我实在推不动,你另派人来吧。Zhèlǐ de gōngzuò wǒ shízài tuī bú dòng, nǐ lìng pài rén lái ba. I really cannot push forward the work here. Will you please choose another one to replace me?

³**推翻** tuī//fān ❶〈动 v.〉将人或立着的物体推倒 overthrow; overturn; topple:把他~在地。Bǎ tā ~ zài dì. Push him over onto the ground. | 气得他一下~了饭桌 Qì de tā yíxià ~le fànzhuō. He was so angry that he turned over the table. ❷〈动 v.〉借助武力打倒原来的政权或改变社会制度 overthrow; overturn; topple, smash the old regime with force or change the social system:~旧制度 ~ jiù zhìdù overthrow the old system | 那个独裁政权被~一年多了。Nàge dúcái zhèngquán bèi ~ yì nián duō le. The dictatorial regime has been overthrown for more than a year. | 推不翻封建统治,革命党人誓不罢休。Tuī bù fān fēngjiàn tǒngzhì, gémìngdǎngrén shìbù bàxiū. The revolutionaries were determined not to stop until the feudal rule was overthrown. ❸〈动 v.〉根本否定(以往的方案,结论等) repudiate; cancel; reverse:~合同 ~ hétong cancel the contract | 我们的方案被领导~了。Wǒmen de fāng'àn bèi lǐngdǎo ~ le. Our plan has been repudiated by our leader. | 刚刚说的话就想~,你推得翻吗? Gānggāng shuō de huà jiù xiǎng ~, nǐ tuī de fān ma? You want to deny what you've just said. Can you do that?

²**推广** tuīguǎng 〈动 v.〉扩大使用或实施的范围 popularize; spread; extend:~普通话 ~ pǔtōnghuà popularize the Mandarin | 普及与~ pǔjí yǔ ~ popularization and expansion | 这个做法要在全社会~。Zhège zuòfǎ yào zài quán shèhuì ~. The method should be spread to the whole society.

³**推荐** tuījiàn 〈动 v.〉向有关人员或组织介绍、举荐(好的人或事物) recommend:~人选 ~ rénxuǎn recommend candidates | ~优秀歌曲 ~ yōuxiù gēqǔ recommend excellent songs | ~人与被~人 ~ rén yǔ bèi ~ rén nominator and nominee | 有好的文章,请给~。Yǒu hǎo de wénzhāng, qǐng gěi ~. Please recommend good articles to us.

³**推进** tuījìn ❶〈动 v.〉推动或促使(有关事物)发展、前进 promote; advance; push on; carry forward:~科学研究 ~ kēxué yánjiū promote the scientific studies | ~两国关系发展 ~ liǎng guó guānxì fāzhǎn promote the development of relations between the two countries | 工作还要不断~。Gōngzuò hái yào búduàn ~. We have to carry forward the work continually. ❷〈动 v.〉(战线)向前移;(作战的军队)向前进 (of a front line or fighting troops) advance; drive; press forward:全线~ quánxiàn ~ advance on all fronts | 军队陆续~,先头部队已~到敌方城下。Jūnduì lùxù ~, xiāntóu bùduì yǐ ~ dào dífāng chéng xià. The forces pushed forward in succession, and the advance detachment had approached the city held by the enemy. | 沙丘~到距此不过一百公里的地方。Shāqiū ~ dào jù cǐ búguò yìbǎi gōnglǐ de dìfang. The sand dunes have reached the place about 100 kilometers away from here.

⁴**推来推去** tuīlái-tuīqù 〈惯 usg.〉互相推托,不想负责 plead; find excuses to decline:这点儿小事就~的,怎么干大事? Zhè diǎnr xiǎo shì jiù ~ de, zěnme gàn dà shì? For such trivial things, all of you have shifted responsibility onto one another. How can you accomplish important tasks?

⁴**推理** tuīlǐ ❶〈名 n.〉由已知判断(前提)推出新判断(结论)的思维过程 inference; reasoning:逻辑~ luóji ~ logical reasoning | ~小说 ~ xiǎoshuō detective novel | ~严密 ~ yánmì close reasoning | 抽象的~ chōuxiàng de ~ abstract reasoning ❷〈动 v.〉进一步

思考；由已知推求其余 infer; reason：顺着这个想法，你~一下。*Shùnzhe zhège xiǎngfǎ, nǐ ~ yíxià.* You draw inferences according to this idea. | 在老师的提示下，他认真地~起来。*Zài lǎoshī de tíshì xià, tā rènzhēn de ~ qǐlái.* Suggested by the teacher, he began reasoning seriously.

⁴**推论** tuīlùn ❶〈动 v.〉推求；论说 infer; reason：~利害得失 ~ *lìhài déshī* draw the conclusion of gains and losses | 据实~ *jùshí ~* draw inferences from facts | 由此，可以~、演绎出一大篇文章来。*Yóucǐ, kěyǐ ~, yǎnyì chū yí dà piān wénzhāng lái.* From here, we can make an inference, and write it into a long article. ❷〈名 n.〉经过推理得出的结论 conclusion made through reasoning：我刚才说的还只是一个~。*Wǒ gāngcái shuō de hái zhǐshì yí gè ~.* What I said just now is only a guess. | 文章的~尚有缺陷。*Wénzhāng de ~ shàng yǒu quēxiàn.* There are some flaws in the inference of this article.

⁴**推算** tuīsuàn〈动 v.〉用数学方法推演或计算；也指测算命运 calculate; estimate：~出生年月 ~ *chūshēng niányuè* calculate one's birth date | ~吉凶祸福 ~ *jíxiōng huòfú* predict one's good or ill luck, misfortune or happiness | 他的年收入可以~出来。*Tā de nián shōurù kěyǐ ~ chūlái.* His annual income can be worked out.

⁴**推销** tuīxiāo〈动 v.〉推广或扩大销售 market; promote sales：~策略 ~ *cèlüè* market strategy | ~商品 ~ *shāngpǐn* promote the sale of commodities | ~去农村 ~ *qù nóngcūn* sell products to the rural areas | 在议会里，他时常~自己的理论。*Zài yìhuì li, tā shícháng ~ zìjǐ de lǐlùn.* He often sells his theory in the parliament.

⁴**推行** tuīxíng〈动 v.〉推广施行 pursue; practice; carry out universally; introduce; spread or popularize：~新的方案 ~ *xīn de fāng'àn* carry out a new plan | 节水措施必须~。*Jié shuǐ cuòshī bìxū ~.* The water-saving method must be promoted.

⁴**推选** tuīxuǎn〈动 v.〉推荐选拔 elect; choose：~代表 ~ *dàibiǎo* elect delegate; choose representatives | 名单已经~出来了。*Míngdān yǐjīng ~ chūlái le.* Candidates have been named. | 这次采用差额选举~主席团成员。*Zhè cì cǎiyòng chā'é xuǎnjǔ ~ zhǔxítuán chéngyuán.* This time members of the presidium will be chosen by marginal election.

¹**腿** tuǐ ❶〈名 n.〉(条tiáo、双shuāng、只zhī)用来支撑人或动物的躯体并行走的部分 leg：~脚 ~*jiǎo* ability to walk | 大~ *dà~* thigh | 扯后~ *chě hòu~* be a hindrance to sb.; hold sb. back | 狗~子 *gǒu~zi* hired thug; lackey ❷(~儿)〈名 n.〉像腿一样支撑器物的部分 leg-like things used to support an object：眼镜~儿 *yǎnjìng~r* legs of a pair of glasses | 椅子~儿 *yǐzi~r* legs of a chair

¹**退** tuì ❶〈动 v.〉向后移动(与'进'相对) retreat; move backwards; draw back (opposite to '进jìn')：~让 ~*ràng* make way; step back | ~守 ~*shǒu* withdraw and stand on the defensive | 进~两难 jìn~*liǎngnán* not know whether to advance or retreat; in a dilemma | 敌进我~，敌疲我打。*Dí jìn wǒ ~, dí pí wǒ dǎ.* We draw back as the enemy move forward, and we begin to attack as they are tired. ❷〈动 v.〉使后移 withdraw; remove; cause to move back：击~ *jī~* beat back; fight off | 打~ ~*dǎ* fight off | ~兵之计 ~*bīng zhī jì* plan to repulse the enemy | 把子弹~出枪膛 bǎ zǐdàn ~*chū qiāngtáng* remove a cartridge from the breech of a gun; unload a gun ❸〈动 v.〉下降；衰减 decline; decrease; recede：~烧 ~*shāo* bring down a fever | ~色 ~*sè* (of color) fade | ~潮 ~*cháo* ebb; falling tide | ~减 ~*jiǎn* drop; go down | ~消 ~*xiāo* abate; subside ❹〈动 v.〉离开；退出 quit; adjourn; withdraw from：~役 ~*yì* retire from active military service | ~场 ~*chǎng* leave; exit | 引~ *yǐn~* resign; leave office | 告~ *gào~* ask for leave | 功成身~ *gōngchéng-shēn~* retire after winning merit ❺〈动 v.〉交还(已收的钱

物) return; give back: ~票 ~*piào* return a ticket ｜~款 ~*kuǎn* refund; reimburse ｜~货 ~
huò return goods ｜多~少补 *duō~shǎobǔ* return overpayment and demand payment of
the shortage ❻〈动 *v.*〉取消(已定的事) cancel; retract; break off：~亲 ~*qīn*
break off an engagement ｜~租 ~*zū* retract the rent ｜~掉合同 ~*diào hétong* cancel the
contract

³ **退步** I tuì//*bù* ❶〈动 *v.*〉落后; 比以前差 lag behind; fall behind: 学习 ~ *xuéxí* ~ fall
behind in one's study ｜许久不说了, 英语口语大有~。*Xǔjiǔ bù shuō le, Yīngyǔ kǒuyǔ
dà yǒu ~.* Having not practiced for a long time, I found my spoken English was a lot
worse than before. ❷〈动 *v.*〉退让; 让步 give in; give way; make a concession: 原则问
题决不~。*Yuánzé wèntí jué bú ~.* Never give in on fundamental principles. ｜最后大家都
退了一步, 达成协议。*Zuìhòu dàjiā dōu tuìle yí bù, dáchéng xiéyì.* Each side made a
concession and reached an agreement in the end. II tuì*bù*〈名 *n.*〉(个 gè)退路; 后路
room for maneuver; leeway：留个~, 以防不测。*Liú gè ~, yǐ fáng búcè.* Leave some
room for maneuver and prepare for any contingency.

⁴ **退出** tuì*chū* ❶〈动 *v.*〉离开某个场所 withdraw from; secede; quit: ~会场 ~ *huìchǎng*
walk out of the meeting ｜~战斗 ~*zhàndòu* retreat from a battle ❷〈动 *v.*〉脱离(某个组
织、某项活动等) break away from an organization or an activity: ~政府 ~*zhèngfǔ*
resign from the government ｜~比赛 ~*bǐsài* leave the game ｜~组织 ~*zǔzhī* withdraw
from an organization ❸〈动 *v.*〉交出(已得到的钱物) hand over; surrender; disgorge: ~
赃物 ~*zāngwù* disgorge the bribe ｜~所得到的金牌 ~ *suǒ dédào de jīnpái* hand over the
gold medal

⁴ **退还** tuì*huán*〈动 *v.*〉归还; 退回 return: ~押金 ~*yājīn* return the deposit ｜~礼品 ~*lǐpǐn*
return the gift ｜所借物品已如数~。*Suǒ jiè wùpǐn yǐ rúshù.* All the borrowed things
have been returned.

³ **退休** tuì*xiū*〈动 *v.*〉由于年老等原因而退职(享受国家或企业的有关待遇) retire: ~待
遇 ~*dàiyù* retirement pay ｜~职工 ~*zhígōng* retiree; the retired ｜我明年~。*Wǒ
míngnián ~.* I will retire next year.

³ **吞** tūn ❶〈动 *v.*〉不咀嚼, 整个地往下咽 swallow; devour; gulp down：~食 ~*shí*
swallow ｜~咽 ~*yàn* swallow ｜狼~虎咽(形容吃东西又急又快) *láng~hǔyàn (xíngróng
chī dōngxi yòu jí yòu kuài)* eat like a wolf or tiger (*fig.* devour ravenously); wolf down;
gobble up ｜气~山河 (形容气势很盛) *qì~shānhé (xíngróng qìshì hěn shèng)* as
magnificent as high mountains and big rivers (*fig.* full of power and grandeur) ❷〈动
v.〉兼并；侵占 annex; seize：~并 ~*bìng* annex; seize ｜~没~*mò* embezzle;
misappropriate ｜独~*dú* take exclusive possession of ｜侵~财产*qīn~ cáichǎn* embezzle
property ❸〈动 *v.*〉忍受 bear; endure：忍气~声 *rěnqì~shēng* swallow an insult ｜我实
在~不下这口气。*Wǒ shízài ~ bú xià zhè kǒu qì.* I really cannot swallow this insult.

⁴ **屯** tún ❶〈动 *v.*〉蓄积; 贮存 collect; gather; store up: ~粮 ~*liáng* store up grain ｜~积 ~
jī hoard for speculation ｜~货 ~*huò* store goods ❷〈动 *v.*〉(军队)扎扎; 防守 station or
quarter troops: ~兵 ~*bīng* station troops ｜~守~*shǒu* defend; garrison ｜驻~ *zhù~* be
stationed ｜~垦戍边 ~*kěn shùbiān* station troops to guard and cultivate the frontier region
❸〈名 *n.*〉村庄 (多用作村名) oft. used in village names: ~落 ~*luò* village ｜小~子
xiǎo~zi a little village ｜拖拉机进了~。*Tuōlājī jìnle ~.* The tractor has been sold into the
village.

² **托** tuō ❶〈动 *v.*〉用器物或手掌向上承受(物体)或击打(东西) hold in the palm;
support (an object) with the palm: ~在手里 ~*zài shǒu li* hold in the palm ｜~排球 ~*páiqiú*

finger-tip (the ball); push the volleyball up with one's fingers｜和盘~出 (指将所有的事情说出) *hépán-~chū* (*zhǐ jiāng suǒyǒu de shìqíng shuōchū*) lay all the cards on the table (*fig.* make a clean breast of sth.) ❷〈动 *v.*〉陪衬 serve as a foil; set off：衬~ *chèn*~ set off｜烘~ *hōng*~ foil 烘云~月 (从侧面渲染以衬托主要的事物) *hōngyún-~yuè* (*cóng cèmiàn xuànrǎn yǐ chèntuō zhǔyào de shìwù*) paint clouds to set off the moon (*fig.* make sth. more noticeable by contrast) ❸〈动 *v.*〉请人代办；寄放 ask; entrust; trust：~管 *~guǎn* trusteeship｜~运 *~yùn* consign for shipment｜信~ *xìn~* trust; entrust｜儿所 *érsuǒ* kindergarten; nursery｜~身异乡 *~shēn yìxiāng* live in a strange land ❹〈动 *v.*〉借故谢绝、推辞 plead; give as a pretext; offer as an excuse：推~ *tuī*~ plead; offer as an excuse｜~故 *~gù* make an excuse; give a pretext｜~病 *~bìng* plead illness; on pretext of illness｜~词 *~cí* find a pretext; make an excuse ❺〈动 *v.*〉仰仗；依赖 rely on; owe to; count upon：~福 *~fú* thanks to you｜~庇 *~bì* rely on sb. for protection｜~名 *~míng* do sth. in other's name ❻(~儿)〈名 *n.*〉某些物件下起支撑、承载作用的部分 stand; support; sth. serving as a support：枪~儿 *qiāng~r* gunstock｜茶~儿 *chá~r* saucer｜花~儿 *huā~r* flower receptacle ❼(~儿)〈名 *n.*〉(个gè)受雇假装顾客争购商品，以引诱他人购买的人 person hired to contend for sth. so as to lure other people into a set trap; decoy：买东西的时候要小心别上~儿的当。 *Mǎi dōngxi de shíhou yào xiǎoxīn bié shàng ~r de dàng.* Be careful not to be tricked by the decoy when you do shopping.

³ **托儿所** *tuō'érsuǒ*〈名 *n.*〉(个gè、家jiā)照看教养婴幼儿的机构 kindergarten; nursery：社区 *shèqū*~ community kindergarten｜~阿姨 *~āyí* nurse in the kindergarten

² **拖** *tuō* ❶〈动 *v.*〉拉；牵引 pull; drag：~地 *~dì* mop the floor｜~船 *~chuán* towboat; tugboat｜别把沙发~来~去的。 *Bié bǎ shāfā ~ lái ~ qù de.* Don't pull the sofa here and there. ❷〈动 *v.*〉下垂；垂在身后 trail; drag behind one's body：窗帘~到了地上。 *Chuānglián ~dàole dì shang.* The curtain drags down onto the floor.｜那只狗~着尾巴跑了。 *Nà zhī gǒu ~zhe wěiba pǎo le.* The dog ran away with a dragging tail.｜那个姑娘~着一条长长的大辫子。 *Nàge gūniang ~zhe yì tiáo chángcháng de dà biànzi.* The girl wears a long pigtail. ❸〈动 *v.*〉延长 delay; postpone; drag on：~延 *~yán* delay; put off｜~长声音 *~cháng shēngyīn* drag on one's voice｜~腔拿调 *~qiāng nádiào* speak with a deliberate tone ❹〈动 *v.*〉牵制；牵累 burden; encumber：~累 *~lèi* be a burden to; encumber｜~垮对方 *~kuǎ duìfāng* drag on and on till the opponent breaks down｜~后腿 *~hòutuǐ* hold sb. back｜~儿带女 *~ér-dàinǚ* be burdened by one's children

³ **拖拉机** *tuōlājī*〈名 *n.*〉(台tái)牵引机械之一 tractor：轮胎式 *~lúntāishì* ~ rubber-tired tractor｜履带式 *~lǚdàishì* ~ crawler tractor｜如今我们村种地也用上~了。 *Rújīn wǒmen cūn zhòngdì yě yòngshang ~ le.* Now tractors have also been used for farming in our village.

⁴ **拖延** *tuōyán*〈动 *v.*〉有意延长时间，不迅速办理 delay; put off; postpone：~工期 *~gōngqī* exceed time limit set for a project｜~比赛 *~bǐsài* postpone the match｜会议~了。 *Huìyì ~ le.* The meeting is put off.

¹ **脱** *tuō* ❶〈动 *v.*〉取掉；除去；失去 take off; cast off：~帽 *~mào* take off one's hat｜~水 *~shuǐ* loss of body fluids; dehydration｜~脂奶粉 *~zhī nǎifěn* defatted milk powder｜解~ *jiě~* disengage; free oneself from ❷〈动 *v.*〉掉落 shed; drop; lose：~发 *~fà* loss of hair; alopecia｜~皮 *~pí* exuviate; shed｜金蝉~壳 (比喻用计逃脱，让对方无法立即察觉) *jīnchán-~qiào* (*bǐyù yòngjì táotuō, ràng duìfāng wúfǎ lìjí chájué*) slip out of a predicament like a cicada shedding its skin (*fig.* escape unnoticed by cunning maneuvers) ❸〈动 *v.*〉离开；断绝 get out of; break away from; escape from：~钩 *~gōu*

cut ties with; separate from｜～险 ~*xiǎn* be out of danger; escape｜～不开身 ~ *bù kāi shēn* be too busy（involved）to get away｜～离关系 ~*lí guānxì* renunciation; separate oneself from ❹〈动 *v.*〉漏掉（文字）miss（words）：～字 ~*zì* miss words｜这里～漏了一行。*Zhèli lòule yì háng.* A line of words is missing from here.

² **脱离** tuōlí〈动 *v.*〉（从某种环境或情况中）离开；断绝（某种联系）separate oneself from; break away from; leave：～险境 ~ *xiǎnjìng* be out of danger｜～集体 ~ *jítǐ* cut oneself off from the collective｜～主题 ~*zhǔtí* break away from the main theme｜～父子关系 ~*fùzǐ guānxì* cut off the kinship between father and son

⁴ **脱落** tuōluò ❶〈动 *v.*〉（附着在物体上的东西）掉下（of sth. attached to sth. else）drop; fall out; fall off：牙齿～了。*Yáchǐ ~ le.* The teeth have fallen.｜油漆已～。*Yóuqī yǐ ~.* The paint has peeled off.｜墙皮已经～得不像样了。*Qiángpí yǐjīng ~ de bú xiàngyàng le.* The wall-covering has peeled off unpleasantly. ❷〈动 *v.*〉（文字）遗漏（of writings）omit：此段文字有几行～。*Cǐ duàn wénzì yǒu jǐ háng ~.* Several lines are missing in this paragraph.｜第5页～了几个字。*Dì-wǔ yè ~ le jǐ gè zì.* Several words are missing in page 5.

³ **驮** tuó〈动 *v.*〉用背部负载人或东西 carry or bear on the back：～运 ~*yùn* pack, carry a load on the back｜肩挑背～ *jiāntiāo bèi* ~ carry on shoulder and bear on the back｜这么大的煤筐我可～不动。*Zhème dà de méikuāng wǒ kě* ~ *bú dòng.* I cannot carry so big a basket of coal.｜我把他～过了河。*Wǒ bǎ tā* ~*guòle hé.* I carried him across the river on my back.

⁴ **妥** tuǒ ❶〈形 *adj.*〉恰当；可靠 appropriate; proper; suitable; sound：～善 ~*shàn* appropriate; proper; well-arranged｜～当 ~*dang* appropriate; suitable｜稳～ ~ *wěn* safe; reliable｜请～为保管 *Qǐng* ~*wéi bǎoguǎn.* Please keep it appropriately. ❷〈形 *adj.*〉停当；完备 ready; settled; finished; resolved：谈～ *tán* ~ get sth. settled by negotiation｜备～款项 *bèi* ~ *kuǎnxiàng* get the money ready｜我说的事，办了没有？*Wǒ shuō de shì, bàn* ~ *le méiyǒu?* Have you settled what I told you?

³ **妥当** tuǒdang〈形 *adj.*〉稳妥适宜 appropriate; suitable：用词～ *yòngcí* ~ right in the use of words｜最～的办法 *zuì* ~ *de bànfǎ* the best way｜你的态度不够～。*Nǐ de tàidù bú gòu* ~. Your attitude was not appropriate.

⁴ **妥善** tuǒshàn〈形 *adj.*〉妥帖完备 appropriate; proper; well-arranged：～之策 ~ *zhī cè* proper method｜～安置 ~ *ānzhì* make appropriate arrangement｜～保存 ~ *bǎocún* be properly kept｜这种安排～得很，不会有问题。*Zhè zhǒng ānpái* ~ *de hěn, bú huì yǒu wèntí.* This arrangement is very appropriate, and there will be no problem.

⁴ **妥协** tuǒxié〈动 *v.*〉为避免冲突或争执而做出让步 compromise; capitulate; give up; surrender：相互～ *xiānghù* ~ compromise to each other｜两方都愿～。*Liǎng fāng dōu yuàn* ~. Both sides are willing to compromise.

⁴ **椭圆** tuǒyuán ❶〈名 *n.*〉几何学术语 ellipse, a geometry term：～形 ~*xíng* ellipse｜～体 ~ *tǐ* ellipsoid｜地球围绕太阳运行的轨道是～形的。*Dìqiú wéirào tàiyáng yùnxíng de guǐdào shì* ~*xíng de.* The orbit in which the Earth moves around the Sun is elliptical. ❷〈名 *n.*〉形状类似鸡蛋的长圆形或长圆体 oval; egg-shaped：～的面庞 ~ *de miànpáng* egg-shaped face｜人们常用～盘来盛鱼。*Rénmen cháng yòng* ~ *pán lái chéng yú.* People often put fish in an oval tray.｜橄榄球是～的。*Gǎnlǎnqiú shì* ~ *de.* Rugby ball is oval.

⁴ **唾沫** tuòmo〈名 *n.* 口 *colloq.*〉嘴里的唾液 saliva; spittle：～星儿 ~ *xīngr* saliva particle｜他咽了一口～。*Tā yànle yì kǒu* ~. He swallowed down saliva in his mouth.

W

²挖 wā ❶〈动 v.〉用手或工具从物体表面向里掏,掘 dig; excavate: 深~洞 shēn ~ dòng dig a deep hole |~一个坑 ~ yí gè kēng dig a hole |~墙脚 (比喻做损害别人根本利益的事) ~ qiángjiǎo (bǐyù zuò sǔnhài biéren gēnběn lìyì de shì) pull the rug from under (fig. undermine the foundation) | 我在院子里~了个地窖, 储藏红薯、大白菜。Wǒ zài yuànzi li ~le gè dìjiào, chǔcáng hóngshǔ, dàbáicài. I dug a cellar in the yard to store sweet potatoes and Chinese cabbages. ❷〈动 v.〉深入寻找, 探索 tap; seek: ~空心思 (形容想方设法, 费尽心机) ~ kōng xīnsi (xíngróng xiǎngfāng-shèfǎ, fèi jìn xīnjī) rack one's brains (fig. do everything possible; try all means) | 你为什么会犯错误, 要~一~思想根源。Nǐ wèishénme huì fàn cuòwù, yào ~ yì ~ sīxiǎng gēnyuán. You should dig up the root of your thoughts to find the reason why you have made the mistake.

⁴挖掘 wājué ❶〈动 v.〉开挖, 掘出来 excavate; unearth: ~地下矿藏 ~ dìxià kuàngcáng excavate mineral resources underground | 考古队正在~一座古墓。Kǎogǔduì zhèngzài ~ yí zuò gǔ mù. The archaeological team is excavating an ancient tomb. ❷〈动 v.〉深入探寻; 开发 explore; excavate: ~作者的创作思想 ~ zuòzhě de chuàngzuò sīxiǎng excavate the author's creative idea | 我们要搞好技术革新, ~生产潜力。Wǒmen yào gǎohǎo jìshù géxīn, ~ shēngchǎn qiánlì. We should do well with our technical renovation and tap the potentials of production.

³娃娃 wáwa ❶〈名 n. 口 colloq.〉(个gè、群qún)小孩子 baby; child: 这个胖乎乎的~挺可爱。Zhège pànghūhū de ~ tǐng kě'ài. The chubby baby is so lovely. | 一群~在沙滩上嬉戏。Yì qún ~ zài shātān shang xīxì. A group of children are playing on the sand beach. ❷〈名 n.〉(个gè)称一种状似小孩的玩具 doll; dolly: 我在商店买了两个洋~。Wǒ zài shāngdiàn mǎile liǎng gè yáng~. I bought two dolls in the store. | 江苏无锡制作的泥~ '大阿福' 人见人爱。Jiāngsū Wúxī zhìzuò de ní ~ 'Dà Āfú' rénjiàn-rén'ài. The clay doll 'Da A Fu' made in Wuxi of Jiangsu Province is everybody's darling.

³瓦 wǎ ❶〈名 n.〉(块kuài、片piàn)用泥土或水泥等制成的盖屋顶用的建筑材料 tile: 中国秦汉时代就生产砖~了, 故称秦砖汉~。Zhōngguó Qín Hàn shídài jiù shēngchǎn zhuān, ~ le, gù chēng Qín zhuān Hàn ~. Chinese bricks and tiles were made in Qin and Han dynasties of China, hence the name "Qin bricks and Han tile". | 北京故宫的宫殿屋顶都用黄色琉璃~铺盖。Běijīng Gùgōng de gōngdiàn wūdǐng dōu yòng huángsè liúli~pūgài. The palace roofs of the Imperial Palace in Beijing are all covered with golden glazed tiles. ❷〈名 n.〉用陶土烧制成的器物总称 a general term of earth-baked ware; earthenware: ~器 ~qì earthenware | 这是两件新石器时代的~罐。Zhè shì liǎng jiàn Xīnshíqì Shídài de ~guàn. These are two earthen jars made in New Stone Age. ❸

〈量 meas. 外 forg.〉电的功率单位，音译'瓦特'的简称 watt, unit of power, abbr. for '瓦特 wǎtè'：25~的灯泡 èrshíwǔ ~ de dēngpào a 25-watt electric bulb

瓦解 wǎjiě ❶〈动 v.〉比喻崩溃解体 fig. disintegrate; collapse：敌军完全~了。*Díjūn wánquán ~ le.* The enemy forces totally collapsed. │这个国家的反动统治机构已经土崩~。*Zhège guójiā de fǎndòng tǒngzhì jīgòu yǐjīng tǔbēng-~.* The reactionary ruling organization of this country has fallen apart. ❷〈动 v.〉使解体 rout：我们要~这个贩毒集团。*Wǒmen yào ~ zhège fàndú jítuán.* We will rout this drug-trafficking group.

¹**袜子** wàzi〈名 n.〉(双 shuāng、只 zhǐ)一种套在脚上的纺织物 socks; stockings; hose：她穿了双丝~。*Tā chuānle shuāng sī ~.* She wears a pair of pantyhose. │我穿错了~，两只颜色不一样。*Wǒ chuāncuòle ~, liǎng zhī ~ yánsè bù yíyàng.* I wear a wrong pair of socks that have different colors. │在公众场合你怎么能不穿~呢。*Zài gōngzhòng chǎnghé nǐ zěnme néng bù chuān ~ ne.* How can you have your feet bare in public occasion?

²**哇** wa〈助 aux.〉'啊a'的变音，当前一字尾音是u、ao、ou等时，'啊a'可变音为'哇wa' inflexion of '啊a' after a word ending in u, ao or ou：你好~! *Nǐ hǎo ~!* Well, how are you! │大家快来瞧~! *Dàjiā kuài lái qiáo ~!* Well, come and see! │快走~! *Kuài zǒu ~!* Hurry up!

²**歪** wāi ❶〈形 adj.〉不正，偏斜 off-center; askew; inclined：她一~一扭的走路样子实在难看。*Tā yì ~ yì niǔ de zǒulù yàngzi shízài nánkàn.* She looked nasty as she walked with swaying steps. │你的嘴有点儿~，是不是睡觉时着了风? *Nǐ de zuǐ yǒudiǎnr ~, shì bú shì shuìjiào shí zháole fēng?* You are slightly wry-mouthed. Did you catch a chill when you sleep? ❷〈形 adj.〉不正确的；不正当的；不良、不正派的 devious; crooked：他出的尽是些~点子。*Tā chū de jìn shì xiē ~ diǎnzi.* He can come up with nothing but bad ideas. │你不要听那个人的~道理。*Nǐ bú yào tīng nàge rén de ~ dàolǐ.* Don't listen to that man's sophistry. │他搞~门邪道倒挺在行。*Tā gǎo ~mén-xiédào dào tǐng zàiháng.* He is expert at dishonest methods. │我们要狠刹这种~风邪气。*Wǒmen yào hěn shā zhè zhǒng ~fēng-xiéqì.* We should stem this undesirable trend with a firm hand. ❸〈动 v.〉侧卧而睡 lie on one's side to rest：我先在床上~一会儿。*Wǒ xiān zài chuáng shang ~ yíhuìr.* Let me rest on the bed for a while.

³**歪曲** wāiqū〈动 v.〉故意改变事实，曲解内容 distort; misrepresent：~历史 ~ lìshǐ distort history │~原意 ~ yuányì distort the original meaning; misrepresent the original intention │你不要~我的话。*Nǐ bú yào ~ wǒ de huà.* Don't misrepresent my words.

¹**外** wài ❶〈名 n.〉物体的表面部分，外边，不在某种界限或范围之内(与'内''中''里'相对) out; outside (opposite to '内 nèi', '中 zhōng' or '里 lǐ')：这件商品的~表很好看。*Zhè jiàn shāngpǐn de ~biǎo hěn hǎokàn.* The commodity looks very nice from outside. │校门~人来人往。*Xiàomén ~ rénlái-rénwǎng.* People come and go outside the school. │我听出了他的言~之意。*Wǒ tīngchūle tā de yán~zhīyì.* I can understand the implications in his words. │我往~走，与进来的人碰到了一起。*Wǒ wǎng ~ zǒu, yǔ jìnlái de rén pèngdào le yìqǐ.* I ran into the man who was coming in when I went out. │除星期一~，这家博物馆天天开放。*Chú xīngqīyī ~, zhè jiā bówùguǎn tiāntiān kāifàng.* The museum is open everyday except Monday. ❷〈名 n.〉特指外国 foreign country：~币 ~bì foreign currency │~商 ~shāng foreign businessman; foreign merchant │她教我学~语。*Tā jiāo wǒ xué ~yǔ.* She teaches me foreign language. │中国有悠久的对~交往的历史。*Zhōngguó yǒu yōujiǔ de duì~ jiāowǎng de lìshǐ.* China has a long history of exchanges with other countries. ❸〈名 n.〉指母亲、姐妹、女儿方面的亲属 relatives of

one's mother, sister or daughter: ~甥 ~sheng nephew │ ~孙 ~sūn daughter's son; grandson │ ~祖母 ~zǔmǔ maternal grandmother ❹ 〈名 n.〉与'内'中''里'组成成语、俗语，表示性质、状况等相互对立或排斥 form the idiom with '内nèi', '中zhōng' or '里lǐ' to indicate opposed or exclusive character, situation, etc.: 内~有别 nèi~yǒubié distinguish the outside from the inside │ 圆内方（比喻人外表随和，而内心刚正）~yuán-nèifāng (bǐyù wàibiǎo suíhe, ér nèixīn gāngzhèng) round outside but square inside (fig. outwardly gentle but inwardly principled) │ 内忧~患 nèiyōu-~huàn domestic unrest and foreign invasion │ 强中干（指貌似强大，其实内里虚弱）~qiáng-zhōnggān (zhǐ màosì qiángdà, qíshí nèilǐ xūruò) outwardly strong but inwardly weak (fig. strong in appearance but weak in reality) │ 金玉其~，败絮其中（比喻外表好看而实质很糟糕）jīnyù-qí~, bàixù-qízhōng (bǐyù wàibiǎo hǎokàn ér shízhì hěn zāogāo) rubbish coated in gold and jade (fig. fair without, foul within) │ 里应~合 lǐyìng-~hé collaborate from within with forces from without; act from inside in coordination with forces attacking from outside │ 里通~国 lǐtōng ~guó have illicit relations with foreign elements │ 吃里爬~ chīlǐ-pá~ eat sb.'s food and cater to his enemy; live on one person while secretly serving another ❺ 〈形 adj.〉别处的（与'本'相对）other (opposite to '本běn'): ~地 ~dì other place │ ~单位 ~dānwèi other unit │ 听他说话好像是~乡口音。Tīng tā shuōhuà hǎoxiàng shì ~xiāng kǒuyīn. He speaks with an accent of some other place. ❻ 〈形 adj.〉非正式的 unofficial: 这个人爱给人起~号。Zhège rén ài gěi rén qǐ ~hào. The guy likes to give nicknames to other persons. │ 他的~快可不少。Tā de ~kuài kě bùshǎo. He made a big sum of money out of his regular pay. ❼ 〈形 adj.〉关系疏远的 not closely related: 这里都是自己人，请不要见~。Zhèlǐ dōu shì zìjǐrén, qǐng búyào jiàn~. Everyone here is our own people, please don't treat them as outsiders. ❽ 〈形 adj.〉不在分内的 besides; apart from: 此~ cǐ~ besides │ 中国申办2008年奥运会成功后，一些报纸立即印发了号~。Zhōngguó shēnbàn èr-líng-líng-bā nián Àoyùnhuì chénggōng hòu, yìxiē bàozhǐ lìjí yìnfā le hào~. The extra editions of some newspapers were printed as soon as China successed in its bid for the 2008 Olympic Games. ❾ 〈副 adv.〉其他，另外 what's more; in addition; furthermore: 这本书~附历史年表。Zhè běn shū ~fù lìshǐ niánbiǎo. A historical chronology is appended to this book. │ 你的任务是照管老人的生活，~带收拾屋子。Nǐ de rènwù shì zhàoguǎn lǎorén de shēnghuó, ~dài shōushi wūzi. You are mainly in charge of the life of the old man and also tidying up the room for him.

¹ **外边** wàibian ❶ 〈名 n.〉在某个范围之外的地方（与'里边'相对）out of; outside (opposite to '里边lǐbian'): 大门~有两棵树。Dà mén ~ yǒu liǎng kē shù. There are two trees outside the gate. │ 教室~就是大操场。Jiàoshì ~ jiùshì dà cāochǎng. Outside the classroom is a large playground. ❷ 〈名 n.〉物体靠外的一边，表面（与'里边'相对）surface; outside (opposite to '里边lǐbian'): 盒子~包了层纸。Hézi ~ bāole céng zhǐ. The box is wrapped with a piece of paper. │ 我在围墙~刷了一层白漆。Wǒ zài wéiqiáng ~ shuāle yì céng bái qī. I painted the outer side of the wall with white paint. ❸ 〈名 n.〉泛指社会上；外地 place other than one's own: 在~做事真不容易。Zài ~ zuòshì zhēn bù róngyì. It's very hard to work at a place outside one's hometown. │ 他在~经商，见过大世面。Tā zài ~ jīngshāng, jiànguo dà shìmiàn. He does business elsewhere and has seen much of the world.

⁴ **外表** wàibiǎo 〈名 n.〉事物外部面貌；表面 appearance: 这幢建筑物的~金碧辉煌。Zhè zhuàng jiànzhùwù de ~ jīnbì-huīhuáng. The building looks resplendent and magnificent. │ 你别被他道貌岸然的~迷惑。Nǐ bié bèi tā dàomào-ànrán de ~ míhuò. Don't be

cheated by his sanctimonious appearance.

⁴ **外宾** wàibīn 〈名 n.〉(位wèi、名míng、个gè)外国来宾 foreign guest; foreign visitor：校长正在接待两位~。*Xiàozhǎng zhèngzài jiēdài liǎng wèi ~.* The headmaster is hosting two foreign visitors. │ 我明天要陪同~到外地参观访问。*Wǒ míngtiān yào péitóng ~ dào wàidì cānguān fǎngwèn.* I will accompany foreign guests to visit other places tomorrow. │ 这位~来自邻邦韩国。*Zhè wèi ~ lái zì línbāng Hánguó.* This foreign visitor comes from South Korea, our neighboring country.

³ **外部** wàibù ❶〈名 n.〉某个范围之外（与'内部'相对）external; outside（opposite to '内部nèibù'）：这个开发区的~条件相当不错。*Zhège kāifāqū de ~ tiáojiàn xiāngdāng búcuò.* The economic development zone has a rather good external conditions. │ 我们要坚决顶住~的干涉。*Wǒmen yào jiānjué dǐngzhù ~ de gānshè.* We must stand up to the outside interference. ❷〈名 n.〉物体的外表 surface; exterior; externality：这座体育馆~造型与众不同。*Zhè zuò tǐyùguǎn ~ zàoxíng yǔzhòng-bùtóng.* The exterior appearance of this gymnasium is different from that of others. │ 路边所有建筑物的~都重新粉刷了一遍。*Lù biān suǒyǒu jiànzhùwù de ~ dōu chóngxīn fěnshuāle yí biàn.* The exterior of all buildings at the road sides has been painted again.

⁴ **外出** wàichū 〈动 v.〉离开家或单位出外；特指到外地去 go out：他有事~了。*Tā yǒu shì ~ le.* He went out to attend to his business. │ 我最近要~几天，家里的事情你照管一下。*Wǒ zuìjìn yào ~ jǐ tiān, jiāli de shì qǐng nǐ zhàoguǎn yíxià.* I will go out for several days. Please look after the company's affairs for me.

⁴ **外地** wàidì 〈名 n.〉本地、本市以外的地方 other place：北京有很多~民工。*Běijīng yǒu hěn duō ~ míngōng.* Many farmer-workers in Beijing come from other provinces. │ 他的一个儿子在~上大学。*Tā de yí gè érzi zài ~ shàng dàxué.* One of his sons is studying at a university in other place. │ 我在~工作了几年，生活上还是不太习惯。*Wǒ zài ~ gōngzuòle jǐ nián, shēnghuó shang háishì bú tài xíguàn.* I am not yet used to the life in another place although I have been working there for several years.

⁴ **外电** wàidiàn 〈名 n.〉外国通讯社的电传消息 dispatches from foreign news agencies：~披露的这条消息不准确。*~ pīlù de zhè tiáo xiāoxi bù zhǔnquè.* The news disclosed by the foreign news agency is not correct. │ 全国人民代表大会期间，~有很多报道。*Quánguó Rénmín Dàibiǎo Dàhuì qījiān, ~ yǒu hěn duō bàodào.* There were many reports from the foreign news agencies when the National People's Congress is in session.

⁴ **外观** wàiguān 〈名 n.〉物体外部的样子 appearance; exterior：这件东西~倒挺美，不知质量如何？*Zhè jiàn dōngxi ~ dào tǐng měi, bù zhī zhìliàng rúhé?* It looks good, but how about its quality? │ 他~斯文，其实很粗俗。*Tā ~ sīwén, qíshí hěn cūsú.* He is gentle in appearance but vulgar in mind.

⁴ **外国** wàiguó 〈名 n.〉本国以外的国家（与'本国''我国'相对）foreign country（opposite to '本国běn guó' or '我国wǒ guó'）：他到~留学去了。*Tā dào ~ liúxué qù le.* He went to study in another country. │ 有几个~留学生常到我家来。*Yǒu jǐ gè ~ liúxuéshēng cháng dào wǒ jiā lái.* I often have several foreign students come to visit my home. │ 我们搞建设不能照搬~的经验。*Wǒmen gǎo jiànshè bù néng zhàobān ~ de jīngyàn.* We cannot mechanically copy the experiences of other countries in our own construction.

⁴ **外行** wàiháng ❶〈形 adj.〉(对某个行业、某项工作或事情)不懂或缺乏经验（与'内行'相对）amateurish; nonprofessional（opposite to '内行nèiháng'）：他年轻时种过

地，干庄稼活一点儿也不~。*Tā niánqīng shí zhòngguo dì, gàn zhuāngjia huó yìdiǎnr yě bú ~.* He did farm work when he was young and so is not a novice in farming. │他说的尽是些不着边际的~话 *Tā shuō de jìn shì xiē bù zháo biānjì de ~ huà.* All the remarks he made are that of a laymen. ❷〈名 *n.*〉(个gè) 外行的人（与'内行'相对）nonprofessional; laymen; outsider（opposite to '内行nèiháng'）: 老老实实承认自己是~，不要装内行。*Lǎolǎo-shíshí chéngrèn zìjǐ shì ~, búyào zhuāng nèiháng.* You should honestly admit that you are an amateur rather than pretending to be an expert. │能领导内行吗？*~ néng lǐngdǎo nèiháng ma?* Can an amateur lead the old hand?

⁴ **外汇** wàihuì 〈名 *n.*〉用于国际贸易清算的支付手段，包括外币以及用外币表示的支票、汇票、期票等 foreign exchange; foreign currency: 中国经营~业务的专业银行是中国银行。*Zhōngguó jīngyíng ~ yèwù de zhuānyè yínháng shì Zhōngguó Yínháng.* The specialized bank in charge of foreign exchange in China is the Bank of China. │这批进口货物要支付~。*Zhè pī jìnkǒu huòwù yào zhīfù ~.* This batch of imported goods should be paid in foreign currency.

² **外交** wàijiāo ❶〈名 *n.*〉一个国家在国际关系方面的活动，包括互派使节、进行谈判、签订条约等 diplomacy: 两国建立了~关系。*Liǎng guó jiànlìle ~ guānxì.* The two countries have established the diplomatic relations. │这位~官用~辞令巧妙地回避了记者提问的实质问题。*Zhè wèi ~guān yòng ~ cíling qiǎomiào de huíbìle jìzhě tíwèn de shízhì wèntí.* The diplomat skillfully evaded the essential questions put forward by the reporters with diplomatic parlance. ❷〈名 *n.*〉一个家庭或单位与外界的交往活动 activities of a family or a unit: 这位公关小姐很会搞~。*Zhè wèi gōngguān xiǎojiě hěn huì gǎo ~.* This Miss Public Relations is a good diplomatist.

³ **外界** wàijiè 〈名 *n.*〉某一特定范围以外的空间或社会 outside; space outside an object; outside community: 这些年来我几乎与~隔绝了。*Zhèxiē nián lái wǒ jīhū yǔ ~ géjué le.* I am nearly isolated from the outside world these years. │这件事至今~还不明真相。*Zhè jiàn shì zhìjīn ~ hái bùmíng zhēnxiàng.* The outside world still does not know the truth of this event.

³ **外科** wàikē 〈名 *n.*〉主要用手术来治疗疾病的一个医学分科 surgical department: 你的病应该去看~。*Nǐ de bìng yīnggāi qù kàn ~.* You should go to see a surgical doctor. │~医生正在给病人做手术。*~ yīshēng zhèngzài gěi bìngrén zuò shǒushù.* The surgeon is performing an operation on a patient. │这是一位胸~专家。*Zhè shì yí wèi xiōng ~ zhuānjiā.* This is an expert of thoracic surgery.

⁴ **外力** wàilì ❶〈名 *n.*〉物理学术语，指外界作用于某一物体的力 external force ❷〈名 *n.*〉泛指来自外部的力量 outside force: 我们单位势单力薄，要借助~来完成这项工程。*Wǒmen dānwèi shìdān-lìbó, yào jièzhù ~ lái wánchéng zhè xiàng gōngchéng.* Our unit is rather weak in strength, so we need outside support to finish the project. │这支篮球队引进几个~后大有起色。*Zhè zhī lánqiúduì yǐnjìn jǐ gè ~ hòu dà yǒu qǐsè.* The basketball team made a great improvement after several foreign players had been brought in.

⁴ **外流** wàiliú 〈动 *v.*〉流散到外地或外国 deplete; drain; outflow: 资金~ *zījīn* ~ depletion of funds │这个单位工资较低，人才大部~了。*Zhège dānwèi gōngzī jiào dī, réncái dàbù ~ le.* This unit has suffered a severe brain drain because of lower salary. │许多农村劳动力~到城镇打工。*Xǔduō nóngcūn láodònglì ~ dào chéngzhèn dǎgōng.* Quite a lot of farmers go out to work in the cities and towns now.

² **外面** wàimiàn 〈名 *n.*〉事物外部的样子，表面（与'里面'相对）outward appearance;

exterior (opposite to '里面lǐmiàn'): 这件东西~光亮，里面却一团糟。*Zhè jiàn dōngxi ~ guāngliàng, lǐmiàn què yìtuánzāo.* This object looks bright outside but is quite a mess inside.

☞ **wàimian, p. 999**

² **外面** wàimian ❶〈名 *n.*〉某个范围或空间之外（与'里面'相对）outside; out (opposite to '里面lǐmian'): ~很冷，你多穿点儿衣服。*~ hěn lěng, nǐ duō chuān diǎnr yīfu.* It is very cold outside. Put on more clothes. │ 围墙~是一条小胡同。*Wéiqiáng ~ shì yì tiáo xiǎo hútòng.* There is a small lane outside the wall. ❷〈名 *n.*〉泛指社会上；外地 generally refer to society; other place: 他长期在~工作，对这里情况不熟悉。*Tā chángqī zài ~ gōngzuò, duì zhèlǐ qíngkuàng bù shúxī.* He has long been working in another place and is not familiar with situation here.

☞ **wàimian, p. 998**

⁴ **外婆** wàipó 〈名 *n. colloq.*〉外祖母 grandmother on the maternal side: 我小时候常到~家玩儿。*Wǒ xiǎoshíhou cháng dào ~ jiā wánr.* I often went to play in my maternal grandmother's home when I was a child. │ ~很喜欢这个小外孙。*~ hěn xǐhuan zhège xiǎo wàisūn.* Maternal grandmother likes this grandson very much.

⁴ **外事** wàishì ❶〈名 *n.*〉涉外事务 foreign affairs: 他在学校~处工作。*Tā zài xuéxiào ~ chù gōngzuò.* He works at the foreign affairs office of the school. │ 我近来~活动很多。*Wǒ jìnlái ~ huódòng hěn duō.* I have attended many foreign affairs events recently. ❷〈名 *n.*〉家庭之外的世事 things happening in the outside world; non-personal matter: 她整天在家操劳，从不过问~。*Tā zhěngtiān zài jiā cāoláo, cóng bú guòwèn ~.* She works hard at home day and night and never concerns with things out of the home.

³ **外头** wàitou 〈名 *n.* 口 *colloq.*〉外边；外表 outside; out; outdoors: 天太热，你赶快把~的衣裳脱下来。*Tiān tài rè, nǐ gǎnkuài bǎ ~ de yīshang tuō xiàlái.* It's too hot. Take off your outer garment quickly. │ ~好像发生什么事了，我出去瞧瞧。*~ hǎoxiàng fāshēng shénme shì le, wǒ chūqù qiáoqiao.* It seems that something has happened outdoors. I will go out to have a look. │ 光图~漂亮有什么用呢！*Guāng tú ~ piàoliang yǒu shénme yòng ne!* It's of no use to pursuit merely a nice appearance.

¹ **外文** wàiwén〈名 *n.*〉同'外语' same as '外语wàiyǔ'

⁴ **外向型** wàixiàngxíng ❶〈形 *adj.*〉指人的性格直爽开朗，内心活动易于外露 extrovert; outgoing: 我喜欢和~的人交朋友。*Wǒ xǐhuan hé ~ de rén jiāo péngyou.* I like to make friends with persons who are outgoing. │ 她的性格是~的，很可爱。*Tā de xìnggé shì ~ de, hěn kě'ài.* She is quite lovable and has an open and vivacious character. ❷〈形 *adj.*〉面向外地、外国 foreign market-oriented: 这家~企业生产出口商品。*Zhè jiā ~ qǐyè shēngchǎn chūkǒu shāngpǐn.* The foreign market-oriented enterprise produces goods for export.

⁴ **外形** wàixíng 〈名 *n.*〉人或物体的外部形状 appearance; external form; contour: 这个人~长得奇特。*Zhège rén ~ zhǎng de qítè.* The man has a strange appearance. │ 这件东西~挺别致。*Zhè jiàn dōngxi ~ tǐng biézhì.* It is rather exquisite.

³ **外衣** wàiyī ❶〈名 *n.*〉(件jiàn)穿在外面的衣服 coat; outer garment: 她穿了件时尚的~。*Tā chuānle jiàn shíshàng de ~.* She wears a fashionable coat. ❷〈名 *n.*〉比喻粉饰本来面目的伪装 *fig.* mask used to conceal one's real personality, character, or intention: 这个国家披着'援助'的~，实际想要控制对方。*Zhège guójiā pīzhe 'yuánzhù' de ~, shíjì xiǎng yào kòngzhì duìfāng.* This country actually wants to control other countries with its mask of aid.

¹ **外语** wàiyǔ〈名 n.〉(种zhǒng、门mén) 外国语言 foreign language：我在外事部门工作，必须掌握一至二门~。*Wǒ zài wàishì bùmén gōngzuò, bìxū zhǎngwò yī zhì èr mén ~.* I work at the department of foreign affairs and must master one or two foreign languages. │你粗通一~点儿~不顶用。*Nǐ cū tōng yìdiǎnr ~ bù dǐngyòng.* It's of no use for you to know so little of a foreign language. │他已精通一门~，正在学第二~。*Tā yǐ jīngtōng yì mén ~, zhèngzài xué dì-èr ~.* He is quite proficient in one foreign language and is learning the second now.

⁴ **外资** wàizī〈名 n.〉外商或外国政府的投资 foreign investment; foreign capital：这个开发区里已有6家~企业落户。*Zhège kāifāqū li yǐ yǒu liù jiā ~ qǐyè luòhù.* Six foreign-invested enterprises have settled in this development zone. │目前，中国已成为仅次于美国的吸收~最多的国家。*Mùqián, Zhōngguó yǐ chéngwéi jǐn cì yú Měiguó de xīshōu ~ zuì duō de guójiā.* Now China has become the second country that imports the most foreign investments after the USA.

³ **外祖父** wàizǔfù〈名 n.〉(位wèi、个gè) 母亲的父亲 maternal grandfather：我的~在外国语大学教书。*Wǒ de ~ zài Wàiguóyǔ Dàxué jiāoshū.* My maternal grandfather teaches at a foreign languages university.

³ **外祖母** wàizǔmǔ〈名 n.〉(位wèi、个gè) 母亲的母亲 maternal grandmother：这位慈祥的老人是她的~。*Zhè wèi cíxiáng de lǎorén shì tā de ~.* The kindly old lady is her maternal grandmother.

² **弯** wān ❶〈动 v.〉使弯曲 bend：把这根粗铁丝一个钩。*Bǎ zhè gēn cū tiěsī ~ gè gōu.* Please turn this thick iron wire into a hook. │钥匙掉地上了，我~下身捡了起来。*Yàoshi diào dì shang le, wǒ ~ xià shēn jiǎnle qǐlái.* I bend over to pick up my keys that are dropped onto the ground. │一阵风吹过，芦苇都~下来了。*Yí zhèn fēng chuī guò, lúwěi dōu ~ xiàlái le.* A gust of wind made the reeds bend. │他宁可饿死，也不肯~腰事权贵。*Tā nìngkě èsǐ, yě bù kěn ~ yāo shì quánguì.* He would rather starve to death than bend over to the dignitaries. ❷〈动 v.〉折，转弯 turn; wind：小船~进了港汊，看不见了。*Xiǎo chuán ~jìnle gǎngchà, kàn bú jiàn le.* The small boat swerved into the bay and disappeared. ❸〈动 v. 书 lit.〉拉(弓) pull (a bow)：街心公园内的丘比特雕像正~弓搭箭，要将爱情之箭射向过往的行人。*Jiēxīn gōngyuán nèi de Qiūbìtè diāoxiàng zhèng ~gōng dājiàn, yào jiāng àiqíng zhī jiàn shè xiàng guòwǎng de xíngrén.* The statue of Cupid in the parkway has a posture of pulling a bow and shooting the arrow of love to the passers-by. ❹〈形 adj.〉曲，不直(与'直'相对) curly; curving (opposite to '直zhí')：这根~木头派不上用场。*Zhè gēn ~ mùtou pài bú shàng yòngchǎng.* This curly wood is useless. │果树上果实累累，树枝都被压~了。*Guǒshù shang guǒshí lěilěi, shùzhī dōu bèi yā~ le.* The fruit tree bears such a lot of fruit that its branches are almost weighted down. ❺〈名 n.〉曲折的部分，弯子 turn; wind：这条胡同里拐~。*Zhè tiáo hútòng qūliguǎi~.* The bystreet is winding. │肇事的小汽车在前面拐了个~，一溜烟地跑了。*Zhàoshì de xiǎo qìchē zài qiánmian guǎile gè ~, yíliùyān de pǎo le.* The car that caused the accident turned the corner in front and ran away swiftly. ❻〈量 meas.〉用于弯状物 used with curly things：一~新月挂在天际。*Yī ~ xīn yuè guà zài tiānjì.* A crescent moon is over in the sky.

³ **弯曲** wānqū ❶〈形 adj.〉不直，曲折 serpentine; bending：我们走在一条~的小路上。*Wǒmen zǒu zài yì tiáo ~ de xiǎo lù shang.* We walked on a winding path. │长城依着山势弯弯曲曲，蜿蜒而去。*Chángchéng yīzhe shānshì wānwān-qūqū, wānyán ér qù.* The Great Wall wanders its way along the circuitous mountain ranges. ❷〈动 v.〉弯曲成曲

线形 bend; curve：我使劲搓着双手，一会儿功夫冻僵的手又能～了。*Wǒ shǐjìn cuōzhe shuāng shǒu, yíhuìr gōngfu dòngjiāng de shǒu yòu néng ~ le.* I rubbed my hands forcefully, and my frozen fingers could bend after a while. ｜他挑的这副担子太重了，扁担被压得微微～了。*Tā tiāo de zhè fù dànzi tài zhòng le, biǎndan bèi yā de wēiwēi ~ le.* The burden carried on his shoulder was so heavy that the shoulder pole was weighted down slightly.

⁴ **湾** wān ❶〈名 n.〉(道 dào、个 gè)水流拐弯的地方 bend of a river：黄河流经宁夏、内蒙、陕西、山西等省区时形成一个倒 U 形的河～。*Huáng Hé liújīng Níngxià, Nèiměng, Shǎnxī, Shānxī děng shěng qū shí xíngchéng yí gè dào U xíng de hé~.* The Yellow River forms an inverted U-bend when it flows through Ningxia, Inner Mongolia, Shanxi and Shaanxi provinces. ｜长江在重庆以下一段河段不知转过了多少道～。*Cháng Jiāng zài Chóngqìng yǐxià yí duàn héduàn bù zhī zhuǎnguòle duōshao dào ~.* The Yangtse River is full of twists and turns at the section down from Chongqing. ❷〈名 n.〉海岸向陆地凹进的地方 bay; gulf：港～gǎng~ bay ｜著名的大港油田就在天津附近的渤海～边。*Zhùmíng de Dàgǎng Yóutián jiù zài Tiānjīn fùjìn de Bóhǎi~ biān.* The famous Dagang Oil Field is located by the Bohai Bay near Tianjin. ❸〈动 v. 方 dial.〉使船暂时停泊 moor; cast anchor：小船～在岸边。*Xiǎo chuán ~ zài àn biān.* A small boat was anchored by the bank.

⁴ **豌豆** wāndòu〈名 n.〉一种豆类植物，嫩荚、种子和嫩苗可食用 pea：你买的～太老了。*Nǐ mǎi de ~ tài lǎo le.* The peas you bought are too tough. ｜～苗可以炒了吃。*~ miáo kěyǐ chǎole chī.* The pea seedlings can be stir-fried.

³ **丸** wán ❶〈量 meas.〉用于丸药 pill; bolus：药瓶里装了 100～药，一次服两～，一日三次。*Yàopíng li zhuāngle yìbǎi ~ yào, yí cì fú liǎng ~, yí rì sān cì.* There are 100 pills in the bottle. Take two a time and three times a day. ❷〈名 n.〉小的球状物 ball; pellet：肉～子 ròu~zi meatball ｜鱼～yú~ fishball ｜这虽是块弹～之地，却是兵家必争之地。*Zhè suī shì kuài dàn~ zhī dì, què shì bīngjiā bì zhēng zhī dì.* This is a bone of contention for all sides although it is only a pellet of land. ❸〈名 n.〉中成药中的丸药 pill; bolus：~散膏丹 ~sǎn-gāodān pills, pelvises, plasters and pellets ｜银翘解毒～yínqiào jiědú~ Yinqiao Antipyrctic Pill

¹ **完** wán ❶〈动 v.〉尽，没有了 use up; run out：信纸～了。*Xìnzhǐ ~ le.* We have run out of letter pads. ｜缸里的大米～了。*Gāng li de dàmǐ ~ le.* Rice in the vat has been used up. ｜这批货卖～了。*Zhè pī huò mài~ le.* This batch of goods had been sold out. ❷〈动 v.〉终了，了结；做成 finish; complete; fulfil：你还有～没～？*Nǐ hái yǒu ~ méi ~?* Would you cut it out, already? ｜这项工程月底准～。*Zhè xiàng gōngchéng yuèdǐ zhǔn ~.* This project will be finished at the end of this month. ｜我一定如期～稿。*Wǒ yídìng rúqī ~ gǎo.* I will finish the draft as scheduled. ❸〈动 v.〉交税 pay tax：你买了小汽车，要按时～税。*Nǐ mǎile xiǎo qìchē, yào ànshí ~shuì.* You should pay the tax in time when you buy a car. ❹〈形 adj.〉齐全，无残缺 intact; whole：一个人总不会是～美无缺的，所谓'人无～人'嘛。*Yí gè rén zǒng bú huì shì ~měi-wúquē de, suǒwèi 'rénwú~rén' ma.* Everyone has his own shortcomings, hence the saying 'No man is perfect.'

³ **完备** wánbèi ❶〈形 adj.〉齐备，不缺任何必要的东西 entire; complete：这项计划已经很～了。*Zhè xiàng jìhuà yǐjīng hěn ~ le.* This plan is perfect. ｜这家五星级宾馆一应服务设施都很～。*Zhè jiā wǔxīngjí bīnguǎn yìyīng fúwù shèshī dōu hěn ~.* This five-star hotel has a complete set of service establishments. ❷〈动 v.〉使完备 complete：我们会逐步～实验设备。*Wǒmen huì zhúbù ~ shíyàn shèbèi.* We will improve the experimental

equipment step by step.

⁴完毕 wánbì〈动 v.〉结束(与'开始'相对)end; finish (opposite to '开始kāishǐ'):工作~ gōngzuò ~ finish the work │ 他演讲~后，会场上掌声雷动。Tā yǎnjiǎng ~ hòu, huìchǎng shang zhǎngshēng léidòng. The audience gave a thunderous applause when he finished his speech.

¹完成 wán//chéng〈动 v.〉按预期结束事情 fulfil; accomplish; finish sth. according to plan:这位外交官胜利~了谈判任务。Zhè wèi wàijiāoguān shènglì ~le tánpàn rènwù. The diplomat fulfilled his task in the negotiations. │ 我保证~这项工作。Wǒ bǎozhèng ~ zhè xiàng gōngzuò. I assure you that I will finish this work. │ 他这个体操动作~得十分出色。Tā zhège tǐcāo dòngzuò ~ de shífēn chūsè. He finished the gymnastic feats successfully. │ 完不成作业，我就不睡觉。Wán bù chéng zuòyè, wǒ jiù bú shuìjiào. I will not sleep until I finish the homework.

⁴完蛋 wán//dàn〈动 v. 口 colloq.〉失败，垮台;灭亡 be down for; be finished:这个企业~了。Zhège qǐyè ~ le. The enterprise is finished. │ 没想到，一仗打下来敌人就完了蛋。Méi xiǎng dào, yí zhàng dǎ xiàlái dírén jiù wánle dàn. It was out of our expectations that the enemy was routed after one battle.

¹完全 wánquán ❶〈形 adj.〉完整无缺的 complete; whole:我的发言不太~，请大家补充意见。Wǒ de fāyán bú tài ~, qǐng dàjiā bǔchōng yìjiàn. My speech is not well-rounded, please give your complementary opinions. │ 这个图书馆藏书相当~。Zhège túshūguǎn cángshū xiāngdāng ~. The library has a rather complete collection of books. │ 进口的这套设备不~，缺了个重要部件。Jìnkǒu de zhè tào shèbèi bù ~, quēle gè zhòngyào bùjiàn. This set of imported equipment is short of an important part. ❷〈副 adv.〉全部地 all; totally:~、彻底地消灭敌人，chèdǐ de xiāomiè dírén destroy the enemy completely │ 我~同意他的意见。Wǒ ~ tóngyì tā de yìjiàn. I agree with him absolutely.

³完善 wánshàn ❶〈形 adj.〉完全而美好 perfect; consummate:我们公司的制度正在日趋~。Wǒmen gōngsī de zhìdù zhèngzài rìqū ~. Our company is improving the system gradually. │ 医院的设备很~。Yīyuàn de shèbèi hěn ~. The equipment in this hospital is in a perfect condition. ❷〈动 v.〉使完全而美好 perfect; improve:经过整顿这家企业~了管理方法。Jīngguò zhěngdùn zhè jiā qǐyè ~le guǎnlǐ fāngfǎ. The management of this enterprise has been improved after reorganization. │ 这几家娱乐场所还要~防火措施。Zhè jǐ jiā yúlè chǎngsuǒ háiyào ~ fánghuǒ cuòshī. Measures against fire in these public places of entertainment should be improved.

²完整 wánzhěng〈形 adj.〉保持着应有的各部分，没有缺损 thorough; integral; unabridged; intact:保持领土~ bǎochí lǐngtǔ ~ maintain the integrity of the territory │ 出土的这幅帛画还很~。Chūtǔ de zhè fú bóhuà hái hěn ~. The silk painting excavated is intact. │ 他的发言东拉西扯，很不~。Tā de fāyán dōnglā-xīchě, hěn bù ~. His speech is only a random talk and is not streamlined.

¹玩 wán ❶(~儿)〈动 v.〉做游戏,玩耍 play; frolic; gambol:孩子们在游乐园~得很高兴。Háizimen zài yóulèyuán ~ de hěn gāoxìng. The kids were having a good time in the amusement park. │ 我常带孩子去公园~。Wǒ cháng dài háizi qù gōngyuán ~. I often take my child to play in the park. │ 我们在海滨~了一天。Wǒmen zài hǎibīn ~le yì tiān. We had a good time at the seashore for one day. ❷(~儿)〈动 v.〉做某种能带来愉快的活动 be engaged in some activity:课余时间我常到操场上~一会儿球。Kèyú shíjiān wǒ cháng dào cāochǎng shang ~ yíhuìr qiú. I often play ball games on the playground in

spare time after school. │ 老年人喜欢在一起~扑克牌。*Lǎoniánrén xǐhuan zài yìqǐ ~ pūkèpái.* The elderly like to play cards together. │ 有的孩子一放学就去~游戏机。*Yǒu de háizi yí fàngxué jiù qù ~ yóuxìjī.* Some children play electronic games as soon as the class is over. ❸ 〈~儿〉〈动 *v.*〉耍弄；使用（含贬义）resort to (derog.): 你别跟我~花招了。*Nǐ bié gēn wǒ ~ huāzhāo le.* Don't play tricks on me. │ 我讨厌那些~权术的人。*Wǒ tǎoyàn nàxiē ~ quánshù de rén.* I dislike those persons who play politics. │ 他~阴谋诡计很有一套。*Tā ~ yīnmóu guǐjì hěn yǒu yí tào.* He is an expert at playing schemes and intrigues. ❹ 〈动 *v.*〉摆弄；观赏 enjoy; appreciate: ~物丧志 ~*wù-sàngzhì* sap one's aspiration by seeking pleasure │ 他拿着一件古董把~良久。*Tā názhe yí jiàn gǔdǒng bǎ~ liángjiǔ.* He fondled an antique for a long time. │ 有的单位借开会之名，行游山~水之实。*Yǒu de dānwèi jiè kāihuì zhī míng, xíng yóushān~~shuǐ zhī shí.* Some units make pleasure trips in the name of holding meetings. ❺ 〈动 *v.*〉轻视，不认真负责 dillydally; mess about; toy with: ~世不恭（用消极、游戏的态度对待生活）~*shì-bùgōng*（*yòng xiāojí, yóuxì de tàidù duìdài shēnghuó*）cynicism（*fig.* take a cynical attitude towards life）│ 他~忽职守受到了处分。*Tā ~hū-zhíshǒu shòudàole chǔfèn.* He was punished for his dereliction of duty. ❻ 〈动 *v.* 书 *lit.*〉体会 ponder: 这是一首值得咀嚼~味的好诗。*Zhè shì yì shǒu zhídé jǔjué ~wèi de hǎo shī.* This is a good poem that is worthy of pondering. ❼ 〈名 *n.*〉指观赏物 sth. to marvel at: 这件古~价格昂贵。*Zhè jiàn gǔ~ jiàgé ánguì.* The curio is very expensive.

│**W**

⁴ **玩具** wánjù〈名 *n.*〉（个gè、件jiàn、种zhǒng）一般指儿童的玩要物 toy: 走进~商店，孩子就吵着要买这样那样的~。*Zǒujìn ~ shāngdiàn, háizi jiù chǎozhe yào mǎi zhèyàng nàyàng de ~.* Children cry for such-and-such toys as soon as they come into the toy shop.

⁴ **玩弄** wánnòng ❶〈动 *v.*〉把玩，摆弄 toy with: 这孩子~积木很专心。*Zhè háizi ~ jīmù hěn zhuānxīn.* The kid is toying with building blocks intently. │ 他抽完烟总要~一会儿烟斗。*Tā chōuwán yān zǒngyào ~ yíhuìr yāndǒu.* He always toys with his pipe for a while after smoking. ❷〈动 *v.*〉愚弄，捉弄，要弄 fool; play tricks on; deceive: 你别把他当小孩子一样~。*Nǐ bié bǎ tā dāng xiǎoháizi yíyàng ~.* Don't fool him as a child. │ ~异性是不道德的行为。~*yìxìng shì bú dàodé de xíngwéi.* Both coquetry and philandering are immoral deeds. │ 他~两面派手法。*Tā ~ liǎngmiànpài shǒufǎ.* He resorts to double-dealing. ❸ 〈动 *v.*〉卖弄，搬弄 show off; display: 他写文章惯于~词藻，华而不实。*Tā xiě wénzhāng guànyú ~ cízǎo, huá'érbùshí.* He likes to show off ornate dictions in his articles, which are specious.

³ **玩笑** wánxiào ❶〈名 *n.*〉（个gè、句jù）玩耍和嬉笑的行为、语言 joke; jest: 你开什么~? *Nǐ kāi shénme ~?* What joke do you play? │ 我开了个~，他却当真了。*Wǒ kāile gè ~, tā què dàngzhēn le.* I play a joke, but he takes it seriously. ❷〈动 *v.*〉玩耍嬉笑 play a prank on: 大家在一起~了一阵子，就各自回家了。*Dàjiā zài yìqǐ ~le yízhènzi, jiù gèzì huíjiā le.* We played together for a while and went home respectively.

³ **玩意儿** wányìr ❶〈名 *n.*〉（个gè、件jiàn、种zhǒng）供玩赏的物品 objects to marvel at: 他常去旧货市场买古旧~。*Tā cháng qù jiùhuò shìcháng mǎi gǔjiù ~.* He often goes to the second-hand market to buy curios and antiques. │ 我出差到外地，总要带回些当地的小~。*Wǒ chūchāi dào wàidì, zǒngyào dàihuí xiē dāngdì de xiǎo ~.* I always buy some local playthings when I go on a business trip to other places. ❷〈名 *n.*〉指杂耍、魔术等 performing art such as acrobatics, magic, etc.: 相声这~真逗人。*Xiàngsheng zhè ~ zhēn dòurén.* Comic dialogue is very amusing. │ 他有一手不轻易拿出来表演的真~。*Tā yǒu yìshǒu bù qīngyì ná chūlái biǎoyǎn de zhēn ~.* He has a unique skill but not show it often.

❸〈名 n.〉泛指事物 thing：你买来的是什么~? *Nǐ mǎi lái de shì shénme ~?* What have you bought? │ 他有一套面塑的绝活，别让这~失传了。*Tā yǒu yí tào miànsù de juéhuó, bié ràng zhè ~ shīchuán le.* He has a unique skill of dough modeling, and don't let the skill fall into oblivion. ❹〈名 n.〉表示对人或事的轻视 look down on sb. or sth.：这些~就是从这个制假窝点里查抄出来的。*Zhèxiē ~ jiùshì cóng zhège zhìjiǎ wōdiǎn li cháchāo chūlái de.* These are what we confiscated from this hideout of faking. │ 他算什么~! *Tā suàn shénme ~!* What kind of louse he is!

³ **顽固** wángù ❶〈形 adj.〉思想保守落后或固执己见、不易说服 obstinate; stubborn; be conservative and unwilling to accept new things：这位老太太非常~、守旧。*Zhè wèi lǎo tàitai fēicháng ~, shǒujiù.* The old lady is downright conservative. │ 他就是不肯戒烟、太~了。*Tā jiùshì bù kěn jièyān, tài ~ le.* He is too obstinate and unwilling to quit smoking. ❷〈形 adj.〉坚持反动立场，不愿接受改造 diehard; refuse to change one's stand or correct one's mistake in terms of politics：~派 ~*pài* diehard │ 这是个死不悔改的~分子。*Zhè shì gè sǐbùhuǐgǎi de ~ fēnzǐ.* This is a diehard who absolutely refuses to repent. ❸〈形 adj.〉指事情很难处置 hard nut to crack：我得的这种病真~，没法治愈了。*Wǒ dé de zhè zhǒng bìng zhēn ~, méifǎ zhìyù le.* The disease I caught is too stubborn to be completely cured. ❹〈名 n.〉指墨守成规不知变通的人 the stiff-necked; person who is a routineer：老汉是村里出了名的老~。*Lǎohàn shì cūn li chūle míng de lǎo ~.* The old man is well known for his pertinacity in the village.

³ **顽强** wánqiáng〈形 adj.〉强硬，不屈服 tenacious; indomitable：~的毅力 ~ *de yìlì* indomitable willpower │ 他很~，从不向困难低头。*Tā hěn ~, cóng bú xiàng kùnnan dītóu.* He is a tenacious man who never bows to difficulties. │ 战士们个个英勇~。*Zhànshìmen gègè yīngyǒng ~.* Every soldier was brave and tenacious.

³ **挽** wǎn ❶〈动 v.〉拉、勾、挎 draw; pull：两人~手同行。*Liǎng rén ~ shǒu tóngxíng.* The two walk forward hand in hand. │ 他~着她的腰漫步在林荫道上。*Tā ~zhe tā de yāo mànbù zài línyìndào shang.* He put his hand on her waist and strolled on the avenue with her. │ 保姆胳膊上~个小篮去买菜了。*Bǎomǔ gēbo shang ~ gè xiǎo lán qù mǎi cài le.* The nurse maid went out to buy vegetables with a basket on her arm. ❷〈动 v.〉卷起（衣服等）roll up (one's clothes)：我把袖子~了，开始擦窗户。*Wǒ bǎ xiùzi ~ le, kāishǐ cā chuānghu.* I rolled up my sleeves and began to clean the windows. │ 她~起裤腿在河边洗衣服。*Tā ~qǐ kùtuǐ zài hé biān xǐ yīfu.* She rolled up trouser legs and washed clothes by the riverside. ❸〈动 v.〉把长的东西盘绕卷成结 coil; encircle：她把头发~了起来，干活利索多了。*Tā bǎ tóufa ~le qǐlái, gànhuó lìsuo duō le.* She coiled her hair up, which made her work more agilely. ❹〈动 v.〉扭转 reverse; retrieve：力~狂澜（比喻尽力挽回险恶的局势）*lì ~-kuánglán (bǐyù jìnlì wǎnhuí xiǎn'è de júshì)* do one's utmost to stem a raging tide (fig. make vigorous efforts to turn the table; try one's best to save a desperate situation) │ 企业的败象难~了。*Qǐyè de bàixiàng nán ~ le.* It's hard to save the enterprise from bankruptcy. ❺〈动 v.〉悼念死者 lament; elegize the deceased：~联 ~ lián elegiac couplet │ 某某敬~ 某某敬 *mǒumǒu jìng* ~ with deep condolences from sb.

³ **挽救** wǎnjiù〈动 v.〉从危难中拯救出来 save; rescue：民族危亡 ~ *mínzú wēiwáng* save a nation in peril │ 他的癌症已到晚期，无法~了。*Tā de áizhèng yǐ dào wǎnqī, wúfǎ ~ le.* His cancer has been in the terminal stage and cannot be cured. │ 我们要热情地~这些误入歧途的青少年。*Wǒmen yào rèqíng de ~ zhèxiē wùrù qítú de qīngshàonián.* We should save these youth who go astray with kindness.

¹ **晚** wǎn ❶〈形 adj.〉迟，不及时（与'早'相对）late (opposite to '早zǎo')：对不起，我

来~了。*Duìbuqǐ, wǒ lái~ le.* Sorry, I come late. | 火车~点一小时。*Huǒchē ~diǎn yì xiǎoshí.* The train will be late for an hour. | 你现在努力还不~。*Nǐ xiànzài nǔlì hái bù ~.* It's not too late for you to study hard from now on. ❷〈形 *adj.*〉时间靠后的（与‘早’相对）belated; delayed; behind (opposite to ‘早zǎo’)：大器~成（比喻能担当大事的人要经过长期的锻炼，所以成就较晚）*dàqì-~chéng* (*bǐyù néng dāndāng dàshì de rén yào jīngguò chángqī de duànliàn, suǒyǐ chéngjiù jiǎo wǎn*) great vessels take years to produce (fig. great minds mature slowly) | 今年~稻收成不好。*Jīnnián ~dào shōuchéng bù hǎo.* The late rice crop this year will promise a poor harvest. | 他~景凄凉。*Tā ~jǐng qīliáng.* He leads a miserable life in his later years. ❸〈形 *adj.*〉后来的，继任的 later：~辈~bèi younger generation; juniors | ~娘对她不好。*~niáng duì tā bù hǎo.* Her stepmother treats her badly. ❹〈名 *n.*〉日落以后，夜间 evening; night：他每天都是早出~归。*Tā měitiān dōu shì zǎochū-~guī.* Everyday he goes out in the morning and comes back in the evening. | 这条繁华的街道上，一天到~是来来去去的人。*Zhè tiáo fánhuá de jiēdào shang, yìtiāndào~ shì láilái-qùqù de rén.* There are many people coming and going in this busy street from morning till night. | 因为雨下个不停，我只好在他家住了一~。*Yīnwèi yǔ xià gè bù tíng, wǒ zhǐhǎo zài tā jiā zhùle yì ~.* I had to stay in his home for a night because of the ceaseless rain.

晚报 wǎnbào〈名 *n.*〉(张zhāng、份fèn)下午出版傍晚发行的报纸 evening newspaper; newspaper published in the afternoon：我喜欢看~的副刊。*Wǒ xǐhuan kàn ~ de fùkān.* I like to read the supplement of the evening newspaper. | 他除了订《北京~》外，还订了份《新民~》。*Tā chúle dìng 'Běijīng ~' wài, hái dìnglefèn 'Xīnmín ~'.* He subscribed to a *Xinmin Evening Newspaper* as well as a *Beijing Evening Newspaper*.

晚餐 wǎncān〈名 *n.* 书 *lit.*〉(顿dùn)晚饭 supper; dinner：今晚我与朋友共进~。*Jīn wǎn wǒ yǔ péngyou gòng jìn ~.* I will have a dinner with my friends tonight. | 这顿~可丰盛了。*Zhè dùn ~ kě fēngshèng le.* This is a rich supper.

晚饭 wǎnfàn〈名 *n.* 口 *colloq.*〉(顿dùn)晚上吃的饭 supper; dinner：~不要吃得太饱。*~ bú yào chī de tài bǎo.* Don't overfeed yourself in the evening. | 吃完~后，出去散散步。*Chīwán ~ hòu, chūqù sànsàn bù.* We take a walk after dinner. | 孩子还没有回来，~都凉了。*Háizi hái méiyǒu huílái, ~ dōu liáng le.* The child hasn't came back, and the dinner has turned cold.

晚会 wǎnhuì〈名 *n.*〉(个gè、台tái、场chǎng)晚上举行的文化娱乐集会 evening party：新年~ *Xīnnián ~* New Year party | 篝火~ *gōuhuǒ ~* campfire party

晚年 wǎnnián〈名 *n.*〉指人年老的时期 old age; later years：他有个幸福的~。*Tā yǒu gè xìngfú de ~.* He has a happy life in his old age. | 人到~，这样那样的病都发作了。*Rén dào ~, zhèyàng nàyàng de bìng dōu fāzuò le.* People will have such-and-such diseases in their old age. | 你辛苦了一辈子，希望你能安度~。*Nǐ xīnkǔle yíbèizi, xīwàng nǐ néng āndù ~.* You have worked hard all your life, and we hope you will have a happy life in your later years.

晚上 wǎnshang〈名 *n.*〉(个gè)指日落后至夜深的一段时间；也泛指夜里 evening; night：这个周末我准备约上几个好朋友，痛痛快快玩儿一个~。*Zhège zhōumò wǒ zhǔnbèi yuēshàng jǐ gè hǎo péngyou, tòngtòng-kuàikuài wánr yí gè ~.* I will make appointments with some good friends and have a wonderful night with them at this weekend. | 最近值晚班，~工作，白天休息。*Zuìjìn zhí wǎnbān, ~ gōngzuò, báitiān xiūxi.* I am on night duty these days, and work at night and rest at the day. | 我~睡眠不好。*Wǒ ~ shuìmián bù hǎo.* I can't sleep well at night.

⁴惋惜 wǎnxī 〈动 v.〉可惜，表示同情和遗憾 feel sorry for：看到他因病退学，大家都很~。Kàndào tā yīn bìng tuìxué, dàjiā dōu hěn ~. We feel regret that he leaves school for his illness. | 他不幸英年早逝，同事们深为~。Tā búxìng yīngnián zǎoshì, tóngshìmen shēn wéi ~. His untimely death at young age made his colleagues feel sorry for him..

¹碗 wǎn ❶〈名 n.〉(只zhī、个gè、摞luò) 一种盛饮食的器皿 bowl：桌上摆着四只~。Zhuō shang bǎizhe sì zhī ~. There are four bowls on the table. | 客人来了，他俩赶紧放下~来招待。Kèrén lái le, tā liǎ gǎnjǐn fàngxià ~ lái zhāodài. Both of them put down their bowls to greet the guests when they came in. | 他脚下一滑，手上拿的一摞~全摔地上了。Tā jiǎo xià yì huá, shǒu shang ná de yí luò ~ quán shuāi dì shang le. A pile of bowls in his hands dropped on the ground when he slipped. ❷〈量 meas.〉用作饮料、食品的计量 bowl; measurement used for food：一~水端平 (比喻主持公道，不偏袒一方) yì ~ shuǐ duānpíng (bǐyù zhǔchí gōngdào, bù piāntǎn yìfāng) hold a bowl of water level (fig. be impartial in handling matters; treat things equally) | 午餐我通常要吃两~饭。Wǔcān wǒ tōngcháng yào chī liǎng ~ fàn. I usually eat two bowls of rice at lunch.

¹万 wàn ❶〈数 num.〉汉字的数目字，即阿拉伯数字10,000 ten thousand, Chinese numerical, namely the Arabic numeral 10,000：我积蓄的10~元钱都存进了银行。Wǒ jīxù de shí ~ yuán qián dōu cúnjìnle yínháng. I have deposited all my savings of one hundred thousand yuan into the bank. | 他住医院花了两~元。Tā zhù yīyuàn huāle liǎng ~ yuán. He spent twenty thousand yuan when he was hospitalized. ❷〈数 num.〉形容数量多 large number：千秋~代 qiānqiū~dài from generation to generation | ~马奔腾 (形容声势壮盛、浩大) ~mǎ-bēnténg (xíngróng shēngshì zhuàngshèng, hàodà) ten thousand horses galloping (fig. powerful and dynamic) | 他有~贯家财。Tā yǒu ~ guàn jiācái. He is extremely wealthy. | 一到夜间，山城重庆~家灯火，煞是好看。Yí dào yèjiān, shānchéng Chóngqìng ~ jiā dēnghuǒ, shà shì hǎokàn. Myriads of lights are twinkling as the night falls in Chongqing, a mountain city, which make the city extremely beautiful. ❸〈副 adv. 书 lit.〉决，绝对；一定，务必 (含有极端强调的语气，用于否定形式前，或用在表示预测性的动词前，不能用于对事实的叙述) absolutely; under all circumstances (used before negatives or predictive verbs)：我~想不到会在这里碰到你。Wǒ ~ xiǎng bú dào huì zài zhèlǐ pèngdào nǐ. I've never expect to meet you here. | 这种做法~不能行。Zhè zhǒng zuòfǎ ~ bù néng xíng. It can't be done this way by any means. | 这件事至关重要，你~不可掉以轻心。Zhè jiàn shì zhìguān zhòngyào, nǐ ~ bùkě diàoyǐ qīngxīn. This is extremely important, and you should not treat it lightly.

³万分 wànfēn 〈副 adv.〉非常地，极其 (表示程度极高) very much; extremely：~无奈 ~wúnài have no alternative but... | 激动~ jīdòng ~ very excited | 听到这个好消息，他~高兴。Tīngdào zhège hǎo xiāoxi, tā ~ gāoxìng. He is very happy when hearing this good news. | 儿子出国去了，我~思念。Érzi chūguó qù le, wǒ ~ sīniàn. My son has gone abroad and I miss him very much.

³万古长青 wàngǔ-chángqīng 〈成 idm.〉像松柏那样永远青翠，比喻精神或友谊等永远存在 (of friendship) be everlasting：愿我们的友谊~。Yuàn wǒmen de yǒuyì ~. May our friendship last forever.

⁴万水千山 wànshuǐ-qiānshān 〈成 idm.〉形容山水非常之多，也比喻道路遥远艰险 ten thousand torrents and a thousand crags; fig. trials of a long and arduous journey：毛泽东在《长征》诗中写道：'红军不怕远征难，~只等闲'。Máo Zédōng zài 'Chángzhēng' shī zhōng xiědào: 'Hóngjūn bú pà yuǎnzhēng nán, ~ zhǐ děngxián'. Mao Zedong once wrote in his poem of *Long March*, 'The red army fears not the trials of the Long March, Holding light ten thousand crags and torrents.'

³ **万岁** wànsuì ❶〈动 *v.*〉祝颂永远存在 long live：祖国~。*Zǔguó* ~. Long live the motherland. | 人民~。*Rénmín* ~. Long live the people. ❷〈名 *n.*〉旧时对皇帝的称呼 term of address for an emperor in feudal time; Your Majesty; His Majesty：~爷 ~*yé* Your Majesty

³ **万万** wànwàn ❶〈副 *adv.* 口 *colloq.*〉决，绝对；一定，务必（用于否定式，语气比'万' 更强烈）absolutely（used in the negative）：你~不能寻短见。*Nǐ* ~ *bù néng xún duǎnjiàn.* You cannot commit suicide anyway. | 我~想不到他会病得那么厉害。*Wǒ xiǎng bú dào tā huì bìng de nàme lìhài.* I have never imagined that he has been so sick. ❷〈数 *num.*〉一万个万，即一亿；也表示很大的数量 hundred million; countless：*1900* 年的《辛丑条约》规定，中国要向八个侵略国赔款四~五千万两白银。*Yī-jiǔ-líng-líng nián de Xīnchǒu Tiáoyuē guīdìng, Zhōngguó yào xiàng bā gè qīnlüèguó péikuǎn sì* ~ *wǔ qiānwàn liǎng báiyín.* According to Boxer Protocol signed in 1900, China would pay four hundred and fifty million taels of silver to the eight aggressive countries. | 天上的星星千千~。*Tiānshang de xīngxing qiānqiān* ~. There are countless stars in the sky.

³ **万一** wànyī ❶〈名 *n.*〉极小意外变化的可能性 eventually; in case：出门在外，带些药吧，以防~。*Chūmén zài wài, dài xiē yào ba, yǐ fáng* ~. Bring some medicine with you in case of any problem when you are away from home. | 你还是带上雨具吧，以防~。*Nǐ háishi dàishang yǔjù ba, yǐ fáng* ~. You'd better bring rain gear in case of rain. ❷〈名 *n.*〉万分之一，表示事物极微小的部分 one in ten thousand; extremely small part：对他的贡献，我虽然说了一些，还是不足道其一。*Duì tā de gòngxiàn, wǒ suīrán shuōle yìxiē, háishi bù zú dào qí* ~. What I just said about his contributions is only an extremely small part. ❸〈连 *conj.*〉用于复句中，表示一种可能性极小的假设 in case; if by any chance（used in a complex sentence to indicate a hypothesis）：~河水决堤，这个村子就会遭殃。~ *héshuǐ juédī, zhège cūnzi jiù huì zāoyāng.* This village would suffer if the riverbank were breached by flood. | ~考不上大学，我就在家复习一年。~ *kǎo bú shàng dàxué, wǒ jiù zài jiā fùxí yì nián.* I would review my lessons for another year at home if I could not pass the college entrance examination. | ~下雨，我就不来了。~ *xiàyǔ, wǒ jiù bù lái le.* I would not go if it rained. ❹〈副 *adv.*〉事情发生的可能性极小 in case：这里的消防用具还要再增加些，防止~发生意外。*Zhèli de xiāofáng yòngjù háiyào zài zēngjiā xiē, fángzhǐ* ~ *fāshēng yìwài.* Increase the fire-fighting equipment here in case of accidents.

⁴ **汪洋** wāngyáng〈形 *adj.*〉形容水深面广，水势很大（of water）deep and vast：河堤决了口，眼前是一片~。*Hédī juéle kǒu, yǎnqián shì yí piàn* ~. The riverbank was breached by flood, and a vast stretch of water appeared before us. | 轮船驶出长江口就是~大海了。*Lúnchuán shǐchū Cháng Jiāng kǒu jiùshì* ~ *dàhǎi le.* When the ship sails out of the Yangtse River estuary, there appears the boundless sea.

⁴ **亡** wáng ❶〈动 *v.*〉死（与'活'相对）die; perish（opposite to '活*huó*'）：他自幼父母双~。*Tā zìyòu fùmǔ shuāng* ~. His parents died when he was young. | 前沿战士都阵亡了。*Qiányán zhànshì dōu zhèn* ~ *le.* All the soldiers fighting in the frontline had died in battle. | 看到他家人一物在的景况，令人心酸。*Kàndào tā jiā rén* ~ *wù zài de jǐngkuàng, lìngrén xīnsuān.* It's so sorrowful to see the relics of the dead in his family. ❷〈动 *v.*〉消亡，灭亡（与'存''兴'相对）doom（opposite to '存*cún*' or '兴*xīng*'）：国家已到了生死存~的危急关头。*Guójiā yǐ dàole shēngsǐ-cún~ de wēijí guāntóu.* Our

motherland had reached a critical juncture to survive or perish. │国家兴~，匹夫有责。 *Guójiā xīng~, pǐfū yǒu zé.* Everyone shoulders responsibility for the well-being of his motherland. ❸〈动 v.〉丢失，丧失 lose：这一仗把敌人打得~魂丧胆。 *Zhè yí zhàng bǎ dírén dǎ de ~hún-sàngdǎn.* The enemy was half dead with fright after this battle. │~羊补牢，犹为未晚（比喻事情出了差错，只要及时设法补救就不算晚）。 *~yáng-bǔláo, yóuwéiwèiwǎn* (*bǐyù shìqing chūle chācuò, zhǐyào jíshí shèfǎ bǔjiù jiù bú suàn wǎn*). It is not too late to mend the fold even after some of the sheep have been lost (*fig.* take remedial measures after a loss to prevent further losses). ❹〈动 v.〉逃离，出走 abscond; bolt：四散逃~ *sìsàn táo~* run away │他遭到反动政府通缉，只得~命海外。 *Tā zāodào fǎndòng zhèngfǔ tōngjī, zhǐdé ~mìng hǎiwài.* He had to go into exile when he was put on the wanted list by the reactionary government. ❺〈形 adj.〉死去的 deceased：~妻 ~ *qī* deceased wife │~友 ~ *yǒu* deceased friend

⁴ **王** wáng ❶〈名 n.〉君主或封建社会最高的封爵 king; monarch：帝~将相 *dì~jiàngxiàng* feudal emperor, generals and civil officials │亲~ *qīn~* prince │这个国家的国~曾多次来中国访问。 *Zhège guójiā de guó~ céng duō cì lái Zhōngguó fǎngwèn.* The king of this country has come to visit China many times. ❷〈名 n.〉一族或一类中的首领 chieftain; ringleader：蜂~ *fēng~* queen bee │山中无老虎，猴子称大~（比喻没有英雄人物时，小人物也可称王称霸）。 *Shān zhōng wú lǎohǔ, hóuzi chēng dà~* (*bǐyù méiyǒu yīngxióng rénwù shí, xiǎo rénwù yě kě chēngwáng-chēngbà*). The monkey reigns in the mountain where the tiger is not there; When the cats away, the mice will play (*fig.* the small potatoes will be the king when there is no heroes). │他落草为寇当了山大~。 *Tā luòcǎo wéi kòu dāngle shāndài~.* He took to the woods and became a bandit leader.

⁴ **王国** wángguó ❶〈名 n.〉以国王为元首的君主制或君主立宪制国家 kingdom：这是个腐败的封建~。 *Zhè shì gè fǔbài de fēngjiàn ~.* This is a corrupt feudal kingdom. │听说你最近访问了挪威~? *Tīngshuō nǐ zuìjìn fǎngwènle Nuówēi ~?* It is said that you have visited the Kingdom of Norway recently, is it true? ❷〈名 n.〉比喻某种事物占主导地位的领域或相对独立的管辖范围 realm; domain：丝绸~ *sīchóu ~* the kingdom of silk │音乐~ *yīnyuè ~* music world │这个地方被这伙人把持，变成了针插不进、水泼不进的独立~。 *Zhège dìfang bèi zhè huǒ rén bǎchí, biànchéngle zhēn chā bú jìn, shuǐ pō bú jìn de dúlì ~.* This region was dominated by this gang and became an independent domain that allowed no people from outside.

³ **网** wǎng ❶〈名 n.〉(张zhāng)用绳线等编织的、有孔眼的捕鱼或捉鸟兽的器具 net：渔翁看准了时机，在河中撒下了鱼~。 *Yúwēng kànzhǔnle shíjī, zài hé zhōng sāxiàle yú~.* The fisherman cast a net at the proper time. │三天打鱼，两天晒~（比喻学习或做事时断时续，不能持之以恒）。 *Sān tiān dǎ yú, liǎng tiān shài ~* (*bǐyù xuéxí huò zuòshì shíduàn-shíxù, bù néng chízhīyǐhéng*). Go fishing for three days and dry the nets for two (*fig.* study or work by fits and starts). ❷〈名 n.〉网状物 net-like thing：他发球触~。 *Tā fāqiú chù ~.* The ball he served touched the net. │监狱的围墙上还围着铁丝~。 *Jiānyù de wéiqiáng shang hái wéizhe tiěsī~.* A wire netting rounded the walls of the prison. ❸〈名 n.〉像网一样的严密的组织系统；能拘束人或事的力量 network; net-like organization or system：出版社都有自己的发行~。 *Chūbǎnshè dōu yǒu zìjǐ de fāxíng~.* Each publishing house has its own distribution network. │这个走私团伙已被一~打尽。 *Zhège zǒusī tuánhuǒ yǐ bèi yì~dǎjìn.* All the members of this smuggling group were caught in a single action. │天~恢恢，疏而不漏（比喻作恶者逃不脱应得的惩罚）。*Tiān~huīhuī, shū'ér búlòu* (*bǐyù zuò'èzhě táo bù tuō yīngdé de chéngfá*). The net of heaven is

very large, and no evildoer can get away from it (*fig.* evildoer cannot escape from the punishment deserved). ❹〈名 *n.*〉计算机互联网 internet: 上~ shàng~ internet | ~吧 ~ *bā* internet bar ❺〈动 *v.*〉用网捕捉 catch sth. with a net: 他~着了两条鱼 *Tā ~zháole liǎng tiáo yú.* He has caught two fish with a net. ❻〈动 *v.*〉像网似的遮罩 enmesh; entangle or catch in or as if in a mesh: 他眼睛里~着红丝，大概又加班熬夜了。*Tā yǎnjing li ~zhe hóng sī, dàgài yòu jiābān áoyè le.* Maybe he worked overtime and stayed up all night, because he has bloodshot eyes now. ❼〈量 *meas.*〉用于捕捞物的计量 measurement for things netted: 一~鱼 *yì ~ yú* a net of fish | 渔民们一~一~地往海滩上运送鱼虾 *Yúmínmen yì ~ yì ~ de wǎng hǎitān shang yùnsòng yúxiā.* The fishermen carried nets of fish and shrimps to the beach.

² **网球** wǎngqiú ❶〈名 *n.*〉（场 chǎng）一种球类运动 tennis: 他酷爱打~。*Tā kù'ài dǎ ~.* He is fond of playing tennis. | 姐妹俩获得全国~单打的冠亚军 *Jiěmèi liǎ huòdé quánguó ~ dāndǎ de guàn yà jūn.* The two sisters won the champion and runner-up in the singles of the national tennis games. ❷〈名 *n.*〉（个 gè）打网球用的球 tennis ball: 这个~的弹性不大好了，换一个吧 *Zhège ~ de tánxìng bú dà hǎo le, huàn yí gè ba.* The elasticity of this tennis ball is not good. Change a new one.

¹ **往** wǎng ❶〈动 *v.*〉去，到（与 "来" "返" 相对）go (opposite to "来 lái" or "返 fǎn"): 独来独~ *dúlái-dú~* come and go all by oneself | 徒劳一返 *túláo~~fǎn* make a futile trip; make a trip in vain | 我常常徒步前~学校。*Wǒ chángcháng túbù qián~ xuéxiào.* I often go to school on foot. | 我~上海，他~沈阳。*Wǒ ~ Shànghǎi, tā ~ Shěnyáng.* I shall go to Shanghai, and he will go to Shenyang. ❷〈介 *prep.*〉朝，向（指出动作的方向）to; toward; be bound for: 大家急匆匆地~回跑 *Dàjiā jícōngcōng de ~ huí pǎo.* Everyone hurried home. | 凡事不妨多~好处想想。*Fánshì bùfáng duō ~ hǎochù xiǎngxiǎng.* Think more about the good side of things when you meet difficulties. | 人~高处走，水~低处流（指人都想攀高向上，如同水总向低处流动一样）。*Rén ~ gāochù zǒu, shuǐ ~ dīchù liú*（*zhǐ rén dōu xiǎng pāngāo xiàngshàng, rútóng shuǐ zǒng xiàng dīchù liúdòng yíyàng*）. Man struggles upwards; water flows downwards (*fig.* Man always wants to climb up the social ladder just as the water always flows downwards). ❸〈形 *adj.*〉指过去的，从前的 past; previous: 忆~昔峥嵘岁月稠。*Yì ~xī zhēngróng suìyuè chóu.* I yet vividly remember those hard months and years. | 他已彻底认错，我们可以既~不咎了 *Tā yǐ chèdǐ rèncuò, wǒmen kěyǐ jì~bújiù le.* He has apologized, and we may forgive his past misdeeds.

⁴ **往常** wǎngcháng〈名 *n.*〉平素，平时 as usual: 你比~精神好多了。*Nǐ bǐ ~ jīngshen hǎo duō le.* You have become more vigorous than before. | 他~沉默寡言，今天却高谈阔论起来了。*Tā ~ chénmò-guǎyán, jīntiān què gāotán-kuòlùn qǐlái le.* He was quite taciturn before, but talks volubly today.

⁴ **往返** wǎngfǎn〈动 *v.*〉来去，来回 to and fro: 这趟班机~于北京与上海之间。*Zhè tàng bānjī ~ yú Běijīng yǔ Shànghǎi zhījiān.* This flight is on the trip between Beijing and Shanghai. | 我~奔走了好几个部门，总算拿到了这项工程的批文。*Wǒ ~ bēnzǒule hǎo jǐ gè bùmén, zǒngsuàn nádàole zhè xiàng gōngchéng de pīwén.* I have gone around several departments to get the permission for this project and finally got it.

⁴ **往后** wǎnghòu ❶〈名 *n.* 口 *colloq.*〉自此以后 from now on; in the future: ~你不能再犯这种错误了。*~ nǐ bù néng zài fàn zhèzhǒng cuòwù le.* You shouldn't make this kind of mistakes in the future. | 现在我正忙着呢，你的事~再说吧。*Xiànzhè wǒ zhèng mángzhe ne, nǐ de shì ~ zài shuō ba.* I am busy now, and let's talk about your

business later. ❷〈副 adv.〉向后 backward：他突然一阵头晕，~倒下去了。Tā tūrán yízhèn tóuyūn, ~ dǎo xiàqù le. He felt giddy and fell down backward.

³ **往来 wǎnglái** ❶〈动 v.〉来和去 to and fro：车辆~不断。Chēliàng ~ búduàn. A lot of automobiles shuttle along the street. ｜ 节日期间，马路上~的行人历历可数。Jiérì qījiān, mǎlù shang ~ de xíngrén lìlì kě shǔ. People walking along the street can be counted one by one during holidays. ❷〈动 v.〉此来彼往的交往、友谊 visit each other; in contact：这几个人~十分密切。Zhè jǐ gè rén ~ shífēn mìqiè. These persons are in close contact. ｜ 两国之间有贸易~。Liǎng guó zhījiān yǒu màoyì ~. The two countries have trade relations. ｜ 我和他比邻而居，却不相~。Wǒ hé tā bǐlín ér jū, què bù xiāng ~. He and I are neighbors, but we have no contact whatsoever.

⁴ **往年 wǎngnián** 〈名 n.〉过去的年头 before; former years：这里的游客很多。~ zhèli de yóukè hěn duō. The place is flooded with tourists in the past. ｜ 如今的生活可比~好多啦。Rújīn de shēnghuó kě bǐ ~ hǎoduō la. Nowadays, the living standard is much higher than before.

⁴ **往日 wǎngrì**〈名 n. 书 lit.〉从前，过去 former days; bygone days：你~的恩情，点点滴滴记在我心头。Nǐ ~ de ēnqíng, diǎndiǎn-dīdī jì zài wǒ xīntóu. I still remember all the kindness you showed me in the past. ｜ 我和你~无仇，近日无冤，你为何这样待我呢？Wǒ hé nǐ ~ wú chóu, jìnrì wú yuān, nǐ wèihé zhèyàng dài wǒ ne? We had no hatred before and have no enmity now. Why do you treat me like this?

⁴ **往事 wǎngshì**〈名 n.〉（件jiàn）过去发生的事 past events：两人谈起~，大笑不止。Liǎng rén tán qǐ ~, dà xiào bù zhǐ. Both of them burst into laughter when they talk about past events. ｜ 回首~，有苦有乐。Huíshǒu ~, yǒu kǔ yǒu lè. There were sufferings and happiness in the past. ｜ 一件件~萦绕在我脑际。Yí jiànjiàn ~ yíngrào zài wǒ nǎojì. Every past event lingers in my mind.

² **往往 wǎngwǎng**〈副 adv.〉常常（表示在某条件下，大多数情况是如此）more often than not; often：忠言~是逆耳的。Zhōngyán ~ shì nì'ěr de. Good advice is often harsh to the ear. ｜ 这些小事~会被人们忽略。Zhèxiē xiǎo shì ~ huì bèi rénmen hūlüè. People often ignore these trifles. ｜ 我近来工作很忙，~很晚才回家。Wǒ jìnlái gōngzuò hěn máng, ~ hěn wǎn cái huíjiā. I am busy rencently and often go back home very late.

⁴ **妄图 wàngtú**〈动 v.〉狂妄地图谋 in a vain attempt：他~占有他弟弟的房产。Tā ~ zhànyǒu tā dìdi de fángchǎn. He tried vainly to possess the house of his younger brother. ｜ 恐怖分子~在娱乐场所搞爆炸。Kǒngbù fènzǐ ~ zài yúlè chǎngsuǒ gǎo bàozhà. The terrorists tried vainly to make an explosion in the public place of entertainment.

⁴ **妄想 wàngxiǎng** ❶〈动 v.〉荒谬地盘算，不切实际地打算 make a vain attempt to; hope vainly to do sth.：他~一步登天。Tā ~ yíbù-dēngtiān. He hopes vainly to have a skyrocketing rise. ｜ 法西斯~独霸世界。Fǎxīsī ~ dúbà shìjiè. The fascists wanted vainly to dominate the world. ❷〈名 n.〉妄的、不现实的想法 wild fantasy; pipe dream：这是你的痴心~。Zhè shì nǐ de chīxīn-~. This is your wishful thinking. ｜ 他的~是不可能实现的。Tā de ~ shì bù kěnéng shíxiàn de. His pipe dream will never come true.

¹ **忘 wàng** ❶〈动 v.〉不记得，想不起来了 forget：我早~了这件事。Wǒ zǎo ~le zhè jiàn shì. I have forgotten the matter. ｜ 他是个~恩负义的人。Tā shì gè ~ēn-fùyì de rén. He is an ungrateful person. ｜ 吃水不~掘井人（比喻人不忘本）。Chī shuǐ bú ~ jué jǐng rén (bǐyù rén bú wàngběn). When you drink water from the well, don't ever forget the man who dug it (fig. not forget one's origion). ｜ 我们永远不应该~掉那段受屈辱的历史。Wǒmen yǒngyuǎn bù yīnggāi ~diào nà duàn shòu qūrǔ de lìshǐ. We shall never forget

that historical period of humiliation. ❷〈动 v.〉不注意，忽略了 ignore; neglect; forget：我~了带钢笔了。*Wǒ ~le dài gāngbǐ le.* I forget to bring my pen. | 他考了个好成绩就得意~形了 *Tā kǎole gè hǎo chéngjì jiù déyì-~xíng le.* He grew dizzy with good grade in the exam.

² **忘记** wàngjì ❶〈动 v.〉不记得过去的事 forget：我们不会~过去的苦难。*Wǒmen bú huì ~ guòqù de kǔnàn.* We will never forget the past hardships. | 我最不能~的是我们当年月下的盟誓 *Wǒ zuì bù néng ~ de shì wǒmen dāngnián yuèxià de méngshì.* What I could never forget is the pledge we made under the moon at that time. ❷〈动 v.〉没有记住应该记住的事 overlook; neglect; fail to do sth. one should do：她出门~带钥匙了。*Tā chū mén ~ dài yàoshi le.* She forgot to bring the key when she went away from home. | 那么重要的事情我竟把它~了。*Nàme zhòngyào de shìqing wǒ jìng bǎ tā ~ le.* This is a very important matter, but I just forget it.

⁴ **忘却** wàngquè〈动 v. 书 lit.〉忘了，不记得 forget：有些事是永远也~不了的。*Yǒuxiē shì shì yǒngyuǎn yě ~ bùliǎo de.* Some of the things are simply unforgettable. | 他一心弹琴，~了一切烦恼 *Tā yìxīn tánqín, ~le yíqiè fánnǎo.* He played the piano intently and forgot all his worries.

² **望** wàng ❶〈动 v.〉向远处、高处看 stretch one's eyes over; gaze into the distance：登高眺~ *dēnggāo tiào~* climb up high to gaze into distance | 她~着远山。*Tā ~zhe yuǎn shān.* She stretched her eyes over the remote mountain. | 一眼~不到边 *Yì yǎn ~ bú dào biān.* The horizon stretches as far as the eye can see. | 抬头~明月。*Tái tóu ~ míngyuè.* I raise my head to enjoy the bright moon. ❷〈动 v.〉盼望，期待 look forward to; expect：~你早日归来。*~ nǐ zǎorì guīlái.* Expect you come back early. | 希~大家好好儿学习，将来成为有用之才。*Xī ~ dàjiā hǎohāor xuéxí, jiānglái chéngwéi yǒuyòng zhī cái.* I hope you will study hard and become a useful person in the future. | 他是个众~所归的领导人选。*Tā shì gè zhòng-~-suǒguī de lǐngdǎo rénxuǎn.* He is the candidate for the leadership, who enjoys popular confidence. | 我对他完全绝~了。*Wǒ duì tā wánquán jué~ le.* I feel hopeless for him. ❸〈动 v.〉拜访，探候 visit; call on; drop in on; see：探~tàn~ look about; visit | 我昨天拜~了一位专家。*Wǒ zuótiān bài~le yí wèi zhuānjiā.* I paid a visit to an expert yesterday. ❹〈动 v.〉中医指观察病人的面色、舌苔等 watch; observation of the complexion, tongue, etc.：~闻问切 ~wén-wènqiè watch, listen, ask and feel the pulse ❺〈动 v. 书 lit.〉怨恨，责备 grief：想不到他对我恨~如此之深。*Xiǎngbudào tā duì wǒ yuàn~ rúcǐ zhī shēn.* It's out of my imagination that he bears such a deep hatred for me. ❻〈名 n.〉声誉 prestige：声~shēng~ prestige | 他~重诗坛。*Tā ~ zhòng shītán.* He has a good reputation among the poets. ❼〈名 n.〉视野；想象等所及的范围 field of vision; range or scope of imagination：远处酒家在~。*Yuǎnchù jiǔjiā zài ~.* A wine shop loomed in the distance. | 小麦长势喜人，看来丰收在~。*Xiǎomài zhǎngshì xǐrén, kànlái fēngshōu zài ~.* The wheat is growing splendidly, and it seems that a bumper harvest is sight. ❽〈名 n.〉中国农历的每月十五日（或十六、十七日）plenilune; full moon; the 15th day of every lunar month：~日~rì day of plenilune | 朔~（初一和十五日）（chūyī hé shíwǔ）syzygy; the first and the 15th day of a lunar month ❾〈名 n.〉望子，表示店铺属于哪种行业的标志 shop sign：酒~jiǔ~ sign of a wine shop ❿〈介 prep.〉向，朝to; toward：~东走 ~ dōng zǒu go east | 她~我一笑。*Tā ~ wǒ yí xiào.* She gave me a smile. ⓫〈形 adj.〉有名望的 prestigious：这是位~族子弟。*Zhè shì wèi ~zú zǐdì.* This is the child of a rich and powerful family.

⁴ **望远镜** wàngyuǎnjìng〈名 n.〉（架jià、台tái）观察远处物体的光学仪器 telescope：指挥

员拿起军用~仔细观察敌人前沿阵地的火力配置。Zhǐhuīyuán náqǐ jūnyòng ~ zǐxì guānchá dírén qiányán zhèndì de huǒlì pèizhì. The commander took up the military telescope and observed carefully the enemy firepower deployment in the frontline. | 我坐在后排，只能借助~观看场上的足球比赛。Wǒ zuò zài hòupái, zhǐnéng jièzhù ~ guānkàn chǎng shang de zúqiú bǐsài. I sit at a back seat and can only watch the football game with a telescope.

² **危害** wēihài ❶〈动 v.〉破坏，损害 impair; jeopardize：环境污染~人类。Huánjìng wūrǎn ~ rénlèi. Environment pollution does harm to human beings. | 有些蔬菜的农药残留量超标，严重~人民的身体健康。Yǒuxiē shūcài de nóngyào cánliúliàng chāobiāo, yánzhòng ~ rénmín de shēntǐ jiànkāng. The pesticide leftover in some vegetables exceeds the allowed standard, which does harm to people's health. | 野象虽然有时会践踏、~农作物，但当地农民还是要保护它们。Yěxiàng suīrán yǒushí huì jiàntà, ~ nóngzuòwù, dàn dāngdì nóngmín háishì yào bǎohù tāmen. The wild elephants sometimes trample and destroy the crops, but the local farmers still protect them. ❷〈名 n.〉受到的破坏，损害 damage; harm：这种错误思想有极大的~。Zhè zhǒng cuòwù sīxiǎng yǒu jídà de ~. This erroneous thought is very dangerous. | 今年农作物受到蝗虫的~，颗粒无收。Jīnnián nóngzuòwù shòudào huángchóng de ~, kēlì wú shōu. The crops have been damaged by grasshoppers to such an extent that there will be hardly any harvest.

² **危机** wēijī ❶〈名 n.〉潜伏的危险或祸患 crisis：~重重 ~ chóngchóng beset with crisis | 泡沫经济潜伏着极大的~。Pàomò jīngjì qiánfúzhe jídà de ~. Bubble economy harbors great crisis. | 我们国家不存在什么~，而是充满生机。Wǒmen guójiā bù cúnzài shénme ~, érshì chōngmǎn shēngjī. There is no crisis in our country, and it is full of vitality on the contrary. ❷〈名 n.〉严重的困难局面和危险关头 critical moment：经济~ jīngjì ~ economic crisis | 信仰~ xìnyǎng ~ belief crisis | 两人发生了感情~。Liǎng rén fāshēngle gǎnqíng ~. They two have a crisis in love.

⁴ **危急** wēijí 〈形 adj.〉危险紧急 imminent danger; desperate situation：情况十分~。Qíngkuàng shífēn ~. The situation is very dangerous. | ~关头，他表现得很勇敢。~ guāntóu, tā biǎoxiàn de hěn yǒnggǎn. He behaved bravely at the desperate moment.

¹ **危险** wēixiǎn ❶〈形 adj.〉艰危险恶，随时有毁灭、失败的可能性 at risk; dangerous：这工作很~。Zhè gōngzuò hěn ~. This job is very dangerous. | 不准携带~品上飞机。Bù zhǔn xiédài ~pǐn shàng fēijī. No dangerous goods are allowed to take onto the aeroplane. | 新闻记者经常深入~环境采访。Xīnwén jìzhě jīngcháng shēnrù ~ huánjìng cǎifǎng. The journalists often go deep into the dangerous place to make reports. | 他是个~人物。Tā shì gè ~ rénwù. He is a dangerous person. ❷〈名 n.〉可能遭到的毁灭或失败 danger; risk：那里发生战争，有~。Nàli fāshēng zhànzhēng, yǒu ~. There is a war there, and it's a dangerous place. | 他们置生命~于不顾，在河中筑起一道人墙，堵住了决口。Tāmen zhì shēngmìng ~ yú búgù, zài hé zhōng zhùqǐ yí dào rénqiáng, dǔzhùle juékǒu. They built up a wall of people in the river to plug up the burst at the risk of their lives.

⁴ **威风** wēifēng ❶〈名 n.〉震慑人的煊赫气势 might; awe-inspiring manner：他当了领导就颐指气使拿~。Tā dāngle lǐngdǎo jiù yízhǐ-qìshǐ shuǎ ~. He became insufferably arrogant when he took the position of a leader. | 我要杀杀他的~。Wǒ yào shāshā tā de ~. I will deflate his arrogance. | 长他人的~，灭自己的志气（指抬高别人，贬低自己；也指对自己力量估计不足，过高估计对手的力量）zhǎng tārén de ~, miè zìjǐ de zhìqì (zhǐ táigāo biérén, biǎndī zìjǐ; yě zhǐ duì zìjǐ lìliàng gūjì bùzú, guògāo gūjì duìshǒu de lìliàng) boost other person's morale and deflate one's own (fig. drive up other people but debase

oneself）❷〈形 adj.〉形容有威风 imposing; impressive; smart：战士背上枪，显得很~。*Zhànshì bēishàng qiāng, xiǎnde hěn ~.* The soldier looks smart with the gun carried on his back. │ 三军仪仗队好~啊！*Sān jūn yízhàngduì hǎo ~ a!* It is so majestic of the honor guards of the three armed services!

⁴ **威力** wēilì 〈名 n.〉震慑人的强大力量；起巨大推动作用的力量 power; force; awe-inspiring, powerful strength：这种炸弹~很大。*Zhè zhǒng zhàdàn ~ hěn dà.* This kind of bomb is very destructive. │ 大自然的~有时是无法抗拒的。*Dàzìrán de ~ yǒushí shì wúfǎ kàngjù de.* Sometimes we could hardly resist the power of nature. │ 群众路线~无穷。*Qúnzhòng lùxiàn ~ wúqióng.* The mass line generates inexhaustible power.

⁴ **威望** wēiwàng 〈名 n.〉受到人们敬服的声望 prestige：这位长者在群众中有很高的~。*Zhè wèi zhǎngzhě zài qúnzhòng zhōng yǒu hěn gāo de ~.* The elderly enjoyed a high reputation among the masses. │ 这个厂长没有什么~。*Zhège chǎngzhǎng méiyǒu shénme ~.* The factory director has little prestige.

³ **威胁** wēixié ❶〈动 v.〉依仗权势、武力逼人屈服 threaten; menace：他多次~我，让我为他卖命。*Tā duō cì ~ wǒ, ràng wǒ wèi tā màimìng.* He has threatened me to die for him many times. │ 那个国家动辄就用战争~别的国家。*Nàge guójiā dòngzhé jiù yòng zhànzhēng ~ bié de guójiā.* That country frequently threatens other countries with war. ❷〈动 v.〉客观环境、自然力量对人们造成危害 menace; threat：干旱~着人民的生命。*Gānhàn ~zhe rénmín de shēngmìng.* The drought is threatening people's lives.

⁴ **威信** wēixìn 〈名 n.〉（在群众中的）声望和信誉 prestige; popular trust：他是学生会主席，在学生中很有~。*Tā shì xuéshēnghuì zhǔxí, zài xuésheng zhōng hěn yǒu ~.* He is the chairman of the student union and enjoys a high reputation among the students. │ 你只要认真克服缺点，还是可以重新树立起~的。*Nǐ zhǐyào rènzhēn kèfú quēdiǎn, háishì kěyǐ chóngxīn shùlì qǐ ~ de.* You will build up your prestige again as long as you overcome your shortcomings seriously.

⁴ **微不足道** wēibùzúdào 〈成 idm.〉非常渺小，不值一提（与'举足轻重'相对）negligible; insignificant（opposite to '举足轻重jǔzú-qīngzhòng'）：我做的这些事~。*Wǒ zuò de zhèxiē shì ~.* What I have done is not worth mentioning. │ 我是个~的小人物。*Wǒ shì ge ~ de xiǎorénwù.* I am a negligible small potato.

⁴ **微观** wēiguān ❶〈名 n.〉物理学上指分子、原子等构造领域 microcosmic；of such miniature worlds as molecule, atom, etc. ：~粒子~ *lìzǐ* microparticle │ ~结构 ~ *jiégòu* micro-structure ❷〈名 n.〉指局部的、小的方面（与'宏观'相对）part of a field（opposite to '宏观hóngguān'）：~经济是指单个经济单位和单个经济活动。*~ jīngjì shì zhǐ dāngè jīngjì dānwèi hé dāngè jīngjì huódòng.* Microeconomy refers single economic unit and single economic activity. │ 在搞活~经济的同时，必须加强宏观调控。*Zài gǎohuó ~ jīngjì de tóngshí, bìxū jiāqiáng hóngguān tiáokòng.* We must reinforce the macrocosmic control while enliven the microeconomy.

³ **微小** wēixiǎo 〈形 adj.〉极小，非常小 little; tiny：他对我取得的一点~成绩都给予鼓励、肯定。*Tā duì wǒ qǔdé de yìdiǎn ~ chéngjì dōu jǐyǔ gǔlì, kěndìng.* He gives encouragement and affirmation on my little achievement. │ 事情要靠大家来办，个人的作用是~的。*Shìqing yào kào dàjiā lái bàn, gèrén de zuòyòng shì ~ de.* The individual is of little strength, so we should depend on the people in doing everything. │ 事情正在起变化，但变化还很~。*Shìqing zhèngzài qǐ biànhuà, dàn biànhuà hái hěn ~.* The situation is undergoing some but tiny changes.

² **微笑** wēixiào ❶〈动 v.〉轻微地笑，不出声地笑 laugh imperceptibly or quietly：~服务 ~

fúwù service with smile | 她回眸一下，却引起他好多想法。*Tā huímóu ~ yíxià, què yǐnqǐ tā hǎoduō xiǎngfǎ.* She glanced back and smiled, which only arouse a lot of thoughts in his mind. | 他朝我点头~，算是打了招呼。*Tā cháo wǒ diǎntóu ~, suànshì dǎle zhāohu.* He greeted me just with a nod and a smile. ❷〈名 n.〉轻微的笑容 smile: 空中小姐总是面带~为乘客服务。*Kōngzhōng xiǎojiě zǒngshì miàn dài ~ wèi chéngkè fúwù.* The air stewardesses always serve the passengers with a smile on her face. | 她的~很不自然。*Tā de ~ hěn bú zìrán.* She smiles artificially.

¹为 wéi ❶〈动 v.〉当作，认为 take for; act as: 指鹿~马（比喻有意颠倒黑白，混淆是非）*zhǐlù~mǎ (bǐyù yǒuyì diāndǎo hēibái, hùnxiáo shìfēi)* call a deer a horse (*fig.* call white black; turn right into wrong) | 自以～是的狂妄态度是要不得的。*Zìyǐ~shì de kuángwàng tàidù shì yàobude de.* It is no good for you to have the manner of considering yourself in the right. | 全班同学一致选他~班长。*Quánbān tóngxué yízhì xuǎn tā ~bānzhǎng.* All the students in the class elect him the monitor. | 我们年轻人当以四海~家。*Wǒmen niánqīngrén dāng yǐ sìhǎi~jiā.* We young people should make it our home wherever we are. ❷〈动 v.〉成，成为 turn; become: 一分~二 *yìfēn~èr* divide a whole into two | 化悲痛~力量 *huà bēitòng ~ lìliàng* turn bitterness into strength | 一把火把他的家产化~乌有。*Yì bǎ huǒ bǎ tā de jiāchǎn huà ~wūyǒu.* A fire turned all his property to dust. | 植树造林，变沙漠~绿洲。*Zhíshù zàolín, biàn shāmò ~ lùzhōu.* Turn the desert to an oasis by afforestation. ❸〈动 v.〉是 be; mean: 北京~中国首都。*Běijīng ~ Zhōngguó shǒudū.* Beijing is the capital of China. | 长江~中国第一大河。*Cháng Jiāng ~ zhōngguó dì-yī dà hé.* The Yangtse River is the longest river in China. | 失败~成功之母（指善于从失败中吸取经验教训，才能成功）*Shībài ~ chénggōng zhī mǔ (zhǐ shànyú cóng shībài zhōng xīqǔ jīngyàn jiàoxùn, cái néng chénggōng).* Failure is the mother of success (*fig.* one can make success only by learning experiences and lessons from failure). ❹〈动 v.〉做，干 do; act: 这个人~非作歹，不会有好下场。*Zhège rén ~ fēi-zuòdǎi, bú huì yǒu hǎo xiàchǎng.* The guy who commits crimes will come to no good end. | 这项工作我当尽力而~。*Zhè xiàng gōngzuò wǒ dàng jìnlì'ér~.* I will do my best to finish the work. | 你要为自己的所作所~负责。*Nǐ yào wèi zìjǐ de suǒzuò-suǒ~ fùzé.* You should take responsibility for what you do. | 他当了厂长就~所欲~了。*Tā dāngle chǎngzhǎng jiù ~suǒyù~ le.* He does whatever he likes when he takes the position of factory director. ❺〈介 prep. 书 lit.〉意思与'被'同（常与'所'呼应使用）similar to '被 bèi', used with '所suǒ' in passive voice: 敌军已~我军所败。*Díjūn yǐ ~ wǒjūn suǒ bài.* The enemy was defeated by our forces. | 大家都~他严以律己的精神所感动。*Dàjiā dōu ~ tā yán yǐ lùjǐ de jīngshén suǒ gǎndòng.* We are all moved by his spirit of being strict with himself. | 我们不要~表面现象所迷惑。*Wǒmen bú yào ~ biǎomiàn xiànxiàng suǒ míhuò.* We should not be deceived by superficial phenomenon. ❻〈词尾 suff.〉用在某些单音节形容词、副词后，构成表示程度、范围的双音节副词 used after an adjective or advent to form an adverb to indicate degree or scope: 广~流传 *guǎng~ liúchuán* spread far and wide | 极~幸福 *jí ~ xìngfú* extremely happy | 颇~不满 *pō~ bùmǎn* rather unsatisfied

☞ wèi, p. 1019

³为难 wéinán ❶〈动 v.〉作对；刁难 make things difficult for: 长期以来两人互相~。*Chángqī yǐlái liǎng rén hùxiāng ~.* They two have made things difficult for each other for a long time. | 别故意与人~。*Bié gùyì yǔ rén ~.* Don't deliberately make things difficult for other people. | 我决不再~他。*Wǒ jué bú zài ~ tā.* I will never make things difficult for him. ❷ 〈形 adj.〉有不容易解决的事而感到困难 feel embarrassed; feel awkward：碰到这种棘手事我真~。*Pèngdào zhè zhǒng jíshǒu shì wǒ zhēn ~.* I feel awkward to deal with such a sticky thing. ｜你还有什么~的事，大家帮着来办。*Nǐ háiyǒu shénme ~ de shì, dàjiā bāngzhe lái bàn.* You may rely on our help to overcome whatever difficulty you have.

⁴ **为期** wéiqī ❶ 〈动 v.〉从时间上看 for a certain period of time：收获季节已~不远。*Shōuhuò jìjié yǐ ~ bù yuǎn.* The harvest season is drawing near. ｜工程竣工~尚远。*Gōngchéng jùngōng ~ shàng yuǎn.* There is still a long time for finish the project. ❷ 〈动 v.〉作为期限 by a definite date：这份合同以一年~。*Zhè fèn hétong yǐ yì nián ~.* The valid period of this contract is one year. ｜我对该国的访问~三天。*Wǒ duì gāi guó de fǎngwèn ~ sān tiān.* I made a three-day visit to that country.

³ **为首** wéishǒu 〈动 v.〉领头，做领导 with sb. as the leader; headed by：访问团以外交部长~。*Fǎngwèntuán yǐ wàijiāo bùzhǎng ~.* The visiting group is headed by foreign minister. ｜以某国~的一些国家竭力煽动战争。*Yǐ mǒu guó ~ de yìxiē guójiā jiélì shāndòng zhànzhēng.* Some countries headed by a certain one try their best to stir up war.

³ **为止** wéizhǐ 〈动 v.〉结束；截止 up to; till：本店即将搬迁，货物售完~。*Běn diàn jíjiāng bānqiān, huòwù shòuwán ~.* We will sell all goods in our store before we remove to another place. ｜对他的缺点，你点到~就行了。*Duì tā de quēdiǎn, nǐ diǎndào ~ jiù xíng le.* You have to tactfully point out his shortcomings. ｜迄今~，为灾区捐款已超过百万元。*Qìjīn ~, wèi zāiqū juānkuǎn yǐ chāoguò bǎi wàn yuán.* The donation to the disaster area has exceeded one million *yuan* by now.

³ **违背** wéibèi 〈动 v.〉违反，背离 violate; go against; run counter to：~客观规律 ~ *kèguān guīlǜ* violate the objective rules ｜他的行动~了上级的命令。*Tā de xíngdòng ~ le shàngjí de mìnglìng.* He disobeyed his superior's order.

⁴ **违法** wéifǎ 〈动 v.〉违反法律、法令 break the law; be illegal：走私~。*Zǒusī ~.* It is illegal to engage in smuggling. ｜他纵容一些人~乱纪。*Tā zòngróng yìxiē rén ~ luànjì.* He instigated some people to violate the law and discipline.

² **违反** wéifǎn 〈动 v.〉不符合法则、规章制度等 violate (rules, regulations, etc.)：这家公司严重~合同规定。*Zhè jiā gōngsī yánzhòng ~ hétong guīdìng.* The company severely breached to the contract. ｜他~了操作规程。*Tā ~le cāozuò guīchéng.* He violated the operational regulations. ｜你不要~劳动纪律。*Nǐ bú yào ~ láodòng jìlǜ.* Don't disobey the working discipline.

⁴ **违犯** wéifàn 〈动 v.〉严重违背和触犯 violate; infringe; act contrary to：他多次~纪律。*Tā duō cì ~ jìlǜ.* He has broken the disciplinary rules for many times. ｜这项规定任何人不得~。*Zhè xiàng guīdìng rènhé rén bùdé ~.* Nobody is allowed to violate this regulation.

² **围** wéi ❶ 〈动 v.〉四周圈起来；环绕 go round sth. ; encircle：~城 ~*chéng* encircle a city ｜办公楼外~起了护栏。*Bàngōnglóu wài ~qǐle hùlán.* The office building is circled with fences. ｜看热闹的人~了一圈儿。*Kàn rènao de rén ~le yì quānr.* A circle of people gathered to see what was going on. ｜炕上大娘和两个孙女~着一盆火坐着。*Kàng shang dàniáng hé liǎng gè sūnnǚ ~zhe yì pén huǒ zuòzhe.* The old lady and her two granddaughters sat around a basin of fire on the heated *kang.* ｜小偷被群众团团~住。*Xiǎotōu bèi qúnzhòng tuántuán ~zhù.* The thief was surrounded tightly by a mass of people. ❷ 〈名 n.〉四周 around; circumference：我住的小村四~都是山。*Wǒ zhù de xiǎo cūn sì ~ dōu shì shān.* The small village where I live is skirted by high mountains. ❸

〈名 n.〉周长 perimeter; girth: 胸~*xiōng*~ chest measurement | 我长胖了，腰~已达90公分。*Wǒ zhǎngpàng le, yāo* ~ *yǐ dá jiǔshí gōngfēn.* I become fat and my waistline has reached 90 cm. ❹〈量 *meas.*〉计量圆周的约略单位，更多的是用于两只手的拇指和食指合拢起来的长度或两只胳膊合拢起来的长度 hand span; arm span: 一根直径一~的水泥电线杆 *yì gēn zhíjìng yì* ~ *de shuǐní diànxiàngān* a concrete electric wire pole with the diameter of arm span | 这是一棵有七八~粗的大榕树。*Zhè shì yì kē yǒu qī bā* ~ *cū de dà róngshù.* This is a big banyan with a diameter of seven or eight arm spans.

⁴ **围攻** wéigōng ❶〈动 v.〉军事上指将对方包围起来进行攻击 besiege; lay siege to: 敌军日夜~这座城市。*Díjūn rìyè* ~ *zhè zuò chéngshì.* The enemy besieged this city day and night. ❷〈动 v.〉群起攻击、责难（某个人或少数人）jointly attack sb.: 他发表歪理邪说，全班同学群起~。*Tā fābiǎo wāilǐ-xiéshuō, quánbān tóngxué qúnqǐ* ~. All classmates rise together to attack his fallacy.

³ **围巾** wéijīn〈名 n.〉（条tiáo）围住颈部保暖或装饰用的纺织品 muffler; scarf: 外面很冷，你出门要围一条厚~。*Wàimian hěn lěng, nǐ chūmén yào wéi yì tiáo hòu* ~. It's very cold outside, and you'd better wear a thick scarf when you go out. | 她围着一条时髦的~。*Tā wéizhe yì tiáo shímáo de* ~. She wears a smart scarf.

围棋 wéiqí〈名 n.〉起源于中国的棋类游戏，双方按黑白棋子在棋盘上对攻，以占据位数多者为胜 go; weiqi; game of China, played with black and white pieces on a square board, with the party scoring more walled-in points declared as the winner: 我和他对弈了一局。*Wǒ hé tā duìyìle yì jú* ~. I played a game of *weiqi* with him. | 他是位九段~高手。*Tā shì wèi jiǔ duàn* ~ *gāoshǒu.* He is a level-nine *weiqi* master. | 这次中日两国一擂台赛中方落败了。*Zhè cì Zhōng Rì liǎng guó* ~ *lèitáisài Zhōngfāng luòbài le.* China lost the game in this *weiqi* contest between China and Japan.

² **围绕** wéirào ❶〈动 v.〉在周围绕行 go round sth.; rotate: 地球~着太阳转。*Dìqiú* ~*zhe tàiyáng zhuàn.* The Earth rotates round the Sun. | ~地球运动的卫星只有一个。~ *dìqiú yùndòng de wèixīng zhǐyǒu yí gè.* There is only one satellite that rotates round the Earth. ❷〈动 v.〉在周围聚集 encircle: 这个村庄被一大片参天大树~着。*Zhège cūnzhuāng bèi yí dà piàn cāntiān dà shù* ~*zhe.* The village is enclosed by a large tract of tall trees. ❸〈动 v.〉环绕某个问题和事件 focus on; center on (an issue): 大家~着今年的旱情商量对策。*Dàjiā* ~*zhe jīnnián de hànqíng shāngliang duìcè.* We discuss the countermeasures concerning the drought of this year. | 文艺工作者~繁荣文艺的主题各抒己见。*Wényì gōngzuòzhě* ~ *fánróng wényì de zhǔtí gèshūjǐjiàn.* Literature and art workers air their own views on booming literature and art.

⁴ **桅杆** wéigān〈名 n.〉船上张帆或悬挂信号用的杆子 mast: 船快要过桥，船工赶紧把立着的~放平。*Chuán kuài yào guò qiáo, chuángōng gǎnjǐn bǎ lìzhe de* ~ *fàngpíng.* The boat is going to pass under the bridge, and the boatman put down the mast quickly.

⁴ **唯物论** wéiwùlùn〈名 n.〉即唯物主义 materialism: ~与唯心论两大哲学派别的争论，在中国已有两千多年了。~ *yǔ wéixīnlùn liǎng dà zhéxué pàibié de zhēnglùn, zài Zhōngguó yǐ yǒu liǎng qiān duō nián le.* The debates between the two philosophical schools of materialism and idealism have lasted for more than two thousand years in China.

唯物主义 wéiwù zhǔyì〈名 n.〉哲学中两大派别之一，主张世界是物质的，物质第一性，精神第二性，精神是物质的反映 materialism, one of the two major schools of philosophy, holding that the world essentially consists of physical matter, and matter is primary while consciousness is secondary: 中国古代哲学家老子，建立了以'道'为核

心的~哲学体系。*Zhōngguó gǔdài zhéxuéjiā Lǎozǐ, jiànlìle yǐ 'Dào' wéi héxīn de ~ zhéxué tǐxì.* Laozi, a philosopher of ancient China, had built a philosophic system centered on Taoism. | 他是个彻底的~者。*Tā shì gè chèdǐ de ~ zhě.* He is a thorough materialist. | 我们提倡的'实事求是',是符合~的。*Wǒmen tíchàng de 'shíshì-qiúshì', shì fúhé ~ de.* We advocate that one should seek truth from facts, which tallies with materialism.

⁴ **唯心论** wéixīnlùn〈名 n.〉即唯心主义 idealism：早在原始时代，人们就以为有脱离身体存在的灵魂，这是~的胚胎。*Zǎo zài yuánshǐ shídài, rénmen jiù yǐwéi yǒu tuōlí shēntǐ cúnzài de línghún, zhè shì ~ de pēitāi.* People believed that there was soul divorced from body as early as primitive time, and this is the embryo of idealism.

⁴ **唯心主义** wéixīn zhǔyì〈名 n.〉哲学中两大派别之一，主张世界是精神的，精神第一性，物质第二性，物质是精神的产物 idealism, one of the two major schools of philosophy, which holds that the material world is the product of the consciousness, and consciousness is primary, while matter is secondary：~观点 ~ guāndiǎn views of idealism | 孔子是中国古代的思想家、政治家、教育家，他的哲学思想是~的。*Kǒngzǐ shì Zhōngguó gǔdài de sīxiǎngjiā, zhèngzhìjiā, jiàoyùjiā, tā de zhéxué sīxiǎng shì ~ de.* Confucius was a thinker, politician and educator of ancient China, and his philosophy was idealistic.

⁴ **唯独** wéidú〈副 adv.〉单单，独独（表示在一般人、物中指出个别的，并说明其与众不同之处）only; alone：开完会别人都走了，~他留了下来。*Kāiwán huì biéren dōu zǒu le, ~ tā liúle xiàlái.* Other people went away after the meeting; only he stayed on. | 下班了，~经理还在办公室继续工作。*Xiàbān le, ~ jīnglǐ hái zài bàngōngshì jìxù gōngzuò.* Only the manager still works at his office when we get off work. | 大家都赞同这份文件，~他唱反调。*Dàjiā dōu zàntóng zhè fèn wénjiàn, ~ tā chàngfǎndiào.* Everyone agrees to this document except him.

⁴ **唯一** wéiyī〈形 adj.〉独一的，单一的 only; one and one only：这是我~一件像样的衣服。*Zhè shì wǒ ~ yí jiàn xiàngyàng de yīfu.* This is the only decent clothes I have. | 在连队里她是~的女兵。*Zài liánduì lǐ tā shì ~ de nǚbīng.* She is the only woman soldier in the company. | 你是我~的亲人。*Nǐ shì wǒ ~ de qīnrén.* He is the only dear one to me.

³ **维持** wéichí〈动 v.〉保持，使继续存在或继续起作用 maintain; keep：~原则 ~ yuánzé maintain principle | 警察在事故现场~秩序。*Jǐngchá zài shìgù xiànchǎng ~ zhìxù.* The police maintained order at the scene of the accident. | 这点微薄收入很难~生活。*Zhè diǎn wēibó shōurù hěn nán ~ shēnghuó.* This meager income can hardly support the life.

² **维护** wéihù〈动 v.〉维持并加以保护，不使受到破坏 protect; uphold：~团结 ~ tuánjié uphold unity | ~世界和平 ~ shìjiè hépíng protect peace of the world | 他~了祖国的尊严。*Tā ~le zǔguó de zūnyán.* He safeguarded the dignity of the country. | 这些规定有利于~教学秩序。*Zhèxiē guīdìng yǒulì yú ~ jiàoxué zhìxù.* These regulations are conducive to maintaining the teaching order.

³ **维生素** wéishēngsù〈名 n.〉生物生长和代谢所必需的微量有机物 vitamin：人和动物缺乏~就会得病。*Rén hé dòngwù quēfá ~ jiù huì dé bìng.* Human beings and animals will fall ill if they lack vitamins. | 番茄富含多种~。*Fānqié fùhán duō zhǒng ~.* Tomato contains many kinds of vitamins.

维修 wéixiū〈动 v.〉维护修理 maintain and repair：工人们正在~机器。*Gōngrénmen zhèngzài ~ jīqì.* Workers are repairing the machine. | 这辆汽车要~了。*Zhè liàng qìchē yào ~ le.* The car needs maintenance.

¹ **伟大** wěidà 〈形 *adj.*〉大而宏伟；卓越而令人敬仰 great; outstanding; magnificent; grand：~的祖国 ~ *de zǔguó* great motherland ｜ ~的人民 ~ *de rénmín* great people ｜ ~的事业 ~ *de shìyè* grand cause ｜这是一项~的发明。*Zhè shì yí xiàng ~ de fāmíng.* This is a great invention. ｜他们的爱国热情很~。*Tāmen de àiguó rèqíng hěn ~.* They have an extraordinary love for their motherland.

⁴ **伪造** wěizào 〈动 *v.*〉仿造；假造；捏造 fabricate; forge：身份证 ~ *shēnfènzhèng* forge an ID card ｜这些坏人~了数以百万计的人民币。*Zhèxiē huàirén ~le shù yǐ bǎi wàn jì de rénmínbì.* These evildoers forged millions of RMB. ｜他~履历混进了我们公司。*Tā lǚlì hùnjìnle wǒmen gōngsī.* He fabricated a personal record and passed for an employee of our company.

⁴ **尾** wěi ❶〈名 *n.*〉某些动物身体末端突出的部分 tail：鱼~ *yú*~ tail of a fish ｜牛~ *niú*~ tail of a bull ｜我回到家，小狗摇头摆~跑来迎接我。*Wǒ huídào jiā, xiǎogǒu yáotóubǎi*~ *pǎo lái yíngjiē wǒ.* My little dog greeted me with head shaking and tail wagging when I came back home. ❷〈名 *n.*〉泛指物体的尾部 end; tail-like part of an object：汽车的~灯 *Qìchē de* ~ *dēng* yú huài. There is something wrong with the back light of the car. ｜我坐在船~观景。*Wǒ zuò zài chuán* ~ *guān jǐng.* I sat at the stern to enjoy the scene. ❸〈名 *n.*〉最后，末梢 end：乐曲已接近一声。*Yuèqǔ yǐ jiējìn* ~*shēng.* The music is close to the end. ｜你不能抬头去~理解他的意思。*Nǐ bù néng qiàtóu-qù*~ *lǐjiě tā de yìsi.* You should not quote his statement out of context to understand his meaning. ❹〈名 *n.*〉残余的，主要部分以外的部分或阶段 remnant：甲方已基本付清款项，只剩个~数了。*Jiǎ fāng yǐ jīběn fùqīng kuǎnxiàng, zhǐ shèng gè* ~*shù le.* Party A has nearly paid off the money except a small balance. ｜工程已到扫~阶段。*Gōngchéng yǐ dào sǎo*~ *jiēduàn.* The project is near the ending stage. ❺〈动 *v.*〉在后面跟 follow：弟弟总~随在哥哥身后。*Dìdi zǒng* ~*suí zài gēge shēnhòu.* The younger brother always follows his elder brother. ❻〈量 *meas.*〉计算鱼的单位 a measure word used for fish：我买了两~鱼。*Wǒ mǎile liǎng* ~ *yú.* I bought two fish.

² **尾巴** wěiba ❶〈名 *n.*〉某些动物身体末端突出的部分 tail：夹着~(比喻人狼狈而逃或小心谨慎做事)*jiāzhe* ~ (*bǐyù rén lángbèi ér táo huò xiǎoxīn jǐnshèn zuòshì*) tuck one's tail (*fig.* escape confoundedly or handle affairs cautiously)｜兔子~长不了(比喻事物不会长久存在)。*Tùzi* ~ *cháng bù liǎo* (*bǐyù shìwù bú huì chángjiǔ cúnzài*). The rabbit's tail is not long (*fig.* won't last long). ❷〈名 *n.*〉像尾巴一样的东西 tail-like part of an object：飞机~ *fēijī*~ tail part of an aircraft｜火车~ *huǒchē*~ tail part of a train ❸〈名 *n.*〉某些事物的最后部分 remaining part; unfinished part of sth.：这项胡子工程至今还留了个~。*Zhè xiàng húzi gōngchéng zhìjīn hái liúle gè* ~. The long-drawn-out project has not finished until now. ｜办事别留~。*Bàn shì bié liú* ~. Don't leave the matter unfinished. ❹〈名 *n.*〉指在后面盯梢、尾随的人 person who follows and reports on someone：我甩掉了后面的~。*Wǒ shuǎidiàole hòumiàn de* ~. I got rid of my tail. ❺〈名 *n.*〉比喻自己没有主见、完全附和别人的人 servile follower; person who does not have his or her own opinion and always chime in with others：他这人就爱当领导的~。*Tā zhè rén jiù ài dāng lǐngdǎo de* ~. He likes to be a servile follower of his leader. ｜你不能当落后群众的 ~ 。*Nǐ bù néng dāng luòhòu qúnzhòng de* ~. You should not be a servile follower of those who lag behind.

³ **委屈** wěiqū ❶〈形 *adj.*〉形容受了不应有的指责或待遇后心里难受的样子 feel wronged due to unjustified criticism or treatment：我说了他几句，看样子他挺~的呢。*Wǒ shuōle tā jǐ jù, kàn yàngzi tā tǐng* ~ *de ne.* I criticized him and it seemed that he felt

aggrieved. ｜他无端指责我，我感到非常~. *Tā wúduān zhǐzé wǒ, wǒ gǎndào fēicháng ~.* He criticized me for no reason, and I felt I was wronged. ｜老师的批评虽然有点儿过分，但我并不觉得~. *Lǎoshī de pīpíng suīrán yǒudiǎnr guòfèn, dàn wǒ bìng bù juéde ~.* The teacher is going a little too far in criticizing me, but I don't feel I am wronged. ❷〈动 v.〉使人受委屈 cause sb. to feel wronged：他终于明白了，是自己~了几个同事。 *Tā zhōngyú míngbái le, shì zìjǐ ~le jǐ gè tóngshì.* He was aware finally that it was he who let his colleagues feel wronged. ｜别~这孩子，他没做坏事。 *Bié ~ zhè háizi, tā méi zuò huài shì.* Don't make the child feel wronged. He hasn't done anything bad. ❸〈名 n.〉受委屈的难过感受 grievance：如果你心里有~，就痛快地说出来吧。 *Rúguǒ nǐ xīnli yǒu ~, jiù tòngkuài de shuō chūlái ba.* Please throw out all the grievance if you've any. ｜他受了别人的~却冲我发脾气。 *Tā shòule biéren de ~ què chòng wǒ fā píqi.* He was wronged by others, but vented his spleen on me.

³ **委托** wěituō 〈动 v.〉托付别人或机构代办某事 entrust; delegate：此事~你全权处理。 *Cǐ shì ~ nǐ quánquán chǔlǐ.* I'll entrust you to handle the matter with full authority. ｜他~旅行社买飞机票。 *Tā ~ lǚxíngshè mǎi fēijīpiào.* He entrust the travel agency to buy him an airplane ticket.

² **委员** wěiyuán ❶〈名 n.〉（名míng、位 gè、个 wèi）委员会的成员 member of a committee：我是学生委员会的~. *Wǒ shì xuéshēng wěiyuánhuì de ~.* I am a member of the student union. ｜他当选为本届共青团中央委员会~. *Tā dāngxuǎn wéi běnjiè Gòngqīngtuán Zhōngyāng Wěiyuánhuì ~.* He was elected as a member of current Central Committee of the Youth League. ❷〈名 n.〉被委派担任特定任务的人员 envoy with a special commission：他被委任为师政治~. *Tā bèi wěirèn wéi shī zhèngzhì ~.* He was appointed as the political commissar of the division.

² **卫生** wèishēng ❶〈形 adj.〉能维护和增进健康的 hygienic; sanitary：这是一家很~的饭店。 *Zhè shì yì jiā hěn ~ de fàndiàn.* This is a very clean restaurant. ｜随地吐痰不~. *Suí dì tǔ tán bú ~.* It's not good for health to spit everywhere. ❷〈名 n.〉合乎卫生的状况 hygiene; sanitation：我们要讲~. *Wǒmen yào jiǎng ~.* We should pay attention to hygiene. ｜大家都应保持公共场所的~. *Dàjiā dōu yīng bǎochí gōnggòng chǎngsuǒ de ~.* Everyone should keep the hygiene of public places.

² **卫星** wèixīng ❶〈名 n.〉（个 gè、颗 kē）围绕行星运行的天体 satellite：月亮是地球的~. *Yuèliang shì dìqiú de ~.* The Moon is a satellite of the Earth. ｜太阳系的行星已发现有66颗。 *Tàiyángxì de xíngxīng yǐ fāxiàn yǒu ~ liùshíliù kē.* Sixty-six satellites have been discovered in the solar system. ❷〈名 n.〉像卫星环绕某个中心那样的 something that surrounds a center like a satellite：这个县的许多工厂是城里大企业的~厂。 *Zhège xiàn de xǔduō gōngchǎng shì chéng li dà qǐyè de ~ chǎng.* Many factories in this county are satellite factories of large enterprises in the city. ❸〈名 n.〉特指人造卫星 artificial satellite; man-made satellite：通信~ — *tōngxìn* ~ communications satellite ｜地球同步~ *dìqiú tóngbù* ~ geostationary satellite

¹ **为** wèi ❶〈介 prep.〉指出关心或服务的对象，相当于'给''替' for; in the interest of, same as '给gěi' or '替tì'：~人民服务 — *rénmín fúwù* serve the people ｜你不要总~自己打算。 *Nǐ bú yào zǒng ~ zìjǐ dǎsuàn.* Don't always think for yourself. ｜不~你想，不~我想，你总得~一家子人想想。 *Bú ~ nǐ xiǎng, bú ~ wǒ xiǎng, nǐ zǒng děi ~ yìjiāzirén xiǎngxiang.* You could think of nothing for yourself and me, but you must think for the whole family. ❷〈介 prep.〉指出动作、行为的目的或原因 for the purpose of; for the sake of：~我们的伟大事业奋斗终身！ *~ wǒmen de wěidà shìyè fèndòu zhōngshēn!*

Strive for our great cause all our lives. ｜他~那件事胆战心惊。*Tā ~ nà jiàn shì dǎnzhàn-xīnjīng.* He was scared for that event. ｜我正~此事伤脑筋呢。*Wǒ zhèng ~ cǐ shì shāng nǎojīn ne.* This matter causes me enough headache. ❸〈介 *prep.*〉指动作、行为的所向，相当于'向''对''朝' to, similar to '向xiàng', '对dui' or '朝cháo'：我且~各位细说原委。*Wǒ qiě ~ gè wèi xì shuō yuánwěi.* I will tell all the details to you. ｜这件事只可~少数几个人透透风。*Zhè jiàn shì zhǐ kě ~ shǎoshù jǐ gè rén tòutòu fēng.* You may tell something about it to a limited few people involved. ❹〈动 *v.*〉帮助，卫护 help; defend; protect：他舍己~人，受人尊敬。*Tā shějǐ ~rén, shòu rén zūnjìng.* He won respect from the people because of his sacrificing his own interests for the sake of others. ｜妹妹诚心诚意~大家，反倒落了许多埋怨。*Mèimei chéngxīn-chéngyì ~ dàjiā, fǎndào làole xǔduō mányuàn.* My younger sister incurred much complaint although she merely did the thing for the benefit of everyone.

☞ *wéi*, p. 1014

⁴为何 wèihé〈副 *adv.* 书 *lit.*〉为什么 why; for what reason: 你~不说话？*Nǐ ~ bù shuōhuà?* Why didn't you say a word? ｜离家多日，~无音信？*Lí jiā duō rì, ~ wú yīnxìn?* Why didn't you sent back a message after leaving home for so many days?

¹为了 wèile❶〈动 *v.*〉为着(表示目的) for; for the sake of; in order to: 妈妈整天忙里忙外，还不是~儿子。*Māma zhěngtiān mánglǐ-mángwài, hái bú shì ~ érzi.* Mother is busy all day for her son. ｜农忙季节我们对物候的研究，首先是~预报农时，选择播种日期。*Nóngmáng jìjié wǒmen duì wùhòu de yánjiū, shǒuxiān shì ~ yùbào nóngshí, xuǎnzé bōzhǒng rìqī.* We make the research on phenology in busy farming season in order to forecast the farming season and select the date for seeding firstly. ❷〈介 *prep.*〉指出动作、行为的目的或原因 because; for: ~祖国、~人民，我可以献出生命。*~ zǔguó, ~ rénmín, wǒ kěyǐ xiànchū shēngmìng.* I can dedicate my life to my motherland and my people. ｜~气气他，我故意放声唱歌。*~ qìqì tā, wǒ gùyì fàngshēng chànggē.* I sing loudly intentionally to get him angry. ❸〈连 *conj.*〉表示目的的关系('为了'分句表示目的，另一分句表示采取的行动或措施) for; for the sake of; in order to: ~让她出国深造，母亲拿出了全部积蓄。*~ ràng tā chūguó shēnzào, mǔqīn náchūle quánbù jīxù.* Mother took out all of her savings to let her daughter pursue advanced studies abroad. ｜实在太冷了，~取暖，我只好不断地跺脚。*Shízài tài lěng le, ~ qǔnuǎn, wǒ zhǐhǎo búduàn de duòjiǎo.* It's too cold, and I have no choice but to stamp my feet to warm myself.

¹为什么 wèishénme❶〈副 *adv.*〉问行动的原因或目的 why; why is it that: 你们~不回答我的问题？*Nǐmen ~ bù huídá wǒ de wèntí?* Why don't you answer my questions? ｜他~辞职？*Tā ~ cízhí?* Why did he resign? ｜这是~？*Zhè shì ~?* Why? ❷〈代 *pron.*〉替所要问的问题 why: 你不懂的事，先要问个~。*Nǐ bù dǒng de shì, xiān yào wèn gè ~.* You should ask questions of what you don't understand.

²未 wèi❶〈副 *adv.* 书 *lit.*〉没，没有(与'已'相对) have not; did not (opposite to '已 yǐ'): 天色尚~全黑。*Tiānsè shàng~ quán hēi.* The sky has not become completely dark. ｜我有好几天~和他见面了。*Wǒ yǒu hǎo jǐ tiān ~ hé tā jiànmiàn le.* I have not seen him for several days. ｜你做什么工作，公司尚~决定。*Nǐ zuò shénme gōngzuò, gōngsī shàng ~ juédìng.* The company has not decided what a job to give to you. ❷〈副 *adv.* 书 *lit.*〉不，表示一般的否定 no; not: 详情~知。*Xiángqíng ~ zhī.* We don't know the details. ｜你的前途~可限量。*Nǐ de qiántú ~ kě xiànliàng.* You have boundless prospects. ❸〈名 *n.*〉地支的第八位(地支有子、丑、寅、卯等十二个字，未列第八)；用于顺序的第八；中

国旧时用干支（天干和地支的合称）来表示年、月、日和时的次序 the eighth of the 12 Earthly Branches; Each Heavenly Stem pairs up alternatively with each of the Earthly Branches to form 60 pairs that are used in a recurrent cycle to designate years, months and dates: 2003年为中国农历癸~年。*Èr-líng-líng-sān nián wéi Zhōngguó nónglì kuǐ~ nián.* The year 2003 is the year of *kuiwei* in Chinese lunar calendar.

³ **未必 wèibì** 〈副 *adv.*〉不一定，也许 may not; not necessarily: 难听的话~是坏话。*Nántīng de huà ~ shì huàihuà.* Words irritating to the ear are not necessarily curses. ｜传说的事~可靠。*Chuánshuō de shì ~ kěkào.* Rumours may not be trustworthy. ｜领导~不知道你的建议。*Lǐngdǎo ~ bù zhīdào nǐ de jiànyì.* The leader may know your suggestion.

² **未来 wèilái** ❶〈名 *n.*〉指即将到来的时间（区别于'过去''现在'）coming; approaching; next; future (different from '过去 guòqù' and '现在 xiànzài'): ~两天都是晴天。*~ liǎng tiān dōu shì qíngtiān.* It will be fine in the coming two days. ｜两周内情况会发生变化。*~ liǎng zhōu nèi qíngkuàng huì fāshēng biànhuà.* The situation will change in the coming two weeks. ❷〈名 *n.*〉将来，现在以后的长时间 future; tomorrow: 憧憬美好的~ *chōngjǐng měihǎo de ~* yearn for a brighter future ｜~是属于青年人的。*~ shì shǔyú qīngniánrén de.* Future belongs to the youth. ｜我们会有光明的~。*Wǒmen huì yǒu guāngmíng de ~.* We will have a bright future.

⁴ **未免 wèimiǎn** ❶〈副 *adv.*〉实在是，不能不说是（说话人表示不以为然或提出委婉的批评）rather; a bit too; truly (imply disagreement, objection): 你这样做~太大意了。*Nǐ zhèyàng zuò ~ tài dàyì le.* It was careless of you to behave like this. ｜这话~说得太早了。*Zhè huà ~ shuō de tài zǎo le.* It's too early to say these words. ｜大家说他违反纪律~有点儿过火。*Dàjiā shuō tā wéifǎn jìlǜ ~ yǒudiǎn guòhuǒ.* It is going a bit far to say that he has violated the discipline. ❷〈副 *adv.* 书 *lit.*〉不免 naturally; unavoidably: 他俩初识，~有些拘束。*Tā liǎ chū shí, ~ yǒuxiē jūshù.* It is natural for them to look ill at ease because they just got to know each other.

¹ **位 wèi** ❶〈量 *meas.* 敬 *pol.*〉用于人 a measure word used before people: 各~来宾 *gè ~ láibīn* every guest ｜三~友人 *sān ~ yǒurén* three friends ｜今天家里来了~稀客。*Jīntiān jiā li láile ~ xīkè.* We have a rare visitor at home today. ❷〈名 *n.*〉所在或所占据的地方 place; location: 各就各~ *gèjiùgè~* on your marks ｜我的座~在第二排。*Wǒ de zuò~ zài dì-èr pái.* I have a seat in the second row. ｜医生要在他的心脏部~动手术。*Yīshēng yào zài tā de xīnzàng bù~ dòng shǒushù.* The doctor will make an operation on his heart. ❸〈名 *n.*〉职务或名分 position: 不计名~ *bújì míng~* not care for fame and position ｜他已在领导岗~上任职多年。*Tā yǐ zài lǐngdǎo gǎng~ shang rènzhí duō nián.* He has held a leading post for many years. ｜此人职~很高。*Cǐ rén zhí~ hěn gāo.* The man holds a very high post. ❹〈名 *n.*〉算术上的数位 place; figure; digit: 百~ *bǎi~* triple digit; hundred's place ｜个~ *gè~* single digit; unit's place ｜今年这个市的工业生产仍以两~数地增长。*Jīnnián zhège shì de gōngyè shēngchǎn réng yǐ liǎng ~ shù de zēngzhǎng.* The industrial production of this city still saw a two-digit growth this year. ｜他的财产已达七~数。*Tā de cáichǎn yǐ dá qī ~ shù.* His property has reached seven digits. ❺〈名 *n.*〉专指君主的统治地位 throne: 这国国王已在~多年。*Zhè wèi guówáng yǐ zài ~ duō nián.* The king has been on the throne for many years.

³ **位于 wèiyú** 〈动 *v.* 书 *lit.*〉处于某位置 be located; be situated; lie: 中国~亚洲大陆的东部。*Zhōngguó ~ Yàzhōu dàlù de dōngbù.* China is situated in the east of Asia. ｜北京市~中国华北平原北部。*Běijīng Shì ~ Zhōngguó Huáběi Píngyuán běibù.* Beijing is situated in the northern part of the Northern China Plain. ｜我家~北京市西北部。*Wǒ jiā ~*

Běijīng Shì xīběi bù. My home is in the northwest part of Beijing.

² 位置 wèizhi ❶〈名 n.〉人或物所处或所占的地方 seat; place: 代表们已按指定～坐下。 *Dàibiǎomen yǐ àn zhǐdìng ~ zuòxià.* The delegates have taken the seats as arranged for them. ┃ 这个～太靠后了 *Zhège ~ tài kàohòu le.* The seat is too far away from the stage. ┃ 你们连的阵地还要往前移动。 *Nǐmen lián de zhèndì ~ háiyào wǎng qián yídòng.* The position of your company needs to move further forward. ❷〈名 n.〉地位 station; position; status: 高新技术产业在国民经济中的～已越来越重要。 *Gāoxīn jìshù chǎnyè zài guómín jīngjì zhōng de ~ yǐ yuèláiyuè zhòngyào.* The high and new technology has become more and more important in the national economy. ┃ 唐代诗人李白、杜甫的诗歌在中国文学史上占有重要～。 *Tángdài shīrén Lǐ Bái, Dù Fǔ de shīgē zài Zhōngguó wénxuéshǐ shang zhàn yǒu zhòngyào ~.* The poems of Li Bai and Du Fu, two poets of the Tang Dynasty, occupy an important position in the history of Chinese literature. ❸〈名 n.〉职位 position: 他已坐上厅长的～。 *Tā yǐ zuòshang tīngzhǎng de ~.* He has held the position of the office director. ┃ 这个单位还空缺两个处长的～。 *Zhège dānwèi hái kòngquē liǎng gè chùzhǎng de ~.* There are two vacant positions for section chiefs in this unit.

³ 味 wèi ❶(～儿)〈名 n.〉舌头尝到的味道 taste; flavor: 这道菜的滋～不错。 *Zhè dào cài de zī~búcuò.* This dish is quite tasty. ┃ 打翻了五～瓶,酸、甜、苦、辣、咸都有(比喻心情十分复杂)。 *Dǎfānle wǔ ~ píng, suān, tián, kǔ, là, xián dōu yǒu（bǐyù xīnqíng shífēn fùzá）.* Just like overturning a bottle of five flavors, one will taste such flavors as sour, sweet, bitter, pungent and salty (*fig.* have complicated feelings). ❷(～儿)〈名 n.〉鼻子闻到的气味 smell; odor: 新装修的房子油漆～太重。 *Xīn zhuāngxiū de fángzi yóuqī ~r tài zhòng.* There is a heavy smell of paint in the newly decorated house. ┃ 榴莲～儿不好闻,可很好吃。 *Liúlián ~r bù hǎo wén, kě hěn hǎochī.* Durian has a good taste, but it doesn't smell nice. ┃ 这瓶香水的香～儿全挥发掉了。 *Zhè píng xiāngshuǐ de xiāng ~r quán huīfā diào le.* The perfume in this bottle has all volatilized. ❸(～儿)〈名 n.〉情趣 interest; delight: 津津有～ *jīnjīn-yǒu~* with relish; with gusto ┃ 戏唱得很有～儿。 *Xì chàng de hěn yǒu ~r.* The drama is excellently performed. ┃ 这篇文章语言乏～。 *Zhè piān wénzhāng yǔyán fá~.* The article is dull and light. ❹〈名 n.〉指某类菜肴 delicacies: 美～佳肴 *měi~jiāyáo* delicacy; delicious food ┃ 到郊区旅游可品尝到野～。 *Dào jiāoqū lǚyóu kě pǐncháng dào yě~.* One can taste the game when he has a tour in the outskirts. ❺〈动 v.〉体会,辨别 distinguish the flavor of: 这首诗作耐人寻～。 *Zhè shǒu shīzuò nàirénxún~.* This poem is quite meaningful. ┃ 这篇散文值得细细品～。 *Zhè piān sǎnwén zhídé xìxì pǐn~.* This essay is worth careful reading. ❻〈量 meas.〉中药一种叫一味 for ingredients of a Chinese medicine prescription: 这方子共有11～药。 *Zhè fāngzi gòng yǒu shíyī ~ yào.* The prescription specifies eleven medicinal herbs.

² 味道 wèidao ❶〈名 n.〉味 taste; flavor: 这个菜的～好极了。 *Zhège cài de ~hǎojí le.* This dish is quite delicious. ❷〈名 n. 方 dial.〉气味 odor; smell: 空气里有一股清香的～。 *Kōngqì li yǒu yì gǔ qīngxiāng de ~.* There is a fragrant smell in the air. ❸〈名 n.〉比喻某种情趣、感受、意味 interest; feeling; sense: 这是一部很有～的电视剧。 *Zhè shì yí bù hěn yǒu ~ de diànshìjù.* This is a TV serial of strong interest. ┃ 听到他的女朋友要和他分手的消息,心里有一股说不出的～。 *Tīngdào tā de nǚpéngyou yào hé tā fēnshǒu de xiāoxi, xīnlǐ yǒu yì gǔ shuō bù chū de ~.* When he gets to know that his girl friend is going to part with him, a nondescript feeling comes up in his mind.

⁴ 畏 wèi ❶〈动 v.〉害怕 fear: 无私才能无～。 *Wúsī cái néng wú~.* One will be fearless

only when he is selfless. | 歹徒已~罪自杀。*Dǎitú yǐ ~zuì zìshā.* The gangster has committed suicide to avoid punishment. | 他那副道貌岸然的样子让人望而生~。*Tā nà fù dàomào-ànrán de yàngzi ràng rén wàng'érshēng~.* People will be terrified at the sight of his sanctimonious manner. ❷〈动 v.〉敬服 respect; admire：令人~服 *lìngrén ~fú* respectful | 我非常敬~这位老师。*Wǒ fēicháng jìng~ zhè wèi lǎoshī.* I respect the teacher very much.

⁴ **畏惧** wèijù ❶〈动 v.〉害怕,恐惧 fear; dread：你不要~困难。*Nǐ bú yào ~ kùnnan.* Don't be afraid of difficulties. | 对征途上的任何艰难险阻,他都无所~。*Duì zhēngtú shang de rènhé jiānnán-xiǎnzǔ, tā dōu wúsuǒ ~.* He fears no any hardships when pressing ahead. ❷〈形 adj.〉害怕的样子 fearful：想到死亡,他很~。*Xiǎngdào sǐwáng, tā hěn ~.* He will be in fear when he thinks of death.

² **胃** wèi ❶〈名 n.〉人和某些动物消化器官之一 stomach; one of digestive argans of human being or some animals：我的肠~有病,只能吃流食。*Wǒ de cháng~ yǒu bìng, zhǐnéng chī liúshí.* I have problems with my digestive system, and I can only have liquid diet. | 我经常感到~疼,要去医院作~镜检查。*Wǒ jīngcháng gǎndào ~ téng, yào qù yīyuàn zuò ~jìng jiǎnchá.* I often have a stomachache, and I will go to the hospital to take a gastroscopy. | 最近~口不好。*Zuìjìn ~kǒu bù hǎo.* I have a poor appetite recently. ❷〈名 n.〉二十八宿之一 wei, one of the 28 constellations into which the celestial sphere was divided in ancient Chinese astronomy

¹ **喂** wèi ❶〈叹 interj.〉比较随便地招呼人 hello; hey：~,你找谁? ~, *nǐ zhǎo shéi?* Hey, who are you looking for? | ~,你上哪么去? ~, *nǐ shàng nǎr qù?* Hello, where are you going? | ~,这是怎么一回事呀?~, *zhè shì zěnme yìhuíshì ya?* Hello, what's the matter? ❷〈动 v.〉把食物送进嘴里 send food into the mouth of a person：护士给病人~饭。*Hùshi gěi bìngrén ~ fàn.* The nurse is feeding the patient. | 到时间了,该给孩子~奶了。*Dào shíjiān le, gāi gěi háizi ~ nǎi le.* It is the time to breast-feed the baby. ❸〈动 v.〉喂养(动物) raise; feed (an animal)：牲口~饱了。*Shēngkou ~bǎo le.* The cattle have been fed. | 妈妈在院子里~了几只鸡。*Māma zài yuànzi li ~le jǐ zhī jī.* Mother raises several chickens in the yard.

³ **慰问** wèiwèn〈动 v.〉用话语、行动或物品安抚和问候 express sympathy and solicitude for; extend one's regards to; convey greetings to：~灾民 ~ *zāimín* express sympathy and solicitude for the victims of the natural disaster | 各界代表到医院~伤员。*Gè jiè dàibiǎo dào yīyuàn ~ shāngyuán.* Delegates of all fields went to the hospital to express sympathy and solicitude for the wounded. | 临近春节,市领导走访、~贫困家庭。*Línjìn Chūnjié, shì lǐngdǎo zǒufǎng, ~ pínkùn jiātíng.* The Spring Festival is drawing near, and city government leaders make visits to the poor families.

³ **温** wēn ❶〈形 adj.〉暖和,冷热适中 warm：~泉 ~*quán* hot spring | 这水是~的。*Zhè shuǐ shì ~ de.* The water is warm. | 春天阳光~煦。*Chūntiān yángguāng ~xù.* The sunshine is warm in spring. | 警察一摸被窝还是~的,判断罪犯刚刚逃走。*Jǐngchá yì mō bèiwō háishì ~ de, pànduàn zuìfàn gānggāng táozǒu.* Putting his hand into the folded quilt and feeling that it was still warm, the policeman determined that the criminal had just run away. ❷〈形 adj.〉平和,平顺 gentle; peaceful：~文儒雅 ~*wén-rúyǎ* refined and cultivated | ~良恭俭让 ~*liáng-gōng-jiǎn-ràng* gentle, kind, respectful, frugal and modest | 家里的两只波斯猫~顺可爱。*Jiāli de liǎng zhī bōsīmāo ~shùn kě'ài.* The two Persian cats in my home are gentle and lovely. ❸〈形 adj. 方 dial.〉形容人做事不爽利 或态度不鲜明 not frank; irrelevant; not to the point：这个人太~了,让人急死了。*Zhège*

rén tài ~ le, ràng rén jísí le. The man is so tepid that he will render people anxious. | 你这人做事像一吞水一样。*Nǐ zhè rén zuòshì xiàng ~tūnshuǐ yíyàng.* You are tepid in doing everything. ❹〈动 v.〉稍微加热，使凉的液体变暖 warm up: ~汤 ~ *tāng* warm up the soup | 酒凉了，一一再喝。*Jiǔ liáng le, ~ yì ~ zài hē.* The wine becomes cold, and you should warm it up to drink. | 你这么晚才回来，饭菜都~了几遍了。*Nǐ zhème wǎn cái huílái, fàncài dōu ~le jǐ biàn le.* You come back so late, and the meal has been warmed up several times. ❺〈动 v.〉复习学过的东西或再做过去的事 review; revise: 晚上我把各门功课都~了一遍才睡觉。*Wǎnshang wǒ bǎ gè mén gōngkè dōu ~ le yí biàn cái shuìjiào.* I reviewed all my lessons before I go to bed at night. | 孔子说的 '~故而知新' 这句话很有道理。*Kǒngzǐ shuō de '~ gù ér zhī xīn' zhè jù huà hěn yǒu dàolǐ.* It is quite true of Confucius's words: 'Gaining new knowledge by reviewing old.' | 你还想和她重~旧梦？*Nǐ hái xiǎng hé tā chóng ~ jiùmèng?* Do you still want to renew your old romance with her? ❻〈名 n.〉温度，表示冷热的程度 temperature: 这几天连续高~，~度都在37℃以上。*Zhè jǐ tiān liánxù gāo~, ~dù dōu zài sānshíqī shèshì dù yǐshàng.* It has been quite hot these days, and the temperature is above 37℃. ❼〈名 n.〉中医学病名，称热病 epidemic

³ **温带** wēndài〈名 n.〉地球上南北半球各自的回归线和极圈之间的纬度地带 temperate zone: 中国大部分地区位于北~，气候温和。*Zhōngguó dà bùfen dìqū wèiyú běi ~, qìhòu wēnhé.* The most part of China is located in the northern temperate zone, and the climate is mild.

² **温度** wēndù〈名 n.〉冷热的高低程度 temperature: 北京冬天室内外~相差很大。*Běijīng dōngtiān shì nèiwài ~ xiāngchà hěn dà.* There is a great difference between indoor temperature and outdoor temperature in the winter in Beijing. | 这家宾馆有中央空调，调节室内~很方便。*Zhè jiā bīnguǎn yǒu zhōngyāng kōngtiáo, tiáojié shìnèi ~ hěn fāngbiàn.* The hotel is installed with central heating, and it is very convenient to adjust the indoor temperature. | 今天室外~可能在零下5℃左右。*Jīntiān shì wài ~ kěnéng zài líng xià wǔ Shèshìdù zuǒyòu.* The outdoor temperature is about 5℃ below zero today.

⁴ **温度计** wēndùjì〈名 n.〉（个 gè、支 zhī）测定温度的一种仪表，也叫 '温度表' thermograph; thermometer; meter for measuring temperature, also '温度表wēndùbiǎo': 我用~测试，我家冬天的室内温度一般在18℃左右。*Wǒ yòng ~ cèshì, wǒ jiā dōngtiān de shì nèi wēndù yìbān zài shíbā Shèshìdù zuǒyòu.* The thermometer shows that the indoor temperature in my home is about 18℃ in winter.

³ **温和** wēnhé ❶〈形 adj.〉（气候）冷热适中 temperate; mild; moderate: 这里气候~，四季如春。*Zhèlǐ qìhòu ~, sìjì rú chūn.* The climate here is quite moderate, and it's like spring all seasons. | 老人们沐浴在~的阳光下。*Lǎorénmen mùyù zài ~ de yángguāng xià.* The old men are bathing in the sunshine. ❷〈形 adj.〉（性情、言行等）不严厉，亲切、平和 gentle; mild: 母亲是一个非常~的人。*Mǔqīn shì yí gè fēicháng ~ de rén.* Mother is very gentle. | 他跟人谈话，态度~。*Tā gēn rén tánhuà, tàidù ~.* He talks with people in a gentle manner.

² **温暖** wēnnuǎn ❶〈形 adj.〉气候暖和 (of climate) warm: 屋里很~。*Wū li hěn ~.* It is very warm in the room. | 人们围在篝火旁，感到~和舒服。*Rénmen wéi zài gōuhuǒ páng, gǎndào ~ hé shūfu.* People sat around the campfire and felt warm and comfortable. ❷〈形 adj.〉比喻人际关系的亲和 warm: 这是个~的家庭。*Zhè shì gè ~ de jiātíng.* This is a warm family. | 他语重心长的规劝犹如一股~的热流涌动在我全身。*Tā yǔzhòng-xīncháng de guīquàn yóurú yì gǔ ~ de rèliú yǒngdòng zài wǒ quán shēn.* His

sincere and earnest advisement just likes a gush of warm current running through my body. ❸〈动 v.〉使感到温暖 warm: 炉火~了他冰冷的双手。*Lúhuǒ ~le tā bīnglěng de shuāngshǒu.* The stove fire warmed his ice-cold hands. | 教育战线上的希望工程~了失学孩子的心。*Jiàoyù zhànxiàn shang de Xīwàng Gōngchéng ~le shīxué háizi de xīn.* The Hope Project in the educational line warmed the hearts of children who were unable to attend school.

⁴ **温柔** wēnróu ❶〈形 adj.〉温和柔顺,多形容女性(usu. of a woman)gentle and soft: 这是个~的小姑娘。*Zhè shì gè ~ de xiǎo gūniang.* This is a gentle little girl. | 她既美丽,还有一颗~、善良的心。*Tā jì měilì, háiyǒu yì kē ~、shànliáng de xīn.* She is very beautiful and has a soft and kind heart. ❷〈形 adj.〉温暖柔和 mild: ~的春风吹拂着我们的脸。*~ de chūnfēng chuīfúzhe wǒmen de liǎn.* The mild spring breeze skims over our faces.

⁴ **瘟疫** wēnyì 〈名 n.〉一时流行于人畜的急性传染病 pestilence; acute epidemic; contagious disease: 地震后要预防发生~。*Dìzhèn hòu yào yùfáng fāshēng ~.* Measures should be taken to prevent contagious diseases after an earthquake. | 我家的猪遭了~。*Wǒ jiā de zhū zāole ~.* The pigs we raise suffered a pestilence.

⁴ **文** wén ❶〈名 n.〉字,记录语言的符号 character; script; writing: 外~ wài~ foreign language | 汉~ Hàn~ Chinese language | 中国有将近四千年的有~字可考的历史。*Zhōngguó yǒu jiāngjìn sìqiān nián de yǒu ~zì kě kǎo de lìshǐ.* China has a history of nearly four thousands years, which can be verified by textual researches. ❷〈名 n.〉贯串字句,成为有意思的篇章 literary composition; writing: ~章 ~zhāng writing; article | 散~ sǎn~ essay | 我为他整理~稿。*Wǒ wèi tā zhěnglǐ ~gǎo.* I am packing up the manuscripts for him. ❸〈名 n.〉文言的简称(用古汉语表达的书面语言)literary language; classical language: 半~半白 bàn ~ bàn bái half classical and half vernacular | 中国在20世纪初发起的新文化运动,内容之一就是提倡白话文,反对~言文。*Zhōngguó zài èrshí shìjì chū fāqǐ de Xīn Wénhuà Yùndòng, nèiróng zhīyī jiùshì tíchàng báihuàwén, fǎnduì ~yánwén.* One of the themes of the New Culture Movement initiated at the beginning of the 20th century in China was to advocate vernacular and oppose classical Chinese. ❹〈名 n.〉社会科学,人文科学 social science; liberal arts: ~科 ~kē liberal arts | ~教 ~jiào culture and education | 我学~,他学理。*Wǒ xué ~, tā xué lǐ.* I major in liberal arts and he majors in science. ❺〈名 n.〉文职,文事(与'武'相对)civilian; civil(opposite to '武 wǔ'): 他是个~武兼备的人才。*Tā shì gè ~wǔ jiānbèi de réncái.* He is well versed both in military and civil affairs. | 你~不~,武不武,能做什么呢?*Nǐ ~ bù ~, wǔ bù wǔ, néng zuò shénme ne?* You are not well versed in either military or civil affairs. What can you do then? ❻〈名 n.〉公文 document; archives: ~书档案 ~shū dàng'àn documents and archives | 这包~件请你保存好。*Zhè bāo ~jiàn qǐng nǐ bǎocún hǎo.* Please keep well this package of documents. ❼〈名 n.〉某些自然现象 certain natural phenomena: 水~ shuǐ~ hydrology | 他上知天~,下知地理。*Tā shàng zhī tiān~, xià zhī dìlǐ.* He is quite well versed in everything from astronomy to geography. ❽〈名 n.〉礼节仪式(多指不必要)rite; ritual: 虚~俗套 xū ~ sútào mere and boring conventional formalities | 朋友见面不要搞那些繁~缛节了。*Péngyou jiànmiàn bú yào gǎo nàxiē fán ~-rùjié le.* It's no need to follow those nagging formalities when friends meet together. ❾〈形 adj.〉缓慢的,温和的 mild; soft; refined: ~火煎药 ~huǒ jiān yào decoct medicine with slow fire | 她很~静。*Tā hěn ~jìng.* She is very gentle and quiet. | 这是位~弱书生。*Zhè shì wèi ~ruò shūshēng.* This is a frail scholar. ❿〈形 adj.〉斯文样 refined; gentle: 他摇头晃脑吟诗,装出一副很斯~的样子。*Tā yáotóu-huàngnǎo*

yínshī, zhuāngchū yí fù hěn sī~ de yàngzi. He wagged his head when reciting poems and pretended to be a refined person. ⓫〈动 v.〉在人皮肤上刺画(花纹或字) tattoo; design or word marked on the skin of a person: 中国有些少数民族有~身的习俗. *Zhōngguó yǒuxiē shǎoshù mínzú yǒu ~shēn de xísú.* Some ethnic minorities in China have a tattooing tradition. ⓬〈动 v.〉掩盖;修饰 conceal; hide: ~过饰非 ~*guò-shìfēi* gloss over one's faults; cover up one's errors | 这篇文章经高手~饰过 *Zhè piān wénzhāng jīng gāoshǒu ~shìguo.* This article had been polished by a master-hand. ⓭〈量 meas.〉用于中国旧时的铜钱 a measure word used for copper cash in old times: 三~钱 *sān ~ qián* three coins | 我看这件东西一~不值. *Wǒ kàn zhè jiàn dōngxi yì~bùzhí.* It is not worth even a single coin in my opinion.

¹ **文化 wénhuà** ❶〈名 n.〉指人类创造、积累的物质财富和精神财富的总和 culture; civilization: 传统~ *chuántǒng ~* traditional culture | 服饰~ *fúshì* attire traditions | 饮食~ *yǐnshí* dietary culture | 中外~交流 *Zhōngwài ~ jiāoliú* international cultural exchange between China and other countries | 中国以悠久的历史、灿烂的~著称于世. *Zhōngguó yǐ yōujiǔ de lìshǐ, cànlàn de ~ zhùchēng yú shì.* China is renowned for its long history and splendid culture in the world. | 中国人民创造了具有东方独特韵味的华夏~. *Zhōngguó rénmín chuàngzàole jùyǒu dōngfāng dútè yùnwèi de Huáxià ~.* Chinese people created Chinese culture that emits a unique oriental charm. ❷〈名 n.〉专指精神财富,如科学、教育、文学、艺术等 cultural wealth, such as science, education, literature, arts, etc.: 我们课余有丰富的~生活. *Wǒmen kèyú yǒu fēngfù de ~ shēnghuó.* We have a rich cultural life after school. | 这个~宫规模很大,设有影剧院、游艺厅、图书馆等. *Zhège ~gōng guīmó hěn dà, shè yǒu yǐngjùyuàn, yóuyìtīng, túshūguǎn děng.* This palace of culture is very large in scale and equipped with a cinema, a recreation room and a library. ❸〈名 n.〉语文、科学等知识(多指人文知识) culture; education of Chinese language, science, etc.: ~水平 *shuǐpíng* cultural level; educational level | 他是个大老粗,~不高. *Tā shì gè dàlǎocū, ~ bù gāo.* He is an uncouth fellow of little education. | 他吃了没~的亏,一定要让儿子上大学. *Tā chīle méi ~ de kuī, yídìng yào ràng érzi shàng dàxué.* He has suffered from lack of education and is determined to send his son to university. ❹〈名 n.〉考古学术语,指同一历史时期的遗迹、遗物及其所体现的当时的社会情况 term of archaeology, sites and ruins of a given historical period: 仰韶~ *Yǎngsháo ~* Yangshao culture | 彩陶~ *cǎitáo ~* painted pottery culture | 青铜~*qīngtóng ~* bronze culture

² **文件 wénjiàn** ❶〈名 n.〉(份fèn、个gè)公文、文书的统称 official documents, letters, etc.: 秘书正在起草~. *Mìshū zhèngzài qǐcǎo ~.* The secretary is drafting out a document. | 这份诉讼~长达30页. *Zhè fèn sùsòng ~ cháng dá sānshí yè.* The lawsuit document is as long as 30 pages. | 北京市出台的一份新~, 对海外归来的留学人员有许多优惠待遇. *Běijīng Shì chūtái de yí fèn xīn ~, duì hǎiwài guīlái de liúxué rényuán yǒu xǔduō yōuhuì dàiyù.* A new document has been issued in Beijing to give many favourable treatments to those returning overseas students. ❷〈名 n.〉指阐述理论、讲解时事,宣传政策的文章 articles dealing with political theories, policies on current affairs, etc.: 你要先学好~,吃透精神后再行动.*Nǐ yào xiān xuéhǎo ~, chītòu jīngshén hòu zài xíngdòng.* You should firstly read the document carefully, getting a thorough understanding of it, and then take action accordingly.

⁴ **文盲 wénmáng**〈名 n.〉(个gè)超过上学年龄的不识字的人 illiterate person; illiterate: 我们还要用较长时间来扫除~. *Wǒmen háiyào yòng jiào cháng shíjiān lái sǎochú ~*

We will spend a long time to wipe out illiteracies. │ 一些先进村已没有~。 *Yìxiē xiānjìn cūn yǐ méiyǒu ~.* There are no illiterate people in some developed villages.

² **文明** wénmíng ❶〈名 *n.*〉文化 culture; civilization: 中国各族人民的伟大创造汇成了灿烂的~。 *Zhōngguó gè zú rénmín de wěidà chuàngzào huìchéngle cànlàn de ~.* The great creations of the Chinese people of all ethnic groups formed a splendid culture. │ 我们在建设物质~的同时，必须加强精神~建设。 *Wǒmen zài jiànshè wùzhì ~ de tóngshí, bìxū jiāqiáng jīngshén ~ jiànshè.* While making efforts to enhance the construction of material civilization, we must also work hard to build the spiritual civilization. ❷〈形 *adj.*〉社会发展水平较高，有文化状态的 civilized; with a high stage of development of society and a high level of culture: 原始社会后人类开始进入开化状态，也就是跨入了~的时代。 *Yuánshǐ shèhuì hòu rénlèi kāishǐ jìnrù kāihuà zhuàngtài, yě jiùshì kuàrùle ~ de shídài.* Human beings became civilized after the period of primitive society, that is to say, man came into a civilized age. │ 他举止很~。 *Tā jǔzhǐ hěn ~.* He behaves in a quite civilized manner. │ 在公共汽车上为老年人让座是一种~行为。 *Zài gōnggòng qìchē shang wèi lǎoniánrén ràngzuò shì yì zhǒng ~ xíngwéi.* It is a kind of civilized behavior to offer one's seat to the old on bus. ❸〈形 *adj.*〉指有现代色彩的 modern: ~结婚 *jiéhūn* modern style of wedding │ 过去称话剧为~戏。 *Guòqù chēng huàjù wéi ~xì.* Drama was called modern play in the past.

⁴ **文凭** wénpíng〈名 *n.*〉(张zhāng) 学校发给毕业学生的证书 diploma: 他拿到了大学毕业~，马上要参加工作了。 *Tā nádàole dàxué bìyè ~, mǎshàng yào cānjiā gōngzuò le.* He has got the diploma upon graduation from the university and is going to take a job.

⁴ **文人** wénrén〈名 *n.*〉(位wèi、个gè) 指有文化的人，也泛指知识分子 man of letters; scholar; literati: ~相轻，是旧知识分子的一种恶习。 *~ xiāng qīng, shì jiù zhīshi fènzǐ de yì zhǒng èxí.* It is a bad habit of the old scholars to despise one another. │ 鲁迅先生曾痛斥那些为反动政府帮腔的~是'帮闲~'。 *Lǔ Xùn xiānsheng céng tòngchì nàxiē wèi fǎndòng zhèngfǔ bāngqiāng de ~ shì 'bāngxián ~'.* Mr. Lu Xun once bitterly criticized those scholars who spoke in support of the reactionary government as the 'literary hacks'.

² **文物** wénwù〈名 *n.*〉历代遗留下来的有历史意义或艺术价值的东西 cultural relic; artifact; valuable objects from history: 这件~堪称稀世珍宝。 *Zhè jiàn ~ kānchēng xīshì zhēnbǎo.* This piece of cultural relic can be considered a rare treasure. │ 保护~人人有责。 *Bǎohù ~ rénrén yǒu zé.* It's everyone's responsibility to protect the cultural relics. │ 他盗卖~被判有期徒刑8年。 *Tā dàomài ~ bèi pàn yǒuqī túxíng bā nián.* He was sentenced an eight years of imprisonment for stealing and selling cultural relics.

⁴ **文献** wénxiàn〈名 *n.*〉(份fèn、册cè、套tào) 有历史价值的图书、文件、资料等 document; literature of historic value: 我在旧货市场买到一份重要~。 *Wǒ zài jiùhuò shìchǎng mǎidào yí fèn zhòngyào ~.* I bought an important document in the second-hand market. │ 这家图书馆馆藏中最有价值及特色的首推古籍~。 *Zhè jiā túshūguǎn guǎn cáng zhōng zuì yǒu jiàzhí jí tèsè de shǒu tuī gǔjí ~.* The most valuable and unique collections of this library are ancient books and documents.

¹ **文学** wénxué〈名 *n.*〉用语言文字塑造形象、反映现实、抒发情感的艺术形式 literature: ~通常分为诗歌、散文、小说、戏剧等体裁。 *~ tōngcháng fēn wéi shīgē, sǎnwén, xiǎoshuō, xìjù děng tǐcái.* The literature usualy covers poetry, essays, novels, dramas and so on. │ 中国最早的~成就是编纂于公元前6世纪的一部诗歌总集—《诗经》。 *Zhōngguó zuì zǎo de ~ chéngjiù shì biānzuǎn yú gōngyuán qián liù shìjì de yí bù*

shīgē zǒngjí —'*Shījīng*'. The earliest literature achievement of China is the *Book of Songs*, also called *Shijing*, a complete collection of poems compiled in the 6th century BC. │ 20世纪二三十年代, 以鲁迅为代表的一批进步作家开创了中国现代~事业。*Èrshí shìjì èr-sānshí niándài, yǐ Lǔ Xùn wéi dàibiǎo de yì pī jìnbù zuòjiā kāichuàngle Zhōngguó xiàndài ~ shìyè.* A group of progressive writers, represented by Mr. Lu Xun, started the cause of modern Chinese literature in 1920s and 1930s. │ 目前中国每年约有 800-1,000部长篇小说出版, 反映了本世纪初的~成就与繁荣。*Mùqián Zhōngguó měinián yuē yǒu bābǎi zhì yìqiān bù chángpiān xiǎoshuō chūbǎn, fǎnyìngle běn shìjì chū de ~ chéngjiù yǔ fánróng.* Now, about 800-1,000 novels are published in China every year, which gives expression to the literary achievements and prosperity at the beginning of the current century.

¹ **文学家** wénxuéjiā 〈名 n.〉(位wèi)从事文学创作或研究获得成就的人 writer: 他是一位著名的~。*Tā shì yí wèi zhùmíng de ~.* He is a famous writer. │ ~要用优秀的文学作品影响人、鼓舞人。*~ yào yòng yōuxiù de wénxué zuòpǐn yǐngxiǎng rén, gǔwǔ rén.* The writers should use their excellent works to influence and inspire people.

⁴ **文雅** wényǎ 〈形 adj.〉言谈、举止有修养, 有礼貌 elegant; refined; cultured; polished: 他说话很~。*Tā shuōhuà hěn ~.* He talks in a refined manner. │ 这个人坐无坐相, 站无站样, 举止很不~。*Zhège rén zuò wú zuò xiàng, zhàn wú zhàn yàng, jǔzhǐ hěn bù ~.* The guy did not know how to sit or stand properly and behaved in an unrefined manner.

⁴ **文言** wényán 〈名 n.〉中国古代通用的以古汉语为基础的书面语 classical Chinese; ancient written Chinese: 这老夫子说话, 出口都是之乎者也的~虚词。*Zhè lǎofūzǐ shuōhuà, chūkǒu dōu shì zhī hū zhě yě de ~ xūcí.* The old-fashioned bookworm always speaks with function words that are often used in archaism.

¹ **文艺** wényì 〈名 n.〉文学和艺术的简称, 有时专指文学或表演艺术 general term for literature and art; sometimes esp. referring to literature or art or performance: ~思想 ~ *sīxiǎng* literary and artistic thought │ ~领域 ~ *lǐngyù* literary and artistic field │ ~创作 ~ *chuàngzuò* literary and artistic creation │ ~繁荣 ~ *fánróng* make literature and art prosper │ ~工作者坚持~为最广大的人民群众服务的方向。*~ gōngzuòzhě jiānchí ~ wèi zuì guǎngdà de rénmín qúnzhòng fúwù de fāngxiàng.* The writers and artists should uphold the principle that literature and art must serve the great majority of people. │ 在这次~会演中, 各地竞献精彩节目。*Zài zhè cì ~ huìyǎn zhōng, gè dì jìngxiàn jīngcǎi jiémù.* Every locality competed with one another to offer their best in this joint performance.

¹ **文章** wénzhāng ❶〈名 n.〉(篇piān、段duàn)用文字表达一定内容的成篇的作品 a piece of short writing; article: 这篇~叙事简明扼要。*Zhè piān ~ xùshì jiǎnmíng èyào.* The narration of this article is very brief and to the point. │ ~的主题很鲜明。*~ de zhǔtí hěn xiānmíng.* The article has a distinct theme. │ 我不爱看那些长篇大论的~。*Wǒ bú ài kàn nàxiē chángpiān-dàlùn de ~.* I don't like to read those lengthy writings. ❷〈名 n.〉引申为暗含的意思 hidden meaning; implied meaning: 他的话里大有~。*Tā de huà li dà yǒu ~.* There is much to be implied in his words. ❸〈名 n.〉引申为有干头的事情或值得下力气做的事情 things: 事情刚开个头, 下面的~怎么做还要认真研究。*Shìqíng gāng kāi gè tóu, xiàmian de ~ zěnme zuò háiyào rènzhēn yánjiū.* It is just a beginning and we should make some serious studies on the next move. │ 你没有必要在这件事上大做~。*Nǐ méiyǒu bìyào zài zhè jiàn shì shang dà zuò ~.* You have no need to make an issue of this matter.

² **文字** wénzì ❶〈名 n.〉记录和传达语言的书写符号 characters; script; writing: 汉字是

世界上最古老的~之一。*Hànzì shì shìjiè shang zuì gǔlǎo de ~ zhīyī.* The written Chinese is one of the oldest written languages in the world.　｜中国55个少数民族中，有~的民族有22个，共使用28种。*Zhōngguó wǔshíwǔ gè shǎoshù mínzú zhōng, yǒu ~ de mínzú yǒu èrshí'èr gè, gòng shǐyòng èrshíbā zhǒng ~.* Among the 55 minority ethnic groups in China, 22 have their own written languages, and they use 28 written languages altogether. ❷〈名 n.〉(段duàn、篇piān)文章，文辞 article; diction: 我草草写了这段~，请你帮忙改改。*Wǒ cǎocǎo xiěle zhè duàn ~, qǐng nǐ bāngmáng gǎigai.* I hastily wrote this paragraph. Please revise it for me.　｜他的~功底深厚。*Tā de ~ gōngdǐ shēnhòu.* He has a good command of diction.　｜这篇作文~还算通顺。*Zhè piān zuòwén ~ hái suàn tōngshùn.* This composition is rather coherent.

² **闻** wén ❶〈动 v.〉听见，听到 hear: ~讯而来 *~xùn ér lái* come on hearing the news｜~风而动 *~fēng ér dòng* act without delay upon hearing the news; immediately respond to a call; go into action without delay｜这些都是我~所未~的新鲜事。*Zhèxiē dōu shì wǒ ~suǒwèi~ de xīnxiān shì.* All of these are new things that I have never heard of before.　｜我陪外宾到上海浦东新区访问，所见所~深受鼓舞。*Wǒ péi wàibīn dào Shànghǎi Pǔdōng xīnqū fǎngwèn, suǒjiàn-suǒ~ shēnshòu gǔwǔ.* I accompanied the foreign guests to visit the newly developed area of Pudong in Shanghai and was deeply inspired by what I saw and heard.　｜晚会上的文艺演出，许多节目是群众喜~乐见的。*Wǎnhuì shang de wényì yǎnchū, xǔduō jiémù shì qúnzhòng xǐ~-lèijiàn de.* Many programs of last night's performance appealed to the audience. ❷〈动 v.〉用鼻子辨别气味 smell: 臭不可~ *chòubùkě~* too stinky to smell｜你~~这花儿，多香呀！*Nǐ ~~ zhè huār, duō xiāng ya!* Smell the flowers. How fragrant they are!｜我~到煤气味儿，是不是灶具上的火被风吹灭了？*Wǒ ~dào méiqì wèir, shì bú shì zàojù shang de huǒ bèi fēng chuīmiè le?* I smell the coal gas. Is the fire on the stove blown out by the wind? ❸〈名 n.〉听见的事，消息 news; story: 新~ *xīn~* news｜奇~趣事 *qí~-qùshì* strange and interesting stories｜他的见~渊博。*Tā de jiàn~ yuānbó.* He is quite knowledgeable.｜这件事你都不知道，真是孤陋寡~。*Zhè jiàn shì nǐ dōu bù zhīdào, zhēnshì gūlòu-guǎ~.* You did not know even this thing. How ignorant and ill-informed you are. ❹〈名 n.〉名声，声誉 reputation: 默默无~ *mòmò-wú~* remain in a low profile｜官场不断爆出丑~。*Guānchǎng búduàn bàochū chǒu~.* Scandals emerged unexpectedly and continuously in the officialdom. ❺〈形 adj.〉出名的 well-known; famous: 他是报界~人。*Tā shì bàojiè ~rén.* He is well known in the press.

³ **闻名** wénmíng ❶〈动 v. 书 lit.〉听到名声 be familiar with sb.'s name; know sb. by repute: 我对这位学者~已久。*Wǒ duì zhè wèi xuézhě ~ yǐ jiǔ.* I have known the name of this scholar for a long time. ❷〈动 v.〉有名，名声为大家所知 be well-known; become famous: ~中外 *~zhōngwài* be well-known in the world｜北京的故宫、长城举世~。*Běijīng de Gùgōng, Chángchéng jǔshì ~.* The Imperial Palace and the Great Wall of Beijing are well-known in the world.　｜苏州、杭州的绮丽风光~遐迩。*Sūzhōu, Hángzhōu de qǐlì fēngguāng ~ xiá'ěr.* The beautiful sceneries in Suzhou and Hangzhou are widely known. ❸〈形 adj.〉有名的 well-known; famous; renowned: 这是~的六朝故都南京。*Zhè shì ~ de liù cháo gùdū Nánjīng.* This is Nanjing, a onetime capital for six dynasties.

³ **蚊子** wénzi 〈名 n.〉一种有害昆虫 mosquito: ~能传播多种疾病。*~ néng chuánbō duō zhǒng jíbìng.* Mosquitoes can spread many diseases.　｜在南方，夏天睡觉要挂蚊帐以防~叮咬。*Zài nánfāng, xiàtiān shuìjiào yào guà wénzhàng yǐ fáng ~ dīngyǎo.* In the

south, people will put up mosquito nets before sleeping in summer to avoid mosquito's bites. │我夏天在室外乘凉，总要用扇子拍打~。*Wǒ xiàtiān zài shìwài chéngliáng, zǒngyào yòng shànzi pāidǎ ~.* I always use a fan to flap away mosquitoes when I enjoy the cool outside the door in summer.

³ **吻** wěn ❶〈名 n.〉嘴边，唇边 lips: 亲~ qīn~ kiss │我们分别时互相接了一个~。*Wǒmen fēnbié shí hùxiāng jiēle yí gè ~.* We kissed each other when we said goodbye to each other. ❷〈名 n.〉说话的口气 manner of speaking: 教训人的口~ jiàoxùn rén de kǒu~ tone of scolding │你怎么用这种口~对长者说话呢？*Nǐ zěnme yòng zhè zhǒng kǒu~ duì zhǎngzhě shuōhuà ne?* How can you speak with the elderly in such a manner? ❸〈动 v.〉用嘴唇接触以示亲爱、喜爱 kiss: 妈妈在我脸上~了一下。*Māma zài wǒ liǎn shang ~le yí xià.* Mother kissed me in my face. │运动员激动地~着手中的奖杯。*Yùndòngyuán jīdòng de ~zhe shǒu zhōng de jiǎngbēi.* The athlete excitedly kissed the cup holding in his hands.

² **稳** wěn ❶〈形 adj.〉平稳，固定，不摇晃 steady; firm: 竖起的这根木柱很~。*Shùqǐ de zhè gēn mùzhù hěn ~.* The vertical stake is very firm. │你放的东西不~。*Nǐ fàng de dōngxi bù ~.* The thing that you put is not steady. ❷〈形 adj.〉踏实，沉着，不轻浮 steady: 这个人很~，办事不会出差错。*Zhège rén hěn ~, bànshì bú huì chū chācuò.* The man is very reliable and will not make any mistakes in doing everything. │她的嘴不~，有些事你不要跟她说。*Tā de zuǐ bù ~, yǒuxiē shì nǐ bú yào gēn tā shuō.* She is not tight-lipped. You'd better not tell her everything. ❸〈形 adj.〉一定，可靠，有把握 sure; certain; reliable: 这回男排夺冠是~了。*Zhè huí nán pái duóguàn shì ~ le.* The man's volleyball team will certainly win the championship this time. │月底完工是十拿九~的事。*Yuèdǐ wángōng shì shíná-jiǔ~ de shì.* It will be almost certain that the work will be finished at the end of this month. ❹〈形 adj.〉安定，平静，无波动 stable; calm: 近来她情绪有点儿不~，可能家中发生什么事了。*Jìnlái tā qíngxù yǒudiǎnr bù ~, kěnéng jiā zhōng fāshēng shénme shì le.* Her emotions are unstable recently. Maybe something has happened in her family. │临近决赛，队员们心态都较平~。*Línjìn juésài, duìyuánmen xīntài dōu jiào píng~.* The team members are rather calm when the final game is drawing near. ❺〈动 v.〉使稳定 stabilize; calm: ~住阵脚 ~zhù zhènjiǎo stand firm on one's position │你先~住他，我去报警。*Nǐ xiān ~zhù tā, wǒ qù bàojǐng.* You should first try to put him at ease. I will go to call the police.

⁴ **稳当** wěndang ❶〈形 adj.〉可靠，妥当 reliable; secure; safe: 他做事特别~。*Tā zuòshì tèbié ~.* He handles things reliably. │中国的改革开放跨出的步子很大，又很~。*Zhōngguó de gǎigé kāifàng kuàchū de bùzi hěn dà, yòu hěn ~.* The steps China takes in its reform and opening drive are both big and secure. ❷〈形 adj.〉平稳，牢靠 steady; stable: 你的电视机没放~。*Nǐ de diànshìjī méi fàng ~.* Your television is not put steady.

² **稳定** wěndìng ❶〈形 adj.〉稳固安定 stable; steady: 这家工厂的产品质量一直很~。*Zhè jiā gōngchǎng de chǎnpǐn zhìliàng yìzhí hěn ~.* The quality of products made in this factory remains stable. │洪峰经水库大坝拦截，下游水势和流态都较~。*Hóngfēng jīng shuǐkù dàbà lánjié, xiàyóu shuǐshì hé liútài dōu jiào ~.* The reservoir dam held off the flood peak, so the flow of water became stable at the lower reaches of the river. │大地震后，群众生活这么~，社会秩序这么~，人心这么~，这是各级政府救灾得力的结果。*Dà dìzhèn hòu, qúnzhòng shēnghuó zhème ~, shèhuì zhìxù zhème ~, rénxīn zhème ~, zhè shì gèjí zhèngfǔ jiùzāi délì de jiéguǒ.* After the big earthquake, people's life was very stable, so were the social order and the peoples morale. And all of these were the results

of effective rescue work made by governments at various levels. ❷〈动 v.〉使稳定 stabilize: ~局势 ~*júshì* stabilize the situation｜~市场 ~*shìchǎng* stabilize the market｜这家工厂的分配政策得当，~了职工的情绪。*Zhè jiā gōngchǎng de fēnpèi zhèngcè dédàng, ~le zhígōng de qíngxù.* The factory has adopted a proper distribution policy, which stabilized employee's feelings.

⁴ **稳妥** wěntuǒ〈形 adj.〉稳当，妥贴 safe; reliable: 宁可把困难想得多一点儿，这样办事才比较~。*Nìngkě bǎ kùnnan xiǎng de duō yì diǎnr, zhèyàng bànshì cái bǐjiào ~.* We would rather think more about difficulties, so we can handle things reliably.｜碰到的困难，我们已找到~的解决办法了。*Pèngdào de kùnnan, wǒmen yǐ zhǎodào ~ de jiějué bànfǎ le.* We have found a sure way to overcome the difficulties we came across.

¹ **问** wèn ❶〈动 v.〉拿不知道或不明白的事请人解答 ask; enquire; seek information about: ~路 ~*lù* ask the way｜他~我的名字。*Tā ~ wǒ de míngzi.* He asks about my name.｜不懂就~，不要装懂。*Bù dǒng jiù ~, bú yào zhuāng dǒng.* You should ask when you don't know, but don't pretend to understand.｜不耻下~，是好的学风。*Bùchǐ-xià~, shì hǎo de xuéfēng.* It is a good style of study not to feel ashamed to consult one's subordinates.｜他碰到问题总爱打破砂锅~到底。*Tā pèngdào wèntí zǒng ài dǎ pò shāguō ~ dàodǐ.* He always insists on getting to the bottom of matters when he meets with problems. ❷〈动 v.〉向对方致意，表示关心、抚慰 ask after; enquire after: ~候 ~*hòu* send one's respects or regards to｜慰~ *wèi*~ express sympathy and solicitude for; extend one's regards to｜大娘见到了我总要~这~那，还总爱~我找到了对象没有。*Dàniáng jiàndàole wǒ zǒngyào ~ zhè ~ nà, hái zǒngyào ~ wǒ zhǎodàole duìxiàng méiyǒu.* The old grandma always makes a lot of detailed enquiries as soon as she sees me, and also asks whether I have found a girl friend. ❸〈动 v.〉审讯；查问；责备；追究 interrogate; examine: ~案 ~*àn* try a case; hear a case｜~罪 ~*zuì* denounce; condemn｜他在审~犯人。*Tā zài shěn~fànrén.* He is questioning the criminal.｜这件事情我一定要~明原委。*Zhè jiàn shìqing wǒ yídìng yào ~míng yuánwěi.* I will get clear every detail about the matter.｜好好儿看着他，跑了就唯你是~。*Hǎohāor kānzhe tā, pǎole jiù wéi nǐ shì ~.* You should watch closely over him, and take the responsibility if he runs away. ❹〈动 v.〉管，干预 hold responsible; intervene: 我很少~家里的事。*Wǒ hěn shǎo ~ jiā li de shì.* I seldom bother about things at my house.｜别人的事，我概不过~。*Biéren de shì, wǒ gài bú guò~.* I don't bother about other people's affairs at all.｜他只知死读书，不闻不~国家大事。*Tā zhǐ zhī sǐ dúshū, bùwén-bú~ guójiā dàshì.* He knows only to study mechanically and is indifferent to national affairs. ❺〈介 prep.〉向，跟（某人或某处要东西）ask sb. for sth.: 他~我借钱。*Tā ~ wǒ jiè qián.* He asks me to lend him some money.｜我~他要钱。*Wǒ ~ tā yào qián.* I ask him for the money. ❻〈名 n.〉问题 question; problem: 答非所~ *dáfēisuǒ*~ give an irrelevant answer to question｜晚上预习明天的各门功课，有不少疑~。*Wǎnshang yùxí míngtiān de gè mén gōngkè, yǒu bùshǎo yí~.* I meet with some questions when I prepare tomorrow's lessons at night.

⁴ **问答** wèndá ❶〈动 v.〉提问和回答 question and answer: 他们边~边交流情况。*Tāmen biān ~ biān jiāoliú qíngkuàng.* They exchange questions and answers, while talking about situations. ❷〈名 n.〉（道dào，个gè）问答题 problems to be answered: 这几道~我做不出来。*Zhè jǐ dào ~ wǒ zuò bù chūlái.* I cannot answer these questions.

¹ **问好** wèn//hǎo〈动 v.〉向别人问候安好 send one's regards to; say hello to: 他俩相见，热情握手，互相~。*Tā liǎ xiāngjiàn, rèqíng wòshǒu, hùxiāng ~.* Both of them shake hands enthusiastically and send their regards when they see eath other.｜语文老师病了，

同学们到她家里来~。 *Yǔwén lǎoshī bìng le, tóngxuémen dào tā jiā li lái*. The Chinese teacher is ill, and the students went to her home to express their regards. │请代我向大家~。 *Qǐng dài wǒ xiàng dàjiā ~*. Please send my regards to everyone. │替我向他问个好。 *Tì wǒ xiàng tā wèn gè hǎo*. Please send my regards to him.

² **问候** wènhòu〈动 *v. 书 lit.*〉问好 say hello to; send one's regards to: 他来信~大家。 *Tā láixìn ~ dàjiā*. He sent his regards to us in his letter. │请代我~老人。 *Qǐng dài wǒ ~ lǎorén*. Please send my regards to your parents. │两国领导人互致~。 *Liǎng guó língdǎorén hùzhì ~*. Leaders of the two countries gave their regards to each other.

⁴ **问世** wènshì ❶〈动 *v. 书 lit.*〉指著作出版，与大家见面 (of a work) be published; come off the press: 一部新作~了。 *Yí bù xīn zuò ~ le*. A new work was published. ❷〈动 *v. 书 lit.*〉泛指某些新事物出现 come out: 现在产品更新换代很快，这种电器我想等新品种~后再买。 *Xiànzài chǎnpǐn gēngxīn huàndài hěn kuài, zhèzhǒng diànqì wǒ xiǎng děng xīn pǐnzhǒng ~ hòu zài mǎi*. Nowadays new products are appearing rapidly, and I will not buy a kind of electric appliance until a new model comes out.

¹ **问题** wèntí ❶〈名 *n.*〉要求解答的题目 question; problem; issue: 老师考了我三个~。 *Lǎoshī kǎole wǒ sān gè ~*. The teacher asked me three questions. │这次研讨会欢迎大家多提~。 *Zhè cì yántǎohuì huānyíng dàjiā duō tí ~*. Welcome to raise more questions in this seminar. │你的回答没有抓住~的要领。 *Nǐ de huídá méiyǒu zhuāzhù ~ de yàolǐng*. Your answer is irrelevant to the main point of the question. ❷〈名 *n.*〉需要加以解决的矛盾或疑难 problems; contradictions: 安全~ *ānquán ~* problem of security │医疗保障~ *yīliáo bǎozhàng ~* problem of medical care │要想完成任务，还得从解决大家的思想~着手。 *Yào xiǎng wánchéng rènwù, hái děi cóng jiějué dàjiā de sīxiǎng ~ zhuóshǒu*. We should begin from settling people's ideological problems in order to finish the task. ❸〈名 *n.*〉事故，毛病，困难 trouble; mishap: 我的电脑老出~。 *Wǒ de diànnǎo lǎo chū ~*. There is always something wrong with my computer. │我们工作要细心点儿，尽量避免出~。 *Wǒmen gōngzuò yào xìxīn diǎnr, jǐnliàng bìmiǎn chū ~*. We should be more careful in our work and try our best to avoid any trouble. ❹〈名 *n.*〉事情的关键，要害 key; crucial point: ~在于做事要有恒心。 *~ zàiyú zuòshì yào yǒu héngxīn*. The important thing is that we should be perseverant in work. │重要的~在于主要领导是不是重视。 *Zhòngyào de ~ zàiyú zhǔyào lǐngdǎo shì bú shì zhòngshì*. The important thing is whether the chief leaders attach importance to it. ❺〈名 *n.*〉分门别类的事项 matter; item: 他的报告共讲了三个~。 *Tā de bàogào gòng jiǎngle sān gè ~*. His report related to three points.

³ **嗡** wēng〈拟声 *onom.*〉像昆虫或机械等发出的声音（常叠用） sounds produced by insects or mechines: 发电机~地响。 *Fādiànjī ~ ~ de xiǎng*. The generator is buzzing. │秋天了，苍蝇~不了几天了。 *Qiūtiān le, cāngying ~ ~ bù liǎo jǐ tiān le*. Autumn has come, and the flies will not buzz around for long.

⁴ **窝** wō ❶〈名 *n.*〉〈个 gè〉禽兽、昆虫住的地方 (of animals, insects) lair; den; nest: 猪~ *zhū~* pigsty │狗~ *gǒu~* doghouse │小鸟在树上做了个~。 *Xiǎo niǎo zài shù shang zuòle gè ~*. The bird built a nest in the tree. ❷〈名 *n.*〉〈个 gè〉比喻坏人盘踞的地方 place where evildoers get together; lair: 贼~ *zéi~* thieves' den │土匪~ *tǔfěi~* bandits' lair │犯罪团伙的~就在那边山洞里。 *Fànzuì tuánhuǒ de ~ jiù zài nàbian shāndòng li*. The group of criminals lived in the mountain cave over there. ❸(~儿)〈名 *n.*〉〈个 gè〉人的住处，有笑谑的意味 place where a person live: 你三十多岁的人了，也该有个~儿了。 *Nǐ sānshí hǎojǐ de rén le, yě gāi yǒu gè ~r le*. You are over thirty years old and should have a

family. | 金~银~，不如自己的穷~(指再富有的地方也没有自己的家好)。Jīn ~ yín ~, bùrú zìjǐ de qióng ~ (zhǐ zài fùyǒu de dìfang yě méiyǒu zìjǐ de jiā hǎo). Both the golden lair and the silver den cannot compare with one's own poor home (The wealthy place is not as good as one's own home). ❹〈~儿〉〈名 n.〉人或物所占或所在的位置 place occupied by a human body or an object：他坐在办公室半天没动~儿。Tā zuò zài bàngōngshì bàntiān méi dòng ~r. He has just sat in his office for a long time. | 这沙发放在这里碍事，得挪个~儿。Zhè shāfā fàng zài zhèli àishì, děi nuó gè ~r. The sofa is placed in the way. Let's move it to another place. ❺〈~儿〉〈名 n.〉人体或物体凹陷的地方 hollow place; hollow part：山~儿 shān~r tucked-away mountain area | 玉米面~头 yùmǐ miàn ~tóu steamed corn bread | 她一笑，脸上露出两个小酒~儿。Tā yí xiào, liǎn shang lòuchū liǎng gè xiǎo jiǔ~r. She smiles with two dimples in her face. ❻〈动 v.〉隐藏罪犯或脏物 harbor; shelter：~脏 ~zāng harbor loot | 他~藏了坏人。Tā ~cángle huàirén. He sheltered the evildoer. ❼〈动 v.〉人力、物力闲着得不到发挥；情绪郁结得不到发泄 hold in：~工 ~gōng holdup in work through poor organization | 仓库里~着一批次品。Cāngkù li ~zhe yì pī cìpǐn. A batch of defective products have been overstocked in the storage. | 有话就说，可别~在心里。Yǒu huà jiù shuō, kě bié ~ zài xīn li. Speak out if you have something in mind. ❽〈动 v.〉弄弯，使弯曲 bend：他用铁丝~了一个弹弓。Tā yòng tiěsī ~le yí gè dàngōng. He bent the iron wire into a slingshot. ❾〈量 meas.〉用于一胎所生或一次孵出的动物 a measure word used for animals; litter; brood：一~小兔 yì ~ xiǎo tù a brood of leveret | 两~小鸡 liǎng ~ xiǎo jī two broods of chicken

窝囊 wōnang ❶〈形 adj.〉心里受了委屈不痛快 feel vexed; be annoyed：他被人冤枉，感到很~。Tā bèi rén yuānwang, gǎndào hěn ~. He felt vexed when he was treated unjustly by others. | 我做了好事不落好，越想越~。Wǒ zuòle hǎoshì bú làohǎo, yuè xiǎng yuè ~. My good deeds are taken for ill intent, which makes me feel quite vexed, when I think of it. ❷〈形 adj.〉形容人能力低，胆小怕事 good for nothing; hopelessly stupid：她很~，怕这怕那的。Tā hěn ~, pà zhè pà nà de. She is good-for-nothing and is always afraid of anything. | 看你这副~样，真让人生气。Kàn nǐ zhè fù ~ yàng, zhēn ràngrén shēngqì. Look at your hopelessly stupid manner, it really makes me feel angry.

我 wǒ ❶〈代 pron.〉第一人称单数，说话人自称 I; me：~买了一本书。~ mǎile yì běn shū. I bought a book. | ~明天去广州出差。~ míngtiān qù Guǎngzhōu chūchāi. I will go on a business trip to Guangzhou tomorrow. | ~的书包丢在操场上了。~ de shūbāo diū zài cāochǎng shang le. I left my schoolbag on the playground. | 星期天出去玩儿，别忘了叫~。Xīngqītiān chūqù wánr, bié wàngle jiào ~. Don't forget to call me when you go out sightseeing on Sunday. ❷〈代 pron.〉指我们 we; us; our：~国地大物博。~ guó dìdà-wùbó. Our country has a vast territory and abundant resources. | ~军威武雄壮。~ jūn wēiwǔ xióngzhuàng. Our armed forces are full of power and grondeur. | 厂产品已远销欧洲。~ chǎng chǎnpǐn yǐ yuǎn xiāo Ōuzhōu. The products of our factory have been sold to Europe. ❸〈代 pron.〉指我方 (多用在跟敌方对比的场合) our side (oft. used to compare with enemy)：现在敌~双方呈僵持状态。Xiànzài dí ~ shuāng fāng chéng jiāngchí zhuàngtài. Our side is at a stalemate with the enemy. | 敌人溃退了，~乘胜追击。Dírén kuìtuì le, ~ chéngshèng zhuījī. The enemy troops beat a retreat in utter confusion and our troops were in hot pursuit. ❹〈代 pron.〉己，自己 self：他是靠自~奋斗成才的。Tā shì kào zì~ fèndòu chéngcái de. He became a talented person through hard work. | 我们要发扬批评和自~批评的好作风。Wǒmen yào fāyáng pīpíng hé zì~ pīpíng de hǎo zuòfēng. We should carry forward the good style of criticism and self-criticism. |

大家应该学习他这种无私忘~的精神。*Dàjiā yīnggāi xuéxí tā zhè zhǒng wúsī wàng~ de jīngshén.* Everyone should learn from his spirit of selflessness. ❺ 〈代 *pron.*〉无特定对象，虚指某人 somebody：节日期间亲友互访，你来~往挺热闹。*Jiérì qījiān qīnyǒu hùfǎng, nǐlái~~wǎng tǐng rènao.* Relatives and friends come and go to visit each other during the holidays. | 会上你一言，~一语，意见纷纷。*Huì shang nǐ yì yán, ~ yì yǔ, yìjiàn fēnfēn.* In the meeting people talked excitedly to air their opinions.

¹ **我们** wǒmen ❶〈代 *pron.*〉第一人称复数，包括说话人自己在内的一些人 we; us：~都是大学生。*~ dōu shì dàxuéshēng.* We are all college students. | ~的前途光明灿烂。*~ de qiántú guāngmíng cànlàn.* We have a bright and splendid future. | 车间主任把任务交给了~。*Chējiān zhǔrèn bǎ rènwù jiāo gěile ~.* The dirctor of the workshop assigned the task to us. ❷〈代 *pron.* 口 *colloq.*〉指我（带感情色彩）referring to oneself：那口子，一个大男人把家务活全包圆儿了。*~ nà kǒuzi, yí gè dà nánrén bǎ jiāwùhuó quán bāoyuánr le.* My husband does all the household chores at home. ❸〈代 *pron.* 口 *colloq.*〉指你们或你（说话人称受话对象为'我们'，表示自己也置于其中，以示亲切）referring to you (to express intimacy between the speaker and listeners)：同志们！~是当编辑的，~的工作特点就是默默无闻地为他人作嫁衣裳。*Tóngzhìmen! ~ shì dāng biānjí de, ~ de gōngzuò tèdiǎn jiù shì mòmòwúwén de wèi tārén zuò jiàyīshang.* Comrades, as editors, we should sew the bottom drawer for others without attracting public attention for our own. | ~当干部的，应该事事带头。*~ dāng gànbù de, yīnggāi shìshì dàitóu.* As cadres, we should take the lead in everything.

W

³ **卧** wò ❶〈动 *v.*〉睡下，躺着 lie：~倒 ~dǎo lie down; take a prone position | 你别总在床上~着。*Nǐ bié zǒng zài chuáng shang ~zhe.* Don't always lie in bed. | 他病得不轻，已~床不起。*Tā bìng de bù qīng, yǐ ~chuáng bù qǐ.* He is seriously ill and becomes bedridden. ❷〈动 *v.*〉动物趴着 (of animals or birds) crouch; sit：小狗~在主人脚旁。*Xiǎo gǒu ~ zài zhǔrén jiǎo páng.* The puppy is sitting at the side of its master's feet. | 小花猫~在沙发上。*Xiǎo huā māo ~ zài shāfā shang.* The pussy is lying in the sofa. | 这里是藏龙~虎之地(比喻潜藏有未发现的人才)。*Zhèli shì cánglóng~~hǔ zhī dì (bǐyù qiáncáng yǒu wèi fāxiàn de réncái).* Hidden dragons and crouching tigers can be found here (fig. talented people are to be found). ❸〈动 *v.* 方 *dial.*〉把鸡蛋去壳放入牛奶、汤或水里煮 poach (eggs)：别忘了在牛奶里~个鸡蛋。*Bié wàngle zài niúnǎi li ~ gè jīdàn.* Don't forget to poach an egg in milk. ❹〈形 *adj.*〉睡觉用的 for sleeping in：~具 ~jù bedding | ~室 ~shì bedroom | ~榻之旁岂容他人鼾睡(比喻自己的利益范围决不容许他人侵犯)。~tà zhī páng qǐ róng tārén hānshuì (bǐyù zìjǐ de lìyì fànwéi jué bù róngxǔ tārén qīnfàn). How can one tolerate someone else snoring by his's bedside (fig. do not allow other people to invade one's sphere of influence)? ❺〈名 *n.*〉指火车上的床位 sleeping berth：硬~ yìng~ hard berth | 软~ ruǎn~ soft berth

⁴ **卧室** wòshì〈名 *n.*〉(间jiān)供人睡觉的房间 bedroom：她精心布置了自己的小~。*Tā jīngxīn bùzhìle zìjǐ de xiǎo ~.* She elaborately decorated her small bedroom. | 这间套房，外面是客厅，里面是~。*Zhè jiān tàofáng, wàimian shì kètīng, lǐmian shì ~.* This is a flat with a living room outside and a bedroom inside.

² **握** wò ❶〈动 *v.*〉手指向掌心弯曲拿住、攥住 hold; grasp：他~着一支笔。*Tā ~zhe yì zhī bǐ.* He holds a pen in his hand. | 老人~了根拐杖走路。*Lǎorén ~le gēn guǎizhàng zǒulù.* The old man walks with a stick in his hand. | 哨兵紧~手中枪。*Shàobīng jǐn ~ shǒu zhōng qiāng.* The guard holds the gun firmly in his hands. ❷〈动 *v.*〉手指弯曲成拳头 make a fist; clench one's fist; bend one's fingers into a fist：他~起拳头想打我。*Tā ~qǐ*

quántou xiǎng dǎ wǒ. He made a fist to beat me. ❸〈动 v.〉比喻掌管、控制 hold; grasp：胜券在～。*Shèngquàn zài ~.* Success is within one's grasp. | 他在公司里～有实权。*Tā zài gōngsī li ~ yǒu shíquán.* He holds real power in the company.

¹**握手** wò//shǒu〈动 v.〉一种礼节，双方伸出右手互相握住 shake hands; clasp hands：两人在机场见面，热情～、拥抱。*Liǎng rén zài jīchǎng jiànmiàn, rèqíng ~, yōngbào.* They two warmly shake hands and embrace eath other when they meet in the airport. | 他握了握我的手，向我表示祝贺。*Tā wòle wò wǒ de shǒu, xiàng wǒ biǎoshì zhùhè.* He shakes hands with me and expresses his congratulations. | 我高兴使劲握着他的手不放。*Wǒ gāoxìng de shǐjìn wòzhe tā de shǒu bú fàng.* I was so delighted that I held his hand tightly and did not let it go. | 他俩又一言欢了(多形容不和以后又言归于好)。*Tā liǎ yòu ~ yánhuān le*（*duō xíngróng bùhé yǐhòu yòu yánguīyúhǎo*）. They two shake hands and make up (usu. *fig.* become reconciled).

⁴**乌鸦** wūyā〈名 n.〉一种羽毛黑色、叫声难听的鸟 crow：大家都讨厌～，认为是不祥之鸟。*Dàjiā dōu tǎoyàn ~, rènwéi shì bùxiáng zhī niǎo.* People dislike crow and believe that it is an inauspicious bird. | 人们通常说的"天下～一般黑"，就比喻不管什么地方的坏人，都是一样的坏。*Rénmen tōngcháng shuō de 'tiānxià ~ yìbān hēi', jiù bǐyù bùguǎn shénme dìfang de huàirén, dōu shì yíyàng de huài.* People usually say that crows everywhere are equally black, which means that evildoers are the same everywhere.

⁵**乌云** wūyún ❶〈名 n.〉（片 piàn、块 kuài、团 tuán）乌黑的云 black clouds; dark clouds：满天～，快要下暴雨了。*Mǎn tiān ~, kuài yào xià bàoyǔ le.* The sky is covered up with dark clouds. A rainstorm is drawing near. | 大风吹散了～。*Dà fēng chuīsànle ~.* The wind blew off the dark clouds. ❷〈名 n.〉比喻险恶或黑暗的形势 *fig.* dark or adverse situation：那个地区正弥漫着战争的～。*Nàge dìqū zhèng mímànzhe zhànzhēng de ~.* The area was covered with dark clouds of war. | ～蔽日总是暂时的(比喻黑暗势力一时猖獗)。*~ bì rì zǒngshì zànshí de*（*bǐyù hēi'àn shìlì yìshí chāngjué*）. Dark clouds can only temporarily shut out the sun (*fig.* The dark force is savage temporarily).

³**污** wū ❶〈形 adj.〉脏，不洁 dirt; filth：小河沟里有～水。*Xiǎo hégōu li yǒu ~ shuǐ.* Dirty water flows in the river. | 泥浊水(比喻腐朽、反动的东西)～ní-zhuóshuǐ（*bǐyù fǔxiǔ, fǎndòng de dōngxi*）filth and mire (*fig.* backward, rotten and reactionary things) | 这个人很不文明，一张口就是～言秽语。*Zhège rén hěn bù wénmíng, yì zhāng kǒu jiùshì ~yán-huìyǔ.* The guy is bad mannered and always speaks with dirty words. ❷〈形 adj.〉品格上的不洁 corrupt：贪官～吏受到惩处，大快人心。*Tānguān-~lì shòudào chéngchǔ, dàkuài-rénxīn.* Corrupt officials were punish to the great satisfaction of the people. ❸〈动 v.〉弄脏，使不洁净 defile; smear：～损 ~sǔn defile | 这家工厂～染环境，被勒令关闭。*Zhè jiā gōngchǎng ~rǎn huánjìng, bèi lèlìng guānbì.* The factory has polluted the environment and is ordered to close. ❹〈动 v.〉侮辱，使受耻辱 humiliate; insult：奸～妇女 jiān~fùnǚ rape a woman | 我无端遭受～辱，非常生气。*Wǒ wúduān zāoshòu ~rǔ, fēicháng shēngqì.* I was so angry for being insulted for no reason. ❺〈名 n.〉脏东西 dirt; filth; dirty things：血～ xuè ~ blood stain | 藏垢纳～(比喻包藏坏人坏事)cánggòu-nà-（*bǐyù bāocáng huàirén huàishì*）a vehicle for filth (*fig.* shelter evil people and evil practices)

⁴**污蔑** wūmiè〈动 v.〉造谣中伤，损害别人名誉 slander; vilify; calumniate; smear：他～保姆偷了钱。*Tā ~ bǎomǔ tōule qián.* He calumniated the nurserymaid of stealing money. | 你难道不觉得～别人是可耻的行为吗？*Nǐ nándào bù juéde ~ biérén shì kěchǐ de xíngwéi ma?* Don't you think that slandering others is a shameful deed?

² **污染** wūrǎn ❶〈动 v.〉使人或物体沾染上有害物质 pollute; contaminate：一些小型造纸厂排放的污水~了河道。Yìxiē xiǎoxíng zàozhǐchǎng páifàng de wūshuǐ ~le hédào. The dirty water discharged from some small paper mills polluted the river. │ 城市里许多大烟囱冒着黑烟严重~空气。Chéngshì li xǔduō dà yāncōng màozhe hēi yān yánzhòng ~ kōngqì. The black smoke belched out from many big chimneys in the city seriously polluted the air. │ 这个山清水秀的山村被~得不像样子了。Zhège shānqīng-shuǐxiù de shāncūn bèi ~ de bú xiàng yàngzi le. The once picturesque mountain village has been seriously polluted. ❷〈动 v.〉指抽象的、精神范畴的东西受到侵害 stain; blemish; smear：有些球迷语言粗俗，~了我们的语言。Yǒuxiē qiúmí yǔyán cūsú, ~le wǒmen de yǔyán. Some football fans speak with coarse words that blemish our language. │ 有些人用不健康的思想、不健康的作品、不健康的表演，来~人们的灵魂。Yǒuxiē rén yòng bú jiànkāng de sīxiǎng, bú jiànkāng de zuòpǐn, bú jiànkāng de biǎoyǎn, lái ~ rénmen de línghún. Some people use unhealthy ideas, works and performances to stain people's souls. ❸〈名 n.〉空气、土壤、水源等受到污染的现象 pollution：这种~很可怕。Zhè zhǒng ~ hěn kěpà. This kind of pollution is very terrible. │ 我们要加强环境治理，防止各种~。Wǒmen yào jiāqiáng huánjìng zhìlǐ, fángzhǐ gèzhǒng ~. We should enforce the environmental control to prevent all kinds of pollution.

⁴ **巫婆** wūpó〈名 n.〉(个 gè)用巫术为人祈求求神的女人 witch; sorceress：我们应该相信科学，别信~的巫术。Wǒmen yīnggāi xiāngxìn kēxué, bié xìn ~ de wūshù. We should believe in science, and not the sorcery of witches. │ ~装神弄鬼替人看病，实在滑稽可笑。~ zhuāngshén-nòngguǐ tì rén kànbìng, shízài huájī kěxiào. It is so ridiculous for that witch who is pretending to treat people by performing a supernatural being.

⁴ **呜咽** wūyè ❶〈动 v.〉小声哭泣 sob; whimper：听到妈妈去世的消息，她悲伤得满下了眼泪，声音也~了。Tīngdào māma qùshì de xiāoxi, tā bēishāng de tǎngxiàle yǎnlèi, shēngyīn yě ~ le. On hearing her mother's death, she shed tears sadly and sobbed. ❷〈动 v.〉比喻发出让人感到凄切的声响 weep; wail; lament; mourn：江水~，他更感到无比悲凉。Jiāng shuǐ ~, tā gèng gǎndào wúbǐ bēiliáng. The weeping river made him feel even more sorrowful. │ 青松~，流水~，似乎都在为这位伟人哀悼。Qīngsōng ~, liúshuǐ ~, sìhū dōu zài wèi zhè wèi wěirén āidào. It seemed that the green pines and the running river were weeping in grief over the death of this great man.

³ **诬蔑** wūmiè ❶〈动 v.〉捏造事实诋毁他人 slander; vilify; calumniate; smear：这家伙经常造谣~别人。Zhè jiāhuo jīngcháng zàoyáo ~ biérén. The guy often slanders others. │ 他竟敢肆意~我，我一定要诉诸法律。Tā jìnggǎn sìyì ~ wǒ, wǒ yídìng yào sùzhū fǎlǜ. He dares to calumniate me wilfully. I shall bring him to law. ❷〈名 n.〉诋毁他人的不实之词 slander; smear：这些话纯属~。Zhèxiē huà chún shǔ ~. All these words are simply slanders.

⁴ **诬陷** wūxiàn〈动 v.〉捏造事实，诬告陷害他人 frame a case against; frame sb.：他作伪证，~被告。Tā zuò wěizhèng, ~ bèigào. He provides false evidence to frame the accused. │ 这伙坏人~我历史上有问题，使我蒙冤多年。Zhè huǒ huàirén ~ wǒ lìshǐ shang yǒu wèntí, shǐ wǒ méngyuān duō nián. Those bad men framed me with historical problems, and I was wronged for many years because of it.

² **屋** wū ❶〈名 n.〉房舍 house：房~fáng~; houses; buildings │ 北京那些大~顶建筑颇有古色古香情调。Běijīng nàxiē dà~dǐng jiànzhù pō yǒu gǔsè-gǔxiāng qíngdiào. Those rooftop architectures of Beijing show an air of antiquity. │ 农民早就不住茅草~了。Nóngmín zǎo jiù bú zhù máocǎo ~ le. The farmers did not live in the thatched cottage

long ago. ｜~漏偏遭连夜雨(比喻人本来境遇就不好, 偏又遭到更大的打击或不幸). ~ lòu piān zāo lián yè yǔ (*bǐyù rén běnlái jìngyù jiù bù hǎo, piān yòu zāodào gèng dà de dǎjī huò búxìng*). The leaking house meets with rainy days (*fig.* A person who is in a bad circumstance suffers from an additional disaster). ❷ 〈名 *n.*〉房间 room: 我家的堂~很大. *Wǒ jiā de táng ~ hěn dà.* The central room of my house is very large. ｜一间小~只能放下一床一桌. *Yì jiān xiǎo ~ zhǐnéng fàngxià yì chuáng yì zhuō.* A small room can only hold one bed and one table.

¹ **屋子** wūzi〈名 *n.*〉(间jiān)房间 room: 这间~小了点儿, 但洁净、雅致. *Zhè jiān ~ xiǎole diǎnr, dàn jiéjìng, yǎzhì.* This room is a little bit too small but very clean and ingenious. ｜他的东西乱七八糟地放了一~. *Tā de dōngxi luànqībāzāo de fàngle yì ~.* His things are put in an aweful mess in the room. ｜咱们到~里谈吧. *Zánmen dào ~ li tán ba.* Let's talk in the room.

² **无** wú ❶〈动 *v.*〉没有, 不存在(与'有'相对) no; not (opposite to '有 yǒu'): ~法~*fǎ* unable; incapable; no way ｜~力~*lì* unable; incapable; powerless ｜~中生有~*zhōng-shēngyǒu* purely fictitious; fabricated ｜从~到有 *cóng ~ dào yǒu* start from scratch ｜可有可~ *kě yǒu kě ~* optional; may or may not be needed ｜有备~患. *Yǒubèi~huàn.* Where there is precaution, there is no danger. / Preparedness averts peril. ｜他胸~大志, 一生碌碌~为. *Tā xiōng~dàzhì, yìshēng lùlù~wéi.* He has no lofty ideal in his mind and leads a vain and humdrum life all his life. ｜他~忧~虑, ~拘~束, 生活得很自在. *Tā yōu~~lù, ~jū~~shù, shēnghuó de hěn zìzài.* He leads a free and easy life and feels carefree and unconstrained. ❷〈副 *adv.*〉不；不论 no matter what; regardless of ; irrespective of: 如果战争打响, 那就地~分南北, 人~分老幼,~论何人皆有守土抗敌之责. *Rúguǒ zhànzhēng dǎxiǎng, nà jiù dì ~ fēn nán běi, rén ~ fēn lǎo yòu, ~lùn hé rén jiē yǒu shǒutǔ kàngdí zhī zé.* If the war begins, everyone has the responsibility to guard our territory against the enemy, whether he is from south or from north, old or young. ｜事~大小, 他都亲自动手. *Shì ~ dà xiǎo, tā dōu qīnzì dòngshǒu.* He will do everything himself, whether it is big or small. ❸〈词头 *pref.*〉放在名词前, 再和后面的名词或动词组成词组 used before a noun to form now words: ~线电 ~*xiàndiàn* radio; wireless ｜~产者~*chǎnzhě* proletarian ｜~影灯 ~*yǐngdēng* shadowless lamp ｜~线寻呼~*xiàn xúnhū* wireless call ｜~条件赔偿 ~*tiáojiàn péicháng* compensate without preconditions

W

³ **无比** wúbǐ ❶〈形 *adj.*〉无可比拟 incomparable; unparalleled; matchless; nothing else can compare with: 我们的战略方针威力~. *Wǒmen de zhànlüè fāngzhēn wēilì ~.* Our strategic principle is incomparably powerful. ｜面对凶暴的敌人, 人们怀着~的仇恨. *Miànduì xiōngbào de dírén, rénmen huáizhe ~ de chóuhèn.* People kept unparalleled hatred against the fierce enemy. ｜汹涌的洪水像一座大山一样压了过来. *Xiōngyǒng ~ de hóngshuǐ xiàng yí zuò dà shān yíyàng yāle guòlái.* The turbulent flood rushed down like a large mountain. ❷〈副 *adv.*〉极其(表示程度极高) most; very; extremely: 人民的力量~强大. *Rénmín de lìliàng ~ qiángdà.* The strength of people is very powerful. ｜我们的生活~幸福. *Wǒmen de shēnghuó ~ xìngfú.* We lead a very happy life. ｜好消息传来, 大家兴奋~. *Hǎo xiāoxi chuánlái, dàjiā xīngfèn ~.* People are extremely excited on hearing the good news.

³ **无产阶级** wúchǎn jiējí〈名 *n.*〉即工人阶级, 指不占有生产资料的劳动者阶级 proletariat; working class: 中国~和广大的农民有一种天然的联系. *Zhōngguó ~ hé guǎngdà de nóngmín yǒu yì zhǒng tiānrán de liánxì.* The Chinese proletariat has a natural connection with the numerous peasants. ｜中国的知识分子在总体上已成为~的一部

分。*Zhōngguó de zhīshi fènzǐ zài zǒngtǐ shang yǐ chéngwéi ~ de yí bùfen.* Generally speaking the Chinese intellectuals have become a part of the working class.

无偿 wúcháng 〈形 *adj.*〉不附带要求或代价的；没有报酬的 free; gratis; gratuitous：中国在力所能及的范围内对有的国家提供~援助。*Zhōngguó zài lìsuǒnéngjí de fànwéi nèi duì yǒu de guójiā tígòng ~ yuánzhù.* China provides free aid to some countries within its ability. | 一批志愿者为残疾人~服务。*Yì pī zhìyuànzhě wèi cánjírén ~ fúwù.* A group of volunteers provide free services for those handicapped.

无耻 wúchǐ 〈形 *adj.*〉不知或不顾羞耻 shameless; brazen; impudent：这是个~之徒。*Zhè shì gè ~ zhī tú.* This is a shameless person. | 这班人可以算得~之尤了。*Zhè bān rén kěyǐ suàn dé ~ zhī yóu le.* These people may be brazen in the extreme.

无从 wúcóng 〈副 *adv.*〉表示做事没有找到办法或没有理由头绪 have no way of doing sth.; not be in a position：一大堆杂乱的资料要整理，真让我~下手。*Yí dà duī záluàn de zīliào yào zhěnglǐ, zhēn ràng wǒ ~ xiàshǒu.* A pile of disorderly materials needs classifying, and I really don't know where to start. | 他早已离家出走，~打听他的下落。*Tā zǎoyǐ lí jiā chūzǒu, ~ dǎtīng tā de xiàluò.* He has gone away from his home for a long time, and we don't know how to get to know his whereabouts. | 事情复杂得很，一时~说起。*Shìqíng fùzá de hěn, yìshí ~ shuōqǐ.* It is very complicated, and I don't know where to begin.

无法 wúfǎ 〈副 *adv.*〉没法子 unable; incapable; no way：你的要求我~答应。*Nǐ de yāoqiú wǒ ~ dāyìng.* I cannot consent to your requirement. | 他出国的愿望~实现了。*Tā chūguó de yuànwàng ~ shíxiàn le.* His wish of studying abroad cannot be realized. | 这道题太难了，我一时还~解答。*Zhè dào tí tài nán le, wǒ yìshí hái ~ jiědá.* The problem is so difficult that I cannot answer it for the time being.

无非 wúfēi 〈副 *adv.*〉只不过，表示没什么特别的 nothing but; no more than; simply; only：我说这些话~是为你好。*Wǒ shuō zhèxiē huà ~ shì wèi nǐ hǎo.* What I said is simply for you good. | 他批评你，~是想帮助你进步。*Tā pīpíng nǐ, ~ shì xiǎng bāngzhù nǐ jìnbù.* He criticizes you for nothing but simply wants to help you make progress. | 你~英语成绩比我好一点儿。*Nǐ ~ Yīngyǔ chéngjì bǐ wǒ hǎo yìdiǎnr.* You are better than me only in English.

无话可说 wúhuàkěshuō ❶〈惯 *usg.*〉指没有办法，没有什么话好说了 have no way; have nothing to say：他理屈词穷，~了。*Tā lǐqū-cíqióng, ~ le.* He was unable to advance any further arguments to justify himself, so he had nothing to say. | 我批评他~。*Wǒ pī de tā ~.* He was rendered speechless by my criticism. ❷〈惯 *usg.*〉让人无可挑剔 blameless; reasonable：他时时处处处率先垂范，让人~。*Tā shíshí chùchù shuàixiān chuífàn, ràngrén ~.* He always sets an example for his juniors, which gives no cause for criticism.

无可奉告 wúkěfènggào 〈惯 *usg.*〉没有什么可以告知的了（常在外交场合使用）no comment：两国外长例行会面，有关磋商情况~。*Liǎng guó wàizhǎng lìxíng huìmiàn, yǒuguān cuōshāng qíngkuàng ~.* The foreign ministers of the two countries attend the routine meeting, and there is no comment on their consultations. | 你问的问题涉及人家隐私，我~。*Nǐ wèn de wèntí shèjí rénjia yǐnsī, wǒ ~.* Your question touches upon personal privacy of other people, and I have no comment.

无可奈何 wúkěnàihé 〈惯 *usg.*〉没有对付的办法，无法可想 be helpless; there is no way out; have no alternative; have no choice：对这件事他~。*Duì zhè jiàn shì tā ~.* He has no solution to this matter. | 他固执己见，大家都感到~。*Tā gùzhí-jǐjiàn, dàjiā dōu gǎndào*

~. He sticks to his own opinions, and we have no choice.

⁴ **无理** wúlǐ 〈形 adj.〉没道理 unreasonable; unjustifiable：我们不能答应他的~要求。*Wǒmen bù néng dāyìng tā de ~ yāoqiú.* We cannot consent to his unreasonable requirements. │ 明明是他~，还要胡搅蛮缠。*Míngmíng shì tā ~, háiyào hújiǎománchán.* He is obviously unreasonable but still argues on and on in an annoying way.

⁴ **无聊** wúliáo ❶〈形 adj.〉因无事可做觉得没意思 fell bored for being idle：他闲得~。*Tā xián de ~.* He feels bored for being idle. │ 我整天躺在病床上，感到十分~。*Wǒ zhěngtiān tǎng zài bìngchuáng shang, gǎndào shífen ~.* I fell bored for lying in bed all day long. ❷〈形 adj.〉因言行没有意义而使人讨厌 (of speech, behavior, etc.) senseless; silly; stupid：这个人太~了。*Zhège rén tài ~ le.* The guy is so stupid. │ 这些人聚到一起就吃吃喝喝，真~。*Zhèxiē rén jùdào yìqǐ jiù chīchī-hēhē, zhēn ~.* It is so silly for these people to eat and drink whenever they get together.

² **无论** wúlùn 〈连 conj.〉不管(表示在任何情况下，结论或结果不变，后常有'都''也'等呼应) no matter what, how, etc.; regardless of, used before '都dōu', '也yě' etc.：~做什么事情，都得克尽职守。*~ zuò shénme shìqing, dōu děi kèjìn zhíshǒu.* We should fulfil our duty no matter what kind of work we are doing. │ 怎么说，这是一幕好戏。~ *zěnme shuō, zhè shì yí mù hǎo xì.* In any case, this is a good play. │ 谁也不能在公共场所吸烟。~ *shéi yě bù néng zài gōnggòng chǎngsuǒ xīyān.* No one is allowed to smoke in public places. │ 工作多么忙，她始终坚持学习英语。~ *gōngzuò duōme máng, tā shǐzhōng jiānchí xuéxí Yīngyǔ.* No matter how busy she is, she insists on studying English.

³ **无论如何** wúlùn-rúhé 〈惯 usg.〉不管怎么样(表示在任何情况下都必须这样做) in any event; at all events; in any case; at any rate; whatever happens（must do sth. no matter how the circumstance changes）：他决定今天~要赶回家。*Tā juédìng jīntiān ~ yào gǎn huíjiā.* He decides to go back home today in any event. │ ~你今天不能走。~ *nǐ jīntiān bù néng zǒu.* In any case, you cannot go today.

⁴ **无能为力** wúnéng-wéilì 〈成 idm.〉使不上劲，多指没有能力去做 powerless; helpless; incapable of action：要解决这么多人的困难，我个人实在是~。*Yào jiějué zhème duō rén de kùnnan, wǒ gèrén shízài shì ~.* I am really incapable of solving the problems for so many people.

³ **无情** wúqíng ❶〈形 adj.〉冷漠，没有感情 unfeeling; heartless：他是个很~的人。*Tā shì gè hěn ~ de rén.* He is a heartless person. │ 他感情内敛，表面上看着冷漠~。*Tā gǎnqíng nèiliǎn, biǎomiàn shang kàn lěngmò ~.* He looks indifferent and unfeeling but has a restrained emotion. │ 落花有意，流水~(比喻一方热情倾倒，另一方却并无情意，旧时还指男女爱情发生了波折)。*Luò huā yǒu yì, liú shuǐ ~ (bǐyù yì fāng rèqíng qīngdǎo, lìng yì fāng què bìng wú qíngyì, jiùshí hái zhǐ nánnǚ àiqíng fāshēngle bōzhé).* The water side flower pining for love sheds petals, while the heartless brook babbles on (*fig.* One side has an overwhelming passion, while the other side has no feeling; also *fig.* twists and turns in love between man and woman). ❷〈形 adj.〉不留情，不讲情面 merciless; ruthless：你既然~，就休怪我无义了。*Nǐ jìrán ~, jiù xiū guài wǒ wúyì le.* You are merciless. You started it then don't complain that I strike back. │ 谁违反客观规律，谁就要受到~的惩罚。*Shéi wéifǎn kèguān guīlù, shéi jiùyào shòu dào ~ de chéngfá.* He will be punished mercilessly whoever violates the law of nature. │ 他当年英姿勃发，如今却如此苍老，岁月真~啊! *Tā dāngnián yīngzī-bófā, rújīn què rúcǐ cānglǎo, suìyuè zhēn ~ a!* He had a valiant and heroic bearing in the prime of his life, but now becomes aged.

The years are so inexorable.

⁴ **无情无义** wúqíng-wúyì 〈成 *idm.*〉没有一点感情，不讲一点道义，形容残酷无情 merciless and faithless：他~地抛弃了自己的结发妻子。*Tā ~ de pāoqìle zìjǐ de jiéfà qīzi.* He deserted his first wife mercilessly. │ 舆论齐声谴责他这种~的不道德行为。*Yúlùn qíshēng qiǎnzé tā zhè zhǒng ~ de bú dàodé xíngwéi.* The public opinion condemns his ruthless immoral action.

⁴ **无穷** wúqióng〈形 *adj.*〉没有止境，没有尽头 infinite; endless; boundless：这位科学家有~的智慧。*Zhè wèi kēxuéjiā yǒu ~ de zhìhuì.* The wisdom of this scientist seems inexhaustible. │ 群众发动起来后就会产生~的力量。*Qúnzhòng fādòng qǐlái hòu jiù huì chǎnshēng ~ de lìliàng.* The masses will have infinite strength when they are mobilized. │ 细细品味这篇散文，感到回味~。*Xìxì pǐnwèi zhè piān sǎnwén, gǎndào huíwèi ~.* Read this essay carefully, and then you will find that it has endless meaning.

² **无数** wúshù ❶〈形 *adj.*〉形容非常多 innumerable; countless：~鸽子在空中翱翔。*~ gēzi zài kōngzhōng áoxiáng.* Numerous doves are flying in the sky. │ ~新闻记者奔赴战区采访。*~ xīnwén jìzhě bēnfù zhànqū cǎifǎng.* Numerous reporters went to the war areas. │ 你的论点已被一事实证明是错误的。*Nǐ de lùndiǎn yǐ bèi ~ shìshí zhèngmíng shì cuòwù de.* Numerous facts have proved that your opinion is wrong. ❷〈形 *adj.*〉不清楚底细，无把握 not know for certain; be uncertain：他到底来不来，我心里也~。*Tā dàodǐ lái bù lái, wǒ xīnli yě ~.* I am also uncertain whether he will come.

³ **无所谓** wúsuǒwèi ❶〈动 *v.*〉谈不上，用不着说 cannot be called; not deserve the name of：今天只是家常便饭，~请客。*Jīntiān zhǐshì jiācháng biànfàn, ~ qǐngkè.* This is only an ordinary meal and cannot be called entertaining guests. │ 都是一家人，~你的、我的。*Dōu shì yì jiā rén, ~ nǐ de, wǒ de.* We are of one family, and there is no discrimination between yours and mine. ❷〈动 *v.*〉没关系，不在乎 be indifferent; not matter：吃好吃坏我~。*Chī hǎo chī huài wǒ ~.* I don't care about what we eat. │ 鞋子要穿着舒服，样式倒~。*Xiézi yào chuānzhe shūfu, yàngshì dào ~.* The comfort is what one should care when wearing shoes, the style does not really matter. │ 这个报告听不听都~。*Zhège bàogào tīng bù tīng dōu ~.* It makes no difference whether we listen to this report.

⁴ **无所作为** wúsuǒzuòwéi 〈成 *idm.*〉指工作安于现状，没有做出什么成绩 attempt nothing or accomplish nothing; be in a state of inertia：回首往事，我为自己虚度年华、而懊恼。*Huíshǒu wǎngshì, wǒ wèi zìjǐ xūdù niánhuá, ér àonǎo.* Recalling the past, I feel regretful for having spent time in vain and attempted and accomplished nothing.

⁴ **无微不至** wúwēibúzhì 〈成 *idm.*〉形容关怀备至 meticulously; in every possible way：他~地关心、体贴意中人。*Tā ~ de guānxīn, tǐtiē yìzhōngrén.* He meticulously cares about and shows consideration for his beloved. │ 病人对护士~的照料很感激。*Bìngrén duì hùshi ~ zhàoliào hěn gǎnjī.* The patients were much moved by the nurses for their meticulously care.

² **无限** wúxiàn ❶〈形 *adj.*〉没有限度，没有尽头 infinite; limitless; boundless; immeasurable：他前途~。*Tā qiántú ~.* He has an infinite future. │ 真理给了我们~的力量。*Zhēnlǐ gěile wǒmen ~ de lìliàng.* The truth gives us limitless power. │ ~离情向谁诉？*~ líqíng xiàng shéi sù?* Whom can I confide my boundless sorrows of separation? ❷〈副 *adv.*〉极其(形容程度极深、范围极广) extremely; very; most：母亲病故，我~悲伤。*Mǔqīn bìnggù, wǒ ~ bēishāng.* My mother died of illness. I felt most heartbroken. │ 我们的前景~光明。*Wǒmen de qiánjǐng ~ guāngmíng.* We have an infinitely bright future.

³ **无线电** wúxiàndiàn ❶〈名 n.〉不用电线而用电波在空间传送信号的技术设备 radio; wireless: 通讯、广播、电视等都是应用~技术。*Tōngxùn, guǎngbō, diànshì děng dōu shì yìngyòng ~ jìshù.* Radio is widely used in telecommunication, radio broadcast, television broadcast, etc. ❷〈名 n.〉(台tái、个gè)指无线电收音机 radio receiver; radio set: 他买了个微型~,放在上衣口袋里随身听 *Tā mǎile gè wēixíng ~, fàng zài shàngyī kǒudài li suíshēn tīng.* He bought a miniradio and always put it in the pocket of his jacket for convenience.

⁴ **无效** wúxiào 〈动 v.〉没有效果; 没有效力 no avail; invalid; null and void: ~劳动 ~ láodòng non-productive labor | 校方宣布这次考试~。*Xiào fāng xuānbù zhè cì kǎoshì ~.* The school declared that this examination is invalid. | 这种药过期~。*Zhè zhǒng yào guò qī ~.* The medicine will be effectless after the specified date.

³ **无疑** wúyí 〈形 adj.〉没有可疑的 beyond doubt; undoubtedly: 证据确凿~。*Zhèngjù quèzáo ~.* The evidence is well established and irrefutable. | 此事~是他干的 *Cǐ shì ~ shì tā gàn de.* It's undoubtedly he did it. | 我军必胜~。*Wǒ jūn bì shèng ~.* Our troops will win the victory undoubtedly.

⁴ **无意** wúyì ❶〈副 adv.〉没有或不打算做某事的意图 have no intention of doing sth.; not intend; not be inclined to: 既然他~参加聚会,我们就不请他 *Jìrán tā ~ cānjiā jùhuì, wǒmen jiù bù qǐng tā le.* Since he has no intention to attend the gathering, we will not invite him. | 我~在这个单位长期干下去 *Wǒ ~ zài zhège dānwèi chángqī gàn xiàqù.* I have no intention to work in this unit for long. ❷〈形 adj.〉不是故意或有意的 inadvertently; accidentally: 他是~的,请你原谅。*Tā shì ~ de, qǐng nǐ yuánliàng.* He didn't do it purposefully. Please forgive him. | 这件事的真相是我~中发现的。*Zhè jiàn shì de zhēnxiàng shì wǒ ~ zhōng fāxiàn de.* I accidentally find the truth of it.

⁴ **无知** wúzhī 〈形 adj.〉没有知识, 也指不明事理 ignorant: 这个人很~。*Zhège rén hěn ~.* He is very ignorant. | 他自己~还以为别人也同样~,这是很可悲的 *Tā zìjǐ ~ hái yǐwéi biéren yě tóngyàng ~, zhè shì hěn kěbēi de.* It's quite miserable for him to believe that other people are ignorant while he himself is quite ignorant. | 弟弟年幼~,请你多多原谅 *Dìdi niányòu ~, qǐng nǐ duōduō yuánliàng.* My younger brother is quite young and ignorant. Please forgive him.

⁴ **梧桐** wútóng 〈名 n.〉一种落叶乔木, 材质轻而坚硬, 可制造乐器和器具等 Chinese parasol; phoenix tree; deciduous tree whose light and tenacious wood is used for musical instruments and various implements: 马路两旁栽上~树, 夏天绿阴蔽日, 凉爽宜人。*Mǎlù liǎng páng zāishàng ~ shù, xiàtiān lǜyīn bìrì, liángshuǎng yírén.* Both sides of the road are planted with phoenix trees with rich foliage that shuts out the sun and gives delightful cool.

¹ **五** wǔ ❶〈数 num.〉汉字的数目字, 即阿拉伯数字5, 大写为'伍' five, Chinese numerical, namely the Arabic numeral '5', capitalized as '伍wǔ': 这个小孩儿还只有~岁, 不到上学年龄 *Zhège xiǎoháir hái zhǐyǒu ~ suì, bú dào shàngxué niánlíng.* The child is only five years old and has not yet reached school age. | 他长得~官端正。*Tā zhǎng de ~guān duānzhèng.* He has regular features. | 我买的这支签字笔花~元钱。*Wǒ mǎi de zhè zhī qiānzìbǐ huā ~ yuán qián.* I spent five yuan to buy this signature-pen. ❷〈名 n.〉中国古代乐谱'工尺'的记音符号, 相当于简谱的'6' a note of the scale in gongche in ancient China, corresponding to 6 in numbered musical notation

¹ **午饭** wǔfàn 〈名 n.〉(顿dùn、餐cān)中午吃的饭食 midday meal; lunch: 这顿~相当丰盛。*Zhè dùn ~ xiāngdāng fēngshèng.* This lunch is quite rich. | 食堂厨师为职工精心制

作~的主食和菜肴。*Shítáng chúshī wèi zhígōng jīngxīn zhìzuò ~ de zhǔshí hé càiyáo.* The cooks of the mess hall are meticulously cooking the staple food and dishes for the staff. ｜会议时间太长了，直到下午一点才吃上~。*Huìyì shíjiān tài cháng le, zhídào xiàwǔ yì diǎn cái chīshàng ~.* The meeting lasted for a long time. We hadn't had lunch until one o'clock p. m. .

⁴**伍** wǔ ❶〈数 *num.*〉汉字数字'五'的大写；为防止涂改，一般在票据上应采用大写 five, capital of numeral '五wǔ', on bills, accounts, etc. to avoid mistakes or alterations：~佰元整＝*bǎi yuán zhěng* five hundred *yuan*｜~元~角整＝*yuán ~ jiǎo zhěng* five *yuan* and five *jiao* ❷〈名 *n.*〉中国古代军队的最小编制单位，现泛指军队 basic five-man army unit in ancient China;(in a broad sense) army：新兵入~。*Xīn bīng rù ~.* The recruits join the army. ｜这批现役军人即将退~。*Zhè pī xiànyì jūnrén jíjiāng tuì~.* This group of armymen will demobilized from active military service. ❸〈名 *n.*〉同伙，同类 company：我羞于与他为~。*Wǒ xiū yú yǔ tā wéi ~.* I feel ashamed to keep his company.

⁴**武力** wǔlì〈名 *n.*〉暴力，强暴的力量；也指军事力量，武装力量 force：劫匪不肯投降，警方最后只能动用~了。*Jiéfěi bù kěn tóuxiáng, jǐngfāng zuìhòu zhǐnéng dòngyòng ~ le.* The robber was unwilling to surrender, and the police had to use force finally. ｜~是解决不了问题的。*~ shì jiějué bù liǎo wèntí de.* Force cannot solve the problems. ｜两国在边界地区集结了大量~。*Liǎng guó zài biānjiè dìqū jíjiéle dàliàng ~.* A great deal of military force had been amassed along the border between two countries.

²**武器** wǔqì ❶〈名 *n.*〉用于杀伤或破坏敌方设施的器械、装置等 weapon; arms：常规~ *chángguī ~* conventional weapon｜国际舆论要求该国销毁大规模杀伤性。*Guójì yúlùn yāoqiú gāi guó xiāohuǐ dà guīmó shāshāngxìng ~.* The world opinion requires that country to destroy its mass destructive weapons. ｜你们被包围了，赶快放下~吧。*Nǐmen bèi bāowéi le, gǎnkuài fàngxià ~ ba.* You have been surrounded. Put down your weapon quickly. ❷〈名 *n.*〉泛指用于斗争的工具、手段 tool used to wage struggle：我们要大力发扬批评和自我批评的思想~。*Wǒmen yào dàlì fāyáng pīpíng hé zìwǒ pīpíng de sīxiǎng ~.* We should make full use of the ideological weapons of criticism and self-criticism.

²**武术** wǔshù〈名 *n.*〉也称'功夫'，中国民族形式的体育运动，包括打拳和使用刀剑等兵器的技术 wushu; martial arts such as shadow-boxing, swordplay, etc. as part of Chinese traditional sports, also '功夫gōngfu'：他是中国~界的高手，培养了很多~新秀。*Tā shì Zhōngguó ~ jiè de gāoshǒu, péiyǎngle hěnduō ~ xīnxiù.* He is a master in Chinese martial arts and has trained many new martial arts stars.｜~已列为正式的体育比赛项目。*~ yǐ liè wéi zhèngshì de tǐyù bǐsài xiàngmù.* Wushu has been formally listed as a sports game event. ｜中国的武警部队也训练~。*Zhōngguó de wǔjǐng bùduì yě xùnliàn ~.* The armed police of China is also trained for martial arts.

³**武装** wǔzhuāng ❶〈名 *n.*〉军事力量；军事装备 arms; military equipment; battle outfit：在战争年代里，他在家乡组织了一支~打游击。*Zài zhànzhēng niándài li, tā zài jiāxiāng zǔzhīle yì zhī ~ dǎ yóujī.* In the wartime, he organized an armed force to engage in guerrilla warfare in his hometown. ｜我们当时的~太差，十几个人才有七八条枪和几个手榴弹。*Wǒmen dāngshí de ~ tài chà, shí jǐ gè rén cái yǒu qī bā tiáo qiāng hé jǐ gè shǒuliúdàn.* We were poorly armed at that time, and more than ten persons only had seven or eight guns and several hand grenades. ❷〈名 *n.*〉军装 military uniform; army uniform; uniform：当她不得不脱下心爱的~时，伤心得哭了。*Dāng tā bùdébù tuō xià xīn'ài de ~ shí, shāngxīn de kū le.* She bursted into tears with sorrow when she had to

take off her beloved uniform. ❸〈动 v.〉用武器来装备；用精神、物质的东西来装备 arm; equip: 新式武器～了两个师。*Xīnshì wǔqì ～le liǎng gè shī.* Two divisions of our army have been equipped with new weapons. ｜我们应该用正确的理论～群众。*Wǒmen yīnggāi yòng zhèngquè de lǐlùn ～ qúnzhòng.* We should arm the people with correct theory.

³ **侮辱** wǔrǔ ❶〈动 v.〉欺负凌辱，损害他人的名誉和人格 insult; humiliate: 中华民族再也不是一个任人～的民族了。*Zhōnghuá mínzú zài yě bú shì yí gè rèn rén ～ de mínzú le.* The Chinese nation is no longer a nation that can be humiliated by any other country. ｜你别～我的人格。*Nǐ bié ～ wǒ de réngé.* Don't insult my personality. ｜不许你～师长。*Bù xǔ nǐ ～ shīzhǎng.* You are not allowed to humiliate teachers. ❷〈名 n.〉受到的欺侮凌辱 insult; humiliation: 对她遭受的，大家深表同情。*Duì tā zāoshòu de ～, dàjiā shēnbiǎo tóngqíng.* We all are sympathized with her for the humiliation she suffered.

⁴ **舞** wǔ ❶〈名 n.〉(个 gè) 舞蹈 dance: 这个～是她刚学的。*Zhège ～ shì tā gāng xué de.* She just learns the dance. ｜你们跳的是什么～? 是不是苗族的芦笙～? *Nǐmen tiào de shì shénme ～? Shì bú shì Miáozú de lúshēng ～?* What kind of dance do you perform? Is it a *lusheng* dance of the Miaos? ❷〈动 v.〉跳舞，做出舞蹈的动作 move about as in a dance: 她能歌善～，参加了学校的舞蹈队。*Tā nénggē-shàn～, cānjiāle xuéxiào de wǔdǎo duì.* She has the gift of singing and dancing, so she joins in the dance team of our school. ｜人们在礼堂里轻歌曼～欢度良宵。*Rénmen zài lǐtáng li qīnggē-màn～ huāndù liángxiāo.* People had a most enjoyable night with the light, pleasant music and graceful dance. ❸〈动 v.〉手持某种东西表演 dance with sth. in one's hand: ～剑～*jiàn* perform the swordplay; play the sword ｜～狮子～*shīzi* perform the lion dance ｜他～起了大刀。*Tā ～qǐle dàdāo.* He brandished the sword. ❹〈动 v.〉挥动 wave; flourish; wield; brandish: 张牙～爪 *zhāngyá-~zhǎo* bare fangs and brandish claws; make threatening gestures; engage in saber-rattling ｜她手～鲜花迎客人。*Tā shǒu ～ xiānhuā yíng kèrén.* She waves fresh flowers to welcome the guests. ❺〈动 v.〉玩弄；耍弄 play with: ～文弄墨 ～*wén-nòngmò* engage in phrase-mongering; juggle with words ｜这次语文考试，有的学生有～弊行为。*Zhè cì yǔwén kǎoshì, yǒu de xuéshēng yǒu～bì xíngwéi.* Some students had practiced fraud in this Chinese examination. ❻〈动 v.〉兴起 spring up: 鼓～人心 *gǔ~ rénxīn* encouraging; inspiring; heartening

³ **舞蹈** wǔdǎo ❶〈名 n.〉一种表演艺术，以有节奏的人体动作来反映生活和表达思想感情 dance: ～起源于劳动。*～ qǐyuán yú láodòng.* Dance has its roots in labor. ｜她们在表演民间～红绸舞。*Tāmen zài biǎoyǎn mínjiān ～ hóngchóuwǔ.* They are performing the folk redsilk dance. ｜中国民族歌舞团表演的民族～十分精彩。*Zhōngguó Mínzú Gēwǔtuán biǎoyǎn de mínzú ～ shífēn jīngcǎi.* The folk dances performed by the Chinese Folk Song and Dance Ensemble are wonderful. ❷〈动 v.〉表演舞蹈 perform a dance: 人们一面唱歌，一面～，庆祝丰收。*Rénmen yímiàn chànggē, yímiàn ～, qìngzhù fēngshōu.* People are celebrating the harvest by singing and dancing.

³ **舞会** wǔhuì〈名 n.〉(场 chǎng) 跳交谊舞等的集会 dance; ball: ～在市中心文化广场上举行，热闹极了。*～ zài shì zhōngxīn wénhuà guǎngchǎng shang jǔxíng, rènao jí le.* The ball was held at the cultural square in the center of the city, and it was very bulsting. ｜这是一场专为老年人举办的～。*Zhè shì yì chǎng zhuān wèi lǎoniánrén jǔbàn de ～.* This is a dancing gathering especially held for the elderly.

³ **舞台** wǔtái ❶〈名 n.〉(个 gè、座 zuò) 供演员表演的台子 stage; arena: 这个～设计得美观、大方。*Zhège ～ shèjì de měiguān, dàfang.* The stage design is beautifully and

tastefully. │演员们正在~上表演。Yǎnyuánmen zhèng zài ~ shang biǎoyǎn. The actors and actresses are performing on the stage. │他多次谢幕后才走下~。Tā duō cì xièmù hòu cái zǒuxià ~. He stepped down the stage after answering the curtain call several times. ❷〈名 n.〉比喻社会活动场所 arena; stage: 这些政客你方唱罢我登场，在政治~上一个个丑相毕露。Zhèxiē zhèngkè nǐ fāng chàng bà wǒ dēng chǎng, zài zhèngzhì ~ shang yí gègè chǒuxiàng bìlù. These politicians utterly reveal their hideous features on the political stage one by one. │许多英雄人物曾活跃在中国的历史~上。Xǔduō yīngxióng rénwù céng huóyuè zài Zhōngguó de lìshǐ ~ shang. Many heroes had been active on the historical stage of China.

⁴ 舞厅 wǔtīng ❶〈名 n.〉(个 gè、座 zuò)泛指可供跳舞的厅堂 dance hall; ballroom: 他家的客厅很大，有时也可作~。Tā jiā de kètīng hěn dà, yǒushí yě kě zuò ~. The living room of his home is very large, and is sometimes used as a ballroom. │大家吃完饭把餐厅当~，即兴跳起了欢快的踢踏舞。Dàjiā chīwán fàn bǎ cāntīng dàng ~, jíxìng tiàoqǐle huānkuài de tītàwǔ. After the meal, we turned the dining room into a ballroom and performed a lively tap dance extemporaneously. ❷〈名 n.〉(家 jiā、座 zuò)专供跳舞用的营业性场所 dance hall; ballroom: 马路上冷冷清清，里灯红酒绿，人影憧憧。Mǎlù shang lěnglěng-qīngqīng; ~ li dēnghóng-jiǔlù, rényǐng chōngchōng. It is cold and liveless in the street. But the dance hall is full of people and has a scene of feasting and revelry. │有些人夜晚就消磨在这家~里。Yǒuxiē rén yèwǎn jiù xiāomó zài zhè jiā ~ li. Some people while away the nights at this dance hall.

⁴ 勿 wù ❶〈副 adv. 书 lit.〉不要，别(表示禁止或劝阻，前面常加'切'，以加强语气) do not; never (used in prohibitions, admonitions, etc.): 请~打扰！Qǐng ~ dǎrǎo! No disturbing! │这件事至关紧要，切~遗忘。Zhè jiàn shì zhìguān jǐnyào, qiè ~ yíwàng. It is extremely important. Don't forget it. │你们打退敌人后立即收兵，切~恋战。Nǐmen dǎtuì dírén hòu lìjí shōubīng, qiè ~ liànzhàn. You may withdraw troops quickly after beating off the enemy. Don't be over-zealous in fighting. ❷〈副 adv. 书 lit.〉不(表示一般的否定) no; not: 这件事暂时搁置~论。Zhè jiàn shì zànshí gēzhì ~ lùn. Let's lay aside the matter for the time being.

⁴ 务必 wùbì 〈副 adv.〉必须，一定(用于祈使句) must; be sure to (used in an imperative sentence): 今天，你~要到我家来。Jīntiān, nǐ ~ yào dào wǒ jiā lái. Be sure to come to my home today. │你身体不大好，请~保重。Nǐ shēntǐ bú dà hǎo, qǐng ~ bǎozhòng. Your health is not very good. Please be sure to take care of yourself. │大家~遵守操作规程。Dàjiā ~ zūnshǒu cāozuò guīchéng. We must observe the operational rules.

⁴ 物 wù ❶〈名 n.〉一切有形体的东西 thing; matter; substance: 文~ wén~ cultural relics │矿~ kuàng~ mineral │~归原主。~guī-yuánzhǔ. Let the thing be returned to its proper owner. │以稀为贵。~ yǐ xī wéi guì. Objects are valued because of their rarity. │我们应该做到~尽其用。Wǒmen yīnggāi zuòdào ~jìnqíyòng. We should make the best use of a thing. ❷〈名 n.〉具体内容 content; essence; substance: 言之有~ yánzhīyǒu~ speech with substance; speak convincingly │他说了一堆空洞无~的废话。Tā shuōle yì duī kōngdòng wú~ de fèihuà. He has talked nonsense. ❸〈名 n.〉指别人或环境 other people: 他待人接~很得体。Tā dàirén-jiē~ hěn détǐ. He gets along with people in a proper manner. │这件事请你妥善处理，免遭~议。Zhè jiàn shì wù qǐng nǐ tuǒshàn chǔlǐ, miǎn zāo ~yì. Please be sure to handle this matter properly to avoid criticism from the public. ❹〈词尾 suff.〉附于形容词或动词后构成名词 used after an adjective or a verb to form a noun: 废~ fèi~ good-for-nothing; dimwit │怪~ guài~ monster; bizarre

thing｜吉祥~ *jíxiáng~* mascot｜产~ *chǎn~* outcome; result｜玩~ *wán~* toy; plaything｜饰~ *shì~* jewelry; ornaments ❺〈词尾 *suff.*〉附于名词后构成新的名词 used after a noun to form a new noun: 货~ *huò~* goods｜景~ *jǐng~* scenery｜赃~ *zāng~* booty; stolen goods｜建筑~ *jiànzhù~* building

² **物价** wùjià〈名 *n.*〉商品的价格 price: ~飞涨。~ *fēizhǎng.* Prices are soaring.｜~稳定。~ *wěndìng.* Prices remain stable.｜平抑~ *píngyì~* stablize prices｜不法商人哄抬~。*Bùfǎ shāngrén hōngtái ~.* Some illicit businessmen jack up prices.｜现在~的变动已由市场来调节了。*Xiànzài ~ de biàndòng yǐ yóu shìchǎng lái tiáojié le.* The price fluctuation is adjusted by the market now.

¹ **物理** wùlǐ ❶〈名 *n.*〉物理学的简称，自然科学中专门研究物质和能量及其相互作用的一门基础学科 physics: 核~ *hé~* nuclear physics｜地球~ *dìqiú~* geophysics｜我们的~老师既有学识，又有丰富的教学经验。*Wǒmen de ~ lǎoshī jì yǒu xuéshí, yòu yǒu fēngfù de jiàoxué jīngyàn.* Our physics teacher has both rich experience of teaching as and great learning. ❷〈名 *n.*〉事物的道理 innate law of things: 诗人常以诗作表现人情。*Shīrén cháng yǐ shīzuò biǎoxiàn rénqíng ~.* The poets often use poems to show the innate law of human nature.

⁴ **物力** wùlì〈名 *n.*〉能够使用的物资、财力 material resources: 我们应把有限的人力、~用在刀刃上。*Wǒmen yīng bǎ yǒuxiàn de rénlì, ~ yòng zài dāorèn shang.* We should use the limited manpower and material resources where they are most needed.｜这项工程耗费了巨大的人力、~。*Zhè xiàng gōngchéng hàofèile jùdà de rénlì, ~.* The project has consumed enormous manpower and material resources.

³ **物品** wùpǐn〈名 *n.*〉(件jiàn、种zhǒng)货物、用品(多指体积不大、日常生活用的东西) article; goods (oft. referring to those for daily use): 严禁携带易燃易爆~乘飞机。*Yánjìn xiédài yìrán yìbào ~ chéng fēijī.* Tinders are strictly prohibited to take on the airplane.｜小件~可以带上飞机，放在行李柜里。*Xiǎo jiàn ~ kěyǐ dàishàng fēijī, fàng zài xíngliguì li.* Small articles can be taken on the airplane and put in the baggage cabinet.｜贵重~最好不要放在旅馆里。*Guìzhòng ~ zuìhǎo bú yào fàng zài lǚguǎn li.* It's better not to leave valuables in the hotel.

³ **物体** wùtǐ〈名 *n.*〉占有一定空间的物质个体 body; substance; object: 这是一个圆的~。*Zhè shì yí gè yuán de ~.* This is a round object.｜前些日子有人发现不明~在空中飞行。*Qián xiē rìzi yǒu rén fāxiàn bù míng ~ zài kōngzhōng fēixíng.* Someone found an undefined object flying in the sky some days ago.

² **物质** wùzhì ❶〈名 *n.*〉哲学上称独立于人的意识之外的客观事物 matter; substance: ~运动 ~ *yùndòng* substance movement｜客观存在的~能够为人的意识所反映。*Kèguān cúnzài de ~ nénggòu wéi rén de yìshí suǒ fǎnyìng.* The objective substance can be reflected by the consciousness of man.｜人类在不断地认识~世界，改造~世界。*Rénlèi zài búduàn de rènshi ~ shìjiè, gǎizào ~ shìjiè.* Human beings are constantly getting to know more about the material universe, and trying to remould it. ❷〈名 *n.*〉特指金钱或其他可供享用的实物 material; money; means of subsistence: 他们的~生活和文化生活都很丰富。*Tāmen de ~ shēnghuó hé wénhuà shēnghuó dōu hěn fēngfù.* They have both a rich material life and a cultural life.｜你们不能放弃思想工作，片面强调~刺激。*Nǐmen bù néng fàngqì sīxiǎng gōngzuò, piànmiàn qiángdiào ~ cìjī.* You should not give up ideological work, and only emphasis on material stimulation.｜这些人只顾追求~享受。*Zhèxiē rén zhǐgù zhuīqiú ~ xiǎngshòu.* These people merely hanker after ease and comfort.

W

³ **物资** wùzī〈名 n.〉（种 zhǒng、批 pī）生产、生活上或军事上所需的物质资料 goods and materials needed for production, life, military, etc.：军用~ jūnyòng ~ military supplies｜城乡~交流 chéngxiāng ~ jiāoliú interflow of commodities between urban and rural areas｜这批救援~已运到灾区 Zhè pījiùyuán ~ yǐ yùndào zāiqū. This batch of relief goods have been shipped to the disaster area.｜农村急需化肥、农药等~ Nóngcūn jíxū huàféi, nóngyào děng ~. Goods such as chemical fertilizer and pesticide are urgently needed in rural areas.

³ **误** wù ❶〈形 adj.〉错的，不正确的；不是故意的 mistake; error：~区 ~qū long-standing mistaken idea｜一派谬~的言论 yípài miù~ de yánlùn a pack of false words｜这是一次~伤 Zhè shì yí cì ~shāng. This is an accidental injury. ❷〈副 adv.〉错误地；不是故意地 by mistake; by accident：有些广告~导消费者。Yǒuxiē guǎnggào ~dǎo xiāofèizhě. Some advertisements mislead the consumers.｜他受骗上当，~入歧途 Tā shòupiàn shàngdàng, ~ rù qítú. He was decieved and led astray.｜蜜蜂轻易不蜇人，准是~以为你要伤害它们，才群起蜇人。Mìfēng qīngyì bù zhē rén, zhǔn shì ~ yǐwéi nǐ yào shānghài tāmen, cái qún qǐ zhē rén. Bees will not sting people casually. Only when they believe you will hurt them do they rise in a mass to attack you. ❸〈动 v.〉耽搁，贻误 miss; delay; hinder; impede：你别~了火车。Nǐ bié ~ le huǒchē. Don't miss the train.｜他从不~工。Tā cóng bù ~gōng. He has never delayed his work. ❹〈动 v.〉妨害，使受损害 harm; damage：他这么做可~人不浅。Tā zhème zuò kě ~ rén bù qiǎn. He does no little harm to other people by doing so.｜这年头儿不识字，有时真还会~事呢！Zhè niántóur bù shízì, yǒushí zhēn hái huì ~shì ne! Illiteracy may bungle matters sometimes nowadays. ❺〈名 n.〉不正确的事或行为 mistake; error：不得有~。Bùdé yǒu~. Mistake is not allowed.｜书后附有勘~表。Shū hòu fù yǒu kān~biǎo. There is an errata attached to this book.｜你的计算准确无~。Nǐ de jìsuàn zhǔnquè wú~. Your calculation is quite exact.

⁴ **误差** wùchā〈名 n.〉测定的数值跟真正的数值的差 error：你的计算有~。Nǐ de jìsuàn yǒu ~. There is an error in your calculation.｜他在数字后多加了个'0'，这个~可大了。Tā zài shùmùzì hòu duō jiāle ge 'líng', zhège ~ kě dà le. He added a zero at the end of the number, and the mathematical error caused by it is great.

² **误会** wùhuì ❶〈动 v.〉错误地领会对方的意思 misunderstand; mistake; misconstrue：他~了我在会上的发言 Tā ~le wǒ zài huì shang de fāyán. He misunderstood what I said in the meeting.｜他说话不大注意方式，请你别~。Tā shuōhuà bú dà zhùyì fāngshì, qǐng nǐ bié ~. He always pays no attention to his manner of speaking. Don't mistake his meaning. ❷〈名 n.〉（场 chǎng、个 gè）对方意思的错误领会 misunderstanding; mistake：这完全是一场~。Zhè wánquán shì yì chǎng ~. This is a complete misunderstanding.｜这个~可闹大了，她至今还不理我 Zhège ~ kě nàodà le, tā zhìjīn hái bù lǐ wǒ. This misunderstanding has become so great that she doesn't speak to me until now.

⁴ **误解** wùjiě ❶〈动 v.〉理解得不对 misread; misunderstand：他~了我。Tā ~le wǒ. He has misunderstood me.｜你这篇作文文不对题，你~了题意 Nǐ zhè piān zuòwén wénbúduìtí, nǐ ~le tíyì. Your composition is irrelevant to the subject. You may as well misunderstood the title. ❷〈名 n.〉（个 gè）不正确的理解 misunderstanding：大家对你有~。Dàjiā duì nǐ yǒu ~. You were misunderstood by everyone.｜你们的~可以消除了。Nǐmen de ~ kěyǐ xiāochú le. The misunderstanding between you can be removed.

⁴ **悟** wù〈动 v.〉了解，领会；明白，觉醒 realize; awaken：我~出了个中奥妙。Wǒ ~chūle

gèzhōng àomiào. I realize the profound meaning behind it. │ 你要领~这篇文章的精神实质。*Nǐ yào lǐng~ zhè piān wénzhāng de jīngshén shízhì.* You should comprehend the real meaning of this article. │ 他至今还执迷不~。*Tā zhìjīn hái zhímí-bú~.* He still refuses obstinately to admit his errors now.

² **雾** wù ❶〈名 n.〉水蒸气遇冷凝结后成为飘浮在空气中的小水点 fog: 今晨有~。*Jīn chén yǒu ~.* There is fog this morning. │ ~锁大江，航运被迫中断。*~ suǒ dà jiāng, hángyùn bèipò zhōngduàn.* A heavy fall of fog settled on the river, and the shipping had to be halted. │ 云~缭绕，山峰时隐时现。*Yún~ liáorǎo, shānfēng shíyǐn-híxiàn.* Clouds and mists wreathed the hilltops, making them now appearing, now disappearing. ❷〈名 n.〉雾状物 sth. like fog: 烟~ *yān~* fog; smog │ 农民用喷~器喷洒农药。*Nóngmín yòng pēn~qì pēnsǎ nóngyào.* The farmers use sprayers to spray insecticide.

X

¹ 西 xī ❶〈名 n.〉四个主要方向之一，太阳落下去的方向（与‘东’相对）west（opposite to ‘东dōng’）：~边 ~*bian* west | 夕阳~下。*Xīyáng ~ xià.* The sun sets in the west. **❷**〈名 n.〉中国称欧美为‘西方’，简称‘西’；内容或形式属于西方 refering to Europe or America, simplified as 'West' in China; western-style: ~装 ~*zhuāng* Western-style clothes; suit | ~药 ~*yào* Western medicine | ~学 ~*xué* Western learning **❸**〈名 n.〉佛教徒心目中的极乐世界西天，指死亡 Western Heaven, Western Paradise in Buddhists' beliefs, referring to death: 一命归~ *yí mìng guī~* go west; die **❹**〈名 n.〉与‘东’对举，表示‘四处’或‘零散’in collocation with ‘东dōng', meaning 'everywhere' or 'scattered'：东奔~走 *dōngbēn~zǒu* run here and there; bustle about; rush around | 你这东一句~一句地到底是在说谁呢？*Nǐ zhè dōng yí jù ~ yí jù de dàodǐ shì zài shuō shéi ne?* Whom are you talking about in such a wandering way?

² 西北 xīběi ❶〈名 n.〉西和北之间的方向（与‘东南’相对）northwest（opposite to ‘东南dōngnán'）：刮~风 guā ~ fēng blow a northwest wind | 我家在这个村的~边。*Wǒ jiā zài zhège cūn de ~ bian.* My home is in the northwest of the village. **❷**（Xīběi）〈名 n.〉指中国西北地区，包括陕西、甘肃、青海、宁夏、新疆等省区 northwest China; the Northwest, including Shaanxi, Gansu, Qinghai, Ningxia and Xinjiang：~风情 ~ fēngqíng lifestyle of the Northwest | 开发大~ kāifā dà ~ develop the vast Northwest (of China)

¹ 西边 xībian〈名 n.〉四个主要方向之一，太阳落下去的一边（与‘东边’相对）west（opposite to ‘东边dōngbian'）：~的山上有座塔。*~ de shān shang yǒu zuò tǎ.* There is a tower on the mountain in the west. | 我住在~那间小屋。*Wǒ zhù zài ~ nà jiān xiǎo wū.* I live in that small western room. | 汽车正往~开去。*Qìchē zhèng wǎng ~ kāi qù.* The car is running to the west.

² 西部 xībù ❶〈名 n.〉西边的那部分 the western part：~地区 ~ dìqū western region | ~天空 ~ tiānkōng western sky **❷**〈名 n.〉某一国家或地区在西边的部分地区 a district or region in the western part of a country or an area：美国~牛仔 Měiguó ~ niúzǎi American western cowboy | 中国正在实施~发展战略。*Zhōngguó zhèngzài shíshī ~ fāzhǎn zhànlüè.* China is carrymg out the strategy of developing western regions.

² 西餐 xīcān〈名 n.〉（顿dùn、份fèn）西洋式的饭菜（与‘中餐’相对）Western-style food （opposite to ‘中餐zhōngcān'）：这家饭店既有中餐也有~。*Zhè jiā fàndiàn jì yǒu zhōngcān yě yǒu ~.* This restaurant serves Western food as well as Chinese food. | 吃~用刀叉我不习惯。*Chī ~ yòng dāochā wǒ bù xíguàn.* I'm not used to eating Western food with knife and fork. | 中午在~厅用餐。*Zhōngwǔ zài ~tīng yòngcān.* Lunch will be served at the Western restaurant.

² **西方** xīfāng ❶〈名 n.〉四个主要方向之一，太阳落下去的方向（与'东方'相对）west（opposite to '东方dōngfāng'）：看～，红霞满天。*Kàn ~, hóngxiá mǎntiān.* Look at the west, red clouds are all over the sky. ｜地面向～，眺望归来的航船。*Tā miànxiàng ~, tiàowàng guīlái de hángchuán.* Facing the west, she was overlooking the returning ships. ❷(Xīfāng)〈名 n.〉指欧美各国 referring to America and European countries：去～留学 *qù ~ liúxué* study in the Western countries ｜促进东方和～的交流与合作 *cùjìn Dōngfāng hé ~ de jiāoliú yǔ hézuò* promote the exchange and cooperation between the Eastern and Western countries ❸〈名 n.〉佛教用语。佛教徒认为日没西方及万物之所终，故西方为众生大归之处 Buddhist diction. According to Buddhists, the west is the place where the sun sets and the whole world meets its end, so west is the destination of all flesh：佛教徒称～为西天。*Fójiàotú chēng ~ wéi xītiān.* The west is called Western Heaven by the Buddhists. ｜他们把死看作到了～极乐世界。*Tāmen bǎ sǐ kànzuò dàole ~ jílè shìjiè.* They regard death as going into the Western Paradise.

³ **西服** xīfú〈名 n.〉（件jiàn、套tào、身shēn）西洋式的服装；特指男子穿的西式上衣、背心和裤子 Western-style clothes：我不爱穿～。*Wǒ bú ài chuān ~.* I don't like wearing Western clothes. ｜你穿～怎么不系领带？*Nǐ chuān ~ zěnme bú jì lǐngdài?* Why don't you tie a necktie when in Western suit? ｜这～上衣和～裤子不是一身的。*Zhè ~ shàngyī hé kùzi bú shì yìshēn de.* This Western coat does not match the trousers.

² **西瓜** xīguā ❶〈名 n.〉一年生草本植物，果实是夏季好果品 watermelon：这园子里种的都是～。*Zhè yuánzi li zhòng de dōushì ~.* The garden is planted with watermelon. ｜她种了50亩～。*Tā zhòngle wǔshí mǔ ~.* She has planted 50 mu of watermelons. ❷〈名 n.〉（个gè、块kuài）这种植物的果实 fruit of this plant：这个～王足有七八十斤重。*Zhège ~wáng zú yǒu qī-bāshí jīn zhòng.* This great watermelon weighs more than 70 or 80 jin. ｜好～皮薄沙甜。*Hǎo ~ pí báo shātián.* The thin husk and sweet mushy pulp characterize good watermelon.

² **西红柿** xīhóngshì ❶〈名 n.〉（株zhū）一年生或两年生草本植物，果实是一种普通蔬菜，又称'番茄' tomato, same as '番茄fānqié'：无土种植～ *wútǔ zhòngzhí ~* plant tomato hyroponcally ｜这暖棚里种的是～。*Zhè nuǎnpéng li zhòng de shì ~.* This greenhouse is planted with tomato. ❷〈名 n.〉（个gè）这种植物的果实 fruit of this plant：～可生吃也可熟吃。*~ kě shēng chī yě kě shú chī.* Tomatoes can either be eaten fresh or cooked. ｜这盘菜是～炒鸡蛋。*Zhè pán cài shì ~ chǎo jīdàn.* This dish is scrambled eggs with tomatoes.

² **西南** xīnán ❶〈名 n.〉西和南之间的方向（与'东北'相对）southwest（opposite to '东北dōngběi'）：世界公园在北京的～郊。*Shìjiè Gōngyuán zài Běijīng de ~ jiāo.* The World Park lies in the southwest outskirt of Beijing. ｜他家住在学院的～边。*Tā jiā zhù zài xuéyuàn de ~ bian.* His home is located in the southwestern part of the college. ❷(Xīnán)〈名 n.〉指中国西南地区，包括云南、贵州、四川、西藏等省区 southwest China; the Southwest, including Yunnan, Guizhou, Sichuan and Tibet Autonomous Region：大～多高山峻岭。*Dà ~ duō gāoshān jùnlǐng.* There are too many high and steep mountains in the Great Southwest（of China）. ｜～各省跟印度、缅甸、尼泊尔等国相邻。*~ gè shěng gēn Yìndù, Miǎndiàn, Níbó'ěr děng guó xiānglín.* Provinces in the southwest of China are adjacent to India, Burma, Nepal, etc.

² **西面** xīmiàn〈名 n.〉西边（常用于书面语）west（oft. used in written language）：房子的～是一片菜园。*Fángzi de ~ shì yí piàn càiyuán.* To the west of the house is a tract of vegetable garden. ｜年历挂在卧室～的墙上。*Niánlì guà zài wòshì ~ de qiáng shang.*

The calendar is hanged on the west wall of the bedroom. │ 这个省~是山，东面临海。 *Zhège shěng ~ shì shān, dōngmiàn línhǎi.* The province leans on the mountains in the west and faces the sea in the east.

³ **西医** xīyī ❶〈名 n.〉从欧美各国传入中国的医学（区别于'中医'）Western medicine; medicine introduced to China from Europe and North America （different from '中医 zhōngyī'）：研究~理论 yánjiū ~ lǐlùn study the theory of Western medicine │ 我们提倡中医和~相结合。 *Wǒmen tíchàng zhōngyī he ~ xiāng jiéhé.* We advocate the combination of traditional Chinese medicine with the Western one. ❷〈名 n.〉（名 míng、位 wèi、个 gè）运用西医的医学理论和技术治疗的医生 doctor in Western medicine; medical practitioner of Western medical theories and technology：我上医院看~。 *Wǒ shàng yīyuàn kàn ~.* I went to the hospital to see the doctor trained in Western medicine. │ 她是一位~大夫。 *Tā shì yí wèi ~ dàifu.* She is a doctor trained in Western medicine.

² **吸** xī ❶〈动 v.〉生物体把气体、液体等引入体内 inhale; breathe in：他用力~气。 *Tā yònglì ~ qì.* He breathes at full tilt. │ 大象用鼻子~水。 *Dàxiàng yòng bízi ~ shuǐ.* Elephants inhale water by their noses. ❷〈动 v.〉吸收 absorb; breathe in：~尘器 ~shénqì vacuum cleaner │ ~水纸 ~shuǐzhǐ blotting paper ❸〈动 v.〉吸引 draw; attract：~铁石 ~tiěshí magnet │ 同性相斥，异性相~。 *Tóngxìng xiāng chì, yìxìng xiāng ~.* Opposite electrical charges attract, and like ones repel.

⁴ **吸毒** xī/dú 〈动 v.〉吸入或注射毒品 doping; take drugs; be addicted to drugs：~的后果必然是倾家荡产。 *~ de hòuguǒ bìrán shì qīngjiā-dàngchǎn.* The inevitable consequence of doping is to lose all one's property. │ 他吸了什么毒？ *Tā xīle shénme dú ?* What kind of drugs had he taken？ │ 这毒再也不能吸了！ *Zhè dú zài yě bù néng xī le!* You cann't take to drugs any more！

³ **吸取** xīqǔ 〈动 v.〉吸收采取 absorb; draw; assimilate：~力量 ~ lìliang draw strength │ ~营养 ~ yíngyǎng absorb nutrition │ 从失败中~教训。 *Cóng shībài zhōng ~ jiàoxùn.* Learn lessons from failure.

² **吸收** xīshōu ❶〈动 v.〉有机体摄取组织外部的有养东西 suck up; assimilate：植物通过根~水和无机盐。 *Zhíwù tōngguò gēn ~ shuǐ hé wújīyán.* The plant draws water and inorganic salt through its roots. ❷〈动 v.〉物体把外界的某些物质吸到内部 absorb; imbibe; draw; take sth. in：活性炭可~水中的杂质。 *Huóxìngtàn kě ~ shuǐ zhōng de zázhì.* Active carbon can absorb impurity in water. ❸〈动 v.〉物体使某些现象、作用减弱或消失 absorb; take in; moderate the impact of certain phenomena or the role of sth.：隔音纸能起~声音的作用。 *Géyīnzhǐ néng qǐ ~ shēngyīn de zuòyòng.* Sound-insulating paper can take in sound. ❹〈动 v.〉组织或团体接受某人为其成员 recruit; admit; enroll：他被~加入工会。 *Tā bèi ~ jiārù gōnghuì.* He was admitted into the labor union. ❺〈动 v.〉接受、理解（知识）take in; comprehend（knowledge）：从书本中~有用的知识 *cóng shūběn zhōng ~ yǒuyòng de zhīshi* take in useful knowledge from books

² **吸烟** xī//yān ❶〈动 v.〉将香烟或烟丝点燃后产生的烟雾进并呼出 smoke; draw on a pipe：你吸旱烟还是吸水烟？ *Nǐ xī hànyān háishì xī shuǐyān？* Do you draw on cut tobacco or shredded tobacco for water pipes？ │ ~对人体有害。 *~ duì réntǐ yǒu hài.* Smoking is harmful to health. ❷〈动 v.〉指吸食鸦片 be addicted to opium：那时，他常去烟馆~。 *Nà shí tā cháng qù yānguǎn ~.* At that time, he often went to opium den to take a smoke. │ 自~起，他那个家就开始衰败了。 *Zì ~ qǐ, tā nàge jiā jiù kāishǐ shuāibài le.* His family began to decline since he took up opium smoking.

² **吸引** xīyǐn 〈动 v.〉把别的物体、力量或别人的注意力引到自己这方面来 attract; draw

sb's attention：他见义勇为的事迹深深地~了大家。*Tā jiànyì-yǒngwéi de shìjì shēnshēn de ~le dàjiā.* His story of helping others for a just cause had a strong appeal to everyone. | 公园里的牡丹花展~了不少的游人。*Gōngyuán li de mǔdān huāzhǎn ~le bùshǎo de yóurén.* Peony exhibition in the park attracted many tourists. | 为掩护战友，他把敌人的火力~到自己这边来。*Wèi yǎnhù zhànyǒu, tā bǎ dírén de huǒlì ~ dào zìjǐ zhèbian lái.* In order to protect his comrades-in-arms, he attracted the enemy's firepower to his own side.

¹ **希望** xīwàng ❶〈动 v.〉心里想着达到某种目的或出现某种情况 hope; aspire; yearn; hanker; dream; expect：父母殷切地~孩子健康成长。*Fùmǔ yīnqiè de ~ háizi jiànkāng chéngzhǎng.* Parents ardently expect that their children will grow up healthily. | 他衷心地~领导能批准他的请求。*Tā zhōngxīn de ~ lǐngdǎo néng pīzhǔn tā de qǐngqiú.* He sincerely hoped that the leader would approve of his request. ❷〈名 n.〉希望达到的某种目的或出现的某种情况；愿望 hope; wish; dream：他们对新领导寄予很大的~。*Tāmen duì xīn lǐngdǎo jìyú hěn dà de ~.* They place great hope on the newly assigned leader. | 我的~十分渺茫。*Wǒ de ~ shífēn miǎománg.* My hope is very dim. ❸〈名 n.〉希望所寄托的对象 sb. or sth. on which hope is placed：你们是祖国未来的~。*Nǐmen shì zǔguó wèilái de ~.* Our country's future rests with you. | 我们始终把青年一代看做中华民族的~。*Wǒmen shǐzhōng bǎ qīngnián yídài kànzuò Zhōnghuá Mínzú de ~.* We always regard the youth as the hope of Chinese nation.

² **牺牲** xīshēng ❶〈动 v.〉为了正义的目的而舍弃自己的生命 give one's life for; die a martyr's death; lay down one's life：为祖国的统一和领土完整而不惜流血~ *wèi zǔguó de tǒngyī hé lǐngtǔ wánzhěng ér bùxī liúxuè ~* not hesitate to shed one's blood and lay down one's life for the unification and territorial integrity of one's country | 他~在战场上。*Tā ~zài zhànchǎng shang.* He gave his life on the battlefield. ❷〈动 v.〉放弃或损害一方的利益 give up; at the expense of：他~个人休假时间，积极参加当地的抗洪救灾。*Tā ~ gèrén xiūjià shíjiān, jījí cānjiā dāngdì de kànghóng jiùzāi.* He gave up his vacation to take an active part in fighting flood and rescuing the victims in the locality. | 他主动~休息日为大家修理自行车。*Tā zhǔdòng ~ xiūxirì wèi dàjiā xiūlǐ zìxíngchē.* He gave up his holiday to repair bikes for everybody on his own initiative.

³ **稀** xī ❶〈形 adj.〉少 few; rare; scarce; uncommon：~罕 *~han* rare | 物以~为贵。*Wù yǐ ~ wéi guì.* There is value in all rarity. ❷〈形 adj.〉事物之间距离远；事物的部分之间空隙大（与'密'相对）sparse; scattered (opposite to '密mì')：那里地广人~。*Nàli dìguǎng-rén~.* That is a wide but sparsely populated area. | 人老了，头发~了。*Rén lǎo le, tóufa ~ le.* As one is aging, his hair becomes thin. ❸〈形 adj.〉含水多；稀薄（与'稠'相对）liquid; watery; thin (opposite to '稠chóu')：和~泥（比喻无原则地调解）*huò ~ ní (bǐyù wú yuánzé de tiáojiě)* roil the slime (fig. mediate without principle) | 这粥也太~了。*Zhè zhōu yě tài ~ le.* The porridge is too watery. ❹〈形 adj.〉用在'烂''松'等词前，表示程度深 used before such adjectives as '烂làn' and '松sōng', extremely; very：这班学生的纪律太~松了。*Zhè bān xuésheng de jìlǜ tài ~sōng le.* Students in this class are too loosely disciplined. | 我不喜欢吃~烂~烂的饭。*Wǒ bù xǐhuan chī ~làn ~làn de fàn.* I don't like pulpy rice. ❺〈名 n.〉某些含水分多的东西 sth. watery or thin：我年纪大了，晚上也就喝点儿~的。*Wǒ niánjì dà le, wǎnshang yě jiù hē diǎnr ~ de.* I'm old and can only have some watery food in the evening. | 吃了不干净的东西，拉~了。*Chīle bù gānjìng de dōngxi, lā~ le.* I ate something unhealthy and had diarrhea.

³ **锡** xī〈名 n.〉一种金属元素，符号Sn stannum：焊~ *hàn~* soldering tin | ~矿 *~kuàng*

stannin pit | 他是~匠，专门打造~器。*Tā shì ~jiàng, zhuānmén dǎzào ~ qì.* He is a tinsmith who specializes in making articles of tin. | 这套酒具是~做的。*Zhè tào jiǔjù shì ~ zuò de.* This set of wine utensils is made of tin.

溪 xī 〈名 n.〉原指山里的小河沟，现泛指小河沟 small stream; brook; rivulet: 山谷里的~水哗哗地流淌着。*Shāngǔ li de ~shuǐ huāhuā de liútǎngzhe.* The stream swooshes down the valley. | 这里的~水清澈见底。*Zhèli de ~shuǐ qīngchè jiàn dǐ.* The stream is so crystally clear that you can see the bottom of it. | 小时候我常到小~里摸鱼。*Xiǎo shíhou wǒ cháng dào xiǎo~ li mō yú.* When I was young, I often caught fish with both hands in a small stream.

熄 xī 〈动 v.〉停止燃烧；灭(灯火) put out; extinguish: 晚上10点~灯。*Wǎnshang shí diǎn ~ dēng.* Lights are turned off at 10 o'clock in the evening. | 这是公共场所，快把烟~了。*Zhè shì gōnggòng chǎngsuǒ, kuài bǎ yān ~ le.* This is a public place; put out your cigarette at once.

熄灭 xīmiè 〈动 v.〉停止燃烧；灭(灯火) (of a fire, light, etc.) go out; die out: 蜡烛~了。*Làzhú ~ le.* The candle has died out. | 楼道里的灯光突然~了。*Lóudào li de dēngguāng tūrán ~ le.* The light in the corridor went out suddenly. | 情爱之火在她心中永远也不会~。*Qíng'ài zhī huǒ zài tā xīnzhōng yǒngyuǎn yě bú huì ~.* The fire of love will never die out in her heart.

膝盖 xīgài 〈名 n.〉(个gè, 双shuāng)大腿和小腿相连的关节的前部 knee: 不小心，~碰破了。*Bù xiǎoxīn, ~ pèngpò le.* Due to carelessness my knee has broken. | 一到阴天，~就隐隐作痛。*Yí dào yīntiān, ~ jiù yǐnyǐn zuòtòng.* I feel a dull pain in my knees when it is cloudy. | 这个~还没有根本治好。*Zhège ~ hái méiyǒu gēnběn zhì hǎo.* This knee has not been cured.

习惯 xíguàn ❶〈名 n.〉(个gè, 种zhǒng)长时间里逐渐养成的、一时不容易改变的行为、倾向或社会风尚 habit; custom: 睡前洗脚，这是我从小养成的~。*Shuì qián xǐ jiǎo, zhè shì wǒ cóngxiǎo yǎngchéng de~.* Washing feet before going to bed is the habit that I formed since my childhood. | 你睡懒觉的~得改一改了。*Nǐ shuìlǎnjiào de ~ děi gǎi yì gǎi le.* You'd better change the habit of sleeping in. ❷〈动 v.〉对于新的情况逐渐适应 be accustomed to; be used to; be inured to: 他已~了部队的紧张生活。*Tā yǐ ~ bùduì de jǐnzhāng shēnghuó.* He has got used to the intense life of the army. | 我对这里的生活还不太~。*Wǒ duì zhèli de shēnghuó hái bú tài ~.* I'm not used to the life here.

习俗 xísú 〈名 n.〉(种zhǒng)习惯和风俗 custom; customs: 各民族都有自己的~。*Gè mínzú dōu yǒu zìjǐ de ~.* Every nation has its own customs. | 我们要尊重当地民族的~。*Wǒmen yào zūnzhòng dāngdì mínzú de~.* We should respect the local folkways. | 他是专门研究民间~的。*Tā shì zhuānmén yánjiū mínjiān~ de.* He specializes in folkways.

习题 xítí 〈名 n.〉(道dào)教学上供练习用的题目 exercises in school work: 语文~ yǔwén ~ Chinese exercises | 同学们在解答~。*Tóngxuémen zài jiědá ~.* The students are doing exercises. | 他的~做得好。*Tā de ~ zuò de hǎo.* He has done a good exercise. | 老师在批改~。*Lǎoshī zài pīgǎi ~.* The teacher is correcting the exercises.

席 xí ❶〈名 n.〉席位 seat: 贵宾~ guìbīn ~ honoured guests' seat | 联~会议 lián~ huìyì joint conference ❷〈名 n.〉(桌zhuō)酒席; 宴席(成桌的饭菜) banquet; feast: 宴请赴~ yànqǐng fù ~ go to a banquet | ~间大家频频举杯。*~ jiān dàjiā pínpín jǔbēi.* Everybody toasted frequently in the banquet. ❸〈名 n.〉(张zhāng、领lǐng、卷juǎn)用芦苇、竹篾或蒲草等编织的平片的东西，用来铺炕、铺地、铺床或搭棚子等 mat: ~棚 ~péng mat awning｜炕~ kàng~ mat for brick bed ❹〈量 *meas.*〉可作临时量词(数词仅限于'一'yī)，用于酒席、谈话 temporarily used as a classifier only collocated with numeral '一 yī', modifying, feast or talk：一~话 yì~ huà a talk with sb.｜一~酒 yì~ jiǔ a one-table banquet

³ **席位** xíwèi〈名 *n.*〉(个 gè)参加集会的个人或团体所占的座位；特指议会中的席位，表示当选的人数 seat：这一排是来宾的~. Zhè yì pái shì láibīn de ~. This line of seats are for the guests.｜这个~是专门给外国朋友留的. Zhège ~ shì zhuānmén gěi wàiguó péngyou liú de. This seat is specially reserved for a foreign friend.｜民主党在这次选举中获得了过半的~. Mínzhǔdǎng zài zhè cì xuǎnjǔ zhōng huòdéle guòbàn de ~. Democratic party has won more than half of the seats in this election.

³ **袭击** xíjī ❶〈动 *v.*〉军事上指出其不意地打击 surprise attack; attack by surprise：我军乘黑夜~了敌人的机场. Wǒ jūn chéng hēiyè ~le dírén de jīchǎng. Our army attacked the enemy's airports by surprise under cover of night.｜敌指挥部遭到我军突然~. Dí zhǐhuībù zāodào wǒ jūn túrán ~. Our army took the enemy's headquarters by surprise. ❷〈动 *v.*〉意外侵袭 unexpected blow; hit：一场暴风雪~了西北大草原. Yì chǎng bàofēngxuě ~le xīběi dà cǎoyuán. A snowstorm hit the prairie in northwest China.｜东南沿海受到七号台风的~. Dōngnán yánhǎi shòudào qī hào táifēng de ~. The coastline in southeast China was hit by the No.7 typhoon.

³ **媳妇** xífù ❶〈名 *n.*〉(个 gè、位 wèi)儿子的妻子，也叫'儿媳妇'son's wife; daughter-in-law; also '儿媳妇 érxífù'：隔壁老太太的~真贤惠. Gébì lǎotàitai de ~ zhēn xiánhuì. The daughter-in-law of the old lady next door is so virtuous. ❷〈名 *n.*〉(个 gè、位 wèi)小辈或晚辈亲属的妻子 wife of a relative of the younger generation：弟~ dì~ brother's wife｜外甥~ wàisheng~ nephew's wife｜侄~ zhí~ nephew's wife ❸〈~儿〉〈名 *n.*〉妻子 wife：他的~儿心灵手巧. Tā de ~r xīnlíng-shǒuqiǎo. His wife is clever and deft.

¹ **洗** xǐ ❶〈动 *v.*〉用水、汽油、稀料等除去污垢 wash; clean sth. with water, gasoline and solvent：~衣服~yīfu wash clothes; do one's laundry｜清~汽车零件 qīng~ qìchē língjiàn clean the parts of a car｜油漆刷子用稀料才能~干净. Yóuqī shuāzi yòng xīliào cái néng ~ gānjìng. Painting brushes can only be cleaned by solvent. ❷〈动 *v.*〉洗雪 redress：~罪 ~zuì redress the crime ❸〈动 *v.*〉清除 clear away; eliminate：清~ qīng~ ferret out; uproot ❹〈动 *v.*〉照相的显影、定影 develop film：~胶卷 ~jiāojuǎn develop a roll of film｜这几张照片~得特别好. Zhè jǐ zhāng zhàopiàn ~ de tèbié hǎo. These photos are printed quite well. ❺〈动 *v.*〉把磁带上的录音、录像去掉 erase a recording：这盘磁带~掉，重录. Zhè pán cídài ~diào, chóng lù. Erase this tape of recording and record it again.｜不小心把这段录像给~掉了. Bù xiǎoxīn bǎ zhè duàn lùxiàng gěi ~ diào le. This tape of recording was erased accidentally. ❻〈动 *v.*〉杀光抢光 sack; devastate：盗匪将这个小镇一劫而空. Dàofěi jiāng zhège xiǎozhèn ~jié yì kōng. This small town was plundered by the bandits of all its valuables. ❼〈动 *v.*〉玩牌时把牌搀和整理，以便继续玩 shuffle cards in preparation for another game：这牌~得不干净，推倒重~. Zhè pái de bù gānjìng, tuīdǎo chóng ~. These mahjong tiles were not properly shuffled, push them over and have a reshuffle. ❽〈名 *n.*〉承水器 tray for washing：笔~ bǐ~ stone or shells for washing writing brushes ❾〈名 *n.*〉洗礼 baptize：受~ shòu~ be baptized

⁴ **洗涤** xǐdí ❶〈动 *v.*〉洗去衣物上的脏东西 wash; clean：领子和袖口要用~剂搓洗. Lǐngzi hé xiùkǒu yào yòng ~jì cuōxǐ. Collar and sleeves need to be washed by hands with detergent. ❷〈动 *v.*〉比喻洗去思想或工作上的污垢 *fig.* scour off the dirt in thinking or work：我们思想上的灰尘也应该经常扫荡和~. Wǒmen sīxiǎng shang de huīchén yě

yīnggāi jīngcháng dǎsǎo hé ~. The dust in our thinking should be cleaned frequently. | 你那满脑子的封建思想，早该~~~了。*Nǐ nà mǎnnǎozi de fēngjiàn sīxiǎng, zǎo gāi ~ ~ le.* The feudalistic thinking in your mind should have been cleaned earlier.

² **洗衣机** *xǐyījī* 〈名 *n.*〉（台 *tái*）一种常用的家用电器，自动洗涤衣物的电动机械装置 washing machine：这是一台新型的~。*Zhè shì yì tái xīnxíng de* ~. This is a new-type washing machine. | 用~洗衣物既省时又省力。*Yòng ~ xǐ yīwù jì shěng shí yòu shěng lì.* Washing clothes with a washing machine is both time-saving and labor-saving. | 这个厂生产的~价廉、物美、耐用。*Zhège chǎng shēngchǎn de ~ jiàlián, wùměi, nàiyòng.* The washing machine produced by this factory is cheap in price, good in quality and stands wear and tear.

¹ **洗澡** *xǐ // zǎo* 〈动 *v.*〉用水洗去身上的污垢 wash and soak; have or take a bath; bathe; take a shower：~堂 *~táng* bathhouse; public bath | 劳动之后洗个澡，舒服！*Láodòng zhī hòu xǐ gè zǎo, shūfu!* It is so comfortable to have a bath after working. | 坚持洗凉水澡，对身体大有好处。*Jiānchí xǐ liángshuǐzǎo, duì shēntǐ dà yǒu hǎochù.* It benefits greatly your health to persist in taking a cold shower.

⁴ **喜** *xǐ* ❶〈动 *v.*〉快乐；高兴 happy; delighted; pleased：欢欢~~ *huānhuān~~* happy; joyful | 他~得眼泪都出来了。*Tā ~ de yǎnlèi dōu chūlái le.* He is so happy and cannot help crying. ❷〈动 *v.*〉爱好；喜欢 like; have a propensity for：~新厌旧 *~xīn-yànjiù* off with the old love and on with the new; be fond of the new and tired of the old | 好大~功 *hàodà-~gōng* be fond of doing sth. too ambitious and unrealistic ❸〈动 *v.*〉某种生物适宜于什么环境；某种东西适宜于组合什么东西 be fond of; like; be suitable else：这花~干，不宜天天浇水。*Zhè huā ~ gān, bùyí tiāntiān jiāoshuǐ.* It is not suitable to water this flower everyday because it is fond of dryness. | 海带~荤，炖肉好吃。*Hǎidài ~ hūn, dùnròu hǎochī.* It's better to stew kelp with pork because it tastes better with meat. ❹〈名 *n.*〉值得庆贺的事情 happy event：试验成功，大家向领导报~去了。*Shìyàn chénggōng, dàjiā xiàng lǐngdǎo bào~ qù le.* The test is successful and everybody goes to announce the good news to the leader. | 他儿子考上了大学，人们纷纷向他道~。*Tā érzi kǎoshàngle dàxué, rénmen fēnfēn xiàng tā dào~.* His son was admitted to an university and people came to congratulate him in succession. ❺〈名 *n.* 口 *colloq.*〉指孕 pregnant; have just conceived：她有~了。*Tā yǒu ~ le.* She is pregnant. | 她正害~呢（因怀孕而产生恶心、呕吐）。*Tā zhèng hài~ ne (yīn huáiyùn ér chǎnshēng ěxīn, ǒutù).* She was suffering from morning sickness （feel sick, vomit or exhibit unusual food cravings because of pregnancy）.

³ **喜爱** *xǐ'ài* 〈动 *v.*〉对人或对事物有好感或感兴趣 take a fancy for; be fond of; be keen on：这孩子太惹人~了。*Zhè háizi tài rě rén ~ le.* The child is too lovable. | 我~打羽毛球。*Wǒ ~ dǎ yǔmáoqiú.* I am fond of playing badminton. | 她由衷地~这班学生。*Tā yóuzhōng de ~ zhè bān xuéshēng.* She loves the students in this class from the bottom of her heart.

¹ **喜欢** *xǐhuan* ❶〈动 *v.*〉对人或事物有好感或感兴趣 like; love; be fond of; be keen to：我~文学不~数学。*Wǒ ~ wénxué bù ~ shùxué.* I am fond of literature rather than mathematics. | 他真心地~自己的工作。*Tā zhēnxīn de ~ zìjǐ de gōngzuò.* He really likes his work. ❷〈形 *adj.*〉快乐；高兴 happy; elated：有什么好消息快告诉我，也让我~~。*Yǒu shénme hǎo xiāoxi kuài gàosu wǒ, yě ràng wǒ ~ ~.* Tell me quickly the good news you have and let me share the happiness with you. | 大家喜喜欢欢过新年。*Dàjiā xǐxǐhuānhuān guò xīnnián.* Everybody enjoys a happy New Year.

⁴ 喜鹊 xǐquè〈名 n.〉(只zhī)一种鹊鸟，叫声嘈杂，中国民间传说听它叫预示喜事来临，所以叫喜鹊 magpie; bird of the family Corvidae that is noted for its chattering call, regarded in Chinese folklore as the harbinger of good tidings, and hence known popularly as 'happy magpie'：老人说'~叫，喜事到'。*Lǎorén shuō '~ jiào, xǐshì dào'.* The elders say that happy thing will occur at the singing of a magpie.│一只~在树上喳喳地叫。*Yī zhī ~ zài shù shang zhāzhā de jiào.* One happy magpie is tweeting on the tree.│这树上有个~窝。*Zhè shù shang yǒu gè ~ wō.* There is a nest of happy magpies on this tree.

⁴ 喜事 xǐshì ❶〈名 n.〉(件jiàn、桩zhuāng)值得庆贺的使人高兴的事 happy event; joyous occasion：最近村里的~不断。*Zuìjìn cūn li de ~ búduàn.* Happy events occurred one after another recently in the village.│人逢~精神爽。*Rén féng ~ jīngshén shuǎng.* One's spirit will be heightened when he meets happy events. ❷〈名 n.〉(桩zhuāng)特指结婚的事 wedding：她正忙着操办女儿的~呢。*Tā zhèng mángzhe cāobàn nǚ'ér de ~ ne.* She is busy in preparing for her daughter's wedding.

⁴ 喜讯 xǐxùn〈名 n.〉(条tiáo、则zé)使人高兴的消息 happy news; good news; glad tidings：丰收的~*fēngshōu de* ~ the good news of bumper harvest│载人飞船成功上天的~传来，人们不禁欢呼起来。*Zàirén fēichuán chénggōng shàngtiān de ~ chuán lái, rénmen bùjīn huānhū qǐlái.* People could not help cheering up when they heard that the manned spacecraft had been launched successfully.

³ 喜悦 xǐyuè〈形 adj.〉愉快；高兴 happy; joyous：满怀~的心情 *mǎnhuái ~ de xīnqíng* be imbued with a happy mood│看到儿子的奖状，她的脸上露出了~的笑容。*Kàndào érzi de jiǎngzhuàng, tā de liǎn shang lùchūle ~ de xiàoróng.* A happy smile appeared on her face when she saw her son's certificate of merit.

X

² 戏 xì ❶〈名 n.〉(出chū、场chǎng、台tái、幕mù)戏剧的表演艺术；也指杂技 drama; show; play; acrobatics：京~*jīng* ~ Peking opera show│马~*mǎ* ~ circus│今晚看了一出地方~。*Jīnwǎn kànle yī chū dìfāng~.* We have enjoyed a local opera show tonight. ❷〈动 v.〉游戏；玩耍 frolic; gambol：孩子们在墙~。*Háizimen zài xǐ~.* The children are gamboling.│耍儿~(比喻对事情不认真)*shuǎ ér~*(bǐyù duì shìqing bú rènzhēn) play children's game; play trifling matter (*fig.* not be serious in handling things) ❸〈动 v.〉嘲弄；开玩笑 joke; banter; make fun of：~弄 *~nòng* make fun of│~言 *~yán* joke; humorous remarks

³ 戏剧 xìjù ❶〈名 n.〉以表演为主的舞台艺术，有话剧、戏曲、歌剧、舞剧、歌舞剧、哑剧等 drama; play; theater：~艺术 *~ yìshù* drama art│~效果 *~xiàoguǒ* dramatic effect│他是有名的现代~大师。*Tā shì yǒumíng de xiàndài ~ dàshī.* He is a famous master of modern drama. ❷〈名 n.〉(部bù)指剧本 scenario; play script：我是搞~创作的。*Wǒ shì gǎo ~ chuàngzuò de.* I am engaged in play writing.│这部~情节动人。*Zhè bù ~ qíngjié dòngrén.* The story of this play is moving.

¹ 系 xì ❶〈名 n.〉(个gè)系统 system; series; line：语~*yǔ* ~ language family│直~亲属 *zhí~ qīnshǔ* lineal relative ❷〈名 n.〉(个gè)大学中按学科分出的教学行政单位 (of a university) department; faculty：中文~*Zhōngwén* ~ Chinese department│这是新成立的一个~。*Zhè shì xīn chénglì de yí gè ~.* This is a newly established department. ❸〈动 v.〉联结；联系(多用于抽象的事物) relate to; rely on; have to do with (mostly of sth. abstract)：维~全局 *wéi~ quánjú* maintain the overall situation│成败~于此举。*Chéngbài ~ yú cǐ jǔ.* Success or failure relies on this single action. ❹〈•动 v.〉牵挂 be concerned of; be anxious about：~念在心 *~niàn zài xīn* be concerned in mind; be anxious in mind│~恋不舍 *~liàn bù shě* be reluctant to part from ❺〈动 v.〉把人或物捆

住向上提或往下送 tie up and carry; fasten and lower down: 为了救孩子，他把自己~到井底去了。*Wèile jiù háizi, tā bǎ zìjǐ ~dào jǐng dǐ qù le.* In order to rescue the child, he tied himself up and was lowed down to the bottom of the well. | 他把白菜从菜窖里一筐筐~上来。*Tā bǎ báicài cóng càijiào li yì kuāngkuāng ~shànglái.* He lifted the baskets of cabbages up from the cellar. ❻〈动 v.〉拴；绑 do up; tie; fasten: 他把驴~在柱子上。*Tā bǎ lú ~ zài zhùzi shang.* He tethered the donkey to the pillar. | 她辫子上~着红头绳。*Tā biànzi shang ~zhe hóng tóushéng.* Her plait is bound up with a piece of red string. ❼〈动 v.〉拘禁 incarcerate; jail: ~狱 ~yù be thrown into prison ❽〈动 v. 书 lit.〉是 be (am, is, are): 本剧之所以情节纯~虚构。*Běn jù zhī suǒyǐ qíngjié chún ~xūgòu.* The story of this play is simply trumped up.

⁴ **系列** xìliè〈名 n.〉（个gè）相关联的成组成套的事物 series; set: 采取一~措施 *cǎiqǔ yí ~cuòshī* take a series of measures | 大型~电视片 *dàxíng ~ diànshìpiàn* a grand series of telefilms | ~化妆品 *~huàzhuāngpǐn* a line of cosmetics | 进行~比赛 *jìnxíng ~ bǐsài* have a series of games

² **系统** xìtǒng ❶〈名 n.〉（个gè）同类事物按一定的关系组成的整体 system: 建立~ *jiànlì ~* set up a system | 这是神经~的病。*Zhè shì shénjīng ~ de bìng.* This disease relates to the nervous system. | 他已调离教育~，到卫生~去工作。*Tā yǐ diàolí jiàoyù ~, dào wèishēng ~ qù gōngzuò.* He has been transferred from the educational system to the hygiene system. ❷〈形 adj.〉连贯的；有条理的 methodical; systematic: 他没有受过~的教育。*Tā méiyǒu shòuguo ~ de jiàoyù.* He has not received systematic education. | 南水北调是一个庞大的~工程。*Nánshuǐběidiào shì yí gè pángdà de ~ gōngchéng.* Diverting water from the south to the north is a grand project.

¹ **细** xì ❶〈形 adj.〉（条状物）横剖面小（与'粗'相对）fine; thin; slender (opposite to '粗 cū'): ~竹竿 *~zhúgān* fine bamboo pole | 她纺的线又~又匀。*Tā fǎng de xiàn yòu ~ yòu yún.* The thread she spins is thin and smooth. ❷〈形 adj.〉（长条形）两边的距离近；窄（与'宽'相对）(of sth. long) narrow; thin (opposite to '宽kuān'): 河~得像一条腰带。*Hé ~ de xiàng yì tiáo yāodài.* The river looks as thin as a ribbon. | 你画的这条线太~了。*Nǐ huà de zhè tiáo xiàn tài ~ le.* The line you drew is too thin. ❸〈形 adj.〉颗粒小 fine; in small particles: ~白糖 *~báitáng* fine white sugar | 这棒子面磨得真~。*Zhè bàngzimiàn mò de zhēn ~.* The corn flour was finely ground. ❹〈形 adj.〉音量小（of sound, voice）soft; low: 轻声~语 *qīngshēng~yǔ* light tone and soft voice | ~声~气 *~shēng~qì* slow voice ❺〈形 adj.〉精细 exquisite; delicate: 这刀功真~. *Zhè dāogōng zhēn ~.* This slicing skill is so delicate. | 这双面绣多~呀! *Zhè shuāngmiànxiù duō ~ ya!* How delicate this double-sided embroidery is. ❻〈形 adj.〉仔细；详细；周密 meticulous; detailed: ~~地瞧 *~~de qiáo* watch carefully | 精打~算 *jīngdǎ~suàn* careful calculation and strict budgeting ❼〈形 adj.〉细微；细小 trivial; slight; petty; paltry: ~节 *~jié* minute detail | ~菌 *~jūn* germ; bacterium | 事无巨~，样样他都操心。*Shì wú jù~, yàngyàng tā dōu cāoxīn.* He took care of all the things personally, big and small. ❽〈形 adj. 方 dial.〉年龄小 young; little: ~妹子 *~mèizi* young girl | ~娃子 *~wázi* little boy ❾〈名 n.〉间谍；侦探 spy; secret agent: 奸~ *jiān~* spy; secret agent | ~作 *~zuò* spy; secret agent

³ **细胞** xìbāo ❶〈名 n.〉（个gè）生物体的基本结构和功能单位 cell: ~繁殖 *~fánzhí* cell reproduction | 他是研究~学的。*Tā shì yánjiū ~xué de.* He does research work in cytology. ❷〈名 n.〉（个gè）比喻事物的基本组成部分 fig. the basic compenent of things: 每个家庭都是社会的一个~。*Měi gè jiātíng dōu shì shèhuì de yí gè ~.* Every family is a cell of the society.

⁴ **细节** xìjié〈名 n.〉(个gè)细小的环节或情节 detail; particular: 为消除隐患，每个~他都反复考虑过。*Wèi xiāochú yǐnhuàn, měi gè ~ tā dōu fǎnfù kǎolùguo.* In order to avoid hidden trouble, he has repeatedly taken into considerations every detail. ｜说那段历史，这个重要的~是不能拉下的。*Shuō nà duàn lìshǐ, zhège zhòngyào de ~ shì bù néng lāxià de.* This important detail should not be overlooked when we speak of that period of history. ｜这篇报告文学的~写得十分感人。*Zhè piān bàogào wénxué de ~ xiě de shífēn gǎnrén.* The details of this reportage are very moving.

² **细菌** xìjūn〈名 n.〉(个gè、种zhǒng)微生物的一个大类 germ; bacterium: ~种类繁多。*~ zhǒnglèi fánduō.* There is a large variety of bacteria. ｜动植物的生存离不开~。*Dòngzhíwù de shēngcún lí bù kāi ~.* Animals and plants cannot live without bacteria. ｜我们反对研发和使用~武器。*Wǒmen fǎnduì yánfā hé shǐyòng ~ wǔqì.* We oppose developing and using biological weapons.

⁴ **细小** xìxiǎo〈形 adj.〉很小 very small; tiny; fine; trivial: 声音~ *shēngyīn* ~ thin and low voice ｜~的问题往往容易被人忽视。*~ de wèntí wǎngwǎng róngyì bèi rén hūshì.* People are apt to neglect trivial things. ｜针眼太~了，不戴眼镜穿不了线。*Zhēnyǎn tài ~ le, bú dài yǎnjìng chuān bù liǎo xiàn.* The eye of the needle is so small that I cannot thread it without glasses.

² **细心** xìxīn〈形 adj.〉用心细密 careful; attentive: ~照料 ~ *zhàoliào* take good care of ｜~护理 ~ *hùlǐ* take good care of ｜办事~ *bànshì* ~ be careful in working ｜他是个~人。*Tā shì gè ~ rén.* He is a careful person.

³ **细致** xìzhì ❶〈形 adj.〉精细周到 fastidious; scrupulous: 工作~ *gōngzuò* ~ work carefully ｜办事~ *bànshì* ~ handle affairs fastidiously ｜干医生这一行必须认真~。*Gàn yīshēng zhè yì háng bìxū rènzhēn ~.* It must be conscientious and scrupulous to be a doctor. ❷〈形 adj.〉细密精致 intricate; precise about details: ~的图案 ~ *de tú'àn* intricate design ｜~的花纹 ~ *de huāwén* intricate pattern

³ **虾** xiā〈名 n.〉(只zhī、对duì)一种水生节肢生物，可作鲜美的食品 shrimp: 龙~ *lóng*~ langouste; lobster ｜~米 ~*mi* dried, shelled shrimps ｜~酱 ~*jiàng* shrimp paste ｜油焖~ *yóumèn*~ oil stewed shrimps ｜~兵蟹将 (中国神话中龙王的兵将，比喻坏人的爪牙或不中用的兵将) ~*bīng-xièjiàng* (*Zhōngguó shénhuà zhōng Lóngwáng de bīngjiàng, bǐyù huàirén de zhǎoyá huò bù zhōngyòng de bīngjiàng*) mythological shrimp soldiers and crab generals (*fig.* ineffective troops; hopeless soldiers)

³ **瞎** xiā ❶〈动 v.〉丧失视觉；失明 blind; sightless; unseeing; visionless: 老人双目突然~了。*Lǎorén shuāng mù tūrán ~ le.* The old man's two eyes suddenly become blind. ｜他左眼从小就~了。*Tā zuǒ yǎn cóngxiǎo jiù ~ le.* He's been blind in his left eye since childhood. ❷〈动 v. 方 dial.〉糟蹋；损失；丢掉 waste; spoil; lose: 这场冰雹不知~了多少庄稼。*Zhè chǎng bīngbáo bù zhī ~le duōshao zhuāngjia.* No one knows how much farm crop was spoiled by this hailstorm. ｜这次征兵，俺村白~了一个名额。*Zhè cì zhēngbīng, ǎn cūn bái ~le yí gè míng'é.* Our villiage has wasted a candidature in this conscription. ❸〈副 adv.〉盲目地；没有根据地；没有效果地 blindly; futilely; to no purpose: ~干 ~*gàn* do sth. for no purpose ｜~说 ~*shuō* talk rubbish ｜~忙 ~*máng* be busy for no purpose ❹〈形 adj.〉炮弹不响或引爆装置不爆炸 (of a bullet, grenade, shell, or bomb) fail to detonate; be a dud: ~炮 ~*pào* dud ｜炸药~了。*Zhàyào ~ le.* The dynamite fails to detonate. ❺〈形 adj. 方 dial.〉农作物种子不发芽或子粒中空 (of seeds) fail to sprout; (of farm crop) fail to bear full-grown grain: ~花生 ~*huāshēng* peanut that fails to sprout ｜这茬谷子全都~了。*Zhè chá gǔzi quán dōu ~ le.* This crop of millets failed

to bear full-grown grains. ❻〈形 *adj.* 方 *dial.*〉线缠绕没头绪；乱 become tangled：这团线绕~了。 *Zhè tuán xiàn rào~ le.* This ball of thread has got tangled up.

⁴ **峡** xiá ❶〈名 *n.*〉两山夹水的地方（多用于地名）gorge; *xia* (usu. as part of a place name)：三门~（在河南）*Sānmén~ (zài Hénán)* Sanmenxia (in Henan Province) | 青铜~（在宁夏）*Qīngtóng~ (zài Níngxià)* Qingtongxia (in Ningxia Hui Autonomous Region) | 长江三~(指瞿塘峡、巫峡和西陵峡) *Cháng Jiāng Sān~(zhǐ Qútángxiá, Wūxiá hé Xīlíngxiá)* Three Gorges of the Yangtze River (Qutangxia, Wuxia and Xilingxia) ❷〈名 *n.*〉两岸是陆地，中间是海道的地方 strait; channel; gullet; pass; fretum：海~两岸 *Hǎi~ liǎng àn* both sides of the Straits | 台湾海~ *Táiwān Hǎi~* Taiwan Straits

³ **峡谷** xiágǔ〈名 *n.*〉(条tiáo、道dào)河流经过的深而狭窄的山谷 gorge; canyon：青藏高原~多。 *Qīng-Zàng Gāoyuán ~ duō.* There are many gorges on the Qinghai-Tibet Plateau. | 雅鲁藏布大~是世界第一大~。 *Yǎlǔzàngbù Dà ~ shì shìjiè dì-yī dà ~.* The Grand Yaluzangbu Canyon is the largest of its kind in the world. | ~里河流湍急，水力资源丰富。 *~ li héliú tuānjí, shuǐlì zīyuán fēngfù.* Swift currents and abundant water resource characterize the canyon. | ~漂流是一种新开发的旅游项目。 *~ piāoliú shì yì zhǒng xīn kāifā de lǚyóu xiàngmù.* Drifting along the currents in the canyon is a newly developed tourist program.

⁴ **狭隘** xiá'ài ❶〈形 *adj.*〉狭窄；宽度小 narrow：~的山间小道 *~ de shān jiān xiǎo dào* a narrow path through the hill | 这条胡同很~。 *Zhè tiáo hútòng hěn ~.* This bystreet is very narrow. ❷〈形 *adj.*〉(心胸、气量、见识等)局限在一个小范围里，不宽广；不宏大 narrow and limited; parochial：心胸~ *xīnxiōng ~* narrow-minded | ~的眼光 *~ de yǎnguāng* short-sighted | 她的生活圈子太~。 *Tā de shēnghuó quānzi tài ~.* Her social circle is very small.

⁴ **狭窄** xiázhǎi ❶〈形 *adj.*〉(长的东西)宽度小 narrow：~的胡同 *~ de hútòng* a narrow and small alley | ~的走廊 *~ de zǒuláng* narrow corridor ❷〈形 *adj.*〉(心胸、气量、见识等)不宽广 (of mind, tolerance, knowledge) narrow; limited：心地~的人不好交往。 *Xīndì ~ de rén bù hǎo jiāowǎng.* It is not easy to associate with narrow-minded people. | 他的见识很~。 *Tā de jiànshi hěn ~.* His knowledge is quite limited.

⁴ **霞** xiá〈名 *n.*〉(片piàn、朵duǒ)阳光斜射而形成的彩色的云，日出时出现的叫朝霞，日落时出现的叫晚霞 rosy clouds; morning or evening glow：一朵云~ *yì duǒ yún~* a rose-tinted cloud | 一片彩~ *yí piàn cǎi~* a piece of rosy cloud | ~光万道 *~guāng wàn dào* a myriad of sun rays | 红~满天 *hóng~ mǎntiān* rosy clouds covering the sky | 我爱朝~，更爱晚~。 *Wǒ ài zhāo~, gèng ài wǎn~.* I like the evening glow better than the morning glow.

¹ **下** xià ❶〈动 *v.*〉从高处到低处(与'上'相对) descend; alight (opposite to '上 shàng')：~山 *~ shān* go downhill | ~飞机 *~ fēijī* get off a plane ❷〈动 *v.*〉到；去 go to：~乡 *~xiāng* go to the countryside | ~工厂 *~ gōngchǎng* go down to work in a workshop ❸〈动 *v.*〉放进；放入 put in; cast：~面条 *~ miàntiáo* cook noodles | ~本钱 *~ běnqián* invest ❹〈动 *v.*〉做出 make; draw：~定义 *~ dìngyì* give sth. a definition; define sth. | ~结论 *~ jiélùn* reach a conclusion ❺〈动 *v.*〉发布；投递 issue; deliver; send：~命令 *~ mìnglìng* issue an order | ~请帖 *~ qǐngtiě* send an invitation ❻〈动 *v.*〉使用；动 use; apply：~笔 *~bǐ* begin writing | ~刀 *~dāo* begin cutting meat ❼〈动 *v.*〉退场 exit; leave：8号队员~，5号上。 *Bā hào duìyuán ~, wǔ hào shàng.* No. 8 was replaced by No. 5. ❽〈动 *v.*〉(雨、雪等)降落 (of rain or snow) fall：~大雨 *~ dàyǔ* rain heavily | ~霜 *~ shuāng*

shuāng frosting ⑨〈动 v.〉卸掉；取下 unload; take away：这扇窗户~下来送去修理。*Zhè shàn chuānghu ~ xiàlái sòngqù xiūlǐ.* Take down the window and send it to be repaired.｜把敌人的枪给~了。*Bǎ dírén de qiāng gěi ~ le.* Disarm the enemy. ⑩〈动 v.〉生产 (of animals) give birth to; lay：鸡~蛋 jī ~ dàn (of a hen) lay eggs｜老母猪~了一窝小猪仔。*Lǎo mǔ zhū ~le yì wō xiǎo zhūzǎi.* The pig gave birth to a litter of piglets. ⑪〈动 v.〉攻克 capture; take：连~数城 lián ~ shù chéng seize several cities at one sweep ⑫〈动 v.〉一段或一天学习、工作结束 finish study or work：~课 ~kè finish class; dismiss a class｜~班 ~bān come off work; be off duty ⑬〈动 v.〉低于；少于 less than; lower than：参加今天会议的不~一千人。*Cānjiā jīntiān huìyì de bú ~ yìqiān rén.* No less than 1,000 people have attended today's meeting. ⑭〈动 v.〉退让 give in; yield：双方相持不~。*Shuāng fāng xiāngchí bú ~.* Neither side would budge an inch. ⑮〈动 v.〉进行(棋类)游戏或比赛 play：~一盘象棋 ~ yì pán xiàngqí play a game of Chinese chess ⑯〈名 n.〉位置在低处的(与'上'相对) down (opposite to '上shàng')：~游 ~yóu lower reaches｜上到国家元首～至平民百姓，法律面前人人平等。*Shàng dào guójiā yuánshǒu, ~ zhì píngmín bǎixìng, fǎlǜ miànqián rénrén píngděng.* All men from the head of the state to ordinary people are equal before the law. ⑰〈名 n.〉等次或品级低的(与'上'相对) low in grade or class (opposite to '上shàng')：~级 ~jí subordinate｜~品 ~pǐn inferior ⑱〈名 n.〉次序、时间在后的(与'上'相对) next; latter; late (opposite to '上shàng')：~学期 ~ xuéqī next semester｜~季度 ~ jìdù next quarter ⑲〈名 n.〉表示属于一定范围、情况、条件等 under certain circumstances; within a certain scope：部~ bù~ under one's command｜在大家的支持~，我很快地完成了任务。*Zài dàjiā de zhīchí ~, wǒ hěn kuài de wánchéngle rènwù.* With the support of everybody, I finished the task quickly. ⑳〈名 n.〉用在数目字后面，表示方面或方位 used after a numeral to indicate direction or position：两~都肯帮他的忙。*Liǎng ~ dōu kěn bāng tā de máng.* Both two sides are willing to help him.｜他往四~看了看，什么也没发现。*Tā wǎng sì~ kànle kàn, shénme yě méi fāxiàn.* He looked about himself but saw nothing. ㉑(~儿)〈量 meas.〉指动作的次数 indicating the repetition of action：敲了几~儿门。*Qiāo le jǐ ~r mén.* Knock the door several times.｜请你看一~这部书稿。*Qǐng nǐ kàn yí ~ zhè bù shūgǎo.* Please read the script. ㉒(~儿)〈量 meas.〉用在'两''几'后面，表示技能、本领 used after '两liǎng' or '几jǐ' to indicate one's ability or skill：小伙子真有两~儿。*Xiǎohuǒzi zhēn yǒu liǎng ~r.* The young guy really knows a thing or two.｜他就会那几~儿，没什么了不起的。*Tā jiù huì nà jǐ ~r, méi shénme liǎobuqǐ de.* That's all he can do. There's nothing to be proud of. ㉓(~儿)〈量 meas. 方 dial.〉指器物的容量 capacity of a container：瓶子里只有半~儿酒。*Píngzi li zhǐyǒu bàn ~r jiǔ.* The bottle is half-filled with wine.

☞ xia, p. 1064

² **下班** xià//bān〈动 v.〉一段或一天规定的工作时间结束 knock off; get off work：上午12点~。*Shàngwǔ shí'èr diǎn ~.* Knock off at 12 o'clock AM.｜昨天下午，你什么时候下的班？*Zuótiān xiàwǔ, nǐ shénme shíhou xià de bān?* When did you get off work yesterday afternoon?｜我工作很忙，什么时候~没准儿。*Wǒ gōngzuò hěn máng, shénme shíhòu ~ méi zhǔnr.* I'm very busy with my work and don't know when I can get off work.

¹ **下边** xiàbian ❶(~儿)〈名 n.〉位置处于下面(与'上边'相对) below; under; underneath (opposite to '上边shàngbian')：住在~儿 zhù zài ~r live downstairs｜写在~儿 xiězài~r write below｜桌子~儿是个箱子。*Zhuōzi~r shì gè xiāngzi.* The box is under the desk.

|~儿有人找你。~r yǒu rén zhǎo nǐ. Someone is looking for you down there. ❷(~儿)〈名 n.〉次序处于后面（与‘上边’相对）next in order; following; immediately afterwards (opposite to '上边shàngbian'): ~我们讨论一下明年的计划。~r wǒmen tǎolùn yíxià míngnián de jìhuà. The next thing we will discuss is next year's plan. | 你听到~儿就会明白了。Nǐ tīng dào ~ jiù huì míngbai le. You will understand it when you listen to the following. ❸(~儿)〈名 n.〉指下级机构（与‘上边’相对）lower level; subordinate(opposite to '上边shàngbian'): 他经常到~儿去了解情况。Tā jīngcháng dào ~ r qù liǎojiě qíngkuàng. He often goes to the lower level to find out what's going on. ‖也说‘下面’also '下面xiàmian'。

⁴ **下达** xiàdá〈动 v.〉向下级发布或传达（命令、指示等）make (an order, instruction, etc.) known to subordinates: ~通知 ~ tōngzhī issue a notice | ~任务 ~ rènwù issue a task | ~文件 ~ wénjiàn deliver a document | 命令已~。Mìnglìng yǐ ~. The order has been given. | 上级指示~了。Shàngjí zhǐshì ~ le. The higher authority has given the instruction.

⁴ **下放** xiàfàng ❶〈动 v.〉把某些权力交给下层机构 (of power) be decentralized; delegate power to lower level: 经营管理权~给企业。Jīngyíng guǎnlǐquán ~ gěi qǐyè. Decentralize management power to enterprises. | 责任~到个人。Zérèn ~ dào gèrén. Give the responsibility to the individual. | 必须规定~的范围，明确的权限。Bìxū guīdìng ~ de fànwéi, míngquè ~ de quánxiàn. The delegated range must be set and the decentralized power must be specified. ❷〈动 v.〉把干部调到下层机构去工作或送到工厂、农村、军队、边疆去锻炼 send cadres to work at the grassroot level, such as in a rural area, factory, countryside, or the army: 将新招来的干部~到工厂实习。Jiāng xīn zhāolái de gànbù ~ dào gōngchǎng shíxí. The newly recruited cadres are sent to practise in the factories. | 刚分来的大学生先~到部队去锻炼。Gāng fēnlái de dàxuéshēng xiān ~ dào bùduì qù duànliàn. Newly assigned undergraduates are sent to get tempered in the army.

⁴ **下级** xiàjí〈名 n.〉(个gè)组织系统中级别低的机构或人员 subordinate; lower level: ~组织 ~ zǔzhī lower-level organization | ~机关 ~ jīguān lower-level department | ~单位 ~ dānwèi a subordinate unit 我是他的~。Wǒ shì tā de ~. I am his subordinate. | ~服从上级。~ fúcóng shàngjí. The lower level is subordinate to the higher authority. | 他们和我们是上下级关系。Tāmen hé wǒmen shì shàng xià jí guānxì. We are their subordinates; that's the relationship between them and us.

³ **下降** xiàjiàng〈动 v.〉由高到低；由多变少（与‘上升’相对）descend; go or come down; drop; fall; decline (opposite to '上升shàngshēng') 气温突然~。Qìwēn tūrán ~. The temperature drops suddenly. | 物价~很多。Wùjià ~ hěn duō. Prices have come down considerably. | 生活水平明显~。Shēnghuó shuǐpíng míngxiǎn ~. The standard of living declined apparently.

¹ **下课** xià//kè〈动 v.〉上课时间结束 finish class; class is dismissed or over: 按规定上午12点才~。Àn guīdìng shàngwǔ shí'èr diǎn cái ~. According to the regulation, the class is to be over at 12 o'clock. | 今天提前10分钟~。Jīntiān tíqián shí fēnzhōng ~. Class is over 10 minutes earlier than usual today. 下了第二节课你到校长办公室去一趟。Xiàle dì-èr jié kè nǐ dào xiàozhǎng bàngōngshì qù yí tàng. Go to the headmaster's office when the second class is over.

¹ **下来** I xià//lái ❶〈动 v.〉由高处到低处来 come down: 从塔上~ cóng tǎ shang ~ come down from the tower | 你下得来下不来？Nǐ xià de lái xià bù lái? Can you come

down or not? ❷〈动 v.〉上级机关的人到下级机关来；领导到下面来(of leaders) come to the lower-level：从上面~了一个调查组。*Cóng shàngmian ~le yí gè diàocházǔ.* An investigation group came down from higher-ups. ❸〈动 v.〉指农作物成熟或收获(of grain) be ripe or ready for harvest：麦子~了。*Màizi ~ le.* The wheats are ready for harvest. ┃再有十天半个月苹果就~了。*Zài yǒu shí tiān bàn gè yuè píngguǒ jiù ~ le.* The apples will be ripe in a fortnight. ❹〈动 v.〉表示一段时间结束 indicating that a period of time is over：两个月~，他的口语大有提高。*Liǎng gè yuè ~, tā de kǒuyǔ dà yǒu tígāo.* Two months later, his spoken language has been improved greatly.

Ⅱ // xià// lái ❶〈动 v.〉用在动词后作补语，表示从高处向低处来或由远处向近处来 used after a verb as a complement, indicating an action from a high place to a low place or from the distant to the near：把挂着的大衣取~。*Bǎ guàzhe de dàyī qǔ ~.* Take down the overcoat hanging over there. ┃水从山谷里边流~。*Shuǐ cóng shāngǔ lǐbian liú ~.* The stream runs down from the valley. ❷〈动 v.〉用在动词后作补语，表示动作的完成或结果 used after a verb as a complement, indicating the end or result of an action：把文件复印~。*Bǎ wénjiàn fùyìn ~.* Make a copy of the document. ┃取下那件大衣来。*Qǔ xià nà jiàn dàyī lái.* Take down that overcoat. ❸〈动 v.〉用在动词后作补语，表示过去继续到现在或开始继续到最后 used after a verb as a complement, indicating continuation from past to present, or from beginning to end：这面铜镜是奶奶传~的。*Zhè miàn tóngjìng shì nǎinai chuán ~ de.* This bronze mirror is passed down from grandma. ┃每年冬泳他都能坚持~。*Měi nián dōngyǒng tā dōu néng jiānchí ~.* Every year he insists on winter swimming. ❹〈动 v.〉用在形容词后，表示程度继续增加 used after an adjective, indicating increase in degree：天渐渐暗~。*Tiān jiànjiàn àn ~.* Dusk was thickening. ┃路上的车慢慢地少了~。*Lù shang de chē mànmàn de shǎole ~.* The vehicles on the road decreased gradually.

³ **下列** xiàliè〈形 adj.〉下面开列的 listed below; following：~词语 ~ cíyǔ words listed below ┃~说明 ~ shuōmíng the following illustration ┃~注意事项 ~ zhùyì shìxiàng the following items for attention ┃请大家特别关注~几点。*Qǐng dàjiā tèbié guānzhù ~ jǐdiǎn.* Please pay special attention to the following points.

⁴ **下令** xià// lìng〈动 v.〉下达命令；发布命令 send down an order; issue an order; order：~解散 ~ jiěsàn issue an order to dismiss the organization ┃首长~立即停止行动。*Shǒuzhǎng ~ lìjí tíngzhǐ xíngdòng.* The leading cadre ordered to stop the action at once. ┃下调令 xià diào lìng issue a transferring order ┃下通缉令 xià tōngjīlìng issue a wanted circular

⁴ **下落** xiàluò ❶〈名 n.〉寻找中的人或物所在的地方 whereabouts：她的~至今不明。*Tā de ~ zhìjīn bùmíng.* Her whereabouts is still unknown. ┃人们正在搜寻黑匣子的~。*Rénmen zhèngzài sōuxún hēixiázi de ~.* People are looking for the whereabouts of the black box. ❷〈动 v.〉下降 drop; descend：伞兵缓缓~。*Sǎnbīng huǎnhuǎn ~.* The paratroopers descended slowly from the sky.

² **下面** xiàmian ❶〈名 n.〉位置较低的地方(与'上面'相对) below; under; underneath (opposite to '上面shàngmian')：小孩儿从桌子~爬出来。*Xiǎoháir cóng zhuōzi ~ pá chūlái.* The child crawled out from underneath the table. ┃山的~是稻田。*Shān de ~ shì dàotián.* The paddyfield lies at the foot of the mountain. ❷〈名 n.〉次序靠后的部分(与'上面'相对) next in order; following; immediately afterwards (opposite to '上面shàngmian')：~我们去参观学校的信息中心。*~ wǒmen qù cānguān xuéxiào de xìnxī zhōngxīn.* Next, we will visit the information center of the school. ┃~接着讲信息情报工

作。～ *jiēzhe jiǎng xìnxī qíngbào gōngzuò.* Next, I shall talk about the infor-intelligence work. ❸〈名 n.〉指下级（与'上面'相对）lower level; subordinate（opposite to '上面 shàngmian'）：首长明天准备到～看看。*Shǒuzhǎng míngtiān zhǔnbèi dào ~ kànkan.* The leading cadre is going to inspect the subordinate units tomorrow. ｜～的情况要及时 反馈上来。～ *de qíngkuàng yào jíshí fǎnkuì shànglái.* The situation of the lower level should be fed back in time. ‖ 也说'下边' also '下边 xiàbian'

¹ **下去 I** xià// qù ❶〈动 v.〉由高处到低处去（与'上来'相对）go down; descend（opposite to '上来 shànglái'）：他下楼去了。*Tā xià lóu qù le.* He went downstairs. ｜ 水很深，恐怕下不去。*Shuǐ hěn shēn, kǒngpà xià bú qù.* I'm afraid the water is too deep to wade across. ❷〈动 v.〉指退出领导岗位或深入到基层去 leave the leadership post or go down to the grassroot units：我今年到退休年龄，该～了。*Wǒ jīnnián dào tuìxiū niánlíng, gāi ~ le.* I'm at the age of retirement this year, and it's time for me to leave the post. ｜他每年都要下基层去蹲几个月。*Tā měinián dōuyào xià jīcéng qù dūn jǐ gè yuè.* Every year he goes down to work in the grassroots unit for a few months. ❸〈动 v.〉从前线 到后方；从前台到后台 from the front to the rear; from proscenium to background：连长 挂彩，～了。*Liánzhǎng guàcǎi, ~ le.* The company commander was wounded and sent to the rear. ｜相声演员刚～，舞蹈演员就上台了。*Xiàngsheng yǎnyuán gāng ~, wǔdǎo yǎnyuán jiù shàngtái le.* The dancers went on the stage as soon as the comic dialogue players went down. ❹〈动 v.〉食物已消化；病况已好转；情绪已平静（of foods）digest;（of the state of illness）on the mend; take a turn for the better;（of mood）calm; tranquil：一大碗面刚～，又吃了三个包子。*Yí dà wǎn miàn gāng ~, yòu chīle sān gè bāozi.* He ate three stuffed buns soon after he had finished a big bowl of noodles. ｜他肝 部的肿块已经～多了。*Tā gānbù de zhǒngkuài yǐjīng ~ duō le.* The bump in his liver has dwindled in size. ｜大伙儿劝了半天，她的气才慢慢～。*Dàhuǒr quànle bàntiān, tā de qì cái mànmàn ~.* Her anger gradually calmed down after we persuaded her for a long time. **II** // xià// qù ❶〈动 v.〉用在动词后作补语，表示由高处向低处或由近处向远处去 used after a verb as a complement, indicating motion towards a lower or farther position：水退～了。*Shuǐ tuì ~ le.* The water ebbed. ｜她从船上掉下水去了。*Tā cóng chuán shang diàoxià shuǐ qù le.* She fell into the water from the boat. ❷〈动 v.〉用在动词后作 补语，表示从现在继续到将来 used after a verb as a complement, indicating contiuation from present to future：坚持～就是胜利！*Jiānchí ~ jiùshì shènglì!* Hold on and you will succeed. ｜她激动得说不～了。*Tā jīdòng de shuō bú ~ le.* She was so excited that her tongue failed her. ❸〈动 v.〉用在形容词后，表示某种状态已经存在并将继续发展 used after an adjective to indicate an increase in degree：父亲一天天瘦了个～。*Fùqīn yìtiāntiān shòule ~.* Father grows thinner day after day. ｜看来天气还会冷～。*Kànlái tiānqì hái huì lěng ~.* It seems that it will get even colder.

⁴ **下台** xià// tái ❶〈动 v.〉从舞台或讲台上下来 step down from the stage or platform：演 员～卸装了。*Yǎnyuán ~ xièzhuāng le.* The actors and actresses went down from the stage to remove their stage makeup. ｜他讲完话就～了。*Tā jiǎngwán huà jiù ~ lái le.* He stepped down from the platform when he finished his speech. ❷〈动 v.〉指离去公职 或交出政权 fall out of power; leave office：他去年就～了。*Tā qùnián jiù ~ le.* He left the office last year. ｜保守党终于～。*Bǎoshǒudǎng zhōngyú ~.* The conservative party finally fell out of power. ❸〈动 v.〉比喻摆脱不利的处境 fig. get out of a predicament：他现在很难～。*Tā xiànzài hěn nán ~.* It's very difficult for him to get out of the predicament now. ｜你这样做也让他太下不来台了。*Nǐ zhèyàng zuò yě ràng tā*

tài xià bù lái tái le. What you did put him on the spot.

¹ **下午** xiàwǔ 〈名 n.〉从正午12点到半夜12点的一段时间，一般也指从正午12点到日落的一段时间 afternoon: ~你有事吗? ~ *nǐ yǒu shì ma?* Are you free this afternoon? | 我上两节课。 *Wǒ ~ shàng liǎng jié kè.* I have two classes in the afternoon. | 他睡了一个~。 *Tā shuìle yí gè ~.* He has slept for a whole afternoon. | 她整个~都呆在屋里。 *Tā zhěnggè ~ dōu dāi zài wū li.* She stayed in the room the whole afternoon.

¹ **下乡** xià // xiāng 〈动 v.〉到农村去 go to the countryside: 领导干部~蹲点去了。 *Lǐngdǎo gànbù ~ dūndiǎn qù le.* The leading cadre went to work in the village to gain first-hand experience. | 我们~收麦子。 *Wǒmen ~ shōu màizi.* We went to the country to harvest the wheat. | 你一年~过几回乡? *Nǐ yì nián xiàguo jǐ huí xiāng?* How many times have you gone to the countryside in a year?

¹ **下旬** xiàxún 〈名 n.〉每月21日到月底的日子 last ten-day period of a month; from the 21st to the last day of a month: 现在是元月~。 *Xiànzài shì yuányuè ~.* It's the last ten-days of January. | 每月~交水电费。 *Měi yuè ~ jiāo shuǐdiànfèi.* Pay the water and electricity fee at the last ten days of each month. | 我们打算三月~出国旅游。 *Wǒmen dǎsuàn sān yuè ~ chūguó lǚyóu.* We had planed to go abroad for tour at the last ten-day period of March.

³ **下游** xiàyóu ❶〈名 n.〉河流接近出口的部分及其流经的地区 (区别于'上游''中游') lower reaches (of a river) (different from '上游 shàngyóu', '中游 zhōngyóu'): 黄河的~泥沙多。 *Huáng Hé de ~ níshā duō.* The Yellow River contains much silt at the lower reaches. | 上海地处长江~。 *Shànghǎi dì chù Cháng Jiāng ~.* Shanghai lies in the lower reaches of the Yangtze River. ❷〈名 n.〉比喻落后的地位 (区别于'上游''中游') fig. backwardness; backward position (different from '上游 shàngyóu', '中游 zhōngyóu'): 这个工厂的生产过去一直处于~。 *Zhège gōngchǎng de shēngchǎn guòqù yìzhí chǔyú ~.* The production of this factory had remained backward in the past years. | 我们不能甘居~，要力争上游。 *Wǒmen bù néng gānjū ~, yào lìzhēng shàngyóu.* We should not resign ourselves to backwardness, but strive for the best.

² **吓** xià 〈动 v.〉使害怕 intimidate; scare; frighten: ~唬人 *~hu rén* frighten sb. | ~了一跳 *~le yí tiào* give a start; be frightened | 出一身汗 *~chū yì shēn hàn* be frightened into sweat | 千万别~着孩子。 *Qiānwàn bié ~zhe háizi.* Be careful not to frighten the child.

¹ **夏** xià ❶〈名 n.〉夏季 summer: 初~ *chū~* early summer | ~收 *~shōu* summer harvest | ~令营 *~lìngyíng* summer camp ❷ (Xià) 〈名 n.〉中国历史的一个朝代，约公元前22世纪末至公元前17世纪初，由禹所建 a dynasty in Chinese history, between the end of 22nd century B.C. and 17th century B.C., by King Yu ❸ (Xià) 〈名 n.〉指中国 China: 华~ *Huá~* China

³ **夏季** xiàjì 〈名 n.〉一年四季的第二季，中国习惯指立夏到立秋的三个月时间，也指中国农历四、五、六三个月 summer, the second season of a year; in China means the three months between the Beginning of Summer (May 5, 6 or 7) and the Beginning of Autumn (August 7, 8 or 9), or the three months of the fourth, fifth and sixth mouth in Chinese lunar calendar: 中国的~是最炎热的季节。 *Zhōngguó de ~ shì zuì yánrè de jìjié.* Summer is the hottest season in China.

¹ **夏天** xiàtiān 〈名 n.〉夏季 summer: ~蚊蝇多。 *~ wényíng duō.* There are many mosquitoes and flies in summer. | ~真热, 难熬! *~ zhēn rè, nán'áo!* It's too hot to bear in summer! | ~里, 姑娘们穿上漂亮的衣衫和裙子。 *~ li, gūniangmen chuānshang piàoliang de yīshān hé qúnzi.* Girls wear beautiful blouses and skirts in summer.

X

¹下 xià ❶〈动 v.〉用在动词后，表示由高处到低处 down; used after a verb to indicate downward motion：坐～ zuò~ sit down｜传～ chuán~ send down ❷〈动 v.〉用在动词后，表示有空间，能纳容 used after a verb to indicate room or space：这里坐得～。Zhèli zuò de ~. There are enough seats here.｜学校大礼堂能容一两千人。Xuéxiào dàlǐtáng néng róng~ liǎngqiān rén. The school hall can hold 2,000 people. ❸〈动 v.〉用在动词后，表示动作的完成或结果 used after a verb to indicate completion or result of an action：打～基础 dǎ~ jīchǔ lay a foundation｜定～计策 dìng~ jìcè work out a strategy ☞ xiā, p.1058

⁴仙女 xiānnǚ〈名 n.〉(位wèi、个gè) 神话传说中长生不老、永远漂亮年轻的女子 angle; female celestial; fairy maiden in mythology or fairy tales：～下凡。~ xiàfán. Fairy maidens descend to the world.｜神话中的～都生活在天上。Shénhuà zhōng de ~ dōu shēnghuó zài tiānshang. Female celestials in fairy tales all live in the Heaven.｜她长得像个美丽的～。Tā zhǎng de xiàng gè měilì de ~. She looks like a beautiful angle.

¹先 xiān ❶〈副 adv.〉时间在先;动作在前(与'后'相对) earlier (opposite to '后hòu')：我得～去银行取点儿钱，再陪你去逛商场。Wǒ děi ~ qù yínháng qǔ diǎnr qián, zài péi nǐ qù guàng shāngchǎng. I have to withdraw some money from the bank first, and then go shoping with you.｜他比我～来。Tā bǐ wǒ ~ lái. He came earlier than me. ❷〈形 adj.〉时间、次序在前的(与'后'相对) early (opposite to '后hòu')：大家争～恐后地发言。Dàjiā zhēng~kǒnghòu de fāyán. Everybody tried to be the first to make a speech.｜排名不分～后。Páimíng bù fēn ~hòu. The ranking are not arranged in order of priority. ❸〈形 adj.〉祖先的;上代的 ancestral; of elder generation：～人遗训 ~rén yíxùn ancestors' teachings ❹〈形 adj.〉尊称死去的人 honor. deceased; late：～父 ~fù my late father｜～烈 ~liè martyrs

⁴先锋 xiānfēng〈名 n.〉(名míng、位wèi) 原指作战或进军时的先头部队，现比喻起先进作用的个人或集体 vanguard; van; vanguard unit in a battle or march：他是一位名副其实的～战士。Tā shì yí wèi míngfùqíshí de ~ zhànshì. He is worthy of the name of exemplary soldier.｜在改革浪潮中，他起了～的作用。Zài gǎigé làngcháo zhōng, tā qǐle ~ de zuòyòng. He has played the role of a vanguard in the tide of reform.

²先后 xiānhòu ❶〈名 n.〉前和后 being early or late：爱国不分～。Àiguó bù fēn ~. It should not be taken up in order of priority for a person to love his motherland.｜把要办的事情摆一摆，分个～。Bǎ yào bàn de shìqing bǎi yì bǎi, fēn gè ~. List out the things that should be dealt with and arrange them in order of priority. ❷〈副 adv.〉前后相继 successively; one after another：兄弟俩～考上大学。Xiōngdì liǎ ~ kǎoshang dàxué. The two brothers were admitted to university one after another.｜与会代表～到达北京。Yùhuì dàibiǎo ~ dàodá Běijīng. Delegates of the conference arrived in Beijing one after another.

²先进 xiānjìn ❶〈形 adj.〉进步比较快，水平比较高，可以作为学习榜样的 advanced：学校教学方法相当～。Xuéxiào jiàoxué fāngfǎ xiāngdāng ~. Teaching methods of our school are rather advanced.｜全校都在学习他的～事迹。Quán xiào dōu zài xuéxí tā de ~ shìjì. The whole school is studying his exemplary story. ❷〈名 n.〉先进的人或集体 advanced individual or unit：外语教研组被评为全校的～。Wàiyǔ jiàoyánzǔ bèi píngwéi quán xiào de ~. Teaching and research section of foreign languages is awarded the advanced unit of the school.｜大家都在比～，学～。Dàjiā dōu zài bǐ ~, xué ~. Everybody is comparing himself or herself with the advanced workers while learning from them.

⁴先前 xiānqián〈名 n.〉泛指以前或以前某个时候 before; previously：这里～是一片荒

滩。*Zhèli ~ shì yí piàn huāngtān.* It was a desolate marshland here before. │我曾在这里工作过。*~ wǒ céng zài zhèli gōngzuòguo.* I have once worked here. │这学生比~进步多了。*Zhè xuésheng bǐ ~ jìnbù duō le.* This student has made greater progress than before.

¹ **先生** xiānsheng ❶〈名 n.〉(位wèi、个gè)老师 teacher：他是我的语文~。*Tā shì wǒ de yǔwén ~.* He is my Chinese teacher. ❷〈名 n.〉(位wèi、个gè)对人的尊称 Mister; gentleman; sir：女士们、~们 *nǔshìmen, ~men* ladies and gentlemen ❸〈名 n.〉(位wèi、个gè)对知识分子的尊称（含女士）a respectful form of address for intellectuals (including female), Mister; gentleman; sir; Madam：中国文学界有鲁迅、冰心~（著名女作家）。*Zhōngguó wénxuéjiè yǒu Lǔ Xùn ~, Bīngxīn ~ (zhùmíng nǔ zuòjiā).* There are writers such as Mr. Lu Xun and Madam Bingxin (a famous female author) in Chinese literati. ❹〈名 n.〉(位wèi、个gè)称别人的丈夫，或对别人称自己的丈夫 one's hunband：代我向你~问好。*Dài wǒ xiàng nǐ ~ wènhǎo.* Give my regards to your husband. │我~到学校去了。*Wǒ ~ dào xuéxiào qù le.* My husband went to the school. ❺〈名 n.〉(位wèi、个gè)指医生，大夫：孩子发高烧，快请~来看看。*Háizi fā gāo shāo, kuài qǐng ~ lái kànkan.* The child got a high fever, send for a doctor quickly. ❻〈名 n.〉(位wèi、个gè)旧时称以管账、说书、算卦、相面、看风水等为职业的人 referring to accountants, storyteller, fortune teller, geomancer, etc. of old times：账房~ *zhàngfáng ~* accountant │算命~ *suànmìng ~* fortune-teller

⁴ **先行** xiānxíng ❶〈动 v.〉先进行；走在前面 go ahead of the rest; start off before the others：三军未动，粮草~。*Sān jūn wèi dòng, liángcǎo ~.* Provisions should go before troops and horses. ❷〈名 n.〉走在前面的人 pioneer; people going ahead：~者 *~zhě* forerunner │~官 *~guān* commander of an advance unit or vanguard ❸〈副 adv.〉预先进行 beforehand; in advance：~通知 *~ tōngzhī* notify in advance │~试验 *~ shìyàn* test in advance

² **纤维** xiānwéi〈名 n.〉(种zhǒng)天然或人工合成的细丝状的物质 fiber：合成~ *héchéng ~* synthetic fiber │~板 *~bǎn* fiberboard │~织品 *~zhīpǐn* fiber textiles │动物的毛和矿物中的石棉，都是天然~。*Dòngwù de máo hé kuàngwù zhōng de shímián, dōushì tiānrán ~.* Animals' fur and asbestos in mineral are all natural fibers.

² **掀** xiān ❶〈动 v.〉揭开；向上打开 lift：~开了新的一页 *~kāile xīn de yí yè* open a new chapter │把被子~到一边去。*Bǎ bèizi ~dào yì biān qù.* Lift aside the quilt. ❷〈动 v.〉翻掉；翻腾 rock; convulse：台风把屋顶~了。*Táifēng bǎ wūdǐng ~le.* The typhoon has blown away the roof of the house. │海浪~天。*Hǎilàng ~ tiān.* Waves heave to the sky.

⁴ **掀起** xiānqǐ ❶〈动 v.〉向上揭起 lift; raise：~锅盖 *~ guōgài* lift the lid of a wok ❷〈动 v.〉翻腾；涌起 surge; cause to surge：大海~了波涛。*Dàhǎi ~le bōtāo.* Big waves surged on the sea. ❸〈动 v.〉使运动大规模兴起；发动 set off (a movement, campaign, etc.)：全班~了激烈的辩论。*Quán bān ~le jīliè de biànlùn.* A hot discussion erupted in the whole class. │群众性的体育运动正在各地~。*Qúnzhòngxìng de tǐyù yùndòng zhèngzài gè dì ~.* Popular athletic sports are launched every where.

² **鲜** xiān ❶〈形 adj.〉刚刚生产加工；活的 fresh：~肉 *~ ròu* fresh meat │~鱼 *~ yú* fresh fish │~橙汁 *~ chéngzhī* fresh orange juice ❷〈形 adj.〉没有枯萎的；没有蔫儿的 fresh：~花 *~huā* fresh flower │~果 *~guǒ* fresh fruit ❸〈形 adj.〉明亮；艳丽的 bright-colored; bright：~亮的红旗 *~liàng de hóngqí* bright red flag │这件毛衣十分~艳。*Zhè jiàn máoyī shífēn ~yàn.* The sweater is bright-colored. ❹〈形 adj.〉味美 delicious or tasty：这汤真~。*Zhè tāng zhēn ~.* The soup is rather delicious. ❺〈名 n.〉泛指鲜美的食物

delicacy: 这是刚摘的橘子大家尝尝~。*Zhè shì gāng zhāi de júzi dàjiā chángchang ~.* Have a taste of these oranges that were picked just now. ❻〈名 *n.*〉特指鱼虾等水产品 seafood; aquatic foods: 海~ *hǎi~* seafood

⁴ **鲜红** xiānhóng〈形 *adj.*〉鲜艳的红色 bright red: ~的太阳 *~ de tàiyáng* the bright red sun｜这花~~的。*Zhè huā ~ ~ de.* This flower is bright red. ｜她穿着一件~的毛衣。*Tā chuānzhe yí jiàn ~ de máoyī.* She is in a bright red sweater.

² **鲜花** xiānhuā〈名 *n.*〉(束shù、朵duǒ、枝zhī、把bǎ、盆pén、篮lán)新鲜的花朵 fresh flowers: 这朵~真美丽。*Zhè duǒ ~ zhēn měilì.* This fresh flower is so beautiful. ｜她给演员送上一束~。*Tā gěi yǎnyuán sòngshang yí shù ~.* She presented a bunch of fresh flowers to the actor. ｜他带上一篮~去看病人。*Tā dàishang yì lán ~ qù kàn bìngrén.* He went to see a patient with a basket of fresh flowers.

³ **鲜明** xiānmíng ❶〈形 *adj.*〉(颜色)明亮 (of colour) bright: ~的图案 *~ de tú'àn* bright-colored patterns｜她穿了一条色彩~的裙子。*Tā chuānle yì tiáo sècǎi ~ de qúnzi.* She wears a bright-colored skirt. ❷〈形 *adj.*〉分明而确定 clear-cut; distinct; distinctive: 兄弟俩性格有~的不同。*Xiōngdì liǎ xìnggé yǒu ~ de bùtóng.* The two brothers have totally different characters. ｜他旗帜~地表明了自己的态度。*Tā qízhì ~ de biǎomíngle zìjǐ de tàidù.* He held an unequivocal stand to make clear his own attitude.

³ **鲜血** xiānxuè〈名 *n.*〉(滴dī、股gǔ)鲜红的血 red blood: ~染红了大地。*~ rǎnhóngle dàdì.* The blood dyed the land red. ｜英雄的~是不会白流的。*Yīngxióng de ~ shì bú huì bái liú de.* Heroes' blood will not shed in vain. ｜刽子手的双手沾满人民的~。*Guìzishǒu de shuāngshǒu zhānmǎn rénmín de ~.* The slaughterer's two hands were stained with people's blood.

³ **鲜艳** xiānyàn〈形 *adj.*〉鲜明而美丽 bright-colored: ~的五星红旗 *~ de Wǔxīng Hóngqí* bright-colored Five-Star Red Flag｜孔雀的羽毛~夺目。*Kǒngquè de yǔmáo ~ duómù.* Peacock's feather is so brilliant to the eye. ｜他们穿着~的节日盛装。*Tāmen chuānzhe ~ de jiérì shèngzhuāng.* They were in bright-colored holiday best.

² **闲** xián ❶〈形 *adj.*〉没有事情；有空 (与'忙'相对) not busy; idle; unoccupied (opposite to '忙máng'): 他退休以后，在家~着。*Tā tuìxiū yǐhòu, zài jiā ~zhe.* He leads care-free life at home since he retired. ｜他是一个~人。*Tā shì yí gè ~rén.* He is an idle man. ❷〈形 *adj.*〉(房屋、器物)不在使用中 (of house, room, article) unoccupied; not in use: 这是一间~房。*Zhè shì yì jiān ~ fáng.* This is a vacant room. ❸〈形 *adj.*〉与正题 或 正事无关的 having nothing to do with official business: ~话 *~huà* gossip; digression; cackle｜~聊 *~liáo* chat ❹〈名 *n.*〉空儿 spare or free time; leisure: 农~季节 *nóng~ jìjié* slack farming season｜忙里偷~ *mánglǐ-tōu~* steal a moment of leisure from a busy schedule ❺〈动 *v.*〉没有活动；放置不用 not busy; unoccupied: 他一天到晚~不住。*Tā yì tiān dào wǎn ~ bú zhù.* He keeps himself busy all day long. ｜人可以轮流休息，这车可不能~着。*Rén kěyǐ lúnliú xiūxi, zhè chē kě bù néng ~zhe.* Drivers can have a rest by turns, but the car cannot lie idle.

³ **闲话** xiánhuà ❶(~儿)〈名 *n.*〉(句jù)与正事、大事无关的话 chat; digression: 他们退休之后，常在一起聊~。*Tāmen tuìxiū zhī hòu, cháng zài yìqǐ liáo ~.* They often chatted together after they retired. ｜大家抓紧开会，别扯~。*Dàjiā zhuājǐn kāihuì, bié chě ~.* Stop digression. Let's make the best use of time to hold the meeting. ❷〈名 *n.*〉(对人或事) 不满意的话 complaint; gossip: 你干正经事，人家就不会说你的~。*Nǐ gàn zhèngjing shì, rénjia jiù bú huì shuō nǐ de ~.* If you are doing the right business, others will not talk behind your back. ｜这样的~，她都听烦了。*Zhèyàng de ~, tā dōu tīng fán*

le. She has heard enough about such gossip.

⁴ **贤惠** xiánhuì〈形 adj.〉指妇女心地善良，对人和气，通情达理 (of a woman) virtuous; genial and prudent; kindhearted and understanding: 他的妻子很~。 *Tā de qīzi hěn ~.* His wife is very virtuous. │她是咱村有名的~媳妇。 *Tā shì zán cūn yǒumíng de ~ xífù.* She is known as a virtuous wife in our villiage. │他有一个~的太太。 *Tā yǒu yí gè ~ de tàitai.* He has a virtuous wife.

⁴ **弦** xián ❶〈名 n.〉(根 gēn)弓背两端之间系着的绳状物，用牛筋制成 bowstring; string; cord: 弓~ gōng~ bowstring ❷〈名 n.〉(根 gēn)乐器上发出声音的线 string of a musical instrument: 琴~ qín~ string ❸〈名 n.〉(根 gēn)钟表的发条 spring of a clock: ~上得太紧了。 *~ shàng de tài jǐn le.* The spring is fixed too tight. ❹〈名 n.〉(根 gēn)比喻人的警惕性 fig. be on guard against; watch out for: 头脑中的这根~不能松了。 *Tóunǎo zhōng de zhè gēn ~ bù néng sōng le.* Never loose the spring in your mind (You should be in high vigilance.) ❺〈名 n.〉连接圆圈上任意两点的线段 chord

⁴ **咸** xián ❶〈形 adj.〉像盐那样的味道 salted; salty: ~肉 ~ròu salted meat │这汤太~了。 *Zhè tāng tài ~ le.* This soup tastes too salty. ❷〈副 adv. 书 lit.〉全；都 all: 老少~宜 lǎoshào-yí suitable for old and young alike │天下~服。 *tiānxià ~ fú.* Everyone is convinced.

⁴ **衔** xián ❶〈动 v.〉用嘴含 hold in the mouth: 小孩儿嘴里~着一块糖。 *Xiǎoháir zuǐ li ~ zhe yí kuài táng.* The child held a piece of candy in his mouth. ❷〈动 v.〉存在心里 harbor; bear: 他负屈~冤达十年之久。 *Tā fù qū ~ yuān dá shí nián zhī jiǔ.* He has harbored a bitter sense of injustice for ten years. ❸〈动 v.〉相连接 link up; join: ~接 ~jiē link up ❹〈名 n.〉行政、军事、科学、外交等系统中人员的等级或称号 rank; title: 头~ tóu~ title │军~ jūn~ military rank │学~ xué~ academic title │公使~参赞 gōngshǐ~ cānzàn counselor with the rank of minister

⁴ **衔接** xiánjiē〈动 v.〉事物相连接 link up; join: 把电线~起来。 *Bǎ diànxiàn ~ qǐlái.* Connect the cables. │这两块板~得不平整。 *Zhè liǎng kuài bǎn ~ de bù píngzhěng.* The two boards are not smoothly connected. │这篇文章前后没有~好。 *Zhè piān wénzhāng qiánhòu méiyǒu ~ hǎo.* The front and back parts of this article are not well connected. │这是两个城区~的地段。 *Zhè shì liǎng gè chéngqū ~ de dìduàn.* This is the junction of two administrative districts.

³ **嫌** xián ❶〈动 v.〉不满意；厌恶 dislike; mind; complain: 我~他长得难看。 *Wǒ ~ tā zhǎng de nánkàn.* I dislike his looks. │他挺讨人~的。 *Tā tǐng tǎo rén ~ de.* He is a nuisance. ❷〈名 n.〉嫌疑 suspicion: 涉~ shè~ be suspected; be under suspicion │犯~ fàn suspect ❸〈名 n.〉不满的情绪 ill will; resentment; enmity; grudge: 挟~报复 xié~ bàofù bear grudge and retaliate │前~尽释 qián~ jìn shì let bygones be bygones; remove previous resentment

⁴ **嫌疑** xiányí〈名 n.〉被怀疑有某种行为的可能性 suspicion; suspecting sb. of doing sth. wrong with little supporting evidence: ~分子 ~ fènzǐ suspect │涉案~人 shè'àn ~rén person who is under suspicion │他有贪污的重大~。 *Tā yǒu tānwū de zhòngdà ~.* He was greatly suspected of corruption. │不能排除他作案的~。 *Bù néng páichú tā zuò'àn de ~.* He cannot be excluded from the suspicion of commiting the crime.

⁴ **显** xiǎn ❶〈动 v.〉外露；容易看到；明显 be apparent; be obvious; be noticeable: ~而易见 ~éryìjiàn apparent; obvious; apparently; obviously; clearly │一眼~yǎn stand out in a crowd; conspicuous ❷〈动 v.〉露出；表现出 show; display; manifest: 大~身手 dà~-shēnshǒu display one's skill; give full play to one's abilities │八仙过海，各~神通 (比喻各有各的办法，各显各的本领) *Bāxiān-guòhǎi, gè~shéntōng* (bǐyù gè yǒu gè de

bànfǎ, gè xiǎn gè de běnlǐng). The Eight Immortals in the legend display their own ability when crossing the sea (*fig.* Each one gives full play to his own ability). ❸〈形 *adj.*〉有权势、名声、地位的 illustrious and influential：~贵 *~guì* illustrious｜~赫 *~hè* illustrious; celebrated｜~要 *~yào* powerful and influential ❹〈形 *adj.* 敬 *pol.*〉称自己的先人 ancestor; forefather：~考 *~kǎo* deceased father｜~妣 *~bǐ* deceased mother

² **显得** xiǎnde〈动 *v.*〉表现出（某种情形）look; seem; appear：她第一次上讲台，~有点儿紧张。*Tā dì-yī cì shàng jiǎngtái, ~ yǒudiǎnr jǐnzhāng.* She appeared a little nervous when she went onto the platform for the first time.｜相比之下，他~高了。*Xiāngbǐ zhī xià, tā ~ gāo le.* He looks higher by comparison.｜这一打扮，她~更加漂亮了。*Zhè yì dǎban, tā ~ gèngjiā piàoliang le.* She looks more beautiful after dressing up.｜节日的北京~更加壮丽。*Jiérì de Běijīng ~ gèngjiā zhuànglì.* Beijing looks all the more majestic during holidays.

⁴ **显而易见** xiǎn'éryìjiàn〈成 *idm.*〉可明显地看出或觉察出 apparent; obvious; clearly; evidently：屋子收拾得很干净，~，主人是个勤快的人。*Wūzi shōushi de hěn gānjìng, ~, zhǔrén shì gè qínkuài de rén.* The house is tidied up into neatness, which obviously shows that the host is an industrious person.｜没到一个星期他就下床走动了，~，他康复得很快。*Méi dào yí gè xīngqī tā jiù xià chuáng zǒudòng le, ~, tā kāngfù de hěn kuài.* He was up and about in less than a week; obviously he recovered very quickly.

² **显然** xiǎnrán〈形 *adj.*〉容易看出或感觉到；非常明显 obvious; evident; clear：这件事的缘由是很~的。*Zhè jiàn shì de yuányóu shì hěn ~ de.* The cause of the incident was very obvious.｜这种辩解~是错误的。*Zhè zhǒng biànjiě ~ shì cuòwù de.* The allegation is obviously wrong.｜他~理亏。*Tā ~ lǐkuī.* It's clear that he has no justification at all.

³ **显示** xiǎnshì〈动 *v.*〉明显地表现 show; display; demonstrate; manifest：~军事实力 ~ *jūnshì shílì* display the military power｜~很强的生命力 ~ *hěn qiáng de shēngmìnglì* show strong vitality｜充分~了爱好和平的力量 *chōngfèn ~le àihào hépíng de lìliàng* fully demonstrate the power of those who love peace｜这些文物~出古代劳动人民的聪明才智。*Zhèxiē wénwù ~ chū gǔdài láodòng rénmín de cōngmíng cáizhì.* These cultural relics demonstrated the cleverness and intelligence of the ancient laboring people.

⁴ **显微镜** xiǎnwēijìng〈名 *n.*〉（台 tái、架 jià）观察微小物体用的光学仪器 microscope：这是一台新型的~。*Zhè shì yì tái xīnxíng de ~.* This is a new-type microscope.｜这架~可把微小物体放大几百倍 *Zhè jià ~ kě bǎ wēixiǎo wùtǐ fàngdà jǐ bǎi bèi.* This microscope can magnify micro organisms several hundred times.｜人们可借助~看到肉眼看不到的东西。*Rénmen kě jièzhù ~ kàndào ròuyǎn kàn bú dào de dōngxi.* With a microscope people can see those things that cannot be seen with naked eyes.

² **显著** xiǎnzhù〈形 *adj.*〉非常明显 notable; marked; striking; remarkable; outstanding：~的效果 ~ *de xiàoguǒ* notable effect｜~的成绩 ~ *de chéngji* remarkable achievement｜我们的工作取得了~的进展。*Wǒmen de gōngzuò qǔdéle ~ de jìnzhǎn.* We have made an outstanding progress in our work.

³ **险** xiǎn ❶〈形 *adj.*〉地势险恶；险要 dangerous; perilous：~隘 *~ài* strategic pass; defile｜山高水~。*Shān gāo shuǐ ~.* The mountain is high and the river dangerous. ❷〈形 *adj.*〉狠毒 sinister; vicious; venomous：他非常阴~。*Tā fēicháng yīn~.* He is very sinister.｜敌人的用心非常~恶。*Dírén de yòngxīn fēicháng ~è.* The enemy harbored sinister motives. ❸〈名 *n.*〉地势险恶、险要的地方 place difficult to access; narrow pass; defile：守~ *shǒu~* defend the defile; guard the strategic pass｜天~ *tiān~* natural barrier ❹〈名 *n.*〉出现危险、灾难的情况 dangerous or catastrophic situation：遇~ *yù~* meet the

risk or danger │ 抢~ *qiǎng~* rush to deal with an emergency ❺〈副 *adv.*〉几乎；差一点儿 nearly; almost; by a hair's breadth：我~些上他的当。*Wǒ ~ xiē shàng tā de dàng.* I was nearly tricked by him.

² **县** xiàn〈名 *n.*〉(个gè)中国行政区划单位，由地区或自治州、直辖市、省辖市领导 county, an administrative unit under the leadership of a prefecture, autonomous prefecture or a central municipality or provincial municipality：~城 *~chéng* county town; county seat │ ~志 *~zhì* county gazetteer; general records of a county │ 外~ *wài~* other counties │ 邻~ *lín~* adjacent county 这个市共有四个区八个~。*Zhège shì gòng yǒu sì gè qū bā gè ~.* There are four administrative districts and eight counties in this city.

³ **县城** xiànchéng〈名 *n.*〉(座zuò、个gè)县行政机关所在的城镇 county town; county seat; town in which the county administrative departments are located：这座~依山傍水，十分美丽。*Zhè zuò ~ yīshān-bàngshuǐ, shífēn měilì.* Being close to the mountain and river, this county looks very beautiful. │ 她在~一所中学当老师。*Tā zài ~ yì suǒ zhōngxué dāng lǎoshī.* She worked as a teacher in a county middle school. │ ~里有一条很长的商业街。*~li yǒu yì tiáo hěn cháng de shāngyèjiē.* There is a long street in the downtown area of the county.

⁴ **县长** xiànzhǎng〈名 *n.*〉(位wèi、个gè、名míng)县级行政单位的主要领导 the head of a county：他当选为本届~。*Tā dāngxuǎn wéi běn jiè ~.* He was elected the county head of this session. │ 这个~有很强的领导才能。*Zhège ~ yǒu hěn qiáng de lǐngdǎo cáinéng.* This county head is very capable in leadership. │ 她是本县第一位女~。*Tā shì běn xiàn dì-yī wèi nǚ ~.* She is the first female county head of our county.

³ **现** xiàn ❶〈动 *v.*〉显现；显露 show; appear; become visible：~出原形 *~chū yuánxíng* show one's true colors │ 重~光彩 *chóng ~ guāngcǎi* show dazzling splendor again ❷〈副 *adv.*〉当时；即时；临时 impromptu; extempore：~买~卖 *~mǎi~mài* buy and sell simultaneously │ ~编~演 *~biān~yǎn* improvise and perform simultaneously ❸〈形 *adj.*〉现今的；目前的 present; current; existing：~年20岁。*~ nián èrshí suì.* He is 20 years old now. │ ~况尚好。*~ kuàng shàng hǎo.* It's all good up to now. ❹〈形 *adj.*〉当时就可以拿出来的 on hand：~金 *~jīn* cash; ready money │ ~货 *~huò* merchandise or stock on hand ❺〈名 *n.*〉现金；现款 cash; ready money：贴~ *tiē~* discount on the rate of exchange │ 兑~ *duì~* pay cash on a check; cash a check

⁴ **现场** xiànchǎng ❶〈名 *n.*〉发生事件或事故的场所，以及该场所发生案件或事时的状况 scene (of an incident); spot：肇事~ *zhàoshì ~* the scene of an accident │ 事故的~ *shìgù de ~* the scene of an accident │ 逃离~ *táolí ~* get away from the scene │ ~已被破坏。*~ yǐ bèi pòhuài.* The scene has been destroyed. ❷〈名 *n.*〉直接从事生产、工作、试验的场所 site; spot (where production, working, experiment, etc. is going on)：~办公 *~bàngōng* handle official business on the spot │ ~直播 *~zhíbō* live broadcast │ 比赛的~ *bǐsài de ~* competition site

³ **现成** xiànchéng〈形 *adj.*〉已经准备好，不用临时做或找的；原有的 ready-made：他什么也不干，回家就吃~饭。*Tā shénme yě bú gàn, huíjiā jiù chī ~ fàn.* He does nothing but eats ready meal up coming home. │ 这里全套设备都是~的，马上就可以开工。*Zhèli quán tào shèbèi dōushì ~ de, mǎshàng jiù kěyǐ kāigōng.* The whole set of equipment is ready-prepared, and we can start working right now. │ 有~的衣服先穿上，甭去买了。*Yǒu ~ de yīfu xiān chuān shang, béng qù mǎi le.* Make do with those clothes available instead of buying new ones.

¹ **现代** xiàndài ❶〈名 *n.*〉现在这个时代 modern times; contemporary age：~文明 *~wénmíng*

X

modern civilization │ ~教育 ~ *jiàoyù* modern education │ ~派 ~*pài* modern style; modernism │ 我学习~汉语。 *Wǒ xuéxí ~ Hànyǔ.* I'm studying modern Chinese. ❷〈名 *n.*〉在中国历史分期上指1919年的五四运动到现在的时期 the period from the May 4th Movement of 1919 to the present in Chinese history: 中国 ~ 史 *Zhōngguó ~ shǐ* contemporary history of China │ 他研究中国 ~ 文学史。 *Tā yánjiū Zhōngguó ~ wénxuéshǐ.* He studies the contemporary history of the Chinese literature.

² **现代化** xiàndàihuà〈动 *v.*〉使具有现代先进科学技术水平 modernize; modernization of science and technology: 农业 ~ *nóngyè* ~ agricultural modernization │ 实行 ~ 管理 *shíxíng ~ guǎnlǐ* carry out modern management │ 我们学校实验室的设备已经~。 *Wǒmen xuéxiào shíyànshì de shèbèi yǐjīng ~.* The equipment of our school's laboratory has been modernized. │ 中国的目标是实现四个~（指工业现代化、农业现代化、国防现代化和科技现代化）。 *Zhōngguó de mùbiāo shì shíxiàn sì gè ~ （zhǐ gōngyè xiàndàihuà, nóngyè xiàndàihuà, guófáng xiàndàihuà hé kējì xiàndàihuà）.* The objective of China is to realize the four modernizations (i.e. modernization of industry, agriculture, national defense, and science and technology)

⁴ **现金** xiànjīn ❶〈名 *n.*〉（笔bǐ）通常指现款，有时也包括可以提取现款的支票 ready money; cash; (sometimes) payable checks: 我手头~不多了。 *Wǒ shǒutóu ~ bù duō le.* I have not much cash on hand. │ 这笔货款要求~支付。 *Zhè bǐ huòkuǎn yāoqiú ~ zhīfù.* This goods should be paid in cash. ❷〈名 *n.*〉银行库存的货币 cash reserve in a bank: 银行~ *yínháng ~* cash reserve in a bank

² **现钱** xiànqián〈名 *n.* 口 *colloq.*〉（笔bǐ、块kuài）可以当场交付的货币 ready money; cash: 外出身上不要带那么多~。 *Wàichū shēn shang búyào dài nàme duō ~.* Don't carry so much money with you when you go out. │ 我只带了三百块~。 *Wǒ zhǐ dàile sān bǎi kuài ~.* I just have 300 *yuan* with me. │ 这里都是~交易，不能赊欠。 *Zhèli dōu shì ~ jiāoyì, bù néng shēqiàn.* Here, cash only and no credit.

² **现实** xiànshí ❶〈名 *n.*〉（个gè、种zhǒng）客观存在的事物 reality; actuality: 这是一个~问题。 *Zhè shì yí gè ~ wèntí.* This is a real problem. │ 我们考虑问题要从~出发。 *Wǒmen kǎolǜ wèntí yào cóng ~ chūfā.* We should take reality into consideration when dealing with any problem. ❷〈形 *adj.*〉符合客观情况的 real; actual: 这种想法是不~的。 *Zhè zhǒng xiǎngfǎ shì bú ~ de.* The idea is not realistic. │ 这是一个比较~的方案。 *Zhè shì yí gè bǐjiào ~ de fāng'àn.* This is a rather realistic plan.

² **现象** xiànxiàng〈名 *n.*〉（个gè、种zhǒng）事物在发展变化中所表现的外部形态和联系 appearance (of things); phenomenon: 这是一种社会~。 *Zhè shì yì zhǒng shèhuì ~.* This is a social phenomenon. │ 看问题要看本质，不能只看~。 *Kàn wèntí yào kàn běnzhì, bù néng zhǐ kàn ~.* We should not judge problems simply by their appearance, but get hold of their essence. │ 我们不要被表面~所迷惑。 *Wǒmen búyào bèi biǎomiàn ~ suǒ míhuò.* We should not be puzzled by the appearance.

⁴ **现行** xiànxíng ❶〈形 *adj.*〉现在施行的；现在有效的 currently in effect; in force; in operation: ~政策 ~*zhèngcè* policy in effect │ ~法规 ~*fǎguī* law and regulations in effect ❷〈形 *adj.*〉正在进行犯罪的或者犯罪后即时被发觉的 active: ~ 罪 ~*zuì* active crime │ ~犯 ~*fàn* active criminal

¹ **现在** xiànzài〈名 *n.*〉目前；说话的这个时候（区别于'过去''将来'）now; at present; this time （different from '过去guòqù' or '将来jiānglái'）: ~是上午8点。 *~ shì shàngwǔ bā diǎn.* It's 8 o'clock a.m. now. │ 你~干什么？ *Nǐ ~ gàn shénme?* What are you doing now? │ 我那个村过去很穷，~富起来了。 *Wǒ nàge cūn guòqù hěn qióng, ~ fù*

qǐlái le. My hometown was very poor in the past, but it gets rich now. │ 你们~的任务是学习。*Nǐmen ~ de rènwù shì xuéxí.* Your present task is study.

现状 xiànzhuàng〈名 *n.*〉(种 zhǒng)目前的状况 the present situation; status quo; existing state of affairs：中国的~ *Zhōngguó de ~* present situation of China │ 不满~ *bùmǎn ~* not satisfy with the status quo │ 我们决心改变~。*Wǒmen juéxīn gǎibiàn ~.* We decide to change the status quo. │ 这种~是不会长久的。*Zhè zhǒng ~ shì bú huì chángjiǔ de.* This situation will not last long.

限 xiàn ❶〈动 *v.*〉限制在一定范围内，不许超过 set a limit; limit; restrict：~期~*qī* set a time limit │ 借书证只~本人使用。*Jièshūzhèng zhǐ ~ běnrén shǐyòng.* The library card is for the card holder only. ❷〈名 *n.*〉指定的范围；限度 limit; bounds：期~ *qī~* time limit │ 权~ *quán~* terms of reference; limits of one's authority │ 作文以两千字为~。*Zuòwén yǐ liǎngqiān zì wéi ~.* The composition should be written in 2,000 words.

限度 xiàndù〈名 *n.*〉(个 gè)范围的极限：最高或最低的数量或程度 limit; limitation：最低~ *zuì dī* ~ the lowest limit; minimum │ 最高~ *zuì gāo* ~ the highest limit; maximum │ 汽车的装载量是有~的。*Qìchē de zhuāngzàiliàng shì yǒu ~ de.* The loading capacity of a truck is limited. │ 电梯承运人数已超过规定的~。*Diàntī chéngyùn rénshù yǐ chāoguò guīdìng de ~.* The number of people in the elevator has exceeded the limitation. │ 我的忍耐是有~的。*Wǒ de rěnnài shì yǒu ~de.* My patience is limited.

限期 xiànqī ❶〈名 *n.*〉限定的日期 time limit; deadline：我给他一个星期的~完成这项工作，他已经超过规定的~。*Wǒ gěi tā yí gè xīngqī de ~ wánchéng zhè xiàng gōngzuò, tā yǐjīng chāoguò guīdìng de ~.* I set a one-week time limit for him to finish the work, but he has exceeded the deadline. ❷〈动 *v.*〉规定日期，不许超过 prescribe or set a time limit：~完成作业 ~ *wánchéng zuòyè* finish the homework within a time limit │ ~离境 ~ *líjìng* leave the country by the prescribed time

限于 xiànyú〈动 *v.*〉局限在某一范围之内；受某些条件或情形的限制 be confined to; be limited to：这次书法比赛，不只~成年人，青少年也可以参加。*Zhè cì shūfǎ bǐsài, bù zhǐ ~ chéngniánrén, qīngshàonián yě kěyǐ cānjiā.* Participants of this calligraphy competition include not only adults but also teenagers. │ 刚才说的这件事情，只~你们这几个人知道，不许外传。*Gāngcái shuō de zhè jiàn shìqíng, zhǐ ~ nǐmen zhè jǐ gè rén zhīdào, bùxǔ wàichuán.* The thing talked about just now is only limited to the few of you present, and don't let it out. │ ~这里的条件，不周之处请多原谅！*~zhèlǐ de tiáojiàn, bùzhōu zhī chù qǐng duō yuánliàng!* I beg your pardon if there is any inconvenience that the limited conditions here bring to you.

限制 xiànzhì ❶〈动 *v.*〉规定范围，不许超过；约束 place (or impose) restrictions on; restrict; limit; confine：作文~篇幅。*Zuòwén ~ piānfú.* There is a limitation to the length of the composition. │ 出书~版面。*Chū shū ~ bǎnmiàn.* There is a limitation to the page number of a book published. │ 飞机托运行李~大小和重量。*Fēijī tuōyùn xíngli ~ dàxiǎo hé zhòngliàng.* There is a limitation to the size and weight of the luggages to be checked in. ❷〈名 *n.*〉规定的范围（数量、时间、条件等）restriction; limit; confinement：今年新生录取人数有一定的~。*Jīnnián xīnshēng lùqǔ rénshù yǒu yídìng de ~.* There are some restrictions on the number of newly enrolled students this year. │ 她对孩子的~太多了。*Tā duì háizi de ~ tài duō le.* She has imposed too many restrictions on her child.

线 xiàn ❶ (~儿)〈名 *n.*〉(条 tiáo、根 gēn、股 gǔ、支 zhī、轴 zhóu、团 tuán、绺 liǔ、缕 lǚ)用棉、丝、麻、金属等制成的细长而可任意曲折的东西 thread; string; wire; cord：一团毛~ *yì*

tuán máo~ a ball of woolen thread｜一根电~ *yì gēn diàn*~ a piece of electric wire ❷〈名 *n.*〉几何学名词，指一个点任意移动所形成的图形 geometry term, path of a moving point; line: 曲~ *qū*~ curved line｜直~ *zhí*~ straight line ❸〈名 *n.*〉交通路线 communication line: 航~ *háng*~ airline｜沿～各站 *yán*~ *gè zhàn* stations along a railway or busline ❹〈名 *n.*〉边缘交界处 demarcation line; boundary; dividing line: 国境~ *guójìng*~ boundary line of a country; frontier｜警戒~ *jǐngjiè*~ guard line ❺〈名 *n.*〉细长像线的东西 sth. shaped like a line: 光~ *guāng*~ beam; ray｜一~天 *yì*~ *tiān* a thread of the sky ❻〈名 *n.*〉指思想、政治上的路线 political line: 上纲上~ *shànggāng-shàng*~ labeling sb. by exaggerating his flow or misstate in an ideological or political context ❼〈名 *n.*〉比喻接近（某种）边际 *fig.* brink; verge: 贫困~ *pínkùn*~ poverty line｜生命~ *shēngmìng*~ life line ❽〈名 *n.*〉寻求秘密的线索 clue; lead; thread: 眼~ *yǎn*~ informer; spy ❾〈量 *meas.*〉用于抽象事物，表示极少（前边数词限用'一'）used abstractly after '一' *yī* to indicate a very little amount: 一~希望 *yí*~ *xīwàng* a ray of hope｜一~生机 *yí*~ *shēngjī* a slim chance of life

³ **线路** xiànlù〈名 *n.*〉(条 tiáo)运动物体、电流等所经过的路线 circuit; line; route: 无线电~ *wúxiàndiàn*~ radio line｜公共汽车~ *gōnggòng qìchē*~ bus line or route｜这条旅游~很红火。*Zhè tiáo lǚyóu*~ *hěn hónghuo*. This tourist line is very busy.｜那条~堵塞了。*Nà tiáo*~ *dǔsāi le.* That route was jammed.

⁴ **线索** xiànsuǒ〈名 *n.*〉(条 tiáo、个 gè)比喻事物发展的脉络或探求问题的途径 *fig.* clue; thread: 故事的~ *gùshì de*~ threads of a story｜我们找到了一条破案的~。*wǒmen zhǎodàole yì tiáo pò'àn de*~. We have found a clue for breaking the case.｜他向我们提供了许多~。*Tā xiàng wǒmen tígōngle xǔduō*~. He has provided us with many clues.｜~中断了。~ *zhōngduàn le.* The clue is lost.

³ **宪法** xiànfǎ〈名 *n.*〉(部 bù)国家的根本大法 constitution: ~具有最高的法律效力。*jùyǒu zuì gāo de fǎlù xiàolì.* The constitution has the supreme legal effect.｜公民必须遵守~。*Gōngmín bìxū zūnshǒu*~. Citizens must abide by the constitution.

³ **陷** xiàn ❶〈动 *v.*〉掉进 sink; get stuck or bogged down: 汽车~在烂泥里，越~越深。*Qìchē*~ *zài lànní li, yuè*~ *yuè shēn.* The car got stuck in the mud, sinking deeper and deeper. ❷〈动 *v.*〉凹进 sink; cave in: 连续熬了几个通宵，眼窝都~进去了。*Liánxù áole jǐ gè tōngxiāo, yǎnwō dōu*~ *jìnqù le.* After sitting up for several consecutive nights, his eyes became sunken. ❸〈动 *v.*〉比喻非常繁忙；处于困难境地 *fig.* very busy; in a difficult situation: 他一天到晚尽~在文山会海之中。*Tā yìtiāndàowǎn jìn*~ *zài wénshān-huìhǎi zhīzhōng.* He is buried in paper work and meetings all the day.｜这件事，他~得很深。*Zhè jiàn shì, tā*~ *de hěn shēn.* He was deeply involved in this matter. ❹〈动 *v.*〉算计害人 frame: 诬~ *wū*~ make a false charge against; frame sb. ❺〈动 *v.* 书 *lit.*〉攻破；被占领 be captured; fall: 攻~ *gōng*~ occupy; capture｜~落 ~*luò* be captured ❻〈名 *n.*〉过失、缺点 defect; deficiency: 缺~ *quē*~ defect

⁴ **陷害** xiànhài〈动 *v.*〉用阴谋诡计暗害别人 frame (up); make a false charge against: 遭人~ *zāo rén*~ be framed by others｜栽赃~ *zāizāng*~ plant a stolen article on sb. in order to frame him or her｜他被~致死。*Tā bèi*~ *zhìsǐ.* He was persecuted to death.｜他竟然~朋友，真是无耻之极！*Tā jìngrán*~ *péngyou, zhēn shì wúchǐ zhī jí!* How shameless he is even to frame up his friends!

⁴ **陷入** xiànrù ❶〈动 *v.*〉落入（不利的境地）sink (or fall) into; land oneself in; be caught in: ~泥潭 ~*nítán* fall into a mud pit｜~困境 ~*kùnjìng* fall into difficulties ❷〈动 *v.*〉比喻深深地进入（某种境界或思想活动中）*fig.* be lost in (a certain state of affairs

or reverie); be immersed in; be deep in: ~极度的悲痛之中　jídù de bēitòng zhīzhōng be in great bitterness｜~沉思　chénsī be lost in thought; be deep in meditation

⁴ **馅** xiàn (~ㄦ)〈名 n.〉包在某些食物里的内瓤 filling; stuffing: 肉~ ròu~ meat filling｜饺子~ jiǎozi~ stuffing for dumplings｜这些ㄦ是做包子用的。 Zhèxiē~r shì zuò bāozi yòng de. The stuffing is used in buns.

² **羡慕** xiànmù〈动 v.〉看到别人的长处、好处和有利条件而希望自己也有 admire; envy: 人们都用~的眼光看着这位英雄。 Rénmen dōu yòng ~ de yǎnguāng kànzhe zhè wèi yīngxióng. People looked at the hero admiringly.｜这个和睦的家庭让不少人~不已。 Zhège hémù de jiātíng ràng bùshǎo rén ~ bùyǐ. Many people envy this harmonious family.｜大家~的是她的聪明才智。 Dàjiā ~ de shì tā de cōngmíngcáizhì. Everybody envies her cleverness and intelligence.

² **献** xiàn ❶〈动 v.〉把实物或意见等恭敬庄严地送给集体或尊敬的人 offer; present; dedicate; donate: ~花 ~huā present flowers; give a bouquet｜~计~策 ~jì~cè submit schemes ❷〈动 v.〉表现出来 show; put on; display: ~丑 ~chǒu show oneself up; show one's incompetence｜~殷勤 ~yīnqín curry favor

⁴ **献身** xiànshēn〈动 v.〉把自己的全部精力或生命献给祖国、人民或事业 devote (or dedicate) oneself to the cause of the motherland and the people; give one's life for: 他~于体育事业。 Tā ~ yú tǐyù shìyè. He devoted himself to the cause of physical training.｜他为祖国的统一大业而光荣~。 Tā wèi zǔguó de tǒngyī dàyè ér guāngróng ~. He gave his life to the cause of his country's unification.｜要振兴中华，就要有~的精神。 Yào zhènxīng Zhōnghuá, jiù yào yǒu ~ de jīngshén. To rejuvenate China, one must have the spirit of self-devotion.

² **乡** xiāng ❶〈名 n.〉(个 gè)乡村（与'城'相对）country; countryside; village; rural area (opposite to '城chéng'): 山~巨变 shān~ jùbiàn great changes in mountain village｜城~交流 chéng~ jiāoliú interflow between urban and rural areas; exchange between city and countryside ❷〈名 n.〉家乡 native place; home village or town: 思~ sī~ be homesick｜还~ huán~ return to one's native place ❸〈名 n.〉(个 gè)中国行政区划的基层单位,由县或县以下的区领导 township; a grassroots level rural adminstrative unit under a county or a district of county in China: 这个县有40多个~。 Zhège xiàn yǒu sìshí duō gè ~. There are more than 40 townships in this county.｜他是~长。 Tā shì ~ zhǎng. He is the head of the township.

³ **乡村** xiāngcūn〈名 n.〉(个 gè)泛指由农业人口聚居的村落 village; countryside; rural area: 这个山沟里的小~只有三户人家。 Zhège shāngōu li de xiǎo ~ zhǐyǒu sān hù rénjiā. There are only three families in the small village of this remote mountain area.｜这是一个贫困的~。 Zhè shì yí gè pínkùn de ~. This is an impoverished village.｜她是一位~教师。 Tā shì yí wèi ~ jiàoshī. She is a village teacher.

² **乡亲** xiāngqīn ❶〈名 n.〉(个 gè)同乡的人 person from the same village or town; fellow villager or townsman: 他是我的~。 Tā shì wǒ de ~. He is my fellow villager.｜这个城市里有我的十多个~。 Zhège chéngshì li yǒu wǒ de shí duō gè ~. I have more than 10 fellow villagers in this city. ❷〈名 n.〉(个 gè)对农村当地人的称呼 address for local people or villagers: 我们一进村,就受到~们的热烈欢迎。 Wǒmen yí jìn cūn, jiù shòu dào ~men de rèliè huānyíng. The villagers gave us a warm welcome when we entered the village.

² **乡下** xiāngxia〈名 n. 口 colloq.〉乡村里；乡间 countryside; village: ~人 ~rén villager｜这几年~变化很大。 Zhè jǐ nián ~ biànhuà hěn dà. Great changes have taken place in

the countryside these years. | 我每年都去~看看。 *Wǒ měi nián dōu qù ~ kànkan.* I go to the countryside for a short visit every year. | 我奶奶还住在~。 *Wǒ nǎinai hái zhù zài ~.* My grandmother still lives in the countryside.

² **相** xiāng ❶〈副 *adv.*〉互相 each other; one another; mutually：素不~识 *sùbù~shí* haven't met before; not being acquainted | ~亲~爱 *~qīn~ài* love each other ❷〈副 *adv.*〉表示一方对另一方的行为、态度 an action done by one person to another：以诚~待 *yǐchéng~dài* treat sb. with honesty and sincerity | 另眼~看 *lìngyǎn ~kàn* regard sb. with special respect; pay special regard to ❸〈动 *v.*〉亲自察看(合不合自己的心意) see for oneself (whether sb. or sth. is to one's liking)：~亲~qīn take a look at one's prospective son-in-law or daughter-in-law | ~中~不中? *~ zhòng ~ bú zhòng?* Is this one to your liking or not?

⁴ **相比** xiāngbǐ〈动 *v.*〉互相对照比较 compare with; in contrast to：和你~，我胖多了。 *Hé nǐ ~, wǒ pàng duō le.* I am much fatter than you. | 跟先进单位~，我们落后多了。 *Gēn xiānjìn dānwèi ~, wǒmen luòhòu duō le.* In comparison with the advanced unit, we have lagged far behind.

⁴ **相差** xiāngchà〈动 *v.*〉相互间区别、距离 be at a distance of：这两个人~太大了。 *Zhè liǎng gè rén ~ tài dà le.* There are too many differences between these two men. | 按上级的要求，还~很远。 *Àn shàngjí de yāoqiú, hái ~ hěn yuǎn.* There is still a great distance to meet the requirement of the higher authority. | 姐妹俩~六岁。 *Jiěmèi liǎ ~ liù suì.* The two sisters are of an age difference of six years. | 甲乙两地~40公里。 *Jiǎ yǐ liǎng dì ~ sìshí gōnglǐ.* The distance between place A and place B is 40 kilometres.

² **相当** xiāngdāng ❶〈形 *adj.*〉(数量、价值、条件、情形等)两方面差不多；配得上或能够相抵 (of quality, value, terms, conditions, etc.) match; balance; correspond to; be about equal to; be commensurate with：这两个干部的资历、能力大致~。 *Zhè liǎng gè gànbù de zīlì, nénglì dàzhì ~.* The two cadres are about equal in qualifications and capabilities. | 这两位运动员的体能和技术水平~接近。 *Zhè liǎng wèi yùndòngyuán de tǐnéng hé jìshù shuǐpíng ~ jiējìn.* There is only a slight difference between these two athletes in terms of physical strength and skill. ❷〈形 *adj.*〉适宜；合适 suitable; fit; appropriate：找一个有~资历的人来主持这项工作。 *Zhǎo yí gè yǒu ~ zīlì de rén lái zhǔchí zhè xiàng gōngzuò.* Find someone with appropriate qualifications and experience to take charge of this work. | 他想找一个~的工作。 *Tā xiǎng zhǎo yí gè ~ de gōngzuò.* He wants to find a suitable job. ❸〈副 *adv.*〉达到比较高的程度 reach a high degree; quite; fairly; considerably：这次演出~成功。 *Zhè cì yǎnchū ~ chénggōng.* This performance was quite a success. | 工程进展~快。 *Gōngchéng jìnzhǎn ~ kuài.* The project got along quite quickly.

⁴ **相等** xiāngděng〈动 *v.*〉在数目、重量、程度等方面彼此相同 (amount, quantity, degree, etc.) equal：人数~ *rénshù ~* same number of people | 重量~ *zhòngliàng ~* equal in weight | ~距离 *~ jùlí* equal in distance | 两队实力基本~。 *Liǎng duì shílì jīběn ~.* The two teams are about equal in their actual strength. | 他们两个人成绩完全~。 *Tāmen liǎng gè rén chéngjì wánquán ~.* Both of them got the same grade.

³ **相对** xiāngduì ❶〈动 *v.*〉指性质上互相对立；相互对着 opposite to each other：双方意见针锋~。 *Shuāngfāng yìjiàn zhēnfēng~~.* Both sides are in direct opposition to each other in opinions. | 两人~而坐。 *Liǎng rén ~ ér zuò.* They two sit face to face. ❷〈形 *adj.*〉依靠一定条件而存在的，随着一定条件而变化的(与'绝对'相对) relative; dependent on given conditions (opposite to '绝对juéduì')：运动是绝对的，而静止是~的。 *Yùndòng*

shì juéduì de, ér jìngzhǐ shì ~ de. Motion is absolute while stillness relative. ｜两者各有~ 的独立性. *Liǎng zhě gè yǒu ~ de dúlìxìng.* Both of them keep relative independence. ❸〈形 *adj.*〉比较的 relatively; comparatively：~稳定 ~ *wěndìng* relatively stable ｜~薄弱 ~ *bóruò* relatively vulnerabte

² **相反** xiāngfǎn ❶〈形 *adj.*〉事物的两个方面互相矛盾、互相对立或互相排斥 contrary; opposite：结论是~的. *Jiélùn shì de.* The conclusion is the opposite. ｜他的观点正和 我~. *Tā de guāndiǎn zhèng hé wǒ ~.* His opinion is opposite to mine. ｜小车朝~的方向 开去. *Xiǎo chē cháo ~ de fāngxiàng kāiqù.* The car was driven in the opposite direction. ❷〈形 *adj.*〉用在下文句首或句中作插入语，表示递进或转折 used at the beginning or in the middle of the following sentences to serve as a parenthesis, indicating rising step by step or a turn：失败和挫折并没有使她消沉下去，~，她更加坚强了. *Shībài hé cuòzhé bìng méiyǒu shǐ tā xiāochén xiàqù, ~, tā gèngjiā jiānqiáng le.* She was not depressed by failure and frustration. On the contrary, she became more resolute than ever.

⁴ **相符** xiāngfú〈动 *v.*〉彼此一致 conform to; tally (or agree) with; correspond to (or with)：结 论与事实完全~. *Jiélùn yǔ shìshí wánquán ~.* The conclusion is totally correspondent with the fact. ｜这袋米的重量和我估计的~. *Zhè dài mǐ de zhòngliàng hé wǒ gūjì de ~.* The weight of this bag of rice is what I have estimated. ｜刚刚点过的钱数和你说的 不~. *Gānggāng diǎnguo de qián shù hé nǐ shuō de bù ~.* The sum of money that was counted just now does not correspond with what you've said.

⁴ **相关** xiāngguān〈动 *v.*〉彼此有关系；相互关连 be mutually related; be interrelated：他 和这件事密切~. *Tā hé zhè jiàn shì mìqiè ~.* He is closely related to this matter. ｜这两 件事互不~. *Zhè liǎng jiàn shì hù bù ~.* These two things are not mutually related. ｜这 是~的两个问题. *Zhè shì ~ de liǎng gè wèntí.* These are two interrelated problems.

² **相互** xiānghù〈形 *adj.*〉彼此进行相同的动作或具有相同的关系 mutually; each other; one another; reciprocal：~学习 ~ *xuéxí* learn from each other ｜~促进 ~ *cùjìn* promote each other ｜帮助是~的. *Bāngzhù shì ~ de.* Help is mutual. ｜密切了~间的关系. *Mìqièle ~ jiān de guānxì.* Make mutual relations closer.

⁴ **相继** xiāngjì〈副 *adv.*〉一个紧接一个，前后相连 in succession; one after another：姐 妹~入学. *Jiěmèi ~ rùxué.* The sisters go to school one after another. ｜学生代表在大会 上~发言. *Xuéshēng dàibiǎo zài dàhuì shang ~ fāyán.* Representatives of the students made speeches one after another in the meeting. ｜与会者~退出会场. *Yùhuìzhě ~ tuìchū huìchǎng.* Participants of the meeting left the meeting place in succession.

⁴ **相交** xiāngjiāo ❶〈动 *v.*〉互相交叉 intersect：两条直线~. *Liǎng tiáo zhíxiàn ~.* Two lines intersect each other. ｜这个村庄正好在两条河的~处. *Zhège cūn zhènghǎo zài liǎng tiáo hé de ~ chù.* This village just lies in the intersection of the two rivers. ❷〈动 *v.*〉相互 交往；做朋友 make friends with：他俩~很深. *Tā liǎ ~ hěn shēn.* They are intimate friends. ｜我俩早就~. *Wǒ liǎ zǎo jiù ~.* We became friends a long time ago.

² **相识** xiāngshí ❶〈动 *v.*〉互相认识 be acquainted with each other：我和他素不~. *Wǒ hé tā sùbù ~.* I have never met with him before. ｜我们早已~. *Wǒmen zǎo yǐ ~.* We have already been acquainted with each other. ❷〈名 *n.*〉认识的人；熟人 acquaintance： 我们是老~了，还客气什么？*Wǒmen shì lǎo ~ le, hái kèqi shénme?* We are old acquaintance, and need not stand on ceremony. ｜从那以后，我和他就成了~. *Cóng nà yǐhòu, wǒ hé tā jiù chéngle ~.* I have become acquainted with him since then.

² **相似** xiāngsì〈形 *adj.*〉相像 be similar; be alike：这两个人长得怎么这么~? *Zhè liǎng*

gè rén zhǎng de zěnme zhème ~? How alike the two of them look in appearance? │ 这对孪生姐妹性格、爱好没有一点儿~的地方。*Zhè duì luánshēng jiěmèi xìnggé, àihào méiyǒu yìdiǎnr ~ de dìfang.* The twin sisters are not alike in characters or hobbies. │ 这里的气候和我家乡很~。*Zhèlǐ de qìhòu hé wǒ jiāxiāng hěn ~.* The climate here is similar to that of my hometown.

相通 xiāngtōng ❶〈动 v.〉事物之间彼此衔接沟通 communicate with each other; be interlinked：彼此的心息息~。*Bǐcǐ de xīn xīxī ~.* They are mutually connected in feelings. │ 我们是老乡，很多方面是~的。*Wǒmen shì lǎoxiāng, hěnduō fāngmiàn shì ~ de.* As fellow villagers, we can understand each other quite well. ❷〈动 v.〉相互连接，可以通过 be connected; can be passed：两个山村中间有座木桥~。*Liǎng gè shāncūn zhōngjiān yǒu zuò mùqiáo ~.* A wooden bridge connects the two mountain villages.

相同 xiāngtóng〈形 adj.〉彼此一样；没有区别 identical; same; alike：他俩的志向~。*Tā liǎ de zhìxiàng ~.* They two have the same aspiration. │ 这两句话用词不同，但表达的意思是~的。*Zhè liǎng jù huà yòngcí bùtóng, dàn biǎodá de yìsi shì ~ de.* Although wording is different, these two sentences express the same idea. │ ~的奋斗目标把大家紧密地联系在一起。*~ de fèndòu mùbiāo bǎ dàjiā jǐnmì de liánxì zài yìqǐ.* We are closely connected by the same aim of struggle.

相信 xiāngxìn〈动 v.〉认为正确或确实而不怀疑 believe; be convinced of; trust; have faith in：~科学 *~ kēxué* believe in science │ 不~谣言 *bù ~ yáoyán* not be convinced by rumors │ 我~明天会更美好。*Wǒ ~ míngtiān huì gèng měihǎo.* I believe that tomorrow will be even better. │ 这事~不~由你。*Zhè shì ~ bù ~ yóu nǐ.* Believe it or not. It's up to you.

相应 xiāngyìng ❶〈形 adj.〉相适应；相宜 corresponding; relevant; fitting; appropriate：采取~的措施 *cǎiqǔ ~ de cuòshī* take corresponding measures │ 情况发生变化，我们应当~地改变策略。*Qíngkuàng fāshēng biànhuà, wǒmen yīngdāng ~ de gǎibiàn cèlüè.* We have to change our strategy in accordance with the changed conditions. ❷〈动 v.〉互相呼应或照应 correspond; fit：文章的首尾应力求~。*Wénzhāng de shǒuwěi yīng lìqiú ~.* Consistence between the beginning and the ending of an article is worth striving for. │ 这部影片前后不~。*Zhè bù yǐngpiàn qiánhòu bù ~.* The first part of the film doesn't match the end part.

香 xiāng ❶〈形 adj.〉气味好闻（与'臭'相对）fragrant; aromatic; scented（opposite to '臭chòu'）：这花很~。*Zhè huā hěn ~.* The flower is fragrant. ❷〈形 adj.〉食物味道好 tasty; savory; appetizing：这菜真~。*Zhè cài zhēn ~.* This dish is really appetizing. ❸〈形 adj.〉胃口好 with relish; with good appetite：饿了吃什么都~。*Èle chī shénme dōu ~.* One will have a good appetite when he is hungry. ❹〈形 adj.〉睡得熟（of sleep）sound：他睡得好~。*Tā shuì de hǎo ~.* He is having a sound sleep. ❺〈形 adj.〉受欢迎 popular; welcome：他在我们这里~得很。*Tā zài wǒmen zhèlǐ ~ de hěn.* He is very popular in this place. ❻〈名 n.〉香料 perfume; spice：檀~ *tán~* sandalwood ❼〈名 n.〉（支zhī、根gēn、炷zhù、盘pán）用香料做成的可以燃烧的细条，燃烧时发出好闻的气味，在祭祖、拜佛或熏蚊子时用 incense; joss stick：烧一炷~ *shāo yí zhù ~* burn a stick of incense ❽〈名 n.〉指女性；女性的代称 female：~闺 *~guī* boudoir, a woman's dressing room or bedroom

香肠 xiāngcháng（~儿）〈名 n.〉（根gēn、节jié）用碎肉及调料调和后装入肠衣风干而制成的食品 sausage：广东~、四川~都很有名。*Guǎngdōng ~, Sìchuān ~ dōu hěn yǒumíng.* Both Guangdong and Sichuan sausages are very famous. │ 我爱吃~。*Wǒ ài*

chī ~. I like sausages.

¹ 香蕉 xiāngjiāo ❶ 〈名 n.〉(棵kē、株zhū)多年生草本植物，果实香甜，产在热带或亚热带地区 banana：~园 ~*yuán* banana plantation **❷** 〈名 n.〉(个gè、根gēn、把bǎ)这种植物的果实 fruit of this plant：~大丰收。 ~ *dà fēngshōu*. There is a good harvest of bananas. │这小把~有五六斤重。 *Zhè xiǎo bǎ* ~ *yǒu wǔ-liù jīn zhòng*. This small bundle of bananas weights five or six *jin*.

⁴ 香味 xiāngwèi (~儿)〈名 n.〉(股gǔ、阵zhèn)芳香的气味；香气 sweet smell; fragrance：~扑鼻。 ~ *pūbí*. We are greeted by a sweet smell. │这~太浓了！ *Zhè* ~ *tài nóng le!* How strong the fragrance is! │闻到什么~了? *Wéndào shénme* ~ *le?* What kind of sweet scent have you smelt? │这是烧鱼的~。 *Zhè shì shāo yú de* ~. This is smell of braised fish.

³ 香烟 xiāngyān ❶ 〈名 n.〉(支zhī、根gēn、包bāo、盒hé、条tiáo)纸里包烟丝和配料卷成的条状物，供吸用，也叫'纸烟''卷烟''烟卷儿' cigarette; also known as '纸烟zhǐyān', '卷烟juǎnyān' or '烟卷儿yānjuǎnr'：买一包~。 *Mǎi yì bāo* ~. Buy a pack of cigarettes. │抽~有害健康。 *Chōu* ~ *yǒu hài jiànkāng*. Smoking is harmful to your health. **❷** 〈名 n.〉(股gǔ、缕lǚ)点着的香所生的烟 incense smoke：庙里~缭绕。 *Miào li* ~ *liáorào*. Incense smoke is coiling up from the temple. **❸** 〈名 n.〉旧指燃香祭祖，引申为后嗣，也说'香火'(old) ancestral sacrifices; (ext.) heir, also '香火xiānghuǒ'：他家兴旺发达，~不断。 *Tā jiā xīngwàng fādá,* ~ *búduàn*. His family is very prosperous and has endless descendants.

² 香皂 xiāngzào 〈名 n.〉(块kuài)加了香料的肥皂 perfumed (or scented) soap; toilet soap：一块~。 *yí kuài* ~ a bar of perfumed soap │用~洗手 *yòng* ~ *xǐ shǒu* wash hands with scented soap │这~不太香。 *Zhè* ~ *bú tài xiāng*. This perfumed soap has a light smell.

³ 箱 xiāng ❶ 〈量 meas.〉装满一个箱子的量 a chest of; a box of; a case of; a trunk of：两~梨 *liǎng* ~ *lí* two boxes of pears │装了满满的一~书。 *Zhuāngle mǎnmǎn de yì* ~ *shū*. The books are fully packed into a box. **❷** 〈名 n.〉箱子 chest; box; case; trunk：书~ *shū* ~ book chest │木~ *mù* ~ wooden trunk **❸** 〈名 n.〉像箱子的东西 anything in the shape of a box：信~ *xìn* ~ mail box │集装~ *jízhuāng* ~ container

² 箱子 xiāngzi 〈名 n.〉(个gè、只zhī、口kǒu)存放衣物的长方形器具 chest, box, case, trunk, etc.：樟木~ *zhāngmù* ~ trunk made of camphor wood │铁皮~ *tiěpí* ~ iron box │这是一个纸~。 *Zhè shì yí gè zhǐ* ~. This is a carton. │玩具放在木~里。 *Wánjù fàng zài mù* ~ *li*. Toys are placed in the wooden trunk.

⁴ 镶 xiāng 〈动 v.〉把一种物体嵌入另一物体内或在物体的外围加边 inlay; mount rim：~牙 ~ *yá* put in a false tooth; insert an artificial tooth │戒指上一颗钻石。 *Jièzhi shang* ~ *yì kē zuànshí*. The finger ring is inlaid with a diamond. │爷爷的浮雕像~在墓碑上。 *Yéye de fúdiāo xiàng* ~ *zài mùbēi shang*. My grandfather's gravestone is inlaid with his relievo. │衣袖上~了一道花边。 *Yīxiù shang* ~*le yí dào huābiān*. The sleeves are lined with laces.

² 详细 xiángxì 〈形 adj.〉周密完备 detailed; minute; thorough and complete：~策划 ~ *cèhuà* plan carefully │~情况还在调查中。 ~ *qíngkuàng hái zài diàochá zhōng*. Detailed facts are still under investigation. │把试验全过程做~的记录。 *Bǎ shìyàn quán guòchéng zuò* ~ *de jìlù*. Make a detailed record of the whole process of the experiment. │她~地询问了事故的经过。 *Tā* ~ *de xúnwènle shìgù de jīngguò*. She asked carefully about the course of the accident.

⁴ 享福 xiǎng // fú 〈动 v.〉生活安乐美好；享受幸福 enjoy happiness; live in ease and

X

comfort：老人～了。*Lǎorén ~ le.* The old man leads a happy life. ｜他很会～。*Tā hěn huì ~.* He is very good at leading an easy life. ｜他退休后在家享起清福来了。*Tā tuìxiū hòu zài jiā xiǎngqǐ qīngfú lái le.* He enjoyed a leisure life at home when he got retired.

⁴ **享乐** xiǎnglè〈动 v.〉享受安乐(多用于贬义) lead a life of pleasure; indulge in comforts (usu. derog.)：追求～ *zhuīqiú* pursue ease and comfort ｜贪图～ *tāntú* seek for ease and comfort ｜～思想 *~sīxiǎng* epicurism

² **享受** xiǎngshòu ❶〈动 v.〉物质上或精神上得到满足 bask in; enjoy; be satisfied materially and spiritually：～奖学金 *~ jiǎngxuéjīn* enjoy scholarship ｜～优厚待遇 *~ yōuhòu dàiyù* enjoy favourable treatment ｜～民主的权利 *~ mínzhǔ de quánlì* enjoy the right of democracy ❷〈名 n.〉物质上或精神上的满足 material or spiritual satisfaction：听音乐是一种美的～。*Tīng yīnyuè shì yì zhǒng měi de ~.* Listening to the music is an esthetical enjoyment ｜我们提倡吃苦在前,～在后。*Wǒmen tíchàng chī kǔ zài qián, ~ zài hòu.* We advocate for hard work first and enjoyment second.

⁴ **享有** xiǎngyǒu〈动 v.〉在社会上取得(权利、声誉、威望等) enjoy; attain (rights, prestige, reputation, etc.) in society：～选举权和被选举权 *~ xuǎnjǔ quán hé bèi xuǎnjǔ quán* enjoy the right to vote and be voted ｜～民主与自由 *~ mínzhǔ yǔ zìyóu* enjoy democracy and freedom ｜多数的席位 *~ duōshù de xíwèi* enjoy a majority in the parliament ｜老校长在教育界～很高的声望和地位。*Lǎo xiàozhǎng zài jiàoyùjiè ~ hěn gāo de shēngwàng hé dìwèi.* The old president of the university enjoys a high prestige and status in the field of education.

X

¹ **响** xiǎng ❶〈形 adj.〉响亮 sonorous; loud and clear：这炮真～。*Zhè pào zhēn ~.* The cannon sounds so loud. ❷〈形 adj.〉影响大,受欢迎 welcome：她一出台就～了。*Tā yì chū tái jiù ~ le.* She won great applause when she first came on the stage. ❸〈动 v.〉发出声音 make a sound; resound; ring：电铃～了。*Diànlíng ~ le.* The electrical bell rang. ❹〈动 v.〉使发出声音 make sth. ring; sound：门外～了两枪。*Mén wài ~le liǎng qiāng.* There sound two shots outside the door. ❺(～儿)〈名 n.〉声音;声调 sound; noise：你听见～儿了吗? *Nǐ tīngjiàn ~r le ma?* Do you hear any sound? ❻〈名 n.〉回声 echo：影～ *yǐng~* influence ｜反～ *fǎn~* echo; response

³ **响亮** xiǎngliàng〈形 adj.〉(声音等)宏大 (of sound) loud and clear; sonorous：～的歌声 *~ de gēshēng* resonant singing ｜～的口号 *~ de kǒuhào* high-sounding slogan ｜嗓音～ *sǎngyīn ~* loud voice ｜他回答得很～。*Tā huídá de hěn ~.* He answered loudly.

⁴ **响声** xiǎngshēng〈名 n.〉声音 sound; noise：～震天 *~ zhèntiān* shaking sound ｜清脆的～ *qīngcuì de ~* ringing voice ｜远处传来海浪拍岸的～。*Yuǎnchù chuánlái hǎilàng pāi'àn de ~.* There came from afar the sound of seawaves rushing over the shore.

² **响应** xiǎngyìng〈动 v.〉回声相应,比喻用言语或行动表示赞同、支持某种号召或倡议 echo correspondingly; *fig.* respond; answer：～工会的号召 *~ gōnghuì de hàozhào* answer the call of the labor union ｜～的人真不少。*~ de rén zhēn bùshǎo.* Many people gave their approving responses. ｜大家纷纷～。*dàjiā fēnfēn ~.* Everyone actively responded to the call.

¹ **想** xiǎng ❶〈动 v.〉思考;动脑筋 think; ponder：苦思冥～ *kǔsī-míng~* think hard ｜我还没～出办法来。*Wǒ hái méi ~chū bànfǎ lái.* I haven't found a way out. ❷〈动 v.〉推测、预料 suppose; consider; presume; think：我～他大概是病了。*Wǒ ~ tā dàgài shì bìng le.* I guess he may be ill. ❸〈动 v.〉想念;怀念 miss; remember with longing：你走了以后,大家都特～你。*Nǐ zǒule yǐhòu, dàjiā dōu tè ~ nǐ.* Everyone missed you very much when

you were away. ❹〈动 v.〉回想；回忆 recollect; recall; remember：~了半天才一起来。 ~ le bàntiān cái ~ qǐlái. Thinking for a long time before I finally recalled it. ❺〈动 v.〉记住，别忘掉 remember：出国后，可~着常给家里写信。 Chūguó hòu, kě ~zhe cháng gěi jiā xiěxìn. Don't forget to write home often when you stay abroad. ❻〈助动 aux. v.〉打算；准备；希望 plan; prepare to; hope; wish; want to：她~出国留学。 Tā ~ chūguó liúxué. She wants to study abroad.

² **想法** xiǎng//fǎ (~儿)〈动 v.〉设法；想办法；出主意 think of a way; do what one can; try：大伙儿肚子饿了，得儿弄点儿吃的。 Dàhuǒr dùzi è le, děi ~r nòng diǎnr chī de. Everyone is hungry now; we'd better try to get something to eat. | 天越来越冷，再不想点儿法儿，恐怕大家都得冻坏了。 Tiān yuèláiyuè lěng, zài bù xiǎng diǎnr fǎr, kǒngpà dàjiā dōu děi dònghuài le. It's getting colder and colder, and I'm afraid everyone would be frostbitten if we can't think of a way any longer.
☞ xiǎngfa, p.1079

² **想法** xiǎngfa〈名 n.〉(个gè)思索所得的结果；意见 idea; opinion：这个~很好。 Zhège ~ hěn hǎo. This is a good idea. | 你的~大家都赞成。 Nǐ de ~ dàjiā dōu zànchéng. Everyone agrees to your opinion. | 有什么好~赶紧说出来。 Yǒu shénme hǎo ~ gǎnjǐn shuō chūlái. Speak out the good idea in your mind.
☞ xiǎng//fǎ, p.1079

⁴ **想方设法** xiǎngfāng-shèfǎ〈成 idm.〉想尽办法；尽力 do everything possible; try all means; leave no stone unturned：大家~支援灾区。 Dàjiā ~ zhīyuán zāiqū. People are trying all means to aid the disaster area. | 为救出井下被困的矿工，大伙儿都在~。 Wèi jiùchū jǐng xià bèi kùn de kuànggōng, dàhuǒr dōu zài ~. We did everything possible to rescue the miners trapped in the mine.

² **想念** xiǎngniàn〈动 v.〉对喜爱的人或物，离别后的思念；渴望见到 miss; long to see sb. or sth. you like：~老师 ~ lǎoshī miss one's teacher | ~家乡 ~ jiāxiāng miss one's hometown | ~祖国 ~ zǔguó cherish the memory of one's motherland | ~小时候住过的那个小屋 ~ xiǎoshíhou zhùguo de nàge xiǎo wū miss the small house where one lived in his childhood

² **想象** xiǎngxiàng ❶〈动 v.〉对不在眼前的事物推想出它的具体形象；设想出结果 imagine; visualize; conceive：20年没有回国了，难以~我母亲现在是什么模样。 Èrshí nián méiyǒu huí guó le, nányǐ ~ wǒ mǔqīn xiànzài shì shénme múyàng. Having been abroad for 20 years, I can hardly imagine what my mother looks like now. | 我真~不到他竟会堕落到这种地步。 Wǒ zhēn ~ bú dào tā jìng huì duòluò dào zhè zhǒng dìbù. I can hardly imagine that he has degenerated to such an extent. ❷〈名 n.〉(种zhǒng)心理学上指在改造记忆表象的基础上创造出新形象的心理活动 imagination：小朋友展开~的翅膀，把未来的北京画在纸上。 Xiǎopéngyǒu zhǎnkāi ~ de chìbǎng, bǎ wèilái de Běijīng huà zài zhǐ shang. Stretching out their wings of imagination, these little children drew a picture of tomorrow's Beijing on the paper.

¹ **向** xiàng ❶〈介 prep.〉表示动作的方向 to; toward：江水~东流。 Jiāngshuǐ ~ dōng liú. The river flows eastward. ❷〈介 prep.〉表示动作的对象 towards; in the direction of：~老师敬礼 ~ lǎoshī jìnglǐ salute the teacher | 我~他借了一本字典。 Wǒ ~ tā jièle yì běn zìdiǎn. I have borrowed a dictionary from him. ❸〈动 v.〉对着，特指脸或正面对着（与'背'相对）face; with the face towards sth.（opposite to '背bèi'）：面~东方 miàn ~ dōngfāng face the east | 我的书房~阳。 Wǒ de shūfáng ~ yáng. My study faces south. ❹〈动 v. 书 lit.〉将近；接近 near upon; toward; shortly before：~晚 ~wǎn shortly before

X

evening ❺〈动 v.〉偏袒 be partial to; side with: 老人总~着小孙子。 Lǎorén zǒng ~ zhe xiǎo sūnzi. Old people always side with their youngest grandson. ❻〈副 adv.〉从来; 总是; 表示从过去到现在一直如此 all along; always: ~有防备 ~yǒu fángbèi always take precautions against ❼〈名 n.〉方向 direction: 晕头转~ yūntóu-zhuǎn~ dizzy; in a daze; confused and disoriented | 这孩子从小就有很大的志~。 Zhè háizi cóngxiǎo jiù yǒu hěn dà de zhì~. This child had great aspirations since his childhood.

³ 向导 xiàngdǎo ❶〈名 n.〉(名míng、个gè、位wèi)领路的人 guide; person who shows the way: 当~ dāng ~ be a guide | 他是一位~。 Tā shì yí wèi ~. He is a guide. ❷〈动 v.〉领路 show sb. the way; act as a guide: 她为我们~ Tā wèi wǒmen ~. She showed us the way. | 有她~,大家可以放心旅游。 Yǒu tā ~, dàjiā kěyǐ fàngxīn lǚyóu. With her guidance, all of us can be free of worries in our trip.

³ 向来 xiànglái〈副 adv.〉从来; 一向 always; all along: 他~就是这样努力工作。 Tā jiùshì zhèyàng nǔlì gōngzuò. He always works hard like this. | 她学习~用功。 Tā xuéxí ~ yònggōng. She always studies hard. | 这是老人~的习惯,改不了啦。 Zhè shì lǎorén ~ de xíguàn, gǎi bù liǎo la. This is the old man's long-standing habit, which he is unable to change.

⁴ 向往 xiàngwǎng〈动 v.〉热爱、羡慕某种事物或境界而希望得到或达到 yearn for; look forward to; desire to obtain or reach sth. out of love or admiration: 她从小就~中国。 Tā cóngxiǎo jiù ~ Zhōngguó. She has been looking forward to coming to China since her childhood. | 他~将来成为一名医生。 Tā ~ jiānglái chéngwéi yì míng yīshēng. He desires to become a doctor in the future. | 青年朋友~更加美好的未来。 Qīngnián péngyou ~ gèngjiā měihǎo de wèilái. The youth yearn for a brighter future.

² 项 xiàng ❶〈量 meas.〉用于分项目的事物 for itemized things: 一~声明 yí ~ shēngmíng an announcement | 两~提案 liǎng ~ tí'àn two proposals | 逐~讨论 zhú ~ tǎolùn discuss item by item | 和平共处五~原则 hépíng gòngchǔ wǔ ~ yuánzé Five Principles of Peaceful Coexistence ❷〈名 n.〉颈的后部 nape of the neck: 秀发垂~ xiùfà chuí~ beautiful hair drooping over one's nape ❸〈名 n.〉项目; 门类 item: 平衡木是她的强~。 Pínghéngmù shì tā de qiáng ~. She is strong at balance beam in gymnastics. | 口译是我的弱~。 Kǒuyì shì wǒ de ruò ~. I'm rather weak at interpretation. ❹〈名 n.〉款 项 sum (of money): 进~ jìn~ sum of income | 欠~ qiàn~ sum of arrearage

⁴ 项链 xiàngliàn(~儿)〈名 n.〉(条tiáo、串chuàn、根gēn)脖子上的链形饰物,多用金银珠宝制成 necklace: 戴~ dài ~ wear a necklace | 珍珠~ zhēnzhū ~ a pearl necklace | 这条~真漂亮。 Zhè tiáo ~ zhēn piàoliang. This necklace is so beautiful.

² 项目 xiàngmù〈名 n.〉(个gè、批pī)事物分成的门类或条目 item: 科研~ kēyán ~ project of scientific research | 这是一个重点~。 Zhè shì yí gè zhòngdiǎn ~. This is an important project. | 这批工程都是奥运~。 Zhè pī gōngchéng dōu shì Àoyùn ~. They are all projects for the Olympic Games. | 他是这个~的主持人。 Tā shì zhège ~ de zhǔchírén. He is the person responsible for the program.

³ 巷 xiàng〈名 n.〉(条tiáo)较窄的街道(北京称'胡同',上海称'里弄') lane; alley; narrow street (also known as '胡同hútòng' in Beijing and '里弄lòng' in Shanghai): 一条小~ yì tiáo xiǎo ~ a small lane | 陋~ lòu~ slum | 街谈~议 jiētán~yì street gossip

³ 相声 xiàngsheng〈名 n.〉(个gè、段duàn)中国的一种艺术形式,表演者用说笑话、滑稽问答、说唱、夸张的动作等引起观众发笑。多用以讽刺,也有歌颂新人新事。按表演的人数分为单口相声、对口相声和多口相声 comic dialogue; cross-talk, a kind of Chinese folk art in which the performers tell jokes, utter humorous questions and

answers, sing songs, and give exaggerated performance to make the audience laugh, often satirical or as tribute to new people and new things. It is usually performed by two persons, and also singly or by more than two: 今晚节目中有~。 *Jīnwǎn jiémù zhōng yǒu ~.* Among tonight's performances are comic dialogues. | 这是专场~晚会。 *Zhè shì zhuānchǎng ~ wǎnhuì.* This is a special evening performance of comic dialogues. | 他是著名~演员。 *Tā shì zhùmíng ~ yǎnyuán.* He is a famous performer of comic dialogue. | 这个~段子是传统节目，大家都爱看。 *Zhège ~ duànzi shì chuántǒng jiémù, dàjiā dōu ài kàn.* This comic dialogue is a traditional program, which everyone likes .

² 象 xiàng ❶〈名 n.〉（头 tóu）陆地上现有的最大的哺乳类动物 elephant: 亚洲~ *Yàzhōu~* Asian elephant | 一头大~ *yì tóu dà~* an elephant ❷〈名 n.〉形状；样子 appearance; shape; image: 气~ *qì~* meteorology | 景~ *jǐng~* scenery ❸〈名 n.〉中国象棋棋子之一，也作'相' one chessman in Chinese chess, also '相 xiàng' ❹〈动 v.〉仿效；摹拟 imitate: ~声词 *~shēngcí* onomatopoeia; imitative words | ~形文字 *~xíng wénzì* pictographic characters

⁴ 象棋 xiàngqí〈名 n.〉（副 fù、盘 pán）棋类游戏的一种，也是体育比赛项目。有国际象棋和中国象棋，特指中国象棋。中国象棋，双方各有一将（帅）、两士（仕）、两象（相）、两车、两马、两炮（包）和五卒（兵）等16个棋子。双方对下，按规则移动棋子，先将死对方的将（帅）的为胜局 board game (also a physical game), esp. Chinese chess played between two players, each moving 16 chessmen — a king, two pawns, two elephants, two chariots, two horses, two cannons and five soldiers — according to fixed rules across a checkerboard. The side that checkmates the other's king is the winner: 我昨天买了一副~。 *Wǒ zuótiān mǎile yí fù ~.* I bought a set of Chinese chess yesterday. | 他是~大师。 *Tā shì ~ dàshī.* He is a master of chess. | 这盘~下得真妙! *Zhè pán ~ xià de zhēn miào!* This round of chess game was played very cleverly!

³ 象征 xiàngzhēng ❶〈动 v.〉用具体事物表现某种特殊意义 symbolize; signify; stand for: 鸽子~和平 *Gēzi ~ hépíng.* Dove symbolizes peace. | 玫瑰~爱情。 *Méigui ~ àiqíng.* Rose symbolizes love. ❷〈名 n.〉（个 gè、种 zhǒng）用于表示特殊意义的事物 symbol; token; emblem; icon: 国旗是一个国家的~。 *Guóqí shì yí gè guójiā de ~.* National flag is the symbol of a country. | 梅兰松竹在中国是品性高洁的~。 *Méi-lán-sōng-zhú zài Zhōngguó shì pǐnxìng gāojié de ~.* Chinese plum, orchid, pine and bamboo are the symbols of noble characters in China.

¹ 像 xiàng ❶〈动 v.〉表示两个或两个以上事物之间有较多的共同点 be like; resemble; be same or similar in image: 她长得~她爸爸，而她弟弟长得倒~她妈妈。 *Tā zhǎng de ~ tā bàba, ér tā dìdi zhǎng de dào ~ tā māma.* She looks like her father, and her younger brother looks like her mother. ❷〈动 v.〉比如；譬如 such as: ~今天这样的事故，再也不能发生了。 *~ jīntiān zhèyàng de shìgù, zài yě bù néng fāshēng le.* Accident like the one that happened today shouldn't take place again. ❸〈副 adv.〉仿佛，好像 look as if; seem: 看这个天~是要刮风了。 *Kàn zhège tiān ~ shì yào guāfēng le.* It looks like to blow. ❹〈名 n.〉（幅 fú）按照人物的样子，运用摄影、绘画、雕塑等方法制成的形象 portrait; picture: 肖~ *xiào~* portrait | 画~ *huà~* portrait | 影~集 *yǐng~jí* photo album ❺〈名 n.〉从物体发生的光线经平面镜、球面镜、透镜、棱镜等反射或折射后所形成的与原物相似的图景 image: 实~ *shí~* real image | 虚~ *xū~* virtual image

² 像片 xiàngpiàn〈动 v.〉（张 zhāng）同'照片', same as '照片 zhàopiàn'

⁴ 像样 xiàng // yàng（~儿）〈动 v.〉有水平；够标准，也说'像样子' up to the mark; presentable, also '像样子 xiàngyàngzi': 他干活挺~。 *Tā gànhuó tǐng ~.* He is apt at

X

working. ｜看你穿的这一身，都像个什么样儿了？*Kàn nǐ chuān de zhè yì shēn, dōu xiàng gè shénme yàngr le?* Look at what you're wearing from head to toe. What is it like? ｜见长辈也不打个招呼，真不~! *Jiàn zhǎngbèi yě bù dǎ gè zhāohu, zhēn bú ~!* It is so unpresentable of you not to greet the elders when you meet them.

橡胶 xiàngjiāo〈名 n.〉(块kuài)具有高弹性、绝缘性的高分子化合物的总称 rubber：天然~ *tiānrán* ~ natural rubber ｜合成~ *héchéng* ~ synthetic rubber ｜~园 *~yuán* rubber plantation ｜~可制造轮胎。*~ kě zhìzào lúntāi.* Rubber can be used to make tyres.

橡皮 xiàngpí ❶〈名 n.〉硫化橡胶的通称 a general term for vulcanized rubber：~筋 *~jīn* rubber band; elastic string ｜~靴子 *~xuēzi* rubber boots ❷〈名 n.〉(块kuài)用橡胶制成的文具 rubber; eraser：文具盒里有一块~。*Wénjùhé li yǒu yí kuài ~.* There is an eraser in the pencilbox. ｜铅笔字可用~擦掉。*Qiānbǐzì kě yòng ~ cādiào.* Pencil writing can be removed with a rubber.

削 xiāo〈动 v.〉用刀斜着去掉物体的表层 peel; pare：~铅笔 *~qiānbǐ* sharpen a pencil ｜~面 *dāo~miàn* shaved noodles ｜~得太多了。*~ de tài duō le.* You have peeled too much. ｜小心别~着手。*Xiǎoxīn bié ~zhe shǒu.* Be careful not to cut your hand.

消 xiāo ❶〈动 v.〉消失；消退 disappear; vanish：云~雾散。*Yún~wùsàn.* Clouds and mists vanished. ｜他身上的红肿~了。*Tā shēn shang de hóngzhǒng ~ le.* The swelling on his body has gone. ❷〈动 v.〉消除 cause to disappear; eliminate; dispel; remove：~炎 *~yán* reduce inflammation ｜~痰止咳 *~ tán zhǐ ké* diminish sputum and relieve cough ❸〈动 v.〉耗费 spend; expend：~耗 *~hào* use up; expend ｜~费 *~fèi* consume; expend ❹〈动 v.〉消遣 pass (time); spend (time); wear away (time)：~夜 *~yè* night snack ｜夏晚会 *~xià wǎnhuì* summer evening party ❺〈动 v.〉需要 need; take (time, etc.)：不~你去。*Bù ~ nǐ qù.* It is unnecessary for you to go. ｜来回只~一天的路程。*Láihuí zhǐ ~ yì tiān de lùchéng.* It only takes a day for a round trip.

消除 xiāochú〈动 v.〉使不存在；除去（不利的事物）put (sth.) out of existence; eliminate (harmful things); remove：~顾虑 *~gùlù* dispel one's worry ｜~隐患 *~ yǐnhuàn* remove hidden dangers ｜~不良影响 *~bùliáng yǐngxiǎng* get rid of bad influence ｜后果相当严重，短期内不易~。*Hòuguǒ xiāngdāng yánzhòng, duǎnqī nèi bú yì ~.* The consequence is so serious that it cannot be removed in a short time.

消毒 xiāo//dú〈动 v.〉用物理或化学的方法除掉有毒的东西 disinfect; sterilize：病人用过的物品都要~。*Bìngrén yòngguo de wùpǐn dōu yào ~.* Things used by patients should be sterilized. ｜用高温高压或化学药水进行~。*Yòng gāowēn gāoyā huò huàxué yàoshuǐ jìnxíng ~.* Sterilize with high temperature and high pressure or with chemical liquids. ｜已经消两遍毒了，尽可放心使用。*Yǐjīng xiāo liǎng biàn dú le, jǐn kě fàngxīn shǐyòng.* It has been sterilized twice, and you can use it with ease.

消费 xiāofèi〈动 v.〉为生产或生活需要而消耗金钱或物品 consume; spend：~品 *~pǐn* consumer goods ｜~者 *~zhě* consumer ｜~观念 *~guānniàn* consumption notion ｜引导正确~ *yǐndǎo zhèngquè* ~ lead to the correct consumption ｜控制超前~ *kòngzhì chāoqián* ~ control the overconsumption

消耗 xiāohào ❶〈动 v.〉物资、力量、精神等因使用或受损失而减少 expend; consume：~大量人力、物力 *~dàliàng rénlì, wùlì* consume a great deal of manpower and material resources ｜~宝贵的时光 *~bǎoguì de shíguāng* waste precious time ❷〈动 v.〉使消耗 deplete：运动战~了敌军的元气。*Yùndòngzhàn ~le díjūn de yuánqì.* The enemy's strength had been worn down by the mobile war. ❸〈名 n.〉损失或减少的东西 expended or decreased things：一定要设法降低~。*Yídìng yào shèfǎ jiàngdī ~.* We must try to reduce cost.

² **消化** xiāohuà 〈动 v.〉食物在消化器官内，经过物理或化学作用而变为容易被吸收的养料 digest：人的~系统 *rén de ~ xìtŏng* human digestive system｜~不良 ~ *bùliáng* dyspepsia; indigestion ❷〈动 v.〉比喻对学习的内容进行复习、理解和吸收 *fig.* review, comprehend and absorb what has been learned; digest：要好好儿~老师讲的课。 *Yào hǎohāor ~ lǎoshī jiǎng de kè.* You should fully digest the lessons your teacher has taught you.｜先学习，~别人的东西，然后才能创新。 *Xiān xuéxí, ~ biérén de dōngxi, ránhòu cái néng chuàngxīn.* Innovation is made on the base of learning and absorbing other people's creation.❸〈动 v.〉比喻财力、物力等自行安排解决 *fig.* settle or arrange financial or material resources by oneself：原材料涨价的部分，原则上由企业自行~，不允许转移给消费者。 *Yuáncáiliào zhǎngjià de bùfen, yuánzé shang yóu qǐyè zìxíng ~, bù yǔnxǔ zhuǎnyí gěi xiāofèizhě.* The appreciating value of raw materials should be assimilated within the enterprise in principle, and should not be transferred to the consumers.

³ **消极** xiāojí ❶〈形 adj.〉否定的；反面的；阻碍发展的（与'积极'相对）negative; obstructive (opposite to '积极jí')：~因素 ~ *yīnsù* negative factor｜~影响 ~ *yǐngxiǎng* negative influence｜~作用 ~ *zuòyòng* negative effect ❷〈形 adj.〉不求进取的；消沉（与'积极'相对）passive; inactive; not aggressive (opposite to '积极jí')：~态度 ~ *tàidù* passive attitude｜~情绪 ~ *qíngxù* inactive mood

² **消灭** xiāomiè ❶〈动 v.〉消失；灭亡 perish; die out; become extinct; pass away：许多生物在地球上已经~了。 *Xǔduō shēngwù zài dìqiú shang yǐjīng ~ le.* Many species have become extinct on the earth. ❷〈动 v.〉做消失；除掉（敌对的或有害的人或事物）make extinct; eliminate; abolish; wipe out; annihilate（hostile or harmful persons or things）：~敌人的有生力量 ~ *dírén de yǒushēng lìliàng* annihilate the enemy's effective strength｜老鼠繁殖力很强，很难~。 *Lǎoshǔ fánzhílì hěn qiáng, hěn nán ~.* It is hard to eliminate rats because they have strong ability of reproduction.

² **消失** xiāoshī 〈动 v.〉逐渐离去或减少直到没有 disappear; vanish：飞机~在云雾中。 *Fēijī ~ zài yúnwù zhōng.* The airplane disappeared in the clouds.｜疼痛~了，病慢慢好转了。 *Téngtòng ~ le, bìng mànmàn hǎozhuǎn le.* The pain disappeared and the illness gradually got cured.｜他突然~得无影无踪。 *Tā tūrán ~ de wúyǐng-wúzōng.* He suddenly disappeared into thin air.

¹ **消息** xiāoxi ❶〈名 n.〉（条tiáo、则zé、个gè）媒体上关于人或事件的报道 news; information; report or coverage of a person or an event：新华社发了一则重要~。 *Xīnhuáshè fā le yì zé zhòngyào ~.* The Xinhua News Agency issued an important piece of news.｜这条~登在第一版。 *Zhè tiáo ~ dēng zài dì-yī bǎn.* This news was published on the front page.❷〈名 n.〉音信；情报 news; message; tidings：很久没有得到家乡的~了。 *Hěnjiǔ méiyǒu dédào jiāxiāng de ~ le.* No news comes from our hometown for a long time.｜双方应多交换~。 *Shuāngfāng yīng duō jiāohuàn ~.* Both sides should often exchange the information.

⁴ **销** xiāo ❶〈动 v.〉熔化 melt：~熔 ~ *róng* melt｜~毁 ~ *huǐ* destroy ❷〈动 v.〉除掉；解除 cancel; annul：~账 ~ *zhàng* cancel or remove from an account; write off｜注~ *zhù* ~ cancel; write off ❸〈动 v.〉卖出（与'购'相对）sell (opposite to '购gòu')：包~ *bāo* ~ have exclusive selling rights｜~售 ~ *shòu* sell ❹〈动 v.〉花费；开支 spend; expend：花~ *huā* ~ expenses｜开~ *kāi* ~ spending ❺〈动 v.〉插上销子 fasten with a bolt; bolt：把门窗~好。 *Bǎ ménchuāng ~ hǎo.* Bolt the door and the windows. ❻〈名 n.〉销子 pin; bolt; dowel：销上~

xiāo shang ~ fasten with a bolt

⁴ **销毁** xiāohuǐ〈动 v.〉熔化毁掉；烧掉 destroy by melting, burning, etc.：~信件 ~ xìnjiàn burn the letters｜~赃物 ~ zāngwù dispose of stolen goods｜~伪劣产品 ~ wěiliè chǎnpǐn burn counterfeit goods｜罪证被~了。 *Zuìzhèng bèi ~ le.* The evidence of the crime has been destroyed.

⁴ **销路** xiāolù〈名 n.〉(条 tiáo)货物销售的情况或门路 (of commodities) market; sales channels：~通畅 ~ tōngchàng have a free market｜打开~ dǎkāi open up the market for a product｜寻找~ xúnzhǎo ~ find the market for a product｜这种商品的~不畅。 *Zhè zhǒng shāngpǐn de ~ bú chàng.* This kind of products has a dull market.

⁴ **销售** xiāoshòu〈动 v.〉卖出(货物) sell：~商品 ~ shāngpǐn sell commodities｜~指标 ~ zhǐbiāo sales target｜~网点 ~ wǎngdiǎn sales network｜~渠道 ~ qúdào marketing channel｜这东西很不好~。 *Zhè dōngxi hěn bù hǎo ~.* It is hard to sell.

¹ **小** xiǎo ❶〈形 adj.〉在规模、数量、力量等方面不及一般或不及所比较的对象(与'大'相对) small; little; petty; minor (opposite to '大dà')：~厂 ~ chǎng small factory｜我比哥哥~三岁。 *Wǒ bǐ gēge ~ sān suì.* I am three years younger than my brother｜我年纪小、力气也~。 *Wǒ niánjì ~, lìqi yě ~.* I am young with little strength. ❷〈形 adj.〉排行最末的 last in seniority among brothers and sisters：~孙子 ~ sūnzi youngest grandson｜~弟弟 ~ dìdi youngest little brother ❸〈形 adj. 谦 hum.〉称自己或与自己有关的晚辈或事物 oneself, or junior sth. related to oneself：~弟 ~ dì my younger brother｜~女 ~ nǚ my daughter ❹〈词头 pref.〉加在名词性词根前，构成名词 used to form a noun before a noun etyma：~麦 ~ mài wheat｜~提琴 ~ tíqín violin ❺〈词头 pref.〉加在动词性词根前，构成名词 used to form a noun before a verb etyma：~说 ~ shuō novel｜~偷 ~ tōu thief ❻〈词头 pref.〉加在形容词性词根前，构成名词 used to form a noun before an adjective etyma：~寒 ~ hán Lesser Cold｜~丑 ~ chǒu clown; buffoon ❼(Xiǎo)〈词头 pref.〉加在姓氏前，指年轻人(有时是昵称) used before a surname to indicate a person of younger age（sometimes as a nickname）：~王 ~ Wáng Xiao Wang｜~赵 ~ Zhào Xiao Zhao ❽(Xiǎo)〈词头 pref.〉加在人名前，称呼小孩或年纪较轻的人 used before a person's name to refer to a child or young person：~明 ~ Míng Xiao Ming｜~琴 ~ Qín Xiao Qin ❾〈名 n.〉指年纪小的人 younger ones; children：上有老，下有~。 *Shàng yǒu lǎo, xià yǒu ~.* Have one's parents and children to support. ❿〈名 n.〉指小学 elementary school; primary school：附~ fù~ attached or affiliated primary school｜完~ wán~ six-grade primary school (divided into junior and senior sections) ⓫〈副 adv.〉短时间地 of short duration：~坐片刻 ~zuò piànkè sit for a while｜~住 ~ zhù short stay ⓬〈副 adv.〉稍微；表示程度浅 little; in some way; sort of：~有才干 ~ yǒu cáigàn be sort of talented

³ **小便** xiǎobiàn ❶〈名 n.〉人尿 (of humans) urine：~池 ~ chí urinal｜化验~ huàyàn ~ have one's urine examined ❷〈名 n.〉指男子的外生殖器，也指女子的阴门 man's external genitalia or woman's vaginal orifice：医生检查~。 *Yīshēng jiǎnchá ~.* The doctor examined his external genitalia. ❸〈动 v.〉人排泄尿 urinate; pass (or make) water：我要去~。 *Wǒ yào qù ~.* I want to pass water.

⁴ **小鬼** xiǎoguǐ ❶〈名 n.〉(个 gè、群 qún)指传说中鬼神的差役 demon servant in hell：寺庙里的~个个面目狰狞 *Sìmiào li de ~ gègè miànmù zhēngníng.* Every demon servant in the temple has a grotesque look.｜阎王好见，~难缠 (比喻小人难以对付) *Yánwáng hǎo jiàn, ~ nán chán（bǐyù xiǎorén nányǐ duìfu）.* It's easy to have access to Hades while it's hard to deal with demon servants　(*fig.* It's difficult to deal with

flunkys). ❷〈名 n.〉(个 gè、群 qún)幼儿和少年的亲昵称呼 little devil; child; imp: 这群～又调皮又可爱。Zhè qún ～ yòu tiáopí yòu kě'ài. This group of children are naughty and adorable. | 当年在红军里他还是个～。Dāngnián zài Hóngjūn li tā hái shì gè ～. He was an imp in the Red Army in those years.

¹ **小孩儿** xiǎoháir ❶〈名 n. 口 colloq.〉(个 gè、群 qún)儿童 child: 一群～在玩儿捉迷藏。Yì qún ～ zài wánr zhuōmícáng. A group of children are playing hide-and-seek. ❷〈名 n.〉(个 gè)子女(多指未成年的)child; sons and daughters (usu. underage): 我家只有一个～。Wǒ jiā zhǐyǒu yí gè ～. I only have one child.

² **小伙子** xiǎohuǒzi 〈名 n. 口 colloq.〉(个 gè、群 qún)指青年男子 young man; lad; young guy: 这～真有出息。Zhè ～ zhēn yǒu chūxi. The young man is very promising . | 这几个～球打得不错。Zhè jǐ gè ～ qiú dǎ de búcuò. These young men play basketball very well. | 他真是个好～! Tā zhēn shì gè hǎo ～! He is really a good young man!

¹ **小姐** xiǎojiě ❶〈名 n.〉(个 gè、位 wèi)旧时官宦人家或有钱人家的仆人称主人的女儿 (in a wealthy family) term used by servants to address the master's daughter: 千金～ qiānjīn ～ Excellency's Miss | 大～ dà ～ Miss ❷〈名 n.〉(个 gè、位 wèi)对年轻女性的尊称 young lady; Miss: 服务员～ fúwùyuán ～ waitress | 请问这位～在哪儿工作? Qǐng wèn zhè wèi ～ zài nǎr gōngzuò? Will you tell me, Miss, where you are working? ❸〈名 n.〉(个 gè、位 wèi)选美比赛中的优胜者 winner in beauty competition: 环球～ Huánqiú ～ Miss World | 香港～ Xiānggǎng ～ Miss Hong Kong ❹〈名 n.〉(个 gè、位 wèi)对单身身份(不受年龄限制)的女士的尊称 used to address a single woman respectfully: 老～ lǎo ～ old lady | 那位～有五十多岁了。Nà wèi ～ yǒu wǔshí duō suì le. The lady is more than fifty years old. ❺〈名 n.〉(个 gè、位 wèi)称担任某些专业工作的妇女 a woman engaging in some special work: 礼仪～ lǐyí ～ Miss Etiquette | 导游～ dǎoyóu ～ Miss Guide

² **小麦** xiǎomài ❶〈名 n.〉一年或两年生草本植物,主要粮食作物之一 wheat: 冬～ dōng ～ winter wheat | 春～ chūn ～ spring wheat | 今年～可望丰收。Jīnnián ～ kě wàng fēngshōu. The wheat will have a good harvest this year. ❷〈名 n.〉(粒 lì、颗 kē)这种植物的子实 seeds of wheat: 把～磨细成面 bǎ ～ mò zhì chéng miàn grind wheat into flour | 这～粒粒饱满。Zhè ～ lìlì bǎomǎn. Every seed of wheat is plump.

⁴ **小米** xiǎomǐ 〈名 n.〉(粒 lì)去了壳的谷子 unhusked millet: ～金黄色, 颗粒小。～ jīnhuáng sè, kēlì xiǎo. The unhusked small seeds of millet are golden yellow. | ～买几斤～ 熬粥喝。Mǎi jǐ jīn ～ áo zhōu hē. Buy several jin of unhusked millet for porridge.

² **小朋友** xiǎopéngyǒu ❶〈名 n.〉(个 gè、群 qún)指儿童 children: 幼儿园的～爱听故事。Yòu'éryuán de ～ ài tīng gùshi. The children in the kindergarten love stories. | 六一儿童节是～自己的节日。Liù-Yī Értóng Jié shì ～ zìjǐ de jiérì. June lst, the Children's Day, is a festival of their own. ❷〈名 n.〉(个 gè、群 qún)大人对小孩的称呼(term of address used by an adult for a child)little friend; little boy or girl: ～, 你们好! ～, nǐmen hǎo! How are you, little boys and girls! | 这个～真乖! Zhège ～ zhēn guāi! This little boy is really good.

¹ **小时** xiǎoshí 〈名 n.〉(个 gè)时间单位 hour: 他走了有一个～了。Tā zǒule yǒu yí gè ～ le. He has been away for an hour. | 每天上班八～。Měitiān shàngbān bā ～. Work eight hours a day | 今天我加了两～的班。Jīntiān wǒ jiāle liǎng ～ de bān. I worked overtime for two hours today.

⁴ **小数** xiǎoshù 〈名 n.〉(位 wèi)十进分数的一种特殊表现形式,如25/100可以写成0.25,中间用的符号'.'叫做小数点,小数点右边的数就是小数 decimal; decimal number: 小数点的后边有两位～。Xiǎoshùdiǎn de hòubian yǒu liǎng wèi ～. There are two

numbers behind the decimal point. | 三个~加一起是0.86。 *Sān gè ~ jiā yìqǐ shì líng diǎn bā liù.* Add up the three decimals and you get 0.86.

⁴ **小数点** xiǎoshùdiǎn 〈名 *n.*〉(个 gè) 表示小数部分开始的符号 '.' decimal point: 别把~写成逗点了。 *Bié bǎ ~ xiěchéng dòudiǎn le.* Don't write the decimal point as a comma. | 8的后面有个~。 *Bā de hòumian yǒu gè ~.* There is a decimal point behind 8. | 这个数要求~后面有三位小数。 *Zhège shù yāoqiú ~ hòumian yǒu sān wèi xiǎoshù.* It is required that there be three decimal numbers after the decimal point in this number.

² **小说** xiǎoshuō 〈名 *n.*〉(篇 piān、部 bù、本 běn) 一种叙事性的文学体裁，通过人物、情节、环境的描述表现社会生活 novel; fiction; story: 长篇~ *chángpiān ~* novel | 中篇~ *zhōngpiān ~* novella | 短篇~ *duǎnpiān ~* short story | 著名~家 *zhùmíng ~jiā* famous novelist | 把~改写成电影剧本 *bǎ ~ gǎixiě chéng diànyǐng jùběn* adapt the novel for a film script | 微型~也称小~。 *Wēixíng ~ yě chēng xiǎo ~.* Mini-novel is also called short-short story.

⁴ **小提琴** xiǎotíqín 〈名 *n.*〉(把 bǎ) 提琴的一种 violin; fiddle: 这把~音质很好。 *Zhè bǎ ~ yīnzhì hěn hǎo.* The tone quality of this violin is very good. | 她在听~独奏。 *Tā zài tīng ~ dúzòu.* She is listening to a violin solo. | 他们是~爱好者。 *Tāmen shì ~ àihàozhě.* They are lovers of violin.

² **小心** xiǎoxīn ❶〈形 *adj.*〉办事认真，不马虎大意 be careful; be cautious; take care: 雨天开车要十分~。 *Yǔ tiān kāichē yào shífēn ~.* Take great care when you drive in rainy days. | ~无大错。 *~ wú dà cuò.* Carefulness leads to little glaring errors. ❷〈动 *v.*〉留神；注意；谨慎 be careful; be cautious; take care: ~汽车! *~ qìchē!* Be careful of the car! | 一定要~行事。 *Yídìng yào ~ xíngshì.* We must be cautious about handling the matter.

⁴ **小心翼翼** xiǎoxīn-yìyì 〈成 *idm.*〉原形容严肃恭敬的样子，现形容举动十分谨慎，丝毫不敢疏忽 with the greatest care; very cautiously: 在冰面上，他~地一步步挪动。 *Zài bīngmiàn shang, tā ~ de yí bùbù nuódòng.* He moved step by step cautiously on the ice. | 初次开车上路，他~地把着方向盘。 *Chū cì kāichē shànglù, tā ~ de bǎzhe fāngxiàngpán.* He held the steering wheel very cautiously when he drove on the road for the first time.

⁴ **小型** xiǎoxíng 〈形 *adj.*〉形状或规模小的 small-sized; small-scale; miniature: ~电脑 *diànnǎo* small-sized computer | ~会议 *huìyì* small-scale meeting | ~企业 *qǐyè* small-scale enterprise | ~工程项目 *gōngchéng xiàngmù* small project item

² **小学** xiǎoxué ❶〈名 *n.*〉(所 suǒ) 给儿童、少年实施初等教育的学校 primary school; elementary school: 这是一所中心~。 *Zhè shì yì suǒ zhōngxīn ~.* This is a central elementary school. | ~里教学设施齐全。 *~ li jiàoxué shèshī qíquán.* The teaching facilities are well-stocked in the elementary school. ❷〈名 *n.*〉最早指中国古代贵族子弟学习六艺（礼、乐、射、御、书、数）而得名，后指研究文字、音韵、训诂等学问 philological studies; in ancient times, primary school started education in the 'six skills' (rites, music, archery, charioteering, reading and writing, and arithmetic), hence its name, later referring to scholarship that studies characters, glossaries, and phonology

⁴ **小学生** xiǎoxuéshēng ❶〈名 *n.*〉(名 míng、个 gè) 在小学上学的学生 primary-school pupil; elementary-school student; schoolboy or schoolgirl: 他是五年级的~。 *Tā shì wǔ niánjí de ~.* He is a five-grade schoolboy. | 今晚~和中学生联欢。 *Jīn wǎn ~ hé zhōngxuéshēng liánhuān.* Primary-school pupils will have a get-together with secondary school students tonight. ❷〈名 *n.*〉(名 míng、个 gè) 比喻初学者 *fig.* beginner: 在电脑方

面，我还是一个~。 *Zài diànnǎo fāngmiàn, wǒ hái shì yí gè ~.* I'm still a begnner in computer.

⁴ **小子** xiǎozi ❶〈名 *n.* 口 *colloq.*〉(个gè)男孩子 boy：胖~ *pàng* ~ a fat boy | 她生了个~。 *Tā shēngle gè ~.* She gave birth to a boy. ❷〈名 *n.* 口 *colloq.*〉人(用于男性，含轻蔑意) chap; guy (for males, *derog.*)：混~ *hún* ~ scoundrel; bastard; son of a bitch | 这~太不讲道理！ *Zhè ~ tài bù jiǎng dàolǐ !* The guy is utterly unreasonable!

³ **小组** xiǎozǔ〈名 *n.*〉(个gè)为工作、学习上的方便而组成的小集体 small group：生产~ *shēngchǎn* ~ production group | 五个人组成一个~。 *Wǔ gè rén zǔchéng yí gè ~.* Five persons form a small group. | 以~为单位进行学习讨论。 *Yǐ ~ wéi dānwèi jìnxíng xuéxí tǎolùn.* Study and discuss in groups.

² **晓得** xiǎode〈动 *v.*〉知道 know：你~什么了？ *Nǐ ~ shénme le?* What do you know? | 他~的事情很多。 *Tā ~ de shìqíng hěn duō.* He knews a lot. | 这个道理谁都~。 *Zhège dàolǐ shéi dōu ~.* Everyone knows the logic in it.

⁴ **孝顺** xiàoshùn〈形 *adj.*〉尽心奉养父母，顺从父母的意思 filial piety and fraternal submission; filial piety; filial obedience：他是个~的孩子。 *Tā shì gè ~ de háizi.* He is a filial child to his parents. | ~父母是中国的传统美德。 *~ fùmǔ shì Zhōngguó de chuántǒng měidé.* Filial piety to one's parents is a traditional Chinese virtue.

⁴ **肖像** xiàoxiàng〈名 *n.*〉(幅fú、张zhāng)以个人为主体的画像或相片(多指没有风景陪衬的大幅相片) portrait; portraiture; painting or photo devoted to a person：画 ~*huà* portrait ture | 大幅~ *dàfú* ~ large portrait | 这张~拍得很好。 *Zhè zhāng ~ pāi de hěn hǎo.* This photo was well taken. | 天安门城楼上悬挂着毛泽东的~。 *Tiān'ānmén chénglóu shang xuánguàzhe Máo Zédōng de ~.* A portrait of Mao Zedong is hanging up on the gate tower of Tian'anmen.

⁴ **校徽** xiàohuī〈名 *n.*〉(枚méi)学校成员佩戴在身上的标明学校名称的徽章 school badge：他胸前佩戴着一枚~。 *Tā xiōng qián pèidàizhe yì méi ~.* He wears a school badge on his chest. | 学生的~白底红字，而教职员工的~是红底白字的。 *Xuésheng de ~ bái dǐ hóng zì, ér jiàozhíyuángōng de ~ shì hóng dǐ bái zì de.* The student's badge is of white base with red characters while the teacher's badge is vice versa.

⁴ **校园** xiàoyuán〈名 *n.*〉(所suǒ、座zuò)学校范围内的地方；特指学校里环境优美的园地 campus：这是一所新建的~。 *Zhè shì yì suǒ xīn jiàn de ~.* This is a newly built campus. | 这座~倚山傍水非常美丽。 *Zhè zuò ~ yǐshān-bàngshuǐ fēicháng měilì.* Situated at the foot of a hill and beside a river, the campus is very beautiful. | 课后同学们在~里打球、散步。 *Kè hòu tóngxuémen zài ~ li dǎqiú, sànbù.* After class students play balls or take a walk on the campus.

² **校长** xiàozhǎng〈名 *n.*〉(位wèi、名míng、个gè)一所学校里行政、业务方面的最高领导人 principal; headmaster (of a secondary or elementary school); president; chancellor (of a university or college)：~办公室 *~ bàngōngshì* office of the headmaster or president | 他是一位德高望重的~。 *Tā shì yí wèi dégáo-wàngzhòng de ~.* He is a president (or headmaster) of high prestige. | ~在开学典礼上演讲。 *~ zài kāixué diǎnlǐ shang yǎnjiǎng.* The headmaster gave a speech on the opening ceremony of the school.

¹ **笑** xiào ❶〈动 *v.*〉露出愉快的表情，发出欢喜的声音 smile; laugh：眉开眼~ *méikāi-yǎn~* beam with joy | 哈哈大~ *hāhā dà* ~ chortle; laugh heartily; roar with laughter ❷〈动 *v.*〉讥笑；嘲笑 ridicule; laugh at：做得不好，你们别~我。 *Zuò de bù hǎo, nǐmen bié ~ wǒ.* Don't laugh at me if I fail to do it well. | 不懂还装懂，真可~。 *Bù dǒng hái zhuāng dǒng, zhēn kě~.* It is ridiculous to pretend to be knowledgeable.

X

² **笑话** xiàohua ❶(~儿)〈名 n.〉(个 gè、则 zé)引人发笑的言语、故事;供人当作笑料的事情 joke; jest: 我说的是~，你可别当真! *Wǒ shuō de shì ~, nǐ kě bié dàngzhēn!* Don't take it seriously. I'm just joking. | 刚到国外那阵子，因语言不通，闹了不少~。 *Gāng dào guówài nà zhènzi, yīn yǔyán bù tōng, nàole bùshǎo ~.* When I was first in a foreign country, I made a lot of silly mistakes because of my poor language. ❷〈动 v.〉嘲笑;讥笑 ridicule; laugh at: 当众~人是不礼貌的。 *Dāngzhòng ~ rén shì bù lǐmào de.* It is impolite to sneer at others in public. | 他再笨，你也不应该~人家。 *Tā zài bèn, nǐ yě bù yīnggāi ~ rénjia.* You shouldn't laugh at him however stupid he may be.

³ **笑容** xiàoróng〈名 n.〉(副 fù、丝 sī)含笑的神情 smiling expression; smile: ~满面 ~ mǎnmiàn be all smiles; have a broad smile on one's face | 可掬 ~ kějū be radiant with smiles | 脸上露出~ liǎn shang lòuchū ~ have a smile on one's face | 他脸上一丝~也没有。 *Tā liǎn shang yì sī ~ yě méiyǒu.* There is no smile on his face.

² **效果** xiàoguǒ ❶〈名 n.〉某种行为、方法、事物产生出来的作用或结果 effect: 方法不对头，~自然就不明显。 *Fāngfǎ bú duìtóu, ~ zìrán jiù bù míngxiǎn.* If the method is incorrect, it's natural there will be no obvious effect. | 通过改革取得了很好的~。 *Tōngguò gǎigé qǔdéle hěn hǎo de ~.* We have achieved very good effect through reform. ❷〈名 n.〉戏剧、影视术语，指配合剧情需要而设置的舞台布景、制造的特殊音响或光色等 (of play, film or TV) scenery, or artificial sound and light effects produced in accordance with the development of the plot: 音响~ yīnxiǎng ~ sound effects | 舞台~ wǔtái ~ stage effects | 光影~ guāngyǐng ~ light effects

² **效力** I xiàolì〈名 n.〉功能;功效 effect: 化肥已过期，没有什么~了。 *Huàféi yǐ guòqī, méiyǒu shénme ~ le.* The chemical fertilizer is overdue and has no effect. | 这是新药，~大。 *Zhè shì xīn yào, ~ dà.* This is a new medicine with great power. II xiào//lì〈动 v.〉出力;效劳 serve; render a service to: 我们都在为振兴中华而~。 *Wǒmen dōu zài wèi zhènxìng Zhōnghuá ér ~.* We are all making our efforts for the rejuvenation of China. | 为保卫祖国，我愿效一己之力。 *Wèi bǎowèi zǔguó, wǒ yuàn xiào yìjǐ zhī lì.* I'm willing to render my service to the defense of our motherland.

² **效率** xiàolǜ ❶〈名 n.〉机械或电器工作时，所生功效与输入能量的比率 efficiency: 这台机器的~非常高。 *Zhè tái jīqì de ~ fēicháng gāo.* This machine is of high efficiency. ❷〈名 n.〉单位时间内完成的工作量 efficiency; work accomplished within a period of time: 低~ dī ~ low efficiency | 高~ gāo ~ high efficiency | 改进方法后，~提高了好几倍。 *Gǎijìn fāngfǎ hòu, ~ tígāole hǎo jǐ bèi.* With the improvement of the method, the efficiency has increased several times.

⁴ **效益** xiàoyì〈名 n.〉(份 fèn、倍 bèi)效果;好处 benefit; income: 出版图书首先是社会~，其次才是经济~。 *Chūbǎn túshū shǒuxiān shì shèhuì ~, qícì cái shì jīngjì ~.* The first thing that should be considered in publishing a book is its social effect, and then the economic returns. | 多一份投入就会有多一份的~。 *Duō yí fèn tóurù jiù huì yǒu duō yí fèn de ~.* The more you invest, the more you may gain. | 通过深化改革，企业的~成倍增加。 *Tōngguò shēnhuà gǎigé, qǐyè de ~ chéngbèi zēngjiā.* The income of the enterprise has been doubled through deepening the reform.

¹ **些** xiē ❶〈量 meas.〉表示不定的数量 some; indefinite amount: 一~东西 yì ~ dōngxi some things | 前~日子 qián ~ rìzi several days ago | 我去超市买~日用品。 *Wǒ qù chāoshì mǎi ~ rìyòngpǐn.* I go to the supermarket to buy some commodities. | 我看这事有~麻烦。 *Wǒ kàn zhè shì yǒu ~ máfan.* I think it's rather troublesome. ❷〈量 meas.〉放在动词、形容词后，有稍稍、略微的意思 (used after a verb or an adjective) a little

more; a little：注意~。*Zhùyì ~.* Be more careful. ｜留~神。*Liú ~ shén.* Be carefull a little. ｜你比他大~，就让着他~。*Nǐ bǐ tā dà ~, jiù ràngzhe tā ~.* You are a bit older than him, and thus should give in a little to him.

² 歇 xiē ❶〈动 *v.* 口 *lit.*〉休息 have a rest：一会儿再干。*~ yíhuìr zài gàn.* Take a short break, and then continue. ｜坐下一一~。*Zuòxià ~ yì ~.* Sit down and have a rest. ❷〈动 *v.*〉停止（工作等）stop（work, etc.）; knock off：~班~*bān* be off duty ｜~手不干 *~shǒu bú gàn* stop doing sth. ❸〈动 *v.* 方 *dial.*〉睡；住宿 sleep; go to bed：他~了，有事明天再说。*Tā ~ le, yǒu shì míngtiān zài shuō.* He has gone to bed and you can find him tomorrow if you have anyting. ｜找个旅店暂一一宿。*Zhǎo gè lǚdiàn zàn ~ yì xiǔ.* Find a hotel for the night.

³ 协定 xiédìng ❶〈名 *n.*〉（个 gè、份 fèn、项 xiàng）双方或多方就某方面的问题协商后订立的共同遵守的条款 agreement; accord：三国四方~ *sān guó sì fāng ~* a four-side agreement signed among three countries ｜双边贸易~ *shuāngbiān màoyì ~* bilateral trade agreement ❷〈动 *v.*〉协商，共同订立 reach an agreement on sth.：双方一个互利的条约。*Shuāngfāng ~ yí gè hùlì de tiáoyuē.* The two parties have reached a mutually beneficial agreement.

³ 协会 xiéhuì〈名 *n.*〉（个 gè）为促进某种共同事业的发展而组成的群众团体 association; society：书法家~ *shūfǎjiā ~* calligraphers' society ｜消费者~ *xiāofèizhě ~* consumers' association ｜他是集邮~会员。*Tā shì jíyóu ~ huìyuán.* He is a member of the Phitately Society. ｜他是音乐家~主席。*Tā shì yīnyuèjiā ~ zhǔxí.* He is the president of the Musicians' Association.

³ 协商 xiéshāng〈动 *v.*〉为取得一致意见而共同商量 consult; negotiate：这事应和对方~解决。*Zhè shì yīng hé duìfāng ~ jiějué.* This problem should be solved through negotiation with the other side. ｜重大问题请大家共同~。*Zhòngdà wèntí qǐng dàjiā gòngtóng ~.* Great issues need to be consulted by all of you.

⁴ 协调 xiétiáo ❶〈动 *v.*〉配合得适当 in a concerted way; balanced; harmonious; in tune：各行各业必须互相~才能共同发展。*Gèháng-gèyè bìxū hùxiāng ~ cái néng gòngtóng fāzhǎn.* Every profession must be coordinated with each other in order to achieve common development. ❷〈动 *v.*〉使配合得适当 coordinate; concert; harmonize; bring into line：~双方的关系 *~ shuāngfāng de guānxi* coordinate the relations between two sides ｜体育运动要注意将手和脚~起来。*Tǐyù yùndòng yào zhùyì jiāng shǒu hé jiǎo ~ qǐlái.* Pay attention to the coordination of hands and feet in athletic sports.

⁴ 协议 xiéyì ❶〈动 *v.*〉协商 negotiate：经双方~，达成一致意见。*Jīng shuāngfāng ~, dáchéng yízhì yìjiàn.* The two sides reached an agreement after negotiation. ｜两国~加强边贸合作。*Liǎng guó ~ jiāqiáng biānmào hézuò.* The two countries negotiated to enhance the frontier trade cooperation. ❷〈名 *n.*〉（个 gè、份 fèn、项 xiàng）双方或多方经过谈判、协商后取得的意见 agreement reached after discussion or negotiation between two or among several sides：甲乙双方签订了一个土地转让~。*Jiǎ yǐ shuāngfāng qiāndìngle yí gè tǔdì zhuǎnràng ~.* The two sides signed an agreement of land transfer. ｜他俩按照离婚~分配财产。*Tā liǎ ànzhào líhūn ~ fēnpèi cáichǎn.* They two allocated their property according to their divorce agreement.

³ 协助 xiézhù〈动 *v.*〉帮助；辅助 assist; help：派他~你处理这起事故。*Pài tā ~ nǐ chǔlǐ zhè qǐ shìgù.* He was appointed to help you deal with this accident. ｜副校长~校长处理日常工作。*Fù xiàozhǎng ~ xiàozhǎng chǔlǐ rìcháng gōngzuò.* Vice-presidents assist the president to handle his routine work. ｜他组织领导能力很强，目前不需要别人~。*Tā* *zǔzhī lǐngdǎo nénglì hěn qiáng, mùqián bù xūyào biérén* ~. As a man of great ability in leadership, he needs no help now.

³ **协作** xiézuò〈动 v.〉若干人或若干单位互相配合，共同进行某项工作 (of several people or organizations) work in cooperation (to accomplish a task)：这项工程要几个单位~才能完成。*Zhè xiàng gōngchéng yào jǐ gè dānwèi ~ cái néng wánchéng.* This project needs the cooperation of several units. ｜ 这个厂是我们的~单位。*Zhège chǎng shì wǒmen de ~ dānwèi.* This factory is one with which we cooperate. ｜我们一直~得很好。*Wǒmen yìzhí ~ de hěn hǎo.* We have been cooperating very well all the time.

⁴ **邪** xié ❶〈形 adj.〉不正当；不正派 (与 '正' 相对) evil; heretical; wicked (opposite to '正 zhèng')：改~归正 gǎi~guīzhèng give up evil and return to good ｜不压正 ~ bù yā zhèng. The evil cannot surpass the good. ❷〈形 adj.〉不正常 irregular; abnormal：~门儿 ~ménr abnormal ❸〈形 adj.〉奇怪；异常 strange; abnormal：这事可~了。*Zhè shì kě ~ le.* It's strange. ❹〈名 n.〉中医指引起疾病的环境因素 (in Chinese medicine) unhealthy environmental influence that causes a disease：风~ fēng~ pathogenic factor of wind ❺〈名 n.〉迷信的人指鬼神给予的灾祸 (of superstition) disaster brought about by a ghost or spirit：中~了 zhòng ~ le be affected by an evil spirit

⁴ **挟持** xiéchí ❶〈动 v.〉从两旁架住被捉的人 (多指坏人捉住好人) (usu. of evil people) hold sb. under duress：他被一伙歹徒~走了。*Tā bèi yì huǒ dǎitú ~ zǒu le.* He was taken away by a gang of mobsters. ｜被~的人质已经解救出来。*Bèi ~ de rénzhì yǐjīng jiějiù chūlái.* The seized hostages have been rescued. ❷〈动 v.〉用威力强迫对方服从 force sb. to give up：一帮权贵~皇帝让位。*Yì bāng quánguì ~ huángdì ràngwèi.* A group of dignitaries forced the emperor to give up his throne.

² **斜** xié ❶〈形 adj.〉跟平面或直线既不垂直也不平行 (与 '正' 相对) oblique; slanting; inclined; tilted (opposite to '正 zhèng')：~线 ~xiàn slanting line ｜~对面 ~ duìmiàn diagonally opposite position ❷〈动 v.〉倾斜 incline; slant; tilt：妈妈~着身子躺在床上。*Māma ~zhe shēnzi tǎng zài chuáng shang.* Mother is lying on her side in bed. ｜太阳已经~到西边去了。*Tàiyáng yǐjīng ~dào xībian qù le.* The sun has fallen in the west. ❸〈动 v.〉斜着眼睛看 look sideways; cast a sidelong glance：他~了我一眼。*Tā ~ le wǒ yì yǎn.* He cast a sidelong glance at me.

⁴ **携带** xiédài ❶〈动 v.〉让人或物随自己行动 carry; take along：他~妻子儿女来到中国。*Tā ~ qīzi érnǚ lái dào Zhōngguó.* He brought along with him his wife and children to China. ｜他~巨款潜逃了。*Tā ~ jùkuǎn qiántáo le.* He ran away with enormous amount of money. ❷〈动 v.〉提携 guide and support; promote：承蒙~ chéngméng ~ be greatly indebted to one's guide and support

¹ **鞋** xié〈名 n.〉(双shuāng、只zhī)穿在脚下、走路着地的东西 shoe：~子 ~zi shoes ｜~匠 ~jiàng shoemaker; cobbler ｜~油 ~yóu shoe polish ｜我想买一双布~。*Wǒ xiǎng mǎi yì shuāng bù~.* I want to buy a pair of cloth shoes. ｜小~ (比喻暗中给人刁难或施加限制) xiǎo~ (bǐyù ànzhōng gěi rén diāonàn huò shījiā xiànzhì) tight shoes (fig. difficulties created or unfair treatment given in secret; restriction imposed) ｜破~ (喻指乱搞男女关系的女人) pò~ (yùzhǐ luàngǎo nánnǚ guānxì de nǚrén) fig. loose woman; promiscuous woman; sexually immoral woman

¹ **写** xiě ❶〈动 v.〉书写 write：~字 ~zì write ｜抄~ chāo~ copy (by hand) ❷〈动 v.〉写作 compose; write (an article, a book, etc.)：~小品 ~ xiǎopǐn write a theatrical sketch ｜~论文 ~ lùnwén write a thesis ❸〈动 v.〉描写 describe; depict：抒~ shū~ express ｜这一段情节~得很精彩。*Zhè yí duàn qíngjié ~ de hěn jīngcǎi.* This part of the story was well

written. ❹〈动 v.〉绘画 paint; draw：~意 ~yì freehand brushwork in traditional Chinese painting｜~生 ~shēng sketch from nature

³ **写作** xiězuò〈动 v.〉写文章（有时专指文学创作）writing（or literary creation in particular）：从事 ~ cóngshì ~ be engaged in writing｜~水平 ~ shuǐpíng writing proficiency｜~技巧 ~ jìqiǎo writing skill｜他每天~到天亮。 Tā měitiān ~ dào tiānliàng. He writes until daybreak everyday.

² **血** xiě〈名 n. 口 colloq.〉(滴dī)人或高等动物体内循环系统中流动的红色液体，也叫'血液'blood, also '血液xuèyè'：吐~ tù~ expectorate blood｜滴滴鲜~ dīdī xiān~ drops of warm blood｜一针见~（比喻说话切中要害）yìzhēn-jiàn~（bǐyù shuōhuà qièzhòng yàohài）draw blood with one prick（fig. brief and to the point; hit the nail on the head）

² **泄** xiè ❶〈动 v.〉液体、气体排出 let out（a fluid or gas）；discharge; release：~洪 ~hóng discharge flood water｜这煤气罐有点儿~气。 Zhè méiqìguàn yǒudiǎnr ~qì. The gas-jar is leaking. ❷〈动 v.〉泄露 let out; leak（news, secrets, etc.）：~密 ~mì let out a secret ❸〈动 v.〉发泄 give vent to：~私愤 ~sīfèn give vent to one's constrained anger ❹〈动 v.〉比喻丧失信心、干劲、勇气 fig. lose heart; feel discouraged; be disheartened：~气 ~qì lose heart; feel discouraged｜初赛刚刚结束，大家可不能~了劲儿。 Chūsài gānggāng jiéshù, dàjiā kě bù néng ~ le jìnr. The first stage of match is just over, and we shouldn't slacken our efforts.

² **泄露** xièlòu〈动 v.〉本该保密的事情让人知道了，也作'泄漏'let out; reveal, also '泄漏xièlòu'：~消息 ~ xiāoxi leak the news｜~风声 ~ fēngshēng let out information｜~情报 ~ qíngbào divulge intelligence｜~机密 ~ jīmì give away a secret

⁴ **泄气** xiè//qì ❶〈动 v.〉泄劲 lose heart; feel discouraged; be disheartened：不能一碰到挫折就泄了气。 Bù néng yí pèng dào cuòzhé jiù xièle qì. Don't lose heart whenever you suffer a setback. ❷〈动 v.〉讥讽低劣或没有出息（used to jeer at a poor performance or lack of skill）disappointing; frustrating; pathetic：遇到一点儿困难就低头，你也太~了！ Yùdào yìdiǎnr kùnnan jiù dītóu, nǐ yě tài ~ le! It's so disheartening that you yield as soon as you encounter a tiny difficulty.

⁴ **泻** xiè ❶〈动 v.〉液体很快地流 flow swiftly; rush down; pour out：大雨倾~。 Dà yǔ qīng~. The heavy rain pours down.｜水从山上直~而下。 Shuǐ cóng shān shang zhí ~ ér xià. The river rushes down from the mountain. ❷〈动 v.〉拉肚子 have loose bowels; have diarrhea：上吐下~ shàngtù xià~ vomit and have loose bowels｜腹~ fù~ have loose bowels; have diarrhea

³ **卸** xiè ❶〈动 v.〉把东西从运输工具上搬下来 unload; discharge; remove the cargo from a vehicle; lay down; take off a burden（or load）：~车 ~chē unload a truck ❷〈动 v.〉把加在人身上的东西取下或去掉 remove; strip; take sth. off a human body：~妆 ~zhuāng remove stage makeup and costume ❸〈动 v.〉把牲口身上拴的套解开取下 unhitch：~套 ~tào unhitch ❹〈动 v.〉把零件从机械上拆下 remove parts from a machine：把零部件~下 bǎ língbùjiàn ~xià remove parts from a machine ❺〈动 v.〉解除；推卸 get rid of; shirk：~职 ~zhí be relieved from one's office; be dismissed from one's office｜~包袱 ~bāofu remove a burden; discharge a load from one's mind

⁴ **屑** xiè ❶〈名 n.〉碎末 bits; scraps; crumbs：纸~ zhǐ~ bits of paper｜面包~ miànbāo~ crumb ❷〈动 v.〉认为值得做（只用于否定式，前面加'不'）be worth（doing）（only used in negative with '不bú'）：不一顾 bú~yígù disdain to take a look ❸〈形 adj.〉细小 trifling：琐~ suǒ~ trifling; trivial

⁴ **谢绝** xièjué〈动 v. 婉 euph.〉委婉拒绝 politely refuse; decline：~邀请 ~ yāoqǐng decline

an invitation │~赴宴 ~ *fùyàn* turn down the invitation for dinner │婉言~ *wǎnyán* ~ decline sth. politely │~参观。 ~ *cānguān*. Not open to visitors. │~采访。 ~ *cǎifǎng*. No interview.

¹ **谢谢** xièxie 〈动 v.〉对别人的好意表示感谢 thank sb. for his (or her) kindness: ~你的邀请。 ~ *nǐ de yāoqǐng*. Thank you for your invitation. │~你们的帮助。 ~ *nǐmen de bāngzhù*. Thank you for your help. │大家的支持。 ~ *dàjiā de zhīchí*. Thank you for your support.

¹ **心** xīn ❶〈名 n.〉(颗kē、个gè)人和高等动物体内推动血液循环的器官，也叫'心脏' heart, also '心脏xīnzhàng': ~动过速 ~ *dòng guòsù* tachycardia │血管疾病 ~*xuèguǎn jíbìng* cardiovascular disease ❷〈名 n.〉(个gè、条tiáo)中国古时候人们认为心是进行思维的器官，因而习惯上心指思想器官和思想、意念、感情等 also referring to heart; mind; feeling; intention: 请你多费~。 *Qǐng nǐ duō fèi~*. Please pay more attention. │想事成 ~*xiǎng-shìchéng* realize what one has in his (or her) mind ❸〈名 n.〉中央; 中心 center; core: 湖~ *hú*~ in the middle of a lake │掌~ *zhǎng*~ center of the palm ❹〈名 n.〉二十八宿之一, 也叫'商'*xin*, one of the 28 constellations into which the celestial sphere was divided in ancient Chinese astronomy, also'商shāng'

³ **心爱** xīn'ài 〈形 adj.〉衷心喜爱 loved; treasured; dear to one's heart: 小花猫是她~的宠物。 *Xiǎo huāmāo shì tā ~ de chǒngwù*. The little tabby is her treasured pet. │我最~的东西就是书。 *Wǒ zuì ~ de dōngxi jiùshì shū*. What I love most is books. │这花是她~的人送的。 *Zhè huā shì tā ~ de rén sòng de*. This flower is sent by her beloved.

² **心得** xīndé 〈名 n.〉(点diǎn、份fèn)在学习和工作中体验或领会到的知识、技术、思想认识等 knowledge, skill, thought, etc. that one has acquired from work, study, etc.: 这是创业的~。 *Zhè shì chuàngyè de ~*. This is what I gained from starting a business. │他谈了读书的~。 *Tā tánle dúshū de ~*. He talked about what he had learned from reading. │我交了一份赴国外考察的~。 *Wǒ jiāole yí fèn fù guówài kǎochá de ~*. I handed in a report of what I had learned when I made an on-the-spot investigation in that country.

³ **心理** xīnlǐ ❶〈名 n.〉感觉、记忆、思维、情感、性格、能力等的总称，是客观事物在人的头脑中的反映 psychology; mentality: ~学 *~xué* psychology │~健康 ~ *jiànkāng* with a healthy psychology │~医生 ~ *yīshēng* psycho-doctor ❷〈名 n.〉(种zhǒng)泛指人的思想感情或内心活动 (ext.) thoughts; emotions: 侥幸~ *jiǎoxìng* ~ mentality to leave things to chances; dependence on luck │犯罪~ *fànzuì* ~ criminal psychology │儿童~和成人是不一样的。 *Értóng ~ hé chéngrén ~ shì bù yíyàng de*. Children's psychology is different from that of an adult.

⁴ **心里** xīnli ❶〈名 n.〉胸口内部 in heart; at heart; in one's mind: ~难受 ~*nánshòu* feel ill at heart │~闷得慌 ~ *mèn de huāng* feel stuffy in one's heart ❷〈名 n.〉思想里; 头脑里 mind; heart: 听了他的话，我~踏实了。 *Tīngle tā de huà, wǒ ~ tāshí le*. I got an easy mind when I heard what he said. │父亲的话我牢牢记在~。 *Fùqīn de huà wǒ láoláo jì zài ~*. I will keep in mind my father's words.

⁴ **心灵** xīnlíng ❶〈名 n.〉(颗kē)内心; 思想 heart; soul; spirit: ~深处 ~*shēnchù* deep in one's heart │她有一颗纯洁的~。 *Tā yǒu yì kē chúnjié de ~*. She has a pure heart. │她很美。 *Tā ~ hěn měi*. She has a virtuous spirit. ❷〈形 adj.〉头脑灵活敏锐 clever; intelligent; quick-witted: ~手巧 ~*shǒuqiǎo* clever and deft

⁴ **心目** xīnmù ❶〈名 n.〉心所思，目所见 mind; view: 在我~中她还是一个小姑娘。 *Zài wǒ ~ zhōng, tā háishi yí gè xiǎo gūniang*. She is still a little girl in my mind. ❷〈名 n.〉指内心或视觉方面的感受 mood; feeling; memory: 追思往昔，犹在~。 *Zhuīsī wǎngxī,*

yóu zài ~. Recall the past, and it is still fresh in my memory.

² **心情** xīnqíng ❶〈名 *n.*〉内心的感情状态 mood; state of mind: 愉快的~ *yúkuài de* ~ a happy mood | ~郁闷 ~ *yùmèn* ~ a gloomy mood ❷〈名 *n.*〉情趣 sentiment; emotion; feeling: ~很高 ~ *hěn gāo* in a high spirit | 我可没有~去玩ル. *Wǒ kě méiyǒu ~ qù wánr.* I'm not in the mood to play.

³ **心事** xīnshì〈名 *n.*〉(桩zhuāng、件jiàn)心里盘算的事(多指感到为难的) sth. weighing on one's mind; a load on one's mind; worry: 你好像有什么~. *Nǐ hǎoxiàng yǒu shénme ~.* It seems that you have an anxious mind. | 别老想自个ル的，好好ル工作吧. *Bié lǎo xiǎng zìgèr de ~, hǎohāor gōngzuò ba.* Work hard, and don't be always lost in your personal worries.

³ **心思** xīnsi ❶〈名 *n.*〉念头；想法 thought; idea: 她的~让人捉摸不透. *Tā de ~ ràng rén zhuōmō bú tòu.* Her idea left us puzzled. | 他早有出国的~. *Tā zǎo yǒu chūguó de ~.* He has cherished the thought of going abroad for a long time. ❷〈名 *n.*〉心神；精力 mind; energy: 挖空~ *wā kòng* ~ rack one's brains | 为了编好这本辞典，他还真费了一番~呢. *Wèile biānhǎo zhè běn cídiǎn, tā hái zhēn fèile yì fān ~ ne.* He has done a lot of thinking for the compilation of this dictionary. ❸〈名 *n.*〉心情；兴趣 state of mind; mood: 现在哪有~看戏? *Xiànzài nǎ yǒu ~ kàn xì?* How can I have the mood to go to the theater now?

⁴ **心疼** xīnténg ❶〈动 *v.*〉疼爱 love dearly: 老人最~的是他的宝贝孙子. *Lǎorén zuì ~ de shì tā de bǎobèi sūnzi.* What the old man loves dearly is his little grandson. ❷〈动 *v.*〉惋惜 make one's heart ache; feel sorry; be distressed: 自来水白白地流着叫人怎么不~? *Zìláishuǐ báibái de liúzhe jiào rén zěnme bù ~?* How is it possible that you don't feel your heart ache when the running water flows so wastefully? ❸〈动 *v.*〉舍不得 feel sorry; be distressed: 我不是~钱，而是这东西我实在不喜欢. *Wǒ bú shì ~ qián, ér shì zhè dōngxi wǒ shízài bù xǐhuan.* It's not that I don't want to spend the money, but that I don't like it actually.

⁴ **心头** xīntóu〈名 *n.*〉心上；头脑里 mind; heart: 千言万语涌上~. *Qiānyán-wànyǔ yǒng shàng ~.* Thousands of words rushed into my mind. | 妈妈的嘱咐牢记~. *Māma de zhǔfù láojì ~.* Keep mother's advice in mind. | 他的音容笑貌浮上~. *Tā de yīnróng xiàomào fúshàng ~.* His voice and expression appeared in my mind.

⁴ **心血** xīnxuè〈名 *n.*〉心思和精力 painstaking care (or effort); painstaking labor: 耗尽~ *hàojìn* ~ exhaust one's painstaking efforts | 白费~ *báifèi* ~ make one's painstaking effort in vain | ~来潮，忘乎所以. *~láicháo, wànghūsuǒyǐ.* Be seized with a sudden impulse. | 为了卫星上天，他们费了不少~. *Wèile wèixīng shàng tiān, tāmen fèile bùshǎo ~.* They have taken great efforts in sending the satellite into space.

⁴ **心眼ル** xīnyǎnr ❶〈名 *n.*〉内心 bottom of the heart; innermost world; soul: 孩子考上大学了，老人打~里高兴. *Háizi kǎoshàng dàxué le, lǎorén dǎ ~ li gāoxìng.* The old man was pleased whole-heartedly that his child had been accepted by the university. ❷〈名 *n.*〉(个gè)心地；用心 intention: 这姑娘~挺好. *Zhè gūniang ~ tǐng hǎo.* The girl is very kind. ❸〈名 *n.*〉(个gè)机警、聪明 intelligence; cleverness: 他有~，会办事. *Tā yǒu ~, huì bàn shì.* He is clever and capable of handling affairs. ❹〈名 *n.*〉不必要的顾虑和思忖 unfounded doubts; unnecessary misgivings: 这几个孩子都没什么~，只有他~多. *Zhè jǐ gè háizi dōu méi shénme ~, zhǐyǒu tā ~ duō.* These children are less sensitive except him. ❺〈名 *n.*〉度量 tolerance: 他~窄，受不得一点ル委屈. *Tā ~ zhǎi, shòu bu dé yìdiǎnr wěiqu.* He is narrow-minded and cannot bear being wronged. ❻〈名 *n.*〉心意；喜

好 intention; like; love：你就是会冲着人的~说话。 *Nǐ jiùshì huì chòngzhe rén de ~ shuōhuà.* You can only speak to let me feel pleased. ❼〈名 n.〉(个 gè) 防人之心 suspicion; precaution against sb.：什么事都要留个~。 *Shénme shì dōuyào liú gè ~.* You have to take precautions against whatever happens.

³ **心意** xīnyì ❶〈名 n.〉(份 fèn、片 piàn、番 fān) 对人的情意 regard; kind feeling：送上这 束鲜花表示大家的一片~。 *Sòng shang zhè shù xiānhuā biǎoshì dàjiā de yí piàn ~.* We're sending this bunch of fresh flowers to express our gratitude. │你们这份~我心领 了。 *Nǐmen zhè fèn ~ wǒ xīnlǐng le.* I really appreciate your kindness, but I can't accept your offer. ❷〈名 n.〉(片 piàn、番 fān) 意思；意图 meaning; intention; purpose：看 来他的~是很清楚的。 *Kànlái tā de ~ shì hěn qīngchu de.* It seems that his intention is very clear. │对他的这番~，大家在细心琢磨呢。 *Duì tā de zhè fān ~, dàjiā zài xìxīn zuómo ne.* Everyone is pondering over his intention.

⁴ **心愿** xīnyuàn 〈名 n.〉(个 gè、桩 zhuāng) 愿望；希望达到的目标 desire; aspiration; wish; dream：美好的~ *měihǎo de ~* beautiful dream │到中国上学是他的最大的~。 *Dào Zhōngguó shàngxué shì tā de zuì dà de ~.* His greatest wish is to come to study in China. │女儿嫁了人，了却了他的一桩~。 *Nǚ'ér jiàle rén, liǎoquèle tā de yì zhuāng ~.* His daughter has got married, which fulfilled one of his wishes. │爸爸给我买了一台数码相 机，满足了我的~。 *Bàba gěi wǒ mǎile yì tái shùmǎ xiàngjī, mǎnzúle wǒ de ~.* My father has bought me a digital camera, which satisfied my desire.

² **心脏** xīnzàng ❶〈名 n.〉(个 gè、颗 kē) 心 heart：一颗~在跳动。 *Yì kē ~ zài tiàodòng.* The heart is beating. │上星期他动了~手术。 *Shàng xīngqī tā dòngle ~ shǒushù.* He had heart operation last week. ❷〈名 n.〉比喻中心 *fig.* center：首都北京是中国的~。 *Shǒudū Běijīng shì zhōngguó de ~.* The capital, Beijing, is the heart of China. │汽车的~ 是发动机。 *Qìchē de ~ shì fādòngjī.* Engine is the heart of a car.

⁴ **心中** xīnzhōng 〈名 n.〉心里；内心世界 in one's mind; innermost world：这件事永远记 在我~。 *Zhè jiàn shì yǒngyuǎn jì zài wǒ ~.* I will keep this event in mind forever. │我~ 充满了对母亲的爱。 *Wǒ ~ chōngmǎnle duì mǔqīn de ài.* My heart is filled with love to my mother. │她~想什么，谁知道？ *Tā ~ xiǎng shénme, shéi zhīdào?* Who knows what she is thinking?

¹ **辛苦** xīnkǔ ❶〈形 adj.〉身心劳苦 hard; strenuous; toilsome; laborious：这工作很~。 *Zhè gōngzuò hěn ~.* This job is very laborious. │他辛辛苦苦干了几十年。 *Tā xīnxīnkǔkǔ gànle jǐshí nián.* He has been working laboriously for several decades. ❷〈动 v.〉做劳苦的事情（求人做事的客气话）ask sb. to do sth.：~你跑一趟。 *~ nǐ pǎo yí tàng.* Could you run an errand for me? │这事你再一回吧。 *Zhè shì nǐ zài ~ yì huí ba.* I'm afraid you'll have to take the trouble to do it again.

³ **辛勤** xīnqín 〈形 adj.〉辛苦勤劳 industrious; hardworking：~劳动 *~ láodòng* work hard │~地培育下一代 *~ dì péiyù xiàyídài* work hard to bring up the next generation │教师 是~的园丁。 *Jiàoshī shì ~ de yuándīng.* Teachers are hardworking gardeners.

³ **欣赏** xīnshǎng ❶〈动 v.〉怀着喜悦的心情，领略美好事物的意趣 appreciate; enjoy; admire; feast one's eyes on sth.：~大自然的风光 *~ dàzìrán de fēngguāng* enjoy the natural scenery │~国画艺术 *~ guóhuà yìshù* appreciate the traditional Chinese painting art ❷〈动 v.〉喜欢；认为好 appreciate; like; think highly of sth.：校长很~他的才华。 *Xiàozhǎng hěn ~ tā de cáihuá.* The president appreciated his talents. │对他的领导水平 和作风，大家十分~。 *Duì tā de lǐngdǎo shuǐpíng hé zuòfēng, dàjiā shífēn ~.* Everyone thinks highly of his leading ability and style.

⁴ **欣欣向荣** xīnxīn-xiàngróng 〈成 idm.〉草木茂盛的样子,比喻事业繁荣,快速发展 thriving; flourishing; prosperous:一眼望去,到处是~的景象。Yì yǎn wàng qù, dàochù shì ~ de jǐngxiàng. Wherever you see, there appears a prosperous scene . | 我们的事业 蓬勃发展,~。Wǒmen de shìyè péngbó fāzhǎn, ~. Our cause develops vigorously and prosperously.

⁴ **锌** xīn〈名 n.〉一种金属元素 zinc(Zn):孩子多动,可能缺~。Háizi duō dòng, kěnéng quē ~. The possible reason for the child's moving excessively is lack of zinc. | 镀~管不生锈。Dù ~ guǎn bù shēng xiù. The zinc-plating pipe doesn't become rusty.

¹ **新** xīn ❶〈形 adj.〉刚出现的(与'旧''老''陈'相对)new; fresh; up-to-date(opposite to '旧jiù', '老lǎo' or '陈chén'):~产品 ~ chǎnpǐn new product | 推陈出~ tuīchén-chū~ get rid of the stale and bring forth the fresh ❷〈形 adj.〉性质上改变得美好的;使 变成新的(与'旧'相对)new; make anew; renew; fresh(opposite to '旧jiù'):~文化 wénhuà new culture | 粉刷一~ fěnshuā yì~ look new after being whitewashed ❸〈形 adj.〉没 有用过的 brand new; unused(opposite to '旧jiù'):~教室 ~jiàoshì new classroom | ~床单 ~ chuángdān new bedsheet ❹〈形 adj.〉刚结婚的或结婚不久的 recently marry or just be married:~郎 ~láng bridegroom | ~娘 ~niáng bride | 大家热情 地祝福这一对~人。Dàjiā rèqíng de zhùfú zhè yí duì ~rén. We all bless the new couple enthusiastically. ❺〈副 adv.〉新近;刚 newly; freshly; recently:这书是昨天~买的。 Zhè shū shì zuótiān ~ mǎi de. This book was just bought yesterday. | 这位是~来的教 师。Zhè wèi shì ~ lái de jiàoshī. This is our new teacher. ❻〈动 v.〉革除旧的,换上新 的;使变成新的 abolish the old and change into new; make anew:革~ gé~ innovate; improve | 改过自~ gǎiguò-zì~ mend one's ways for a new start ❼〈名 n.〉指新鲜 的水果蔬菜 fresh fruit and vegetable:荔枝熟了,请您来我们村尝尝。Lìzhī shóu le, qǐng nín lái wǒmen cūn chángchang ~. Lichies are ripe. Welcome to our village to taste the delicacy. ❽(Xīn)〈名 n.〉国号,公元9-23年由王莽建立 title of a reigning dynasty, established by Wang Mang during 9-23 A.D. ❾(Xīn)〈名 n.〉中国新疆维吾尔族自治 区的简称 abbreviated form of the Xinjiang Uygur Autonomous Region in China ❿(Xīn) 〈名 n.〉新加坡或新西兰的简称 abbreviated form of Singapore or New Zealand:~马泰 游 ~Mǎ-Tài yóu a tour to Singapore, Malaysia and Thailand | 澳~游 Ào-~ yóu a tour to Australia and New Zealand

⁴ **新陈代谢** xīnchén-dàixiè ❶〈成 idm.〉指生物体从外界取得生活必需的物质,并使之 变成生物体的有机组成部分,同时把体内产生的废物排出体外,这种新物质代替旧 物质的过程叫新陈代谢,简称'代谢'metabolism, shorter form '代谢dàixiè':~是生物 的基本特征之一。~ shì shēngwù de jīběn tèzhēng zhīyī. Metabolism is one of the basic characters of living organisms. | 年轻人比老年人~快。Niánqīng rén bǐ lǎonián rén ~ kuài. Young people metabolize more quickly than the old. ❷〈成 idm.〉比喻新 的事物滋生发展,代替旧的事物 fig. replace the old with the new:新老干部的不断更 替符合~的规律。Xīn lǎo gànbù de búduàn gēngtì fúhé ~ de guīlǜ. The constant replacement of cadres conforms to the law of metabolism. | 任何事物的发展都有一个~ 的过程。Rènhé shìwù de fāzhǎn dōu yǒu yí gè ~ de guòchéng. The development of all the things contains the process of metabolism.

⁴ **新房** xīnfáng ❶〈名 n.〉(间jiān)洞房;新婚夫妇的卧室 bridal chamber:这间~真漂 亮。Zhè jiān ~ zhēn piàoliang. This bridal chamber is so beautiful. | 在中国有闹~的习 俗。Zài Zhōngguó yǒu nào ~ de xísú. There is the custom of playing tricks on the newly-weds in their chamber in China. ❷〈名 n.〉(间jiān、座zuò、排pái)新装修的或刚

X

建好的房子（与'旧房'相对）newly decorated or newly built house (opposite to '旧房 jiùfáng'): 这间房子重新装修以后跟~一样。*Zhè jiān fángzi chóngxīn zhuāngxiū yǐhòu gēn ~ yíyàng.* This house looks like a new one after re-decoration. | 这排~刚竣工，还没有住人呢。*Zhè pái ~ gāng jùngōng, hái méiyǒu zhù rén ne.* This row of houses have just been completed, and no one has yet moved in.

新近 xīnjìn 〈名 *n.*〉不久前的一段时间 recently; lately; in recent times: 他~才到中国来。*Tā ~ cái dào Zhōngguó lái.* He arrived in China recently. | 我~考察了几个国家。*Wǒ ~ kǎochále jǐ gè guójiā.* I recently went to several countries for an on-the-spot investigation. | 这件事不是~发生的。*Zhè jiàn shì bú shì ~ fāshēng de.* This incident didn't take place recently.

新郎 xīnláng 〈名 *n.*〉（名míng、位wèi）结婚时的男子，也叫'新郎官' bridegroom, also '新郎官xīnlángguān': 他很快就要当~了。*Tā hěn kuài jiù yào dāng ~ le.* He will soon become the bridegroom. | 这位~长得很帅。*Zhè wèi ~ zhǎng de hěn shuài.* The bridegroom is very handsome.

新年 xīnnián 〈名 *n.*〉（个gè）元旦和元旦以后的一小段日子，在中国也指农历春节和春节前的几天 New Year's Day and its following days, also referring to the Spring Festival and its following days in China: ~好！*~ hǎo!* Happy New Year! | 大家欢欢喜喜迎~。*Dàjiā huānhuān-xǐxǐ yíng ~.* Everybody awaits New Year's Day happily. | 中国春节比~热闹。*Zhōngguó Chūnjié bǐ ~ rènao.* In China, the Spring Festival is a more jolly time than the New Year's Day.

新娘 xīnniáng 〈名 *n.*〉（名míng、位wèi）结婚时的女子，也叫'新娘子xīnniángzi': ~真漂亮。*~ zhēn piàoliang.* The bride is so beautiful. | 迎亲的队伍接~来了。*Yíngqīn de duìwu jiē ~ lái le.* The procession sent to meet the bride has arrived. | 今天~回娘家。*Jīntiān ~ huí niángjia.* Today the bride will pay a return visit to her parents.

新人 xīnrén ❶〈名 *n.*〉（代dài、批pī）具有新的道德品质的人 people with new ethic concept; new people: 把学生培养成有理想、有道德、有知识的~。*Bǎ xuésheng péiyǎng chéng yǒu lǐxiǎng, yǒu dàodé, yǒu zhīshi de ~.* Cultivate students into new people with ideal, morality and knowledge. | 要大力表彰~的先进事迹。*Yào dàlì biǎozhāng ~ de xiānjìn shìjì.* We should spare no effort to commend new people for their meritorious deeds. ❷〈名 *n.*〉（名míng、位wèi）某方面新出现的人物 new talent; new personality: 京剧界~辈出。*Jīngjùjiè ~ bèichū.* In the Beijing opera circle, new gifted people come forth in large numbers. | 她是公交行业的~。*Tā shì gōngjiāo hángyè de ~.* She belongs to the new generation of the public transport industry. ❸〈名 *n.*〉指新娘和新郎；有时特指新娘 bride and bridegroom; newly-weds; sometimes esp. referring to bride: 十对~举行集体婚礼。*Shí duì ~ jǔxíng jítǐ hūnlǐ.* Ten couples of newly-weds held a collective wedding. | 新郎给~戴上戒指。*Xīnláng gěi ~ dàishang jièzhi.* The bridegroom put a ring on the bride's finger.

新生 xīnshēng ❶〈形 *adj.*〉刚产生的；刚出现的 new-born; newly born: 这是一股~的力量。*Zhè shì yì gǔ ~ de lìliàng.* It's a new force. | 大家都要爱护~事物。*Dàjiā dōu yào àihù ~ shìwù.* Everybody should take good care of new things. ❷〈名 *n.*〉新生命 new life; rebirth; regeneration: 失足青年经挽救获得了~。*Shīzú qīngnián jīng wǎnjiù huòdéle ~.* The juvenile delinquent has acquired a new life after being redeemed. ❸〈名 *n.*〉（名míng、个gè）新入学的学生 new student or pupil: 今天~报到。*Jīntiān ~ bàodào.* The freshmen are supposed to register today. | 我是刚入学的~。*Wǒ shì gāng* *rùxué de* ~. I am a freshman just enrolled by the university.

³ **新式** xīnshì ❶〈形 *adj.*〉新的样式（与'旧式''老式'相对）new type; latest type; new style (opposite to '旧式jiùshì', '老式lǎoshì')：~装备 ~ *zhuāngbèi* latest equipment │ ~家具 ~ *jiājù* new-style furniture ❷〈形 *adj.*〉新的形式或仪式 new form or rite：这种包装是~的. *Zhèzhǒng bāozhuāng shì ~ de.* This is a new form of packaging. │他俩准备参加~婚礼. *Tā liǎ zhǔnbèi cānjiā ~ hūnlǐ.* They are going to attend a new-style wedding.

¹ **新闻** xīnwén ❶〈名 *n.*〉(条tiáo、则zé、个gè)报纸、广播、电视等传播媒体对国内外发生的重要事情所作的报道 news：发布~ *fābù* – issue the news │~播报 – *bōbào* news broadcast ❷〈名 *n.*〉(条tiáo、则zé、个gè)泛指社会上最近发生的异乎寻常的新鲜事物 late occurrences; sth. new; rumor：的士司机说的马路~有水分. *Dīshì sījī shuō de mǎlù ~ yǒu shuǐfèn.* News from taxi drivers is the exaggerated street rumor. │你讲的~已经不新了. *Nǐ jiǎng de ~ yǐjīng bù xīn le.* The news you told is not new.

² **新鲜** xīnxiān ❶〈形 *adj.*〉(食物)鲜亮而不陈腐 (of food) fresh：~瓜果蔬菜 ~ *guāguǒ shūcài* fresh fruits and vegetables │ ~牛奶 ~ *niúnǎi* fresh milk ❷〈形 *adj.*〉(血液)新流出或刚抽出的 (of blood) fresh; new：~血液 ~ *xuèyè* fresh blood ❸〈形 *adj.*〉(空气)不含杂质，经常流通的 (of air) fresh; pure：~空气 ~ *kōngqì* fresh air ❹〈形 *adj.*〉(花朵)没有枯萎；刚刚剪摘的 (of flowers) not fading：~花朵 ~ *huāduǒ* fresh flowers ❺〈形 *adj.*〉(事物)新出现的；罕见的；奇异的 new; rare; novel; strange：私人汽车已不是什么~的东西了. *Sīrén qìchē yǐ bú shì shénme ~ de dōngxi le.* A private car is no longer a new thing. │80岁老人上大学真是个~事. *Bāshí suì lǎorén shàng dàxué zhēn shì gè ~ shì.* It is a strange thing that an 80-year-old man attends university.

⁴ **新兴** xīnxīng 〈形 *adj.*〉最近兴起的 newly-developed; rising; burgeoning：~力量 *lìliàng* burgeoning force │~产业 ~ *chǎnyè* rising industry │~的科技园区 ~ *de kējì yuánqū* newly-developed zone of science and technology │深圳是座~城市. *Shēnzhèn shì zuò ~ chéngshì.* Shenzhen is a rising city.

³ **新型** xīnxíng 〈形 *adj.*〉新式的；新的类型 new type; new pattern：~发式 ~ *fàshì* new hairstyle │~汽车 ~ *qìchē* new type of car │~的复合人才 ~ *de fùhé réncái* new type of composite talents

⁴ **新颖** xīnyǐng 〈形 *adj.*〉新而别致 new and original; novel：题材~ *tícái ~* be original in the choice of subjects (or themes) │~的构思 ~ *de gòusī* original plot │~的手法 ~ *de shǒufǎ* new ways of expression │这套服装的款式很~. *Zhè tào fúzhuāng de kuǎnshì hěn ~.* The style of this suit is very original.

⁴ **薪金** xīnjīn 〈名 *n.*〉(份fèn)付给劳动者的报酬；工资 salary; pay; wages：每月领一次~. *Měi yuè lǐng yí cì ~.* Draw the salary once a month. │这份~不低. *Zhè fèn ~ bù dī.* The salary is not low. │年底加发两个月的~. *Niándǐ jiā fā liǎng gè yuè de ~.* An additional two-month salary is paid at the end of the year.

⁴ **薪水** xīnshui 〈名 *n.*〉同'薪金' same as '薪金xīnjīn'

¹ **信** xìn ❶〈动 *v.*〉相信 believe：~不由你. ~ *bú ~ yóu nǐ.* Believe it or not. It's up to you. │~以为真. ~ *yǐwéi zhēn.* Take it for truth. ❷〈动 *v.*〉信仰 profess faith in; believe in：~教 *~jiào* believe in a religion │~徒 *~tú* religious believer ❸〈名 *n.*〉信用 confidence; trust; faith：失~ *shī~* break faith; go back on one's word; break one's word ❹〈名 *n.*〉凭据 sign; evidence：印~ *yìn~* official seal │~物 *~wù* keepsake ❺〈名 *n.*〉(封fēng、件jiàn)函件 letter; mail：介绍~ *jièshào~* letter of introduction │写~ *xiě~* write a letter ❻〈名 *n.*〉引信 fuse：~管 *~guǎn*

X

fuse **⑦**〈~儿〉〈名 *n.*〉信息；消息 message; word; information：通风报~ *tōngfēng-bào-* inform sb. of sth. secret; divulge secret information｜口~儿 *kǒu~r* oral message｜你等着听我的~儿吧。*Nǐ děngzhe tīng wǒ de ~ r ba.* Wait for my notification. **⑧**〈名 *n.*〉信石（砒霜）arsenic：白~ *bái~* white arsenic｜红~ *hóng~* red arsenic **⑨**〈形 *adj.*〉确实；真实 true; real：~史 *~shǐ* true history; authentic history; true historical account｜~而有据 *~éryǒujù* be reliable and proved by evidence **⑩**〈副 *adv.*〉随意；任凭 at will; at random; purposelessly：~步 *~bù* take a leisurely walk; stroll; walk aimlessly｜~口开河 *~kǒu-kāihé* talk freely and irresponsibly

⁴ **信贷** xìndài〈名 *n.*〉（笔bǐ）银行存款、贷款等信用业务活动的总称，一般专指银行贷款 credit, general term for deposits and loans in a bank, usu. bank loans：控制~ *kòngzhì ~* control the loans｜长期~ *chángqī ~* long-term credit｜一笔不小的~ *yì bǐ bù xiǎo de ~* a large sum of credit｜~资金 *~zījīn* credit capital

¹ **信封** xìnfēng〈名 *n.*〉（个gè、沓儿dár）装书信的封套 envelope：牛皮纸~ *niúpízhǐ~* brown paper envelope｜信写好了，还没有装~。*Xìn xiěhǎo le, hái méiyǒu zhuāng ~.* I have finished the letter, but have not put it in the envelope.｜我刚买了一沓儿~。*Wǒ gāng mǎile yì dár ~.* I have just bought a stack of envelopes.

³ **信号** xìnhào **❶**〈名 *n.*〉（个gè）用光、电波、声音、动作等传送事先规定或约定的通信符号，一般用来传递信息或发布命令 signal：~灯 *~dēng* signal lamp｜~旗 *~qí* signal flag｜打~ *dǎ ~* give a signal; signal **❷**〈名 *n.*〉电路通讯中带有信息的电流、电压或无线电波等，称为‘电信号’，简称‘信号’electric current, voltage or radio signal in the circuit communication, called ‘电信号diànxìnhào’, or abbr. ‘信号xìnhào’：显示~没有？*Xiǎnshì ~ méiyǒu?* Is there any signal?｜~很强。*~ hěn qiáng.* The signal is very strong.

⁴ **信件** xìnjiàn〈名 *n.*〉书信和递送的文件、印刷品等的统称 letters; mail：发送~ *fāsòng ~* send letters｜收到~ *shōudào ~* receive letters｜挂号~ *guàhào ~* registered letter｜处理大批~ *chǔlǐ dàpī ~* deal with large numbers of letters

⁴ **信赖** xìnlài〈动 *v.*〉信任并依靠 trust; count on; have faith in：他深受领导的~。*Tā shēn shòu lǐngdǎo de ~.* He has won great faith from his leaders.｜他是我可~的朋友。*Tā shì wǒ kě ~ de péngyou.* He is my trustworthy friends.｜这个人办事认真，很值得~。*Zhège rén bànshì rènzhēn, hěn zhídé ~.* This is a dependable person, serious in handling all affairs.

³ **信念** xìnniàn〈名 *n.*〉（个gè、种zhǒng）自己认为可以确信的看法 faith; belief; conviction：我的~是有科学根据的。*Wǒ de ~ shì yǒu kēxué gēnjù de.* My belief is based on science.｜这种~决不会动摇。*Zhè zhǒng ~ jué bú huì dòngyáo.* This conviction won't become shaky.

³ **信任** xìnrèn〈名 *n.*〉相信而有所托付 trust; have confidence in：领导~她，让她挑重担。*Lǐngdǎo ~ tā, ràng tā tiāo zhòngdàn.* Trusted by her leader, she is assigned with important work.｜不要辜负大家对你的~。*Bú yào gūfù dàjiā duì nǐ de ~.* Don't let everyone down.｜他是完全可以~的。*Tā shì wánquán kěyǐ ~ de.* He is completely trustworthy.

³ **信息** xìnxī **❶**〈名 *n.*〉（条tiáo）音信；消息 information; news; message：他出国以后，一点儿~也没有。*Tā chūguó yǐhòu, yìdiǎnr ~ yě méiyǒu.* We have heard nothing from him since he went abroad.｜告诉你一个可喜的~。*Gàosu nǐ yí gè kěxǐ de ~.* Let me tell you a good message. **❷**〈名 *n.*〉（条tiáo）信息论中指用符号传送的报道，报道内容是接收者预先不知道的 information：这是一条很重要的~。*Zhè shì yì tiáo hěn zhòngyào de*

~. This is very important information. │ 这条~很有价值。 *Zhè tiáo ~ hěn yǒu jiàzhí.* This message is of great value.

² **信心** xìnxīn 〈名 *n.*〉相信自己的愿望、预料或处事能够成功实现的心态 confidence; faith; belief that one's wish or expectaton is sure to come true: 满怀~ *mǎnhuái ~* be full of confidence │ 坚定~ *jiāndìng ~* be firm in confidence │ 大家对完成这项任务很有。 *Dàjiā duì wánchéng zhè xiàng rènwu hěn yǒu ~.* Everyone is quite confident in fulfilling the task. │ 他对报考研究生的~还不足。 *Tā duì bàokǎo yánjiūshēng de ~ hái bùzú.* He is not confident in passing the entrance examination for postgraduates.

⁴ **信仰** xìnyǎng 〈动 *v.*〉对某人、某种主张、主义、宗教极度信服、崇拜，并奉为自己行为的准则 believe in; worship: ~什么是不能强制的。 *~ shénme shì bù néng qiángzhì de.* Belief cannot be obliged. │ 人民群众有~宗教的自由。 *Rénmín qúnzhòng yǒu ~ zōngjiào de zìyóu.* The people have the freedom in religious beliefs. │ 我~无神论。 *Wǒ ~ wúshénlùn.* I believe in atheism.

⁴ **信用** xìnyòng ❶〈名 *n.*〉能够履行诺言而取得的信任 trustworthiness; credit: 他非常讲~。 *Tā fēicháng jiǎng ~.* He always keeps his words. │ 这个人没有~。 *Zhège rén méiyǒu ~.* This person is rather trustless. ❷〈名 *n.*〉可以按时偿付，无需提供物资保证的 credit: ~合作社 *~ hézuòshè* credit cooperative │ ~贷款 *~ dàikuǎn* credit loan; unsecured loan; loan on credit │ ~卡 *~ kǎ* credit card ❸〈名 *n.*〉指银行借贷或商业上的赊销、赊购 bank credit; credit selling and buying: 他们之间建立了~关系。 *Tāmen zhī jiān jiànlìle ~ guānxì.* They have established credit relations.

⁴ **信誉** xìnyù 〈名 *n.*〉信用和名誉 prestige; credit; reputation: 老字号商店在顾客中有很高的~。 *Lǎozìhào shāngdiàn zài gùkè zhōng yǒu hěn gāo de ~.* Shops of long standing enjoy outstanding reputations among customers. │ 任何产品都是靠质量打造~的。 *Rènhé chǎnpǐn dōushì kào zhìliàng dǎzào ~ de.* The reputation of any product depends on its own quality.

⁴ **兴** xīng ❶〈动 *v.*〉旺盛 prosper; flourish; thrive: ~衰 *~shuāi* rise and decline; rise and fall │ 生意~隆。 *shēngyì ~lóng.* Business is brisk. ❷〈动 *v.*〉流行 prosper; rise; prevail; become popular: 时~ *shí~* fashionable; popular; in vogue │ 如今人们~素食了。 *Rújīn rémen ~ sùshí le.* Vegetarian food is popular now. ❸〈动 *v.*〉使盛行 encourage; promote: 大~俭朴之风。 *Dà ~ jiǎnpǔ zhī fēng.* Energetically encourage the practice of being thrifty and simple. ❹〈动 *v.*〉发动；举办 start; begin: ~办 *~bàn* run; set up; build; establish │ 百废待~。 *Bǎifèi-dài~.* Full-scale construction is under way now. ❺〈动 *v.* 书 *lit.*〉起；起来 get up; rise: 晨~ *chén~* get up in the morning ❻〈动 *v.* 方 *dial.*〉允许（常用于否定式）(oft. used in negative) permit; allow: 不~打人。 *Bù ~ dǎ rén.* Beating is not allowed here. ❼〈副 *adv.* 方 *dial.*〉或许 maybe; perhaps: 今晚演出，我~去，也~不去。 *Jīnwǎn yǎnchū, wǒ ~ qù, yě ~ bú qù.* I may or may not come to tonight's performance.

⁴ **兴办** xīngbàn 〈动 *v.*〉创办（事业）initiate; set up: 学校是私人集资~的。 *Xuéxiào shì sīrén jízī ~ de.* The school is set up by collected private money. │ 农村~了许多乡镇企业。 *Nóngcūn ~le xǔduō xiāngzhèn qǐyè.* Many township enterprises have been set up in the countryside. │ 社区~了幼儿园和老人院。 *Shèqū ~le yòu'éryuán hé lǎorényuàn.* The community has started up a kindergarten and an old people's home.

² **兴奋** xīngfèn ❶〈形 *adj.*〉精神振奋；激动 be excited: 咖啡喝多了，容易~。 *Kāfēi hēduō le, róngyì ~.* Excessive coffee may make you excited easily. ❷〈动 *v.*〉使兴奋 excite; stimulate: ~剂 *~jì* stimulant; excitant; dope ❸〈名 *n.*〉大脑皮层的两种基本神经

活动过程之一，在外界或内部刺激下，引起或增强神经系统和相应器官机能活动的生理现象 excitation：~点~*diǎn* exciting point｜大脑皮层的~中心 *dànǎo pícéng de ~ zhōngxīn* excitation center of cerebral cortex

兴建 xīngjiàn 〈动 v.〉开始建设（多指规模较大的）begin to build; construct （a large project）：~农工商联合企业 *~ nónggōngshāng liánhé qǐyè* establish an integrated enterprise of agriculture, industry and commerce｜筹划~科技园区 *chóuhuà ~ kējì yuánqū* plan to build a science and technology zone｜三峡工程正在~中。*Sānxiá Gōngchéng zhèngzài ~ zhōng.* The Three Gorges Project is under construction.｜他提出了一个~人才培训基地的构想。*Tā tíchūle yí gè ~ réncái péixùn jīdì de gòuxiǎng.* He put forward a notion of building the personal training base.

兴起 xīngqǐ ❶〈动 v.〉开始出现并兴盛起来 rise; give rise to; spring up; be on the upgrade：现在世界上~了一股汉语热。*Xiànzài shìjiè shang ~le yì gǔ Hànyǔ rè.* There appears an upsurge in learning Chinese around the world now.｜全民健身运动正在~。*Quánmín jiànshēn yùndòng zhèngzài ~.* There arises the nationwide keeping-fit movement. ❷〈动 v. 书 lit.〉因感动而奋起 rise in excitement; be aroused：闻者无不~。*Wénzhě wú bù ~.* Everyone was excited on hearing it.

兴旺 xīngwàng 〈形 adj.〉兴盛；旺盛 prosperous; flourishing; thriving：国家~ *guójiā* ~ a prosperous country｜事业~ *shìyè* ~ a thriving enterprise｜人丁~ *réndīng* ~ a booming population｜家畜~ *jiāxù* ~ a thriving stockbreeding｜~发达 ~ *fādá* flourishing and well-developed

星 xīng ❶〈名 n.〉(颗kē)宇宙间能发光或反射光的天体，通常指夜间天空中发光的天体 star：恒~ *héng*~ star｜~空~*kōng* starry sky; starlit sky｜~转斗移（表示时间或季节改变）~*zhuǎn-dǒuyí*（*biǎoshì shíjiān huò jìjié gǎibiàn*）change in the positions of the stars（indicating the change of the seasons or passage of time）｜罗棋布（形容数量多、分布广）~*luó-qíbù*（*xíngróng shùliàng duō, fēnbù guǎng*）scattered all over like stars in the sky and pieces on a chessboard（spread all over the place）❷〈名 n.〉(位wèi、名míng、个gè)比喻某种突出的闪亮如星的人物 star; famous character：影~ *yǐng*~ film star｜歌~ *gē*~ singing star｜明~ *míng*~ star｜追~族 *zhuī-zú* star-chasers ❸(~儿)〈名 n.〉细碎的小东西 bit; particle：油~儿 *yóu*~r a bit of oil｜一~半点儿 *yì*~*bàndiǎnr* a tiny bit ❹〈名 n.〉中国使用的称杆上的金属小点子 little metal dots on the beam of a Chinese steelyard：秤~ *chèng*~ graduation （on the beam of a steelyard）｜定盘~ *dìngpán*~ zero point on a steelyard or scale ❺〈名 n.〉二十八宿之一 xing, one of the 28 constellations into which the celestial sphere was divided in ancient Chinese astronomy

星期 xīngqī ❶〈名 n.〉(个gè)中国古代历法把二十八宿按日、月、火、水、木、金、土的次席排列，七日为一周，周而复始，称为'七曜'；古罗马用于星占的日历也是以七日为一周，跟中国的'七曜'暗合。后来根据国际习惯，把这样连续排列的七天作为学习工作等作息日期的计算单位，叫做星期 week. In the ancient Chinese calendar, the 28 constellations are arranged in the order of the Sun, the Moon, the Mars, the Mercury, the Jupiter, the Venus and the Saturn in a seven-day cycle called 'seven stars', which coincides with the 'seven-day week' in the ancient Roman calendar. Thus the seven-day period becomes a measurement unit for work, study and rest according to the international practice, and it is called 'week'：学习安排两个~。*Xuéxí ānpái liǎng gè ~.* Arrange two weeks for study.｜我出差下~就回来。*Wǒ chūchāi xià ~ jiù huílái.* I'll return from my business trip next week. ❷〈名 n.〉跟'日、一、二、三、四、五、六'连用，表示星期的某一天；和'几'连用，构成问话，表示询问某日是该星期中的哪一天 used before '日rì'，'一yī'，'二

èr', '三sān', '四sì', '五wǔ', '六liù' to indicate a certain day of the week; used with '几jǐ' to form a question to mean what day of the week: 今天~几? Jīntiān ~ jǐ? What day is today? | 今天~三。 Jīntiān ~sān. Today is Wednesday. ‖ 也称'礼拜' also '礼拜 lǐbài'

¹ **星期日** xīngqīrì 〈名 n〉每星期的第一天 Sunday：~你去郊游吗? ~ nǐ qù jiāoyóu ma? Do you go outing on Sunday? | ~我到单位加班。 ~ wǒ dào dānwèi jiābān. I shall work overtime in my unit on Sunday. | 下个~正好是元旦。 Xià gè ~ zhènghǎo shì Yuándàn. Next Sunday is the New Year's Day.

¹ **星期天** xīngqītiān 〈名 n.〉同'星期日' same as '星期日xīngqīrì'

² **星星** xīngxing 〈名 n. 口 colloq.〉(颗kē)夜晚天空的星 star：看！满天~。 Kàn! mǎn tiān ~. Look, stars are scattered all over the sky. | 盼~,盼月亮,终于盼来了亲人。 Pàn ~, pàn yuèliang, zhōngyú pànláile qīnrén. They have waited day in and day out, and finally their beloved ones return home.

⁴ **腥** xīng ❶〈形 adj.〉鱼虾等难闻的气味；血的腥味 fishy smell; smell of blood：这鱼没做好，味太~了。 Zhè yú méi zuòhǎo, wèi tài ~ le. The fish doesn't cook well and is so stinky. | 生姜、葱蒜可以去~。 Shēngjiāng, cōng suàn kěyǐ qù ~. Gingers, shallots and garlic can eliminate stinky smell. | 反动军警对示威者进行了血~镇压。 Fǎndòng jūnjǐng duì shìwēizhě jìnxíngle xuè~zhènyā. The reactionary troops and police bloodily suppressed the demonstrators. ❷〈名 n.〉生肉；一般指鱼类、肉类等食物 raw meat or fish：她平时只吃素，不沾荤~。 Tā píngshí zhǐ chī sù, bù zhān hūn~. She usually eats vegetarian food and never touch meat or fish.

⁴ **刑** xíng ❶〈名 n.〉依照法律对罪犯进行的处罚 punishment; penalty; sentence：量~ liàng~ measurement of penalty | 判~ pàn~ sentence; pass a sentence ❷〈名 n〉特指对犯人的体罚 torture; corporal punishment：用~ yòng~ torture; put to torture | ~讯逼供 ~ xùn bīgòng extort a confession through torture

⁴ **刑场** xíngchǎng 〈名 n.〉处死犯人的地方 execution ground：将犯人押赴~，执行枪决。 Jiāng fànrén yā fù ~, zhíxíng qiāngjué. The prisoner was sent to the execution ground to get shot. | 他在反动派的~上英勇就义。 Tā zài fǎndòngpài de ~ shang yīngyǒng jiùyì. He died a martyr on the reactionary execution ground.

⁴ **刑法** xíngfǎ 〈名 n.〉(部bù)规定多种犯罪行为界线以及相应惩罚的法律 penal code; criminal law：虐待儿童，触犯了~。 Nüèdài értóng, chùfànle ~. Maltreating children violates the criminal law. | 法院根据~作出判决。 Fǎyuàn gēnjù ~ zuòchū pànjué. The court makes the conviction according to the criminal law. | 此案根据~第十八条量刑。 Cǐ àn gēnjù ~ dì-shíbā tiáo liàngxíng. This case will be verdicted according to Article 18 of the criminal law.

⁴ **刑事** xíngshì 〈名 n.〉触犯刑法的犯罪行为(区别于'民事') criminal (different from '民事mínshì')：~法庭 ~ fǎtíng criminal court | ~犯罪 ~ fànzuì criminal offence; criminal act | ~案件 ~ ànjiàn criminal case | ~诉讼法 ~ sùsòngfǎ the criminal procedure law

¹ **行** xíng ❶〈动 v.〉走 go; walk; travel：日~千里 rì~qiānlǐ travel one thousand li a day | 人~道 rén~dào sidewalk; pavement ❷〈动 v.〉流行；流通；推广 in vogue; in fashion; distribution：风~一时 fēng~ yìshí be in fashion for a time | 图书发~ túshū fā~ book distribution | 这种电视机~销全国各地。 Zhèzhǒng diànshìjī ~xiāo quánguó gèdì. This kind of TV set is on sale all over the country. ❸〈动 v.〉办；做 do; perform; carry out：~医 ~yī practise medicine | 简便易~ jiǎnbiàn yì~ simple and easy to manage | 可~性报

告 kě~xìng bàogào feasibility report ❹〈助动 aux.v.〉表示进行某项活动(多和前边的单音节副词共同修饰后面的双音节动词) indicating the performance of some action (usu. used with a monosyllabic adverb to modify the following disyllabic verb): 再·安排 zài ~ ānpái wait for re-arrangement | 开会的时间另·通知。Kāihuì de shíjiān lìng~tōngzhī. The time for the meeting will be notified later. ❺〈形 adj.〉可以 be all right; will do: 这事你看~不~? Zhè shì nǐ kàn ~ bù ~? Do you think it is all right or not? ❻〈形 adj.〉能干 capable; competent: 你办这事真~! Nǐ bàn zhè shì zhēn ~! You are really competent for it. ❼〈名 n.〉道路; 行程 trip; journey: 千里之~, 始于足下。Qiānlǐ zhī~, shǐyúzúxià. A thousand li's journey begins from the first step. ❽〈名 n.〉行为 behavior; conduct: 言~一致 yán~yízhì conform one's words to his (or her) deeds ❾〈副 adv. 书 lit.〉将要 will; shall; be going to; be about to: ~将就木 ~jiāngjiùmù have one foot in the grave; approach death

☞ háng, p. 415

⁴ **行程** xíngchéng ❶〈名 n.〉(段 duàn)路程; 进程 route or distance of travel; course: 万里~ wàn lǐ ~ a 10,000-li travel | 历史发展~ lìshǐ fāzhǎn ~ the course of history ❷〈名 n.〉旅行的日程 journey; travel: ~安排好了。 ~ ānpái hǎo le. The journey has been arranged.

² **行动** xíngdòng ❶〈动 v.〉走动 move about: 他的腿有伤, ~不便。Tā de tuǐ yǒu shāng, ~ búbiàn. He was wounded in the leg and was inconvenient to move about. ❷〈动 v.〉为达到某种目的而进行活动 act; take action: 目标已定, 大家赶快~。Mùbiāo yǐ dìng, dàjiā gǎnkuài ~. The goal has been set, and everyone should take action at once. ❸〈名 n.〉行为; 举动 conduct; behavior; movement: 他的~十分反常。Tā de ~ shífēn fǎncháng. His behavior is quite abnormal.

⁴ **行贿** xíng//huì〈动 v.〉用财物贿赂人 bribe; offer a bribe; resort to bribery: ~罪 ~zuì crime of bribery | 行了多次贿 xíngle duō cì huì offer bribes many times

⁴ **行径** xíngjìng〈名 n.〉(种 zhǒng)行为; 举动(多指坏的) act; action; move (oft. negative): 侵略~ qīnlüè ~ aggressive action | 罪恶~ zuì'è ~ evil behavior | 卑劣~ bēiliè ~ doggery; despicable act

⁴ **行军** xíng//jūn〈动 v.〉军队进行训练或执行任务时从一个地方走到另一个地方 (of troops) march, move from one place to another in a military training or operation: 急~ jí~ rapid march; forced march | 夜~ yè~ night's march | 在~的路上 zài ~ de lù shang on the way of march | 部队行了一夜军, 刚刚就扎下来。Bùduì xíngle yí yè jūn, gānggāng zhùzhā xiàlái. The troops are just stationed after a night's march.

² **行李** xíngli〈名 n.〉(件 jiàn)出门时所带的包裹、箱子等 luggage; baggage, parcel, suitcase or trunk carried for a trip: 打~ dǎ ~ pack the luggage | 托运~ tuōyùn ~ consign the baggage for shipment; check in luggage | 他的~很沉。Tā de ~ hěn chén. His luggage is very heavy. | 大家都来搬~。Dàjiā dōu lái bān ~. Everyone comes to carry the luggage.

³ **行人** xíngrén〈名 n.〉(个 gè、群 qún)在路上走的人 pedestrian: ~来来往往。~láilái-wǎngwǎng. The pedestrians come and go. | 开车要注意街上的~。Kāichē yào zhùyì jiē shang de ~. Pay attention to the pedestrians when you drive on the street. | 晚上~少了。Wǎnshang ~ shǎo le. There are fewer people walking on the street at night.

⁴ **行使** xíngshǐ〈动 v.〉执行; 使用(职权等) exercise; perform: 要认真~自己的权力。Yào rènzhēn ~ zìjǐ de quánlì. Exercise your own rights properly. | 不许任意~手中的职权。Bùxǔ rènyì ~ shǒu zhōng de zhíquán. It's not allowed to abuse the authorized power

in your hand.

³ **行驶** xíngshǐ 〈动 v.〉(车、船) 行走 (of a vehicle, ship, etc.) go; ply; travel: 小车~在高速公路上。 *Xiǎochē ~ zài gāosù gōnglù shang.* The car is running on the highway. | 巨轮在大海上~。 *Jùlún zài dàhǎi shang ~.* A colossal ship is sailing on the sea. | 刚~到路口就出事了。 *Gāng ~ dào lùkǒu jiù chūshì le.* The accident occurred as soon as we had arrived at the cross road.

³ **行为** xíngwéi 〈名 n.〉(种 zhǒng) 人的有意识的活动 act; action; behavior: ~端正 *duānzhèng* honorable behavior | 不法~ *bùfǎ* unlawful act | 盗窃~ *dàoqiè* theft | 高尚的~ *gāoshàng de* noble action | 他的~已构成犯罪。 *Tā de ~ yǐ gòuchéng fànzuì.* His behavior has constituted a crime.

³ **行星** xíngxīng 〈名 n.〉(颗 kē) 沿不同的椭圆形轨道环绕太阳运行的本身不发光的天体 planet: 太阳系有九大~。 *Tàiyángxì yǒu jiǔ dà ~.* The solar system has nine major planets. | 天上有无数的小~。 *Tiānshang yǒu wúshù de xiǎo ~.* There are numerous small planets in the space. | 地球就是一颗~。 *Dìqiú jiù shì yì kē ~.* The Earth is a planet.

³ **行政** xíngzhèng ❶〈名 n.〉执行国家政权的 administrative: ~机构 ~ *jīgòu* administrative organizations | ~单位 ~ *dānwèi* administrative unit | ~部门 ~ *bùmén* administrative department ❷〈名 n.〉国家事务的管理工作;机关团体或企业的事务管理工作 administration: ~管理 ~ *guǎnlǐ* administrative management | ~经费 ~ *jīngfèi* administrative expense | ~事务 ~ *shìwù* administrative affairs

⁴ **形** xíng ❶〈名 n.〉形状 form; shape: 方~ *fāng* ~ square | 三角~ *sānjiǎo* ~ triangle | 地形~ *dì* ~ landform; topography; terrain ❷〈名 n.〉形体 body; entity: 体~ *tǐ* ~ figure | ~影不离 ~*yǐngbùlí* be inseparable like one's body and shadow ❸〈动 v.〉表现;显露 appear; look: 喜~于色 *xǐ~yúsè* look pleased; be visibly pleased; light up with pleasure ❹〈动 v.〉对照;比较 contrast; compare: 相~见绌 *xiāng~jiànchù* be overshadowed; be outshone; be inferior by comparison

² **形成** xíngchéng 〈动 v.〉通过发展变化而成为具有某种特点的事物,或者出现某种情形或局面 take shape; form: ~冲积平原 ~ *chōngjī píngyuán* form an alluvium plain | ~良好风气 ~ *liánghǎo fēngqì* form a healthy social atmosphere | ~强烈的对比 ~ *qiángliè de duìbǐ* form a sharp contrast | ~了这种局面,就难以改变了。 *~le zhèzhǒng júmiàn, jiù nányǐ gǎibiàn le.* The existing situation is difficult to change.

⁴ **形而上学** xíng'érshàngxué ❶〈名 n.〉哲学史上指形学中探究宇宙根本原理的部分 Metaphysics, a branch of philosophy that deals with the fundamental principles of the universe ❷〈名 n.〉与辩证法相对立的世界观或方法论,也称'玄学' metaphysics, a world outlook or methodology opposite to dialectics, also '玄学 *xuánxué*': 这样孤立、片面地看问题是~的。 *Zhèyàng gūlì, piànmiàn de kàn wèntí shì ~ de.* It is metaphysical to view problems in such an isolated and partial way. | ~的观点是不科学的。 *~ de guāndiǎn shì bù kēxué de.* Metaphysical views are not scientific.

² **形容** xíngróng ❶〈动 v.〉对事物的形象、性质、特征用语言文字加以描绘和表述 describe: 我当时的窘境,真是难以~。 *Wǒ dāngshí de jiǒngjìng, zhēn shì nányǐ ~.* It is difficult to describe my embarrassment at that time. | 你把看到的那个人影给我们~~。 *Nǐ bǎ kàndào de nàge rényǐng gěi wǒmen ~ ~.* Please describe the shadowy figure you saw. ❷〈名 n. 书 lit.〉形态、容貌 appearance; countenance; look; figure: ~端庄俊丽 ~ *duānzhuāng jùnlì* have a dignified and graceful appearance

² **形式** xíngshì ❶〈名 n.〉(种 zhǒng、个 gè) 事物的形状、结构等 form; shape; structure:

文学~是多种多样的。*Wénxué ~ shì duō zhǒng duō yàng de.* Literature is of various forms. | 这种结构呈蜂窝~。*Zhèzhǒng jiégòu chéng fēngwō ~.* This structure is in the form of a beehive. ❷〈名 *n.*〉虚文缛节；空洞的外观 meaningless formalities; impractical form: 不图~，只求实际。*Bù tú ~, zhǐ qiú shíjì.* Emphasis should not be laid on the form but the practical result. ❸〈名 *n.*〉哲学上指内容的表现形式，即事物矛盾运动的表现形态（与'内容'相对）representation of contents in philosophy, or the outer form of the contradictory motion of things (opposite to '内容 nèiróng') : ~逻辑 ~ *luóji* formal logic

² **形势** xíngshì ❶〈名 *n.*〉地势（多指从军事角度看）terrain; topographic features (usu. in a military sense): ~要~ ~ *xiǎnyào* the precipitous terrain | 要占据有利~，消灭敌人。*Yào zhànjù yǒulì ~, xiāomiè dírén.* We should take up a favorable position to annihilate the enemies. ❷〈名 *n.*〉事物发展的状况 situation; developments of things: 国内~ ~ *guónèi* ~ internal (domestic) situation | 国际~ ~ *guójì* ~ international situation | 生产~ ~ *shēngchǎn* ~ the situation of production | 目前~ *mùqián* ~ present situation

³ **形态** xíngtài ❶〈名 *n.*〉（种 zhǒng）生物体外部的形状 exterior form of an organism: 熊猫的~很可爱。*Xióngmāo de ~ hěn kě'ài.* The panda's manner is quite cute. ❷〈名 *n.*〉事物的状态或表现形式 form; shape; pattern; morphology: 社会政治~ ~ *shèhuì zhèngzhì* ~ social political pattern | 思想意识~ ~ *sīxiǎng yìshí* ~ ideology ❸〈名 *n.*〉语法上指词的内部变化形式，包括构词形式和词形变化的形式 a branch of linguistics that studies the internal change of words, including word formation and the change of word form: 汉语基本上没有~变化。*Hànyǔ jīběnshang méiyǒu ~ biànhuà.* Basically, there is no inflection in Chinese.

² **形象** xíngxiàng ❶〈名 *n.*〉（个 gè）人的形体、相貌；事物的具体形状 image; form; figure: 他的~很美。*Tā de ~ hěn měi.* He has got a very handsome image. | 这个商店的~改观了。*Zhège shāngdiàn de ~ gǎiguān le.* The shop has turned on a new look. ❷〈名 *n.*〉（个 gè）文艺作品中创造出来的生动具体的激发人们思想感情的生活图景，通常指文学作品中人物的精神面貌和性格特征 literary or artistic image; imagery: 塑造的英雄~ *sùzào de yīngxióng* ~ the created image of a hero | 剧中描绘的~十分逼真。*Jù zhōng miáohuì de ~ shífēn bīzhēn.* The images depicted in the play are real to life. ❸〈形 *adj.*〉指描绘或表达具体、生动 vivid; expressive; graphic: 巧妙的构思和~的语言 *qiǎomiào de gòusī hé ~ de yǔyán* clever conception and vivid language

² **形状** xíngzhuàng〈名 *n.*〉物体或图形由外部的面或线条组合而呈现的外表 form; appearance: 这个东西的~是方的。*Zhège dōngxi de ~ shì fāng de.* This object is in square shape. | 那个车的~怪怪的。*Nàge chē de ~ guàiguài de.* The appearance of that car is very strange. | 这两个东西的~有点儿相似。*Zhè liǎng gè dōngxi de ~ yǒudiǎnr xiāngsì.* These two things are somewhat similar in shape.

⁴ **型** xíng ❶〈名 *n.*〉模型 mould: 蜡~ *là* ~ wax mould | 木~ *mù* ~ wood mould ❷〈名 *n.*〉类型；式样 model; type; pattern; size: 轻~飞机 *qīng* ~ *fēijī* light plane | 重~机床 *zhòng* ~ *jīchuáng* heavy lathe | 大~水电站 *dà* ~ *shuǐdiànzhàn* large hydroelectric power station | 我是 O~血，他是 B~血。*Wǒ shì O ~ xuè, tā shì B ~ xuè.* My blood type is O, and his is B. | 他的脸~很像他爸爸。*Tā de liǎn ~ hěn xiàng tā bàba.* He looks very much like his father.

⁴ **型号** xínghào〈名 *n.*〉（个 gè）指机械或其他工业制品的性能、规格和大小 model; size; type: 这台电脑的~是 586DX-85。*Zhè tái diànnǎo de ~ shì wǔ bā liù DX-bā wǔ.* The type of this computer is 586DX-85. | 同一~的鞋宽窄也不完全一样。*Tóng yī ~ de*

xié kuānzhǎi yě bù wánquán yíyàng. Even the shoes of the same size are different in width. ｜这种~的汽车市场上很少了。*Zhè zhǒng ~ de qìchē shìchǎng shang hěn shǎo le.* This type of car is seldomly seen in the market.

² **醒** xǐng ❶〈动 v.〉酒醉、麻醉或昏迷后神智恢复正常状态 regain one's consciousness; sober up; come to: 他一醉不~。*Tā yí zuì bù ~.* He has not sobered up from drinking. ｜昏迷三天，他今早才~过来。*Hūnmí sān tiān, tā jīn zǎo cái ~ guòlái.* After three days' unconsciousness, he finally woke up this morning. ❷〈动 v.〉睡眠状态结束，大脑皮层恢复兴奋状态，也指尚未入睡 be awake; wake up: 他睡~了。*Tā shuì ~ le.* He wakes up. ｜我一直~着，怎么也睡不着。*Wǒ yìzhí ~zhe, zěnme yě shuì bù zháo.* I remain awake all the time and cannot fall asleep. ❸〈动 v.〉醒悟；觉悟 become conscious; be clear in mind: 猛~*měng~* suddenly come to realize ｜觉~*jué~* awaken; be aroused ❹〈动 v.〉面和好后，放一会儿，使面团软硬均匀 when the dough is well mixed up, let it stay for a while so as to make it soft and even: 这面要~一~才能擀皮儿。*Zhè miàn yào ~ yì ~ cái néng gǎn pír.* The dough has to be left staying for a while before being rolled out into dumpling wrappers. ❺〈形 adj.〉头脑清楚 clear-headed; sober; keep a level head: 我们一定要保持清~的头脑。*Wǒmen yídìng yào bǎochí qīng~ de tóunǎo.* We must keep a level head. ❻〈形 adj.〉明显 be striking; eye-catching: 这个标题非常~目。*Zhège biāotí fēicháng ~mù.* The title is very striking.

³ **兴高采烈** xìnggāo-cǎiliè〈成 idm.〉兴致高，情绪热烈 in high spirits; excited; jubilant: 一听说去公园，孩子们~地跳了起来。*Yì tīngshuō qù gōngyuán, háizimen ~ de tiàole qǐlái.* The children cheered up excitedly on hearing we were going to the park.

² **兴趣** xìngqù〈名 n.〉（种zhǒng）喜好的情绪 interest: 我对古装戏没有~。*Wǒ duì gǔzhuāngxì méiyǒu ~.* I'm not interested in ancient operas. ｜他以极大的~看完了展览。*Tā yǐ jí dà de ~ kànwánle zhǎnlǎn.* He had visited the exhibition with great interest.

⁴ **杏** xìng ❶〈名 n.〉（棵kē）杏树，落叶乔木，果实可食 apricot tree: 这是一棵百年~树。*Zhè shì yì kē bǎi nián ~ shù.* The apricot tree is a hundred years old. ❷（~儿）〈名 n.〉（个 gè、颗kē）这种树木的果实 fruit of the apricot tree: 刚下来的~儿，很酸。*Gāng xiàlái de ~r, hěn suān.* Newly picked apricots are very sour.

¹ **幸福** xìngfú ❶〈形 adj.〉生活境况愉快、美满 happy; lucky; fortunate: ~的人生 ~ de rénshēng happy life ｜他晚年过得很~。*Tā wǎnnián guò de hěn ~.* He leads a happy life in his late years. ❷〈名 n.〉愉快、美满的生活境况 happiness; happy life: 他为人民谋~。*Tā wèi rénmín móu ~.* He works for the well-being of the people. ｜~不是从天上掉下来的。*~ bú shì cóng tiānshang diào xiàlái de.* Happiness does not come from nowhere.

⁴ **幸好** xìnghǎo〈副 adv.〉凑巧(有某种有利条件)；十分巧合地 luckily; fortunately: 他突发心脏病，~家里有急救药 *Tā tū fā xīnzàngbìng, ~ jiā li yǒu jíjiùyào.* He suddenly got a heart attack, but fortunately he had first-aid medicine at home. ｜~下起了大雨，不然这森林大火还灭不了。*~ xiàqǐle dà yǔ, bùrán zhè sēnlín dà huǒ hái miè bù liǎo.* It's fortunate that the heavy rain poured down. Otherwise the forest fire could not be put out.

³ **幸亏** xìngkuī〈副 adv.〉幸好；多亏 fortunately; luckily: ~大家伸出援手，我才渡过了难关。*~ dàjiā shēnchū yuánshǒu, wǒ cái dùguòle nánguān.* Thanks to everyone's help I lived through the hard time. ｜他~带了雨伞，要不就得挨淋了。*Tā ~ dàile yǔsǎn, yào bù jiù děi ái lín le.* Fortunately, he carried the umbrella with him, otherwise he would be drenched in the rain.

⁴ **幸运** xìngyùn ❶〈形 adj.〉称心如意；运气好 fortunate; lucky: 能从这次大灾中脱险，

真是太~了！ *Néng cóng zhè cì dà zāi zhōng tuōxiǎn, zhēn shì tài ~ le!* You're so lucky to survive the great disaster. ❷ 〈名 n.〉好机会；好运气 good fortune; good luck; good chance：考上清华大学，这是你的~。 *Kǎoshang Qīnghuá Dàxué, zhè shì nǐ de ~.* It's a good luck for you to be admitted by the Tsinghua University.

² **性** xìng ❶〈名 n.〉性别 sex：女~ *nǚ~* female; feminine｜雄~ *xióng~* male ❷〈名 n.〉有关生殖或性关系的 sexual; sexuality：~行为 *~xíngwéi* sexual behavior｜~教育 *~jiàoyù* sex education ❸〈名 n.〉性格 nature; character; disposition：个~ *gè~* individuality; personality; personal character｜耐~ *nài~* patience ❹〈名 n.〉表示名词(以及代词、形容词)的类别的语法范畴 gender, (in grammar) the state of being masculine, feminine, or neuter：俄语、德语有阴、阳、中三~。 *Éyǔ, Déyǔ yǒu yīn, yáng, zhōng sān ~.* Russian and Germen words have three genders: feminine, masculine and neuter. ❺〈词尾 suff.〉跟在名词、动词或形容词后，构成抽象名词，表示事物的某种性质或性能 used after a noun, verb or an adjective to form an abstract noun to indicate its character or capability：党~ *dǎng~* Party spirit｜弹~ *tán~* elasticity｜积极~ *jījí~* enthusiasm ❻〈词尾 suff.〉跟在名词、动词或形容词后，构成非谓语形容词，表示事物的某种性质或性能 used after a noun, verb or an adjective to form a non-predicative adjective to indicate its character or capability：历史~事件 *lìshǐ~shìjiàn* historical event｜综合~刊物 *zōnghé~ kānwù* comprehensive journal

³ **性别** xìngbié 〈名 n.〉男女或雌雄两性的区别 sex; sexual distinction; distinction between the female and male：~特征 *~tèzhēng* sexual characteristic｜~鉴定 *~jiàndìng* sexual identification｜同工同酬，不应有~歧视。 *Tónggōng-tóngchóu, bù yīng yǒu ~qíshì.* Equal pay for equal work, and there shouldn't be sexual discrimination.

² **性格** xìnggé 〈名 n.〉对人对事的态度和行为中表现出的心理特点 nature; disposition; temperament：~开朗 *~kāilǎng* optimistic character｜~坚强 *~jiānqiáng* strong character｜人物~ *rénwù~* the character's nature｜天生乐观的~ *tiānshēng lèguān de~* inborn optimistic character

² **性命** xìngmìng 〈名 n.〉(条 tiáo)人和动物的生命 life of a man or an animal：~关天 *~guāntiān* of vital importance｜~终于保住了。 *~ zhōngyú bǎozhù le.* His life was finally saved.｜大家救了他一条~。 *Dàjiā jiùle tā yì tiáo ~.* Everybody gave a hand to save his life.

³ **性能** xìngnéng 〈名 n.〉(种 zhǒng)产品的质量、功能达到设计要求的程度(多指机器等) function (of a machine, etc.); performance; property：~良好 *~liánghǎo* perform satisfactorily; with good performance｜~可靠 *~kěkào* with reliable property｜~达到设计要求。 *~ dádào shèjì yāoqiú.* The performance (of the machine) has attained the standard of its design.｜这种~是其他同类产品所没有的。 *Zhèzhǒng ~ shì qítā tónglèi chǎnpǐn suǒ méiyǒu de.* This function cannot be found in the other products of the same kind.

² **性情** xìngqíng 〈名 n.〉性格；脾气 disposition; temperament; temper：~温顺 *~wēnshùn* mild-tempered; gentle disposition｜~暴躁 *~bàozào* hot-tempered; irascible by nature｜她~好是好，就是办事太慢了。 *Tā ~ hǎo shì hǎo, jiùshì bànshì tài màn le.* She is good-tempered, but slow in doing things.

² **性质** xìngzhì 〈名 n.〉(种 zhǒng)一事物区别于其他事物的根本属性 quality; nature; character：物理~ *wùlǐ~* physical property｜化学~ *huàxué~* chemical property｜国家政权的~ *guójiā zhèngquán de~* the nature of a nation's political power｜错误的~是严重的。 *Cuòwù de~ shì yánzhòng de.* The nature of the mistake is serious.｜这是两类~

不同的矛盾。*Zhè shì liǎng lèi ~ bùtóng de máodùn.* These two contradictions are of different nature.

¹ **姓** xìng ❶〈名 *n.*〉表明家族的字 surname; family (or clan) name：~名 *~míng* full name｜贵~? *Guì~?* What's your name?｜《百家~》(集中国人的姓氏为四言韵语,是中国旧时流行的蒙学课本之一) *'Bǎijiā~'* (*jí Zhōngguórén de xìngshì wéi sì yán yùnyǔ, shì Zhōngguó jiùshí liúxíng de méngxué kèběn zhīyī*) *Names of Hundreds of Families* (one of popular abecedariums of old China, which contains common Chinese family names and is written in four-word rhymes) ❷〈动 *v.*〉以……为姓 one's family name is：你~什么? *Nǐ ~ shénme?* What's your surname?｜我~李。*Wǒ ~ lǐ.* My family name is Li.

² **姓名** xìngmíng〈名 *n.*〉姓和名字 family name and given name; surname and personal name; full name：请填上您的~,电话。*Qǐng tiánshang nín de ~, diànhuà.* Please fill in your full name and telephone number.｜相同的人很多。*~xiāngtóng de rén hěn duō.* There are many people sharing the same full name.｜他救了人,连~也没留下。*Tā jiùle rén, lián ~ yě méi liúxià.* After the rescue work, he left without leaving his name.

³ **凶** xiōng ❶〈形 *adj.*〉不幸的;不吉利的(与'吉'相对) inauspicious; ominous (opposite to '吉jí')：此行~多吉少。*Cǐ xíng ~duō-jíshǎo.* This trip bodes ill rather than good. ❷〈形 *adj.*〉灾荒;年成不好 famine; crop failure：~年歉收 *~nián qiànshōu* year of crop failure; year of famine ❸〈形 *adj.*〉凶恶 vicious; fierce; ferocious; brutal：他的手段真~。*Tā de shǒuduàn zhēn ~.* His method is so vicious. ❹〈形 *adj.*〉厉害;过甚 terrible; fearful：雨正下得~。*Yǔ zhèng xià de ~.* It is raining so hard. ❺〈名 *n.*〉行凶作恶的人 murderer; criminal：帮~ *bāng~* accomplice; accessory｜~犯 *~fàn* murderer ❻〈名 *n.*〉伤害或杀害人的行为 act of violence; murder：行~ *xíng~* assault; murder

³ **凶恶** xiōng'è〈形 *adj.*〉性情、行为或相貌十分可怕 (of temper, appearance or behavior) fierce; ferocious; fiendish：~的面目 *~ de miànmù* fierce look｜~的敌人 *~ de dírén* fiendish enemy｜他那~的样子,十分可怕。*Tā nà ~ de yàngzi, shífēn kěpà.* His ferocious look is very frightening.｜一群狼~地向他扑去。*Yì qún láng ~ de xiàng tā pū qù.* A pack of wolves jumped at him ferociously.

⁴ **凶狠** xiōnghěn ❶〈形 *adj.*〉凶恶狠毒 fierce and malicious：罪犯的手段特别~。*Zuìfàn de shǒuduàn tèbié ~.* The method the criminal had used was especially fierce and malicious.｜狼是~的动物。*Láng shì ~ de dòngwù.* The wolf is a ferocious animal. ❷〈形 *adj.*〉动作猛而有力 powerful; vigorous：他~的一脚,球破网了。*Tā ~ de yì jiǎo, qiú pòwǎng le.* He kicked the ball so hard that it went into the net.

⁴ **凶猛** xiōngměng〈形 *adj.*〉(气势、力量)凶猛强大 ferocious; fierce; violent：这场洪水来势~。*Zhè chǎng hóngshuǐ láishì ~.* The flood surged in a fierce force.｜老虎~地扑向小鹿。*Lǎohǔ ~ de pū xiàng xiǎolù.* The tiger jumped at the fawn ferociously.｜来了一群~的野兽。*Láile yì qún ~ de yěshòu.* There came a troop of ferocious wild animals.

⁴ **兄** xiōng ❶〈名 *n.*〉哥哥 elder brother：~弟 *~dì* brothers; brotherhood｜胞~ *bāo~* full or blood brothers ❷〈名 *n.*〉(位wèi)亲戚中同辈而年纪比自己大的男子 elder male relative of the same generation：堂~ *táng~* elder male cousin on the father's side｜表~ *biǎo~* elder male cousin on the mother's side ❸〈名 *n.*〉(位wèi) 对男性朋友的尊称 a respectful term for one's male friends：仁~ *rén~* my dear friend｜老~ *lǎo~* old chap; buddy

² **兄弟** xiōngdì ❶〈名 *n.*〉(个gè)哥哥和弟弟 brothers; brotherhood：他俩是亲~。*Tā liǎ*

X

shì qīn ~. They are blood brothers. ❷〈名 *n.*〉(个 gè)比喻亲如兄弟 *fig.* close relations just like brotherhood：~民族 *mínzú* fraternal ethnic group

⁴ **汹涌** xiōngyǒng ❶〈动 *v.*〉(水)猛烈地向上或向前流动 surging; turbulent; tempestuous：海涛咆哮着~而来。*Hǎitāo páoxiāozhe ~ ér lái.* The sea waves are rolling down turbulently. | 反战的人群如潮水般~向前。*Fǎnzhàn de rénqún rú cháoshuǐ bān ~ xiàng qián.* The anti-war crowds rushed forward like surging tides. ❷〈形 *adj.*〉形容水势凶猛 surging; turbulent：~的浪涛 ~ *de làngtāo* turbulent waves | 游行的队伍如~的洪流，翻腾激荡。*Yóuxíng de duìwu rú ~ de hóngliú, fānténg jīdàng.* The procession marched forward just like the turbulent floods.

² **胸** xiōng ❶〈名 *n.*〉躯干(正面)的一部分，在颈和腹之间；胸部；胸腔 thorax; chest; breast; bosom：挺起~ *tǐngqǐ ~* throw out one's chest | 大红花戴在~前。*Dà hóng huā dài zài ~ qián.* Wear a big red flower on one's chest. ❷〈名 *n.*〉指心里(与思想、见识、气量等有关)；心；heart (related to thinking, insight, tolerance, etc.)：~中有数 *~zhōng yǒushù* know fairly well | ~襟开阔 *~jīn kāikuò* broad-minded

⁴ **胸怀** xiōnghuái ❶〈名 *n.*〉胸襟；胸膛 mind; heart; bosom：~坦白 ~ *tǎnbái* with a clear bosom; unselfish and magnanimous | 敞开~ *chǎngkāi ~* bare one's chest ❷〈动 *v.*〉心里怀着 have sth. in mind; cherish：~远大的目标 ~ *yuǎndà de mùbiāo* cherish great aspiration | 我们应当~祖国，放眼世界。*Wǒmen yīngdāng ~ zǔguó, fàngyǎn shìjiè.* We should have our motherland in mind and the whole world in view.

⁴ **胸膛** xiōngtáng〈名 *n.*〉胸部 chest; bosom：宽阔的~ *kuānkuò de ~* broad chest | 挺起~ *tǐngqǐ ~* throw out one's chest | ~里充满豪情壮志 ~ *li chōngmǎn háoqíng-zhuàngzhì* be filled with lofty sentiments and high aspirations

² **雄** xióng ❶〈形 *adj.*〉生物中能产生精细胞的；公的(与'雌'相对) male; organism that produces sperm cells (opposite to '雌 cí')：鸟类的羽毛~性比雌性漂亮。*Niǎolèi de yǔmáo ~xìng bǐ cíxìng piàoliang.* Feathers of male birds are more beautiful than those of female ones. | ~鸡好斗。~ *jī hàodòu.* Cocks tend to fight. ❷〈形 *adj.*〉有气魄 grand; imposing：~心勃勃 *~xīn-bóbó* very ambitious | ~伟目标 *~wěi mùbiāo* grand goal ❸〈形 *adj.*〉强有力的 mighty; powerful; forceful：~兵强将 *~bīng qiángjiàng* powerful army | 他善于~辩。*Tā shànyú ~biàn.* He is eloquent. ❹〈名 *n.*〉强有力的人或国家 powerful person or state：他是一位民族英~。*Tā shì yí wèi mínzú yīng~.* He is a national hero. | 中国战国时期有七~争霸。*Zhōngguó Zhànguó Shíqī yǒu qī ~ zhēngbà.* There were seven powerful states striving for supremacy during the Warring States Period of China.

⁴ **雄厚** xiónghòu〈形 *adj.*〉财力、物力、人力十分充足 (of strength, resources, etc.) ample; rich; solid：~家产 ~ *jiāchǎn* rich family property | ~的实力 ~ *de shílì* great strength | 人才资源~ *réncái zīyuán ~* rich manpower resources | 再发展几年，国力就会~起来。*Zài fāzhǎn jǐ nián, guólì jiù huì ~ qǐlái.* The national strength will become solid after a few more years' development.

² **雄伟** xióngwěi ❶〈形 *adj.*〉(气势)宏伟壮观 grand; imposing and great：~的万里长城 ~ *de Wàn lǐ Chángchéng* the magnificent ten-thousand-li Great Wall | 钱塘江大潮~壮观。*Qiántángjiāng dàcháo ~ zhuàngguān.* The great Qiantang River spring tide is such a grand sight. ❷〈形 *adj.*〉(体态)雄壮魁梧 sturdy; robust; stalwart：小伙子长得~英俊。*Xiǎohuǒzi zhǎng de ~ yīngjùn.* The young man is sturdy and handsome.

⁴ **雄壮** xióngzhuàng ❶〈形 *adj.*〉(气魄、声势)强大 full of power and grandeur; magnificent; majestic：唱着~的战歌 *chàngzhe ~ de zhàngē* sing the majestic battle songs

｜口号声~有力。*Kǒuhàoshēng ~ yǒulì.* The shouting of slogans resounds high and forceful. ❷〈形 *adj.*〉(身体)魁梧壮壮 sturdy; stalwart; robust: 他高大~。*Tā gāodà ~.* He is tall and stalwart. ｜这是一匹~的马。*Zhè shì yì pǐ ~ de mǎ.* This is a sturdy horse.

⁴ **熊** xióng ❶〈名 *n.*〉(只zhī、头tóu)哺乳类动物 bear: ~的种类很多,有棕、白、黑等。*~ de zhǒnglèi hěn duō, yǒu zōng~, bái~, hēi~ děng.* There are many kinds of bears, such as brown bear, polar bear, black bear, etc. ｜~腰虎背 (形容身体魁梧强壮)~yāo-hǔbèi (*xíngróng shēntǐ kuíwǔ qiángzhuàng*) have a tiger's back and a bear's waist (*fig.* tough and stocky) ｜这是一只北极~。*Zhè shì yì zhī běijí~.* This is a polar bear. ❷〈动 *v.* 方 *dial.*〉斥责 rebuke; upbraid; scold: 他被父亲~了一顿。*Tā bèi fùqīn ~le yí dùn.* He has been scolded by his father. ❸〈形 *adj.*〉胆小而又无能 cowardly; timid; impotent: 看你那~样! *Kàn nǐ nà ~ yàng!* Look at your cowardly manner!

² **熊猫** xióngmāo ❶〈名 *n.*〉(只zhī)中国特有的珍贵哺乳类动物,体肥胖,似熊而较小,两耳、眼圈、肩部和四肢黑色。生活在中国西南高山区的原始竹林中。也叫'大熊猫',学名'猫熊' panda; giant panda, also '大熊猫dàxióngmāo', '猫熊māoxióng': ~是中国的国宝。*~ shì Zhōngguó de guóbǎo.* Panda is the national treasure of China. ｜~爱吃竹子。*~ ài chī zhúzi.* Pandas like to eat bamboo.

¹ **休息** xiūxi〈动 *v.*〉暂时停止学习、工作或活动 take a break; have (or take) a rest; rest: 今天是~日。*Jīntiān shì ~ rì.* Today is a holiday. ｜这里是~室。*Zhèlǐ shì ~shì.* This is a crush-room. ｜现在是课间~。*Xiànzài shì kèjiān ~.* It is a break between classes. ｜别干了,~儿吧。*Bié gàn le, ~ huìr ba.* Let's stop working and have a reat.

⁴ **休养** xiūyǎng ❶〈动 *v.*〉较长时间地休息,调养身体 relax; recuperate; convalesce: 这项工作完成之后,到郊外~一段时间。*Zhè xiàng gōngzuò wánchéng zhīhòu, dào jiāowài ~ yí duàn shíjiān.* When the work is finished, take a relaxation on the outskirts of the city. ｜~了一个多月,身体康复得很快。*~le yí gè duō yuè, shēntǐ kāngfù de hěn kuài.* After a month's recuperation, he gets recovered so quickly. ❷〈动 *v.*〉指安定人民生活,使国家或人民的经济力量得到恢复和发展 revive and develop the economy of the state or the people: 国家采取~生息的政策。*Guójiā cǎiqǔ ~ shēngxī de zhèngcè.* The state adopts the policy of rehabilitation.

² **修** xiū ❶〈动 *v.*〉装饰,使完美 embellish; decorate: 装~ *zhuāng~* interior decoration ｜~辞 *~cí* rhetoric ❷〈动 *v.*〉兴建;建筑 build; construct: 兴~水利 *xīng~ shuǐlì* construct water conservancy projects ｜~桥铺路 *~qiáo pūlù* build bridges and pave roads ❸〈动 *v.*〉修理;整治 repair; mend; overhaul: ~鞋 *~ xié* repair shoes ｜~河道 *~ hédào* dredge a waterway ❹〈动 *v.*〉学习;钻研 study: 自~ *zì~* study by oneself ｜研~ *yán~* study ❺〈动 *v.*〉撰写;编写 write; compile: ~家谱 *~ jiāpǔ* compile a genealogy ｜~地方志 *~ dìfāngzhì* write a local chronicles ❻〈动 *v.*〉修行 practise Buddhism or Taoism: ~炼 *~liàn* practise austerities ｜~道 *~dào* cultivate oneself according to a religious doctrine ❼〈动 *v.*〉剪、削使整齐 trim; prune: ~指甲 *~zhǐjiǎ* trim one's figernails ｜~枝杈 *~zhīchà* prune a tree ❽〈形 *adj.* 书 *lit.*〉长;tall and slender: 一片茂林~竹 *yí piàn màolín ~zhú* a tract of luxuriant tall bamboo forest ❾〈形 *adj.* 书 *lit.*〉善;美好 kind; good: 留下~名 *liú xià ~ míng* leave behind a good reputation ❿〈名 *n.*〉修正主义的简称 revisionism: 封、资、~ *fēng, zī, ~*, feudalism, capitalism and revisionism

⁴ **修订** xiūdìng〈动 *v.*〉补充、修改和订正 amend; revise: ~版 *~bǎn* revised edition ｜~教学大纲 *~ jiàoxué dàgāng* revise a teaching program ｜对工程进度和质量标准进行~。*Duì gōngchéng jìndù hé zhìliàng biāozhǔn jìnxíng ~.* Amend the project schedule and

quality criterion. | 这是~过的课本。*Zhè shì ~guo de kèběn.* This is a revised textbook.

⁴修复 xiūfù ❶〈动 v.〉通过修理使恢复原状 repair; restore; renovate：被雷击的古庙正在~中。*Bèi léijī de gǔ miào zhèngzài ~ zhōng.* The lightning-striken old temple is under repair. ❷〈动 v.〉通过对话、谈判，消除分歧，恢复原来的友好关系 repair or restore friendly relations through dialogue, negotiation, etc.：一度紧张的两国关系开始~。*Yídù jǐnzhāng de liǎng guó guānxi kāishǐ ~.* The two countries begin to restore their relations that have once been tense. ❸〈动 v.〉有机体的组织发生缺损时，由新生的组织来补充使恢复原来的形态 repair （of destroyed cells or tissues）; restore the destroyed cells or tissues by new ones：心脏~手术 *xīnzàng ~ shǒushù* heart repairing operation | 手术后的断指在~中。*Shǒushù hòu de duàn zhǐ zài ~ zhōng.* The broken finger is recovering after the operation.

²修改 xiūgǎi〈动 v.〉对文章、文件、计划、草案等中的缺点、错误进行修订、改正 revise; modify; amend; correct：~稿 *~gǎo* revised draft | ~党章 *~ dǎngzhāng* revise the party constitution | 工作计划已经~过一遍了。*Gōngzuò jìhuà yǐjīng ~guo yí biàn le.* The work plan has been revised once. | 这篇社论还得~~。*Zhè piān shèlùn hái děi ~~.* The editorial needs further revising.

³修建 xiūjiàn〈动 v.〉土木工程动工建造 build; construct：~队 *~duì* construction team | ~国际机场 *~ guójì jīchǎng* build an international airport | ~高楼大厦 *~ gāolóu dàshà* construct high buildings and large mansions | 三峡工程正在~中。*Sānxiá Gōngchéng zhèngzài ~ zhōng.* The Three Gorges Project is under construction.

²修理 xiūlǐ ❶〈动 v.〉使损坏的东西恢复原来的形状或作用 repair; mend; overhaul：~车间 *~ chējiān* repair shop; fix-it shop | ~电冰箱 *~ diànbīngxiāng* repair the refrigerator ❷〈动 v.〉整治；修剪 renovate; repair; dredge：~水渠 *~ shuǐqú* dredge the canal | 这头发该~了。*Zhè tóufa gāi ~ le.* Your hair needs cutting.

³修养 xiūyǎng ❶〈名 n.〉指养成的正确的待人处事的态度 accomplishment in self-cultivation; self-possession：他很有~，和大家相处得很好。*Tā hěn yǒu ~, hé dàjiā xiāngchǔ de hěn hǎo.* He is very self-possessed, and gets along quite well with everyone. ❷〈名 n.〉理论、知识、技能等方面所达到的水平 accomplishment; training; mastery in theory, knowledge, skill, etc.：这个人理论~和艺术造诣都很高。*Zhège rén lǐlùn ~ hé yìshù zàoyì dōu hěn gāo.* This person has both great mastery in theories and accomplishment in arts.

³修正 xiūzhèng ❶〈动 v.〉改动使正确 revise; amend; correct：~计划 *~ jìhuà* amend a plan | ~错误 *~ cuòwù* correct one's mistakes ❷〈动 v.〉篡改（正确的东西）distort; falsify; interpolate：对马列主义的~ *duì Mǎ-Liè Zhǔyì de ~* distort Marxism-Leninism | ~主义者 *~zhǔyìzhě* revisionist

³修筑 xiūzhù〈动 v.〉修建土木工程 build; construct; put up：~水库 *~ shuǐkù* build a reservoir | ~公路 *~ gōnglù* build a highway | 工事~ *gōngshì ~* construct the fortifications | ~城墙 *~ chéngqiáng* construct the rampart

⁴羞耻 xiūchǐ ❶〈形 adj.〉不光彩，不体面 sense of shame; shame：他竟做了这种~的事。*Tā jìng zuòle zhè zhǒng ~ de shì.* He is unexpected to do such a shameful deed. | 做这种事你难道不觉得~吗？*Zuò zhè zhǒng shì nǐ nándào bù juéde ~ ma?* Didn't you feel ashamed for such a deed? ❷〈名 n.〉耻辱 shame：卖国贼真不知~。*Màiguózéi zhēn bù zhī ~.* Traitors know no shame. | 这真是莫大的~。*Zhè zhēn shì mòdà de ~.* This is the utmost shame.

⁴秀丽 xiùlì〈形 adj.〉清秀美丽 beautiful; handsome; pretty：山川~ *shānchuān ~* beautiful mountains and rivers | 他的字写得很~。*Tā de zì xiě de hěn* ~. His handwriting is very beautiful. | 姑娘长得十分~。*Gūniang zhǎng de shífēn* ~. The girl is very beautiful.

⁴ **袖子** xiùzi〈名 *n.*〉(只zhī)衣服套在胳膊上的筒状部分 sleeve：背心是没有~的。*Bèixīn shì méiyǒu* ~ *de*. The vest is sleeveless. | 这~太长了。*Zhè* ~ *tài cháng le*. The sleeves are too long.

³ **绣** xiù ❶〈动 *v.*〉用彩色的丝、绒、棉线在绫、罗、绸、缎、布上做出花纹、图像或文字 embroider：~荷包 ~ *hébāo* embroider a pouch | 上一个'寿'字 *shàng yí gè 'shòu' zì* embroider the Chinese character '寿 shòu (longevity)' ❷〈名 *n.*〉绣成的物品 embroidery：苏~、湘~、蜀~和粤~是中国四大名~。*Sū~、Xiāng~、Shǔ~ hé Yuè~ shì Zhōngguó sì dà míng~.* Suzhou embroidery, Hunan embroidery, Sichuan embroidery and Guangdong embroidery are the four famous embroideries of China. | 这是双面~。*Zhè shì shuāngmiàn~.* This is double-sided embroidery.

³ **锈** xiù ❶〈名 *n.*〉(层céng)金属表面新生的氧化物 rust：铜~ *tóng~* copper rust | 铁锅生~了。*Tiěguō shēng* ~ *le*. The iron pot becomes rusty. ❷〈名 *n.*〉(层céng)附在物体表面类似锈的东西 the reddish brown surface of things：水杯里有茶~。*Shuǐbēi li yǒu chá~.* The inner side of the cup is tea-color stained. ❸〈名 *n.*〉植物一种病 rust：~病 ~*bìng* rust ❹〈动 *v.*〉生锈 become rusty：这把剪刀~了。*Zhè bǎ jiǎndāo* ~ *le*. This pair of scissors has become rusty. | 锁~住了。*Suǒ* ~ *zhù le*. The lock has got stuck by rust.

⁴ **嗅** xiù〈动 *v.*〉用鼻子辨别气味；闻 smell; scent; sniff by nose：感冒鼻塞，~不出味儿了。*Gǎnmào bí sāi,* ~ *bù chū wèir le*. He has caught a cold and got a stuffy nose, so he cannot sniff out any smell. | 我有鼻炎，~觉不灵敏。*Wǒ yǒu bíyán,* ~*jué bù língmǐn*. I have got nasitics and don't have a keen sense of smell. | 警犬在行李堆里~来~去。*Jǐngquǎn zài xíngli duī li* ~ *lái* ~ *qù*. The police dog is sniffing here and there among the baggages.

³ **须** xū ❶〈助动 *aux.v.*〉必须；必要 must; have to：务~准时到达 *wù~ zhǔnshí dàodá* make sure to arrive on time | ~作充分准备 ~ *zuò chōngfèn zhǔnbèi* have to make full preparations ❷〈动 *v.* 书 *lit.*〉等待；到到 wait; await：~晴日，看红装素裹，分外妖娆。~ *qíngrì, kàn hóngzhuāng sùguǒ, fènwài yāoráo*. Wait till the fine day, you'll see all the girls in white, presenting a charming sight. ❸〈名 *n.*〉胡子 beard; mustache：留~ *liú*~ grow a beard (or mastache) | ~眉 ~*méi* beard and eyebrows; a man ❹〈名 *n.*〉动植物体上长的像须的东西 palpus; feeler：触~ *chù*~ cirrus; vibrissa; palp; barbel | ~根 ~*gēn* fibrous root

⁴ **须知** xūzhī ❶〈名 *n.*〉(份fèn)必须知道的事项(常用作通告或指导性文件的名称) notice; announcement; points for attention：出国旅游 *chūguó lǚyóu* ~ information for traveling abroad | 新生入学 *xīnshēng rùxué* ~ instructions on enrollment of freshmen | 使用~ *shǐyòng* ~ users' instructions ❷〈动 *v.*〉必须知晓 must know; must be aware of：~和平来之不易。~ *hépíng lái zhī bú yì*. One must know that peace is not easy to come. | ~战争随时可能爆发。~ *zhànzhēng suíshí kěnéng bàofā*. You must know that the war will break out at any time.

⁴ **虚** xū ❶〈形 *adj.*〉空无所有；空着的(与'实'相对) empty; void (opposite to '实shí')：座无~席 *zuòwú~xí* be packed to capacity; no empty seats | 乘~而入 *chéng~érrù* break through a weak point ❷〈形 *adj.*〉信心、勇气不足 diffident; timid：胆怯心~ *dǎnqiè-xīn*~ timid; milk-livered ❸〈形 *adj.*〉虚弱 weak; in poor health：产后身子太~。*Chǎn hòu shēnzi tài* ~. She is very weak after the childbirth. ❹〈形 *adj.*〉虚假(与'实'相对) false; nominal (opposite to '实shí')：情节是~构的。*Qíngjié shì* ~*gòu de*. The

story is fabricated. | 他不过是徒有~名罢了。 *Tā búguò shì túyǒu~míng bàle.* He has an unmerited reputation. ❺〈形 *adj.*〉不自满 modest：~心 ~*xīn* open-minded; modest ❻ 〈动 *v.*〉空出来；留着 empty; void; unoccupied：~位以待 ~*wèi yǐ dài* leave a vacant seat for sb. ❼〈副 *adv.*〉徒然；白白地 in vain：~度年华 ~*dù niánhuá* waste one's glorious youth ❽〈名 *n.*〉指思想理论、方针政策 political work; ideology; policies; theory; guiding principles; abstract：既务~又务实 jì wù~ yòu wùshí not only discuss abstract topics but also deal with concrete problems ❾〈名 *n.*〉二十八宿之一 *xu*, one of the 28 constellations into which the celestial sphere was divided in ancient Chinese astronomy

⁴ **虚假** xūjiǎ ❶〈形 *adj.*〉与实际不相符合的（与'真实'相对）false; sham; make-believe （opposite to '真实zhēnshí'）：~数字 ~*shùzì* made-up figures｜~繁荣 ~*fánróng* false prosperity ❷〈形 *adj.*〉不真诚；虚情假意（与'真诚'相对）false; hypocritical （opposite to '真诚zhēnchéng'）：他待人很~。*Tā dàirén hěn ~.* He is very hypocritic in getting along with other people.

⁴ **虚弱** xūruò ❶〈形 *adj.*〉（身体）不结实,疲弱无力 in poor health; weak; debilitated：手术之后，身体十分~。*Shǒushù zhīhòu, shēntǐ shífēn ~.* He is very weak after the operation.｜坚持体育锻炼,可使~的身体强壮起来。*Jiānchí tǐyù duànliàn, kě shǐ ~ de shēntǐ qiángzhuàng qǐlái.* Insisting on physical exercises will make your body strong. ❷ 〈形 *adj.*〉（国力、兵力）软弱；薄弱 （of national power or military strength）weak; feeble：国力~，难保安全。*Guólì ~, nán bǎo ānquán.* A weak nation can hardly ensure its security.｜兵力~，无法取胜。*Bīnglì ~, wú fǎ qǔshèng.* Victory cannot be achieved through weak military forces.

⁴ **虚伪** xūwěi〈形 *adj.*〉不真诚；不实在（与'真诚'相对）two-faced; hypocritical （opposite to '真诚zhēnchéng'）：他待人真诚、实在，一点儿也不~。*Tā dàirén zhēnchéng, shízài, yìdiǎnr yě bù ~.* He is sincere and honest to other people, not a bit hypocritic.｜~的面目，终究是会暴露的。*~ de miànmù, zhōngjiū shì huì bàolù de.* His hypocritical nature will eventually be exposed.｜我痛恨~的人。*Wǒ tònghèn ~ de rén.* I hate bitterly those two-faced persons.

² **虚心** xūxīn〈形 *adj.*〉不自满,肯向人求教或接受别人的意见 open-minded; modest：他肯~向人求教，进步很快。*Tā kěn ~xiàng rén qiújiào, jìnbù hěn kuài.* He is willing to consult other people, so he makes rapid progress.｜我~接受大家的批评。*Wǒ ~ jiēshòu dàjiā de pīpíng.* I will open-mindedly accept everyone's criticism.｜这人过去很骄傲，现在~起来了。*Zhè rén guòqù hěn jiāo'ào, xiànzài ~ qǐlái le.* This person used to be very self-conceited, but now he becomes modest.

³ **需** xū ❶〈动 *v.*〉需要 need; want; require：急~大批药品 jí~ dàpī yàopǐn in bad need of a large quantity of medicine｜此事~认真考虑。*Cǐ shì ~ rènzhēn kǎolǜ.* The problem needs careful consideration. ❷〈名 *n.*〉需用的东西 necessaries; needs; goods in need：军~ jūn~ military supplies｜这笔钱留着以备不时之~。*Zhè bǐ qián liúzhe yǐ bèi bùshízhī~.* This sum of money should be kept for emergencies.

⁴ **需求** xūqiú〈名 *n.*〉（种zhǒng）因需要而产生的要求 requirement; demand：随着物质~的满足，人们的精神~越来越高。*Suízhe wùzhì ~ de mǎnzú, rénmen de jīngshén ~ yuèláiyuè gāo.* With the material demand satisfied, people are becoming more and more demanding in their spiritual needs.｜人们对商品的~多样化了。*Rénmen duì shāngpǐn de ~ duōyànghuà le.* People's demand for commodities has become diversified.

¹ **需要** xūyào ❶〈动 *v.*〉应该有或必须有 need; want; require; demand：我们~一大批专业技术人才。*Wǒmen ~ yí dàpī zhuānyè jìshù réncái.* We need a large number of

professional technicians. │这些东西我们并不~. *Zhèxiē dōngxi wǒmen bìng bù ~.* We don't want these things. ❷〈名 *n.*〉对事物的欲望或要求 needs：领导要尽量满足群众的~. *Lǐngdǎo yào jǐnliàng mǎnzú qúnzhòng de ~.* Leaders should try their best to satisfy the needs of the ordinary people. │根据国家的~确定自己发展的方向。 *Gēnjù guójiā de ~ quèdìng zìjǐ fāzhǎn de fāngxiàng.* We have to decide our goal of development according to the national needs.

⁴ 徐徐 xúxú〈副 *adv. 书 lit.*〉慢慢地 slowly; gently：帷幕~落下. *Wéimù ~ luòxià.* The curtain fell down slowly. │五星红旗~升起. *Wǔxīng Hóngqí ~ shēngqǐ.* The Five-Star Red Flag arises slowly. │火车~进站. *Huǒchē ~ jìn zhàn.* The train came into the station slowly.

² 许 xǔ ❶〈动 *v.*〉准许 allow; permit：未经批准，不~入内. *Wèi jīng pīzhǔn, bù ~ rù nèi.* It is not allowed to enter without permission. ❷〈动 *v.*〉应允 promise：他~我一同春游. *Tā ~ wǒ yìtóng chūnyóu.* He promised me to have a spring outing together. ❸〈动 *v.*〉许配（of a girl）be betrothed to; be engaged to：她已~了人了. *Tā yǐ ~le rén le.* She has been engaged. ❹〈动 *v.*〉称赞 praise：~为上乘之品 ~ *wéi shàngchéng zhī pǐn* be praised as a top grade ❺〈副 *adv.*〉也许；或许 maybe; perhaps：她没来上课，~是病了. *Tā méi lái shàngkè, ~ shì bìng le.* She didn't come to school. Perhaps she was ill. ❻〈量 *meas.*〉表示一定程度的量 indicating degree or a certain amount：葱半两，盐少~. *Cōng bàn liǎng, yán shǎo~.* Half *liang*（twenty-five grams）of spring onions and a little salt. │他已经~久没来图书馆了. *Tā yǐjīng ~jiǔ méi lái túshūguǎn le.* He hasn't come to the library for a long time. ❼〈数 *num. 书 lit.*〉表示大概的数 indicating an estimated number：年三十~ *nián sānshí ~* about 30 years old ❽〈名 *n. 书 lit.*〉处所，地方 place：何~人？*Hé ~ rén?* Where does he come from?

¹ 许多 xǔduō〈形 *adj.*〉很多 many; much; a great many：昨天来了~老同学. *Zuótiān láile ~ lǎo tóngxué.* Many old classmates came yesterday. │桌子上摆着~书. *Zhuōzi shang bǎizhe ~ shū.* There are many books on the table. │我们学校有许许多多外国留学生. *Wǒmen xuéxiào yǒu xǔxǔ-duōduō wàiguó liúxuéshēng.* There are many foreign students in our university.

⁴ 许可 xǔkě〈动 *v.*〉准许；容许 permit; allow：未经~,不得入内！*Wèi jīng ~, bù dé rù nèi!* It's not allowed to enter without permission. │我有经营~证. *Wǒ yǒu jīngyíng ~ zhèng.* I have the business license. │这一课题立项，已得到校方的~. *Zhè yí kètí lìxiàng, yǐ dédào xiàofāng de ~.* The research project has been approved by the university.

⁴ 序言 xùyán〈名 *n.*〉（篇piān）一般指印在著作正文之前的文章，多介绍该书的内容，说明出书宗旨，写作经过或对该书作出评价。也作'序文''绪言''前言' preface; foreword, also '序文xùwén', '绪言xùyán' or '前言qiányán'：这部书没有~,而有后记. *Zhè bù shū méiyǒu ~, ér yǒu hòujì.* The book has no preface, but an afterword. │这篇~是著名书评家撰写的. *Zhè piān ~ shì zhùmíng shūpíngjiā zhuànxiě de.* This preface is written by a famous book reviewer.

³ 叙述 xùshù〈动 *v.*〉把事情的前后经过记载下来或说出来 narrate（in speech or writing）; recount; relate：他对这起事故~得很清楚. *Tā duì zhè qǐ shìgù ~ de hěn qīngchu.* He has clearly recounted the accident. │这件事在这本书里已有详细的~. *Zhè jiàn shì zài zhè běn shū lǐ yǐ yǒu xiángxì de ~.* There's a detailed narration of this event in the book. │你把他刚才的话追记下来. *Nǐ bǎ tā gāngcái ~ de huà zhuījì xiàlái.* Write down from your memory what he has related just now.

ᴬ **叙谈** xùtán 〈动 v.〉随意交谈 chat; chitchat：老同学聚会，大家尽情~。 *Lǎo tóngxué jùhuì, dàjiā jìnqíng ~.* In the gathering of old classmates, everyone chats as much as he likes. ｜我找你只是随便聊聊~。 *Wǒ zhǎo nǐ zhǐshì suíbiàn liáoliao.* I just come to you to have a free chat. ｜老年人在一起~，没完没了。 *Lǎoniánrén zài yìqǐ ~, méiwán-méiliǎo.* The elderly stay together to have an endless chat.

ᴬ **畜产品** xùchǎnpǐn 〈名 n.〉畜牧业产品的统称 general term for animal products：这里是~加工厂。 *Zhèli shì ~jiāgōngchǎng.* This is a mill processing animal products. ｜~产量年递增15%。 *~ chǎnliàng nián dìzēng bǎifēnzhī shíwǔ.* The output of animal products increases 15% every year.

ᴬ **畜牧** xùmù 〈名 n.〉饲养或放牧大批的牲畜或家禽（多专指牲畜）(esp. referring to livestock) stockbreeding：~场 ~chǎng stock farm ｜他从事~科研工作。 *Tā cóngshì ~kēyán gōngzuò.* He is engaged in scientific research on stockbreeding. ｜中国的~业集中在西北地区。 *Zhōngguó de ~yè jízhōng zài xīběi dìqū.* China's livestock farming concentrates in northwest China.

ᴬ **酗酒** xùjiǔ 〈动 v.〉无节制地喝酒；醉后发酒疯 be indulged in excessive drinking：可少量喝酒，但别~。 *Kě shǎoliàng hē jiǔ, dàn bié ~.* A little drinking is acceptable, but not a heavy one. ｜~闹事，影响不好。 *~ nàoshì, yǐngxiǎng bù hǎo.* It may bring bad influence to make trouble after being drunk. ｜~闹出人命了！ *~ nào chū rénmìng le!* Excessive drinking has caused death.

ᴬ **续** xù ❶ 〈动 v.〉接连不断 continuous; successive：连~ lián~ continuous; successive ｜断断~~ duànduàn-~~ off and on; intermittently ❷ 〈动 v.〉连接起来；连接下去 continue; resume; extend; join：~集~jí continuation of a book; sequel ｜~家谱 ~jiāpǔ continue the writing of genealogy ❸ 〈动 v.〉添；加 add; supply more：往茶壶里~开水。 *Wǎng cháhú li ~ kāishuǐ.* Add water into the tea pot.

ᴬ **絮叨** xùdao ❶ 〈动 v.〉啰唆；反复地说 repeat; say again and again：老人~起来没完。 *Lǎorén ~ qǐlái méiwán.* Old people tend to make long-winded talks. ❷ 〈动 v.〉交谈 talk; converse：咱们找个时间好好儿~~。 *Zánmen zhǎo gè shíjiān hǎohāor ~ ~.* Let's find time to have a good talk. ❸ 〈形 adj.〉说话啰唆 repetitive; long-winded; garrulous：老太太真~。 *Lǎo tàitai zhēn ~.* The old woman is so garrulous. ｜絮絮叨叨的，烦死人了。 *Xùxù-dāodāo de, fánsǐ rén le.* I'm rather fed up with your nagging.

ᴬ **蓄** xù ❶ 〈动 v.〉储存；积攒 store up; save up：~洪 ~hóng store flood water ｜养精~锐 yǎngjīng-~ruì conserve strength and store up energy ❷ 〈动 v.〉留着；不去掉 grow：~长发 ~ chángfà wear long hair ❸ 〈动 v.〉心底藏着 have in mind; harbor：~谋已久 ~móu yǐ jiǔ long-premeditated

² **宣布** xuānbù 〈动 v.〉用文字或语言公开告诉（大家）declare; proclaim; announce：主席~大会闭幕。 *Zhǔxí ~ dàhuì bìmù.* The chairman declared the closing of the meeting. ｜他一接到通知就向大家~了。 *Tā yī jiēdào tōngzhī jiù xiàng dàjiā ~ le.* No sooner had he recieved the notice than he announced it to the public. ｜这事还没有~，你们怎么都知道了？ *Zhè shì hái méiyǒu ~, nǐmen zěnme dōu zhīdào le?* It has not been declared, and how do you know it all?

ᴬ **宣称** xuānchēng 〈动 v.〉公开用语言或文字表示；公开声明 assert; declare; profess：他~看到了不明飞行物。 *Tā ~ kàndàole bùmíng fēixíngwù.* He declared that he had seen the UFO. ｜他~自己是被人诬陷的。 *Tā ~ zìjǐ shì bèi rén wūxiàn de.* He claimed that he had been framed. ｜他公然~自己是一代影帝。 *Tā gōngrán ~ zìjǐ shì yīdài yǐngdì.* He openly declared that he was the king of the silver screen.

²宣传 xuānchuán ❶〈动 v.〉对群众说明讲解，使他们相信并跟着行动 propagate; disseminate; give publicity to sth.：~员 ~yuán flack; plugger ｜工具 ~gōngjù medium for publicity ｜环境保护的重要性你要向大家好好儿~~。Huánjìng bǎohù de zhòngyàoxìng nǐ yào xiàng dàjiā hǎohāor ~ ~. You should make great efforts in publicizing the importance of environmental protection. ❷〈名 n.〉(种zhǒng)使人相信并活动起来的说明讲解 propaganda; dissemination：这种~收到了很好的效果。Zhè zhǒng ~ shōudàole hěn hǎo de xiàoguǒ. This kind of propaganda has been quite effective. ｜他的~很有鼓动性。Tā de ~ hěn yǒu gǔdòngxìng. His propaganda is very stimulating.

⁴宣读 xuāndú〈动 v.〉在集会上当众朗读(布告、文件等) read out (an announcement, document, etc.)：他正在~嘉奖令。Tā zhèngzài ~ jiājiǎnglìng. He is reading out the certificate of commendation. ｜他向大家~一个重要决定。Tā xiàng dàjiā ~ yí gè zhòngyào juédìng. He reads out an important decision. ｜他一~完，台下报以热烈的掌声。Tā yì ~ wán, tái xià bào yǐ rèliè de zhǎngshēng. When he finished the announcement on the stage, the audience responded with warm applauses.

³宣告 xuāngào〈动 v.〉宣布 declare; proclaim：又一个国家~独立。Yòu yí gè guójiā ~ dúlì. Another country declared independence. ｜过去的这项决定~无效。Guòqù de zhè xiàng juédìng ~ wúxiào. The former decision is declared invalid. ｜公司经营不善，~破产。Gōngsī jīngyíng búshàn, ~ pòchǎn. The company proclaimed bankruptcy as a result of poor management.

⁴宣誓 xuān // shì〈动 v.〉担任某个任务或参加某个组织时在仪式上当众说出表决心的话 take (or swear) an oath; make a vow; make a pledge：~仪式 ~yíshì swearing ceremony ｜郑重 ~zhèngzhòng ~ take the solemn oath ｜向祖国和人民~xiàng zǔguó hé rénmín ~ make a vow to the country and the people ｜宣过誓之后，战士们就出发了。Xuānguo shì zhīhòu, zhànshìmen jiù chūfā le. After making a pledge, the soldiers set out.

³宣言 xuānyán ❶〈名 n.〉(篇piān、项xiàng、份fèn)国家、政党或团体对重大问题公开表示意见以进行宣传号召的文告 declaration; manifesto：《共产党~》'Gòngchǎndǎng~' The Communist Manifesto ｜世界绿色和平组织发表一篇反战~。Shìjiè Lǜsè Hépíng Zǔzhī fābiǎo yì piān fǎnzhàn ~. The World Green Peace Organization issued an anti-war declaration. ❷〈动 v.〉宣告；声明 announce; declare; state：郑重~zhèngzhòng ~ state solemnly; make a serious announcement

⁴宣扬 xuānyáng〈动 v.〉广泛宣传，让大家都知道；传布 publicize; propagate; advocate：好人好事要大力~。Hǎorén-hǎoshì yào dàlì ~. Outstanding people and good deeds should be publicized with great effort. ｜这点儿小事，不值得~。Zhè diǎnr xiǎo shì, bù zhídé ~. This trivial matter is not worth publicizing. ｜成就不大，有什么好~的？Chéngjiù bú dà, yǒu shénme hǎo ~ de? There is no need to publicize such a small achievement.

³悬 xuán ❶〈动 v.〉吊；挂 hang：~梁 ~liáng hang oneself from a beam ｜~灯 ~dēng hang a lantern ❷〈动 v.〉抬起；悬空 raise; uplift：双臂平~ shuāng bì píng ~ uplift arms horizontally in mid-air ❸〈动 v.〉搁置；无结果 unresolved; unsettled：~而未决 ~ érwèijué unsettled ❹〈动 v.〉挂念 miss; be concerned about：心~他乡 xīn~tāxiāng be solicitous about an alien land ❺〈动 v.〉凭空设想 imagine; assume; conceive; visualize：~想 ~xiǎng speculate; conjecture ❻〈形 adj.〉差别大 greatly different：~殊 ~shū greatly different; far apart ❼〈形 adj.〉距离远 distant：~隔 ~gé be separated by a great distance; be far away from ❽〈形 adj. 方 dial.〉危险 dangerous：高空走钢丝，真~! Gāokōng zǒu gāngsī, zhēn ~! Wire-walking at a high altitude is very dangerous.

⁴ **悬挂** xuánguà 〈动 v.〉挂在空中 hang：桅杆上～各色彩旗。Wéigān shang ～ gè sè cǎiqí. Colorful flags are flying on the mast. | 一幅世界地图～在墙中央。Yì fú shìjiè dìtú ～ zài qiáng zhōngyāng. A world map is hung in the middle of the wall. | 节日的北京，到处～着国旗、灯笼和彩球。Jiérì de Běijīng, dàochù ～zhe guóqí, dēnglong hé cǎiqiú. When a festival comes, Beijing city is festooned with national flags, lanterns and pompons everywhere.

² **悬念** xuánniàn ❶〈名 n.〉（分fēn）电影或其他文学作品中使人对故事发展和人物命运关切的关键环节或情景 suspense：这个电视系列片，每集都有～。Zhège diànshì xìlièpiàn, měi jí dōu yǒu ～. There are suspenses in every episode of this TV serial. | 他不愧是创作～的大师。Tā búkuì shì chuàngzuò ～ de dàshī. He deserves the title, a great master of suspense creation. ❷〈动 v.〉惦记；挂念 be concerned about：女儿出国，老人时常～。Nǚ'ér chūguó, lǎorén shícháng ～. After his daughter went abroad, the old man is often concerned about her.

³ **悬崖** xuányá 〈名 n.〉（处chù、座zuò）高而陡的山崖 overhanging or steep cliff；precipice：那里有一座～峭壁。Nàli yǒu yí zuò ～ qiàobì. There is a steep cliff over there. | 这～陡峭，十分险峻。Zhè ～ dǒuqiào, shífēn xiǎnjùn. The cliff is steep and rather precipitous. | 再不～勒马，只有死路一条。Zài bù ～lèmǎ, zhǐyǒu sǐlù yì tiáo. If you do not rein in at the brink of a precipice, you'd only end up in bringing ruin upon yourself.

⁴ **旋** xuán ❶〈动 v.〉回环转动 revolve; circle; spin：回～huí~ circle around | ～绕～rǎo curl up; wind around ❷〈动 v.〉回还；归来 return; come back：凯～kǎi~ return in triumph ❸〈副 adv.〉不一会儿；很快地 soon; quickly：～即办妥登机手续。~jí bàntuǒ dēngjī shǒuxù. The check-in procedure was soon finished. ❹（～儿）〈名 n.〉圈儿 circle; whirl：老鹰在空中打～儿。Lǎoyīng zài kōngzhōng dǎ ~r. The eagle kept circling in the sky. ❺（～儿）〈名 n.〉毛发呈旋涡状的地方 part of the scalp where the hair is whorled：这孩子的头上有两个～儿。Zhè háizi de tóu shang yǒu liǎng gè ~r. The child has two whorls on his head. ❻〈形 adj.〉物体可以转动的，或有圆圈形状的 turning; round：～纽～niǔ knob | ～梯～tī winding stairs

⁴ **旋律** xuánlǜ 〈名 n.〉（段duàn）乐音经艺术构思而形成的有组织、有节奏的和谐运动。旋律是每支乐曲的基础，乐曲的内容（思想感情）、风格以及民族特征等通过它表现出来 melody：这首乐曲的～表现初春的田园风光。Zhè shǒu yuèqǔ de ～ biǎoxiàn chūchūn de tiányuán fēngguāng. The melody of the music expresses the rural scenery in early spring. | 这首乐曲的主～高亢、激越、向前。Zhè shǒu yuèqǔ de zhǔ～ gāokàng, jīyuè, xiàngqián. The main melody of this music is resounding, exciting and inspiring. | 改革、开放、发展是当今中国社会的主～。Gǎigé, kāifàng, fāzhǎn shì dāngjīn Zhōngguó shèhuì de zhǔ~. Reform, opening to the outside world and development constitute the main theme of the present society of China.

³ **旋转** xuánzhuǎn 〈动 v.〉物体自身转动或围绕另一物体转动 revolve; rotate; spin; turn round：他在冰面上飞快地～。Tā zài bīngmiàn shang fēikuài de ~. He turns round and round quickly on the ice. | 车轮突然停止了～。Chēlún tūrán tíngzhǐle ~. The wheel stopped turning suddenly. | 地球绕地轴～，同时也围绕太阳。Dìqiú rào dìzhóu ~, tóngshí yě wéirào tàiyáng ~. The Earth spins on its axis while rotating around the Sun.

² **选** xuǎn ❶〈动 v.〉挑拣；拣择 select; choose; pick：～场地～chǎngdì choose the place | ～良种～liángzhǒng select good seeds ❷〈动 v.〉选举 elect：～民～mín voter; electorate | 大家～他当班长。Dàjiā ~ tā dāng bānzhǎng. He has been elected the monitor. ❸〈名 n.〉被选中的人或物 candidate；（person or thing) selected or chosen：她是最合适的

人~。*Tā shì zuì héshì de rén~.* She is the most suitable candidate. │ 这是入~展品的清单。*zhè shì rù~ zhǎnpǐn de qīngdān.* This is the list of selected items for the exhibition. ❹〈名 *n.*〉挑选出来编在一起的作品 selection; anthology: 论文~ *lùnwén~* a selection of theses │ 摄影~集 *shèyǐng ~jí* a selection of photographs

⁴**选拔** xuǎnbá〈动 *v.*〉挑选(人才) select; choose (talented people): ~赛 *~sài* selective competition │ 把优秀人才~到领导岗位上来。*Bǎ yōuxiù réncái ~ dào lǐngdǎo gǎngwèi shang lái.* Select elites to the leading position. │ 一批年富力强的干部到基层去锻炼。~。*yì pī niánfù-lìqiáng de gànbù dào jīcéng qù duànliàn.* Select a group of capable young cadres to get tempered in the grass-roots units.

⁴**选定** xuǎndìng〈动 *v.*〉挑选确定(符合要求的人或事物) select; choose (a person or thing that is up to the standard): ~接班人 *~jiēbānrén* select one's successor │ ~课题 *~ kètí* select the project │ ~攻关的突破口 *~ gōngguān de tūpòkǒu* find breakthrough point in solving a difficult problem │ 挑了半天，一直没有~。*Tiāole bàntiān, yìzhí méiyǒu ~.* Having chosen for a long time, I still haven't decided yet.

⁴**选集** xuǎnjí〈名 *n.*〉(部bù、本běn)选录一个人或若干人的著作而成的集子(多用做书名)(usu. used in book names) selection; anthology:《毛泽东~》*'Máo Zédōng~' Selected Works of Mao Zedong* │ 这是一部古典诗歌~。*Zhè shì yí bù gǔdiǎn shīgē ~.* This is an anthology of classic poems. │ 这部~收了二十几位专家、教授的论文。*Zhè bù ~ shōule èrshí jǐ wèi zhuānjiā, jiàoshòu de lùnwén.* This selection contains theses from more than twenty experts and professors.

²**选举** xuǎnjǔ ❶〈动 *v.*〉用投票或举手等方式推举出代表或领导人 elect a representative or leader by ballots or a show of hands: 实行差额~ *shíxíng chā'é ~* competitive election; multi-candidate election │ 进行无记名投票~ *jìnxíng wújìmíng tóupiào ~* secret ballot election │ 他被~为学生会主席。*Tā bèi ~ wéi xuéshēnghuì zhǔxí.* He was elected chairman of the student union. ❷〈名 *n.*〉用投票或举手决定代表或领导人的活动 vote; election: 这是全国性的~。*Zhè shì quánguóxìng de ~.* This is a national election. │ 这样的~是符合民主集中制的原则的。*Zhèyàng de ~ shì fúhé mínzhǔ jízhōngzhì de yuánzé de.* An election like this conforms to the principle of democratic centralism.

⁴**选民** xuǎnmín〈名 *n.*〉(位wèi、个gè、批pī)有选举权的公民 voter; elector: ~们踊跃参加投票选举。*~men yǒngyuè cānjiā tóupiào xuǎnjǔ.* Voters are very enthusiastic in the election. │ 年满18岁的公民才能成为~。*Nián mǎn shíbā suì de gōngmín cái néng chéngwéi ~.* Citizens over the age of 18 are eligible to vote.

⁴**选取** xuǎnqǔ〈动 *v.*〉挑选并采用 select; choose: ~典型案例 *~diǎnxíng ànlì* select typical case │ 在超市~商品 *zài chāoshì ~ shāngpǐn* choose commodities in the supermarket │ 她~自助游的方式。*Tā ~zìzhùyóu de fāngshì.* She chose the budget traveling.

⁴**选手** xuǎnshǒu〈名 *n.*〉(位wèi、名míng、个gè)被推选参加比赛的人 player; contestant: 羽毛球~ *yǔmáoqiú ~* badminton player │ 派~参加全国歌曲大奖赛 *pài ~ cānjiā quánguó gēqǔ dàjiǎngsài* send singers to take part in the national singing competition. │ 1号种子~ *yī hào zhǒngzi* No.1 seed; top seed │ 这位~来自北京。*Zhè wèi ~ láizì Běijīng.* This contestant comes from Beijing.

³**选修** xuǎnxiū〈动 *v.*〉从可以自由选择的科目中,选定自己要学的科目(区别于'必修') take up an elective course (different from '必修bìxiū'): 除了英语,我还~俄语。*Chúle Yīngyǔ, wǒ hái ~ Éyǔ.* Besides English, I take up another elective course, Russian. │ 上学期我~了三门课。*Shàng xuéqī wǒ ~le sān mén kè.* Last term, I took up three

elective courses.

⁴选用 xuǎnyòng〈动 v.〉选择使用或运用 select and use; choose and apply: ~人才 ~ réncái select talented people｜~可靠的文献资料 ~ kěkào de wénxiàn zīliào choose reliable documents｜~新工艺、新材料 ~ xīn gōngyì, xīn cáiliào choose new craftworks and new materials

²选择 xuǎnzé〈动 v.〉挑选 choose; opt; select; pick: ~可靠对象 ~ kěkào duìxiàng choose a dependable boyfriend（or girlfriend）; select a reliable object｜~名优产品 ~ míngyōu chǎnpǐn choose famous high-quality products｜~信得过的商店 ~ xìndeguò de shāngdiàn choose a dependable shop｜眼前有两种方案可供~。Yǎnqián yǒu liǎng zhǒng fāng'àn kě gōng ~. Now, there are two plans to choose.

⁴削减 xuējiǎn〈动 v.〉从已定的或现有的数目中减去 cut down; reduce; whittle down from a fixed number: ~预算 ~ yùsuàn cut down budget｜~开支 ~ kāizhī cut down expenses｜行政人员~了1/2。Xíngzhèng rényuán ~le èr fēn zhī yī. The administrative personnel has been trimmed by 50%.｜教育经费非但不能~，还要适当增加。Jiàoyù jīngfèi fēidàn bù néng ~, háiyào shìdàng zēngjiā. Instead of being cut down, the educational expenses should be increased moderately.

⁴削弱 xuēruò ❶〈动 v.〉（力量、势力）变弱 (of strength and power) weaken; enfeeble: 近年来，我校的教学力量~了。Jìnnián lái, wǒ xiào de jiàoxué lìliàng ~ le. The teaching capability of our university has become weak in recent years. ❷〈动 v.〉使（力量、势力）变弱 weaken; cripple; enfeeble; undermine: 我们要~对方的力量。Wǒmen yào ~ duìfāng de lìliàng. We have to undermine the rival's strength.｜我们的方针是~敌人，壮大自己。Wǒmen de fāngzhēn shì ~ dírén, zhuàngdà zìjǐ. Our policy is to cripple the enemy and to strengthen ourselves.

⁴靴子 xuēzi〈名 n.〉（双 shuāng、只 zhǐ）帮子略呈筒状高到踝子骨以上的鞋 boot: 农民穿雨~下田。Nóngmín chuān yǔ ~ xià tián. The farmers went to work in the fields in rain boots.｜她穿高筒~在雪地里走。Tā chuān gāotǒng ~ zài xuědì li zǒu. She walked in the snowfield in high boots.｜这双羊皮~可暖和了。Zhè shuāng yángpí ~ kě nuǎnhuo le. This pair of sheepskin boots is very warm.

⁴穴 xué ❶〈名 n.〉山洞；地上或某建筑物上的坑或孔 cave; pits in the ground or holes in buildings: 洞~ dòng~ cave｜~居~jū live in a cave｜孔~ kǒng~ hole ❷〈名 n.〉动物或匪徒的窝 den; nest; lair: 虎~ hǔ~ tiger's lair｜匪~ fěi~ bandits' den ❸〈名 n.〉墓穴 coffin pit: 土~ tǔ~ earth pit｜砖~ zhuān~ brick pit ❹〈名 n.〉中医学指人体上可以进行针灸或按摩治疗的部位（in traditional Chinese medicine）acupuncture point, point on the body where a thin needle is inserted or massage can be taken: ~位 ~wèi acupuncture point｜点~ diǎn~ acupoint touch ❺〈量 meas.〉播下种子的穴坑 hole in which the seed is sowed: 今天播了将近一千~的种子。Jīntiān bōle jiāngjìn yìqiān ~ de zhǒngzi. Today nearly a thousand holes have been sown with seeds.

¹学 xué ❶〈动 v.〉学习 learn; study: ~中文 ~ Zhōngwén learn Chinese｜~开车 ~ kāichē learn driving ❷〈动 v.〉模仿 imitate; mimic: ~鸟叫 ~ niǎojiào mimic the singing of a bird｜他~爷爷走路的样子。Tā ~ yéye zǒulù de yàngzi. He imitates the way his grandfather walks. ❸〈名 n.〉知识；学问 learning; knowledge; scholarship: 品~兼优 pǐn~jiānyōu be outstanding both in moral character and in learning｜~者~zhě scholar ❹〈名 n.〉学科 subject of study; branch of learning: 化~ huà~ chemistry｜社会~ shèhuì~ sociology ❺〈名 n.〉学校 school: 中~ zhōng~ middle school; secondary school｜入~ rù~ be enrolled in｜退~ tuì~ quit school

² **学费** xuéfèi ❶〈名 n.〉(笔bǐ)学校规定学生应缴的学习费用 tuition fee; tuition: 贫困学生可以减免~. *Pínkùn xuéshēng kěyǐ jiǎnmiǎn ~.* The tuition fee for the impoverished students may be remitted. ❷〈名 n.〉(笔bǐ)个人求学深造的费用 educational expenses: 上英语班，每学期的~两千多元. *Shàng Yīngyǔ bān, měi xuéqī de ~ liǎngqiān duō yuán.* The educational fee of the English course is more than two thousand *yuan* every term. ❸〈名 n.〉(笔bǐ)比喻办事因缺乏经验而付出的代价 cost; price: 花两年多的时间试验成功，说明我们所付出的~是值得的. *Huā liǎng nián duō de shíjiān shìyàn chénggōng, shuōmíng wǒmen suǒ fùchū de ~ shì zhíde de.* The success we have achieved in two years later justifies our efforts in the experiment.

³ **学会** xuéhuì Ⅰ〈名 n.〉(个gè)由研究某一学科的人组成的学术团体 society; institute; association: 这是一个专门研究汉语语言文学的~. *Zhè shì yí gè zhuānmén yánjiū Hànyǔ yǔyán wénxué de ~.* This is an association specialized in the study of Chinese language and literature. │老龄~每个月有一次活动. *Lǎolíng ~ měi gè yuè yǒu yí cì huódòng.* The Senior Citizens' Society holds activities once a month. │他是这个~的会员. *Tā shì zhège ~ de huìyuán.* He is one of the members of this institute. Ⅱ xué//huì〈动 v.〉学习到能够掌握的程度 learn to have the ability to do sth.: 我学会了开车. *Wǒ ~le kāichē.* I've learned driving. │这交谊舞我怎么学也学不会. *Zhè jiāoyìwǔ wǒ zěnme xué yě xué bú huì.* I'm still incapable of ballroom dancing however hard I have tried it.

³ **学科** xuékē ❶〈名 n.〉(门mén)按照学问的性质而划分的门类 branch of learning; discipline: 金属结构学是一门独立的~. *Jīnshǔ jiégòuxué shì yì mén dúlì de ~.* Metal structure is an independent subject. │我对这门~还很生疏. *Wǒ duì zhè mén ~ hái hěn shēngshū.* I'm still quite unfamiliar with this discipline. ❷〈名 n.〉(门mén)学校教学的科目 course of study; school curriculum: 这是一所多~的综合大学. *Zhè shì yì suǒ duō ~ de zōnghé dàxué.* This is a multiversity of many subjects of study. │我们学校文理~门类齐全. *Wǒmen xuéxiào wénlǐ ~ ménlèi qíquán.* Our university offers a complete category of learning including arts and science.

⁴ **学历** xuélì〈名 n.〉学习的经历，指在某学校肄业或毕业 record of formal schooling; record of education: 她的~是大学本科毕业. *Tā de ~ shì dàxué běnkē bìyè.* She graduated with a four-year university education. │他有高中~证书. *Tā yǒu gāozhōng ~ zhèngshū.* He has a senior-high-school certificate. │我只有中专~，可这里要大专以上~的人. *Wǒ zhǐyǒu zhōngzhuān ~, kě zhèlǐ yào dàzhuān yǐshàng ~ de rén.* I have only received a technical-secondary-school education, but the staff member needed here should be at least from a junior college.

³ **学年** xuénián〈名 n.〉(个gè)规定的学习年度. 中国学制从秋季开学到第二年暑假，或从春季开学到寒假为一学年 academic year: ~考试 *~ kǎoshì* final examination of the academic year │大学本科为四个~. *Dàxué běnkē wéi sì gè ~.* The undergraduate education consists of four academic years. │新的~又开始了. *Xīn de ~ yòu kāishǐ le.* It's the beginning of a new academic year.

⁴ **学派** xuépài〈名 n.〉(个gè)同一学科中因观点或研究理论、方法等不同而形成的派别 school of thought: 我们学校~林立. *Wǒmen xuéxiào ~ línlì.* There are a great number of schools of thought in our university. │我和他同一学科但不同~. *Wǒ hé tā tóngyī xuékē dàn bù tóng ~.* He and I study the same subject, but belong to different schools. │他们的争论是不同~之间的争论. *Tāmen de zhēnglùn shì bù tóng ~ zhījiān de zhēnglùn.* Their controversy belongs to that of different schools.

² **学期** xuéqī〈名 n.〉(个 gè)教学的一个时段,中国的学制一学年分成两个学期,从秋季开学到寒假和从春季开学到暑假,各为一个学期 semester; term; school term:这门课要上两个~。 Zhè mén kè yào shàng liǎng gè ~. This subject will last for two terms. | 这个~快结束了。 Zhège ~ kuài jiéshù le. This semester will soon be over. | 那是我在大学最后一个~的事。 Nà shì wǒ zài dàxué zuìhòu yí gè ~ de shì. It happened when I was in the last term of my college life.

¹ **学生** xuésheng ❶〈名 n.〉(名 míng、个 gè)在校读书的人 student; pupil:中~ zhōng~ high school student | ~生活 ~ shēnghuó student life ❷〈名 n.〉(名 míng、个 gè)向老师或前辈学习的人 disciple; follower:他是国画大师齐白石的~。 Tā shì guóhuà dàshī Qí Báishí de ~. He learnt painting from Qi Baishi, a master of traditional Chinese painting. | 我永远是你们的~。 Wǒ yǒngyuǎn shì nǐmen de ~. I am your student forever. ❸〈名 n. 方 dial.〉(名 míng、个 gè)指男孩子 boy:那个~太顽皮了。 Nàge ~ tài wánpí le. That boy is too naughty.

³ **学时** xuéshí〈名 n.〉(个 gè)一节课的时间,通常为45分钟 class hour, a period usu. of 45 minutes:今天上五个~。 Jīntiān shàng wǔ gè ~. There are five classes today. | 数学老师一周有12~的课。 Shùxué lǎoshī yì zhōu yǒu shí'èr ~ de kè. The math teacher teaches 12 classes a week. | 这门课要讲150个~。 Zhè mén kè yào jiǎng yìbǎi wǔshí gè ~. This subject will be taught for 150 class hours.

² **学术** xuéshù〈名 n.〉(种 zhǒng)成系统、较专门的学问 systematic learning; science:搞~研究 gǎo ~ yánjiū do academic research | 开~讨论会 kāi ~ tǎolùnhuì hold an academic symposium | 他~水平高。 Tā ~ shuǐpíng gāo. His academic research has attained a high level. | 这本书很有~价值。 Zhè běn shū hěn yǒu ~ jiàzhí. This book is of great academic value.

³ **学说** xuéshuō〈名 n.〉(门 mén、种 zhǒng)学术上有系统的主张或见解 theory; doctrine, systematic theory of academic research:这门~是他创立的。 Zhè mén ~ shì tā chuànglì de. It is him who established this theory. | 他的~一起初受到很多人的批判。 Tā de ~ qǐchū shòu dào hěn duō rén de pīpàn. His theory came in for a lot of criticism at the beginning. | 他提出了一种新的~。 Tā tíchū le yì zhǒng xīn de ~. He has put forward a new theory.

³ **学位** xuéwèi〈名 n.〉(个 gè)根据专业学术水平由高等院校、科研机构等授予的称号 academic degree; degree:~分为学士、硕士、博士三级。 ~ fēnwéi xuéshì, shuòshì, bóshì sān jí. There are three kinds of academic degree, i.e. bachelor's degree, master's degree and doctor's degree. | 她通过了硕士~论文答辩。 Tā tōngguòle shuòshì ~ lùnwén dábiàn. She has passed the defense of her thesis for master's degree. | 他在国外获得双~,一是经济学博士,二是法学博士。 Tā zài guówài huòdé shuāng ~, yī shì jīngjìxué bóshì ~, èr shì fǎxué bóshì ~. He has got two doctor's degrees in foreign countries: one is of economy and the other is of law.

² **学问** xuéwen ❶〈名 n.〉(门 mén、种 zhǒng)正确反映客观事物的系统知识 systematic knowledge that correctly reflects certain objective matters:研究中国书法是一种专门的~。 Yánjiū Zhōngguó shūfǎ shì yì zhǒng zhuānmén de ~. The study of Chinese calligraphy is a special learning. | 这门~很深奥。 Zhè mén ~ hěn shēn'ào. This learning is quite abstract. ❷〈名 n.〉知识;学识 knowledge; learning:别小看这工作,里头可有~呢! Bié xiǎokàn zhè gōngzuò, lǐtou kě yǒu ~ ne! Don't look down upon this work. It is of great learning. | 这一趟没白去,长了不少~。 Zhè yí tàng méi bái qù, zhǎngle bùshǎo ~. This trip is not a waste of time because we have learned a lot from it.

¹ **学习** xuéxí ❶〈动 v.〉从阅读、听讲、研究、实践中获得知识或技能 learn; study：~开车 ~ kāichē learn to drive｜他在德国~了两年。Tā zài Déguó ~le liǎng nián. He has studied in Germany for two years. ❷〈动 v.〉效法 emulate; imitate：他的模范行动很值 得我~。Tā de mófàn xíngdòng hěn zhíde wǒ ~. His exemplary deeds are worthy of emulating.｜我们~英雄人物。Wǒmen ~ yīngxióng rénwù. We learn from heroes. ❸ 〈名 n.〉学习的过程、活动 study; learning：读书是一种~，实践也是一种~。Dúshū shì yì zhǒng ~, shíjiàn yě shì yì zhǒng ~. Reading is a kind of learning, so is practising.

¹ **学校** xuéxiào〈名 n.〉(所 suǒ、个 gè) 专门从事教育的机构 school; educational institution：这里有好几所~。Zhèli yǒu hǎo jǐ suǒ ~. There are several schools here.｜ 我们~环境优美。Wǒmen ~ huánjìng yōuměi. Our school has a beautiful environment. ｜她刚从美术~毕业。Tā gāng cóng měishù ~ bìyè. She has just graduated from an art school.

³ **学员** xuéyuán〈名 n.〉(名 míng、个 gè、位 wèi) 一般指在小学、中学、高等院校以外的学 校或训练班学习的人 student; trainee, learner studying in a training course, or at a school other than primary school, secondary school or university：她是驾校的~。Tā shì jiàxiào de ~. She is a trainee of the driver training school.｜这期高级干部培训班共有 35名~。Zhè qī gāojí gànbù péixùnbān gòng yǒu sānshíwǔ míng ~. There are 35 students in this training session of senior cadres.｜这批~老、中、青都有。Zhè pī ~ lǎo, zhōng, qīng dōu yǒu. This batch of students are of different age: old, young and middle-aged.

¹ **学院** xuéyuàn〈名 n.〉(所 zuǒ、个 gè) 以某一专业教育为主的高等学校 college; academy; institute：音乐~ yīnyuè ~ music institute｜师范~ shīfàn ~ normal college｜北 京有条~路，这条路上有好几所~。Běijīng yǒu tiáo ~ Lù, zhè tiáo lù shang yǒu hǎo jǐ suǒ ~. There is an Academy Road in Beijing, where many colleges are situated.｜她是戏 剧~研究生。Tā shì xìjù ~ yánjiūshēng. She is a postgraduate of the theater institute.

³ **学者** xuézhě〈名 n.〉(位 wèi、名 míng、个 gè) 指在学术上有一定成就的人 scholar; learned person; person of learning：专家~会聚一堂。Zhuānjiā ~ huìjù yìtáng. Experts and scholars gather together in the hall.｜我们学校以年轻~居多。Wǒmen xuéxiào yǐ niánqīng ~ jū duō. Young scholars take a large percentage in our university.｜这位访 问~对中国诗歌很有研究。Zhè wèi fǎngwèn ~ duì Zhōngguó shīgē hěn yǒu yánjiū. This visiting scholar is well versed in Chinese poetry.

³ **学制** xuézhì〈名 n.〉国家对各级各类学校的性质、任务、组织系统和课程、学习年限等 的规定，有时单指学习年限 educational system：进行~改革 jìnxíng ~ gǎigé reform the educational system｜进行~调整 jìnxíng ~ tiáozhěng make adjustment of the educational system｜这种~不合理。Zhè zhǒng ~ bù hélǐ. This educational system is unreasonable. ｜不少中小学的~由12年改为10年。Bùshǎo zhōng-xiǎoxué de ~ yóu shí'èr nián gǎiwéi shí nián. Many elementary schools and secondary schools have modified their educational system from twelve years to ten years.

¹ **雪** xuě ❶〈名 n.〉(场 cháng、片 piàn) 气温降到0℃以下时，空气中降落的由水气凝结 而成的白色结晶体 snow：昨天下了一场大~。Zuótiān xiàle yì cháng dà ~. There was a heavy snow yesterday.｜~花飘飘。~huā piāopiāo. Snowflakes came falling down. ❷ 〈名 n.〉颜色、光亮、形状、温度等像雪一样的东西 (of color, brightness, shape or temperature) snow-like; snowy：~亮 ~liàng as bright as snow｜~糕 ~gāo popsicle ❸ 〈动 v.〉用行动彻底洗掉 (仇恨、耻辱、冤枉) wash oneself of (animosity, humiliation, or injustice)：~恨 ~hèn wreak vengeance; avenge｜~耻 ~chǐ avenge an insult; wipe out a disgrace or humiliation｜洗~ xǐ ~ wipe out (a disgrace or humiliation)

X

⁴ **雪白** xuěbái〈形 adj.〉像雪一样白净 snow-white; snowy white; as white as snow: ~的床单 ~ de chuángdān snow-white bedsheet｜她的皮肤~~的。Tā de pífū ~ ~ de. Her skin is snow-white.｜他长着一副~的牙齿。Tā zhǎngzhe yí fù ~ de yáchǐ. He has snow-white teeth.

³ **雪花** xuěhuā〈名 n.〉(片 piàn、朵 duǒ)空中飘落形状像花的雪 snowflake: ~飞舞 ~ fēiwǔ snowflakes flying in the air｜空中飘着~。Kōngzhōng piāozhe ~. Snowflakes came falling down from the sky.｜他扑打落在身上的~。Tā pūdǎ luò zài shēn shang de ~. He beat snow off his clothes.

³ **血管** xuèguǎn(~儿)〈名 n.〉(根 gēn、条 tiáo)血液在体内循环时所经过的管状构造 blood vessel: 人体有动脉、静脉和毛细~。Réntǐ yǒu dòngmài, jìngmài hé máoxì ~. Human body contains arteries, veins and capillaries.｜她~太细,不好找。Tā ~ tài xì, bù hǎo zhǎo. Her blood vessels are too thin to find easily.｜打针出血,毛细~给扎破了。Dǎzhēn chū xiě, máoxì ~ gěi zhāpò le. When blood comes out after an injection, it's simply because the capillary is pricked.

³ **血汗** xuèhàn〈名 n.〉(分 fēn)血和汗,象征辛勤的劳动或劳动的果实 blood and sweat; sweat and toil; hard work; industrious work: 长城是古代劳动人民的~筑起来的。Chángchéng shì gǔdài láodòng rénmín de ~ zhù qǐlái de. The Great Wall was built on the sweat and toil of the ancient working people.｜他挣的是~钱。Tā zhèng de shì ~ qián. His money is earned through hard work.｜这是人民的~,不许糟蹋! Zhè shì rénmín de ~, bùxǔ zāotà! This is from the sweat and toil of the people. Don't spoil it.

⁴ **血压** xuèyā〈名 n.〉由于心脏收缩和主动脉壁的弹性作用,使血液流动对血管壁所产生的压力 blood pressure: 我的~80/120,完全正常。Wǒ de ~bāshí / yìbǎi èr, wánquán zhèngcháng. My blood pressure is at 80/120, which is quite normal.｜她的~偏高。Tā de ~ piān gāo. Her blood pressure is a bit higher.｜加了几个夜班~又升高了。Jiāle jǐ gè yèbān, ~ yòu shēnggāo le. My blood pressure increases after several night shifts.

² **血液** xuèyè ❶〈名 n.〉血 blood: ~循环 ~xúnhuán blood circulation｜化验~ ~ huàyàn ~ blood examination ❷〈名 n.〉比喻主要的成分或力量等 lifeblood; lifeline; primary element and strength: 水是城市的~。Shuǐ shì chéngshì de ~. Water is the lifeline of a city.｜他们入党,为党组织增添了新的~。Tāmen rù dǎng, wèi dǎngzǔzhī zēngtiānle xīn de ~. Their joining in the Communist Party gives new life to the Party organization.

⁴ **熏** xūn ❶〈动 v.〉(烟、气等)接触物体,使变颜色或沾上气味 smoke; fumigate: ~蚊子 ~wénzi expel mosquitoes with smoke｜柴烟把屋子都~黑了。Cháiyān bǎ wūzi dōu ~ hēi le. The house was blackened by firewood smoke.｜厕所里臭气~天。Cèsuǒ li chòuqì ~ tiān. The washroom is extremely stinking. ❷〈动 v.〉熏制(食品) smoke (food): ~肉 ~ròu smoked meat｜~干 ~gān fumigate ❸〈动 v.〉比喻迷惑 fig. puzzle: 利欲心 lìyù~~xīn be blinded by greed; be obsessed with the desire for gain ❹〈形 adj. 书 lit.〉暖和 pleasantly warm; genial; mild: ~风 ~fēng warm breeze

³ **寻** xún〈动 v.〉找 look for; search; seek: ~人启示 ~rén qǐshì a notice for looking for sb.｜探~秘密 tàn~ mìmì probe into a secret｜~机行事 ~jī xíngshì act as the opportunity arises; do as one sees fit

⁴ **寻求** xúnqiú〈动 v.〉寻找追求 seek; explore; in quest of: ~合作伙伴 ~hézuò huǒbàn seek for a cooperative partner｜~解决办法 ~jiějué bànfǎ go in quest of a solution｜~帮助 ~ bāngzhù ask for help

² **寻找** xúnzhǎo〈动 v.〉找 seek; look for: ~机会 ~jīhuì seek an opportunity｜~失物 ~shīwù look for the lost property｜把失散的孩子~回来。Bǎ shīsàn de háizi ~ huílái.

Try to find the lost child.

⁴ **巡逻** xúnluó 〈动 v.〉巡查警戒 go on patrol; patrol：~兵 ~*bīng* patroller ｜~队 ~*duì* patrol crew ｜上街 ~ *shàngjiē* ~ patrol on the street

³ **询问** xúnwèn 〈动 v.〉征求意见；打听；了解 ask about; enquire about; pry into; solicit opinions：~意见 ~ *yìjiàn* ask about opinions ｜病情 ~ *bìngqíng* enquire about the patient's illness ｜我想~一下今年高考的有关规定。 *Wǒ xiǎng ~ yíxià jīnnián gāokǎo de yǒuguān guīdìng.* I want to ask about the regulations on college entrance examination this year.

³ **循环** xúnhuán 〈动 v.〉周而复始地运动或变化 circle; cycle：血液在体内~。 *Xuèyè zài tǐ nèi ~.* Blood circulates in the body. ｜春夏秋冬，~不息。 *Chūnxià-qiūdōng, ~ bù xī.* Spring, summer, autumn and winter come and go in an endless circle. ｜这里是冷却水的~系统。 *Zhèlǐ shì lěngquè shuǐ de ~ xìtǒng.* This is the circulatory system for cooling water.

⁴ **循序渐进** xúnxù-jiànjìn 〈成 idm.〉(学习、工作)按照一定的步骤逐渐深入或提高 (of study or work) follow in order and advance step by step; proceed in an orderly and gradual way：学习是一个~的过程，不能一口吃成个胖子。 *Xuéxí shì yí gè ~ de guòchéng, bù néng yì kǒu chīchéng gè pàngzi.* Studying is a step-by-step process and one can't finish the work overnight as he can't become plump after one meal. ｜办事不能操之过急，要~。 *Bànshì bù néng cāozhīguòjí, yào ~.* One should handle affairs step by step instead of acting hastily.

⁴ **训** xùn ❶〈动 v.〉教导；训诫；斥责 teach; instruct; admonish; blame; chide：教~ *jiào* ~ teach sb. a lesson ｜~词 ~*cí* admonition; instruction ｜我让校长~了一顿。 *Wǒ ràng xiàozhǎng ~le yí dùn.* I was blamed by the headmaster. ❷〈动 v.〉训练 train; drill：轮~ *lún* ~ train in turn ｜军~ *jūn* ~ military training ｜培~班 *péi* ~*bān* training class ❸〈名 n.〉教导或训诫的话 admonition; instruction：古~ *gǔ* ~ old maxim ｜家~ *jiā* ~ family precept ❹〈名 n.〉标准；准则 rule; guideline; standard：不足为~ *bùzúwéi* ~ not be taken as an example ❺〈名 n.〉词义解释 explanation of words and sentences in ancient books; interpretation of a text：~诂 ~*gǔ* explanations of words in ancient books; textual exegesis

² **训练** xùnliàn 〈动 v.〉有计划有步骤地教育培养，使具有某种特长或技能 train; drill：~基地 ~ *jīdì* training base ｜~人员 ~ *rényuán* trainer; trainee ｜~计划 ~ *jìhuà* training plan ｜进行专业~ *jìnxíng zhuānyè* ~ give professional training ｜他们都受过严格的~。 *Tāmen dōu shòuguo yángé de ~.* They all have received strict training.

⁴ **讯** xùn ❶〈名 n.〉消息、信息 news; information; message; dispatch：音~ *yīn* ~ news ｜电~ *diàn* ~ telecommunication ❷〈动 v.〉询问 inquire; ask：问~ *wèn* ~ ask (or inquire) about ❸〈动 v.〉审问 interrogate; question：审~ *shěn* ~ interrogate

² **迅速** xùnsù ❶〈形 adj.〉速度高；很快 fast; rapid; swift; speedy; prompt：~发展 ~ *fāzhǎn* develop at a high speed ｜冲上去 ~ *chōng shàngqù* make a rapid thrust ❷〈副 adv.〉立即；马上 immediately; at once ｜~作出决定 ~ *zuòchū juédìng* make a quick decision ｜~采取措施 ~ *cǎiqǔ cuòshī* take measures at once

X

Y

²压 yā ❶〈动 v.〉对物体施加压力（一般指由上向下）press; push down, bring the pressure on sth. : ~紧 ~jǐn press sth. solid | ~碎 ~suì crush to pieces | ~痛 ~tòng tenderness | 按~àn~ press | 挤~jǐ~ squeeze | 大雪~弯了树枝。Dàxuě ~wānle shùzhī. The heavy snow weighed down the branches of the tree. | 书架被书~塌了。Shūjià bèi shū ~tā le. The bookshelf collapsed under the weight of books. | 这东西怕不怕~? Zhè dōngxi pà bú pà ~? Is it pressure-resistant? | 黑云~城城欲摧（形容敌对势力非常猖狂，形势严峻）。Hēiyún ~ chéng chéng yù cuī (xíngróng díduì shìlì fēicháng chāngkuáng, xíngshì yánjùn). So heavy are the black clouds over the city that the city walls seem to collapse down under the pressure of them (fig. the enemy becomes more furious and the situation is quite critical). | 泰山~顶不弯腰（比喻不屈服于巨大的压力）。Tàishān ~ dǐng bù wānyāo (bǐyù bù qūfú yú jùdà de yālì). Be unwilling to yield even if under the weight of Mount Taishan (fig. unyielding under the great pressure). ❷〈动 v.〉使稳定; 使平静 stabilize; hold back; keep under control : ~不住 ~bú zhù cannot keep sth. under control | ~得住 ~de zhù keep sth. under control | ~惊 ~jīng help sb. get over a shock | 止咳糖浆能~住咳嗽。Zhǐké tángjiāng néng ~zhù késòu. Cough syrup can stop coughing. | 你得~住阵脚。Nǐ děi ~zhù zhènjiǎo. You must hold your ground. | 你怎么~不住火呢? Nǐ zěnme ~ bú zhù huǒ ne? Why couldn't you hold back your anger? ❸〈动 v.〉压制 suppress; quell : ~服 ~fú force sb. to submit | ~迫 ~pò oppress | 镇~zhèn~ crack down on | 欺~qī~ bully and oppress | 你别以势~人。Nǐ bié yǐ shì ~ rén. Don't abuse your power to oppress others. | 别拿领导来~我。Bié ná lǐngdǎo lái ~ wǒ. Stop coercing me in the name of the leader. | 社会舆论~是~不下去的。Shèhuì yúlùn ~ shì ~ bú xiàqù de. Public opinions cannot be suppressed. ❹〈动 v.〉搁置 set aside; shelve; pigeonhole : ~库 ~kù overstock | 积~jī~ keep long in stock; overstock | 他把我的报告~了一个多月了。Tā bǎ wǒ de bàogào ~le yí gè duō yuè le. He has pigeonholed my report for more than a month. | 别把文件~起来。Bié bǎ wénjiàn ~ qǐlái. Don't pile up the files. | 这件事可不能~，赶紧解决。Zhè jiàn shì kě bù néng ~, gǎnjǐn jiějué. This can't be delayed and needs to be solved immediately. ❺〈动 v.〉逼近 draw near; close in on; approach : 大兵~境 dàbīng ~jìng (of troops) close in on the border of a country | 太阳~山顶了。Tàiyáng ~ shāndǐng le. The sun has fallen over the top of the mountain. ❻〈动 v.〉超过 胜过 surpass; outdo : 技~群芳 jì ~ qúnfāng be unmatched in skill ❼〈名 n.〉压力 pressure : 电~diàn~ voltage | 液~yè~ hydraulic pressure | 变~器 biàn~qì transformer | 我不怕任何人施~。Wǒ bú pà rènhé rén shī~. I am not afraid of pressure from any one.

³ **压力 yālì ❶**〈名 n.〉（股 gǔ）物体所承受的与表面垂直的作用力 pressure：~表～*biǎo* manometer; piezometer ｜~计～*jì* pressure gauge ｜楼房的~太大，都下沉了。*Lóufáng de ~ tài dà, dōu xiàchén le.* The storied building is so heavy that it begins to sink into the ground. ｜潜水员在水中要承受很大的~。*Qiánshuǐyuán zài shuǐ zhōng yào chéngshòu hěn dà de ~.* The diver has to endure great pressure below the water. ❷〈名 n.〉制伏人的力量 overwhelming force; pressure：社会舆论的~他都快承受不住了。*Shèhuì yúlùn de ~ tā dōu kuài chéngshòu bú zhù le.* He can hardly endure the pressure of public opinions. ｜他的精神都快崩溃了，别再给他施加~了。*Tā de jīngshén dōu kuài bēngkuì le, bié zài gěi tā shījiā ~ le.* Don't bring any more pressure on him; he almost collapses in spirit. ❸〈名 n.〉承受的负担 burden; strain：他身兼数职，工作~很大。*Tā shēn jiān shù zhí, gōngzuò ~ hěn dà.* Holding several posts he shoulders heavy burdens in work. ｜孩子小，承受不了这么大的~。*Háizi xiǎo, chéngshòu bù liǎo zhème dà de ~.* The child is too young to bear such a strain.

² **压迫 yāpò ❶**〈动 v.〉用权势强制别人服从自己 oppress：残酷~ *cánkù* ~ cruelly oppress ｜我们可被他~苦了 *Wǒmen kě bèi tā ~ kǔ le.* We have suffered great oppression from him. ｜~人的封建制度被打垮了。*~ rén de fēngjiàn zhìdù bèi dǎkuǎ le.* The oppressive feudal system had been toppled. ｜哪里有~，哪里就有反抗。*Nǎli yǒu ~, nǎli jiù yǒu fǎnkàng.* Where there is oppression, there is resistance. ❷〈动 v.〉使受到压力；对有机体的某个部分加上压力 constrict; compress：一种不祥的预感~着她。*Yī zhǒng bùxiáng de yùgǎn ~zhe tā.* An ominous premonition lies on her. ｜你的头疼是肿瘤～神经引起的。*Nǐ de tóuténg shì zhǒngliú ~ shénjīng yǐnqǐ de.* Your headache is caused by the constriction of a tumor over the nerve. ｜用~穴位的方法可以止痛。*Yòng ~ xuéwèi de fāngfǎ kěyǐ zhǐtòng.* Pressing the acupuncture points will relieve pain.

³ **压缩 yāsuō ❶**〈动 v.〉加上压力，使体积变小 compress; condense：~空气～*kōngqì* compressed air ｜~食品～*shípǐn* condensed food ｜塑胶加压后能~得很小。*Sùjiāo jiāyā hòu néng ~ de hěn xiǎo.* Plastic can be compressed a great deal under pressure. ｜敌军被~到地堡里了。*Díjūn bèi ~ dào dìbǎo li le.* The enemies were forced to withdraw into the blockhouses. ❷〈动 v.〉减少（人员、经费、篇幅等）reduce; cut down; downsize（personnel, funding, size, etc.）：~人员编制～*rényuán biānzhì* downsize the staff ｜~行政开支～*xíngzhèng kāizhī* cut down administrative expenses ｜~文章篇幅～*wénzhāng piānfu* condense a piece of writing ｜公司后勤人员必须~。*Gōngsī hòuqín rényuán bìxū ~.* The company has to downsize its logistic staff. ｜文章要~三分之一。*Wénzhāng yào ~ sān fēn zhī yī.* The length of the article has to be cut down one third. ｜经费~了不少了。*Jīngfèi ~le bù shǎo le.* The expenditure has been cut down considerably.

⁴ **压抑 yāyì ❶**〈动 v.〉对感情、力量等加以限制，使不能充分流露或发挥（of feelings, strength, etc.）constrain; inhibit; depress; hold back：他努力~着自己的情感。*Tā nǔlì ~zhe zìjǐ de qínggǎn.* He tried hard to hold back his feelings. ｜他怎么也~不住心中的怒火。*Tā zěnme yě ~ bú zhù xīnzhōng de nùhuǒ.* He can in no way hold back his anger. ｜他好不容易才~住了内心的悲哀。*Tā hǎo bù róngyì cái ~zhùle nèixīn de bēi'āi.* He managed to restrain his sorrow with great efforts. ｜他处处受~。*Tā chùchù shòu ~.* He's inhibited every where. ❷〈形 adj.〉感情、力量等受到限制，不能充分流露或发挥（of feelings, strength, etc.）constrained; depressing：屋子里的空气非常~。*Wūzi li de kōngqì fēicháng ~.* The atmosphere in the room is very depressing. ｜他的心情很~。*Tā de xīnqíng hěn ~.* He feels very constrained. ｜会场上弥漫着一种十分~的气氛。*Huìchǎng shang mímànzhe yì zhǒng shífēn ~ de qìfēn.* The meeting room is filled

with a depressive atmosphere. ｜紧张的气氛令人感到~。 *Jǐnzhāng de qìfēn lìng rén gǎndào* ~. The intense atmosphere is so depressing.

³ **压制** *yāzhì* ❶〈动 *v.*〉用强力加以限制或制止 suppress; stifle; inhibit: 不能~民主。 *Bù néng* ~ *mínzhǔ.* Make sure not to suppress democracy. ｜领导不能~群众的积极性。 *Lǐngdǎo bù néng* ~ *qúnzhòng de jījíxìng.* Leaders should not suppress the enthusiasm of the masses. ｜你~不住大家的意见。 *Nǐ* ~ *bú zhù dàjiā de yìjiàn.* You cannot suppress the public opinion. ｜正确的意见遭到了~。 *Zhèngquè de yìjiàn zāodàole* ~. The correct opinion was restrained. ❷〈动 *v.*〉用压的方法制造 make sth. by pressing: 药厂工人每天~药片。 *Yàochǎng gōngrén měitiān* ~ *yàopiàn.* Workers of the pharmaceutical factory press the medicine into tablets everyday. ｜洗衣机的外壳都是~出来的。 *Xǐyījī de wàiké dōu shì* ~ *chūlái de.* The outer covering of the washing machine is made by pressing. ｜塑料玩具是~出来的。 *Sùliào wánjù shì* ~ *chūlái de.* Plastic toys are made by pressing. ｜~成的铝锅样子很好。 ~ *chéng de lǚguō yàngzi hěn hǎo.* The aluminum boiler made by pressing is in very good shape.

¹ **呀** *yā* ❶〈叹 *interj.*〉用在句子前面，表示惊异、询问或高兴的语气 ah; oh, used at the beginning of the sentence to express surprise, enquiry, or happiness: ~，你发烧了！ ~, *nǐ fāshāo le!* Oh, you are having a fever! ｜~，你怎么还没走？ ~, *nǐ zěnme hái méi zǒu?* Oh, why are you still here? ｜~，你也在这个学校！ ~, *nǐ yě zài zhège xuéxiào.* Oh, you are also in this school! ❷〈拟声 *onom.*〉模拟一些单一的声音 imitating some simple sound: 她又在~~~地练习发音了。 *Tā yòu zài* ~ ~ ~*de liànxí fāyīn le.* She babbled to practice pronunciation again. ｜门~的一声开了。 *Mén* ~ *de yì shēng kāi le.* The door opened with a creak.

☞ *ya*, p. 1128

³ **押** *yā* ❶〈动 *v.*〉把财物交给对方作为保证 give as security; mortgage; pawn; pledge: ~金 ~*jīn* deposit; down payment ｜~租 ~*zū* rent deposit ｜抵~ *dǐ*~ mortgage ｜她把首饰在这儿~了。 *Tā bǎ shǒushi* ~ *zài zhèr le.* She put her jewelry here in pledge. ｜他为了借钱还账，把自己的公司都给~上了。 *Tā wèile jièqián huánzhàng, bǎ zìjǐ de gōngsī dōu gěi* ~ *shàng le.* He mortgaged his company for some money to pay off his debts. ｜他的那批货~了三个月了。 *Tā de nà pī huò* ~ *le sān gè yuè le.* He had mortgaged that batch of goods for three months. ❷〈动 *v.*〉拘留，扣留，不准自由活动 detain; take into custody: 管~ *guǎn*~ detain; take into custody ｜拘~ *jū*~ take into custody ｜看~ *kān*~ keep sb. under detention ｜扣~ *kòu*~ detain ｜警察把小偷~进了拘留所。 *Jǐngchá bǎ xiǎotōu* ~ *jìnle jūliúsuǒ.* The policeman sent the thief into the lockup. ｜先把嫌疑人~下去。 *Xiān bǎ xiányírén* ~ *xiàqù.* Take the suspected into custody for a while. ｜这人都在这儿~了好几天了。 *Zhè rén dōu zài zhèr* ~ *le hǎojǐ tiān le.* The man has been detained here for several days. ❸〈动 *v.*〉跟随照料或看管 escort: ~车 ~*chē* escort a vehicle in transportation ｜~送 ~*sòng* take sb. under escort ｜~运 ~*yùn* escort goods being transported ｜~行李 ~*xíngli* escort baggages ｜他~了一趟车，才回来。 *Tā* ~ *le yí tàng chē, cái huílái.* He just came back from escorting a truck. ｜他一个人~不了那么多货。 *Tā yí gè rén* ~ *bù liǎo nàme duō huò.* He could not escort so many goods by himself alone. ❹〈名 *n.*〉在公文、契约上签字或代替签字的符号 signature: 画~ *huà*~ put one's signature (or mark) on a document or contract to show approval ｜签~ *qiān*~ put one's mark or seal on a document to indicate responsibility ｜他在借据上画了~，签了字。 *Tā zài jièjù shang huàle* ~, *qiānle zì.* He put his seal and signature on the IOU.

⁴ **押韵** *yā*//*yùn*〈动 *v.*〉诗词歌赋中，某些句子的末一个字用韵母相同或相近的字，使

音调和谐优美 rhyme, (of poem or verse) use of words with the same vowel or similar vowels at the end of lines to make them sound harmonious and pleasant to the ear：他作的诗都~。*Tā zuò de shī dōu ~.* All of his poems are rhymed. ｜这首诗压的是什么韵？*Zhè shǒu shī yā de shì shénme yùn?* What kind of rhyme is the poem written with?

⁴ **鸦片** yāpiàn〈名 n.〉用罂粟果实中的乳汁汁液制成的一种毒品，也叫'阿芙蓉'，通称'大烟' opium; also '阿芙蓉 āfúróng'; popularly known as '大烟 dàyān'：贩卖~是犯罪行为。*Fànmài ~ shì fànzuì xíngwéi.* Opium trafficking is a crime. ｜严厉禁止吸食~。*Yánlì jìnzhǐ xīshí ~.* The use of opium is strictly forbidden.

³ **鸭子** yāzi〈名 n.〉（只 zhī、群 qún）鸟类的一科，有家鸭、野鸭两种，通常指家鸭 duck; drake; duckling：~喜欢在池塘里捉小鱼吃。*~ xǐhuan zài chítáng li zhuō xiǎoyú chī.* Ducks like to catch small fish in the pond. ｜渔村的渔民养了很多~。*Yúcūn de yúmín yǎngle hěnduō ~.* Fishermen in the fishing village have raised many ducks.

⁷ **牙** yá〈名 n.〉❶（颗 kē、个 gè、排 pái、口 kǒu）齿的通称，咀嚼食物的器官 tooth, a general term for '齿 chǐ'：~床 ~chuáng gums; teeth ridge ｜~根 ~gēn gum ｜~具 ~jù tooth-cleaners ｜~签 ~qiān toothpick ｜~医 ~yī dentist ｜~医; front tooth 孩子已经长~了。*Háizi yǐjīng zhǎng ~ le.* The baby is cutting its teeth. ｜他~疼得吃不了饭。*Tā ~ téng de chī bù liǎo fàn.* He has such a terrible toothache that he can't eat anything. ｜你这话简直让人笑掉大~。*Nǐ zhè huà jiǎnzhí ràng rén xiàodiào dà ~.* What you say is so ridiculous that people will laugh their heads off. ｜这纯粹是虎口拔~（比喻作非常冒险的事）。*Zhè chúncuì shì hǔkǒubá~ (bǐyù zuò fēicháng màoxiǎn de shì).* It is simply to pull a tooth from the tiger's mouth (fig. to be excessively bold). ❷〈名 n.〉特指象牙 ivory：~筷 ~kuài ivory chopstick ｜~雕 ~diāo ivory carving ｜~章 ~zhāng ivory seal ❸（~儿）〈名 n.〉形状像牙的东西 tooth-like thing：马路~子 mǎlù~zi curbstone

³ **牙齿** yáchǐ〈名 n.〉（颗 kē、个 gè、排 pái、口 kǒu）牙；齿的通称 tooth, a general term for '齿 chǐ'：~要天天刷。*~ yào tiāntiān shuā.* Teeth need cleaning everyday. ｜人人都要爱护自己的~。*Rénrén dōu yào àihù zìjǐ de ~.* Everyone should take good care of his teeth.

³ **牙膏** yágāo〈名 n.〉（支 zhī、管 guǎn）刷牙用的膏状物 toothpaste：药物~有预防牙病的效果。*Yàowù ~ yǒu yùfáng yábìng de xiàoguǒ.* The medicated toothpaste has the effect of preventing tooth diseases. ｜大家都喜欢用这种~。*Dàjiā dōu xǐhuan yòng zhè zhǒng ~.* We all like this kind of toothpaste.

² **牙刷** yáshuā（~儿）〈名 n.〉（把 bǎ、支 zhī）刷牙用的刷子 toothbrush：软毛~不损害牙齿。*Ruǎnmáo ~ bù sǔnhài yáchǐ.* The soft-haired toothbrush doesn't hurt teeth. ｜每个月都应该换一把新~。*Měigè yuè dōu yīnggāi huàn yì bǎ xīn ~.* Change a new toothbrush every month.

³ **芽** yá（~儿）〈名 n.〉（棵 kē、根 gēn）植物刚长出来的可以发育成茎、叶或花的部分 sprout; shoot：~接 ~jiē bud grafting; budding ｜抽~ chōu~ pullulate; shoot forth ｜豆~ dòu~ bean sprout ｜发~ fā~ burgeon; pullulate ｜幼~ yòu~ seedling ｜植物的嫩~儿长出来了。*Zhíwù de nèn ~r zhǎng chūlái le.* The plant has sprouted tender buds. ｜春天一到，花草都长出了新~儿。*Chūntiān yí dào, huācǎo dōu zhǎngchūle xīn ~r.* Flowers and grasses pullulate when spring comes.

⁴ **崖** yá〈名 n.〉山石或高地陡直的侧面 precipice; cliff：山~ ~shān~ cliff ｜悬~ ~xuán~ overhanging cliff ｜摩~ ~mó~ cliff carvings ｜~画 ~huà cliff paintings ｜~刻 ~kè cliff inscriptions

⁴哑 yǎ ❶〈形 *adj.*〉由于生理缺陷或疾病的原因而不能说话 mute; dumb: ~巴 ~*ba* dumb person; mute; speech-impaired person │ ~语 ~*yǔ* sign language │ 聋~人 lóng~*rén* deaf-mute（person）│ 他天生又聋又~。*Tā tiānshēng yòu lóng yòu ~.* He is born deaf and mute. │ 你可别装聋作~。*Nǐ kě bié zhuānglóng-zuò~.* You shouldn't pretend to be deaf and dumb. ❷〈形 *adj.*〉不说话的；无声的 speechless; soundless: ~剧 ~*jù* pantomime │ ~谜 ~*mí* puzzling remark │ 他被问得一口无言。*Tā bèi wèn de ~kǒu-wúyán.* He was asked speechless. ❸〈形 *adj.*〉因嗓子干涩发不出声音或发音不清 husky; hoarse: 沙~ shā~ hoarse │ 嘶~ sī~ hoarse; throaty │ 他讲话太多，嗓子都~了。*Tā jiǎnghuà tài duō, sǎngzi dōu ~ le.* He has talked too much and become hoarse. │ 他把嗓子喊~了。*Tā bǎ sǎngzi hǎn~ le.* He shouted himself hoarse. │ 他是天生的~嗓子。*Tā shì tiānshēng de ~ sǎngzi.* He is born with a hoarse voice. ❹〈形 *adj.*〉炮弹或子弹因故障而打不响（of a shell, bomb, etc.）fail to explode: ~炮 ~*pào* dud │ 机关枪子弹~了火了。*Jīguānqiāng zǐdàn ~ le huǒ le.* The machine-gun fired dud bullets.

⁴轧 yà ❶〈动 *v.*〉碾；滚压 roll; run over: ~场 ~*cháng* thresh grain on a threshing ground with a stone roller │ ~花机 ~*huājī* roller-type cotton gin │ ~道机在马路。~*dàojī zài zài mǎlù.* The road roller is running over the road. │ 小狗被汽车~死了。*Xiǎogǒu bèi qìchē ~sǐ le.* The puppy was run over by a car and died. │ 石碾子在路上~过来~过去。*Shíniǎnzi zài lù shang ~ guòlái ~ guòqù.* The stone roller is rolling over the road over and again. ❷〈动 *v.*〉排挤 eject; throw out; unseat; dispossess; disinherit: 挤~ jǐ~ jostle and jockey │ 倾~ qīng~ conflict; discord

³亚军 yàjūn 〈名 *n.*〉体育、游艺项目竞赛中评出的第二名 second place（in a sports contest）; runner-up: 这次足球比赛的~仅比冠军队少得一分。*Zhè cì zúqiú bǐsài de ~ jǐn bǐ guànjūnduì shǎo dé yì fēn.* In the football match, the runner-up lost to the champion only by one score. │ 这次比赛他只得了一项~。*Zhè cì bǐsài tā zhǐ déle yí xiàng ~.* He has just won a second place in this games.

¹呀 ya 〈助 *aux.*〉'啊' 受前一字韵母或韵尾ɑ,e,i,o,ü的影响而发生的音变 used in place of '啊 *a*' when the preceding character ends in sounds, such as ɑ,e,i,o, or ü: 这个瓜~，又脆又甜。*Zhège guā ~, yòu cuì yòu tián.* This melon is indeed crisp and sweet. │ 你可要认真学~。*Nǐ kě yào rènzhēn xué ~.* You should study hard. │ 大家快来~! *Dàjiā kuài lái ~!* Come here quickly! │ 她一个人怎么活~! *Tā yí gè rén zěnme huó ~!* How can she live alone! │ 你哪儿钓的鱼~? *Nǐ nǎr diào de yú ~?* Where did you fish?

☞ yā, p. 1126

³烟 yān ❶〈名 *n.*〉（飐gǔ、缕lǚ）物质燃烧时产生的气体 smoke: 白~ bái~ white smoke │ 炊~ chuī~ smoke from kitchen chimneys │ 青~ qīng~ smoke │ ~熏火燎 ~xūn-huǒliáo smoky; smoked and terribly hot │ 屋子里的~越来越浓。*Wūzi li de ~ yuèláiyuè nóng.* The smoke became thicker and thicker in the room. │ 烟囱里又冒不出~来了。*Yāncōng li yòu mào bù chū ~ lái le.* The chimney cannot let out smoke again. ❷〈名 *n.*〉像烟的东西 smoke-like thing: ~霞 ~*xiá* mist and clouds │ ~雾 ~*wù* mist │ 山寨里云~缭绕。*Shānzhài li yún~ liáorào.* The fortified mountain village is veiled in mist and clouds. ❸〈名 *n.*〉烟草 tobacco: ~农 ~*nóng* tobacco grower │ ~叶 ~*yè* tobacco leaves │ 烤~ kǎo~ flue-cured tobacco │ 他种了二亩地的~。*Tā zhòngle èr mǔ dì de ~.* He has grown two *mu* of tobaccos. ❹〈名 *n.*〉（支zhī、根gēn、盒hé、包bāo、条tiáo）烟草的制成品，指纸烟、烟丝等 tobacco; cigarette: 旱~ hàn~ tobacco smoked in a long-stemmed Chinese pipe │ 卷~ juǎn~ cigarette │ 香~ xiāng~ cigarette │ 请勿吸~。*Qǐng wù xī ~.* No smoking. | ~抽多了会上瘾。 ~ *chōuduōle huì shàngyǐn.* One will become addicted when he (she) smokes too much. | 公共场所禁止吸~。 *Gōnggòng chǎngsuǒ jìnzhǐ xī~.* Smoking is forbidden in public places. ❺〈名 n.〉指鸦片 opium：土 ~*tǔ* raw opium | ~膏 *~gāo* prepared opium paste | 大 ~ *dà~* opium ❻〈动 v.〉由于烟的刺激使眼睛流泪或睁不开 (of eyes) be irritated by smoke：满屋子的烟，~了我们的眼睛。 *Mǎn wūzi de yān, ~le wǒmen de yǎnjing.* The whole room is pervaded with smoke, which irritates our eyes. | 眼睛被烟~得睁不开了。 *Yǎnjing bèi yān ~ de zhēng bù kāi le.* Irritated by smoke, I can hardly open my eyes.

² **烟草** yāncǎo 〈名 n.〉一年生草本植物，是制造香烟的主要原料。也指烟草制品 tobacco：~是一种经济作物。 *~ shì yì zhǒng jīngjì zuòwù.* Tobacco is a cash crop. | 每年他们都要种植20亩地。 *Měi nián tāmen dōu yào zhòngzhí èrshí mǔ dì ~.* They grow 20 *mu* of tobacco every year. | ~公司在~市场占主导地位。 *~ gōngsī zài ~ shìchǎng zhàn zhǔdǎo dìwèi.* Tobacco companies play a dominant role in the tobacco market.

³ **烟囱** yāncōng 〈名 n.〉(根gēn、节jié、座zuò)炉灶、锅炉上出烟的管状装置，也说'烟筒'chimney; funnel; stovepipe, also '烟筒yāntong'：冬季取暖，~一定要安牢固。 *Dōngjì qǔnuǎn, méilú shang de ~ yídìng yào ān láogù.* In winter when heating the room, we must be sure that the chimney on the coal stove is safely installed. | 他买了几根新~。 *Tā mǎile jǐ gēn xīn ~.* He has bought several new stovepipes. | 工业城市中，~林立。 *Gōngyè chéngshì zhōng, ~ línlì.* In industrial cities, chimneys stand in great numbers.

³ **烟卷儿** yānjuǎnr 〈名 n.〉(支zhī、根gēn、盒hé)香烟、纸烟的另一种叫法 another name for '香烟xiāngyān'，'纸烟zhǐyān'；cigarette：他嘴上叼着一根~。 *Tā zuǐ shang diāozhe yì gēn ~.* He held a cigarette in his mouth. | 一盒~一天不够他抽的。 *Yì hé ~ yì tiān bú gòu tā chōu de.* A pack of cigarettes is not enough for him in a day.

⁴ **烟雾** yānwù 〈名 n.〉泛指烟、气、云、雾等 smoke; mist; vapor; smog; smoke and vapor：~茫茫 *~ mángmáng* boundless mist | ~弥漫 *~ mímàn* be enshrouded in mist | 笼罩着大地。 ~ *lǒngzhàozhe dàdì.* The mother earth is shrouded in the mist. | 清晨，整个山庄笼罩在 ~ 中。 *Qīngchén, zhěnggè shānzhuāng lǒngzhào zài ~ zhōng.* Early in the morning, the entire mountain village is shrouded in the mist.

³ **淹** yān ❶〈动 v.〉淹没 submerge; flood; inundate; drown：大水~了整个村子。 *Dàshuǐ ~le zhěnggè cūnzi.* The whole village was inundated by the flood. | 掉到河里的人没~死，被救上岸了。 *Diàodào hé li de rén méi ~sǐ, bèi jiùshàng àn le.* The man falling into the river did not die from drowning; he was saved. ❷〈动 v.〉汗水长时间浸渍皮肤，使感到痛或痒 tingling or smarting from sweat：汗出得太多，都~了孩子的脖子了。 *Hàn chū de tài duō, dōu ~le háizi de bózi le.* The child has sweated so much that his neck is tingling from sweat. | 胳肢窝给汗~得又痛又痒。 *Gāzhiwō gěi hàn ~ de yòu tòng yòu yǎng.* My armpits are tingling from sweat. | 孩子的眼睛~了，睁不开。 *Háizi de yǎnjing ~ le, zhēng bù kāi.* Tingling from sweat, the child can hardly open his eyes.

⁴ **淹没** yānmò 〈动 v.〉(大水)漫过，盖过 submerge; flood; inundate; drown：洪水~了田地、村庄。 *Hóngshuǐ ~le tiándì, cūnzhuāng.* The flood submerged the fields and the villages. | 潮水~了海边的沙滩。 *Cháoshuǐ ~le hǎibiān de shātān.* The tidewater submerged the sand beach. | 教室里的嘈杂声~了老师的讲话声。 *Jiàoshì li de cáozá shēng ~le lǎoshī de jiǎnghuà shēng.* The Teacher's voice was drowned in the noise of the class. | 暮色慢慢地~了整个小镇。 *Mùsè mànmàn de ~le zhěnggè xiǎozhèn.* The entire little town was gradually engulfed by darkness.

² **延长** yáncháng 〈动 v.〉（时间、距离）向长的方面发展 (of time, distance, etc.) prolong; extend; protract: 比赛时间~了。*Bǐsài shíjiān ~ le.* The game time has been protracted. | 会议~了五天。*Huìyì ~le wǔ tiān.* The meeting has been prolonged for another five days. | 高速公路~了20公里。*Gāosù gōnglù ~le èrshí gōnglǐ.* The expressway extends for another 20 kilometers. | 把线段AB~到C点。*Bǎ xiànduàn AB ~ dào C diǎn.* Extend line AB to point C. | ~的路线就要修完了。*~ de lùxiàn jiù yào xiūwán le.* The construction of the extended route will soon be finished.

⁴ **延缓** yánhuǎn 〈动 v.〉推迟，放慢 delay; postpone; put off: ~进度 *~ jìndù* postpone the schedule | ~期限 *~ qīxiàn* put off the time limit | 工作计划不能~。*Gōngzuò jìhuà bù néng ~.* There will be no delay of the work plan. | 这项新规定要~几个月时间才能执行。*Zhè xiàng xīn guīdìng yào ~ jǐ gè yuè shíjiān cái néng zhíxíng.* The new regulation will be postponed for several months.

⁴ **延期** yán // qī 〈动 v.〉推迟原来规定的日期 postpone; defer; put off：运动会~了。*Yùndònghuì ~ le.* The sports meet has been put off. | 期中考试~一周举行。*Qīzhōng kǎoshì ~ yì zhōu jǔxíng.* The mid-term exam will be postponed for one week. | 没什么原因，考试延什么期呀? *Méi shénme yuányīn, kǎoshì yán shénme qī ya?* Why will the exam be put off without any reason?

⁴ **延伸** yánshēn 〈动 v.〉延长；伸展 extend; stretch: 公路向前~到了海边。*Gōnglù xiàngqián ~dàole hǎibiān.* The road stretches forward to the seashore. | 这条铁路又向前~了150公里。*Zhè tiáo tiělù yòu xiàngqián ~le yìbǎi wǔshí gōnglǐ.* The railway extends for another 150 kilometers. | 石油勘探领域又向海洋~了。*Shíyóu kāntàn lǐngyù yòu xiàng hǎiyáng ~ le.* The exploration of petroleum has been extended to the ocean. | 科学家向外太空作~探索。*Kēxuéjiā xiàng wàitàikōng zuò ~ tànsuǒ.* Scientists are extending their exploration to the outer space. | 向边境~的公路已经通车了。*Xiàng biānjìng ~ de gōnglù yǐjīng tōngchē le.* The road stretching to the border area has been open to traffic.

⁴ **延续** yánxù 〈动 v.〉按照原样继续下去，延长下去 continue; go on; last: 这种天气可能还要~10天左右。*Zhè zhǒng tiānqì kěnéng hái yào ~ shí tiān zuǒyòu.* This kind of weather may last for about another 10 days. | 这种罕见的天象只~了几分钟。*Zhè zhǒng hǎnjiàn de tiānxiàng zhǐ ~le jǐ fēnzhōng.* This unusual astronomical phenomenon only lasted for several minutes. | 经济不景气的情况~了整整一年时间。*Jīngjì bù jǐngqì de qíngkuàng ~le zhěngzhěng yì nián shíjiān.* The economic depression has lasted for a whole year.

³ **严** yán ❶〈形 adj.〉严密，紧密 tight; close: ~紧 *~jǐn* strict; stern | ~实 *~shí* tight | 戒~ *jiè~* enforce martial law | 森~ *sēn~* strict; stern | 警卫把守得很~。*Jǐngwèi bǎshǒu de hěn ~.* The guards were high alert. | 瓶子盖得不~。*Píngzi gài de bù ~.* The bottle mouth was not tightly covered. | 大门锁得~~的。*Dàmén suǒ de ~~ de.* The entrance gate was securely locked. | 这家伙嘴挺挺~的。*Zhè jiāhuo zuǐ hái tǐng ~ de.* This guy is rather tight-lipped. | 消息被~地封锁住了。*Xiāoxi bèi ~ de fēngsuǒ zhù le.* The news has been tightly covered up. ❷〈形 adj.〉严格，严厉 strict; stern: ~办 *~bàn* punish with severity | ~惩 *~chéng* punish severely | ~禁 *~jìn* strictly forbid | ~守 *~shǒu* observe strictly | 家长对孩子不能太~。*Jiāzhǎng duì háizi bù néng tài ~.* Parents should not be too strict with their children. | 公司的制度很~。*Gōngsī de zhìdù hěn ~.* The company has formulated very strict rules. | 爸爸对我~得过分了。*Bàba duì wǒ ~ de guòfèn le.* Father is excessively strict with me. ❸〈形 adj.〉程度深；厉害 severe;

heavy; extreme：~冬 *~dōng* severe winter | 敌人对他进行了~刑拷打。*Dírén duì tā jìnxíng ~xíng kǎodǎ.* The enemy subjected him to brutal torture.

² **严格** yángé ❶〈形 *adj.*〉在执行制度或掌握标准时认真、不放松 strict; rigorous; rigid; stringent：他总是~要求自己。*Tā zǒngshì ~ yāoqiú zìjǐ.* He is always strict with himself. | 我们要~执行上级的命令。*Wǒmen yào ~ zhíxíng shàngjí de mìnglìng.* We should carry out orders from higher authorities to the letter. | 他能~遵守学校的规章制度。*Tā néng ~ zūnshǒu xuéxiào de guīzhāng zhìdù.* He can strictly observe the rules and regulations of the school. | 他受过~的训练。*Tā shòuguo ~ de xùnliàn.* He has received rigorous training. | 教练对每个动作都要求得很~。*Jiàoliàn duì měi gè dòngzuò dōu yāoqiú de hěn ~.* The coach puts forward strict demands for every movement. ❷〈动 *v.*〉使严格 be strict：上级要~项目审批手续。*Shàngjí yào ~xiàngmù shěnpī shǒuxù.* The higher authorities are strict in the examination and approval of every project.

⁴ **严寒** yánhán〈形 *adj.*〉(气候)非常寒冷 severely frigid; bitterly cold：这里没有~的季节。*Zhèli méiyǒu ~ de jìjié.* There is no frigid season here. | 北方的冬天天气~。*Běifāng de dōngtiān tiānqì ~.* In winter, it is bitterly cold in the north. | 他们冒着~向工地进发。*Tāmen màozhe ~ xiàng gōngdì jìnfā.* They set out to the construction site in severe cold.

³ **严禁** yánjìn〈动 *v.*〉严格禁止 strictly forbid：公共场所~吸烟。*Gōnggòng chǎngsuǒ ~xīyān.* Smoking is strictly forbidden in public places. | ~随地吐痰。*~ suídì tǔtán.* Spitting is strictly forbidden. | ~吸毒贩毒。*~ xīdú fàndú.* Drug taking and trafficking are strictly forbidden.

⁴ **严峻** yánjùn〈形 *adj.*〉严厉，严肃 stern; severe; rigorous; grim：他的态度非常~。*Tā de tàidù fēicháng ~.* He takes a very stern attitude. | 战争形势~到了一触即发的程度。*Zhànzhēng xíngshì ~dàole yíchù-jífā de chéngdù.* The situation had become so severe that war could break out at any moment. | 他总是一副~的面孔。*Tā zǒngshì yí fù ~ de miànkǒng.* He always wears a grim expression. | 他经受住了~的考验。*Tā jīngshòu zhùle ~ de kǎoyàn.* He has stood up to severe tests. | 他的脸色变得~起来。*Tā de liǎnsè biàn de ~qǐlái.* He took on a grim look.

³ **严厉** yánlì〈形 *adj.*〉严肃而厉害 strong; stern; severe：他的表情很~。*Tā de biǎoqíng hěn ~.* He looks very stern. | 他对我总是那么~。*Tā duì wǒ zǒngshì nàme ~.* He's always so stern with me. | 要~打击各种犯罪分子。*Yào ~ dǎjī gè zhǒng fànzuì fènzǐ.* We should deal a telling blow at all kinds of criminals. | 老师~地批评了他。*Lǎoshī ~ de pīpíngle tā.* The teacher criticized him severely.

³ **严密** yánmì ❶〈形 *adj.*〉事物之间结合得紧，没有空隙 tight; close：文章的结构十分~。*Wénzhāng de jiégòu shífēn ~.* The article is well organized in structure. | 袋装食品封得很~。*Dàizhuāng shípǐn fēng de hěn ~.* The bagged food is tightly sealed. | 这是一个~的思想体系。*Zhè shì yí gè ~ de sīxiǎng tǐxì.* This is a meticulous ideological system. ❷〈形 *adj.*〉周到，没有疏漏 well-conceived; tight：工作计划一定要~。*Gōngzuò jìhuà yídìng yào ~.* Work plans should be well-conceived. | 对方防守得非常~。*Duìfāng fángshǒu de fēicháng ~.* The opponents set up a very tight defense. | 各国都在~地注视着事态的变化。*Gè guó dōu zài ~ de zhùshìzhe shìtài de biànhuà.* Every country closely follows the development of the situation. ❸〈动 *v.*〉使严密 tighten up：学校要~考试制度。*Xuéxiào yào ~ kǎoshì zhìdù.* Schools should tighten up the regulations of exams.

² **严肃** yánsù ❶〈形 adj.〉（神情、气氛）使人感到敬畏的 (of expression, atmosphere, etc.) stern; grave; serious; keep a straight face：他的表情十分～. *Tā de biǎoqíng shífēn ～.* His expression is so stern. ｜会场的气氛～极了. *Huìchǎng de qìfēn ～ jí le.* The atmosphere of the meeting place was terribly serious. ｜他们都是很～的人. *Tāmen dōu shì hěn ～ de rén.* They are all serious people. ｜他没见过这么～的场面. *Tā méi jiànguo zhème ～ de chǎngmiàn.* He has never experienced such a serious situation. ❷〈形 adj.〉（作风、态度）认真 (of working style, attitude, etc.) strict; earnest：他办什么事都那么～认真. *Tā bàn shénme shì dōu nàme ～ rènzhēn.* He is always serious to whatever he does. ｜学校～处理了违纪事件. *Xuéxiào ～ chǔlǐle wéijì shìjiàn.* The school has seriously dealt with the case of discipline violation. ❸〈动 v.〉使严肃；认真对待 tighten up：我们必须～劳动纪律. *Wǒmen bìxū ～ láodòng jìlǜ.* We must tighten up the working discipline.

² **严重** yánzhòng〈形 adj.〉程度深，影响大，情势危急 serious; grave; critical：他的病情十分～. *Tā de bìngqíng shífēn ～.* He was mortally ill. ｜他犯了一个～的错误，给单位造成了～损失. *Tā fànle yí gè ～ de cuòwù, gěi dānwèi zàochéngle ～ sǔnshī.* He has made a serious mistake and brought heavy losses to his unit. ｜他～违反交通规则. *Tā ～wéifǎn jiāotōng guīzé.* He gravely violated the traffic rules. ｜你说得也太～了吧. *Nǐ shuō de yě tài ～ le ba.* You have described it too seriously.

⁴ **言** yán ❶〈名 n.〉话 speech; word：～词 ～cí words; utterance ｜～语 ～yǔ words; remark ｜发～ ～fā～ deliver a speech ｜格～ gé～ motto; maxim ｜诺～ ～nuò～ promise ｜语～ ～yǔ language ｜～不由衷～bùyóuzhōng speak insincerely ｜～出必行 ～chū-bìxíng suit one's action to the word ｜我这可是有～在先，你要想清楚. *Wǒ zhè kě shì yǒu ～zài xiān, nǐ yào xiǎng qīngchu.* This is what I have to make clear beforehand, and you have to think it over. ❷〈名 n.〉汉语的一个字 a Chinese character; word：五～绝句 wǔ～juéjù five-character quatrain ｜七～律诗 qī～lǜshī seven-character verse ｜全书洋洋十万～. *Quán shū yángyáng shí wàn ～.* The whole book amounts to 100,000 words. ❸〈动 v.〉说 say; talk; speak; describe：知无不～,～无不尽. *Zhīwúbù～,～wúbùjìn.* Say all you know and say it without reserve.

⁴ **言论** yánlùn〈名 n.〉关于政治和一般公共事务的议论 opinion on public affairs; expression of one's political views; speech：对于这个问题，他发表了很多～. *Duìyú zhège wèntì, tā fābiǎole hěnduō～.* He has given out many opinions on this problem. ｜他散布了一些错误～. *Tā sànbùle yìxiē cuòwù ～.* He spread some improper words. ｜每个公民都享有～自由. *Měi gè gōngmín dōu xiǎngyǒu ～ zìyóu.* Every citizen enjoys the freedom of speech.

⁴ **言语** yányǔ〈名 n.〉说的话 spoken language; speech：他长得一表堂堂，可～却很粗鲁. *Tā zhǎng de yìbiǎo-tángtáng, kě ～ què hěn cūlǔ.* He is dignified in appearance, but rude in speech. ｜他的～相貌大家都很熟悉. *Tā de ～ xiàngmào dàjiā dōu hěn shúxī.* Everyone is quite familiar with his speech and appearance.

³ **岩石** yánshí〈名 n.〉（块kuài）构成地壳的矿物的集合体 rock：～是研究地质的材料. *～ shì yánjiū dìzhì de cáiliào.* Rock is the material for geological studies. ｜地质勘探队员找到了一些有研究价值的～. *Dìzhì kāntàn duìyuán zhǎodàole yìxiē yǒu yánjiū jiàzhí de ～.* The geological workers have found some rocks of value.

⁴ **炎热** yánrè〈形 adj.〉（天气）非常热 (of weather) scorching; blazing; burning hot：中国南方气候～，北方寒冷. *Zhōngguó nánfāng qìhòu ～, běifāng hánlěng.* In China, it is sweltering in the south and chilly in the north. ｜～的夏季令人很烦躁. *～ de xiàjì lìng*

rén hěn fánzào. The hot summer is quite fidgety.

² **沿** yán ❶〈介 *prep.*〉顺着(道路或事物的边)along(a road or the edge of sth.):~街 ~ *jiē* along the street │ ~路 ~*lù* along the road │ ~途 ~*tú* along the way │ 汽车~着海边行 驶。*Qìchē ~zhe hǎibiān xíngshǐ.* The car is running along the seaside. │ 他正一条小路 向南走着。*Tā zhèng ~ yì tiáo xiǎolù xiàng nán zǒuzhe.* He is walking southward along a trail. │ 我们还是~河边走吧。*Wǒmen háishi ~ hébiān zǒu ba.* Let's walk along the river bank. ❷〈动 *v.*〉按照以往的方法、规矩、式样等 follow(established way, practice, pattern, etc.):~例 ~*lì* follow an old practice; follow established precedents │ ~袭 ~*xí* carry on as before; follow │ ~用 ~*yòng* continue to use │ 相~成习 *xiāng ~ chéng xí* become a custom through long practice ❸(~儿)〈名 *n.*〉边(多用在名词后)(often used after a noun)edge:边~ *biān*~ edge │ 床~儿 *chuán*~r edge of the bed │ 沟~儿 *gōu*~r edge of a ditch │ 前~ *qián*~ frontline │ 他把车开到河~。*Tā bǎ chē kāidào hé~.* He drove the car to the river bank.

⁴ **沿岸** yán'àn〈名 *n.*〉指靠近江、河、湖、海一带的地区 bank of a river or lake; the coast of the sea:大运河~经济很繁荣。*Dàyùnhé ~ jīngjì hěn fánróng.* The economy in the areas along the Grant Canal is very prosperous. │ 这些国家在地中海~。*Zhèxiē guójiā zài Dìzhōnghǎi ~.* These countries are located along the Mediterranean Sea. │ 黄河~地区 农牧业很发达。*Huáng Hé ~ dìqū nóngmùyè hěn fādá.* Farming and animal husbandry along the Yellow River are well developed.

³ **沿海** yánhǎi〈名 *n.*〉靠近海的一带 coastal region; seaboard:~地区经济发展很快。~ *dìqū jīngjì fāzhǎn hěn kuài.* The economy in the coastal regions has developed very quickly. │ 要努力发展~地区的渔业和水产养殖业。*Yào nǔlì fāzhǎn ~ dìqū de yúyè hé shuǐchǎn yǎngzhíyè.* Great efforts should be made to develop fishery and aquiculture in coastal areas. │ 暴风雨袭击了我国东南~一带。*Bàofēngyǔ xíjīle wǒ guó dōngnán ~ yídài.* The southeast coastal areas of our country have been struck by a storm.

⁴ **沿途** yántú〈名 *n.*〉沿路 on the way; along the road:~景色迷人。~ *jǐngsè mírén.* The scenery along the way is enchanting. │ 走了10多公里,~没遇见一个行人。*Zǒule shí duō gōnglǐ, ~ méi yùjiàn yí gè xíngrén.* After more than ten kilometers' walking, I haven't met a single person on the way.

¹ **研究** yánjiū ❶〈动 *v.*〉探求事物的真相、性质、规律等 study; research; look into:老师 正在~语言学习规律。*Lǎoshī zhèngzài ~ yǔyán xuéxí guīlǜ.* The teacher is studying the rules of language learning. │ 这个课题他潜心了不下十年。*Zhège kètí tā qiánxīn ~le bú xià shí nián.* He has studied the subject with great care for more than ten years. │ 这 些~项目已经分给大家了。*Zhèxiē ~ xiàngmù yǐjīng fēn gěi dàjiā le.* All these research projects have been assigned to you. │ 每个人都承担一个~课题。*Měi gè rén dōu chéngdān yí gè ~ kètí.* Everyone should take up a research project. ❷〈动 *v.*〉考虑或商 讨 consider; discuss; deliberate:学校专门开会~了学生对伙食的意见。*Xuéxiào zhuānmén kāihuì ~le xuésheng duì huǒshí de yìjiàn.* The school held a special meeting to discuss the students' opinions on the food served in the canteen. │ ~了半天,没有任何结 果。~*le bàntiān, méiyǒu rènhé jiéguǒ.* No result has been attained after a long discussion. │ 这个方案还得~~。*Zhège fāng'àn hái děi ~ ~.* This plan needs further discussion.

³ **研究生** yánjiūshēng〈名 *n.*〉(名míng、位wèi)经高等院校或科研机构考试录取,通过 研究工作进修的学生,有博士研究生和硕士研究生 postgraduate(student); graduate student:这位~已经通过了论文答辩。*Zhè wèi ~ yǐjīng tōngguòle lùnwén dábiàn.* The

postgraduate has passed interview on his thesis. | 研究所今年计划招收5名博士
。*Yánjiūsuǒ jīnnián jìhuà zhāoshōu wǔ míng bóshì ~.* The research institute plans to take in
five doctorate students.

² **研究所** yánjiūsuǒ 〈名 n.〉 (个 gè)专门从事某项科学研究的机关 research institute：这
个~有很强的科研实力。*Zhège ~ yǒu hěn qiáng de kēyán shílì.* The research institute is
quite strong in scientific research. | 学校新成立了几个~。*Xuéxiào xīn chénglile jǐ gè*
~. Our school has recently set up several research institutes. | 他是语言~的研究员。*Tā*
shì Yǔyán ~ de yánjiūyuán. He is a researcher of the Language Research Institute.

³ **研制** yánzhì 〈动 v.〉研究制造 trial-produce; develop; R & D：他们正在~新型计算
机。*Tāmen zhèngzài ~ xīnxíng jìsuànjī.* They are developing a new kind of computer. |
抗病毒新药~出来了。*Kàng bìngdú xīn yào ~ chūlái le.* The new anti-virus medicine
has been turned out. | 他们新~的产品达到了世界领先水平。*Tāmen xīn ~ de chǎnpǐn*
dádàole shìjiè lǐngxiān shuǐpíng. Their newly developed product has reached the highest
international standard.

² **盐** yán 〈名 n.〉食盐，也叫'咸盐' table salt; salt, also '咸盐 xiányán'：~场~chǎng
saltern; saltworks | ~分~fèn salt content; salinity | ~田~tián salt pan; salina; saltworks
| 海~hǎi~ sea salt | 食~shí~ table salt; salt | 炒菜时~不能放太多。*Chǎocài shí ~ bù*
néng fàng tài duō. Don't put too much salt when you cook a dish. | 汤太淡，再放点儿~。
Tāng tài dàn, zài fàng diǎnr ~. The soup is tasteless. Add some salt in it. | 政府要关心群
众的柴米油~问题。*Zhèngfǔ yào guānxīn qúnzhòng de chái-mǐ-yóu-~ wèntí.* The
government should be attentive to the life of the masses.

¹ **颜色** yánsè ❶〈名 n.〉(种 zhǒng)色彩;物体的光波在视觉中产生的印象 color; hue：
他的衣服~都很鲜艳。*Tā de yīfu ~ dōu hěn xiānyàn.* All his clothes are in bright color.
| 彩虹有红、橙、黄、绿、青、蓝、紫7种~。*Cǎihóng yǒu hóng, chéng, huáng, lù, qīng,*
lán, zǐ qī zhǒng ~. There are seven colors in the rainbow; they are red, orange, yellow,
green, blue-green, blue and purple. | 花园里开满了各种~的花。*Huāyuán li kāimǎnle*
gè zhǒng ~ de huā. Flowers of different colors are blooming in the garden. | 你喜欢哪
种~就选哪种吧。*Nǐ xǐhuan nǎ zhǒng ~ jiù xuǎn nǎ zhǒng ba.* You may choose
whatever color you like. ❷〈名 n.〉显示出的厉害的脸色或行动 stern look on one's
face as a warning; action taken as a punishment：给他点儿~看看！*Gěi tā diǎnr ~*
kànkan! Teach him a lesson!

⁴ **掩** yǎn ❶〈动 v.〉遮盖，掩蔽 cover up; hide：~盖~gài conceal; blanket; cover | ~埋
~mái bury | ~饰~shì cover up; gloss over; conceal | 遮~zhē~ cover; overspread; block
| ~人耳目~rén'ěrmù deceive the public; muzzle sb. up | ~耳盗铃(比喻自欺欺人)~'ěr-
dàolíng(bǐyù zìqī-qīrén) plug one's ears while stealing a bell (*fig.* self-deception or play
the ostrich) ❷〈动 v.〉关；合 shut; close：他随手~上房门。*Tā suíshǒu ~shàng*
fángmén. He closed the door behind him. | 大门~着,不知道里面有没有人。*Dàmén*
zhe, bù zhīdào lǐmian yǒu méi yǒu rén. The gate is closed, and we don't know if there is
any person in it. ❸〈动 v. 方 dial.〉门窗箱柜等合拢时夹住了东西 get squeezed or
pinched by a door or lid：车门~着衣服了。*Chēmén ~zhe yīfu le.* My clothes was
pinched by the door of the car. | 箱子儿把手~疼了。*Xiāngzi gàir bǎ shǒu ~téng le.*
My hand has got a pain from the nip of the cover of the box.

³ **掩盖** yǎngài ❶〈动 v.〉从上面遮住、盖住 cover; overspread：冰雪~着整个湖面。
Bīngxuě ~zhe zhěnggè húmiàn. The whole lake was covered by ice and snow. | 黄沙几
乎~了整个小村庄。*Huángshā jīhū ~le zhěnggè xiǎo cūnzhuāng.* The entire village is

almost buried by yellow sand. | 小小的庭院被绿荫~，好不凉爽。*Xiǎoxiǎo de tíngyuàn bèi lùyīn~, hǎobù liángshuǎng.* Under the shades of trees, the small yard is comfortably cool. ❷〈动 v.〉隐蔽；隐瞒 conceal; cover up：我们不能~矛盾。*Wǒmen bù néng ~máodùn.* We shouldn't cover up problems. | 事实真相不能再~下去了。*Shìshí zhēnxiàng bù néng zài ~ xiàqù le.* The truth should not be concealed any more. | 他~不住内心的痛苦。*Tā ~ bú zhù nèixīn de tòngkǔ.* He can hardly conceal the pain in his heart. | 谎言~不了铁的事实。*Huǎngyán ~ bù liǎo tiě de shìshí.* Lies cannot cover up the solid truth.

¹**掩护** yǎnhù ❶〈动 v.〉对敌采取警戒、牵制、压制等手段，保护己方部队或人员的行动安全 screen; shield; cover：他在二战时期~了很多反法西斯战士。*Tā zài Èrzhàn shíqī ~le hěn duō fǎnfǎxīsī zhànshì.* He had shielded many anti-fascist soldiers during the Second World War. | 他用自己的家庭~过我。*Tā yòng zìjǐ de jiātíng ~guo wǒ.* He once risked his family to shield me. | 机枪连~大部队通过敌人封锁区。*Jīqiānglián~ dà bùduì tōngguò dírén fēngsuǒqū.* The machine-gun company secured the whole army to get across the enemy's blockade. | 老百姓在部队的~下安全撤离。*Lǎobǎixìng zài bùduì de ~ xià ānquán chèlí.* The civilians have been evacuated safely under the protection of the army. ❷〈动 v.〉采用某种方式暗中保护 cover, protect or shield sb. secretly：有人在暗地里~着他。*Yǒurén zài àndìli ~zhe tā.* He was protected secretly. | 她与他假扮夫妻~了他。*Tā yǔ tā jiǎbàn fūqī ~le tā.* She covered him by pretending to be his wife. ❸〈名 n.〉指作战时遮挡身体的工事、山冈、树木等 shield; protective device or structure in a battle：你们要学会利用各种地形地物作为~。*Nǐmen yào xuéhuì lìyòng gè zhǒng dìxíng dìwù zuòwéi ~.* You should learn to make use of all kinds of terrain and objects as a shield. | 他把那块石碑当成了~。*Tā bǎ nà kuài shíbēi dàngchéngle ~.* He took the stele as a shield.

⁴**掩饰** yǎnshì〈动 v.〉设法掩盖、粉饰（缺点、错误等）cover up (faults, mistakes, etc.); gloss over; conceal：你别再~自己的弱点了。*Nǐ bié zài ~ zìjǐ de ruòdiǎn le.* Don't cover up your weakness any more. | 他~不住自己的情绪。*Tā ~ bú zhù zìjǐ de qíngxù.* He could not conceal his feelings. | 他毫不~地承认了自己的过失。*Tā háo bù ~ de chéngrènle zìjǐ de guòshī.* He admitted his own fault without any attempt to gloss over. | 他脸上露出了一丝~不住的仇恨。*Tā liǎn shang lùchūle yì sī ~ bú zhù de chóuhèn.* There appeared on his face a trace of hatred that could not be concealed.

²**眼** yǎn ❶〈名 n.〉（只zhī、双shuāng）人或动物的视觉器官，通称'眼睛'eye, generally called '眼睛yǎnjīng'：~球 *~qiú* eyeball | ~窝 *~wō* eye socket; eyehole; orbit | ~珠子 *~zhūzi* eyeball | 斜~ *xié~* asquint | 心明~亮（形容看问题清楚透彻，明辨是非）*xīnmíng~liàng（xíngróng kàn wèntí qīngchu tòuchè, míngbiàn shìfēi）* be sharp-eyed and clear-headed (fig. see and think clearly; discern things clearly) | 睁一只~闭一只~（假装没有看见，采取容忍迁就的态度）*zhēng yì zhī ~, bì yì zhī ~（jiǎzhuāng méiyǒu kànjiàn, cǎiqǔ róngrěn qiānjiù de tàidù）* turn a blind eye to (pretend not to see; take a compromising attitude) | 他的左~失明了。*Tā de zuǒ ~ shīmíng le.* His left eye has lost sight. | 战争让他失去了一只~。*Zhànzhēng ràng tā shīqùle yì zhī ~.* War had deprived him of one of his eyes. ❷（~儿）〈名 n.〉（个gè）小洞；窟窿 small hole; aperture：枪~ *qiāng~* crenel; loophole | 泉~ *quán~* opening of a spring | 针~ *zhēn~* eyelet; pinprick; the eye of a needle | 耳朵~儿 *ěrduo~r* outer ear; hole pierced in the earlobe for wearing earring | 玻璃被子弹打了一个~儿。*Bōli bèi zǐdàn dǎle yí gè ~r.* The glass has been left a hole by the bullet. | 木板上的~儿太多，不能用。*Mùbǎn shang de ~r tài duō,*

bù néng yòng. This board is useless, for there are too many holes in it. ❸〈名 n.〉事物的关键 key point: 节骨~儿 *jiēgu~r* vital link; critical juncture ❹〈名 n.〉中国民族戏曲音乐的节拍 unaccented beat in traditional Chinese music: 有板有~（形容唱得有节拍；比喻说话做事有条有理）*yǒubǎn-yǒu~*（*xíngróng chàng de yǒu jiépāi; bǐyù shuōhuà zuòshì yǒutiáo-yǒulǐ*）(of singing) rhythmical; measured;（of speech or action）orderly; systematic ❺〈量 meas.〉只用于计量井、窑洞、泉水 measure word for wells, caves, springs, etc.: 他家打了一~机井。*Tā jiā dǎle yì ~ jījǐng.* His family has dug a pumped well. ｜他又挖了几~窑洞。*Tā yòu wāle jǐ ~ yáodòng.* He dug several more cave-dwellings. ｜山边有一~泉水。*Shānbiān yǒu yì ~ quánshuǐ.* There is a spring by the mountain.

³ **眼光** yǎnguāng ❶〈名 n.〉视线 eye: 同学们的~一齐投向黑板。*Tóngxuémen de ~ yìqí tóu xiàng hēibǎn.* All the students turned their eyes to the blackboard. ｜他的~呆滞。*Tā de ~ dāizhì.* Her eyes have become dull. ｜他总爱用这种轻蔑的~看对方。*Tā zǒng ài yòng zhè zhǒng qīngmiè de ~ kàn duìfāng.* He likes to look at other people with such contemptuous eyes. ❷〈名 n.〉见识，观察事物的能力 sense of judgment; sight; foresight; insight; vision: 你的~真准，挑选的人个个是好样儿的。*Nǐ de ~ zhēn zhǔn, tiāoxuǎn de rén gègè shì hǎoyàngr de.* Everyone you've chosen is quite capable, which shows your good sense of judgment. ｜你还真有点儿，一下子就分出了真伪。*Nǐ hái zhēn yǒu diǎnr ~, yíxiàzi jiù fēnchūle zhēnwěi.* You really have a good sense of judgment to tell the false from the true at the first sight. ❸〈名 n.〉观点 point of view: 你的~太陈旧了。*Nǐ de ~ tài chénjiù le.* Your point of view is too outdated. ｜可别再用老~看人了。*Kě bié zài yòng lǎo ~ kàn rén le.* Don't judge people with an old eye any more.

¹ **眼睛** yǎnjing〈名 n.〉（只 zhī、双 shuāng）眼的通称 general term for eye: 他的一双~又黑又亮。*Tā de yì shuāng ~ yòu hēi yòu liàng.* His eyes are black and bright. ｜她长了一双迷人的大~。*Tā zhǎngle yì shuāng mírén de dà ~.* She has a pair of big charming eyes. ｜学生们每天都要做~保健操。*Xuéshengmen měitiān dōu yào zuò ~ bǎojiàncāo.* Students do setting-up exercises for their eyes everyday.

² **眼镜** yǎnjìng(~儿)〈名 n.〉（副 fù）戴在眼睛上矫正视力或保护眼睛的透镜 eyeglasses; glasses; spectacles: 他的~儿是水晶的，不是玻璃的。*Tā de ~r shì shuǐjīng de, bú shì bōli de.* His glasses are made of crystal rather than glass. ｜他配了一副200度的近视~。*Tā pèile yí fù èrbǎi dù de jìnshì ~.* He bought a pair of short-sighted glasses of 200 degrees. ｜他不戴~看不清东西。*Tā bú dài ~ kàn bù qīng dōngxi.* He cannot see clearly without glasses. ｜他的新~镜片是茶色的。*Tā de xīn ~ jìngpiàn shì chásè de.* The lenses of his new glasses are brown.

³ **眼看** yǎnkàn ❶〈动 v.〉听凭（不如意的事情发生）look on helplessly (sth. unpleasant to happen or develop): 你怎能~着东西被人抢走呢? *Nǐ zěn néng ~zhe dōngxi bèi rén qiǎngzǒu ne?* How can you let your things be robbed without any action? ｜他~着战友一步步向死神走去。*Tā ~zhe zhànyǒu yíbùbù xiàng sǐshén zǒuqù.* He could only look at his comrade-in-arms walking to death step by step. ｜我们不能~着他一天天消沉下去。*Wǒmen bù néng ~zhe tā yì tiāntiān xiāochén xiàqù.* We could not wait to see him becoming depressed day after day. ❷〈副 adv.〉马上；立即 soon; in a moment: ~就要考试了，你还不抓紧复习? *~ jiùyào kǎoshì le, nǐ hái bù zhuājǐn fùxí?* The exam is coming soon. Why don't you take time to review? ｜~就要到终点了，他突然摔了一跤。*~ jiùyào dào zhōngdiǎn le, tā túrán shuāile yì jiāo.* He almost reached the terminal when he suddenly fell down.

² **眼泪** yǎnlèi〈名 n.〉(滴dī、行háng、把bǎ、串chuàn)泪液；眼内泪腺分泌的无色透明液体 tear：~充满了她的眼眶。~ chōngmǎnle tā de yǎnkuàng. Her eyes are brimming with tears. | 大家都流下了激动的~。Dàjiā dōu liúxiàle jīdòng de ~. Everyone cried with excitement. | 他高兴得流出了~。Tā gāoxìng de liúchūle ~. He shed tears with delight. | 那时候，他只能把~往肚里咽。Nà shíhou, tā zhǐnéng bǎ ~ wǎng dù li yàn. At that time, he could only swallow down his tears.

² **眼力** yǎnlì ❶〈名 n.〉视力 eyesight; vision：人老了，~不行了。Rén lǎo le, ~ bù xíng le. I'm old and only have a weak eyesight. | 老人年纪不小了，还有这么好的~。Lǎorén niánjì bù xiǎo le, háiyǒu zhème hǎo de ~. Old as he is, the man still has a good eyesight. ❷〈名 n.〉眼光；辨是非好坏的能力 sense of judgment：他~真棒，一眼就看出了真假。Tā ~ zhēn bàng, yì yǎn jiù kànchūle zhēnjiǎ. He has a keen sense of judgment and can distinguish the false from the true at the first sight. | 咱们试试他的~，看他能不能分辨哪个是真名牌。Zánmen shìshi tā de ~, kàn tā néng bù néng fēnbiàn nǎge shì zhēn míngpái. Let's try his sense of judgment and see if he can find the real famous brand.

² **眼前** yǎnqián ❶〈名 n.〉面前；跟前 before one's eyes：你~都是学术界的名人。Nǐ ~ dōu shì xuéshùjiè de míngrén. All these before you are famous persons in the academic circle. | ~就是车站。~ jiù shì chēzhàn. The railway station is just before your eyes. | 饭馆就在~，吃饭很方便。Fànguǎn jiù zài ~, chīfàn hěn fāngbiàn. The restaurant is just before your eyes, and it is quite convenient for a meal. ❷〈名 n.〉目前，当前 for the time being; at the moment; at present：~是发展经济的好时机。~ shì fāzhǎn jīngjì de hǎo shíjī. Now is the good moment to develop the economy. | 别想那么多了，先顾~吧。Bié xiǎng nàme duō le, xiān gù ~ ba. Don't think too much. Turn your attention to the present first.

⁴ **眼色** yǎnsè ❶〈名 n.〉向人示意的目光 hint with the eyes; a meaningful glance; wink：给他递个~。Gěi tā dìle gè ~. Give him a wink. | 他急着给我使~，我装没看见。Tā jízhe gěi wǒ shǐ ~, wǒ zhuāng méi kànjiàn. He winked at me anxiously, but I pretended not to see it. | 他总是看领导的~办事。Tā zǒngshì kàn lǐngdǎo de ~ bànshì. He always do things according to his leader's wills. ❷〈名 n.〉指见机行事的能力 ability to adapt to circumstances：你这么大人了，这点儿~都没有？Nǐ zhème dà rén le, zhè diǎnr ~ dōu méiyǒu? You are already a grown-up. How come you don't have the ability to adapt to the circumstance? | 干事情可要有点儿~。Gàn shìqing kě yào yǒudiǎnr ~. You have to be adaptable to the situation when doing things. | 你在单位可要长点儿~，要不尽吃亏。Nǐ zài dānwèi kě yào zhǎng diǎnr ~, yàobù jìn chīkuī. You have to be more adaptable in the unit, or you'll be at a disadvantage all the time.

⁴ **眼神** yǎnshén ❶〈名 n.〉眼睛的神态 expression in one's eyes：他的~好像有点儿慌张。Tā de ~ hǎoxiàng yǒudiǎnr huāngzhāng. A trace of restless appeared in his eyes. | 从他的~就能知道他有事瞒着大家。Cóng tā de ~ jiù néng zhīdào tā yǒu shì mánzhe dàjiā. We can know from his eyes that he has hidden something from us. ❷(~儿)〈名 n. 方 dial.〉视力，眼力 eyesight; vision：人老了，~也不行了。Rén lǎo le, ~ yě bùxíng le. I'm old and have a poor eyesight. | 你这是什么~，眼前的东西都看不住。Nǐ zhè shì shénme ~, yǎnqián de dōngxi dōu kān bú zhù. What a poor eyesight you have got！You cannot even take care of things right before your eyes. | 你~比我强多了。Nǐ ~ bǐ wǒ qiángduō le. You have a much better eyesight than I.

⁴ **眼下** yǎnxià〈名 n.〉目前；当前 at the moment; at present; now：~不是享受的时候。~

bú shì xiǎngshòu de shíhou. Now is not the time for comfort. | 我们不能只顾~，要看得远些。*Wǒmen bù néng zhǐ gù ~, yào kàn de yuǎnxiē.* We shouldn't just take into account the present, but need to have some foresight.

² 演 yǎn ❶〈动 v.〉表演技艺，演出 perform：~播 ~bō broadcast a play | ~戏 ~xì put on a play; act in a play | ~奏 ~zòu give an instrumental performance; play a musical instrument | 扮~ bàn~ act; play the role of | 表~ biǎo~ act; perform | 开~ kāi~ (of a play, movie) begin | 上~ shàng~ perform; stage | 话剧团~了一场独幕剧。*Huàjùtuán ~le yì chǎng dúmùjù.* The opera troupe has staged a one-act play. | 他~得真好。*Tā ~de zhēn hǎo.* His performance was really excellent. | 他在电影里~总统。*Tā zài diànyǐng li ~zǒngtǒng.* He played the president in the movie. | 你把那个小魔术再~~。*Nǐ bǎ nàge xiǎo móshù zài ~~.* Will you play the magic again? ❷〈动 v.〉依照程式练习或计算 exercise; calculate：~算 ~suàn make mathematical calculation; do sums | ~武 ~wǔ practice traditional martial arts | ~习 ~xí exercise; drill; practice | 操~ cāo~ drill; train ❸〈动 v.〉演化；变化 develop; evolve：~变 ~biàn evolution | ~进 ~jìn evolution; gradual progress

⁴ 演变 yǎnbiàn〈动 v.〉较长时间的发展变化 develop or evolve for a long time：地球上的生物还在不停地~着。*Dìqiú shang de shēngwù hái zài bù tíng de ~zhe.* Living creatures on the Earth are still in evolution. | 这里的地质在不断~。*Zhèli de dìzhì zài búduàn ~.* The geological conditions here are still changing constantly. | 他在研究生物的~规律。*Tā zài yánjiū shēngwù de ~ guīlù.* He is doing research on the evolution law of living creatures.

⁴ 演唱 yǎnchàng〈动 v.〉表演唱歌、戏曲等 sing in a performance：~会 ~huì singing concert | 他给大家~了一首中国歌曲。*Tā gěi dàjiā ~le yì shǒu Zhōngguó gēqǔ.* He sang a Chinese song for all of us. | 那场京剧演员们~得好极了。*Nà chǎng jīngjù yǎnyuánmen ~ de hǎojí le.* The performers had played a very excellent act of Peking opera. | 他~的流行歌曲很有特色。*Tā ~ de liúxíng gēqǔ hěn yǒu tèsè.* The popular songs he sings are quite unique.

¹ 演出 yǎnchū ❶〈动 v.〉把戏剧、歌舞、杂技等文艺节目演给观众欣赏 perform (drama, dances, acrobatics, etc. for audience)：他们~了一台精彩的节目。*Tāmen ~le yì tái jīngcǎi de jiémù.* They have performed wonderful programs. | 剧团一共要~五场。*Jùtuán yí gòng yào ~ wǔ chǎng.* The troupe will give five performances in all. | 他首次登台~就获得了成功。*Tā shǒucì dēngtái ~ jiù huòdéle chénggōng.* He won success the first time he went on the stage. ❷〈名 n.〉(场chǎng)指演给观众欣赏的各种文艺节目 performance：他们给大家带来了一场精彩的~。*Tāmen gěi dàjiā dàiláile yì chǎng jīngcǎi de ~.* They brought us a wonderful performance. | 他们的~是高水平的。*Tāmen de ~ shì gāo shuǐpíng de.* They gave a high-level performance.

⁴ 演讲 yǎnjiǎng ❶〈动 v.〉演说；讲演 give a lecture; make a speech; lecture：他正在台上~国际问题。*Tā zhèngzài tái shang ~ guójì wèntí.* He is giving the lecture on international affairs on the stage. | 他~得很精彩，我们都爱听他~。*Tā ~ de hěn jīngcǎi, wǒmen dōu ài tīng tā ~.* He made a wonderful speech that appealed to us so much. ❷〈名 n.〉(篇piān)演讲的内容 speech; lecture：他的~吸引了不少人。*Tā de ~ xīyǐnle bù shǎo rén.* His lecture attracted so many people. | ~的题目是：如何建立一个和谐的社会。*~ de tímù shì: Rúhé jiànlì yí gè héxié de shèhuì.* The title of the speech is 'How to Build a Harmonious Society'.

³ 演说 yǎnshuō ❶〈动 v.〉就某个问题对听众发表自己的见解 deliver a speech; make

an address: 为了竞选议员，他到处~。 *Wèile jìngxuǎn yìyuán, tā dàochù ~.* In order to run for the congress, he toured around to give speeches. ｜他~了三个小时。 *Tā ~le sān gè xiǎoshí.* He has made a three-hour speech. ❷〈名 n.〉(场 chǎng)就某个问题对听众发表的讲话 speech to the audience on a certain topic: 他的~令人耳目一新。 *Tā de lìng rén ěrmù-yìxīn.* His speech made us feel refreshing. ｜总统发表了就职~。 *Zǒngtǒng fābiǎole jiùzhí ~.* The president delivered his inaugural speech.

演算 yǎnsuàn 〈动 v.〉按一定的原理和公式计算 perform mathematical calculations: 他认真地~了这道数学题。 *Tā rènzhēn de ~le zhè dào shùxuétí.* He has carefully calculated this mathematical question. ｜他用了半天时间都没~出来。 *Tā yòngle bàntiān shíjiān dōu méi ~ chūlái.* He failed to get the result after calculation for a half day. ｜我们~的结果怎么不一样呢? *Wǒmen ~ de jiéguǒ zěnme bù yíyàng ne?* Why haven't we got the same calculating results?

演习 yǎnxí 〈动 v.〉模拟实际情况进行练习 exercise; drill; practice: 防空~ *fángkōng ~* air defense exercise ｜军事~ *jūnshì ~* military maneuver ｜消防~ *xiāofáng ~* fire-fighting drill ｜他们~了战地救护。 *Tāmen ~le zhàndì jiùhù.* They have been on the exercise of battleground rescue. ｜空降~非常成功。 *Kōngjiàng ~ fēicháng chénggōng.* The airborne drill was very successful. ｜他们一共~了两次。 *Tāmen yígòng ~le liǎng cì.* They have carried out two exercises all together.

演员 yǎnyuán 〈名 n.〉(位 wèi、名 míng、个 gè)参加戏曲、电影、舞蹈、曲艺、杂技等表演的人员 performer; actor; actress: 电影~ *diànyǐng ~* movie actor; movie actress ｜京剧~ *jīngjù ~* performer of Peking Opera ｜这位~演出了十多部电影。 *Zhè wèi ~ yǎnchūle shí duō bù diànyǐng.* The actor has acted in more than ten films. ｜他的理想是当一名话剧~。 *Tā de lǐxiǎng shì dāng yì míng huàjù ~.* He dreams to be a drama player.

演奏 yǎnzòu 〈动 v.〉用乐器表演 give an instrumental performance; play a musical instrument (in a performance): 他给大家~了一支二胡独奏曲。 *Tā gěi dàjiā ~le yì zhī èrhú dúzòuqǔ.* He played an *erhu* solo for us. ｜他的钢琴~得不错。 *Tā de gāngqín ~ de búcuò.* He can give very beautiful piano performance. ｜乐队的~效果好极了。 *Yuèduì de ~ xiàoguǒ hǎojí le.* The band has done very good in performance. ｜我们都喜欢听用扬琴~的广东音乐。 *Wǒmen dōu xǐhuan tīng yòng yángqín ~ de Guǎngdōng yīnyuè.* We all like to listen to Guangdong music performed with dulcimers.

厌恶 yànwù 〈动 v.〉(对人或事)产生很大反感 abhor; abominate; be disgusted with; detest: 他特别~这种无所事事的生活。 *Tā tèbié ~ zhè zhǒng wúsuǒshìshì de shēnghuó.* He especially disliked this kind of idle life. ｜大家都开始~他了。 *Dàjiā dōu kāishǐ ~ tā le.* We all began to detest him. ｜我对他产生了一种~的情绪。 *Wǒ duì tā chǎnshēngle yì zhǒng ~ de qíngxù.* A disgusting feeling emerged in me against him. ｜我~地瞪了他们一眼。 *Wǒ ~ de dèngle tāmen yì yǎn.* I gave them a look with disgust. ｜眼前的事让他有一种说不出的~。 *Yǎnqián de shì ràng tā yǒu yì zhǒng shuō bù chū de ~.* The current affairs made him feel ineffably disgusted.

咽 yàn ❶〈动 v.〉使嘴里的食物等通过咽喉进入食管 swallow: 吞~ *tūn ~* swallow ｜狼吞虎~ *lángtūn-hǔ~* eat voraciously; gobble up; wolf down ｜他喝一口汤，~下一口馒头。 *Tā hē yì kǒu tāng, ~xia yì kǒu mántou.* He swallowed a bite of steamed bread with soup. ｜他嗓子疼，~不下东西。 *Tā sǎngzi téng, ~ bú xià dōngxi.* With a sore throat he cannot swallow anything. ｜馋得他直~唾沫。 *Chán de tā zhí ~ tuòmo.* So gluttonous as to swallow his own saliva all the while. ❷〈动 v.〉忍住(话)；憋住(怒气) hold back one's tongue; suppress: 话到了嘴边，还是~下去了。 *Huà dàole zuǐ biān,* *háishi*~*xiàqù le*. Swallow my words on the tip of my tongue.│我就是~不了这口气。*Wǒ jiùshì* ~ *bù liǎo zhè kǒu qì*. I just can't swallow this insult.

¹ **宴会** yànhuì〈名 n.〉(场chǎng、个gè)饮酒吃饭的隆重集会 banquet; feast: 盛大的~就要开始了。*Shèngdà de* ~ *jiùyào kāishǐ le*. A grand banquet will soon begin. │总统为来访的各国友人举行了隆重的~。*Zǒngtǒng wèi láifǎng de gè guó yǒurén jǔxíngle lóngzhòng de* ~. The president held a ceremonious banquet for the visiting guests from different countries. │他是今晚庆功~的主持人。*Tā shì jīn wǎn qìnggōng* ~ *de zhǔchírén*. He is the presider of tonight's celebrating banquet.

⁴ **宴请** yànqǐng〈动 v.〉设宴招待 fete: 总理在国宾馆~外宾。*Zǒnglǐ zài Guóbīnguǎn* ~ *wàibīn*. The prime minister feted foreign guests at the State Guest House. │他要~多年不见的老朋友。*Tā yào* ~ *duō nián bú jiàn de lǎo péngyou*. He will hold a banquet for one of his old friends, whom he hasn't seen for many years. │他这次的规格太高了。*Tā zhè cì* ~ *de guīgé tài gāo le*. The standard of the banquet he held this time was too high.

⁴ **宴席** yànxí〈名 n.〉(桌zhuō)请客的酒席 banquet; feast: 一桌丰盛的~摆在客人中间。*Yì zhuō fēngshèng de* ~ *bǎi zài kèrén zhōngjiān*. A table of rich dishes has been set before the guests. │他们要为老人百岁诞辰大摆~。*Tāmen yào wèi lǎorén bǎi suì dànchén dà bǎi* ~. They plan to hold a grand banquet in honor of the old man for his centennial birthday. │天下没有不散的~(比喻任何繁华热闹的场面都有终结的时候)。*Tiānxià méiyǒu bú sàn de* ~ (*bǐyù rènhé fánhuá rènao de chǎngmiàn dōu yǒu zhōngjié de shíhou*). No feast lasts forever (*fig.* Any prosperous and busy scene will have an end).

⁴ **验** yàn ❶〈动 v.〉察看；按一定标准检查 inspect; examine; check: ~货 ~*huò* check goods │~看 ~*kàn* examine; inspect │~收 ~*shōu* acceptance examination; check upon delivery │~血 ~*xiě* blood test │查~ *chá*~ examine │化~ *huà*~ test │检~ *jiǎn*~ check; test │海关正在~那批货。*Hǎiguān zhèngzài* ~ *nà pī huò*. The custom officers are examining that batch of goods. │护照~完了，可以登机了。*Hùzhào* ~ *wán le, kěyǐ dēngjī le*. The passport has been checked, and you may board the plane. │他的血液要再~一~。*Tā de xiě háiyào zài* ~ *yí* ~. His blood needs further tests. ❷〈动 v.〉获得预期的效果 prove effective; produce an expected result; be borne out; come true: 灵~ *líng*~ be effective;应~ *yìng*~ prove effective │屡试屡~ *lǚshì-lǚ*~ prove effective in successive tests

⁴ **验收** yànshōu〈动 v.〉按标准进行检验后收下 acceptance examination; check upon delivery: 专业人员~了新到的机器。*Zhuānyè rényuán* ~ *le xīn dào de jīqì*. The specialists made an acceptance examination on the new machines. │他们要对工程逐项进行~。*Tāmen yào duì gōngchéng zhú xiàng jìnxíng* ~. They will make an acceptance examination on the project item by item.

⁴ **验证** yànzhèng〈动 v.〉通过实验加以证实 verify: 他要进一步~自己的理论。*Tā yào jìnyíbù* ~ *zìjǐ de lǐlùn*. He'll make further verification on his theory. │这个问题还要再~一下。*Zhège wèntí háiyào zài* ~ *yíxià*. This problem needs further verification. │这个结果是否正确，你最好再~~。*Zhège jiéguǒ shìfǒu zhèngquè, nǐ zuì hǎo zài* ~ ~. You'd better verify again whether the result is correct. │他们的~方法是科学的，~过程是严谨的。*Tāmen de* ~ *fāngfǎ shì kēxué de,* ~ *guòchéng shì yánjǐn de*. Their verification method is scientific, and the process is precise.

³ **燕子** yànzi〈名 n.〉(只zhī、群qún)家燕的通称，是一种候鸟 swallow, a migrant bird, generally known as '家燕jiāyàn'：两只小~在屋檐下做起了窝。*Liǎng zhī xiǎo* ~ *zài*

wūyàn xià zuòqǐle wō. Two little swallows build their nest under the eave. ｜~能吃很多害虫。 *~ néng chī hěn duō hàichóng.* Swallows can eat many harmful insects. ｜天空中飞来了一群~。 *Tiānkōng zhōng fēiláile yì qún ~.* A flock of swallows are flying over the sky.

³扬 yáng ❶〈动 v.〉高举；往上升 raise; hoist:~鞭 *~biān* whip ｜~帆 *~fān* hoist sail ｜飘~ *piāo~* flutter; fly ｜尘土飞~ *chéntǔ fēi~* clouds of dust flying up ｜他双手~起了一面红旗。 *Tā shuāngshǒu ~qǐle yí miàn hóngqí.* He raised a red flag with his two hands. ｜让青年人~起理想的风帆远航吧！ *Ràng qīngniánrén ~qǐ lǐxiǎng de fēngfān yuǎnháng ba!* Let the youths set sails for a long journey to realize their ideal. ｜他把头使劲~了。 *Tā bǎ tóu shǐjìn ~le.* He raised his head with an effort. ❷〈动 v.〉往上撒 throw up and scatter; winnow:~场 *~cháng* winnowing ｜他用扬场机~了一天粮食。 *Tā yòng yángchǎngjī ~le yì tiān liángshi.* He has been winnowing with a winnower for a whole day. ｜粮食~得很干净。 *Liángshi ~ de hěn gānjìng.* The grain has been winnowed clean. ｜风把沙子~得到处都是。 *Fēng bǎ shāzi ~ de dàochù dōu shì.* The wind blew up the sands and scattered them everywhere. ❸〈动 v.〉传播出去 spread; make known:~名 *~míng* make a name for oneself; become famous ｜言 *~yán* threaten; boast ｜表~ *biǎo~* commend; praise ｜传~ *chuán~* spread ｜颂~ *sòng~* eulogize ｜宣~ *xuān~* publicize; propagate; advocate; advertise ｜赞~ *zàn~* praise ｜张~ *zhāng~* make widely known; make public ｜隐恶~善 *yǐn'è~shàn* cover up one's faults and publicize his merits ｜臭名远~ *chòumíng-yuǎn~* notorious

¹羊 yáng 〈名 n.〉(只zhī、头tóu、群qún)哺乳动物,分山羊、绵羊等,是常见的家畜 goat; sheep:~羔 *~gāo* lamb ｜~毫 *~háo* soft writing brush made of goat hair ｜~角 *~jiǎo* ram's horn ｜~毛 *~máo* wool ｜~奶 *~nǎi* sheep milk ｜~肉 *~ròu* mutton ｜奶~ *nǎi~* milk sheep ｜亡~补牢 (比喻出差错后及时纠正补救) *wáng~bǔláo* (*bǐyù chū chācuò hòu jíshí jiūzhèng bǔjiù*) mend the fold after the sheep is lost (*fig.* take remedial measures after loss is made to prevent further losses) ｜顺手牵~ (比喻乘机将别人的东西拿走) *shùnshǒu-qiān~* (*bǐyù chéngjī jiāng biérén de dōngxi názǒu*) lead away a goat when passing by (*fig.* walk off with sth.; pick up sth. on the sly) ｜~毛出在~身上(比喻给某人钱物其实取自某人,给者并无损失)。 *~máo chū zài ~ shēn shang* (*bǐyù gěi mǒurén qiánwù qíshí qǔzì mǒurén, gěizhě bìng wú sǔnshī*) Sheep's wool comes from the sheep's back (*fig.* pay for whatever you're given). ｜几只小~在草地上又蹦又跳。 *Jǐ zhī xiǎo~ zài cǎodì shang yòu bèng yòu tiào.* Some lambs are scampering about on the grassland. ｜两个牧民赶着一群~。 *Liǎng gè mùmín gǎnzhe yì qún ~.* Two herdsmen drove a flock of sheep.

⁴阳 yáng ❶〈名 n.〉太阳；日光 sun; sunlight:~光 *~guāng* sunlight; sunshine ｜~历 *~lì* Gregorian calendar; solar calendar ｜夕~ *xī~* setting sun ｜向~ *xiàng~* facing the sun; sunny ｜遮~ *zhē~* sunshade ｜我住的房间都朝~。 *Wǒ zhù de fángjiān dōu cháo ~.* The rooms that I live in are all facing south. ❷〈名 n.〉山和建筑物向阳的一面(与'阴'相对) (of mountain, building, etc.) sunny side (opposite to '阴yīn'):~面 *~miàn* sunny side ❸〈名 n.〉中国古代哲学认为存在于宇宙间的一切事物中的两大对立面之一(与'阴'相对)(in Chinese dualistic philosophy) yang, active, masculine cosmic principle (opposite to '阴yīn'):~阴~二气 *yīn~ èr qì* the two principles of *yin* and *yang* ❹〈名 n.〉指男性生殖器(与'阴'相对) male genitals (opposite to '阴yīn'):~痿 *~wěi* impotence ❺〈名 n.〉山的南面；水的北面,常用于中国地名(与'阴'相对) in China south of a mountain; north of a river, usu. used in place names (opposite to '阴yīn'):衡~

(衡山的南面,在湖南省) Héng~(Héngshān de nánmian, zài Húnán Shěng) Hengyang City (located at the south of Mount Hengshan, in Hunan Province) | 洛~(洛水的北面,在河南省) Luò~(Luòshuǐ de běimian, zài Hénán shěng) Luoyang City (located at the north of the Luoshui River, in Henan Province) ❻〈形 adj.〉带正电的(与'阴'相对) (of electricity) positive (opposite to '阴yīn'): ~电 ~diàn positive electricity | ~极 ~jí positive pole ❼〈形 adj.〉外露的;表面的;凸出的(与'阴'相对)open; overt; outward; in relief (opposite to '阴yīn') | ~沟 ~gōu open drain; ditch | ~文 ~wén characters carved in relief | ~奉阴违 ~fèng-yīnwéi comply in public but oppose in private; double-dealing | 你可别阴一套~一套。 Nǐ kě bié yīn yí tào ~ yí tào. You shouldn't overtly agree but covertly oppose. ❽〈形 adj.〉迷信指属于活人的或人世间的（与‘阴’相对）(of superstition) of this world; of this life (opposite to '阴yīn'): ~世 ~shì human world | ~寿 ~shòu lifespan | ~宅 ~zhái residence; dwelling | 还~ huán return to life from the nether world

² **阳光** yángguāng ❶〈名 n.〉日光 sunlight; sunshine: ~充足 ~chōngzú adequate sunlight | ~明媚 ~míngmèi bright and beautiful sunshine | 温暖的~普照着草原。 Wēnnuǎn de ~ pǔzhàozhe cǎoyuán. The prairie is illuminated in warm sunshine. | 植物生长需要空气、~和水。 Zhíwù shēngzhǎng xūyào kōngqì, ~ hé shuǐ. Plants need air, sunlight and water for their growth. | 这里终年不见~。 Zhèlǐ zhōngnián bú jiàn ~. Sunlight cannot be seen here all the year round. ❷〈形 adj.〉透明的；公开的 transparent; open: ~工资 ~gōngzī transparent wage | ~操作 ~cāozuò open operation ❸〈形 adj.〉形容人充满活力的 vigorous; lively: 她在电影里塑造了一个~女孩儿的形象。 Tā zài diànyǐng li sùzàole yí gè ~ nǚháir de xíngxiàng. She created the image of a lively girl in the film.

杨树 yángshù〈名 n.〉(棵kē、株zhū)落叶乔木,生长快,常用于绿化 poplar:公路边上种了两排~。 Gōnglù biān shang zhòngle liǎng pái ~. The roadsides are planted with two rows of poplars.

² **洋** yáng ❶〈名 n.〉比海更大的水域 ocean:太平~ Tàipíng~ the Pacific Ocean | 大西~ Dàxī~ the Atlantic Ocean | 印度~ Yìndù~ the Indian Ocean | 北冰~ Běibīng~ the Arctic Ocean ❷〈名 n.〉钱;旧指银元 money; silver dollar: 码~ mǎ~ total price volume (of books, etc.) | 实~ shí~ actual receipts from sails of books, etc. ❸〈形 adj.〉外国的;从外国来的；外国式样的 foreign: ~房 ~fáng foreign-style house; Western-style house | ~货 ~huò foreign goods; imported goods | ~酒 ~jiǔ foreign wine | ~人 ~rén foreigner | ~装 ~zhuāng Western-style suit | 合资企业的~老板是美国人。 Hézī qǐyè de ~ lǎobǎn shì Měiguórén. The foreign boss of the joint venture is an American. | 教英语的是位~教授。 Jiāo Yīngyǔ de shì wèi ~ jiàoshòu. Our English teacher is a foreign professor. ❹〈形 adj.〉现代化的(与‘土’相对) modern (opposite to '土tǔ'):他们家的装修够~的。 Tāmen jiā de zhuāngxiū gòu ~ de. Their home is decorated in quite a modern style. | 你看他打扮的, 土不土~不~的。 Nǐ kàn tā dǎban de, tǔ bù tǔ ~ bù ~ de. Look at his wear, neither old-fashioned nor modern. | 我们采用了土~结合的办法。 Wǒmen cǎiyòngle tǔ~-jiéhé de bànfǎ. We've combined the native method with the foreign one. ❺〈形 adj.〉盛大的 vast; multitudinous: ~溢 ~yì be permeated with; brim with

² **仰** yǎng ❶〈动 v.〉脸向上(与'俯'相对) face upward (opposite to '俯fǔ'): ~视 ~shì look up | ~望 ~wàng look up | ~卧 ~wò lie on one's back; lie supine | 俯~ fǔ~ pitching | ~面朝天 ~miàn cháotiān face upward | 他~着脸, 满不在乎地走了。 Tā ~zhe liǎn, mǎnbúzàihū de zǒu le. He raised his head and went away with an air of indifference. ❷

〈动 v.〉敬慕 admire; respect; look up to:~慕 ~mù admire; respect ｜敬~ jìng~ revere ｜信~ xìn~ faith; believe in ｜这位科学家真是人所共~。Zhè wèi kēxuéjiā zhēn shì rén suǒ gòng ~. The scientist is really respected by all the people. ｜我们久~您的大名。Wǒmen jiǔ~ nín de dàmíng. We have long heard about you. ❸〈动 v.〉依赖;依靠 rely on:~承 ~chéng rely on; count on ｜~赖 ~lài rely on ｜~人鼻息 ~rén-bíxī be dependent on the whims of others; be slavishly dependent ｜这事情全~仗您了。Zhè shìqíng quán ~zhàng nín le. We completely rely on your support in this matter.

² **养** yǎng ❶〈动 v.〉供给生活资料或生活费用 support; provide for:~活 ~huo support; provide for ｜~家 ~jiā raise a family; support one's family ｜~老 ~lǎo provide for the aged; live out one's life in retirement ｜~育 ~yù bring up; rear ｜抚~ fǔ~ foster ｜赡~ shàn~ support ｜你一个人的收入~得起这么多人吗? Nǐ yí gè rén de shōurù ~ de qǐ zhème duō rén ma? Can you support so many people only with your own income? ｜他领~了两个孩子。Tā lǐng~le liǎng gè háizi. He has adopted two children. ❷〈动 v.〉饲养或培植(动物、花草) raise (animals); grow (plants):~殖 ~zhí breed ｜他~了一条狗。Tā ~le yì tiáo gǒu. He keeps a pet dog. ｜花鸟鱼虫他都没~过。Huā-niǎo-yú-chóng tā dōu méi ~guo. He has neither grown flowers nor kept pet birds, fish or insects. ｜名贵的宠物~不起,咱们就弄只猫。Míngguì de chǒngwù ~bùqǐ, zánmen jiù nòng zhī māo ~. We can't afford to keep rare pets, so we can only choose a cat. ❸〈动 v.〉生育 give birth to: 他爱人~了一个胖小子。Tā àirén ~le yí gè pàng xiǎozi. His wife gave birth to a heavy baby son. ｜她~了一对双胞胎。Tā ~le yí duì shuāngbāotāi. She gave birth to twins. ｜病治好了,可她再也~不了孩子了。Bìng zhìhǎo le, kě tā zài yě ~bù liǎo háizi le. Cured as she is, she can no longer give birth to a baby. ❹〈动 v.〉培养;形成 form; acquire; cultivate:要让孩子~成好的生活习惯。Yào ràng háizi ~chéng hǎo de shēnghuó xíguàn. Be sure to make children cultivate good living habits. ❺〈动 v.〉调治；保养 使身体或心理得到滋补或休息 rest; convalesce; recuperate one's health; heal:~护 ~hù maintain; conserve ｜~料 ~liào nourishment ｜~神 ~shén repose; rest to attain mental tranquility ｜保~ bǎo~ take good care of one's health ｜疗~ liáo~ convalesce ｜营~ yíng~ nutrition ｜~精蓄锐 ~jīng-xùruì conserve strength and store up energy ｜你要尽快~好身体。Nǐ yào jǐnkuài ~hǎo shēntǐ. You have to get recovered as soon as possible. ｜你还是在家~~精神吧。Nǐ háishi zài jiā ~~ jīngshen ba. You'd better stay at home to rest. ❻〈动 v.〉扶持;扶助 support; help:以副~农,以农促副。Yǐ fù ~ nóng, yǐ nóng cù fù. Support agriculture with sideline production, and promote sideline production with agriculture. ｜出版社要以书~书。Chūbǎnshè yào yǐ shū ~ shū. The publishing house should rely on the sales of books to support book publication. ❼〈动 v.〉养护;维护 maintain; conserve:~路 ~lù maintain a highway ｜保证道路畅通全靠~。Bǎozhèng dàolù chàngtōng quán kào ~. Road maintenance is the only way to keep traffic unblocked. ❽〈形 adj.〉抚养的;非亲生的 foster; adoptive:~父 ~fù foster father ｜~母 ~mǔ foster mother ｜~女 ~nǚ adopted daughter ｜~子 ~zǐ adopted son ❾〈名 n.〉修养 accomplishment: 这孩子太没教~了。Zhè háizi tài méi jiào~ le. The child is so uncouth. ｜这批学生的艺术素~不错。Zhè pī xuéshēng de yìshù sù~ búcuò. This group of students have very good artistic potentials.

³ **养成** yǎngchéng〈动 v.〉通过培养形成 form; acquire; cultivate:他从小就~了饭前便后洗手的好习惯。Tā cóngxiǎo jiù ~le fàn qián biàn hòu xǐshǒu de hǎo xíguàn. He has formed the good habit of washing hands before meals or after excreting since his childhood. ｜他~了抽烟喝酒的坏毛病。Tā ~le chōuyān hējiǔ de huài máobìng. He

has formed the bad habit of smoking and drinking. | 他～了孤僻的性格。*Tā ~le gūpì de xìnggé.* He has developed an unsociable and eccentric character. | 从小～的习惯很难改。*Cóngxiǎo ~ de xíguàn hěn nán gǎi.* It's very difficult to change the habit formed from childhood.

⁴ **养分** yǎngfèn〈名 *n.*〉物质中所含的能供给有机体营养的成分 nutrient：水果中的～很多。*Shuǐguǒ zhōng de ~ hěn duō.* There are many kinds of nutrients in fruit. | 这块地缺少～，长不好庄稼。*Zhè kuài dì quēshǎo ~, zhǎng bù hǎo zhuāngjia.* This patch of field lacks nutrient elements, and farm crops do not grow well here.

⁴ **养活** yǎnghuo ❶〈动 *v.* 口 colloq.〉抚养；供给生活资料或费用 support; provide for：他一个人上班－全家五口人。*Tā yí gè rén shàngbān ~ quánjiā wǔ kǒu rén.* He is the only person working to support his five-member family. | 这孩子你可～不起。*Zhè háizi nǐ kě ~ bù qǐ.* It's hard for you to provide for this child. ❷〈动 *v.*〉饲养动物 raise animals：他特别喜欢～小动物。*Tā tèbié xǐhuan ~ xiǎo dòngwù.* He especially likes to raise small pets. | 没耐心的人～不了鱼。*Méi nàixīn de rén ~ bù liǎo yú.* Impatient people can hardly raise fish.

³ **养料** yǎngliào〈名 *n.*〉能供给有机体营养的物质；比喻营养成分 nutriment; nourishment：～不足，庄稼就长不好。*~ bù zú, zhuāngjia jiù zhǎng bù hǎo.* Without enough nutriments, farm crops will not thrive. | 猪饲料里要增加一些～。*Zhū sìliào li yào zēngjiā yìxiē ~.* Add more nutrients to the pig feedstuff. | 作家要深入生活汲取～。*Zuòjiā yào shēnrù shēnghuó jíqǔ ~.* Writers should go deep into life to draw nutrition.

⁴ **养育** yǎngyù〈动 *v.*〉抚养和教育 bring up; rear：父亲有义务～子女。*Fùqīn yǒu yìwù ~ zǐnǚ.* Fathers have the obligation to bring up their children. | 这块土地～了千百万英雄儿女。*Zhè kuài tǔdì ~ le qiānbǎiwàn yīngxióng érnǚ.* This land has reared millions of heroic sons and daughters. | 我永远忘不了您的～之恩。*Wǒ yǒngyuǎn wàng bù liǎo nín de ~ zhī ēn.* I will never forget your love and care from my childhood.

⁴ **养殖** yǎngzhí〈动 *v.*〉水产动植物的饲养和繁殖 breed aquatics：他们决定人工～对虾。*Tāmen juédìng réngōng ~ duìxiā.* They decided to breed prawns artificially. | 湖边的渔民以～淡水鱼、莲藕为主业。*Húbiān de yúmín yǐ ~ dànshuǐyú, lián'ǒu wéi zhǔyè.* The lakefront fishermen take freshwater fishfarming and lotus-root growing as their full-time job.

⁴ **氧** yǎng〈名 *n.*〉气体元素，符号O，通称'氧气'oxygen (O), commonly known as'氧气yǎngqì'：高原上缺～，人会感到喘不过气来。*Gāoyuán shang quē~, rén huì gǎndào chuǎn bú guò qì lái.* Oxygen on the plateau is very thin, and people will feel hard to breathe. | 他常到～吧去吸～。*Tā cháng dào ~bā qù xī ~.* He often goes to the oxygen bar to breathe oxygen.

³ **氧化** yǎnghuà〈动 *v.*〉物质跟氧化合，如金属生锈，煤燃烧等都是氧化 oxidize; oxidate：铁器在潮湿的空气中容易～。*Tiěqì zài cháoshī de kōngqì zhōng róngyì ~.* Ironware is easy to oxidize in moist air. | 生石灰和水发生～反应，变成了熟石灰。*Shēng shíhuī hé shuǐ fāshēng ~ fǎnyìng, biànchéngle shóu shíhuī.* Quicklime will become white lime during oxidization with water.

³ **氧气** yǎngqì〈名 *n.*〉氧的通称 a general term for oxygen：～瓶 ~píng oxygen cylinder | ～在医疗和工业生产中有很重要的用途。*~ zài yīliáo hé gōngyè shēngchǎn zhōng yǒu hěn zhòngyào de yòngtú.* Oxygen is of important use in medical care and industrial production. | 植物的光合作用能产生～。*Zhíwù de guānghé zuòyòng néng chǎnshēng ~.* Oxygen will be produced during the photosynthesis of plants. | 火灾中，人是因缺少～

而窒息的．*Huǒzāi zhōng, rén shì yīn quēshǎo ~ ér zhìxī de.* In a fire accident, people will be suffocated to death because of the lack of oxygen.

⁴痒 yǎng ❶〈形 adj.〉皮肤或黏膜受到轻微刺激时引起的想挠或摩擦的感觉 itch; tickle:他花粉过敏，浑身发～．*Tā huāfěn guòmǐn, húnshēn fā ~.* He got an itch all over his body because of pollen allergy. │手被蚊子咬得～极了．*Shǒu bèi wénzi yǎo de ~jí le.* My hands became extremely itchy from mosquito bites. │你帮我挠挠～～．*Nǐ bāng wǒ náonao ~ ~.* Please help me to scratch an itch. │这么大的事，他只不痛不～地说了几句．*Zhème dà de shì, tā zhǐ bútòng-bù~ de shuōle jǐ jù.* On such an important matter, he merely made some perfunctory remarks. ❷〈形 adj.〉比喻很想做某事的愿望 itching, fig. be anxious to do sth.:他一看见别人打球手就～．*Tā yí kànjiàn biéren dǎqiú shǒu jiù ~.* He becomes quite itching for the game once he sees other people playing a ballgame. │他看别人买彩票中了大奖，心里也有点儿～～．*Tā kàn biéren mǎi cǎipiào zhòngle dàjiǎng, xīnli yě yǒu diǎnr ~~.* He had an itching in his heart when he saw other people won a big prize in the lottery.

²样 yàng ❶(～儿)〈量 meas.〉表示事物的种类 kind; type:学生食堂每天供应十几～儿早餐．*Xuésheng shítáng měitiān gōngyìng shíjǐ ~ zǎocān.* Everyday the students' dining hall provides more than ten kinds of food for breakfast. │这两儿产品都过时了．*Zhè liǎng ~r chǎnpǐn dōu guòshí le.* These two products are both outmoded. │他～～儿功课都在90分以上．*Tā ~~r gōngkè dōu zài jiǔshí fēn yǐshàng.* He has got over 90 points in every subject. │你～～儿都好，就是性情急躁．*Nǐ ~~r dōu hǎo, jiùshì xìngqíng jízào.* You are a good man in every aspect except your quick temper. │他把货物一一～儿地拿给我们看．*Tā bǎ huòwù yí ~r yí ~r de ná gěi wǒmen kàn.* He showed us the goods piece by piece. ❷(～儿)〈名 n.〉形状，模样 shape; appearance:花～ huā～ design │式～ shì~ form; pattern │走～ zǒu~ go out of form; lose shape │各式各～ gèshì-gè~ various kinds │一模一～ yìmó-yí~ as like as two peas; exactly alike │这种衣服～儿不错．*Zhè zhǒng yīfu~r búcuò.* This kind of clothes is quite beautiful. │鞋穿得都没了～儿了．*Xié chuān de dōu méile ~ r le.* This pair of shoes has lost its shape when worn for a long time. │几年不见，他连～儿都没变．*Jǐ nián bú jiàn, tā lián ~r dōu méi biàn.* It's been years since I saw him last time, but he still looks the same without any change. │我还记得他小时候的～儿．*Wǒ hái jìde tā xiǎoshíhou de ~r.* I still remember what he looked like when he was a child. ❸(～儿)〈名 n.〉作为标准可供观看或模仿的东西 sample; model; pattern:～板 ~bǎn example; model │～品 ~pǐn sample product │～书 ~shū sample book │～榜 ~bǎng~ example │我找来一个衣服～儿，你照着做吧．*Wǒ zhǎolái yí gè yīfu~r, nǐ zhàozhe zuò ba.* I have found a clothes pattern. You may make the clothes after it. │做家长的要给孩子做出个～儿来．*Zuò jiāzhǎng de yào gěi háizi zuòchū gè ~ r lái.* Parents should set an example for their children. ❹(～儿)〈名 n.〉形势；趋势 tendency; likelihood:看～儿，他们这支球队要输．*Kàn ~r, tāmen zhè zhī qiúduì yào shū.* It seems that their team is going to lose the game. │你看天黑成了那个～儿，可能要下大雨．*Nǐ kàn tiān hēichéngle nàge ~r, kěnéng yào xià dàyǔ.* Look at the sky. It's so dark that it's probably going to rain.

⁴样品 yàngpǐn〈名 n.〉(个gè、件jiàn、种zhǒng)做样子的物品(多用于商品推销或材料试验) sample; specimen:展出的～概不出售．*Zhǎnchū de ~ gài bù chūshòu.* All the samples displayed here are not for sale. │这辆汽车是刚生产出来的～．*Zhè liàng qìchē shì gāng shēngchǎn chūlái de ~.* The car is a newly made sample. │这些～都很精致，实际产品不知如何．*Zhèxiē ~ dōu hěn jīngzhì, shíjì chǎnpǐn bù zhī rúhé.* All the samples

look really nice. But no one knows what the real products are like.

样子 yàngzi ❶〈名 *n.*〉形状 appearance; shape：他系的领带~挺不错。*Tā jì de lǐngdài ~ tǐng búcuò.* He wears a pretty good necktie. | 这辆汽车~挺别致。*Zhè liàng qìchē ~ tǐng biézhì.* This car is of unique style. | 我喜欢这套西服的~。*Wǒ xǐhuan zhè tào xīfú de ~.* I like the cut of this Western suit. | 这个~的皮鞋过时了。*Zhège ~ de píxié guòshí le.* This kind of leather shoes has been out of date. **❷**〈名 *n.*〉神情 manner; air：老师讲课时的~很生动。*Lǎoshī jiǎngkè shí de ~ hěn shēngdòng.* The teacher shows a vivid expression when giving the lecture. | 我最喜欢小孩儿手舞足蹈的~。*Wǒ zuì xǐhuan xiǎoháir shǒuwǔ-zúdǎo de ~.* I most like to see the children jumping about joyfully. | 我可看不惯那种溜须拍马的~。*Wǒ kě kànbuguàn nà zhǒng liūxū-pāimǎ de ~.* I despise that fawning manner. **❸**〈名 *n.*〉作为标准或样板的东西 sample; model; pattern：这套衣服是他设计的。*Zhè tào yīfu ~ shì tā shèjì de.* This suit of clothes is in the style of his design. | 老师给同学们做了个~，然后大家照一做。*Lǎoshī gěi tóngxuémen zuòle ge ~, ránhòu dàjiā zhào ~ zuò.* The teacher gave an example for the class, and all the students followed him. | 你怎么还是孩子似的，连个大人的~都没有。*Nǐ zěnme háishì háizi shìde, lián ge dàren de ~ dōu méiyǒu.* How can you still behave like a child without any manner of a grown-up? **❹**〈名 *n.*〉形势，趋势 tendency; likelihood：看~，她来不了了。*Kàn ~, tā lái bu liǎo le.* It seems that she will not come.

妖怪 yāoguài〈名 *n.*〉(个 gè、群 qún)神话传说中所说的有妖术、常害人、样子可怕的精灵 (in mythology) monster; bogy; goblin; demon：小说中写的~常常变成美女来害人。*Xiǎoshuō zhōng xiě de ~ chángcháng biànchéng měinǚ lái hàirén.* The goblin depicted in the novel often changes into a beauty to harm the people. | 他的长相简直像个~。*Tā de zhǎngxiàng jiǎnzhí xiàng ge ~.* He looks just like a monster. | ~的样子大多是青面獠牙，头上长角。*~ de yàngzi dàduō shì qīngmiàn-liáoyá, tóu shang zhǎng jiǎo.* A monster is mostly seen to have a green-face, ferocious fangs and horns on the head.

¹要求 yāoqiú ❶〈动 *v.*〉提出具体愿望或条件,希望得到满足或实现 demand; require：老师应该严格~学生。*Lǎoshī yīnggāi yángé ~ xuéshēng.* Teachers should be strict with their students. | 同学们纷纷~给英雄献血。*Tóngxuémen fēnfēn ~ gěi yīngxióng xiàn xiě.* The students donated blood to the hero one after another. **❷**〈名 *n.*〉(个 gè)指所提出的具体愿望或条件 demand; request：群众的合理~应该满足。*Qúnzhòng de hélǐ ~ yīnggāi mǎnzú.* The reasonable request of the masses should be satisfied. | 你过高的~难以实现。*Nǐ guògāo de ~ nányǐ shíxiàn.* Your demand is too high to be met. | 工程有严格的质量~。*Gōngchéng yǒu yángé de zhìliàng ~.* There are strict quality requirements for the project. | 请大家看清~，然后再动笔做题。*Qǐng dàjiā kànqīng ~, ránhòu zài dòngbǐ zuòtí.* Please make sure of the instructions before starting to answer the questions. | 请把你的~提出来。*Qǐng bǎ nǐ de ~ tí chulai.* Will you put forward your request?

²腰 yāo ❶〈名 *n.*〉身体中间胯上胁下的部分 waist：~带 ~dài belt; girdle | ~围 ~wéi waistline; waist measurement | ~椎 ~zhuī lumbar vertebra; vertebrate at the waist | 哈哈~ hā~ bend one's back; bow; stoop | 体操队员的~个个都很细。*Tǐcāo duìyuán de ~ gègè dōu hěn xì.* Every gymnastic athlete has got a slender waist. | 麻包把他的~都压弯了。*Mábāo bǎ tā de ~ dōu yāwān le.* The sack has bent down his back. | 他胖得都没~了。*Tā pàng de dōu méi ~ le.* He is too fat to show his waistline. **❷**〈名 *n.*〉裤腰；裙子或衣服靠近腰的部分 waist (of trousers, skirts or garments)：这条裤子~太肥。*Zhè tiáo kùzi*

~ *tài féi*. This pair of trousers is too big at waist. │这件旗袍的~做得很合适。*Zhè jiàn qípáo de ~ zuò de hěn héshì.* This Mandarin gown is very suitable at waist. │做裤子都是后上~。*Zuò kùzi dōu shì hòu shàng ~.* The last step of making trousers is to sew up the waist. ❸〈名 *n.*〉事物的中间部分 middle: 山~ *shān*~ halfway up the mountain; mountainside │一个猴头蘑长在树~上。*Yí gè hóutóumó zhǎng zài shù ~ shang.* There grows a mushroom at the middle of a tree trunk. │登山队爬到半中~进行休整。*Dēngshānduì pádào bànzhōng ~ jìnxíng xiūzhěng.* When reaching the middle of the mountain, the mountaineering team had a rest to recuperate.

⁴ **邀** yāo ❶〈动 *v.*〉约请 invite; ask: ~集 ~*jí* invite (many people) to meet together; call (people) together │~请 ~*qǐng* invite; request (sb.) to be present or participate │应~ *yìng*~ on invitation │他~我星期天去逛公园。*Tā ~ wǒ xīngqītiān qù guàng gōngyuán.* He invites me to go to the park on Sunday. │国庆节咱们~老同学聚一聚? *Guóqìngjié zánmen ~ lǎotóngxué jù yí jù?* Shall we invite our old classmates to have a gathering on the National Day? │他是一位特~代表。*Tā shì yí wèi tè ~ dàibiǎo.* He is a representative specially invited. ❷〈动 *v. lit.*〉求得 solicit; seek: ~宠 ~*chǒng* try to win one's favor; curry favor with sb. │~功 ~*gōng* take credit for someone else's achievements │他做事从来不~赏。*Tā zuòshì cónglái bù ~shǎng.* He never seeks rewards for his achievements when he does things.

² **邀请** yāoqǐng〈动 *v.*〉请人到自己的地方来或到约定的某处去 invite; request (sb.) to be present or participate: 他~我参加他的生日晚会。*Tā ~ wǒ cānjiā tā de shēngrì wǎnhuì.* He invited me to take part in his birthday party. │国务院~各国驻华使节出席国庆招待会。*Guówùyuàn ~ gè guó zhùhuá shǐjié chūxí guóqìng zhāodàihuì.* The State Council invited diplomatic envoys of all countries in China to attend the reception party of the National Day. │别人~不到的名人我都给~来了。*Biéren ~ bú dào de míngrén wǒ dōu gěi ~ lái le.* Those famous persons, whom other people fail to invite, are all present at my invitation.

³ **窑** yáo ❶〈名 *n.*〉(口 kǒu、座 zuò)烧制砖瓦陶瓷等物的建筑物 kiln: 瓷~ *cí*~ porcelain kiln │砖~ *zhuān*~ brick kiln │石灰~ *shíhuī*~ lime kiln │工人们在烧~。*Gōngrénmen zài shāo ~.* The workers are working at the kiln. │砖烧好了,该出~了。*Zhuān shāohǎo le, gāi chū ~ le.* The baking of bricks has been finished, and it's time to get them out. ❷〈名 *n.*〉指用土法生产的煤矿 coal pit: 煤~ *méi*~ coal pit │他天天下~去挖煤。*Tā tiāntiān xià ~ qù wā méi.* He digs coal down in the coal pit every day. │这些~根本达不到安全生产的要求。*Zhèxiē ~ gēnběn dá bú dào ānquán shēngchǎn de yāoqiú.* These coal pits can by no means reach the standard of safe production. ❸〈名 *n.*〉(个 gè、眼 yǎn)窑洞,中国西北黄土高原地区就土山的山崖挖成的供人居住的洞 cave dwelling, dwelling dug in the cliff of an earthen hill on the Loess Plateau of northwest China: 他家新挖了一排三眼土~。*Tā jiā xīn wāle yì pái sān yǎn tǔ ~.* His family has recently dug a row of three earthen dwelling caves. ❹〈名 *n.*〉妓院 brothel: ~姐儿 ~*jiěr* prostitute

³ **谣言** yáoyán〈名 *n.*〉凭空捏造的信息 rumor, fabricated news: 网上的~太多,可不能轻信。*Wǎng shang de ~ tài duō, kě bù néng qīngxìn.* There are too many rumors on the Internet and we should not take them for granted. │有人在散布~。*Yǒurén zài sànbù ~.* Some people are spreading. │我们既不要听信~,更不要传播~。*Wǒmen jì bú yào tīngxìn ~, gèng bú yào chuánbō ~.* We should neither listen to the rumors nor spread them. │~的制造者和传播者都应受到制裁。*~ de zhìzàozhě hé chuánbōzhě dōu yīng shòudào zhìcái.* Those who start or spread rumors should be punished.

Y

² **摇** yáo 〈动 v.〉摆动；物体来回动 shake; wave; rock, move back and forth：~摆 ~bǎi sway; swing; rock; vacillate | ~荡 ~dàng rock; sway | ~晃 ~huàng sway; swing | ~手 shǒu wave one's hand in admonition or disapproval | ~旗呐喊（比喻为人助长声威）~qí-nàhǎn（bǐyù wèi rén zhùzhǎng shēngwēi）wave flags and shout battle cries（*fig.* boost the morale of fighters）| ~头摆尾（形容人得意或轻狂的样子）~tóu-bǎiwěi（xíngróng rén déyì huò qīngkuáng de yàngzi）shake the head and wag the tail（assume an air of complacency or levity）| 尾乞怜（形容谄媚讨好的样子）~wěi-qǐlián（xíngróng chǎnmèi tǎohǎo de yàngzi）wag the tail ingratiatingly（*fig.* fawn obsequiously）| 他使劲~了一头。Tā shǐjìn ~le yì tóu. He gave a hard shake of his head. | 他又一起橹来。Tā yòu ~qǐ lǔ lái. He exerted his strength to scull the boat again. | 请把船~到小岛去。Qǐng bǎ chuán ~dào xiǎodǎo qù. Will you scull the boat to the small island please?

³ **摇摆** yáobǎi 〈动 v.〉向相反的方向来回地移动或变动；不坚定，不稳定 move back and forth; vacillate; be unstable：柳条儿在风中来回~。Liǔtiáor zài fēng zhōng láihuí ~. The willow twigs are swaying in the wind. | 小花狗~着尾巴，围着主人转来转去。Xiǎo huā gǒu ~zhe wěiba, wéizhe zhǔrén zhuànlái-zhuànqù. The little spotted dog ran around its owner, swaying its tail. | 你不能再~不定了。Nǐ bù néng zài ~ búdìng le. You can't vacillate any more. | 他遇事总是摇摇摆摆的，下不了决心。Tā yù shì zǒngshì yáoyáo-bǎibǎi de, xià bù liǎo juéxīn. He always vacillates before difficult things, and can hardly make a decision. | 他就是这么一个左右~的人。Tā jiùshì zhème yí gè zuǒyòu ~ de rén. He is such a wavering person.

³ **摇晃** yáohuàng 〈动 v.〉摇摆，晃动 waver; sway; swing：小树苗在风中~着。Xiǎo shùmiáo zài fēng zhōng ~zhe. Young trees are wavering in the wind. | 他在轮船上向我们~着帽子。Tā zài lúnchuán shang xiàng wǒmen ~zhe màozi. He is waving his cap to us on the ship. | 大楼在地震中~起来。Dàlóu zài dìzhèn zhōng ~ qǐlái. The building is shaking in the earthquake. | 导游~手里的旗子，招呼大家往前走。Dǎoyóu ~ ~ shǒu li de qízi, zhāohu dàjiā wǎng qián zǒu. The guide waved the flag in his hand, telling us to go ahead. | 铁索桥摇摇晃晃的，胆小的人真不敢上。Tiěsuǒqiáo yáoyáo-huànghuàng de, dǎnxiǎo de rén zhēn bùgǎn shàng. The iron-chain bridge is shaking so hard that cowardly people dare not get on it.

⁴ **遥控** yáokòng ❶〈动 v.〉利用有线或无线电路等的装备操纵一定距离以外的机器、仪器等 remote-control; telecontrol：~机器人 ~ jīqìrén remote-controlled robot | 工作人员正在~高空地球物理探测器。Gōngzuò rényuán zhèngzài ~ gāokōng dìqiú wùlǐ tàncèqì. The workers are remote-controlling the aero-geophysical explorer. ❷〈动 v.〉比喻远距离指挥或控制 command or control from the distance：他~着手下的人员进行各种活动。Tā ~zhe shǒuxià de rényuán jìnxíng gèzhǒng huódòng. He directs his subordinates to perform various actions from a distance. | 他的~手段很高明。Tā de ~ shǒuduàn hěn gāomíng. He's quite skillful in controlling others from afar.

³ **遥远** yáoyuǎn 〈形 adj.〉很远 very far; far away：他去的地方非常~。Tā qù de dìfang fēicháng ~. The place where he went is very far away. | 那个年代离我们太~了。Nàge niándài lí wǒmen tài ~ le. That time is quite distant from us. | 我们来到了~的东海之滨。Wǒmen láidàole ~ de Dōnghǎi zhī bīn. We have arrived at the remote seashore of the East China Sea. | ~的东方有一条河。~de dōngfāng yǒu yì tiáo hé. There is a big river in the remote East. | 你要实际一点儿，别想得那么~。Nǐ yào shíjì yìdiǎnr, bié xiǎng de nàme ~. Be more practical, and don't think that far.

² **咬** yǎo ❶〈动 v.〉上下牙齿用力对着，压断或夹住东西 bite; snap at：~牙 ~yá clench

one's teeth｜他用力~了一口干馒头。*Tā yònglì ~le yì kǒu gān mántou.* He took a hard bite at the dry steam bread.｜他拿起西瓜~了一口。*Tā náqǐ xīguā ~le yì kǒu.* He took up the watermelon and had a bite.｜那个冻柿子~也~不动。*Nàge dòng shìzi ~ yě ~ bú dòng.* The frozen persimmon is so hard that one cannot eat it.｜他的手被小猫~破了。*Tā de shǒu bèi xiǎo māo ~pò le.* His hand was bitten broken by the kitten.｜一朝遭蛇~，十年怕井绳(比喻一次遭受挫折，遇到相似情况便会心有余悸)。*Yì zhāo zāo shé ~, shí nián pà jǐngshéng* (*bǐyù yí cì zāoshòu cuòzhé, yù dào xiāngsì qíngkuàng biànhuì xīnyǒuyújì*) Once bitten by a snake, one shies at a coiled rope for the next ten years (*fig.* be still afraid in a similar situation once having met with setbacks). ❷〈动 *v.*〉正确地念出(字音)；过分地斟酌(字句的意思) pronounce correctly; pay great attention to wording:~文嚼字 *~wén-jiáozì* pay excessive attention to wording｜这个字我就是~不准音。*Zhège zì wǒ jiùshì ~ bù zhǔn yīn.* I can hardly pronounce this word correctly.｜他说话太快，~字不清。*Tā shuōhuà tài kuài, ~ zì bù qīng.* He speaks too fast to pronounce each word clearly.｜他太爱~字眼儿。*Tā tài ài ~ zìyǎnr.* He is too nitpicking over words. ❸〈动 *v.*〉受责难或受审讯时，平白牵连别人 incriminate sb. for no reason when blamed or interrogated: 自己有责任，别乱~好人。*Zìjǐ yǒu zérèn, bié luàn ~ hǎorén.* Take the responsibility yourself, and don't incriminate innocent people. ｜别人好心好意帮他，他倒反~一口。*Biéren hǎoxīn-hǎoyì bāng tā, tā dào fǎn ~ yì kǒu.* I helped him with the best of intentions, but he trumped up a countercharge against me. ❹〈动 *v.*〉用钳子等夹住或齿轮、螺丝等互相卡住 (of pincers) grip; (of gears, screws, etc.) bite; catch: 钳子口松，~不紧东西了。*Qiánzi kǒu sōng, ~ bù jǐn dōngxi le.* The pincers is loose and can't bite things.｜换一个新螺母就~紧了。*Huàn yí gè xīn luómǔ jiù ~jǐn le.* Replace it with a new nut, and it will catch.｜齿轮的齿磨平了，互相~不住了。*Chǐlún de chǐ mópíng le, hùxiāng ~ bú zhù le.* The teeth of the gear are worn-out, and they won't catch. ❺〈动 *v.*〉追赶；进逼 close in on; advance on; press on towards〈两个队的比分~得很紧。*Liǎng gè duì de bǐfēn ~ de hěn jǐn.* The two teams had close scores throughout the match.｜我们一定要死死地~住敌人，不让他们有任何喘息的机会。*Wǒmen yídìng yào sǐsǐ de ~zhù dírén, bú ràng tāmen yǒu rènhé chuǎnxī de jīhuì.* We had to close in on the enemy, giving them no chance to take a breath. ❻〈动 *v.*〉(狗)叫；(蚊虫)叮 (of dog) bark; (of mosquito) sting; bite: 远处传来一阵狗~声。*Yuǎnchù chuán lái yí zhèn gǒu ~ shēng.* There came the barking from the distance.｜腿上让蚊子~了一个包。*Tuǐ shang ràng wénzi ~le yí gè bāo.* I got a swelling on my leg by the mosquito.

---

¹药 yào ❶〈名 *n.*〉药物 medicine; drug; remedy:~面 *~miàn* medicinal powder｜~片 *~piàn* (medicinal) tablet｜~水 *~shuǐ* liquid medicine; lotion｜~丸 *~wán* pill; bolus; medicine in a wax ball｜农~ *nóng~* agricultural chemicals; pesticide; farming chemicals｜西~ *xī~* Western medicine｜中~ *zhōng~* traditional Chinese medicine｜对症下~(比喻针对问题的症结作有效的处理) *duìzhèng-xià~* (*bǐyù zhēnduì wèntí de zhēngjié zuò yǒuxiào de chǔlǐ*) suit the remedy to the case (*fig.* take effective measures according to the crucial points of the problem)｜这种~，每天三次，每次一片。*Zhè zhǒng ~, měi tiān sān cì, měi cì yí piàn.* Take the medicine three times a day and one tablet each time.｜医生让他按时吃~。*Yīshēng ràng tā ànshí chī~.* The doctor advises him to take the medicine on time. ❷〈名 *n.*〉某些有化学作用的物质 certain chemicals: 弹~ *dàn~* ammunitions｜火~ *huǒ~* gunpowder｜炸~ *zhà~* explosives｜灭蟑螂用什么~? *Miè zhāngláng yòng shénme ~?* What kind of pesticide should be used to kill cockroaches? ❸

〈动 v.〉用药治病 cure with medicine：不可救~ *bùkějiù*~ incurable; hopeless ❹〈动 v.〉用药毒死 kill with poison：~蚂蚁 ~ *mǎyǐ* kill ants with pesticide｜~虫子 ~ *chóngzi* kill insects with pesticide｜这种灭鼠剂~不死耗子。*Zhè zhǒng mièshǔjì ~ bù sǐ hàozi.* It's ineffective to kill rats with this kind of rodenticide.

⁴ **药材** yàocái〈名 n.〉（种zhǒng）中药的原料或经炮制过的中药 medicinal materials; crude drugs：这种~用途很多。*Zhè zhǒng ~ yòngtú hěn duō.* This crude drug is of many uses.｜这家医药公司收购各种~。*Zhè jiā yīyào gōngsī shōugòu gèzhǒng ~.* The medical company purchases various kinds of medicinal materials.｜很多矿物也是~。*Hěn duō kuàngwù yě shì ~.* Many minerals are also medicine.

³ **药方** yàofāng ❶（~儿）〈名 n.〉为治疗某种疾病所配制的若干药物的名称、剂量和用法等 prescription：这个~是专治胃病的。*Zhège ~ shì zhuān zhì wèibìng de.* This prescription is specialized for gastric diseases.｜他献出了家里的祖传~。*Tā xiànchūle jiāli de zǔchuán ~.* He has donated his family's prescription handed down from his ancestors.｜这本书记载了治疗疑难杂症的各种~。*Zhè běn shū jìzàile zhìliáo yínánzázhèng de gèzhǒng ~.* This book records various kinds of prescriptions for the treatment of difficult miscellaneous diseases. ❷（~儿）〈名 n.〉（张zhāng）写着药方的纸 recipe; a paper with a written prescription：那张~写明了煎药的方法。*Nà zhāng ~ xiě míngle jiān yào de fāngfǎ.* The recipe is clearly written with the method of decoction.｜他把~交给了药房。*Tā bǎ ~ jiāogěile yàofáng.* He gave the prescription to the dispensary.

³ **药品** yàopǐn〈名 n.〉（种zhǒng）药物和化学试剂的总称（general term for）medicines and chemical reagents：这种~药房没有了，请外购。*Zhè zhǒng ~ yàofáng méiyǒu le, qǐng wài gòu.* The dispensary has run out of this medicine. Please go to the drugstore for it.｜这家医药公司专门批发各种~。*Zhè jiā yīyào gōngsī zhuānmén pīfā gèzhǒng ~.* The medical company specially wholesales various kinds of medicines and chemical reagents.

³ **药水儿** yàoshuǐr〈名 n.〉（种zhǒng、滴dī、瓶píng）液体的药 liquid medicine; lotion：这种~是杀虫剂。*Zhè zhǒng ~ shì shāchóngjì.* This chemical liquid is a pesticide.｜他买了一瓶眼~。*Tā mǎile yì píng yǎn~.* He bought a bottle of eye drops.｜过了保质期的~不能用。*Guòle bǎozhìqī de ~ bù néng yòng.* Liquid medicine out of quality-preserving period cannot be used.

³ **药物** yàowù〈名 n.〉（种zhǒng）能防治疾病、病虫害等的物质 medicines; drugs：很多~都能治疗这种病。*Hěn duō ~ dōu néng zhìliáo zhè zhǒng bìng.* This disease can be treated with many kinds of drugs.｜化工厂专门生产这种灭菌的~。*Huàgōngchǎng zhuānmén shēngchǎn zhè zhǒng mièjūn de ~.* The chemical plant is specialized in producing this kind of antiseptic.｜你的病不重，采用~治疗就可以了。*Nǐ de bìng bú zhòng, cǎiyòng ~ zhìliáo jiù kěyǐ le.* Your illness is not serious and can be treated by medication.

¹ **要** yào ❶〈动 v.〉希望得到或保持 want; desire; wish to have or keep：我~一台录音机。*Wǒ ~ yì tái lùyīnjī.* I want a tape-recorder.｜你~不~矿泉水？*Nǐ ~ bú kuàngquánshuǐ?* Would you like mineral water?｜我们的菜~得太多了。*Wǒmen de cài ~ de tài duō le.* We've ordered too many dishes.｜这些杂志我还~呢。*Zhèxiē zázhì wǒ hái ~ ne.* I still want to keep these magazines. ❷〈动 v.〉索取 demand; claim：我去~回欠款。*Wǒ qù ~huí qiànkuǎn.* I'll go for the repayment of the debt.｜你再去~几张门票。*Nǐ zài qù ~ jǐ zhāng ménpiào.* Will you go to ask for some more entrance tickets?

你去~两本产品说明书。*Nǐ qù ~ liǎng běn chǎnpǐn shuōmíngshū.* Will you go to ask for two manuals of the product? ❸〈动 *v.*〉请求；要求 ask; request：父亲~我去中国学习汉语。*Fùqīn ~ wǒ qù Zhōngguó xuéxí Hànyǔ.* My father asks me to go to China to learn Chinese. | 老师~我到他办公室去一趟。*Lǎoshī ~ wǒ dào tā bàngōngshì qù yí tàng.* My teacher asked me to go to his office. | 他~我马上休息。*Tā ~ wǒ mǎshàng xiūxi.* He asks me to have a break at once. ❹〈助动 *aux. v.*〉表示要做某事的意志 want to; wish to：我一定~爬上长城。*Wǒ yídìng ~ páshàng Chángchéng.* I will certainly climb up the Great Wall. | 他一定~买到这本书。*Tā yídìng ~ mǎidào zhè běn shū.* He will buy the book by all means. | 他就是~学中文。*Tā jiùshì ~ xué Zhōngwén.* He insists on learning Chinese. | 他马上~见你。*Tā mǎshàng ~ jiàn nǐ.* He wants to see you at once. ❺〈助动 *aux. v.*〉须要；应该 must; should; it is necessary (or imperative, essential)：被褥~经常晾晒。*Bèirù ~ jīngcháng liàngshài.* It's necessary to get beddings frequently spread to the air. | 用餐前~洗手。*Yòngcān qián ~ xǐshǒu.* Wash hands before the meal. | 在图书馆说话~小声一点儿。*Zài túshūguǎn shuōhuà ~ xiǎo shēng yìdiǎnr.* Speak in a lower voice in the library. | 在高速路上开车~注意车速。*Zài gāosùlù shang kāichē ~ zhùyì chēsù.* Pay attention to your speed when driving on the expressway. ❻〈助动 *aux. v.*〉需要 need; take：寄到美国的信~用多长时间？*Jìdào Měiguó de xìn ~ yòng duō cháng shíjiān?* How long does it take to send a letter to the USA? | 这套房子租一个月~付多少钱？*Zhè tào fángzi zū yí gè yuè ~ fù duōshao qián?* How much does it cost to rent this apartment for a month? | 先生，您~帮忙吗？*Xiānsheng, nín ~ bāngmáng ma?* Would you like any help, Sir? | 你~坐出租车吗？*Nǐ ~ zuò chūzūchē ma?* Do you want a taxi? ❼〈副 *adv.*〉将要 will; be going to：学校~开学了。*Xuéxiào ~ kāixué le.* The school will soon begin. | 他~毕业了。*Tā ~ bìyè le.* He is going to graduate from school. | 天~黑了，你吃了饭再走吧。*Tiān ~ hēi le, nǐ chīle fàn zài zǒu ba.* It is getting dark. Will you take supper before you leave? | 这种衣服快~卖完了。*Zhè zhǒng yīfu kuài ~ màiwán le.* This kind of clothes is going to be out of stock. ❽〈连 *conj.*〉表示假设，如果；要么 if; or, indicating an assumption：天~下大雨我就不去了。*Tiān ~ xià dà yǔ wǒ jiù bú qù le.* If it rains heavily, I'll not go. | 你~不参加，那我也就算了。*Nǐ ~ bù cānjiā, nà wǒ yě jiù suàn le.* If you don't participate, I'll give up too. | ~就我们都去，~就都不去。*~ jiù wǒmen dōu qù, ~ jiù dōu bú qù.* If we go, all of us have to go together. ❾〈形 *adj.*〉重要 important; essential：~领 ~*lǐng* essentials | ~点 ~*diǎn* main points | 他有~事要找你商量。*Tā yǒu ~shì yào zhǎo nǐ shāngliang.* He has something important to discuss with you. ❿〈名 *n.*〉重要的内容 main points; essentials：摘~ zhāi~ abstract | 概~ gài~ essentials; outline; synopsis | 内容提~ nèiróng tí~ summary

³ **要不** yàobù ❶〈连 *conj.*〉如果不这样；否则 otherwise; or else; or：到了学校马上给妈妈打个电话，~她会着急的。*Dàole xuéxiào, mǎshàng gěi māma dǎ gè diànhuà, ~ tā huì zháojí de.* Make a phone call to your mother when you arrive at school, or she will feel anxious. | 食堂下班了，~我也用不着泡方便面。*Shítáng xiàbān le, ~ wǒ yě yòngbuzháo pào fāngbiànmiàn.* The dining-hall is closed, or I needn't make instant noodles. ❷〈连 *conj.*〉要么 or; either... or...：路不太远，咱们~走着，~骑车，都可以。*Lù bú tài yuǎn, zánmen ~ zǒuzhe, ~ qí chē, dōu kěyǐ.* It's not far away. We can go there either on foot or by bike. | 对不起，饮料没有了，~给您泡壶茶吧。*Duìbuqǐ, yǐnliào méiyǒu le, ~ gěi nín pào hú chá ba.* Sorry, there is no drink left, I'll make a pot of tea for you. ‖ 也说'要不然' also '要不然 yàoburán'

³ **要不然** yàobùrán ❶〈连 *conj.*〉如果不这样；否则 otherwise; or else; or：那个地方就你去过，~也不会麻烦你。*Nàge dìfang jiù nǐ qùguo, ~ yě bú huì máfan nǐ.* You're the only person who's been there, or I'll not trouble you. ｜你把食品放进冰箱吧，~会坏的。*Nǐ bǎ shípǐn fàngjìn bīngxiāng ba, ~ huì huài de.* Put the food in the refrigerator, or it will spoil. ❷〈连 *conj.*〉表示委婉建议 indicating a tactful suggestion：屋里太热了，~咱们到院子里坐坐？*Wūli tài rè le, ~ zánmen dào yuànzi li zuòzuo?* It's so hot in the room. Shall we enjoy the cool in the yard? ｜电影票卖完了，~咱们听京剧去吧。*Diànyǐngpiào màiwán le, ~ zánmen tīng jīngjù qù ba.* The film tickets have been sold out. Shall we go to enjoy Peking Opera instead?

³ **要不是** yàobushì〈连 *conj.*〉如果不是 if not：~他提醒我，我都忘了。*~ tā tíxǐng wǒ, wǒ dōu wàng le.* If he hadn't reminded me, I would have forgotten it. ｜~警察抓住了小偷，我的钱包也就找不回来了。*~ jǐngchá zhuāzhùle xiǎotōu, wǒ de qiánbāo yě jiù zhǎo bù huílái le.* If the police hadn't caught the thief, I wouldn't have had my wallet back. ｜那棵树挡住了我，我就掉到山下去了。*~ nà kē shù dǎngzhùle wǒ, wǒ jiù diàodào shānxià qù le.* If not stopped by the tree, I would have fallen down to the bottom of the mountain.

³ **要点** yàodiǎn ❶〈名 *n.*〉(个gè)说话或文章的主要内容 (of a speech or an article) main point; essentials; gist：看书要把握住~。*Kàn shū yào bǎwò zhù ~.* Try to get the main points when reading. ｜你要抓住文章的~。*Nǐ yào zhuāzhù wénzhāng de ~.* You have to grasp the main points of the article. ｜全文就不念了，我们就说一下~吧。*Quánwén jiù bú niàn le, wǒmen jiù shuō yíxià ~ ba.* Let's explain the chief ideas instead of reading the whole article aloud. ❷〈名 *n.*〉重要的据点 strongpoint：这些战略~一定要保卫好。*Zhèxiē zhànlüè ~ yídìng yào bǎowèi hǎo.* These strategic points should be safely guarded. ｜你们要把敌人的军事~侦察清楚。*Nǐmen yào bǎ dírén de jūnshì ~ zhēnchá qīngchu.* You have to reconnoiter clear the enemy's military points.

³ **要好** yàohǎo ❶〈形 *adj.*〉指双方感情很融洽，亲密 be on good terms; be close friends：他们俩向来十分~。*Tāmen liǎ xiànglái shífēn ~.* They two have been close friends all the time. ｜他跟我从小就~。*Tā gēn wǒ cóngxiǎo jiù ~.* He and I have been good friends since childhood. ｜他是我最~的朋友。*Tā shì wǒ zuì ~ de péngyou.* He is my best friend. ｜你干涉不着我和谁~。*Nǐ gānshè bù zháo wǒ hé shéi ~.* It's none of your business whom I'd like to make friends with. ❷〈形 *adj.*〉努力上进求好 be eager to improve oneself; try hard to make progress：他从小非常~，学习没让大人操过心。*Tā cóngxiǎo fēicháng ~, xuéxí méi ràng dàren cāoguo xīn.* He has tried hard to make progress from his childhood, and never let his parents worry about his study. ｜他是个~的孩子。*Tā shì gè ~ de háizi.* He is a child eager to excel.

² **要紧** yàojǐn ❶〈形 *adj.*〉重要 important; vital; essential：这件事很~，千万别耽误了。*Zhè jiàn shì hěn ~, qiānwàn bié dānwù le.* This matter is so important that you should never delay it. ｜这事~得很，得赶快办。*Zhè shì ~ de hěn, děi gǎnkuài bàn.* This matter is urgent and it must be dealt with immediately. ｜这么~的事哪能忘呢。*zhème ~ de shì nǎ néng wàng ne.* How could I forget such an important thing? ｜我有件~的事请你帮忙。*Wǒ yǒu jiàn ~ de shì qǐng nǐ bāngmáng.* I've got something important and need your help. ❷〈形 *adj.*〉严重 serious; critical：这点儿伤不~，过两天就好了。*Zhè diǎnr shāng bú ~, guò liǎng tiān jiù hǎo le.* The injury is not serious, and it will get healed in several days. ｜这里情况~，请派人支援。*Zhèli qíngkuàng ~, qǐng pài rén zhīyuán.* The situation here is quite serious. Send us some reinforcements please. ｜他的病~不~? *Tā de*

bìng ~ bú ~? Is his illness serious or not?

⁴ **要领** yàolǐng ❶〈名 n.〉说话或文章的主要内容 main point; chief idea: 文章的~就体现在第二部分。 *Wénzhāng de ~ jiù tǐxiàn zài dì-èr bùfen.* The main point of the article is in the second paragraph. │ 说话要抓住~。 *Shuōhuà yào zhuāzhù ~.* Grasp the main points when speaking. │ 他讲的话,让人不得~。 *Tā jiǎng de huà, ràng rén bù dé ~.* His speech made the listeners fail to understand what he had been driving at. ❷〈名 n.〉某项操练或操作的基本要求 essentials (of a drill or an operation): 练习发音要掌握~。 *Liànxí fāyīn yào zhǎngwò ~.* Grasp the essentials while practicing pronunciation. │ 你要清楚写毛笔字的~。 *Nǐ yào qīngchu xiě máobǐzì de ~.* You should be clear about the essentials of writing with a brush. │ 你不是学不会,是不得~。 *Nǐ bú shì xué bú huì, shì bù dé ~.* It isn't that you can't learn, but that you haven't grasped the essentials.

⁴ **要么** yàome 〈连 conj.〉表示两种情况或意愿的选择关系 or; either... or... (showing choice between two conditions or two desires): 要去就赶紧走,~干脆别去了。 *Yào qù jiù gǎnjǐn zǒu, ~ gāncuì bié qù le.* If you want to go, you have to set off at once, or you may simply not go at all. │~马上做饭,~出去上饭馆,咱们总不能饿肚子。 *~ mǎshàng zuòfàn, ~ chūqù shàng fànguǎn, zánmen zǒng bù néng è dùzi.* Cook at once, or go out to dine in the restaurant. Whatever we do, we can't starve ourselves.

⁴ **要命** yào//mìng ❶〈动 v.〉使丧失生命 drive sb. to his death; kill: 要钱没有,~一条。 *Yào qián méiyǒu, ~ yì tiáo.* No money, but life if you want to take. │ 鞭炮厂火药爆炸要了他的命。 *Biānpàochǎng huǒyào bàozhà yàole tā de mìng.* He was killed by the explosion of gunpowder in the firecracker workshop. ❷〈动 v.〉表示程度达到极点 extremely; awfully; terribly: 两个人好得~。 *Liǎng gè rén hǎo de ~.* They two are on very good terms. │ 这里的冬天冷得~。 *Zhèli de dōngtiān lěng de ~.* It is extremely cold here in winter. │ 教室里人声嘈杂,乱得~。 *Jiàoshì li rénshēng cáozá, luàn de ~.* In the classroom, it is so noisy and terribly confused. ❸〈动 v.〉给人造成严重困难(着急或埋怨时说) be a nuisance (used when one is anxious or complaining): 这人真~,飞机都快起飞了还不来。 *Zhè rén zhēn ~, fēijī dōu kuài qǐfēile hái bù lái.* That guy is quite impossible. The plane is taking off any minute, but there is still no sign of him. │ 你可真够~的,东西丢了也不说一声。 *Nǐ kě zhēn gòu ~ de, dōngxi diūle yě bù shuō yì shēng.* It's really hopeless of you to say nothing about the thing you've lost.

¹ **要是** yàoshi 〈连 conj.〉如果;如果是 if; suppose; in case: 你~上不去场,我们准会输。 *Nǐ ~ bú shàngchǎng, wǒmen zhǔn huì shū.* We are sure to lose if you don't get on the court. │ 让我来办,准不会误事。 *~ ràng wǒ lái bàn, zhǔn bú huì wùshì.* If I'm entitled to handle it, there won't be any delay in work. │ 明天下雨,咱们就别爬山了。 *~ míngtiān xià yǔ, zánmen jiù bié pá shān le.* If it rains tomorrow, let's not climb the mountain.

² **要素** yàosù 〈名 n.〉(个 gè、种 zhǒng)构成事物的必要因素 essential factor; key element: 议论文的~有三点: 论点、论据和论证方法。 *Yìlùnwén de ~ yǒu sān diǎn: lùndiǎn, lùnjù hé lùnzhèng fāngfǎ.* There are three main elements for an essay: argument, grounds of argument and method of argument. │ 语言是文学作品的基本~。 *Yǔyán shì wénxué zuòpǐn de jīběn ~.* Language is the basic element of literary works. │ 生产力的构成主要包括人和物两方面的~。 *Shēngchǎnlì de gòuchéng zhǔyào bāokuò rén hé wù liǎng fāngmiàn de ~.* Productivity is mainly composed of two essential factors: man and materials.

³ **钥匙** yàoshi 〈名 n.〉(把 bǎ)开锁用的东西 key: 大门~一共有两把。 *Dà mén ~ yígòng*

yǒu liǎng bǎ. There are only two keys to the entrance gate. │车~丢了，要再配一把。 *Chē ~ diū le, yào zài pèi yì bǎ.* The key of my car is missing. I need to make another one. │一把~开一把锁（比喻不同的问题要用不同的办法解决）。*Yì bǎ ~ kāi yì bǎ suǒ* (*bǐyù bùtóng de wèntí yào yòng bùtóng de bànfǎ jiějué*). One key opens one lock (*fig.* Different problems need different solutions).

⁴ **耀眼** yàoyǎn 〈形 *adj.*〉光线、色彩等强烈，使人眼花或引人注目 dazzling, bright or brightly colored：这座玻璃幕墙的大楼格外~。*Zhè zuò bōli mùqiáng de dàlóu géwài ~.* The building with glass screen walls is very dazzling. │太阳放射出~的光芒。*Tàiyáng fàngshè chū ~ de guāngmáng.* The sun shines brightly. │花园里绽开的菊花黄得~。*Huāyuán li zhànkāi de júhuā huáng de ~.* The chrysanthemums blossom brightly yellow in the garden.

² **爷爷** yéye ❶〈名 *n.* 口 colloq.〉祖父（paternal）grandpa; grandfather：我~是位老中医。*Wǒ ~ shì wèi lǎo zhōngyī.* My grandfather is an old doctor of traditional Chinese medicine. │他要去看望~。*Tā yào qù kànwàng ~.* He wants to see his grandpa. ❷〈名 *n.*〉称呼与祖父辈分相同或年纪相仿的男性 grandpa, a respectful term for a man whose seniority or age is similar to one's grandfather：对门的老~会打太极拳。*Duìmén de lǎo ~ huì dǎ tàijíquán.* The grandpa living opposite to us is capable of shadowboxing. │他就是我们院儿的张~。*Tā jiùshì wǒmen yuànr de Zhāng ~.* This is Grandpa Zhang of our compound.

¹ **也** yě ❶〈副 *adv.*〉表示两事相同或并列 also; as well as; too：你是美国人，他~是美国人。*Nǐ shì Měiguórén, tā ~ shì Měiguórén.* You're an American, and he is an American too. │你们看电视~可以，听收音机~可以。*Nǐmen kàn diànshì ~ kěyǐ, tīng shōuyīnjī ~ kěyǐ.* You can either watch TV or listen to the radio. │他坐~不是，站~不是。*Tā zuò ~ bú shì, zhàn ~ bú shì.* He doesn't know whether it's suitable to sit or stand. │我左考虑~不行，右考虑~不行。*Wǒ zuǒ kǎolǜ ~ bùxíng, yòu kǎolǜ ~ bùxíng.* I have carefully weighed the pros and cons. Yet it's still difficult for me to decide. │一会儿功夫，风~停了，雨~停了。*Yíhuìr gōngfu, fēng ~ tíng le, yǔ ~ tíng le.* Before long both wind and rain stopped. ❷〈副 *adv.*〉表示无论如何都会出现某种结果 indicating an inevitable result：我宁可不睡觉，~得把题做出来。*Wǒ nìngkě bú shuìjiào, ~ děi bǎ tí zuò chūlái.* I will definitely solve the problem even if I have to give up sleep. │你即使不说我~能明白。*Nǐ jíshǐ bù shuō wǒ ~ néng míngbai.* I can surely understand it even if you don't mention it. │这头牛无论怎么拉，~拉不动。*Zhè tóu niú wúlùn zěnme lā, ~ lā bú dòng.* However hard you pull the rope on the bull's nose, it hardly move. │这件事再解释~解释不清。*Zhè jiàn shì zài jiěshì ~ jiěshì bù qīng.* However you explain, it can hardly be made clear. ❸〈副 *adv.*〉表示强调、肯定的语气 indicating an emphatic or affirmative tone：他连犹豫~没犹豫，就跳下水去救人。*Tā lián yóuyù ~ méi yóuyù, jiù tiàoxià shuǐ qù jiù rén.* He jumped into the water to save the drowning man without any hesitation. │这件事我一辈子~忘不了。*Zhè jiàn shì wǒ yíbèizi ~ wàng bù liǎo.* I'll never forget it all my life. │他说的话一点儿~不假。*Tā shuō de huà yìdiǎnr ~ bù jiǎ.* He does not tell any lies. │他说得那么认真，连老师~被哄住了。*Tā shuō de nàme rènzhēn, lián lǎoshī ~ bèi hǒngzhù le.* He said it in such a serious manner that even his teacher was cheated. │任何困难~难不住他。*Rènhé kùnnan ~ nán bú zhù tā.* No difficulty shall baffle him. ❹〈副 *adv.*〉表示委婉的语气 indicating a euphemistic tone：没有别的主意，我看~只好如此了。*Méiyǒu bié de zhǔyi, wǒ kàn ~ zhǐhǎo rúcǐ le.* In my opinion, we'll have to leave it at that if no other idea can be put out. │你实在要走，我~就不留你了。*Nǐ shízài yào*

zǒu, wǒ ~ jiù bù liú nǐ le. If you really want to leave, I shall not urge you to stay. | 他汉语说成这样，~就不容易了。 *Tā Hànyǔ shuō chéng zhèyàng, ~ jiù bù róngyì le.* It's not easy for him to speak Chinese with such fluency. | 你~不是外人，咱们就不必客气了。 *Nǐ ~ bú shì wàirén, zánmen jiù búbì kèqi le.* You're not an outsider, so you need not stand on ceremony. ❺〈副 *adv.*〉表示转折或让步(常和上文'即使''虽然''尽管''宁可'相呼应) still; yet, indicating aversion or concession (often used correlatively with '即使 jíshǐ', '虽然suīrán', '尽管jǐnguǎn', '宁可nìngkě' etc.): 即使你不同意他的意见，~应当让他把话说完。 *Jíshǐ nǐ bù tóngyì tā de yìjiàn, ~ yīngdāng ràng tā bǎ huà shuōwán.* You ought to let him speak out all his ideas even if you don't agree with him. | 宁可自己饿着，~不能让孩子饿着。 *Nìngkě zìjǐ èzhe, ~ bù néng ràng háizi èzhe.* I would not let my children starve even if I suffer the hunger myself.

¹ **也许 yěxǔ**〈副 *adv.*〉表示对情况的猜测、估计或不很肯定 perhaps; probably; maybe: ~我这次一走就不再来了。 *~ wǒ zhè cì yì zǒu jiù bú zài lái le.* Maybe I shall never come back once I take departure this time. | ~他不记得我了。 *~ tā bú jìde wǒ le.* She may not remember me. | 我~来得了，~来不了，你们就别等了。 *Wǒ ~ lái de liǎo, ~ lái bù liǎo, nǐmen jiù bié děng le.* I may be able to come, or not. You need not wait for me.

³ **冶金 yějīn**〈名 *n.*〉冶炼金属 metallurgy: ~工业 ~ *gōngyè* metallurgical industry | 他从事~行业20多年了。 *Tā cóngshì ~ hángyè èrshí duō nián le.* He has been working in the metallurgical industry for more than 20 years. | 他一生都没离开过~系统。 *Tā yìshēng dōu méi líkāiguo ~ xìtǒng.* He has never been out of the metallurgical industry all his life.

⁴ **冶炼 yěliàn**〈动 *v.*〉用焙烧、熔炼、电解、使用化学药剂等方法把金属从矿石中提取出来 smelt: ~厂 ~ *chǎng* smelting plant; smeltery | 炼钢厂~钢铁。 *Liàngāngchǎng ~ gāngtiě.* Steel works produce iron and steel. | 这个厂主要~有色金属。 *Zhège chǎng zhǔyào ~ yǒusè jīnshǔ.* This plant mainly smelts non-ferrous metals. | 这个地区~工业很发达。 *Zhège dìqū ~ gōngyè hěn fādá.* The area is quite advanced in smelting industry.

⁴ **野 yě** ❶〈形 *adj.*〉不是人工饲养或培植的；自然生长的（动植物）(of plants or animals) wild; uncultivated; undomesticated; untamed: ~菜 ~*cài* edible wild herbs | ~马 ~*mǎ* wild horse; untamed horse | ~兽 ~*shòu* wild animal | ~兔 ~*tù* hare | 山坡长满了~花。~草。 *Shānpō zhǎngmǎnle ~huā ~cǎo.* The hillside is overgrown with wild flowers and plants. | 树林里有很多~葡萄。 *Shùlín li yǒu hěn duō ~pútáo.* There've many wild grapes in the woods. ❷〈形 *adj.*〉蛮横不讲理；粗鲁没礼貌 rude; rough: ~蛮 ~*mán* uncivilized; barbarian | 粗~ *cū*~ rough; boorish; uncouth | 撒~ *sǎ*~ act wildly; behave atrociously | 那人实在太~了。 *Nà rén shízài tài ~ le.* That guy is really rough. | 他的动作太~。 *Tā de dòngzuò tài ~.* He behaves quite rudely. | 你纯粹是个~小子。 *Nǐ chúncuì shì gè ~ xiǎozi.* You are a sheer rude guy. ❸〈形 *adj.*〉不受约束 unrestrained; unruly: ~性 ~*xìng* wild nature; unruliness | 天都黑了，你可别老在外面~了。 *Tiān dōu hēi le, nǐ kě bié lǎo zài wàimian ~ le.* It's already getting dark. You shouldn't always seek fun outside. | 放了学赶快回家，别到处~去。 *Fàngle xué gǎnkuài huíjiā, bié dàochù ~ qù.* After school you have to hurry home. Don't play around outside. | 这孩子一个暑假都玩儿~了。 *Zhè háizi yí gè shǔjià dōu wánr~ le.* The child had played so unrestrainedly during the summer vacation. ❹〈名 *n.*〉野外 open country; the open: ~地 ~*dì* wild country; wilderness | ~火 ~*huǒ* prairie fire; bush fire | ~营 ~*yíng* camping | 郊~ *jiāo*~ environs; outskirt | 旷~ *kuàng*~ wilderness | 田~ *tián*~ field; farmland ❺〈名 *n.*〉界限；范围 limit; boundary: 分~ *fēn*~ dividing line | 做研究工作要有广阔的视~。 *Zuò yánjiū gōngzuò yào yǒu guǎngkuò de shì~.* It's necessary to have a wide field of vision

when doing research work. ❻〈名 n.〉指不当政的地位(与'朝'相对) not in power; out of office（opposite to '朝 cháo'）：在~党 zài~dǎng opposition party; party not in office｜首相因丑闻被迫下~。 Shǒuxiàng yīn chǒuwén bèipò xià~. The prime minister is forced to step down because of the scandal.

⁴ 野蛮 yěmán ❶〈形 adj.〉不文明，没有开化 uncivilized; barbarian：~时期 – shíqī uncivilized period｜~人 – rén savages ❷〈形 adj.〉蛮横；残暴 barbarous; cruel; brutal：那个人太~了。 Nàge rén tài ~ le. That guy is too brutal. ｜他~得令人发指。 Tā ~ de lìngrén fàzhǐ. He is so cruel as to make our blood boil. ｜劫匪~地杀害了他。 Jiéfěi ~ de shāhàile tā. The kidnappers had cruelly killed him. ｜要制止~施工。 Yào zhìzhǐ ~ shīgōng. Careless construction should be stopped.

⁴ 野生 yěshēng 〈形 adj.〉生物在自然环境里生长而不是由人饲养或栽培的; wild; undomesticated; uncultivated; feral：我们参观了一座~动物园。 Wǒmen cānguānle yí zuò ~ dòngwùyuán. We visited an animal park. ｜他制作了很多~动物标本。 Tā zhìzuòle hěn duō ~ dòngwù biāoběn. He has made a lot of specimens of wild animals. ｜这里的花草都是~的，不是人工种植的。 Zhèli de huācǎo dōushì ~ de, bú shì réngōng zhòngzhí de. All the flowers and plants here are wild, rather than being cultivated.

³ 野兽 yěshòu〈名 n.〉(头 tóu、只 zhī)家畜以外的兽类 wild animal; wild beast：山上的~越来越少了。 Shān shang de ~ yuèláiyuè shǎo le. Wild animals are becoming seldom in the mountains. ｜我们转了好几天也没发现~。 Wǒmen zhuànle hǎojǐ tiān yě méi fāxiàn ~. We have been searching around for several days, but haven't found any wild beasts.

⁴ 野外 yěwài〈名 n.〉离居民点较远的地方 wild; open country; field：~人少，景色优美。 ~ rén shǎo, jǐngsè yōuměi. The open country is usually sparsely populated with beautiful sceneries.｜他们常年在~作业，很少回家。 Tāmen chángnián zài ~ zuòyè, hěn shǎo huíjiā. They work in wild field throughout the year, seldom coming back home. ｜~工作艰苦，但也有乐趣。 ~ gōngzuò jiānkǔ, dàn yě yǒu lèqù. It's hard working in the open field, but it also has its own joys.

⁴ 野心 yěxīn〈名 n.〉对领土、权位、名利等的巨大而非分的欲望 ambition; careerism：~家 ~jiā careerist｜~勃勃 ~ bóbó be extremely ambitious｜这些人的~也太大了。 Zhèxiē rén de ~ yě tài dà le. These people are too much obsessed with ambition. ｜他们的狼子~暴露出来了。 Tāmen de lángzǐ~ bàolù chūlái le. They exposed their wicked ambitions.

² 业务 yèwù 〈名 n.〉(项 xiàng、种 zhǒng)个人或某机构的专业工作或专业事务 vocational or professional work of an individual or organization; business：他的~是推销产品。 Tā de ~ shì tuīxiāo chǎnpǐn. His work is sales promotion.｜他很熟悉、精通自己的~。 Tā hěn shúxī, jīngtōng zìjǐ de ~. He is familiar with his work and also proficient in it. ｜公司的~有很大发展。 Gōngsī de ~ yǒu hěn dà fāzhǎn. The company's business has been greatly expanded. ｜我们要进一步开展国际~。 Wǒmen yào jìnyíbù kāizhǎn guójì ~. We should make continuous efforts to open up the international market. ｜他的~能力很强，但还不断加强~学习，提高~水平。 Tā de ~ nénglì hěn qiáng, dàn hái búduàn jiāqiáng ~ xuéxí, tígāo ~ shuǐpíng. He is very capable in his profession, and still insists on studying to improve his own vocational proficiency. ｜希望双方加强~联系。 Xīwàng shuāngfāng jiāqiáng ~ liánxì. Hope you two sides will strengthen your business contact.

² 业余 yèyú ❶〈形 adj.〉工作时间以外的 spare time：他利用~时间学习外语。 Tā

lìyòng ~ shíjiān xuéxí wàiyǔ. He learns a foreign language in his spare time. │教钢琴是他的~工作。 *Jiāo gāngqín shì tā de ~ gōngzuò.* Teaching piano is his part-time job. │除了工作，他一点儿~爱好都没有。 *Chúle gōngzuò, tā yìdiǎnr ~ àihào dōu méiyǒu.* He has not any hobby except for his work. ❷〈形 *adj.*〉非专业的 nonprofessional; amateur: 我们组织的~合唱队也就是自娱自乐。 *Wǒmen zǔzhī de ~ héchàngduì yě jiùshì zìyú-zìlè.* The only purpose for us to form an amateur singing group is for self-entertainment. │他唱歌也只能算~水平。 *Tā chànggē yě zhǐnéng suàn ~ shuǐpíng.* His performance only equals to that of an amateur singer. │我们经常参加~比赛活动。 *Wǒmen jīngcháng cānjiā ~ bǐsài huódòng.* We often take part in nonprofessional competitions.

² **叶子** yèzi〈名 *n.*〉(片 piàn)植物的叶的通称 a general term for leaf of plants:秋天，枫树的~都变红了。 *Qiūtiān, fēngshù de ~ dōu biànhóng le.* When autumn comes, maple leaves all turn red. │这种植物只长几片~。 *Zhè zhǒng zhíwù zhǐ zhǎng jǐ piàn ~.* This plant has only a few leaves. │院子里满地都是烂菜~。 *Yuànzi li mǎndì dōu shì làn cài ~.* The whole yard is littered with discarded vegetable leaves. │我们要爱护公园里的每一朵花，每一片~。 *Wǒmen yào àihù gōngyuán li de měi yì duǒ huā, měi yí piàn ~.* We should take good care of every flower and every leaf in the garden.

¹ **页** yè〈量 *meas.*〉中国旧时书中的一张纸，现在指书中一张纸的一面 (old use) a leaf or a sheet of paper;（now）a page:~码 ~ *mǎ* page │这本书一共有320~。 *Zhè běn shū yígòng yǒu sānbǎi èrshí ~.* The book has 320 pages. │请看本书第238~。 *Qǐng kàn běn shū dì-èrbǎi sānshíbā ~.* Please trun to page 238 of the book.

¹ **夜** yè ❶〈名 *n.*〉指从天黑到天亮的一段时间(与'日''昼'相对) night (opposite to '日 rì' or '昼 zhòu'):~间 *~jiān* at night │~里 *~li* night │~晚 *~wǎn* night │白天黑~ *báitiān-hēi ~* day and night │冬季昼短~长。 *Dōngjì zhòu duǎn ~ cháng.* The days are short and the nights are long in winter. │~已经很深了。 *~ yǐjīng hěn shēn le.* It's already too late at night. │他一个人不知打发了多少不眠之~。 *Tā yí gè rén bù zhī dǎfale duōshao bù mián zhī~.* He has spent countless sleepless nights alone. │我爱迷人的夏日之~。 *Wǒ ài mírén de xiàrì zhī ~.* I love the charming summer night. ❷〈量 *meas.*〉用于计量夜的时间 measure word for a night:他两天两~没合眼了。 *Tā liǎng tiān liǎng ~ méi héyǎn le.* He did not sleep for two days and nights. │为准备考试，他一~都没睡觉。 *Wèi zhǔnbèi kǎoshì, tā yí ~ dōu méi shuìjiào.* In order to prepare for the exam, he didn't sleep the whole night. │他熬了整整一~。 *Tā áole zhěngzhěng yí ~.* He stayed up a whole night.

⁴ **夜班** yèbān〈名 *n.*〉在夜里工作的班次 night shift, the night period of working:几个~干下来，他脸色都发青了。 *Jǐ gè ~ gàn xialai, tā liǎnsè dōu fā qīng le.* He became greenish pale after several night shifts. │我下周上~。 *Wǒ xià zhōu shàng ~.* I'll work night shift next week. │该轮到他值~了。 *Gāi lúndào tā zhí ~ le.* It's his turn to work night shift. │他是~编辑。 *Tā shì ~ biānjí.* He is the editor on night shift.

³ **夜间** yèjiān 〈名 *n.*〉夜里 at night:市里规定~不能施工。 *Shì li guīdìng ~ bù néng shīgōng.* The municipal government rules that no construction is allowed at night. │他常常在~写作。 *Tā chángcháng zài ~ xiězuò.* He often writes at night.

² **夜里** yèli〈名 *n.*〉从天黑到天亮的那段时间；夜间 the time from dusk to dawn; at night:~降温，出门要多穿衣服。 *~ jiàngwēn, chūmén yào duō chuān yīfu.* The temperature will drop at night. Put on more clothes when going out. │他做作业一直到~。 *Tā zuò zuòyè yìzhí zuòdào ~.* He didn't finish his homework till midnight. │他常

常白天休息~工作。 *Tā chángcháng báitiān xiūxi ~ gōngzuò.* He usually rests at daytime, and works at night.

² **夜晚** yèwǎn〈名 n.〉(个 gè)夜间;晚上 night; evening: 有些商店白天休息,~营业。 *Yǒuxiē shāngdiàn báitiān xiūxi, ~ yíngyè.* Some shops are closed at daytime, but open at night. │这是个多么令人难忘的~。 *Zhè shì gè duōme lìngrén nánwàng de ~.* What an unforgettable night. │~的海滨挤满了游人。 *~ de hǎibīn jǐmǎnle yóurén.* The beach is crowded with tourists in evening.

⁴ **液** yè〈名 n.〉液体 liquid; fluid; juice: ~化~*huà* liquefaction │黏~*nián*~ mucus │津~*jīn*~ body fluid; saliva │胃~*wèi*~ gastric juice │血~*xuè*~ blood │汁~*zhī*~ juice │中国的茅台酒直是琼浆玉~。 *Zhōngguó de Máotáijiǔ jiǎnzhí shì qióngjiāng-yù~. Maotai,* a famous Chinese liquor is nothing but exceptionally fragrant nectar. │瓶子里的溶~都蒸发了。 *Píngzi li de róng~ dōu zhēngfā le.* The liquid in the bottle has all evaporated.

³ **液体** yètǐ〈名 n.〉有一定的体积,没一定形状,可以流动的物质 liquid; fluid: 在常温下的水、油、汞等都是。 *Zài chángwēn xià de shuǐ, yóu, gǒng děng dōushì.* Under normal temperature, water, oil, mercury, etc. are all liquid. │~加热后能变成气体。 *~ jiā rè hòu néng biànchéng qìtǐ.* Liquid becomes gas when heated. │瓶子装的是一种无色透明的~。 *Píngzi zhuāng de shì yì zhǒng wúsè tòumíng de ~.* Filled in the bottle is a colorless transparent liquid.

¹ **一** yī ❶〈数 num.〉汉字的数目字,即阿拉伯数字1,大写为'壹'one, Chinese numerical, namely the Arabic numeral 1, capitalized as '壹yī': ~条狗 ~ *tiáo gǒu* a dog │~栋楼 ~ *dòng lóu* a building │请给我~个杯子。 *Qǐng gěi wǒ ~ gè bēizi.* Please give me a cup. ❷〈形 adj.〉相同;一样 same: 我们是~个学校的学生。 *Wǒmen shì ~ gè xuéxiào de xuésheng.* We are students in the same school. │你和他说的不是~回事。 *Nǐ hé tā shuō de bú shì ~huíshì.* What you say is not the same as what he has said. ❸〈形 adj.〉满;全 whole; all; throughout: ~柜子书 ~ *guìzi shū* a whole bookcase of books │摔了~身泥 *shuāile ~ shēn ní* slip down with mud all over one's body │我游了~冬天的泳。 *Wǒ yóule ~ dōngtiān de yǒng.* I have swum all the winter. ❹〈形 adj.〉专一;单纯 concentrated; wholehearted; mere: 他是~心为你好。 *Tā shì ~xīn wèi nǐ hǎo.* What he did is simply for your good. │村里盖起了~色的大瓦房。 *Cūn li gàiqǐle ~ sè de dà wǎfáng.* Our village has built brick-and-tile houses of the same style. ❺〈代 pron.〉每;各 every; each: ~年分两个学期。 ~ *nián fēn liǎng gè xuéqī.* There are two semesters in a year. │~人拿三个面包。 ~ *rén ná sān gè miànbāo.* Everyone may have three loafs of bread. ❻〈代 pron.〉某 some; certain: ~天深夜,他突然来找我。 ~ *tiān shēnyè, tā tūrán lái zhǎo wǒ.* One day he came to me suddenly at night. ❼〈代 pron.〉另一个 also; otherwise: 番茄~名西红柿。 *Fānqié ~ míng xīhóngshì.* Tomatos are also called 'xihongshi' in Chinese. ❽〈副 adv.〉一旦;一经 once; as soon as: ~不小心,就会上当。 ~ *bù xiǎoxīn, jiù huì shàngdàng.* You may be easily duped once you become less cautious. │这事他~插手就不好办了。 *Zhè shì tā ~chāshǒu jiù bù hǎo bàn le.* The problem is difficult to solve once he gets involved. ❾〈副 adv.〉表示猛然发生某种动作或突然出现某种情况 indicating an abrupt action, or a sudden occurrence: 我~抬头,看见他正朝我这里走来。 *Wǒ ~ táitóu, kànjiàn tā zhèng cháo wǒ zhèlǐ zǒu lái.* I raised my head and saw him coming toward me. ❿〈副 adv.〉用在重叠的动词之间或动量词之前,表示动作是短暂的或尝试性的 used between two similar verbs, or before a verbal measure word to mean a short action, or an attempt: 让我尝~尝。 *Ràng wǒ cháng ~ cháng.* Let me have a taste. │这事我得考虑~下。 *Zhè shì wǒ děi kǎolù ~xià.* I have to

think about it. ⓭〈名 n.〉中国古代乐谱'工尺'的记音符号，相当于简谱的7' a note of the scale in *gongche* in ancient China, corresponding to 7 in numbered musical notation

◆'一'在句中要变调: 1. 作序数用或在句尾时读阴平(第一声)，如'一、身体好，二、学习好，三、工作好''整齐划一'; 2. 在阴平(第一声)、阳平(第二声)、上声(第三声)前读去声(第四声)，如'一边''一劳永逸''一本正经'; 3. 在去声(第四声)前读阳平(第二声)，如'一臂之力''一步登天'; 4. 在词中是'第一'的意思时仍读阴平(第一声)，如'一等品''一流'。本词典为简便起见，条目中的'一'字，均注阴平(第一声)。例词、例句则根据变调标注不同的声调。 When used in sentences, it has to be pronounced differently: 1. when used as an ordinal number, or at the end of a sentence, it is pronounced with the first tone, e. g., '一、身体好，二、学习好，三、工作好 Yī, shēntǐ hǎo, Èr, xuéxí hǎo, Sān, gōngzuò hǎo'(First to keep fit, second to study well, and third to work hard), '整齐划一zhěngqí-huàyī'(be orderly as one); 2. when used before a character with the first tone, the second tone, or the third tone, it is pronounced with a falling tone (or the fourth tone), e. g., '一边yìbiān'(one side), '一劳永逸yìláo-yǒngyì' (settle a matter once and for all), '一本正经yìběn-zhèngjīng'(in all seriousness); 3. when used before a character with the falling tone (or the fourth tone), it is pronounced with the second tone, e. g., '一臂之力yíbìzhīlì'(helping hand), '一步登天yíbù-dēngtiān' (attain the highest level in one step); 4. when used to mean 'first', it is pronounced with the first tone, e. g., '一等品yīděngpǐn'(first class), '一流yīliú'(first-rate). For convenience, it is marked with the first tone in all entries. But words or sentences are marked with different tones.

¹ **一般 yībān ❶**〈形 adj.〉普通；平常（与'特殊'相对）general; ordinary; common (opposite to '特殊tèshū'): 我的字写得很～。 *Wǒ de zì xiě de hěn ～.* My handwriting is just so so. | 这不是一部～的汉语词典，是专门为外国人编写的。 *Zhè bú shì yí bù ～ de Hànyǔ cídiǎn, shì zhuānmén wèi wàiguórén biānxiě de.* This is not an ordinary Chinese dictionary. It is especially compiled for foreigners. **❷**〈形 adj.〉一样；同样 same as; just like: 我和他的年纪～大。 *Wǒ hé tā de niánjì ～ dà.* He and I are of the same age. | 大楼里死～的寂静。 *Dàlóu lǐ sǐ ～ de jìjìng.* The building is deadly quiet. | 五个指头不～齐(世上什么样的人都有)。 *Wǔ gè zhǐtou bù ～ qí* (shìshàng shénmeyàng de rén dōu yǒu). The five fingers can't be of the same length (It takes all sorts to make the world).

² **一半 yībàn**（～儿）〈名 n.〉二分之一 one half; half: 我的菜太多了，分～给你吧。 *Wǒ de cài tài duō le, fēn ～r gěi nǐ ba.* My dish is too much for me. Share half with me.

⁴ **一辈子 yíbèizi**〈名 n. 口 colloq.〉一生 all one's life; throughout one's life; as long as one lives; a lifetime: 我爷爷吃了～苦。 *Wǒ yéye chīle ～ kǔ.* My grandfather lived a hard life. | 活～就要学～。 *Huó ～ jiùyào xué ～.* One is never too old to learn.

² **一边 yībiān ❶**（～儿）〈名 n.〉东西的一侧；事情的一方面 one side; side: 这件衣服的口袋怎么～高～低的？ *Zhè jiàn yīfu de kǒudài zěnme ～r gāo ～r dī de?* How is the garment made with one pocket high on one side and another low on the other? | 我们永远站在正义的～。 *Wǒmen yǒngyuǎn zhàn zài zhèngyì de ～.* We shall always stand on the side of justice. **❷**（～儿）〈名 n.〉旁边；一侧 edge; side: 广场的～有一个喷水池。 *Guǎngchǎng de ～ yǒu yí gè pēnshuǐchí.* There is fountain by the square. | 别在～呆着，快过来帮帮忙。 *Bié zài ～ dāizhe, kuài guòlái bāngbāngmáng.* Don't stay there doing nothing. Come to give a hand.

¹ **一边…一边… yībiān…yībiān…**〈副 adv.〉表示两个以上的动作同时进行 indicating two or more actions occurring at the same time; simultaneously: 他～吃饭～看电视。 *Tā*

~ *chīfàn* ~ *kàn diànshì*. He watches TV while eating. ┃他们~喝咖啡，~聊天。*Tāmen ~ hē kāfēi, ~ liáotiān.* They chat over coffee.

³ **一带** yīdài〈名 *n.*〉泛指某处和与它相连的地方 somewhere around a particular place：前不久，这~发生过地震。*Qiánbùjiǔ, zhè ~ fāshēngguo dìzhèn.* Not long ago, an earthquake took place somewhere near here. ┃我老家那~的人都很好客。*Wǒ lǎojiā nà ~ de rén dōu hěn hàokè.* People in my native place are very hospitable.

⁴ **一旦** yīdàn ❶〈名 *n.*〉一天之间（形容时间短暂）in a single day; within a very short time：没想到我20年的心血竟然毁于~。*Méi xiǎng dào wǒ èrshí nián de xīnxuè jìngrán huǐyú ~.* It is quite unexpected that my 20 years' painstaking efforts have been ruined overnight. ❷〈副 *adv.*〉表示如果有一天或忽然有一天 once：这件事~让他知道，他决不会善罢甘休的。*Zhè jiàn shì ~ ràng tā zhīdào, tā jué bú huì shànbà-gānxiū de.* Once he knows it, he will not leave it at that. ┃同窗四年，~离别，怎能不难过呢？*Tóngchuāng sì nián, ~ líbié, zěnnéng bù nánguò ne?* How can we don't feel sad when we part with eath other after four years of studying in the same classroom.

² **一道** yīdào〈副 *adv.*〉一起；一同 together; side by side; alongside：他俩每天~上学。*Tā liǎ měitiān ~ shàngxué.* They go to school together everyday. ┃咱俩一去听音乐会好吗？*Zán liǎ ~ qù tīng yīnyuèhuì hǎo ma?* Shall we go to the concert together?

¹ **一点儿** yīdiǎnr ❶〈量 *meas.*〉表示不定的较小数量 an indefinite small amount：我身上还有~钱，你拿去用吧。*Wǒ shēnshang hái yǒu ~ qián, nǐ ná qù yòng ba.* I have a little money with me, and you may take it. ┃就这么~饭够谁吃的！*Jiù zhème ~ fàn gòu shéi chī de!* Such a little food is hardly enough for anybody. ❷〈量 *meas.*〉表示程度轻 slightly; a little：这葡萄有~酸。*Zhè pútao yǒu ~ suān.* The grape is a little bit sour. ❸〈量 *meas.*〉用于否定，表示确实、完全（used in negative）sure; certain：我~也不饿。*Wǒ ~ yě bú è.* I am not hungry at all. ┃难道你~也不怕？*Nándào nǐ ~ yě bú pà?* Aren't you afraid at all?

¹ **一定** yīdìng ❶〈形 *adj.*〉规定的；确定的 fixed; specified; certain：每个单位都有~的规章制度。*Měige dānwèi dōu yǒu ~ de guīzhāng zhìdù.* Every unit has certain rules and regulations. ❷〈形 *adj.*〉固定的；必然的 sure; inevitable：两者之间并没有~的联系。*Liǎng zhě zhījiān bìng méiyǒu ~ de liánxì.* There is not necessarily connection between the two. ❸〈形 *adj.*〉某种程度的；相当的 some; fair; due：他的学习成绩有了~的提高。*Tā de xuéxí chéngjì yǒule ~ de tígāo.* He has made some progress in his study. ❹〈形 *adj.*〉特定的 given; particular; certain：每个地方都有自己~的风俗和习惯。*Měige dìfang dōu yǒu zìjǐ ~ de fēngsú hé xíguàn.* Every region has its own customs. ❺〈副 *adv.*〉表示坚决或确定；必定 must; certainly：我在学习上~要赶上他，也~能赶上他。*Wǒ zài xuéxí shang ~ yào gǎnshàng tā, yě ~ néng gǎnshàng tā.* I must catch up with him in study and can certainly make it. ┃明天~有雨。*Míngtiān ~ yǒu yǔ.* It will surely rain tomorrow.

⁴ **一度** yīdù ❶〈副 *adv.*〉曾经有过一次或有过一阵 on one occasion; for a time; once：我~想到国外去留学。*Wǒ ~ xiǎng dào guówài qù liúxué.* I once wanted to study abroad. ┃他~当过翻译，后来下海经商了。*Tā ~ dāngguo fānyì, hòulái xiàhǎi jīngshāng le.* He was once an interpreter, but later went into business. ❷〈形 *adj.*〉一次；一阵 once; round：一年~的毕业典礼都在这座礼堂里举行。*Yì nián ~ de bìyè diǎnlǐ dōu zài zhè zuò lǐtáng li jǔxíng.* The annual graduation ceremony is held in this auditorium. ┃双方经过~秘密磋商，终于达成了协议。*Shuāngfāng jīngguò ~ mìmì cuōshāng, zhōngyú dáchéngle xiéyì.* After a round of secret consultation, the two sides

have reached an agreement.

⁴ **一帆风顺** yīfān-fēngshùn〈成 *idm.*〉整个航行中遇到的都是顺风。比喻非常顺利,没有阻碍 have a favorable wind throughout the voyage. *fig.* smooth; without hindrance: 他参加工作以后～,不到五年就当上部门经理了。 *Tā cānjiā gōngzuò yǐhòu ~, bú dào wǔ nián jiù dāngshàng bùmén jīnglǐ le.* He has been quite smooth since he began to work, and was appointed department manager within five years.

² **一方面……一方面……** yī fāngmiàn… yī fāngmiàn…〈连 *conj.*〉连接两种相互关联的事物或一个事物的两个方面 used to connect two related things or two aspects of one thing: 抓经济工作,～要开源,～要节流。 *Zhuā jīngjì gōngzuò, ~ yào kāiyuán, ~ yào jiéliú.* In our economic work, we should tap new sources of economic growth on one hand, and reduce costs on the other. │ 作总结,一要肯定成绩, 另一也要指出存在的问题。 *Zuò zǒngjié, ~ yào kěndìng chéngjì, lìng ~ yě yào zhǐchū cúnzài de wèntí.* When summing up, we should acknowledge the achievements on one hand, and point out the existing problems on the other.

⁴ **一概** yīgài〈副 *adv.*〉表示适用于全体,没有例外,一律 one and all; without exception; totally: 他除了念书,别的事～不闻不问。 *Tā chúle niànshū, bié de shì ~ bùwén-búwèn.* He is totally indifferent to everything except his study. │ 捐款不论多少, 我们～欢迎。 *Juānkuǎn búlùn duōshǎo, wǒmen ~ huānyíng.* We welcome any sum of donation however small it may be.

⁴ **一概而论** yīgài'érlùn〈成 *idm.*〉用同一个标准来衡量或处理不同的事物或问题(多用于否定) judge or treat different matters or problems with the same standard, or make sweeping generalizations (usu. used in negative): 具体问题要作具体分析,决不能～。 *Jùtǐ wèntí yào zuò jùtǐ fēnxī, jué bù néng ~.* Specific problems should be analyzed individually. They mustn't be judged in the same breath.

⁴ **一干二净** yīgān-èrjìng〈成 *idm.*〉形容非常干净或一点不剩 clean and neat; completely or thoroughly: 她把自己的房间收拾得～。 *Tā bǎ zìjǐ de fángjiān shōushi de ~.* She tidies up her room completely. │ 还没到月底,我就把钱花～了。 *Hái méi dào yuèdǐ, wǒ jiù bǎ qián huā de ~ le.* I have spent all my money before the end of the month.

⁴ **一个劲儿** yīgejìnr〈副 *adv.*〉连续不停地 continuously; persistently: 天～地刮风。 *Tiān ~ de guāfēng.* The wind kept blowing all the time. │ 他～地朝我摇手, 让我别说。 *Tā ~ de cháo wǒ yáo shǒu, ràng wǒ bié shuō.* He kept waving his hand to me to tell me not to let it out.

¹ **一共** yīgòng〈副 *adv.*〉合在一起(计算) altogether; in all: 我身上～还有100块钱。 *Wǒ shēn shang ~ háiyǒu yìbǎi kuài qián.* I have altogether 100 *yuan* with me. │ 我们班～30个学生。 *Wǒmen bān ~ sānshí gè xuéshēng.* Our class has thirty students in all.

⁴ **一贯** yīguàn〈形 *adj.*〉(思想、作风、政策等)始终如一,从未改变 (of thinking, style of work, policy, etc.) consistent; persistent; all along: 我们的～方针是惩前毖后, 治病救人。 *Wǒmen de ~ fāngzhēn shì chéngqián-bìhòu, zhìbìng-jiùrén.* We persist in the principle of redeem wrong-doers by punishing their past mistakes so as to avoid future ones. │ 他这个人～飞扬跋扈。 *Tā zhège rén ~ fēiyáng-báhù.* He is arrogant and domineering all along.

⁴ **一哄而散** yīhōng'érsàn〈成 *idm.*〉忽然在一阵喧闹中离开或停止做某事 break up in a hubbub: 一群流氓一见警察便～了。 *Yì qún liúmáng yí jiàn jǐngchá biàn ~ le.* The gang of gangsters broke up at the sight of the police.

¹ **一会儿** yīhuìr〈名 *n.*〉指很短的时间或很短的时间内 a little while; in a moment;

presently：你在床上躺~吧。*Nǐ zài chuáng shang tǎng ~ ba.* Would you please lie in bed for a while？│才~功夫，地面上就积起了一层雪。*Cái ~ gōngfu, dìmiàn shang jiù jīqǐle yì céng xuě.* In no time the ground was covered with a layer of snow. │他~就回来，你等他~吧。*Tā ~ jiù huílái, nǐ děng tā ~ ba.* He'll come back soon. Would you please wait for him for a while？

⁴一会儿…一会儿 yīhuìr… yīhuìr 〈副 *adv.*〉表示两种相反或对立的情况在短时间内交替发生 indicating two opposite situations occurring by turns in a short time; now… now… ; one moment... the next... :~哭~笑~ *kū ~ xiào* now cry, now laugh │~晴~雨 *~ qíng ~ yǔ.* The sky clears up in one moment and rains in the next. │夫妻俩~好~恼，还像孩子似的。*Fūqī liǎ ~ hǎo ~ nǎo, hái xiàng háizi shìde.* The husband and wife are just like children, now happy, now angry.

⁴一技之长 yījìzhīcháng 〈成 *idm.*〉有某一种技术或专长 proficiency in a particular line or field; professional skill; specialization; speciality：我凭自己的~生活，用不着去巴结别人。*Wǒ píng zìjǐ de ~ shēnghuó, yòngbuzháo qù bājie biéren.* I lead my life on my own professional skill and needn't curry favor with anyone.

¹一…就… yī…jiù… ❶〈副 *adv.*〉表示两件事情紧接着发生 one after another; no sooner... than... ; the moment; as soon as; at once：他~下车~直奔学校而去。*Tā ~ xià chē ~ zhí bèn xuéxiào ér qù.* He ran to the school as soon as he got off the bus. │我~进门，小狗~朝我摇尾巴。*Wǒ ~ jìn mén, xiǎogǒu ~ cháo wǒ yáo wěiba.* The puppy wiggles its tail the moment I come in. ❷〈副 *adv.*〉表示动作一发生就达到某种程度或产生某种结果 used to indicate that the occurrence of some action will bring some result or reach some degree：他在美国一住~是20年。*Tā zài Měiguó ~ zhù ~ shì èrshí nián.* Twenty years has passed since he settled down in the US. │这孩子特别聪明，什么事~学~会。*Zhè háizi tèbié cōngming, shénme shì ~ xué ~ huì.* The child is very clever and quickly learns everything he is taught.

⁴一举 yījǔ ❶〈名 *n.*〉一次举动；一次行动 one stroke; one go（or move）：成败在此~。*Chéngbài zài cǐ ~.* Success or failure is decided by this action. │你这样做实在是多此~。*Nǐ zhèyàng zuò shízài shì duō cǐ ~.* Your action is really an unnecessary move. ❷〈副 *adv.*〉通过一次举动或一次行动（获得某种结果）at one fling; with one effort; in one action（meaning to achieve some result through one action）：这篇论文使他~成名。*Zhè piān lùnwén shǐ tā ~ chéngmíng.* This thesis made him famous at one fling. │他在体操锦标赛上~夺得三项冠军。*Tā zài tǐcāo jǐnbiāosài shang ~ duódé sān xiàng guànjūn.* He has won three champions in the gymnastics tournament.

³一口气 yīkǒuqì ❶（~儿）〈副 *adv.*〉迅速而不间断地 in one breath; without a break; at one go：他~儿就写完了这篇文章。*Tā ~r jiù xiěwánle zhè piān wénzhāng.* He finished this article in one breath. │我~吃了两盘饺子。*Wǒ ~ chīle liǎng pán jiǎozi.* I ate two plates of dumplings at one go. ❷（~儿）〈名 *n.*〉一口气息（多至微弱的）one breath：病人只要还有~儿，我们决不会放弃抢救。*Bìngrén zhǐyào hái yǒu ~r, wǒmen jué bú huì fàngqì qiǎngjiù.* We will never give up as long as he has one breath.

¹一块儿 yīkuàir ❶〈名 *n.*〉同一个地方 at the same place：我和他从小在~念书。*Wǒ hé tā cóngxiǎo zài ~ niànshū.* He and I studied in the same school since we were children. │你跟我想到~去了。*Nǐ gēn wǒ xiǎngdào ~ qù le.* You and I have the same thought. ❷〈副 *adv.*〉一起 together：我们~去郊游好吗？*Wǒmen ~ qù jiāoyóu hǎo ma?* Shall we go outing together？│他是和我~来中国工作的。*Tā shì hé wǒ ~ lái Zhōngguó gōngzuò de.* He came to work in China together with me.

³ **一连** yīlián〈副 *adv.*〉表示动作或事情连续不断 in a row; in succession; in a run：我~去找了他三次，都没找到。*Wǒ ~ qù zhǎole tā sān cì, dōu méi zhǎodào.* I went to find him three times in succession but in vain. | 他~失眠了几个晚上。*Tā ~ shīmiánle jǐ gè wǎnshang.* He has spent several sleepless nights in succession.

³ **一路平安** yīlù-píng'ān〈成 *idm.*〉旅途中平安无事，临别送行的祝福语 a blessing of a safe journey at farewell：祝你~! *Zhù nǐ ~!* Bon voyage! Have a pleasant journey.

³ **一路顺风** yīlù-shùnfēng〈成 *idm.*〉旅途中一切顺利，多用于临别送行的祝福语（usu. used at departure）be all right throughout the journey：祝你~! *Zhù nǐ ~!* Have a good journey! | 我这次旅行真可以说是~，没有遇到任何麻烦。*Wǒ zhè cì lǚxíng zhēn kěyǐ shuō shì ~, méiyǒu yùdào rènhé máfan.* I had a smooth journey this time and did not meet any trouble.

⁴ **一律** yīlǜ❶〈形 *adj.*〉同一个样子；相同 same; alike; uniform：他写的文章千篇一~，没有什么新东西。*Tā xiě de wénzhāng qiānpiān-~, méiyǒu shénme xīn dōngxi.* His articles are all of the same pattern and have nothing original. | 各单位情况不同，怎能强求~呢? *Gè dānwèi qíngkuàng bùtóng, zěn néng qiángqiú ~ ne?* Every unit has its own situation. How can we force them to be identical? ❷〈副 *adv.*〉全无例外 all; without exception：大小国家一~平等。*Dàxiǎo guójiā ~ píngděng.* All nations, big or small, are equal. | 违禁物品一~没收。*Wéijìn wùpǐn ~ mòshōu.* All contraband goods will be confiscated.

⁴ **一毛不拔** yīmáo-bùbá〈成 *idm.*〉比喻非常吝啬，出自《孟子·尽心上》：'杨子取为我。拔一毛而利天下，不为也。' unwilling to give up even a hair; *fig.* very stingy; In *Mencius: Exhaustion of Mental Constitution*: 'Master Yang is an egotist, unwilling to give up even a hair for the benefit of others in the world'：他虽然有钱，可是一个一~的小气鬼。*Tā suīrán yǒu qián, kě shì yí gè ~ de xiǎoqìguǐ.* Rich as he is, he is a miser unwilling to give up even a hair.

⁴ **一面……一面……** yīmiàn… yīmiàn…〈副 *adv.*〉表示两个动作同时进行 indicating two actions occurring at the same time; simultaneously：他~听着音乐~看书。*Tā ~ tīngzhe yīnyuè ~ kàn shū.* He is reading a book while listening to the music. | 我们~走~聊，不知不觉就到学校了。*Wǒmen ~ zǒu ~ liáo, bùzhī-bùjué jiù dào xuéxiào le.* We talked on our way to school, and arrived there without knowing it.

³ **一旁** yīpáng〈名 *n.*〉旁边 one side：他在台上表演，我在~给他打气。*Tā zài tái shang biǎoyǎn, wǒ zài ~ gěi tā dǎqì.* He performed on the stage, and I cheered him on at one side. | 水池的~安着几把椅子。*Shuǐchí de ~ ānzhe jǐ bǎ yǐzi.* There are several chairs placed by the pond.

² **一齐** yīqí〈副 *adv.*〉一起；同时 together; at the same time; simultaneously; in unison：大家~动手，房间很快就打扫干净了。*Dàjiā ~ dòngshǒu, fángjiān hěn kuài jiù dǎsǎo gānjìng le.* Everybody joined in the cleaning of the room, and the work was soon finished. | 这个问题如何解决，请大家~出出主意。*Zhège wèntí rúhé jiějué, qǐng dàjiā ~ chūchū zhǔyi.* Would all of you give your advice on how to solve the problem please?

¹ **一起** yīqǐ❶〈副 *adv.*〉一同 together; in company：我们~去吧。*Wǒmen ~ qù ba.* Let's go together. | 精神文明和物质文明要~抓，不可偏废。*Jīngshén wénmíng hé wùzhì wénmíng yào ~ zhuā, bùkě piānfèi.* Both spiritual civilization and material civilization should be equally emphasized. Neither can be neglected. ❷〈名 *n.*〉同一个地方 the same place：刚才他还和我在~呢。*Gāngcái tā hái hé wǒ zài ~ ne.* He was with me a moment ago. | 从小我们两家就住在一~。*Cóngxiǎo wǒmen liǎng jiā jiù zhù zài ~.* Our

two families lived in the same place since we were children. ❸〈副 *adv.* 口 *colloq.*〉一共 in all; altogether：这三本书～不到20块钱。*Zhè sān běn shū ~ bú dào èrshí kuài qián.* These three books are worth less than 20 *yuan* altogether.

¹ **一切** yīqiè ❶〈形 *adj.*〉全部的；所有的 all; every：～费用由我来承担。~ *fèiyòng yóu wǒ lái chéngdān.* I will pay all the expenses. | 我一定尽～努力把事情办妥 *Wǒ yídìng jìn ~ nǔlì bǎ shìqing bàntuǒ.* I will do my best to deal with it properly. ❷〈代 *pron.*〉全部的事物 all; everything：这～都好像是刚才发生的。*Zhè ~ dōu hǎoxiàng shì gāngcái fāshēng de.* It seems that all the things have just happened. | 他把～献给了教育事业。*Tā bǎ ~ xiàn gěi le jiàoyù shìyè.* He devoted everything to the educational cause.

⁴ **一身** yīshēn ❶〈名 *n.*〉全身；浑身 whole body; all over the body：出了～汗，觉得舒服多了。*Chūle ~ hàn, juéde shūfu duō le.* I feel a lot better after sweating all over the body. ❷〈名 *n.*〉一个人或一个物体 a single person or an object：他又当爸又当妈，～二任 *Tā yòu dāng bà yòu dāng mā, ~ èr rèn.* He took the dual role of a father and a mother on himself. | 这台录音机集录放的功能于～。*Zhè tái lùyīnjī jí shōu lù fàng de gōngnéng yú ~.* This recorder has more than one functions — receiving, recording and playing. ❸（～儿）〈量 *meas.*〉一套（衣服）a suit：他穿着～军装，显得挺威武的。*Tā chuānzhe ~ jūnzhuāng, xiǎnde tǐng wēiwǔ de.* He looks quite like a soldier in uniform.

² **一生** yīshēng 〈名 *n.*〉从生到死的全部时间；一辈子 all one's life; throughout one's life：光辉的～ *guānghuī de ~* a brilliant life | 他～光明磊落。*Tā ~ guāngmíng-lěiluò.* He is open and aboveboard all his life. | 他为革命事业奋斗了～。*Tā wèi gémìng shìyè fèndòule ~.* He has worked hard for the revolution throughout his life.

² **一时** yīshí ❶〈名 *n.*〉一个时期 a period of time：此～彼～。*Cǐ ~ bǐ ~.* Times have changed. ❷〈名 *n.*〉短暂的时间 a short while：这种游戏曾经风行～。*Zhè zhǒng yóuxì céngjīng fēngxíng ~.* This game was in fashion for a time. | 这不过是～的困难，很快就可以克服的。*Zhè búguò shì ~ de kùnnan, hěn kuài jiù kěyǐ kèfú de.* This is only a temporary difficulty, and we will overcome it soon. ❸〈副 *adv.*〉临时；偶然 temporarily; offhand; accidentally; by chance：我～竟叫不出他的名字来了。*Wǒ ~ jìng jiào bù chū tā de míngzi lái le.* I can hardly recall his name for the moment. | 他～激动，把我抱了起来。*Tā ~ jīdòng, bǎ wǒ bàole qǐlái.* He held me up in excitement. ❹〈副 *adv.*〉叠用，表示情况在短时间里交替变化 used reiteratively to indicate that situation changes by turns in a short time：她～哭～笑，简直像个疯子。*Tā ~ kū ~ xiào, jiǎnzhí xiàng gè fēngzi.* She is simply like a mad woman, crying one moment and smiling the other.

⁴ **一手** yīshǒu ❶（～儿）〈名 *n.*〉指一种较高的本领或手艺 proficiency; skill：你别以为我不会做菜，一会儿我给你露～。*Nǐ bié yǐwéi wǒ bú huì zuò cài, yíhuìr wǒ gěi nǐ lòu ~.* Don't think that I can't cook. I will show you my skill later. | 要教就全教给我，可别留～。*Yào jiāo jiù quán jiāo gěi wǒ, kě bié liú ~.* Teach me all if you want. Don't hold anything back. ❷（～儿）〈名 *n.*〉指卑劣的手段 trick：他这～可真够缺德的。*Tā zhè ~ kě zhēn gòu quēdé de.* He is so wicked to play the trick. ❸〈副 *adv.*〉一个人单独地 single-handed; all by oneself; all alone：～包办 *~ bāobàn* keep everything in one's own hands; take everything on oneself | 这么混乱的局面完全是他～造成的。*Zhème hùnluàn de júmiàn wánquán shì tā ~ zàochéng de.* The confused situation was totally caused by himself alone. ❹〈副 *adv.*〉叠用，表示同时做两件事 used reiteratively to indicate two simultaneous actions：～抓智育，～抓德育，两者不可偏废。*~ zhuā zhìyù, ~ zhuā déyù, liǎng zhě bùkě piānfèi.* Intellectual education and moral education should be

stressed at the same time, and neither should be neglected.

²【同】 yītóng 〈副 *adv.*〉表示同时同地做某事；一起 together; at the same time and place：我每天都和他~到图书馆去看书。*Wǒ měitiān dōu hé tā ~dào túshūguǎn qù kàn shū.* Everyday I go to read in the library together with him. │ 咱们~去划船好吗？ *Zánmen ~ qù huáchuán hǎo ma?* Shall we go boating together?

⁴【头】 yītóu ❶〈副 *adv.*〉表示动作急 indicating swiftness of an action：他掀开门帘，~钻了进去。*Tā xiānkāi ménlián, ~ zuānle jìnqù.* She lifted the door curtain and dived into the room. ❷〈副 *adv.*〉突然；一下子 all of a sudden; all at once：刚一出门，~碰见了他。*Gāng yì chūmén, ~ pèngjiànle tā.* I bumped into him the moment I went out. ❸〈副 *adv.*〉头部突然往上扎或往下倒的动作 headlong：他~扎进了河里。*Tā ~ zhājìnle hé li.* He plunged headlong into the river. │ 我~倒在床上便睡着了。*Wǒ ~ dǎo zài chuáng shang biàn shuìzháo le.* I collapsed into bed and fell asleep. ❹〈副 *adv.*〉叠用，表示同时进行几件事 used reiteratively to indicate that several things are done at the same time：咱们~吃饭~说吧。*Zánmen ~ chīfàn ~ shuō ba.* Let's talk over the meal. ❺（~儿）〈名 *n.*〉一端 one end：这挑担子怎么~沉~轻啊？*Zhè tiāo dānzi zěnme ~ chén ~ qīng a?* Why are the loads on the carrying pole heavy at one end and light at the other? ❻（~儿）〈名 *n.*〉一个方面 one side：你别只顾生产这~，职工生活那~你也得管一管。*Nǐ bié zhǐgù shēngchǎn zhè ~, zhígōng shēnghuó nà ~ nǐ yě děi guǎn yì guǎn.* You should not only consider the production on one side, but also pay some attention to the life of the employees. ❼（~儿）〈名 *n.* 方 *dial.*〉同一个方面 on the same side：咱俩是~的，你怎么倒帮他说起话来了？*Zán liǎ shì ~ de, nǐ zěnme dào bāng tā shuō qǐ huà lái le?* Both of us are on the same side. Why do you speak in his favor? ❽〈量 *meas.*〉相当于一个头的高度 a head：他比妈妈都高出~了。*Tā bǐ māma dōu gāochū ~ le.* He is a head taller than his mother.

³【系列】 yīxìliè 〈形 *adj.*〉许多相关联的或一连串的（事物）a series of：~的问题 *de wèntí* a series of problems │ ~的矛盾 *de máodùn* a series of contradictions │ ~的行动 *~ de xíngdòng* a series of actions │ 为了防止'非典'，我们已经采取了~的措施。*Wèile fángzhǐ 'fēidiǎn', wǒmen yǐjīng cǎiqǔle ~ de cuòshī.* We have taken a series of measures to avoid SARS.

¹【下】 yīxià ❶〈量 *meas.*〉用在动词后面作补语，表示做一次动作或尝试做 used after a verb as a complement to indicate one action or one try：看~ *kàn* ~ have a look │ 听~ *tīng* ~ listen │ 请你来~。*Qǐng nǐ lái ~.* Please come. │ 不信你就试~。*Búxìn nǐ jiù shì ~.* You may have a try if you don't believe it. ❷〈副 *adv.*〉表示时间短暂，同'一下子' in a short while; all at once; all of a sudden; same as '一下子yíxiàzi'：这天气~热~冷，真让人难受。*Zhè tiānqì ~ rè ~ lěng, zhēn ràng rén nánshòu.* The weather is so uncomfortable, cold at one moment and hot at the other. ❸〈副 *adv.*〉突然，同'一下子'suddenly, same as '一下子yíxiàzi'：我~醒悟了过来，原来他是在作弄我。*Wǒ ~ xǐngwùle guòlái, yuánlái tā shì zài zuònòng wǒ.* I suddenly realized that he was playing a trick on me.

²【一下子】 yīxiàzi ❶〈副 *adv.*〉表示时间短暂，也说'一下' in a short time; all at once; also '一下yíxià'：我~就喝了三瓶啤酒。*Wǒ ~ jiù hēle sān píng píjiǔ.* I drank three bottles of beer all at once. │ 他的病~好~坏，真不知道要拖到什么时候才会好。*Tā bìng ~ hǎo ~ huài, zhēn bù zhīdào yào tuōdào shénme shíhou cái huì hǎo.* His illness is better one moment and worse the next. I don't know when he will be well. ❷〈副 *adv.*〉突然 suddenly：气温~下降了12度。*Qìwēn ~ xiàjiàngle shí'èr dù.* The temperature has

Y

got a sharp drop of twelve degrees. ｜他~把我给问住了。*Tā ~ bǎ wǒ gěi wènzhù le.* I was rendered speechless by his question.

³ **一向** yīxiàng ❶〈副 *adv.*〉表示从过去到现在没有变化，相当于'从来''向来' indicating that there is no change all the time; always; consistently, similar to '从来 *cónglái*' or '向来 xiànglái': 他工作~很努力。*Tā gōngzuò ~ hěn nǔlì.* He always works hard. ｜我~不爱看电影。*Wǒ ~ bú ài kàn diànyǐng.* I never like to go to the movie. ❷〈名 *n.*〉过去的某一段时间 some time in the past; earlier on; lately: 前~我一直忙着编字典。*Qián ~ wǒ yìzhí mángzhe biān zìdiǎn.* I have been busy compiling a dictionary lately. ｜这~你都在忙些什么？*Zhè ~ nǐ dōu zài máng xiē shénme?* What are you busy with recently?

¹ **一些** yīxiē ❶〈量 *meas.*〉表示不定的数量 a number of; a certain amount of; some; a few; a little: 你太忙了，分一事儿让大伙干吧。*Nǐ tài máng le, fēn ~ shìr ràng dàhuǒ gàn ba.* You are too busy. Share some work with other people. ❷〈量 *meas.*〉表示数量少a small amount: 我身上就这~钱了，你拿去用吧。*Wǒ shēn shang jiù zhè ~ qián le, nǐ náqù yòng ba.* I have only this little money with me. You may have it. ❸〈量 *meas.*〉表示不止一种或一个 more than one type or one: 他买了~水果和鲜花去探望病人。*Tā mǎile ~ shuǐguǒ hé xiānhuā qù tànwàng bìngrén.* He went to see the patient with some fruit and flowers. ｜他曾到~欧洲国家考察。*Tā céng dào ~ Ōuzhōu guójiā kǎochá.* He went to a number of European countries for an on-the-spot studies. ❹〈量 *meas.*〉放在形容词、动词或动词词组后，表示略微的意思 (used after an adjective, verb or verbal phrase) a little: 好~hǎo ~ a little better ｜小声~xiǎoshēng ~ speak lower ｜注意~zhùyì ~ be more careful ｜想开~。*Xiǎngkāi ~.* Don't be too serious.

³ **一心** yīxīn ❶〈副 *adv.*〉专心；全心全意 wholeheartedly; heart and soul: 她~就想当老师。*Tā ~ jiù xiǎng dāng lǎoshī.* She always wants to be a teacher. ｜我是~为了你好。*Wǒ shì ~ wèile nǐ hǎo.* I sincerely mean you good. ❷〈形 *adj.*〉齐心；同心 of one mind; at one: 万众~。*Wànzhòng ~.* All the people are of one mind. ｜只要大家团结~，就一定能取得胜利。*Zhǐyào dàjiā tuánjié ~, jiù yídìng néng qǔdé shènglì.* If all of us are united as one, we are sure to achieve success.

³ **一行** yīxíng 〈名 *n.*〉指同行的一群人 a group; party: 代表团~8人已于今晨离京。*Dàibiǎotuán ~ bā rén yǐ yú jīnchén lí Jīng.* An 8-member delegation has left Beijing this morning.

¹ **一样** yīyàng ❶〈形 *adj.*〉同样；没有区别 same; alike; having no difference: 我和爸爸长得~高。*Wǒ hé bàba zhǎng de ~ gāo.* I am as tall as my father. ｜这两件衣服样式虽然~，质地可大不~。*Zhè liǎng jiàn yīfu yàngshì suīrán ~, zhìdì kě dà bù ~.* Although same in style, these two clothes are quite different in quality. ❷〈助 *aux.*〉表示相似 alike: 天上下着鹅毛~的大雪。*Tiānshang xiàzhe émáo ~ de dàxuě.* The snowflakes fall like flying goose feathers. ｜她待我像亲妈妈~。*Tā dài wǒ xiàng qīn māma ~.* She treats me like my own mother.

¹ **——也…** yī… ~ yě…〈量 *meas.*〉表示少量、轻微 indicating a small amount: 想~想~觉得可怕。*Xiǎng ~ xiǎng ~ juéde kěpà.* Have a thought of it, and you will feel horrible. ｜不让进病房，我在门外看他~眼~不行吗？*Bú ràng jìn bìngfáng, wǒ zài ménwài kàn tā ~ yǎn ~ bùxíng ma?* If not being allowed into the patient room, can't I take a look at him through the door?

³ **——** yīyī〈副 *adv.*〉一个一个地 one by one; on after another: 他将代表团的成员~作了介绍。*Tā jiāng dàibiǎotuán de chéngyuán ~ zuòle jièshào.* He introduced the

delegation members one by one. | 请大家自己参观，我就不～解说了。 *Qǐng dàjiā zìjǐ cānguān, wǒ jiù bù ～ jiěshuō le.* See by yourselves, and I will not explain one by one.

³ **一再** yīzài〈副 *adv.*〉一次又一次 time and again; again and again; repeatedly：他～向我解释，这件事情不是他干的。 *Tā ～ xiàng wǒ jiěshì, zhè jiàn shìqing bú shì tā gàn de.* He explained to me repeatedly that he had not done it. | 我～推辞，大家还是选我当班长。 *Wǒ ～ tuīcí, dàjiā háishì xuǎn wǒ dāng bānzhǎng.* I declined again and again, but in the end they still elected me monitor.

一阵 yīzhèn(～儿)〈量 *meas.*〉动作或情形持续的一段时间，也说'一阵子' a burst; a fit, also '一阵子 yízhènzi'：他得这病有～儿了。 *Tā dé zhè bìng yǒu ～r le.* He has had this ailment for some time. | 礼堂里响起了～热烈的掌声。 *Lǐtáng li xiǎngqǐle ～ rèliè de zhǎngshēng.* A burst of heated applause echoed in the hall. | 我有好～没见他了。 *Wǒ yǒu hǎo ～r méi jiàn tā le.* I haven't seen him for quite a while.

¹ **一直** yīzhí ❶〈副 *adv.*〉顺着一个方向不变 in one direction; straight：沿着这条街～走5分钟就到了。 *Yánzhe zhè tiáo jiē ～ zǒu wǔ fēnzhōng jiù dào le.* Go straight along this street, and you will get there in 5 minutes. | 他挑着一副担子～朝山上走去。 *Tā tiāozhe yí fù dànzi ～ cháo shān shang zǒu qù.* He carried loads on a shoulder pole and went straight up the hill. ❷〈副 *adv.*〉动作、状态持续不变 indicating an uninterrupted action or a constant state：他～很用功。 *Tā ～ hěn yònggōng.* He has always been studying very hard. | 外面～在刮风。 *Wàimian ～ zài guāfēng.* Wind is blowing outside. | 我们球队在这个赛季～保持不败纪录。 *Wǒmen qiúduì zài zhège sàijì ～ bǎochí búbài jìlù.* Our team keeps a spotless record during this season. ❸〈副 *adv.*〉强调所指的范围 all the way：在这个大家庭里，从长辈～到小辈儿，没有人不喜欢她的。 *Zài zhège dà jiātíng li, cóng zhǎngbèi ～ dào xiǎobèir méiyǒu rén bù xǐhuan tā de.* In this big family, she is loved by everyone, from the elders to the juniors. | 从西北部～到东南部，全国都是降雨天气。 *Cóng xīběibù ～ dào dōngnánbù, quánguó dōu shì jiàngyǔ tiānqì.* It's raining weather across the country from northwest to southeast.

² **一致** yīzhì ❶〈形 *adj.*〉没有分歧 having no difference; identical; unanimous; consistent：在这个问题上，我和他的看法完全～。 *Zài zhège wèntí shang, wǒ hé tā de kànfǎ wánquán ～.* I share the same opinion with him on this problem. | 他这个人言行不～，你要提防着他一点儿。 *Tā zhège rén yánxíng bù ～, nǐ yào dīfangzhe tā yì diǎnr.* You should be wary of him because his deeds don't match his words. ❷〈副 *adv.*〉共同；一齐 together：我们应当～对外。 *Wǒmen yīngdāng ～ duìwài.* We should come together against the outsiders. | 同学们～反对他当班长。 *Tóngxuémen ～ fǎnduì tā dāng bānzhǎng.* The whole class unanimously opposes electing him monitor.

³ **伊斯兰教** Yīsīlánjiào〈名 *n.*〉世界主要宗教之一。伊斯兰为阿拉伯文Islam的音译 Islam; Islamism; one of the main religions in the world. The word is the transliteration of Arabic word 'Islam'

¹ **衣服** yīfu〈名 *n.*〉(件jiàn、身shēn、套tào)穿在人身上起遮体、御寒和美化作用的物品 clothes; garment：新～*xīn* ～ new clothes | 旧～*jiù* ～ old clothes | 现成的～*xiànchéng de ～* ready-made clothes | 定做的～*dìngzuò de ～* custom-made clothes | 时髦的～*shímáo de ～* fashionable clothes | 你这一身～既合身又漂亮。 *Nǐ zhè yìshēn ～ jì héshēn yòu piàoliang.* This set of clothes looks very beautiful and suits you well. | 瞧你的～全淋湿了，快脱下来换一件吧。 *Qiáo nǐ de ～ quán línshī le, kuài tuō xiàlái huàn yí jiàn ba.* Now look, your clothes have all got wet. Take them off and change into dry ones.

⁴ **衣裳** yīshang〈名 *n.*〉(件jiàn、身shēn)衣服 clothes：她穿了一身花～。 *Tā chuānle yì*

shēn huā ~. She is in a flower-patterned dress.

⁴ **医 yī ❶**〈名 n.〉医生 doctor：名~ *míng~* famous doctor｜牙~ *yá~* dentist｜兽~ *shòu~* veterinarian｜他是一名军~。*Tā shì yì míng jūn~.* He is a medical officer.｜我父亲是个老中~。*Wǒ fùqīn shì gè lǎo zhōng~.* My father is a veteran doctor of traditional Chinese medicine. ❷〈名 n.〉医学 medical science：中~ *zhōng~* traditional Chinese medical science｜西~ *xī~* Western medicine｜中西结合 *zhōng-xī jiéhé* combination of traditional Chinese medicine and Western medicine｜她是~科大学的研究生。*Tā shì ~kē dàxué de yánjiūshēng.* She is a graduate student of the medical college. ❸〈动 v.〉医治 cure; treat：你这个病应当到肿瘤医院就~。*Nǐ zhège bìng yīngdāng dào zhǒngliú yīyuàn jiù~.* You should go to see the doctor in the tumor hospital.｜头痛~头，脚痛~脚（比喻就事论事或临时应付，不从根本上解决问题）。*Tóu tòng ~ tóu, jiǎo tòng ~ jiǎo*（*bǐyù jiùshì-lùnshì huò línshí yìngfù, bù cóng gēnběn shang jiějué wèntí*）. Treat the head when it aches, and cure the foot when it hurts (*fig.* consider the problem as it stands, or take temporary measure to solve the problem rather than getting at its root).

³ **医疗 yīliáo**〈动 v.〉疾病的治疗 medical treatment：~设备 ~ *shèbèi* medical apparatus and instruments｜~保险 ~ *bǎoxiǎn* medical insurance｜~费用 ~ *fèiyòng* medical expenses｜这是一起~事故。*Zhè shì yì qǐ ~ shìgù.* This is a medical accident.

¹ **医生 yīshēng**〈名 n.〉（位 wèi、名 míng、个 gè）掌握医药学知识，以治病防病为业的人，通称‘大夫’ doctor; medical person, generally called '大夫 dàifu'：外科~ *wàikē~* surgeon｜妇科~ *fùkē~* gynecologist｜主治~ *zhǔzhì~* doctor in charge｜治病救人是~的天职。*Zhìbìng-jiùrén shì ~ de tiānzhí.* It's the doctor's duty to cure the illness and save the patient.

⁴ **医务 yīwù**〈名 n.〉医疗事务 medical affairs：~所 ~ *suǒ* medical clinic｜~工作者 ~ *gōngzuòzhě* medical worker｜这位大夫从事~工作已经50年了。*Zhè wèi dàifu cóngshì ~ gōngzuò yǐjīng wǔshí nián le.* This doctor has been engaged in medical work for 50 years.

² **医务室 yīwùshì**〈名 n.〉附属于某单位，可进行简单医疗的机构 infirmary (usu. affiliated to a unit and able to offer simple treatment)：头疼脑热的小病，上学校~看一下就行了。*Tóuténg-nǎorè de xiǎo bìng, shàng xuéxiào ~ kàn yíxià jiù xíng le.* Minor illnesses, such as headache or fever, can be treated in the school infirmary.

² **医学 yīxué**〈名 n.〉以保障人类健康、预防和治疗疾病为研究内容的科学 medical science; medicine：~院 ~ *yuàn* medical college｜~博士 ~ *bóshì* medical doctor｜临床~ *línchuáng ~* clinical medicine｜基础~ *jīchǔ ~* elementary medicine｜他是~界的老前辈了。*Tā shì ~ jiè de lǎoqiánbèi le.* He is a senior in medical circles.

⁴ **医药 yīyào**〈名 n.〉医疗和药品 medicine：~费 ~*fèi* medical expenses｜~公司 ~ *gōngsī* medical company｜每个人都应当掌握一些~常识。*Měi gè rén dōu yīngdāng zhǎngwò yìxiē ~ chángshí.* Everyone should have some common medical knowledge.

¹ **医院 yīyuàn**〈名 n.〉（家 jiā、所 suǒ、个 gè、座 zuò）治疗和护理病人的机构 hospital：综合性~ *zōnghéxìng ~* polyclinic｜胸科~ *xiōngkē ~* chest hospital｜肿瘤~ *zhǒngliú ~* tumor hospital｜传染病~ *chuánrǎnbìng ~* hospital for contagious diseases｜他发高烧，给送进~了。*Tā fā gāoshāo, gěi sòngjìn ~ le.* He had a high fever and was sent into the hospital.

⁴ **医治 yīzhì**〈动 v.〉治疗 cure; treat; heal：有病要及时~。*Yǒu bìng yào jíshí ~.* Diseases should be treated in time.｜这种药可以用于~糖尿病。*Zhè zhǒng yào kěyǐ yòngyú ~tángniàobìng.* This medicine can be used to treat diabetes.｜经过一个时期的~，他的病

大有好转了。*Jīngguò yí gè shíqī de ~, tā de bìng dà yǒu hǎozhuǎn le.* He is getting much better after a period of treatment.

⁴ **依 yī ❶**〈动 v.〉听从；同意 comply with; listen to; yield to：他对妻子从来是百~百顺。*Tā duì qīzi cónglái shì bǎi~-bǎishùn.* He always agrees to whatever his wife says. | 你让我去，必须先~我一个条件。*Nǐ ràng wǒ qù, bìxū xiān ~ wǒ yí gè tiáojiàn.* You have to agree to my condition if you want me to go. **❷**〈动 v.〉依靠 depend on; rely on：唇齿相~（比喻关系密切，相互依存）*chúnchǐ-xiāng~ (bǐyù guānxì mìqiè, xiānghù yīcún)* depend on each other like lips and teeth (*fig.* share a common fate) | 母子俩相~为命。*Mǔzǐ liǎ xiāng~-wéimìng.* The mother and her son depend on each other for life. **❸**〈动 v.〉靠着 lean on; be close to：~山傍水 *~shān-bàngshuǐ* lean on a hill and be close to a river | 孩子~在母亲的怀里。*Háizi ~ zài mǔqīn de huái li.* The child snuggled in his mother's arms. **❹**〈动 v.〉原谅；宽恕 forgive：这次就~了你，下次决不轻饶。*Zhè cì jiù ~le nǐ, xià cì jué bù qīng ráo.* I'll let you off this time, but won't forgive you so easily next time. **❺**〈介 prep.〉按照；根据 according to：就~你的意见去办吧。*Jiù ~ nǐ de yìjiàn qù bàn ba.* Let's do it according to your opinion. | ~我看，他没说实话。*~ wǒ kàn, tā méi shuō shíhuà.* In my opinion, he didn't tell the truth.

⁴ **依次 yīcì**〈副 adv.〉按照次序 in proper order; successively：~入场 = *rùchǎng* enter in proper order | ~就诊 *jiùzhěn* consult doctors in proper order | 请大家~发言。*Qǐng dàjiā ~ fāyán.* Please speak successively.

³ **依旧 yījiù ❶**〈形 adj.〉和以前一样 same; unchanged：风采~。*Fēngcǎi ~.* His elegant manner remains unchanged. | 山河~。*Shānhé ~.* The landscape of the country remains the same. | 店里陈设~，招牌却换了一块。*Diàn li chénshè ~, zhāopái què huànle yí kuài.* The furnishing of the shop remains the same, but its signboard has been changed. **❷**〈副 adv.〉仍然；照旧 all the same; as before：他~住在那间破房子里。*Tā ~ zhù zài nà jiān pò fángzi li.* He still lived in that shabby house. | 十年不见了，她~是光彩照人。*Shí nián bú jiàn le, tā ~ shì guāngcǎi-zhàorén.* She appears as dazzling as before although we haven't seen each other for ten years.

³ **依据 yījù ❶**〈动 v.〉根据 according to; in the light of; on the basis of; judging by：~法律 *~fǎlǜ* according to the law | ~调查材料，他们做了结论。*~ diàochá cáiliào, tāmen zuòle jiélùn.* They made the conclusion on the basis of findings of the investigation. **❷**〈名 n.〉作为依据的事物 foundation; basis：~不足 *~ bùzú* lack of sound foundation | 你的结论缺乏科学的~。*Nǐ de jiélùn quēfá kēxué de ~.* Your conclusion lacks scientific foundation.

² **依靠 yīkào ❶**〈动 v.〉指望或仰仗别的人或事物来达到某种目的 depend on; rely on：~大家的努力，我们班被评为模范班。*~ dàjiā de nǔlì, wǒmen bān bèi píngwéi mófàn bān.* Due to everyone's efforts, our class is made the model class. | ~科学，战胜非典。*~ kēxué, zhànshèng fēidiǎn.* We will rely on science to conquer SARS. **❷**〈名 n.〉指望或仰仗的人或事物 a person or thing on whom or which one can depend：儿子一死，老人家失去了唯一的~。*Érzi yì sǐ, lǎorenjia shīqùle wéiyī de ~.* The old man has lost his only support when his son died.

² **依赖 yīlài ❶**〈动 v.〉依靠别的人或事物，没有独立性 rely on; be dependent on：~性 ~ xìng dependence | 要靠自己的努力，不能~别人。*Yào kào zìjǐ de nǔlì, bù néng ~ biéren.* You should depend on yourself rather than others. **❷**〈动 v.〉各个事物或现象互为依存的条件 be interdependent：应用科学和基础科学不是相互排斥，而是相互~

的。 *Yìngyòng kēxué hé jīchǔ kēxué bú shì xiānghù páichì, érshì xiānghù ~ de.* Instead of repelling each other, applied science and basic science are interdependent.

³ **依然** yīrán ❶〈形 adj.〉和以前一样；依旧 same: 景物~，却人去楼空。 *Jǐngwù ~, què rénqù-lóukōng.* The scenery is just the same, but the mansion is quite deserted. ❷〈副 adv.〉仍然；依旧 as before; still: 这棵千年老树~枝繁叶茂。 *Zhè kē qiān nián lǎo shù ~ zhīfán-yèmào.* This thousand-year-old tree is still luxuriant with leaves. | 夜深人静，老师的屋里却~点着灯。 *Yèshēn-rénjìng, lǎoshī de wū li què ~ diǎnzhe dēng.* In the quietness of late night, the light in our teacher's room is still on.

⁴ **依照** yīzhào〈动 v.〉按照；根据 according to; in accordance with; in the light of: ~规定 ~ guīdìng according to the regulations | ~法律 ~ fǎlǜ according to the law | 我一定~您的指示去办。 *Wǒ yídìng ~ nín de zhǐshì qù bàn.* I will do it according to your instructions.

⁴ **壹** yī〈数 num.〉汉字数字"一"的大写；为防止涂改，一般在票据上应采用大写 one, capital of numeral '一yī', on bills, accounts, etc. to avoid mistakes or alterations: ~仟叁佰伍拾肆元整。 *~qiān sānbǎi wǔshísì yuán zhěng.* One thousand three hundred and fifty four *yuan* in full.

³ **仪表** yíbiǎo ❶〈名 n.〉人的外表 appearance; bearing: ~端庄 ~ duānzhuāng be dignified in appearance | ~不凡 ~ bùfán be outstanding in appearance | 你这个人怎么一点儿也不注意~？ *Nǐ zhège rén zěnme yìdiǎnr yě bú zhùyì ~?* Why don't you care about your appearance? ❷〈名 n.〉测定温度、电流、速度、血压等的仪器 meter: 电气~ diànqì ~ electric meter

² **仪器** yíqì〈名 n.〉（台tái、件jiàn、架jià）用于实验、计量、检验、测绘等的较精密的器具或装置 instrument; apparatus: 精密~ jīngmì ~ precision instrument | 电子~ diànzǐ ~ electronic instrument | 绘图~ huìtú ~ drawing instrument

² **仪式** yíshì〈名 n.〉（个gè）举行典礼的程序和形式 ceremony; rite: 结婚~ jiéhūn ~ wedding ceremony | 阅兵~ yuèbīng ~ military parade | 每天清晨都有上千人在天安门广场观看升旗~。 *Měitiān qīngchén dōu yǒu shàng qiān rén zài Tiān'ānmén Guǎngchǎng guānkàn shēngqí ~.* Every morning, tens of hundreds of people watch the flag-raising ceremony in Tian'anmen Square.

³ **姨** yí ❶〈名 n.〉母亲的姐妹 mother's sister; maternal aunt; aunt: ~妈 ~mā aunt | 大~ dà~ mother's elder sister ❷（~子）〈名 n.〉妻子的姐妹 wife's sister; sister-in-law: 大~子 dà~zi wife's elder sister | 小~子 xiǎo~zi wife's younger sister

² **移** yí ❶〈动 v.〉变动位置；挪动 move; remove; shift: ~山填海~shān-tiánhǎi move the mountains and fill the sea | 请你把椅子往那边~一下。 *Qǐng nǐ bǎ yǐzi wǎng nàbian ~ yíxià.* Please move the chair aside. | 她已~居国外多年了。 *Tā yǐ ~jū guówài duō nián le.* She has lived in another country for many years. ❷〈动 v.〉改变 change; alter: ~风易俗 ~fēng-yìsú change prevailing habits and customs; transform social traditions; reform the old ways and manners of the people | 江山易改，本性难~（形容人的思想、作风、习惯很难改变）。 *Jiāngshān-yìgǎi, běnxìng-nán ~ (xíngróng rén de sīxiǎng, zuòfēng, xíguàn hěn nán gǎibiàn).* Rivers and mountains may change, but it is hard to alter a person's character (referring to the difficulty to change a person's ideology, working manner, habit, etc.).

² **移动** yídòng〈动 v.〉改变原来的位置 move; shift: 一股冷空气正朝东南方向~。 *Yì gǔ lěng kōngqì zhèng cháo dōngnán fāngxiàng ~.* A cold wave is moving southeast. | 房间里没有留下任何~的痕迹。 *Fángjiān li méiyǒu liúxià rènhé ~ de hénjì.* There was no

trace of movement in the room.

⁴ **移民** yímín ❶〈动 v.〉移居到外地或外国 migrate; emigrate or immigrate：向西部地区 ~ xiàng xībù dìqū ~ immigration to the western part of the country｜他~到美国去了。Tā ~ dào Měiguó qù le. He has emigrated to the USA. ❷〈名 n.〉迁移到外地或外国的人 settler; immigrant：在美国有不少亚洲~. Zài Měiguó yǒu bùshǎo Yàzhōu ~. There are many Asian immigrants in the USA.

³ **遗产** yíchǎn ❶〈名 n.〉(笔bǐ、份fèn)死者留下的财产 legacy; inheritance; heritage：祖父的~由他的三个儿子和一个女儿继承。Zǔfù de ~ yóu tā de sān gè érzi hé yí gè nǚ'ér jìchéng. My grandfather's legacy was inherited by his three sons and one daughter.｜父亲给我留下了一笔不小的~. Fùqīn gěi wǒ liúxiàle yì bǐ bùxiǎo de ~. My father left me a large sum of legacy. ❷〈名 n.〉(笔bǐ、份fèn)指历史上遗留下来的物质财富和精神财富 legacy; heritage：我们的先人给我们留下了丰富的文学~. Wǒmen de xiānrén gěi wǒmen liúxiàle fēngfù de wénxué ~. Our forefathers left us a rich literary heritage.｜我们要保护祖国的优秀文化~. Wǒmen yào bǎohù zǔguó de yōuxiù wénhuà ~. We should protect our excellent cultural heritage.

⁴ **遗传** yíchuán〈动 v.〉生物体的构造、机能和特征等由上代传给下代 heredity：~学 ~ xué genetics｜~基因 ~ jīyīn gene｜~工程 ~ gōngchéng genetic engineering｜隔代~ gédài ~ atavism

³ **遗憾** yíhàn ❶〈形 adj.〉表示不称心、惋惜或歉意 regretful; sorry：不能参加你的生日晚会，我非常~. Bù néng cānjiā nǐ de shēngrì wǎnhuì, wǒ fēicháng ~. It's such a pity that I cannot take part in your birthday party. ❷〈名 n.〉指没能如愿的事情 regret; pity：没能上大学是我父亲的终生~. Méi néng shàng dàxué shì wǒ fùqīn de zhōngshēng ~. It's my father's lifelong regret to have no chance to go to university. ❸〈动 v.〉外交辞令，表示不满或谴责 regret (diplomatic parlance to express dissatisfaction or denouncement)：对于贵国的不友好行为，我国政府深表~. Duìyú guì guó de bù yǒuhǎo xíngwéi, wǒ guó zhèngfǔ shēn biǎo ~. Our government expresses our great regret at the unfriendly behavior of your country.

³ **遗留** yíliú〈动 v.〉(以前的事物或现象)继续存在或留下来 leave over; hand down：这是祖祖辈辈~下来的一种风俗习惯。Zhè shì zǔzǔ-bèibèi ~ xiàlái de yì zhǒng fēngsú xíguàn. This is a custom handed down from generation to generation.｜经过协商终于解决了历史上~下来的边界问题。Jīngguò xiéshāng zhōngyú jiějuéle lìshǐ shang ~ xiàlái de biānjiè wèntí. The border problem left over from history was finally solved through negotiations.

⁴ **遗失** yíshī〈动 v.〉由于疏忽而丢失 lose：我不小心~了一份重要文件。Wǒ bù xiǎoxīn ~le yí fèn zhòngyào wénjiàn. I carelessly lost an important document.｜支票要及时挂失。~ zhīpiào yào jíshí guàshī. It should be reported timely when a check is missing.

⁴ **遗体** yítǐ ❶〈名 n.〉人的尸体(含尊敬意) dead body; remains (of sb. held in esteem)：~告别仪式 ~ gàobié yíshì mourning ceremony｜我母亲要求把她的~捐献给医院作医学研究。Wǒ mǔqīn yāoqiú bǎ tā de ~ juānxiàn gěi yīyuàn zuò yīxué yánjiū. My mother insists on contributing her body to the hospital for medical research after her death. ❷〈名 n.〉动植物死后的残余物质 remnants of dead animals or plants：我们在原始森林里发现了不少大象的~. Wǒmen zài yuánshǐ sēnlín li fāxiànle bù shǎo dàxiàng de ~. We found many remnants of dead elephants in the primary forests.

⁴ **遗址** yízhǐ〈名 n.〉(处chù)已毁坏的古建筑物的原址 site：古城~ gǔchéng ~ site of an ancient city｜这是一处世界著名的文化~. Zhè shì yí chù shìjiè zhùmíng de wénhuà ~.

This is a world famous cultural site.

⁴ **疑惑** yíhuò ❶ 〈动 v.〉怀疑；困惑 feel uncertain; not be convinced: ~不解 ~ bù jiě feel puzzled; have doubts ｜ ~的目光 ~ de mùguāng wondering eyes ｜ 道理很明白，你有什么可~的？ Dàolǐ hěn míngbai, nǐ yǒu shénme kě ~ de? The reason is quite clear, and why do you still doubt about it? ❷ 〈名 n.〉感到怀疑、困惑的内容 doubts: 我无法消除心头的~。 Wǒ wúfǎ xiāochú xīntóu de ~. I cannot remove doubts in my mind.

⁴ **疑难** yínán 〈形 adj.〉令人感到疑惑，难以判断、处置的 difficult; knotty: ~问题 ~ wèntí hard nut to crack; difficult problem ｜ ~病症 ~ bìngzhèng difficult and complicated illness ｜ 如有~之处可以找老师帮助解决。 Rú yǒu ~ zhī chù kěyǐ zhǎo lǎoshī bāngzhù jiějué. If there is any difficulty, you may ask the teacher for help.

² **疑问** yíwèn ❶ 〈名 n.〉(个 gè) 不能解释或解决的问题；怀疑的问题 query; question; doubt: 我对这起案件有不少~。 Wǒ duì zhè qǐ ànjiàn yǒu bù shǎo ~. I have lots of doubts about this case. ｜ 你的解释并没有解决我心中的~。 Nǐ de jiěshì bìng méiyǒu jiějué wǒ xīnzhōng de ~. Your explanation did not untie the doubts in my mind. ❷ 〈动 v.〉有疑义而发问 interrogate; question: ~句 ~ jù interrogative sentence ｜ ~的语气 ~ de yǔqì interrogative tone ｜ ~的目光 ~ de mùguāng interrogative look in one's eyes

³ **疑心** yíxīn ❶ 〈动 v.〉怀疑；猜测 doubt; suspect; guess; imagine: 我~这件事是他干的。 Wǒ ~ zhè jiàn shì shì tā gàn de. I doubt that he did it. ｜ 一个小职员这么大手大脚地花钱，我~他的钱来路不正。 Yí gè xiǎo zhíyuán zhème dàshǒu-dàjiǎo de huāqián, wǒ ~ tā de qián láilù bú zhèng. A small clerk spent money so wastefully. I suspect that his money came from an illegal source. ❷ 〈名 n.〉怀疑的念头 suspicion: 她已经对你起了。 Tā yǐjīng duì nǐ qǐ ~ le. She has begun to suspect you. ｜ 他这个人~太重，在他面前说话可得小心点儿。 Tā zhège rén ~ tài zhòng, zài tā miànqián shuōhuà kě děi xiǎoxīn diǎnr. He is very suspicious person. Be careful when you talk with him.

¹ **乙** yǐ ❶ 〈名 n.〉(天干有甲、乙、丙、丁等十个字，乙列第二) 中国传统用于排列顺序 second of the 10 Heavenly Stems (There are 10 Heavenly Stems from '甲 jiǎ' to '癸 guǐ', and ' 乙 yǐ' is the second one); second in order: ~等 ~ děng the second grade ｜ ~级 ~ jí the second class ❷ 〈名 n.〉中国古代乐谱'工尺'的记音符号，相当于简谱的 '7' a note of the scale in gongche in ancient China, corresponding to 7 in numbered musical notation

² **已** yǐ ❶ 〈副 adv.〉已经 (与 '未' 相对) already (opposite to '未 wèi'): 我母亲去德国一两年了。 Wǒ mǔqīn qù Déguó ~ liǎng nián le. My mother has gone to Germany for two years. ｜ 我~填写了申请表。 Wǒ ~ tiánxiěle shēnqǐngbiǎo. I have filled in the application form. ❷ 〈动 v.〉停止 stop; cease; end: 他激动得不能自~。 Tā jīdòng de bù néng zì ~. He is beside himself with excitement. ｜ 听到父亲去世的消息，他痛哭不~。 Tīngdào fùqīn qùshì de xiāoxi, tā tòngkū bù ~. He couldn't stop crying so grievously when he heard of his father's death.

¹ **已经** yǐjīng 〈副 adv.〉表示时间过去或事情完成 already: 他~不是小孩子了。 Tā ~ bú shì xiǎo háizi le. He is no longer a small child. ｜ 天~黑了，我该回家了。 Tiān ~ hēi le, wǒ gāi huí jiā le. It's dark, and I have to go home. ｜ 我~对你说过多次了，你就是不听。 Wǒ ~ duì nǐ shuōguo duō cì le, nǐ jiùshì bù tīng. I have told you many times, but you paid no heed.

² **以** yǐ ❶ 〈介 prep.〉用；拿 with; by means of: ~理服人 ~ lǐ-fúrén persuade sb. with reasons ｜ ~身作则 ~ shēn-zuòzé set a good example with one's own conduct ｜ ~实际行动改正错误。 ~ shíjì xíngdòng gǎizhèng cuòwù. Correct mistakes through action. ❷

〈介 *prep.*〉按照 according to: 物~类聚，人~群分（多用以比喻坏人勾结在一起）。*Wù~lèijù, rén~qúnfēn*（*duō yòngyǐ bǐyù huàirén gōujié zài yìqǐ*）. Things of a kind come together; people of a mind fall into the same group; Like attracts like; Birds of a feather flock together (usu. *fig.* evil persons collude with each other).｜这是一条不~人的意志为转移的客观规律。*Zhè shì yì tiáo bù ~ rén de yìzhì wéi zhuǎnyí de kèguān guīlù.* This is an objective law that cannot be changed according to people's will. ❸〈介 *prep.*〉由于 because of: 香港~东方明珠而著称 *Xiānggǎng ~ dōngfāng míngzhū ér zhùchēng.* Hong Kong is noted as a pearl in the Orient. ❹〈介 *prep.*〉用在‘上’‘下’‘内’‘外’‘东’‘西’等方位词前，表示时间、方位、数量的界限 used before noun of locality such as ‘上shàng’, ‘下xià’, ‘内nèi’, ‘外wài’, ‘东dōng’, ‘西xī’, etc. to indicate time, position, and limit of quantity, etc. : 3年~上 *sān nián ~shàng* more than three years｜100人~内 *yìbǎi rén ~nèi* within one hundred persons｜黄河~北 *Huánghé ~ běi* to the north of the Yellow River｜长城~外 *Chángchéng ~wài* outside the Great Wall｜局级~上 *jújí ~shàng* above the bereau level ❺〈连 *conj.*〉用在两个动词短语之间，表示后者是前者的目的 in order to; so as to: 养精蓄锐，~利再战。*Yǎngjīng-xùruì, ~ lì zài zhàn.* Conserve strength and store up energy so as to get prepared for another fight.

³ **以便** yǐbiàn〈连 *conj.*〉用于下半句的开头，表示是下文所说的目的容易实现 so that; in order to; so as to; with the aim of; for the purpose of: 我们应当努力学习，~将来更好地为祖国服务。*Wǒmen yīngdāng nǔlì xuéxí, ~ jiānglái gèng hǎo de wèi zǔguó fúwù.* We should study hard so as to serve the country better in the future.｜请大家留下地址，~今后联系。*Qǐng dàjiā liúxià dìzhǐ, ~ jīnhòu liánxì.* Please leave your address for contact in the future.

¹ **以后** yǐhòu〈名 *n.*〉比现在或所说某时之后的时间（与‘以前’相对）after; afterwards; later; hereafter（opposite to ‘以前yǐqián’）: 从今~，你别再来找我。*Cóng jīn ~, nǐ bié zài lái zhǎo wǒ.* Don't call on me again from now on.｜毕业~，我还要出国深造。*Bìyè ~, wǒ hái yào chūguó shēnzào.* After graduation, I will further my learning abroad.｜工作~，我就没见过他。*Gōngzuò ~, wǒ jiù méi jiànguo tā.* I haven't seen him since I began to work.｜鸦片战争~，中国成为一个半封建半殖民地国家。*Yāpiàn Zhànzhēng ~, Zhōngguó chéngwéi yí gè bànfēngjiàn bànzhímíndì guójiā.* China became a semi-feudal and semi-colonial country after the Opium War.

² **以及** yǐjí〈连 *conj.*〉连接并列的词、词组和短语，表示联合关系 as well as; along with; and: 超市里食品、日用品~家用电器应有尽有。*Chāoshì li shípǐn, rìyòngpǐn ~jiāyòng diànqì yīngyǒu-jìnyǒu.* The supermarket has everything that one expects to find, such as food, daily commodities, and household electric appliances.｜对于这起事故如何抢救伤者，如何抚恤死者家属，~如何处理责任人，我们将迅速作出决定。*Duìyú zhè qǐ shìgù rúhé qiǎngjiù shāngzhě, rúhé fǔxù sǐzhě jiāshǔ, ~ rúhé chǔlǐ zérènrén, wǒmen jiāng xùnsù zuòchū juédìng.* About the accident, we will soon come to a decision as how to treat the wounded, how to comfort and compensate family members of the dead, and how to deal with those responsible.

² **以来** yǐlái〈名 *n.*〉从过去某时直到现在的一段时间 since: 改革开放~，中国取得飞速的发展。*Gǎigé kāifàng ~, Zhōngguó qǔdé fēisù de fāzhǎn.* China has made rapid progress since the reform and opening-up drive was launched.｜参加工作~，我学到了许多书本上学不到的东西。*Cānjiā gōngzuò ~, wǒ xuédàole xǔduō shūběn shang xué bú dào de dōngxi.* I've learned many things that can't be learnt in books since I took up the job.｜自古~，这个地方就是兵家必争之地。*Zì gǔ ~, zhège dìfang jiùshì bīngjiā bì*

zhēng zhī dì. Since remote antiquity, this region has been a bone of contention among warring strategists.

⁴ **以免** yǐmiǎn 〈连 *conj.*〉用于下半句的开头，表示希望避免发生下文所说的情况 in order to avoid; so as not to; lest：望经常来信，~远念。 *Wàng jīngcháng láixìn, ~ yuǎnniàn.* Look forward to your letters so as to relieve us from missing. │学生时期最好不要谈恋爱，~影响学习。 *Xuéshēng shíqī zuì hǎo bú yào tán liàn'ài, ~ yīngxiǎng xuéxí.* Students had better not fall in love lest it has bad influence on their study.

² **以内** yǐnèi 〈名 *n.*〉在一定的时间、数量、范围的界限之内（与'以外'相对）within; less than; within a given time, number, scope, etc.（opposite to '以外 yǐwài'）：三天~必须完成。 *Sān tiān ~ bìxū wánchéng.* It must be finished in three days. │100元~的开支，我可以签字报销。 *Yībǎi yuán ~ de kāizhī, wǒ kěyǐ qiānzì bàoxiāo.* I have the right to sign expense accounts within a hundred *yuan*. │1平方公里~的人必须撤离。 *Yī píngfāng gōnglǐ ~ de rén bìxū chèlí.* People within one square kilometer must be evacuated.

² **以前** yǐqián 〈名 *n.*〉比现在或所说某时之前的时间（与'以后'相对）before; formerly; previously（opposite to '以后 yǐhòu'）：天黑~必须赶到宿营地。 *Tiān hēi ~ bìxū gǎndào sùyíngdì.* We must reach the campsite before dark. │5年~，他还是一个穷学生。 *Wǔ nián ~, tā hái shì yī gè qióng xuéshēng.* He was a poor student 5 years ago. │他家很有钱，现在已经败落了。 *~ tā jiā hěn yǒuqián, xiànzài yǐjīng bàiluò le.* In the past his family was very rich, but now has declined.

² **以上** yǐshàng ❶〈名 *n.*〉表示次序、数目、位置等高于或前于某一点（与'以下'相对）more than; over; above（opposite to '以下 yǐxià'）：部级~ bùjí ~ above the ministry level │65岁~的老人可以免票入场。 *Liùshíwǔ suì ~ de lǎorén kěyǐ miǎnpiào rùchǎng.* Old people above 65 years may enter without tickets. │产量比上月提高20%~。 *Chǎnliàng bǐ shàng yuè tígāo bǎi fēn zhī èrshí.* Compared with last month, the output increased more than twenty percent. │飞机在云层~飞行。 *Fēijī zài yúncéng ~ fēixíng.* The airplane flies above the clouds. ❷〈名 *n.*〉指前面的话，总括上文（与'以下'相对）the above; the foregoing; the aforementioned（opposite to '以下 yǐxià'）：~是我的个人看法，请大家批评指正。 *~ shì wǒ de gèrén kànfǎ, qǐng dàjiā pīpíng zhǐzhèng.* The above is my personal view. Please make comments and point out any mistakes so that they can be corrected.

⁴ **以身作则** yǐshēn-zuòzé 〈成 *idm.*〉以自己的行动作榜样 set a good example with one's own conduct：领导干部要~，抵制不正之风。 *Lǐngdǎo gànbù yào ~, dǐzhì búzhèngzhīfēng.* Leaders should set an example to resist the evil social trends.

² **以外** yǐwài 〈名 *n.*〉在一定的时间、数量、范围的界限之外（与'以内'相对）beyond; outside; other than; beyond a given time, number, range, etc.（opposite to '以内 yǐnèi'）：8小时~是我自由支配的时间。 *Bā xiǎoshí ~ shì wǒ zìyóu zhīpèi de shíjiān.* I can freely arrange the time outside the eight working hours. │浓雾弥漫，看不到5米~的物体。 *Nóngwù mímàn, kàn bú dào wǔ mǐ ~ de wùtǐ.* Objects beyond five meters cannot be seen in the heavy fog. │课间大家应当到教室~活动活动。 *Kèjiān dàjiā yīngdāng dào jiàoshì ~ huódòng huódòng.* During the class break, everyone should go out of the classroom to do some exercises.

⁴ **以往** yǐwǎng 〈名 *n.*〉以前；过去 before; formerly; in the past：这里是一片荒地，如今建起了一栋栋别墅。 *~ zhèlǐ shì yí piàn huāngdì, rújīn jiànqǐle yí dòngdòng biéshù.* This place used to be a vast expanse of wasteland, but now many villas have been built up here. │大家要吸取~轻敌的教训，认真对待这一次比赛。 *Dàjiā yào xīqǔ ~ qīngdí*

de jiàoxùn, rènzhēn duìdài zhè yí cì bǐsài. Everyone should draw lessons from previous underestimation of our rivals and deal with this match seriously.

¹ **以为** yǐwéi〈动 *v.*〉认为 think; believe; consider: 我~这篇文章写得很有说服力。 *Wǒ ~ zhè piān wénzhāng xiě de hěn yǒu shuōfúlì.* I think this article is very persuasive. ｜ 你别~人家不知道你干的那些丑事。 *Nǐ bié ~ rénjia bù zhīdào nǐ gàn de nàxiē chǒushì.* Don't think that those disgraceful affairs of yours are not known. ｜ 我满~大家都赞成我的意见，没想到竟有那么多人反对。 *Wǒ mǎn ~ dàjiā dōu zànchéng wǒ de yìjiàn, méi xiǎngdào jìng yǒu nàme duō rén fǎnduì.* I believed that everyone would agree with me, and have never expected so many objections.

² **以下** yǐxià ❶〈名 *n.*〉表示次序、数目、位置等低于或后于某一点（与'以上'相对）below; under（opposite to '以上yǐshàng'）: 气温已降到零度~。 *Qìwēn yǐ jiàngdào língdù ~.* The temperature has dropped below zero. ｜ 1米~儿童免费乘车。 *Yì mǐ ~ értóng miǎnfèi chéngchē.* Children below one meter can get on the bus for free. ｜ 腰部~完全失去了知觉。 *Yāobù ~ wánquán shīqùle zhījué.* The part below the waist has become completely numb. ❷〈名 *n.*〉指下面的话（与'以上'相对）the following; hereafter（opposite to '以上yǐshàng'）:~我要给大家讲一讲量词的用法。 *~ wǒ yào gěi dàjiā jiǎng yi jiǎng liàngcí de yòngfǎ.* Now I'm coming to the usage of measure words.

³ **以至** yǐzhì ❶〈连 *conj.*〉表示时间、数量、程度、范围的延伸 down to; up to; used to indicate the extension of time, number, degree, range, etc.: 中国、亚洲~全世界都发出了反战的呼声。 *Zhōngguó, Yàzhōu ~ quán shìjiè dōu fāchūle fǎnzhàn de hūshēng.* Anti-war cries have been heard from China, Asia and even the whole world. ｜ 两年三年，十年八年~一辈子，我都愿意等他。 *Liǎng nián sān nián, shí nián bā nián ~ yíbèizi, wǒ dōu yuànyì děng tā.* I'm willing to wait for him for two or three years, eight or ten years, even all my life. ❷〈连 *conj.*〉用于下半句的开头，表示上文所说的动作、情况的程度很深而产生的结果 to such an extent... as; so... that: 他蹑手蹑脚地走进屋来，~没有一个人发现他。 *Tā nièshǒu-nièjiǎo de zǒujìn wū lái, ~ méiyǒu yí gè rén fāxiàn tā.* He walked so gingerly into the room that no one has ever noticed him. ‖ 也说'以至于' also '以至于yǐzhìyú'

⁴ **以至于** yǐzhìyú ❶〈连 *conj.*〉一直到 up to; down to: 这项技术革新能使产量提高几倍~十几倍。 *Zhè xiàng jìshù géxīn néng shǐ chǎnliàng tígāo jǐ bèi ~ shíjǐ bèi.* This technological renovation will increase the output several times, or even several tens of times. ❷〈连 *conj.*〉表示由于上文所说的情况而产生的结果 so that: 家乡的变化如此之大，~我都不敢相信自己的眼睛了。 *Jiāxiāng de biànhuà rúcǐ zhī dà, ~ wǒ dōu bù gǎn xiāngxìn zìjǐ de yǎnjing le.* My hometown has changed so greatly that I cannot even believe my eyes. ‖ 也说'以至' also '以至yǐzhì'

⁵ **以致** yǐzhì〈连 *conj.*〉用于下半句的开头，表示下文是上文所说原因的结果（多指不好的结果）so that; consequently; as a result; used at the beginning of the subordinate clause of cause (oft. referring to negative results): 他平时工作吊儿郎当，~被老板炒了鱿鱼。 *Tā píngshí gōngzuò diào'érlángdāng, ~ bèi lǎobǎn chǎole yóuyú.* He works carelessly and casually so that he is fired by his boss. ｜ 他工作极端不负责任，~造成起重大事故。 *Tā gōngzuò jíduān bú fù zérèn, ~ zàochéng zhè qǐ zhòngdà shìgù.* He is so irresponsible in work, which results in this big accident.

⁶ **倚** yǐ ❶〈动 *v.*〉靠着 lean on or against; rest on or against:~着窗 *~zhe chuāng* lean against the window ｜~着栏杆 *~zhe lángān* lean against the railing ｜ 她~着大树看孩子

们在树下玩耍。*Tā ~zhe dàshù kàn háizimen zài shù xià wánshuǎ.* She leans against the big tree and looks at the children playing under it. ❷〈动 *v.*〉仗恃 rely on; count on: 他总是喜欢在我面前~老卖老。*Tā zǒngshì xǐhuan zài wǒ miànqián ~lǎo-màilǎo.* He always likes to take the advantage of his seniority before me. | 你别~着你父亲有点儿地位，就到处招摇撞骗。*Nǐ bié ~zhe nǐ fùqīn yǒu diǎnr dìwèi, jiù dàochù zhāoyáo-zhuàngpiàn.* Don't count on your father's position to browbeat and swindle everywhere. ❸〈形 *adj.*〉偏；不公正 biased; partial: 不偏不~ *bùpiān-bù-* impartial

¹ **椅子** yǐzi〈名 *n.*〉(把bǎ、个gè)有靠背的坐具 chair: 一张餐桌至少要配四把~。*Yì zhāng cānzhuō zhìshǎo yào pèi sì bǎ ~.* A dining table should be matched with four chairs at least. | 他靠在~上就睡着了。*Tā kào zài ~ shang jiù shuìzháo le.* He leaned against the chair and fell asleep soon.

¹ **亿** yì〈数 *num.*〉数字，一万万 hundred million: 中国的人口超过了13~，国内生产总值超过了1万~美元。*Zhōngguó de rénkǒu chāoguòle shísān ~, guónèi shēngchǎn zǒngzhí chāoguòle yí wàn ~ Měiyuán.* The population of China is beyond 1.3 billion, and its GDP is beyond one trillion US dollars.

⁴ **亿万** yìwàn〈数 *num.*〉泛指极大的数目 hundreds of millions; millions upon millions: ~同胞 ~ *tóngbāo* hundreds of millions of compatriots | ~富翁 ~ *fùwēng* billionaire | 地球上有~种动植物。*Dìqiú shang yǒu ~ zhǒng dòngzhíwù.* There are hundreds of millions of animals and plants on the Earth.

³ **义务** yìwù ❶〈名 *n.*〉(种zhǒng、项xiàng)公民或法人按照法律应尽的责任(与'权利'相对) duty; obligation (opposite to '权利quánlì'): 照章纳税是每个公民的~。*Zhào zhāng nàshuì shì měi gè gōngmín de ~.* Paying tax in accordance with the rules is the obligation of every citizen. | 赡养父母是子女应尽的~。*Shànyǎng fùmǔ shì zǐnǚ yīng jìn de ~.* It's children's due obligaion to support their parents. ❷〈名 *n.*〉道德上应尽的责任 moral obligation: 救死扶伤是医务人员的~。*Jiùsǐ-fúshāng shì yīwù rényuán de ~.* It is medical workers' obligation to heal the wounded and save the dying. ❸〈形 *adj.*〉不取报酬的 volunteer; voluntary: ~劳动 ~ *láodòng* voluntary labor | ~教育 ~ *jiàoyù* voluntary education

¹ **艺术** yìshù ❶〈名 *n.*〉(种zhǒng、门mén)对社会生活进行形象概括而创作的作品，包括文学、绘画、雕塑、音乐、舞蹈、戏剧、电影、建筑等 art: ~家 ~*jiā* artist | ~品 ~*pǐn* work of art | ~创作 ~ *chuàngzuò* artistic creation | ~源于生活而又高于生活。~ *yuán yú shēnghuó ér yòu gāo yú shēnghuó.* Art comes from life and goes beyond it. ❷〈名 *n.*〉富于创造性的方式、方法 the creative skill in making or doing sth.: 领导~ *lǐngdǎo* ~ art of leadership | 外交~ *wàijiāo* ~ art of diplomacy ❸〈形 *adj.*〉形状独特而美观 conforming to good taste: 他家的客厅布置得很~。*Tā jiā de kètīng bùzhì de hěn ~.* His living room is decorated quite artistically. ❹〈形 *adj.*〉话语含蓄或幽默 implicit or humorous: 他这番话说得挺~，既批评了你，又让你无法反驳。*Tā zhè fān huà shuō de tǐng ~, jì pīpíngle nǐ, yòu ràng nǐ wúfǎ fǎnbó.* He is so artistic in expressing himself, not only criticizing you but also rendering you speechless.

¹ **忆** yì〈动 *v.*〉回想；想念 recall; recollect; remember: 回~录 huí~lù reminiscence; memoirs; recollections | 记~力 jì~lì memory | 往事不堪追~。*Wǎngshì bù kān zhuī~.* It is so unbearable to recall the past events.

⁴ **议案** yì'àn〈名 *n.*〉(份fèn、项xiàng、个gè)列入议程的提案 proposal; motion: 本届人大代表向会议提交了上千份~。*Běn jiè réndà dàibiǎo xiàng huìyì tíjiāole shàng qiān fèn ~.* The deputies of the current National People's Congress have submitted more than

one thousand proposals to the conference.

⁴ **议程** yìchéng 〈名 n.〉（个gè、项xiàng）会议讨论议案的程序 agenda：我的提案已被列入会议的～。*Wǒ de tí'àn yǐ bèi lièrù huìyì de ~.* My proposal has been listed in the agenda of the conference.

⁴ **议定书** yìdìngshū 〈名 n.〉（份fèn、项xiàng、个gè）国际间关于某一个问题达成协议并经签字的记录 protocol：两国政府签订了关于经济援助的～。*Liǎng guó zhèngfǔ qiāndìngle guānyú jīngjì yuánzhù de ~.* The two countries signed the protocol on economic aid.

³ **议会** yìhuì 〈名 n.〉某些国家的最高权力机构或最高立法机构，也叫'国会'parliament; congress; legislative assembly, also '国会guóhuì'：～制～*zhì* parliamentary system｜一些国家的~由参议院和众议院组成。*Yìxiē guójiā de ~ yóu cānyìyuàn hé zhòngyìyuàn zǔchéng.* In some countries, congress is made up of the senate and the house of representatives.

² **议论** yìlùn ❶〈动 v.〉人对事物的好坏是非等表示意见 comment; talk; discuss：不要在背后～别人。*Bú yào zài bèihòu ~ biérén.* Don't discuss others behind their backs.｜大家对总裁的决定~纷纷。*Dàjiā duì zǒngcái de juédìng ~ fēnfēn.* The president's decision is being talked so much. ❷〈名 n.〉人对事物的好坏是非等表示的意见 comment; remark：我看有些～有失公允。*Wǒ kàn yǒuxiē ~ yǒu shī gōngyǔn.* In my opinion, some comments are rather unfair.

² **议员** yìyuán 〈名 n.〉（名míng、位wèi、个gè）议会中有正式资格、享有表决权的成员 member of parliament（in Great Britain）; congressman or congresswoman（in USA）; assemblyman：众～*zhòng*~ representative｜参～*cān*~ senator

⁴ **亦** yì 〈副 adv. 书 lit.〉也 also; too：你不要人云～云，要有自己独立的见解。*Nǐ bú yào rényún-~yún, yào yǒu zìjǐ dúlì de jiànjiě.* Don't repeat what others say. You should have your own opinion.｜他的表演～庄～谐。*Tā de biǎoyǎn ~zhuāng~xié.* His performance was serious as well as comical.

Y

⁴ **异** yì ❶〈形 adj.〉不同的；有区别的（与'同'相对）different（opposite to '同tóng'）：～口同声～*kǒu-tóngshēng* with one voice｜中国的建设取得了日新月～的发展。*Zhōngguó de jiànshè qǔdéle rìxīn-yuè~ de fāzhǎn.* China has made progress in its construction with each passing day.｜他们俩的意见大同小～。*Tāmen liǎ de yìjiàn dàtóng-xiǎo~.* They have have more or less the same opinion. ❷〈形 adj.〉新奇的；特别的 strange; unusual; extraordinary：～味～*wèi* strange smell｜植物园里种满了奇花~草。*Zhíwùyuán li zhòngmǎnle qíhuā-~cǎo.* The botanical garden is dotted with exotic flowers and grass. ❸〈形 adj.〉其他的；别的 other; another：～乡～*xiāng* another place; strange land｜他在~国生活了几十年，终于回到了自己的祖国。*Tā zài ~guó shēnghuóle jǐshí nián, zhōngyú huídàole zìjǐ de zǔguó.* Having lived abroad for several decades, he finally returned to his own motherland. ❹〈动 v.〉觉得奇怪 feel strange：她的出走令大家十分惊~。*Tā de chūzǒu lìng dàjiā shífēn jīng~.* We all feel surprised at her running away. ❺〈动 v.〉分离 separate：他俩已离~多年了。*Tā liǎ yǐ lí~ duō nián le.* They have divorced for many years. ❻〈名 n.〉奇怪、反常的事 strange and unusual thing：灾～*zāi*~ natural disaster; unusual natural phenomena

² **异常** yìcháng ❶〈形 adj.〉不同于寻常 unusual; abnormal：神色~*shénsè*~ in a strange expression｜这些天天气有些~。*Zhèxiē tiān tiānqì yǒuxiē ~.* Weather is quite unusual these days.｜没有发现任何~的现象。*Méiyǒu fāxiàn rènhé ~ de xiànxiàng.* No unusual phenomenon has been witnessed. ❷〈副 adv.〉非常；特别 exceptionally; greatly;

unusually; very：踏上家乡的土地，他的心情~激动．*Tàshàng jiāxiāng de tǔdì, tā de xīnqíng ~ jīdòng.* He was exceptionally excited when he stepped onto the land of his hometown. | 你的处境~危险．*Nǐ de chǔjìng ~ wēixiǎn.* You are in great danger. | 受欢迎。~ *shòu huānyíng.* Be warmly received.

³ **抑制** yìzhì ❶〈动 *v.*〉压下去；控制 press down; restrain; repress; curb：~感情 ~ *gǎnqíng* restrain one's feeling | ~喜悦 ~ *xǐyuè* check one's joy | ~愤怒 ~ *fènnù* press down one's indignation | 政府采取了一系列措施~疫情的发展．*Zhèngfǔ cǎiqǔle yíxìliè cuòshī ~ yìqíng de fāzhǎn.* The government has taken a series of measures to curb the spread of the epidemic. ❷〈名 *n.*〉大脑皮层控制兴奋并减弱器官机能的活动的神经活动过程 inhibition：~状态 ~ *zhuàngtài* inhibited state

⁴ **译员** yìyuán〈名 *n.*〉（名míng、位wèi、个gè）担任翻译工作(多指口译)的人 interpreter (mostly verbal translation)：他是一位非常出色的~．*Tā shì yí wèi fēicháng chūsè de ~.* He is an excellent interpreter. | 会议配备了十多种语言的~进行同声翻译．*Huìyì pèibèile shí duō zhǒng yǔyán de ~ jìnxíng tóngshēng fānyì.* Simultaneous interpretation of a dozen of languages has been offered in the meeting.

³ **易** yì ❶〈形 *adj.*〉容易（与'难'相对）easy; have no difficulty in doing things (opposite to '难nán)：~如反掌 ~*rúfǎnzhǎng* as easy as turning over one's hand | 这件事看似~做来难．*Zhè jiàn shì kàn sì ~ zuò lái nán.* This appears an easy thing, but it's quite difficult to do. ❷〈形 *adj.*〉谦逊；和气 amiable：平~近人 píng~*jìnrén* be amiable and easy to get along with ❸〈动 *v.*〉改变；替换 change：移风~俗 yífēng~*sú* transform the established social customs | 改弦~辙（比喻改变做法和态度）gǎixián~*zhé*(bǐyù gǎibiàn zuòfǎ hé tàidu) change one's strings and course of action (fig. change one's method and attitude) ❹〈动 *v.*〉交换 exchange：交~ ~*jiāo* deal; business | 贸~ *mào*~ trade | 以货~货 yǐhuò~*huò* barter

意见 yìjiàn ❶〈名 *n.*〉（条tiáo、点diǎn、种zhǒng）对事件的看法或想法 idea; view; opinion; suggestion：征求~ *zhēngqiú* ~ solicit opinions; ask for ideas | 交换~ *jiāohuàn* ~ exchange views | 听取~ *tīngqǔ* ~ listen to opinions | 我想就这个问题谈谈自己的~．*Wǒ xiǎng jiù zhège wèntí tántan zìjǐ de ~.* I want to talk about my opinions on this problem. | 对这个方案有三种不同的~．*Duì zhège fāng'àn yǒu sān zhǒng bùtóng de ~.* There are three views on this plan. ❷〈名 *n.*〉（条tiáo、点diǎn、个gè）对人或事不满意的看法或想法 objection; differing opinion; complaint：对他的官僚作风，群众有不少~．*Duì tā de guānliáo zuòfēng, qúnzhòng yǒu bùshǎo ~.* There are many complaints about his bureaucratic style of work. | 你如果不满意，可以提~嘛．*Nǐ rúguǒ bù mǎnyì, kěyǐ tí ~ ma.* If you are not satisfied, you may raise your objection.

⁴ **意料** yìliào〈动 *v.*〉事先的估计 anticipate; expect：他取得这样的成绩大大出乎我的~．*Tā qǔdé zhèyàng de chéngjì dàdà chūhū wǒ de ~.* It's quite out of my expectation that he has made such a great achievement. | 事情的发展全在我的~之中．*Shìqing de fāzhǎn quán zài wǒ de ~ zhī zhōng.* The development of the event is as was expected.

³ **意识** yìshí ❶〈名 *n.*〉人脑对于客观世界的反映 consciousness; awareness：存在决定~．*Cúnzài juédìng ~.* Social being determines consciousness. ❷〈名 *n.*〉认识 knowlege：旧~ *jiù*~ previous knowlege | 这些年人们的环保~大有提高．*Zhèxiē nián rénmen de huánbǎo ~ dà yǒu tígāo.* These years people's sense of environmental protection has been greatly improved. ❸〈动 *v.*〉察觉 be conscious of; be aware of; awake to; realize：他~到自己说错了话，赶忙改口．*Tā ~ dào zìjǐ shuōcuòle huà, gǎnmáng gǎikǒu.* Realizing that he had said the wrong thing, he corrected himself quickly. | 他还没有~到

自己的错误是多么严重。*Tā hái méiyǒu ~ dào zìjǐ de cuòwù shì duōme yánzhòng.* He hasn't realized the seriousness of his mistakes.

¹ **意思** yìsi ❶〈名 *n.*〉(种zhǒng、个gè)语言文字等所蕴含的内容 meaning; idea: 我不明白这句话的~。*Wǒ bù míngbai zhè jù huà de ~.* I don't understand this sentence. | '反对'的~就是'不赞成'。*'Fǎnduì' de ~jiùshì 'bú zànchéng'.* The word 'objection' means 'disagreement'. | 点头的~就是表示同意。*Diǎntóu de ~jiùshì biǎoshì tóngyì.* Nodding head means to agree. ❷〈名 *n.*〉(种zhǒng、个gè)意见; 愿望 opinion; wish; desire: 我的~是现在不忙着下结论。*Wǒ de ~ shì xiànzài bù mángzhe xià jiélùn.* What I mean is not to make any hasty conclusion right now. | 我明白他老人家的~是婚礼要办得热闹些。*Wǒ míngbai tā lǎorenjiā de ~ shì hūnlǐ yào bàn de rènao xiē.* I know that the old man wants to hold a jolly wedding. ❸〈名 *n.*〉趣味; 情趣 interest; fun: 这个剧本写得真有~。*Zhège jùběn xiě de zhēn yǒu ~.* The scenario is so interesting. | 孩子们的表演蛮有~的。*Háizimen de biǎoyǎn mán yǒu ~ de.* Children's performance is quite interesting. ❹〈名 *n.*〉动向; 苗头 hint; trace: 天灰蒙蒙的, 好像要刮风的~。*Tiān huīméngméng de, hǎoxiàng yào guāfēng de ~.* The sky is covered with dark grey clouds, and it seems that the wind is going to blow. | 他刚才和你点头打招呼, 看来是想和解的~。*Tā gāngcái hé nǐ diǎntóu dǎ zhāohu, kànlái shì xiǎng héjiě de ~.* He nodded to greet you just now, and it seems that he wants to reconcile with you. ❺〈名 *n.*〉指代表心意的小礼物 gift, a token of: 这点儿小~不成敬意, 请笑纳。*Zhè diǎnr xiǎo ~ bùchéng jìngyì, qǐng xiàonà.* Will you please accept my little gift as a token of my appreciation? ❻〈动 *v.*〉表示一点儿心意 as a mere token: 大家都送了礼, 你总得~~。*Dàjiā dōu sòngle lǐ, nǐ zǒng děi ~ ~.* Everyone has presented a gift, and you'd better send something.

⁴ **意图** yìtú〈名 *n.*〉(个gè、种zhǒng)要达到某种目的的打算 intention; intent: 作战~ *zuòzhàn ~* intention of campaign | 侵略~ *qīnlüè ~* intention of aggression | 领会~ *lǐnghuì ~* comprehend the intention | 你的主观~是好的, 但方法不对头。*Nǐ de zhǔguān ~ shì hǎo de, dàn fāngfǎ bú duìtóu.* Your intention is good, but your method is wrong.

² **意外** yìwài ❶〈形 *adj.*〉意料之外 unexpected; unforeseen: ~的发现 ~ *de fāxiàn* an unexpected discovery | ~的收获 ~ *de shōuhuò* unexpected achievement | ~事故 ~ *shìgù* unforeseen accident | 一号种子选手在第一轮被淘汰让大家感到非常~。*Yī hào zhǒngzi xuǎnshǒu zài dì-yī lún bèi táotài ràng dàjiā gǎndào fēicháng ~.* Everyone was surprised that No. One seed player was eliminated in the first round of competition. ❷〈名 *n.*〉事先没有想到的事情(多指不幸事件) accident; mishap: 酒后一定不要驾车, 以免发生~。*Jiǔ hòu yídìng bú yào jiàchē, yǐmiǎn fāshēng ~.* Don't drive after you drink alcohol lest there is an accident. | 发生这样的事情的确有些出乎我的~。*Fāshēng zhèyàng de shìqing díquè yǒuxiē chūhū wǒ de ~.* It's quite out of my expectation that this kind of thing would happen.

³ **意味着** yìwèizhe〈动 *v.*〉含有某种意思或会带来某种结果 signify; mean; imply: 忘记过去就~背叛。*Wàngjì guòqù jiù ~bèipàn.* Forgetting the past means betrayal. | 获得博士学位并不~你有很强的能力。*Huòdé bóshì xuéwèi bìng bú ~ nǐ yǒu hěn qiáng de nénglì.* Obtaining the doctor's degree doesn't mean that you are capable.

⁴ **意向** yìxiàng〈名 *n.*〉(个gè、种zhǒng)意图; 目的 intention; purpose: ~书 *~shū* letter of intent | 这家企业表示了来华投资的~。*Zhè jiā qǐyè biǎoshìle lái Huá tóuzī de ~.* The enterprise expressed its intention to invest in China.

¹ **意义** yìyì ❶〈名 n.〉语言文字等所表示的内容 meaning; sense; significance：~相同的词称为同义词，~相近的词称为近义词。 *xiāngtóng de cí chēngwéi tóngyìcí, ~xiāngjìn de cí chēngwéi jìnyìcí.* Words with the same meaning are called synonyms, and words close in meaning are called similar words. ❷〈名 n.〉作用；价值 value; effect：~重大 *~ zhòngdà* of great importance｜~深远 *~ shēnyuǎn* profound influence｜人生的~ *rénshēng de ~* meaning of life｜这部小说很有教育~. *Zhè bù xiǎoshuō hěn yǒu jiàoyù ~.* The novel is full of educational meaning.｜主讲人不能出席，这个讲座也就没有什么~了。 *Zhǔjiǎngrén bù néng chūxí, zhège jiǎngzuò yě jiù méiyǒu shénme ~ le.* The lecture will become meaningless if the chief speaker is unable to attend.

² **意志** yìzhì 〈名 n.〉为达到既定的目的而自觉地为之努力的心理状态 will; willpower; determination：~坚强 *~ jiānqiáng* strong-willed｜~薄弱 *~ bóruò* weak-minded｜~消沉 *~ xiāochén* be depressed｜钢铁般的~ *gāngtiě bān de ~* strong will｜这是一条不以人们的~为转移的客观规律。 *Zhè shì yī tiáo bù yǐ rénmen de ~ wéi zhuǎnyí de kèguān guīlǜ.* This is an objective law that cannot be changed according to man's will.

³ **毅力** yìlì 〈名 n.〉坚强持久的意志 willpower; will; stamina; tenacity：缺乏~ *quēfá ~* lack of willpower｜攀登科学高峰，必须要有顽强的~。 *Pāndēng kēxué gāofēng, bìxū yào yǒu wánqiáng de ~.* One must have a strong will in scientific research.

⁴ **毅然** yìrán 〈副 adv.〉坚决果断地；毫不犹豫地 resolutely; firmly; determinedly：他放弃优厚的待遇，~回国献身于祖国的教育事业。 *Tā fàngqì yōuhòu de dàiyù, ~ huí guó xiànshēn zǔguó de jiàoyù shìyè.* He gave up excellent pay and resolutely returned to his country to dedicate himself to the cause of education in the motherland.

⁴ **翼** yì ❶〈名 n.〉翅膀，某些动物的飞行器官 wing：鸟~ *niǎo ~* wings of a bird｜雄鹰展开双~，振翅高飞。 *Xióngyīng zhǎnkāi shuāng~, zhèn chì gāo fēi.* The eagle spreads its wings and flies in the high sky. ❷〈名 n.〉像翅膀的东西；两侧的部分 sth. like a bird's wing; side：机~ *jī~* airfoils; wings of an aeroplane｜鼻~ *bí~* nosewing ❸〈名 n.〉政治力量中的一派 certain section in politics：左~作家 *zuǒ~ zuòjiā* Left-wing writer ❹〈名 n.〉阵地的两侧 flanks of a front：炮轰敌阵地的侧~。 *Pào hōng dí zhèndì de cè~.* Shell the flanks of the enemy position. ❺〈名 n.〉二十八宿之一 yi, one of the 28 constellations into which the celestial sphere was divided in ancient Chinese astronomy

⁴ **因** yīn ❶〈名 n.〉原因（与'果'相对） reason; cause (opposite to '果guǒ')：事出有~. *Shìchūyǒu~.* There's good reason for it.｜解决一个问题，先要弄清前~后果。 *Jiějué yī gè wèntí, xiān yào nòngqīng qián~hòuguǒ.* To solve a problem, you should make clear its cause and effect. ❷〈介 prep.〉由于 because (of); as a result of：~故缺席 *~gù quēxí* be absent for some reason｜~病请假 *~bìng qǐngjià* ask for sick leave ❸〈介 prep.〉根据；按照 rely on; accord with：~材施教 *~cái-shījiào* suit instruction to a student's aptitude｜锻炼身体的方法应当~人而异。 *Duànliàn shēntǐ de fāngfǎ yīngdāng ~rén'éryì.* The physical training methods should be different for different persons. ❹〈连 conj.〉连接分句，表示原因 because; for：~大雾天气，飞机不能起降。 *~ dàwù tiānqì, fēijī bù néng qǐjiàng.* The airplane cannot take off or land because of the heavy fog. ❺〈动 v.〉按照老样子做 follow; carry on：必须努力创新，不可~循守旧。 *Bìxū nǔlì chuàngxīn, bùkě ~xún-shǒujiù.* We must work hard to innovate and should not follow the old conventions.

² **因此** yīncǐ 〈连 conj.〉因为这个，表示结果或结论，常用于后一分句的开头，与前一分句的'由于'相呼应 so; therefore; for this reason; consequently (often used together with '由于yóuyú')：由于认真复习，~大家都考出了好的成绩。 *Yóuyú rènzhēn fùxí, ~ dàjiā*

dōu kǎochūle hǎo de chéngjì. Since all of us reviewed the lessons seriously, we have got excellent results in the exam. | 我和他从小一起长大,~对他的情况非常了解。 *Wǒ hé tā cóngxiǎo yìqǐ zhǎng dà, ~ duì tā de qíngkuàng fēicháng liǎojiě.* He and I have grown up together, so I know everything about him.

² **因而** yīn'ér 〈连 *conj.*〉表示结果,常用在后一分句的开头,与前一分句的'由于'相呼应 as a result; therefore; thus(often used together with '由于 yóuyú'): 由于他一向诚恳待人,~大家都不相信他会干这种缺德的事。 *Yóuyú tā yíxiàng chéngkěn dàirén, ~ dàjiā dōu bù xiāngxìn tā huì gàn zhè zhǒng quēdé de shì.* Nobody would believe that he could do such a wicked thing because he always treats people sincerely. | 连续三个月未降滴雨,~粮食几乎绝收。 *Liánxù sān gè yuè wèi jiàng dī yǔ, ~ liángshi jīhū juéshōu.* It hasn't rained for three months, so we shall suffer a complete crop failure for sure.

² **因素** yīnsù ❶〈名 *n.*〉(种zhǒng、个gè)构成事物的要素 factor; element: 积极~jījí~ active factor | 消极~xiāojí ~ negative factor ❷〈名 *n.*〉(种zhǒng、个gè)决定事物成败的原因或条件 cause or condition that determines the success or failure of something: 有利~ yǒulì~ favorable condition | 这次我们在客场比赛,有许多不利~。 *Zhè cì wǒmen zài kèchǎng bǐsài, yǒu xǔduō búlì ~.* This time we play at their ground, so we will face a lot of unfavorable factors.

¹ **因为** yīnwèi ❶〈连 *conj.*〉用在分句中,表示原因 because: ~天气恶劣,比赛只能暂停。 *~ tiānqì èliè, bǐsài zhǐnéng zàntíng.* Because of the bad weather, the game has to be broken off. | ~工作太忙,所以总抽不出时间来锻炼身体。 *~ gōngzuò tài máng, suǒyǐ zǒng chōu bù chū shíjiān lái duànliàn shēntǐ.* Because I am too busy, I can hardly spare any time to do physical exercises. ❷〈介 *prep.*〉表示原因 because of: 不能~是你儿子就袒护他。 *Bù néng ~ shì nǐ érzi jiù tǎnhù tā.* You shouldn't be partial to him simply because he is your son.

¹ **阴** yīn ❶〈形 *adj.*〉天空多云,不见或少见阳光的天气 overcast: 天 ~tiān overcast | 多云转~ duōyún zhuǎn ~ from cloudy to overcast ❷〈形 *adj.*〉隐蔽的;不外露的(与'阳'相对) hidden; secret(opposite to '阳yáng'): ~沟 ~gōu sewer; covered drain | 阳奉~违 yángfèng~wéi agree in public but oppose in private ❸〈形 *adj.*〉不光明正大的 sinister: ~谋 ~móu conspiracy | ~险 ~xiǎn insidious | 这个人很~。 *Zhège rén hěn ~.* This gug is very crafty. ❹〈形 *adj.*〉凹进的(与'阳'相对) in intaglio (opposite to '阳 yáng'): ~文印章 ~ wén yìnzhāng seal with characters engraved in intaglio ❺〈形 *adj.*〉带负电的(与'阳'相对) negative (opposite to '阳yáng'): ~极 ~jí negative pole | ~离子 ~ lízǐ negative ion ❻〈形 *adj.*〉迷信指属于鬼神的 (of superstition) of the netherworld; of ghosts: ~间 ~jiān netherworld | ~曹地府 ~cáo-dìfǔ of the netherworld ❼〈名 *n.*〉中国古代哲学认为存在于宇宙间的一切事物中两大对立面之一(与'阳'相对) (in ancient Chinese philosophy) feminine or negative principle, one of the two opposites that exist in all things under heaven (opposite to '阳yáng'): 一~一阳谓之道。 *Yī ~ yì yáng wèi zhī dào.* The unity of femininity and masculinity form the Way. ❽〈名 *n.*〉时间 time: 一寸光~一寸金,寸金难买寸光~(让人珍惜时间的警句) *Yí cùn guāng~ yí cùn jīn, cùn jīn nánmǎi cùn guāng ~* (ràng rén zhēnxī shíjiān de jǐngjù). An inch of time is an inch of gold, but an inch of gold can hardly buy an inch of time (*fig.* treasure time). ❾〈名 *n.*〉月亮 the moon: 太~tài~ the moon | ~历~lì lunar calendar ❿(~儿)〈名 *n.*〉不见太阳的地方 shade: 树~shù~ shade under the tree | 背~bèi~r in the shade ⓫〈名 *n.*〉生殖器 private parts: ~茎 ~jīng penis | ~道 ~dào vagina ⓬〈名 *n.*〉山的北面;水的南面(多用作中国地名) north of a mountain or south of a river(oft.

in place names in China）：华~（在华山之北）*Huà~*（*zài Huàshān zhī běi*）Huayin（a county situated on the northern side of Mount Huashan）| 江~（在长江之南）*Jiāng~*（*zài Chángjiāng zhī nán*）Jiangyin（a county situated on the south side of the Yangtze River）

⁴ **阴暗** yīn'àn ❶〈形 *adj.*〉光线不充足 dark; gloomy：~潮湿 ~ *cháoshī* dark and damp | 天色渐渐地~了下来。*Tiānsè jiànjiàn de ~le xialai.* The sky is getting dark. ❷〈形 *adj.*〉阴沉；不光明 dark; unhealthy：~面 ~*miàn* dark side | ~的心理 ~ *de xīnlǐ* unhealthy mentality

³ **阴谋** yīnmóu ❶〈动 *v.*〉暗中策划（做坏事）conspire; plot; scheme（to do sth. bad）：~暴乱 ~ *bàoluàn* plot a rebellion | ~叛国 ~ *pànguó* conspire to betray one's country | ~篡权 ~ *cuànquán* scheme to usurp power ❷〈名 *n.*〉暗中做坏事的计谋 conspiracy; plot; scheme：~败露 ~ *bàilù* disclose one's plot | 我们粉碎了恐怖分子制造的一起劫机。*Wǒmen fěnsuìle kǒngbù fēnzǐ zhìzào de yì qǐ jiéjī.* We have shattered a plane-hijacking scheme of the terrorists.

³ **阴天** yīntiān〈名 *n.*〉天空中阴云密布，不见或少见阳光的天气（与‘晴天’相对）overcast（opposite to '晴天qíngtiān'）：~让人心情烦闷。~ *ràng rén xīnqíng fánmèn.* The cloudy day makes people feel depressed.

³ **音** yīn ❶〈名 *n.*〉声音；乐音 sound; tone：乐~ *yuè~* music | ~律 ~*lù* temperament | 杂~ *zá~* noise ❷〈名 *n.*〉语音；音节 pronunciation; syllable：单一词 *dān-cí* monosyllabic word | 多一词 *duō-cí* polysyllabic word | 这个~我发不准。*Zhège ~ wǒ fā bù zhǔn.* I cannot pronounce this sound correctly. ❸〈名 *n.*〉信息；消息 news; message：您就等着听我们的佳~吧。*Nín jiù děngzhe tīng wǒmen de jiā~ ba.* You just wait for our good news. | 他一去三年杳无~信。*Tā yí qù sān nián yǎowú~xìn.* He has been away for three years, and no news has ever come from him.

⁴ **音响** yīnxiǎng ❶〈名 *n.*〉声音（多指声音的效果）sound; acoustics（oft. indicating sound effect）：这个剧场的~效果不错。*Zhège jùchǎng de ~ xiàoguǒ búcuò.* The acoustics of this theater is quite good. ❷〈名 *n.*〉（套tào）指产生音响的机器设备 stereo set：组合~ *zǔhé ~* music centre

¹ **音乐** yīnyuè〈名 *n.*〉用有组织的乐音来表达感情、反映生活的一种艺术形式 music：轻~ *qīng~* light music | 民族~ *mínzú~* folk music | 交响~ *jiāoxiǎng ~* symphony; symphonic music | 古典~ *gǔdiǎn ~* classic music | 流行~ *liúxíng ~* popular music | ~会 ~*huì* concert | ~的基本要素是节奏和旋律。~ *de jīběn yàosù shì jiézòu hé xuánlǜ.* The basic elements of music are rhythm and melody.

² **银** yín ❶〈名 *n.*〉一种金属元素，符号Ag，通称‘银子’‘白银’ argentum（Ag）; silver, generally called '银子yínzi' or '白银báiyín'：~币 ~*bì* silver coin | ~牌 ~*pái* silver medal | ~质奖章 ~ *zhì jiǎngzhāng* silver badge ❷〈名 *n.*〉与货币有关的 concerning money or currency：~行 ~*háng* bank | 最近公司的~根很紧。*Zuìjìn gōngsī de ~gēn hěnjǐn.* Recently the company's money supply is quite tight. ❸〈形 *adj.*〉像银子的颜色的 silver-colored：~河 ~*hé* Milky Way | 老人家一头~发，精神矍铄。*Lǎorenjia yì tóu ~fà, jīngshén juéshuò.* The old man is silver-haired and looks hale and hearty.

¹ **银行** yínháng〈名 *n.*〉（家jiā、个gè、所suǒ）经营存款、贷款、汇兑等业务的金融机构 bank：学校附近就有一家~，可以把钱存到那里去。*Xuéxiào fùjìn jiù yǒu yì jiā ~, kěyǐ bǎ qián cúndào nǎli qù.* There is a bank close to the school, and you may deposit your money there. | 购买住房、汽车都可以向~贷款。*Gòumǎi zhùfáng, qìchē dōu kěyǐ xiàng ~ dàikuǎn.* It's possible to get loans from the bank to purchase a house or a car.

³ **银幕** yínmù〈名 *n.*〉放映电影用的白色屏幕 screen; projection screen：宽~ *kuān~* wide

screen

⁴ **淫秽** yínhuì 〈形 *adj.*〉淫乱；猥亵 obscene; risqué; pornographic: ~刊物 ~ *shūkān* pornographic literature | ~电影 ~ *diànyǐng* pornographic film | ~录像带 ~ *lùxiàngdài* pornographic video

³ **引** yǐn ❶〈动 *v.*〉带领；导向 lead; guide: ~航 ~*háng* pilot a ship | ~水灌溉 ~*shuǐ guàngài* divert water for irrigation | ~狼入室（比喻自己把坏人或敌人引入内部）~ *láng-rùshì*（*bǐyù zìjǐ bǎ huàirén huò dírén yǐnrù nèibù*）invite a wolf into the house (*fig.* open the door to a dangerous foe; bring disaster upon oneself）| 是我把他~到这里来的。*Shì wǒ bǎ tā ~dào zhèlǐ lái de.* It's me who bring him here. ❷〈动 *v.*〉导致；招来 induce; make appear: ~火烧身（比喻自讨苦吃或自取灭亡；也比喻主动让大家批评）~ *huǒ-shāoshēn*（*bǐyù zìtǎokǔchī huò zìqǔmièwáng; yě bǐyù zhǔdòng ràng dàjiā pīpíng*）stir up a fire only to burn oneself (*fig.* ask for trouble; induce criticisms on oneself）| 这首歌~起了他思乡之情。*Zhè shǒu gē ~qǐle tā sīxiāng zhī qíng.* This song makes him homesick. ❸〈动 *v.*〉拿来(作依据) quote; cite: ~证 ~*zhèng* cite sth. as evidence | ~文 ~*wén* quotation | ~经据典 ~*jīng-jùdiǎn* quote sentences or stories from the classics; quote authoritative works | ~以为戒 ~*yǐwéijiè* take warning; learn a lesson ❹〈动 *v.*〉拉 draw; pull: ~牵 ~*qiān* drag; draw | ~力 ~*lì* universal gravitation ❺〈动 *v.*〉离开 leave: ~退 ~*tuì* resign | ~避 ~*bì* keep clear of ❻〈动 *v.*〉推荐 recommend: ~荐 ~*jiàn* recommend ❼〈动 *v.*〉伸长；延伸 stretch: ~桥 ~*qiáo* approach bridge | ~吭高歌 ~*háng gāogē* sing joyfully in a loud voice; sing heartily ❽〈量 *meas.*〉中国旧时的长度单位，30引为1公里 *yǐn*, a traditional Chinese unit of length, according to which 30 *yǐn* equals 1 km.

³ **引导** yǐndǎo ❶〈动 *v.*〉带领向某目标 lead; guide: 一名工作人员~我们参观了实验室。*Yì míng gōngzuò rényuán ~wǒmen cānguānle shíyànshì.* A staff member showed us around the laboratory. | 正确的理论~我们不断地取得胜利。*Zhèngquè de lǐlùn ~ wǒmen búduàn de qǔdé shènglì.* Correct theory leads to successive successes. ❷〈动 *v.*〉启发诱导 enlighten and instruct: 老师应当善于~学生独立思考。*Lǎoshī yǐngdāng shànyú ~ xuésheng dúlì sīkǎo.* Teachers should be good at guiding their students to think independently.

³ **引进** yǐnjìn ❶〈动 *v.*〉从外国或外地引入 introduce from elsewhere or foreign countries: ~资金 ~*zījīn* introduce capital | ~设备 ~ *shèbèi* introduce equipment | ~人才 ~ *réncái* bring in talents | 这种机器是从国外~的。*Zhèzhǒng jīqì shì cóng guówài ~ de.* This machine is imported from a foreign country. ❷〈动 *v.*〉引荐 recommend: 我想向学校~一位老师教汉语口语。*Wǒ xiǎng xiàng xuéxiào ~ yí wèi lǎoshī jiāo Hànyǔ kǒuyǔ.* I would like to recommend a teacher to teach spoken Chinese to our school.

² **引起** yǐnqǐ 〈动 *v.*〉由此生出 give rise to; lead to; cause; arouse; make appear: ~矛盾 ~*máodùn* give rise to contradiction | ~纠纷 ~ *jiūfēn* cause dispute | ~误会 ~ *wùhuì* lead to misunderstanding | ~怀疑 ~ *huáiyí* cause suspicion | 他的观点在学术界~了一场争论。*Tā de guāndiǎn zài xuéshùjiè ~le yì chǎng zhēnglùn.* His view stirs up a controversy in the academic circles.

⁴ **引人注目** yǐnrén-zhùmù 〈成 *idm.*〉吸引人们注意 eye-catching: ~的成就 ~ *de chéngjiù* noticeable achievements | 这本书的书名十分~。*Zhè běn shū de shūmíng shífēn ~.* The book's title is very striking.

⁴ **引入** yǐnrù 〈动 *v.*〉带领进入 guide into; lead into: 这部动画片将孩子~一个奇妙的世界。*Zhè bù dònghuàpiàn jiāng háizi ~ yí gè qímiào de shìjiè.* The cartoon film leads

children into a world of wonder. │这条渠道可以将水~灌区。*Zhè tiáo qúdào kěyǐ jiāng shuǐ ~ guànqū.* This ditch will lead water to the irrigation area. ❷〈动 v.〉从外引进 introduce from：我厂从国外~了一种新技术。*Wǒ chǎng cóng guówài ~le yì zhǒng xīn jìshù.* Our factory has introduced a new technology from another country.

引用 yǐnyòng ❶〈动 v.〉把别人的话（包括书面材料）或作过的事作为依据 quote; cite：~典故 ~ *diǎngù* cite literary quotation │你要~就~他的原话，不要断章取义。*Nǐ yào ~ jiù ~ tā de yuánhuà, bú yào duànzhāng-qǔyì.* If you want to quote, you have to cite his original words. Don't quote out of the context. ❷〈动 v.〉任用 appoint; recommend：~私人 ~ *sīrén* appoint one's own person

引诱 yǐnyòu〈动 v.〉引导别人做坏事；诱惑 lure; seduce（others to do bad things）：在坏人的~下，这个孩子也走上了邪路。*Zài huàirén de ~ xià, zhège háizi yě zǒushàngle xiélù.* The child was lured into evil ways by some bad people. │他抵挡不住金钱、美色的~，终于堕落成为一名罪犯。*Tā dǐdǎng bú zhù jīnqián, měisè de ~, zhōngyú duòluò chéngwéi yì míng zuìfàn.* He failed to withstand the temptation of money and beauty and degenerated into a criminal in the end.

饮 yǐn ❶〈动 v.〉喝 drink：~水 ~*shuǐ* drink water │~茶 ~*chá* drink tea │~鸩止渴（比喻只顾解决眼前问题不顾后患）~*zhèn-zhǐkě*（*bǐyù zhǐgù jiějué yǎnqián wèntí búgù hòuhuàn*）drink poison to quench thirst（*fig.* seek quick relief of present problems regardless of the consequences）❷〈动 v.〉喝酒 drink wine or liquor：开怀痛~ *kāihuái tòng~* drink to one's heart's content; have a hearty drink ❸〈动 v.〉心中忍着 keep in one's mind; nurse; harbor：~恨 ~*hèn* nurse a grievance ❹〈名 n.〉饮料 beverage; drink：冷~ *lěng~* cold drink │热~ *rè~* warm drink; hot drink

饮料 yǐnliào〈名 n.〉（杯bēi、瓶píng、种zhǒng）经加工制造的可饮用的液体 drink：软~ *ruǎn ~* soft drink │清凉~ *qīngliáng ~* cold soda pop │你想喝什么~? *Nǐ xiǎng hē shénme ~?* What sort of drink do you prefer? │请给我来一杯热~。*Qǐng gěi wǒ lái yì bēi rè ~.* A cup of hot drink, please.

饮食 yǐnshí ❶〈名 n.〉喝的和吃的东西 food and drink：要注意~卫生。*Yào zhùyì ~ wèishēng.* Pay attention to dietetic hygiene. ❷〈动 v.〉吃喝 eat and drink：良好的~习惯 *liánghǎo de ~ xíguàn* good habit of eating and drinking │要注意节制~。*Yào zhùyì ~ jiézhì ~.* Mind your diet.

饮水思源 yǐnshuǐ-sīyuán〈成 idm.〉喝水想到水是怎么来的，比喻不忘本 when drinking water, think of its source; *fig.* never forget where one's happiness comes from：我们要~，不能忘记老师对我们的教育和培养。*Wǒmen yào ~, bù néng wàngjì lǎoshī duì wǒmen de jiàoyù hé péiyǎng.* We should keep in mind the source of our happiness, and never forget our teacher's instructions and education.

隐蔽 yǐnbì ❶〈动 v.〉借别的事物遮盖躲藏 conceal; cover; hide：这支部队在丛林里~下来。*Zhè zhī bùduì zài cónglín li ~ xiàlái.* The troop hid in the jungle. ❷〈形 adj.〉被遮住不易发现 covert; concealed; hidden：罪犯的手段很~。*Zuìfàn de shǒuduàn hěn ~.* The method the criminal took is very covert.

隐藏 yǐncáng〈动 v.〉藏起来不让发现；掩盖 hide; conceal; keep out of sight：她把痛苦深深地~在心里。*Tā bǎ tòngkǔ shēnshēn de ~ zài xīnli.* She keeps her bitterness deep in her heart. │他是一名~很深的间谍。*Tā shì yì míng ~ hěn shēn de jiàndié.* He is a well-concealed spy.

隐瞒 yǐnmán〈动 v.〉掩盖真相不使别人知道 conceal; hide; cover up：~真相 ~*zhēnxiàng* cover up the truth │他都交代了，你还替他~什么? *Tā dōu jiāodài le, nǐ hái*

tì tā ~ shénme? He has admitted everything. What else can you hide for him?

³ **隐约 yǐnyuē** 〈形 *adj.*〉看起来或听起来模糊不清；感觉不明晰 indistinct; unclear to eye or ear：我~看到树林里有几个人影。*Wǒ ~ kàndào shùlín li yǒu jǐ gè rényǐng.* I saw some indistinct figures in the woods. ｜远处~传来几声枪声。*Yuǎnchù ~ chuánlái jǐ shēng qiāngshēng.* Several gunshots could be faintly heard from distance. ｜我还隐隐约约记得当时的情景。*Wǒ hái yǐnyǐn-yuēyuē jì de dāngshí de qíngjǐng.* I still have the faint memory of that time.

² **印 yìn ❶**〈动 *v.*〉留下痕迹 print; leave marks：雪地上~下了一串儿脚印。*Xuědì shang ~xiàle yí chuànr jiǎoyìn.* A trail of footprints have been left in the snow. ｜一个巴掌在他的脸上~上了五个手指印。*Yí gè bāzhǎng zài tā de liǎn shang ~shangle wǔ gè shǒuzhǐ yìn.* The slap has left a five-finger mark on his face. **❷**〈动 *v.*〉把文字、图画等复制到纸或其他物体上 print：~刷 *~shuā* printing ｜~染 *~rǎn* printing and dyeing of textiles ｜复~ *fù~* copy ｜彩~ *cǎi~* colored printing ｜这本书已经~了50万册了。*Zhè běn shū yǐjīng ~le wǔshí wàn cè le.* This book has been printed in five hundred thousand copies. **❸**〈动 *v.*〉符合 tally; conform：~证 *~zhèng* confirm ｜心心相~ *xīnxīn-xiāng~* have mutual affinity **❹**〈名 *n.*〉图章 seal; stamp：~章 *~zhāng* seal; signet; stamp ｜钢~ *gāng~* steel seal; embossed stamp ｜~泥 *~ní* inkpad ｜你这封介绍信上怎么没有盖~? *Nǐ zhè fēng jièshàoxìn shang zěnme méiyǒu gài ~*? Why hasn't your recommendation letter been sealed? **❺**(~儿)〈名 *n.*〉痕迹 mark：手~儿 *shǒu~r* fingerprint ｜脚~儿 *jiǎo~r* footprint ｜烙~ *lào~* brand **❻**(Yìn)〈名 *n.*〉印度的简称 abbr. form of India：中~友谊源远流长。*Zhōng ~ yǒuyì yuányuǎn-liúcháng.* The friendship between China and India has a long standing.

³ **印染 yìnrǎn**〈动 *v.*〉在纺织品上印花和染色 (of textiles) print; dye：~厂 *~chǎng* printing and dyeing works ｜~技术 *~jìshù* printing and dyeing techniques

² **印刷 yìnshuā**〈动 *v.*〉把文字或图画等制成版，涂上油墨，印在纸或其他材料上 print：~厂 *~chǎng* press; printing house ｜~术是中国古代四大发明之一。*~shù shì Zhōngguó gǔdài sì dà fāmíng zhīyī.* Printing is one of the four great inventions of ancient China.

² **印象 yìnxiàng**〈名 *n.*〉客观事物在人头脑里留下的迹象 impression：深刻的~ *shēnkè de ~* deep impression ｜模糊的~ *móhu de ~* vague impression ｜清晰的~ *qīngxī de ~* clear impression ｜我对他没什么特别的~。*Wǒ duì tā méi shénme tèbié de ~.* I have no special impression of him. ｜他给我留下了不错的~。*Tā gěi wǒ liúxiàle búcuò de ~.* He left me with a good impression.

² **应 yīng ❶**〈助动 *aux. v.*〉情理上必须如此 should; ought to：~该 *~gāi* should; ought to ｜有尽有 *~yǒu-jìnyǒu* have everything one expects to find ｜做事~分轻重缓急。*Zuòshì ~ fēn qīngzhòng-huǎnjí.* Work should be done in priority. ｜赡养父母是子女~尽的责任。*Shànyǎng fùmǔ shì zǐnǚ ~ jìn de zérèn.* Supporting parents is the obligation that children should undertake. **❷**〈动 *v.*〉回答 answer; respond：喊你半天怎么也不~一声？ *Hǎn nǐ bàntiān zěnme yě bù ~ yì shēng?* You've been called for quite a while. Why don't you answer？｜叫天天不~，喊地地不灵(形容孤立无援的境地)。*Jiào tiān tiān bù ~, hǎn dì dì bù líng (xíngróng gūlì wúyuán de jìngdì).* It's no use to seek help from heaven and earth (*fig.* in an isolated situation). **❸**〈动 *v.*〉允诺 agree; promise：允~ *yǔn~* assent; consent ｜既然我~下了，这事我一定负责到底。*Jìrán wǒ ~xià le, zhè shì wǒ yídìng fùzé dàodǐ.* Now that I've given my words, I will take care of it to the end.

² **应 yìng**, p. 1188

² **应当 yīngdāng**〈助动 *aux. v.*〉情理上必须如此 should; ought to：同学之间~互相帮

助。*Tóngxué zhījiān ～ hùxiāng bāngzhù.* Schoolmates should help each other. | 三个小时之内～可以到达目的地。*Sān gè xiǎoshí zhī nèi ～ kěyǐ dàodá mùdìdì.* We should be able to reach the destination in three hours. | 有病～到医院治疗。*Yǒu bìng ～ dào yīyuàn zhìliáo.* It's necessary to go to the hospital when you're ill.

¹应该 yīnggāi 〈助动 *aux. v.*〉理所当然 should; ought to：做错事情当然～检讨。*Zuò cuò shìqing dāngrán ～ jiǎntǎo.* Self-criticism is necessary if you do anything wrong. | 你～好好儿照顾妈妈。*Nǐ ～ hǎohāor zhàogù māma.* You should take good care of your mother. | 你毫无根据的责怪他，太不～了。*Nǐ háowú gēnjù de zéguài tā, tài bù ～ le.* You shouldn't blame him for no reason. | 同学们在遇到困难的时候～不～互相帮助？—当然～。*Tóngxuémen zài yùdào kùnnan de shíhòu ～ bù ～ hùxiāng bāngzhù? — Dāngrán ～.* Should the schoolmates help each other when they are in trouble? — Yes, of course.

³英镑 yīngbàng 〈名 *n.*〉英国的本位货币 pound：1～合100便士。*Yī ～ hé yìbǎi biànshì.* One pound equals 100 pence.

⁴英俊 yīngjùn ❶〈形 *adj.*〉形容男子容貌好看、有精神 handsome; good-looking and vigorous：小伙子长得挺～的。*Xiǎohuǒzi zhǎng de tǐng ～ de.* The young man is quite handsome. | 她的对象是个～的青年。*Tā de duìxiàng shì gè ～ de qīngnián.* Her boyfriend is a handsome young man. ❷〈形 *adj.* 书 *lit.*〉才智出众的 brilliant; eminently talented：～有为 ～ yǒuwéi brilliant and promising ❸〈名 *n.* 书 *lit.*〉才智出众的人 brilliant figure; excellent people：四方～ sìfāng ～ excellent people from all directions

³英明 yīngmíng 〈名 *n.*〉杰出而明智 outstanding and wise; brilliant：～领袖 ～ lǐngxiù outstanding leader | ～决策 ～ juécè wise decision | ～领导 ～ lǐngdǎo brilliant leadship

¹英文 Yīngwén 〈名 *n.*〉同'英语' same as '英语Yīngyǔ'

⁴英雄 yīngxióng ❶〈名 *n.*〉(位wèi、名míng)不畏困难，奋不顾身，为人民的利益英勇斗争而令人钦敬的人 hero; heroine：战斗～ zhàndòu ～ battle hero | 劳动～ láodòng ～ working hero | 人物～ rénwù hero | 民族～ mínzú ～ national hero ❷〈名 *n.*〉(位wèi、名míng、个gè)旧时指勇武过人的人 a hero：草莽～ cǎomǎng ～ Chinese Robin Hood; greenwood hero | 绿林～ lùlín ～ outlaws of the marshes ❸〈形 *adj.*〉具有英雄品质的 heroic; with qualities of a hero：～气概 ～ qìgài heroic spirit | ～本色 ～ běnsè inherent heroic qualities | ～的人民 ～ de rénmín heroic people | ～的军队 ～ de jūnduì heroic army.

²英勇 yīngyǒng 〈形 *adj.*〉勇敢出众 brave; heroic; valiant：～善战 ～ shànzhàn brave and skillful in fighting | ～不屈 ～ bùqū brave and unbending | ～的战士 ～ de zhànshì brave soldier | 战士在前方～杀敌。*Zhànshì zài qiánfāng ～ shādí.* Soldiers fought bravely against the enemy on the battlefront.

¹英语 Yīngyǔ 〈名 *n.*〉英、美、加、澳等国通行的语言 English：～老师 ～ lǎoshī English teacher | 在中国许多学生都选～作为第一外语。*Zài Zhōngguó xǔduō xuéshēng dōu xuǎn ～ zuòwéi dì-yī wàiyǔ.* In China, many students choose English as their first foreign language. | 他能说一口流利的美国～。*Tā néng shuō yìkǒu liúlì de Měiguó ～.* He can speak American English fluently.

³婴儿 yīng'ér 〈名 *n.*〉(个gè、名míng)未满周岁的孩子 baby; infant; child under one year：～食品 ～ shípǐn baby food | 今天妇产医院接生了10名～。*Jīntiān fùchǎn yīyuàn jiēshēngle shí míng ～.* Today the maternity hospital delivered ten babies.

⁴樱花 yīnghuā ❶〈名 *n.*〉一种供观赏的落叶乔木 cherry blossom：～原产于中国和日本。*～ yuán chǎn yú Zhōngguó hé Rìběn.* Cherry blossoms originally grow in China and

Japan. ❷〈名 n.〉这种植物的花 flower of this tree：这几天公园里举办～节，我们一起去赏花吧。*Zhè jǐ tiān gōngyuán li jǔbàn ~ jié, wǒmen yíqǐ qù shǎnghuā ba.* The cherry blossom festival is being held in the park these days. Shall we go to enjoy the flowers?

⁴ **鹰** yīng〈名 n.〉（只zhī）一种猛禽 hawk; eagle：一只雄～在天空翱翔。*Yì zhī xióng~ zài tiānkōng áoxiáng.* A hawk is hovering in the sky.

³ **迎** yíng ❶〈动 v.〉迎接（与'送'相对）welcome; greet; go to meet（opposite to '送 sòng'）：热烈欢～新同学。*Rèliè huān~ xīn tóngxué.* Warm welcome to new students.｜我们外事处就是做～来送往的工作。*Wǒmen wàishìchù jiùshì zuò ~lái-sòngwǎng de gōngzuò.* Our foreign affairs department is in charge of meeting and seeing off guests. ❷〈动 v.〉对着；冲着 against; towards：彩旗～风招展。*Cǎiqí ~fēng zhāozhǎn.* Colored flags flutter in the breeze.｜我部在正面～战敌人。*Wǒ bù zài zhèngmiàn ~zhàn dírén.* Our troops fought head-on against the enemy. ❸〈动 v.〉使自己符合别人的心意 cater to; purposely tailor one's words or behavior to others' intentions：～合～ *hé* cater to｜他那种曲意奉～的样子令人恶心。*Tā nà zhǒng qūyì-fèng~ de yàngzi lìngrén ěxīn.* It is so disgusting that he goes out of his way to curry favour with others.

² **迎接** yíngjiē〈动 v.〉热情地接待或等待某种人或事物 meet; welcome：～新娘 ~*xīnniáng* meet the bride｜～新生 ~*xīnshēng* welcome new students｜～贵宾 ~*guìbīn* meet the distinguished guest｜让我们热烈地～一个新时代的到来吧。*Ràng wǒmen rèliè de ~ yí gè xīn shídài de dàolái ba.* Let's warmly welcome the arrival of a new era.

⁴ **迎面** yíng//miàn〈动 v.〉正对着脸 head-on; in one's face：一辆车～驶来。*Yí liàng chē ~ shǐlái.* A car is coming toward me.｜他顶着的西北风朝街上走去。*Tā dǐngzhe ~ de xīběifēng cháo jiē shang zǒu qù.* He walked into the street against the northwest wind.｜迎着面～来一阵和煦的春风。*Yíngzhe miàn guā lái yí zhèn héxù de chūnfēng.* A mild spring breeze caresses my face.

⁴ **盈利** yínglì ❶〈动 v.〉获得利润 earn a profit：这笔买卖可～20万元。*Zhè bǐ mǎimai kě ~ èrshí wàn yuán.* This deal can earn a profit of two hundred thousand *yuan*. ❷〈名 n.〉工商业所赚的钱，也叫'利润'profits of commerce or industry, also '利润lìrùn'：我公司每年的～超过1亿元。*Wǒ gōngsī měinián de ~ chāoguò yíyì yuán.* The annual profits of my company are over a hundred million *yuan*.

⁴ **营** yíng ❶〈名 n.〉军队驻扎的地方 camp; barracks; military residence：～地 ~*dì* encampment; campsite｜军～ *jūn*~ military camp｜安～扎寨 ān~-*zhāzhài* pitch tents and erect fences｜战士们把～房打扫得干干净净。*Zhànshimen bǎ ~fáng dǎsǎo de gāngān-jìngjìng.* Soldiers swept their barracks clean. ❷〈名 n.〉军队的编制单位，在连以上、团以下 battalion：～长 ~*zhǎng* a battalion commander｜炮兵～ *pàobīng*~ artillery battalion ❸〈名 n.〉像军营一样的聚众场所 assembly place just like a military camp：集中～ *jízhōng*~ concentration camp｜这批逃亡者被收容在难民～。*Zhè pī táowángzhě bèi shōuróng zài nànmín~.* This batch of escapees were taken into a refugee camp. ❹〈动 v.〉谋求 try for; manage to：～救 ~*jiù* rescue｜钻～ *zuān*~ curry favor with sb. for personal gain｜～私舞弊 ~*sī-wǔbì* engage in malpractices for selfish ends; practice graft ❺〈动 v.〉筹划管理经济活动 plan and prepare economic activity：～办 ~*bàn* handle; undertake｜～业 ~*yè* do business｜经～ *jīng*~ manage; run; operate｜～造商 ~*zàoshāng* constructor

² **营养** yíngyǎng ❶〈动 v.〉有机体从外界吸取养料来维持生命 nourish;（of organisms）absorb nutrients from outside to sustain life：你病刚好，要好好儿～。*Nǐ bìng gāng hǎo, yào hǎohāor ~.* You have just recovered and should have more nutricious food.｜年老体弱应当加强～。*Niánlǎo tǐruò yīngdāng jiāqiáng ~.* The old

and the weak should have more nourishing food. ❷〈名 *n.*〉养分 nutrient; nutrition：~不良 ~ *bùliáng* lack of nutrition; dystrophia｜~过剩 ~ *guòshèng* overnutrition｜水果蔬菜都很富于~. *Shuǐguǒ shūcài dōu hěn fùyú ~*. Fruits and vegetables are nutritious.

² **营业** yíngyè 〈动 *v.*〉经营业务 do business：~员 ~*yuán* shop assistant｜~税 ~*shuì* business tax｜商店每天上午9时开始~. *Shāngdiàn měitiān shàngwǔ jiǔ shí kāishǐ ~*. The store starts business at nine o'clock every morning.｜内部装修，暂停~. *Nèibù zhuāngxiū, zàntíng ~*. Close temporarily for inner decoration.｜这家超市一天的~额超过50万元. *Zhè jiā chāoshì yì tiān de ~é chāoguò wǔshí wàn yuán*. One day's turnover of this supermarket is over five hundred thousand *yuan*.

⁴ **蝇子** yíngzi〈名 *n.*〉(只zhī、个gè)苍蝇的俗称 a colloquial term for fly：这杯牛奶让~叮过了，不能喝. *Zhè bēi niúnǎi ràng ~ dīngguo le, bù néng hē*. This glass of milk has been touched by the fly, so it is unfit for drinking.

¹ **赢** yíng ❶〈动 *v.*〉获胜(与'输'相对) win (opposite to '输shū')：这场球我队~了. *Zhè chǎng qiú wǒ duì ~ le*. Our team won this ball game.｜这盘棋我一定能~你. *Zhè pán qí wǒ yídìng néng ~ nǐ*. I will certainly beat you in this chess game.｜我玩儿麻将~了50块钱. *Wǒ wánr májiàng ~le wǔshí kuài qián*. I won fifty *yuan* in mahjong game.｜这场官司你打不~. *Zhè chǎng guānsī nǐ dǎ bù ~*. You will not win this lawsuit. ❷〈动 *v.*〉获利 gain profit：这个月公司略有~余. *Zhège yuè gōngsī lüè yǒu ~yú*. The company have had a little profit this month.

⁴ **赢得** yíngdé〈动 *v.*〉获得 win; gain：~胜利 ~ *shènglì* win victory｜~信任 ~ *xìnrèn* gain trust｜~喝彩 ~*hècǎi* draw the cheer｜他的讲演~了全场热烈的掌声. *Tā de jiǎngyǎn ~le quán chǎng rèliè de zhǎngshēng*. His speech won warm applause from the audience.

³ **影片** yǐngpiàn ❶〈名 *n.*〉(部bù、个gè) 放映的电影 film; movie：儿童~ értóng ~ children's film｜科技~ kējì ~ science film｜故事~ gùshi ~ feature film ❷〈名 *n.*〉(盘pán, 盒hé)放映电影用的成卷胶片 film

¹ **影响** yǐngxiǎng ❶〈动 *v.*〉对人或事物起作用 affect; influence：他的模范行为深刻地~了他周围的群众. *Tā de mófàn xíngwéi shēnkè de ~le tā zhōuwéi de qúnzhòng*. His exemplary deeds have deeply influenced people around him.｜吸烟~健康. *Xīyān ~ jiànkāng*. Smoking harms health.｜你们这么大声说话~别人学习. *Nǐmen zhème dàshēng shuōhuà ~ biérén xuéxí*. Your loud conversation may affect other people's study. ❷〈名 *n.*〉对人或事物所起的作用 effect; influence：他的文章产生了不小的~. *Tā de wénzhāng chǎnshēngle bù xiǎo de ~*. His article has generated great impact.｜你的错误行为给学校造成了很坏的~. *Nǐ de cuòwù xíngwéi gěi xuéxiào zàochéngle hěn huài de ~*. Your wrong behavior has produced negative influence on the school.

² **影子** yǐngzi ❶〈名 *n.*〉(个gè)物体被光线照射后，在地面或其他物体上映出的形象 shadow：人~ rén ~ a human shadow｜树~ shù ~ a tree shadow ❷〈名 *n.*〉物体在镜中或水面上反映出来的形象 reflection, image of an object reflected in a mirror or on water surface：湖面上倒映着塔的~. *Húmiàn shang dàoyìngzhe tǎ de ~*. The tower image is reflected on the lake. ❸〈名 *n.*〉模糊的形象 trace; vague impression：那件事我连一点儿也想不起来了. *Nà jiàn shì wǒ lián yìdiǎnr ~ yě xiǎng bù qǐlái le*. I don't have the slightest recollection of that event.｜我跑遍了整个楼，连他的~也没找到. *Wǒ pǎobiànle zhěnggè lóu, lián tā de ~ yě méi zhǎodào*. I've searched the whole building but found no trace of him.

³ **应** yìng ❶〈动 *v.*〉回答 answer; respond：一呼百~. *Yìhū-bǎi~*. Hundreds respond to a single call (wide respondence).｜学校号召为灾区捐款，大家纷纷响~. *Xuéxiào*

hàozhào wèi zāiqū juānkuǎn, dàjiā fēnfēn xiǎng~. Everyone responds enthusiastically to the school's call to donate for the disaster area. ❷〈动 *v.*〉接受；满足要求 comply with; meet the demand; accept：~邀 ~*yāo* on invitation｜有求必~。*Yǒuqiúbì* . Grant whatever is requested. ❸〈动 *v.*〉适应 suit; respond to:~用 ~*yòng* use; apply｜得心~手 *déxīn-~shǒu* with facility. ❹〈动 *v.*〉对付；处理 deal with; cope with：~付 ~*fù* handle｜ ~接不暇 ~*jiē-bùxiá* have too many visitors or too much business to deal with ❺〈动 *v.*〉 接应 coordinate with：里~外合 *lǐ~wàihé* act from inside in coordination with forces attacking from outside; collaborate from within with forces from outside ❻〈动 *v.*〉（预 言、预感和后来发生的事实）相符合 accord with; tally with:~验 ~*yàn* tally with; come true｜他一直说这个人不可靠，这下真~了他的话了。*Tā yìzhí shuō zhège rén bù kěkào, zhè xià zhēn ~le tā de huà le.* He always says that the man is not reliable, and now his words come true.

☞ yīng, p. 1185

³ **应酬** yìngchou ❶〈动 *v.*〉交际往来 have social contact with:~话 ~*huà* social remarks ｜我特别不善于~。*Wǒ tèbié bú shànyú ~.* I am not good at social association at all.｜ 今天我要~几个客户。*Jīntiān wǒ yào ~ jǐ gè kèhù.* Today I'll have a social gathering with some clients. ❷〈名 *n.*〉聚宴 social engagement; party:今晚我有一个~。*Jīnwǎn wǒ yǒu yí gè ~.* I'm going to attend a party this evening.

³ **应付** yìngfù ❶〈动 *v.*〉采取措施对待或处置 handle; cope with; adopt measures to deal with sb. or sth.：~局面 ~*júmiàn* deal with situation｜~事变 ~*shìbiàn* handle an incident ｜你要有~各种复杂情况的准备。*Nǐ yào yǒu ~ gèzhǒng fùzá qíngkuàng de zhǔnbèi.* You have to get well prepared to face all kinds of complicated situations. ❷〈动 *v.*〉敷 衍；凑合 do sth. perfunctorily; make do：你就在这张沙发上~一夜吧。*Nǐ jiù zài zhè zhāng shāfā shang ~ yí yè ba.* You have to make do with one night on this sofa.｜你就 给他几块钱，~一下算了。*Nǐ jiù gěi tā jǐ kuài qián, ~ yíxià suàn le.* Give him some money to gloss things over.

³ **应邀** yìngyāo〈动 *v.*〉接受邀请 accept sb.'s invitation; on invitation; at the invitation of sb.：英国首相~来我国进行访问。*Yīngguó shǒuxiàng ~ lái wǒ guó jìnxíng fǎngwèn.* The British prime minister will visit our country on invitation.｜十数位著名演员~参加 这次募捐活动。*Shí shù wèi zhùmíng yǎnyuán ~ cānjiā zhè cì mùjuān huódòng.* Dozen of famous actors and actresses attended the activity at our invitation solicit contributions.

² **应用** yìngyòng ❶〈动 *v.*〉使用 use; apply:~尖端技术 ~*jiānduān jìshù* apply most advanced technology｜这种先进方法已得到广泛地~。*Zhè zhǒng xiānjìn fāngfǎ yǐ dédào guǎngfàn de ~.* This advanced method has been widely applied.｜学习的目的在 于~。*Xuéxí de mùdì zàiyú ~.* The purpose of study is to use. ❷〈形 *adj.*〉可直接用于生 活或生产的 applied (in life or production):~文 ~*wén* practical writing｜~科学 ~*kēxué* applied science

⁴ **映** yìng ❶〈动 *v.*〉因光线照射而显出 reflect; mirror; shine:反~ *fǎn*~ reflect｜垂柳倒~ 在水面上。*Chuíliǔ dào~ zài shuǐmiàn shang.* Weeping willows are mirrored on the water. ❷〈动 *v.*〉照 shine upon; cast light upon：朝霞~红了天空。*Zhāoxiá ~hóngle tiānkōng.* The rosy clouds of dawn shine upon the sky. ❸〈动 *v.*〉放映影片 show a film：电影马上就要开~了。*Diànyǐng mǎshàng jiùyào kāi~ le.* The movie will soon begin.｜这部电影明天举行首~式。*Zhè bù diànyǐng míngtiān jǔxíng shǒu~shì.* The preliminary show of the movie will be held tomorrow.

² **硬** yìng ❶〈形 *adj.*〉物体坚固（与‘软’相对）hard; stiff to touch（opposite to ‘软

ruǎn'）:~币 ~bì coin ｜~卧 ~wò hard berths ｜~纸板 ~zhǐbǎn cardboard ❷〈形 adj.〉坚决；刚强；强硬 firm; unyielding: 软兼施 ruǎn~jiānshī use both hard and soft tactics; couple threats with promises ｜他的口气挺强～。Tā de kǒuqì tǐng qiáng~. His tone is very tough. ｜他是一条～汉子。Tā shì yì tiáo ~hànzi. He is a tough man. ❸〈形 adj.〉能力强；质量好 (of ability) strong; (of quality) good: 他学了一手～功夫。Tā xuéle yìshǒu ~ gōngfu. He has learnt to be skillful. ｜这批产品的质量保证过～。Zhè pī chǎnpǐn de zhìliàng bǎozhèng guò ~. The quality of this batch of goods is highly guaranteed. ❹〈形 adj.〉不可改变的 inflexible; unchangeable: ~ 指标 ~zhǐbiāo mandatory quota ｜~性措施 ~xìng cuòshī rigid measure ｜这是上级交下来的~任务, 必须在三天之内完成。Zhè shì shàngjí jiāo xiàlái de ~ rènwù, bìxū zài sān tiān zhī nèi wánchéng. This is a task assigned by higher authorities, but it must be finished in three days. ❺〈形 adj.〉不灵活 inflexible: 你的态度怎么这样僵~? Nǐ de tàidù zěnme zhèyàng jiāng~? Why do you still maintain such an inflexible attitude? ❻〈副 adv.〉勉强 be reluctant: 身体不舒服就别～挺着。Shēntǐ bù shūfu jiù bié ~ tǐngzhe. Don't force yourself to go on working if you don't feel well. ｜他不愿意去, 你干嘛～让他去呢? Tā bú yuànyì qù, nǐ gànmá ~ ràng tā qù ne? Why do you oblige him to go if he doesn't want to?

⁴ **硬件** yìngjiàn ❶〈名 n.〉构成计算机的部件和装置(区别于'软件') (of computer) hardware（different from '软件ruǎnjiàn'）: 这台计算机需要更新一些~。Zhè tái jìsuànjī xūyào gēngxīn yìxiē ~. Some hardware of this computer needs to be upgraded. ❷〈名 n.〉生产、科研、经营等工作中的设施、设备、条件等 mechanical equipment or materials used in production, scientific research, management, etc.: 这家宾馆的~是一流的, 但服务质量还有待提高。Zhè jiā bīnguǎn de ~ shì yīliú de, dàn fúwù zhìliàng hái yǒudài tígāo. The facilities of this hotel are first-class, but its service needs to be improved.

³ **哟** yo〈助 aux.〉用在句末, 表示祈使、赞叹、责怪 used at the end of a sentence to express an imperative or exclamatory tone, or blaming: 大家加把劲儿~! Dàjiā jiā bǎ jìnr ~! Everybody, work harder! ｜她长得真漂亮~! Tā zhǎng de zhēn piàoliang ~! She looks so beautiful! ｜瞧你干的这个事儿~! Qiáo nǐ gàn de zhège shìr ~! Look at what you have done!

² **拥抱** yōngbào〈动 v.〉搂抱 embrace: 热烈地~ rèliè de ~ embrace warmly ｜紧紧地~ jǐnjǐn de ~ embrace tightly ｜欢迎仪式上, 两国领导人热情、互致问候。Huānyíng yíshì shang, liǎng guó lǐngdǎorén rèqíng ~, hù zhì wènhòu. Leaders of the two countries warmly embraced and sent respects to each other at the welcoming ceremony.

² **拥护** yōnghù〈动 v.〉赞成并全力支持 uphold; endorse; agree to and fully support: 大家一致~学校的决定。Dàjiā yízhì ~ xuéxiào de juédìng. Everyone gives full support to school's decision. ｜他的提议立刻得到了大家的~。Tā de tíyì lìkè dédàole dàjiā de ~. His proposal soon won support from everyone.

³ **拥挤** yōngjǐ ❶〈动 v.〉挤在一起 push or squeeze together: 请大家排队入场, 不要~! Qǐng dàjiā páiduì rùchǎng, búyào ~! Please enter in a line. Don't push! ❷〈形 adj.〉挤在一起的样子 be crowded; be packed: 星期天超市里非常~。Xīngqītiān chāoshì li fēicháng ~. The supermarket is especially crowded on Sundays. ｜~的人群朝大门涌去。~ de rénqún cháo dàmén yǒngqù. The crowd rushed to the gate.

⁴ **拥有** yōngyǒu〈动 v.〉领有；具有(大量的土地、财产、人口等) possess; have; own (a great deal of land, property, population, etc.): 中国~960万平方公里的土地。

Zhōngguó ~ jiǔbǎi liùshí wàn píngfāng gōnglǐ de tǔdì. China covers an area of 9.6 million square kilometers. | 他是香港的首富，～数百亿美元的资产。*Tā shì Xiānggǎng de shǒufù, ~ shuò bǎi yì měiyuán de zīchǎn.* He is the richest person in Hong Kong, with a property of tens of billions of dollars.

⁴ **庸俗** yōngsú 〈形 *adj.*〉平庸鄙俗 vulgar; crude; of low tastes：吹吹拍拍是一种很～的作风。*Chuīchuī-pāipāi shì yì zhǒng hěn ~ de zuòfēng.* Boasting and toadying is a vulgar style of life. | 这种节目太低级～了。*Zhè zhǒng jiémù tài dījí ~ le.* This performance is of very low tastes.

⁴ **永垂不朽** yǒngchuí-bùxiǔ 〈成 *idm.*〉指人的精神、事迹等永远流传，不会磨灭 (of a person's spirit, deeds, etc) live forever; be immortal：人民英雄～！*Rénmín yīngxióng ~!* Eternal glory to the people's heroes!

⁴ **永久** yǒngjiǔ 〈形 *adj.*〉永远；长久 abiding; lasting; permanent; perpetual; everlasting; forever：~和平 ~ *hépíng* ever-lasting peace | 他的这张照片成了我～的纪念。*Tā de zhè zhāng zhàopiàn chéngle wǒ ~ de jìniàn.* This picture of his becomes a permanent souvenir for me.

⁴ **永远** yǒngyuǎn 〈副 *adv.*〉时间长久，没有终结 forever; ever：我～是你的朋友。*Wǒ ~ shì nǐ de péngyou.* I will be your friend forever. | 没想到他竟～从这个世界上消失了。*Méi xiǎngdào tā jìng ~ cóng zhège shìjiè shang xiāoshī le.* It's so unconceivable that he has disappeared from this world forever. | 我～不会忘记老师对我的教导。*Wǒ ~ bú huì wàngjì lǎoshī duì wǒ de jiàodǎo.* I will never forget my teacher's instructions.

² **勇敢** yǒnggǎn 〈形 *adj.*〉有胆量；不怕艰险 brave; valiant; courageous：勤劳的人民 *qínláo ~ de rénmín* industrious and courageous people | 他们在战场上表现得非常机智～。*Tāmen zài zhànchǎng shang biǎoxiàn de fēicháng jīzhì ~.* They are very clever and brave on the battlefield. | 登山队～地向珠峰挺进。*Dēngshānduì ~ de xiàng Zhūfēng tǐngjìn.* The mountaineers set out bravely for the Mount Qo–olangma .

² **勇气** yǒngqì 〈名 *n.*〉敢作敢为，毫不畏惧的气魄 courage; nerve：我鼓了鼓～，提出了自己的看法。*Wǒ gǔle gǔ ~, tíchūle zìjǐ de kànfǎ.* I gathered up my courage and put forward my views. | 想到可能出现的可怕后果，他的～顿时消失了。*Xiǎngdào kěnéng chūxiàn de kěpà hòuguǒ, tā de ~ dùnshí xiāoshī le.* He lost his courage when he thought of the terrible consequences to possibly appear.

⁴ **勇士** yǒngshì 〈名 *n.*〉(位wèi、名míng、个gè)有勇气、敢于斗争的人（与'懦夫'相对）brave fighter; warrior（opposite to '懦夫nuòfū'）：为人民的幸福而忘我奋斗的人才是真正的～。*Wèi rénmín de xìngfú ér wàngwǒ fèndòu de rén cái shì zhēnzhèng de ~.* The true brave fighters are those who struggle selflessly for people's happiness.

⁴ **勇于** yǒngyú 〈助动 *aux. v.*〉遇事勇敢，不退缩，不推诿 be bold in; have the courage to：~负责 ~ *fùzé* be brave in shouldering responsibilities | ~承认错误 ~ *chéngrèn cuòwù* have the courage to admit one's mistakes | 青年人应当～开拓进取。*Qīngniánrén yīngdāng ~ kāituò jìnqǔ.* Young people should have the courage to innovate and make progress.

³ **涌** yǒng ❶〈动 *v.*〉水或云气冒出 (of water or clouds) gush; pour; surge：风起云~（比喻事物发展迅猛，声势浩大）*fēngqǐ-yún~*（*bǐyù shìwù fāzhǎn xùnměng, shēngshì hàodà*）wind rising and clouds gathering（*fig.* develop rapidly with great momentum）| 一股泉水从地下~出来。*Yì gǔ quánshuǐ cóng dìxià ~ chūlái.* A stream of spring water gushes out. ❷〈动 *v.*〉从水或云气中冒出 rise; spring; well; emerge from water or clouds：从云海中~出一轮红日。*Cóng yúnhǎi zhōng ~chū yì lún hóngrì.* The red sun rose from

the clouds. ❸〈动 v.〉像水一样地涌出 surge; emerge: 泪如泉~。*Lèi rú quán~.* Tears burst out. │成千上万的人~向了广场。*Chéngqiān-shàngwàn de rén ~ xiàng le guǎngchǎng.* Tens of thousands of people rushed to the square. │一件件往事~上了他的心头。*Yíjiànjiàn wǎngshì ~shàngle tā de xīntóu.* Past events appeared in his mind one by one.

⁴ **涌现** yǒngxiàn〈动 v.〉人或事物在短时间内大量出现（of people or things）emerge in large numbers; spring up; come to the fore: 各行各业都~出了一批人才。*Gèháng-gèyè dōu ~chūle yì pī réncái.* Many talents come to the fore in every trade. │改革开放以来，中国农村~出了一大批乡镇企业。*Gǎigé kāifàng yǐlái, Zhōngguó nóngcūn ~ chūle yí dàpī xiāngzhèn qǐyè.* A large number of township enterprises have emerged since the beginning of the reform and opening drive.

³ **踊跃** yǒngyuè ❶〈形 adj.〉情绪热烈，行动积极 vying with one another; eagerly; enthusiastic: ~报名 ~ *bàomíng* be eager to sign up │~参加 ~ *cānjiā* be active in taking part in │请大家~发言。*Qǐng dàjiā ~ fāyán.* Please take the floor. ❷〈动 v.〉跳跃 leap; jump: 广场上人们~欢呼。*Guǎngchǎng shang rénmen ~ huānhū.* People on the square are jumping and cheering.

¹ **用** yòng ❶〈动 v.〉使用 use; employ; apply: 日~品 *rì~pǐn* commodity │如今连小学生也会~计算机了。*Rújīn lián xiǎoxuéshēng yě huì ~ jìsuànjī le.* Today even primary school pupils can use computers. │把你的字典借我~一下。*Bǎ nǐ de zìdiǎn jiè wǒ ~ yíxià.* Will you lend me your dictionary? ❷〈动 v.〉花费 cost; spend: 买这支笔才~了5块钱。*Mǎi zhè zhī bǐ cái ~le wǔ kuài qián.* This pen costs only 5 *yuan*. │我~了整整一天工夫才写完这篇文章。*Wǒ ~le zhěngzhěng yì tiān gōngfu cái xiěwán zhè piān wénzhāng.* It took me a whole day to finish this article. ❸〈动 v.〉需要（多用于否定式）need; have to（usu. used in a negative sentence）: 不~说我也知道你是怎么想的。*Bú ~ shuō wǒ yě zhīdào nǐ shì zěnme xiǎng de.* Don't tell me, I know what you are thinking about. │你不~为我担心，我会小心从事的。*Nǐ bú ~ wèi wǒ dānxīn, wǒ huì xiǎoxīn cóngshì de.* You needn't worry about me. I'll be careful. ❹〈动 v. 敬 pol.〉指吃喝等 eat; drink: 请~茶。*Qǐng ~ chá.* Have a cup of tea, please. ❺〈名 n.〉用处 use: 装了空调，这台电扇就没什么~了。*Zhuāngle kōngtiáo, zhè tái diànshàn jiù méi shénme ~ le.* This electric fan is out of use after we install an air-conditioner. ❻〈名 n.〉费用 expense: 省吃俭~ *shěngchī-jiǎn~* save money on food and expenses; live frugally │妈妈每月给我30块钱零~。*Māma měi yuè gěi wǒ sānshí kuài qián líng~.* Every month my mother gives me 30 *yuan* as pocket money. ❼〈介 prep.〉引进动作所凭借或使用的手段、工具等 by means of; make use of: ~电炉烧饭 ~ *diànlú shāofàn* cook with electric cooker │~科学抗击非典 ~ *kēxué kàngjī fēidiǎn* fight against SARS with science

² **用不着** yòngbuzháo ❶〈动 v.〉没有必要 no need: 你就在这儿吃吧，~客气。*Nǐ jiù zài zhèr chī ba, ~ kèqi.* You may eat here, and there is no need to stand on ceremony. │一点儿小事，~谢。*Yì diǎnr xiǎoshì, ~ xiè.* This is only a bagatelle, and there is no need for you to thank me. ❷〈动 v.〉不需要 need not: 这些冬衣已经~了，收起来吧。*Zhèxiē dōngyī yǐjīng ~ le, shōu qǐlái ba.* There is no need to wear these winter clothes. Please tidy them away. │这笔钱我暂时还~，你可以拿去用。*Zhè bǐ qián wǒ zànshí hái ~, nǐ kěyǐ ná qù yòng.* This sum of money is of no use to me for the time being, and you may get it.

² **用处** yòngchu ❶〈名 n.〉（种 zhǒng、个 gè）用途 use; application: 电脑的~可多了。*Diànnǎo de ~ kě duō le.* The computer has many uses. │这种机器有什么~？*Zhè zhǒng*

jīqì yǒu shénme ~? What uses does this machine have? | 这种食品加工器有好几种~。 *Zhèzhǒng shípǐn jiāgōngqì yǒu hǎo jǐ zhǒng ~.* This food-processing machine has several uses. ❷〈名 n.〉作用 effect; function：他这个人很固执，说他也没有~。 *Tā zhège rén hěn gùzhí, shuō tā yě méiyǒu ~.* It's no use to persuade him for he is very stubborn. | 相互埋怨有什么~，还是一起想法补救吧。 *Xiānghù mányuàn yǒu shénme ~, háishì yìqǐ xiǎngfǎ bǔjiù ba.* It's no use complaining about each other. Let's find a way to make it up.

⁴ **用法** yòngfǎ〈名 n.〉（种zhǒng、个gè）使用的方法 use; usage：使用词典要先掌握各种词典的不同~。 *Shǐyòng cídiǎn yào xiān zhǎngwò gèzhǒng cídiǎn de bùtóng ~.* One should learn about the functions of all kinds of dictionaries before using them. | 这个词有好几种~。 *Zhège cí yǒu hǎo jǐ zhǒng ~.* This word has several usages. | 这种数码相机怎么~? *Zhè zhǒng shùmǎ xiàngjī zěnme ~?* How do you use this kind of digital camera?

² **用功** yònggōng ❶〈动 v.〉努力学习 study hard：你平时不~，临考试开夜车也没什么用的。 *Nǐ píngshí bú ~, lín kǎoshì kāiyèchē yě méi shénme yòng de.* It's of little use burning the midnight oil before the examination if you don't study hard in normal times. ❷〈形 adj.〉学习勤奋 hardworking; studious：他一向很~，一定能考上大学的。 *Tā yíxiàng hěn ~, yídìng néng kǎoshàng dàxué de.* He has always been studying hard and will certainly pass the college entrance examination.

⁴ **用户** yònghù〈名 n.〉某些设备或商品的使用者或消费者 user; consumer：厂家经常征求~的意见。 *Chǎngjiā jīngcháng zhēngqiú ~ de yìjiàn.* Manufacturers often seek opinions from their consumers.

⁴ **用具** yòngjù〈名 n.〉（种zhǒng）用于生活或生产的器具 utensil; apparatus; appliance; gear：厨房~ *chúfáng* ~ kitchen utensils | 消防~ *xiāofáng* ~ fire-fighting apparatus | 这家文具店里各种学习~一应俱全。 *Zhè jiā wénjùdiàn li gèzhǒng xuéxí ~ yīyìng-jùquán.* There are all kinds of stationery goods at this stationer's.

² **用力** yòng〈动 v.〉用力气 exert oneself; put forth one's strength：我~推开了门。 *Wǒ ~ tuīkāile mén.* I pushed the door open with an effort. | 你用点儿力行不行? *Nǐ yòng diǎnr lì xíng bù xíng?* Can't you exert yourself?

³ **用品** yòngpǐn〈名 n.〉（种zhǒng）应用的物品 articles for use：学习~ *xuéxí* ~ study articles | 办公~ *bàngōng* ~ office goods; office articles | 床上~ *chuángshang* ~ beddings | 消毒~ *xiāodú* ~ disinfecting articles | 卫生~ *wèishēng* ~ sanitary articles

⁴ **用人** yòngren〈名 n.〉（个gè、名míng）仆人 servant：当~ *dāng* ~ serve as a servant | 她家过去有好多个~。 *Tā jiā guòqù yǒu hǎoduō gè ~.* There used to be several servants in her family.

³ **用途** yòngtú〈名 n.〉（种zhǒng）应用的方面或范围 (of aspect or range) use; application; purpose：~说明 ~ *shuōmíng* directions | 塑料的~很广。 *Sùliào de ~ hěn guǎng.* Plastic has many uses.

³ **用心** I yòng // xīn〈动 v.〉集中注意力；花费精力 diligently; attentively; with concentrated attention：上课时要~听讲。 *Shàngkè shí yào ~ tīngjiǎng.* Listen attentively to the lecture when you attend the class. | 这道题你用点心就会做了。 *Zhè dào tí nǐ yòng diǎnr xīn jiù huì zuò le.* You will work out this question if you concentrate on it. Ⅱ yòngxīn〈名 n.〉居心；存心 motive; intention：险恶~ *xiǎn'è* ~ vicious intention; sinister motives | 他这么说完全是别有~。 *Tā zhème shuō wánquán shì biéyǒu ~.* He has made the remarks with ulterior motives.

⁴**用意** yòngyì〈名 n.〉企图；动机 intention; purpose：他的~很明白，就是挑拨你和我的关系。*Tā de ~ hěn míngbai, jiùshì tiǎobō nǐ hé wǒ de guānxì.* His intention is clear, namely, to sow discord between you and me.

⁴**优** yōu ❶〈形 adj.〉好；非常好（与'劣'相对）good; excellent（opposite to '劣'）：~点 ~diǎn merit; advantage; virtue｜他是一位品学兼~的学生。*Tā shì yí wèi pǐnxuéjiān~ de xuésheng.* He is a good student who has good moral characters and scholarship.｜这次公司招聘以择~录取为原则。*Zhè cì gōngsī zhāopìn yǐ zé~ lùqǔ wéi yuánzé.* The company will employ on the basis of competitive merit this time. ❷〈形 adj.〉充足；丰厚 ample; abundant; affluent; plentiful：她家的条件非常~裕。*Tā jiā de tiáojiàn fēicháng ~yù.* Her family lives in affluence.｜我们公司的待遇相当~厚。*Wǒmen gōngsī de dàiyù xiāngdāng ~hòu.* Our company will provide you with generous pay. ❸〈动 v.〉优待 give preferential treatment：~惠价格 ~huì jiàgé preferential price｜女士~先。*Nǚshì ~xiān.* Lady first. ❹〈名 n.〉旧时称演戏的人 (in old days) actor or actress：名~ míng~ famous actor

²**优点** yōudiǎn〈名 n.〉（个gè、条tiáo）好处；长处（与'缺点'相对）merit; strong point; advantage; virtue（opposite to '缺点quēdiǎn'）：你身上的~很多，但缺点也很突出。*Nǐ shēn shang de ~ hěn duō, dàn quēdiǎn yě hěn tūchū.* You have many merits, but your demerits are also obvious.｜热心助人是他最大的~。*Rèxīn zhùrén shì tā zuì dà de ~.* Helping others warm-heartedly is his most outstanding merit.｜要发扬~，克服缺点。*Yào fāyáng ~, kèfú quēdiǎn.* One should enhance his merits and overcome his demerits.

⁴**优惠** yōuhuì〈形 adj.〉给以特殊照顾的 preferential; favorable：~贷款 ~ dàikuǎn loan on favorable terms｜~待遇 ~ dàiyù preferential treatment｜研究所给我提供了非常~的条件。*Yánjiūsuǒ gěi wǒ tígōngle fēicháng ~ de tiáojiàn.* The research institute has provided me with favorable working and living conditions.

⁴**优良** yōuliáng〈形 adj.〉非常好 fine; good：~品种 ~ pǐnzhǒng good variety｜~传统 ~ chuántǒng fine tradition｜发扬实事求是的~作风。*Fāyáng shíshì-qiúshì de ~ zuòfēng.* To carry forward the fine style of being practical and realistic｜大学期间我的各科成绩~。*Dàxué qījiān wǒ de gè kē chéngjì ~.* I got good grades in every course when I was in college.

²**优美** yōuměi〈形 adj.〉美好；给人以美感的 graceful; fine; exquisite：~环境 ~ huánjìng fine environment｜~风景 ~ fēngjǐng ~ fine scenery｜~的舞姿 ~ de wǔzī graceful postures of dancers｜~的造型 ~ de zàoxíng exquisite sculpt｜这篇散文的语言十分~。*Zhè piān sǎnwén de yǔyán shífēn ~.* This essay is beautifully written.

³**优胜** yōushèng ❶〈形 adj.〉成绩优异；胜过别人 winning; superior：~奖 ~jiǎng an award for excellence｜~者 ~zhě winner ❷〈名 n.〉胜利 victory：这次演讲比赛中我班获得~。*Zhè cì yǎnjiǎng bǐsài zhōng wǒ bān huòdé ~.* Our class won in this speech contest.

³**优势** yōushì〈名 n.〉能压倒对方的有利形势（与'劣势'相对）superiority; preponderance; dominant position（opposite to '劣势lièshì'）：在这一轮比赛中我队略占~，一定要保持这个~。*Zài zhè yì lún bǐsài zhōng wǒ duì lüè zhàn ~, yídìng yào bǎochí zhège ~.* Our team played better in this round and we must keep this advantage.｜集中~兵力，各个击破敌人。*Jízhōng ~ bīnglì, gègè jīpò dírén.* Concentrate superior forces and defeat enemy troops one by one.

⁴**优先** yōuxiān〈形 adj.〉在待遇上占先 have priority; take precedence (in treatment)：~发展 ~fāzhǎn develop preferentially｜~考虑 ~ kǎolǜ give priority to sth.｜有特长的考

生可以～录取。*Yǒu tècháng de kǎoshēng kěyǐ ～ lùqǔ.* Examinees with special skills have the priority in getting admitted.

² **优秀** yōuxiù〈形 *adj.*〉非常好；非常突出 outstanding; excellent; splendid; fine:～干部～ *gànbù* excellent officials ｜～学生～ *xuésheng* excellent students ｜～作品～ *zuòpǐn* excellent works ｜～成绩～ *chéngjì* excellent grades ｜他是一位～的歌唱家。*Tā shì yí wèi ～ de gēchàngjiā.* He is an excellent singer.

³ **优异** yōuyì〈形 *adj.*〉特别好 excellent; outstanding; exceedingly good:～的成绩～ *de chéngjì* brilliant result ｜他在防治传染病的领域作出了～的贡献。*Tā zài fángzhì chuánrǎnbìng de lǐngyù zuòchūle ～ de gòngxiàn.* He has made outstanding contributions in the area of prevention and cure of infectious diseases.

³ **优越** yōuyuè〈形 *adj.*〉(环境、条件等) 特别好 superior; advantageous:～性 *~xìng* superiority ｜不少独生子女从小生活在～的环境里，有一种～感。*Bùshǎo dúshēng zǐnǚ cóngxiǎo shēnghuó zài ～ de huánjìng li, yǒu yì zhǒng ~gǎn.* Many single children have a sense of superiority because they have been living in a better environment since childhood. ｜我们研究所的工作条件很～。*Wǒmen yánjiūsuǒ de gōngzuò tiáojiàn hěn ～.* The working conditions in our research institute are very good.

³ **优质** yōuzhì ❶〈形 *adj.*〉质量优良 (与 '劣质' 相对) high-quality; high-grade (opposite to '劣质lièzhì'):～产品～ *chǎnpǐn* high-quality products ｜～服务～ *fúwù* high-grade service ｜～棉花～ *miánhuā* high-grade cotton ❷〈名 *n.*〉优秀的质量 high quality; high grade:我们工厂必须创~，才能在市场上有一席之地。*Wǒmen gōngchǎng bìxū chuàng ～, cái néng zài shìchǎng shang yǒu yìxízhīdì.* Our factory must develop products with high qualities in order to have a share in the market.

⁴ **忧虑** yōulǜ〈动 *v.*〉忧愁担心 worry; be worried; be concerned with:对她的处境我深感～。*Duì tā de chǔjìng wǒ shēngǎn ～.* I am deeply concerned about her situation. ｜他一直对自己的前途感到～不安。*Tā yìzhí duì zìjǐ de qiántú gǎndào ～ bù'ān.* He worries about his future all along.

⁴ **忧郁** yōuyù〈形 *adj.*〉忧愁郁闷 melancholy; heavy-hearted; dejected:神情～ *shénqíng ～* look dejected ｜～的目光～ *de mùguāng* dejected sight ｜他屡遭不公正的待遇，终于～成疾。*Tā lǚ zāo bù gōngzhèng de dàiyù, zhōngyú ～ chéngjí.* He met with unfair treatments repeatedly and fell ill with melancholy in the end.

⁴ **幽静** yōujìng〈形 *adj.*〉幽雅寂静 quiet and secluded; peaceful:这么～的环境，真是读书的好地方。*Zhème ～ de huánjìng, zhēnshì dúshū de hǎo dìfang.* It's most desirable to read in such a serene environment.

⁴ **幽默** yōumò〈形 *adj.*〉有趣而意味深长的，英语humor的音译 humorous and meaningful:～感 *~gǎn* sense of humor ｜～的言谈～ *de yántán* humorous words ｜卓别林是一位～大师。*Zhuóbiélín shì yí wèi ～ dàshī.* Charles Chaplin is a great master of humorous performance.

² **悠久** yōujiǔ〈形 *adj.*〉年代久远的 long; time-honored; long-standing; age-old:～的文化 ～ *de wénhuà* age-old culture ｜中国、印度和埃及都是历史～的文明古国。*Zhōngguó, Yìndù hé Āijí dōu shì lìshǐ ～ de wénmíng gǔguó.* China, India and Egypt are all ancient countries with a long history of civilization.

¹ **尤其** yóuqí〈副 *adv.*〉更加，表示进一步 especially; particularly:我喜欢看舞蹈,～是芭蕾舞。*Wǒ xǐhuan kàn wǔdǎo, ～ shì bālěiwǔ.* I like to watch dances, especially ballet. ｜要注意卫生,～饮食卫生。*Yào zhùyì wèishēng, ～ shì yǐnshí wèishēng.* Pay attention to hygiene, especially dietetic hygiene. ｜她不爱说话,～在人多的地方。*Tā bú ài*

shuōhuà, ~ *zài rén duō de dìfang*. She is not talkative, especially before many people.

² **由** yóu ❶〈介 *prep.*〉表示某事归某人或某单位去做 done by sb. or some unit：这件事~我负责处理。*Zhè jiàn shì ~ wǒ fùzé chǔlǐ*. I'll be responsible for this matter.｜校长决定~我担任系主任。*Xiàozhǎng juédìng ~ wǒ dānrèn xìzhǔrèn*. The president has decided that I be head of the department. ❷〈介 *prep.*〉根据；凭借 because of; due to：~这份旁证材料可以得出结论，他不在案发现场。*~ zhè fèn pángzhèng cáiliào kěyǐ déchū jiélùn, tā bú zài ànfā xiànchǎng*. From this circumstantial evidence, we can draw the conclusion that he was not on the scene of the crime. ❸〈介 *prep.*〉自；从 from：他~小到大从来没有离开过家。*Tā ~ xiǎo dào dà cónglái méiyǒu líkāiguo jiā*. He has not left his home since childhood.｜咱们下午3点~学校南门出发。*Zánmen xiàwǔ sān diǎn ~ xuéxiào nán mén chūfā*. We will set out at 3 p. m. from the south gate of our school. ❹〈介 *prep.*〉由于 because of; due to：咎~自取 *jiù~zìqǔ* trouble of one's own making; have only oneself to blame｜这种传染病是~病毒引起的。*Zhè zhǒng chuánrǎnbìng shì ~ bìngdú yǐnqǐ de*. Viruses cause this kind of infectious disease. ❺〈动 *v.*〉经过 pass through; go by way of：刻苦学习是成才的必~之路。*Kèkǔ xuéxí shì chéngcái de bì~zhīlù*. Hard working is the only way to become a talent. ❻〈动 *v.*〉听凭；顺着 be up to sb.; rest with sb.：办事情可不能~着自己的性子。*Bàn shìqing kě bù néng ~zhe zìjǐ de xìngzi*. One cannot handle things willfully. ❼〈名 *n.*〉原因 reason; cause：理~ *lǐ~* reason｜任何事情的发生总有它的缘~。*Rènhé shìqing de fāshēng zǒng yǒu tā de yuán~*. Nothing happens without a reason.

⁴ **由此可见** yóucǐkějiàn〈动 *v.*〉从这里可以看出 know from this; thus it can be seen; this shows：一个标题就有两处差错，~这本书的校对质量之差了。*Yí gè biāotí jiù yǒu liǎng chù chācuò, ~ zhè běn shū de jiàoduì zhìliàng zhī chà le*. There are two mistakes in one title, which shows the poor proofreading of this book.

² **由于** yóuyú〈介 *prep.*〉表示下文的原因或理由 owing to; thanks to; as a result of; due to：两名主力被罚下场，我队以98比101落败。*~ liǎng míng zhǔlì bèi fá xià chǎng, wǒ duì yǐ jiǔshíbā bǐ yìbǎi líng yī luòbài*. Our team lost the game 98 to 101 because two main players of our team had been fouled out.｜他认真学习汉语的语音语调，现在他说起话来都听不出是外国人了。*~ tā rènzhēn xuéxí Hànyǔ de yǔyīn yǔdiào, xiànzài tā shuō qǐ huà lái dōu tīng bù chū shì wàiguórén le*. He has studied Chinese pronunciation earnestly, and now one can hardly see that he is a foreigner when he speaks.

³ **邮包** yóubāo〈名 *n.*〉(个gè)通过邮局寄送的包裹 postal parcel; parcel：今天他收到一个~,是女朋友送给他的生日礼物。*Jīntiān tā shōudào yí gè ~, shì nǚpéngyou sòng gěi tā de shēngrì lǐwù*. He received a parcel today, which was a birthday gift sent by his girl friend.｜请你到邮局帮我取一个~,好吗？*Qǐng nǐ dào yóujú bāng wǒ qǔ yí gè ~, hǎo ma?* Will you go to the post office and get a parcel for me?

⁴ **邮电** yóudiàn〈名 *n.*〉邮政电信的合称 post and telecommunications：~局 ~jú post office｜他念的是~大学，毕业后在~部门工作。*Tā niàn de shì ~dàxué, bìyè hòu zài ~ bùmén gōngzuò*. He studies in a post and telecommunications college, and will work in a post and telecommunications department after graduation.

⁴ **邮购** yóugòu〈动 *v.*〉通过邮递购买 mail-order; purchase by mail：~部 ~bù mail-order department｜这种词典你可以~,除书价外加收10元邮费。*Zhè zhǒng cídiǎn nǐ kěyǐ ~, chú shūjià wài jiā shōu shí yuán yóufèi*. You may purchase this dictionary by mail. In addition to the price of the book ten *yuan* of postage will be charged.

⁴ **邮寄** yóujì〈动 *v.*〉通过邮局寄递 send by post; mail：请尽快将资料~给我。*Qǐng*

jǐnkuài jiāng zīliào ~ gěi wǒ. Please mail the materials to me as soon as possible. │我上星期~给你一个包裹，收到了没有？ *Wǒ shàng xīngqī ~ gěi nǐ yí gè bāoguǒ, shōudàole méiyǒu?* I sent a parcel to you by post last week. Have you received it?

¹邮局 yóujú〈名 n.〉(个gè、所suǒ)办理邮政和电信业务的机构 post office：我家附近有一所~。 *Wǒ jiā fùjìn yǒu yì suǒ ~.* There is a post office around my home. │现在~还可以办理储蓄业务。 *Xiànzài ~ hái kěyǐ bànlǐ chǔxù yèwù.* The post office can handle savings now. │这笔货款我通过~汇给你。 *Zhè bǐ huòkuǎn wǒ tōngguò ~ huì gěi nǐ.* I'll mail this payment for the goods through post office.

¹邮票 yóupiào〈名 n.〉(张zhāng、枚méi、套tào)邮局发行的用以贴在邮件上的邮资凭证 postage stamp; stamp：普通~ *pǔtōng ~* ordinary stamp │纪念~ *jìniàn ~* commemorative stamp │寄信别忘了贴~。 *Jì xìn bié wàngle tiē ~.* Don't forget to paste a stamp when you send a letter.

³邮政 yóuzhèng〈名 n.〉邮电业务的总称 general term for postal services：~局 ~*jú* post office │~编码 ~*biānmǎ* postcode (Great Britain); zip code; zip (America); postal code (China) │我父亲在~部门工作。 *Wǒ fùqīn zài ~ bùmén gōngzuò.* My father works in the postal service.

犹如 yóurú〈动 v.〉好像 as; like; as if：他们两位老人家待我~亲生父母。 *Tāmen liǎng wèi lǎorénjia dài wǒ ~ qīnshēng fùmǔ.* The two old people treat me as my own parents. │这条不幸的消息，~晴天霹雳，令我无比震惊。 *Zhè tiáo búxìng de xiāoxi, ~ qíngtiān pīlì, lìng wǒ wúbǐ zhènjīng.* I was greatly shocked at this sad news, which was like a bolt out of the blue.

³犹豫 yóuyù❶〈动 v.〉拿不定主意 hesitate：你要去就赶紧去，还~什么！ *Nǐ yào qù jiù gǎnjǐn qù, hái ~ shénme!* Hurry up if you want to go. Why hesitate? ❷〈形 adj.〉拿不定主意的样子 be irresolute：听说要给灾区捐款，他毫不~地拿出了500块钱。 *Tīngshuō yào gěi zāiqū juānkuǎn, tā háo bù ~ de náchūle wǔbǎi kuài qián.* He donated 500 *yuan* without hesitation on hearing about raising money for the disaster area. │他这个人不爽快，办起事来总是犹犹豫豫的。 *Tā zhège rén bù shuǎngkuài, bàn qǐ shì lái zǒngshì yóuyóu-yùyù de.* He is not straightforward and always hesitates when doing things.

²油 yóu❶〈名 n.〉(滴dī、桶tǒng、瓶píng)动植物体内的液态脂肪 oil; fat; grease：老年人应该少吃动物~，多吃植物~。 *Lǎoniánrén yīnggāi shǎo chī dòngwù~, duō chī zhíwù~.* The elderly should eat more vegetable oil and less animal oil. │这个菜是锅前要滴上几滴香~。 *Zhège cài qǐguō qián yào dīshàng jǐ dī xiāng~.* Add a little sesame oil to this dish before it is put into a plate. ❷〈名 n.〉矿产的碳氢化合物的混合物体 petroleum; mixed mineral liquids of hydrocarbon compounds：汽~ *qì~* gasoline │柴~ *chái~* diesel oil │润滑~ *rùnhuá~* lubricating oil │~田 ~*tián* oilfield │~轮 ~*lún* oil tanker; tanker ❸〈动 v.〉用桐油或油漆等涂抹 apply tung oil, varnish, or paint to：门窗已~饰一新。 *Ménchuāng yǐ ~shì yìxīn.* The doors and windows are freshly painted. │油漆家具最少也要~上10遍。 *Yóuqī jiājù zuì shǎo yě yào ~shàng shí biàn.* Furniture should be painted ten times at least. ❹〈动 v.〉被油弄脏 be stained or smeared with oil or grease：这件衣服给~了一大片。 *Zhè jiàn yīfu gěi ~le yí dà piàn.* A large patch of the clothes is smeared with grease. ❺〈形 adj.〉圆滑 oily; glib：~腔滑调 ~*qiāng-huádiào* glib; oily │这个人太~了。 *Zhège rén tài ~ le.* The guy is too tricky.

⁴油菜 yóucài❶〈名 n.〉一年或二年生草本植物，种子可榨油 rape; annual or biennial herbal plant, its seeds can be used for extracting oil：田野里开遍了金黄的~花。 *Tiányě* *lì kāibiànle jīnhuáng de ~ huā.* The golden rape flowers are blooming all over the field. ❷〈名 *n.*〉二年生草本植物，是普通蔬菜 biennial herbal plant, a kind of ordinary vegetable：中午我吃了一盘炒~。*Zhōngwǔ wǒ chīle yì pán chǎo ~.* I ate a dish of stir-fried vegetable at noon.

⁴ **油画** yóuhuà〈名 *n.*〉(幅 fú、张 zhāng)用含油脂的颜料在布或木板上绘制的画 oil painting; Western-style painting：~家 *~jiā* oil painting artist │ ~展 *~zhǎn* oil painting exhibition │ 凡高的这幅~价值连城。*Fàngāo de zhè fú ~ jiàzhí-liánchéng.* This oil painting of Van Gogh is invaluable.

⁴ **油料** yóuliào〈名 *n.*〉榨取植物油的原料 raw material for extracting edible oil：花生、大豆、油菜都是~作物。*Huāshēng, dàdòu, yóucài dōushì ~ zuòwù.* Peanuts, soybeans, and rape are all oil-bearing crops.

⁴ **油漆** yóuqī ❶〈名 *n.*〉一种涂料，涂于各种器物的外表，起保护和增加光泽的作用 paint：你家装修用什么~？是环保的吗？*Nǐ jiā zhuāngxiū yòng shénme ~? Shì huánbǎo de ma?* What kind of paint do you use for home decoration? Is it environmentally friendly? ❷〈动 *v.*〉用油漆涂抹 cover with paint; paint：这张桌子要~一下了。*Zhè zhāng zhuōzi yào ~ yīxià le.* This table needs painting.

³ **油田** yóutián〈名 *n.*〉(片 piàn、处 chù)可供开采的大面积储油层地带 oilfield：这片~的面积有几百平方公里。*Zhè piàn ~ de miànjī yǒu jǐ bǎi píngfāng gōnglǐ.* This oilfield covers hundreds of square kilometers.

⁴ **铀** yóu〈名 *n.*〉一种金属元素，符号 U uranium (U)：~是重要的核燃料，可以用来制造原子弹。*~ shì zhòngyào de héránliào, kěyǐ yòng lái zhìzào yuánzǐdàn.* Uranium is an important nuclear fuel, which may be used to make atomic bombs.

³ **游** yóu ❶〈动 *v.*〉在水中移动 swim; move in water：~泳 *~yǒng* swim │ 金鱼在水缸里~来~去。*Jīnyú zài shuǐgāng li ~lái ~qù.* The goldfish swims in the water tank. ❷〈动 *v.*〉闲逛；游玩；旅游 rove around; stroll; travel; tour：~荡 *~dàng* idle; loaf about │ ~戏 *~xì* game; play games │ ~乐场 *~lèchǎng* place for entertainment │ ~山玩水 *~shān wánshuǐ* visit mountains and waters; see the world ❸〈动 *v.*〉不固定；移动 move around; move about; rove：~动 *~dòng* move │ ~猎 *~liè* rove around for hunting │ ~资 *~zī* idle fund; idle money │ ~牧生活 *~mù shēnghuó* nomadic life │ 无业~民 *wúyè~mín* hobo; vagrant ❹〈动 *v.* 书 *lit.*〉交往 associate with; make acquaintances with; make friends with：此人交~甚广。*Cǐ rén jiāo~ shèn guǎng.* The man has many friends. ❺〈名 *n.*〉江河的一段 section of a river; reach：上~ *shàng~* upper reachs │ 中~ *zhōng~* middle reachs

⁴ **游击** yóujī〈动 *v.*〉分散的袭击活动 guerrilla warfare：~队 *~duì* guerrilla forces; guerrilla detachment │ ~战 *~zhàn* guerrilla war; guerrilla warfare │ ~战术 *~zhànshù* tactics of guerrilla war

⁴ **游客** yóukè〈名 *n.*〉(名 míng、个 gè、位 wèi、群 qún)游人 visitor; sightseer; tourist：每天都有上千名外国~参观故宫。*Měi tiān dōu yǒu shàng qiān míng wàiguó ~ cānguān Gùgōng.* Thousands of tourists visit the Imperial Palace everyday. │ 请问哪位~丢失了手提包？*Qǐng wèn nǎ wèi ~ diūshīle shǒutíbāo?* Which tourist has lost his handbag?

² **游览** yóulǎn〈动 *v.*〉从容到处观看风景、名胜等 go sightseeing; tour; visit：~日程 *~rìchéng* tourist agenda │ 今天我要带一批外国朋友~长城。*Jīntiān wǒ yào dài yì pī wàiguó péngyou ~ Chángchéng.* I will guide a group of foreign friends to visit the Great Wall today.

⁴ **游人** yóurén〈名 *n.*〉(名 míng、个 gè、群 qún)游览的人 visitor; sightseer; tourist：~止

步。~ *zhǐbù*. No Tourist. Out of bound! │公园里~如织。*Gōngyuán li ~ rú zhī.* There are crowds of tourists in the park.

³ **游戏** yóuxì ❶〈名 *n.*〉有一定规则的文化娱乐活动 recreation; game：智力~*zhìlì* ~ intellectual game │~室里有猜灯谜、扑克牌、各种棋艺~供大家选择。*~shì li yǒu cāidēngmí, pūkèpái, gè zhǒng qíyì ~ gōng dàjiā xuǎnzé.* There are games such as guessing riddles, playing cards and all kinds of chesses in the recreation room for everyone to choose. ❷〈动 *v.*〉玩耍；做游戏 play games：一群孩子在沙滩上~。*Yì qún háizi zài shātān shang ~.* A group of children are playing on the beach.

³ **游行** yóuxíng〈动 *v.*〉为了表示庆祝、纪念或示威等结队在街上行进 parade; march; demonstration for celebration, commemoration or protest：~队伍 ~ *duìwu* procession; parade; contingents of marchers │示威~*shìwēi* ~ demonstration │世界各地纷纷举行反战~。*Shìjiè gè dì fēnfēn jǔxíng fǎnzhàn ~.* Anti-war demonstrations are taking place in many places around the world.

¹ **游泳** yóuyǒng ❶〈名 *n.*〉水上体育运动项目之一 swimming：~比赛 ~ *bǐsài* swimming game; swimming competition │~的姿势有多种，包括蛙泳、自由泳、蝶泳和仰泳等。*~ de zīshì yǒu duō zhǒng, bāokuò wāyǒng, zìyóuyǒng, diéyǒng hé yǎngyǒng děng.* There are many styles of swimming, such as breaststroke, free style, butterfly stroke, backstroke, etc. ❷〈动 *v.*〉人或动物在水中游动（of man or animal）swim; move in the water：每年夏天我都要到大海里~。*Měi nián xiàtiān wǒ dōu yào dào dàhǎi li ~.* I go swimming in the sea every summer.

² **游泳池** yóuyǒngchí〈名 *n.*〉（个gè）人工建造的供游泳的池子 swimming pool; water pool built for swimming：露天~*lùtiān* ~ outdoor swimming pool │室内~*shìnèi* ~ indoor swimming pool │我不喜欢在~里游泳，喜欢到大江大河去游泳。*Wǒ bù xǐhuan zài li yóuyǒng, xǐhuan dào dà jiāng dà hé qù yóuyǒng.* I like to swim in large rivers rather than in the swimming pool.

³ **友爱** yǒu'ài〈形 *adj.*〉友好亲爱 friendly：~相处 ~ *xiāngchǔ* get along in amity; live together in friendship │我们班是一个团结、~的集体。*Wǒmen bān shì yí gè tuánjié, ~ de jítǐ.* Our class is a united and friendly collective.

¹ **友好** yǒuhǎo ❶〈形 *adj.*〉亲善和睦 friendly; amicable：~人士 ~ *rénshì* friendly personage │~邻邦 ~ *línbāng* friendly neighboring country │~协会 ~ *xiéhuì* friendship association │~条约 ~ *tiáoyuē* treaty of friendship │~的态度 ~ *de tàidù* friendly attitude │中国的上海和德国的汉堡结为~城市。*Zhōngguó de Shànghǎi hé Déguó de Hànbǎo jié wéi ~ chéngshì.* Shanghai of China and Hamburger of Germany have become friendly cities. │我妇女代表团对欧洲八国进行了~访问。*Wǒ fùnǚ dàibiǎotuán duì Ōuzhōu bā guó jìnxíng ~ fǎngwèn.* The women delegation of our country paid a friendly visit to eight European countries. ❷〈名 *n.*〉好友 good friend：生前~*shēngqián* ~ friends of the deceased

⁴ **友情** yǒuqíng〈名 *n.*〉友谊 friendly sentiments; friendship：诚挚的~*chéngzhì de* ~ sincere friendship │难忘的~*nánwàng de* ~ memorable friendship │兄弟般的~*xiōngdì bān de* ~ fraternal friendship │我和他在中学时代就结下了深厚的~。*Wǒ hé tā zài zhōngxué shídài jiù jiēxiàle shēnhòu de ~ .* He and I have had established profound friendship since our high-school days.

⁴ **友人** yǒurén〈名 *n.*〉（位wèi）朋友；友好人士 friend：国际~*guójì* ~ foreign friend

¹ **友谊** yǒuyì〈名 *n.*〉朋友之间的情谊 friendship：深厚的~*shēnhòu de* ~ profound friendship │纯洁的~*chúnjié de* ~ pure friendship │永恒的~*yǒnghéng de* ~ eternal

friendship ｜革命的~ *gémìng de* ~ revolutionary friendship ｜祝愿我们两国人民之间的~万古长青。 *Zhùyuàn Wǒmen liǎng guó rénmín zhī jiān de* ~ *wàngǔ-chángqīng.* May the friendship between our two countries last forever .

¹ 有 yǒu ❶〈动 *v.*〉表示领有(与'无''没'相对) have; possess (opposite to '无wú' or '没méi')：我~一本汉英词典。 *Wǒ* ~ *yì běn Hànyīng cídiǎn.* I have a Chinese-English dictionary. ｜他~一套住房。 *Tā* ~ *yí tào zhùfáng.* He has a flat. ｜你~没~手机? 我想借用一下。 *Nǐ* ~ *méi* ~ *shǒujī? Wǒ xiǎng jièyòng yíxià.* Do you have a mobile phone? I want to use it. ❷〈动 *v.*〉表示存在(与'无''没'相对) there is; exist (opposite to '无wú' or '没méi')：桌子上~一台电脑。 *Zhuōzi shang* ~ *yì tái diànnǎo.* There is a computer on the table. ｜玻璃缸里~几条热带鱼。 *Bōligāng li* ~ *jǐ tiáo rèdàiyú.* There are several tropical fish in the glass aquarium. ❸〈动 *v.*〉表示估量或比较(与'无''没'相对) indicating estimation or comparison(opposite to '无wú' or '没méi')：你来中国~一年了吧? *Nǐ lái Zhōngguó* ~ *yì nián le ba?* You have been in China for one year, haven't you? ｜这孩子长得快~爸爸高了。 *Zhè háizi zhǎng de kuài* ~ *bàba gāo le.* This child grows fast. He is almost as tall as his father. ❹〈动 *v.*〉表示发生或出现 indicating occurrence or emergence：她的病情~好转。 *Tā de bìngqíng* ~ *hǎozhuǎn.* She is on the mend. ｜你的口语大~提高。 *Nǐ de kǒuyǔ dà* ~ *tígāo.* Your spoken language has greatly improved. ❺〈动 *v.*〉表示多,大,程度深 indicating much and big：他很~学问。 *Tā hěn* ~ *xuéwèn.* He is well learned. ｜几个月没见,你的孩子长得~个头儿了。 *Jǐ gè yuè méi jiàn, nǐ de háizi zhǎng de* ~ *gètóur le.* Your child has been a head taller since I saw him several months ago. ｜教学方面他比我~经验。 *Jiàoxué fāngmiàn tā bǐ wǒ* ~ *jīngyàn.* He is more experienced than I in teaching. ❻〈动 *v.*〉表示不定指,与'某'相似 be used in a general sense, indicating 'certain' or 'some', similar to '某mǒu'：~一天,我在街上见过他。 ~ *yì tiān, wǒ zài jiē shang jiànguo tā.* I saw him in the street one day. ｜榴莲这种水果你不爱吃,可~人特别爱吃。 *Liúlián zhè zhǒng shuǐguǒ nǐ bú ài chī, kě* ~ *rén tèbié ài chī.* You don't like to eat durian, but some people like it very much. ❼〈动 *v.*〉用在'人''时候''地方'前面,表示一部分 used before person, time, place to indicate a part：~人高兴,~人不高兴。 ~ *rén gāoxìng,* ~ *rén bù gāoxìng.* Some are happy while others are unhappy. ｜我~时候喜欢一个人呆着。 *Wǒ* ~ *shíhou xǐhuan yí gè rén dāizhe.* Sometimes I like to stay alone. ｜中国地方大,~地方旱~地方涝,也是正常的。 *Zhōngguó dìfang dà,* ~ *dìfang hàn* ~ *dìfang lào, yě shì zhèngcháng de.* China covers a large area, so it is natural that some areas are arid and others are waterlogged. ❽〈动 *v.*〉用在某些动词前,组成套语,表示客气 used before certain verbs to show politeness：~请。 ~ *qǐng.* Come in, please (ask someone politely into a room). ｜~劳您的大驾。 ~ *láo nín de dàjià.* Sorry to bother you. ｜我能来中国留学,~赖于叔叔的资助。 *Wǒ néng lái Zhōngguó liúxué,* ~ *lài yú shūshu de zīzhù.* Thanks to on my uncle's financial aid, I can come to study in China.

⁴ 有待 yǒudài〈动 *v.*〉需要等待 remain; await：你的奖学金还~校方研究。 *Nǐ de jiǎngxuéjīn hái* ~ *xiàofāng yánjiū.* Your scholarship awaits further discussion by the school. ｜公司刚刚成立,不少制度还~完善。 *Gōngsī gānggāng chénglì, bùshǎo zhìdù hái* ~ *wánshàn.* The company has just come into existence and many rules and regulations await improvement.

¹ 有的 yǒude〈代 *pron.*〉人或事物中的一部分 some of; part of a group people or things：一班学生中,~聪明~资质差些,是很正常的。 *Yì bān xuésheng zhōng,* ~ *cōngmíng* ~ *zīzhì chà xiē, shì hěn zhèngcháng de.* It is natural that there are some students with high intelligence and some with low intelligence in one class. | 最近~地方环境卫生没有搞好。 *Zuìjìn ~ dìfang huánjìng wèishēng méiyǒu gǎohǎo.* The sanitation in some areas is not so good recently.

² **有的是** yǒudeshì〈动 v.〉强调很多 have plenty of; there's no lack of:~时间，咱们喝完咖啡再去也不迟。 *~ shíjiān, zánmen hēwán kāfēi zài qù yě bù chí.* There is plenty of time and it will not be late to go when we finish the coffee. | 想要这份工作的人可~，你要赶快决定。 *Xiǎng yào zhè fèn gōngzuò de rén kě ~, nǐ yào gǎnkuài juédìng.* There are plenty of people who want this job and you must decide quickly.

² **有点儿** yǒudiǎnr ❶〈副 adv.〉表示略微 slightly:~酸 ~*suān* slightly sour | ~苦 ~*kǔ* slightly bitter | ~冷 ~*lěng* slightly cold | 你的事~麻烦。 *Nǐ de shì ~ máfan.* Your problem is rather troublesome. | 今天我~不舒服。 *Jīntiān wǒ ~ bù shūfu.* I feel rather uncomfortable today. | 这道题~伤脑筋。 *Zhè dào tí ~ shāngnǎojīn.* This problem is somewhat troublesome. ❷〈动 v.〉表示数量不多；有一定程度 a bit; some; a little:锅里还~饭。 *Guō li hái ~ fàn.* There is still some rice left in the pot. | 外事工作他还是~经验的。 *Wàishì gōngzuò tā háishì ~ jīngyàn de.* He has some experience in foreign affairs. ‖ 也说'有一点儿'also '有一点儿yǒuyìdiǎnr'

² **有关** yǒuguān ❶〈形 adj.〉有关系的（与'无关'相对）have something to do with; have a bearing on; relate to; concern（opposite to '无关wúguān'）:~人士 ~*rénshì* personage concerned | ~部门 ~*bùmén* department concerned | ~资料 ~*zīliào* materials concerned | 这个问题已经引起了~方面的重视。 *Zhège wèntí yǐjīng yǐnqǐle ~ fāngmiàn de zhòngshì.* This problem has caught the attention of parties concerned. ❷〈动 v.〉涉及到；关系到 related; concerned; relevant; pertinent:这是~个人名誉的大事。 *Zhè shì ~ gèrén míngyù de dàshì.* This is a serious matter concerning personal reputation. | 国家主权的问题，没有谈判的余地。 *~ guójiā zhǔquán de wèntí, méiyǒu tánpàn de yúdì.* There is no room for negotiations on the issue of national sovereignty.

⁴ **有害** yǒuhài ❶〈动 v.〉有害处；危害（与'有益''有利'相对）do harm to（opposite to '有益yǒuyì'or'有利yǒulì'）:吸烟~健康。 *Xīyān ~ jiànkāng.* Smoking harms health. | 随地吐痰~公共卫生。 *Suídì tǔtán ~ gōnggòng wèishēng.* Spitting everywhere harm to public sanitation. ❷〈形 adj.〉有害处的 harmful:~物质 ~*wùzhì* harmful substance | ~气体 ~*qìtǐ* harmful gas | 黄色书刊对青少年的成长十分~。 *Huángsè shūkān duì qīngshàonián de chéngzhǎng shífēn ~.* Pornographic books and periodicals are harmful to the development of teenagers.

³ **有机** yǒujī ❶〈形 adj.〉指除碳酸盐和碳氧化物之外的含碳原子的物质 organic（referring to compounds containing carbon atoms in addition to carbonates and carbon oxides）:~化学 ~*huàxué* organic chemistry | ~玻璃 ~*bōli* organic glass | ~肥料 ~*féiliào* organic fertilizer ❷〈形 adj.〉指事物的各部分相互关联协调而不可分，就像一个生物体一样 organic; intrinsic; mutually related and coordinated components of an inseparable whole, just like an organism:我们班是一个~的整体，大家要互相关心、互相帮助。 *Wǒmen bān shì yí gè ~ de zhěngtǐ, dàjiā yào hùxiāng guānxīn, hùxiāng bāngzhù.* Our class is whole and everyone should care for and help each other.

⁴ **有口无心** yǒukǒu-wúxīn〈成 idm.〉嘴上随便说说，没有经过思考；也指有什么说什么，心直口快 be sharp-tongued but not malicious:那句话我是~说出来的，你别往心里去。 *Nà jù huà wǒ shì ~ shuō chūlái de, nǐ bié wǎng xīnli qù.* Although I'm sharp-tongued to say these words, I means no harm, so don't take it seriously. | 她是个~的人，嘴巴挺厉害，心地很善良的 *Tā shì gè ~ de rén, zuǐba tǐng lìhài, xīndì hěn shànliáng*

de. She is a sharp-tongued but kind-hearted person.

² **有力** yǒulì〈形 *adj.*〉有力量；有分量 strong; powerful; forceful; energetic; vigorous：这篇文章写得很~，~地批驳了一些人的错误观点。*Zhè piān wénzhāng xiě de hěn ~, ~ de pībóle yìxiē rén de cuòwù guāndiǎn*. The article is very forceful and strongly criticizes some people's wrong views.｜这一行动~地打击了海上走私活动。*Zhè yì xíngdòng ~ de dǎjīle hǎi shang zǒusī huódòng*. The action dealt a heavy blow to smuggling on the sea.

² **有利** yǒulì〈形 *adj.*〉有好处；有帮助 advantageous; beneficial; favorable：~形势 *xíngshì* favorable situation｜~时机 *shíjī* favorable opportunity｜应聘这个职务你有很多~条件。*Yìngpìn zhège zhíwù nǐ yǒu hěn duō ~ tiáojiàn*. You have many advantageous conditions for applying for this job.｜这是一桩~于大家的事，我们当然支持。*Zhè shì yì zhuāng ~ yú dàjiā de shì, wǒmen dāngrán zhīchí*. This thing will be beneficial to all of us, and we will certainly support you.

³ **有两下子** yǒu liǎngxiàzi〈俗 *infm.*〉有一些本领 have real skill; know one's stuff：没想到这小子跳舞还~。*Méi xiǎngdào zhè xiǎozi tiàowǔ hái ~*. It is never expected that he dances so skilfully.｜他还真~，把这台电脑给修好了。*Tā hái zhēn ~, bǎ zhè tái diànnǎo gěi xiūhǎo le*. Obviously he had the real skill to get the computer repaired.

¹ **有名** yǒu // míng〈形 *adj.*〉名字为大家所熟知；出名 well-known; famous; celebrated：她是一位~的歌唱家。*Tā shì yí wèi ~ de gēchàngjiā*. She is a famous singer.｜北京大学可是一所~的大学。*Běijīng Dàxué kě shì yì suǒ ~ de dàxué*. Peking University is a famous university.｜他的淘气是全校有了名的。*Tā de táoqì shì quán xiào yǒule míng de*. He is well-known in the whole school for his naughtiness.

² **有趣** yǒuqù〈形 *adj.*〉能引起人们好奇心或兴趣的 interesting; fascinating; amusing：~的故事 *de gùshi* an interesting story｜~的问题 *de wèntí* an interesting question｜~的现象 *de xiànxiàng* an interesting phenomenon｜许多少数民族都有一些~的风俗。*Xǔduō shǎoshù mínzú dōu yǒu yìxiē ~ de fēngsú*. Many ethnic minorities have some interesting customs.

⁴ **有声有色** yǒushēng-yǒusè〈成 *idm.*〉形容表现、描绘得鲜明、生动 full of sound and color; vivid and dramatic：演员们的表演，紧紧地吸引了全场观众。*Yǎnyuánmen de biǎoyǎn, jǐnjǐn de xīyǐnle quán chǎng guānzhòng*. The vivid and dramatic performance of the actors and actresses attracted the whole audience.

² **有时** yǒushí〈副 *adv.*〉有时候，表示一部分时间 sometimes; at times; now and then：他~也到我家来。*Tā ~ yě dào wǒ jiā lái*. He comes to my home sometimes.｜春天的天气~冷~热，特别容易得感冒。*Chūntiān de tiānqì ~ lěng ~ rè, tèbié róngyì dé gǎnmào*. The constant change of temperature in spring makes it easy for people to catch a cold.

¹ **有时候** yǒu shíhou〈副 *adv.*〉有的时候 sometimes; at times：我暑假里~看小说，~看电视，过得很开心。*Wǒ shǔjià li ~ kàn xiǎoshuō, ~ kàn diànshì, guò de hěn kāixīn*. I have had a happy summer holiday, sometimes reading novels and sometimes watching television.｜~听听音乐，心情就会变得轻松、愉快。*~ tīngtīng yīnyuè, xīnqíng jiù huì biàn de qīngsōng, yúkuài*. One will have an easy and delighted mood when he listens to music sometimes.

³ **有限** yǒuxiàn ❶〈形 *adj.*〉有一定的限度（与'无限'相对）limited; finite（opposite to '无限 wúxiàn'）：~责任 *zérèn* limited liability｜~公司 *gōngsī* limited company｜目前这个条例还只是在~的范围试行。*Mùqián zhège tiáolì hái zhǐshì zài ~ de fànwéi shìxíng*. At present the regulations are only being tried out in limited areas. ❷〈形 *adj.*〉

数量不多;程度不够 not many in number; not high in degree:资金~,目前还上不了这么大的项目。 *Zījīn ~, mùqián hái shàng bù liǎo zhème dà de xiàngmù.* We cannot start a large project like this with limited funds now. | 本人能力~,挑不起这么重的担子。 *Běnrén nénglì ~, tiāo bù qǐ zhème zhòng de dànzi.* My ability is limited and I cannot take such a great responsibility.

² **有效** yǒuxiào 〈形 adj.〉 有效力;有效果;有成效 valid; effective:~期~*qī* term of validity | 请出示~证件。 *Qǐng chūshì ~ zhèngjiàn.* Please show your effective papers. | 这种药治感冒非常~。 *Zhè zhǒng yào zhì gǎnmào fēicháng ~.* This kind of medicine is very effective to cure the cold. | 我们采取的各项措施~地遏制了疫情的蔓延。 *Wǒmen cǎiqǔ de gèxiàng cuòshī ~ de èzhìle yìqíng de mànyán.* The various kinds of measures we took have effectively put the epidemic under control.

¹ **有些** yǒuxiē ❶ 〈代 pron.〉 有一部分;有的(数量不多) part; some:~人爱吃酸的,~人爱吃辣的, 真是众口难调。 *~ rén ài chī suān de, ~ rén ài chī là de, zhēnshì zhòngkǒunántiáo.* It is difficult to cater for all tastes because some people like to eat sour food and others like to eat something pungent. | 这些杂志~已经过期了。 *Zhèxiē zázhì ~ yǐjīng guòqī le.* Some of these magazines are outdated. ❷ 〈副 adv.〉 稍微 somewhat; rather:我~不明白, 他为什么总跟我作对。 *Wǒ ~ bù míngbai, tā wèishénme zǒng gēn wǒ zuòduì.* I don't quite understand why he always opposes me. | 他见你不答应,心里~不高兴。 *Tā jiàn nǐ bù dāyìng, xīnli ~ bù gāoxìng.* He was rather unhappy when he saw that you didn't agree. ❸ 〈动 v.〉 有一些(数量不大;如前面加'很'则表示数量大) some; not many (indicating a small number of sth., but sometimes indicating a large number with '很hěn'):我~旧衣服可以捐给灾区。 *Wǒ ~ jiù yīfu kěyǐ juān gěi zāiqū.* I have some old clothes to donate to the disaster area. | 别看他穿着不讲究,却很~钱呢。 *Bié kàn tā chuānzhuó bù jiǎngjiu, què hěn ~ qián ne.* Although he is not particular about his clothing, he is very rich.

² **有一点儿** yǒuyìdiǎnr 〈副 adv.〉 同'有点儿yǒudiǎnr' same as '有点儿yǒudiǎnr'

³ **有一些** yǒuyìxiē ❶ 〈副 adv.〉 稍微 somewhat; rather:这种行为~不文明。 *Zhè zhǒng xíngwéi ~ bù wénmíng.* This behavior is rather uncivilized. ❷ 〈动 v.〉 有一点儿(数量不大;如前面加'很'则表示数量大) some; not many (indicating a small number of sth., but sometimes indicating a large number with '很hěn'):我~光盘你可以拿去看。 *Wǒ ~ guāngpán nǐ kěyǐ náqù kàn.* I have some compact discs that you may take and watch. | 很~人反对你呢, 你可不要掉以轻心。 *Hěn ~ rén fǎnduì nǐ ne, nǐ kě búyào diàoyǐqīngxīn.* Don't treat the thing lightly because there are many people against you. ❸ 〈代 pron.〉 有一部分;有的(数量不多) part; some:宿舍里~人在看书,~人在聊天。 *Sùshè li ~ rén zài kàn shū, ~ rén zài liáotiān.* Some people in the dorm are reading and others are chatting. | 这个班的同学~是从韩国来的。 *Zhège bān de tóngxué ~ shì cóng Hánguó lái de.* Some of the students in this class come from the Republic of Korea.

³ **有益** yǒuyì 〈形 adj.〉 有好处;有帮助 profitable; beneficial; useful:蜜蜂对人类~。 *Mìfēng duì rénlèi ~.* Bees are good for human beings. | 常吃水果对身体~。 *Cháng chī shuǐguǒ duì shēntǐ ~.* Eating fruits frequently is good for health. | 游戏~于儿童的智力发展。 *Yóuxì ~ yú értóng de zhìlì fāzhǎn.* Playing games is good for the development of children's intelligence.

³ **有意** yǒuyì ❶ 〈动 v.〉 有心思 have a mind to; be inclined to:我~休假,可就是工作脱不开身。 *Wǒ ~ xiūjià, kě jiùshì gōngzuò tuō bù kāi shēn.* I was too busy to take a vacation even if I want to. ❷ 〈动 v.〉 有爱慕之意 take a fancy to someone; be attracted:

你有心，我看她也～，我给你们撮合一下吧。Nǐ yǒuxīn, wǒ kàn tā yě～, wǒ gěi nǐmen cuōhé yíxià ba. You take a fancy to her and so does she. Let me make a match for you. ❸〈副 adv.〉故意；存心 intentionally; deliberately; purposely：我看他是～为难我。Wǒ kàn tā shì～wéinán wǒ. I believe that he makes things difficult for me intentionally.

¹ **有意思** yǒu yìsi ❶〈形 adj.〉有意义；耐人寻味 significant; meaningful：他向我们提出了一个非常～的问题，值得认真探讨。Tā xiàng wǒmen tíchūle yí gè fēicháng～de wèntí, zhíde rènzhēn tàntǎo. He put forward a meaningful question worth of serious discussion. ❷〈形 adj.〉有趣 interesting; amusing：这段相声很～，逗得大家哈哈大笑。Zhè duàn xiàngsheng hěn～, dòu de dàjiā hāhā dà xiào. This comic dialogue was very interesting, and people were amused by it. ❸〈动 v.〉有爱慕之意 show affection to; take a fancy to：我看她对你也～，你何不向她主动表白呢？Wǒ kàn tā duì nǐ yě～, nǐ hébù xiàng tā zhǔdòng biǎobái ne? I think that she takes a fancy to you too. Why don't you take the initiative in expressing your feelings?

² **有用** yǒu // yòng〈形 adj.〉有用处；有价值 be useful：这本词典对学习汉语非常～。Zhè běn cídiǎn duì xuéxí Hànyǔ fēicháng～. This dictionary is very useful in learning Chinese.｜我们要做一个对国家～的人。Wǒmen yào zuò yí gè duì guójiā～de rén. We must be a useful person to our country.｜这自行车都破成这样了，还有什么用？Zhè zìxíngchē dōu pòchéng zhèyàng le, hái yǒu shénme yòng? The bike is so worn-out. What use could it have?

¹ **又** yòu ❶〈副 adv.〉表示一个动作或状态重复或继续 indicating repetition or continuation of one action or situation; again：你怎么～迟到了？Nǐ zěnme～chídào? Why are you late again?｜他把机器擦了一遍～一遍。Tā bǎ jīqì cā le yí biàn～yí biàn. He wiped the machine again and again. ❷〈副 adv.〉表示几种情况同时存在 indicating the simultaneous existence of more than one situation：这种瓜既香～甜，我特别爱吃。Zhè zhǒng guā jì xiāng～tián, wǒ tèbié ài chī. This kind of melon is both fragrant and sweet. So I like it very much.｜他办事～快～好。Tā bànshì～kuài～hǎo. He handles things quickly and excellently.｜他是一名足球运动员，～是一名歌手。Tā shì yì míng zúqiú yùndòngyuán,～shì yì míng gēshǒu. He is both a football player and a singer. ❸〈副 adv.〉表示有所补充 indicating an addition to a given scope：我们编辑部～来了一位新同事。Wǒmen biānjíbù～láile yí wèi xīn tóngshì. Another new colleague joined our editorial department.｜他向领导汇报了大家的意见后，～谈了他自己的看法。Tā xiàng lǐngdǎo huìbàole dàjiā de yìjiàn hòu,～tánle tā zìjǐ de kànfǎ. He reported to the leader his own opinion in addition to others' opinions. ❹〈副 adv.〉表示意思上更进一层 indicating a deeper meaning：他既聪明～能干，自然很受重用。Tā jì cōngmíng～nénggàn, zìrán hěn shòu zhòngyòng. He is capable as well as clever. And it's natural for him to be put in an important position.｜他对部下的要求严而～严。Tā duì bùxià de yāoqiú yán ér～yán. He is extremely strict with his subordinates. ❺〈副 adv.〉表示两件事情相互矛盾(多叠用) indicating two contradictory things (usu. used reiteratively)：～要马儿跑，～要马儿不吃草(比喻既要东西好，又不肯付出代价)。～yào mǎ'ér pǎo,～yào mǎ'ér bù chīcǎo(bǐyù jì yào dōngxi hǎo, yòu bùkěn fùchū dàijià). Let the horse run faster while not allowing it to eat grass (fig. want to get good things without paying any price) ❻〈副 adv.〉表示轻微的转折 indicating a slight turning of meaning：他想请你参加他的婚礼，～怕你不赏光。Tā xiǎng qǐng nǐ cānjiā tā de hūnlǐ,～pà nǐ bù shǎngguāng. He wanted to invite you to attend his wedding, but was afraid that you would not come. ❼〈副 adv.〉用于加重否定或反问的语气 used in a negative sentence

or a rhetorical question to make it more emphatic：你~不是没字典，干吗总用我的？ *Nǐ ~ bú shì méi zìdiǎn, gànmá zǒng yòng wǒ de?* You have a dictionary yourself. Why do you always use mine？│我~没说你，你急什么？ *Wǒ ~ méi shuō nǐ, nǐ jí shénme!* I didn't talk about you. Why were you annoyed? ❽〈副 *adv.*〉表示整数之外又加零数 indicating an odd number in addition to a whole number：四~二分之一 *sì ~ èr fēn zhī yī* four and a half

¹ **右** yòu ❶〈名 *n.*〉人面朝南时向西的一边（与'左'相对）right side; right（opposite to '左zuǒ'）：~手~*shǒu* right hand │向~转！ *Xiàng ~ zhuǎn!* Turn right! │在中国，车辆靠~行驶。 *Zài Zhōngguó, chēliàng kào ~ xíngshǐ.* Vehicles must be take the right side of the road in China. ❷〈名 *n.* 书 *lit.*〉地理上指西方（与'左'相对）west（opposite to '左zuǒ'）：江~ *jiāng~* west of the river │山~ *shān~* west of the mountain ❸〈名 *n.* 书 *lit.*〉较高的地位（与'左'相对）referring to the higher status（opposite to '左zuǒ'）：无出其~ *wú chū qí ~* second to none ❹〈形 *adj.*〉保守的；反动的（与'左'相对）conservative; reactionary（opposite to '左zuǒ'）：~派~*pài* Rightist │~翼势力 *~yì shìlì* right wing

² **右边** yòubian (~儿)〈名 *n.*〉靠右的一边（与'左边'相对）right side; right（opposite to '左边zuǒbian'）：往~走50米就到了。 *Wǎng ~ zǒu wǔshí mǐ jiù dào le.* Turn right and walk 50 meters, then you will get there.

⁴ **幼** yòu ❶〈形 *adj.*〉年纪小 young; under age：~儿~*ér* child; infant │你就原谅他年~无知吧。 *Nǐ jiù yuánliàng tā nián~wúzhī ba.* Forgive his baby act. ❷〈形 *adj.*〉初生的 firstborn：~虫 *~chóng* larva │~苗 *~miáo* seedling ❸〈名 *n.*〉小孩儿 child; the young：男女老~ *nánnǚ-lǎo~* men and women, old and young │扶老携~ *fúlǎo-xié~* help the old along and lead the young by the hand

³ **幼儿园** yòu'éryuán〈名 *n.*〉（所suǒ、个gè）对幼儿进行学前教育的机构 kindergarten; nursery school：你的孩子该送~了吧？ *Nǐ de háizi gāi sòng ~ le ba?* Should your child go to the kindergarten? │这所~的设施不错。 *Zhè suǒ ~ de shèshī búcuò.* The facilities in this kindergarten are very good.

³ **幼稚** yòuzhì ❶〈形 *adj.* 书 *lit.*〉年纪小 young：~的孩子也能听懂她讲的故事。 *~ de háizi yě néng tīngdǒng tā jiǎng de gùshi.* Even young children can understand the stories she tells. ❷〈形 *adj.*〉头脑简单、不成熟 childish; puerile; naive：思想~ *sīxiǎng ~* naive ideas │行为~ *xíngwéi ~* naive behavior │你的这个想法未免太~了。 *Nǐ de zhège xiǎngfǎ wèimiǎn tài ~ le.* Your idea is rather naive.

⁴ **诱** yòu ❶〈动 *v.*〉引导；劝导 guide; lead; induce：老师对学生应当用启发和~导的方法。 *Lǎoshī duì xuésheng yīngdāng yòng qǐfā hé ~dǎo de fāngfǎ.* Teachers should give guidance and induction to their students. ❷〈动 *v.*〉用计策或手段使上当 lure; seduce; entice：~骗 *~piàn* inveigle; cajole; trick │~奸 *~jiān* entice a person of the opposite sex into unlawful sexual intercourse; seduce │~敌深入 *~dí-shēnrù* lure the enemy in deep ❸〈动 *v.*〉引发；导致 induce; bring out; cause to happen：感冒可以~发多种疾病。 *Gǎnmào kěyǐ ~fā duōzhǒng jíbìng.* Cold can bring out many kinds of diseases.

⁴ **诱惑** yòuhuò ❶〈动 *v.*〉引诱；迷惑 entice; tempt; seduce; lure：金钱只能~意志薄弱的人。 *Jīnqián zhǐnéng ~ yìzhì bóruò de rén.* Money is only seductive to those weak-willed. ❷〈名 *n.*〉吸引；招引 attract; allure：在金钱和美女的~下，他走上了犯罪的道路。 *Zài jīnqián hé měinǚ de ~ xià, tā zǒushàngle fànzuì de dàolù.* He went astray under the temptation of money and beauty.

² **于** yú ❶〈介 *prep.*〉在（表示时间、处所或范围）in; on; at（indicating time, place,

scope, etc. ）：生~1985年 *shēng ~ yī-jiǔ-bā-wǔ nián* born in 1985｜就读~北京语言大学 *jiùdú ~ Běijīng Yǔyán Dàxué* study in Beijing Language University｜旧金山位~美国西海岸．*Jiùjīnshān wèi ~ Měiguó xī hǎi'àn.* San Francisco lies on the west coast of America. ❷〈介 *prep.*〉向；对(表示动作的方向) to; towards：忠~职守 *zhōng~ zhíshǒu* be faithful to one's duty｜吸烟有害~健康．*Xīyān yǒuhài ~ jiànkāng.* Smoking will do harm to our health.｜我们不能满足~现有的成绩．*Wǒmen bù néng mǎnzú ~ xiànyǒu de chéngjì.* We should not rest satisfied with the current achievements. ❸〈介 *prep.*〉自；从(表示处所或来源) from：毕业~北京大学 *bìyè ~ Běijīng Dàxué* graduate from Peking University｜青出~蓝(比喻学生胜过老师，后人胜过前人)．*Qīng chū ~ lán (bǐyù xuéshēng shèng guò lǎoshī, hòurén shèng guò qiánrén).* Blue is extracted from indigo plant (*fig.* the disciple outdoes the master; later generation excels the former one).｜妈妈这样做完全是出~对你的关心．*Māma zhèyàng zuò wánquán shì chū ~ duì nǐ de guānxīn.* Mother did so out of her concern for you. ❹〈介 *prep.*〉给 to：你不能嫁祸~人．*Nǐ bù néng jiàhuò ~ rén.* You shouldn't shift the misfortune onto somebody else.｜他献身~教育事业已经40年了．*Tā xiànshēn ~ jiàoyù shìyè yǐjīng sìshí nián le.* He has devoted himself to the cause of education for forty years. ❺〈介 *prep.*〉到(引进方向、目标) to：她的病情已趋~稳定．*Tā de bìngqíng yǐ qū ~ wěndìng.* Her illness has become stable.｜我的工作已接近~尾声了．*Wǒ de gōngzuò yǐ jiējìn ~ wěishēng le.* My work is close to the end. ❻〈介 *prep.*〉比 than：今年的收成好~去年．*Jīnnián de shōuchéng hǎo ~ qùnián.* The harvest of this year is better than that of last year.｜人民的利益高~一切．*Rénmín de lìyì gāo ~ yíqiè.* People's interests are above everything else. ❼〈介 *prep.*〉被(表示被动) in passive voice：一连三局，他都败~我的手下．*Yì lián sān jú, tā dōu bài ~ wǒ de shǒuxià.* He was defeated by me three times in succession.｜限~条件，我校这学期只能招一个班．*Xiàn ~ tiáojiàn, wǒ xiào zhè xuéqī zhǐnéng zhāo yí gè bān.* Our school will only recruit one class this semester due to our limited resources. ❽〈词尾 *suff.*〉用于动词后面 used after a verb：属~*shǔ*~ belong to｜在~*zài*~ lie in｜濒~*bīn*~ on the edge of; be on the brink of｜陷~*xiàn*~ be confined to; be limited to ❾〈词尾 *suff.*〉用于形容词后面 used after an adjective：易~*yì*~ be easy to｜难~*nán*~ be difficult to｜敢~*gǎn*~ dare to; be bold in; have the courage to｜善~*shàn*~ be good at

² **于是** yúshì〈连 *conj.*〉表示两件事前后连接，并表示后一件事是由前一件事引起的，也说'于是乎' so; then; thereupon; hence, also '于是乎*yúshìhū*'：所有的银行都拒绝贷款，~我们的公司只好宣布破产了．*Suǒyǒu de yínháng dōu jùjué dàikuǎn, ~ wǒmen de gōngsī zhǐhǎo xuānbù pòchǎn le.* All the banks refuse to provide a loan, so our company can do nothing but declare bankrupt.

³ **余** yú ❶〈动 *v.*〉剩下；留下 surplus; spare; remaining：这月的生活费尚~10元．*Zhè yuè de shēnghuófèi shàng ~ shí yuán.* This month there is a surplus of ten *yuan* from the cost of living. ❷〈形 *adj.*〉剩下的；残存的；多余的 remaining; spare：不遗~力 *bùyí~lì* spare no efforts｜残渣~孽 *cánzhā~niè* dregs and leftover evils; dross and remnant evils｜心有~而力不足 *xīn yǒu~ér lì bù zú* unable to do what one hopes to do ❸〈名 *n.*〉(某事、某种情况)以外或以后的时间 time beyond or after an event：业~*yè*~ spare time｜课~*kè*~ after class｜劳动之~，大家可以唱唱歌，轻松轻松．*Láodòng zhī ~, dàjiā kěyǐ chàngchàng gē, qīngsōng qīngsōng.* We may sing songs and relax ourselves after working. ❹〈名 *n.* 书 *lit.*〉我 I; me：~致力国民革命凡四十年．*~ zhìlì guómín gémìng fán sìshí nián.* I have committed myself to the cause of national revolution for forty

years. ❺〈数 *num.*〉整数之外的零头 more than; odd; over:二百~人 *èrbǎi ~ rén* more than two hundred people | 三十~元 *sānshí ~ yuán* more than thirty yuan | 百~公里 *bǎi ~ gōnglǐ* more than one hundred kilometers

¹ 鱼 yú ❶〈名 *n.*〉(条tiáo、尾wěi) 生活在水中的脊椎动物 fish:~米之乡 ~*mǐzhīxiāng* land of fish and rice; waterbound place where fish and rice abound | ~有丰富的营养. ~ *yǒu fēngfù de yíngyǎng.* Fish is highly nutritious. | 三天打~,两天晒网(比喻做事情没有恒心). *Sān tiān dǎ ~, liǎng tiān shài wǎng (bǐyù zuò shìqíng méiyǒu héngxīn).* Go fishing for three days and dry the nets for two (*fig.* lack perseverance in doing things).❷〈名 *n.*〉称某些水栖动物 referring to some aquatic animals:鳄~ *è~* crocodile | 鲸~ *jīng~* whale

³ 娱乐 yúlè ❶〈动 *v.*〉使快乐;消遣 amuse; give pleasure to; entertain:~活动 ~*huódòng* entertainment | ~时间 ~*shíjiān* entertainment hour | 一天忙下来,大家该~一下了. *Yì tiān máng xiàlái, dàjiā gāi ~ yíxià le.* People will have an entertainment after a whole day's work. ❷〈名 *n.*〉(种zhǒng) 快乐有趣的、消遣性的活动 amusement; entertainment; recreation:唱卡拉OK是一种很好的~. *Chàng kǎlā-OK shì yì zhǒng hěn hǎo de ~.* Singing songs with karaoke is a good pastime.

³ 渔民 yúmín〈名 *n.*〉(个gè、名míng、群qún)以捕鱼为生的人 fisherman; fisherfolk:休渔季节,~们组织起来学习文化. *Xiūyú jìjié, ~men zǔzhī qǐlái xuéxí wénhuà.* Fishermen are organized to improve their literacy in the unfishable season.

⁴ 渔业 yúyè〈名 *n.*〉捕捞、养殖、加工水生动物植物的生产事业 fishery:海洋~ *hǎiyáng ~* ocean fishery | 我国的淡水~资源非常丰富. *Wǒ guó de dànshuǐ ~ zīyuán fēicháng fēngfù.* Our country's resources of freshwater fishery are very rich.

¹ 愉快 yúkuài〈形 *adj.*〉心情舒畅快乐 happy; joyful; cheerful:~的心情 ~ *de xīnqíng* in a happy mood; in a cheerful frame of mind | ~的交谈 ~ *de jiāotán* cheerful conversation | 我不会忘记在学校的~生活. *Wǒ bú huì wàngjì zài xuéxiào de ~ shēnghuó.* I will remember the happy life at school.

⁴ 榆树 yúshù〈名 *n.*〉(棵kē、株zhū) 一种落叶乔木 elm; a kind of deciduous tree

³ 愚蠢 yúchǔn〈形 *adj.*〉头脑迟钝;笨(与'聪明'相对) foolish; stupid (opposite to '聪明cōngming'):~的行为 ~ *de xíngwéi* foolish behavior | 你这样做,实在是~之极. *Nǐ zhèyàng zuò, shízài shì ~ zhī jí.* It is most stupid of you to do so.

⁴ 愚昧 yúmèi〈形 *adj.*〉愚蠢蒙昧 ignorant; benighted:~无知 ~*wúzhī* benighted; unenlightened; ignorant | ~落后就要挨打. ~ *luòhòu jiù yào āi dǎ.* To be ignorant and underdeveloped is likely to invite foreign aggression.

⁴ 舆论 yúlùn〈名 *n.*〉公众的议论 public opinion:~监督 ~ *jiāndū* supervision by public opinion | ~公开 ~*gōngkāi* open public opinion | 社会~ *shèhuì ~* public opinion | ~工具 ~ *gōngjù* the media | 这一恐怖举动遭到了国际~的谴责. *Zhè yì kǒngbù jǔdòng zāodàole guójì ~ de qiǎnzé.* This terrorist action met with condemnation from the international community.

² 与 yǔ ❶〈介 *prep.*〉跟;同 with:这事~我无关. *Zhè shì ~ wǒ wú guān.* It has nothing to do with me. | ~天奋斗,其乐无穷. ~ *tiān fèndòu, qí lè wúqióng.* It is an inexhaustible source of pleasure to struggle with the heaven. ❷〈连 *conj.*〉和;及:教学~研究,两项工作都不能耽误. *Jiàoxué ~ yánjiū, liǎng xiàng gōngzuò dōu bù néng dānwù.* Neither teaching nor researching can be delayed. | 行~不行,你倒是说话呀! *Xíng ~ bù xíng, nǐ dàoshi shuōhuà ya!* Whether it's acceptable, you may give a word. ❸〈动 *v.*〉给 give; offer; grant; 赠~ *zèng~* give; grant | ~人方便,也就是~己方便. ~ *rén*

fāngbiàn, yě jiùshì ~ jǐ fāngbiàn. He who helps others helps himself. ❹ 〈动 v.〉对待 get along with; be on good terms with:以礼相～ *yǐ lǐ xiāng~* treat sb. with due respect

⁴ **与此同时** yǔcǐtóngshí 〈连 conj.〉与某种情况同一个时间 at the same time:老师表扬了我取得的进步，～也指出了我的不足。*Lǎoshī biǎoyángle wǒ qǔdé de jìnbù, ~ yě zhǐchūle wǒ de bùzú.* The teacher praised me for my progress, and pointed out my shortcomings at the same time.

³ **与其** yǔqí 〈连 conj.〉比较两件事物决定取舍时，用在不赞成或放弃的一面(与'不如'相呼应)(in concert with '不如bùrú') rather than; better than:～闷在家里，不如去看场电影。*~ mēn zài jiālǐ, bùrú qù kàn chǎng diànyǐng.* Going out to see a film is better than staying at home dully. │他的病，～说是身体上的，不如说是精神上的。*Tā de bìng, ~ shuō shì shēntǐ shang de, bùrú shuō shì jīngshen shang de.* His illness is psychological rather than physical in nature.

⁴ **予** yǔ 〈动 v.〉给 give; grant; bestow:请您给～协助。*Qǐng nín jǐ ~ xiézhù.* Please give your assistance. │不当之处，请～批评指正。*Búdàng zhī chù, qǐng ~ pīpíng zhǐzhèng.* Please give your comments and corrections if there are any mistakes.

⁴ **予以** yǔyǐ 〈动 v.〉给以 give; grant:～帮助 *~ bāngzhù* give a help │批评 *~ pīpíng* give a reprimand; criticize │～指教 *~ zhǐjiào* give directions; give guidance │～开除处分 *~ kāichú chǔfèn* dismiss sb. as a punishment

³ **宇宙** yǔzhòu ❶〈名 n.〉包括地球和其他一切天体的无限空间 universe; cosmos:～飞船 *~ fēichuán* spacecraft; spaceship │～空间 *~ kōngjiān* cosmic space; outer space │～速度 *~ sùdù* cosmic velocity ❷〈名 n.〉'宇'指无限空间，'宙'指无限时间，'宇宙'指一切物质及其存在形式的总和 total of all matters and their forms of existence, with '宇' referring to infinite space and '宙' referring to infinite time:～观 *~guān* world view; world outlook

⁴ **羽毛** yǔmáo 〈名 n.〉(根gēn、片piàn)鸟类的毛 feather; plume:人们常用～来做装饰。*Rénmen cháng yòng ~ lái zuò zhuāngshì.* People often use feathers as decorations.

² **羽毛球** yǔmáoqiú ❶〈名 n.〉球类运动之一 badminton:～拍 *~pāi* badminton racket │他是我们学校的～冠军。*Tā shì wǒmen xuéxiào de ~ guànjūn.* He is the badminton champion of our school. ❷〈名 n.〉(个gè、只zhī、打dá)羽毛球运动使用的球 shuttlecock:打～ *dǎ ~* play badminton │我刚买回来一打～。*Wǒ gāng mǎi huílái yì dá ~.* I have just bought a dozen of shuttlecocks.

¹ **雨** yǔ 〈名 n.〉(场cháng、阵zhèn、滴dī)从云层中降向地面的水滴 rain:今天早晨下了一场大～。*Jīntiān zǎochen xiàle yì cháng dà~.* It rained heavily this morning. │连日暴～，洪水不断上涨。*Liánrì bào~, hóngshuǐ búduàn shàngzhǎng.* The floodwater has been rising continuously with days of uninterrupted rainstorms.

⁴ **雨伞** yǔsǎn 〈名 n.〉(把bǎ)挡雨的伞 umbrella:预报有雨，出门别忘带～。*Yùbào yǒu yǔ, chūmén bié wàng dài bǎ ~.* It will rain according to the weather forecast. Don't forget to bring an umbrella with you.

⁴ **雨水** yǔshuǐ ❶〈名 n.〉空中降向地面的水 rainwater; rainfall; rain:今年～充足，庄稼长得特别好。*Jīnnián ~ chōngzú, zhuāngjia zhǎng de tèbié hǎo.* With adequate rainfall this year, the crops grow well. ❷〈名 n.〉二十四节气之一，在立春之后惊蛰之前，约在公历2月19日前后 Rain Water, the second of the 24 solar terms, after the Beginning of Spring and before the day of Waking of Insects. It falls on Feb. 18, 19 or 20

² **雨衣** yǔyī 〈名 n.〉(件jiàn)挡雨的外衣 raincoat:外边下着雨，你穿上我的～走吧。*Wàibian xiàzhe yǔ, nǐ chuānshàng wǒ de ~ zǒu ba.* It is raining outside. You may go

with my raincoat on.

² **语调** yǔdiào〈名 n.〉说话的腔调 intonation; tone：学习语言不仅要注意发音准确，还要掌握好～，也就是说要注意声音的高低、轻重、快慢的变化。*Xuéxí yǔyán bùjǐn yào zhùyì fāyīn zhǔnquè, háiyào zhǎngwò hǎo ～, yě jiùshì shuō yào zhùyì shēngyīn de gāodī, qīngzhòng, kuàimàn de biànhuà.* One should not only pay attention to the exact pronunciation in language learning, but also master the intonation, that is, pay attention to the levels and variations in pitch sequences.

¹ **语法** yǔfǎ〈名 n.〉语言的结构方式，包括词的构成和变化的规则以及组词造句的规则 grammar：～课 ～kè grammar lesson｜你这么说不合汉语～。*Nǐ zhème shuō bù hé Hànyǔ ～.* What you said are not in conformity with Chinese grammar.

² **语气** yǔqì ❶〈名 n.〉说话的口气 tone; manner of speaking：肯定的～ kěndìng de ～ affirmative tone｜严厉的～ yánlì de ～ severe tone｜委婉的～ wěiwǎn de ～ mild tone｜商量的～ shāngliang de ～ consultative tone ❷〈名 n.〉表示陈述、疑问、感叹、祈使等区别的语法范畴 mood; a category of grammar indicating a fact（indicative mood）, a question（interrogative mood）, an exclamation（exclamatory mood）or a command（imperative mood）：～词 ～cí modal words

³ **语文** yǔwén ❶〈名 n.〉语言和文字 Chinese; spoken language and written language：～程度（指阅读、写作的能力）～chéngdù（zhǐ yuèdú, xiězuò de nénglì）degree of one's language（one's reading and writing ability）❷〈名 n.〉语言和文学 language and literature：～教材 ～jiàocái language and literature textbook

¹ **语言** yǔyán ❶〈名 n.〉（种zhǒng）人类所特有的表达意思、交流思想的工具 language：～学 ～xué linguistics; philology｜计算机～ jìsuànjī ～ computer language｜肢体～ zhītǐ ～ body language｜他会好几种～。*Tā huì hǎo jǐ zhǒng ～.* He can speak several languages. ❷〈名 n.〉话语 language or spoken language：～粗俗 ～cūsú vulgar language｜流畅 ～liúchàng smooth language｜我们之间缺乏共同的～。*Wǒmen zhījiān quēfá gòngtóng de ～.* We have nothing in common.

² **语音** yǔyīn〈名 n.〉语言的声音；人说话的声音 speech sounds; pronunciation：学习一种语言，一定要掌握好这种语言的～、语调。*Xuéxí yì zhǒng yǔyán, yídìng yào zhǎngwò hǎo zhè zhǒng yǔyán de ～, yǔdiào.* To learn a language, one must master its pronunciation and intonation.｜听他的～, 好像是美国人。*Tīng tā de ～, hǎoxiàng shì Měiguórén.* According to his pronunciation, he seems to be an American.

⁴ **与会** yùhuì〈动 v.〉参加会议 attend a conference：～国 ～guó countries attending a conference; participating countries｜～者 ～zhě conferee; participant｜今天的董事会只有五位董事。*Jīntiān de dǒngshìhuì zhǐyǒu wǔ wèi dǒngshì.* Today only five directors participated in the meeting of the board of directors.

⁴ **玉** yù ❶〈名 n.〉（块kuài）玉石 jade：～器 ～qì jade article; jade object｜～雕 ～diāo jade carving; jade sulpture｜抛砖引～（比喻用自己的不成熟的见解或粗浅的文字引出别人的高见、佳作）pāozhuān-yǐn～（bǐyù yòng zìjǐ de bù chéngshú de jiànjiě huò cūqiǎn de wénzì yǐnchū biéren de gāojiàn, jiāzuò）cast a brick to attract jade（fig. offer a few somewhat immature remarks to solicit other people's wise and mature opinions）｜～不琢, 不成器（比喻人不受教育, 就不能成才）～ bù zhuó, bù chéng qì（bǐyù rén bú shòu jiàoyù, jiù bù néng chéngcái）. A piece of jade, unless cut, forms no article of virtu. / The finest diamond must be cut. / Unpolished pearls never shine（fig. One will not be successful unless he is educated）. ❷〈名 n.〉像玉一样的洁白、美丽 pure; fair; handsome; beautiful：她已经长成了一个亭亭～立的少女了。*Tā yǐjīng zhǎngchéngle yí gè*

tíngtíng~lì de shàonǚ le. She has become a young girl with a graceful figure. ❸〈名 *n.* 书 *lit.*〉用于尊称与对方身体、行动有关的事物your:~体 ~*tǐ* your body │~ 照 ~*zhào* your photo │~音 ~*yīn* your message; your reply; your letter

² **玉米** yùmǐ ❶〈名 *n.*〉一年生草本植物,子实可食用corn:种~ *zhòng* ~ plant corns ❷〈名 *n.*〉这种植物的子实ear of corn:~面 ~*miàn* corn flour; cornmeal │~除了可食用外,还可用来制淀粉、酒精等。 ~ *chúle kě shíyòng wài, hái kě yòng lái zhì diànfěn, jiǔjīng děng.* Corn can not only be used for food but also for producing starch, alcohol, etc. ‖也叫'玉蜀黍''包谷''棒子''珍珠米'等 also '玉蜀黍 yùshǔshǔ', '包谷bāogǔ', '棒子bàngzi' or '珍珠米zhēnzhūmǐ'

³ **浴室** yùshì〈名 *n.*〉澡堂;有洗澡设备的房间bathroom; shower room:公共 ~ *gōnggòng* ~ public bathroom │~的喷头坏了。 ~ *de pēntóu huài le.* The shower in the bathroom has broken down.

³ **预报** yùbào ❶〈动 *v.*〉预先报告forecast; predict:~节目 ~ *jiémù* forcast programs │~赛事 ~ *sàishì* notice of coming competitions │气象台~,明日有沙尘暴。 *Qìxiàngtái ~, míngrì yǒu shāchénbào.* The observatory reports that there will be a sandstorm tomorrow. ❷〈名 *n.*〉预先的报告forecast; prediction:天气~ *tiānqì* ~ weather forecast │节目~ *jiémù* ~ coming programs │地震~ *dìzhèn* ~ earthquake forecast

² **预备** yùbèi〈动 *v.*〉准备;打算prepare; get ready:~功课 ~ *gōngkè* prepare lessons │妈妈给我~了冬衣。 *Māma gěi wǒ ~le dōngyī.* Mother has prepared winter clothes for me. │我~到中国去学习汉语。 *Wǒ ~ dào Zhōngguó qù xuéxí Hànyǔ.* I am going to learn Chinese in China.

⁴ **预测** yùcè〈动 *v.*〉预先推测或测定predict; forecast; foresee:市场~ *shìchǎng* ~ market predictions; market forecast │灾情~ *zāiqíng* ~ disaster predictions │根据~,这个地区将发生强烈地震。 *Gēnjù ~, zhège dìqū jiāng fāshēng qiángliè dìzhèn.* A major earthquake will occur in this area according to predictions.

³ **预订** yùdìng〈动 *v.*〉预先订购subscribe; book; place an order:我~了五种报刊。 *Wǒ ~ le wǔ zhǒng bàokān.* I have subscribed to five kinds of newspapers and periodicals. │我为妈妈~了一个生日蛋糕。 *Wǒ wèi māma ~le yí gè shēngrì dàngāo.* I ordered a birthday cake for my mother.

⁴ **预定** yùdìng〈动 *v.*〉预先规定或约定fix in advance; predetermine; schedule:~方案 ~ *fāng'àn* predetermined plan │飞船按~的时间进入~的轨道。 *Fēichuán ànzhào ~ de shíjiān jìnrù ~ de guǐdào.* The spaceship went into the predetermind orbit in the scheduled time. │这项工程~在下月竣工。 *Zhè xiàng gōngchéng ~ zài xiàyuè jùngōng.* According to the schedule, this project will be finished next month.

³ **预防** yùfáng〈动 *v.*〉预先防备take precautions against; guard against; prevent:注射针 *zhùshè* ~*zhēn* take a preventive injection │对于这种传染病我们已经采取了严格的~措施。 *Duìyú zhè zhǒng chuánrǎnbìng wǒmen yǐjīng cǎiqǔle yángé de ~ cuòshī.* We have taken strict preventive measures to control this infectious disease.

³ **预告** yùgào ❶〈动 *v.*〉事先通告announce in advance; herald:~节目 ~ *jiémù* notice of program │这场雪~着来年的丰收。 *Zhè chǎng xuě ~zhe láinián de fēngshōu.* The big snowfall heralds good harvests next year. ❷〈名 *n.*〉事先的通告notice in advance:新书~ *xīnshū* ~ notice of forthcoming books; publication notice │电视节目 *diànshì jiémù* ~ TV program notice

⁴ **预计** yùjì〈动 *v.*〉预先估算、计划或推测estimate; predict; expect:这项工程~需要投入3亿元。 *Zhè xiàng gōngchéng ~ xūyào tóurù sānyì yuán.* It's estimated that three

hundred million *yuan* will be put into this project. │这座大楼～下周完工。 *Zhè zuò dàlóu ～ xià zhōu wángōng.* It is expected that this building will be finished next week. │ 我～他这两天肯定会来找你。 *Wǒ ～ tā zhè liǎng tiān kěndìng huì lái zhǎo nǐ.* I expect him to come to see you these two days.

预见 yùjiàn ❶〈动 v.〉根据事物的发展规律预先料到未来 foresee; predict：大胆～ *dàdǎn de ～* predict boldly │科学地～ *kēxué de ～* predict scientifically │可以～，在未来的 十年里中国的西部地区将有一个很大的发展。 *Kěyǐ ～, zài wèilái de shí nián li Zhōngguó de xībù dìqū jiāng yǒu yí gè hěn dà de fāzhǎn.* It can be predicted that the western part of China will witness great development in the next decade. ❷〈名 n.〉预 料事物未来的见识；正确的判断 foresight; prevision：英明的～ *yīngmíng de ～* wise foresight │你的这个决定是很有～的。 *Nǐ de zhège juédìng shì hěn yǒu ～ de.* You made a provident decision.

预料 yùliào ❶〈动 v.〉事先推测 expect; predict; anticipate：我早就～他会考上名牌大 学的。 *Wǒ zǎo jiù ～ tā huì kǎoshàng míngpái dàxué de.* I had long expected that he would be enrolled in a famous university. │工作中出现一些没有～到的问题是很正常 的。 *Gōngzuò zhōng chūxiàn yìxiē méiyǒu ～ dào de wèntí shì hěn zhèngcháng de.* It is natural to meet with some unexpected problems in working. ❷〈名 n.〉事先的推测 prediction; anticipation：事情的发展完全没有出乎我的～。 *Shìqing de fāzhǎn wánquán méiyǒu chūhū wǒ de ～.* The development of events have turned out as I expected.

预期 yùqī〈动 v.〉预先期待 expect; anticipate; predict：我们已经达到了～的目的。 *Wǒmen yǐjīng dádàole ～ de mùdì.* We have achieved the expected results. │他实现了～ 的目标。 *Tā shíxiànle ～ de mùbiāo.* He realized the anticipated goal.

预赛 yùsài〈名 n.〉半决赛或决赛前的比赛 preliminary contest; preliminary heats; preliminary：他在～中就被淘汰了。 *Tā zài ～ zhōng jiù bèi táotài le.* He was eliminated in the preliminary contest. │我校有两名选手通过了～。 *Wǒ xiào yǒu liǎng míng xuǎnshǒu tōngguòle ～.* Two people from our school passed the preliminary contest.

预算 yùsuàn〈名 n.〉对于未来一定时期内收入和支出的计划（与‘决算’相对） budget (opposite to ‘决算 juésuàn’)：财政～ *cáizhèng ～* financial budget │～赤字 *chìzì* budget deficit │编制～ *biānzhì ～* work out a budget │这个月的开支大大超出了～。 *Zhège yuè de kāizhī dàdà chāochūle ～.* The expenses are far beyond the budget this month.

预习 yùxí〈动 v.〉学生预先自学将要听讲的功课（与‘复习’相对）(of students) prepare lessons before class (opposite to ‘复习 fùxí’)：他每天都认真地～和复习功课。 *Tā měi tiān dōu rènzhēn de ～ hé fùxí gōngkè.* He prepares and reviews his lessons seriously everyday.

预先 yùxiān〈副 adv.〉在事情发生或进行之前 in advance; beforehand：我～警告过你， 他这样的人决不可重用。 *Wǒ ～ jǐnggàoguo nǐ, tā zhèyàng de rén jué bùkě zhòngyòng.* I have warned you in advance that a person like him cannot be put in an important position. │我～做了充分的准备，所以能够从容应对。 *Wǒ ～ zuòle chōngfèn de zhǔnbèi, suǒyǐ nénggòu cóngróng yìngduì.* I have made sufficient preparations beforehand so that I can reply easily.

预言 yùyán ❶〈动 v.〉预先说出（未来的事情）prophesy; predict; foretell; tell in advance：他在一个世纪以前就曾经～，中国将成为一个强盛的国家。 *Tā zài yí gè shìjì yǐqián jiù céngjīng ～, Zhōngguó jiāng chéngwéi yí gè qiángshèng de guójiā.* He had prophesied a century before that China would be a powerful and prosperous country. ❷

〈名 n.〉带有预见性的言论 prophecy; prediction：科学家的~已为事实所证实。 Kēxuéjiā de ~ yǐ wéi shìshí suǒ zhèngshí. The prediction of the scientists has become a reality.

⁴ **预约** yùyuē 〈动 v.〉预先约定 reserve; make an appointment; make a reservation：~挂号 ~ guàhào make an appointment with a doctor │门诊 ~ ménzhěn register to see a doctor │我~下午3时来拜访他的，请你通报一下。 Wǒ ~ xiàwǔ sān shí lái bàifǎng tā de, qǐng nǐ tōngbào yíxià. I have made an appointment to visit him at 3 o'clock p. m. Please inform him that I'm here.

³ **预祝** yùzhù 〈动 v.〉预先祝愿 express good wishes in advance：~进步 ~ jìnbù wish sb. making progress │~你取得更大的成功。 ~ nǐ qǔdé gèng dà de chénggōng. Wish you a greater successes.

⁴ **欲** yù ❶〈动 v. 书 lit.〉想要；希望 want; hope; wish; yearn; long for：畅所~言 chàngsuǒ~yán speak without reservation; speak out what's in one's heart │加之罪，何 患无词。 ~ jiā zhī zuì, hé huàn wú cí. If you are out to condemn sb. , you can always trump up a charge. │~穷千里目，更上一层楼。 ~ qióng qiān lǐ mù, gèng shàng yì céng lóu. Would you command a prospect of a thousand *li*? Climb yet one storey higher. ❷ 〈名 n.〉欲望 desire; longing; wish; yearning：食~ shí~ appetite │求知~ qiúzhī~ thirst for knowledge │切不可纵~无度。 Qiè bùkě zòng~ wúdù. Don't indulge in sensual pleasures. ❸〈副 adv.〉将要 will; be about to; be just going to; be on the point of：望 眼~穿 wàngyǎn~~chuān bore one's eyes through by gazing anxiously │这座楼已经摇摇 摇~坠了。 Zhè zuò lóu yǐjīng yáoyáo~zhuì le. The building is on the verge of collapse.

⁴ **欲望** yùwàng 〈名 n.〉想要得到某种东西或达到某种目的的希求 desire; wish; lust：强 烈的~ qiángliè de ~ a keen desire │生活的~ shēnghuó de ~ desire of life │爸爸满足了 他的~，给他买了一台电脑。 Bàba mǎnzúle tā de ~, gěi tā mǎile yì tái diànnǎo. His father met his desire and bought him a computer.

² **遇** yù ❶〈动 v.〉相逢；偶然碰到 meet; encounter：~险 ~xiǎn meet with a mishap; be landed in danger │我和他在上海不期而~。 Wǒ hé tā zài Shànghǎi bùqī'ér~. I met him in Shanghai by chance. │我的家乡今年遭受了百年不~的旱灾。 Wǒ de jiāxiāng jīnnián zāoshòule bǎiniánbú~ de hànzāi. My hometown suffered the worst drought in a century. ❷〈动 v.〉对待 treat; receive：礼~ lǐ~ courteous reception │冷~ lěng~ be treated coldly │我们公司的待~不错。 Wǒmen gōngsī de dài~ búcuò. Our company offers very good pay. ❸〈名 n.〉机会 chance; opportunity：机~与挑战并存。 Jī~ yǔ tiǎozhàn bìngcún. Opportunity and challenge exist side by side.

¹ **遇到** yù//dào 〈动 v.〉碰到 meet; encounter：我刚才在商场~了他。 Wǒ gāngcái zài shāngchǎng ~le tā. I met him in the marketplace just now. │这里春天难得~好天气，不 是刮风就是下雨。 Zhèlǐ chūntiān nándé ~ hǎo tiānqì, bú shì guāfēng jiùshì xiàyǔ. Fine day is seldom seen in spring here, wind and rain appear altermately. │也许你能在操场 上遇得到他。 Yěxǔ nǐ néng zài cāochǎng shang yù de dào tā. Maybe you can meet him on the playground.

² **遇见** yù//jiàn 〈动 v.〉碰见 meet; run into; come across; encounter：我昨天在公园里 ~了一位多年未见的朋友。 Wǒ zuótiān zài gōngyuán li ~le yí wèi duō nián wèi jiàn de péngyou. Yesterday, I met a friend in the park whom I had not seen for many years. │他 整天待在家里，你怎么可能在商场里遇得见他呢？ Tā zhěngtiān dāi zài jiālǐ, nǐ zěnme kěnéng zài shāngchǎng li yù de jiàn tā ne? He stayed at home all day. How can you meet him in the market?

⁴ **寓** yù ❶〈动 v.〉居住；寄居 reside; live; inhabit; dwell：~所 ~*suǒ* residence; abode; dwelling｜他~居香港已经20年了。*Tā ~ jū Xiānggǎng yǐjīng èrshí nián le.* He has lived in Hong Kong for 20 years. ❷〈动 v.〉寄托；隐含 imply; place; contain：~教于乐 ~*jiàoyúlè* teach while entertaining｜这篇文章的~意很深。*Zhè piān wénzhāng de ~yì hěn shēn.* This article has a profound meaning. ❸〈名 n.〉住所 residence; dwelling; abode：公~ *gōng*~ apartment house｜钱~ *qián*~ Qian's residence

³ **寓言** yùyán〈名 n.〉(则 zé、个 gè)用假托的故事来说明某种哲理的文学作品 allegory; fable：古代~ *gǔdài* ~ ancient allegory｜《伊索》~ *'Yīsuǒ* ~ *'Aesop's Fables*

⁴ **愈** yù ❶〈动 v.〉(病)好 (of illness) heal; recover; be cured：他已病~出院。*Tā yǐ bìng ~ chū yuàn.* He has completely recovered and left hospital.｜你的伤口已经~合了。*Nǐ de shāngkǒu yǐjīng ~hé le.* Your wound has been healed. ❷〈副 adv.〉越；更加(一般叠用) the more... the more (usu. used reiteratively)：由于防治不力，疫情~加严重了。*Yóuyú fángzhì búlì, yìqíng ~ jiā yánzhòng le.* The epidemic is becoming more serious because of ineffective prevention measures.｜双方的冲突~演~烈。*Shuāngfāng de chōngtū ~ yǎn ~ liè.* The conflict between the two sides went from bad to worse.

³ **愈⋯⋯愈** yù⋯yù⋯〈副 adv.〉同'越⋯⋯越' same as '越 yuè⋯⋯越 yuè', the more... the more：真理~辩~明。*Zhēnlǐ ~ biàn ~ míng.* The more the argument, the clearer the the understanding of truth.｜他~说~来气。*Tā ~ shuō ~ lái qì.* The more he speaks, the angrier he becomes.

⁴ **冤** yuān ❶〈名 n.〉冤屈；冤仇 injustice; grievance：不白之~ *bùbáizhī*~ unrighted wrong｜~案 ~*àn* injustice｜鸣~叫屈 *míng*~*jiàoqū* voice grievances; complain and call for redress｜结~ *jié*~ start a feud; become foes; incur (atred｜有~伸冤，有仇报仇。*Yǒu ~ shēn ~, yǒu chóu bào chóu.* One may redress his injustice if he is wronged, and one may take revenge if he has hatred. ❷〈形 adj.〉不合算；上当 swallow the bait; be not worth：这钱花得有点儿~。*Zhè qián huā de yǒudiǎnr ~.* The money is spent for nothing.｜白跑了一趟，真~。*Bái pǎole yí tàng, zhēn ~.* I went all the way there for nothing. What a waste of time. ❸〈动 v. 方 dial.〉哄骗 cheat; befool; deceive; pull sb.'s leg：今晚哪有舞会，是他~你呢。*Jīnwǎn nǎ yǒu wǔhuì, shì tā ~ nǐ ne.* There is no dance this evening. He pulls your leg.

³ **冤枉** yuānwang ❶〈动 v.〉给无辜者加上恶名；给无罪者加上罪名 treat sb. unfairly or injustly; charge an innocent person with fabricated crimes：这事不是他干的，你可别~他。*Zhè shì bú shì tā gàn de, nǐ kě bié ~ tā.* He is not the person who did it. Don't wrong him.｜他遭人~，吃了两年官司。*Tā zāo rén ~, chīle liǎng nián guānsi.* He was wronged by someone and was sentenced to jail for two years. ❷〈形 adj.〉不公正的；无故蒙受屈辱的 unfair; injust：~官司 ~ *guānsi* unjust verdict; uncalled-for lawsuit｜平白无故说他贪污，真是~啊。*Píngbái-wúgù shuō tā tānwū, zhēnshi ~ a.* It is so unfair that he has been groundlessly blamed for corruption. ❸〈形 adj.〉不值得的；吃亏的 not worthwhile; to no avail; in vain：白白走了不少~路。*Báibái zǒule bù shǎo ~ lù.* Make such a long trip in vain.｜花一万块钱买这么一台破电脑，真是~。*Huā yíwàn kuài qián mǎi zhème yì tái pò diànnǎo, zhēnshì ~.* It is not worthwhile to spend ten thousand yuan on this shoddy computer.

¹ **元** yuán ❶〈量 meas.〉货币单位，1元等于10角，也作'圆' unit of money, one yuan equals ten jiao, same as '圆 yuán'：我每月的工资为5千~。*Wǒ měi yuè de gōngzī wéi wǔqiān ~.* My salary is 5,000 yuan per month. ❷〈形 adj.〉开始的；第一 first; primary; initial：~旦 ~*dàn* New Year's Day｜~月 ~*yuè* first lunar month; January｜~年 ~*nián* first

year (of an era or of an emperor's reign)｜~配 *~pèi* first wife ❸〈形 *adj.*〉为首的；居第一位的 chief; principal; leading: ~首 *~shǒu* head of state; monarch｜~帅 *~shuài* marshal｜开国~勋 *kāiguó ~xūn* one of the founders of a state｜他是我们出版社的~老了。 *Tā shì wǒmen chūbǎnshè de ~lǎo le.* He is a senior and prestigious person of our publishing house. ❹〈形 *adj.*〉基本的；主要的 basic; fundamental: ~素 *~sù* element｜~音 *~yīn* vowel ❺〈名 *n.*〉要素；元素 element; essential factor: 一~论 *yī~lùn* monism｜多~论 *duō~lùn* pluralism ❻〈名 *n.*〉构成整体的一部分 unit; component: ~件 *~jiàn* element; component｜单~ *dān~* unit ❼〈名 *n.*〉圆形的金属货币，也作'圆' round coin, same as '圆yuán': 金~ *jīn~* golden dollar (coin)｜银~ *yín~* silver dollar (coin) ❽ (Yuán)〈名 *n.*〉中国朝代名，1206-1368年，蒙古族铁木真所建 Yuan Dynasty, 1206-1368, founded by Temujine

³ **元旦** Yuándàn〈名 *n.*〉新年的第一天 New Year's Day: 庆祝~。 *Qìngzhù ~.* Celebrate the New Year's Day.

⁴ **元件** yuánjiàn（个gè）构成机器、仪表等的器件 element; component; cell; unit of a machine or an instrument: 无线电~ *wúxiàndiàn~* wireless element｜电子~ *diànzǐ~* electronic component｜更换~ *gēnghuàn ~* replace the elements

⁵ **元首** yuánshǒu〈名 *n.*〉（位wèi）国家的最高领导人 head of state; monarch: 国家~ *guójiā ~* head of state

⁵ **元素** yuánsù ❶〈名 *n.*〉（种zhǒng）化学元素的简称 element: ~周期表 *~zhōuqībiǎo* periodic table ❷〈名 *n.*〉（种zhǒng）构成事物的基本因素 essential factor: 古代中国人认为金、木、水、火、土是构成万物的5种~。 *Gǔdài Zhōngguórén rènwéi jīn, mù, shuǐ, huǒ, tǔ shì gòuchéng wànwù de wǔ zhǒng ~.* The ancient Chinese believed that metal, wood, water, fire and earth are five essential elements of the world.

⁴ **元宵** yuánxiāo ❶〈名 *n.*〉中国传统节日之一，时间为农历正月十五日晚上，这一天为'上元节'，故称 Lantern Festival; traditional Chinese festival falling on the 15th of the first lunar month: ~节的夜晚，家家张灯结彩。 *~ Jié de yèwǎn, jiājiā zhāngdēng-jiécǎi.* Every family is decorated with lanterns and streamers on the Lantern Festival night. ❷〈名 *n.*〉（个gè）用糯米粉做成的带馅食品，可煮着或炸着吃，是元宵节的应时食品 rice dumpling; stuffed and made of glutinous rice flour specially prepared for the Lantern Festival

⁴ **园** yuán ❶〈名 *n.*〉供人游览娱乐的场所 park; garden: 公~ *gōng~* park｜游乐~ *yóulè~* amusement park｜儿童乐~ *értóng lè~* children's playground｜动物~ *dòngwù~* zoo ❷〈名 *n.*〉种植蔬菜、花果树木的地方 garden; plot; plantation: 菜~ *cài~* garden of vegetebles; kailyard｜果~ *guǒ~* orchard｜桃~ *táo~* peach garden

³ **园林** yuánlín〈名 *n.*〉（处chù、片piàn）种植花草树木供人游览休息的风景区 garden; park: ~艺术 *~ yìshù* art of landscaping; horticulture｜~建筑 *~ jiànzhù* gardening architecture

² **员** yuán ❶〈名 *n.*〉团体或组织中的成员 member of a group or an organization: 会~ *huì~* member of an organization｜党~ *dǎng~* Party member｜田径队队~ *tiánjìngduì duì~* athletics ❷〈词尾 *suff.*〉指从事某种工作或具有某种身份的人 person engaged in a certain field of work: 售货~ *shòuhuò~* shop assistant｜驾驶~ *jiàshǐ~* driver｜通讯~ *tōngxùn~* reporter｜炊事~ *chuīshì~* cook｜官~ *guān~* officer｜指挥~ *zhǐhuī~* commander ❸〈量 *meas.*〉用于武将 used to describe a brave soldier: 一~猛将 *yì ~ měngjiàng* a valiant general｜三~大将 *sān ~ dàjiàng* three vigorous men ❹〈量 *meas.*〉用于计量人数 used to calculate number of persons: 我校员工共计150~。 *Wǒ xiào yuángōng gòngjì*

yìbǎi wǔshí ~. There are 150 staff members in our school.

⁴ **原** yuán ❶〈形 *adj.*〉最初的；开始的 primary; original; inceptive; at the very beginning：~人 ~*rén* primitive man ｜~生林 ~*shēnglín* primeval forest; virgin forest ❷〈形 *adj.*〉原来的；本来的 original; former：~籍 ~*jí* ancestral home ｜他这一下可~形毕露了。*Tā zhè yíxià kě ~xíng-bìlù le.* He reveals his true color. ｜一切按~计划进行。*Yíqiè àn ~ jìhuà jìnxíng.* All should be done according to the original plan. ❸〈形 *adj.*〉未经过加工的 unprocessed; crude; raw：~木 ~*mù* log; unprocessed wood ｜~棉 ~*mián* unprocessed cotton ｜~料 ~*liào* raw material ❹〈名 *n.*〉事情的开端和根源 the beginning and root：本~ *běn*~ principle ｜一定要查清事情的~委。*Yídìng yào cháqīng shìqing de ~wěi.* You must make all the details clear. ❺〈名 *n.*〉平坦宽阔的地面 plain and wide ground：平~ *píng*~ plain ｜高~ *gāo*~ plateau; highland ｜星星之火，可以燎~（比喻新生事物虽然弱小但是有广阔的前途）。*Xīng xīng zhī huǒ, kěyǐ liáo~(bǐyù xīnshēng shìwù suīrán ruòxiǎo dànshì yǒu guǎngkuò de qiántú).* A single spark can start a prairie fire (fig. new things, which look weak and small at the beginning, can have great vitality and a broad future for development). ❻〈副 *adv.*〉本来；原来 originally; formerly：这里~是一片坟地。*Zhèli ~ shì yí piàn féndì.* This was originally a graveyard. ❼〈动 *v.*〉谅解；宽容 forgive; tolerate：~谅 ~*liàng* forgive; pardon; excuse ｜情有可~ *qíngyǒukě*~ excusable; forgivable; pardonable

⁴ **原材料** yuáncáiliào〈名 *n.*〉原料和材料 raw material; unprocessed material：出口~ *chūkǒu* ~ export raw materials ｜保证~的供应 *bǎozhèng ~ de gōngyìng* guarantee the supply of raw materials ｜降低~的消耗 *jiàngdī ~ de xiāohào* reduce the consumption of raw materials

⁴ **原告** yuángào〈名 *n.*〉（名míng、个gè）向法院提出诉讼的一方，也叫'原告方'（与'被告'相对）plaintiff (in civil cases); prosecutor (in criminal cases), also '原告方' yuángàofāng' (opposite to '被告bèigào')：~席 ~*xí* plaintiff seat; prosecutor seat ｜~已经撤回诉讼，同意庭外解决。*~ yǐjīng chèhuí sùsòng, tóngyì tíng wài jiějué.* The plaintiff has withdrawn the lawsuit and agreed to settle the case outside the court.

¹ **原来** yuánlái ❶〈形 *adj.*〉起初的；未经改变的 original; former：我还在~的单位工作。*Wǒ hái zài ~ de dānwèi gōngzuò.* I still work in the same unit. ｜一切按照~的方案进行。*Yíqiè ànzhào ~ de fāng'àn jìnxíng.* Everyting should be done according to the original plan. ｜十多年没见了，她还是~的模样。*Shí duō nián méi jiàn le, tā háishì ~ de múyàng.* I haven't seen her for more than ten years, and she still looks like what she was. ❷〈副 *adv.*〉起初 originally; formerly：他~是个普通编辑，现在当上总编了。*Tā ~ shì gè pǔtōng biānjí, xiànzài dāngshàng zǒngbiān le.* He was just an editor in the past, but has become the editor-in-chief now. ｜~这里是一片荒地，如今已成了住宅小区。*~ zhèli shì yí piàn huāngdì, rújīn yǐ chéngle zhùzhái xiǎoqū.* This place used to be a vast expanse of wasteland, but it has become a residential area now. ❸〈副 *adv.*〉表示突然发现或醒悟 so; as it turns out：经过调查发现，他~是一个贪污犯。*Jīngguò diàochá fāxiàn, tā ~ shì yí gè tānwūfàn.* He is found an embezzler through investigation. ｜我说屋里怎么这么凉快，~开着空调呢。*Wǒ shuō wūli zěnme zhème liángkuai, ~ kāizhe kōngtiáo ne.* I wonder why the room is so cool, and found the air-conditioner is on.

³ **原理** yuánlǐ〈名 *n.*〉具有普遍意义的基本规律或科学道理 principle; theory; universal and fundamental law：阿基米德~ *Ājīmǐdé* ~ Archimedes principle ｜数学~ *shùxué* ~ mathematics theory ｜机械~ *jīxiè* ~ mechanics theory

¹ **原谅** yuánliàng〈动 *v.*〉对疏忽、过失或错误等宽恕和谅解 forgive; pardon; excuse：招

待不周，请您~。Zhāodài bùzhōu, qǐng nín ~. We beg your pardon if the service is not so satisfying. │ 这是一个不可~的错误。Zhè shì yí gè bùkě ~ de cuòwù. This is an unforgivable mistake.

² **原料 yuánliào** 〈名 n.〉(种zhǒng)尚未加工制造的材料 raw material：~供应不上，工厂只好停工了。~ gōngyìng bú shàng, gōngchǎng zhǐhǎo tínggōng le. The factory is shut down because the raw materials are in short supply.

³ **原始 yuánshǐ** ❶〈形 adj.〉最初的；第一手的 primal; original; first-hand; initial; primordial：~资料 ~ zīliào first-hand data │ ~记录 ~ jìlù original record │ ~状况 ~ zhuàngkuàng original situation ❷〈形 adj.〉古老的；未开发的；未开化的 undeveloped; primitive; primeval：~社会 ~ shèhuì primitive society │ ~森林 ~ sēnlín virgin forest │ ~部落 ~ bùluò primitive tribe │ ~生活 ~ shēnghuó primitive life

³ **原先 yuánxiān** ❶〈形 adj.〉原来的；未经改变的 original; former：~的计划不太切合实际。~ de jìhuà bú tài qièhé shíjì. The original plan doesn't fit in with the reality. │ 那是我~的电话号码，早就改了。Nà shì wǒ ~ de diànhuà hàomǎ, zǎo jiù gǎi le. That is my original telephone number and I have changed it long before. ❷〈副 adv.〉起初；当初 originally; formerly：我~不想去，他们硬拉我去的。Wǒ ~ bù xiǎng qù, tāmen yìng lā wǒ qù de. I didn't want to go originally, but they forced me there. │ ~他是个普通的农民，现在成了知名的企业家了。~ tā shì gè pǔtōng de nóngmín, xiànzài chéngle zhīmíng de qǐyèjiā le. He was an ordinary farmer in the past, but he has become a famous entrepreneur now.

² **原因 yuányīn** 〈名 n.〉(个gè、种zhǒng、条tiáo)造成某种结果或引发某种事件的条件 cause; reason：事故的~ shìgù de ~ reason for accident │ 失败的~ shībài de ~ reason for failure │ 主要~ zhǔyào ~ main reason │ 次要~ cìyào ~ subordinate reason; second reason │ 他恨我的唯一~是忌妒。Tā hèn wǒ de wéiyī ~ shì jìdu. The only reason why he hates me is his jealousy.

⁴ **原油 yuányóu** 〈名 n.〉(桶tǒng)未经提炼的石油 crude oil; unrefined petroleum：开采~ kāicǎi ~ recover crude oil │ 这个地区的~储量达5千亿桶。Zhège dìqū de ~ chǔliàng dá wǔqiān yì tǒng. The reserves of crude oil in this area come to five hundred billion barrels.

² **原则 yuánzé** ❶〈名 n.〉(条tiáo、项xiàng、个gè)说话行事的准则 principle; tenet：坚持~ jiānchí ~ stick to principle; live up to one's principles │ 基本~ jīběn ~ basic principle │ 我的~是与人为善。Wǒ de ~ shì yǔrénwéishàn. My principle is to be good willed towards others. ❷〈副 adv.〉大体上；总体上 in principle; in general：我~上同意你的意见。Wǒ ~ shang tóngyì nǐ de yìjiàn. I agree with you in principle. │ 我的提案获得~通过。Wǒ de tí'àn huòdé ~ tōngguò. My proposal gained approval in general.

³ **原子 yuánzǐ** 〈名 n.〉构成化学元素的基本单位 atom：~物理 ~ wùlǐ atomic physics │ ~反应堆 ~ fǎnyìngduī atomic reactor │ 氢~ qīng~ hydrogen atom

³ **原子弹 yuánzǐdàn** 〈名 n.〉(颗kē、个gè、枚méi)核武器的一种 atom bomb; A-bomb：投掷~ tóuzhì ~ cast an A-bomb │ 试验~ shìyàn ~ test of atomic bomb

⁴ **原子能 yuánzǐnéng** 〈名 n.〉原子核发生裂变或聚变时产生的能量，也叫'核能' atomic energy; nuclear energy, also '核能 hénéng'：~发电站 ~ fādiànzhàn nuclear power plant

¹ **圆 yuán** ❶〈名 n.〉从中心点到周边任何一点的距离完全相等的图形 circle：~心 ~ xīn center of a circle │ ~周 ~ zhōu circumference; boundary of a circle ❷〈名 n.〉圆形的金属货币，也作'元' round coin, same as'元 yuán'：金~ jīn~ gold dollar │ 银~ yín~ silver

dollar ❸〈量 *meas.*〉货币单位，1圆等于10角，多在正式场合(如银行存取款)时使用，也作'元' unit of money, one *yuan* equals ten *jiao*; oft. used on formal occasions, same as '元yuán'：壹仟~整 *yì qiān ~ zhěng* one thousand *yuan* sharp ❹〈形 *adj.*〉圆形的 round; circular：~桌 *~zhuō* round table │ ~括号 *~kuòhào* round parentheses │ ~的酒窝 *~~ de jiǔwō* round dimple ❺〈形 *adj.*〉球形的 ball-shaped：滚滚的 *yuángǔngǔnde* very round │ ~~的脑袋 *~~ de nǎodai* round head ❻〈形 *adj.*〉声音婉转 mellow and sweet：~润 *~rùn* mellow and full │ 字正腔~ *zìzhèng-qiāng ~* pronounce every word correctly and in a sweet, mellow voice ❼〈形 *adj.*〉完备；周全 perfect; comprehensive; tactful：他办事挺~的，各方面都能照顾好 *Tā bànshì tǐng ~ de, gè fāngmiàn dōu néng zhàogù hǎo.* He was very tactful and took all aspects into consideration. ❽〈形 *adj.*〉(处事)不露锋芒 tactful; wily; slick and sly：他这个人很~滑 *Tā zhège rén hěn ~huá.* He is very tactful. ❾〈动 *v.*〉使完备；使周全 make perfect; justify; make complete：自~其说 *zì~qíshuō* make one's statement consistent; justify oneself │ 多亏你给我~了场，要不我还真下不来台呢 *Duō kuī nǐ gěi wǒ ~le chǎng, yàobù wǒ hái zhēn xià bù lái tái ne.* Thanks to your words, or I will be put on the spot.

² **圆满** yuánmǎn〈形 *adj.*〉没有缺欠、漏洞，令人满意 satisfactory; perfect：~的结局 *~ de jiéjú* satisfactory ending │ 会议~地结束了 *Huìyì ~ de jiéshù le.* The conference came to a successful end. │ 他办事一向很~，你大可放心 *Tā bànshì yíxiàng hěn ~, nǐ dà kě fàngxīn.* He always handles things properly, and you can set your mind at ease.

² **圆珠笔** yuánzhūbǐ〈名 *n.*〉(支zhī、枝zhī)一种书写用具，也叫'原子笔' ball-pen; ballpoint pen, also '原子笔yuánzǐbǐ'

³ **援助** yuánzhù〈动 *v.*〉支援；帮助 help; support; aid; assist：无私~ *wúsī ~* selfless aid │ 国际~ *guójì ~* international aid │ 在我最困难的时候，他向我伸出了~之手 *Zài wǒ zuì kùnnan de shíhou, tā xiàng wǒ shēnchūle ~ zhī shǒu.* He gave me a hand when I was in most difficult situation.

³ **缘故** yuángù〈名 *n.*〉原因 reason; cause：不知什么~，爸爸最近老发脾气 *Bù zhī shénme ~, bàba zuìjìn lǎo fā píqì.* I wonder why father loses his temper easily these days. │ 他突然给你这么多钱，总有个~吧 *Tā tūrán gěi nǐ zhème duō qián, zǒng yǒu gè ~ ba.* He must have a reason to give you so much money.

³ **猿人** yuánrén〈名 *n.*〉最原始的人类 apeman：北京~ *Běijīng ~* Peking man

⁴ **源** yuán ❶〈名 *n.*〉水流开始的地方 source of a river; fountainhead：~头 *~tóu* fountainhead; wellspring │ 水~ *shuǐ~* source of water │ 饮水思~ (比喻不忘本) *Yǐnshuǐ-sī-* (*bǐyù bú wàngběn*). When you drink from the stream, remember the source (*fig.* not forget one's origin). ❷〈名 *n.*〉来源；根源 source; cause; root：资~ *zī~* resources │ 财~ *cái~* source of revenue; financial resources │ 能~ *néng~* energy resources │ 治病要先找到病~ *Zhì bìng yào xiān zhǎodào bìng~.* To treat the patient we must find the cause of his disease first.

⁴ **源泉** yuánquán〈名 *n.*〉水的来源；比喻事物的来源 source; fountainhead; wellspring：知识是力量的~ *Zhīshi shì lìliàng de ~.* Knowledge is the fountainhead of strength. │ 社会生活是文艺创作的~ *Shèhuì shēnghuó shì wényì chuàngzuò de ~.* Social life is the fountainhead of literary creation.

¹ **远** yuǎn ❶〈形 *adj.*〉空间或时间距离长 (与'近'相对) far away in time or space; distant; remote (opposite to '近jìn')：我家离学校很~ *Wǒ jiā lí xuéxiào hěn ~.* My home is far away from school. │ 这座园子已经年代久~了 *Zhè zuò yuánzi yǐjīng niándài jiǔ~ le.* This garden is age-old. │ 人无~虑，必有近忧 *Rén wú ~ lù, bì yǒu jìn*

yōu. One who lacks foresight will face danger close at hand. ❷〈形 *adj.*〉(血缘关系)不密切的(of blood relationship)distant：他是我的一个~房兄弟。*Tā shì wǒ de yí gè ~fáng xiōngdì.* He is my distant cousin. | ~亲不如近邻。*~qīn bùrú jìnlín.* A distant relative is of less help than a close neighbor. ❸〈形 *adj.*〉差距大 far：你和他相比可差~了。*Nǐ hé tā xiāngbǐ kě chà~ le.* You are far inferior to him. | 我的学习成绩~不如你。*Wǒ de xuéxí chéngjì ~bùrú nǐ.* The grade I get in my study is far less comparable than yours. ❹〈动 *v.*〉不接近 keep away from：我对他一向敬而~之。*Wǒ duì tā yíxiàng jìng'ér~zhī.* I always keep a respectful distance from him.

⁴ **远大** yuǎndà〈形 *adj.*〉长远而广阔 long-range; broad; ambitious：前程~ *qiánchéng* have a bright future | 目光~ *mùguāng* ~ be far-sighted; have a broad vision | ~的抱负 *de bàofù* lofty ambition | 我们青年人应当有~的理想。*Wǒmen qīngniánrén yīngdāng yǒu ~ de lǐxiǎng.* We young people should have a lofty ideal.

⁴ **远方** yuǎnfāng〈名 *n.*〉很远的地方 distant place：~的来信 ~ *de láixìn* letter from a place far away | 有朋自~来，不亦乐乎。*Yǒu péng zì ~ lái, bú yì lè hū.* How happy we are, to meet friends from afar! / Is it not delightful to have friends coming from distant quarters?

⁴ **远景** yuǎnjǐng ❶〈名 *n.*〉远处的景物 distant view; long-range perspective; prospect：眺望~，是一派丰收的景象。*Tiàowàng ~, shì yí pài fēngshōu de jǐngxiàng.* Look afar, it's a landscape of harvest. ❷〈名 *n.*〉未来的景象 future; prospects：~规划 ~ *guīhuà* long-range plan | 校长向我们描述了学校的发展~。*Xiàozhǎng xiàng wǒmen miáoshùle xuéxiào de fāzhǎn ~.* The president described the development plan of school to us.

³ **怨** yuàn ❶〈动 *v.*〉仇恨；怨恨 resent; discontent：他俩结怨已久。*Tā liǎ jié~ yǐ jiǔ.* They two have harbored enmity towards each other for a long time. | 我们应当以工作为重，不计个人恩~。*Wǒmen yīngdāng yǐ gōngzuò wéi zhòng, bú jì gèrén ēn~.* We should put the emphasis on our work instead of caring about personal enmity. ❷〈动 *v.*〉责怪；埋怨 blame; complain：任劳任~ *rènláo-rèn~* work hard without any complaint | 这事没办好完全~我。*Zhè shì méi bànhǎo wánquán ~ wǒ.* I have only myself to blame for failing to get this done.

² **院** yuàn ❶(~儿)〈名 *n.*〉院子 courtyard; yard; compound：四合~ *sìhé~* quadrangle | 大杂~ *dàzá~* compound occupied by a number of households | 庭~ *tíng~* courtyard ❷〈名 *n.*〉某些机构或公共场所的名称 designation for certain government organizations and public places：国务~ *Guówù~* State Council | 法~ *fǎ~* court | 参议~ *Cānyì~* Senate | 科学~ *kēxué~* academy of sciences | 电影~ *diànyǐng~* cinema | 博物~ *bówù~* museum ❸〈名 *n.*〉特指学院 college; university; academy; institute of higher learning：高等~校 *gāoděng ~xiào* institutes of higher education ❹〈名 *n.*〉特指医院 hospital：住~ *zhù~* be hospitalized | 他已经病愈出~了。*Tā yǐjīng bìngyù chū~ le.* He has been cured and left the hospital.

² **院长** yuànzhǎng〈名 *n.*〉(位wèi)某些机构或学校的领导 dean; president：科学院~ *kēxuéyuàn* ~ dean of the academy of sciences | 法院~ *fǎyuàn* ~ president of the court | 医院~ *yīyuàn* ~ hospital dean | 外国语学院~ *Wàiguóyǔ Xuéyuàn* ~ president of the Foreign Languages University

² **院子** yuànzi〈名 *n.*〉(个gè、座zuò)房前屋后用墙和栅栏围起来的空地 courtyard; yard; compound：~里有两棵桃树。*~ li yǒu liǎng kē táoshù.* There are two peach trees in the yard. | 一家人正坐在~里乘凉呢。*Yì jiā rén zhèng zuò zài ~ li chéngliáng ne.* The family is sitting in the yard to enjoy the cool.

³ **愿 yuàn ❶**〈动 v.〉希望 hope; wish; desire：~你俩幸福美满！ ~ *nǐ liǎ xìngfú měimǎn!* Wish you happiness. │~你早日康复！ ~ *nǐ zǎorì kāngfù!* I hope you will recover as soon as possible. **❷**〈动 v.〉乐意 be willing; be ready：自觉自~ *zìjué-zì~* of one's own will │完不成任务，我甘~受罚。*Wán bù chéng rènwù, wǒ gān~shòu fá.* I would take the punishment if I could not finish the mission. **❸** 〈名 n.〉希望将来能达到某种目的的想法 desire; wish; aspiration：~望 ~*wàng* will; desire │他终于如~以偿地考上了名牌大学。*Tā zhōngyú rú~yǐcháng de kǎoshàngle míngpái dàxué.* He is enrolled in the famous university as he has all along wishesd. **❹**〈名 n.〉愿心 vow：封官许~ *fēngguān-xǔ~* offer high position or other favors as a bribe │她到庙里还~去了。*Tā dào miào li huán~ qù le.* She went to the temple to redeem her vow to the god.

² **愿望 yuànwàng** 〈名 n.〉（个 gè）希望将来能达到某种目的的想法 desire; wish; aspiration：善良的~ *shànliáng de* ~ best of intentions; kind-hearted wish │美好的~ *měihǎo de* ~ fine wish │和平与发展是世界各国人民的共同~。*Hépíng yǔ fāzhǎn shì shìjiè gè guó rénmín de gòngtóng* ~. Peace and development are common wishes of all people in the world.

¹ **愿意 yuànyì ❶**〈动 v.〉同意；乐意 be willing; be ready; agree to do sth.：他不~把笔记借给我。*Tā bú ~ bǎ bǐjì jiè gěi wǒ.* He is unwilling to lend the notes he has taken to me. │我给她介绍了对象，她还不~。*Wǒ gěi tā jièshàole duìxiàng, tā hái bú ~.* I introduced a boy to her, but she did not take fancy to him. **❷** 〈动 v.〉希望 hope; wish; like; want：大家都~您来教我们课。*Dàjiā dōu ~ nín lái jiāo wǒmen kè.* Everyone hopes that you be our teacher.

⁴ **曰 yuē ❶**〈动 v. 书 *lit.*〉说 say：子~："学而时习之，不亦说乎？ *Zǐ ~: Xué ér shí xí zhī, bú yì yuè hū?* The Master said：Is it not pleasant to learn with a constant perseverance and application? **❷**〈动 v. 书 *lit.*〉叫做 call; name：明明是侵略，却美其名~'援助'。*Míngmíng shì qīnlüè, què měiqímíng ~ 'yuánzhù'.* This was an obvious invasion, but it was disguised with the good name 'aid'.

² **约 yuē ❶**〈动 v.〉事先说定 make an appointment; arrange：预~ *yù~* make an appointment in advance; book; reserve │我跟她~好在公园门口见面的。*wǒ gēn tā ~hǎo zài gōngyuán ménkǒu jiànmiàn de.* She and I agreed to meet at the entrance of the park. **❷**〈动 v.〉邀请 invite in advance; engage：特~嘉宾 tè ~ jiābīn honored guest who is specially invited │我~她晚上去看电影。*Wǒ ~ tā wǎnshang qù kàn diànyǐng.* I invited her to go to the cinema this evening. **❸**〈动 v.〉限制 restrict; restrain; confine：~束 ~*shù* restrain; keep within bounds │相互制~ *xiānghù zhì~* restrict each other **❹**〈动 v.〉节俭 economical and frugal; thrifty：节~ *jié~* economical; thrifty │俭~ *jiǎn~* thrifty and frugal **❺**〈动 v.〉数学上指约分 reduction of a fraction：3/9可~成1/3。*Jiǔ fēn zhī sān kě ~ chéng sān fēn zhī yī.* Three ninths can be reduced to one third. **❻**〈副 adv.〉大概 about; around; approximate：大~ *dà~* about │这本书~20万字。*Zhè běn shū ~ èrshí wàn zì.* There are about two hundred thousand words in this book. │平均亩产~500公斤。*Píngjūn mǔchǎn ~ wǔbǎi gōngjīn.* The average output of one *mu* is about 500 kg. **❼**〈名 n.〉事先说定的事情；共同商定的条款 agreement; pact; treaty：~法三章 ~*fǎ-sānzhāng* agree on a three-point rule │婚~ *hūn~* engagement │契~ *qì~* contract; deed; charter **❽**〈形 adj.〉简单；简略 simple; concise; brief：简~ *jiǎn~* brief; concise

² **约会 yuēhuì** 〈名 n.〉（个 gè、次 cì）事先约定的会晤 appointment; date; engagement：取消~ *qǔxiāo* ~ cancel the appointment │今晚我和她有个~。*Jīn wǎn wǒ hé tā yǒu gè ~.* I have made an appointment with her tonight.

⁴ **约束** yuēshù〈动 v.〉限制使不超出范围 keep within bounds; restrain; restrict：严格 ~ yángé ~ strictly restrain｜自我 ~ zìwǒ ~ self-restriction｜他可以自由行动，不受任何 ~. Tā kěyǐ zìyóu xíngdòng, bú shòu rènhé ~. He can move freely without any restriction.

¹ **月** yuè ❶〈名 n.〉月亮 moon：~食 ~shí lunar eclipse｜明~当空照. Míng ~ dāng kōng zhào. The moon shines brightly above.｜中秋节，一家人在院子里赏~. Zhōngqiūjié, yì jiā rén zài yuànzi li shǎng~. On the night of the Mid-autumn Festival our whole family were sitting in the yard to enjoy the beauty of the moon. ❷〈名 n.〉计时单位 month：我们到欧洲旅行了一个~. Wǒmen dào Ōuzhōu lǚxíng yí gè ~. We have toured Europe for one month.｜下个~就要期末考试了. Xià gè ~ jiù yào qīmò kǎoshì le. The term-end examination will begin next month. ❸〈名 n.〉每个月的 monthly：~刊 ~kān monthly publication｜~经 ~jīng menses; menstruation; period｜我买了一张地铁~票. Wǒ mǎile yì zhāng dìtiě ~piào. I bought a subway monthly ticket. ❹〈名 n.〉形状像月亮的 full-moon-shaped; round：~饼 ~bing moon cake｜~琴 ~qín Yueqin, four or three-stringed wooden musical instrument

⁴ **月份** yuèfèn〈名 n.〉指某一个月 month：学校每年9~开学. Xuéxiào měinián jiǔ~ kāixué. The school term begins in September every year.

³ **月光** yuèguāng〈名 n.〉月亮的光 moonlight; moonbeam：皎洁的~ jiǎojié de ~ clear and bright moonlight｜朦胧的~ ménglóng de ~ dim moonlight

¹ **月亮** yuèliang〈名 n.〉月球的通称 moon：一轮皎洁的~挂在天空. Yì lún jiǎojié de ~ guà zài tiānkōng. A bright moon is shining in the sky.

¹ **月球** yuèqiú〈名 n.〉地球的卫星，通称‘月亮’ moon, generally known as ‘月亮 yuèliang’：~上有许多环形山. ~ shang yǒu xǔduō huánxíngshān. There are many craters on the moon.

乐队 yuèduì〈名 n.〉(支zhī)由演奏不同乐器的人组成的集体 orchestra; band：军~ jūn~ military band｜管弦~ guǎnxián ~ orchestra｜交响~ jiāoxiǎng ~ symphony orchestra｜铜管~ tóngguǎn ~ brasswind orchestra

³ **乐器** yuèqì〈名 n.〉(件jiàn、种zhǒng)供演奏音乐的器具 musical instrument：民族~ mínzú~ folk musical instrument｜西洋~ xīyáng ~ Western musical instrument｜他会演奏多种~. Tā huì yǎnzòu duō zhǒng ~. He can play several kinds of musical instruments.

⁴ **乐曲** yuèqǔ〈名 n.〉(首shǒu、支zhī、段duàn)音乐的曲调；音乐作品 musical composition; music：优美的~ yōuměi de ~ exquisite music｜哀婉的~ āiwǎn de ~ pathetic music｜欣赏~ xīnshǎng ~ enjoy music｜他创作了许多动人的~. Tā chuàngzuòle xǔduō dòngrén de ~. He has composed many pieces of enchanting music.

⁴ **阅** yuè ❶〈动 v.〉检阅 review or inspect：广场上举行了隆重的~兵式. Guǎngchǎng shang jǔxíngle lóngzhòng de ~bīngshì. The ceremonious military parade is held in the square. ❷〈动 v.〉看(文字)read; go over：审~ shěn~ examine; check｜查~ chá~ consult; look up｜你的报告已经领导批~. Nǐ de bàogào yǐ jīng lǐngdǎo pī~. The leaders have read and commented on your report.｜这份文件请大家传~. Zhè fèn wénjiàn qǐng dàjiā chuán~. Please pass the document around. ❸〈动 v.〉经历 undergo; pass through：他的~历非常丰富. Tā de ~lì fēicháng fēngfù. He has rich experiences.｜晚生~世不深，还望不吝指教. Wǎnshēng ~ shì bù shēn, hái wàng búlìn zhǐjiào. I have scanty experience of life and hope that you will not spare your comments.

² **阅读** yuèdú〈动 v.〉看(书报等)并领会其内容 read and comprehend：~课 ~kè class of

reading comprehension｜经过一年的学习，我现在已经能~中文报刊了。 *Jīngguò yì nián de xuéxí, wǒ xiànzài yǐjīng néng ~ Zhōngwén bàokān le.* I can read Chinese newspapers and periodicals now after a year of learning Chinese.

² **阅览室** yuèlǎnshì〈名 n.〉(间儿、个 gè)供人阅读书报的房间 reading room：我每天都到~进行晚自习。 *Wǒ měitiān dōu dào ~ jìnxíng wǎn zìxí.* I will do my self-study in the reading room every night. ｜我们学校的外文~里有上百种外文报刊。 *Wǒmen xuéxiào de wàiwén ~ li yǒu shàng bǎi zhǒng wàiwén bàokān.* There are more than a hundred of foreign newspapers and periodicals in the reading room of our school.

⁴ **跃** yuè ❶〈动 v.〉跳 leap; jump; bounce; spring：跳~ tiào~ jump｜飞~ fēi~ leap｜他一~越过了横杆。 *Tā yí ~ yuèguòle hénggān.* He jumped over the crosspole at one go. ❷〈形 adj.〉生动的样子 vivid：活~ huó~ active; dynamic; brisk｜激愤之情~然纸上。 *Jīfèn zhī qíng ~rán zhǐ shàng.* Righteous indignation was clearly seen in the writing.

³ **跃进** yuèjìn ❶〈动 v.〉跳着前进 leap forward; make a leap：部队向敌人侧翼~。 *Bùduì xiàng dírén cèyì ~.* The troops made advances to the enemy's flanks. ❷〈动 v.〉比喻快速地发展 leap forward; jump; *fig.* develop quickly：我们的企业~到了世界五百强。 *Wǒmen de qǐyè ~dàole shìjiè wǔbǎi qiáng.* Our enterprise has made quick development and got listed in the world's top 500.

³ **越** yuè ❶〈动 v.〉跨过；跳过 get over; jump over; stride over; leap over：翻山~岭 fānshān~~lǐng climb over hills｜盗贼~墙而入。 *Dàozéi ~ qiáng ér rù.* The thief jumped over the wall and entered the house. ❷〈动 v.〉经过 live through; cross：~冬作物 ~dōng zuòwù winter crop｜探险队~了可可西里无人区。 *Tànxiǎnduì chuān~le Kěkěxīlǐ wúrénqū.* The expedition has crossed the no-man's land of Hoh Xil. ❸〈动 v.〉超出(范围) exceed; go beyond：~权 ~quán go beyond one's power｜~轨 ~guǐ exceed the bounds; go beyond the limits｜~界 ~jiè overstep the boundary; cross the border｜对这件事我准备~级上告。 *Duì zhè jiàn shì wǒ zhǔnbèi ~jí shànggào.* I am ready to bypass my immediate leader and present my appeals on this matter to the higher authority. ❹〈动 v.〉抢夺 rob; loot; plunder：杀人~货 shārén~~huò kill a person and seize property; rob and kill ❺〈形 adj.〉超出一般的 outstanding; remarkable; preeminent：优~性 yōu~xìng sense of superiority｜卓~的贡献 zhuó~ de gòngxiàn outstanding contributions ❻〈形 adj.〉(情感、声音)昂扬 (of emthion or voice) be at a high pitch; vigorous：群情激~。 *Qúnqíng jī~.* The public is excited. ｜声音清~。 *Shēngyīn qīng~.* The voice is clear and far-reaching. ❼〈副 adv.〉更加(一般叠用) more (oft. used reduplicatedly)：父亲的病~发加重了。 *Fùqīn de bìng ~fā jiā zhòng le.* Father's illness becomes worse. ｜他~谈兴致~高。 *Tā ~ tán xìngzhì ~ gāo.* The more he talked, the more excited he became. ❽(Yuè)〈名 n.〉中国周朝诸侯国名 State of Yue of the Zhou Dynasty ❾(Yuè)〈名 n.〉指中国浙江省东部 eastern part of Zhejiang Province：~剧 ~jù Shaoxing Opera

⁴ **越冬** yuèdōng〈动 v.〉(植物、昆虫、病菌等)过冬 live through or survive winter：~作物 ~ zuòwù winter crop; overwintering crop｜有些细菌能够~。 *Yǒuxiē xìjūn nénggòu ~.* Some kinds of germs can live through winter.

⁴ **越过** yuè//guò〈动 v.〉跨过中间的界限或障碍，从一边到另一边 cross; surmount; go from one place to another by crossing boundaries and overcoming hindrances：~高山 ~ gāoshān tramp over high mountains｜~边界 ~ biānjiè cross boundaries｜这么高的墙我可越不过去。 *Zhème gāo de qiáng wǒ kě yuè bú guòqù.* The wall is so high that I cannot cross it.

² **越来越**… yuèláiyuè… 〈副 *adv.*〉表示程度随着时间的推移而提高 the more... the more：天气～热。*Tiānqì ~ rè.* It's getting hotter and hotter. | 他长得～胖。*Tā zhǎng de ~ pàng.* He becomes fatter and fatter. | 爷爷的身体～差。*Yéye de shēntǐ ~ chà.* Grandfather's health becomes worse and worse.

² **越…越**… yuè…yuè… 〈副 *adv.*〉表示程度随着条件的发展而发展，同'愈yù…愈yù…' the more...the more, same as '愈yù…愈yù…'：她～说～生气。*Tā ~ shuō ~ shēngqì.* The more she talked, the angrier she became. | 风～刮～猛。*Fēng ~ guā ~ měng.* The wind blows more and more fiercely. | 准备得～充分，成功的把握～大。*Zhǔnbèi de ~ chōngfèn, chénggōng de bǎwò ~ dà.* The more fully you prepare, the more certainly you will become successful.

³ **晕** yūn ❶〈动 *v.*〉头脑昏乱 dizzy：～头转向 *~tóu-zhuǎnxiàng* dizzy; giddy; muddle-headed | 昨晚没睡好觉，今天一天都～忽忽的。*Zuó wǎn méi shuìhǎo jiào, jīntiān yì tiān dōu ~~-hūhū de.* I had a poor sleep last night and felt dizzy all the day today. ❷〈动 *v.*〉昏迷 faint; pass out; lose consciousness：～厥 *~jué* syncope; faint | 他病得不轻，已经～过去好几次了。*Tā bìng de bù qīng, yǐjīng ~ guòqù hǎojǐ cì le.* He was seriously ill and had lost his consciousness several times.

¹ **云** yún ❶〈名 *n.*〉(片piàn、团tuán、朵duǒ、块kuài)成团地飘浮在空中的水滴或冰晶 cloud; airborne matter formed of water droplets and ice particles：多～转晴 *duō ~ zhuǎn qíng* change from cloudy to fine | 天上飘着一片白～。*Tiānshang piāozhe yí piàn bái~.* A white cloud is hovering across the sky. | 天有不测风～，人有旦夕祸福。*Tiān yǒu búcè fēng~, rén yǒu dànxī huòfú.* A storm may arise from a clear sky, and man may be subject to sudden changes of fortune. ❷〈动 *v.* 书 *lit.*〉说 say：人～亦～ *rén~-yì~* echo what others say | 古人～：不能则学，疑则问。*Gǔrén ~: bù néng zé xué, yí zé wèn.* The ancients say, 'One should learn when he does not know and ask when he has doubts'. ❸ (Yún)〈名 *n.*〉指中国云南省 Yunnan Province：～贵高原 *~guì Gāoyuán* Yunnan-Guizhou Plateau

⁴ **云彩** yúncai〈名 *n.*〉(片piàn、朵duǒ、块kuài)云 cloud：一片乌黑的~遮住了太阳。*Yí piàn wūhēi de ~ zhēzhùle tàiyáng.* A dark cloud hid the sun. | 天上没有一丝~。*Tiānshang méiyǒu yì sī ~.* There is no cloud in the sky.

⁴ **匀** yún ❶〈形 *adj.*〉分布在各部分的数量大体相同 even; equitable：大小不～ *dàxiǎo bù ~* not even in size | 颜色不～。*Yánsè bù ~.* The color is not evenly applied. ❷〈动 *v.*〉使大体相同或相等 even up; divide evenly：这几份东西分得不均匀，你再好好儿一～吧。*Zhè jǐ fèn dōngxi fēn de bù jūnyún, nǐ zài hǎohāor ~ yì ~ ba.* The thing is not evenly divided, please even them up. ❸〈动 *v.*〉从中抽出一部分 take from sth. ; spare：你~出点儿时间去看望看望他吧。*Nǐ ~chū diǎnr shíjiān qù kànwàng kànwàng tā ba.* Please spare some time to visit him. | 我家可以~出一间房间来给你住。*Wǒ jiā kěyǐ ~chū yì jiān fángjiān lái gěi nǐ zhù.* I can spare one room for you in our home.

² **允许** yǔnxǔ〈动 *v.*〉同意；许可 permit; allow; grant; approve：未经~，不得入内。*Wèi jīng ~, bù dé rù nèi.* No entrance without permission. | 不~任何人违反纪律。*Bù ~ rènhé rén wéifǎn jìlù.* No one will be allowed to disobey the discipline.

⁴ **孕育** yùnyù〈动 *v.*〉怀胎生育，比喻在既有的事物中酝酿新的事物 be pregnant; breed; be conceived; fig. (of existing thing) brew new things：虚假的繁荣中~着一场危机。*Xūjiǎ de fánróng zhōng ~zhe yì chǎng wēijī.* The illusive prosperity harbors in it a crisis. | 失败中~着成功。*Shībài zhōng ~zhe chénggōng.* Failure heralds success.

² **运** yùn ❶〈动 *v.*〉搬运；运输 carry; transport; ship：空～ *kōng~* air transport; airlift | 海～

hǎi~ sea transportation; ocean shipping │ 这件行李托~到上海。*Zhè jiàn xíngli tuō~ dào Shànghǎi.* This baggage is to be transported to Shanghai. ❷〈动 *v.*〉移动；转动 move:~动 ~*dòng* motion; movement │ ~行 ~*xíng* be in operation ❸〈动 *v.*〉使用 use; wield; utilize; apply:~笔 ~*bǐ* write or paint with a brush │ ~用 ~*yòng* make use of ❹〈名 *n.*〉指人的生死、祸福等遭遇 fortune; luck; fate; destiny: 官~ *guān*~ official career; fortunes of officialdom │ 财~ *cái*~ luck in matters concerning money │ 他第一次买彩票就中了，真走~! *Tā dì-yī cì mǎi cǎipiào jiù zhòng le, zhēn zǒu*~! It is so lucky of him that he wins a lottery when he buys it for the first time.

¹ **运动** yùndòng ❶〈动 *v.*〉物体的位置不断地变化 motion; movement; continuous change of location of an object:做剧烈运动之前，要先做准备活动，把身体的各部分~开。*Zuò jùliè yùndòng zhī qián, yào xiān zuò zhǔnbèi huódòng, bǎ shēntǐ de gè bùfen* ~*kāi.* Before doing strenuous exercise, one should first warm up and set his body in motion. ❷〈名 *n.*〉体育活动 sports; athletics; exercise:~场 ~*chǎng* sports venue; athletic ground │ 健身 ~*jiànshēn* fitness sports; callisthenics │ 田径 ~*tiánjìng* ~ track and field sports; athletics │ ~健将 ~*jiànjiàng* master sportsman ❸〈名 *n.*〉(场chǎng、次cì) 指社会上有组织、有目的、有较大声势的群众性活动 movement; campaign; drive: 政治 ~*zhèngzhì* ~ political movement │ 技术革新~ *jìshù géxīn* ~ technological innovation movement

² **运动会** yùndònghuì 〈名 *n.*〉(届jiè、次cì) 单项或多项体育活动的竞赛会 sports meet; athletic meeting; games: 田径 ~*tiánjìng* ~ athletic meeting │ 冬季 ~*dōngjì* ~ winter games │ 奥林匹克~ *Àolínpǐkè* ~ Olympic Games

² **运动员** yùndòngyuán ❶〈名 *n.*〉(名míng、个gè、位wèi) 参加体育运动竞赛的人 sportsman or sportswoman; athlete; player: 体操~ *tǐcāo* ~ gymnast │ 武术~ *wǔshù* ~ wushu player │ 他是一名出色的篮球~。*Tā shì yì míng chūsè de lánqiú* ~. He is an excellent basketball player. ❷〈名 *n.*〉(名míng、个gè、位wèi) 指经常在政治运动中挨整的人 (含诙谐义) person who is often harassed in political movement:他是我们单位的老~了，没有一次政治运动不挨整的。*Tā shì wǒmen dānwèi de lǎo* ~ le, méiyǒu yí cì *zhèngzhì yùndòng bù áizhěng de.* He is an 'old athlete' of our unit, and is criticized in every political movement.

³ **运气** yùnqi ❶〈名 *n.*〉命运;幸运 destiny; fate; odds; lot:她的~真不好, 嫁给了这么一个糟老头子。*Tā de* ~ *zhēn bù hǎo, jiàgěile zhème yí gè zāo lǎotóuzi.* She is really unlucky, and married a poor old man。│ 他的~真好, 次次中奖。*Tā de* ~ *zhēn hǎo, cìcì zhòngjiǎng.* He is so lucky, and wins a prize every time. ❷〈形 *adj.*〉幸运的 lucky:他真~, 考上了北京大学。*Tā zhēn* ~, *kǎoshàngle Běijīng Dàxué.* He is lucky enough to be enrolled by Peking University.

² **运输** yùnshū ❶〈动 *v.*〉用交通工具将物资或人从一处运到另一处 transport; carry:必须尽快将这批救援物资~到地震灾区。*Bìxū jǐnkuài jiāng zhè pī jiùyuán wùzī* ~*dào dìzhèn zāiqū.* This batch of relief materials must be transported to disaster area of earthquake as soon as possible. ❷〈名 *n.*〉指运输的工作 transportation: 铁路 ~*tiělù* ~ railway transportation │ 公路 ~*gōnglù* ~ highway transportation │ 交通~业 *jiāotōng* ~*yè* transportation industry

² **运送** yùnsòng 〈动 *v.*〉将物资或人运到一定的地方 transport; ship; convey:大批救援物资源源不断地~到了灾区。*Dàpī jiùyuán wùzī yuányuán búduàn de* ~ *dàole zāiqū.* Large quantities of rescue materials were transported to the disaster area incessantly.

⁴ **运算** yùnsuàn 〈动 *v.*〉依照数学法则进行计算 calculate:~公式 ~*gōngshì* calculation

Y

formula｜~程序～*chéngxù* operation procedure｜这台计算机每秒可~1千万次。*Zhè tái jìsuànjī měi miǎo kě ~ yìqiān wàn cì.* This computer can do operations ten million times per second.

⁴ 运行 yùnxíng〈动 v.〉(星球、车船等)周而复始地运转 (of planets) revolve in circle; (of vehicles, ships, etc.) move year round; be in motion; be in operation：月球围绕地球~。*Yuèqiú wéirào dìqiú ~.* The moon rotates round the Earth.｜列车~正常。*Lièchē ~ zhèngcháng.* The train is operating properly.

² 运用 yùnyòng〈动 v.〉利用；使用 use; apply; make use of：熟练~ *shúliàn ~* use sth. skilfully｜灵活~ *línghuó ~* apply in a flexible way｜他已经能~汉语进行交谈了。*Tā yǐjīng néng ~ Hànyǔ jìnxíng jiāotán le.* He can make conversations in Chinese.

³ 运转 yùnzhuǎn ❶〈动 v.〉沿着一定的轨道转动 revolve; turn round; move in an orbit：人造卫星正沿着轨道正常~。*Rénzào wèixīng zhèng yánzhe guǐdào zhèngcháng ~.* The man-made satellite is revolving regularly in its orbit. ❷〈动 v.〉机器等有规则地转动 (of machines) work; operate：这台机器~有些不正常。*Zhè tái jīqì ~ yǒuxiē bú zhèngcháng.* Something is wrong with the working of this machine. ❸〈动 v.〉比喻组织、机构等进行工作 (of organizations, institutes, etc.) be in operation; run; operate：我们公司刚成立，各部门还没有完全~起来。*Wǒmen gōngsī gāng chénglì, gè bùmén hái méiyǒu wánquán ~ qǐlái.* Our company is just established, and every department of it is not in a complete working state.

⁴ 酝酿 yùnniàng〈动 v.〉制酒的发酵过程；比喻做准备工作 ferment; brew; *fig.* make preparations：改革方案经过充分~，马上可以出台了。*Gǎigé fāng'àn jīngguò chōngfèn ~, mǎshàng kěyǐ chūtái le.* The reform plan has been fully discussed, and will soon be promulgated. ｜大家先~~人选，下个星期正式选举。*Dàjiā xiān ~ ~ rénxuǎn, xià gè xīngqī zhèngshì xuǎnjǔ.* We may first consider and discuss about the candidates and hold the formal election next week.

⁴ 蕴藏 yùncáng〈动 v.〉蓄积而未显露或未发掘 hold in store; contain：他把自己的感情~在心底。*Tā bǎ zìjǐ de gǎnqíng ~ zài xīndǐ.* He hides his feeling in his heart. ｜中国的西部地区~着丰富的矿产资源。*Zhōngguó de xībù dìqū ~zhe fēngfù de kuàngchǎn zīyuán.* The western part of China is rich in mineral resources.

Z

²杂 zá ❶〈形 adj.〉不纯；多种多样 heterogeneous; mixed; miscellaneous; sundry; varied; diverse：~粮 ~*liáng* food grains other than wheat and rice; coarse cereals｜~种 ~*zhǒng* hybrid; crossbreed; son of bitch; bastard｜大~院 *dà~yuàn* compound occupied by many households｜这条街上~七~八的什么人都有。 *Zhè tiáo jiē shang ~qī-~bā de shénme rén dōu yǒu.* There are all sorts of people in this street. **❷**〈形 adj.〉杂乱 disorderly; chaotic：~乱无章 ~*luàn-wúzhāng* in a mess; rambling; disorderly and unsystematic; disorganized; higgledy-piggledy｜人多手~ *rénduō-shǒu~* the more people, the more disordered; too many cooks spoil the broth **❸**〈形 adj.〉正规或正项以外的 extra; irregular; other than：~牌儿 ~*páir* a lesser-known and inferior brand｜苛捐~税 *kējuān-~shuì* exorbitant taxes and miscellaneous levies **❹**〈动 v.〉掺合在一起 mix; mingle；夹~ *jiá~* mingle; be mixed up with｜他~在人群里混过了关。 *Tā ~zài rénqún li hùnguòle guān.* He managed to pass by in the crowds.｜黑发里~着几根白发。 *Hēi fà li ~zhe jǐ gēn bái fà.* There are several pieces of gray hair in his black hair.

²杂技 zájì〈名 n.〉（种 zhǒng、项 xiàng）各种技艺表演的总称 acrobatics：~团 ~*tuán* acrobatics troupe｜~演员 ~*yǎnyuán* acrobat｜中国的~非常丰富多彩，有口技、车技、绳技、顶碗等等。 *Zhōngguó de ~fēicháng fēngfù-duōcǎi, yǒu kǒujì, chējì, shéngjì, dǐngwǎn děngděng.* Acrobatic performances are of a wide variety in China, including vocal mimicry, trick-cycling, rope tricks and pagoda of bowls.

³杂交 zájiāo〈动 v.〉各种不同的生物种属或品种进行交配 hybridize; cross-breed; cross：将水稻进行~后大幅度地提高了产量。 *Jiāng shuǐdào jìnxíng ~ hòu dà fúdù de tígāole chǎnliàng.* Hybridization has greatly increased the rice output.｜无性~ *wúxìng~* asexual (or vegetative) hybridization

⁴杂乱 záluàn〈形 adj.〉纷乱；没有秩序或条理 in a muddle; mixed and disorderly; in a jumble; chaotic; untidy; messy; in a mess：~无章 ~*wúzhāng* in a mess; rambling; disorderly and unsystematic; disorganized; higgledy-piggledy｜人声~ *rénshēng ~* a babel of voices｜~的脚步声 ~*de jiǎobù sheng* disorderly footfalls｜桌子上~地堆放着文件和书稿。 *Zhuōzi shang ~ de duīfàngzhe wénjiàn hé shūgǎo.* Documents and manuscripts are piled in a mess on the table.

³杂文 záwén〈名 n.〉（篇 piān）中国现代散文的一种，一般偏重议论 essay; satirical essay：鲁迅先生的~是战斗的檄文。 *Lǔ Xùn xiānsheng de ~ shì zhàndòu de xíwén.* Mr. Lu Xun's essays are an official call to arms.

³杂志 zázhì〈名 n.〉（本 běn、份 fèn、种 zhǒng、期 qī）定期出版的刊物 journal; magazine; periodical：这种英语学习~很受读者的欢迎。 *Zhè zhǒng Yīngyǔ xuéxí ~ hěn shòu*

dúzhě de huānyíng. This kind of magazine for English learning is well accepted among readers.

³ **杂质** zázhì 〈名 *n.*〉夹杂在某种物质中的不纯的成分 foreign substance or matter; impurity：水里的～太多了，不能饮用。*Shuǐ li de ~ tài duō le, bù néng yǐnyòng.* The water is undrinkable due to so many impurities in it.

³ **砸** zá ❶〈动 *v.*〉重物落在物体上；用重物撞击 pound; tamp; thump against：煤矿坍塌，～死了几十人。*Méikuàng tāntā, ~sǐle jǐshí rén.* Scores of lives were lost from the collapse of the coal mine. | 搬起石头～自己的脚。*Bānqǐ shítou ~ zìjǐ de jiǎo.* Lift a rock only to drop it on one's own foot. ❷〈动 *v.*〉打破；捣毁 break; smash：我不小心～了一个杯子。*Wǒ bù xiǎoxīn ~le yí gè bēizi.* I broke a cup by accident. | 一帮流氓把他的家～了。*Yì bāng liúmáng bǎ tā de jiā ~ le.* A group of hooligans smashed his home. ❸〈动 *v.* 方 dial.〉失败 fail; lose; be defeated; be bungled; fall through：事情让他给办～了。*Shìqing ràng tā gěi bàn~ le.* He has bungled the matter. | 这次我考～了。*Zhè cì wǒ kǎo~ le.* I fail the exam this time.

² **灾** zāi 〈名 *n.*〉自然的或人为的祸害 calamity; disaster; catastrophe：水～ *shuǐ~* flood | 旱～ *hàn~* drought | 兵～ *bīng~* disaster of war | 天～人祸 *tiān~-rénhuò* natural calamities and man-made misfortunes | ～区 *~qū* disaster area | 我们那个地方年年闹～。*Wǒmen nàge dìfang niánnián nào ~.* Our place is stricken by disaster every year.

² **灾害** zāihài 〈名 *n.*〉水、旱、风、火、虫、雹、地震、战争等自然或人为造成的祸害 plague; calamity; disaster; catastrophe：自然～ *zìrán ~* natural calamity | 这个地区～连年不断。*Zhège dìqū ~ liánnián búduàn.* The area has suffered from disasters in successive years.

⁴ **灾荒** zāihuāng 〈名 *n.*〉(次 cì、场 chǎng)因自然灾害而造成的饥荒 famine due to crop failure：我们家乡今年又闹～了。*Wǒmen jiāxiāng jīnnián yòu nào ~ le.* Our hometown suffers from famine again this year.

³ **灾难** zāinàn 〈名 *n.*〉(次 cì、场 chǎng)天灾或人祸给人带来的严重损失和痛苦 calamity; disaster; suffering：深重的～ *shēnzhòng de ~* severe disaster | 他的父母和兄弟都死于那场～。*Tā de fùmǔ hé xiōngdì dōu sǐ yú nà chǎng ~.* His parents and brothers all died in that catastrophe.

³ **栽** zāi ❶〈动 *v.*〉种植 plant; grow：～树 *~shù* plant trees | 把这株牡丹～到花盆里。*Bǎ zhè zhū mǔdan ~ dào huāpén li.* Transplant this peony into the flowerpot. ❷〈动 *v.*〉硬加上 impose sth. on sb.; force sth. on sb.; fabricate a charge against sb.; frame sb.：～赃 *~zāng* plant stolen or banned goods on sb.; shift the blame on sb.; fabricate a charge against sb.; frame sb. | 他把罪名硬～在我的头上。*Tā bǎ zuìmíng yìng ~ zài wǒ de tóu shang.* He simply fabricated a charge against me. ❸〈动 *v.*〉跌倒 tumble; fall; topple：～了一个跟头。*~le yí gè gēntou.* (Sb.) tripped and fell down. | 昨天他喝醉了酒，一头～到了河里。*Zuótiān tā hēzuìle jiǔ, yìtóu ~dàole hé li.* Yesterday he got drunk and went head over heels into a river.

⁴ **栽培** zāipéi ❶〈动 *v.*〉种植和培育植物 cultivate; grow; tend：～果树 *~ guǒshù* plant fruit trees | ～花卉 *~ huāhuì* cultivate flowers | 他的苹果～技术已被广泛推广。*Tā de píngguǒ ~ jìshù yǐ bèi guǎngfàn tuīguǎng.* His skills of apple growing have been widely spread. ❷〈动 *v.*〉培养和造就 train; foster; educate：我们十分感谢老师对我们的～。*Wǒmen shífēn gǎnxiè lǎoshī duì wǒmen de ~.* We are very grateful to our teachers for their education. ❸〈动 *v.*〉官场里的照顾和提拔 patronize; help sb. advance in career：我有今天的地位，全靠您的～。*Wǒ yǒu jīntiān de dìwèi, quán kào nín de ~.* The status that I have got today is wholly due to your help.

³ **载** zǎi ❶〈动 v.〉刊登；将事情记录下来 record; put down in writing: 刊～ *kān*~ publish in a magazine; carry; feature; print | 报～ *bào*~ publish in a newspaper | 入史册 ~*rù shǐcè* go down in history | 此文转～自《自然》杂志。*Cǐ wén zhuǎn~ zì 'Zìrán' zázhì.* The article was reprinted from the magazine *Nature*. ❷〈量 meas.〉一载为一年 year: 一年半～ *yìnián-bàn*~ a year or so; in about a year | 三年五～ *sānnián-wǔ*~ three to five years; in (for) a few years | 这真是千～难逢的大好机会。*Zhè zhēn shì qiān~nánféng de dàhǎo jīhuì.* This is a real good chance occurring only once in a thousand years.

⁴ **宰** zǎi ❶〈动 v.〉杀（家禽、牲畜等）slaughter; butcher: 屠～ *tú*~ butcher | 任人～割 *rènrén-gē* allow oneself to be trampled upon; place oneself at the mercy of | 我们农村一到过年家家都要杀猪～鸡。*Wǒmen nóngcūn yí dào guònián jiājiā dōu yào shā zhū ~ jī.* It is a universal custom among rural households to slaughter pigs and chickens when the New Year comes. ❷〈动 v. 方 dial.〉比喻向顾客索取高价 overcharge; soak; fleece: ～客～*kè* overcharge a customer | ～人 ~*rén* overcharge sb. | 今天我在这家饭馆挨了一顿。*Jīntiān wǒ zài zhè jiā fànguǎn áile yí dùn* ~. I got fleeced in this restaurant today. ❸〈动 v.〉主管；主持 control; rule; reign; be in charge of; charge; govern: 主～ *zhǔ*~ dominate; dictate; have the final say ❹〈名 n.〉中国古代官名 title of an official position in ancient times: ～相 ~*xiàng* prime minister

¹ **再** zài ❶〈副 adv.〉表示同一动作、行为的重复或继续 another time; again; once more: 请你~说一遍。*Qǐng nǐ ~ shuō yí biàn.* Please say it again. | 我明天～来看你。*Wǒ míngtiān ~ lái kàn nǐ.* I will come to see you again tomorrow. | 你~呆一会儿吧。*Nǐ ~ dāi yíhuìr ba.* Will you stay for another while. ❷〈副 adv.〉表示动作的先后承接 then; before: 咱们上完自习~去散步。*Zánmen shàngwán zìxí ~ qù sànbù.* Let's go for a walk when the self-study session is over. ❸〈副 adv.〉表示更加 to a greater extent or degree: 雨下得~大我也要去上课。*Yǔ xià de ~ dà wǒ yě yào qù shàngkè.* I would go to school however hard it rained. ❹〈副 adv.〉与'也''都'配合，表示在任何条件下都不会改变（used with '也yě' or '都dōu'）in any case; despite: 她～穷也要让儿子上大学。*Tā ~ qióng yě yào ràng érzi shàng dàxué.* She insists on sending her son to college no matter how poor she may be. | 我~解释，他也不会相信。*Wǒ ~ jiěshì, tā yě bú huì xiāngxìn.* He will refuse to believe it whatever explanation I may give. ❺〈副 adv.〉表示追加、补充 indicating additional information: 你、我~加上他准能把这件事办好。*Nǐ, wǒ ~ jiā shang tā zhǔn néng bǎ zhè jiàn shì bànhǎo.* You, I as well as he will certainly be able to handle the affair well. ❻〈副 adv.〉表示所说的范围有所扩大，有'另外'的意思 indicating an enlarged range: 除了你和我，~没有别人知道这件事了。*Chúle nǐ hé wǒ, ~ méiyǒu biérén zhīdào zhè jiàn shì le.* Nobody knows it except you and me. ❼〈副 adv.〉用于否定句中，表示加强语气 used in a negative sentence for emphasis: 我~也不相信他了。*Wǒ ~ yě bù xiāngxìn tā le.* I will never trust him any more. ❽〈副 adv.〉表示如果继续下去，就会发生某种情况（indicating a possible occurrence if sth. is allowed to continue）if: 你~不努力学习，就要留级了。*Nǐ ~ bù nǔlì xuéxí, jiù yào liújí le.* You will fail to go up to the next grade if you don't study hard.

¹ **再见** zàijiàn ❶〈动 v.〉告别用语 good-bye; see you again; so long: 妈妈，~！*Māma, ~!* Good bye, mom! ❷〈动 v.〉再一次见面 meet again: 希望20年后~的时候我们都成为各行各业的专家。*Xīwàng èrshí nián hòu ~ de shíhou wǒmen dōu chéngwéi gèhánggèyè de zhuānjiā.* I hope everyone of us will become experts in our professions 20 years later when we meet again.

Z

³ **再三** zàisān 〈副 *adv.*〉一次又一次 over and over again; time and again; again and again; repeatedly：我考虑，最后决定提出辞职。*Wǒ kǎolǜ ~, zuìhòu juédìng tíchū cízhí.* After having considered it over and over again, I finally decided to send in my resignation.│经过一挽留，他终于同意继续留下来任教。*Jīngguò ~ wǎnliú, tā zhōngyú tóngyì jìxù liú xiàlái rènjiào.* After having been persuaded to stay again and again, he eventually agreed to continue to teach here.

⁴ **再生产** zàishēngchǎn 〈动 *v.*〉指生产过程不断重复或更新 reproduce：简单~ *jiǎndān ~* simple reproduction │ 扩大 ~ *kuòdà ~* expand reproduction; reproduction on an extended scale

³ **再说** zàishuō ❶〈动 *v.*〉表示留待以后考虑或办理 hold over; put off until some time later：你的事咱们见了面~。*Nǐ de shì zánmen jiànle miàn ~.* Let's talk about your matter when we meet each other later. ❷〈连 *conj.*〉连接分句，表示进一层的原因 besides; what's more：你年纪不大，~还在上学，不应该谈恋爱。*Nǐ niánjì bú dà, ~ hái zài shàngxué, bù yīnggāi tán liàn'ài.* You shouldn't begin courting now since you are still young and studying at school.

¹ **在** zài ❶〈介 *prep.*〉表示事物发生的时间、地点、范围 indicating time, place, scope：我~2002年考入北京大学。*Wǒ ~ èr-líng-líng-èr nián kǎorù Běijīng Dàxué.* I was enrolled by Peking University through the entrance examination in 2002. │我生~美国。*Wǒ shēng ~ Měiguó.* I was born in the USA. │中国的南方气候温暖多雨。*~ Zhōngguó de nánfāng qìhòu wēnnuǎn duō yǔ.* It is warm and rainy in south China. ❷〈动 *v.*〉表示人或事物的位置 indicating where a person or a thing is：我的家~上海。*Wǒ de jiā ~ Shànghǎi.* My home is in Shanghai. │邮局~这条大街的北边。*Yóujú ~ zhè tiáo dàjiē de běibian.* The post office is on the northern side of this avenue. ❸〈动 *v.*〉存在；生存 exist; be alive; be living：留得青山~，不怕没柴烧(比喻如果能保留最根本的条件，其他的问题就能得到解决)。*Liú dé qīngshān ~, bú pà méi chái shāo (bǐyù rúguǒ néng bǎoliú zuì gēnběn de tiáojiàn, qítā de wèití jiù néng dédào jiějué).* As long as the green mountains are there, one need not worry about fire wood (Where there is life, there is hope). │我的父母都还~，结婚的事我得征求他们的意见。*Wǒ de fùmǔ dōu hái ~, jiéhūn de shì wǒ děi zhēngqiú tāmen de yìjiàn.* As my parents are still alive, I have to seek their opinions on the matter of my marriage. ❹〈动 *v.*〉决定于 lie in; depend on; rest with; rely on：有志不~年高。*Yǒu zhì bú ~ nián gāo.* Lofty ideals do not necessarily lie in people of venerable age. │错误的责任完全~我，别批评他。*Cuòwù de zérèn wánquán ~ wǒ, bié pīpíng tā.* Don't blame him; I am solely responsible for what was wrong. ❺〈副 *adv.*〉正在 indicating an action in progress：天~下雨。*Tiān ~ xiàyǔ.* It is raining. │我~看报。*Wǒ ~ kàn bào.* I am reading newspaper.

⁴ **在乎** zàihu ❶〈动 *v.*〉在于 be determined by; lie in; rest with; depend on：学习好坏完全~自己是否努力。*Xuéxí hǎohuài wánquán ~ zìjǐ shìfǒu nǔlì.* Excellence in studies is decided by the hard work you've done. ❷〈动 *v.*〉放在心上；介意 mind; care about; take to heart：他挺~钱的。*Tā tǐng ~ qián de.* He cares much about money. │他装出满不~的样子。*Tā zhuāngchū mǎnbú ~ de yàngzi.* He pretends to care about nothing.

⁴ **在意** zài//yì 〈动 *v.*〉留意；放在心上 take notice of; pay attention to; take to heart; care about; mind：他对你的话特别~。*Tā duì nǐ de huà tèbié ~.* He pays special attention to your words. │我只不过是开个玩笑，您别~。*Wǒ zhǐbuguò shì kāi gè wánxiào, nín bié ~.* Don't take it to heart please, for I was just kidding. │对孩子你要在点儿意，别让他整天泡在网吧里。*Duì háizi nǐ yào zài diǎnr yì, bié ràng tā zhěngtiān pào zài wǎngbā li.*

Pay some attention to your child, and don't let him stay in net bars all day.

³ **在于** zàiyú ❶〈动 v.〉指出事物的本质所在 lie in; rest with; consist in：这个地区发展缓慢，关键－缺乏资金和人才。*Zhège dìqū fāzhǎn huǎnmàn, guānjiàn – quēfá zījīn hé réncái.* The key reason for the slow development of this area lies in shortage of funds and talented people. ❷〈动 v.〉决定于 depend on; rest with; be up to; be determined by：一年之计－春。*Yì nián zhī jì – chūn.* The whole year's work depends on a good start in spring. ｜接受不接受这个工作完全－你自己。*Jiēshòu bù jiēshòu zhège gōngzuò wánquán – nǐ zìjǐ.* It is completely up to yourself to accept or reject the job.

³ **在座** zàizuò〈动 v.〉在某种集会的座位上；出席 be present：欢迎的各位嘉宾提出宝贵的意见。*Huānyíng – de gèwèi jiābīn tíchū bǎoguì de yìjiàn.* Valuable suggestions from all the honorable guests present will be appreciated. ｜看到他也～，我把想说的话缩了回去。*Kàn dào tā yě ～, wǒ bǎ xiǎng shuō de huà suōle huíqù.* Noticing that he was also present, I held back what I wanted to say.

³ **载重** zàizhòng〈动 v.〉(交通工具)承载重量 carry; hold; be loaded with：～汽车 ～ qìchē truck; lorry; heavy-load truck ｜这种汽车的～量为3吨。*Zhè zhǒng qìchē de ～ liàng wéi sān dūn.* The carrying capacity of this motor vehicle is 3 tons.

¹ **咱** zán ❶〈代 pron. 口 colloq.〉代称说话人和听话人双方，相当于'咱们' we; us, similar to '咱们zánmen'：～可是有好久没见面了。*～ kěshì yǒu hǎojiǔ méi jiànmiàn le.* It is quite a long time since we met last time. ｜别忘了今天说的话。*～ bié wàngle jīntiān shuō de huà.* Let us not forget what we have said today. ❷〈动 v. 方 dial.〉说话人称自己，相当于'我' I; me, similar to '我wǒ'：～不明白你的意思，你再说一遍。*～ bù míngbai nǐ de yìsi, nǐ zài shuō yí biàn.* I don't understand what you mean; say it again.

¹ **咱们** zánmen〈代 pron.〉代称说话人和听话人双方 we; us：星期天一起去游泳好吗？*Xīngqītiān ～yìqǐ qù yóuyǒng hǎo ma?* Shall we go swimming together on Sunday?

⁴ **攒** zǎn〈动 v.〉储蓄；积累 accumulate; hoard; scrape up; save：我正在～钱买车呢。*Wǒ zhèngzài ～ qián mǎi chē ne.* I am saving money for a car. ｜他喜欢～邮票。*Tā xǐhuan ～ yóupiào.* He likes collecting stamps.

⁴ **暂** zàn ❶〈副 adv.〉在短时间内 temporarily; for the time being; for the moment：～定 ～ dìng arranged for the time being; tentative; provisional ｜～缓 ～huǎn postpone; defer; put off ｜～借 ～jiè borrow and use for a short time ｜～行条例 ～xíng tiáolì provisional regulations ｜内部装修，～停营业。*Nèibù zhuāngxiū, ～tíng yíngyè.* Refurbishment inside, business suspended. ❷〈形 adj.〉时间短（与'久'相对）of short duration; transient; brief（opposite to '久jiǔ'）：飞机要在东京作短～停留。*Fēijī yào zài Dōngjīng zuò duǎn～ tíngliú.* The airplane is to make a brief stay in Tokyo.

⁴ **暂且** zànqiě〈副 adv.〉暂时；姑且 for the time being; for the moment：上次的错误～不提，这次的错误就足够给你处分的。*Shàng cì de cuòwù – bù tí, zhè cì de cuòwù jiù zúgòu gěi nǐ chǔfèn de.* Let's put aside your last mistake for the time being; the one you've made this time will be serious enough to bring you punishment. ｜我的问题你可以～不管，他的问题你一定要帮助解决。*Wǒ de wèntí nǐ kěyǐ ～ bù guǎn, tā de wèntí nǐ yídìng yào bāngzhù jiějué.* You can leave alone my problem for the moment, but you must help him with his. ｜总经理出差去了，公司～由我负责。*Zǒngjīnglǐ chūchāi qù le, gōngsī ～ yóu wǒ fùzé.* The general manager is on a business trip; the company is in my charge for the time being.

² **暂时** zànshí ❶〈形 adj.〉短时间的；临时的 temporary; transient：～困难 ～ kùnnan

temporary difficulties｜~现象 ~ *xiànxiàng* transient phenomenon ❷〈副 *adv.*〉短时间内 in a short period; for the moment：你的事~还不行。*Nǐ de shì ~ hái bù xíng.* Your problem will not see its solution for the moment.｜你把你手头的工作~搁一搁，跟我去一趟上海。*Nǐ bǎ nǐ shǒutóu de gōngzuò ~ gē yì gē, gēn wǒ qù yí tàng Shànghǎi.* Put aside your work in hand for the moment and go to Shanghai along with me.

² **赞成** zànchéng〈动 *v.*〉同意别人的意见或主张(与'反对'相对) approve; agree with; favor; endorse（opposite to '反对*fǎnduì*'）：大家都很~他的看法。*Dàjiā dōu hěn ~ tā de kànfǎ.* Everybody agrees with his opinion.｜许多人都不~他当代表。*Xǔduō rén dōu bú ~ tā dāng dàibiǎo.* Many people don't agree to elect him a representative.

³ **赞美** zànměi〈动 *v.*〉称赞；夸奖 praise; commend; eulogize：由衷地 ~ *yóuzhōng de* ~ praise sincerely｜情不自禁地~ *qíngbúzìjīn de* ~ cannot help commending｜学生们都~她是个好老师。*Xuéshengmen dōu ~ tā shì gè hǎo lǎoshī.* All the students praise her is a good teacher.

⁴ **赞赏** zànshǎng〈动 *v.*〉赞美赏识 appreciate; admire; think highly of：老师十分~他的口才。*Lǎoshī shífēn ~ tā de kǒucái.* The teacher speaks highly of his eloquence.｜演员的精彩表演得到了观众的一致~。*Yǎnyuán de jīngcǎi biǎoyǎn dédàole guānzhòng de yízhì ~.* The actors' excellent performances were unanimously appreciated by the audience.

⁴ **赞叹** zàntàn〈动 *v.*〉感慨地称赞 highly praise; gasp in admiration：十分~ *shífēn* ~ with great admiration｜连声~ *liánshēng* ~ be profuse in one's praise｜对于古代匠人的精湛技艺人们不由得~不已。*Duìyú gǔdài jiàngrén de jīngzhàn jìyì rénmen bùyóude ~ bùyǐ.* The ancient superb craftsmanship evokes much admiration of people.

⁴ **赞同** zàntóng〈动 *v.*〉赞成；同意 approve of; agree with; endorse; consent; accede：我的建议得到大家的一致~。*Wǒ de jiànyì dédào dàjiā de yízhì ~.* My proposal was unanimously approved of by everyone.

³ **赞扬** zànyáng〈动 *v.*〉称赞表扬 praise; commend; applaud; speak highly of：他的这种助人为乐的精神值得~。*Tā de zhè zhǒng zhùrén-wéilè de jīngshén zhídé ~.* He takes pleasure in helping others and this spirit of his deserves praise.｜两国领导人热情地~两国人民之间的传统友谊。*Liǎng guó lǐngdǎorén rèqíng de ~ liǎng guó rénmín zhījiān de chuántǒng yǒuyì.* The leaders of the two countries spoke in high praise of the traditional friendship between the two peoples.

⁴ **赞助** zànzhù〈动 *v.*〉赞同并给予财物帮助 support; assistant; aid; sponsor：慷慨~ *kāngkǎi* ~ give generous support｜大量~ *dàliàng* ~ a great deal of support｜热情~ *rèqíng* ~ offer enthusiastic support｜~单位 ~ *dānwèi* sponsoring units; sponsors｜拉~ *lā* ~ seek sponsorship｜海外华侨积极~祖国的教育事业。*Hǎiwài huáqiáo jījí ~ zǔguó de jiàoyù shìyè.* The overseas Chinese gave active support to the educational cause of the motherland.｜这项活动是由几十家企业~的。*Zhè xiàng huódòng shì yóu jǐshí jiā qǐyè ~ de.* The activity is co-sponsored by dozens of enterprises.

¹ **脏** zāng ❶〈形 *adj.*〉不干净；有污垢 dirty; filthy; soiled; unclean; smudged：这件衣服~了。*Zhè jiàn yīfu ~ le.* This clothes gets dirty.｜你的房间太~了。*Nǐ de fángjiān tài ~ le.* Your room is too dirty. ❷〈形 *adj.*〉粗俗的；下流的 coarse; uncouth：~话~ *huà* dirty words; obscene words; swear words; four-letter words｜~字~ *zì* four-letter word; obscene word; swear word; dirty word; vulgar word｜他那张嘴太~了。*Tā nà zhāng zuǐ tài ~ le.* He is prone to utter dirty words.

⁴ **葬** zàng ❶〈动 *v.*〉掩埋尸体 bury; inter：安~ *ān* ~ bury; inter｜埋~ *mái* ~ bury｜陪~ *péi* ~

be buried with the dead │送~ *sòng~* funeral │~身鱼腹 *~shēn yúfù* become fish food; be swept to a water grave; be drown ❷〈动 v.〉泛指处理死者遗体（in a broad sense）disposal of the body of the deceased：火~ *huǒ~* cremation │土~ *tǔ~* mound burial; burial of the dead in the ground │天~ *tiān~* celestial burial by which bodies are all exposed to birds of prey │海~ *hǎi~* sea-burial; burial at sea

⁴ **葬礼** zànglǐ〈名 n.〉为死者举行的出殡和埋葬仪式 funeral; funeral rites：举行~ *jǔxíng ~* hold a funeral │操办~ *cāobàn ~* arrange for a funeral │参加~ *cānjiā ~* attend a funeral │隆重的~ *lóngzhòng de ~* a solemn funeral

³ **遭** zāo ❶〈动 v.〉碰到（多指不幸和不利的事）meet with; suffer：~灾 *~zāi* suffer from calamity; be hit by a natural calamity │~罪 *~zuì* endure hardships; have a difficult time │惨~杀害 *cǎn~shāhài* be cruelly murdered │~人暗算 *~rén ànsuàn* fall a prey to a plot │~报应 *~bàoying* suffer due punishment ❷〈量 meas.〉回；次 time; turn：一~生，两回熟。*Yì ~ shēng, liǎng huí shú.* Strangers at the first meeting, friends at the second. / Green the first time, experienced the second. │在台上表演我还是头一~。*Zài tái shang biǎoyǎn wǒ háishì tóu yì ~.* It is my first performance on the stage. ❸〈量 meas.〉周；圈儿 round：他围着院子转了一~。*Tā wéizhe yuànzi zhuànle yì ~.* He had a walk round the courtyard.

² **遭到** zāodào〈动 v.〉遭受（多指不幸和不利的事）meet with; suffer; encounter：~打击 *~dǎjī* suffer an attack │~挫折 *~cuòzhé* suffer a setback │~失败 *~shībài* suffer a defeat │~摧残 *~cuīcán* suffer destruction │~不幸 *~búxìng* suffer death │他的行为~大家严厉的谴责。*Tā de xíngwéi ~dàjiā yánlì de qiǎnzé.* His behavior was sharply denounced by everyone.

² **遭受** zāoshòu〈动 v.〉受到（不幸和损失）suffer; be subjected to; sustain; undergo：~痛苦 *~tòngkǔ* suffer pains │~打击 *~dǎjī* suffer an attack │~迫害 *~pòhài* suffer persecution │~折磨 *~zhémó* suffer torture │水灾中这个村子~了巨大的损失。*Shuǐzāi zhōng zhège cūnzi ~le jùdà de sǔnshī.* The village suffered great losses from the flood.

⁴ **遭殃** zāo//yāng〈动 v.〉遭受灾祸;遭受不幸 suffer; suffer disaster：先下手为强，后下手~（意思是要抢在前头动手，否则就会吃亏）*Xiān xiàshǒu wéi qiáng, hòu xiàshǒu ~ (yìsi shì yào qiǎng zài qiántou dòngshǒu, fǒuzé jiù huì chīkuī).* He who strikes first prevails; he who strikes late fails（catch the ball before the bound）│连年的战火使这里的百姓遭了大殃。*Liánnián de zhànhuǒ shǐ zhèlǐ de bǎixìng zāole dà yāng.* The people here suffered a lot from flames of war for years running.

³ **遭遇** zāoyù ❶〈动 v.〉遇到（敌人和不幸的事）encounter; meet with; run up against：我们在山口和敌人~。*Wǒmen zài shānkǒu hé dírén ~.* We ran up against the enemy at the mountain pass. │他在童年时~过巨大的不幸。*Tā zài tóngnián shí ~guo jùdà de búxìng.* He suffered great misfortunes in his childhood. ❷〈名 n.〉遇到的事情（多指不幸的）experience; misfortune; bad luck; hard lot：不幸的~ *búxìng de ~* bad luck; adversity │悲惨的~ *bēicǎn de ~* tragic misfortunes; miserable sufferings

³ **糟** zāo ❶〈形 adj.〉指事情和情况不好 in a wretched state; in a mess; bad luck：他的情绪很~。*Tā de qíngxù hěn ~.* He was in a very bad mood. │那里的局势越来越~。*Nàli de júshì yuèláiyuè ~.* The situation there is deteriorating. │学校的伙食~透了。*Xuéxiào de huǒshí ~tòu le.* Meals in the school are extremely terrible. ❷〈形 adj.〉物体朽烂 rotten; decayed; worn out：这块木头已经~了。*Zhè kuài mùtou yǐjīng ~ le.* The wood has got rotten. ❸〈名 n.〉酿酒剩下的渣子 grains; distillers' grains; brewers' grains：

酒~ jiǔ~ distillers' grains ❹〈动 v.〉用酒或酒糟腌制食物 be pickled with distillers' grains or in wine：~鸡~ jī pickled chicken｜~肉 ~ròu pickled meat

² **糟糕** zāogāo〈形 adj. 口 colloq.〉指事情和情况不好 terrible; terribly bad; in a terrible mess：那里的情况~极了。Nàli de qíngkuàng ~ jí le. Things are in a terrible mess there.｜~，我把手机忘在商店里了。~, wǒ bǎ shǒujī wàng zài shāngdiàn li le. It is terrible that I have left my mobile phone in the store.

⁴ **糟蹋** zāotà ❶〈动 v.〉浪费；损害 abuse; waste; ruin; spoil：~粮食~ liángshí waste grain｜~人才~ réncái a waste of talent｜~东西 ~dōngxi spoil things; waste the stuff ❷〈动 v.〉凌辱（指强奸）rape：他把那个女孩子给~了。Tā bǎ nàge nǚháizi gěi ~ le. He raped that girl. ❸〈动 v.〉侮辱 insult; trample on; ravage; violate：你说话怎么这么~人！Nǐ shuōhuà zěnme zhème ~ rén! How can you talk in such an insulting way?｜他搞的那些东西根本谈不上是艺术，是~艺术。Tā gǎo de nàxiē dōngxi gēnběn tán bú shàng shì yìshù, shì ~ yìshù. What he is engaged in is simply ruining rather than creating art.

³ **凿** záo ❶〈动 v.〉打孔 bore a hole：~洞 ~dòng bore a hole｜他在墙上~了一个窟窿。Tā zài qiáng shang ~le yí gè kūlong. He bored a hole in the wall. ❷〈动 v.〉挖掘 chisel; dig：~井 ~jǐng dig a well; sink a well｜开~ kāi~ dig a canal; cut a tunnel; hew a channel ❸〈名 n.〉凿子 chisel：扁~ biǎn~ flat chisel; plain chisel｜平~ píng~ broad chisel; chipping chisel ❹〈形 adj. 书 lit.〉确实 certain; sure; authentic：确~ què~ conclusive; authentic; irrefutable; beyond doubt｜言之~~ yánzhī~~ say sth. with certainty

¹ **早** zǎo ❶〈形 adj.〉时间在先的 former; previous; early：~期 ~qī early time; early stage; early period｜~年 ~nián one's early years; when one is young; at a tender age; many years ago; in the past｜~稻 ~dào early rice ❷〈形 adj.〉（跟某一时间比较）较早；更早 early; in advance; beforehand：~婚 ~hūn early marriage｜~熟 ~shóu early ripening; early maturing｜~产 ~chǎn premature delivery; premature birth; premature labor｜他来公司比我~两年。Tā lái gōngsī bǐ wǒ ~ liǎng nián. He joined the company two years earlier than I.｜他6点才回家，你~去也没用。Tā liù diǎn cái huíjiā, nǐ ~ qù yě méiyòng. Since he will not get back home until six o'clock, it's no use for you to go there so early. ❸〈形 adj.〉早晨见面时的问候语 good morning：老师~！Lǎoshī ~! Good morning, teacher! ❹〈副 adv.〉表示很久以前 long ago; as early as; for a long time：我~就察觉他不是个好人。Wǒ ~ jiù chájué tā bú shì gè hǎorén. I sensed long ago that he is not a good sort.｜他~就是个著名演员了。Tā ~ jiù shì gè zhùmíng yǎnyuán le. He has long been a famous performer. ❺〈名 n.〉早晨 morning：清~ qīng~ early morning｜~饭 ~fàn breakfast｜~市 ~shì morning market｜他从~到晚地忙个不停。Tā cóng ~ dào wǎn de máng gè bùtíng. He has been busy from morning to night.

¹ **早晨** zǎochen〈名 n.〉日出前后的一段时间 morning：每天~公园里有许多老人进行晨练。Měitiān ~ gōngyuán li yǒu xǔduō lǎorén jìnxíng chénliàn. Every morning a lot of senior citizens do morning exercises in the park.

⁴ **早点** zǎodiǎn〈名 n.〉早晨吃的点心；早饭 light breakfast; breakfast：这家饭馆的~品种特别丰富。Zhè jiā fànguǎn de ~ pǐnzhǒng tèbié fēngfù. A wide variety is offered for breakfast in this restaurant.｜我每天在家吃~。Wǒ měitiān zài jiā chī ~. Every day I have my breakfast at home.

¹ **早饭** zǎofàn〈名 n.〉早晨吃的饭 breakfast：我每天自己做~。Wǒ měitiān zìjǐ zuò ~. Every day I do the morning cooking by myself.｜~对一个人的身体很重要，一定要吃饱吃好。~ duì yí gè rén de shēntǐ hěn zhòngyào, yídìng yào chībǎo chīhǎo. Breakfast is very important for the human body, so we must have a square and nourishing breakfast.

³ **早期** zǎoqī〈名 n.〉全过程中的最初阶段(区别于'中期''晚期') early stage; early phase (different from '中期zhōngqī' and '晚期wǎnqī'):～肺癌＝ fèi'ái lung cancer at an early stage │ 他的～作品以描写学生生活的居多。 *Tā de ～ zuòpǐn yǐ miáoxiě xuéshēng shēnghuó de jū duō.* Most of his early works are devoted to the description of students' school life.

⁴ **早日** zǎorì〈副 adv.〉迅速地；早早地 at an early date; early; soon: 祝您～康复。 *Zhù nín ～ kāngfù.* I hope you will get well soon. │ 希望你～学成回国。 *Xīwàng nǐ ～ xuéchéng huíguó.* I hope you will soon accomplish your study abroad and come back.

¹ **早上** zǎoshang〈名 n.〉同'早晨' same as '早晨zǎochen'

³ **早晚** zǎowǎn ❶〈名 n.〉早晨和晚上 morning and evening: 这种药～各服一粒。 *Zhè zhǒng yào ～ gè fú yìlì.* One pill of this medicine in the morning and another in the evening. │ 北京的秋天～天凉，要多穿件衣服。 *Běijīng de qiūtiān ～ tiānliáng, yào duō chuān jiàn yīfu.* Put on more clothes, since Beijing's mornings and evenings in autumn are quite chilly. ❷〈副 adv.〉或早或迟 sooner or later: 这事他～总会知道的，还不如趁早告诉他。 *Zhè shì tā ～ zǒng huì zhīdao de, hái bùrú chènzǎo gàosu tā.* Sooner or later he will know it, so it would be better to tell him as early as possible.

³ **早已** zǎoyǐ〈副 adv.〉早就；很早已经 long ago; for a long time: 会议～结束了，你怎么才来？ *Huìyì ～ jiéshù le, nǐ zěnme cái lái?* The meeting has ended for quite a while. Why do you come so late? │ 您要的资料我～准备好了。 *Nín yào de zīliào wǒ ～ zhǔnbèi hǎo le.* I have already got ready the materials you need a long time ago.

³ **枣** zǎo ❶〈名 n.〉枣树，落叶乔木，果实可吃 jujube; Chinese date ❷(～儿)〈名 n.〉这种植物的果实 jujube; Chinese date: 大红～儿 dà hóng ～r big red dates │ 仨瓜俩～ sāguā-liǎ～ (比喻一点小东西、小事) (bǐyù yìdiǎnr xiǎo dōngxi, xiǎoshì) three melons and two jujubes (fig. trifle; trivial matters) │ 囫囵吞～ (比喻学习不求甚解，含糊笼统地接受下来) húlún-tūn～ (bǐyù xuéxí bùqiúshènjiě, hánhu lóngtǒng de jiēshòu xiàlái) swallow a date whole (fig. lap up information without digesting it; read without understanding)

⁴ **灶** zào〈名 n.〉烧火做饭的设备 kitchen range; cooking stove: 炉～ lú～ stove; kitchen stove; cooking range; cooker │ 煤气～ méiqì～ gas range; gas stove │ 另起炉～ (比喻重新做起或另搞一套) lìngqǐlú～ (bǐyù chóngxīn zuòqǐ huò lìng gǎo yí tào) set up another kitchen (fig. make a fresh start; start all over again)

² **造** zào ❶〈动 v.〉做；制作 make; build; manufacture; create; construct: ～船 ～chuán build a ship; construct a boat │ ～飞机 ～fēijī construct an aircraft │ ～纸术是中国古代四大发明之一。～zhǐshù shì Zhōngguó gǔdài sì dà fāmíng zhīyī. The papermaking technology is one of the four great inventions of ancient China. ❷〈动 v.〉虚构；捏造 invent; cook up; concoct; fabricate: 胡编乱～ húbiān-luàn～ make up stories out of fantasy │ 这个家伙就会～谣生事 Zhège jiāhuo jiù huì ～yáo-shēngshì. This guy is good at nothing but mongering rumors to stir up troubles. ❸〈动 v. 书 lit.〉到达；前往 go to; arrive at: 登门～访 dēngmén ～fǎng call on sb's house; pay sb. a visit │ 登峰～极 dēngfēng～jí reach great heights; reach the peak of perfection; reach the limit ❹〈动 v. 书 lit.〉培养 train; cultivate: 他被送到国外深～去了。 *Tā bèi sòngdào guówài shēn～ qù le.* He was sent abroad to further his studies. │ 这所学校～就了一大批人才。 *Zhè suǒ xuéxiào ～jiùle yí dà pī réncái.* Large numbers of talented people have been produced in this school. ❺〈名 n. 书 lit.〉成就 achievement; attainment; accomplishment: 他在美术方面有很深的～诣。 *Tā zài měishù fāngmiàn yǒu hěn shēn de ～yì.* He is an artist of great attainments. ❻〈名

n.〉农作物的一次收成 crop：早~ *zǎo*~ early crop｜晚~ *wǎn*~ late crop ❼〈量 *meas.*〉用于农作物收获的次数 time of harvesting; crop：一年三~ *yì nián sān*~ three crops a year

⁴ **造反** zào // fǎn 〈动 *v.*〉发动叛乱；采取反抗行为 rebel; revolt; rise in rebellion：起兵~ *qǐbīng*~ rise in revolt｜~作乱 *zuòluàn* rise in insurrection｜造了无数次反 *zàole wúshù cì fǎn* rose in numerous rebellions｜造了他的反 *zàole tā de fǎn* opposed him;（took action in resistance）against him

⁴ **造价** zàojià 〈名 *n.*〉制造物件或建造房屋、道路、桥梁等所花的费用 cost：地铁的~非常高。*Dìtiě de ~ fēicháng gāo.* It costs a lot to construct an underground railway.｜由于采用了国产原料，~大大降低了。*Yóuyú cǎiyòngle guóchǎn yuánliào, ~ dàdà jiàngdī le.* Due to the use of home-made raw materials, the cost was greatly reduced.

² **造句** zào // jù 〈动 *v.*〉用适当的词语组合成句子 make a sentence：我们现在做~练习。*Wǒmen xiànzài zuò ~ liànxí.* Now let's do the exercises of sentence making.｜请用'美丽'这个词造个句。*Qǐng yòng 'měilì' zhège cí zào gè jù.* Make a sentence with the word '美丽měilì'(beautiful).

⁴ **造型** zàoxíng ❶〈名 *n.*〉创造或塑造出来的物体形象 model; mold; form：~简单 ~ *jiǎndān* simple in form｜~奇特 ~ *qítè* unique in form; peculiarly shaped｜~生动 ~ *shēngdòng* vividly shaped｜~优美 ~ *yōuměi* elegantly shaped; beautifully shaped｜这些雕塑的~非常新颖。*Zhèxiē diāosù de ~ fēicháng xīnyǐng.* These sculptures are shaped in a novel way. ❷〈动 *v.*〉创造或塑造物体形象 mold; make a model：~艺术 ~ *yìshù* plastic arts

⁴ **噪音** zàoyīn 〈名 *n.*〉嘈杂、刺耳的声音，也说'噪声' noise; undesired sound, also '噪声 *zàoshēng*'：~也是一种污染。~ *yě shì yì zhǒng wūrǎn.* Noise is also a kind of pollution.｜你五音不全，就别制造~了。*Nǐ wǔyīn-bùquán, jiù bié zhìzào ~ le.* Stop singing and making no noises since you have such an awful voice.

² **则** zé ❶〈连 *conj.*〉表示条件或因果关系 indicating conditions or cause and effect：欲速~不达。*Yù sù ~ bù dá.* More haste, less speed.｜穷~思变。*Qióng ~ sī biàn.* Poverty gives rise to a desire for change.｜不平~鸣。*Bùpíng ~ míng.* Injustice provokes outcry./ Where there is injustice, there is protest. ❷〈连 *conj.*〉表示对比关系 indicating contrast：兼听~明，偏信~暗。*Jiāntīng ~ míng, piānxìn ~ àn.* Listen to both sides and you will be enlightened; heed only one side and you will be benighted.｜有~改之，无~加勉。*Yǒu ~ gǎi zhī, wú ~ jiā miǎn.* Correct mistakes if you have, and guard against them if you have not. ❸〈连 *conj.*〉表示让步关系 indicating concession：你的想法好~好，只是不易实现。*Nǐ de xiǎngfǎ hǎo ~ hǎo, zhǐshì búyì shíxiàn.* Good as your idea is, it is not easy to put it into practice. ❹〈名 *n.*〉规章 rule; decree; regulation：通~ *tōng*~ general rule｜法~ *fǎ*~ laws and regulations; rule｜原~ *yuán*~ principle｜细~ *xì*~ procedural provisions; detailed rules and regulations ❺〈名 *n.*〉规范；榜样 standard; norm; criterion：准~ *zhǔn*~ criterion; standard｜以身作~ *yǐshēn-zuò*~ set an example by one's own conduct ❻〈量 *meas.*〉用于自成段落的文字 paragraph; piece of writing：寓言三~ *yùyán sān*~ three fables｜笑话四~ *xiàohuà sì*~ four jokes｜今天报上刊登了一~关于北京大学的消息。*Jīntiān bào shang kāndēngle yì ~ guānyú Běijīng Dàxué de xiāoxi.* There is a piece of news about Peking University in today's newspaper. ❼〈量 *meas.*〉用于细分的条目 item：民法通则第五条第三~。*Mínfǎ tōngzé dì-wǔ tiáo dì-sān ~.* Item Three, Article Five of the General Principles of Civil Law. ❽〈助 *aux.*〉用在一、二(再)、三等后面，表示列举 used after words like '一 yī', '二 èr'('再 zài') and '三 sān' for

enumeration：一~工资太低，二~办公条件太差，三~离家又太远，所以我决定辞职了。*Yī ~ gōngzī tài dī, èr ~ bàngōng tiáojiàn tài chà, sān ~ lí jiā yòu tài yuǎn, suǒyǐ wǒ juédìng cízhí le.* I decided to resign, because, first, the salary is too low; second, the working condition is too poor; and third, the workplace is too far from my home.

³ **责备** zébèi ❶〈动 v.〉批评指摘 reproach; blame; reprimand; reprove; take sb. to task; accuse; remonstrate：对孩子也要以鼓励为主，不能老是~。*Duì háizi yě yào yǐ gǔlì wéi zhǔ, bù néng lǎoshì ~.* Children should also be educated mainly by encouragement rather than reproach. │你应当做自我批评，而不是~对方。*Nǐ yīngdāng zuò zìwǒ-pīpíng, ér búshì ~ duìfāng.* You should make self-criticism rather than blame the other party. ❷〈动 v. 书 lit.〉要求做到十分完美 demand perfection; nit-pick：不可求全~ *bù kě qiúquán-~* Don't try to ask for perfection.

⁴ **责怪** zéguài〈动 v.〉责备，埋怨 hop; blame; accuse; remonstrate; reproach：这事怎么能~他呢？*Zhè shì zěnme néng ~ tā ne?* How can he be blamed for this? │他用~的眼光看着我。*Tā yòng ~ de yǎnguāng kànzhe wǒ.* He gave me a blaming look.

² **责任** zérèn ❶〈名 n.〉分内应做的事 duty; responsibility：负~ *fù* ~ assume the responsibility; shoulder the responsibility; be responsible; bear responsibility for; answer for; take responsibility │ ~感 *~gǎn* sense of responsibility; sense of duty │ ~重大 *zhòngdà* of great responsibility │保卫祖国是每一个公民的神圣~。*Bǎowèi zǔguó shì měi yí gè gōngmín de shénshèng ~.* It's every citizen's sacred obligation to defend the motherland. │你应当勇敢地负起~来。*Nǐ yīngdāng yǒnggǎn de fùqǐ ~ lái.* You should boldly shoulder the responsibility. ❷〈动 v.〉应承担的过失 responsibility for a fault; blame; failure to fulfil an obligation：追究~ *zhuījiū* ~ ascertain where the responsibility lies │推卸~ *tuīxiè* ~ shift the blame onto others │ ~事故 *shìgù* liability accident; accident due to negligence │法律~ *fǎlǜ* ~ legal obligations │这起事故的~你是逃避不了的。*Zhè qǐ shìgù de ~ nǐ shì táobì bù liǎo de.* You are bound to be blamed for the accident.

⁴ **责任制** zérènzhì〈名 n.〉一种明确规定各人应负的责任、责任范围、义务和权利的管理制度 system of job responsibility：农村土地承包~ *nóngcūn tǔdì chéngbāo ~* system of responsibility for contracted land in rural areas │岗位~ *gǎngwèi ~* system of personal responsibility (for each section of a production line, etc.)

⁴ **贼** zéi ❶〈名 n.〉偷窃财物的人 thief; burglar：盗~ *dào* ~ robber; bandit; embezzler; thief │捉~捉赃 *zhuō ~ zhuō zāng* catch a thief red-handed │ ~喊捉~ (比喻故意混淆视听，转移目标) ~*hǎnzhuō*~ (*bǐyù gùyì hùnyáo shìtīng, zhuǎnyí mùbiāo*) thief crying 'Stop thief' (*fig.* deliberately confuse what others see and hear so as to distract their attention and to shirk one's responsibility for an offense) │做~心虚 (形容做了坏事怕人察觉而显得惶恐不安) *zuò~xīnxū* (*xíngróng zuòle huàishì pà rén chájué ér xiǎnde huángkǒng bù'ān*) have a guilty conscience like a thief (have sth. on one's conscience) ❷〈名 n.〉危害人民和国家的人 traitor; enemy; evildoer：卖国~ *màiguó~* traitor │独夫民~ *dúfū-mín~* autocrat and traitor to the people │工~ *gōng~* strike-breaker; blackleg; scab ❸〈形 adj.〉邪恶的；不正派的 crooked; wicked; evil; furtive; wily：~头~脑 *~tóu~nǎo* behaving stealthily like a thief; stealthy; furtive; thievish-looking │ ~眉鼠眼 *~méishǔyǎn* shifty-eyed; thievish-looking; look like a sly old fox; wear a thievish expression │我就是有这个~心，也没有这个~胆。*Wǒ jiù shì yǒu zhège~xīn, yě méiyǒu zhège ~dǎn.* Even if I harbor evil intentions, I dare not do it. ❹〈形 adj.〉狡猾 crafty; sly; cunning; deceitful：这个家伙真~，一见警察就溜走了。*Zhège jiāhuo zhēn ~, yí*

jiàn jǐngchá jiù liūzǒu le. The guy was so cunning that he ran away immediately at the sight of a policeman. ❺〈副 *adv.* 方 *dial.*〉很；非常（多用于不满意或不正常的情况）extremely; disagreeably（oft. used to indicate dissatisfaction or abnormality）：他做的菜～咸，简直没法吃。*Tā zuò de cài ~ xián, jiǎnzhí méi fǎ chī.* The dish he cooked was so salty that you could hardly eat it. │今天天气～冷。*Jīntiān tiānqì ~ lěng.* It is terribly cold today. │他的皮鞋擦得～亮。*Tā de píxié cā de ~ liàng.* His shoes are polished like a mirror.

⁴ **怎** zěn〈代 *pron.*〉表示疑问或询问，相当于'怎么' why; how, similar to '怎么 zěnme'：你～能这样干呢？*Nǐ ~ néng zhèyàng gàn ne?* How can you do this? │你～不早说呢？*Nǐ ~ bù zǎo shuō ne?* Why didn't you say it earlier?

¹ **怎么** zěnme ❶〈代 *pron.*〉询问性质、原因、方式、状况等 used to enquire about the nature, condition, manner, cause, etc.：这是～回事？*Zhè shì ~ huí shì?* What's the matter? │他～没去上班？*Tā ~ méi qù shàngbān?* Why didn't he go to work? │这道题该～做？*Zhè dào tí gāi ~ zuò?* How to solve this math problem? │他～啦？*Tā ~ la?* What's the matter with him? ❷〈代 *pron.*〉泛指性质、状况、方式 used to indicate the nature, condition or manner of sth.：你愿意～说就～说。*Nǐ yuànyì ~ shuō jiù ~ shuō.* Say what you like. │我～说，她都不信。*Wǒ ~ shuō, tā dōu bú xìn.* She did not believe whatever I said. ❸〈代 *pron.*〉前加否定副词，表示程度不深（preceded by a negative adv.）used to indicate inadequacy：我的字写得不～好。*Wǒ de zì xiě de bù ~ hǎo.* My handwriting is not quite good. │我没～学过汉语。*Wǒ méi ~ xuéguo Hànyǔ.* I haven't learnt much Chinese yet.

¹ **怎么样** zěnmeyàng ❶〈代 *pron.*〉表示询问 how about; what about：你的汉语学得～了？*Nǐ de Hànyǔ xué de ~ le?* How are you learning Chinese? │你觉得这本书写得～?*Nǐ juéde zhè běn shū xiě de ~?* What do you think of the book? ❷〈代 *pron.*〉泛指状况、方式 used to indicate condition or manner：我不知道他现在～。*Wǒ bù zhīdào tā xiànzài ~.* I don't know how he should be now. │我～说，你们就～做。*Wǒ ~ shuō, nǐmen jiù ~ zuò.* You just do what I say. │我～劝他，他都不听。*Wǒ ~ quàn tā, tā dōu bù tīng.* No matter how I persuaded him, he wouldn't listen. ❸〈代 *pron.*〉代替某种不说出来的情况或动作（只能用于否定式，比直接说出来委婉）used to replace an unnamed action or condition（euph. only used in the negative）：你这笔字儿可写得不～。*Nǐ zhè bǐ zì er kě xiě de bù ~.* Your handwriting isn't so well. │你就是再闹，他也不敢拿你～。*Nǐ jiùshì zài nào, tā yě bù gǎn ná nǐ ~.* Whatever the trouble you make, he dare not be too hard on you.

⁴ **怎么着** zěnmezhe ❶〈代 *pron.*〉询问动作或情况 used to enquire about actions or conditions：我们都要去看电影了，你打算～?*Wǒmen dōu yào qù kàn diànyǐng le, nǐ dǎsuàn ~?* We are going to the cinema. How about you? │你怎么到现在还不起床，是病了还是～?*Nǐ zěnme dào xiànzài hái bù qǐchuáng, shì bìngle háishì ~?* Why are you still in bed until now? Are you sick or what? ❷〈代 *pron.*〉泛指动作或情况 referring generally to actions or conditions：我已经跟你说清楚了，你爱～就～吧。*Wǒ yǐjīng gēn nǐ shuō qīngchu le, nǐ ài ~ jiù ~ ba.* I have made everything clear to you, and you can do as you please. │不知一下子他就发起脾气来了。*Bù zhī ~ yíxiàzi tā jiù fā qǐ píqi lái le.* He suddenly lost his temper for some unknown reasons.

¹ **怎样** zěnyàng ❶〈代 *pron.*〉询问性质、方式、情况等 used to enquire about the nature, condition, manner, etc.：你们老板是～一个人？*Nǐmen lǎobǎn shì ~ yí gè rén?* What sort of people is your boss? │～才能学好汉语？*~ cái néng xuéhǎo Hànyǔ?* How can I learn

Chinese well? | 你功课复习得~了? *Nǐ gōngkè fùxí de ~ le?* How have you reviewed your lessons? ❷〈代 *pron.*〉泛指性质、方式、情况 used to indicate the nature, condition or manner of sth.: 不论我~劝他，他还是不肯去。*Búlùn wǒ ~ quàn tā, tā háishi bù kěn qù.* No matter how hard I tried to persuade him, he just refused to go. | 我~念，你们就跟着我~念。*Wǒ ~ niàn, nǐmen jiù gēnzhe wǒ ~ niàn.* Read after me.

增 zēng〈动 *v.*〉加多；添加（与'减'相对）increase; add; aggrandize; augment; enhance; gain（opposite to '减jiǎn'）: ~援 ~yuán reinforce | ~产~收 ~chǎn-~shōu increase production and income | 与日俱增 ~yǔrìjù~ grow day by day; be on the steady increase | 为国~光 wèi guó ~ guāng do credit to one's country; bring glory to one's country | 这些年学习汉语的外国留学生猛~了好几倍。*Zhèxiē nián xuéxí Hànyǔ de wàiguó liúxuéshēng měng ~ le hǎojǐ bèi.* In recent years the number of foreign students coming to China to study Chinese has dramatically increased by several times.

增产 zēng // chǎn 〈动 *v.*〉增加生产 increase production: ~钢铁 ~ gāngtiě increase the steel production | ~措施 ~ cuòshī measures to increase production | 今年全国~粮食达500亿公斤。*Jīnnián quánguó ~ liángshi dá wǔbǎi yì gōngjīn.* This year the national grain output has increased by 50 billion kilograms. | 即使增了产，我们也不能浪费。*Jíshǐ zēngle chǎn, wǒmen yě bù néng làngfèi.* Even though the production has been increased, we should not squander.

增加 zēngjiā〈动 *v.*〉在原来的基础上加多（与'减少'相对）increase; swell; improve; expand; wax; raise; add; augment（opposite to '减少jiǎnshǎo'）: 我们班今年~了三名日本留学生。*Wǒmen bān jīnnián ~ le sān míng Rìběn liúxuéshēng.* This year we have three new comers from Japan in our class. | 活儿没怎么干，饭量可~了不少。*Huór méi zěnme gàn, fànliàng kě ~le bùshǎo.* You eat much more than before while not much work is done.

增进 zēngjìn〈动 *v.*〉增加并促进 promote; enhance; further; amp up: ~友谊 ~ yǒuyì promote friendship; further friendship | ~团结 ~ tuánjié promote unity | ~相互信任 xiānghù xìnrèn promote mutual trust | 通过交谈我们~了相互了解。*Tōngguò jiāotán wǒmen ~le xiānghù liǎojiě.* We have enhanced our mutual understanding through converstions.

增强 zēngqiáng 〈动 *v.*〉增进；加强 strengthen; enhance; reinforce: ~信心 ~ xìnxīn strengthen one's confidence | ~体质 ~ tǐzhì build up one's health | ~国防力量 ~ guófáng lìliàng strengthen national defense | 经过一个月的训练我的体力和耐久力大大~了。*Jīngguò yí gè yuè de xùnliàn wǒ de tǐlì hé nàijiǔlì dàdà ~ le.* My physical strength and stamina have been greatly improved after a month's training.

增设 zēngshè〈动 *v.*〉在原来的以外再设置 put up sth. extra: ~课程 ~ kèchéng offer new courses | ~机构 ~ jīgòu set up new organizations | ~部门 ~ bùmén set up new departments | ~商业网点 ~ shāngyè wǎngdiǎn expand the commercial network | 晚报又~了好几个新栏目。*Wǎnbào yòu ~le hǎojǐ gè xīn lánmù.* The evening newspaper opened several new columns.

增添 zēngtiān 〈动 *v.*〉在原来的基础上加多 add; increase; augment: 我们学校最近~了不少教学设备。*Wǒmen xuéxiào zuìjìn ~le bùshǎo jiàoxué shèbèi.* Our school has increased a lot of new teaching equipment. | 我这次来给你~许多麻烦。*Wǒ zhè cì lái gěi nǐ ~ xǔduō máfan.* My visit this time must have brought you a lot of trouble. | 妹妹一回来，就给家里~了欢乐气氛。*Mèimei yì huílái, jiù gěi jiāli ~le huānlè qìfēn.* My younger sister brought a happy atmosphere to my home once she came back.

Z

⁴ **增援** zēngyuán 〈动 v.〉以人力、物力进行支援(多用于军事) reinforce：火速～ huǒsù ～ reinforce at top speed ｜～部队马上就要到达了。~ bùduì mǎshàng jiù yào dàodá le. The reinforcing will arrive very soon.

² **增长** zēngzhǎng 〈动 v.〉增加；提高 increase; swell; grow; rise：迅速～ xùnsù ～ increase rapidly ｜～缓慢 ~ huǎnmàn increase slowly ｜～知识 ~ zhīshi broaden one's knowledge; enrich one's knowledge ｜～才干 ~ cáigàn increase one's abilities; develop one's abilities ｜随着年龄的，他越来越喜欢回忆往事。Suízhe niánlíng de ， tā yuèláiyuè xǐhuan huíyì wǎngshì. As he is getting older, he increasingly likes to recall the past. ｜中国经济的快速，完全得益于改革开放。Zhōngguó jīngjì de kuàisù ~, wánquán déyì yú gǎigé kāifàng. China's fast economic growth is completely attributed to the reform and opening to the outside world.

³ **赠送** zèngsòng 〈动 v.〉把东西无代价地送给别人 give as a present; present as a gift; donate：中国政府向美国人民～了一对大熊猫。Zhōngguó zhèngfǔ xiàng Měiguó rénmín ~le yí duì dàxióngmāo. The Chinese government presented two pandas to the American people as a gift.

² **扎** zhā ❶〈动 v.〉用尖的东西刺、插入 prick; stick into; stab; push into：~针 ~zhēn give acupuncture treatment; have injection ｜手上～进了一根刺 shǒu shang ~jìnle yì gēn cì have a splinter in one's finger ｜我的自行车轮胎给～破了。Wǒ de zìxíngchē lúntāi gěi ~pò le. My bicycle tyre is stabbed flat. ❷〈动 v.〉(军队)在某地住下 be stationed; be quartered：稳～稳打 wěn~~wěndǎ go ahead steadily and strike sure blows (in war); go about things steadily and surely ｜安营～寨 ānyíng~~zhài pitch a camp; camp; (old, of an army) pitch tents and erect fences to stay for a period of time; (current, of a large construction crew) camp at the worksite ｜部队就驻～在我们村子里。Bùduì jiù zhù~zài wǒmen cūnzi li. The troops are stationed in our village. ❸〈动 v.〉钻入 plunge into; get into; dive into; dash into：~猛子 ~měngzi dive ｜他一来就一头~进了工作里。Tā yì lái jiù yì tóu ~jìnle gōngzuò li. He plunged into work as soon as he arrived.

² **扎实** zhāshí ❶〈形 adj.〉结实 sturdy; strong：把行李捆得~一点儿。Bǎ xíngli kǔn de ~ yìdiǎnr. Pack the luggage tightly. ❷〈形 adj.〉(工作、学问、作风等)实在；踏实 solid; sound; down-to-earth; firm：他的汉语功底很~。Tā de Hànyǔ gōngdǐ hěn ~. He has a solid foundation in Chinese. ｜他办事一向扎扎实实 Tā bànshì yíxiàng zhāzhā-shíshí. He is always down-to-earth in his work.

³ **渣** zhā ❶〈名 n.〉经过提炼或提取后剩下的东西 dregs; sediment; offscouring; residue：钢～ gāng~ slag ｜豆腐～ dòufu~ soya-bean residue ｜药～ yào~ dregs of a decoction ｜残余草 cán~-yúniè evil elements from the old society; dregs of the old society ❷(~儿)〈名 n.〉碎屑 broken bits; crumbs; fragments; dross; chipping：面包~儿 miànbāo~r bread crumbs ｜点心~儿 diǎnxin~r cake crumbs

⁴ **闸** zhá ❶〈名 n.〉一种可以开关的用以调节水的流量的设施 floodgate; sluice gate; water locks：～门 ~mén sluice gate; (ship) lock gate; throttle value ｜开～放水 kāi ~ fàng shuǐ open the sluice ❷〈名 n.〉制动器的通称 brake：手～ shǒu~ handbrake ｜脚～ jiǎo~ stepbrake ｜捏～ niē~ apply the handbrake ｜刹～ shā~ stop a vehicle by applying the brakes; put on the brakes ❸〈名 n.〉电闸 switch：跳～ tiào~ trip; tripping ｜拉～ lā~ switch off

³ **炸** zhá 〈动 v.〉一种烹饪方法，将食物放在沸油里使熟 deep-fry; fry in deep oil：~油条 ~ yóutiáo fry dough sticks ｜~油饼 ~ yóubǐng fry oilcakes ｜~鱼 ~ yú deep-fried fish ｜~鸡蛋 ~jīdàn fry eggs; fried eggs

☞ zhǎ, p. 1239

⁴ **眨** zhǎ 〈动 v.〉眼皮迅速的一闭一开 blink; wink; ~巴眼 ~ba yǎn blink; wink; twinkle; very short time; in a wink; in the twinkling of an eye｜杀人不~眼 (形容极其凶残, 杀人成性) shārén bù ~yǎn (xíngróng jíqí xiōngcán, shārén chéngxìng) kill without blinking an eye (used to describe a person who is very brutal and bloodthirsty)｜一~眼的工夫天就变黑了。Yì ~ yǎn de gōngfu tiān jiù biànhēi le. It turned dark in the twinkling of an eye.

⁴ **诈骗** zhàpiàn 〈动 v.〉用不正当的手段骗取钱财等 defraud; cheat; swindle: ~犯 ~fàn swindler｜~集团 ~jítuán fraud group｜~罪 ~zuì crime of fraud

³ **炸** zhà ❶〈动 v.〉突然爆裂 explode; burst; blast: 热水瓶~了。Rèshuǐpíng ~ le. The thermos bottle burst.｜昨天我弄~了一个玻璃杯。Zuótiān wǒ nòng~le yí gè bōlibēi. Yesterday I made a drinking glass burst. ❷〈动 v.〉用炸药或炸弹爆破 blow up; blast; bomb: 这座城市被~成了一片废墟。Zhè zuò chéngshì bèi ~chéngle yí piàn fèixū. The city was bombed into ruins.｜爆破队把这座大楼~给~了。Bàopòduì bǎ zhè dòng dàlóu gěi ~ le. The building was blown up by the demolition team. ❸〈动 v.〉因愤怒而发作 fly into a rage; flare up; explode with rage: 他的话把大伙儿~给气~了。Tā de huà bǎ dàhuǒr gěi qì~ le. Everybody was enraged at his words.

☞ zhá, p. 1238

⁴ **炸弹** zhàdàn 〈名 n.〉(颗kē、枚méi、个gè)一种杀伤武器 bomb: 定时~ dìngshí ~ time bomb｜深水~ shēnshuǐ ~ depth bomb; diving torpedo; depth charge｜重磅~ zhòngbàng ~ heavy bomb｜汽车~ qìchē~ car bomb｜人体~ réntǐ ~ human bomb

⁴ **炸药** zhàyào 〈名 n.〉受热或撞击后能发生爆炸的一种物质 explosive; dynamite: 黑色~ hēisè~ black explosive｜黄色~ huángsè~ yellow explosive｜烈性~ lièxìng~ high explosive

⁴ **榨** zhà 〈动 v.〉挤压出物体中的汁液 press; extract; squeeze out liquid from sth.: ~油 ~ yóu oil press; extract oil｜~甘蔗 ~ gānzhe press sugarcane; extract juice from sugarcanes｜~汁机 ~ zhījī juicer｜取民脂民膏 ~qǔ mínzhī-mínggāo feed on the flesh and blood of the people

² **摘** zhāi ❶〈动 v.〉采下; 取下(植物的花、果、叶或挂着、戴着的东西)pick; pluck; take off: ~一朵花 ~ yì duǒ huā pluck a flower｜~苹果 ~ píngguǒ pick apples｜请把门前的灯笼~下来。Qǐng bǎ mén qián de dēnglong ~ xiàlái. Please remove the lantern from the front of the door.｜进门就该把帽子~下来。Jìn mén jiù gāi bǎ màozi ~ xiàlái. You should take off your hat when you come into the house. ❷〈动 v.〉选取 select; choose; make extracts from: 报刊文 ~ bàokān wén~ digests taken down from newspapers and periodicals ❸〈动 v.〉斥责 rebuke: 指~ zhǐ~ censure; pick faults and criticize

⁴ **摘要** zhāiyào ❶〈名 n.〉选下来的要点 roundup; abstract; summary; extracts; excerpts: 谈话~ tánhuà~ excerpts of the speech; summary of a talk｜内容~ nèiróng~ summary ❷〈动 v.〉从文字材料中选录要点 make a summary; make an abstract: 限于篇幅, 只能~刊登你的文章。Xiànyú piānfu, zhǐnéng ~ kāndēng nǐ de wénzhāng. Due to the limit of space, only excerpts of your article can be published.

² **窄** zhǎi ❶〈形 adj.〉横的距离小(与'宽'相对)narrow (opposite to '宽kuān'): 我家住在一条~胡同里。Wǒ jiā zhù zài yì tiáo ~ hútòng li. I live in a narrow alley.｜冤家路~(形容仇人或不愿相见的人却偏偏碰在一起)。Yuānjiā-lù~ (xíngróng chóurén huò bú yuàn xiāngjiàn de rén què piānpiān pèng zài yìqǐ). Enemies are bound to meet on a narrow road (one can't avoid one's enemy or the person who he does not want to see).

❷〈形 adj.〉(心胸)不开阔；(气量)小 petty-minded; petty; small-minded; narrow-minded：他心眼ㄦ挺小的, 对他说话可要小心点ㄦ。 Tā xīnyǎnr tǐng ~ de, duì tā shuōhuà kě yào xiǎoxīn diǎnr. Be careful to talk to him for he is too sensitive. ❸〈形 adj.〉(生活)不宽裕 hard up; badly off; straitened：宽打~用 kuāndǎ~yòng budget liberally and spend sparingly | 最近我的手头有点ㄦ~。 Zuìjìn wǒ de shǒutóu yǒu diǎnr ~. recently I have been a little hard up recently.

³ **债 zhài** ❶〈名 n.〉(笔bǐ) 欠下的钱财 debt：讨 ~tǎo~ demand the repayment of a debt; dun | 逼~bī~ press for the payment of debts | 借~jiè~ borrow money | 还~huán~ pay back one's debt | 国~guó~ national debt | 公~gōng~ government bond | 我欠了他一笔~。 Wǒ qiànle tā yì bǐ ~. I was indebted to him. ❷〈名 n.〉比喻应办而未办的事 unfulfilled promise：我答应他写这篇稿子已经半年了, 这笔~这个星期非还不可了。 Wǒ dāying tā xiě zhè piān gǎozi yǐjīng bàn nián le, zhè bǐ ~zhège xīngqī fēi huán bùkě le. It's half a year since I promised him to write this essay, so I must fulfill my words this week. ❸〈名 n.〉比喻尚未受到惩罚的罪行 debt：他欠下了人民一笔血~。 Tā qiànxiàle rénmín yì bǐ xuè~. He owed the people a debt of blood.

⁴ **债务 zhàiwù** ❶〈名 n.〉负债人偿还债款的义务 liabilities：~人 ~rén debtor; obligor | ~国 ~guó debtor nation ❷〈名 n.〉(笔bǐ)所欠的债款 debt：缠身 ~chánshēn be heavily in debt; be up to one's neck in debt; be saddled with huge debts | 他有大笔~无法偿还。 Tā yǒu dàbǐ ~ wúfǎ chánghuán. Deep in debt, he is unable to pay back.

³ **寨 zhài** ❶〈名 n.〉旧时的军营 camp：安营扎~ ānyíng-zhā~ pitch a camp; encamp ❷〈名 n.〉四周有栅栏或围墙的村子, 也叫 '寨子' stockaded village, also '寨子 zhàizi'：村~ cūn~ stockaded village; village | 如今村村~~都通了公路。 Rújīn cūncūn-~~ dōu tōngle gōnglù. Nowadays all villages are interlinked by highways. ❸〈名 n.〉旧指强盗、土匪聚集的地方 mountain stronghold; mountain fortress; place where bandits gather and live：~主~zhǔ (in former times) brigand chief | 压~夫人 yā~fūrén mistress of the fort (a sobriquet for the wife of a brigand chief)

³ **沾 zhān** ❶〈动 v.〉浸湿 moisten; soak; welter; wet; damp：眼泪~湿了她的衣裳。 Yǎnlèi ~shīle tā de yīshang. Tears soaked her clothes. ❷〈动 v.〉因接触而被别的东西附着上 be stained with; be soiled with：~了一身土。 ~le yì shēn tǔ. He is soiled with dust all over. | ~了一手油。 ~le yì shǒu yóu. His hands are stained with oil. ❸〈动 v.〉稍微碰上、挨上、染上 touch：我和他既不~亲又不带故, 凭什么借钱给他。 Wǒ hé tā jì bù ~ qīn yòu bú dài gù, píng shénme jièqián gěi tā. I have neither ties of kinship nor friendship with him. Why should I lend money to him? | 千万别~上抽烟的坏习惯。 Qiānwàn bié ~ shang chōuyān de huài xíguàn. Don't fall into the bad habit of smoking. ❹〈动 v.〉因某种关系而得到好处 gain by association with sb. or sth. ; benefit from some kind of relationship：~光 ~guāng benefit from association with sb. or sth. ; cash in on one's connection with sb. ; gain from the support or influence of sb. | 我可从来没~过他的什么好处。 Wǒ kě cónglái méi ~guo tā de shénme hǎochù. I have never gained any benefit from him.

⁴ **沾光 zhān//guāng**〈动 v.〉凭借别人而得到好处(多指本身并未出力) benefit from association with sb. or sth. ; cash in on one's connection with sb. ; gain from the support or influence of sb.：我没有出力, 也不想~。 Wǒ méiyǒu chūlì, yě bù xiǎng ~. I have made no contributions. Neither do I want to benefit from it. | 他能有今天的地位, 完全是沾了他老子的光。 Tā néng yǒu jīntiān de dìwèi, wánquán shì zhānle tā lǎozi de guāng. The status he enjoys today is completely attributed to his father.

² 粘 zhān ❶〈动 v.〉粘性的东西附着在别的物体上；物体互相附着在一起 glue; stick; paste：这种糖~牙。 *Zhè zhǒng táng ~ yá.* This candy sticks to the teeth.│两张纸~在一起了。 *Liǎng zhāng zhǐ ~ zài yìqǐ le.* The two pieces of paper were stuck together. ❷〈动 v.〉用粘性的东西把物体连结起来 glue; stick; join or connect objects with sticky substance：用胶水把邮票~在信封上。 *Yòng jiāoshuǐ bǎ yóupiào ~ zài xìnfēng shang.* Glue the stamp to the envelope.

⁴ 瞻仰 zhānyǎng〈动 v.〉怀着崇敬的心情观看 look at with reverence; pay homage to：~遗容 ~ yíróng pay homage to someone's remains│星期天我们去~了烈士陵园。 *Xīngqītiān wǒmen qù ~le lièshì língyuán.* We paid a visit to the martyrs' mausoleum this Sunday.

⁴ 斩 zhǎn〈动 v.〉砍；砍断 chop; cut：~首示众 ~shǒu shìzhòng be decapitated│断魔爪 ~duàn mózhǎo chop off the claws│披荆~棘（比喻扫除前进中的障碍）pījīng-~jí（bǐyù sǎochú qiánjìn zhōng de zhàng'ài）break through brambles and thorns（clear away all obstacles to one's progress）

⁴ 斩草除根 zhǎncǎo-chúgēn〈成 idm.〉割草的时候连草根也掉掉，使其不再生长,比喻彻底除去祸害的根源 cut the weeds and dig up the roots; destroy root and branch; *fig.* stamp out the source of trouble：务必~，否则后患无穷。 *Wùbì ~, fǒuzé hòuhuàn-wúqióng.* Make sure to stamp out the source of trouble right now, otherwise you would have endlessly troubles in the future.

⁴ 斩钉截铁 zhǎndīng-jiétiě〈成 idm.〉斩断钉子截断铁，形容说话办事坚决果断 resolute and decisive; categorical：我~地拒绝了他的无理要求。 *Wǒ ~ de jùjuéle tā de wúlǐ yāoqiú.* I gave a round rebuff to his unreasonable request.│他~地说：'保证完成任务！' *Tā ~ de shuō:'bǎozhèng wánchéng rènwù!'* He said firmly, 'We pledge to accomplish the task.'

³ 盏 zhǎn ❶〈量 meas.〉用于灯 used for lamps：一~台灯 yì ~ táidēng a desk lamp│一~昏暗的油灯 yì ~ hūn'àn de yóudēng a dim oil lamp│一~~明亮的街灯 yì ~~ míngliàng de jiēdēng bright street lights ❷〈量 meas.〉用于某些液体 used for measuring some kinds of liquid：一~茶 yì ~ chá a small cup of tea│我在他那里喝了两~酒。 *Wǒ zài tā nàli hēle liǎng ~ jiǔ.* I drank two small cups of wine in his place. ❸〈名 n.〉小而浅的杯子 small cup：酒~ jiǔ~ small wine cup

² 展出 zhǎnchū〈动 v.〉展览出来 be on show; be on display：公开~ gōngkāi~ put on display; be on show; exhibit│画廊里~的是他的新作。 *Huàláng li ~ de shì tā de xīn zuò.* His new paintings are on display in the gallery.

² 展开 zhǎnkāi ❶〈动 v.〉张开；铺开 spread out; unfold; open up; roll out; unroll：~翅膀 ~ chìbǎng spread the wings│双臂 ~ shuāngbì stretch out one's arms│他~一幅地图，告诉我们行走的路线。 *Tā ~ yì fú dìtú, gàosù wǒmen xíngzǒu de lùxiàn.* He unfolded a map and showed us the route. ❷〈动 v.〉有组织有领导地进行 develop; launch; unfold; carry out：~讨论 ~tǎolùn hold a debate│~斗争 ~dòuzhēng wage a struggle│~竞赛 ~jìngsài start a competition│~进攻 ~jìngōng launch an offensive│我们这座城市的经济建设已经全面~。 *Wǒmen zhè zuò chéngshì de jīngjì jiànshè yǐjīng quánmiàn ~.* The economic construction of our city is now in full swing.

¹ 展览 zhǎnlǎn ❶〈动 v.〉陈列出来让人观看 exhibit; put on display; show：大厅里~的是我们的科研成果。 *Dàtīng li ~ de shì wǒmen de kēyán chéngguǒ.* Exhibited in the hall are our scientific research achievements.│他的作品正在各地巡回~。 *Tā de zuòpǐn zhèngzài gèdì xúnhuí ~.* His works are right now on an exhibition tour across the country.

❷〈名 n.〉把东西陈列出来让人观看的活动 exhibition; show; display：书法~ *shūfǎ* ~ calligraphy exhibition｜摄影~ *shèyǐng* ~ photo exhibition｜时装~ *shízhuāng* ~ fashion show｜工艺美术~ *gōngyì měishù* ~ exhibition of industrial arts; exhibition of arts and crafts｜这次~非常成功。*Zhè cì* ~ *fēicháng chénggōng.* This exhibition turns out to be a great success.

² **展览会** zhǎnlǎnhuì〈名 n.〉在一定的场所举办的展览 exhibition：中国文物~吸引了数以万计的日本观众。*Zhōngguó wénwù* ~ *xīyǐnle shù yǐ wàn jì de Rìběn guānzhòng.* The exhibition of Chinese historical relics attracted tens of thousands of Japanese visitors.｜千余家厂商参加了这次~。*Qiān yú jiā chǎngshāng cānjiāle zhè cì* ~. More than one thousand manufacturers participated in this exhibition.

⁴ **展示** zhǎnshì ❶〈动 v.〉清楚地陈列出来让人看到 put on show; show：他向我们~了一幅他的新作。*Tā xiàng wǒmen* ~*le yì fú tā de xīn zuò.* He showed us one of his new paintings. ❷〈动 v.〉明显地表现出来让人知道 reveal; lay bare：~才华 ~ *cáihuá* display one's talent; bring one's talent into full play｜他向大家~了工厂的光明前景。*Tā xiàng dàjiā* ~*le gōngchǎng de guāngmíng qiánjǐng.* He has depicted the bright future of the factory to us.

⁴ **展望** zhǎnwàng ❶〈动 v.〉往远处看；往大处看 look into the distance：~远方 ~ *yuǎnfāng* look into the distance｜~四周 ~ *sìzhōu* look around into the distance｜一望无际的平原 ~ *yíwàng-wújì de píngyuán* look into the distance of an endless plain; look into the distance of a plain which stretches to the horizon ❷〈动 v.〉综合观察和预测（与'回顾'相对）look into the future; look ahead; forecast; prospect（opposite to '回顾' *huígù*）：~未来 ~ *wèilái* look forward to the future; look to the future｜~前途 ~ *qiántú* look into the future; forecast the prospects｜~新世纪的发展趋势 ~ *xīn shìjì de fāzhǎn qūshì* look to the trend of the new century

⁴ **展现** zhǎnxiàn〈动 v.〉明显地表现出来 emerge; show; appear; unfold before one's eyes：一片美丽的景色~在我们面前。*Yí piàn měilì de jǐngsè* ~ *zài wǒmen miànqián.* A beautiful scenery presented itself before our eyes.｜这部影片~了大学生的精神风貌。*Zhè bù yǐngpiàn* ~*le dàxuéshēng de jīngshén fēngmào.* The film revealed the spirit of college students.

⁴ **展销** zhǎnxiāo〈动 v.〉在举办展览的同时进行销售 exhibit for sale; display and sell goods：~会 ~*huì* commodities fair; exhibition fair｜~活动 ~ *huódòng* trade drive｜商场里正在~各种手机。*Shāngchǎng li zhèngzài* ~ *gèzhǒng shǒujī.* Various models of mobile phones are displayed for sale in the shopping mall.

³ **崭新** zhǎnxīn〈形 adj.〉非常新；完全新 brand-new; completely new; nascent：~的局面 ~ *de júmiàn* a new situation｜~的面貌 ~ *de miànmào* a completely new look｜~的时代 ~ *de shídài* new age; new epoch｜~的汽车 ~ *de qìchē* a brand-new car｜~的家具 ~ *de jiājù* brand-new furniture

¹ **占** zhàn ❶〈动 v.〉用强力或不正当的手段取得并据有 occupy; seize; take：霸~ *bà*~ take by force｜强~ *qiáng*~ seize by force; forcibly occupy｜~领 ~*lǐng* capture; occupy; seize｜攻~ *gōng*~ attack and occupy; conquer｜她总喜欢~小便宜。*Tā zǒng xǐhuan* ~ *xiǎopiányi.* She always likes to gain some small profit at the expense of other people. ❷〈动 v.〉处于（某种地位）；属于（某种情况）hold a certain status; be in a certain situation：~优势 ~ *yōushì* be superior to; have the advantage｜~上风 ~ *shàngfēng* gain the upper hand; have the edge over; turn the tables on; have the advantage; come out top dog｜独~鳌头 dú~*áotóu* emerge first in the civil service examination of former times;

be the champion; find the bean in the cake; come out first│拥护他当班长的人~多数。 *Yōnghù tā dāng bānzhǎng de rén ~ duōshù.* A majority of students are in favor of him as their monitor. ❸〈动 v.〉占用；拥有 take up; occupy and use：请你帮我在阅览室~个座位。 *Qǐng nǐ bāng wǒ zài yuèlǎnshì ~ gè zuòwèi.* Please take up a seat for me in the reading room.│我们这家工厂~地100亩。 *Wǒmen zhè jiā gōngchǎng ~ dì yìbǎi mǔ.* Our factory covers one hundred *mu*.

⁴ **占据** zhànjù〈动 v.〉用强力取得或保持（地域、场所）seize by force; occupy; hold by force; take by force：~地盘 *dìpán* occupy an area│~有利地形 *yǒulì dìxíng* occupy a vantage point│强行~ *qiángxíng* forcibly occupy; force an occupation; take by force; seize│非法~ *fēifǎ* illegal occupation; illegally occupy

³ **占领** zhànlǐng ❶〈动 v.〉用武力取得（阵地或领土）capture; occupy; seize; use force to seize：~城市 *chéngshì* seize a city│~机场 *jīchǎng* seize an airport│~电台 *diàntái* seize a radio station ❷〈动 v.〉泛指占据某个领域 capture; take possession of; possess; have; own：~学术阵地 *xuéshù zhèndì* seize academic positions│~文艺舞台 *wényì wǔtái* hold literary and artistic stages│~市场 *shìchǎng* control a market

³ **占有** zhànyǒu ❶〈动 v.〉占据 possess; own; have：~财富 *cáifù* possess wealth│~土地 *tǔdì* own lands│~生产资料 *shēngchǎn zīliào* own the means of production│我在公司里~51%的股份。 *Wǒ zài gōngsī li ~ bǎifēnzhī wǔshíyī de gǔfèn.* I hold 51% shares of the company. ❷〈动 v.〉处于某种地位或情况 be in a certain status; occupy; hold：在电脑硬件方面我们~优势。 *Zài diànnǎo yìngjiàn fāngmiàn wǒmen ~ yōushì.* We enjoy the advantage in terms of computer hardware.│在国民经济中农业~重要的位置。 *Zài guómín jīngjì zhōng nóngyè ~ zhòngyào de wèizhì.* Agriculture occupies an important position in the national economy. ❸〈动 v.〉掌握；拥有 grasp; hold; master; learn thoroughly; have; own：~第一手资料 *dì-yī shǒu zīliào* have firsthand data│~充分证据 *chōngfèn zhèngjù* have sufficient evidence

⁴ **战** zhàn ❶〈动 v.〉打仗 fight; battle; engage in war：南征北~ *nánzhēng-běi~* fight north and south; campaign all across the country│~无不胜 *~wúbúshèng* invincible; win in every battle│赫赫~功 *hèhè ~gōng* illustrious military exploits; brilliant military success ❷〈动 v.〉泛指斗争 fight：论~ *lùn~* polemic; debate│商~ *shāng~* commercial war│~洪水 *~hóngshuǐ* fight against flood│~天斗地 *~tiān-dòudì* fight against heaven and earth; combat nature; brave the elements│唇枪舌~ *chúnqiāng-shé~* cross verbal swords; engage in a battle of words; debate ❸〈动 v.〉发抖 shiver; tremble; shudder：冻得直打~ *dòng de zhí dǎ~* tremble with cold│心惊胆~ *xīnjīng-dǎn~* tremble with terror; shake with fright; quake with fear ❹〈名 n.〉战争 war：空~ *kōng~* air battle; aerial combat│海~ *hǎi~* sea warfare; naval battle│地道~ *dìdào~* tunnel warfare│巷~ *xiàng~* street fighting│激~ *jī~* fierce fighting│~时内阁 *~shí nèigé* wartime cabinet

³ **战场** zhànchǎng ❶〈名 n.〉两军交战的地方 battleground; battlefield; battlefront：开赴~ *kāifù~* go to the battlefield│开辟~ *kāipì~* open another front│清理~ *qīnglǐ~* check up the battlefield; clear up the battlefield│打扫~ *dǎsǎo~* clean up battlefield│古~ *gǔ~* ancient battle site ❷〈名 n.〉比喻考场或其他斗争场所 used figuratively：抗洪~ *kànghóng~* anti-flood battlefront│工地就是我们的~。 *Gōngdì jiùshì wǒmen de ~.* The building site is our battlefield.

² **战斗** zhàndòu ❶〈动 v.〉敌对双方进行武装冲突 fight; combat; battle：我们和敌人连续~了一天一夜。 *Wǒmen hé dírén liánxù ~le yì tiān yí yè.* We fought against the enemy for a day and a night. ❷〈动 v.〉泛指一般的斗争 fight; struggle; battle; contend：地质队

员长年~在荒山野岭。*Dìzhì duìyuán chángnián ~ zài huāngshān-yělǐng.* Members of geological prospecting teams are working and living in the barren hills and desolate mountains all the year round. | 他的一生是~的一生。*Tā de yìshēng shì ~ de yìshēng.* He lives a fighting life.〈名 *n.*〉(次 cì、场 cháng)敌对双方所进行的武装冲突 military conflict between antagonistic parties; action: ~在凌晨打响了。*~ zài língchén dǎxiǎng le.* The fight broke out before dawn. | 这一场~打得十分激烈。*Zhè yì cháng ~ dǎ de shífēn jīliè.* The fighting was very fierce.

³ **战略** zhànlüè ❶〈名 *n.*〉指导战争全局的计划和策略(区别于'战术')(military) strategy; overall plan and tactics for a war (different from '战术 zhànshù'): 制定~ *zhìdìng* lay down strategies | ~进攻 *~ jìngōng* strategic offence | ~撤退 *~ chètuì* strategic retreat | ~转移 *~ zhuǎnyí* strategic transfer | ~核武器 *~ héwǔqì* strategic nuclear weapons | 在~上藐视敌人。*Zài ~ shang miǎoshì dírén.* Despise the enemy strategically. ❷〈名 *n.*〉泛指重大的、带全局性的谋略(区别于'战术'、'策略')strategy in general (different from '战术 zhànshù' and '策略 cèlüè'): ~眼光 *~ yǎnguāng* strategic foresight | ~决策 *~ juécè* strategic decision | ~目标 *~ mùbiāo* strategic objectives | ~计划 *~ jìhuà* strategic plan | 国民经济发展~ *guómín jīngjì fāzhǎn ~* strategy for national economic development

² **战胜** zhànshèng ❶〈动 *v.*〉在战争或比赛中打败敌人或对手,取得胜利 (in a war or competition) defeat; triumph over; win; defeat; conquer; overcome: ~敌人 *~ dírén* vanquish the enemy | ~侵略者 *~ qīnlüèzhě* defeat the invaders | ~对手 *~ duìshǒu* triumph over the opponent ❷〈动 *v.*〉泛指在一般的斗争中取得胜利 defeat; triumph over; win; vanquish; conquer; overcome: ~困难 *~ kùnnan* overcome difficulties | ~大自然 *~ dàzìrán* triumph over nature | ~疾病 *~ jíbìng* conquer diseases

² **战士** zhànshì ❶〈名 *n.*〉(名 míng、个 gè、位 wèi)军队中的士兵 soldier; armyman: 老~ *lǎo* old soldier; veteran | 新~ *xīn* new recruit | 新入伍的~ *xīn rùwǔ de ~* new recruit | 勇敢的~ *yǒnggǎn de ~* a brave soldier ❷〈名 *n.*〉(名 míng、个 gè、位 wèi)泛指参加某种正义斗争或正义事业的人 fighter; warrior; champion: 共产主义~ *gòngchǎn zhǔyì ~* a fighter for communism | 国际主义~ *guójì zhǔyì ~* champion of internationalism | 白衣~ *báiyī ~* medical worker | 文化~ *wénhuà ~* cultural fighters

³ **战术** zhànshù ❶〈名 *n.*〉(种 zhǒng、项 xiàng、套 tào)指挥或进行战斗的原则或方法(区别于'战略')(military) tactics (different from '战略 zhànlüè'): 灵活的~ *línghuó de ~* flexible tactics | 大胆的~ *dàdǎn de ~* adventurous tactics | 游击~ *yóujī ~* guerrilla tactics | 诱敌深入的~ *yòudí shēnrù de ~* tactics of luring the enemy in deep | 步步为营的~ *bùbùwéiyíng de ~* tactics of consolidating at every step; tactics of acting cautiously ❷〈名 *n.*〉泛指指导或解决局部问题的原则或方法(区别于'战略')tactics in general; methods for solving partial problems (different from '战略 zhànlüè'): 人海~ *rénhǎi* military tactics involving a huge crowd of people | 在~上重视敌人 *zài ~ shang zhòngshì dírén* take the enemy seriously in tactics

³ **战线** zhànxiàn ❶〈名 *n.*〉(条 tiáo)敌对两方军队作战时的接触地带 battle line; battlefront; frontline: 我军突破了敌人的~。*Wǒ jūn tūpòle dírén de ~.* Our forces broke though the enemy's frontline. | 敌众我寡,我们必须集中兵力,缩短~。*Dízhòng-wǒguǎ, wǒmen bìxū jízhōng bīnglì, suōduǎn ~.* The enemy outnumbered us, and therefore we should concentrate our troops and shorten the battlelines. ❷〈名 *n.*〉指某一工作领域 front: 教育~ *jiàoyù ~* educational front | 卫生~ *wèishēng ~* sanitary front | 经济~ *jīngjì ~* economic front | 思想~ *sīxiǎng ~* ideological front | 新闻~ *xīnwén ~* journalistic

front

⁴ 战役 zhànyì〈名 *n.*〉(次 cì、场 cháng) 为实现一定的战略目标，在一定的时间和空间里，按照统一计划进行的一系列军事行动的总和 (区别于 '战斗') campaign; battle (different from '战斗 zhàndòu')：诺曼底登陆是第二次世界大战中的一次著名的~。*Nuòmàndí dēnglù shì Dì-èr cì Shìjiè Dàzhàn zhōng de yí cì zhùmíng de ~.* The Normandy Landing is one of the famous campaigns in World War II.

³ 战友 zhànyǒu〈名 *n.*〉(个 gè、位 wèi) 一起战斗的人 comrade-in-arms: 亲密的~ *qīnmì de* ~ a close comrade-in-arms │ 老~ *lǎo* ~ one's old comrade-in-arms │ 一个战壕里的~ *yí gè zhànháo li de* ~ comrade-in-arms fighting in the same entrenchment

² 战争 zhànzhēng〈名 *n.*〉为了一定的政治目的而进行的武装斗争 (与 '和平' 相对) war; warfare (opposite to '和平 hépíng')：发动~ *fādòng* ~ launch a war │ 爆发~ *bàofā* ~ breaking out of a war │ 侵略~ *qīnlüè* ~ an aggressive war │ 正义~ *zhèngyì* ~ a just war │ 局部~ *júbù* ~ local war; partial war

¹ 站 zhàn ❶〈动 *v.*〉直立 stand; be on one's feet; take a stand：那里~着的是我的爸爸。*Nàli ~zhe de shì wǒ de bàba.* The man standing there is my father. │ 有话请~起来说。*Yǒu huà qǐng ~qǐlái shuō.* If you have anything to say, please stand up and speak out. ❷〈动 *v.*〉在行进中停下；停留 halt; stop; come to a halt：他走着走着突然~住了。*Tā zǒuzhe zǒuzhe tūrán ~zhù le.* He suddenly stopped when he was walking. │ 不怕慢，就怕~。*Bú pà màn, jiù pà ~.* A slow progress is much better than a halt. ❸〈名 *n.*〉交通线上设置的固定停车点 station; stop: 汽车~ *qìchē* ~ bus station; bus stop │ 火车~ *huǒchē* ~ railway station; train station │ 电车~ *diànchē* ~ trolley station │ 始发~ *shǐfā* ~ starting station; station of departure │ 终点~ *zhōngdiǎn* ~ terminus; terminal │ 前方停车是北京~。*Qiánfāng tíngchē ~ shì Běijīng~.* The to stop is the Beijing Railway Station. ❹〈名 *n.*〉为某种业务而设立的机构 station or center for rendering certain services：加油~ *jiāyóu* ~ filling station; petrol station; gas station │ 煤气~ *méiqì* ~ coal gas station │ 气象~ *qìxiàng* ~ meteorological station │ 水电~ *shuǐdiàn* ~ hydroelectric (power) station; hydropower station │ 活动~ *huódòng* ~ activity center │ 联络~ *liánluò* ~ liaison station ❺〈量 *meas.*〉用于计算公共交通工具按规定停站的单位或车站之间的距离 the distance between stations：从学校到我家也就两~地。*Cóng xuéxiào dào wǒ jiā yě jiù liǎng ~ dì.* There are only two stops between the school and my home.

⁴ 站岗 zhàn//gǎng〈动 *v.*〉站在指定的岗位上，执行守卫、警戒任务；也泛指坚守工作岗位，忠实履行职责 stand guard; be on sentry duty：~放哨~ *fàngshào* stand guard │ 我当兵的时候每天都要~。*Wǒ dāngbīng de shíhou měitiān dōu yào ~.* I had to stand guard every day when I was a soldier. │ 我马上就要退休了，但我一定要坚持站好最后一班岗。*Wǒ mǎshàng jiù yào tuìxiū le, dàn wǒ yídìng yào jiānchí zhànhǎo zuìhòu yì bān gǎng.* I am about to leave my job, but I must keep working hard till the last minute.

³ 张 zhāng ❶〈动 *v.*〉打开；展开 open; spread; stretch：~嘴 *~zuǐ* open one's mouth │ ~翅膀 *chìbǎng* spread the wings │ ~网捕鱼 *~wǎng bǔ yú* spread a net to catch fish │ 纲举目~(比喻抓住主要环节，便可带动其他的环节) *Gāngjǔ-mù~* (bǐyù zhuāzhù zhǔyào huánjié, biàn kě dàidòng qítā de huánjié) When the headrope of a fishing net is pulled up, all its meshes open (Once the key link is grasped, everything falls into place). ❷〈动 *v.*〉陈设；布置 lay out; display：大~筵席 *dà~ yánxí* hold a big feast │ ~灯结彩 *~dēng-jiécǎi* decorated with lanterns and colored streamers │ 大~旗鼓 *dà~qígǔ* on a grand scale; in a big way; with a big display of flags and drums ❸〈动 *v.*〉看；望 look; glance：东~西望 *dōng~-xīwàng* gaze around; glance around; look this way and that; look in all directions ④〈动 v.〉商店营业 open the shop and begin doing business; conduct the first transaction of a day's business：开~大吉 kāi~dàjí open a business with great propitious omens｜每天10时关~。Měitiān shí shí guān~. The shop closes at ten o'clock p. m. every day. ⑤〈动 v.〉扩大；夸大 magnify; exaggerate; amplify：虚~声势 xū~-shēngshì make a false show of strength｜明目~胆 míngmù~-dǎn explicitly; brazenly; openly; flagrantly; be bold and unscrupulous ⑥〈动 v.〉把弓弦或琴弦绷紧 draw; string：改弦更~ gǎixián-gēng~ cut loose from the past and make a fresh start; change over to new ways; make a fresh start｜剑拔弩~ jiànbá-nǔ~ with swords drawn and bows bent; at swords' points; be at daggers' points in a very critical situation｜文武之道，一~一弛。Wén wǔ zhī dào, yì ~ yì chí. Tension should alternate with relaxation in pursuit of either civil or military careers. ⑦〈量 meas.〉用于有延展平面的东西 sheet; piece（applied to flat and spread things）：一~纸 yì ~ zhǐ a piece of paper｜两~皮子 liǎng ~ pízi two sheets of leather｜几~照片 jǐ ~ zhàopiàn several photos｜三~床 sān ~ chuáng three beds｜一~书桌 yì ~ shūzhuō a desk ⑧〈量 meas.〉用于人或动物的脸 of men's or animals' face：一~胖乎乎的脸 yì ~ pànghūhū de liǎn a chubby face｜一~马脸 yì ~ mǎliǎn a hatchet face ⑨〈量 meas.〉用于可以张合的东西 of something that can be opened and closed：两~嘴皮 liǎng ~ zuǐpí two lips｜一~鱼网 yì ~ yúwǎng a fishnet; a fishing net｜一~弓 yì ~ gōng a bow ⑩〈量 meas.〉用于某些农具 of some farm implements; of some farm tools：两~犁 liǎng ~ lí two ploughs｜一~钉耙 yì ~ dīngpá a（iron-toothed）rake ⑪〈量 meas.〉用于某些乐器 of some musical instruments：一~古琴 yì ~ gǔqín an piece of ancient qin（a seven-stringed plucked instrument in some ways similar to the zither）⑫〈形 adj.〉紧；急 urgent：紧~ jǐn~ nervous; tense｜慌里慌~ huānglihuāng~ flurried

³ **张望** zhāngwàng　〈动 v.〉向四周或远处看；从缝隙或小孔里看 look around; peep through a crack or hole：他从窗户探出头去四下~。Tā cóng chuānghu tànchū tóu qù sìxià ~. He craned his neck out of the window and looked around.｜他从门缝里向外~。Tā cóng ménfèng li xiàng wài ~. He peeped through the crack of the door.

² **章** zhāng ❶〈名 n.〉歌曲诗文的段落 chapter; section; division：乐~ yuè~ movement of a symphony｜篇~ piān~ sections and chapters｜~节 ~jié section; chapter; chapters and sections; parts of an article or a book｜断~取义 duàn~-qǔyì unscrupulously quote out of context; garbled quotation; garble a statement; distort｜出口成~ chūkǒu-chéng~ words flow from the mouth as from the pen of a master ❷〈名 n.〉法规；规程 rules; regulations; charter; constitution：规~ guī~ rules; regulations; constitution｜党~ Party constitution｜招生简~ zhāoshēng jiǎn~ school admission brochure ❸〈名 n.〉条目clause and subclause; point：约法三~ yuēfǎ-sān~ make a few simple rules to be observed by all concerned ❹〈名 n.〉条理 order：杂乱无~ záluàn-wú~ disorderly and unsystematic ❺〈名 n.〉身上佩带的标志 badge; medal; insignia：徽~ huī~ badge; emblem; insignia｜肩~ jiān~ shoulder loop; shoulder strap; epaulet shoulder board; shoulder mark｜领~ lǐng~ collar badge; collar insignia｜勋~ xūn~ medal｜奖~ jiǎng~ medal; badge｜纪念~ jìniàn~ souvenir badge ❻〈名 n.〉印章：戳记 seal; stamp; signet：图~ tú~ seal; stamp｜公~ gōng~ official seal｜盖~ gài~ affix one's seal; seal; stamp ❼〈名 n.〉给皇帝的奏本 memorial to the throne：奏~ zòu~ memorial to the throne ❽〈量 meas.〉用于书籍、法规等 chapter：第一~ dì-yī ~ the first chapter; Chapter One｜本书共分十~。Běn shū gòng fēn shí ~. This book has ten chapters.

⁴ **章程** zhāngchéng　〈名 n.〉组织的规程或办事的条例 regulations; constitution; written rules：起草~ qǐcǎo ~ draw up regulations｜制定~ zhìdìng ~ lay down（or formulate）

regulations ｜ 修改~ *xiūgǎi* ~ amend regulations ｜ 通过~ *tōngguò* ~ adopt a regulation ｜ 按~办事 *àn* ~ *bànshì* handle affairs according to set rules and regulations

¹ 长 zhǎng ❶ 〈动 *v.*〉生出 come into being; spring up; form; begin to grow: 树上~虫了. *Shù shang* ~ *chóng le.* The tree is infested with insects. ｜ 铁锅~锈了. *Tiěguō* ~ *xiù le.* The iron boiler got rusty. ｜他的脸上~满了胡子. *Tā de liǎn shang* ~ *mǎnle húzi.* He is heavily bearded. ｜ 他~了一脸青春痘. *Tā* ~ *le yì liǎn qīngchūndòu.* His face is whelked. **❷** 〈动 *v.*〉生长;成长 grow; develop: 庄稼~势喜人. *Zhuāngjia* ~ *shì xǐrén.* The crops are growing fine. ｜ 你最近可~胖了不少. *Nǐ zuìjìn kě* ~ *pàngle bùshǎo.* You have put on much weight recently. ｜ 这孩子~高了. *Zhè háizi* ~ *gāo le.* The child has grown taller than before. **❸** 〈动 *v.*〉增进;增加 boost; enhance; increase; acquire: ~见识 ~ *jiànzhi* increase one's knowledge; gain experience ｜~志气 ~ *zhìqì* boost one's morale ｜ 吃一堑,~一智. *Chī yí qiàn,* ~ *yí zhì.* A fall into the pit, a gain in your wit. **❹** 〈名 *n.*〉领导人; 负责人 chief; head; leader: 班~ *bān* ~ class monitor; squad leader ｜ 校~ *xiào* ~ headmaster; principal; president ｜厂~ *chǎng* ~ factory director; factory manager ｜局~ *jú* ~ director ｜省~ *shěng* ~ governor of a province ｜部~ *bù* ~ minister ｜首~ *shǒu* ~ chief; senior officers **❺** 〈名 *n.*〉年龄大或辈分高的人 senior: 兄~ *xiōng* ~ elder brother ｜师~ *shī* ~ teacher **❻** 〈形 *adj.*〉年龄较大 older: 我比我的妻子~三岁. *Wǒ bǐ wǒ de qīzi* ~ *sān suì.* I am three years older than my wife. **❼** 〈形 *adj.*〉辈分大 older generation: ~辈 ~ *bèi* elder member of a family; elder; senior ｜ 他~我一辈. *Tā* ~ *wǒ yí bèi.* He is one generation older than me. **❽** 〈形 *adj.*〉同辈中排行第一 eldest; oldest: ~子 ~ *zǐ* eldest son ｜ ~女 ~ *nǚ* eldest daughter ｜ ~媳 ~ *xí* eldest daughter-in-law ｜ ~孙 ~ *sūn* eldest grandson

☞ cháng, p. 98

² 涨 zhǎng ❶ 〈动 *v.*〉(水位)上升 (of water) rise; go up; become higher; surge: ~潮 ~ *cháo* rising tide; flood tide ｜ 河水猛~. *Héshuǐ měng* ~. The river rises quickly. ｜ 水~船高(比喻事物随着它依靠的事物的增高而增高). *Shuǐ* ~ *chuángāo (bǐyù shìwù suízhe tā yīkào de shìwù de zēnggāo ér zēnggāo).* When the river rises, the boat goes up (*fig.* sth. will rise when the foundation it rests on rises) **❷** 〈动 *v.*〉(物价)提高 (of price) go up; rise: 最近物价~了不少. *Zuìjìn wùjià* ~ *le bùshǎo.* Recently the prices have risen a lot.

⁴ 涨价 zhǎngjià 〈动 *v.*〉物价上涨; 提高物价 rise in price; go up in price: 这次~的幅度很大. *Zhè cì* ~ *de fúdù hěn dà.* The price has risen greatly this time. ｜ 政府不允许乱~. *Zhèngfǔ bù yǔnxǔ luàn* ~. The government does not allow prices to go up at will.

⁴ 掌 zhǎng ❶ 〈名 *n.*〉手掌 palm: 磨拳擦~ *móquán-cā* ~ be eager for a fight; itch to have a go ｜ 易如反~ *yìrúfǎn* ~ as easy as pie; as easy as turning one's hands over; as easy as falling off a log ｜~上明珠 (比喻极受父母宠爱的儿女) ~ *shàng-míngzhū (bǐyù jí shòu fùmǔ chǒng'ài de érnǚ)* a pearl in the palm; apple of one's eye (*fig.* a beloved child) **❷** 〈名 *n.*〉某些动物的脚掌 the bottom of certain animals' feet; pad; sole: 鸭~ *yā* ~ duck's foot ｜ 熊~ *xióng* ~ bear's paw **❸** 〈名 *n.*〉钉在骡、马等蹄下的U字形马蹄铁 horseshoe: 给马钉个~. *Gěi mǎ dìng gè* ~. Shoe the horse. **❹** 〈名 *n.*〉钉或缝在鞋底前部或后部的皮子 shoe sole or heel: 这双鞋该钉个后~了. *Zhè shuāng xié gāi dìng gè hòu* ~ *le.* This pair of shoes should be heeled. **❺** 〈动 *v.*〉掌管;掌握 hold in one's hand; be in charge of; control; wield: ~舵 ~ *duò* operate the rudder; steer a boat; be the helmsman; take the tiller; be at the helm ｜~权 ~ *quán* in power; wield power; exercise control ｜~勺儿 ~ *sháor* be the chef; do the cooking; prepare the banquet **❻** 〈动 *v.*〉用手

掌打人 slap：~嘴－*zuǐ* slap sb. on the face ❼〈量 *meas.*〉计算用手掌打击的次数 a slap：猛击一~－*měng jī yì*－give a hard slap

⁴ 掌管 zhǎngguǎn 〈动 *v.*〉负责管理：主持 be in charge of; administer：他在公司里管财务。*Tā zài gōngsī li ~ cáiwù.* He is in charge of financial affairs in the company. | 学校里的人事归他~。*Xuéxiào li de rénshì guī tā ~.* He is in charge of personnel affairs in the school.

³ 掌声 zhǎngshēng 〈名 *n.*〉(阵zhèn、片piàn)鼓掌的声音 clapping; applause：~雷动 ~ *léidòng* thunderous applause | 经久不息的~ *jīngjiǔ bù xī de ~* prolonged applause | 他的演讲赢得了一阵热烈的~。*Tā de yǎnjiǎng yíngdéle yí zhèn rèliè de ~.* His speech has won a big round of enthusiastic applause. | 会场上响起了一片~。*Huìchǎng shang xiǎngqǐle yí piàn ~.* There was a burst of applause over the meeting place.

¹ 掌握 zhǎngwò ❶〈动 *v.*〉透彻了解并能支配或运用 grasp; learn thoroughly; master; know well：~知识 ~ *zhīshi* master knowledge; have a good command of knowledge | 规律 ~ *guīlǜ* learn the laws thoroughly | ~原则 ~ *yuánzé* have a good grasp of the principles | 牢固地~ *láogù de ~* have a firm mastery of | 系统地~ *xìtǒng de ~* have a systematic mastery of | 他~四门外语。*Tā ~ sì mén wàiyǔ.* He has a good command of four foreign languages. ❷〈动 *v.*〉主持；控制；主宰 have in hand; take into one's hands; control：~会场 ~ *huìchǎng* have the meeting place well in hand | 军队 ~ *jūnduì* control the armed forces | ~政权 ~ *zhèngquán* take hold of political power | ~主动权 ~ *zhǔdòngquán* have the initiative in one's hands | ~国家经济命脉 ~ *guójiā jīngjì mìngmài* control the state economic lifelines | 我们要~自己的命运。*Wǒmen yào ~ zìjǐ de mìngyùn.* We should be master of our own destiny.

² 丈 zhàng ❶〈量 *meas.*〉中国使用的市制长度单位，合3.33米 zhang, unit of length (= 3.3 meters)：一~棉布 yí ~ *miánbù* one zhang of cotton cloth ❷〈动 *v.*〉测量土地的长度或面积 measure land：~地 ~ *dì* measure land | 这块地已经~过了。*Zhè kuài dì yǐjīng qīng ~ guo le.* The area of this land has been carefully measured. ❸〈名 *n.*〉指丈夫 husband：姑~ *gū ~* husband of one's father's sister; uncle | 姐~ *jiě ~* husband of one's elder sister; brother-in-law ❹〈名 *n.*〉中国古时对男性老者的尊称 respectful term for an old man in olds days：老~ *lǎo ~* venerable old gentleman | 岳~ *yuè ~* father-in-law; wife's father

² 丈夫 zhàngfu 〈名 *n.*〉女子的配偶 husband：他是我的~。*Tā shì wǒ de ~.* He's my husband.

³ 帐 zhàng ❶〈名 *n.*〉用纱、布等制成的遮蔽用的东西 canopy; curtain; tent：蚊~ *wén ~* mosquito net | 尼龙~ *nílóng ~* nylon net | 蓬~ *peng ~* tent ❷〈名 *n.*〉像帐一样的遮蔽物 curtain-like things：青纱~ *qīngshā ~* the green curtain of tall crops

³ 账 zhàng ❶〈名 *n.*〉关于钱、物出入的记载 account：记~ *jì ~* keep account | 查~ *chá ~* check accounts | 结~ *jié ~* pay one's bill; settle accounts ❷〈名 *n.*〉(本běn)账簿 account book：一本~ *yì běn ~* an account book ❸〈名 *n.*〉债 debt：还~ *huán ~* clear a debt | 要~ *yào ~* demand payment of a debt; press for repayment of a loan; dun | 赖~ *lài ~* repudiate a debt; go back on one's words | 他欠了我一大笔~。*Tā qiànle wǒ yí dà bǐ ~.* He owed me a large sum of money. ❹〈名 *n.*〉比喻说过的话、做过的事 what has been said or done：这话明明是他说的，怎么能不认~呢。*Zhè huà míngmíng shì tā shuō de, zěnme néng bú rèn ~ ne.* It's obviously what he has said; how could he deny that?

³ 胀 zhàng ❶〈动 *v.*〉物体体积变大(与'缩'相对)distend; expand; grow in size (opposite to '缩suō')：膨~ *péng ~* expand; swell; dilate; inflate | 热~冷缩 rè ~ lěng suō

expand when heated and contract when cooled ❷〈动 v.〉身体内产生膨胀的感觉 swell; be bloated: 脑袋发~。*Nǎodai fā ~.* The head gets swelling. | 肚子~得难受。 *Dùzi ~ de nánshòu.* The stomach is bloated in an uncomfortable way. ❸〈动 v.〉浮肿 dropsy; edema: 肿~*zhǒng~* swollen

³ **障碍** zhàng'ài ❶〈名 n.〉阻挡前进的事物 obstacle; barrier; block: ~物 *~wù* obstacle; barrier; entanglement; hindrance | 设置~*shèzhì* set up barriers | 制造~*zhìzào* erect barriers; create obstacles | 克服~*kèfú* overcome the obstacles | 清除~*qīngchú* clear away obstacles | 语言~*yǔyán* language barrier | 心理~*xīnlǐ* psychological barrier | 我们要扫除前进道路上的一切~。*Wǒmen yào sǎochú qiánjìn dàolù shang de yíqiè ~.* We have to clear away all the obstacles on the road along which we are going ahead. ❷〈动 v.〉阻挡道路，使不能顺利通过 hinder; obstruct; impede: 这辆车停放在这里严重地~了交通。*Zhè liàng chē tíngfàng zài zhèlǐ yánzhòng de ~le jiāotōng.* The car parked here has seriously blocked the traffic.

³ **招** zhāo ❶〈动 v.〉打手势叫人来 beckon; gesture: ~手 *~shǒu* beckon; wave one's hand ❷〈动 v.〉用广告或通知的方式使人来 recruit; enlist; enroll: ~考 *~kǎo* give public notice of entrance examination; admit by examination | ~工 *~gōng* recruit workers | ~聘 *~pìn* give public notice of a vacancy to be filled; recruit and employ through advertisement and examination; invite applications for a job | ~商 *~shāng* invite outside investment | ~标 *~biāo* invite tenders; by tenders; call for tender; invite bids; hold public bidding ❸〈动 v.〉引起（某种结果或反应）attract; incur; court: 院子里的杂草挺~蚊子的。*Yuànzi li de zácǎo tǐng ~ wénzi de.* The weeds in the courtyard attract mosquitos. | 这个孩子真~人喜欢。*Zhège háizi zhēn ~ rén xǐhuan.* What an endearing child! | 树大~风（比喻因名气大而容易受人嫉妒，招来麻烦）*Shùdà~fēng (bǐyù yīn míngqì dà ér róngyì shòu rén jídù, zhāolái máfan).* High trees attract the wind (*fig.* Famous persons incur criticisms easily; A person with an attractive or enviable reputation or a person in a high position is liable to be attacked or dragged into disputes). ❹〈动 v.〉招惹 provoke; tease: 我正烦着呢，别~我！*Wǒ zhèng fánzhe ne, bié ~ wǒ!* I am quite annoyed. Leave me alone! ❺〈动 v.〉承认罪行 confess; own up: ~供 *~gòng* make a confession of one's crime; confess | ~认 *~rèn* confess one's crime; plead guilty | 屈打成~ *qūdǎchéng~* confess to false charges under torture; obtain confessions with torture | 不打自~ *bùdǎ-zì~* confess without being pressed; make a confession without prompting ❻（~儿）〈名 n.〉计策 move; trick; device: 绝~儿 *jué~r* unique skill; unexpected tricky move（as a last resort）| 高~儿 *gāo~r* brilliant idea | 损~儿 *sǔn~r* mean trick | 我倒要看看他还能耍什么花~儿。*Wǒ dào yào kànkan tā hái néng shuǎ shénme huā~r.* I really want to see what else he is up to. ❼〈名 n.〉中国功夫的动作 movement: ~数 *~shù* a movement in *wushu* | 一~一式 *yì~-yíshì* every movement in martial arts or traditional opera ❽〈名 n.〉悬挂在商店门外，用以招引顾客的匾额、旗幡 inscribed board or flag outside a store: ~牌 *~pái* shop sign; signboard

² **招待** zhāodài ❶〈动 v.〉欢迎接待宾客或顾客 entertain; serve; receive guests; wait on: ~客人 *~kèrén* entertain guests | ~外宾 *~wàibīn* entertain foreign guests | 热情~ *rèqíng ~* kind hospitality; give sb. a warm reception; be warm-hearted towards guests | ~不周，请您多多原谅。*~ bùzhōu, qǐng nín duōduō yuánliàng.* Please excuse us for not being considerate enough. ❷〈名 n.〉（名míng）担任招待的人 server; waiter: 他在一家酒店里当~。*Tā zài yì jiā jiǔdiàn li dāng ~.* He serves as a waiter in a restaurant.

² **招待会** zhāodàihuì〈名 n.〉（个gè）为招待一定对象而举行的聚会 reception: 国庆~

Guóqìng ~ National Day reception｜记者~ *jìzhě* ~ press conference｜冷餐~ *lěngcān* ~ buffet reception｜举行~ *jǔxíng* ~ give a reception｜今晚我要出席一个使馆~. *Jīnwǎn wǒ yào chūxí yí gè shǐguǎn ~.* Tonight I will attend a reception held by the embassy.

² **招呼** zhāohu ❶〈动 *v.*〉呼唤 call; beckon; shout: 校门外有人~你呢 *Xiàomén wài yǒu rén ~ nǐ ne.* Someone is calling at you outside the school gate. ❷〈动 *v.*〉用语言或动作表示问候 hail; greet; say hello to: 你怎么见了客人也不一~一声？*Nǐ zěnme jiànle kèrén yě bù ~ yì shēng?* How could you meet the guests without due greetings? ❸〈动 *v.*〉吩咐；关照 notify; tell; ask: 请你~他赶紧把字典还给我。*Qǐng nǐ ~ tā gǎnjǐn bǎ zìdiǎn huán gěi wǒ.* Please tell him to return my dictionary as soon as possible. ❹〈动 *v.*〉照料 take care of; look after: 你先去那儿~一下，我马上过去。*Nǐ xiān qù nàr ~ yíxià, wǒ mǎshàng guòqù.* You go there first to greet the guests, and I will go right after you. ❺〈名 *n.*〉表示问候、通知等的动作、语言或表情 of actions, words or facial expressions to greet, notify or tell: 见了老人要打~. *Jiànle lǎorén yào dǎ ~.* Remember to say hello to the elderly when you meet them.｜你怎么连个~都不打就走了？*Nǐ zěnme lián gè ~ dōu bù dǎ jiù zǒu le?* How can you leave without saying goodbye?｜我已经跟他打过~了，你只管去干就是了。*Wǒ yǐjīng gēn tā dǎguo ~ le, nǐ zhǐguǎn qù gàn jiùshì le.* I have already notified him; You just go ahead with it.

⁴ **招聘** zhāopìn〈动 *v.*〉用公告的方式聘请 give public notice of a vacancy to be filled; recruit and employ through advertisement and examination; invite applications for a job: 本公司拟~业务经理两名。*Běn gōngsī nǐ ~ yèwù jīnglǐ liǎng míng.* Our company shall recruit two business managers.｜你想找工作可以查看~广告。*Nǐ xiǎng zhǎo gōngzuò kěyǐ chákàn ~ guǎnggào.* If you want to find a job, you can look it up in want ads.

⁴ **招生** zhāo//shēng〈动 *v.*〉招收新学生 enroll new students; recruit students: ~简章~ *jiǎnzhāng* school admission brochure｜今年我们学校招了一批留学生。*Jīnnián wǒmen xuéxiào zhāole yì pī liúxuéshēng.* This year our school enrolled a batch of foreign students.

⁴ **招收** zhāoshōu〈动 *v.*〉用考试或其他方式接收新成员 recruit; take in; enroll: ~学徒~ *xuétú* take in apprentices｜~服务员~ *fúwùyuán* recruit waiters｜今年我们学校~了300名外国留学生。*Jīnnián wǒmen xuéxiào ~le sānbǎi míng wàiguó liúxuéshēng.* This year our school enrolled three hundred foreign students.

³ **招手** zhāo//shǒu〈动 *v.*〉举手上下或左右摇动，表示叫人、致意或回应别人 beckon; wave: 他正向你~，要你过去。*Tā zhèng xiàng nǐ ~, yào nǐ guòqù.* He is beckoning you to go there.｜他一进门就向大家~致意。*Tā yí jìnmén jiù xiàng dàjiā ~ zhìyì.* He waved his greetings to us as soon as he came in.｜他们瞧见我们的信号了，向这儿招着手呢。*Tāmen qiáojiàn wǒmen de xìnhào le, xiàng zhèr zhāozhe shǒu ne.* They are waving towards us at the sight of the signals we sent.

⁴ **朝气** zhāoqì〈名 *n.*〉早晨的气象，比喻精神振奋、力求进取的气概（与'暮气'相对）youthful spirit; vigor; vitality（opposite to '暮气 mùqì'）: 一个青年人，应当充满~. *Yí gè qīngniánrén, yīngdāng chōngmǎn ~.* A young man should be brimming with vigor.

⁴ **朝气蓬勃** zhāoqì-péngbó〈成 *idm.*〉形容生气勃勃、奋发向上的状态（与'老气横秋'相对）vigorous; full of youthful spirit; full of vigor and vitality; imbued with vitality（opposite to '老气横秋 lǎoqì-héngqiū'）: 如今我们的国家到处是一片~的景象。*Rújīn wǒmen de guójiā dàochù shì yí piàn ~ de jǐngxiàng.* Nowadays our country presents a scene of vigour and vitality here and there.

⁴ **朝三暮四** zhāosān-mùsì〈成 *idm.*〉原来比喻聪明的人善于耍手段，而愚笨的人不能

辨别事情。现用以形容反复无常，经常变卦 three in the morning, four in the evening (orig. *fig.* the wise are good at playing tricks, while the foolish are slow to perceive; now means one changes his mind frequently; blow hot and cold; play fast and loose; chop and change)：你一会儿想学钢琴，一会又想学电脑，这样～，什么也学不成的。*Nǐ yíhuìr xiǎng xué gāngqín, yíhuìr yòu xiǎng xué diànnǎo, zhèyàng ～, shénme yě xué bù chéng de.* You want to learn how to play the piano one moment, and then to use the computer the next. You will end up at nothing if you keep changing your mind frequently like this.

² **着** zháo ❶〈动 *v.*〉燃烧；(灯) 发光 (与 '灭' 相对) burn; be ignited; be lit; light (opposite to '灭 *miè*)：那片林子～了。*Nà piàn línzi ～ le.* That forest is on fire.｜他屋里的灯还～着呢。*Tā wūli de dēng hái ～zhe ne.* The light in his room is still on. ❷〈动 *v.*〉用在动词或形容词后面，表示达到目的或产生结果 used after a verb or an adjective to indicate result of an action：我找～那本书了。*Wǒ zhǎo～ nà běn shū le.* I've found that book.｜别担心，我累不～。*Bié dānxīn, wǒ lèi bù ～.* Don't worry. I won't be worn out. ❸〈动 *v.*〉接触、挨上 touch; contact：伤口千万不能～水。*Shāngkǒu qiānwàn bù néng ～ shuǐ.* The wound must be kept away from water.｜这个地方前不村、后不～店，咱们还是赶快走吧。*Zhège dìfang qián bù ～ cūn, hòu bù ～ diàn, zánmen háishì gǎnkuài zǒu ba.* This is an uninhabited area with no village ahead nor any inn behind. Let's hurry up and get out of here. ❹〈动 *v.*〉受到、感到 feel; be affected by; suffer：～急 ～*jí* worry; feel anxious｜～魔 ～*mó* be fascinated; be obsessed; be bewitched; be possessed; be entranced｜～凉 ～*liáng* catch a cold; catch a chill｜他玩儿电脑都～了迷了。*Tā wánr diànnǎo dōu ～le mí le.* He is engrossed in computer games. ❺〈动 *v.* 方 *dial.*〉进入睡眠状态 fall asleep：我这个人一躺下就能～。*Wǒ zhège rén yì tǎngxià jiù néng ～.* I fall asleep as soon as I lay down.

☞ zhe, p. 1258；zhuó, p. 1326

¹ **着急** zháo//jí〈动 *v.*〉急躁不安；担心 worry; feel anxious：爷爷病了，全家人都万分～。*Yéye bìng le, quán jiā rén dōu wànfēn ～.* My grandfather fell ill, and the whole family was extremely worried.｜这是他的事，他不～，你着什么急？*Zhè shì tā de shì, tā bù ～, nǐ zháo shénme jí?* This is his own business, and since he himself does not care, what are you worrying about?

³ **着凉** zháo//liáng〈动 *v.*〉受凉 catch a cold; catch a chill：天气冷了，要小心～。*Tiānqì lěng le, yào xiǎoxīn ～.* It is getting cold; be careful not to catch a cold.｜今天早上我着了点儿凉，现在有点儿发烧了。*Jīntiān zǎoshang wǒ zháole diǎnr liáng, xiànzài yǒudiǎnr fāshāo le.* I caught a cold this morning, and now I am running a fever.

¹ **找** zhǎo ❶〈动 *v.*〉寻觅 look for; try to find; seek：～窍门 ～*qiàomén* try to find the key to a problem; try to get the knack of doing sth.｜～对象 ～*duìxiàng* look for a partner in marriage｜～出路 ～*chūlù* try to find a way out｜你在～什么呢？*Nǐ zài ～ shénme ne?* What are you looking for? ❷〈动 *v.*〉把多收的钱退还 give change：～钱 ～*qián* give change｜零钱就别～啦。*Língqián jiù bié ～ la.* Keep the change. ❸〈动 *v.*〉把不足的部分补上 make up a deficiency：～平 ～*píng* make level; level out｜～齐 ～*qí* make uniform; even up; make up a deficiency

⁴ **沼泽** zhǎozé〈名 *n.*〉(片 *piàn*)水草丛生的泥泞地带 marsh; swamp; bog：有不少珍稀动物生活在这片～里。*Yǒu bùshǎo zhēnxī dòngwù shēnghuó zài zhè piàn ～ li.* Many rare and precious animals are living in this marsh.

³ **召集** zhàojí〈动 *v.*〉通知人们聚集起来 call together; convene; assemble：今年春节他～我们老同学聚会了一次。*Jīnnián Chūnjié tā ～ wǒmen lǎo tóngxué jùhuìle yí cì.* This

Spring Festival he called all the former classmates together for a gathering.

² **召开** zhàokāi 〈动 v.〉召集人们开会；举行（会议）call; hold; convene; convoke（a meeting）：今年国庆节我们准备~一次表彰大会，表扬先进工作者。*Jīnnián Guóqìngjié wǒmen zhǔnbèi ~ yí cì biǎozhāng dàhuì, biǎoyáng xiānjìn gōngzuòzhě.* This year we are going to convene a commendatory meeting to extol advanced workers on the National Day. | 代表大会于昨日正式~。*Dàibiǎo dàhuì yú zuórì zhèngshì ~.* The congress was formally convened yesterday.

⁴ **兆** zhào ❶〈数 num.〉100万；古代为一万亿或一亿亿 million；（in ancient times）a million million or trillion ❷〈名 n.〉事情发生前露出的迹象 sign; omen; portent：吉~ jí~ good omen; propitious sign | 不祥之~ bùxiángzhī~ an ill omen; an evil omen ❸〈动 v.〉预示 augur; portend; foretell：瑞雪~丰年。*Ruìxuě ~ fēngnián.* A timely snow augurs a good harvest.

² **照** zhào ❶〈动 v.〉光线射到物体上 shine; illuminate; light up; radiate：~射~shè shine; illuminate; light up; irradiate | ~耀~yào shine; radiate; illuminate; light up | 阳光普~大地。*Yángguāng pǔ~ dàdì.* The sun shines over the land. ❷〈动 v.〉对着镜子或其他反光物看自己的影子；有反光作用的物体将人或物的形象反映出来 look into the mirror; reflect：他~了~镜子，梳理了一下头发。*Tā ~le ~ jìngzi, shūlǐle yíxià tóufa.* He looked into the mirror and combed his hair. | 清清的河水~着蓝天上的朵朵白云。*Qīngqīng de héshuǐ ~zhe lántiān shang de duǒduǒ báiyún.* The clear river reflects the white clouds in the blue sky. ❸〈动 v.〉拍摄 take a picture; photograph; film; shoot：全家人一起~了个相。*Quán jiā rén yìqǐ ~le gè xiàng.* We've taken a photo of the whole family. ❹〈动 v.〉看顾；关心 take care of; look after; attend to：她帮我~看孩子。*Tā bāng wǒ ~kàn háizi.* She looked after my child for me. | 多谢您的关~。*Duō xiè nín de guān~.* Thank you for the trouble you've taken on my behalf. ❺〈动 v.〉明白；知道 understand; make out：他俩彼此都有爱慕之意，只是心~不宣罢了。*Tā liǎ bǐcǐ dōu yǒu àimù zhī yì, zhǐshì xīn~-bùxuān bà le.* They both harbor love for each other; they just haven't expressed it explicitly. ❻〈动 v.〉通知 inform; notify：~会 ~huì notify; present a note to; note | 知~ zhī~ notify; inform ❼〈动 v.〉对比 contrast; compare：参~ cān~ consult; refer to | 对~ duì~ contrast; check against | 查~ chá~ please note（and act accordingly）❽〈介 prep.〉向着；对着 towards; in the direction of：我们正~着预定的目标前进。*Wǒmen zhèng ~zhe yùdìng de mùbiāo qiánjìn.* We are moving towards our preset goals. | 她~着流氓的脸上狠狠地吐了一口唾沫。*Tā ~zhe liúmáng de liǎn shang hěnhěn de tùle yì kǒu tuòmò.* She spat the gangster's in the face. ❾〈介 prep.〉按照；依照 according to; in accordance with; in conformity with：~葫芦画瓢（比喻照着样子模仿）~húlú huà piáo（bǐyù zhàozhe yàngzi mófǎng）draw a dipper with a gourd as a model（fig. copy; imitate）| ~你的说法，这事倒是我不对了！~ nǐ de shuōfǎ, zhè shì dào shì wǒ bú duì le! According to what you have said, it is I who should be blamed for this! ❿〈名 n.〉照片 photograph; picture：5 吋~wǔ cùn~ a five-inch photo | 彩~ cǎi~ color photograph | 剧~ jù~ stage photo; still ⓫〈名 n.〉执照；凭证 license; permit：护~ hù~ passport | 汽车牌~ qìchē pái~ automobile license plate | 这家公司是无~经营，应予查封。*Zhè jiā gōngsī shì wú ~ jīngyíng, yīng yǔ cháfēng.* The company is doing business without license, and thus should be closed down. ⓬〈名 n. 书 lit.〉阳光 sunshine：夕~ xī~ evening glow; glow of the setting sun ⓭〈副 adv.〉按照某种样子去做 accordingly：我们不能~搬别人的经验。*Wǒmen bù néng ~bān biéren de jīngyàn.* We shouldn't copy indiscriminately the others' experience. | 您的指示我一定~

办。 *Nín de zhǐshì wǒ yídìng ~bàn.* I will act upon your instructions.

² 照常 zhàocháng 〈副 adv.〉跟平常一样 as usual: ~上班 ~ *shàngbān* work as usual │ 上课 ~ *shàngkè* have/give classes as usual │商店星期天~营业。 *Shāngdiàn xīngqītiān ~ yíngyè.* Shops are open as usual on Sundays.

¹ 照顾 zhàogù ❶〈动 v.〉考虑；注意 give consideration to; show consideration for; make allowance for: ~大局 ~ *dàjú* take the whole thing into account; consider the situation as a whole │谈判双方必须~对方的利益。 *Tánpàn shuāngfāng bìxū ~ duìfāng de lìyì.* Both sides should take each other's interests into consideration in a negotiation. ❷〈动 v.〉照料 look after; keep an eye on: 请你帮我~一下这位老人。 *Qǐng nǐ bāng wǒ yíxià zhè wèi lǎorén.* Please look after this old man/woman for me. ❸〈动 v.〉给予优待、优惠 take care of; care for; attend to: 对于生活困难的职工必须给予~。 *Duìyú shēnghuó kùnnan de zhígōng bìxū jǐyǔ ~.* Give special support to those badly-off employees.

⁴ 照会 zhàohuì ❶〈名 n.〉(份fèn)国家间往来的一种外交文书 note: 正式~ *zhèngshì* ~ personal note; formal note; official note │普通~ *pǔtōng* ~ verbal note ❷〈动 v.〉发出照会这种外交文书 present (deliver, address) a note to (a government): ~各国政府 *gèguó zhèngfǔ* present a note to governments of other countries

⁴ 照旧 zhàojiù ❶〈动 v.〉跟原来一样，跟过去一样 as before; as usual; as of old: 纪念馆的一切陈设必须~。 *Jìniànguǎn de yíqiè chénshè bìxū ~.* All the furnishings in the memorial hall must be rendered the same as before. │集合的时间、地点~。 *Jíhé de shíjiān, dìdiǎn ~.* The time and place for gathering remained unchanged. ❷〈副 adv.〉依然 yet: 尽管老师批评他多次了，他~不交作业。 *Jǐnguǎn lǎoshī pīpíng tā duō cì le, tā ~ bù jiāo zuòyè.* Although the teacher has criticized him many times, he doesn't hand in the assignments all the same.

³ 照例 zhàolì 〈副 adv.〉按照惯例；按照常理 as a rule; as usual; usually: 这批货物可以~放行。 *Zhè pī huòwù kěyǐ ~ fàngxíng.* This batch of goods can be let go as usual. │黄鼠狼~是不会白天出来觅食的。 *Huángshǔláng ~ shì bú huì báitiān chūlái mìshí de.* As usual, the weasel will not come out for food in daytime.

⁴ 照料 zhàoliào 〈动 v.〉照管料理 take care of; attend to; tend; mind: 一家老小全靠她一个人，她怎能不辛苦！ *Yì jiā lǎoxiǎo quán kào tā yí gè rén ~, tā zěn néng bù xīnkǔ!* Having a whole family to support, how can she make it without toiling herself!

⁴ 照明 zhàomíng 〈动 v.〉用灯光照亮 illuminate; light: ~设备 ~ *shèbèi* lighting equipment │~弹 ~ *dàn* flare; star shell │他在剧团里负责舞台~工作。 *Tā zài jùtuán li fùzé wǔtái ~ gōngzuò.* He is in charge of the stage illumination in the troupe.

² 照片 zhàopiàn 〈名 n.〉(张zhāng、帧zhēn)把感光纸放在照相底片下曝光后经显影、定影而成的人或物的图片 photograph; photo; picture: 彩色~ *cǎisè* ~ color photograph │黑白~ *hēibái* ~ black-and-white photograph

⁴ 照射 zhàoshè 〈动 v.〉光线射在物体上 shine; illuminate; light up; irradiate: 紫外线~会灼伤皮肤。 *Zǐwàixiàn ~ huì zhuóshāng pífū.* The ultraviolet radiation can burn the skin. │探照灯把广场~的如同白昼。 *Tànzhàodēng bǎ guǎngchǎng ~ de rútóng báizhòu.* The square is illuminated as brightly as daytime by the searchlights.

¹ 照相 zhào // xiàng 〈动 v.〉摄影 take a picture; take photos; take photographs: 星期天我们到公园去~吧。 *Xīngqītiān wǒmen dào gōngyuán qù ~ ba.* Let's go to the park to take photos this Sunday. │这次我在欧洲照了不少相。 *Zhè cì wǒ zài Ōuzhōu zhàole bù shǎo xiàng.* This time I took many photos when I was in Europe.

Z

³ **照相机** zhàoxiàngjī〈名 n.〉(架jià、个gè、部bù)用来摄影的工具 camera：最近我买了一个傻瓜~。*Zuìjìn wǒ mǎile yí gè shǎguā ~.* Recently I bought a foolproof camera.

³ **照样** zhàoyàng **I**〈副 adv.〉照旧；仍旧 all the same; as before; as usual; in the same old way：老校长虽已退休多年，却~关心孩子们的成长。*Lǎo xiàozhǎng suī yǐ tuìxiū duō nián, què ~ guānxīn háizimen de chéngzhǎng.* The old headmaster still cares for children's growth as usual though he has retired for many years. **II** zhào // yàng〈动 v.〉按原来的样子 after a pattern or model：这幅画让我给撕破了，您给我~画一幅吧。*Zhè fú huà ràng wǒ gěi sīpò le, nín gěi wǒ ~ huà yì fú ba.* I pulled this painting apart. Would you please paint another one for me after it? | 照这件衣服的样也给我做一件。*Zhào zhè jiàn yīfu de yàng yě gěi wǒ zuò yí jiàn.* Make a garment after this one for me as well.

³ **照耀** zhàoyào〈动 v.〉(强烈的光线)照射 (of strong rays) shine; radiate; illuminate; light up：阳光~着这个小小的山村。*Yángguāng ~zhe zhège xiǎoxiǎo de shāncūn.* The sun is shining over this small mountain village.

⁴ **照应** zhàoying〈动 v.〉配合；呼应 coordinate; correlate：一篇好文章必须做到首尾~。*Yì piān hǎo wénzhāng bìxū zuòdào shǒuwěi ~.* A good article must be well organized in a self-consistent way.

³ **罩** zhào ❶〈动 v.〉盖在上面；套在外面 cover; overspread; wrap; envelop：一股恐怖的气氛笼~着这座城市。*Yì gǔ kǒngbù de qìfēn lǒng~zhe zhè zuò chéngshì.* A terrifying atmosphere loomed over this city. | 钢琴上~着一块大布。*Gāngqín shang ~zhe yí kuài dà bù.* The piano is covered by a large piece of cloth. ❷〈名 n.〉套在物体外面的或遮盖物体的东西 cover; shade; hood; casing：被 ~ bèi~ quilt cover | 床 ~ chuáng~ bedspread; counterpane | 乳 ~ rǔ~ bra | 灯 ~ dēng~ lampshade

⁴ **折腾** zhēteng ❶〈动 v.〉翻来覆去睡不着 turn from side to side; toss about：昨天我失眠了，在床上~了一夜。*Zuótiān wǒ shīmián le, zài chuáng shang ~le yí yè.* Yesterday I had a sleepless night, and I kept tossing about in bed for the whole night. ❷〈动 v.〉反来复去地做(某事) do sth. over and over again：他整天~他那台电脑。*Tā zhěngtiān ~ tā nà tái diànnǎo.* He has been fiddling with his computer all day long. ❸〈动 v.〉闹腾 make a noise; kick up a row：小孙子把奶奶~得够呛。*Xiǎo sūnzi bǎ nǎinai ~ de gòuqiàng.* The grandmother was made pretty tired by her noisy little grandson. ❹〈动 v.〉折磨 cause physical or mental suffering; torment; get sb. down：这哮喘病可把我~苦了。*Zhè xiàochuǎnbìng kě bǎ wǒ ~ kǔ le.* Asthma has tormented me a lot. ❺〈动 v.〉瞎指挥；乱处置 issue confused orders; give arbitrary and impracticable directions; mess things up by giving wrong orders; handle affairs arbitrarily; randomly dispose：一会儿叫装，一会儿叫拆，你别瞎~行不行！*Yíhuìr jiào zhuāng, yíhuìr jiào chāi, nǐ bié xiā ~ xíng bù xíng?* One moment you ask to fix it, and another to take it apart. Would you stop giving arbitrary instructions like that?

³ **遮** zhē ❶〈动 v.〉挡住 hide from view; cover; screen; conceal：一片乌云~了太阳。*Yí piàn wūyún ~le tàiyáng.* The sun was hidden by dark clouds. | 这面墙~住了我的视线。*Zhè miàn qiáng ~zhùle wǒ de shìxiàn.* My view was obstructed by the wall. ❷〈动 v.〉掩盖 cover up：~丑 ~chǒu cover up one's defects | 一手~天(比喻仗势弄权、欺上瞒下) yìshǒu-~tiān (bǐyù zhàngshì nòngquán, qīshàng-mánxià) shut out the heavens with one hand (hoodwink the public; hide the truth from the masses) | ~人耳目(掩盖事实，不让人们知道真相) ~rén'ěrmù (yǎngài shìshí, bú ràng rénmen zhīdào zhēnxiàng) throw dust into people's eyes (hoodwink people; deceive the public)

² **折** zhé ❶〈动 v.〉断；弄断 break; snap; fracture：骨~gǔ~ fracture | ~断~duàn break off ❷〈动 v.〉损失；挫败 lose; suffer the loss of：损兵~将 sǔnbīng~-jiàng suffer heavy casualties | 百~不挠 bǎi~-bùnáo indomitable; be unbending; be undaunted by repeated setbacks | 赔了夫人又~兵（比喻想得利不成，反遭双重损失）. Péile fūrén yòu ~ bīng (bǐyù xiǎng délì bù chéng, fǎn zāo shuāngchóng sǔnshī). Give one's enemy a wife and lose one's soldiers as well (fig. Pay a double penalty for attempting to gain an unfair advantage; Instead of making a gain, suffer a double loss). ❸〈动 v.〉弯曲 bend; twist：曲~的道路 qū~ de dàolù tortuous road | 他从不向权贵~腰. Tā cóng bù xiàng quánguì ~ yāo. He never debases himself to the dignitaries. ❹〈动 v.〉心服 be convinced; be filled with admiration：他的一番言论令人~服. Tā de yì fān yánlùn lìngrén ~fú. His words were very convincing. ❺〈动 v.〉返回 turn back：他办完事又~回学校了. Tā bànwán shì yòu ~huí xuéxiào le. He went back to school when he finished the job. ❻〈动 v.〉死亡 die：夭~yāo~ die young ❼〈动 v.〉抵作 convert into：将功~罪 jiānggōng~zuì atone for a crime by good deeds; expiate one's guilt by good deeds ❽〈动 v.〉按一定的比例换算 amount to：1欧元~合8元人民币. Yì Ōuyuán ~hé bā yuán rénmínbì. A Euro goes to eight Renminbi yuan. ❾〈动 v.〉折叠 fold：~扇 ~shàn folding fan | ~尺 ~chǐ folding ruler | 她把信纸~好，放进了信封. Tā bǎ xìnzhǐ ~hǎo, fàngjìnle xìnfēng. She folded the letter and put it into the envelope. ❿〈名 n.〉折扣 discount; rebate：八~ bā~ 20% discount | 对~ duì~ 50% discount ⓫〈名 n.〉折子 folder; booklet in accordion form with a slipcase used for keeping accounts：存~ cún~ bankbook; deposit book | 奏~ zòu~ memorial to the throne (as written on paper folded in accordion form); memorandum presented to an emperor ⓬〈名 n.〉汉字有屈折的笔画，含‘一丁丨乚乀’等 turning stroke in Chinese character, including 一丁丨乚乀 ⓭〈名 n.〉中国元代杂剧的一个段落，相当于现代戏曲中的一场 one act in Yuan drama, equal to one scene in modern drama

³ **折合** zhéhé 〈动 v.〉按一定的比价或单位换算 convert into; account to：1美元~8元人民币。Yì měiyuán ~ bā yuán rénmínbì. One dollar goes to eight yuan RMB. | 1公斤~1,000克. Yì gōngjīn ~ yì qiān kè. One kilogram goes to 1,000 grams. | 1公顷~15市亩. Yì gōngqīng ~ shíwǔ shìmǔ. One hectare goes to 15 mu.

³ **折磨** zhémó 〈动 v.〉使肉体上或精神上受痛苦 cause physical or mental suffering; torment; rack; torture; harass：他被癌症~得痛苦不堪. Tā bèi áizhèng ~ de tòngkǔ bùkān. He suffered severely from the cancer. | 失恋的痛苦日夜~着这个年轻人. Shīliàn de tòngkǔ rìyè ~zhe zhège niánqīngrén. The young man was tortured by the lovelorn pain day and night.

² **哲学** zhéxué 〈名 n.〉关于世界观的学说 philosophy：古典~ gǔdiǎn ~ classical philosophy | 西方~ xīfāng ~ Western philosophy | ~著作 ~ zhùzuò works of philosophy | 他是一位~教授. Tā shì yí wèi ~ jiàoshòu. He is a professor of philosophy.

³ **者** zhě ❶〈词尾 suff.〉附在数词或方位词的后面，指上面说的事物 used after the numbers or localizers to refer to things mentioned above：前~ qián~ the former | 后~ hòu~ the latter | 人才和资金，二~缺一不可. Réncái hé zījīn, èr ~ quē yī bù kě. Talented people and financial resources, neither is dispensable. ❷〈词尾 suff.〉附在动词或动词性词语的后面，表示进行这一动作的人 used after a verb or a verbal phrase to indicate certain kind of people or the doer of the action：劳动~ láodòng~ worker | 作~ zuò~ writer | 编~ biān~ editor | 记~ jì~ reporter; journalist | 消费~ xiāofèi~ consumer | 言~无罪，闻~足戒. Yán~ wú zuì, wén~ zú jiè. Blame not the speaker but be warned

by his words. ｜凡符合标准~均可报考。*Fán fúhé biāozhǔn~ jūn kě bàokǎo.* Anyone who meets the criteria can enter the exam. ❸〈词尾 *suff.*〉附在形容词或形容词性词语的后面，表示具有这一属性的人或物 used after an adjective or an adjectival phrase to indicate a class of persons or things：老~ *lǎo~* the old; old man ｜弱~ *ruò~* the weak ｜长~ *zhǎng~* senior people ｜具备报考条件~可于本月10日前到校报名。*Jùbèi bàokǎo tiáojiàn ~ kě yú běn yuè shí rì qián dào xiào bàomíng.* Those who meet the criteria for the exam can come to the school to sign up before the 10th of this month. ❹〈词尾 *suff.*〉附在名词的后面，表示具有某种特性或从事某种工作的人 used after a noun to indicate the person possessed with certain qualities or doing the stated work：笔~ *bǐ~* the present writer; the author ｜科技工作~ *kējì gōngzuò~* workers of science and technology ｜翻译工作~ *fānyì gōngzuò~* translators and interpreters ｜唯心主义~ *wéixīn zhǔyì~* idealist ❺〈助 *aux.*〉用在句中表示停顿或提示 used to mark a pause or to hint：我不想吃，再~，我也不饿。*Wǒ bù xiǎng chī, zài~, wǒ yě bú è.* I don't want to eat; besides, I am not hungry at all. ｜所谓博士~，当是博学之士也。*Suǒwèi bóshì ~, dāng shì bóxué zhī shì yě.* Doctors are those who are well-informed and learned.

¹ **这 zhè** ❶〈代 *pron.*〉指距离比较近的人或事物（与'那'相对）this, indicating close persons and things（opposite to '那nà'）：~时候他正在路上呢。*~ shíhou tā zhèngzài lù shang ne.* He is now on this way here. ｜~药特别灵。*~ yào tèbié líng.* This medicine is very effective. ｜~孩子真乖。*~ háizi zhēn guāi.* This child is really cute. ❷〈代 *pron.*〉代替比较近的人或事物 this, referring to sb. or sth. nearer：~是我的女朋友。*~ shì wǒ de nǚpéngyou.* This is my girlfriend. ｜~是一本新出版的字典。*~ shì yì běn xīn chūbǎn de zìdiǎn.* This is a newly published dictionary. ❸〈代 *pron.*〉泛指 this, in general sense：她头一次来我家，你问~问那的多不好。*Tā tóuyícì lái wǒ jiā, nǐ wèn ~ wèn nà de duō bù hǎo.* It's quite impolite for you to keep asking her various questions at her first visit to my home. ｜进了百货公司，看看~看看那，我都不知道买什么好了。*Jìnle bǎihuò gōngsī, kànkàn ~ kànkàn nà, wǒ dōu bù zhīdào mǎi shénme hǎo le.* After entering the department store, I began to look here and there, having no idea of what to buy. ❹〈代 *pron.*〉指代上面的短语或句子 which, indicating phrases or sentences mentioned above：他对你有意见，~就是他今天不来的原因。*Tā duì nǐ yǒu yìjiàn, ~ jiùshì tā jīntiān bù lái de yuányīn.* He is unhappy with you, and this is the reason why he is absent today. ❺〈代 *pron.*〉此刻；眼下 now：我~就给你拿。*Wǒ ~ jiù gěi nǐ ná.* I will bring it to you right now. ｜~都半夜了，你怎么还不睡觉呀？*~ dōu bànyè le, nǐ zěnme hái bú shuìjiào ya?* It is already midnight now. Why don't you go to sleep?

² **这边 zhèbian** ❶〈代 *pron.*〉指较近的一边（与'那边'相对）this side; here (opposite to '那边nàbian')：请到~来。*Qǐng dào ~ lái.* Please come (over) here. ｜咱们就在~这家饭馆吃饭吧。*Zánmen jiù zài ~ zhè jiā fànguǎn chīfàn ba.* Let's have our meal at this restaurant. ❷〈代 *pron.*〉指自己的这一边（referring to the side of the speaker）my side; our side：真理在我~。*Zhēnlǐ zài wǒ ~.* Truth is on my side.

¹ **这个 zhège** ❶〈代 *pron.*〉指距离比较近的人或事物（与'那个'相对）this one; this, indicating close persons or things（opposite to '那个nàge'）：~小姑娘真漂亮。*~ xiǎo gūniang zhēn piàoliang.* This little girl is very beautiful. ｜~活儿干得真糙。*~ huór gàn de zhēn cāo.* This is really slipshod work. ❷〈代 *pron.*〉直接指代事物（referring directly to things）this：~是我送给你的。*~ shì wǒ sòng gěi nǐ de.* This is my present for you. ❸〈代 *pron.*〉与'那个'对举泛指某些人或事物 used together with '那个nàge', indicating persons or things, without a definite designation or reference：会议室

里~看报那个聊天，哪像是开会？ *Huìyìshì li ~ kàn bào nàge liáotiān, nǎ xiàng shì kāihuì?* In the meeting room some people are reading newspapers, while others are chatting. How can this be a meeting? | 你怎么~那么地说个没完？ *Nǐ zěnme ~ nàge de shuō gè méiwán?* How can you talk about this and that endlessly? ❹〈代 *pron.*〉用在动词、形容词前面，表示程度深 so; such, used before a verb or an adjective：这孩子~淘气啊，谁都管不了他！ *Zhè háizi ~ táoqì a, shéi dōu guǎn bù liǎo tā!* The child is so naughty that no one can make him behave himself. | 瞧你~得意啊，都不知道自己姓什么了吧！ *Qiáo nǐ ~ déyì a, dōu bù zhīdào zìjǐ xìng shénme le ba!* Look, how complacent you are! Do you still have any idea of who you are?

¹ **这会**儿 zhèhuìr ❶〈代 *pron.*〉此刻；眼下 now; at the moment; at present：~我正忙着做饭呢，你先看看报纸吧。 *~ wǒ zhèng mángzhe zuòfàn ne, nǐ xiān kànkan bàozhǐ ba.* I am busy cooking at the moment. Read some newspaper first. | 他~该到办公室了。 *Tā ~ gāi dào bàngōngshì le.* He should have arrived at his office now. ❷〈代 *pron.*〉在明确的上下文指过去和将来的这个时候 this time in the past or future：昨天~我正在上课。 *Zuótiān ~ wǒ zhèngzài shàngkè.* I was having a class this time yesterday. | 明年~我们就大学毕业了。 *Míngnián ~ wǒmen jiù dàxué bìyè le.* We will graduate from college this time next year.

¹ **这里** zhèli〈代 *pron.*〉指较近的地方（与'那里''那儿'相对）here; over here, used as a demonstrative pronoun to indicate a near place（opposite to '那里nàli' or '那儿nàr'）：~有100元钱，你先拿去用吧。 *~ yǒu yìbǎi yuán qián, nǐ xiān náqù yòng ba.* Here is 100 yuan. Take it for an emergency. | 我~有许多好书，你可以借去看。 *Wǒ ~ yǒu xǔduō hǎoshū, nǐ kěyǐ jiè qù kàn.* I have a lot of good books here, and you can borrow them to read.

¹ **这么** zhème〈副 *adv.*〉指示性质、状态、程度、方式等（indicating nature, state, way, degree, etc.）so; such; like this：~漂亮的姑娘，你上哪里去找？ *~ piàoliang de gūniang, nǐ shàng nǎlǐ qù zhǎo?* It is hard to find such a beautiful girl. | ~脏的衣服，你还穿吗？ *~ zāng de yīfu, nǐ hái chuān na?* How can you wear such dirty clothes? | 今天来了~多人啊！ *Jīntiān láile ~ duō rén a!* There are so many guests today! | 您~客气就见外了。 *Nín ~ kèqi jiù jiànwài le.* You behave like an outsider to be so courteous.

⁴ **这么着** zhèmezhe〈代 *pron.*〉指示动作或情况 like this; so; this way：我就喜欢~，你别管我了。 *Wǒ jiù xǐhuan ~, nǐ bié guǎn wǒ le.* Just leave me alone; I like to go this way.

¹ **这**儿 zhèr〈代 *pron.*〉同'这里' same as '这里zhèli'

¹ **这些** zhèxiē ❶〈代 *pron.*〉指示较近的两个以上的人或事物（与'那些'相对）these, indicating two or more persons or things（opposite to '那些nàxiē'）：~学生是从韩国来的。 *~ xuésheng shì cóng Hánguó lái de.* These students come from the Republic of Korea. | ~水果是谁拿来的？ *~ shuǐguǒ shì shéi nálái de?* Who brought all these fruits? ❷〈代 *pron.*〉直接指代两个以上的人或事物 these, used independently to indicate two or more persons or things：~是从日本来的留学生。 *~ shì cóng Rìběn lái de liúxuéshēng.* These are students coming from Japan. | ~是他刚刚送来的。 *~ shì tā gānggāng sòng lái de.* These are what he has just brought in.

¹ **这样** zhèyàng ❶〈代 *pron.*〉指示性质、状态、程度、方式等 so; such; like this; this way, indicating nature, state, way, degree, etc.：他可不是~的人，一定是冤枉他了。 *Tā kě bú shì ~ de rén, yídìng shì yuānwang tā le.* He is not such a man, and he must have been wrongly accused. | ~慢腾腾的，干到什么时候才能完？ *~ màntēngténg de, gàn dào shénme shíhou cái néng wán?* When could it be finished if you keep on working so

slowly? | 我~说，肯定有我的道理。 *Wǒ ~ shuō, kěndìng yǒu wǒ de dàolǐ.* I have my own reasons for saying so. ❷〈代 *pron.*〉直接指代某种动作或情况 like this, used independently to indicate nature, state, way, degree, etc.：怎么怕成~了? *Zěnme pà chéng ~ le?* How can you be so frightened? | 您别这么客气，~我就不好意思了。 *Nín bié zhème kèqì, ~ wǒ jiù bùhǎoyìsi le.* Don't be so courteous, otherwise I will be ill at ease.

³ 这样一来 zhèyàng yīlái 表示由于前面的原因，发生后面的事情（used to indicate that things stated below result from the reasons mentioned above）and then; consequently：我一进门就向他赔礼道歉，~，他的气也消了。 *Wǒ yí jìn mén jiù xiàng tā péilǐ dàoqiàn, ~, tā de qì yě xiāo le.* I apologized to him as soon as I went into the room, and then he was mollified.

¹ 着 zhe ❶〈助 *aux.*〉用在动词的后面，表示动作正在进行 used after a verb to indicate the continuation of an action; be doing：下~雪 *xià~ xuě* be snowing | 大家敲~锣、打~鼓，到他家报喜。 *Dàjiā qiāo~ luó, dǎ~ gǔ, dào tā jiā bàoxǐ.* Beating drums and gongs, people went to his house to announce the good news. ❷〈助 *aux.*〉用在动词或形容词的后面，表示状态的持续 used after a verb or an adjective to indicate the continuation of a state：他骑~自行车出去的。 *Tā qí~ zìxíngchē chūqù de.* He went out by bike. | 她红~脸，半天说不出话来。 *Tā hóng~ liǎn, bàntiān shuō bù chū huà lái.* She blushed and could not utter a word for quite a while. ❸〈助 *aux.*〉用在某些动词或形容词的后面，表示命令或提醒的语气 used after a verb or an adjective to indicate the tone of ordering or reminding：你听~，我不会跟你去的。 *Nǐ tīng~, wǒ bú huì gēn nǐ qù de.* Listen! I won't go with you. | 老人家，您慢~点儿，小心别摔~了。 *Lǎorenjia, nín màn~ diǎnr, xiǎoxīn bié shuāi~ le.* Grandpa / Grandma, take it easy, and be careful not to slip down. ❹〈助 *aux.*〉用在两个动词之间，表示动作的方式、手段 used between two verbs to indicate manner or means：您坐~说。 *Nín zuò~ shuō.* Will you please sit down and speak it out. | 你别躺~看电视。 *Nǐ bié tǎng~ kàn diànshì.* Don't lie down to watch TV. ❺〈助 *aux.*〉附在某些单音节的动词后，使之变为介词 used after certain monosyllabic verbs to form prepositions：沿~ *yán~* along | 朝~ *cháo~* towards | 你照~我说的去做准行。 *Nǐ zhào~ wǒ shuō de qù zuò zhǔn xíng.* It must be all right if you follow my words. | 你顺~这个方向走100米就到了。 *Nǐ shùn~ zhège fāngxiàng zǒu yìbǎi mǐ jiù dào le.* Keep walking for 100 meters in this direction and you will get to the place.

☞ zháo, p. 1251; zhuó, p. 1326

² 针 zhēn ❶〈名 *n.*〉（根gēn、枚méi）缝衣物的工具 needle：缝衣~ *féngyī~* sewing needle | 绣花~ *xiùhuā~* embroidery needle | 钩~ *gōu~* crochet hook | 大海捞~（比喻无从寻找或极难找到） *dàhǎi-lāo~（bǐyù wú cóng xúnzhǎo huò jí nán zhǎo dào）* fish for a needle in the ocean; look for a needle in a haystack（*fig.* nowhere to find; or very difficult to find）❷〈名 *n.*〉中医中来刺穴位的针状器械 needle used for acupuncture：~灸~ *jiǔ* acupuncture and moxibustion | 银~ *yín~* silver needle | 扎~ *zhā~* acupuncture treatment ❸〈名 *n.*〉针状的东西 anything like a needle：时~ *shí~* hour hand | 指南~ *zhǐnán~* compass; compass needle | 大头~ *dàtóu~* pin | 别~ *bié~* safety pin; pin | 松~ *sōng~* pine needle | 撞~ *zhuàng~* firing pin ❹〈名 *n.*〉注射用的药液；注射药液的器械 injection; shot：防疫~ *fángyì~* inoculation | 退烧~ *tuìshāo~* antipyretic injection | ~头 *tóu* syringe needle ❺〈量 *meas.*〉缝纫和编织的针数 stitch：缝几~ *féng jǐ~* sew with several stitches | 绣几~ *xiù jǐ~* embroider with a few stitches | 织几~ *zhī jǐ~* weave

with several stitches ❻〈量 *meas.*〉打针、扎针、缝针的次数 times of injection, acupuncture treatment and stitch: 打一～ *dǎ yì* ~ give or take an injection | 扎几～ *zhā jǐ* ~ give some acupuncture treatment | 我的伤口缝了10～。*Wǒ de shāngkǒu féngle shí* ~. My wound was sewn with 10 stitches. ❼〈量 *meas.*〉计量注射的药物 used to measure the amount of medicine to be injected: 一～葡萄糖 *yì* ~ *pútáotáng* a syringe of glucose

² **针对** zhēnduì 〈动 *v.*〉对准 direct; counter; be aimed at; be directed against; in the light of; in accordance with; in connection with: ～问题 ~ *wèntí* in view of the problem; take the problem into consideration | ～情况 ~ *qíngkuàng* in view of the situation | ～现象 ~ *xiànxiàng* in view of the phenomenon; be aimed at the phenomenon; be targeted at the phenomenon | 这本词典是～外国留学生的需要编写的。*Zhè běn cídiǎn shì* ~ *wàiguó liúxuéshēng de xūyào biānxiě de.* This dictionary is compiled to meet the needs of foreign students.

³ **针灸** zhēnjiǔ ❶〈名 *n.*〉中医针法和灸法的合称。针法是用特制的金属针扎入人体的一定穴位，用捻、提等手法治疗疾病；灸法是用点燃的艾绒，按人体的一定穴位贴近皮肤，用热的刺激治疗疾病 acupuncture and moxibustion, acupuncture puts filiform needles into the patient's body according to certain acupoints, treating ailments by twisting and pulling the needles, while moxibustion puts burning moxa close to or on the skin according to certain acupoints, using simulation of the heat to treat ailments: ～科 ~ *kē* the acupuncture section (of a hospital) | ～学 ~ *xué* the science of acupuncture and moxibustion | ～是中国传统医学的重要组成部分。~ *shì Zhōngguó chuántǒng yīxué de zhòngyào zǔchéng bùfen.* Acupuncture and moxibustion is an integral part of the traditional Chinese medicine. ❷〈动 *v.*〉用针灸的方法进行治疗 treat by means of acupuncture and moxibustion: 我前些日子腰疼，连续～三次就好了。*Wǒ qián xiē rìzi yāo téng, liánxù* ~ *sān cì jiù hǎo le.* Recently I suffered from lumbago which, however, was cured after three continual treatments of acupuncture and moxibustion.

⁴ **侦察** zhēnchá 〈动 *v.*〉为弄清敌情、地形等与作战有关的情况而进行的活动 reconnaissance; scout: ～机 ~ *jī* scout; reconnaissance plane | 火力 ~ *huǒlì* ~ reconnaissance by fire | 敌机对我方进行～飞行长达40分钟。*Díjī duì wǒfāng jìnxíng* ~ *fēixíng cháng dá sìshí fēnzhōng.* The enemy plane made a reconnaissance flight over us for as long as 40 minutes.

⁴ **侦探** zhēntàn ❶〈动 *v.*〉暗中调查案情或探查机密 do detective work; spy: 我们对这个特务已经跟踪～多日了。*Wǒmen duì zhège tèwù yǐjīng gēnzōng* ~ *duō rì le.* We have spied the secret agent by following him for days. ❷〈名 *n.*〉(名míng、个gè、位wèi) 进行侦探工作的人 detective; spy: 便衣～ *biànyī* ~ plainclothes detective | ～小说 ~ *xiǎoshuō* detective story; detective fiction; crime novel

³ **珍贵** zhēnguì 〈形 *adj.*〉贵重；价值高；意义深 valuable; precious: ～的礼品 ~ *de lǐpǐn* precious gifts | ～的文物 ~ *de wénwù* precious relics | ～的文献 ~ *de wénxiàn* precious documents | ～的遗产 ~ *de yíchǎn* precious heritage

³ **珍惜** zhēnxī 〈动 *v.*〉珍重；爱惜 treasure; value; cherish: ～时间 ~ *shíjiān* value one's time | ～友谊 ~ *yǒuyì* treasure the friendship | ～人才 ~ *réncái* value people of ability; value talented persons | 我们应当～这一次难得的机会。*Wǒmen yīngdāng* ~ *zhè yí cì nándé de jīhuì.* We should cherish this precious opportunity.

³ **珍珠** zhēnzhū 〈名 *n.*〉(颗kē、粒lì、串chuàn)某些软体动物的贝壳里产生的圆形颗粒 pearl: 这一串～项链可是价值连城。*Zhè yí chuàn* ~ *xiàngliàn kě shì jiàzhí-liánchéng.*

This string of pearls is invaluable.

¹真 zhēn ❶〈副 *adv.*〉的确;实在 really; truly; indeed:~烦人 ~ *fánrén* very annoying; really troublesome｜~漂亮 ~ *piàoliang* very beautiful｜~臭 ~*chòu* very smelly｜日子过得~快。 *Rìzi guò de ~ kuài.* How time flies!｜这个孩子~可爱。 *Zhège háizi ~ kě'ài.* What a lovely child! ❷〈形 *adj.*〉符合事实的;正确的(与'假''伪'相对) true; real; genuine (opposite to'假jiǎ' or '伪wěi'):~凭实据 ~*píng-shíjù* genuine evidence; conclusive evidence; hard evidence｜~人~事 ~*rén-~shì* real people and real events; actual persons and events; a real story｜~知灼见 ~*zhī-zhuójiàn* correct and penetrating views; real insight; penetrating judgment｜你要说~话,不能骗人。 *Nǐ yào shuō ~huà, bù néng piànrén.* You should tell the truth rather than cheat. ❸〈形 *adj.*〉清楚;准确 clearly; distinctly:你说大声点儿,我听不~。 *Nǐ shuō dàshēng diǎnr, wǒ tīng bù ~.* Speak louder. I cannot hear you clearly.｜朗读的时候咬字一定要咬得~。 *Lǎngdú de shíhou yǎozì yídìng yào yǎo de ~.* When you read aloud, you should pronounce words distinctly and correctly. ❹〈名 *n.*〉人或事物的原样 portrait; image:写~ *xiě*~ draw a portrait｜传~ *chuán*~ fax; facsimile ❺〈名 *n.* 书 *lit.*〉本原;本性 nature; natural state:返朴归~ *fǎnpǔ-guī*~ recovering one's original simplicity; back to nature ❻〈名 *n.*〉汉字楷书的别称(a Chinese calligraphy) regular script:~书 ~*shū* regular script

⁴真诚 zhēnchéng〈形 *adj.*〉真实诚恳(与'虚假''虚伪'相对) true; genuine; sincere; with all one's heart (opposite to'虚假xūjiǎ' or '虚伪xūwěi'):他的~态度令人感动。 *Tā de ~ tàidù lìng rén gǎndòng.* His genuine attitude is moving.

²真理 zhēnlǐ〈名 *n.*〉(条tiáo)客观事物及其规律在人的头脑中的正确反映(与'谬误'相对) truth (opposite to '谬误miùwù'):相对~ *xiāngduì* ~ relative truth｜绝对~ *juéduì* ~ absolute truth｜~面前人人平等。 ~ *miànqián rénrén píngděng.* We are all equal in front of truth.｜~是客观存在,不以人的意志为转移。 ~ *shì kèguān cúnzài, bù yǐ rén de yìzhì wéi zhuǎnyí.* Truth is objective reality that is independent of man's will.

²真实 zhēnshí〈形 *adj.*〉跟事实相符(与'虚假'相对) true; real; authentic; genuine; actual (opposite to'虚假jiǎ'):~材料 ~*cáiliào* authentic data｜~感情 ~*gǎnqíng* true feelings｜这是一个~的故事。 *Zhè shì yí gè ~ de gùshi.* This is a real story.

³真是 zhēnshi ❶〈动 *v.*〉实在是 indeed:高兴~ *gāoxìng* very happy indeed｜~可惜 ~*kěxī* a pity indeed｜~漂亮 ~*piàoliang* really beautiful｜~糟糕 ~*zāogāo* really too bad｜~不可理喻 ~*bùkě-lǐyù* be very impervious to reason; quite unable to listen to reason｜~莫名其妙 ~*mòmíng-qímiào* quite unable to make head or tail of sth.; quite baffling; quite baffled; quite puzzled｜~不好意思 ~*bùhǎoyìsi* quite embarrassed ❷〈动 *v.*〉表示不满的情绪(used in complaints) really; indeed:瞧你把屋子搞得这么乱,~! *Qiáo nǐ bǎ wūzi gǎo de zhème luàn, ~!* Well really! Look at this! What a mess you are making of the room!｜说好由他来主持会议的,到现在还不来,~! *Shuōhǎo yóu tā lái zhǔchí huìyì de, dào xiànzài hái bù lái,~!* What a shame! He promised to preside over the meeting, but he hasn't shown up until now!

⁴真是的 zhēnshide 表示不满的情绪 used in complaints:你也~,这么点小事也要去找总经理? *Nǐ yě ~, zhème diǎn xiǎoshì yě yào qù zhǎo zǒngjīnglǐ?* You are really fussy to bother the general manager for such a trivial thing?｜他也~,快70岁的人了,偏要去学开车! *Tā yě ~, kuài qīshí suì de rén le, piānyào qù xué kāichē!* What an idea he has got! He insisted on learning to drive at the age of 70.

⁴真相 zhēnxiàng〈名 *n.*〉事情的真实情况或事物的本来面目(与'假象'相对) real situation; actual state of affairs; facts; truth; face; naked truth (opposite to '假象

jiǎxiàng'）：~大白。~-dàbái. The whole truth has come out. ｜我们必须弄清事情的~。Wǒmen bìxū nòngqīng shìqíng de ~. We must find out the truth. ｜你可不能隐瞒~。Nǐ kě bù néng yǐnmán ~. You must not cover up the facts.

4 真心 zhēnxīn〈名 n.〉真实的心意（与‘假意’相对）wholeheartedness; sincerity（opposite to‘假意jiǎyì’）：他对你是一片~。Tā duì nǐ shì yí piàn ~. She has genuine affections for you. ｜我是~想帮你忙。Wǒ shì ~ xiǎng bāng nǐ máng. I'm trying to help you in dead earnest.

1 真正 zhēnzhèng ❶〈形 adj.〉名实相符（与‘虚假’相对）true; real; genuine（opposite to‘虚假xūjiǎ’）：~的艺术 ~ de yìshù real art ｜~的朋友 ~ de péngyou a true friend; a friend indeed ｜他的~意图是想取你而代之。Tā de ~yìtú shì xiǎng qǔ nǐ ér dài zhī. His real intention is to replace you. ❷〈副 adv.〉确实;的确 really; truly：我一点儿也不知道。Wǒ yìdiǎnr yě bù zhīdào. I really know nothing about it. ｜一个人要~认识自己是不容易的。Yí gè rén yào ~ rènshi zìjǐ shì bù róngyì de. It's not easy for a person to have a true understanding of himself.

4 诊断 zhěnduàn ❶〈动 v.〉医生在检查病人的症状后对病情作出判断 diagnose：他究竟得的什么病，医生还没有~出来。Tā jiūjìng dé de shénme bìng, yīshēng hái méiyǒu ~ chūlái. The doctor has given no diagnosis of his disease yet. ❷〈名 n.〉医生对病人诊断的结论 diagnosis：根据医生的~，他患的是胃癌。Gēnjù yīshēng de ~, tā huàn de shì wèi'ái. According to the doctor's diagnosis, what he suffers is stomach cancer.

3 枕头 zhěntou〈名 n.〉（个gè、对duì）躺卧时垫在头下使头略高的东西 pillow：~芯~xīn pillow（without the pillowcase）｜~套~tào pillowcase; pillowslip｜绣花~一包草（比喻徒有外表，没有真才实学的人）xiù huā ~ yì bāo cǎo（bǐyù túyǒu wàibiǎo, méiyǒu zhēncái-shíxué de rén）a straw pillow with an embroidered case（fig. an outwardly attractive but worthless person）

2 阵 zhèn ❶〈名 n.〉中国古代军队作战时的队列或组合方式 battle array：布~ bù ~ rank; array; array troops for battle｜严~以待 yán~-yǐdài stand in combat readiness; be ready in full battle array｜八卦~ báguà~ Eight-Diagram tactics｜长蛇~（今比喻排长队）chángshé~（jīn bǐyù pái cháng duì）single-line battle array（fig. a long queue）❷〈名 n.〉阵地; 战场 front; battlefield：上~杀敌 shàng~ shā dí go into battle to kill the enemy｜临~脱逃（亦比喻事到临头畏缩逃避）lín~-tuōtáo（yì bǐyù shì dào líntóu wèisuō táobì）flee before a battle begins; run away on going into war; desert on the eve of a battle（fig. turn tail in the face of danger; sneak away at a critical juncture; leave in the lurch）｜临~磨枪（比喻事到临头才做准备）lín~-móqiāng（bǐyù shì dào líntóu cái zuò zhǔnbèi）sharpen one's spear just before going into battle（fig. start to prepare at the last moment）❸〈量 meas.〉一段时间 a period of time：这~我挺忙。Zhè ~ wǒ tǐng máng. I am quite busy recently. ｜他等了你有好一~儿了。Tā děngle nǐ yǒu hǎo yí ~r le. He has been waiting for you for quite a while. ❹〈量 meas.〉用于延续一段时间的事物或现象 used for a thing or phenomenon that lasts a period of time：一~秋风 yí ~ qiū fēng a gust of autumn wind｜笑声~~ xiàoshēng ~ ~ bursts of laughter｜会场上响起了一~又一~的掌声。Huìchǎng shang xiǎngqǐle yí ~ yòu yí ~ de zhǎngshēng. Bursts of applause resounded in the meeting place.

3 阵地 zhèndì ❶〈名 n.〉（个gè）军队作战时占据的地方 position; front; bastion：坚守~ jiānshǒu ~ hold fast to one's position; hold one's ground｜我军向敌人的前沿~冲去。Wǒ jūn xiàng dírén de qiányán ~ chōngqù. Our forces charged to the enemy's forward position. ❷〈名 n.〉(个 gè) 比喻重要的工作领域 front：教育~ jiàoyù ~ educational front｜理论~ lǐlùn ~ theoretical front｜思想文化~ sīxiǎng wénhuà ~ ideological and cultural front

⁴ **阵容** zhènróng ❶〈名 n.〉作战队伍的外貌 battle array (or formation)：我军的~威武雄壮。*Wǒ jūn de ~ wēiwǔ-xióngzhuàng.* Our battle array is full of power and grandeur.｜敌军的~大乱。*Dí jūn de ~ dà luàn.* The enemy's battle array is in great disorder. ❷〈名 n.〉比喻人员的配备 fig. people deployed; lineup：我队排出了最强大的~。*Wǒ duì páichūle zuì qiángdà de ~.* Our team sent out the strongest lineup.

⁴ **阵线** zhènxiàn ❶〈名 n.〉战线 front：我军已摧毁了敌军的~。*Wǒ jūn yǐ cuīhuǐle dí jūn de ~.* Our forces have destroyed the enemy's front. ❷〈名 n.〉比喻结合在一起的社会力量 fig. alignment; ranks：爱国~ àiguó ~ patriotic front｜民主~ mínzhǔ ~ democratic front

⁴ **阵营** zhènyíng 〈名 n.〉联合起来进行共同战斗的集团 group of people pursuing a common interest; camp：和平~ hépíng ~ a peace camp｜民主~ mínzhǔ ~ a democratic camp

⁴ **振** zhèn ❶〈动 v.〉摇动；抖动；挥动 shake; flap：~臂高呼~bì gāo hū raise one's arm and shout｜~笔疾书~bǐ jí shū wield the pen furiously ❷〈动 v.〉奋起；奋发 rise with force and spirit; brace up; boost：一蹶不~ yìjuébú~ collapse after one setback; be in shambles; curl up; never be able to recover after a setback｜军心大~。*Jūnxīn dà~.* The morale of the troops has been greatly boosted.｜北京队一记射球射入网，全场观众的精神为之一~。*Běijīng duì yí jì jìngshè rù wǎng, quán chǎng guānzhòng de jīngshén wéi zhī yí ~.* The whole audience was boosted by the goal scored by the Beijing team with a forceful kick into the net. ❸〈动 v.〉振动 vibrate：~幅 ~fú amplitude of vibration｜共~ gòng~ resonance

³ **振动** zhèndòng 〈动 v.〉物体通过一个中心位置，不断地作往复运动 vibrate：~的频率 ~ de pínlǜ vibration frequency｜~的周期 ~ de zhōuqī vibration period; vibration cycle

³ **振奋** zhènfèn ❶〈动 v.〉(精神) 振作奋发 rouse oneself; rise with force and spirit; be inspired with enthusiasm：大家的情绪十分~。*Dàjiā de qíngxù shífēn ~.* People are very much inspired. ❷〈动 v.〉使振作奋发 inspirit; inspire; stimulate：校长向我们宣布了一个~人心的好消息。*Xiàozhǎng xiàng wǒmen xuānbùle yí gè ~rénxīn de hǎo xiāoxi.* The headmaster announced a piece of heartening news to us.

⁴ **振兴** zhènxīng 〈动 v.〉大力发展使兴盛 develop vigorously; promote; rejuvenate; revitalize; invigorate：~教育 ~jiàoyù vitalize education｜~经济 ~jīngjì promote economic development｜~中华是我们每一个中国人的责任。*~Zhōnghuá shì wǒmen měi yí gè Zhōngguórén de zérèn.* Rejuvenating China is the responsibility of every Chinese.

³ **震** zhèn ❶〈动 v.〉强烈颤动；使颤动 shake; vibrate; shock; quake：~耳欲聋 ~ěr-yùlóng deafening; make the ears tingle; earsplitting｜炮弹把窗上的玻璃都~破了。*Pàodàn bǎ chuāng shang de bōli dōu ~pò le.* The explosion of the cannonball even shook the window glass into pieces. ❷〈动 v.〉指地震 have an earthquake：~中 ~zhōng epicenter｜~级 ~jí magnitude｜余~ yú~ aftershock of an earthquake｜抗~救灾 kàng~jiùzāi earthquake relief ❸〈动 v.〉情绪非常激动 greatly excited; be deeply astonished; be shocked：~怒 ~nù be enraged; be furious｜~惊 ~jīng be surprised; be shocked; be stunned ❹〈动 v.〉震慑 awe; frighten; intimidate：威~四方 wēi~-sìfāng known far and wide for one's military prowess; be renowned far and wide ❺〈名 n.〉八卦之一，卦形为

三，代表雷 one of the Eight Diagrams, symbolizing thunder

⁴ **震荡** zhèndàng 〈动 v.〉震动；动荡 shake; vibrate; shock; quake; 爆破声在山谷里~。 *Bàopò shēng zài shāngǔ li ~.* The demolition sound is vibrating in the valley. | 这一事件在社会上引起了强烈的~。 *Zhè yí shìjiàn zài shèhuì shang yǐnqǐle qiángliè de ~.* This event has stirred up great repercussions in the society.

³ **震动** zhèndòng ❶〈动 v.〉受外力影响而颤动 shake; shock; vibrate; quake; 这些仪器在搬运的过程中要防止~。 *Zhèxiē yíqì zài bānyùn de guòchéng zhōng yào fángzhǐ ~.* Caution should be taken against vibration when these instruments are being transported. ❷〈动 v.〉（重大的消息或事件）使人心不平静 shock; stir; astonish; excite; 恐怖分子的袭击事件~了世界。 *Kǒngbù fēnzǐ de xíjī shìjiàn ~le shìjiè.* The whole world was shocked by the terrorist attack. | 他的这部小说~了文坛。 *Tā de zhè bù xiǎoshuō ~le wéntán.* His novel reverberated through the literary world.

⁴ **震惊** zhènjīng 〈动 v.〉非常吃惊；使大吃一惊 shock; amaze; astonish; be surprised; be shocked; be stunned; 他的言行令人~。 *Tā de yánxíng lìng rén ~.* His words and deeds are quite amazing. | 某些科学家准备克隆人的决定~了全世界。 *Mǒuxiē kēxuéjiā zhǔnbèi kèlóng rén de juédìng ~le quán shìjiè.* The decision by some scientists to clone human beings shocked the whole world.

镇 zhèn ❶〈名 n.〉较大的市集 comparatively large trading center; 集~jí~ town | 他把新摘的橘子拿到~上去卖了。 *Tā bǎ xīn zhāi de júzi ná dào ~ shang qù mài le.* He took the newly picked oranges to the town for sale. ❷〈名 n.〉中国的行政区划单位，由县一级领导（administrative division in China）town; ~长~zhǎng town head | 这个县辖8个~。 *Zhège xiàn xiá bā gè ~.* Eight towns are under the jurisdiction of this county. ❸〈名 n.〉镇守的地方 garrison post; 军事重~jūnshì zhòng~ key military post ❹〈动 v.〉用重物压 press; ~纸~zhǐ paperweight; put something heavy on a piece of paper to make it steady when painting or writing ❺〈动 v.〉抑制 press down; keep down; ease; 这药有~痛消炎的作用。 *Zhè yào yǒu ~tòng xiāoyán de zuòyòng.* This medicine has the effect to relieve pain and diminish inflammation. ❻〈动 v.〉用强力压制 suppress; put down; ~压~yā put down ❼〈动 v.〉用武力守卫；以威严维持安定 keep peace by force; garrison; guard; ~守边疆~shǒu biānjiāng defend the frontier | 在我们办公室里，只有他能~得住大家。 *Zài wǒmen bàngōngshì li, zhǐyǒu tā néng ~ de zhù dàjiā.* He is the only one in our office who can reduce others to submission. ❽〈动 v.〉将食物、饮料放到冰块或冷水中使变凉 cool with cold water or ice; 冰~啤酒 bīng ~ píjiǔ iced beer | 这西瓜要放到冷水里~一~才好吃。 *Zhè xīguā yào fàngdào lěngshuǐ li ~ yí ~ cái hǎo chī.* The watermelon is more tasty after it is chilled in cold water. ❾〈形 adj.〉稳定；安定 calm; tranquil; at ease; ~静~jìng composed; calm; cool; unruffled | ~定~dìng settled; calm; composed; cool; unruffled

⁴ **镇定** zhèndìng ❶〈形 adj.〉遇到紧急的情况不慌乱 calm; composed; cool; unruffled; 面对敌人的审讯他的态度十分~。 *Miànduì dírén de shěnxùn tā de tàidù shífēn ~.* Facing the enemy's interrogation, he was very calm and collected. ❷〈动 v.〉使镇定 settle; calm down; 我竭力使他~下来。 *Wǒ jiélì shǐ tā ~ xiàlái.* I tried my best to calm him down.

³ **镇静** zhènjìng ❶〈形 adj.〉情绪平静稳定 composed; calm; cool; unruffled; 在危险的面前，他依然非常~。 *Zài wēixiǎn de miànqián, tā yīrán fēicháng ~.* He remains very calm when facing the danger. | 你就别故作~啦。 *Nǐ jiù bié gùzuò ~ la.* Don't pretend to be calm. ❷〈动 v.〉使情绪稳定 calm down; ~剂~jì tranquillizer |

请大家~! *Qǐng dàjiā* ~! Everybody, please calm down!

³ **镇压** zhènyā ❶〈动 v.〉用强力压制 suppress; repress; put down：~叛乱 ~ *pànluàn* put down a rebellion ❷〈动 v.〉处决 execute：匪首已被~。*Fěishǒu yǐ bèi* ~. The (bandit) chieftain has been executed.

⁴ **正月** zhēngyuè〈名 n.〉中国农历一年的第一个月 the first month of the Chinese lunar year; the first moon; the first lunar month：~初一是中国的春节。~ *chūyī shì Zhōngguó de Chūnjié*. The lunar New Year's Day is China's Spring Festival.

² **争** zhēng ❶〈动 v.〉力求得到；力求胜过；力求达到 compete; contend; vie; strive：~权夺利 ~*quán-duólì* scramble for power and profit; scramble for power and gain｜为国~光 *wèiguó* ~*guāng* win honor for one's homeland; bring credit to one's country; be a credit to one's country｜~先恐后 ~*xiān-kǒnghòu* rush off to the front; strive to be the first and fear to lag behind; vie with each other in doing sth. ; fall over each other to do sth.｜分~夺秒 ~*fēn-duómiǎo* race against time; make every minute and second count｜只有一个名额，可是大家~着要去。*Zhǐyǒu yí gè míng'é, kěshì dàjiā* ~*zhe yào qù*. There is only one person allowed to go, but everyone fought for the chance. ❷〈动 v.〉争吵；争论 argue; dispute; wrangle：百家~鸣（学术研究中各抒己见以求发展）*bǎijiā*-~*míng* (*xuéshù yánjiū zhōng gèshūjǐjiàn yǐqiú fāzhǎn*) contention of a hundred schools of thought; a hundred schools of thought contend (*fig.* free debate of different schools of thought in science or scientific research to promote future development)｜你们俩怎么为一点儿小事~得面红耳赤？*Nǐmen liǎ zěnme wèi yìdiǎnr xiǎoshì* ~ *de miànhóng-ěrchì*? How can you two argue so hotly for such a trivial matter? ❸〈动 v.〉较量；因利害而冲突 contend (due to the conflict of interests)：斗~ *dòu*~ struggle; fight; combat; accuse and denounce at a meeting｜明~暗斗 *míng*~-*àndòu* both open strife and veiled struggle; overt contention and covert struggle

⁴ **争吵** zhēngchǎo〈动 v.〉（因意见不合或利益冲突）大声争辩，互不相让 quarrel; wrangle; squabble：他们兄弟几个为了遗产激烈地~起来。*Tāmen xiōngdì jǐ gè wèile yíchǎn jīliè de* ~ *qǐlái*. The brothers were involved in bitter wrangling for the heritage.

³ **争端** zhēngduān〈名 n.〉引起争执的事由 dispute; controversial issue; conflict：国际~ *guójì* ~ an international dispute｜双方应共同努力消除~。*Shuāngfāng yīng gòngtóng nǔlì xiāochú* ~. Both sides should work hard to settle the dispute.

³ **争夺** zhēngduó〈动 v.〉争抢夺取 contend for; fight for; vie with sb. for sth. ; enter into rivalry with sb. over sth.：~冠军 ~ *guànjūn* compete for a championship｜~市场 ~ *shìchǎng* scramble for market｜~财产 ~ *cáichǎn* fight for belongings

² **争论** zhēnglùn〈动 v.〉各执己见，互相辩论 controversy; argue; dispute; debate; contend; skirmish：~不休 ~ *bùxiū* endless debate｜学术~ *xuéshù* ~ academic controversies｜不同的观点应当允许~。*Bùtóng de guāndiǎn yīngdāng yǔnxǔ* ~. Controversies over different opinions should be allowed.

² **争气** zhēng//qì〈动 v.〉不甘示弱或落后 try to make a good showing; try to win credit for; try to bring credit to：这个孩子真~，考了全班第一。*Zhège háizi zhēn* ~, *kǎole quán bān dì-yī*. The child makes a good showing by ranking first in the class in the exam.｜他在演讲比赛中得了第一名，为我们学校争了一口气。*Tā zài yǎnjiǎng bǐsài zhōng déle dì-yī míng, wèi wǒmen xuéxiào zhēngle yì kǒu qì*. He won the championship in the speech contest, bringing credit to our school.

² **争取** zhēngqǔ ❶〈动 v.〉力求获得；力求实现 strive for; fight for; win over; try to realize：~和平 ~ *hépíng* strive for peace｜~胜利 ~ *shènglì* fight for victory｜~时间

shíjiān race against time｜我一定要~这次难得的机会。*Wǒ yídìng yào ~ zhè cì nándé de jīhuì.* I must strive for this precious opportunity. ❷〈动 v.〉努力使人站在自己方面 try to gain one's support：~群众 ~ *qúnzhòng* win over the masses｜~选民 ~ *xuǎnmín* canvass for votes; canvass for voters｜他是我们~的对象。*Tā shì wǒmen ~ de duìxiàng.* He is the one whom we should win over.

⁴ **争先恐后** zhēngxiān-kǒnghòu〈成 idm.〉争着向前，唯恐落后 rush off to the front; strive to be the first and fear to lag behind; vie with each other in doing sth.; fall over each other to do sth.：会上大家~地发言，讨论得非常热烈。*Huì shang dàjiā ~ de fāyán, tǎolùn de fēicháng rèliè.* Everyone vied with each other to make a speech at the meeting, and the discussion was very heated.

⁴ **争议** zhēngyì〈动 v.〉争论 dispute：对于如何分割财产双方还有~。*Duìyú rúhé fēngē cáichǎn shuāngfāng hái yǒu .* Both sides still disagree as to how to carve up the property.｜双方同意从有~的地区撤出军队。*Shuāngfāng tóngyì cóng yǒu ~ de dìqū chèchū jūnduì.* Both sides consented to withdraw their own forces from the disputed area.

³ **征** zhēng ❶〈动 v.〉政府召集或收取 conscript; draft; recruit; levy; call up; collect; impose：~兵 ~*bīng* conscript; draft; call up｜应~入伍 yìng~ *rùwǔ* be drafted into the army｜~税 ~*shuì* levy taxes; impose a tax｜横~暴敛 héng~-*bàoliǎn* extort heavy taxes and levies; levy exorbitant taxes ❷〈动 v.〉寻求 ask for; solicit：~文 ~*wén* solicit articles or essays｜~稿 ~*gǎo* solicit; solicit contributions｜~求 ~*qiú* ask for ❸〈动 v.〉走远路 go on a long journey：长~ *Cháng~* Long March｜远~ ~*yuǎn~* expedition｜踏上~途 *tàshàng ~tú* start on a journey; set out ❹〈动 v.〉出兵讨伐 go on an expedition：出~ *chū~* go on an expedition｜~讨 ~*tǎo* go on a punitive expedition｜南~北战 nán~-*běizhàn* fight north and the south; fight in both the north and south ❺〈名 n.〉迹象；现象 sign; portent：~兆 ~*zhào* sign; prognostication; omen; portent; indication｜象~ *xiàng~* symbol; emblem; sign; symptom｜特~ *tè~* characteristic; distinguishing feature

³ **征服** zhēngfú ❶〈动 v.〉用武力使对方屈服 conquer; subjugate：凯撒大帝曾经用武力~过许多国家。*Kǎisā Dàdì céngjīng yòng wǔlì ~guo xǔduō guójiā.* Caesar once conquered many countries by force. ❷〈动 v.〉用影响或手段等使对方折服 fill the other side with admiration; take sb. by storm：她的精彩表演~了全场观众。*Tā de jīngcǎi biǎoyǎn ~le quán chǎng guānzhòng.* Her excellent performance took the whole audience by storm. ❸〈动 v.〉用大力制服；取胜 conquer：~自然 ~*zìrán* conquer nature｜~沙漠 ~*shāmò* conquer desert｜~洪水 ~*hóngshuǐ* conquer flood

² **征求** zhēngqiú〈动 v.〉用询问的方式访求 solicit; seek; ask for：~意见 ~*yìjiàn* ask for criticisms; solicit opinions; seek opinions｜~签名 ~*qiānmíng* ask for signatures｜~订户 ~ *dìnghù* solicit subscriptions

⁴ **征收** zhēngshōu〈动 v.〉政府依法向公民、企业或所属机构无偿收取税款等 levy; collect; impose：~个人所得税 ~*gèrén suǒdéshuì* put a tax on personal income｜~营业税 ~ *yíngyèshuì* impose sales taxes｜~增值税 ~ *zēngzhíshuì* impose value added taxes｜~土地 ~*tǔdì* expropriate land

³ **挣扎** zhēngzhá〈动 v.〉竭力支撑或摆脱 struggle：父亲为一家人的生活而苦苦地~着。*Fùqīn wèi yì jiā rén de shēnghuó ér kǔkǔ de ~zhe.* Father is strenuously struggling to provide for the whole family.｜她~着从床上爬了起来。*Tā ~zhe cóng chuáng shang pále qǐlái.* She struggled to her feet from the bed.｜敌人在作垂死的~。*Dírén zài zuò*

Z

chuísǐ de ~. The enemy is putting up a last-ditch struggle.

² **睁** zhēng〈动 v.〉张开眼睛 open the eyes：我困得连眼睛也~不开了。*Wǒ kùn de lián yǎnjing yě* ~ *bù kāi le.* I am too sleepy to keep my eyes open.｜~眼瞎（比喻不识字的成年人）~*yǎnxiā*（*bǐyù bù shízì de chéngniánrén*）a blind person with his eyes wide open (*fig.* an illiterate person)｜一只眼，闭一只眼（比喻该管的事情不认真去管）~ *yì zhī yǎn, bì yì zhī yǎn*（*bǐyù gāi guǎn de shìqing bú rènzhēn qù guǎn*）keep one eye closed (wink at sth.; pretend not to see; turn a blind eye to sth.)

⁴ **蒸** zhēng ❶〈动 v.〉蒸发 evaporate：~气 ~*qì* vapor｜~馏 ~*liú* distill ❷〈动 v.〉利用开水的蒸气使东西变热、变熟或消毒 steam：~馒头 ~ *mántou* steam bread｜把冷饭~一~再吃。*Bǎ lěng fàn* ~ *yì* ~ *zài chī.* Warm up the cold rice in the steamer before you eat it.｜病人用过的餐具一定要~一~才能使用。*Bìngrén yòngguo de cānjù yídìng yào* ~ *yì* ~ *cái néng shǐyòng.* Tableware used by patients must be steamed before they can be used again.

³ **蒸发** zhēngfā〈动 v.〉液体受热转化为气体上升 evaporate：天气真热，花盆里的水分全给~掉了。*Tiānqì zhēn rè, huāpén li de shuǐfèn quán gěi* ~ *diào le.* It's so hot that water in the flowerpots has completely evaporated.

³ **蒸汽** zhēngqì〈名 n.〉水蒸气 steam：~机 ~*jī* steam engine｜~浴 ~*yù* steam bath

³ **整** zhěng ❶〈形 adj.〉完整无缺；没有零头（与'零'相对）whole; complete; full; entire (opposite to '零líng')：~体 ~*tǐ* entirety; whole; totality｜~套 ~*tào* a complete set of｜化~为零 huà~~*wéilíng* break up the whole into parts｜一点~ *yì diǎn* one o'clock sharp｜伍万元~ *wǔwàn yuán* ~ fifty thousand yuan sharp｜~天 ~*tiān* all day; all day long; day and night; the whole day ❷〈形 adj.〉有次序；不凌乱 orderly; in good order; neat; tidy：~齐 ~*qí* tidy; neat; in good order｜~洁 ~*jié* neat; trim; clean and tidy｜他的字写得非常工~。*Tā de zì xiě de fēicháng gōng~.* His handwriting is very neat.｜衣冠不~者禁止入内。*Yīguān bù* ~ *zhě jìnzhǐ rùnèi.* No admittance to those not properly dressed. ❸〈动 v.〉使有次序、有条理 put in order; rectify; straighten out; sort out｜~理 ~*lǐ* arrange; put in order; straighten out; sort out｜~装待发 ~*zhuāng-dàifā* ready and waiting; get ready for a journey; be ready to start out｜调~ *tiáo*~ adjust; readjust; regulate; restructure ❹〈动 v.〉修理 repair; mend; renovate：~旧如新 ~*jiùrúxīn* repair sth. old and make it as good as new; restore sth. to its original shape and appearance｜~容 ~*róng* tidy oneself up; tidy up one's appearance; face-lift ❺〈动 v.〉使吃苦 make sb. suffer; punish; fix; castigate：你要小心，他可会~人了。*Nǐ yào xiǎoxīn, tā kě huì* ~ *rén le.* Be careful; he is so good at making people suffer.

³ **整顿** zhěngdùn〈动 v.〉使紊乱的变为整齐；使不健全的健全起来 consolidate; rectify; reorganize：~市容 ~ *shìróng* make the city clean and tidy; improve the appearance of the city｜~机关作风 ~*jīguān zuòfēng* rectify the working style in departments｜~课堂纪律 ~ *kètáng jìlǜ* strengthen classroom discipline

³ **整风** zhěngfēng〈动 v.〉整顿思想作风和工作作风 rectify the incorrect styles of work or thinking：~运动 ~ *yùndòng* Rectification Campaign

² **整个** zhěnggè〈形 adj.〉全部 whole; entire; complete; full; total; all：今天~上午都有课。*Jīntiān* ~ *shàngwǔ dōu yǒu kè.* The whole morning is stuffed with classes.｜你打乱了我的~计划。*Nǐ dǎluànle wǒ de* ~*jìhuà.* You spoiled my whole plan.

⁴ **整洁** zhěngjié〈形 adj.〉整齐清洁 neat; trim; clean and tidy：我们要保持课堂的~。*Wǒmen yào bǎochí kètáng de* ~. We must keep the classroom tidy.｜她每天都打扮得整洁洁的去上班。*Tā měitiān dōu dǎbàn de zhěngzhěng-jiéjié de qù shàngbān.* Every

day she is neatly dressed when she goes to work.

²整理 zhěnglǐ ❶〈动 v.〉使有次序、有条理 arrange; put in order; straighten out; sort out：你的房间该~~了。*Nǐ de fángjiān gāi ~ ~ le.* Your room needs to be put in order. | 会务组正在~会议的文件。*Huìwùzǔ zhèngzài ~ huìyì de wénjiàn.* The organization team is sorting out the documents of the conference. ❷〈动 v.〉做点校加工工作 check and improve; collate; systematize：古籍出版社专门从事古籍的~和出版工作。*Gǔjí Chūbǎnshè zhuānmén cóngshì gǔjí de ~ hé chūbǎn gōngzuò.* The Ancient Books Press is specialized in collating and publishing ancient books.

¹整齐 zhěngqí ❶〈形 adj.〉有次序；有条理（与‘素乱’相对）tidy; neat; in good order（opposite to ‘素乱 wěnluàn’）：她的房间又~又干净。*Tā de fángjiān yòu ~ yòu gānjìng.* Her room is both tidy and clean. | 他把书柜整理得整整齐齐。*Tā bǎ shūguì zhěnglǐ de zhěngzhěng-qíqí.* He put his bookshelf in good order. ❷〈形 adj.〉外形一致；有规则 even; regular：~的牙齿 *~ de yáchǐ* regular teeth | 一排排的书架 *yìpáipái ~ de shūjià* neatly arranged book shelves ❸〈形 adj.〉大小、高低、长短等相近 even; level; regular; alike：这块地的苗出得非常~。*Zhè kuài dì de miáo chū de fēicháng ~.* Sprouts came out evenly in this piece of land. | 我们全班同学的水平相当~。*wǒmen quán bān tóngxué de shuǐpíng xiāngdāng ~.* All the students of our class are almost at the same level. ❹〈动 v.〉使整齐 put sth. in order; keep sth. in good order：~步调 ~ bùdiào keep steps in good order

⁴整数 zhěngshù ❶〈名 n.〉不含小数和分数的数 integer; whole number：正~ *zhèng~* positive integer | 负~ *fù~* negative integer | 零也是~。*Líng yě shì ~.* Zero is also an integer. ❷〈名 n.〉不带零头的数目（区别于‘零数’）round number; round figure（different from ‘零数língshù’）：一亿、二万、三千、四百、五十等都是~。*Yíyì, èrwàn, sānqiān, sìbǎi, wǔshí děng dōu shì ~.* A hundred million, twenty thousand, three thousand, four hundred, fifty, and so on are all round numbers. | 咱们凑个~，算一百元吧。*Zánmen còu gè ~, suàn yìbǎi yuán ba.* Let's make it a round number, say, one hundred yuan.

³整体 zhěngtǐ 〈名 n.〉一个事物或一个集体的全体、全部（区别于‘个体’‘局部’）entirety; whole（different from ‘个体 gètǐ’ and ‘局部júbù’）：~观念 ~ guānniàn overall concept | ~规划 ~ guīhuà overall plan | 我们班是一个~，大家一定要维护~的利益。*Wǒmen bān shì yí gè ~, dàjiā yídìng yào wéihù ~ de lìyì.* Our class is a whole for whose interests we must stick up.

⁴整天 zhěngtiān 〈名 n.〉全天；从早到晚 the whole day; all day; all day long：我今天忙了一~才改完这篇稿子。*Wǒ jīntiān mángle yì ~ cái gǎiwán zhè piān gǎozi.* I have worked for a whole day to revise this piece of writing. | 你怎么~游手好闲，不知道干点儿正经事呢！*Nǐ zěnme ~ yóushǒu-hàoxián, bù zhīdào gàn diǎnr zhèngjing shì ne!* How can you idle all day about without doing any decent work?

⁴整整 zhěngzhěng 〈副 adv.〉达到某个整数的 whole; full：我已经~三天三夜没有睡觉了。*Wǒ yǐjìng ~ sān tiān sān yè méiyǒu shuìjiào le.* I haven't slept for three whole days. | 你的这批货物~装了10个集装箱。*Nǐ de zhè pī huòwù ~ zhuāngle shí gè jízhuāngxiāng.* Your goods took up 10 whole containers.

¹正 zhèng ❶〈副 adv.〉动作在进行或状态在持续中 be doing; just doing：他~吃着饭呢。*Tā ~ chīzhe fàn ne.* He is just having meal now. | 我~忙着呢。*Wǒ ~ mángzhe ne.* I am just busy now. ❷〈副 adv.〉刚好；恰好 just; right; precisely; exactly：我~要给你打电话，你倒来电话了。*Wǒ ~ yào gěi nǐ dǎ diànhuà, nǐ dào lái diànhuà le.* You called just when I was going to call you. │她的建议~合老板的想法。 *Tā de jiànyì ~ hé lǎobǎn de xiǎngfǎ.* Her proposal fits in exactly with what her boss has in mind. ❸〈副 *adv.*〉加强肯定的语气（to emphasize an affirmative mood）simply; just: 妈妈~是为了你才吃了那么多苦。*Māma ~ shì wèile nǐ cái chīle nàme duō kǔ.* It's just for you that mother has suffered so much. ❹〈形 *adj.*〉垂直的；符合标准方向的（与'歪'相对）straight; upright（opposite to '歪wāi'）: 这根电线杆竖立~。*Zhè gēn diànxiàngān méi lì~.* The wire pole wasn't upright. │邮局就在~前方。*Yóujú jiù zài ~ qiánfāng.* The post office is located straight ahead. ❺〈形 *adj.*〉位置在中间的（与'侧'、'偏'相对）central; middle; main（opposite to '侧cè' and '偏piān'）: ~房 ~*fáng* principal rooms │~殿 ~*diàn* main hall（in a palace or temple）❻〈形 *adj.*〉用于时间，指正在那一段的正中或正在那一点（of time）punctually; sharp: ~午~*wǔ* high noon; midday │三点~ ~*sān diǎn* ~ at three o'clock sharp ❼〈形 *adj.*〉合乎标准的: ~品 ~*pǐn* certified goods; quality products │班机~点到达北京机场。*Bānjī ~diǎn dàodá Běijīng jīchǎng.* The flight arrived at the Beijing Airport on time. ❽〈形 *adj.*〉正直的；正当的 honest; upright; impartial: 公~ *gōng*~ just; fair; impartial │他为人~派。*Tā wéirén ~pài.* He is honest and upright. │这个人的心术不~。*Zhège rén de xīnshù bú ~.* This man harbours evil intentions. ❾〈形 *adj.*〉合乎规矩、法则的 regular; standard; be in conformity with the normal standard: ~规 ~*guī* regular; standard │改邪归~ *gǎixié-guī*~ give up vice and return to virtue; turn over a new leaf ❿〈形 *adj.*〉（色、味）纯正（of color, flavor）pure; right: 这些照片洗得颜色不~。*Zhèxiē zhàopiàn xǐ de yánsè bú* ~. These processed photos do not have the right color. │这瓶葡萄酒味道~。*Zhè píng pútáojiǔ wèidào* ~. This bottle of grape wine has the right flavor. ⓫〈形 *adj.*〉主要的；基本的（与'副'相对）chief; principal（opposite to '副fù'）: ~本 ~*běn* original copy; reserved copy │~部长 ~*bùzhǎng*（chief）minister │我们的谈话还没进入~题。*Wǒmen de tánhuà hái méi jìnrù ~tí.* Our talk hasn't come to the subject yet. ⓬〈形 *adj.*〉物体或图形的各边、各角或所有半径相等的 regular: ~方体 ~*fāngtǐ* cube │圆形~ *yuánxíng* regular circular ⓭〈形 *adj.*〉大于零的（区别于'负'）positive; plus（different from '负fù'）: ~数 ~*shù* positive number │负负得~ *Fù fù dé* ~. A negative multiplied by another negative makes a positive ⓮〈形 *adj.*〉失去电子的（与'负'相对）positive（opposite to '负fù'）: ~极 ~*jí* positive pole │~电 ~*diàn* positive electricity ⓯〈动 *v.*〉把错误的改为正确的 make right; correct; set right; rectify: 纠~ *jiū*~ rectify │校~ *jiào*~ amend; rectify; proofread and correct │~音 ~*yīn* correct one's pronunciation ⓰〈动 *v.*〉使位置正 rectify; straighten; set right: ~襟危坐 ~*jīn-wēizuò* straighten one's clothes and sit properly; be all seriousness; sit bolt upright ⓱〈动 *v.*〉使端正 set to right; rectify: 要想~人先要~己。*Yào xiǎng ~ rén xiān yào ~ jǐ.* Those who wish to make others upright must be upright themselves first. ⓲〈名 *n.*〉物体的正面（与'反'相对）front; right side; obverse（opposite to '反fǎn'）: 我们要从事物的~反两个方面进行观察。*Wǒmen yào cóng shìwù de ~ fǎn liǎng gè fāngmiàn jìnxíng guānchá.* We should observe things from their both（positive and negative）sides.

⁴ **正比** zhèngbǐ ❶〈名 *n.*〉两个事物之间有相一致的两边关系（与'反比'相对）direct ratio; direct proportion（opposite to '反比fǎnbǐ'）: 我的劳动和报酬不成~。*Wǒ de láodòng hé bàochou bù chéng ~.* My payment is not in direct ratio to my work. ❷〈名 *n.*〉指正比例 direct proportion

² **正常** zhèngcháng〈形 *adj.*〉符合一般的情况、规律和习惯 normal; usual; regular: 他的情绪有些不~。*Tā de qíngxù yǒuxiē bú ~.* His mood is somewhat abnormal. │这个家

子的发育不太～。*Zhège háizi de fāyù bú tài ~.* The child does not grow quite normally. │今年的天气很不～。*Jīnnián de tiānqì hěn bú ~.* This year the weather is quite abnormal.│老人的饮食起居都很～。*Lǎorén de yǐnshí qǐjū dōu hěn ~.* Old people usually live a regular life.

³ **正当** zhèngdāng〈动 v.〉正处在(某个时间或阶段)just the time for; just when：现在～鲜花盛开的时节，我们应当出去旅游。*Xiànzài ~ xiānhuā shèngkāi de shíjié, wǒmen yīngdāng chūqù lǚyóu.* It's just blooming season, and we should go out for a tour. │大家高高兴兴的时候，他却来扫大家的兴。*~ dàjiā gāogāo-xìngxìng de shíhou, tā què lái sǎo dàjiā de xìng.* Just when we were all happy, he dampened our spirits.

⁴ **正规** zhèngguī〈形 adj.〉符合规定和标准的 regular; standard：～军和地方军要协同作战。*~jūn hé dìfāngjūn yào xiétóng zuòzhàn.* The regular army and local troops should fight in concert. │这是一所～的学校。*Zhè shì yì suǒ ~ de xuéxiào.* This is a regular school.

² **正好** zhènghǎo ❶〈形 adj.〉正合适；恰好 just right; just enough; just in time：这件衣服给她穿～。*Zhè jiàn yīfu gěi tā chuān ~.* This garment fits her nicely. │你来得～，我正要去找你呢。*Nǐ lái de ~, wǒ zhèngyào qù zhǎo nǐ ne.* You've come just in time. I am going to call on you. ❷〈副 adv.〉恰巧遇到机会 happen to; chance to; as it happens：他自己上门来了，一把事情跟他讲讲清楚。*Tā zìjǐ shàng mén lái le, ~ bǎ shìqing gēn tā jiǎng jiǎng qīngchu.* Since he happens to come here himself; let's make it clear with him.

² **正经** zhèngjing ❶〈形 adj.〉正派庄重的 decent; respectable; honest：他是一个～人。*Tā shì yí gè ~ rén.* He is a decent person. │你这个人就会假～! *Nǐ zhège rén jiù huì jiǎ ~!* You are good at pretending to be decent. ❷〈形 adj.〉正式的；符合标准的 standard; formal; regular：他是个～的医生呢。*Tā shì gè ~ de yīshēng ne.* He is really a regular doctor. ❸〈形 adj.〉正当的 serious; proper; right：你整天游手好闲的，就不知道干点儿～的事! *Nǐ zhěngtiān yóushǒu-hàoxián de, jiù bù zhīdào gàn diǎnr ~ de shì!* You've been idling about all day without doing any decent work. │花钱要花在～的地方。*Huāqián yào huā zài ~ de dìfang.* Money must be put to right uses. ❹〈副 adv. 方 dial.〉确实；真正 really; truly; indeed：这姑娘长得～漂亮呢! *Zhè gūniang zhǎng de ~ piàoliang ne.* The girl is a real beauty!

³ **正面** zhèngmiàn ❶〈名 n.〉人体脸部的一面(区别于'背面''侧面') face (different from '背面bèimiàn' and '侧面cèmiàn')：办理护照需要三张～免冠照片。*Bànlǐ hùzhào xūyào sān zhāng ~ miǎnguān zhàopiàn.* Three full-faced bareheaded photos are needed to apply for a passport. ❷〈名 n.〉建筑物正门的一面(区别于'后面''侧面')(of building) facade; frontage (different from '后面hòumiàn' and '侧面cèmiàn')：大厦的～有一片广场。*Dàshà de ~ yǒu yí piàn guǎngchǎng.* There is a square in front of the mansion. ❸〈名 n.〉前进的方向(区别于'侧面') front (different from '侧面cèmiàn')：～作战 *~zuòzhàn* frontal attack; attack on the front ❹〈名 n.〉片状物主要使用的一面或朝外的一面(区别于'背面''反面') the obverse side; the right side (different from '背面bèimiàn' and '反面fǎnmiàn')：这张纸的～写满了，反面还可以写。*Zhè zhāng zhǐ de ~ xiěmǎn le, fǎnmiàn hái kěyǐ xiě.* If there is no space left on the right side of the paper, you can write on the reverse side. │中国硬币的～是面值，背面是国徽图案。*Zhōngguó yìngbì de ~ shì miànzhí, bèimiàn shì guóhuī tú'àn.* The obverse side of the Chinese coin is face value, with the reverse side being the national emblem. ❺〈名 n.〉事物直接显示的一面(与'反面'相对) obvious side (opposite to '反面fǎnmiàn')：我们观察问题，既要看到它的～，也要看到它的反面。*Wǒmen guānchá*

wèntí, jì yào kàndào tā de ~, yě yào kàndào tā de fǎnmiàn. We should observe things not only from their obvious side, but also from their reverse side. ❻〈形 *adj.*〉好的；积极的（与"反面"相对）positive（opposite to '反面fǎnmiàn'）：~人物 ~ *rénwù* positive character｜~教育 ~ *jiàoyù* positive education; educate by positive measures or examples｜~典型 ~ *diǎnxíng* positive model ❼〈副 *adv.*〉直接；当面（与"背后""侧面"相对）directly; openly; straightforwardly（opposite to '背后bèihòu' and '侧面cèmiàn'）：请你~答复我的问题，不要绕圈子。*Qǐng nǐ ~ dáfù wǒ de wèntí, bú yào ràoquānzi.* Please answer my question directly. Don't beat around bush.

⁴ **正气** zhèngqì ❶〈名 *n.*〉刚正的气节 unyielding integrity; moral courage：浩然~ *hàorán* ~ noble spirit; morale force｜~凛然 ~ *lǐnrán* stern and upright ❷〈名 *n.*〉纯正良好的风气或作风（与'邪气'相对）healthy atmosphere（opposite to '邪气xiéqì'）：发扬~，打击歪风邪气。*Fāyáng ~, dǎjī wāifēng-xiéqì.* Encourage healthy trends, and fight against evil influences. ❸〈名 *n.*〉中医指人体的抗病能力 vital energy：~上升。~ *shàngshēng.* Vital energy prevails.

⁴ **正巧** zhèngqiǎo 〈副 *adv.*〉刚巧；正好 just in time; in the nick of time; just at the right time; happen to; chance to; as it happens：~我要去学校，我给你带去吧。~ *wǒ yào qù xuéxiào, wǒ gěi nǐ dàiqù ba.* I happen to go to the school, and I can take it there for you.｜我这里~有50块钱，咱们一起买束鲜花去探望她吧。*Wǒ zhèlǐ ~ yǒu wǔshí kuài qián, zánmen yìqǐ mǎi shù xiānhuā qù tànwàng tā ba.* I happen to have fifty *yuan* with me. Let's buy a bunch of fresh flowers and call on her together.

¹ **正确** zhèngquè〈形 *adj.*〉符合事实、道理或公认的标准（与'错误'相对）correct; right; proper（opposite to '错误cuòwù'）：他的看法完全~。*Tā de kànfǎ wánquán ~.* His opinion is absolutely correct.｜你的判断不~。*Nǐ de pànduàn bú ~.* Your judgment is not correct.｜我的理解可能不~。*Wǒ de lǐjiě kěnéng bú ~.* My understanding might not be correct.

² **正式** zhèngshì〈形 *adj.*〉符合一定标准或一定手续的 formal; official; regular：法国总统对我国进行~访问。*Fǎguó zǒngtǒng duì wǒ guó jìnxíng ~ fǎngwèn.* The French president will pay an official visit to our country.｜双方举行了~会谈。*Shuāngfāng jǔxíngle ~ huìtán.* The two parties held formal talks.｜我是~工，不是临时工。*Wǒ shì ~gōng, bú shì línshígōng.* I am a full-time worker, rather than a temporary one.｜他俩~办理了离婚手续。*Tā liǎ ~ bànlǐle líhūn shǒuxù.* They officially registered as divorced.

³ **正义** zhèngyì ❶〈名 *n.*〉公正的，有利于人民的道理 justice：伸张~。*Shēnzhāng ~.* Let justice prevail.｜~必胜。~ *bì shèng.* Justice is bound to triumph.｜希望你能为我主持~。*Xīwàng nǐ néng wèi wǒ zhǔchí ~.* I hope that you will uphold justice for me. ❷〈形 *adj.*〉公正的，有利于人民的 just; righteous; benefiting the people：~的事业 ~ *de shìyè* a just cause｜她是一个很有~感的人。*Tā shì yí gè hěn yǒu ~gǎn de rén.* She has a strong sense of righteousness.｜中国代表的~主张得到各国代表的支持。*Zhōngguó dàibiǎo de ~ zhǔzhāng dédào gèguó dàibiǎo de zhīchí.* The righteous proposition of the Chinese delegate has won support from those of other countries.

¹ **正在** zhèngzài〈副 *adv.*〉动作在进行；状态在持续 in process of; in course of：我~睡觉，他闯进了门来。*Wǒ ~ shuìjiào, tā chuǎngjìnle mén lái.* I was sleeping when he broke in.｜他的病情~逐步好转。*Tā de bìngqíng ~ zhúbù hǎozhuǎn.* He is getting recovered from his illness.

¹ **证** zhèng ❶〈名 *n.*〉凭据；证件 evidence; proof; testimony; certificate; card：工作~ *gōngzuò*~ employee's card｜学生~ *xuésheng*~ student's identity card｜身份~ *shēnfèn*~

identification card | 签~ *qiān*~ visa | 罪~ *zuì*~ evidence of a crime; evidence of guilt; proof of a crime ❷ 〈动 v.〉证明 testify to; prove; demonstrate：查~ *chá*~ investigate and verify | 验~ *yàn*~ experimental verification | 论~ *lùn*~ demonstrate; testify; expound and prove | ~词 ~*cí* testimony | ~人 ~*rén* witness

³ **证件** zhèngjiàn 〈名 n.〉(份fèn、个gè)用以证明身份、经历的文件 paper; certificate; credentials：有效~ *yǒuxiào* ~ valid certificate | 伪造~ *wěizào* ~ forge a certificate; forged certificate | 请出示一下您的~。 *Qǐng chūshì yíxià nín de* ~. Please show your credentials.

³ **证据** zhèngjù 〈名 n.〉证明事物真实性的凭据 evidence; proof; testimony：~确凿 ~*quèzáo* irrefutable evidence | ~不足 ~*bùzú* lack of evidence; insufficiency of evidence | 法律重~，不轻信口供。 *Fǎlù zhòng* ~，*bù qīngxìn kǒugòng*. Law lays stress on evidence, rather than on confessions.

² **证明** zhèngmíng ❶ 〈动 v.〉用确实的材料判明真实性 prove; testify; bear out; verify：事实~，我的判断是正确的。 *Shìshí* ~，*wǒ de pànduàn shì zhèngquè de*. Facts have proved that my judgment is right. | 他可以~我不在出事的现场。 *Tā kěyǐ* ~*wǒ bú zài chūshì de xiànchǎng*. He can testify for my alibi. ❷ 〈名 n.〉(份fèn、个gè)起证明作用的文件 certificate; identification; testimonial：出具~ *chūjù* ~ issue a certificate | 请你给我开一份~。 *Qǐng nǐ gěi wǒ kāi yí fèn* ~. Please write out a certificate for me.

³ **证实** zhèngshí 〈动 v.〉证明其确实 affirm; demonstrate; confirm; verify; bear out：现已~，他不在作案现场。 *Xiàn yǐ* ~，*tā bú zài zuò'àn xiànchǎng*. His alibi has been verified. | 这条消息尚待~。 *Zhè tiáo xiāoxi shàng dài* ~. The news remains to be confirmed.

³ **证书** zhèngshū 〈名 n.〉(份fèn、张zhāng)证明资格或权利等的文件 certificate; credentials; testimonial：毕业~ *bìyè* ~ diploma | 会计师~ *kuàijìshī* ~ accountant certificate | 他家的墙上挂满了荣誉~。 *Tā jiā de qiáng shang guàmǎnle róngyù* ~. Walls of his house are covered with various certificates of honor.

⁴ **郑重** zhèngzhòng 〈形 adj.〉严肃认真（与'轻率'相对）serious; solemn; earnest (opposite to '轻率qīngshuài')：~声明 ~*shēngmíng* solemnly declare | ~的态度 ~*de tàidù* serious attitude | 他~其事地向会议提交了一份报告。 *Tā* ~*qíshì de xiàng huìyì tíjiāole yí fèn bàogào*. He formally submitted a report to the conference.

⁴ **政变** zhèngbiàn 〈动 v.〉统治集团内部一部分人采用非常的手段造成国家政权的突然变更 coup d'état; coup：军事~ *jūnshì* ~ military coup d'état | 宫廷~ *gōngtíng* ~ palace coup | 未遂的~ *wèisuí de* ~ abortive coup d'état

² **政策** zhèngcè 〈名 n.〉(项xiàng、条tiáo、个gè)国家或政党为实现一定历史时期的路线而制定的行动准则 policy：外交~ *wàijiāo* ~ foreign policy | 农业~ *nóngyè* ~ agricultural policy | 民族~ *mínzú* ~ policy towards ethnic minorities | 掌握~ *zhǎngwò* ~ have a good grasp of the policy; grasp policy; learn the policy thoroughly | 违反~ *wéifǎn* ~ run counter to the policy | 落实~ *luòshí* ~ implement a policy

³ **政党** zhèngdǎng 〈名 n.〉(个gè)代表某个阶级、阶层或集团的利益并为实现其利益而斗争的政治组织 political party：革命~ *gémìng* ~ revolutionary party | 资产阶级~ *zīchǎn jiējí* ~ bourgeois party | 无产阶级~ *wúchǎn jiējí* ~ proletarian party

¹ **政府** zhèngfǔ 〈名 n.〉(级jí、届jiè)国家权力的执行机关 government：中央~ *zhōngyāng* ~ central government | 地方~ *dìfāng* ~ local government | 各级~ *gèjí* ~ governments at different levels | 历届~ *lìjiè* ~ all previous governments

³ **政权** zhèngquán ❶ 〈名 n.〉政治统治的权力 political power; state political power;

regime：夺取 ~ *duóqǔ* ~ seize political power｜巩固 ~ *gǒnggù* ~ consolidate political power ❷〈名 n.〉指政权机关 regime; organs of state power：新的~已经建立。*Xīn de ~ yǐjīng jiànlì*. A new regime has been established.

⁴ **政协** zhèngxié〈名 n.〉政治协商会议的简称。是中国人民民主统一战线的组织形式。全国性的组织是'中国人民政治协商会议' the Chinese People's Political Consultative Conference（C. P. P. C. C.）：~委员 ~ *wěiyuán* members of C. P. P. C. C.｜各级 ~ *gèjí* ~ C. P. P. C. C. at all levels

¹ **政治** zhèngzhì〈名 n.〉政府、政党、集团或个人在国家事务方面的活动 politics; political affairs：~ 学 ~*xué* political science｜~家 ~*jiā* statesman｜寨头 ~ *guàtóu* oligarchy｜避难 ~ *bìnàn* political asylum; political refuge｜~ 犯 ~*fàn* political offender; political prisoner

³ **挣** zhèng ❶〈动 v.〉用力摆脱 struggle to get free; try to throw off：~脱 ~*tuō* throw off; break away from; extricate oneself from｜~ 开 ~*kāi* wrench oneself free from ❷〈动 v.〉用劳换取 earn; make; scrape for：他在拼命的~钱呢。*Tā zài pīnmìng de ~ qián ne.* He is doing his utmost to make money.｜他一个月能~五千元。*Tā yí gè yuè néng ~ wǔ qiān yuán.* He can earn 5,000 *yuan* a month. ❸〈动 v.〉用力争取 strive for; try one's best to get：他总算把面子~回来了。*Tā zǒngsuàn bǎ miànzi ~ huílái le.* He finally managed to win his face back.

⁴ **症** zhèng〈名 n.〉疾病 disease; malady; illness：~状 ~*zhuàng* symptom｜急 ~*jí*~ acute disease｜不治之~ *búzhìzhī*~ incurable disease｜对~下药（比喻针对问题，确定解决的办法）*duì*~*-xiàyào*（*bǐyù zhēnduì wèntí, quèdìng jiějué de bànfǎ*）suit the medicine to the illness; suit the remedy to the case; prescribe the right remedy for an illness（*fig.* take the right steps to solve a problem）

³ **症状** zhèngzhuàng〈名 n.〉因疾病而表现出来的不正常状态 symptom：初期~ *chūqī* ~ early symptom｜感冒的~是发烧、咳嗽。*Gǎnmào de ~ shì fāshāo, késou.* Coughing and fever are symptoms of catching a cold.

³ **之** zhī ❶〈代 pron.〉代替人或事物，只作宾语（相当于'他''它'）（used only as an objective in place of a person or thing）it（equal to '他*tā*' or '它*tā*'）：取而代~ *qǔ'érdài*~ replace someone; take sb.'s place｜置~不理 *zhì*~*bùlǐ* ignore; brush aside; pay no attention to｜有过~而无不及 *yǒu guò* ~ *ér wú bù jí* go even farther than｜对于他，我从来是敬而远~的。*Duìyú tā, wǒ cónglái shì jìng'éryuǎn~ de.* I have always been staying at a respectful distance from him. ❷〈代 pron.〉虚用，无所指 used in certain set phrases without a definite designation：总而言~，他是一个好学生。*Zǒng'éryán~, tā shì yí gè hǎo xuésheng.* In a word, he is a good student.｜久而久~，我也就习惯了。*Jiǔ'érjiǔ~, wǒ yě jiù xíguàn le.* With the passage of time, I have got accustomed to it. ❸〈助 aux.〉用于修饰语和中心语之间，表示所属或修饰关系（相当于'的'）used between an attribute and the word it modifies（equal to '的de'）：天~骄子 *tiān~jiāozǐ* an usually lucky person; child of fortune｜无价~宝 *wújià~bǎo* priceless treasure; invaluable asset; treasure of treasures｜鱼米~乡 *yúmǐ~xiāng* land of milk and honey; land of plenty ❹〈助 aux.〉用于主谓结构之间，取消它的独立性，使变成偏正结构 used between the subject and the predicate in a S-P structure so as to nominalize：问题~严重是我们事先没有估计到的。*Wèntí ~ yánzhòng shì wǒmen shìxiān méiyǒu gūjì dào de.* We have never forseen the seriousness of the problem.｜这项工程规模~宏大在全世界也是屈指可数的。*Zhè xiàng gōngchéng guīmó ~ hóngdà zài quán shìjiè yě shì qūzhǐkěshǔ de.* It is also very rare to find a project of such a grand scale even in the world.

²之后 zhīhòu ❶〈名 n.〉表示在某个时间或某件事情的后面 later; after; afterwards, used to indicate time：三年~我就可以取得硕士学位。 *Sān nián ~ wǒ jiù kěyǐ qǔdé shuòshì xuéwèi.* I will get my master's degree three year from now. │大学毕业~我就在这所学校任教。 *Dàxué bìyè ~, wǒ jiù zài zhè suǒ xuéxiào rènjiào.* I have been teaching at this school since I graduated from university. ❷〈名 n.〉表示在某个处所或某个顺序的后面 behind, used to indicate location or a certain order：凉亭~有一条长廊。 *Liángtíng ~ yǒu yì tiáo chángláng.* There is a covered corridor behind the pavilion. │各国代表队~是东道国中国代表队入场。 *Gèguó dàibiǎoduì ~ shì dōngdàoguó Zhōngguó dàibiǎoduì rùchǎng.* Following the delegations from the other countries entered the delegation from China, the host country. ❸〈名 n.〉单独用在句子头上，表示在上文所说的事情的后面 (independently used at the beginning of sentence) afterwards; then; later：我在中国学了5年汉语，~，我就在美国驻华使馆工作。 *Wǒ zài Zhōngguó xuéle wǔ nián Hànyǔ, ~, wǒ jiù zài Měiguó Zhùhuá Shǐguǎn gōngzuò.* I learned Chinese for five years in China, and then I worked in the U. S. Embassy to China.

¹之间 zhījiān ❶〈名 n.〉表示在两个事物(地点、时间、人物、数量等)的中间 between：两座楼~有一块绿地。 *Liǎng zuò lóu ~ yǒu yí kuài lùdì.* There is a piece of greenland between the two buildings. │三年~他换了五次工作。 *Sān nián ~ tā huànle wǔ cì gōngzuò.* He changed his job five times in three years. │他们兄弟~感情很好。 *Tāmen xiōngdì ~ gǎnqíng hěn hǎo.* The brothers have a deep affection for each other. │气温大约在18℃至20℃~。 *Qìwēn dàyuē zài shíbā shèshì dù zhì èrshí shèshì dù ~.* The temperature is roughly between 18℃ and 20℃. ❷〈名 n.〉用在某些双音节的动词或副词的后面，表示时间短暂 used after some disyllabic verbs or adverbs to indicate the short duration：刹那~ *chànà ~* suddenly; in an instant; in a flash; in a twinkling of the eye │说话~，她就把饭做好了。 *Shuōhuà ~, tā jiù bǎ fàn zuòhǎo le.* She finished cooking the meal in a very short time just when we were talking.

³之类 zhīlèi 〈名 n.〉表示同类或类似的人或物 and so on; and so forth; and the like; and what not：这家小报经常刊登某某~的三流作家编造的奇闻轶事。 *Zhè jiā xiǎobào jīngcháng kāndēng mǒumǒu ~ de sān liú zuòjiā biānzào de qíwén-yìshì.* This small newpaper tends to publish those anecdotes fabricated by some scribblers such as Mr. so-and-so and the like. │图书付印前一定要认真查核封面、书脊、封底~的零件。 *Túshū fùyìn qián yídìng yào rènzhēn cháhé fēngmiàn, shūjǐ, fēndǐ ~ de língjiàn.* Things like cover, spine, back cover, etc. in a book must be carefully examined before the book is sent to the press.

³之内 zhīnèi 〈名 n.〉一定的时间、数量、范围以内 in; within：10分钟~我一定赶到。 *Shí fēnzhōng ~ wǒ yídìng gǎn dào.* I will surely be there within 10 minutes. │15公斤~物品可以随身携带。 *Shíwǔ gōngjīn ~ wùpǐn kěyǐ suíshēn xiédài.* You may carry articles weighed less than 15 kilograms with you. │保护区~禁止捕猎。 *Bǎohùqū ~ jìnzhǐ bǔliè.* No hunting is allowed in the protective region.

²之前 zhīqián ❶〈名 n.〉表示在某个时间或某件事情的前面 before; prior to; ago：10分钟~他还在我这里聊天呢。 *Shí fēnzhōng ~ tā hái zài wǒ zhèlǐ liáotiān ne.* He was chatting here until ten minutes ago. │老年人在睡觉~最好喝一杯牛奶。 *Lǎoniánrén zài shuìjiào ~ zuì hǎo hē yì bēi niúnǎi.* It would be good for the aged to have a cup of milk before they go to sleep. ❷〈名 n.〉表示在某个处所或某个顺序的前面 before; in front of：大厦~有一个广场。 *Dàshà ~ yǒu yí gè guǎngchǎng.* There is a square before the mansion. │按音序她的名字应该排在我的名字~。 *Àn yīnxù tā de* *míngzi yīnggāi pái zài wǒ de míngzi ~*. Phonologically her name should be placed prior to mine.

² **之上** zhīshàng 〈名 *n.*〉高于某一点 over; above：云层~是万里晴空。*Yúncéng ~ shì wàn lǐ qíngkōng.* Above the clouds is the clear and boundless sky. ｜他的级别在我~。*Tā de jíbié zài wǒ~.* He is above me in rank.

³ **之外** zhīwài ❶〈名 *n.*〉一定的时间、数量、范围以外 besides; beyond; over：8小时~应当支付加班费。*Bā xiǎoshí ~ yīngdāng zhīfù jiābānfèi.* Overtime pay should be given for extra time beyond the eight hours. ｜25公斤~要付行李超重费。*Èrshíwǔ gōngjīn ~ yào fù xíngli chāozhòngfèi.* There will be an extra charge for the excess luggage beyond 25 kilograms. ｜四环路~的房价低于城区。*Sìhuánlù ~ de fángjià dī yú chéngqū.* Houses outside the fourth ring of the city are cheaper than those in the town proper. ❷〈名 *n.*〉与'除了'搭配，表示在此之外 (used with 'except, besides：他除了读书~没有别的爱好。*Tā chúle dúshū ~ méiyǒu bié de àihào.* He has no other hobbies besides reading. ｜除了你~，我谁也不信。*Chúle nǐ ~, wǒ shéi yě bú xìn.* I believe in no one except you.

² **之下** zhīxià 〈名 *n.*〉低于某一点 under：大桥~可以通行万吨巨轮。*Dàqiáo ~ kěyǐ tōngxíng wàn dūn jùlún.* Large ships up to ten thousand tons can pass under the big bridge. ｜我的实力在他~。*Wǒ de shílì zài tā~.* I cannot match him in strength.

² **之一** zhīyī 〈名 *n.*〉分成若干份的整体中的一份 one share of the equally divided parts of a whole：五分~ *wǔ fēn* ~ one fifth ｜中国故宫是世界上最大的皇家宫殿~。*Zhōngguó Gùgōng shì shìjiè shang zuì dà de huángjiā gōngdiàn ~.* The Imperial Palace of China is one of the largest royal palaces in the world. ｜他有许多爱好，下棋是其中~。*Tā yǒu xǔduō àihào, xiàqí shì qízhōng ~.* He has many hobbies and playing chess is just one of them.

² **之中** zhīzhōng 〈名 *n.*〉一定的时间、数量、范围、状态、过程以内 in; in the midst of; among：三年~他写了两部小说。*Sān nián ~ tā xiěle liǎng bù xiǎoshuō.* He wrote two novels within three years. ｜他的几部作品，这一部是上乘之作。*Tā de jǐ bù zuòpǐn, zhè yí bù shì shàngchéng zhī zuò.* Among his works, this one can be accepted as top class. ｜数百人被困在洪水~。*Shù bǎi rén bèi kùn zài hóngshuǐ ~.* Hundreds of people were caught up in the flood. ｜忙乱~，他把文件落在我这里了。*Mángluàn ~, tā bǎ wénjiàn là zài wǒ zhèlǐ le.* He left his document here in a rush. ｜他在言谈~流露出了对你的不满。*Tā zài yántán ~ liúlòu chūle duì nǐ de bùmǎn.* His words revealed his discontentment with you.

¹ **支** zhī ❶〈动 *v.*〉架起；支撑 put up; prop up：我们在野地里~起了帐篷。*Wǒmen zài yědì li ~qǐle zhàngpeng.* We put up a tent in the wide field. ｜拍摄夜景要~三角架。*Pāishè yèjǐng yào ~sānjiǎojià.* When taking photos of the night scene, you should put up a tripod. ❷〈动 *v.*〉支持 support; bear; sustain：体力不~ *tǐlì bù* ~ too weak physically to do sth. ｜我实在困得~不住了。*Wǒ shízài kùn de ~ bú zhù le.* I am so sleepy that I just cannot keep going any longer. ❸〈动 *v.*〉支援 aid; support：~应 ~*yìng* handle; manage; cope with; deal with ｜~边 ~*biān* assist frontier; support the border areas; go to assist the development of the border regions ❹〈动 *v.*〉调度；支使 send away; order about：你怎么光~派别人干活，自己不干。*Nǐ zěnme guāng ~pài biéren gànhuó, zìjǐ bú gàn.* How can you send people to do this and that while you yourself are doing nothing? ｜他把人都~开了。*Tā bǎ rén dōu ~kāi le.* He sent others away with excuses. ❺〈动 *v.*〉付出或领取(款项) pay or withdraw money：收~平衡。*Shōu ~ pínghéng.* Income and

expenses are balanced. | 请你到财务处去~一笔差旅费。 *Qǐng nǐ dào cáiwùchù qù ~ yì bǐ chāilǚfèi.* Please go to the finance department to draw an allowance for the business trip. | 我这次出差超~了。 *Wǒ zhè cì chūchāi chāo~ le.* I have spent more money than stipulated in this business trip. ❻ 〈量 *meas.*〉用于队伍 for troops, fleets, etc：一~军队 *yì ~ jūnduì* an army | 一~游行队伍 *yì ~ yóuxíng duìwu* a procession ❼ 〈量 *meas.*〉用于乐曲或歌曲 for songs or musical compositions：我给大家演奏一一~小夜曲。 *Wǒ gěi dàjiā yǎnzòu yì ~ Xiǎoyèqǔ.* Let me perform a serenade for you. ❽ 〈量 *meas.*〉用于杆状的东西(与'枝'通用) for long, thin, inflexible objects (same as '枝' zhī)：一~人参 *yì ~ rénshēn* a ginseng | 几~香烟 *jǐ ~ xiāngyān* several cigarettes ❾ 〈量 *meas.*〉用于计量电灯的光度，相当于'瓦' for the illuminating power of electric light, watt (similar to '瓦 wǎ')：100~光 *yìbǎi ~ guāng* 100 watt ❿ 〈量 *meas.*〉用于计量纱线的粗细程度 for the size or quality of yarn, count (where 100-count refers to 100 meters of yarn weighing 1 gram)：80~纱 *bāshí ~ shā* 80-count yarn ⓫ 〈名 *n.*〉从总体中分出的部分 branch, offshoot, parts detached from the collectivity：分~ *fēn~* subdivision; branch | 流~ *liú~* tributary; minor aspects; nonessentials | ~店 *~ diàn* branch store ⓬ 〈名 *n.*〉地支 the twelve Earthly Branches, used in combination with the ten Heavenly Stems to designate years, months, days and hours：干~纪年 *gān~ jìnián* a traditional Chinese method of using the Heavenly Stems and Earthly Branches (two set of signs, with one being taken from each set to form 60 pairs) to designate the year

⁴ **支部** zhībù 〈名 *n.*〉(个 gè)党派、团体的基层单位；特指中国共产党或共产主义青年团的基层组织 branch; Party branch; League branch：党~ *dǎng~* Party branch | 团~ *tuán~* League branch | ~书记 *~ shūjì* branch secretary | ~委员 *~ wěiyuán* members of the branch commitee

⁴ **支撑** zhīchēng ❶〈动 *v.*〉顶住物体使不倒塌 prop up; hold up; sustain; support：柱子~着大梁。 *Zhùzi ~zhe dàliáng.* Ridgepoles are supported by pollars. ❷〈动 *v.*〉勉强维持 be barely able to; maintain; shore up; support; prop up：父亲去世后，我家全靠母亲~着。 *Fùqīn qùshì hòu, wǒ jiā quán kào mǔqīn ~zhe.* My mother has been supporting the whole family after my father passed away.

² **支持** zhīchí ❶ 〈动 *v.*〉给予鼓励或援助 support; back; stand by：我们应当相互~。 *Wǒmen yīngdāng xiānghù ~.* We should support each other. | 我的建议得到了大家的~。 *Wǒ de jiànyì dédàole dàjiā de ~.* My suggestion won support of everyone. ❷ 〈动 *v.*〉勉强维持 sustain; hold on; bear：他已经累得~不住了。 *Tā yǐjīng lèi de ~ bú zhù le.* He has been too tired to hold on.

⁴ **支出** zhīchū ❶〈动 *v.*〉支付款项(与'收入'相对) pay; expend; disburse (opposite to '收入 shōurù')：我每月~购书费上百元。 *Wǒ měi yuè ~ gòushūfèi shàng bǎi yuán.* Every month I spend more than one hundred *yuan* in buying books. ❷〈名 *n.*〉(笔bǐ、项 xiàng) 支付的款项(与'收入'相对) expenses; expenditure; outlay; disbursement (opposite to '收入 shōurù')：财政~ *cáizhèng ~* expenditure | 我每月的收入和~基本相抵。 *Wǒ měi yuè de shōurù hé ~ jīběn xiāngdǐ.* My income roughly balances my expenditure every month.

⁴ **支付** zhīfù 〈动 *v.*〉付出款项(与'收入''支取'相对) pay; defray (opposite to '收入 shōurù' and '支取zhīqǔ')：可以用现金，也可用信用卡~。 *Kěyǐ yòng xiànjīn ~, yě kě yòng xìnyòngkǎ ~.* It can be paid in cash or by credit card.

³ **支配** zhīpèi ❶〈动 *v.*〉安排 arrange; allocate; budget：你应当学会合理~时间。 *Nǐ yīngdāng xuéhuì hélǐ ~ shíjiān.* You've got to learn to make reasonable use of your

Z

time.　| 这笔钱我有权~。 *Zhè bǐ qián wǒ yǒu quán* ~. I have the right to allocate this sum of money. ❷〈动 *v.*〉对人或事物起主导或控制作用 control; dominate; govern: 你不要以为金钱能够~一切。*Nǐ bú yào yǐwéi jīnqián nénggòu* ~ *yíqiè.* Don't take it for granted that money decides everything.

⁴ **支票** zhīpiào〈名 *n.*〉(张 zhāng)向银行支取或划拨存款的票据 check: 现金~ *xiànjīn* ~ cheque | 转账~ *zhuǎnzhàng* ~ cheque for transfer | 旅行~ *lǚxíng* ~ traveller's check; traveling check | 空头~(常用于比喻虚假的诺言) *kōngtóu* ~ (*cháng yòng yú bǐyù xūjiǎ de nuòyán*) rubber check (*fig.* empty promise)

² **支援** zhīyuán〈动 *v.*〉支持和援助 support; assist; aid; help: 红十字会拨出200万元-地震灾区。*Hóngshízìhuì bōchū èrbǎi wàn yuán* ~ *dìzhèn zāiqū.* The Red Cross appropriated two million *yuan* to aid the earthquake disaster areas. | 落后地区更需要人才的~。*Luòhòu dìqū gèng xūyào réncái de* ~. The introduction of talented people is more needed by less developed areas.

⁴ **支柱** zhīzhù ❶〈名 *n.*〉(根 gēn)起支撑作用的柱子 pillar; prop: 这座宫殿有16根巨大的楠木~。*Zhè zuò gōngdiàn yǒu shíliù gēn jùdà de nánmù* ~. There are sixteen huge nanmu pillars in the palace. ❷〈名 *n.*〉比喻中坚力量 pillar; mainstay: 精神~ *jīngshén* ~ spiritual mainstay | 旅游业已成为这座城市的~产业。*Lǚyóuyè yǐ chéngwéi zhè zuò chéngshì de* ~ *chǎnyè.* Tourism has become the mainstay industry of the city.

¹ **只** zhī ❶〈量 *meas.*〉用于飞禽以及某些兽类和昆虫 used to indicate birds, some animals or insects: 一~老鹰 *yì* ~ *lǎoyīng* an eagle | 两~黄鼠狼 *liǎng* ~ *huángshǔláng* two weasels | 上百~蚂蚁 *shàng bǎi* ~ *mǎyǐ* hundreds of ants ❷〈量 *meas.*〉用于成对的器官或其中的一个 used to indicate one of certain paired things: 两~大眼睛 *liǎng* ~ *dà yǎnjing* two big eyes | 一~耳朵 *yì* ~ *ěrduo* an ear | 四~蹄子 *sì* ~ *tízi* four hooves ❸〈量 *meas.*〉用于某些器物或器具 used to indicate some articles: 一~手表 *yì* ~ *shǒubiǎo* a watch | 两~手套 *liǎng* ~ *shǒutào* two gloves | 三~纸盒 *sān* ~ *zhǐhé* three paper boxes ❹〈量 *meas.*〉用于某些交通工具 used to indicate some means of transportations: 几十~游艇 *jǐshí* ~ *yóutǐng* scores of yachts | 一~竹排 *yì* ~ *zhúpái* bamboo rafts | 一~雪橇 *yì* ~ *xuěqiāo* a sledge ❺〈形 *adj.*〉单个的;极少的 single; one only: 你~身在外,一切都要多加小心。*Nǐ* ~ *shēn zài wài, yíqiè dōuyào duō jiā xiǎoxīn.* Away from home all by yourself, you should be careful in everything. | 他在信中~字未提还钱的事。*Tā zài xìn zhōng* ~ *zì wèi tí huán qián de shì.* He said nothing about returning the money in his letter. | 我们可不能单凭他的~言片语就下结论。*Wǒmen kě bù néng dān píng tā de* ~ *yán-piànyǔ jiù xià jiélùn.* We shouldn't jump to a conclusion only by his few words.
　☞ zhǐ, p. 1282.

⁴ **汁** zhī 〈名 *n.*〉含有某种物质的液体 juice: 果~ *guǒ* ~ fruit juice | 蔬菜~ *shūcài* ~ vegetable juice | 乳~ *rǔ* ~ milk | 胆~ *dǎn* ~ bile | 墨~ *mò* ~ prepared Chinese ink | 绞尽脑~ *jiǎojìn nǎo* ~ rack one's brains

⁴ **芝麻** zhīma ❶〈名 *n.*〉(棵 kē)一种油料作物 sesame: ~开花节节高(比喻生活越过越好) ~ *kāihuā jiéjié gāo* (*bǐyù shēnghuó yuè guò yuè hǎo*) sesame stalks putting forth flowers notch by notch (*fig.* getting better and better; rising steadily) ❷〈名 *n.*〉(粒lì、颗 kē)这种植物的种子,可食,可榨油 sesame seed: ~烧饼 ~ *shāobing* sesame seed cake | 丢了西瓜,捡了~(比喻只注意小事而忽略了大事)。*Diūle xīguā, jiǎnle* ~ (*bǐyù zhǐ zhùyì xiǎoshì hūlüèle dàshì*). Pick up the sesame seeds while miss the watermelons (penny wise and pound foolish).

³ **枝** zhī ❶〈名 *n.*〉植物主干上分出来的杈 branch; twig: 树~ *shù* ~ twigs; branches | ~繁

叶茂 ~*fán-yèmào* be in leafy profusion｜节外生～ *jiéwài-shēng~* fig. side issues or new problems crop up unexpectedly; raise obstacles; deliberately complicate an issue ❷ 〈量 *meas.*〉用于带花和带叶的树枝 for flowers with stems intact：一～玫瑰 *yì ~ méiguì* a spray of rose｜几～垂柳 *jǐ ~ chuíliǔ* several willow branches ❸ 〈量 *meas.*〉用于杆状的东西（与'支'通用）used for bacillary things（same as '支zhī'）：几～钢笔 *jǐ ~ gāngbǐ* several pens｜十几～枪 *shíjǐ ~ qiāng* more than ten guns

³ **知** zhī ❶ 〈动 *v.*〉知道；了解 know; realize; be aware of：一～半解 *yì~-bànjiě* have a smattering of｜～无不言 *~wúbùyán* say all one knows｜～难而退 *~nán'értuì* withdraw after learning the difficulties; beat a retreat in face of difficulties; shrink back from difficulties｜恬不～耻 *tiánbù~chǐ* do not feel ashamed at all; past all sense of shame; shameless｜～人～面不～心。*~ rén ~ miàn bù ~ xīn.* You may know a person's face but not his heart. / One may know a person for a long time without understanding his true nature. ❷ 〈动 *v.*〉使知道 inform; notify; tell：告～ *gào~* inform; notify｜通～ *tōng~* inform; notify ❸ 〈名 *n.*〉知识；见解 knowledge：真～灼见 *zhēn~-zhuójiàn* penetrating judgement; correct and penetrating views｜青少年有强烈的求～欲。*Qīngshàonián yǒu qiángliè de qiú-yù.* Youngsters have a thirst for knowledge. ❹ 〈名 *n.*〉相互了解和感情深厚的人 intimate friend：～友 *~yǒu* close friend; intimate friend｜她是我的红颜～己。*Tā shì wǒ de hóngyán ~jǐ.* She is one of my intimate female friends.

¹ **知道** zhīdào 〈动 *v.*〉对事实或道理有认识 know; realize; be aware of：谁都～他的脾气。*Shéi dōu ~ tā de píqi.* Everyone knows his temper.｜你～吗？我们系里新来了一位外国老师。*Nǐ ~ ma? wǒmen xì li xīn láile yí wèi wàiguó lǎoshī.* Do you know that we have a new foreign teacher in our department?｜我～干什么事都不是那么容易的。*Wǒ ~ gàn shénme shì dōu bú shì nàme róngyì de.* I know that it is not easy to do anything in the world.

⁴ **知觉** zhījué ❶ 〈名 *n.*〉感觉 consciousness：病人入院时已经失去了～，经抢救终于恢复了～。*Bìngrén rùyuàn shí yǐjīng shīqù ~, jīng qiǎngjiù zhōngyú huīfù ~.* Having passed out when being hospitalized, the patient finally regained consciousness after he was given emergency treatment. ❷ 〈名 *n.*〉反映客观事物的整体形象和表面联系的心理过程 perception

¹ **知识** zhīshí ❶ 〈名 *n.*〉人们在实践中获得的认识和经验 knowledge：文化～ *wénhuà ~* cultural knowledge｜科学～ *kēxué ~* scientific knowledge｜军事～ *jūnshì ~* military knowledge｜～就是力量。*~ jiù shì lìliang.* Knowledge is power.｜我要把所学到的～贡献给山区人民。*Wǒ yào bǎ suǒ xuédào de ~ gòngxiàn gěi shānqū rénmín.* I will contribute what I have learnt to people in the mountainous areas. ❷ 〈形 *adj.*〉指掌握知识的 intellectual：～界 *~jiè* the intellectual circles; the intelligentsia｜他的～面很广。*Tā de ~miàn hěn guǎng.* His mental horizon is quite broad.｜儿童读物要突出～性和趣味性相结合。*Értóng dòuwù yào tūchū ~xìng hé qùwèixìng xiāng jiéhé.* Emphasis should be given to the combination of knowledge and amusement for children's readings.

³ **知识分子** zhīshi fènzǐ 〈名 *n.*〉具有较高文化水平、从事脑力劳动的人 intellectual; the intelligentsia：他出身在一个～家庭。*Tā chūshēn zài yí gè ~ jiātíng.* He comes from an intellectual family.｜在国家现代化的建设中～正在发挥越来越大的作用。*Zài guójiā xiàndàihuà de jiànshè zhōng ~ zhèngzài fāhuī yuèláiyuè dà de zuòyòng.* Intellectuals are playing a more and more important role in the modernization drive of our country.

² **织** zhī ❶ 〈动 *v.*〉用纱、丝、毛、草等制成布匹或编织成衣服、物品 weave; knit：～布 *~bù* weave cloth｜～毛衣 *~máoyī* knit a sweater｜～渔网 *~yúwǎng* weave a fishing net ❷

〈动 v.〉交叉；穿插 interweave; intertwine; mingle; interlude：各种矛盾交~在一起。*Gèzhǒng máodùn jiāo~ zài yìqǐ.* Various conflicts are mingled together.

⁴ 脂肪 zhīfáng〈名 n.〉有机化合物，存在于动植物体内 fat：~酸~*suān* fatty acid｜老年人不宜吃高~的食物。*Lǎoniánrén bùyí chī gāo ~ de shíwù.* It's not suitable for the old people to eat high-fat food.

⁴ 蜘蛛 zhīzhū〈名 n.〉(只zhī、个gè)一种节肢动物 spider：~网~*wǎng* sipderweb

⁴ 执法 zhífǎ〈动 v.〉执行法令、法律 enforce law：~部门 ~ *bùmén* law enforcement agency｜~人员 ~ *rényuán* law enforcement officials｜严格~ *yángé* ~ enforce the law strictly｜这位法官一向秉公~。*Zhè wèi fǎguān yíxiàng bǐnggōng ~.* This judge has always been enforcing the law impartially.

⁴ 执勤 zhí//qín〈动 v.〉执行某项任务 be on duty：~人员 ~ *rényuán* personnel on duty｜今天轮到我~。*Jīntiān lúndào wǒ ~.* It's my turn to be on duty today.｜我执完勤后才能到你那儿去。*Wǒ zhíwán qín hòu cái néng dào nǐ nàr qù.* Only when I am off duty can I visit you.

² 执行 zhíxíng〈动 v.〉实施；实行(政策、法律、命令、计划等) execute; implement; carry out：中央的政策必须认真贯彻~。*Zhōngyāng de zhèngcè bìxū rènzhēn guànchè ~.* Policies of the central government must be strictly and seriously carried out.｜你必须严格~命令。*Nǐ bìxū yángé ~ mìnglìng.* You must obey the command strictly.｜这项法规可以暂缓~。*Zhè xiàng fǎguī kěyǐ zànhuǎn ~.* The implementation of this regulation can be put off.

⁴ 执照 zhízhào〈名 n.〉(份fèn、张zhāng)由主管机关核准发给的允许做某种事情的凭证 license; permit：驾驶~*jiàshǐ* ~ driving license｜律师~*lùshī* ~ lawyer's license｜昨天工商管理局吊销了他的营业~。*Zuótiān gōngshāng guǎnlǐjú diàoxiāole tā de yíngyè ~.* Yesterday the Business Administration Bureau revoked his business license.

⁴ 执政 zhízhèng〈动 v.〉掌管国家政权 be in power; be in office; be at the helm of the state：~党 ~*dǎng* the party in power; the ruling party

² 直 zhí ❶〈形 adj.〉不弯曲(与'曲'相对) straight (opposite to '曲qū')：~线~*xiàn* straight line｜如今北京的街道是又宽又~。*Rújīn Běijīng de jiēdào shì yòu kuān yòu ~.* Nowadays the streets of Beijing are wide and straight. ❷〈形 adj.〉与地面垂直的(与'横'相对) vertical (opposite to '横héng')：~升机~*shēngjī* helicopter｜~立~*lì* stand erect ❸〈形 adj.〉从上到下或从前到后的(与'横'相对) vertical; perpendicular (opposite to '横héng')：汉语的图书分横排本、~排本两种。*Hànyǔ de túshū fēn héngpái běn, ~pái běn liǎng zhǒng.* The typesetting of Chinese books falls into two categories: horizontal and vertical.｜这个院子很大，横里有50米、~里有200米。*Zhège yuànzi hěn dà, héng li yǒu wǔshí mǐ, ~ li yǒu èrbǎi mǐ.* This is a big courtyard, with 50 meters in width and 200 in length. ❹〈形 adj.〉坦率；爽快 frank; candid; straightforward：她是个心~口快的人。*Tā shì gè xīn~kǒukuài de rén.* She is a straightforward person.｜他是个~性子，有意见决不会不说的。*Tā shì gè ~xìngzi, yǒu yìjiàn jué bú huì bù shuō de.* He is a straightforward chap, who never conceals his opinion if he has any. ❺〈形 adj.〉公正；正直 just; upright：耿~*gěng*~ honest and frank; upright｜理~气壮 lǐ~-*qìzhuàng* be in the right and self-confident; be self-confident on the strength of one's being right; justly and forcefully; speak with compelling argument; feel confident with justice on one's side ❻〈副 adv.〉直接；一直 directly; straight：~播 ~*bō* live broadcast; direct seeding｜~达车 ~*dáchē* through train; through bus｜~拨电话 ~*bō diànhuà* direct-dial telephone｜~辖市 ~*xiáshì* municipality directly under the central government｜他

每天备课~到深夜。*Tā měitiān bèikè ~ dào shēnyè.* Every day he prepares lessons until late at night. ❼〈副 *adv.*〉不断地 continuously：妹妹气得~哭。*Mèimei qì de ~ kū.* My younger sister was angered into tears. │哥哥高兴得~笑。*Gēge gāoxìng de ~xiào.* My elder brother was so delighted that he couldn't help laughing. │我冻得浑身~打哆嗦。*Wǒ dòng de húnshēn ~ dǎ duōsuo.* I was so cold that I kept shivering. ❽〈副 *adv.*〉简直 just; simply：她的唠叨~让我心烦。*Tā de láodao ~ ràng wǒ xīnfán.* Her nagging just makes me perturbed. ❾〈动 *v.*〉挺直；使变直 straighten：这一跤摔得他的腰都~不起来了。*Zhè yì jiāo shuāi de tā de yāo dōu ~ bù qǐlái le.* The fall made it impossible for him to straighten his back. ❿〈名 *n.*〉汉字的笔画，笔形'│'，也叫'竖'（in Chinese characters）vertical stroke, also '竖shù'

⁴ **直播** zhíbō ❶〈动 *v.*〉广播电台或电视台不经过录音录像在现场直接播送节目或消息 live broadcast：现场~世界杯足球赛 xiànchǎng ~ Shìjiè Bēi zúqiúsài televise live World Cup football matches ❷〈动 *v.*〉不经过育苗将种子直接播到地里 direct seeding

³ **直达** zhídá 〈动 *v.*〉中途不必换乘车船直接到达；车、船、飞机等交通工具中途不停靠直接到达 through; nonstop：从北京乘火车可以~上海。*Cóng Běijīng chéng huǒchē kěyǐ ~ Shànghǎi.* There is a nonstop train from Beijing to Shanghai. │本车~颐和园，中间不停。*Běn chē ~ Yíhéyuán, zhōngjiān bù tíng.* This is a through bus to the Summer Palace, and there is no stop during the trip.

² **直到** zhídào 〈动 *v.*〉一直到（某个时间）until; up to：昨天他才告诉我，他要结婚了。*~ zuótiān tā cái gàosu wǒ, tā yào jiéhūn le.* He didn't tell me he was going to get married until yesterday. │她~35岁才生孩子。*Tā ~ sānshíwǔ suì cái shēng háizi.* She didn't give birth to a child until she was thirty-five. │~现在他还不肯承认错误。*~ xiànzài tā hái bù kěn chéngrèn cuòwù.* He refused to admit his mistake up to now. │她从出生~大学毕业没有离开过这座城市。*Tā cóng chūshēng ~ dàxué bìyè méiyǒu líkāiguo zhè zuò chéngshì.* She had never left this city since she was born until she graduated from college.

² **直接** zhíjiē 〈形 *adj.*〉不通过第三者的；不经过中间事务的（与'间接'相对）direct; immediate（opposite to '间接jiànjiē'）：~税 ~shuì direct tax │~选举 ~xuǎnjǔ direct election │这个部门由总经理~管理。*Zhège bùmén yóu zǒngjīnglǐ ~ guǎnlǐ.* This department is directly under the general manager. │有事你打电话~找我。*Yǒu shì nǐ dǎ diànhuà ~ zhǎo wǒ.* Call me directly if you need any help. │他们俩现在可以用汉语~交谈了。*Tāmen liǎ xiànzài kěyǐ yòng Hànyǔ ~ jiāotán le.* Now they can directly communicate to each other in Chinese.

³ **直径** zhíjìng 〈名 *n.*〉通过圆心连接圆周上两点的直线段称为圆的直径；通过球心连接球面上两点的直线段称为球的直径 diameter：这种球的~大约是20公分。*Zhè zhǒng qiú de ~ dàyuē shì èrshí gōngfēn.* This kind of ball has a diameter of about 20 centimeters.

⁴ **直辖市** zhíxiáshì 〈名 *n.*〉由中央直接管辖的市 municipality directly under the central government：中国的~有四个，它们是北京、上海、天津和重庆。*Zhōngguó de ~ yǒu sì gè, tāmen shì Běijīng, Shànghǎi, Tiānjīn hé Chóngqìng.* There are four municipalities directly under the central government in China; they are Beijing, Shanghai, Tianjin and Chongqing.

⁴ **直线** zhíxiàn ❶〈名 *n.*〉不弯曲的线；两点之间最短的距离（区别于'曲线'）straight line（different from '曲线qūxiàn'）：~距离 ~jùlí linear distance; straight-line distance; airline distance; crow-flight distance │到那里走~不到5公里。*Dào nàlǐ zǒu ~ bú dào*

Z

wǔ gōnglǐ. The straight-line distance from here to there is less than five kilometers. ❷ 〈形 *adj.*〉没有起伏曲折的 steep; sharp: 我们工厂的产值呈~上升的趋势。 *Wǒmen gōngchǎng de chǎnzhí chéng ~ shàngshēng de qūshì.* The production value of our factory shows the tendency of a sharp rise. ❸〈形 *adj.*〉直接进行的 direct: ~电话 – *diànhuà* direct-dial telephone | 他们俩之间一直保持着~联系。 *Tāmen liǎ zhījiān yìzhí bǎochí zhe ~ liánxì.* The two of them keep in direct touch with each other all the time.

⁴ **直至** zhízhì 〈动 *v.*〉直到 until; up to: ~今日他还对我守口如瓶呢。 *~ jīnrì tā hái duì wǒ shǒukǒu-rúpíng ne.* He still breathes not a single word to me until now. | 他每天都在书房里写作~深夜。 *Tā měitiān dōu zài shūfáng li xiězuò ~ shēnyè.* Every day he keeps writing in the study until late at night.

⁴ **侄子** zhízi 〈名 *n.*〉(个 *gè*) 弟兄的儿子; 男性同辈亲属或朋友的儿子 nephew: 我有好几个~，这三个是我的亲~，这两个是远房~，这位~是我的一位世交的儿子。 *Wǒ yǒu hǎojǐ gè ~, zhè sān gè shì wǒ de qīn ~, zhè liǎng gè shì yuǎnfáng ~, zhè wèi ~ shì wǒ de yí wèi shìjiāo de érzi.* I have several nephews: these three are my blood nephews, these two are my distant ones, and this one is the son of one of my family's old friends.

³ **值** zhí ❶ 〈动 *v.*〉货物价格相当于 be worth: 这件衣服~30元。 *Zhè jiàn yīfu ~ sānshí yuán.* This garment is worth 30 *yuan.* | 你这支笔~100元吗？ *Nǐ zhè zhī bǐ ~ yìbǎi yuán ma?* Is your pen worth 100 yuan? ❷〈动 *v.*〉认为有价值; 值得 worth; worthwhile: 花两千美元到欧洲旅行15天，真~。 *Huā liǎng qiān Měiyuán dào Ōuzhōu lǚxíng shíwǔ tiān, zhēn ~.* It's quite worthwhile to tour Europe for 15 days with 2,000 U.S. dollars. | 这么一点小事不一提。 *Zhème yìdiǎnr xiǎoshì bù ~ yì tí.* Such a trivial matter is not worth mentioning. ❸〈动 *v.*〉遇上; 碰到 happen to: 正~隆冬时节我们来到了莫斯科。 *Zhèng ~ lóngdōng shíjié, wǒmen láidàole Mòsīkē.* We happened to arrive at Moscow in the depth of winter. ❹〈动 *v.*〉轮到承担某项任务 be on duty; take one's turn at sth.: 今晚我~夜班。 *Jīnwǎn wǒ ~ yèbān.* I will be on the night shift tonight. | 本月由我国代表担任轮~主席。 *Běn yuè yóu wǒ guó dàibiǎo dānrèn lún~ zhǔxí.* The representative of our country is to act as rotating chairman this month. ❺〈名 *n.*〉价格; 价值 value: 货币贬~ – *huòbì biǎn~* (of a currency) depreciate; devalue; devaluate; (of the purchasing value of a currency) decrease | 这种产品的产~很高。 *Zhèzhǒng chǎnpǐn de chǎn~ hěn gāo.* This product is of very high output value. ❻〈名 *n.*〉数值 value: 近似~ – *jìnsì~* approximate value | 函数~ – *hánshù~* value of a function | 比~ – *bǐ~* ratio; specific value

⁴ **值班** zhí//bān 〈动 *v.*〉轮流在规定的时间里担任工作 be on duty: ~医生 – *yīshēng* doctor on duty | 我这个星期值白班。 *Wǒ zhège xīngqī zhí báibān.* I will be on the daytime shift this week. | 请你替我值一班行吗？ *Qǐng nǐ tì wǒ zhí yì bān xíng ma?* Would you replace me for just one shift?

² **值得** zhíde ❶〈动 *v.*〉价格合适; 合算 be worth the money: 花上千元钱买这么一件衣服，真不~。 *Huā shàng qiān yuán qián mǎi zhème yí jiàn yīfu zhēn bù ~.* It's quite unworthy to buy such clothes for more than one thousand *yuan.* ❷〈动 *v.*〉有价值; 有意义 be worth; merit; deserve: 他的建议~认真研究。 *Tā de jiànyì ~ rènzhēn yánjiū.* His suggestion deserves consideration. | 这篇文章~一读。 *Zhè piān wénzhāng ~ yì dú.* This article is worth reading. | 这种方法~推广。 *Zhè zhǒng fāngfǎ ~ tuīguǎng.* This method deserves popularization.

⁴ **职称** zhíchēng 〈名 *n.*〉职务的名称 the title of a technical or professional post; professional title; academic title: 技术~ – *jìshù~* technical titles | 高级~ – *gāojí~* senior

professional titles｜评~ *píng* ~ evaluate professional titles｜申报~ *shēnbào* ~ apply for a professional title

² **职工** zhígōng〈名 *n.*〉(名míng、个gè)职员和工人 staff; staff members：招聘~ *zhāopìn* ~ advertisement for workers｜雇用~ *gùyòng* ~ employ workers｜录用~ *lùyòng* ~ take sb. on the staff｜在职~ *zàizhí* ~ in-service staff｜离退休~ *lítuìxiū* ~ retired workers

⁴ **职能** zhínéng〈名 *n.*〉(种zhǒng、个gè)人、事物、机构本身具有的功能和应有的作用 function：货币的~ *huòbì de* ~ the functions of money｜政府的~ *zhèngfǔ de* ~ the functions of a government｜~机构 *jīgòu* functional institution｜军队的~是保卫祖国。*Jūnduì de* ~ *shì bǎowèi zǔguó.* The army's function is to defend the motherland.

⁴ **职权** zhíquán〈名 *n.*〉职务的权限 powers of office; authority of office：行使~ *xíngshǐ* ~ exercise one's functions and powers｜滥用~ *lànyòng* ~ abuse one's powers; abuse one's authority｜这件事超越了我的~范围。*Zhè jiàn shì chāoyuèle wǒ de* ~ *fànwéi.* This matter oversteps my power.｜我们必须制止利用~谋取私利的不正之风。*Wǒmen bìxū zhìzhǐ lìyòng* ~ *móuqǔ sīlì de búzhèngzhīfēng.* We must put an end to the malpractice of abusing one's powers to seek personal gain.

⁴ **职务** zhíwù〈名 *n.*〉(个gè)按规定担任的工作 post; duties; job; position：任命~ *rènmìng* ~ appoint sb. to a position｜担任~ *dānrèn* ~ assume office; hold the post of｜撤销~ *chèxiāo* ~ dismiss sb. from his post; remove sb. from office｜罢免~ *bàmiǎn* ~ recall sb.｜解除~ *jiěchú* ~ remove sb. from his post｜我决定辞去总经理的~。*Wǒ juédìng cí qù zǒngjīnglǐ de* ~. I decided to resign my post as the general manager.

² **职业** zhíyè ❶〈名 *n.*〉(种zhǒng、项xiàng)个人所从事的作为主要生活来源的工作 occupation; profession; vocation：律师~ *lùshī* ~ the profession of lawyer｜教师~ *jiàoshī* ~ the profession of teacher; the teaching profession｜~介绍所 *jièshàosuǒ* employment agency; hiring hall; labor exchange｜教书是我的终身~。*Jiāoshū shì wǒ de zhōngshēn* ~. Teaching is my lifelong profession. ❷〈形 *adj.*〉专业的；非业余的 professional：~运动员 *yùndòngyuán* professional athlete｜~作家 *zuòjiā* professional writer

³ **职员** zhíyuán〈名 *n.*〉(名míng、个gè)企业、机关、学校、团体中担任一定职责的工作人员 office worker; staff member; clerk; functionary：我们公司有200名~。*Wǒmen gōngsī yǒu èrbǎi míng* ~. We have 200 staff members in our company.｜我父亲从年轻的时候就在这家银行当小~，现在是高级~了。*Wǒ fùqīn cóng niánqīng de shíhou jiù zài zhè jiā yínháng dāng xiǎo* ~, *xiànzài shì gāojí* ~ *le.* My father began to work as a clerk in this bank when he was young, and now he is a senior staff member.

⁴ **植** zhí ❶〈动 *v.*〉栽种 plant; grow; cultivate｜~树造林 *shù zàolín* afforestation ❷〈动 *v.*〉培养 cultivate：扶~新生力量 *fú* ~ *xīnshēng lìliàng* foster new emerging forces; nurture new blood for a cause｜培~亲信 *péi* ~ *qīnxìn* build up the circle of one's confidants; cultivate trusted followers ❸〈动 *v.*〉机体移植 graft; transplant：~皮 ~*pí* skin grafting; make skin grafts｜断肢再~ *duànzhī zài* ~ replantation of a severed limb｜这所医院在器官移~手术方面已经达到国际先进水平。*Zhè suǒ yīyuàn zài qìguān yí* ~ *shǒushù fāngmiàn yǐjīng dádào guójì xiānjìn shuǐpíng.* This hospital has already reached the advanced international level in the field of organic transplantation operations. ❹〈名 *n.*〉植物 plant; flora：~株 ~*zhū* plant｜要加强~被保护，防止水土流失。*Yào jiāqiáng* ~*bèi bǎohù, fángzhǐ shuǐtǔ liúshī.* We should lay more stress on vegetation protection so as to conserve water and prevent soil erosion.

² **植物** zhíwù〈名 *n.*〉生物的一大类，有叶绿素，以无机物为养料(区别于'动物''微生物')plant; flora (different from '动物dòngwù' and '微生物wēishēngwù')：~学 ~*xué*

botany │ ~群落 ~ *qúnluò* plant community; phytocoenosis │ 热带 ~ *rèdài* ~ tropical plants │野生 ~ *yěshēng* ~ wild plants │神经 ~ *shénjīng* autonomic nerve

³ **殖民地** zhímíndì 〈名 *n.*〉被帝国主义国家剥夺了政治和经济的独立权力，并受其控制和掠夺的国家和地区 colony；在20世纪末，世界上几乎所有的~国家都获得了独立。*Zài èrshí shìjì mò, shìjiè shang jīhū suǒyǒu de ~ guójiā dōu huòdéle dúlì.* At the end of the 20th century, almost all the colonized countries in the world have gained their independence.

⁴ **殖民主义** zhímín zhǔyì 〈名 *n.*〉帝国主义国家压迫、剥削、奴役落后国家，使其沦为殖民地、半殖民地的政策 colonialism；~者 ~*zhě* colonialist │~政策 ~*zhèngcè* colonial policy

² **止** zhǐ ❶ 〈动 *v.*〉停止 stop; halt; cease; desist; discontinue：汗流不~ *hànliú bù ~* sweat keeps streaming down; keep sweating; sweat endlessly │游人~步。*Yóurén ~bù.* Out of bounds │学无~境。*Xué wú ~jìng.* Knowledge is infinite. / There is no limit to knowledge. ❷ 〈动 *v.*〉使停止 prohibit; check; hold back：~血药 ~*xiěyào* haemostatic │~痛膏 ~*tònggāo* analgesic ointment │望梅~渴（比喻借空想来安慰自己）*wàngméi~kě*（*bǐyù jiè kōngxiǎng lái ānwèi zìjǐ*）quench one's thirst by thinking of plums（*fig.* console oneself with false hopes）❸ 〈动 *v.*〉截止 to; till：兑奖日期至本月31日为~。*Duìjiǎng rìqī zhì běn yuè sānshíyī rì ~.* The deadline of claiming the prize is the 31st of this month. ❹ 〈副 *adv.*〉仅仅；只 only：他不~一次地对我说，他是名牌大学毕业生。*Tā bù ~ yí cì de duì wǒ shuō, tā shì míngpái dàxué bìyèshēng.* He has repeatedly told me that he graduated from a famous university. │这本书我已经看过不~一遍了。*Zhè běn shū wǒ yǐjīng kànguo bù~ yí biàn le.* I have read this book for more than once. │不~是你，我们大家都想到中国去学汉语。*Bù~ shì nǐ, wǒmen dàjiā dōu xiǎng dào Zhōngguó qù xué Hànyǔ.* Not only you, but all of us want to study Chinese in China.

¹ **只** zhǐ ❶ 〈副 *adv.*〉表示限于某个范围或数量 only; just; merely：我~会汉语。*Wǒ ~ huì Hànyǔ.* I can only speak Chinese. │屋里~有一张床。*Wūli ~yǒu yì zhāng chuáng.* There is only one bed in the room. │我在这家公司~干了一个月。*Wǒ zài zhè jiā gōngsī ~ gànle yí gè yuè.* I have worked in this company for only one month. │~许州官放火，不许百姓点灯（形容骄横的人，自己可以为所欲为，却不许别人有丝毫的自由）。~ *xǔ zhōuguān fànghuǒ, bùxǔ bǎixìng diǎndēng*（*xíngróng jiāohèng de rén, zìjǐ kěyǐ wéisuǒyùwéi, què bù xǔ biérén yǒu sīháo de zìyóu*）. While the prefect is free to commit arson, the common people are forbidden even to light lamps（indicating that the tyrannical rulers limit the people's freedom to the extreme; it also refers to evildoers who deprive others of their lawful rights）. ❷ 〈副 *adv.*〉表示情况突然出现或发生 happen or occur in a short time：~看见一个黑影窜进门来。~ *kànjiàn yí gè hēi yǐng cuànjìn mén lái.* Suddenly a dark shadow was seen to flit in. │~听见一声惨叫，就再也没有动静了。~ *tīngjiàn yì shēng cǎnjiào, jiù zài yě méiyǒu dòngjing le.* Nothing but a horrible shriek was heard, and then silence followed.

☞ zhī, p. 1276

³ **只得** zhǐdé 〈副 *adv.*〉不得不；表示没有别的选择 have no choice but to; be obliged to; have to：前面公路塌方，我们~绕道走了。*Qiánmiàn gōnglù tāfāng, wǒmen ~ ràodào zǒu le.* We have no choice but to make a detour since the highway ahead was blocked by a landslide. │他不肯去，~我去了。*Tā bù kěn qù, ~ wǒ qù le.* He refused to go, so I have to go instead. │我们彼此言语不同，~用手比划了。*Wǒmen bǐcǐ yányǔ bùtóng, ~ yòng shǒu bǐhuà le.* Due to the different languages we speak, we have to resort to

gestures.

只顾 zhǐgù ❶〈副 adv.〉注意力集中在某个方面 be absorbed in: 他~玩游戏，连饭都忘记吃了。 *Tā ~ wánr yóuxì, lián fàn dōu wàngjì chī le.* He was so engrossed in playing games that he even forgot his meal. ❷〈副 adv.〉仅仅顾到 care only for; pay attention only to; merely; simply: 你不能~工作，不顾家庭。 *Nǐ bù néng ~ gōngzuò, búgù jiātíng.* You shouldn't be so engrossed in your work that you pay no attention to your family. | 不能~学习，还要注意身体。 *Bù néng ~ xuéxí, háiyào zhùyì shēntǐ.* Don't be so absorbed in your study. Mind your health as well.

只管 zhǐguǎn ❶〈副 adv.〉尽管 by all means; not hesitate to; feel free to: 有什么要我帮忙的~说。 *Yǒu shénme yào wǒ bāngmáng de ~ shuō.* Don't hesitate to tell me if there is anything that I can do for you. | 你~放手去做，出了问题由我负责。 *Nǐ ~ fàngshǒu qù zuò, chūle wèntí yóu wǒ fùzé.* Have a free hand in what you have to do; I will take full responsibility if there is anything wrong. ❷〈副 adv.〉注意力集中在某个方面 merely; simply: 我~采购，做饭可是你们的事了。 *Wǒ ~ cǎigòu, zuòfàn kě shì nǐmen de shì le.* Shopping is my business, and cooking is yours.

只好 zhǐhǎo〈副 adv.〉不得不；表示没有别的选择 be forced to; have to; cannot but; the only choice is to: 火车票已全部售完，我~乘飞机了。 *Huǒchēpiào yǐ quánbù shòuwán, wǒ ~ chéng fēijī le.* All the train tickets have been sold out, so I have to go by air. | 这事谁也不肯做，~我来做了。 *Zhè shì shéi yě bù kěn zuò, ~ wǒ lái zuò le.* No one is willing to do it, so I have to do it myself. | 就剩这么一间房了，你~将就一点儿吧。 *Jiù shèng zhème yì jiān fáng le, nǐ ~ jiāngjiù yìdiǎnr ba.* There is only one room left, so you have to make do with it.

只能 zhǐnéng〈副 adv.〉没有别的办法；没有别的选择 only: 他们都不肯帮忙，我~求你了。 *Tāmen dōu bù kěn bāngmáng, wǒ ~ qiú nǐ le.* They are all unwilling to give a hand, so you are my only resort. | 那里不通公交车，我们~步行去了。 *Nàlǐ bù tōng gōngjiāochē, wǒmen ~ bùxíng qù le.* No buses went there, so we had to go there on foot.

只是 zhǐshì ❶〈副 adv.〉仅仅是；不过 is just; nothing but; merely; only: 他~说说而已，根本没想帮你的忙。 *Tā ~ shuōshuo éryǐ, gēnběn méi xiǎng bāng nǐ de máng.* He just said it, with no intention to help you at all. | 我~随便看看，并不想买什么东西。 *Wǒ ~ suíbiàn kànkan, bìng bù xiǎng mǎi shénme dōngxi.* I just want to have a casual look and don't want to buy anything. ❷〈副 adv.〉表示强调限于某种情况或范围 simply: 他一句话也不说，~一个劲儿地喝着闷酒。 *Tā yí jù huà yě bù shuō, ~ yígèjìnr de hēzhe mènjiǔ.* He said nothing but just drank alone to drown his sorrows. | 我们不能~要求大家干活，不考虑大家的经济利益。 *Wǒmen bù néng ~ yāoqiú dàjiā gànhuó, bù kǎolǜ dàjiā de jīngjì lìyì.* We shouldn't only call for people to work without taking their economic interests into consideration. ❸〈连 conj.〉不过；用于后一个分句，表示意思上的转折 however; but then; but: 我是想去看看她的，~怕她不欢迎。 *Wǒ shì xiǎng qù kànkan tā de, ~ pà tā bù huānyíng.* I have intended to visit her, but I am afraid that she might not welcome my visit. | 他这个人什么都好，~不懂得体贴人。 *Tā zhège rén shénme dōu hǎo, ~ bù dǒngde tǐtiē rén.* Except for not being considerate, he is an otherwise good guy.

只要 zhǐyào〈连 conj.〉表示条件（常与‘就’'便’等副词呼应）(often used in combination with an adverb, such as '就jiù', '便biàn') if only; as long as; so long as; provided: ~你同意，我就去办。 *~ nǐ tóngyì, wǒ jiù qù bàn.* As long as you consent, I will do it at once. | 他~见过你一次，便能记住你的名字。 *Tā ~ jiànguo nǐ yí cì, biàn* *néng jìzhù nǐ de míngzi.* He can remember your name if he meets you even for once. ｜~你自己不说，我决不会把这件事捅出去的。 ~ *nǐ zìjǐ bù shuō, wǒ jué bú huì bǎ zhè jiàn shì tǒng chūqù de.* I will never let it out as long as you yourself don't do so.

² **只有** zhǐyǒu ❶〈连 *conj.*〉表示必需的条件（常与副词'才'呼应）(often used in combination with '才 cái') only if; provided that: ~改革开放，中国才有出路。 ~ *gǎigé kāifàng, Zhōngguó cái yǒu chūlù.* Only by reforming and opening to the outside world can China find its way out. ｜发展生产，人民生活才能得到提高。 ~ *fāzhǎn shēngchǎn, rénmín shēnghuó cái néng dédào tígāo.* Only by developing production can the living standard of the people be raised. ｜~妈妈才知道女儿的心思。 ~ *māma cái zhīdào nǚ'ér de xīnsi.* Mother alone knows what's in her daughter's mind. ❷〈副 *adv.*〉不得不；只好 have to: 你再不走，~死路一条了。 *Nǐ zài bù zǒu, ~ sǐlù yì tiáo le.* If you stay here, you will be doomed to die. ｜你们谁都不干，我~找他了。 *Nǐmen shéi dōu bú gàn, wǒ ~ zhǎo tā le.* Since none of you is willing to do it, I have to turn to him.

¹ **纸** zhǐ ❶〈名 *n.*〉(张 zhāng、片 piàn、沓 dá、刀 dāo) 用于写字、绘画、印刷、包装、揩拭等的片状纤维制品 paper: 稿~ *gǎo*~ French folio; paper for making drafts or copying manuscripts ｜信~ *xìn*~ letter paper ｜报~ *bào*~ newspaper ｜胶版~ *jiāobǎn*~ offset paper ｜铜版~ *tóngbǎn*~ art (printing) paper ｜餐巾~ *cānjīn*~ napkin paper; paper napkin; serviette ｜~包不住火（比喻坏事是隐瞒不住的）。 ~ *bāo bú zhù huǒ* (*bǐyù huàishì shì yǐnmán bú zhù de*). Paper cannot wrap fire. / You can't wrap fire in paper (*fig.* There is no concealment of the truth). ❷〈量 *meas.*〉用于计量文件、书信的件数 used to indicate documents, letters, etc.: 一~休书 *yì* ~ *xiūshū* a bill of divorcement ｜一~空文（没有效用的文件，比喻不能兑现的东西） *yì* ~ *kōng wén* (*méiyǒu xiàoyòng de wénjiàn, bǐyù bù néng duìxiàn de dōngxi*) a mere scrap of paper (invalid documents, *fig.* things that cannot be fulfilled)

⁴ **纸张** zhǐzhāng〈名 *n.*〉纸的总称 paper: 这本字典用的~很特殊。 *Zhè běn zìdiǎn yòng de* ~ *hěn tèshū.* Paper used for this dictionary is very special.

指 zhǐ ❶〈名 *n.*〉手指头 finger: 拇~ *mǔ*~ thumb ｜食~ *shí*~ index finger; forefinger ｜纹~ *wén* fingerprint ｜伸手不见五~ *shēnshǒu bú jiàn wǔ*~ be so dark that you can't see your hand in front of you ❷〈动 *v.*〉(手指头或物体的尖端) 指向 point to; point at: ~南针 ~ *nánzhēn* compass ｜~桑骂槐（比喻表面上骂某人，实际上是骂另一个人）~ *sāngmàhuái* (*bǐyù biǎomiàn shang mà mǒurén, shíjì shang shì mà lìng yí gè rén*) point at the mulberry and curse the locust (*fig.* point at one but curse another; pretend to be telling one person off when it is another person one is digging at; make oblique accusations) ｜他~着我的鼻子，把我臭骂了一通。 *Tā* ~ *zhe wǒ de bízi, bǎ wǒ chòu màle yítòng.* He pointed at my nose and severely dressed me down. ｜我们沿着路标~的方向继续前进。 *Wǒmen yánzhe lùbiāo* ~ *de fāngxiàng jìxù qiánjìn.* We walked ahead in the direction indicated by the road sign. ❸〈动 *v.*〉指明 indicate; point out: ~示 ~ *shì* point out; instruct; indicate; order ｜请您多多~教。 *Qǐng nín duōduō* ~ *jiào.* Please be kind to give us your advice. ｜老师~出了我的错误。 *Lǎoshī* ~ *chūle wǒ de cuòwù.* The teacher pointed out my mistakes. ❹〈动 *v.*〉斥责；批评 blame; scold; criticize: ~责 ~ *zé* criticize; find fault with; charge; denounce; reprove; reproach; blame; rebuke; condemn ｜~控 ~ *kòng* accuse; charge ❺〈动 *v.*〉意思上指向 refer to; direct: 他说的'小人'是~你呢。 *Tā shuō de* '*xiǎorén*' *shì* ~ *nǐ ne.* The mean person he said refers to you. ❻〈动 *v.*〉依靠；依仗 depend on; rely on; count on; lean upon; calculate on; reckon on: 他父母~着她养老送终呢。 *Tā fùmǔ* ~ *zhe tā yǎnglǎo-sòngzhōng ne.* His parents are relying on her to look after them in their old age and give them a proper burial after they pass away. ❼〈动 v. 书 lit.〉(头发)直竖 (of hair) stand stiffly on end; bristle; straighten up：这种残害儿童的罪行令人发~。*Zhè zhǒng cánhài értóng de zuìxíng lìngrénfà~.* The crime of cruel treatment of children makes one boil with anger. ❽〈量 meas.〉计算宽度、深度、厚度的约量 (unit for measuring depth, width or thickness) fingerbreadth; digit; finger-width; finger's width：墙上出现了一条三~宽的裂缝。 *Qiáng shang chūxiànle yì tiáo sān ~ kuān de lièfèng.* There is a crack of three fingerbreadths in the wall. | 他的肝大二~，需要进一步检查。*Tā de gān dà èr ~, xūyào jìnyíbù jiǎnchá.* His liver needs further check-up, for it is two fingerbreadths bigger.

³ **指标** zhǐbiāo〈名 n.〉(个 gè、项 xiàng)规定达到的目标；检查、统计中实际达到的标准 target; index; quota; norm：利润 ~ *lìrùn ~* profit target | 产量 ~ *chǎnliàng ~* output quota | 我的是每天掌握10个汉语单词。*Wǒ de ~ shì měitiān zhǎngwò shí gè Hànyǔ dāncí.* My daily target is to master ten Chinese words. | 这批钢材的含碳量超过了~。 *Zhè pī gāngcái de hántànliàng chāoguòle ~.* The carbon content of this batch of steel products exceeds the normal level.

² **指出** zhǐchū〈动 v.〉用言语点明 indicate; point out; lay one's finger on：~缺点 ~ *quēdiǎn* point out sb.'s shortcomings | ~毛病 ~ *máobìng* point out one's fault | 老师给我~了努力的方向。*Lǎoshī gěi wǒ ~le nǔlì de fāngxiàng.* The teacher pointed out the direction for me to move ahead.

² **指导** zhǐdǎo ❶〈动 v.〉指引教导 guide; direct; instruct：欢迎光临。~. *Huānyíng guānglín ~.* Welcome your visit and advice. | 在老师的耐心~下，我学会了汉字的笔顺。*Zài lǎoshī de nàixīn ~ xià, wǒ xuéhuìle Hànzì de bǐshùn.* I finally mastered the order of strokes of Chinese characters under the teacher's patient instruction. ❷〈名 n.〉进行指导的人 coach; tutor：技术 ~ *jìshù ~* technical instructor | 体育老师担任我们的场外~。 *Tǐyù lǎoshī dānrèn wǒmen de chǎng wài ~.* Our sports instructor acted as our side coach.

³ **指点** zhǐdiǎn ❶〈动 v.〉指出；指导；使明了 give advice (directions); point to; give tips to; show how：~出路 ~ *chūlù* show the way out; give advice on a way out | 在名师的~下，他的技艺有了很大的提高。*Zài míngshī de ~ xià, tā de jìyì yǒule hěn dà de tígāo.* Under the famous teacher's instruction, his skills have been greatly improved. | 孩子还小，需要您多加~。*Háizi hái xiǎo, xūyào nín duō jiā ~.* The child is still young and needs more of your instruction. ❷〈动 v.〉从旁边或背后挑剔、议论别人 gossip about; find fault with; pick on; trip up; crab at; talk behind sb.'s back：你这样做肯定要遭人~的。*Nǐ zhèyàng zuò kěndìng yào zāo rén ~ de.* You will undoubtedly incur gossips if you do this. | 他总喜欢在背后对人指指点点。*Tā zǒng xǐhuan zài bèihòu duì rén zhǐzhǐ-diǎndiǎn.* He always likes to gossip about others' faults behind their backs.

⁴ **指定** zhǐdìng〈动 v.〉指明确定(人选、时间、地点等) appoint; designate; assign; name; specify：老师~他来辅导我的汉语。*Lǎoshī ~ tā lái fǔdǎo wǒ de Hànyǔ.* The teacher designated him as my tutor in Chinese. | 明天上午9点大家到~的地点集合。*Míngtiān shàngwǔ jiǔ diǎn dàjiā dào ~ de dìdiǎn jíhé.* At nine o'clock tomorrow morning, we should all assemble at the specified place.

² **指挥** zhǐhuī ❶〈动 v.〉发令调度 command; direct; conduct：~部队 ~ *bùduì* command the forces | 警察在路口~交通。*Jǐngchá zài lùkǒu ~ jiāotōng.* The policeman is directing traffic at the crossing. | 工作让我们来干，您在旁边~~就行了。*Gōngzuò ràng wǒmen lái gàn, nín zài pángbiān ~ ~ jiù xíng le.* Leave the work to us, and you may just stay aside and give us instructions. ❷〈名 n.〉(位 wèi、名 míng)发令调度的人

commander; director: 他是这项工程的总~。 *Tā shì zhè xiàng gōngchéng de zǒng ~.* He is the general director of the project. ❸〈名 n.〉(位wèi、名míng)专职乐队或合唱队的指挥 conductor: 她是爱乐乐团的首席~。 *Tā shì Àiyuè Yuètuán de shǒuxí ~.* She is the chief conductor of the Philharmonic Orchestra.

⁴ **指甲** zhǐjia〈名 n.〉指尖上的角质物 nail: 手~ *shǒu~* fingernail ｜ ~油 ~*yóu* nail polish ｜ 在大庭广众剪~不太文明。 *Zài dàtíng-guǎngzhòng jiǎn ~ bú tài wénmíng.* It's impolite to trim one's nails in public.

⁴ **指令** zhǐlìng ❶〈动 v.〉发布指示命令 instruct; order; direct: 司令部~我团占领电台。 *Sīlìngbù ~ wǒ tuán zhànlǐng diàntái.* The headquarters ordered our regiment to occupy the broadcasting station. ❷〈名 n.〉(道dào、个gè)发布的指示命令 instructions; order; directive: 我们是按上级的~办事，请你配合。 *Wǒmen shì àn shàngjí de ~bànshì, qǐng nǐ pèihé.* We are executing orders from higher authorities. Please cooperate with us. ❸〈名 n.〉(个gè)指挥电子计算机完成每一个操作的指示和命令(computer) instruction: 数据传送~ *shùjù chuánsòng ~* data transmission instruction

⁴ **指明** zhǐmíng 〈动 v.〉明确指出 show clearly; demonstrate; point out; designate: ~方向 ~*fāngxiàng* show the direction ｜ 出路 ~ *chūlù* point the way out ｜ 教练给大家~了这场比赛失败的原因。 *Jiàoliàn gěi dàjiā ~le zhè chǎng bǐsài shībài de yuányīn.* The coach pointed out to us the reasons why we lost this game.

³ **指南针** zhǐnánzhēn ❶〈名 n.〉用磁针制成的指示方向的仪器，和火药、印刷术、造纸术并称中国古代四大发明 compass, a device used to determine geographic direction, consisting of a magnetic needle; together with powder, typography and paper-making technology as the four great inventions of ancient China ❷〈名 n.〉比喻辨别方向的依据 guide: 邓小平理论好比~，指引中国人民走向胜利。 *Dèng Xiǎopíng Lǐlùn hǎobǐ ~, zhǐyǐn Zhōngguó rénmín zǒu xiàng shènglì.* Deng Xiaoping's Theory could be compared to a compass leading Chinese people to success.

² **指示** zhǐshì ❶〈动 v.〉指出;表示 point out; show; indicate: ~牌 ~*pái* indicator board ｜ ~代词 ~*dàicí* demonstrative pronoun ｜ 请你给我一下方位。 *Qǐng nǐ gěi wǒ ~ yíxià fāngwèi.* Please show me the direction. ❷〈动 v.〉上级对下级、长辈对晚辈指导或命令 instruct: 部长~我们要尽快研究出一个解决方案来。 *Bùzhǎng ~ wǒmen yào jìnkuài yánjiū chū yí gè jiějué fāng'àn lái.* The minister gave the instruction that we should figure out a solution as soon as possible. ｜ 这个方案是否可行，请~。 *Zhège fāng'àn shìfǒu kěxíng, qǐng ~.* Please give an instruction on the feasibility of this scheme. ❸〈名 n.〉指导或命令的内容 directive; instruction; order: 书面~ *shūmiàn ~* written instruction ｜ 口头~ *kǒutóu ~* oral instruction ｜ 我们要认真贯彻上级的~。 *Wǒmen yào rènzhēn guànchè shàngjí de ~.* We must seriously carry out instructions from the higher authorities.

⁴ **指手画脚** zhǐshǒu-huàjiǎo〈成 idm.〉说话时手脚做出各种动作，也形容轻率地批评、指责或发号施令 gesticulate; talk with lots of animated gestures; make imprudent remarks or criticisms; throw one's weight around: 他自己不干事，却总喜欢在一旁~地指挥别人。 *Tā zìjǐ bú gàn shì, què zǒng xǐhuan zài yì páng ~ de zhǐhuī biérén.* He himself does nothing, but always likes to stand aside and deliver his instructions with animated gestures.

³ **指头** zhǐtou〈名 n. 口 colloq.〉手指，有时也指脚趾 finger; toe: 人的十个~不一般长，你怎能要求大家都达到一个水平呢? *Rén de shí gè ~ bù yìbān cháng, nǐ zěn néng yāoqiú dàjiā dōu dádào yí gè shuǐpíng ne?* The ten fingers of a man are not of the same

length, and how can you expect everyone to reach the same level?

⁴ **指望** zhǐwàng ❶〈动 v.〉盼望 count on; look for help; look to; bank on; hope for; look forward to；大家都～你来出点儿好点子呢。 *Dàjiā dōu ～ nǐ lái chū diǎnr hǎo diǎnzi ne.* Everyone is looking forward to your good suggestions. | 我还～今年能多发些奖金呢，没承想公司倒闭了。 *Wǒ hái ～ jīnnián néng duō fā xiē jiǎngjīn ne, méi chéngxiǎng gōngsī dǎobì le.* I have been hoping for more bonus this year, only to see the company go bankrupt. ❷〈名 n.〉盼头；实现某盼望的可能 hope; expectation；我今年有～可以获得一笔奖学金。 *Wǒ jīnnián yǒu ～ kěyǐ huòdé yì bǐ jiǎngxuéjīn.* I will probably get a scholarship this year. | 你爷爷的病没～了。 *Nǐ yéye de bìng méi shà ～ le.* There is no hope of your grandfather's recovery.

³ **指引** zhǐyǐn〈动 v.〉指示引导 lead; show the way; direct; guide; point the way；～航向 *hángxiàng* direct the course of a ship; steer a ship along the right course | 在导师的～下，我终于完成了我的博士论文。 *Zài dǎoshī de ～ xià, wǒ zhōngyú wánchéngle wǒ de bóshì lùnwén.* Under the guidance of my supervisor, I finally finished off my Ph. D. thesis.

⁴ **指针** zhǐzhēn ❶〈名 n.〉钟表上的针；仪表上的针 indicator; needle; pointer; index；我手表上的～停了。 *Wǒ shǒubiǎo shang de ～ tíng le.* The hands of my watch stopped. ❷〈名 n.〉比喻辨别方向的依据 guideline; guiding principle; guide；院长的这一番话，是我们今后开展研究工作的～。 *Yuànzhǎng de zhè yì fān huà shì wǒmen jīnhòu kāizhǎn yánjiū gōngzuò de ～.* The president's speech will serve as a guide for our future research work.

² **至** zhì ❶〈动 v.〉到；until; till; reach; arrive；～今 ～jīn up to now; to this day; so far; to date; hitherto | 自始～终 *zìshǐ～zhōng* from start to finish; from beginning to end; from first to last; all the way | 人迹罕～ *rénjī-hǎn～* untraversed; uninhabited | 我从1998年～2003年在北京语言文化大学学汉语。 *Wǒ cóng yī-jiǔ-jiǔ-bā nián ～ èr-líng-líng-sān nián zài Běijīng Yǔyán Wénhuà Dàxué xué Hànyǔ.* I studied Chinese in Beijing Language and Culture University from 1998 to 2003. ❷〈形 adj.〉最好的；达到极点的 perfect; best; first-rate；如获～宝 *rúhuò～bǎo* as if one had found a most valuable treasure | ～理名言 ～lǐ-míngyán axiom; maxim; golden saying; most truthful remarks | 他和我是～交。 *Tā hé wǒ shì ～jiāo.* He is my most intimate friend. ❸〈副 adv.〉最；极 very; most; extremely；～少 ～shǎo at least | ～多 ～duō at most | 你～迟在本周末要将报告交给我。 *Nǐ ～chí zài běn zhōumò yào jiāng bàogào jiāo gěi wǒ.* You should hand in the report to me this weekend at the latest. ❹〈名 n.〉事物的极点 solstice：冬～ *dōng～* the winter solstice | 夏～ *xià～* the summer solstice

⁴ **至多** zhìduō〈副 adv.〉表示最大的限度；最大的可能 at most; at best; not more than; at the utmost；他～是个处长。 *Tā ～ shì gè chùzhǎng.* He's at most a department chief. | 我～向他赔个不是就是了。 *Wǒ ～xiàng tā péi gè búshì jiùshì le.* I will apologize to him at most. | 你～让他骂一顿。 *Nǐ ～ ràng tā mà yí dùn.* He will give you a scolding at most.

² **至今** zhìjīn〈副 adv.〉到今天；直到现在 to this day; up to now; so far; to date; hitherto；她～还没有结婚。 *Tā ～ hái méiyǒu jiéhūn.* She has remained single up to now. | 我～没有到过中国。 *Wǒ ～méiyǒu dàoguo Zhōngguó.* I have never been to China up to now. | 我～没有掌握汉语的四声。 *Wǒ ～ méiyǒu zhǎngwò Hànyǔ de sìshēng.* So far I have not mastered the four tones of Chinese pronunciation.

² **至少** zhìshǎo〈副 adv.〉表示最小的限度；最小的可能 at least; to say the least；他～是

个科长。*Tā ~ shì gè kēzhǎng.* He is at least a section chief. │ 她看上去~有40岁了。*Tā kàn shàngqù ~ yǒu sìshí suì le.* She looks at least in forty years old. │ 你~应当向人家赔礼道歉。*Nǐ ~ yīngdāng xiàng rénjia péilǐ dàoqiàn.* You should apologize to him, to say the least.

³ **至于** zhìyú ❶〈连 conj.〉用在句子或分句的前头,表示另外提起一件事 as for; as to; as regards:~时间,你必须在本周内完成。*~ shíjiān, nǐ bìxū zài běn zhōu nèi wánchéng.* As for time, you must finish it within this week. │ 你在我这里好好儿干,~工资我不会亏待你的。*Nǐ zài wǒ zhèlǐ hǎohāor gàn, ~ gōngzī wǒ bú huì kuīdài nǐ de.* Work hard here! As for salary, I will not let you down. ❷〈动 v.〉表示达到某种程度(多用否定式,也常用于反问句)go so far as to; to such an extent:你总不~连这么简单的句子也不会造吧。*Nǐ zǒng bú ~ lián zhème jiǎndān de jùzi yě bú huì zào ba.* You won't go so far as to be unable to make such a simple sentence like this, will you? │ 他总不~忙得连回家的时间都没有吧。*Tā zǒng bú ~ máng de lián huíjiā de shíjiān dōu méiyǒu ba?* He won't be so busy as to have no time to go back home, will he? │ 你要早听我的劝告哪~有这么大的损失! *Nǐ yào zǎo tīng wǒ de quàngào nǎ ~ yǒu zhème dà de sǔnshī!* If you had followed my advice, you wouldn't have suffered such great a loss.

⁴ **志** zhì ❶〈名 n.〉做事的意愿和决心 ambition; ideal; aspiration; will; wish:~在必得 *~ zài bì dé* be determined to win │ 有~者事竟成。*Yǒu ~ zhě shì jìng chéng.* Where there is a will there is a way. │他从小就立~要当一个科学家。*Tā cóngxiǎo jiù lì ~ yào dāng yí gè kēxuéjiā.* He was determined to become a scientist when he was young. ❷〈名 n.〉记录下来的文字 records; annals; chronicles;杂~*zá ~* journal; magazine; periodical │县~*xiàn ~* annals of a county │地方~*dìfāng ~* local chronicles; annals of local history │工作日~*gōngzuò rì ~* daily record of work ❸〈名 n.〉记号 mark; token; sign:标~*biāo ~* sign; mark; symbol; label; stamp; flag ❹〈动 v.〉记住;不忘 remember; keep in mind:博闻强~*bówén-qiáng ~* have wide learning and a retentive memory │永~不忘 *yǒng ~ bú wàng* will never forget

⁴ **志气** zhìqì〈名 n.〉求上进的决心和勇气;做成某事的气概 aspiration; ambition; spirit; backbone:这个孩子人小~大。*Zhège háizi rén xiǎo ~ dà.* Young as he is, the child entertains a high ambition. │你为什么要长别人的~、灭自己的威风?*Nǐ wèi shénme yào zhǎng biéren de ~, miè zìjǐ de wēifēng?* Why do you boost others' morale and dampen our spirit?

³ **志愿** zhìyuàn ❶〈名 n.〉志向和愿望 aspiration and wish; ideal; will:我的~是当一名医生。*Wǒ de ~ shì dāng yì míng yīshēng.* It's my aspiration to become a doctor. │ 做父母的应当尊重孩子的~。*Zuò fùmǔ de yīngdāng zūnzhòng háizi de ~.* Parents should respect children's ideals. ❷〈动 v.〉自愿 volunteer; do sth. of one's own free will:~兵 *~ bīng* volunteer (soldier) │我~到边疆去工作。*Wǒ ~ dào biānjiāng qù gōngzuò.* I volunteer to work in border areas.

³ **制** zhì ❶〈动 v.〉做;制造 make; manufacture; produce; turn out; fabricate:~图 *~tú* charting; map-making; draft; drawing; mapping; cartography; protraction │ ~版 *~bǎn* plate making │~药 *~yào* pharmacy │ 这件衣服是她为你精心缝的。*Zhè jiàn yīfu shì tā wèi nǐ jīngxīn féng ~ de.* She elaborately made this clothes for you. │这件工艺品实在是太粗~滥造了。*Zhè jiàn gōngyìpǐn shízài shì tài cū~lànzào le.* This handicraft is so roughly made. ❷〈动 v.〉拟定;规定 work out; draw up; mark out; formulate; stipulate; prescribe:因地~宜 *yīndì~yí* take such measures as one suitable to local conditions; adapt working method to local conditions ❸〈动 v.〉约束;限制 rule; control; inhibit;

restrict; restrain; limit; hold in：~裁 ~*cái* impose sanction against; punish; crack down on｜~强 ~*qiáng*~ force ❹〈名 n.〉制度；准则 system; institution：所有~ ~*suǒyǒu*~ system of ownership; ownership｜中国一般的大学都是四年~ *Zhōngguó yībān de dàxué dōu shì sì nián ~*. Usually Chinese universities all adpot four-year educational system.｜这次比赛实行淘汰~ *Zhè cì bǐsài shíxíng táotài ~*. This tournament will adopt the practice of elimination.｜国家公务员也要实行聘任~ *Guójiā gōngwùyuán yě yào shíxíng pìnrèn ~*. Government office workers should also be appointed.

⁴ **制裁** zhìcái〈动 v.〉用强力管束和惩处 sanction against; punish; crack down on：法律~ *fǎlù* ~ legal sanction; punishment by law｜经济~ *jīngjì* ~ economic sanctions｜这些车匪路霸终于受到了严厉的~ *Zhèxiē chēfěi lùbà zhōngyú shòudàole yánlì de ~*. These vehicle bandits and road bullies have been severely punished at last.

² **制订** zhìdìng〈动 v.〉拟订 draw up; work out; formulate：我们公司最近~了一套非常严格的规章制度。 *Wǒmen gōngsī zuìjìn ~le yí tào fēicháng yángé de guīzhāng zhìdù*. Recently our company has worked out a very strict set of rules and regulations.｜秘书处为大会~了一份日程表。 *Mìshūchù wèi dàhuì ~le yí fèn rìchéngbiǎo*. The secretariat has formulated a schedule for the conference.

² **制定** zhìdìng〈动 v.〉定出(法律、计划、条例等) establish; map out; institute; set down; lay down; formulate; draft：这个方案是总工程师亲自领导~ *Zhège fāng'àn shì zǒnggōngchéngshī qīnzì lǐngdǎo ~ de*. This plan was laid down under the guidance of the engineer-in-chief in person.｜大家一起~的公约就应当共同遵守。 *Dàjiā yìqǐ ~ de gōngyuē jiù yīngdāng gòngtóng zūnshǒu*. We should all comply with the convention jointly laid down by all of us.

² **制度** zhìdù ❶〈名 n.〉要求有关人员遵守的规定、准则 institution; rules; regulations：会计~ *kuàijì* ~ accounting regulations｜财务~ *cáiwù* ~ financial regulations｜保密~ *bǎomì* ~ security regulations｜任何人都不能违反~。 *Rènhé rén dōu bù néng wéifǎn ~*. No one can violate the regulations. ❷〈名 n.〉在一定的历史条件下形成的政治、经济、文化等方面的体系 system：社会~ *shèhuì* ~ social system｜共产主义~ *gòngchǎn zhǔyì* ~ communist system

⁴ **制服** Ⅰ zhì/fú〈动 v.〉用强力压制使驯服 subdue; bring under control; fight down; tame; overwhelm; override; check：~洪水 ~ *hóngshuǐ* bring the flood under control; curb flood｜用强制手段是制不服人心的。 *Yòng qiángzhì shǒuduàn shì zhì bù fú rénxīn de*. Coercive measures will not help to win the support of the people. Ⅱ zhìfú〈名 n.〉（套tào、身shēn、件jiàn）军人、警察、学生等穿戴的统一式样的服装 uniform：你穿了这身~还挺帅的。 *Nǐ chuānle zhè shēn ~ hái tǐng shuài de*. You look quite handsome in this uniform.

⁴ **制品** zhìpǐn〈名 n.〉(种zhǒng、类lèi)加工而成的物品 products; goods; wares：陶~ *táo*~ pottery product｜金属~ *jīnshǔ* ~ metal products; metal goods; metal articles｜生物~ *shēngwù* ~ biological products｜塑料~ *sùliào* ~ plastic articles; plastic wares

⁴ **制约** zhìyuē〈动 v.〉牵制和约束 condition; restrict; restrain; limit：农业对整个国民经济的发展起着~作用。 *Nóngyè duì zhěnggè guómín jīngjì de fāzhǎn qǐzhe ~ zuòyòng*. Agriculture plays a restrictive role in the development of the national economy as a whole.｜自然界的各种现象是相互联系又相互~的。 *Zìránjiè de gèzhǒng xiànxiàng shì xiānghù liánxì yòu xiānghù ~ de*. Natural phenomena are both related to and restrained by each other.

² **制造** zhìzào ❶〈动 v.〉把原材料加工成可使用的物品 make; produce; turn out：~汽

车 ~ *qìchē* produce automobiles | ~电冰箱 ~ *diànbīngxiāng* manufacture refrigerators | 农具 ~厂 *nóngjù* ~*chǎng* factory of farm implements ❷〈动 v.〉人为地造成某种气氛和局面（含贬义）concoct; stir up; create; engineer; fabricate：~谎言 ~ *huǎngyán* fabricate rumors | ~恐怖气氛 ~ *kǒngbù qìfēn* create a terrifying atmosphere | ~障碍 ~ *zhàng'ài* raise obstacles | ~假象 ~ *jiǎxiàng* put up a false front

³ **制止** zhìzhǐ〈动 v.〉强迫停止 check; curb; prevent; stop; deter; interdict; refrain; hold out; put down; put a stay on; put a stop to：~侵略战争 ~ *qīnlüè zhànzhēng* put an end to the war of aggression | 盗版行为 ~ *dàobǎn xíngwéi* put down piracy | 必须坚决~以权谋私的不正之风。*Bìxū jiānjué* ~ *yǐquánmóusī de búzhèngzhīfēng.* We must be firm in putting an end to the malpractice of abusing power for one's personal gain.

³ **制作** zhìzuò 〈动 v.〉制造 make; manufacture：~家具 ~ *jiājù* make furniture | ~服装 ~ *fúzhuāng* make dresses | ~电视剧 ~ *diànshìjù* produce TV plays | 机器 ~ *jīqì* ~ machine-made; manufactured by machines | 手工 ~ *shǒugōng* ~ made by hand | 我们今天喝的酒是农家自己~的。*Wǒmen jīntiān hē de jiǔ shì nóngjiā zìjǐ ~ de.* The wine we drank today was home-brewed by the farmers themselves.

³ **质** zhì ❶〈名 n.〉性质；本质 nature; character; quality; property; essence：~变 ~*biàn* qualitative change | 蜕化变~ *tuìhuà-biàn* degenerate; deteriorate; retrograde | 这个人的品~恶劣。*Zhège rén de pǐn~ èliè.* This man is unprincipled. ❷〈名 n.〉质量 quality：劣~产品 liè~ *chǎnpǐn* product of poor quality | 优~优价 yōu~ *yōujià* of high quality and good price | 我们一定保~保量地完成任务。*Wǒmen yídìng bǎo~ bǎo liàng de wánchéng rènwù.* We must finish the task with both quality and quantity guaranteed. ❸〈名 n.〉质地；物质 matter; substance：木~家具 mù~ *jiājù* wooden furniture | 牛奶里含有钙。*Niúnǎi li hányǒu gài~.* Milk contains calcium. | 这位病人只能吃流~的食物。*Zhè wèi bìngrén zhǐnéng chī liú~ de shíwù.* This patient can only eat liquid food. ❹〈名 n.〉作抵押的东西 pledge; gage; guarantee; security; hostage：人~ *rén*~ hostage ❺〈动 v.〉询问；责问 ask; question：大家对他的文章提出了~疑。*Dàjiā duì tā de wénzhāng tíchūle* ~ *yí.* Everybody questioned the truth of his article. | 我要当面~问他为什么造谣。*Wǒ yào dāngmiàn ~ wèn tā wèishénme zàoyáo.* I want to question him face to face why he started the rumor. ❻〈形 adj.〉朴实 simple; natural; plain：他为人~朴忠厚。*Tā wéirén ~pǔ zhōnghòu.* He is simple and honest.

⁴ **质变** zhìbiàn〈名 n.〉事物本质的变化（区别于'量变'）qualitative change（different from '量变liàngbiàn'）：量变到一定的程度就会发生~。*Liàngbiàn dào yídìng de chéngdù jiù huì fāshēng* ~. Quantitative change will become qualitative change when it occurs to a certain extent.

⁴ **质量** zhìliàng ❶〈名 n.〉产品或工作的优劣程度（区别于'数量'）quality（different from '数量shùliàng'）：~检验 ~ *jiǎnyàn* quality inspection | ~合格 ~ *hégé* be qualified | 不能单纯追求数量，一定要注重~。*Bù néng dānchún zhuīqiú shùliàng, yídìng yào zhùzhòng* ~. We should not only aim at quantity, but also pay special attention to quality. | 学校必须狠抓教学~。*Xuéxiào bìxū hěn zhuā jiàoxué* ~. Schools should take pains to improve the quality of teaching. ❷〈名 n.〉物体中含物质的量 the quantity of matter a body contains; mass：这两种物体的~不同。*Zhè liǎng zhǒng wùtǐ de* ~ *bùtóng.* The mass of these two kinds of objects differs.

⁴ **质朴** zhìpǔ 〈形 adj.〉朴实；淳朴（与'浮华'相对）plain; unaffected; simple and unadorned; guileless（opposite to '浮华fúhuá'）：他那~的感情深深地打动了我。*Tā nà* ~ *de gǎnqíng shēnshēn de dǎdòngle wǒ.* I was deeply moved by his simple and

unadorned affection. ｜我非常喜欢他那~的文风。*Wǒ fēicháng xǐhuan tā nà ~ de wénfēng.* I like his simple writing style very much.

² **治** zhì ❶〈动 *v.*〉统治；管理 rule; govern; administer; manage：~国 ~*guó* administer a country; manage state affairs ｜民族自~ *mínzú zì*~ ethnic autonomy; autonomy of ethnic minority groups ❷〈动 *v.*〉整治；整理 control; harness：~水 ~*shuǐ* harness a river; water control ｜~山 ~*shān* forest a mountain ｜北京附近展开了大规模的防沙~沙工程。*Běijīng fùjìn zhǎnkāile dàguīmó de fáng shā ~ shā gōngchéng.* A large-scale project of sand prevention and control is in full swing near Beijing. ❸〈动 *v.*〉惩罚 punish：依法~罪 yīfǎ ~*zuì* punish sb. for a crime according to law ｜对于怙恶不悛的罪犯必须严加惩~。*Duìyú hù'è-bùquān de zuìfàn bìxū yánjiā chéng*~. We must punish those incorrigible criminals without leniency. ❹〈动 *v.*〉医治 treat; cure; heal：有病就要找大夫赶快~。*Yǒu bìng jiù yào zhǎo dàifu gǎnkuài* ~. Go to see a doctor quickly if there is anything wrong with you. ｜这是一家专~性病的诊所。*Zhè shì yì jiā zhuān ~ xìngbìng de zhěnsuǒ.* This is a clinic specialized in treating venereal diseases. ❺〈动 *v.*〉消灭（害虫）eliminate; wipe out; kill（pests）：这是一种专~蟑螂的药。*Zhè shì yì zhǒng zhuān ~ zhāngláng de yào.* This is a special insecticide against black beetles. ❻〈动 *v.*〉研究 study or research：我的老师是专~明清史的。*Wǒ de lǎoshī shì zhuān ~ Míngqīngshǐ de.* My teacher specializes in studying the history of the Ming and Qing Dynasties. ｜他~学一向严谨。*Tā ~xué yíxiàng yánjǐn.* He has always been meticulous in academic pursuits. ❼〈形 *adj.*〉太平；安定（与'乱'相对）stability and peace; order; peace（opposite to '乱 *luàn*'）：天下大~ *tiānxià dà*~ great order and peace in the world ｜此非长～久安之策。*Cǐ fēi cháng ~jiǔ'ān zhī cè.* This is not a policy for lasting political stability. ❽〈名 *n.*〉旧时中国称地方政府的所在地（old term for）site of a local government; old seat of a local government：县~ *xiàn*~ county seat; the seat of a county government ｜省~ *shěng*~ provincial capital; the seat of a provincial government

⁴ **治安** zhì'ān〈名 *n.*〉社会的秩序 public order; public security：维持~ *wéichí* ~ maintain public order ｜加强~ *jiāqiáng* ~ reinforce public order ｜扰乱~ *rǎoluàn* ~ disturb public order ｜这些年的社会~状况有明显的好转。*Zhèxiē nián de shèhuì ~ zhuàngkuàng yǒu míngxiǎn de hǎozhuǎn.* Public order has been greatly improved in recent years.

⁴ **治理** zhìlǐ ❶〈动 *v.*〉统治；管理 rule; govern; control; manage：~国家 ~ *guójiā* administer a country; run a state ｜这一带的治安十分混乱，需要~整顿。*Zhè yídài de zhì'ān shífēn hùnluàn, xūyào ~ zhěngdùn.* Public order in this area is in great chaos and needs to be improved. ❷〈动 *v.*〉整修；整治 harness; bring under control; put in order：~洪水 ~ *hóngshuǐ* bring floods under control ｜~荒山 ~ *huāngshān* forest barren hills ｜要把小区附近的环境好好儿~一下。*Yào bǎ xiǎoqū fùjìn de huánjìng hǎohāor ~ yíxià.* Make clean and tidy the nearby environment of this residential district.

³ **治疗** zhìliáo〈动 *v.*〉用药物、手术等手段消除疾病 treat; cure：~方案 ~ *fāng'àn* therapeutic scheme ｜温泉浴对于~风湿性关节炎十分有效。*Wēnquán yù duìyú ~ fēngshīxìng guānjiéyán shífēn yǒuxiào.* Hot spring bathing is very effective to treat rheumatoid arthritis. ｜你的病必须住院。*Nǐ de bìng bìxū zhùyuàn* ~. You have to be hospitalized.

³ **致** zhì ❶〈动 *v.*〉给予；送达 send; extend：~函 ~*hán* send a letter to sb.; write to sb. ｜~电 ~*diàn* send a telegram ❷〈动 *v.*〉表达（礼节、情意等）deliver; express：~谢 ~*xiè* express or extend one's thanks ｜~敬礼 ~ *jìnglǐ* salute; with best wishes ｜~欢迎词 ~ *huānyíngcí* deliver a welcoming speech ❸〈动 *v.*〉招致 incur; invite; induce; bring

on; lead; beget; result in; cause：~使 ~*shǐ* cause; result in; bring about; lead to; render｜这种食品含有~癌物质，已禁止生产。 *Zhè zhǒng shípǐn hányǒu ~ái wùzhì, yǐ jìnzhǐ shēngchǎn.* This kind of food contains carcinogenic substance and is prohibited from production. ｜每年因车祸~死的人数超过100人。 *Měi nián yīn chēhuò ~ sǐ de rénshù chāoguò yìbǎi rén.* Every year the number of people killed in traffic accidents exceeds one hundred. ❹〈动 v.〉集中（意志、力量等）put into sth.; concentrate on; devote to; focus on：专心~志 *zhuānxīn--zhì* take one's preoccupation with; be devoted to sth. wholeheartedly; be wholly absorbed in; with great presence of mind; put one's back into sth.｜孙中山先生~力于国民革命凡四十年。 *Sūn Zhōngshān xiānsheng ~lì yú guómín gémìng fán sìshí nián.* Mr. Sun Yat-sun had devoted himself to the national revolution for forty years. ❺〈动 v.〉达到 achieve; reach; arrive at; live up to; attain; obtain：学以~用 *xuéyǐ~yòng* study sth. in order to apply it; study for the purpose of application ❻〈名 n.〉情趣 interest; appeal; delight：我可没有你那份吟诗作画的雅~。 *Wǒ kě méiyǒu nǐ nà fèn yínshī zuòhuà de yǎ~.* Unlike you, I am not in that easy mood to recite poems and draw paintings. ｜总统夫人兴~勃勃地观看了孩子们的精彩表演。 *Zǒngtǒng fūren xìng~bóbó de guānkànle háizimen de jīngcǎi biǎoyǎn.* The First Lady watched the children's performance in high spirits. ❼〈形 adj.〉精密；细密 fine; delicate：精~*jīng*~ exquisite｜细~周到的服务 xì~ *zhōudào de fúwù* careful and considerate service ❽〈形 adj.〉漂亮 pretty; beautiful：这位小姐长得非常标~。 *Zhè wèi xiǎojiě zhǎng de fēicháng biāo~.* This lady is very beautiful.

⁴ **致词** zhì//cí〈动 v.〉在某种仪式上发表讲话，亦作'致辞' address; make a speech, also '致辞zhìcí'：现在请来宾~。 *Xiànzài qǐng láibīn ~.* Now let's welcome the guest to make an address. ｜大会主席在会上致了开幕词。 *Dàhuì zhǔxí zài huì shang zhìle kāimùcí.* The chairman of the conference delivered an opening speech.

⁴ **致电** zhìdiàn〈动 v.〉发电报表示祝贺、感谢、哀悼、慰问等 send a telegram

⁴ **致富** zhìfù〈动 v.〉达到富裕的程度 become rich; acquire wealth; make a fortune：发家~*fājiā* build up a family fortune; get rich｜他向大家介绍了他们村脱贫~的经验。 *Tā xiàng dàjiā jièshàole tāmen cūn tuōpín ~ de jīngyàn.* He introduces to us his experience of shaking off poverty and building up a fortune. ｜我们要努力拓宽~的门路。 *Wǒmen yào nǔlì tuòkuān ~ de ménlù.* We should work hard to create more opportunities to become rich.

⁴ **致敬** zhìjìng 〈动 v.〉向人敬礼或以以敬意 salute; pay one's respects to; pay tribute to：向英雄们~。 *Xiàng yīngxióngmen ~.* Salute the heroes!

⁴ **致使** zhìshǐ〈动 v.〉由于某种原因使得（产生不好的结果）(of bad results) cause; result in; bring about; lead to; render：由于扳道工玩忽职守，~两列火车相撞。 *Yóuyú bāndàogōng wánhū-zhíshǒu, ~ liǎng liè huǒchē xiāngzhuàng.* Due to the pointsman's negligence of duty, the two trains came into collision. ｜由于连年遭灾,~这个村的百姓衣食无着。 *Yóuyú liánnián zāo zāi, ~ zhège cūn de bǎixìng yīshí wú zhuó.* Having been hit by natural calamities for years in succession, the villagers are short of clothing and food.

² **秩序** zhìxù 〈名 n.〉整齐有条理的状况 order：交通~*jiāotōng* ~ traffic order; sequence of traffic｜公共~*gōnggòng* ~ public order｜社会~十分稳定。 *Shèhuì ~ shífēn wěndìng.* Social order is very stable. ｜请大家注意维持会场的~。 *Qǐng dàjiā zhùyì wéichí huìchǎng de ~.* Please keep order in the meeting room.

¹ **掷** zhì〈动 v.〉投、扔、抛 throw; cast; fling; toss：铅球~远 *qiānqiú ~yuǎn* shot throw｜

投~手榴弹 tóu~ *shǒuliúdàn* throw a grenade ｜孤注一一（比喻在危急的时候用尽所有的力量作最后一次冒险）*gūzhù-yí-* （*bǐyù zài wēijí de shíhou yòngjìn suǒyǒu de lìliàng zuò zuìhòu yí cì màoxiǎn*）stake all on a single throw; put all one's eggs in one basket; a desperate remedy; a desperate attempt （fig. risk everything in a single venture when facing a desperate situation or at a critical moment）｜一~千金（指用钱满不在乎，挥霍无度）*yí~qiānjīn* （*zhǐ yòngqián mǎnbúzàihū, huīhuò wúdù*）spend gold on one throw; stake a thousand pieces of gold on one throw （throw away money like dirt; spend money like water）

³ **智慧** zhìhuì 〈名 n.〉辨析、判断、发明、创造事物的能力 wisdom; intelligence：这是一种可以启迪儿童~的游戏。*Zhè shì yì zhǒng kěyǐ qǐdí értóng ~ de yóuxì.* It's a game that can give inspiration to children. ｜这座建筑是中国古代工匠的~的结晶。*Zhè zuò jiànzhù shì Zhōngguó gǔdài gōngjiàng ~ de jiéjīng.* This building is a crystallization of the wisdom of Chinese ancient craftsmen.

⁴ **智力** zhìlì 〈名 n.〉认识和理解客观事物，并运用知识和经验解决问题的能力 intelligence; intellect：~游戏 ~ *yóuxì* intelligence game; quiz game ｜开发 ~ *kāifā* develop intellectual resources ｜这个孩子~超群。*Zhège háizi ~ chāoqún.* This child is of superior intelligence. ｜我年纪大了，~也开始衰退了。*Wǒ niánjì dà le, ~ yě kāishǐ shuāituì le.* My intelligence begins to wear away as I get old.

⁴ **智能** zhìnéng ❶〈名 n.〉智慧和能力 intelligence and ability：~测验 ~ *cèyàn* an intelligence test ｜要注意对儿童的~的培养。*Yào zhùyì duì értóng ~ de péiyǎng.* Pay attention to the cultivation of children's intelligence. ❷〈名 n.〉具有代替人的智慧和能力的功能的 intelligent; with human-like intelligence or ability：~机器人 ~ *jīqìrén* intelligent robot ｜~型电器 ~*xíng diànqì* smart electrical appliance

⁴ **置** zhì ❶〈动 v.〉放；搁 place; put; set; keep：安 ~ *ān~* emplace; resettle; arrange for; find a place for; help sb. to settle down ｜放~ *fàng~* lay up; lay aside ｜你这样做不是要将他~于死地吗！*Nǐ zhèyàng zuò bú shì yào jiāng tā ~yúsǐdì ma!* You will simply ruin him by doing this. ｜见到这群可爱的孩子，他将所有的烦恼都~于脑后了。*Jiàndào zhè qún kě'ài de háizi, tā jiāng suǒyǒu de fánnǎo dōu ~yúnǎohòu le.* He banished all his worries from his mind at the sight of these lovely children. ❷〈动 v.〉购买 purchase; buy：我的新房里还需要添~几件家具。*Wǒ de xīnfáng li hái xūyào tiān~ jǐ jiàn jiājù.* I still need to buy some pieces of furniture for my bridal chamber. ｜父亲为我们~下了一份家业。*Fùqīn wèi wǒmen ~xiàle yí fèn jiāyè.* My father has earned a piece of property for us. ❸〈动 v.〉设立；配备 establish; install; set up; dispose; lay; form：这间房间布~的不错。*Zhè jiān fángjiān bù~ de búcuò.* This room is beautifully decorated. ｜这台电脑的配~不高。*Zhè tái diànnǎo de pèi~ bù gāo.* This couputer is poorly configured.

¹ **中** zhōng ❶（Zhōng）〈名 n.〉指中国 China：~文 ~*wén* Chinese ｜~医 ~*yī* traditional Chinese medicine ｜~药 ~*yào* traditional Chinese drugs ｜~外文化交流 ~*wài wénhuà jiāoliú* cultural exchange between China and foreign countries ｜~西合璧 ~*xī-hébì* a combination of Chinese and Western （techniques）; integration of Chinese and Western styles ❷〈名 n.〉与四周距离相等的位置或地点 center; middle：~指 ~ *zhǐ* middle finger ｜居~ *jū~* be placed in the middle ｜~央 ~*yāng* center; middle; central authorities ｜~途 ~*tú* halfway ❸〈名 n.〉里面 in; among; amidst; amid：外强~干 *wàiqiáng~~gān* strong in appearance but weak in reality; be tough outside but brittle inside ｜这件事在群众~造成了极坏的影响。*Zhè jiàn shì zài qúnzhòng ~ zàochéngle jí huài de yǐngxiǎng.* This event had a very bad influence on the masses. ❹〈名 n.〉过程中

in the course of; in the process of：他的案件正在审理~. *Tā de ànjiàn zhèngzài shěnlǐ ~.* His case is under adjudication. | 中国是最大的发展~国家. *Zhōngguó shì zuì dà de fāzhǎn ~ guójiā.* China is the largest developing country in the world. ❺〈名 *n.*〉大小、先后、等级、性质处于两端之间的 medium; intermediate; middle：~等个头 *~děng gètóu* of middle height; of middle size | 期~考试 *qī ~ kǎoshì* mid-term examination | 人到~年 *rén dào ~nián* be at one's middle age; be middle-aged | ~层干部 *~céng gànbù* middle-level cadres | ~性词 *~xìngcí* neutral word; neuter ❻〈名 *n.*〉不偏不倚的 impartial; even-handed; neutral; mean; halfway between two extremes：~立 *~lì* neutral; cross-bench; non-aligned | 我们还是寻求一个折~方案吧. *Wǒmen háishì xúnqiú yí gè zhé~ fāng'àn ba.* Let's seek for a compromise scheme. ❼〈名 *n.*〉为双方调解或作证的人 go-between; mediator; middleman; intermediary：~人 *~rén* go-between; middleman; mediator; intermediary ❽〈动 *v.*〉适合；适宜 suitable for; fit for; good for; equal to：我年纪大了，不~用了. *Wǒ niánjì dà le, bù ~yòng le.* I am old and good for nothing. | 你怎么就不会说点儿~听的话呢？ *Nǐ zěnme jiù bú huì shuō diǎn ~tīng de huà ne?* Why can't you make any agreeable remarks? ❾〈形 *adj.* 方 *dial.*〉行；好；成 all right; fine; good; OK：我看你这个办法~. *Wǒ kàn nǐ zhège bànfǎ ~.* I think your way will work.

☞ zhòng, p. 1300

³ **中部** zhōngbù〈名 *n.*〉中间的部分 central section; middle part：~地区 *~ dìqū* central region | 河南省位于中国的~. *Hénán Shěng wèiyú Zhōngguó de ~.* Henan is located in the middle of China.

² **中餐** zhōngcān〈名 *n.*〉中国式的饭菜（区别于'西餐'）Chinese meal; Chinese food; Chinese cuisine（different from '西餐xīcān'）：~馆 *~guǎn* Chinese food restaurant | 许多外国人都喜欢吃~. *Xǔduō wàiguórén dōu xǐhuan chī ~.* Many foreigners like to eat Chinese meals.

⁴ **中等** zhōngděng〈形 *adj.*〉介于高等、初等，上等、下等之间的 medium; middling; moderate; average; secondary：~水平 *~ shuǐpíng* average level | ~程度 *~ chéngdù* moderate extent | ~规模 *~ guīmó* average scale | ~身材 *~ shēncái* of medium height; of middle size | ~城市 *~ chéngshì* medium-sized city | ~发达国家 *~ fādá guójiā* an average developed country

³ **中断** zhōngduàn〈动 *v.*〉中途停止或断绝 interrupt; discontinue; suspend; come to stop; intermit; break down；break off：我和他的联系已经~多年了. *Wǒ hé tā de liánxì yǐjīng ~ duō nián le.* I have lost contact with him for years. | 一场泥石流使这里的交通~. *Yì chǎng níshíliú shǐ zhèlǐ de jiāotōng ~.* The traffic here is cut off by the landslide.

¹ **中间** zhōngjiān ❶〈名 *n.*〉里面 among; between：他在学生~很有威信. *Tā zài xuésheng ~ hěn yǒu wēixìn.* He enjoys great prestige among the students. | 他在文章~多处提到了您对他的帮助. *Tā zài wénzhāng ~ duō chù tídàole nín duì tā de bāngzhù.* He mentioned your help many times in his article. ❷〈名 *n.*〉中心 center; middle：舞台的~摆着一台钢琴. *Wǔtái de ~ bǎizhe yì tái gāngqín.* A piano is placed in the centre of the stage. | 湖~有几条小船. *Hú ~ yǒu jǐ tiáo xiǎo chuán.* There are several boats in the middle of the lake. ❸〈名 *n.*〉事物的两头或两个事物之间 between：从我家到公司上班，~要换两趟车. *Cóng wǒ jiā dào gōngsī shàngbān, ~ yào huàn liǎng tàng chē.* I have to change buses twice on the way from my home to the company. | 他们两口子结婚快五十年了，~从没红过一次脸. *Tāmen liǎngkǒuzi jiéhūn kuài wǔshí nián le, ~ cóng méi*

hóngguo yí cì liǎn. They have never quarreled with each other since they got married nearly fifty years ago. ❹〈形 *adj.*〉处于两种对立状态之间的 intermediate; middle：~状态 - *zhuàngtài* intermediate state │ ~道路 - *dàolù* middle road; middle course

⁴ **中立** zhōnglì〈动 *v.*〉处于对立双方之间，不倾向或偏袒任何一方 be neutral：~国 ~*guó* neutral state; neutral nation │ ~态度 - *tàidù* attitude of neutrality; neutral attitude │ ~政策 ~ *zhèngcè* policy of neutrality

³ **中年** zhōngnián〈名 *n.*〉介于青年和老年之间，指四五十岁的人 middle age：~人 ~*rén* a middle-aged person │ 这些~教师是我们学校的骨干。 *Zhèxiē ~ jiàoshī shì wǒmen xuéxiào de gǔgàn.* These middle-aged teachers are the backbone of our school.

⁴ **中秋** Zhōngqiū〈名 *n.*〉中国农历八月十五日，是中国的传统节日，有赏月和吃月饼的习俗 the Mid-autumn Festival（15th day of the 8th lunar month），when people observe such customs as enjoying the bright full moon and eating moon cakes：~佳节是一家人团圆的日子。 ~ *jiājié shì yìjiārén tuányuán de rìzi.* The Mid-autumn Festival is the day for family reunion.

⁴ **中途** zhōngtú ❶〈名 *n.*〉半路；途中 halfway; midway：京九铁路建成后，从北京到香港乘火车~不用换车了。 *Jīngjiǔ tiělù jiànchéng hòu, cóng Běijīng dào Xiānggǎng chéng huǒchē ~ búyòng huàn chē le.* When the Beijing-Kowloon Railway（Jing-Jiu Railway）is open to traffic, there is no need to change the train halfway from Beijing to Hong Kong. ❷〈名 *n.*〉过程的中间 halfway; midway：~退学 - *tuìxué* discontinue one's study halfway; drop out of school │ ~改行 ~ *gǎiháng* change one's profession │ 你既然答应帮他的忙，就不应该~变卦。 *Nǐ jìrán dāyìng bāng tā de máng, jiù bù yīnggāi biànguà.* Since you have promised to help him, you shouldn't go back on your words.

¹ **中文** Zhōngwén ❶〈名 *n.*〉即汉语 Chinese; the Chinese language：他能说一口流利的~。 *Tā néng shuō yìkǒu liúlì de ~.* He can speak Chinese very fluently. │ ~是联合国的工作语言之一。 ~ *shì Liánhéguó de gōngzuò yǔyán zhīyī.* Chinese is one of the working languages of the United Nations. │ 他在巴黎开了一家~书店。 *Tā zài Bālí kāile yì jiā ~ shūdiàn.* He opened a bookstore of Chinese books in Paris. ❷〈名 *n.*〉中国的语言文学专业 the language and literature of China：他是北京大学~系教授。 *Tā shì Běijīng Dàxué ~xì jiàoshòu.* He is a professor of the Chinese Department of PekingUniversity.

¹ **中午** zhōngwǔ 〈名 *n.*〉白天12点左右的时间 noon; midday：我每天~在学校食堂就餐。 *Wǒ měitiān ~ zài xuéxiào shítáng jiùcān.* Every day I have my lunch at the dining hall of our school. │ 老年人应在~睡一会儿午觉。 *Lǎoniánrén yīng zài ~ shuì yíhuìr wǔjiào.* The elderly should get a nap at noon.

² **中心** zhōngxīn ❶〈名 *n.*〉跟周围的距离大致相等的位置 center; middle; heart; core; hub; focus; epicenter：市~ - *shì* ~ the center of the city │ 花园的~有一个喷水池。 *Huāyuán de ~ yǒu yí gè pēnshuǐchí.* There is an artificial fountain at the center of the garden. ❷〈名 *n.*〉事物的主要部分 main; chief; body：~任务 ~ *rènwù* major task │ ~工作 ~ *gōngzuò* central task │ 这次会议的~议题就是如何提高汉语教学的质量。 *Zhè cì huìyì de ~ yìtí jiùshì rúhé tígāo Hànyǔ jiàoxué de zhìliàng.* The central topic for this meeting is how to improve the quality of Chinese teaching. ❸〈名 *n.*〉在某方面居重要地位的城市或地区 center（a place that plays an important role）：经济~ - *jīngjì* ~ economic center │ 北京是中国的政治~和文化~。 *Běijīng shì Zhōngguó de zhèngzhì ~ hé wénhuà ~.* Beijing is the political and cultural center of China. ❹〈名 *n.*〉某一方面起重要作用的机构或单位（常作单位名称）institution or organization with a complete set of facilities, technology, etc.（often used in the name of a business or organization）：~学

Z

校～*xuéxiào* central school; key school │ 电器维修～*diànqì wéixiū* ~ service center for electronic appliances │ 中国文化～*Zhōngguó wénhuà* ~ Chinese cultural center

⁴ **中型** zhōngxíng 〈形 *adj.*〉形状或规模不大不小的 medium-sized; medium; middle-sized: ～汽车～*qìchē* medium-sized car │ ～水库～*shuǐkù* medium-sized reservoir │ ～水电站～*shuǐdiànzhàn* medium-sized hydroelectric (power) station

¹ **中学** zhōngxué ❶〈名 *n.*〉中等教育学校(区别于'小学''大学') middle school; high school; secondary school (different from '小学xiǎoxué' and '大学dàxué'): 初级～*chūjí* ~ junior middle school │ 高级～*gāojí* ~ senior high school │ 职业～*zhíyè* ~ vocational school ❷〈名 *n.*〉清末和'五四'前后称中国的传统学术(区别于'西学') a term used in late Qing Dynasty and the period of May 4th Movement for China's traditional learning (different from '西学xīxué'): ～为体,西学为用。 ～ *wéi tǐ, xīxué wéi yòng.* Chinese learning as the fundamental; Western learning for practical use.

³ **中旬** zhōngxún 〈名 *n.*〉每月十一日至二十日的十天时间 the middle ten days of a month: 8月～我们就要放暑假了。 *Bā yuè ~ wǒmen jiù yào fàng shǔjià le.* Our summer vacation will begin somewhere in the middle ten days of August. │职工大会将于本月～召开。 *Zhígōng dàhuì jiāng yú běn yuè ~ zhàokāi.* The workers and staff's conference will be convened sometime in the middle ten days of this month.

² **中央** zhōngyāng ❶〈名 *n.*〉正中间;中心的地方 center; middle: 湖～有一个小岛。 *Hú ~ yǒu yí gè xiǎo dǎo.* There is a small island at the center of the lake. │一座纪念碑矗立在广场～。 *Yí zuò jìniànbēi chùlì zài guǎngchǎng ~.* A monument tower alofts at the center of the square. ❷〈名 *n.*〉国家政权或政治团体的最高领导机构 central authority: ～政府～*zhèngfǔ* the central government │ 中共～*Zhōnggòng* ~ the Central Committee of the Communist Party of China │民盟～*Mínméng* ~ the Central Committee of the Chinese Democratic League

⁴ **中药** zhōngyào〈名 *n.*〉(剂jì、副fù)中医用来治病的药物,多用植物、动物、矿物炮制而成(区别于'西药') traditional Chinese drugs (different from '西药xīyào'): 一般说来,～的副作用较小。 *Yìbān shuōlái, ~ de fùzuòyòng jiào xiǎo.* Generally speaking, the side effect of the traditional Chinese medicines is relatively small. │～要用文火慢慢煎。 ～ *yào yòng wénhuǒ mànmàn jiān.* The traditional Chinese medicines should be decocted on small fire. │你这病吃三副～就能好。 *Nǐ zhè bìng chī sān fù ~ jiù néng hǎo.* You will soon recover after three doses of this traditional Chinese medicine.

³ **中医** zhōngyī ❶〈名 *n.*〉中国的传统医学(区别于'西医') traditional Chinese medicine (different from '西医xīyī'): ～学～*xué* traditional Chinese medicine │～和西医相结合能够取得更好的疗效。 ～ *hé xīyī xiāng jiéhé nénggòu qǔdé gèng hǎo de liáoxiào.* The treatment with traditional Chinese medicine and Western medicine combined can achieve better curative effect. ❷〈名 *n.*〉(位wèi、名míng、个gè)用中医理论和方法治病的医生(区别于'西医') doctor of traditional Chinese medicine; practitioner of traditional Chinese medicine (different from '西医xīyī'): 这位老～不但医术高超,而且医德高尚。 *Zhè wèi lǎo ~ búdàn yīshù gāochāo, érqiě yīdé gāoshàng.* This old practitioner of traditional Chinese medicine is superb in both medical skills and medical ethics.

⁴ **中游** zhōngyóu ❶〈名 *n.*〉江河的中间一段(区别于'上游''下游') middle reaches of a river (different from '上游shàngyóu' and '下游xiàyóu'): 武汉市位于长江～。 *Wǔhàn Shì wèiyú Cháng Jiāng ~.* The city of Wuhan is located on the middle reaches of the Yangtze River. ❷〈名 *n.*〉比喻处于比上不足比下有余的地位或水平(区别于'上游''下游') the state of being middling; so-so; mediocre (different from '上游

shàngyóu' and '下游xiàyóu'）：甘居~就是不求上进。*Gānjū ~ jiùshì bùqiú-shàngjìn.* Being willing in the middle position means not striving to make progress.

⁴ **中原** Zhōngyuán 〈名 n.〉指中国的黄河中下游地区；泛指中国 Central Plains; the middle and lower reaches of the Yellow River; China: 逐鹿~(比喻争夺帝位，争夺天下) zhúlù~ (*bǐyù zhēngduó dìwèi, zhēngduó tiānxià*) chase the deer on the Central Plains (*fig.* try to seize control of the empire) | ~地区是中国文化的发源地。*~ dìqū shì Zhōngguó wénhuà de fāyuándì.* The Central Plains is the cradle of Chinese culture.

³ **忠诚** zhōngchéng 〈形 adj.〉真心诚意；尽心尽力 loyal; faithful; staunch; devoted; honest; truthful: 他是一位~可靠的朋友。*Tā shì yí wèi ~ kěkào de péngyou.* He's a loyal and trustworthy friend. | 他对自己从事的教育事业无限~。*Tā duì zìjǐ cóngshì de jiàoyù shìyè wúxiàn ~.* He's wholeheartedly devoted to his educational career.

³ **忠实** zhōngshí ❶〈形 adj.〉忠诚老实 devoted; faithful; loyal; staunch: ~的伴侣 – de bànlǚ faithful companion | ~的奴才 – de núcai faithful flunkey | 他为公司~地服务了30年，竟被老板解雇了。*Tā wèi gōngsī – de fúwùle sānshí nián, jìng bèi lǎobǎn jiěgù le.* He has devoted himself to the company for thirty years, only to be fired by the boss. ❷〈形 adj.〉真实的；不虚假的 true; real: '鞠躬尽瘁，死而后已'是对他的一生的~写照。*'Jūgōngjìncuì, sǐ'érhòuyǐ' shì duì tā de yìshēng de ~ xiězhào.* 'Giving his best till his heart ceases to beat' is a true portrayal of his life. | 影片~地记录了那个年代人民的生活。*Yǐngpiàn – de jìlùle nàge niándài rénmín de shēnghuó.* The movie was a real record of the people's life during those years.

⁵ **忠于** zhōngyú 〈动 v.〉忠诚地对待 be loyal to; be faithful to; be true to; be devoted to: 他是一名~祖国的战士。*Tā shì yì míng ~ zǔguó de zhànshì.* He's a soldier loyal to his motherland. | 他是一位~职守的好警察。*Tā shì yí wèi ~zhíshǒu de hǎo jǐngchá.* He's a good policeman devoted to his duty.

⁵ **忠贞** zhōngzhēn 〈形 adj.〉忠诚坚贞 loyal and steadfast; staunch; allegiant; single-minded: 她那~的爱情深深地打动了我。*Tā nà ~ de àiqíng shēnshēn de dǎdòngle wǒ.* I was deeply moved by her loyal and steadfast love. | 他对于人民的事业始终~不渝。*Tā duìyú rénmín de shìyè shǐzhōng ~bùyú.* He is unswerving in his loyalty to the people's cause.

⁴ **终** zhōng ❶〈名 n.〉事情、事物的结局（与'始'相对）end; finish (opposite to '始 shǐ'): 善始善~ shànshǐ-shàn do well from start to finish; start well and end well | 他这个孩子做事从来是有始无~。*Tā zhège háizi zuòshì cónglái shì yǒushǐ-wú~.* The child always likes to start something without carrying it through. | 他们说话的时候我自始至~都在场。*Tāmen shuōhuà de shíhou wǒ zìshǐ-zhì~ dōu zàichǎng.* I was there from beginning to end when they talked. ❷〈形 adj.〉自始至终的 whole; entire; all; throughout: ~身教授~shēn jiàoshòu life professor | 饱食~日无所用心。*Bǎoshí~rì wúsuǒyòngxīn.* Eat all day without exerting one's mind. ❸〈动 v.〉指人死亡 death; end: 这是他临~留下的遗嘱。*Zhè shì tā lín~ liúxià de yízhǔ.* This is the will he left when he was dying. | 他就指望这个养女为他养老送~呢。*Tā jiù zhǐwàng zhège yǎngnǚ wèi tā yǎnglǎo-sòng~ ne.* He is counting on this adopted daughter to look after him in his old age and give him a proper burial after he passes away. ❹〈副 adv.〉终归；到底 eventually; after all; in the end: 经过10场艰苦的比赛我队~获全胜。*Jīngguò shí chǎng jiānkǔ de bǐsài wǒ duì ~ huò quán shèng.* After ten tough matches, our team eventually won.

⁴ **终点** zhōngdiǎn ❶〈名 n.〉一段路程结束的地方（与'起点'相对）end; terminal;

destination (opposite to '起点qǐdiǎn'): ~站 ~zhàn terminal station; terminal; terminus ｜我们这次欧洲游的~是罗马。*Wǒmen zhè cì Ōuzhōuyóu de ~ shì Luómǎ.* Our destination of this European tour is Rome. ❷〈名 *n.*〉特指径赛的终止的地点(与'起点qǐdiǎn'相对) finishing line (of a track event); finish (opposite to '起点qǐdiǎn'): ~线 ~*xiàn* finishing line; finishing tape ｜他最先跑到了~。*Tā zuì xiān pǎodàole ~.* He was the first one to reach the finishing line. ❸〈名 *n.*〉比喻人生的最后时刻 end: 他已走到了生命的~。*Tā yǐ zǒudàole shēngmìng de ~.* He has approached his end.

⁴ **终端** zhōngduān〈名 *n.*〉电子计算机系统中用来发指令和接收信息的装置 (computer) terminal: ~设备 ~ *shèbèi* terminal equipment

⁴ **终究** zhōngjiū〈副 *adv.*〉毕竟;终归 after all; in the end; eventually: 他~还是个孩子,怎能经受这么大的压力呢!*Tā ~ hái shì gè háizi, zěn néng jīngshòu zhème dà de yālì ne!* After all he is still a child, and how can he stand so great pressure? ｜不按客观规律办事,~要失败的。*Bú àn kèguān guīlǜ bànshì, ~ yào shībài de.* One will be doomed to failure in the end if he doesn't handle affairs in accordance with objective laws.

⁴ **终年** zhōngnián ❶〈名 *n.*〉全年;一年到头 all year round; throughout the year: 山上~积雪。*Shān shang ~ jīxuě.* The mountain is perennially covered with snow. ｜这间房间朝北,~见不到阳光。*Zhè jiān fángjiān cháo běi, ~ jiàn bú dào yángguāng.* This room faces the north, and is not exposed to sunlight throughout the year. ❷〈名 *n.*〉指人死的时候的年龄 the age at which one dies: ~75岁 ~ *qīshíwǔ suì* died at the age of 75

³ **终身** zhōngshēn ❶〈名 *n.*〉一生;一辈子 life; lifetime; for life; lifelong; all one's life: 他被聘为我校的~教授。*Tā bèi pìn wéi wǒ xiào de ~ jiàoshòu.* He is honored as a life professor of our school. ｜要废除干部的~制。*Yào fèichú gànbù de ~zhì.* The life-long tenure of cadres should be abolished. ❷〈名 *n.*〉婚姻大事(多指女方) marriage: 这是女儿的~大事,不能草率了事。*Zhè shì nǚ'ér de ~ dàshì, bù néng cǎocǎo liǎoshì.* Marriage is such a great event in our daughter's life that we cannot get it done slovenly.

² **终于** zhōngyú〈副 *adv.*〉表示经过一番努力或许多挫折后最终出现的情况 finally; at last; in the end; eventually; at length; in the event; ultimately: 我登山队~登上了珠穆朗玛峰。*Wǒ dēngshānduì ~ dēngshàngle Zhūmùlǎngmǎ Fēng.* Our mountaineering expedition finally succeeded in scaling Mount Qomolangma. ｜我们~试验成功了。*Wǒmen ~ shìyàn chénggōng le.* We finally succeeded in the experiment.

⁴ **终止** zhōngzhǐ〈动 *v.*〉停止;结束 stop; end; cease; suspend; halt; conclude; wind up; be over; close: ~合同 ~ *hétong* terminate a contract ｜我因家庭经济困难不得不~学业。*Wǒ yīn jiātíng jīngjì kùnnan bùdébù ~ xuéyè.* I had to quit school due to the financial difficulties of my family.

¹ **钟** zhōng ❶〈名 *n.*〉(口kǒu)金属制成的中空响器 bell: 北京有一个古~博物馆,名叫大~寺。*Běijīng yǒu yí gè gǔ ~ bówùguǎn, míng jiào Dà~sì.* There is a museum of ancient bells in Beijing, named the Great Bell Temple. ｜做一天和尚撞一天~(比喻得过且过地混日子) *Zuò yì tiān héshàng zhuàng yì tiān ~ (bǐyù déguò-qiěguò de hùn rìzi).* Go on tolling the bell as long as one is a monk (*fig.* take a passive attitude towards one's work). ❷〈名 *n.*〉(座zuò、个gè)计时的器具 clock: 我昨天买了一个闹~。*Wǒ zuótiān mǎile yí gè nào~.* Yesterday I bought an alarm clock. ❸〈名 *n.*〉指钟点;时间 time as measured in hours and minutes: 现在已经是午夜12点~了。*Xiànzài yǐjīng shì wǔyè shí'èr diǎn ~ le.* Now it's already twelve o'clock at midnight. ｜再过5分~就可以开饭了。*Zài guò wǔ fēn~ jiù kěyǐ kāifàn le.* The meal will be ready in five minutes. ｜他仅仅比你快了半秒~。*Tā jǐnjǐn bǐ nǐ kuàile bàn miǎo~.* He is only half a second quicker

than you. ❹〈动 v.〉集中；专注 concentrate on; focus on：她对你一见~情。 *Tā duì nǐ yíjiàn-~qíng.* She fell in love with you at first sight. | 老奶奶十分~爱她的小孙子。 *Lǎo nǎinai shífēn ~ài tā de xiǎo sūnzi.* The old grandma dotes on her little grandson.

⁴ **钟表** zhōngbiǎo 〈名 n.〉钟和表的总称 clocks and watches; timekeepers; timepieces; horologes：~店 ~diàn watchmaker's shop | 他是一名修理~的技工。 *Tā shì yì míng xiūlǐ ~ de jìgōng.* He is a mechanic worker of repairing clocks and watches.

¹ **钟点** zhōngdiǎn ❶〈名 n.〉指一定的时间 a time for sth. to be done or to happen：商店都是按~关门的。 *Shāngdiàn dōushì àn ~ guānmén de.* Shops are all closed when the time comes. | 这种药一定要按~服用。 *Zhè zhǒng yào yídìng yào àn ~ fúyòng.* This medicine must be taken punctually. ❷〈名 n.〉小时 hour：~工按~计酬。 *~gōng àn ~ jì chóu.* Timeworkers are paid by the hour.

¹ **钟头** zhōngtóu 〈名 n. 口 colloq.〉（个gè）小时 hour：还有半个~我们就能登上山顶了。 *Háiyǒu bàn gè ~ wǒmen jiù néng dēngshàng shāndǐng le.* We will get to the top of the mountain in half an hour. | 我花了足足三个~才看完他的这篇文章。 *Wǒ huāle zúzú sān gè ~ cái kànwán tā de zhè piān wénzhāng.* It took me full three hours to read through his article.

³ **衷心** zhōngxīn 〈形 adj.〉真心的；发自内心的 hearty; heartfelt; wholehearted; cordial：老校长一生献身教育事业，受到全校师生的~爱戴。 *Lǎo xiàozhǎng yìshēng xiànshēn jiàoyù shìyè, shòudào quán xiào shīshēng de ~ àidài.* Having devoted his whole life to education, the old headmaster won the wholehearted love and esteem from all the teachers and students of our school. | 我~感谢你对我的盛情款待。 *Wǒ ~ gǎnxiè nǐ duì wǒ de shèngqíng kuǎndài.* I'll express my heartfelt thanks to you for your lavish hospitality.

³ **肿** zhǒng 〈动 v.〉皮肉或内脏因发炎、化脓、内出血等凸起 swelling; swollen; tumescent; tumid; bloated：红~ hóng~ red and swollen | 你的脸怎么~了？ *Nǐ de liǎn zěnme ~ le?* How does your face become swollen? | 她的眼都哭~了。 *Tā de yǎn dōu kū~ le.* Her eyes are swollen from crying.

⁴ **肿瘤** zhǒngliú 〈名 n.〉机体内一种不正常的与周围组织不协调的新生物，可分良性和恶性两种，也叫'瘤''瘤子' tumor, also '瘤liú' or '瘤子liúzi'：这次体检在他的肝部发现一个~。 *Zhè cì tǐjiǎn zài tā de gānbù fāxiàn yí gè ~.* A tumor was found in his liver in this health checkup.

¹ **种** zhǒng ❶〈名 n.〉植物的种子；繁殖传代的生物体 seed; strain; breed：稻~ dào~ rice seeds | 菜~ cài~ vegetable seeds; rapeseed | ~羊 ~yáng stud sheep; sheep kept for covering | 配~ pèi~ hybridization | 渡渡鸟早已绝~了。 *Dùdùniǎo zǎo yǐ jué~ le.* Dodos has been extinguished a long time ago. ❷〈名 n.〉物种的简称 species：虎是猫科中最大的~。 *Hǔ shì māokē zhōng zuì dà de ~.* The tiger is the largest species of the cat family. | 这种羊是黑山羊的变~。 *Zhè zhǒng yáng shì hēi shānyáng de biàn~.* This kind of goat is a mutation of the black goat. ❸〈名 n.〉人种 race：黑~人 hēi~rén the black race | 白~人 bái~rén the white race | ~族 ~zú race ❹〈名 n.〉胆量 guts; spunk; nerve; courage; grit：这小子真有~。 *Zhè xiǎozi zhēn yǒu ~.* This guy really has guts. | 我最瞧不起没~的人。 *Wǒ zuì qiáo bù qǐ méi ~ de rén.* I particularly look down upon those gutless guys. ❺〈量 meas.〉用于计量具体的事物，强调事物的差别 kind; sort; type; variety; class; category：青蛙和癞蛤蟆是两~不同的动物。 *Qīngwā hé làihámá shì liǎng ~ bùtóng de dòngwù.* Frogs and toads are two different kinds of animals. | 他掌握三~语言—英语、汉语和德语。 *Tā zhǎngwò sān ~ yǔyán—*

Yīngyǔ, Hànyǔ hé Déyǔ. He has mastered three languages: English, Chinese and German. ❻〈量 *meas.*〉用于计量抽象的事物，强调事物的特殊 used to measure sth. abstract, emphasizing its peculiarity; kind: 她身上有一~特殊的魅力。*Tā shēn shang yǒu yì ~ tèshū de mèilì.* She has an attraction different from others. ｜这真是一~奇谈怪论！*Zhè zhēnshì yì ~ qítán-guàilùn.* This is really an absurd argument.

☞ zhòng, p. 1301

³ **种类** zhǒnglèi〈名 *n.*〉根据事物的性质或特点分成的不同的类别 kind; sort; type; variety; class; category: ~繁多 *~ fánduō* a great variety ｜这家小店里商品的~虽然不多，但一般的日用必需品都能买到。*Zhè jiā xiǎo diàn li shāngpǐn de ~ suīrán bù duō, dàn yìbān de rìyòng bìxūpǐn dōu néng mǎidào.* Although the small shop provides a limited stock of goods, common daily necessities are all available here.

⁴ **种种** zhǒngzhǒng〈量 *meas.*〉各种 a variety of; various; all kinds of; all sorts of: ~迹象表明，他是要对你下毒手的。*~ jìxiàng biǎomíng, tā shì yào duì nǐ xià dúshǒu de.* Every sign shows that he is going to lay murderous hands on you. ｜你说的~理由都是站不住脚的。*Nǐ shuō de ~ lǐyóu dōushì zhàn bú zhù jiǎo de.* None of your arguments sounds valid.

² **种子** zhǒngzi ❶〈名 *n.*〉（粒儿、颗粒）种子植物的胚珠经受精后长成的结构 seed; pip: 棉花的~已经发芽了。*Miánhua de ~ yǐjīng fāyá le.* The cotton seeds have sprouted. ❷〈名 *n.*〉比赛中，进行分组淘汰赛时，被安排在各组里实力较强的选手称为'种子'，实力较强的队称为'种子队' seed; more-skilled contestants arranged in various groups during the elimination heat of a tournament: 她是本届乒乓球比赛女单的第一号~。*Tā shì běn jiè pīngpāngqiú bǐsài nǚdān de dì-yī hào ~.* She is the top seed of women's singles in this table tennis tournament. ❸〈名 *n.*〉比喻蕴含着希望的事物 *fig.* things that contain hope: 爱情的~ *àiqíng de ~* the seed of love ｜友谊的~ *yǒuyì de ~* the seed of friendship ｜革命的~ *gémìng de ~* the seed of revolution

³ **种族** zhǒngzú〈名 *n.*〉人种 race: ~歧视 *~ qíshì* racial discrimination; color bar ｜~隔离政策 *~ gélí zhèngcè* policy of racial segregation

³ **中** zhòng ❶〈动 *v.*〉恰好对上；合上 fix exactly; hit: 正~下怀 *zhèng~-xiàhuái* fit in exactly with one's wishes; be just what one hopes for ｜百发百~。*Bǎifā-bǎi~.* Every shot hits the target. ｜这个姑娘看~你了。*Zhège gūniang kàn~ nǐ le.* This girl has taken a fancy to you. ｜我猜~了这条谜语。*Wǒ cāi~le zhè tiáo míyǔ.* I have guessed the riddle. ｜他买六合彩，~了大奖了。*Tā mǎi liùhécǎi, ~le dà jiǎng le.* He made a MarkSix lottery draw, and won the big prize. ❷〈动 *v.*〉受到；遭受 be hit by; be affected by; fall into; suffer: 一名歹徒~弹身亡。*Yì míng dǎitú ~dàn shēnwáng.* A scoundrel was shot dead. ｜天气太热，小心~暑。*Tiānqì tài rè, xiǎoxīn ~shǔ.* It's too hot; be careful not to get heatstroke. ｜在这起~毒事件中有12人死亡。*Zài zhè qǐ ~dú shìjiàn zhōng yǒu shí'èr rén sǐwáng.* Twelve people died in the poisoning accident.

☞ zhōng, p. 1294

⁴ **众** zhòng ❶〈形 *adj.*〉许多（与'寡'相对）many; numerous（opposite to '寡guǎ'）: ~矢之的 *~shǐzhīdì* target of public criticism ｜人多势~ *rénduō-shì~* overwhelm with numerial strength; dominate by sheer force of numbers ｜~寡悬殊 *~guǎ xuánshū* a great disparity in strength numerically ❷〈名 *n.*〉许多人 many people; crowd; multitude: 观~ *guān~* audience; viewer; spectators ｜听~ *tīng~* audience; listeners ｜万~一心 *wàn~-yìxīn* all the people of one mind ｜你当会长是~望所归。*Nǐ dāng huìzhǎng shì ~wàng-suǒguī.* It's everyone's wish to elect you the president of the association.

⁴ 众多 zhòngduō〈形 adj.〉许多 many; numerous; in great numbers：人口～rénkǒu～ have a large population｜在～的车辆中她的那辆红车分外夺目。Zài ~ de chēliàng zhōng tā de nà liàng hóng chē fènwài duómù. Her red car is particularly eye-catching among many vehicles.｜在～的问题中你要抓住主要问题。Zài ~ de wèntí zhōng, nǐ yào zhuāzhù zhǔyào wèntí. Among all these issues, you should focus on the principal one.

⁴ 众人 zhòngrén〈名 n.〉大家；许多人 everybody; many people：在～的帮助下，我很顺利地完成了任务。Zài ~ de bāngzhù xià, wǒ hěn shùnlì de wánchéngle rènwù. With the help of many people, I successfully accomplished the task.｜～拾柴火焰高（比喻人多力量大）。~ shíchái huǒyàn gāo (bǐyù rén duō lìliàng dà). Many people make a big fire by adding wood to it (fig. the more people, the more strength).

⁴ 众所周知 zhòngsuǒzhōuzhī〈成 idm.〉大家都知道 as everyone knows; as it is known to all; it is common knowledge that; it is well-known that：～，他是一位才华横溢的青年作家。~, tā shì yí wèi cáihuá-héngyì de qīngnián zuòjiā. It is known to all that he is a young writer of superb talent.

⁴ 众议院 zhòngyìyuàn〈名 n.〉两院制议会的下议院（区别于‘参议院’），个别一院制国家的议会也称众议院 House of Representatives; Chamber of Deputies（different from ‘参议院cānyìyuàn’）：卢森堡大公国的议会称为～。Lúsēnbǎo Dàgōngguó de yìhuì chēngwéi ~. The parliament of Luxembourg is called Chamber of Deputies.

² 种 zhòng ❶〈动 v.〉把植物的种子或幼苗的根部埋在土里 grow; plant; cultivate：～树 ~shù plant trees｜～菜 ~cài plant vegetables｜～瓜得瓜、～豆得豆（比喻做什么样的事，就会得什么样的结果）。~ guā dé guā、~ dòu dé dòu（bǐyù zuò shénmeyàng de shì, jiù huì dédào shénmeyàng de jiéguǒ）. Plant melons and you get melons, sow beans and you reap beans (fig. reap what one has sown). ❷〈动 v.〉接种（疫苗）vaccinate：～牛痘 ~ niúdòu vaccinate｜～卡介苗 ~ kǎjièmiáo inoculate sb. with BCG vaccine

☞ zhǒng, p. 1299

⁴ 种地 zhòng//dì〈动 v.〉在田间劳动 engage in farming; cultivate (till) land; go in for farming：他父亲靠～养家、供他上大学。Tā fùqīn kào ~ yǎngjiā, gòng tā shàng dàxué. His father supported the family and provided for his college education by farming.｜他一个人种10亩地。Tā yí gè rén zhòng shí mǔ dì. He cultivates a field of ten mu all by himself.

³ 种植 zhòngzhí〈动 v.〉播种；栽种 plant; grow：～园 ~yuán plantation｜中国的海南岛适宜～橡胶。Zhōngguó de Hǎinándǎo shìyí ~ xiàngjiāo. The Hainan Island of China is suitable for growing rubber.

¹ 重 zhòng ❶〈形 adj.〉分量大；比重大（与‘轻’相对）heavy; weighty（opposite to ‘轻 qīng’）：这个箱子太～了。Zhège xiāngzi tài ~ le. The box is too heavy.｜他的经济负担很～。Tā de jīngjì fùdān hěn ~. He shoulders a very heavy economic burden. ❷〈形 adj.〉形容程度深、数量多、价值高等 deep; heavy; serious：他身负～伤却依然坚守阵地。Tā shēn fù ~shāng què yīrán jiānshǒu zhèndì. Seriously wounded, he still held fast to his position.｜城里有～兵把守。Chéng li yǒu ~bīng bǎshǒu. The city is heavily guarded.｜～赏之下必有勇夫。~ shǎng zhīxià bì yǒu yǒngfū. When a high reward is offered, brave fellows are bound to come forward. ❸〈形 adj.〉庄重；不轻浮 serious; grave; solemn：机场上举行了隆～的欢迎仪式。Jīchǎng shang jǔxíngle lóng~ de huānyíng yíshì. A solemn and grand welcome ceremony was held at the airport.｜一个女孩子怎么一点儿也不稳～呢！Yí gè nǚháizi zěnme yìdiǎnr yě bù wěn~ ne! How can a girl behave so frivolously? ❹〈形 adj.〉重要 important：我实在没有能力担负这个～

任。 *Wǒ shízài méiyǒu nénglì dānfù zhège ~rèn.* I really don't have the ability to undertake this important task. | 这是一座军事~镇。 *Zhè shì yí zuò jūnshì ~zhèn.* This is a town of military strategic importance. ❺〈形 *adj.*〉重型的 heavy: ~工业 *~gōngyè* heavy industry | ~武器 *~wǔqì* heavy weapons ❻〈名 *n.*〉分量；重量 weight; heft: 毛~ *máo~* gross weight | 净~ *jìng~* net weight | 超~ *chāo~* over weight | 这台机器足有10吨~。 *Zhè tái jīqì zú yǒu shí dūn ~.* This machine weighs 10 tons. ❼〈名 *n.*〉重物 heavy things: 举~ *jǔ~* weight lifting | 负~赛跑 *fù~ sàipǎo* race with a heavy load on one's back ❽〈动 *v.*〉重视 lay stress on; attach importance to: 在不少人的头脑里还存在着男轻女的思想。 *Zài bù shǎo rén de tóunǎo li hái cúnzàizhe ~nán-qīngnǚ de sīxiǎng.* Many people still hold that men is superior to women. | 校长处事公道，深得人们的敬~。 *Xiàozhǎng chǔshì gōngdào, shēn dé rénmen de jìng~.* The headmaster always handles affairs in an impartial way, and thus is deeply respected by everyone.
　☞ chóng, p. 120

² **重大** zhòngdà〈形 *adj.*〉大而重要 great; weighty; major; significant; of great importance; fateful: 今晚人民大会堂有~活动。 *Jīnwǎn Rénmín Dàhuìtáng yǒu huódòng.* There will be an important activity in the Great Hall of the People tonight. | 出现~问题一定要向上级报告。 *Chūxiàn ~wèntí yídìng yào xiàng shàngjí bàogào.* Serious issues must be reported to the higher authorities once they arise. | 环境保护的意义十分~。 *Huánjìng bǎohù de yìyì shífēn ~.* Environmental protection is of great significance.

² **重点** zhòngdiǎn ❶〈名 *n.*〉同类事物中重要的或主要的部分 stress; main point; focal point; emphasis: 这篇文章的~是第一段和最后一段。 *Zhè piān wénzhāng de ~shì dì-yī duàn hé zuìhòu yí duàn.* The main point of this article lies in the first and last paragraphs. | 我校今年工作的~是提高教学质量。 *Wǒ xiào jīnnián gōngzuò de ~shì tígāo jiàoxué zhìliàng.* This year our school concentrate our work on improving the quality of teaching. | 我们做工作必须学会抓住~。 *Wǒmen zuò gōngzuò bìxū xuéhuì zhuāzhù ~.* We should learn to get hold of the main point in work. ❷〈形 *adj.*〉重要的或主要的 key; important; major: ~建设项目 *~jiànshè xiàngmù* key construction project | ~学校 *~xuéxiào* key school; key institute; key university | ~文物保护单位 *~wénwù bǎohù dānwèi* key historical and cultural sites under protection ❸〈副 *adv.*〉着重地；有重点地 give priority to; lay emphasis on; stress: 现在我向大家~介绍一下我们公司近几年的发展情况。 *Xiànzài wǒ xiàng dàjiā ~ jièshào yíxià wǒmen gōngsī jìn jǐ nián de fāzhǎn qíngkuàng.* Now I will mainly introduce to you our company's development in recent years. | 他是我们的~帮助对象。 *Tā shì wǒmen de ~ bāngzhù duìxiàng.* He is our major target of assistance.

⁴ **重工业** zhònggōngyè〈名 *n.*〉以生产资料为主的工业（与'轻工业'相对）heavy industry（opposite to '轻工业qīnggōngyè'）: ~基地 *~jīdì* a base of heavy industry

² **重量** zhòngliàng ❶〈名 *n.*〉分量 weight: 称一称~ *chēng yi chēng ~* weigh | 你的手提行李超过规定的~了。 *Nǐ de shǒutí xínglǐ chāoguò guīdìng de ~ le.* Your hand baggage is overloaded by the prescribed norm. ❷〈名 *n.*〉特指某些按体重分级进行比赛的运动项目（如举重、拳击等）的运动员的身体重量 particularly refer to the weight of the sportsmen in some sports（such as weight lifting, boxing, etc.）, in which matches are carried out at different levels of the weight of the participant: ~级 *~jí* heavyweight | 次~级 *cì~jí* sub-heavyweight

² **重视** zhòngshì〈动 *v.*〉认为重要而认真看待（与'轻视'相对）attach importance to;

take sth. seriously; mind; treasure; value; pay great attention to; think highly of (opposite to '轻视qīngshì') ~人才 ~ *réncái* think highly of talent | ~教育 ~ *jiàoyù* attach great importance to education | ~知识 ~ *zhīshi* devote much attention to knowledge | 他的建议得到了领导的~。 *Tā de jiànyì dédàole lǐngdǎo de ~.* His suggestion was taken seriously by the leader. | 青少年犯罪的问题应当引起全社会的高度~。 *Qīngshàonián fànzuì de wèntí yīngdāng yǐnqǐ quán shèhuì de gāodù ~.* The problem of juvenile delinquency should be arise great attention in the whole society.

◆ **重心** zhòngxīn ❶〈名 *n.*〉物体所受重力的合力的作用点 center of gravity; barycenter：她的身体突然失去~，从平衡木上摔了下来。 *Tā de shēntǐ tūrán shī qù ~, cóng pínghéngmù shang shuāile xiàlái.* She suddenly lost control of the barycenter of her body and fell from the balance beam. ❷〈名 *n.*〉事情的中心或主要部分 heart; core; focus：我们工作的~是发展生产。 *Wǒmen gōngzuò de ~ shì fāzhǎn shēngchǎn.* The focus of our work is to promote production.

◆ **重型** zhòngxíng〈形 *adj.*〉（机器、武器等）在重量、体积、功效或威力上特别大的 heavy; heavy-duty：~卡车 ~ *kǎchē* heavy truck | ~车床 ~ *chēchuáng* heavy-duty lathe | ~坦克 ~ *tǎnkè* heavy tank | ~轰炸机 ~ *hōngzhàjī* heavy bomber

◆ **重要** zhòngyào〈形 *adj.*〉意义深，作用大，有影响的 important; significant; major; critical; vital; crucial; momentous：~人物 ~ *rénwù* important figure; dignitary; prominent personage; very important person（VIP）| ~问题 ~ *wèntí* big issue; major problem | ~文件 ~ *wénjiàn* important document | ~任务 ~ *rènwù* vital task; important mission | 他在这部电视连续剧中扮演一个~的角色。 *Tā zài zhè bù diànshì liánxùjù zhōng bànyǎn yí gè ~ de juésè.* He played an important role in this TV serials. | 董事会正在举行一次~的会议。 *Dǒngshìhuì zhèngzài jǔxíng yí cì ~ de huìyì.* The board of directors is holding an important meeting.

◆ **舟** zhōu〈名 *n.* 书 *lit.*〉船 boat：龙~ *lóng*~ dragon boat | 破釜沉~（比喻下定决心不顾一切地干到底）*pòfǔ-chén*~（*bǐyù xiàdìng juéxīn búgù yíqiè de gàn dào dǐ*）break the caldrons and sink the boats（cut off all means of retreat）| 木已成~(比喻事情已成定局，不可改变）。 *Mùyǐchéng*~（*bǐyù shìqing yǐ chéng dìngjú, bùkě gǎibiàn*）. The wood is already made into a boat（*fig.* what is done cannot be undone）. | 湖面上漂着一叶扁~。 *Hú miàn shang piāozhe yí yè biǎn*~. A small boat is floating on the lake.

◆ **州** zhōu ❶〈名 *n.*〉中国旧时的一种行政区划 old prefecture：杭~ *Háng*~ Hangzhou | 苏~ *Sū*~ Suzhou ❷〈名 *n.*〉现时中国少数民族行政区划，介于自治区和自治县之间 autonomous prefecture：凉山彝族自治~ *Liángshān Yízú Zìzhì* ~ Liangshan Yi Autonomous Prefecture

◆ **周** zhōu ❶〈名 *n.*〉圈子 circle：运动员绕场一~。 *Yùndòngyuán rào chǎng yì ~.* The athletes made a circuit of the arena. | 运动场跑道的~长是400米。 *Yùndòngchǎng pǎodào de ~cháng shì sìbǎi mǐ.* The perimeter of the runway of the sports ground is 400 meters. ❷〈名 *n.*〉周围 circumambience; circumference：~边地区 ~*biān dìqū* surrounding area | 校园的四~种满了树。 *Xiàoyuán de sì~ zhòngmǎnle shù.* Trees are planted all around the campus. ❸〈名 *n.*〉时间的一轮 a time circuit：~期 ~*qī* period; cycle | ~年 ~*nián* anniversary | 今年我就满18~岁了。 *Jīnnián wǒ jiù mǎn shíbā ~suì le.* This year I will be eighteen years old. ❹〈名 *n.*〉星期 week：~刊 ~*kān* weekly; weekly publication; weekly magazine | ~末晚会 ~*mò wǎnhuì* parties held at weekends; weekend parties | 这一期学习班为期一~。 *Zhè yì qī xuéxíbān wéiqī yì ~.* This study session is scheduled to last（for）one week. ❺（Zhōu）〈名 *n.*〉中国朝代名 Zhou Dynasty：a）约

公元前11世纪-公元前256年, 姬发所建 roughly from 11th B. C. to 256 B. C. , founded by Ji Fa; b) 公元557-581年, 鲜卑人宇文觉所建, 史称北周 557 A. D. to 581 A. D. , founded by Yuwen Jue of the ancient Xianbei people, and historically known as the Northern Zhou of the Northern Dynasties; c) 唐朝武后武则天称帝, 曾改国号为周 in the Tang Dynasty, Empress Wu Zetian came to the throne, and once changed the title of the dynasty into Zhou; d) 公元951-959年, 郭威继后汉称帝, 史称后周 from A. D. 951 to A. D. 959, Guo Wei overthrew the reign of the Later Han Dynasty establishing the Later Zhou Dynasty of the Five Dynasties ❻〈形 adj.〉全; 遍及 all; whole; all over; all around: ~游世界 ~yóu shìjiè travel around the world │ 我~身发烫. Wǒ ~shēn fā tàng. I am running a fever all over the body. ❼〈形 adj.〉周到; 细密 thoughtful; attentive: 安排不~ ānpái bù~ not well planned; not planned carefully enough │ 照顾不~ zhàogù bù~ not be attentive enough (to guests); not take good care of sb.; not look after sb. well ❽〈动 v.〉接济 give financial help to; help out: 全靠亲友的~济他才念完了大学. Quán kào qīnyǒu de ~jǐ tā cái niànwánle dàxué. Thanks to the help of his relatives and friends, he finally finished his college education. ❾〈量 meas.〉计量时间的单位, 一周为七天 week: 三~课程 sān ~ kèchéng a 3-week course │ 两~假期 liǎng ~ jiàqī a holiday of two weeks ❿〈量 meas.〉计量绕行的次数 circuit: 绕地球一~ rào dìqiú yì ~ a circuit around the earth │ 转体翻腾两~半 zhuǎntǐ fānténg liǎng ~ bàn a two-and-a-half tuck dive with twists of the body

² **周到** zhōudào 〈形 adj.〉各方面都顾及到 considerate; thoughtful; attentive and satisfactory: 他年纪轻轻, 却说话、办事非常~. Tā niánjì qīngqīng, què shuōhuà, bànshì fēicháng ~. Young as he is, he is very considerate in his words and action. │ 这家招待所虽小, 服务却十分~. Zhè jiā zhāodàisuǒ suī xiǎo, fúwù què shífēn ~. Small as this rest house is, it offers good service.

² **周密** zhōumì 〈形 adj.〉周到细密 thorough and careful; meticulous: 我们为这次登山活动作了~的准备. Wǒmen wèi zhè cì dēngshān huódòng zuòle ~ de zhǔnbèi. We prepared carefully for this mountaineering. │ 经过~的思考, 团长提出了一个完整的作战方案. Jīngguò ~ de sīkǎo, tuánzhǎng tíchūle yí gè wánzhěng de zuòzhàn fāng'àn. After careful consideration, the regimental commander put forward an integrated battle plan.

³ **周末** zhōumò 〈名 n.〉一星期末尾的日子 weekend: 中国现在实行双休日, 星期五是~. Zhōngguó xiànzài shíxíng shuāngxiūrì, xīngqīwǔ shì ~. Now the two-day weekend has been adopted in China, and Friday is the last working day before the weekend. │ 我们学校每星期都要举行~舞会. Wǒmen xuéxiào měi xīngqī dōu yào jǔxíng ~ wǔhuì. A dance will be held in our school every weekend.

³ **周年** zhōunián 〈量 meas.〉满一年的时间 anniversary: 诞生100~ dànshēng yìbǎi ~ 100th anniversary │ 结婚50~ jiéhūn wǔshí ~ golden jubilee of marriage │ 逝世30~ shìshì sānshí ~ 30th anniversary of one's death.

⁴ **周期** zhōuqī ❶〈名 n.〉事物在运动、变化过程中, 某些特征重复出现, 每两次出现所经过的时间 period; cycle: 活动的~ huódòng de ~ cycle of activity │ 繁殖的~ fánzhí de ~ cycle of propagation │ 资金运转的~ zījīn yùnzhuǎn de ~ cycle of capital; fund circulation ❷〈名 n.〉物体作往复运动或圆周运动, 每重复一次所经过的时间 circle: 自转~ zìzhuàn ~ cycle of rotation │ 振动的~ zhèndòng de ~ cycle of vibration; vibratory cycle

¹ **周围** zhōuwéi 〈名 n.〉围绕着中心的部分; 四周 circumambience; circumference;

around; round; about：大楼的~是绿地。*Dàlóu de ~ shì lǜdì.* The building is surrounded by green vegetation. ｜我的住宅~环境不错。*Wǒ de zhùzhái ~ huánjìng búcuò.* The environment of my dwelling is not bad. ｜他把退休的老人吸引到自己的~。*Tā bǎ tuìxiū de lǎorén xīyǐn dào zìjǐ de ~.* He attracts the retired senior citizens around him.

⁴ **周折** zhōuzhé〈名 n.〉事情的发展曲折，不顺利 setbacks; twists and turns：经过不少~他才来到中国。*Jīngguò bù shǎo ~ tā cái láidào Zhōngguó.* Only after many setbacks did he manage to come to China. ｜我费尽~才给你搞到这份资料。*Wǒ fèijìn ~ cái gěi nǐ gǎodào zhè fèn zīliào.* It took me a lot of trouble to get this data for you.

⁴ **周转** zhōuzhuǎn ❶〈动 v.〉从资金投入生产，经过产品销售，到回收资金，这个过程反复不断地进行 叫做周转 turnover; repeated business process, from investment, production and sales to the return of the invested capital：我厂产品的销路好，资金~快。*Wǒ chǎng chǎnpǐn de xiāolù hǎo, zījīn ~ kuài.* The products of our factory sell well, so our funds circulate very quickly. ❷〈动 v.〉经济开支的调度 able to manage financial expenses：最近我们公司的资金有些~不开。*Zuìjìn wǒmen gōngsī de zījīn yǒuxiē ~ bù kāi.* Recently our company hasn't had enough money to cover the expenses. ❸〈动 v.〉物品的轮流使用 use in turn：大家都不按时还书，图书如何？*Dàjiā dōu bú ànshí huán shū, túshū rúhé ~?* If everyone didn't return the books on time, how could the books be borrowed by other readers?

⁴ **洲** zhōu ❶〈名 n.〉地球表面的大块陆地及附近的岛屿的总称 continent：亚~ Yà~ Asia ｜欧~ Ōu~ Europe ❷〈名 n.〉（块kuài、片piàn）江河中泥沙淤积的成片陆地 sandbar; islet in a river; land of sand：长江三角~ Chángjiāng Sānjiǎo~ Yangtze River Delta ｜江中一片绿~ jiāng zhōng yí piàn lǜ~ a green islet in the river

³ **粥** zhōu〈名 n.〉（碗wǎn、锅guō）用粮食或再添加其他东西煮成的半流质食物 porridge; gruel; congee：腊八~ Làbā~ rice porridge with nuts and dried fruit eaten on the 8th day of the 12th lunar month ｜煮了一锅~ zhǔle yì guō ~ boil a pot of porridge ｜僧多~少（比喻人多东西少，不够分配）。*Sēngduō~~shǎo (bǐyù rén duō dōngxi shǎo, bú gòu fēnpèi).* The gruel is meager and the monks are many（*fig.* not enough to go round; Supply falls short of demand）.

⁴ **昼夜** zhòuyè ❶〈名 n.〉白天和黑夜 day and night; round the clock：机器~不停地运转。*Jīqì ~ bùtíng de yùnzhuǎn.* The machine keeps running round the clock. ❷〈量 meas.〉计量时间的单位 for a length of day and night：他已经连续工作三~了。*Tā yǐjīng liánxù gōngzuò sān ~ le.* He has been working for three days and nights.

³ **皱** zhòu ❶〈名 n.〉皮肤上的纹路 (of skin) wrinkles; lines：瞧这满脸都是~，难看死了。*Qiáo zhè mǎnliǎn dōu shì ~, nánkàn sǐ le.* Look! It's so ugly to have such a wrinkled face! ❷〈名 n.〉物品上的摺痕 fold：这件衬衫上尽是~，怎么穿呀！*Zhè jiàn chènshān shang jìn shì ~, zěnme chuān ya!* The shirt is full of creases. How can I put it on? ❸〈动 v.〉起皱纹 wrinkle; crease; crumple; furrow; shrivel：瞧你把我的床单都坐~了。*Qiáo nǐ bǎ wǒ de chuángdān dōu zuò ~ le.* Look! You have crumpled my sheet. ｜他~着眉头，看来挺不高兴呢。*Tā ~zhe méitóu, kànlái tǐng bù gāoxìng ne.* He is frowning and seems to be quite unhappy.

³ **皱纹** zhòuwén〈名 n.〉（条tiáo、道dào）物体或皮肤上的一凹一凸的条纹 wrinkles; creases; lines：妈妈的脸上又增添了几道~。*Māma de liǎn shang yòu zēngtiān le jǐ dào ~.* A few more wrinkles crawled up mother's face. ｜这条绸裤子上满是~，要熨一熨才能穿呢。*Zhè tiáo chóu kùzi shang mǎn shì ~, yào yùn yí yùn cái néng chuān ne.* This pair of silky trousers is full of creases and should be ironed before you put it on.

⁴ **珠子** zhūzi ❶〈名 n.〉（粒lì、颗kē、串chuàn、挂guà）珍珠的通称 pearl：我给妻子买了一串~。*Wǒ gěi qīzi mǎile yí chuàn ~.* I bought a string of pearls for my wife. ❷〈名 n.〉像珠子的颗粒 bead：算盘~ suànpán ~ beads on an abacus｜汗~直往下淌。*Hàn~ zhí wǎng xià tǎng.* Beads of sweat kept running down.

² **株** zhū ❶〈量 meas.〉用于部分植物 used for some plants：院子里有三四~杏树。*Yuànzi li yǒu sān sì ~ xìngshù.* There are three or four almond trees in the courtyard. ❷〈名 n.〉树木露在地面上的根和茎 trunk of a tree; stem of a plant：枯木朽~(比喻腐朽的力量或老朽的人) kūmù-xiǔ~ (bǐyù fǔxiǔ de lìliàng huò lǎoxiǔ de rén) a withered tree (fig. a senile or sick person; a declining power) ❸〈名 n.〉植株 individual plant; plant：~距~jù row spacing; spacing in the rows

⁴ **诸如此类** zhūrú-cǐlèi〈成 idm.〉彼此相似的种种事物 things like that; such; and so on and so forth; things of that sort; and suchlike; and what not; and all that：网络上~的笑话还多着呢。*Wǎngluò shang ~ de xiàohuà hái duōzhe ne.* To many such jokes can be found on the internet.

⁴ **诸位** zhūwèi〈代 pron.〉对众人的敬称 ladies and gentlemen：我谨代表公司对~来宾表示热烈的欢迎。*Wǒ jǐn dàibiǎo gōngsī duì ~ láibīn biǎoshì rèliè de huānyíng.* On behalf of our company I sincerely wish to extend our warm welcome to all of you.

¹ **猪** zhū〈名 n.〉一种家畜 pig：~圈~juàn pigsty; pigpen; hogpen; sty｜~肉 ~ròu pork｜养~ yǎng~ raise pigs

² **竹子** zhúzi〈名 n.〉（根gēn、节jié、片piàn）一种常绿植物，嫩芽叫笋，可食用 bamboo：我家的后院有一片~。*Wǒ jiā de hòuyuàn yǒu yí piàn ~.* There is a bamboo groove in the backyard of my house.｜~的用途很广，可做日常用具、家具，还可以作建筑材料。*~ de yòngtú hěn guǎng, kě zuò rìcháng yòngjù, jiājù, hái kěyǐ zuò jiànzhù cáiliào.* Bamboo have many uses; it can be used to make daily appliances and furniture, and can also be used as building materials.

² **逐步** zhúbù〈副 adv.〉一步一步地 step by step; progressively; by degrees：人民的生活~得到改善。*Rénmín de shēnghuó ~ dédào gǎishàn.* People's living standard is being improved progressively.｜交通堵塞的问题正在~解决。*Jiāotōng dǔsè de wèntí zhèngzài ~ jiějué.* The problem of traffic jams is being solved step by step.

² **逐渐** zhújiàn〈副 adv.〉表示程度或数量一步一步地增加或减少 gradually; by degrees; little by little：这些年乡镇企业~发展起来了。*Zhèxiē nián xiāngzhèn qǐyè ~ fāzhǎn qǐlái le.* The township enterprises have been gradually developed in recent years.｜我们厂的生产规模~扩大，产值日益提高。*Wǒmen chǎng de shēngchǎn guīmó ~ kuòdà, chǎnzhí rìyì tígāo.* The production scale of our factory has been expanded, and the production value has been increased day by day.｜天气~凉了下来。*Tiānqì ~ liángle xiàlái.* It is getting colder and colder.

⁴ **逐年** zhúnián〈副 adv.〉一年一年地 year after year; year by year：来中国学习汉语的外国留学生~增加。*Lái Zhōngguó xuéxí Hànyǔ de wàiguó liúxuéshēng ~ zēngjiā.* The number of foreign students coming to China to study Chinese has been increasing year after year.｜农民的生活~提高。*Nóngmín de shēnghuó ~ tígāo.* Peasants' lives are improving year by year.

⁴ **主** zhǔ ❶〈名 n.〉接待来客的人（与'宾''客'相对）host (opposite to '宾bīn' and '客kè')：东道~ dōngdào~ host｜宾~频频举杯为友谊而干杯。*Bīn~ pínpín jǔbēi wèi yǒuyì ér gānbēi.* The guests and the host frequently proposed toasts for their friendship.｜喧宾夺~(比喻客人取代了主人的地位，外来的、次要的事物侵占了原来的、主要的事

物的地位）. *Xuānbīn-duó~*（*bǐyù kèrén qiǎdàile zhǔrén de dìwèi; wàilái de, cìyào de shìwù qīnzhànle yuánlái de, zhǔyào de shìwù de dìwèi*）. Voice of the guest is louder than the host's（*fig.* a presumptuous guest usurps the host's role; the secondary supersedes the primary）. ❷〈名 *n.*〉拥有权利或财产的人 owner：房～*fáng~* landlord; owner of a house｜业～*yè~* owner; proprietor｜人民当家作～. *Rénmín dāngjiā zuò~*. The people are the masters of their own country. ❸〈名 *n.*〉家长 the head of a family：户～*hù~* house holder; head of the household｜爸爸是一家之～. *Bàba shì yì jiā zhī ~.* My father is the one who has the say in the family. ❹〈名 *n.*〉当事人 person or party concerned：失～*shī~* owner of lost property｜债～*zhài~* creditor｜买～*mǎi~* buyer ❺〈名 *n.*〉占有奴隶或雇用仆役的人（与'奴''仆'相对）master（opposite to '奴 *nú*' and '仆 *pú*'）：农奴～*nóngnú~* slave owner｜你我之间不是～仆关系，凭什么对我发号施令！*Nǐ wǒ zhījiān bú shì ~pú guānxì, píng shénme duì wǒ fāhào-shīlìng!* You and I are not master and servant. How can you order me about? ❻〈名 *n.*〉基督教徒对上帝、伊斯兰教徒对真主的称呼 God; Lord; Allah ❼〈名 *n.*〉对事物的确定见解 a definite view about sth.：你不应当先入为～. You shouldn't blindly trust you first impression. ❽〈形 *adj.*〉从自身出发的 subjective：～动 *~dòng* initiative｜你也太没有～见了！*Nǐ yě tài méiyǒu ~jiàn le!* You are so lacking in definite views of your own! ❾〈形 *adj.*〉主要的；基本的 main; primary：～角 *~jué* lead; leading role; protagonist; title-role; leading character｜～流 *~liú* mainstream; main trend ❿〈动 *v.*〉主持；负主要责任 manage; direct; be in charge of：这部词典由我～编. *Zhè bù cídiǎn yóu wǒ ~biān.* I am the chief compiler of this dictionary.｜这个讲座由校长～讲. *Zhège jiǎngzuò yóu xiàozhǎng ~jiǎng.* The lecture is to be delivered by the president of the university. ⓫〈动 *v.*〉主张；决定 advocate; stand for; be in favor of：～战 *~zhàn* stand for war; advocate war｜～降 *~xiáng* stand for surrender｜婚姻自～*hūnyīn zì~* be free to choose one's spouse ⓬〈动 *v.*〉预示（祸福凶吉、自然变化等）indicate; signify：～凶 *~xiōng* indicating ill luck｜～吉 *~jí* indicating good luck; signifying good omen｜日晕风，月晕雨. *Rìyùn ~ fēng, yuèyùn ~ yǔ.* Solar halo indicates wind, and lunar halo means rain.

Z

⁴ **主办** zhǔbàn〈动 *v.*〉主持办理；主持举办 direct; host; sponsor：这件事就交给我～吧. *Zhè jiàn shì jiù jiāo gěi wǒ ~ ba.* Let me take charge of it.｜2008年奥运会将由中国北京～. *Èr-líng-líng-bā nián Àoyùnhuì jiāng yóu Zhōngguó Běijīng ~.* The 2008 Olympic Games will be hosted by Beijing, China.

⁴ **主编** zhǔbiān ❶〈动 *v.*〉负编辑工作的主要责任 supervise the publication; edit：她～一本妇女杂志. *Tā ~ yì běn fùnǚ zázhì.* She supervises the publication of a women's magazine. ❷〈名 *n.*〉编辑工作的主要负责人 editor-in-chief; chief editor：这套丛书由他担任～. *Zhè tào cóngshū yóu tā dānrèn ~.* He is the chief editor of this series of books.

³ **主持** zhǔchí ❶〈动 *v.*〉负责掌握或处理 take charge of; take care of; manage; direct：～日常工作 *~ rìcháng gōngzuò* take care of routine work｜～婚礼 *~ hūnlǐ* be the host of a wedding ceremony｜校长～了开学典礼. *Xiàozhǎng ~le kāixué diǎnlǐ.* The chancellor presided over the opening ceremony of a new term. ❷〈动 *v.*〉主张 uphold; stand for：～正义 *~ zhèngyì* uphold justice｜～公道 *~ gōngdào* uphold justice

⁴ **主导** zhǔdǎo ❶〈形 *adj.*〉主要的并起主导作用的 leading; dominant; guiding：～作用 *~ zuòyòng* leading role｜～地位 *~ dìwèi* leading position｜～思想 *~ sīxiǎng* dominant thinking; guiding ideology ❷〈名 *n.*〉起主导作用的事物 leading factor：中国国民经

济的发展，以农业为基础，工业为～. *Zhōngguó guómín jīngjì de fāzhǎn, yǐ nóngyè wéi jīchǔ, gōngyè wéi ～* . The national economic development of China is based upon agriculture, while industry being taken as the dominant factor.

² **主动** zhǔdòng ❶〈形 *adj.*〉不待外力推动而行动（与'被动'相对）initiative (opposite to '被动 bèidòng'): 他做事一向非常～. *Tā zuòshì yíxiàng fēicháng ～.* He always takes the initiative in handling affairs. ｜ 我～向她认了错. *Wǒ ～ xiàng tā rènle cuò.* I apologized to her on my own initiative. ❷〈形 *adj.*〉造成有利的局面，能按自己的意志行动（与'被动'相对）take the initiative; do sth. of one's own accord (opposite to '被动 bèidòng'): 比赛中我队一直处于～地位. *Bǐsài zhōng wǒ duì yìzhí chǔyú ～ dìwèi.* During the match our team was always in an advantageous position.

² **主观** zhǔguān ❶〈形 *adj.*〉属于自我意识方面的；哲学上指人的意志、精神（与'客观'相对）subjective (opposite to '客观 kèguān'): 我的～愿望自然是想把事情办好. *Wǒ de ～ yuànwàng zìrán shì xiǎng bǎ shìqíng bànhǎo.* It is naturally my personal wish to do it well. ｜ ～的认识一定要符合客观实际. *～ de rènshi yídìng yào fúhé kèguān shíjì.* Subjective understanding must be in accordance with objective reality. ❷〈形 *adj.*〉不依据实际情况，单凭自己偏见的（与'客观'相对）subjective (opposite to '客观 kèguān'): 他这个人一向非常～，听不进别人的意见. *Tā zhège rén yíxiàng fēicháng ～, tīng bú jìn biéren de yìjiàn.* He is a very subjective man, always turning a deaf ear to other's suggestions. ｜ 一定要克服～性和片面性. *Yídìng yào kèfú ～xìng hé piànmiànxìng.* We've got to avoid subjectivity and one-sidedness.

⁴ **主管** zhǔguǎn ❶〈动 *v.*〉主持管理 manage; take charge of; be in charge of; be responsible for: 学校里他～教学，我～行政和外事. *Xuéxiào li tā ～ jiàoxué, wǒ ～ xíngzhèng hé wàishì.* He is in charge of the teaching, while I am responsible for administration and external affairs. ❷〈名 *n.*〉主持管理的人 person in charge; director; head; manager: 他是我们公司的行政～. *Tā shì wǒmen gōngsī de xíngzhèng ～.* He is a person in charge of the administration of our company.

⁵ **主力** zhǔlì〈名 *n.*〉起主要作用的力量 main forces; main strength of an army: 他是我们这支篮球队的～. *Tā shì wǒmen zhè zhī lánqiú duì de ～.* He is a top player of our basketball team. ｜ 这不过是一支先头部队，～部队还没有到达呢. *Zhè búguò shì yì zhī xiāntóu bùduì, ～ bùduì hái méiyǒu dàodá ne.* This is only the vanguard; the main forces have not arrived yet.

⁴ **主流** zhǔliú ❶〈名 *n.*〉江河的干流（区别于'支流'）main stream; mother current; main current (different from '支流 zhīliú'): 长江的～宽阔，可以通行大型船舶. *Chángjiāng de ～ kuānkuò, kěyǐ tōngxíng dàxíng chuánbó.* The mainstream of the Yangtze River is so broad that it can provide free passage for giant boats and ships. ❷〈名 *n.*〉比喻事情的主要方面 essential aspect; main trend: 和平与发展是我们这个时代的～. *Hépíng yǔ fāzhǎn shì wǒmen zhège shídài de ～.* Peace and development are the mainstreams of the present era.

³ **主权** zhǔquán〈名 *n.*〉一个国家独立自主地处理对内对外事务的固有权力 sovereignty; sovereign right: ～国家 = *guójiā* sovereign state ｜ 国家的～神圣不可侵犯. *Guójiā de ～ shénshèng bùkě qīnfàn.* The sovereignty of a state is sacred and inviolable.

² **主人** zhǔrén ❶〈名 *n.*〉接待客人的人（与'客人'相对）host (opposite to '客人 kèrén'): 这家的女～非常好客. *Zhè jiā de nǚ ～ fēicháng hàokè.* The hostess is very hospitable. ❷〈名 *n.*〉雇佣仆人的人（与'仆人'相对）master (opposite to '仆人 púrén'): 他虽然是～，但对仆人也能平等相待. *Tā suīrán shì ～, dàn duì púrén yě néng*

píngděng xiāngdài. Master as he is, he treats servants as equals. ❸〈名 n.〉权力或财产的占有人 owner; master: 人民是国家的~。*Rénmín shì guójiā de ~.* The people are the masters of the country.

⁴ **主人翁** zhǔrénwēng ❶〈名 n.〉当家作主的人 master: 我们应当以~的态度来对待工作。*Wǒmen yīngdāng yǐ ~ de tàidù lái duìdài gōngzuò.* We should have the sense of a master in our work. ❷〈名 n.〉文艺作品的中心人物 leading character; hero; heroine; protagonist: 这部小说的~是一个知识分子。*Zhè bù xiǎoshuō de ~ shì yí gè zhīshi fènzǐ.* The protagonist of this novel is an intellectual.

² **主任** zhǔrèn〈名 n.〉某些单位或部门负责人的职务名称 director; head; chairman: 办公室~ *bàngōngshì ~* office director | 研究室~ *yánjiūshì ~* chief of research section | 中文系系~ *Zhōngwénxì xì~* dean of the Chinese department

⁴ **主食** zhǔshí〈名 n.〉指用粮食制成的米饭、面包等主要食物 staple food; principal food: 中国南方人以米饭为~，北方人以馒头、面条为~。*Zhōngguó nánfāngrén yǐ mǐfàn wéi ~, běifāngrén yǐ mántou, miàntiáo wéi ~.* In China, the principal food of the southerners is rice, while the northerners mainly live on steamed buns and noodles. | 欧洲人的~是面包。*Ōuzhōurén de ~ shì miànbāo.* The staple food of Europeans is bread.

⁴ **主题** zhǔtí ❶〈名 n.〉文学、艺术作品所表现的中心思想 theme; subject; motif; leitmotif: 这是一部以改革开放为~的电影。*Zhè shì yí bù yǐ gǎigé-kāifàng wéi ~ de diànyǐng.* This is a film whose theme is reforming and opening to the outside world. | 这篇文章的~是反贪防腐。*Zhè piān wénzhāng de ~ shì fǎntān fángfǔ.* The theme of this article is combating corruption. ❷〈名 n.〉泛指主要内容、中心思想 main contents: 这次会议的~是交流对外汉语教学的经验。*Zhè cì huìyì de ~ shì jiāoliú duìwài Hànyǔ jiàoxué de jīngyàn.* This conference will focus on exchanging the experience of teaching Chinese as a foreign language.

⁴ **主体** zhǔtǐ ❶〈名 n.〉事物的主要部分 main body; main part; principal part: ~思想 ~ *sīxiǎng* the main ideas | ~工程 ~ *gōngchéng* the key project | 这项建筑的~部分已经完成。*Zhè xiàng jiànzhù de ~ bùfen yǐjīng wánchéng.* The main part of the building has been completed. ❷〈名 n.〉哲学上指有意识和实践能力的人（与'客体'相对）subject（opposite to '客体kètǐ'）：认识是~对客体的反映。*Rènshi shì ~ duì kètǐ de fǎnyìng.* Cognition is the reflection of objects in the subjects' mind.

⁴ **主席** zhǔxí ❶〈名 n.〉主持会议的人 chairman; chairperson (of a meeting): 执行~ *zhíxíng ~* executive chairman | 这次会议由校长担任~。*Zhè cì huìyì yóu xiàozhǎng dānrèn ~.* This meeting is to be presided over by the chancellor. ❷（位wèi、名míng、个gè）某些国家、国家机关、党派或团体的某级组织的最高领导职位名称 chairman; president: 选举~ *xuǎnjǔ ~* elect a chairman | 担任~ *dānrèn ~* be the chairman of | 国家~ *guójiā ~* chairman (of a country) | 名誉~ *míngyù ~* honorary chairman; honorary president | 终身~ *zhōngshēn ~* life chairman; life president

¹ **主要** zhǔyào〈形 adj.〉事物中起决定作用的；最重要的（与'次要'相对）main; chief; principal; major; leading; essential; primary; first (opposite to '次要cìyào'): 抓住~矛盾 *zhuāzhù ~ máodùn* get hold of the principal contradiction | 找出~问题 *zhǎochū ~ wèntí* find out the major problem | 学生的~任务是学习。*Xuésheng de ~ rènwù shì xuéxí.* The main task of a student is to study. | 他是学会的~领导人。*Tā shì xuéhuì de ~ lǐngdǎorén.* He is the chief leader of the institute. | 参加这次会议的~国家有中国、美国、俄罗斯等国家。*Cānjiā zhè cì huìyì de ~ guójiā yǒu Zhōngguó, Měiguó, Éluósī děng guójiā.* The major participants in this conference are countries such as China, the

U. S. and Russia, etc. , to mention just a few.

主义 zhǔyì ❶〈名 n.〉有系统的理论和主张 doctrine; -ism：唯物~ *wéiwù* ~ materialism｜唯心~ *wéixīn* ~ idealism｜现实~ *xiànshí* ~ realism ❷〈名 n.〉一定的社会制度；政治经济体系 social system; politico-economic system; -ism：封建~ *fēngjiàn* ~ feudalism｜资本~ *zīběn* ~ capitalism｜共产~ *gòngchǎn* ~ communism ❸〈名 n.〉思想作风 ideological style; -ism：官僚~ *guānliáo* ~ bureaucracy; bureaucratism｜教条~ *jiàotiáo* ~ dogmatism｜自由~ *zìyóu* ~ liberalism

主意 zhǔyi ❶〈名 n.〉确定的想法 definite view; decision; one's own judgment：上大学还是参加工作，他还没拿定~。*Shàng dàxué háishì cānjiā gōngzuò, tā hái méi nádìng ~.* He is still vacillating as to whether to go to college or to find a job.｜他的~可大了，谁也甭想改变他的~。*Tā de ~ kě dà le, shéi yě béng xiǎng gǎibiàn tā de ~.* Once he has made a decision, no one can change it. ❷〈名 n.〉（个 gè）办法 idea; plan：请你给我出出~。*Qǐng nǐ gěi wǒ chūchū ~.* Please work out an idea for me.｜他尽给人出馊~。*Tā jìn gěi rén chū sōu ~.* He always makes stupid suggestions.｜这可是个绝妙的~。*Zhè kě shì gè juémiào de ~.* This is a perfect idea.

主张 zhǔzhāng ❶〈动 v.〉对某种行动持某种见解 advocate; maintain; hold; stand for：我们~严以律己，宽以待人。*Wǒmen ~ yányǐlǜjǐ, kuānyǐdàirén.* We advocate being strict with oneself and lenient with others.｜中国政府一贯~以和平共处五项原则来处理国与国之间关系。*Zhōngguó zhèngfǔ yíguàn ~ yǐ hépíng gòngchǔ wǔ xiàng yuánzé lái chǔlǐ guó yǔ guó zhījiān guānxì.* The Chinese government has consistently advocated the Five Principles of Peaceful Coexistence in dealing with international relations. ❷〈名 n.〉对某种行动所持的见解 view; position; stand; proposition：我的~得到与会者的支持。*Wǒ de ~ dédào yùhuìzhě de zhīchí.* My proposition won support from the participants of the meeting.｜大家抵制了他的错误~。*Dàjiā dǐzhìle tā de cuòwù ~.* Everyone was against his wrong stand.

拄 zhǔ〈动 v.〉用棍棒等顶住地面以支撑身体 lean on (a stick etc.)：老人~着一根拐杖一步一步向这里走来。*Lǎorén ~zhe yì gēn guǎizhàng yí bù yí bù xiàng zhèlǐ zǒulái.* The old man is walking with a stick in this direction.

煮 zhǔ ❶〈动 v.〉把食物放在有水的锅里加热使熟 boil; cook：~面条 ~ *miàntiáo* boil the noodles｜生米~成了熟饭（比喻已熟则也来不及了）。*Shēng mǐ ~chéngle shóu fàn (bǐyù hòuhuǐ yě láibùjí le).* The rice is cooked. / What's done can't be undone （*fig.* it's too late to regret）. ❷〈动 v.〉把东西放在有水的锅里烧沸消毒 boil：病人用过的餐具要~过后才能使用。*Bìngrén yòngguo de cānjù yào ~ guò hòu cái néng shǐyòng.* Tableware used by patients must be boiled before they can be used again.

嘱咐 zhǔfù〈动 v.〉仔细告诉对方该做什么和怎么做（多用于对晚辈和下级）enjoin; exhort; advise; urge; tell：妈妈一再~我要好好儿读书。*Māma yízài ~ wǒ yào hǎohāor dúshū.* Mother urged me again and again to study hard.｜老板~我一定要亲手将这份合同交给您。*Lǎobǎn ~ wǒ yídìng yào qīnshǒu jiāng zhè fèn hétong jiāogěi nín.* The boss enjoined me to send this contract to you in person.

嘱托 zhǔtuō〈动 v.〉托付 entrust：这是朋友~我办的事，我一定要办好。*Zhè shì péngyou ~ wǒ bàn de shì, wǒ yídìng yào bàn hǎo.* My friend entrusted it to me, and I must try my best to do it well.｜我们决不会辜负祖国人民对我们的~。*Wǒmen jué bú huì gūfù zǔguó rénmín duì wǒmen de ~.* We will never fail to live up to the entrustment of the people of our motherland.

助 zhù〈动 v.〉帮助 help; assit; aid：互~ *hù* ~ help each other｜无~ *wú* ~ helpless｜一~

臂之力 ~ *yí bì zhī lì* lend sb. a helping hand │ 这个小伙子一向~人为乐。*Zhège xiǎohuǒzi yíxiàng ~rén-wéilè.* This young man always takes pleasure in helping others. │ 得道多~，失道寡~。*Dé dào duō ~, shī dào guǎ ~.* A just cause enjoys abundant support while an unjust one finds little.

助理 zhùlǐ〈名 n.〉（名 míng）协助主要人员办事的人（多用于职位名称）assistant; deputy：部长 ~ *bùzhǎng* ~ assistant minister │ ~工程师 ~ *gōngchéngshī* assistant engineer

助手 zhùshǒu〈名 n.〉（名 míng、个 gè、位 wèi）起协助作用的人 assistant; aide; helper：我需要配备两名~。*Wǒ xūyào pèibèi liǎng míng ~.* I need two assistants. │ 他是我的得力~。*Tā shì wǒ de délì ~.* He's my right-hand man.

助长 zhùzhǎng〈动 v.〉帮助成长；促使增长（多指坏的方面）encourage; abet; foment; foster; put a premium on（usually sth. bad）：揠苗~（比喻不顾事物发展规律，急于求成，反把事情办坏）*yàmiáo-~*（*bǐyù búgù shìwù fāzhǎn guīlù, jíyúqiúchéng, fǎn bǎ shìqing bànhuài*）try to help the shoots grow by pulling them up（*fig.* spoil things by excessive enthusiasm）│ 不严肃纪律，就会~歪风邪气。*Bù yánsù jìlù, jiù huì ~ wāifēng-xiéqì.* No strict enforcement of the discipline simply encourages evil trends.

住 zhù ❶〈动 v.〉暂时留宿或长期定居 live; reside; stay; dwell：我们这次旅游一路都~宾馆。*Wǒmen zhè cì lǚyóu yí lù dōu ~ bīnguǎn.* We found accommodation at hotels all the way during this tour. │ 我家祖祖辈辈都~在北京。*Wǒ jiā zǔzǔbèibèi dōu ~ zài Běijīng.* Our family have been living in Beijing for generations. │ 我们两口子~80平方米。*Wǒmen liǎngkǒuzi ~ bāshí píngfāngmǐ.* My wife and I live in an apartment of eighty square meters. ❷〈动 v.〉停息；止住 stop; cease：咱们雨~了再走。*Zánmen yǔ ~ le zài zǒu.* Don't go until the rain stops. │ 爸爸生气了，你还不赶快~嘴！*Bàba shēngqì le, nǐ hái bù gǎnkuài ~zuǐ!* Father has got angry. You'd better shut up right now! ❸〈动 v.〉做动词的补语，表示停顿或静止（used after a verb as complement）to a stop：你可把我给问~了。*Nǐ kě bǎ wǒ gěi wèn~ le.* You've got me there. │ 他一脚踩~了刹车。*Tā yì jiǎo cǎi~le shāchē.* He stepped on the brake. ❹〈动 v.〉做动词的补语，表示稳当或牢固（used after a verb as complement）firmly：这个单词我老是记不~了。*Zhège dāncí wǒ lǎoshì jì bú ~.* I never have a firm memory of this word. │ 她的精彩表演一下子把观众吸引~了。*Tā de jīngcǎi biǎoyǎn yíxiàzi bǎ guānzhòng xīyǐn~ le.* Her wonderful performance held the audience spellbound. ❺〈动 v.〉跟某些动词组合，与'得'或'不'连用，表示力量够得上或够不上 used after '得 de' or '不 bú' to express 'capable' or 'incapable'：他这个人是很靠得~的。*Tā zhège rén shì hěn kào de ~ de.* He is a quite reliable man. │ 我经不~他的软磨硬泡，只好答应他了。*Wǒ jīng bú ~ tā de ruǎnmó-yìngpào, zhǐhǎo dāying tā le.* Unable to withstand his hard and soft tactics, I had to give my consent to his request.

住房 zhùfáng〈名 n.〉（处 chù）居住的房子 housing; lodgings：我有两处~，一处在城里，一处在郊区。*Wǒ yǒu liǎng chù ~, yí chù zài chénglǐ, yí chù zài jiāoqū.* I have two lodgings, one inside the city, the other in the outskirts. │ 我们的~条件有了不小的改善。*Wǒmen de ~ tiáojiàn yǒule bù xiǎo de gǎishàn.* Our housing conditions have been greatly improved.

住所 zhùsuǒ〈名 n.〉（处 chù）居住的处所 dwelling place; residence; domicile：我刚来北京，还没有固定的~呢。*Wǒ gāng lái Běijīng, hái méiyǒu gùdìng de ~ ne.* Fresh in Beijing, I have no permanent dwelling place yet. │ 他的~离学校不远。*Tā de ~ lí xuéxiào bù yuǎn.* His residence is not far from school.

Z

² **住院** zhù // yuàn 〈动 v.〉病人住进医院治疗（区别于'门诊'）be hospitalized; be in hospital (different from '门诊ménzhěn')：~部 ~bù residential ward (section) | 这种小手术用不着~。 Zhè zhǒng xiǎo shǒushù yòng bù zháo ~. No hospitalization is needed for such a minor operation. | 他最近动了一次大手术，住了一个月院。 Tā zuìjìn dòng le yí cì dà shǒushù, zhùle yí gè yuè yuàn. Recently he has had a big operation and was hospitalized for a month.

³ **住宅** zhùzhái 〈名 n.〉（所suǒ、套tào、处chù、座zuò）住房（多指规模大的）residence; dwelling; house; domicile：~区 ~qū residential quarters | 他在郊区有一套豪华~。 Tā zài jiāoqū yǒu yí tào háohuá ~. He has a luxurious residence in the suburbs. | 私人~，禁止擅入。 Sīrén ~, jìnzhǐ shànrù. Private residence, no entry.

⁴ **注册** zhù // cè 〈名 n.〉向有关单位登记备案 register：新生请于9月1日前到学校报到~。 Xīnshēng qǐng yú jiǔ yuè yī rì qián dào xuéxiào bàodào ~. New students please come to the school and get registered before Sep. 1st. | 这个商标还没注注册呢。 Zhège shāngbiāo hái méi zhùzhù cè ne. This trademark has not been registered yet.

⁴ **注解** zhùjiě ❶ 〈动 v.〉用文字解释字句 annotate; explain with notes：这首古诗有不少地方需要~一下才能看懂。 Zhè shǒu gǔshī yǒu bù shǎo dìfang xūyào ~ yíxià cái néng kàndǒng. This ancient poem needs many explanatory notes before it can be understood. ❷ 〈名 n.〉解释字句的文字 note; annotation：每篇课文后面都有词语的详细~。 Měi piān kèwén hòumian dōu yǒu cíyǔ de xiángxì ~. There is a detailed annotation of the words following each text.

⁴ **注目** zhùmù 〈动 v.〉把视线集中在一点上 gaze at; fix one's eyes on：行~礼 xíng ~ lǐ salute with eyes | 中国的发展引起了世人的~。 Zhōngguó de fāzhǎn yǐnqǐle shìrén de ~. China's development has attracted the attention of the whole world.

³ **注射** zhùshè 〈动 v.〉用注射器将液体药物输送到有机体内 inject：~疫苗 ~yìmiáo give an injection of vaccine | ~青霉素 ~qīngméisù give an injection of penicillin | 静脉~ jìngmài ~ intravenous injection | 现在使用的~器都是一次性的。 Xiànzài shǐyòng de ~qì dōu shì yícìxìng de. Injectors now being used are all disposable ones.

³ **注视** zhùshì 〈动 v.〉注意地看 gaze at; look attentively at; watch with concern：中国政府正在严密~事态的发展。 Zhōngguó zhèngfǔ zhèngzài yánmì ~ shìtài de fāzhǎn. The Chinese government is watching closely the development of the situation. | 她含情脉脉地~着他。 Tā hánqíng-mòmò de ~zhe tā. She looked at him languishingly.

⁴ **注释** zhùshì ❶ 〈动 v.〉用文字解释字句 annotate; explain with notes：~古诗文是他的专长。 ~ gǔshīwén shì tā de zhuāncháng. He is especially good at annotating ancient poems and articles. ❷ 〈名 n.〉解释字句的文字 note; annotation; explanatory note：为了帮助外国留学生阅读，本书在每篇文章后面加了英语~。 Wèile bāngzhù wàiguó liúxuéshēng yuèdú, běn shū zài měi piān wénzhāng hòumian jiāle Yīngyǔ ~. In order to help foreign students read this book, we added some English explanatory notes at the end of each article.

¹ **注意** zhù // yì 〈动 v.〉将思想集中在某个方面 pay attention to; take notice (note) of; attend to; be careful; look out：说汉语一定要~四声。 Shuō Hànyǔ yídìng yào ~ sìshēng. You must pay attention to the four tones when speaking Chinese. | 老年人必须~合理安排饮食。 Lǎoniánrén bìxū ~ hélǐ ānpái yǐnshí. Old people must pay attention to the proper arrangement of their diets. | 你已经犯了两次错误，以后可得注点儿意了。 Nǐ yǐjīng fànle liǎng cì cuòwù, yǐhòu kě děi zhù diǎnr yì le. You have already made two mistakes, and you should be careful from now on.

⁴ **注重** zhùzhòng〈动 v.〉重视；看重 lay stress on; pay attention to; attach importance to：~教育 ~ jiàoyù attach importance to the education │ ~环境保护 ~ huánjìng bǎohù attach importance to environmental protection │ 我们选拔人才首先应当~一个人的实际工作能力。*Wǒmen xuǎnbá réncái shǒuxiān yīngdāng ~ yí ge rén de shíjì gōngzuò nénglì.* We should lay primary stress on the actual working ability of a person when we choose people of talent.

³ **驻** zhù ❶〈动 v.〉停留 halt; stay：~足 ~zú make a temporary stay ❷〈动 v.〉军队驻扎或机关设置在某地 be stationed; encamp：这支部队在边疆~防。*Zhè zhī bùduì zài biānjiāng ~fáng.* This troop is garrisoning the border area. │他在~华使馆工作。*Tā zài ~huá shǐguǎn gōngzuò.* He works in the embassy in China. │请与我公司~上海办事处联系。*Qǐng yǔ wǒ gōngsī ~ Shànghǎi bànshìchù liánxì.* Please contact the office of our company in Shanghai. ❸〈动 v.〉留住 keep：祝你青春永~! *Zhù nǐ qīngchūn yǒng ~*! Hope you will forever remain youthful!

⁴ **驻扎** zhùzhā〈动 v.〉军队在某地住下 be stationed; be quartered：我们部队在边疆已经~10年了。*Wǒmen bùduì zài biānjiāng yǐjīng ~ shí nián le.* Our troops have been stationed in the border area for ten years.

³ **柱子** zhùzi〈名 n.〉(根gēn)建筑物中直立的起支撑作用的条形构件 post; pillar：木~ mù ~ wooden pillar │石~ shí ~ stone pillar │钢筋混凝土~ gāngjīn hùnníngtǔ ~ pillars made of reinforced concrete

¹ **祝** zhù ❶〈动 v.〉表示良好的愿望 wish; express good wishes：~你生日快乐！*nǐ shēngrì kuàilè*! Happy birthday to you! │ ~您健康长寿！*nín jiànkāng chángshòu*! Wish you good health and a long life. │两国人民的友谊万古长青！*liǎng guó rénmín de yǒuyì wàngǔ-chángqīng*! May the friendship between our two countries be everlasting! ❷〈动 v.〉庆贺 congratulate; celebrate：庆~ qìng ~ congratulate; celebrate │ ~捷 ~jié celebrate a victory

¹ **祝福** zhùfú ❶〈动 v.〉祝愿平安幸福 blessing; benediction：请接受我衷心的~。*Qǐng jiēshòu wǒ zhōngxīn de ~.* Please accept my heartfelt blessings. ❷〈名 n.〉指旧时流行于中国南方地区的在年底祭祀天地、祈求赐福的习俗 New Year's sacrifice, an old custom in southern China in old days

² **祝贺** zhùhè〈动 v.〉为共同的喜事表示庆祝；向有喜事的人道喜 congratulate：~春节 ~ Chūn Jié extend Spring Festival congratulations │大会取得圆满的成功。*dàhuì qǔdé yuánmǎn de chénggōng.* Congratulations on the complete success of the congress. ❷〈名 n.〉表示庆贺的话 congratulations：亲人的~使他倍感温暖。*Qīnrén de ~ shǐ tā bèi gǎn wēnnuǎn.* Congratulations from his family members greatly warmed his heart.

³ **祝愿** zhùyuàn ❶〈动 v.〉表示良好的愿望 wish：~您早日痊愈。~ *nín zǎorì quányù.* Wish you a speedy recovery. ❷〈名 n.〉表示良好祝愿的话 wish：请接受我真诚的~。*Qǐng jiēshòu wǒ zhēnchéng de ~.* Please accept my sincere wishes.

⁴ **著** zhù ❶〈名 n.〉写成的作品 book; work; writing：名~ míng ~ a famous work; a famous book │译~ yì ~ a translation │专~ zhuān ~ monogragh; treatise; specialized publication │这篇论文是我父亲的遗~。*Zhè piān lùnwén shì wǒ fùqīn de yí ~.* This thesis is my father's posthumous work. ❷〈动 v.〉写作 write：~书立说 ~shū-lìshuō write books and develop a theory; become an author; write books to expound a doctrine │这部教材是由我和几位教授合作编~的。*Zhè bù jiàocái shì yóu wǒ hé jǐ wèi jiàoshòu hézuò biān ~ de.* This course book was compiled by me in collaboration with several

professors. ❸ 〈动 *v.*〉显露出 show; prove: 他以山水画而~名。*Tā yǐ shānshuǐhuà ér míng.* He is famous for his landscape painting. | 北京大学以中国的最高学府而~称。 *Běijīng Dàxué yǐ Zhōngguó de zuìgāo xuéfǔ ér ~chēng.* Peking University is noted as the leading institution of higher learning in China. ❹ 〈形 *adj.*〉明显的 marked; outstanding: 我们的工作取得了显~的成绩。*Wǒmen de gōngzuò qǔdéle xiǎn~ de chéngjì.* We have made remarkable achievements in our work.

² **著名** zhùmíng 〈形 *adj.*〉有名的 famous; well-known; celebrated: ~学者 = *xuézhě* a celebrated scholar | ~作家 = *zuòjiā* a famous writer | ~歌唱家 = *gēchàngjiā* a famous singer | ~学府 = *xuéfǔ* a famous institution of higher education | ~风景区 = *fēngjǐngqū* a famous scenic spot | 杭州的西湖龙井茶十分~。*Hángzhōu de Xīhú Lóngjǐngchá shífēn ~.* Longjing Tea of the West Lake of Hangzhou is very well-known.

² **著作** zhùzuò ❶ 〈名 *n.*〉(部bù、本běn)写作出来的作品 work; book; writings: ~权 = *quán* copyright | 不朽的~ = *bùxiǔ de ~* an immortal masterpiece | 他是学术界的泰斗，~等身。*Tā shì xuéshùjiè de tàidǒu, ~děngshēn.* He is a foremost figure in the academic circle and a prolific author with many books to his credit. ❷ 〈动 *v.*〉用文字表达；写作 write: 他辞去了职务，专事~。*Tā cíqùle zhíwù, zhuānshì ~.* He resigned and concentrates on writing.

³ **铸** zhù ❶ 〈动 *v.*〉将熔化的金属或非金属材料倒进模子里，凝固成器物 cast; found: ~字 = *zì* typefounding; typecasting | ~钟 = *zhōng* cast a bell | 浇~ = *jiāo~* cast ❷ 〈动 *v.*〉造成 make: ~成大错 = *chéng dà cuò* make a gross mistake

⁴ **铸造** zhùzào 〈动 *v.*〉将金属加热熔化后倒入砂型或模子里，使成为器物 cast; found: ~硬币 = *yìngbì* cast coin | 这口钟是用青铜~的。*Zhè kǒu zhōng shì yòng qīngtóng ~ de.* This bell is made of cast bronze.

⁴ **筑** zhù ❶ 〈动 *v.*〉建造；修建 build; construct: ~路 = *lù* construct a road | ~堤 = *dī* build a dike | ~墙 = *qiáng* build a wall ❷ 〈名 *n.*〉中国古代的一种弦乐器，有13根弦，用竹尺击打发声 Zhu, an ancient 13-stringed musical instrument similar to the zither, played by tapping its strings with bamboo strips

² **抓** zhuā 〈动 *v.*〉人聚拢手指或动物聚拢爪趾握住 grab; seize; clutch: 她给我~了一把糖果。*Tā gěi wǒ ~le yì bǎ tángguǒ.* She gave me a handful of sweets. | 老鹰~住了一只兔子。*Lǎoyīng ~zhùle yì zhī tùzi.* The eagle caught a rabbit. ❷ 〈动 *v.*〉用指甲或动物用爪在物体上划 scratch: ~痒痒 = *yǎngyang* scratch an itch | ~耳挠腮 (形容因焦急或高兴而情绪浮躁的样子) = *~ěr-náosāi* (*xíngróng yīn jiāojí huò gāoxìng ér qíngxù fúzào de yàngzi*) scratch one's head; tweak one's ears and scratch one's cheeks (as a sign of anxiety or delight) ❸ 〈动 *v.*〉捕捉；捉拿 arrest; catch: ~小偷 = *xiǎotōu* catch a thief | ~流氓 = *liúmáng* catch a gangster | 警察~住了杀人疑凶。*Jǐngchá ~zhùle shārén yíxiōng.* The police caught the suspect of the murder. ❹ 〈动 *v.*〉特别注意；着重领导 stress; pay special attention to: 我们做工作一定要~住重点。*Wǒmen zuò gōngzuò yídìng yào ~zhù zhòngdiǎn.* We must pay special attention to key aspects in our work. | 他分工~财务。*Tā fēngōng ~ cáiwù.* He is assigned to be in charge of financial affairs. ❺ 〈动 *v.*〉掌握住 grasp (at); seize: 一个人要获得成功必须要~住机遇。*Yí gè rén yào huòdé chénggōng bìxū shànyú ~zhù jīyù.* To be successful, one must be good at seizing favorable opportunities. ❻ 〈动 *v.*〉吸引人的注意 attract; draw; grip: 他的讲演一开始就~住了听众。*Tā de jiǎngyǎn yì kāishǐ jiù ~zhùle tīngzhòng.* His speech commanded the audience's attention from the very beginning.

² **抓紧** zhuā//jǐn 〈动 *v.*〉紧紧地把握住 (与'放松'相对) firmly grasp; pay close attention to

(opposite to '放松fàngsōng'）：~机会 ~ jīhuì seize the opportunity│~时间 ~ shíjiān make the best use of one's time│~学习 ~ xuéxí attend to one's studies in earnest; study hard│这个项目希望你能~完成。Zhège xiàngmù xīwàng nǐ néng ~ wánchéng. I hope that you will work hard to accomplish this project.│你们一定要~办案，抓而不紧，等于不抓。Nǐmen yídìng yào ~ bàn'àn, zhuā ér bù jǐn, děngyú bù zhuā. You must lose no time in handling the case. Slacking off means losing.

⁴ **爪** zhuǎ〈名 n.〉鸟兽的脚 paw; claw; talon：鸡~ jī~ chicken's feet│我的手被猫~抓伤了。Wǒ de shǒu bèi māo~zhuāshāng le. My hand was scratched by the cat.

⁴ **拽** zhuài〈动 v.〉拖；拉 pull; drag; haul：他一把把我~进了屋。Tā yì bǎ bǎ wǒ ~jìnle wū. He caught hold of me and dragged me into the house.│她~~我的衣角，让我别吭声。Tā ~~ wǒ de yījiǎo, ràng wǒ bié kēngshēng. She hinted at me to keep silent by dragging the corner of my clothes.

³ **专** zhuān ❶〈形 adj.〉集中在一件事情上的；单一的 focus on one thing; concentrate; special：~职 ~zhí specific duty; sole duty; full-time position│~科 ~kē specialized subject; specialty; special field of study│~车 ~chē special train; special car│~机 ~jī special plane│学校拨了一款修建学生宿舍。Xuéxiào bōle ~kuǎn xiūjiàn xuésheng sùshè. The school appropriated a special fund to build the students' dormitory. ❷〈形 adj.〉在学术或技术上有特长的 expert：一~多能 yì ~ duō néng expert in one thing and capable at many│他在电脑方面挺~的。Tā zài diànnǎo fāngmiàn tǐng ~ de. He is quite expert at computers. ❸〈形 adj.〉单独掌握或控制 monopolize：~利 ~lì patent│~权 ~quán monopolize power ❹〈副 adv.〉特别；专一 especially; particularly; bent on; single-minded; concentrated：你就~爱挑人毛病。Nǐ jiù ~ ài tiāo rén máobìng. You always make a point of finding faults with others.│这位大夫~治心脏病。Zhè wèi dàifu ~ zhì xīnzàngbìng. The doctor is expert in dealing with heart diseases.

⁴ **专长** zhuāncháng〈名 n.〉（门mén、种zhǒng）专门的知识和技能；特长 speciality; special skill or knowledge：他的~是装配电脑。Tā de ~ shì zhuāngpèi diànnǎo. He is expert at assembling a computer.│要把一个部门办好，一定要发挥每个人的~。Yào bǎ yí gè bùmén bànhǎo, yídìng yào fāhuī měi gè rén de ~. In order to manage a department well, we must give full play to everyone's professional knowledge and skill.

⁴ **专程** zhuānchéng〈副 adv.〉专为某事到某地 special trip：我是~来拜访您的。Wǒ shì ~ lái bàifǎng nín de. I come just to pay a special visit to you.│他是~从美国赶来参加这次会议的。Tā shì ~ cóng Měiguó gǎn lái cānjiā zhè cì huìyì de. He made a special trip from the U. S. to take part in this conference.

² **专家** zhuānjiā〈名 n.〉（位wèi、名míng、个gè）对某一学科有专门研究的人；擅长某种技术的人 expert; specialist：航天~ hángtiān ~ expert in space flight│水稻~ shuǐdào ~ expert in rice│法律~ fǎlǜ ~ legal specialist│语言~ yǔyán ~ linguistic expert│我们系聘请了三位外国~。Wǒmen xì pìnqǐngle sān wèi wàiguó ~. Our department employed three foreign experts.

⁴ **专科** zhuānkē ❶〈名 n.〉专门科目 specialized subject; specialty; special field of study：工艺美术~ gōngyì měishù ~ the special field of industrial arts│这是一家治疗心血管病的~医院。Zhè shì yì jiā zhìliáo xīnxuèguǎnbìng de ~ yīyuàn. This is a hospital specialized in treating cardiovascular diseases. ❷〈名 n.〉专科学校的简称 polytechnic school; college for professional training：我是~毕业生。Wǒ shì ~ bìyèshēng. I graduated from a college for professional training.

⁴ **专利** zhuānlì〈名 n.〉（项xiàng）发明者在一定的时期内对自己的发明依法独自享有的

利益 patent：~权 ~quán patent right; patent | 他去年一年就申报了五项~. Tā qùnián yì nián jiù shēnbàole wǔ xiàng ~. Last year he applied for five patents.

² **专门** zhuānmén ❶〈形 adj.〉致力于某事或某学科的 specialized; special：~人才 ~ réncái people with professional skills; specialized personnel | ~机构 ~ jīgòu special agency; special organ | 他曾经受过特工的~训练. Tā céngjīng shòuguo tègōng de ~ xùnliàn. He once underwent training as a special agent. ❷〈副 adv.〉特意；特地 specially：我是~来请教您的. Wǒ shì ~ lái qǐngjiào nín de. I am paying this special visit just to consult you.

⁴ **专人** zhuānrén〈名 n.〉专门负责某项任务的人 person specially assigned to a task or job; specially assigned person：每一项工作都应当有~负责. Měi yí xiàng gōngzuò dōu yīngdāng yǒu ~ fùzé. Every work should have a specially assigned person to take charge of. | 这封信我马上派~给你送去. Zhè fēng xìn wǒ mǎshàng pài ~ gěi nǐ sòng qù. I will send a special messenger to deliver this letter to you.

⁴ **专题** zhuāntí〈名 n.〉(个 gè)专门研究或讨论的问题 special subject; special topic：~研究 ~ yánjiū monographic study | ~报告 ~ bàogào report on a special topic | ~调查 ~ diàochá investigation of a special subject | 这次会议分五个~分组进行讨论. Zhè cì huìyì fēn wǔ gè ~ fēn zǔ jìnxíng tǎolùn. Participants of this conference will be divided into five groups with each focusing on a special topic.

² **专心** zhuānxīn〈形 adj.〉集中注意力 be absorbed; concentrate one's attention; devoted to sth. wholeheartedly：这个孩子学习一向不太~. Zhège háizi xuéxí yíxiàng bú tài ~. This child has always been absent-minded about his studies. | 你还是~养病，公司的事情别就操心啦. Nǐ háishì ~ yǎng bìng, gōngsī de shìqíng jiù bié cāoxīn la. You'd better concentrate on recuperating and don't worry about the business of the company.

² **专业** zhuānyè ❶〈名 n.〉(个 gè)教育部门根据学科分工设置的门类 special field of study; specialized subject; specialty; discipline：英语~ Yīngyǔ ~ specialty of the English language | 中文系文学~ Zhōngwénxì wénxué ~ specialty of literature in the Chinese Department | 经济管理是学生报考的热门~. Jīngjì guǎnlǐ shì xuésheng bàokǎo de rèmén ~. Business management is a popular specialty for students to apply for. ❷〈形 adj.〉专门从事某种事业或职业的 (区别于'业余') specialized; professional (opposite to '业余yèyú')：他已经成了一位~作家. Tā yǐjīng chéngle yí wèi ~ zuòjiā. He has become a professional writer. | 我们这次歌唱比赛分~组和业余组. Wǒmen zhè cì gēchàng bǐsài fēn ~ zǔ hé yèyú zǔ. This singing contest is divided into two groups: one for amateurs, the other for professionals.

⁴ **专业户** zhuānyèhù〈名 n.〉(家 jiā、个 gè)中国农村中专门从事某项农副业的家庭 specialized households：养猪~ yǎngzhū ~ household that specializes in raising pigs | 蔬菜~ shūcài ~ household that specializes in growing vegetables | 养鱼~ yǎngyú ~ household that specializes in breeding fish

⁴ **专用** zhuānyòng〈动 v.〉专供某人或某方面使用 for a special purpose：~线路 ~ xiànlù special-purpose lines | ~飞机 ~ fēijī airplane for special use | 这是病人~的餐具. Zhè shì bìngrén ~ de cānjù. These are the dinner sets only for the patients. | 大批~物资运往灾区. Dàpī ~ wùzī yùn wǎng zāiqū. Large quantities of special goods are transported to the afflicted area.

³ **专政** zhuānzhèng〈名 n.〉统治阶级对敌对阶级和敌对分子实行的强力统治 dictatorship：~机关 ~ jīguān organ of dictatorship | ~对象 ~ duìxiàng object of dictatorship

⁴ **专制** zhuānzhì 〈形 *adj.*〉独自掌握政权；独断专行 autocratic; despotic: ~统治 ~ *tǒngzhì* aurocratic rule｜~制度 ~ *zhìdù* despotic system｜~思想 ~ *sīxiǎng* autocratic thinking｜~作风 ~ *zuòfēng* autocractic style of work｜他是一个非常~的家长。*Tā shì yí gè fēicháng ~ de jiāzhǎng.* He is a very autocratic parent father.

³ **砖** zhuān ❶〈名 *n.*〉(块kuài)一种建筑材料,用土坯烧制而成 brick: 中国的大多数古建筑是~木结构的。*Zhōngguó de dàduōshù gǔjiànzhù shì ~mù jiégòu de.* Most of China's ancient buildings are made of brick and wood.｜抛~引玉 (比喻用自己的粗浅的、不成熟的见解引出别人高明的、成熟的见解) pāo~-yǐnyù (bǐyù yòng zìjǐ de cūqiǎn de, bù chéngshú de jiànjiě yǐnchū biéren gāomíng de, chéngshú de jiànjiě) throw out a brick to attract a jade (*fig.* offer a few commonplace remarks by way of introduction so that others may come up with valuable opinions) ❷〈名 *n.*〉形状像砖的东西 sth. shaped like a brick: 金 ~ *jīn* ~ gold brick｜冰 ~ *bīng* ~ ice-cream brick｜茶 ~ *chá* ~ tea brick

² **转** zhuǎn ❶〈动 *v.*〉改变方向、位置、形势、情况等 turn; shift; change: 向右~ *xiàng yòu*~ turn right｜他已经~学了。*Tā yǐjīng ~xué le.* He has transferred to another school.｜局势急~直下。*Júshì jí~-zhíxià.* The situation took a sudden turn and then developed rapidly.｜天气多云~晴。*Tiānqì duō yún ~ qíng.* It changed from cloudy to clear. ❷〈动 *v.*〉传送；经另一方送达 transfer; pass on: ~播节目~*bō jiémù* relay a program｜~账支票~*zhàng zhīpiào* transfer cheque｜这批货要到香港~运。*Zhè pī huò yào dào dào Xiānggǎng ~yùn.* This batch of goods will be transferred at Hong Kong.

☞ zhuàn, p. 1319

² **转变** zhuǎnbiàn 〈动 *v.*〉由一种情况变到另一种情况 change; transform: ~观念 ~ *guānniàn* change one's mode of thought｜~作风 ~ *zuòfēng* change one's style of work｜~立场 ~ *lìchǎng* change one's stand; shift one's ground｜他的思想正在逐步~。*Tā de sīxiǎng zhèngzài zhúbù ~.* His thoughts are in the process of gradual change.

³ **转播** zhuǎnbō 〈动 *v.*〉电台、电视台播送别的电台、电视台的节目 relay: 北京电视台现在~中央电视台的新闻节目。*Běijīng Diànshìtái xiànzài ~ Zhōngyāng Diànshìtái de xīnwén jiémù.* The Beijing TV station is now relaying CCTV news program.

³ **转达** zhuǎndá 〈动 *v.*〉将一方的话转给另一方 pass on; convey; communicate: 同事让我~对您的问候。*Tóngshìmen ràng wǒ ~ duì nín de wènhòu.* My colleagues asked me to give you their regards.｜我现在向大家~总经理的指示。*Wǒ xiànzài xiàng dàjiā ~ zǒngjīnglǐ de zhǐshì.* Now I will pass on to you the instructions of the general manager.

³ **转动** zhuǎndòng 〈动 *v.*〉转身活动；身体或物体的某部分自由活动 turn; move; turn round: 每天早晨应当做一些~颈椎和腰椎的活动。*Měi tiān zǎochén yīngdāng zuò yìxiē ~ jǐngzhuī hé yāozhuī de huódòng.* Every morning you should do some exercises of turning the cervical vertabra and lumbar vertebra.｜这台收音机的天线不能~了。*Zhè tái shōuyīnjī de tiānxiàn bù néng ~ le.* The antenna of the radio cannot be turned around.

☞ zhuàndòng, p. 1319

² **转告** zhuǎngào 〈动 *v.*〉将一方的话告诉另一方 pass on word; communicate; transmit: 您的意见我会一五一十地~给他的。*Nín de yìjiàn wǒ huì yìwǔ-yìshí de ~ gěi tā de.* I will pass on your opinion to him exactly as it is.｜原定明天的活动改期了,请大家互~。*Yuán dìng míngtiān de huódòng gǎiqī le, qǐng dàjiā xiānghù ~.* The activities scheduled for tomorrow have been put off, and please pass it on to each other.

³ **转化** zhuǎnhuà 〈动 *v.*〉(向相反的方向)变化;转变 change; transform: 劣势~为优势。*Lièshì ~ wéi yōushì.* Inferior position changes into superior position. / Unfavorable situation

changes into favorable situation. | 后进～为先进。*Hòujìn ~ wéi xiānjìn.* The less advanced change into the more advanced. / Those who lag behind become the ones who take the lead. | 不利因素～为有利因素。*Bùlì yīnsù ~ wéi yǒulì yīnsù.* Unfavorable factors change into favorable ones. | 次要矛盾～为主要矛盾。*Cìyào máodùn ~ wéi zhǔyào máodùn.* Secondary contradiction changes into principal ones.

⁴ **转换** zhuǎnhuàn 〈动 v.〉改换；改变 change; transform: 咱们能不能～一下话题，说些让大家高兴的事儿？ *Zánmen néng bù néng ~ yíxià huàtí, shuō xiē ràng dàjiā gāoxìng de shìr?* Can't we change the subject and talk about something delightful? | 我们应该～一个角度来思考这个问题。*Wǒmen yīnggāi ~ yí gè jiǎodù lái sīkǎo zhège wèntí.* We should consider the problem from another perspective.

⁴ **转交** zhuǎnjiāo 〈动 v.〉将一方的东西交给另一方 pass on; transmit: 这本书是他让我～给你的。*Zhè běn shū shì tā ràng wǒ ~ gěi nǐ de.* He asked me to pass this book on to you. | 这笔钱请你尽快～给他。*Zhè bǐ qián qǐng nǐ jǐnkuài ~ gěi tā.* Please pass this sum of money on to her as soon as possible.

⁴ **转让** zhuǎnràng 〈动 v.〉将自己的东西或权利让给别人 transfer the possession of; transfer the ownership of; make over: ～房产 ～ *fángchǎn* transfer the ownership of the house property | ～专利 ～ *zhuānlì* transfer the patent | 技术～ *jìshù* ～ technology transfer | 他把自己一辈子收藏的文物全部无偿地～给了博物馆。*Tā bǎ zìjǐ yíbèizi shōucáng de wénwù quánbù wúcháng de ~ gěile bówùguǎn.* He donated all the cultural relics that he had collected throughout his life to the museum.

³ **转入** zhuǎnrù 〈动 v.〉转变原来的方向进入某地或某种状态 turn over to; shift to; switch to: ～地下斗争 ～ *dìxià dòuzhēng* change into underground combat; switch to secret combat | 这笔钱已经～你的账户。*Zhè bǐ qián yǐjīng ~ nǐ de zhànghù.* This sum of money has been transferred into your account. | 这个国家终于摆脱战乱,～了和平建设。*Zhège guójiā zhōngyú bǎituō zhànluàn, ~le hépíng jiànshè.* The country was finally extricated from wars and entered the stage of peaceful construction.

⁴ **转弯** zhuǎn//wān ❶（～儿）〈动 v.〉拐弯儿 turn a corner; make a turn: 前面一～儿就到我家了。*Qiánmiàn yì ~ jiù dào wǒ jiā le.* My house is just round the corner. | 公共汽车一个急～，站着的乘客都摔倒了。*Gōnggòng qìchē yí gè jí ~, zhànzhe de chéngkè dōu shuāidǎo le.* The bus made a sudden turn and the passengers who were standing all fell down. ❷（～儿）〈动 v.〉比喻思想改变方向 change one's viewpoint: 他刚挨了批评，脑子一时还没转过弯儿来呢。*Tā gāng áile pīpíng, nǎozi yìshí hái méi zhuǎnguo wānr lái ne.* He has just been criticized, and cannot get his thinking straightened out for the moment. ❸（～儿）〈动 v.〉比喻隐晦曲折 beat about the bush; speak in a roundabout way: 他是个直性子，说话从来不会～儿。*Tā shì gè zhíxìngzi, shuōhuà cónglái bú huì ~r.* He is a straightforward person who never minces his words in a roundabout way.

⁴ **转向** zhuǎnxiàng ❶〈动 v.〉改变方向 change direction: 他的汽车突然～，开进了一条胡同。*Tā de qìchē túrán ~, kāijìnle yì tiáo hútòng.* His car suddenly changed direction and was steered into an alley. | 风～了，刮起了西北风。*Fēng ~ le, guāqǐle xīběi fēng.* The wind now changes its direction and blows northwest. | 他狡猾地把矛头～了我。*Tā jiǎohuá de bǎ máotou ~ wǒ.* He cunningly changed the target of attack toward me. ❷〈动 v.〉比喻改变政治立场 change one's political stand: 经过我们的积极争取，这个军官终于～了人民。*Jīngguò wǒmen de jījí zhēngqǔ, zhège jūnguān zhōngyú ~le rénmín.* Thanks to our vigorous action to win over him, the officer finally changed his political stand to the people's side.

³ **转移** zhuǎnyí ❶ 〈动 v.〉改变位置 shift; transfer; divert：~方向 ~ fāngxiàng divert the orientation ｜~目标 ~ mùbiāo distract attention of sb. ｜财产 ~ cáichǎn transfer one's property ｜癌细胞已经~到了肝脏。Áixìbāo yǐjīng ~ dàole gānzàng. Cancer cells have metastasized to the liver. ❷〈动 v.〉改变；转变 change; transform：退休以后，他的兴趣已经~到写字画画上去了。Tuìxiū yǐhòu, tā de xìngqù yǐjīng ~ dào xiě zì huà huà shang qù le. He has shifted his interests to calligraphy and painting after he retired. ｜客观规律是不以人的意志为~的。Kèguān guīlǜ shì bù yǐ rén de yìzhì wéi ~ de. Objective laws are independent of man's will.

⁴ **转折** zhuǎnzhé ❶〈动 v.〉事物在发展过程中改变原来的方向 turn in the course of events：形势出现了~，争端有可能得到和平解决。Xíngshì chūxiànle ~, zhēngduān yǒu kěnéng dédào hépíng jiějué. The situation changed, and the dispute might be settled peacefully. ❷〈动 v.〉文章或语意由一个方向转向另一个方向 transition; turn：小说的情节没有~，读起来很乏味。Xiǎoshuō de qíngjié méiyǒu ~, dú qǐlái hěn fáwèi. It is dull to read the novel due to lack of twists and turns in the plot.

⁴ **传** zhuàn ❶〈名 n.〉记述人物生平事迹的文字 biography：自~ zì~ autobiography ｜~记 ~jì biography ｜《鲁迅~》'Lǔ Xùn ~' The Life of Lu Xun ❷〈名 n.〉叙述人物故事的文学作品（多用于作品名称）a novel or story (mostly used in titles)：《儿女英雄~》'Érnǚ Yīngxióng~' The Heroic Story of Daughters and Sons
☞ chuán, p. 134

⁴ **传记** zhuànjì 〈名 n.〉记述人物生平事迹的文字 biography：~文学 ~ wénxué biographical literature ｜这是一部关于爱因斯坦的~。Zhè shì yí bù guānyú Àiyīnsītǎn de ~. This is a biography of Einstein.

² **转** zhuàn ❶〈动 v.〉旋转 turn; rotate：我的车轮怎么~不动了？Wǒ de chēlún zěnme ~ bú dòng le? Why do my cartwheels not turn? ｜时钟的秒针一圈是60秒。Shízhōng de miǎozhēn ~ yì quān shì liùshí miǎo. It takes 60 seconds for the second hand of a clock to move a circle. ❷〈动 v.〉围绕着中心运动 revolve; rotate; move round; circle：自~ zì~ rotation ｜公~ gōng~ revolution ｜月球围绕着地球~。Yuèqiú wéiráozhe dìqiú ~. The moon moves round the earth. ❸〈动 v.〉来回走动 walk back and forth：咱俩去百货公司~~吧。Zán liǎ qù bǎihuò gōngsī ~~ ba. Let's go to have a look in the department store. ❹〈量 meas.〉绕圈的次数 revolutions round：转速达到每分钟300~。Zhuànsù dádào měi fēnzhōng sānbǎi ~. The rate of rotation amounts to 300 revolutions per minute.
☞ zhuān, p. 1317

³ **转动** zhuàndòng ❶〈动 v.〉物体以一点为中心或以一直线为轴作圆周运动 turn; revolve; rotate：机器飞快地~着。Jīqì fēikuài de ~zhe. The machine turns very quickly. ｜天体绕着自己的轴心~称为自转。Tiāntǐ ràozhe zìjǐ de zhóuxīn ~ chēngwéi zìzhuàn. The turning of a celestial body on its own axis is known as rotation. ❷〈动 v.〉使转动 turn：~钥匙 ~ yàoshi turn a key ｜~门把儿 ~ ménbǎr turn the door knob
☞ zhuǎndòng, p. 1317

³ **赚** zhuàn ❶〈动 v.〉获得利润（与'赔'相对）make a profit; gain (opposite to '赔 péi')：做生意总是有~有赔，哪能光~不赔呢！Zuò shēngyi zǒngshì yǒu ~ yǒu péi, nǎ néng guāng ~ bù péi ne! Money could be made or lost in doing business. How can business always be profitable? ｜他这两年搞运输~了不少钱。Tā zhè liǎng nián gǎo yùnshū ~ le bù shǎo qián. He has made a lot of money by doing transportation business in recent years. ❷〈动 v. 方 dial.〉挣（钱）earn (money)：他每月~2,500元。Tā měiyuè

~ **liǎng qiān wǔbǎi yuán.** He earned 2,500 *yuan* every month.

⁴ 庄 zhuāng ❶〈名 n.〉村落；村落的名称 village：村～ *cūn*~ village｜李家～ *Lǐjiā*~ Li Family Village ❷〈名 n.〉规模较大的商号 firm；shop；store（on quite a large scale）：饭～ *fàn*~ restaurant｜钱～ *qián*~ old-style private bank｜绸缎～ *chóuduàn*~ silk shop ❸〈名 n.〉庄家 banker（in a gambling game）：现在该轮到我坐～了。*Xiànzài gāi lúndào wǒ zuò*~ *le.* It's my turn to be the banker. ❹〈形 adj.〉严肃；不轻浮 serious；grave；sedate；solemn；sober：～严 ~*yán* solemn；dignified；stately｜他的文章亦～亦谐，深受读者喜爱。*Tā de wénzhāng yì*~*yìxié, shēn shòu dúzhě xǐ'ài.* His articles are seriocomic, and thus very appealing to readers.

² 庄稼 zhuāngjia〈名 n.〉农作物(多指粮食作物) crops：～长势喜人。~ *zhǎngshì xǐrén.* The crops are growing fine.｜他是个种～的老把式。*Tā shì gè zhòng* ~ *de lǎo bǎshì.* He is highly skilled in growing crops.｜今年～的收成好吗？*Jīnnián* ~ *de shōuchéng hǎo ma?* Have you reaped a good harvest of crops this year?

² 庄严 zhuāngyán〈形 adj.〉庄重严肃 solemn；dignified；stately：～宣告 ~ *xuāngào* solemnly proclaim｜～声明 ~ *shēngmíng* solemnly declare｜～宣誓 ~ *xuānshì* make a solemn vow｜追悼大会～肃穆。*Zhuīdào dàhuì* ~ *sùmù.* The funeral service was filled with a solemn silence.

⁴ 庄重 zhuāngzhòng〈形 adj.〉(言谈举止)严肃(与'轻浮''轻佻'相对) serious；grave；solemn；sedate（opposite to '轻浮 qīngfú' and '轻佻 qīngtiāo'）：举止～ ~ *jǔzhǐ* deport oneself in a dignified manner；carry oneself with dignity｜神态～ *shéntài* ~ look grave｜这么～的场合你不该说说笑笑。*Zhème* ~ *de chǎnghé nǐ bù gāi shuōshuō-xiàoxiào.* You shouldn't chat and laugh on such a serious occasion.

³ 桩 zhuāng ❶〈名 n.〉插进地里的柱子或棍子 stake；pile：木～ *mù*~ wood stake｜桥～ *qiáo*~ bridge stake｜打～ *dǎ*~ pile driving ❷〈量 meas.〉件（用于事物）(of things) piece：一～交易 *yì* ~ *jiāoyì* a business transaction｜他犯有几～命案。*Tā fàn yǒu jǐ* ~ *mìng'àn.* He has committed several murders.｜我有几～好事儿要告诉你。*Wǒ yǒu jǐ* ~ *hǎoshìr yào gàosu nǐ.* I have some pieces of good news to tell you.

¹ 装 zhuāng ❶〈动 v.〉把东西放进器物里 pack；put into：他把衣服～进箱子里。*Tā bǎ yīfu* ~*jìn xiāngzi li.* He put his clothes into the case.｜我看见你把钱～进皮夹子的。*Wǒ kànjiàn nǐ bǎ qián* ~*jìn píjiāzi de.* I saw you put the money into the wallet. ❷〈动 v.〉将物品放到运输工具上(与'卸'相对) load（opposite to '卸xiè'）：他在码头上当～卸工。*Tā zài mǎtóu shang dāng* ~*xiègōng.* He works as a stevedore at the dock.｜一箱箱的水果～上了卡车。*Yì xiāngxiāng de shuǐguǒ* ~*shàngle kǎchē.* Boxes of fruits were loaded on to the truck. ❸〈动 v.〉容纳 hold：这个旅行袋～不了多少东西。*Zhège lǚxíngdài* ~ *bù liǎo duōshao dōngxi.* This travel bag cannot hold many things.｜这间会议室～50个人不成问题。*Zhè jiān huìyìshì* ~ *wǔshí gè rén bù chéng wèntí.* There is no problem that this meeting room is quite capable of holding 50 people. ❹〈动 v.〉安装；将零件或部件配成整体 install；fit；assemble：我家新～了一部传真机。*Wǒ jiā xīn* ~*le yí bù chuánzhēnjī.* A new fax machine has been fitted in my house.｜这台电脑是他给我～的。*Zhè tái diànnǎo shì tā gěi wǒ* ~ *de.* He assembled this computer for me.｜这种家具可以自己组～。*Zhè zhǒng jiājù kěyǐ zìjǐ zǔ*~. You can put this kind of furniture together all by yourself. ❺〈动 v.〉做出某种假象 pretend；feign；make believe：他在~糊涂呢！*Tā zài* ~ *hútu ne!* He is pretending ignorant.｜你不要不懂~懂。*Nǐ bú yào bù dǒng* ~ *dǒng.* Don't pretend to know what you don't know. ❻〈动 v.〉化妆 修饰 dress up；attire；deck out：梳～打扮 *shū* ~ *dǎbàn* deck oneself out；dress smartly；be dressed up｜~饰 ~*shì*

decorate ❼〈动 v.〉扮演 play the part of; act: 他~什么像什么，在这部戏里居然~起老太太来了。 *Tā ~ shénme xiàng shénme, zài zhè bù xì li jūrán ~qǐ lǎotàitai lái le*. No matter what he acts, he really looks the part, and he even plays the role of an old lady in this play. ❽〈动 v.〉装订书籍 bind book: 精~本要多好几块钱呢，买平~本算了。 *Jīng~běn yào duō hǎo jǐ kuài qián ne, mǎi píng~běn suàn le*. Let's make do with the paperbound edition, for the hardcover edition will cost a few *yuan* more. ❾〈名 n.〉衣服 outfit; clothing: 中~ *zhōng~* traditional Chinese clothing | 西~ *xī~* Western-style clothes; suit | 奇~异服 *qí~~yìfú* exotic costume; bizarre dress; outlandish clothes ❿〈名 n.〉装备；行装 luggage; outfit for a journey: 部队已整~待发。 *Bùduì yǐjīng zhěng~ dàifā*. The troops have got ready for a march. ⓫〈名 n.〉演员化妆时穿戴涂抹的东西 stage makeup and costume: 化妆师正在给她定~呢。 *Huàzhuāngshī zhèngzài gěi tā dìng~ ne*. The dresser is fixing her stage makeup and costume. | 他正在化妆室卸~。 *Tā zhèngzài huàzhuāngshì xiè~*. He's removing his stage makeup and costume in the make-up room.

³ **装备** zhuāngbèi ❶〈动 v.〉配备 equip; fit out: 这支特种部队~了最新式的武器。 *Zhè zhī tèzhǒng bùduì ~le zuì xīnshì de wǔqì*. This special force has been equipped with the latest weapons. | 这家宾馆~了最先进的空调装置。 *Zhè jiā bīnguǎn ~le zuì xiānjìn de kōngtiáo zhuāngzhì*. This hotel has been equipped with the most advanced air conditioning. ❷〈名 n.〉配备起来的东西 equipment; outfit: 只有先进的~还不行，还要有先进的管理人才。 *Zhǐyǒu xiānjìn de ~ hái bùxíng, háiyào yǒu xiānjìn de guǎnlǐ réncái*. Advanced equipment alone is not enough; advanced management talents are also needed.

⁴ **装配** zhuāngpèi〈动 v.〉将零件或部件配成整体 assemble; fit together: ~车间 *~chējiān* assembly shop; fitting shop | ~流水线 *~liúshuǐxiàn* assembly line | 机器已经完毕，只待调试了。 *Jīqì yǐjīng ~wánbì, zhǐ dài tiáoshì le*. The machine was already been assembled only awaiting test runs.

³ **装饰** zhuāngshì ❶〈动 v.〉在身体或物体的表面加些附属的东西使美观 decorate; adorn; ornament; deck: 她不爱~，却显得端庄大方。 *Tā bú ài ~, què xiǎnde duānzhuāng dàfang*. She does not care much for adornment, but she looks dignified and unaffected. | 这间客厅~得太豪华了。 *Zhè jiān kètīng ~de tài háohuá le*. This sitting room is too luxuriously decorated. ❷〈名 n.〉装饰品 ornaments: 金碧辉煌的~里透出一股俗气。 *Jīnbì-huīhuáng de ~ li tòuchū yì gǔ súqì*. The magnificent decoration cannot conceal their poor taste.

⁴ **装卸** zhuāngxiè ❶〈动 v.〉将物品装到运输工具上或从运输工具上卸下 load and unload: 人工~ *réngōng~* manual loading and unloading; loading and unloading done by hand | 机械化~ *jīxièhuà~* mechanized loading and unloading | 野蛮~造成大批货品损毁。 *Yěmán ~ zàochéng dàpī huòpǐn sǔnhuǐ*. Careless loading and unloading caused great damage to large quantities of goods. ❷〈动 v.〉组装和拆卸（机件） assemble and disassemble: 对他来说，一台电脑是轻而易举的事。 *Duì tā lái shuō, ~ yì tái diànnǎo shì qīng'éryìjǔ de shì*. Assembling and disassembling a computer is just a simple thing for him.

⁵ **装置** zhuāngzhì ❶〈动 v.〉安装；配置 install; fit: 每家宾馆都必须~防火警报系统。 *Měi jiā bīnguǎn dōu bìxū ~ fánghuǒ jǐngbào xìtǒng*. Every hotel must install a fire alarming system. ❷〈名 n.〉指某些构造复杂并具有独立功能的机器或配件 installation; unit; device; plant: 通风~ *tōngfēng~* ventilation installation | 雷达~

léidá ~ radar installation｜冷冻~ lěngdòng ~ refrigeration device｜自动化~ zìdònghuà ~ automation device

³ **壮** zhuàng ❶〈形 adj.〉强健有力 strong; robust：小伙子 ~ xiǎohuǒzi a sturdy young man｜身强力~ shēnqiáng-lì~ (of a person) strong; sturdy; tough｜我父亲虽然上了年纪，身子骨还挺~呢。Wǒ fùqīn suīrán shàngle niánjì, shēnzigǔ hái tǐng ~ ne. My father is still well-built althongh he is quite old now. ❷〈形 adj.〉雄壮；气势盛 magnificent; grand：理直气~ lǐzhí-qì~ be in the right and self-confident; be self-confident on the strength of one's being right; justly and forcefully; speak with compelling argument; With justice on one's side, one feels bold and assured.｜我们的祖国山河~丽。Wǒmen de zǔguó shānhé ~lì. Our country is a land of glories. ❸〈形 adj.〉肥大 fat：人怕出名猪怕~。Rén pà chūmíng zhū pà ~. Fame portends trouble for men just as fattening does for pigs. ❹〈动 v.〉加强 strengthen; make better：~声势 ~ shēngshì lend impetus and strength; make it appear more vigorous and impressive｜他~了~胆，走进了黑古隆冬的屋子里。Tā ~le ~ dǎn, zǒujìnle hēigulōngdōng de wūzi li. He boosted his courage and walked into the pitch-dark room.

³ **壮大** zhuàngdà ❶〈动 v.〉变得强大 grow in strength; expand：我们的队伍日益~。Wǒmen de duìwu rìyì ~. Our ranks are growing stronger and stronger.｜这家公司的经济实力越来越~了。Zhè jiā gōngsī de jīngjì shílì yuèláiyuè ~ le. The economic strength of the company is growing steadily. ❷〈动 v.〉使强大（与'削弱'相对）strengthen (opposite to '削弱xuēruò')：只有不断~科研队伍，企业的发展才有后劲。Zhǐyǒu búduàn ~ kēyán duìwǔ, qǐyè de fāzhǎn cái yǒu hòujìn. Only by continuously strengthening the ranks of the scientific researchers can an enterprise be developed in the long run. ❸〈形 adj.〉壮实而粗大 bulky; thick and strong; big：别看他肢体~,说起话来还挺文绉绉的。Bié kàn tā zhītǐ ~, shuō qǐ huà lái hái tǐng wénzhōuzhōu de. Though he is strong and sturdy in physique, he speaks in quite a gentle manner.

⁴ **壮观** zhuàngguān ❶〈名 n.〉壮丽雄伟的景象 grand sight; magnificent sight：尼亚加拉大瀑布堪称天下之一大~。Níyàjiālā dà pùbù kānchēng tiānxià zhī yí dà ~. Niagara Falls may be rated as one of the great wonders of the world. ❷〈形 adj.〉（景象）雄伟壮丽 magnificent：节日的天安门显得格外~。Jiérì de Tiān'ānmén xiǎnde géwài ~. In the festival, Tian'anmen Square looked exceptionally magnificent.

³ **壮丽** zhuànglì〈形 adj.〉雄壮美丽 majestic; glorious; magnificent：~的河山 ~ de héshān magnificent rivers and mountains; glorious land｜~的事业 ~ de shìyè majestic cause｜~的青春 ~ de qīngchūn glorious youth

⁴ **壮烈** zhuàngliè ❶〈形 adj.〉勇敢而有气节 heroic; brave：他在战场上~牺牲了。Tā zài zhànchǎng shang ~ xīshēng le. He died a martyr's death on the battlefield. ❷〈形 adj.〉雄壮激烈 magnificent; majestic and intense; fierce：那种~的场面令人终生难忘。Nà zhǒng ~ de chǎngmiàn lìng rén zhōngshēng nánwàng. That magnificent and fierce scene is an unforgettable life memory.

⁴ **壮志** zhuàngzhì〈名 n.〉宏伟的志向 great aspiration; lofty ideal：~凌云 ~língyún with lofty aspirations｜只有雄心~是不够的，还要脚踏实地地工作。Zhǐyǒu xióngxīn-~ shì bú gòu de, hái yào jiǎotàshídì de gōngzuò. Lofty aspirations and high ideals alone are not enough; we should also work in a down-to-earth manner.

² **状况** zhuàngkuàng〈名 n.〉情形；情况 condition; state; state of affairs：生活 ~ shēnghuó ~ living condition; state of living｜我们公司的经济~很好。Wǒmen gōngsī de jīngjì ~ hěn hǎo. The financial situation of our company is quite good.｜他的健康~很不好。Tā

de jiànkāng ~ hěn bù hǎo. He's in bad physical condition.

² **状态** zhuàngtài 〈名 *n.*〉人或事物表现出来的形态 state; condition; state of affairs：精神~ *jīngshén ~* state of mind; spiritual state; mentality; mental state｜思想~ *sīxiǎng ~* state of mind｜紧急~ *jǐnjí ~* urgent state｜瘫痪~ *tānhuàn ~* a state of paralysis｜病人处于昏迷~。 *Bìngrén chǔyú hūnmí ~.* The patient is in a coma.｜由于骚乱，这座城市已经陷于无政府~。 *Yóuyú sāoluàn, zhè zuò chéngshì yǐjīng xiànyú wúzhèngfǔ ~.* The city is now in a state of anarchy due to the riot.

² **撞** zhuàng ❶〈动 *v.*〉运动着的人或物体跟别的人或物体猛然碰上 knock; bump against; run into; strike; collide：他低着头走路，一头~在了树上。 *Tā dīzhe tóu zǒu lù, yìtóu zàile shù shang.* Walking with his head lowered, he ran full tilt into a tree.｜汽车~到了护栏上。 *Qìchē ~dàole hùlán shang.* The car ran into the railing by the roadside. ❷〈动 *v.*〉偶然遇上；碰见 meet by chance; bump into; run into：我今天在大街上~见了一个多年没见的老同事。 *Wǒ jīntiān zài dàjiē shang ~jiànle yí gè duō nián méi jiàn de lǎo tóngshì.* Today I ran into an old colleague on the street whom I hadn't seen for years. ❸〈动 *v.*〉试探 take one's chance：他想到大城市去~~运气。 *Tā xiǎng dào dà chéngshì qù ~ ~ yùnqi.* He wants to go to the big cities and to try his luck. ❹〈动 *v.*〉鲁莽地行动 rush; dash; barge：他开着车横冲直~，被警察拦了下来。 *Tā kāizhe chē héngchōng-zhí~, bèi jǐngchá lánle xiàlái.* Driving his car in a mad way, he was stopped by the police.

³ **幢** zhuàng 〈量 *meas.*〉用于房屋 measure word for house：一~~高楼矗立在大街两旁。 *Yí ~ ~ gāo lóu chùlì zài dàjiē liǎng páng.* High buildings stand on both sides of the avenues.｜他在近郊盖了一~别墅。 *Tā zài jìnjiāo gàile yí ~ biéshù.* He built a villa on the outskirts of the city.

² **追** zhuī ❶〈动 *v.*〉紧跟在后面赶 chase after; pursue; run after：他在前面跑，我在后面~。 *Tā zài qiánmian pǎo, wǒ zài hòumian ~.* I was running after him.｜我班成绩落后于甲班，一定要急起直~。 *Wǒ bān chéngjì luòhòu yú jiǎ bān, yídìng yào jíqǐ-zhí~.* Since we lag behind the students in Class A, we must rouse ourselves to catch up with them. ❷〈动 *v.*〉寻求；查究 trace; look into; get to the bottom of：这件事情你就不必~根问底了。 *Zhè jiàn shìqing nǐ jiù búbì ~gēn-wèndǐ le.* It's unnecessary for you to get to the root of the matter.｜无论如何也要把事情~个水落石出。 *Wúlùnrúhé yě yào bǎ shìqing ~ gè shuǐluò-shíchū.* We must get to the bottom of the matter in any case. ❸〈动 *v.*〉力求达到某种目的 seek; go after; court; woo：~名逐利 *~míng-zhúlì* seek fame and wealth｜我已经~了她好几年了。 *Wǒ yǐjīng ~le tā hǎojǐ nián le.* I have been courting her for quite a few years. ❹〈动 *v.*〉回顾过去 recall; reminisce：~忆 *~yì* recollect; look back; recall｜~悔莫及 *~huǐ-mòjí* too late to repent｜我们之间的友谊可以~溯到中学时代。 *Wǒmen zhījiān de yǒuyì kěyǐ ~sù dào zhōngxué shídài.* Our friendship can be traced back to the middle-school days. ❺〈动 *v.*〉事后补做过去该做的事情 make up what was not done before; retroactively：这项工程需要~加拨款。 *Zhè xiàng gōngchéng xūyào ~jiā bōkuǎn.* Supplementary funds are needed for the project.

⁴ **追查** zhuīchá 〈动 *v.*〉在事情发生后，调查事情的原因、经过、责任等 investigate; trace; find out：~谣言 *~yáoyán* trace a rumour to its source｜~凶手 *~xiōngshǒu* find out the murderer｜上级正在~这起事故的责任。 *Shàngjí zhèngzài ~ zhè qǐ shìgù de zérèn.* Higher authorities are investigating who is responsible for this accident.

⁴ **追悼** zhuīdào 〈动 *v.*〉悲痛的怀念死者 mourn over a person's death：~会 *~huì* memorial service; funeral; memorial gathering｜沉痛地~ *chéntòng de ~* mourn over sb. with a feeling of grief or remorse; give profound condolences to

⁴ **追赶** zhuīgǎn〈动 v.〉加快速度从面后赶上去 quicken one's pace to catch up; run after; pursue：他已经走了半个小时了，你怎么~得上他呢? *Tā yǐjīng zǒule bàn gè xiǎoshí le, nǐ zěnme ~ de shàng tā ne?* He has left for half an hour. How can you catch him up? │ 我们正在~世界先进水平。*Wǒmen zhèngzài ~ shìjiè xiānjìn shuǐpíng.* We're measuring up to advanced world levels.

⁴ **追究** zhuījiū〈动 v.〉事后查找原由、责任等 look into; find out; investigate：这起医疗事故的责任必须严~。*Zhè qǐ yīliáo shìgù de zérèn bìxū yánsù ~.* We must solemnly investigate and affix the responsibility for this medical medical accident.

³ **追求** zhuīqiú ❶〈动 v.〉为达到某种目的而积极争取 seek; pursue; aim at：~真理 ~ *zhēnlǐ* seek after truth │ ~名利 ~ *mínglì* seek fame and fortune │ 不能盲目~数量，必须注重质量。*Bù néng mángmù ~ shùliàng, bìxū zhùzhòng zhìliàng.* We should not blindly seek after quantity; we must also attach great importance to quality. ❷〈动 v.〉指向异性求爱 court; woo; chase; run after：她可是许多小伙子~的目标。*Tā kěshì xǔduō xiǎohuǒzi ~ de mùbiāo.* She is courted by many young men.

⁴ **追问** zhuīwèn〈动 v.〉追根究底地问 question closely; make a detailed inquiry：案情已经查明，不必再~下去了。*Ànqíng yǐjīng chámíng, búbì zài ~ xiàqù le.* The case has already been thoroughly investigated, and no further inquiry is needed any more. │ 在警察的再三~下，他终于交代了作案经过。*Zài jǐngchá de zàisān ~ xià, tā zhōngyú jiāodàile zuò'àn jīngguò.* Under the repeated questioning of the police, he finally made a breast of how he committed the crime.

² **准** zhǔn ❶〈形 adj.〉正确无误 accurate; exact：这个钟走得~不~? *Zhège zhōng zǒu de ~ bù ~?* Does the clock keep good time? │ 他提供的数字可能不太~。*Tā tígōng de shùzì kěnéng bú tài ~.* The figures he has provided may not be very accurate. ❷〈形 adj.〉确定不变的 definite; fixed; not subject to change：你先快帮我拿个~主意吧。*Nǐ gǎnkuài bāng wǒ ná gè ~ zhǔyi ba.* Please help me make a decision at once. ❸〈动 v.〉允许 allow; grant; permit：公共场所不~吸烟。*Gōnggòng chǎngsuǒ bù ~ xīyān.* No smoking in public places. │ 传染病人不~探视。*Chuánrǎn bìngrén bù ~ tànshì.* No visit to contagious patients. ❹〈副 adv.〉一定；肯定 definitely; certainly：这件事~是他干的。*Zhè jiàn shì ~ shì tā gàn de.* It must be he who did it. │ 这种场合他~不会来。*Zhè zhǒng chǎnghé tā ~ bú huì lái.* He will certainly not show up on such an occasion. ❺〈名 n.〉标准；norm; criterion：以~绳 ~ *shéng* yardstick │ 我不过是随便说点儿意见，大家千万不可以此为~。*Wǒ búguò shì suíbiàn shuō diǎnr yìjiàn, dàjiā qiānwàn bùkě yǐ cǐ wéi ~.* I just talk casually of my own ideas, and please don't take them as the standard. ❻〈词头 pref.〉加在名词前面，表示程度上接近某事物，可以当成某事物看待 quasi-; para-：~将 ~*jiàng* brigadier general（美国陆、空军）; commodore（海军）; air commodore（英国空军）; brigadier（英国陆军）│ ~部级 ~ *bùjí* quasi-ministerial level │ ~军事组织 ~ *jūnshì zǔzhī* paramilitary organization │ ~平原 ~ *píngyuán* paraplain; peneplain

¹ **准备** zhǔnbèi ❶〈动 v.〉事先计划或安排 prepare; get ready：他们正忙着~明天的会议呢。*Tāmen zhèng mángzhe ~ míngtiān de huìyì ne.* They are busy preparing for tomorrow's meeting. │ 我已经~了晚饭，大家就在这里吃吧。*Wǒ yǐjīng ~le wǎnfàn, dàjiā jiù zài zhèlǐ chī ba.* I have already prepared dinner for you. Please have your meals here. ❷〈动 v.〉打算 intend; plan; think：我~去中国学习汉语。*Wǒ ~ qù Zhōngguó xuéxí Hànyǔ.* I intend to go to China to study Chinese. │ 我~退休后到世界各国旅游。*Wǒ ~ tuìxiū hòu dào shìjiè gèguó lǚyóu.* I plan to travel around the world after I retire.

² **准确** zhǔnquè 〈形 adj.〉完全符合实际或预期 exact; accurate; precise：你的判断完全~。*Nǐ de pànduàn wánquán ~.* Your judgement is exactly right. │ 这句话你翻译得不够~。*Zhè jù huà nǐ fānyì de búgòu ~.* Your translation of this sentence is not very accurate. │ 我的数字是~的。*Wǒ de shùzì shì ~ de.* My figures are precise.

² **准时** zhǔnshí 〈形 adj.〉按照规定的时间 punctual; on time; on schedule：明天上午8时~出发。*Míngtiān shàngwǔ bā shí ~ chūfā.* We will set out at eight o'clock sharp tomorrow morning. │ 老年人的生活应当有规律，~起床，~进餐，~睡觉。*Lǎoniánrén de shēnghuó yīngdāng yǒu guīlǜ, ~ qǐchuáng, ~ jìncān, ~ shuìjiào.* Old people should live a regular life, getting up, having meals and going to bed punctually.

⁴ **准许** zhǔnxǔ 〈动 v.〉同意别人的要求 permit; allow; grant：请~我谈谈我的看法。*Qǐng ~ wǒ tántan wǒ de kànfǎ.* Please allow me to voice my opinions. │ 决不~这种不正之风继续存在。*Jué bù ~ zhè zhǒng búzhèngzhīfēng jìxù cúnzài.* No such unhealthy tendency is allowed to exist.

⁴ **准则** zhǔnzé 〈名 n.〉(条tiáo、项xiàng)行动、言论等所依据的原则 norm; standard; criterion：道德~ *dàodé ~* moral norms │ 国际关系~ *guójì guānxì ~* norms of international relations │ 诚信是做人的基本~。*Chéngxìn shì zuòrén de jīběn ~.* Honesty is the basic requirement for an upright person.

² **捉** zhuō ❶ 〈动 v. 书 lit.〉握;拿 clutch; hold; grasp; grab：~刀 *~dāo* ghost-write; write for someone else │ ~襟见肘（比喻困难重重，应付不过来）~jīn-jiànzhǒu（bǐyù kùnnan chóngchóng, yìngfù bú guò lái）pull down one's jacket to conceal the raggedness, only to expose one's elbows（fig. have too many difficulties to cope with; have too many problems to tackle）❷ 〈动 v.〉抓;捕拿 catch; capture; seize：~贼~赃（比喻指控人的罪名一定要有真凭实据）~zéi~zāng（bǐyù zhǐkòng rén de zuìmíng yídìng yào yǒu zhēnpíng-shíjù）. To catch a thief, catch him red-handed（fig. accusation must be supported by sound evidence）. │ 老鹰~小鸡 *lǎoyīng ~ xiǎojī*（a children's game）hawk and chicks

¹ **桌子** zhuōzi ❶ 〈名 n.〉(张zhāng、个gè)一种家具 table; desk：长~ *cháng ~* a long table │ 方~ *fāng ~* a square table │ 一家人围着一张圆~吃团圆饭。*Yì jiā rén wéizhe yì zhāng yuán ~ chī tuányuánfàn.* The family are having a family reunion dinner at a round table. ❷ 〈量 meas.〉计量桌上的东西（前面的数词限用'一'）table（only the numeral '一yì' is used）：妈妈给我做了一~菜。*Māma gěi wǒ zuòle yì ~ cài.* Mother has made a tableful of dishes for me.

⁴ **卓越** zhuóyuè 〈形 adj.〉非常优秀的；超出一般的 outstanding; brilliant; remarkable; preeminent：~的领袖 *~ de lǐngxiù* an outstanding leader │ ~的成就 *~ de chéngjiù* remarkable achievements │ 他为中国的航天事业作出了~的贡献。*Tā wèi Zhōngguó de hángtiān shìyè zuòchūle ~ de gòngxiàn.* He has made outstanding contributions to the astronautical undertakings of China.

⁴ **酌情** zhuóqíng 〈动 v.〉斟酌情况 take into consideration the circumstances; use one's discretion; act according to the circumstances：这件事你就~处理吧。*Zhè jiàn shì nǐ jiù ~ chǔlǐ ba.* Handle this matter as you see fit. │ 学校~发给他5,000元困难补助。*Xuéxiào ~ fā gěi tā wǔ qiān yuán kùnnan bǔzhù.* Taking his straitened circumstances into consideration, the school gave him a 5,000-*yuan* subsidy.

⁴ **啄** zhuó 〈动 v.〉鸟类用嘴刁取食物或敲击东西 peck：小鸡~米。*Xiǎojī ~ mǐ.* The chicken pecked at the rice. │ ~木鸟整天在树上~来~去。*~mùniǎo zhěngtiān zài shù shang ~ lái ~ qù.* Woodpeckers peck the trees all day long.

⁴ 着 zhuó ❶〈动 v.〉穿（衣）wear (clothes); dress：一个身~军装的人找你。*Yí gè shēn ~ jūnzhuāng de rén zhǎo nǐ.* A man in military uniform is asking for you. | 老人现在过着吃~不愁的生活。*Lǎorén xiànzài guòzhe chī ~ bù chóu de shēnghuó.* Senior citizens are now living a life free from worrying about food and clothing. ❷〈动 v.〉接触 touch; contact; come into contact with：他对我说了一些不~边际的话。*Tā duì wǒ shuōle yìxiē bù~biānjì de huà.* He made some rambling remarks to me. | 飞机马上就要~陆了。*Fēijī mǎshàng jiùyào~lù le.* The plane is landing. ❸〈动 v.〉使接触或附着在别的物体上 apply; attach; contact another thing; adhere to another object：大处~眼，小处~手。*Dà chù ~yǎn, xiǎo chù ~shǒu.* Keep the general goal in sight while taking hold of the daily tasks. / Keep your eyes on the stars and your feet on the ground. | 这个人物虽然~墨不多，却也栩栩如生。*Zhège rénwù suīrán ~mò bù duō, què yě xǔxǔ-rúshēng.* Although sketchily described, the character is true to life. ❹〈动 v.〉派遣 send; dispatch：文件我马上~人给你送去。*Wénjiàn wǒ mǎshàng ~ rén gěi nǐ sòng qù.* I will send someone to deliver this document to you at once. ❺〈名 n.〉着落；下落 assured source; whereabouts：他家境宽裕，当然体会不了衣食无~的难处。*Tā jiājìng kuānyù, dāngrán tǐhuì bù liǎo yīshí wú ~ de nánchù.* Living in a well-to-do family, he naturally does not understand what it means to worry about food and clothes. | 老人出走三日，遍寻无~。*Lǎorén chūzǒu sān rì, biàn xún wú ~.* The old man has gone out for three days, and we have looked in vain for him everywhere.

☞ zháo, p. 1251; zhe, p. 1258

³ 着手 zhuóshǒu 〈动 v.〉动手；开始做 put one's hand to; set about; begin：你委托的事情，我已经~进行了。*Nǐ wěituō de shìqing, wǒ yǐjīng ~ jìnxíng le.* I have already put my hand to what you entrusted me. | 你的住房问题我们正在~解决。*Nǐ de zhùfáng wèntí wǒmen zhèngzài ~ jiějué.* Now we are setting about solving your housing problem.

³ 着想 zhuóxiǎng 〈动 v.〉（为某人或某事）考虑 consider; think about; take into consideration; set one's mind on：你处处为别人~，可是谁为你~？ *Nǐ chùchù wèi biéren ~, kěshì shéi wèi nǐ ~?* You always think about others, but who cares about you? | 为你自己的前途~，你也不应该放弃学业。*Wèi nǐ zìjǐ de qiántú ~, nǐ yě bù yīnggāi fàngqì xuéyè.* For the sake of your future, you should not give up your study.

³ 着重 zhuózhòng 〈动 v.〉强调；作为重点 stress; emphasize; underline：我向大家~介绍一下我们学校的教学力量。*Wǒ xiàng dàjiā ~ jièshào yíxià wǒmen xuéxiào de jiàoxué lìliàng.* I would like to give you an introduction mainly to the teaching faculty of our school. | 我们应当~提高劳动生产率，不应提倡加班加点。*Wǒmen yīngdāng ~ tígāo láodòng shēngchǎnlǜ, bù yīng tíchàng jiābān-jiādiǎn.* We should lay stress on increasing labor productivity, instead of advocating overtime working.

⁴ 咨询 zīxún 〈动 v.〉征求意见 consult; hold counsel with; seek advice from：~人员 ~rényuán consultative personnel | ~机构 ~jīgòu advisory institutions | 法律~ fǎlǜ ~ legal advice | 心理~ xīnlǐ ~ psychological consultation | 提供~ tígōng ~ provide consulting service

³ 姿势 zīshì 〈名 n.〉身体呈现的样子 posture; pose; gesture; carriage：体操的~不仅要求准确，而且要求优美。*Tǐcāo de ~ bùjǐn yāoqiú zhǔnquè, érqiě yāoqiú yōuměi.* Gymnastic postures should be both accurate and graceful. | 坐要有坐的~，站要有站的~，睡觉也要有正确的~。*Zuò yào yǒu zuò de ~, zhàn yào yǒu zhàn de ~, shuìjiào yě yào yǒu zhèngquè de ~.* A person should keep a good posture when sitting, standing, as well as sleeping.

³ **姿态** zītài ❶〈名 n.〉姿势；样子 posture; carriage; bearing; deportment：她的~妩媚动人。*Tā de ~ wǔmèi-dòngrén.* Her postures are very lovely and charming.｜舞蹈家的优美~博得了观众的阵阵掌声。*Wǔdǎojiā de yōuměi ~ bódéle guānzhòng de zhènzhèn zhǎngshēng.* The dancer's graceful carriage drew rounds of applause from the audience. ❷〈名 n.〉态度；神态 attitude; pose; gesture：主人翁的~ *zhǔrénwēng de ~* the initiative attitude of a person in dealing with his own affairs｜胜利者的~ *shènglìzhě de ~* the pose of a winner｜受害者的~ *shòuhàizhě de ~* the pose of a victim｜他高~地向群众作了检讨。*Tā gāo ~ de xiàng qúnzhòng zuòle jiǎntǎo.* He apologized to the masses with a magnanimous attitude.

³ **资本** zīběn ❶〈名 n.〉经营工商业等的本钱 capital：雄厚~ *xiónghòu ~* abundant capital; be financially powerful｜我们公司是个小公司，~不多。*Wǒmen gōngsī shì gè xiǎo gōngsī, ~ bù duō.* Our company is a small one with limited capital. ❷〈名 n.〉比喻牟取利益的凭借 capital; what is capitalized on; sth. used to one's own advantage; sth. used to make profit：这个政客非常善于捞取政治~。*Zhège zhèngkè fēicháng shànyú lāoqǔ zhèngzhì ~.* This politician is particularly good at fishing for political stock-in-trade.

³ **资本家** zīběnjiā〈名 n.〉(名míng、个gè、位wèi)拥有资本、雇佣工人并占有其剩余价值的人 capitalist：小~ *xiǎo ~* petty capitalist｜垄断~ *lǒngduàn ~* monopoly capitalist

³ **资本主义** zīběn zhǔyì〈名 n.〉资本家占有生产资料，并用以剥削雇佣劳动的社会制度 capitalism：~社会 *~ shèhuì* capitalist society｜~国家 *~ guójiā* capitalist nation; capitalistic state｜~体系 *~ tǐxì* capitalist system

³ **资产** zīchǎn ❶〈名 n.〉财产；财富 property; estate：国有~ *guóyǒu ~* state-owned assets｜私人~ *sīrén ~* private property; private assets｜他父亲给他留下了一笔不小的~。*Tā fùqīn gěi tā liúxiàle yì bǐ bù xiǎo de ~.* His father bequeathed a large amount of property to him. ❷〈名 n.〉企业资金 capital fund; capital：固定~ *gùdìng ~* fixed assets｜流动~ *liúdòng ~* liquid assets｜~评估 *~ pínggū* capital assessment; property appraisal; assets assessment

³ **资产阶级** zīchǎn jiējí〈名 n.〉拥有生产资料、占有工人剩余价值的阶级 the bourgeoisie; the capitalist class：~革命 *~ gémìng* bourgeois revolution｜~专政 *~ zhuānzhèng* the dictatorship of the bourgeoisie

³ **资格** zīgé ❶〈名 n.〉从事某种工作或参加某种活动所应具备的条件 qualification：他根本没有教书的~。*Tā gēnběn méiyǒu jiāoshū de ~.* He is completely unqualified for teaching.｜你已被取消参赛的~。*Nǐ yǐ bèi qǔxiāo cānsài de ~.* Your qualification to attend the contest has been cancelled. ❷〈名 n.〉由从事某种工作或活动的时间长短而形成的身份、地位 seniority：他在辞书界是位老~了。*Tā zài císhūjiè shì wèi lǎo ~ le.* He enjoys seniority in the circle of dictionary compilation.｜让他来指导研究生，~还浅了些。*Ràng tā lái zhǐdǎo yánjiūshēng, ~ hái qiǎn xiē.* He is still too green to be qualified to supervise postgraduate students.

³ **资金** zījīn〈名 n.〉(笔bǐ)可供发展生产或某项事业用的钱财 fund：生产~ *shēngchǎn ~* funds for production｜流动~ *liúdòng ~* current funds; circulating funds｜~周转 *~ zhōuzhuǎn* turnover of capital｜~积累 *~ jīlěi* capital accumulation; accumulation of funds｜~外流 *~ wàiliú* capital outflow｜他为了办福利院已经筹集了一笔~。*Tā wèile bàn fúlìyuàn yǐjīng chóujíle yì bǐ ~.* He has raised some funds for establishing a welfare institution.

² **资料** zīliào ❶〈名 n.〉生产或生活所必需的东西 means：生产~ *shēngchǎn ~*

means of production｜生活～*shēnghuó* ~ means of livelihood｜消费～*xiāofèi* ~ means of subsistence; consumer goods ❷〈名 *n.*〉用作参考或依据的东西 data; material; information：参考～*cānkǎo* ~ reference material｜学习～*xuéxí* ~ learning material｜统计～*tǒngjì* ~ statistic data｜他到处收集攻击你的～。 *Tā dàochù shōují gōngjī nǐ de ~.* He tried every means to collect materials against you.

² **资源** zīyuán〈名 *n.*〉生产资料或生活资料的天然来源 natural resources; resources：人力～*rénlì* ~ human resources｜矿物～*kuàngwù* ~ mineral resources｜～丰富～*fēngfù* be rich in natural resources｜～枯竭～*kūjié* be short of natural resources｜开发和利用～*kāifā hé lìyòng* ~ exploit and utilize natural resources

⁴ **资助** zīzhù〈动 *v.*〉用财物帮助 aid financially; subsidize; give financial aid：他每年都要拿出上百万元来～贫困学生。 *Tā měi nián dōu yào náchū shàng bǎi wàn yuán lái ~ pínkùn xuéshēng.* Every year he donates millions of *yuan* to finance those impoverished students.｜这个研究项目是由几家大企业～的。 *Zhège yánjiū xiàngmù shì yóu jǐ jiā dà qǐyè ~ de.* The research project is sponsored by several big enterprises.

⁴ **滋味** zīwèi ❶〈名 *n.*〉(种zhǒng)味道 taste; flavor：这家餐馆做的菜～不错。 *Zhè jiā cānguǎn zuò de cài ~ búcuò.* This restaurant serves very delicious dishes.｜各种的凉菜摆在推车里任顾客挑选。 *Gèzhǒng ~ de liángcài bǎi zài tuīchē li rèn gùkè tiāoxuǎn.* Cold dishes of different tastes are displayed in the go-cart for customers to choose.｜星期天我带你去尝尝北京烤鸭的～。 *Xīngqītiān wǒ dài nǐ qù chángchang Běijīng kǎoyā de ~.* I will take you to have a taste of the Beijing roasted duck this Sunday. ❷〈名 *n.*〉比喻某种感受 feeling; experience：离别的～*líbié de* ~ the bitterness of bidding farewell｜成功的～*chénggōng de* ~ the taste (happiness) of success｜看到母亲病成这个样子，她的心里真不是～。 *Kàn dào mǔqīn bìng chéng zhège yàngzi, tā de xīnli zhēn bú shì ~.* She was disturbed at seeing her mother being tortured by illness.

⁴ **滋长** zīzhǎng〈动 *v.*〉产生；增长(多用于不好的抽象事物) grow; develop; engender (oft. of harmful abstract things)：他的骄傲自满情绪日渐～。 *Tā de jiāo'ào zìmǎn qíngxù rì jiàn ~.* He is increasingly conceited and self-satisfied.｜近年来社会上的各种不良风气有所～。 *Jìnnián lái shèhuì shang de gèzhǒng bùliáng fēngqì yǒusuǒ ~.* Various kinds of unhealthy social tendencies have been growing in recent years.

³ **子** zǐ ❶〈名 *n.*〉古代指儿女，现专指儿子 child; son and daughter; son：~孙满堂～*sūn mǎntáng* (of a person) be blessed with many children｜~女～*nǚ* sons and daughters; children｜他是个独生~。 *Tā shì gè dúshēng~.* He's the only son in his family. ❷〈名 *n.*〉人的通称 person：男～*nán* ~ man; male person｜女～*nǚ* ~ woman; female person ❸〈名 *n.*〉古代指有学问的男人，也是对男人的美称 an ancient respectful term for a learned man; laudatory term for a man：诸～百家 *zhū~bǎijiā* the exponents of various schools of thought during the period from pre-Qin times to the early years of the Han Dynasty｜孔～*Kǒng* ~ Confucius ❹〈名 *n.*〉中国古代贵族爵位的第四等 viscount (the fourth title in the ancient Chinese rank of nobility)：公侯伯～男 *gōng-hóu-bó-~-nán* duke, marquis, earl, viscount and baron ❺〈名 *n.*〉古代称你 you：以～之矛，攻～之盾（比喻用对方的观点或方法来反驳对方）*yǐ ~ zhī máo, gōng ~ zhī dùn (bǐyù yòng duìfāng de guāndiǎn huò fāngfǎ lái fǎnbó duìfāng)* pierce your shield with your own spear; fight sb. with his own weapon (*fig.* refute sb. with his own argument) ❻(~儿)〈名 *n.*〉植物的种子 seed：莲～*lián* ~ lotus seeds｜瓜～*guā* ~ melon seeds ❼(~儿)〈名 *n.*〉动物的卵 egg：虾～*xiā* ~ shrimp roe｜鱼～*yú* ~ roe｜鸡～*jī* ~ hen's eggs ❽〈名 *n.*〉某些动物的幼崽 young animal; newborn animal：不入虎穴，得得虎～（比喻不冒大的风险，就

不能获得大的成功）? *Bú rù hǔ xué, yān dé hǔ*－（*bǐyù bú mào dà de fēngxiǎn, jiù bù néng huòdé dà de chénggōng*）? How can you catch tiger cubs without entering the tiger's lair(*fig.* nothing venture, nothing gain)? ❾(~儿)〈名 *n.*〉坚硬的块状、粒状物体 sth. small and hard; small hard lump or thing in grain: 棋~儿 *qí~r* piece（in a board game）; chessman｜石~儿 *shí~r* pebble; small stone ❿(~儿)〈名 *n.*〉中国旧时的铜辅币 copper coin: 他的画儿一个儿~也不值。 *Tā de huàr yí gè ~r yě bù zhí.* His paintings are not worth a copper. ⓫〈名 *n.*〉地支的第一位 first of the 12 Earthly Branches: ~年出生的人属鼠。 *~ nián chūshēng de rén shǔ shǔ.* The Chinese Zodiac of a person born in the year designated by the first of the twelve Earthly Branches is mouse. ⓬〈名 *n.*〉中国旧时计时法十二个时辰之一 one of the 12 two-hour periods of the day in ancient China: 夜里十一点钟到一点钟为~时。 *Yèlǐ shíyī diǎnzhōng dào yì diǎnzhōng wéi ~ shí.* The period of the day from 11 p. m. to 1 a. m. is known as Zi Shi, one of the 12 two-hour periods of the day in old China. ⓭〈形 *adj.*〉幼小的；嫩的 young; small; tender: ~鸡 *~jī* chick｜~姜 *~jiāng* tender ginger ⓮〈形 *adj.*〉派生的；附属的 subsidiary: ~公司 *~gōngsī* subcompany

☞ zi, p. 1335

³ **子弹** zǐdàn〈名 *n.*〉(发fā、粒lì、颗kē)枪弹 cartridge; bullet: 一发~打中了他的脑袋。 *Yì fā ~ dǎzhòngle tā de nǎodai.* He was hit by a bullet in the head.

⁴ **子弟** zǐdì ❶〈名 *n.*〉指子女、弟弟、侄甥等 children; sons; younger brothers; nephews: 高干~ *gāogàn ~* children of senior cadres｜职工~学校 *zhígōng ~ xuéxiào* school for the children of the workers and staff（of a factory, etc.）❷〈名 *n.*〉泛指年轻的后辈 younger generation; juniors: 人民~兵 *rénmín ~bīng* people's army｜他高中都没毕业，让他教书岂非误人~~。 *Tā gāozhōng dōu méi bìyè, ràng tā jiāoshū qǐfēi wùrén~~.* Since he was a high-school dropout, doesn't it mean harming the younger generation to make him a teacher?

⁵ **子孙** zǐsūn〈名 *n.*〉儿子和孙子，泛指后代 children and grandchildren; descendants; offspring; posterity: ~满堂 *~mǎntáng*（of a person）be blessed with many children｜中国人称自己为炎黄~。 *Zhōngguórén chēng zìjǐ wéi Yán-Huáng ~.* The Chinese call themselves the descendants of Yandi (Fiery Emperor) and Huangdi (Yellow Emperor).

² **仔细** zǐxì ❶〈形 *adj.*〉细心；周密 careful; attentive; meticulous（opposite to '粗疏cūshū'）: 他做事一向很~。 *Tā zuòshì yíxiàng hěn ~.* He is always very careful in what he does.｜这些数据是经过~地计算得出的。 *Zhèxiē shùjù shì jīngguò ~ de jìsuàn déchū de.* These data come from his careful calculation. ❷〈形 *adj.*〉小心；留神 be careful; watch out; look out; be cautious; take care: 这个人为人奸诈，和他打交道可要~点儿。 *Zhège rén wéirén jiānzhà, hé tā dǎjiāodào kě yào ~ diǎnr.* Be careful in dealing with him, for he is very treacherous. ❸〈形 *adj.* 方 dial.〉俭省；俭省economical; thrifty; frugal: 他们家过日子可~了。 *Tāmen jiā guò rìzi kě ~ le.* They are very frugal with their family expenses.

⁴ **籽** zǐ(~儿)〈名 *n.*〉某些植物的种子 seed: 棉~ *mián~* cotton seeds｜菜~ *cài~* vegetable seeds｜无~西瓜 *wú ~ xīguā* seedless watermelon

² **紫** zǐ〈形 *adj.*〉蓝和红合成的颜色 purple; violet: ~色 *~sè* purple; violet｜~药水 *~yàoshuǐ* general term for gentian violet solution, used as an antiseptic

² **自** zì ❶〈介 *prep.*〉从；由（表示时间、处所的起点，或用在动词后表示来历或出处）from; since: ~古以来 *~gǔ yǐlái* since anient times; since antiquity; from time immemorial｜~上而下 *~shàng ér xià* from above to below｜~北京飞往法兰克福的飞

机就要起飞了。~ *Běijīng fēi wǎng Fǎlánkèfú de fēijī jiù yào qǐfēi le.* The flight from Beijing to Frankfurt is going to take off. ｜来~爱尔兰。*Tā lái~ Ài'ěrlán.* She comes from Ireland. ❷〈代 *pron.*〉自己 self; oneself; one's own：~力更生 ~*lì-gēng shēng* relying on oneself; regeneration through one's own efforts; self-reliance ｜~言~语 ~*yán*~*yǔ* talk to oneself; speak to oneself; think aloud; soliloquize ｜~不量力 ~*búliànglì* overestimate one's strength or oneself ❸〈副 *adv.*〉自然；当然 naturally; certainly; of course：是非~有公论。*Shìfēi* ~ *yǒu gōnglùn.* The public will judge the rights and wrongs of the case. ｜到那里看一看，你~会明白的。*Dào nàlǐ kàn yí kàn, nǐ* ~ *huì míngbai de.* Go there and see with your own eyes, and you will understand. ❹〈词头 *pref.*〉构成动词，表示动作由自己发出 used to form a verb, indicating that the action is done by oneself：~学 ~*xué* study on one's own; study independently; teach oneself ｜~娱 ~*yú* amuse oneself ｜~ 杀 ~*shā* commit suicide; take one's own life ｜~ 燃 ~*rán* spontaneous combustion ｜~卑 ~*bēi* feel oneself inferior; be self-abased ｜~卫 ~*wèi* defend oneself; self-defense

⁴ **自卑** zìbēi〈动 *v.*〉自己轻视自己 feel oneself inferior; be self-abased：~感 ~*gǎn* sense of inferiority; inferiority complex ｜我们不应当~，别人能做的，我们也一定能够做到。*Wǒmen bù yīngdāng ~, biéren néng zuò de, wǒmen yě yídìng nénggòu zuò dào.* We should not be self-debased, and we are sure to be able to do what others can do.

² **自从** zìcóng〈介 *prep.*〉表示过去某个时间的起点 since：~了太极拳，她的身体一天天地好了起来。 ~ *xuéle tàijíquán, tā de shēntǐ yìtiāntiān de hǎole qǐlái.* Since she learned to practice taijiquan, she has slowly recovered day by day. ｜生了孩子，她就没再上过班。 ~ *shēngle háizi, tā jiù méi zài shàngguo bān.* She has never gone to work since she gave birth to her child.

² **自动** zìdòng ❶〈形 *adj.*〉主动；出于自愿 voluntarily; of one's own accord：大家~为灾区捐款。*Dàjiā* ~ *wèi zāiqū juānkuǎn.* Everyone voluntarily donated money to the disaster area. ❷〈形 *adj.*〉不凭借人为力量的；自然发生的 spontaneous：你的这个伤口不大，过不了几天就会~愈合的。*Nǐ de zhège shāngkǒu bú dà, guò bù liǎo jǐ tiān jiù huì* ~ *yùhé de.* Your wound is not very large, and it will heal up in just a few days. ｜水从泉眼里~冒出来。*Shuǐ cóng quányǎn li* ~ *mào chūlái.* Water naturally comes out from the spring. ❸〈形 *adj.*〉不用人力而用机械装置自行操作的 automatic; automated; self-action; self-motion：~化 ~*huà* automation ｜水烧开后，开关就会~关上。*Shuǐ shāokāi hòu, kāiguān jiù huì* ~ *guānshàng.* When the water is boiled, the switch will automatically turn off.

⁴ **自发** zìfā〈形 *adj.*〉不受外界影响而自己产生的 spontaneous：~的行动 ~ *de xíngdòng* spontaneous activity ｜学生们~地组织了一个社会服务小组。*Xuéshengmen* ~ *de zǔzhīle yí gè shèhuì fúwù xiǎozǔ.* Students organized this social service team all by themselves.

² **自费** zìfèi〈形 *adj.*〉自己负担费用的（区别于'公费'）at one's own expense（different from '公费 gōngfèi'）：~留学 ~ *liúxué* study abroad at one's own expense ｜~生 ~*shēng* self-funded student; self-supporting student ｜~药 ~*yào* medicine at one's own expense

⁴ **自负盈亏** zìfù yíngkuī〈惯 *usg.*〉盈利和亏损均由自己负责 be responsible for its own profits or losses; assume sole responsibility for its profits or losses：~的企业 ~ *de qǐyè* an enterprise which is responsible for its own profits or losses

⁴ **自古** zìgǔ〈副 *adv.*〉自古以来；从来 since ancient times; since antiquity; from time

immemorial: 这片土地~就是中国的领土。 *Zhè piàn tǔdì ~ jiù shì Zhōngguó de lǐngtǔ.* This piece of land has been part of China from ancient times.

³ **自豪** zìháo〈动 v.〉自己感到光荣和骄傲 pride; be proud of: ~感 ~*gǎn* sense of pride | 他为自己有一个品学兼优的儿子而~。 *Tā wèi zìjǐ yǒu yí gè pǐnxué-jiānyōu de érzi ér ~.* He takes pride in the fact that his son is a student of good character and fine scholarship. | 难道我们不应该为我们祖国取得的伟大成就而感到~吗? *Nándào wǒmen bù yīnggāi wèi wǒmen zǔguó qǔdé de wěidà chéngjiù ér gǎndào ~ ma?* Shouldn't we be proud of the great achievements of our motherland?

¹ **自己** zìjǐ ❶〈代 pron.〉复指前面的名词或代词 referring to the preceding noun or pronoun: 这种软件是我们公司~开发的。 *Zhè zhǒng ruǎnjiàn shì wǒmen gōngsī ~ kāifā de.* This software is independently developed by our company. | 我还有点儿事儿要办, 你~先走吧。 *Wǒ hái yǒudiǎnr shìr yào bàn, nǐ ~ xiān zǒu ba.* I still have something to do, and you can go first yourself. ❷〈代 pron.〉泛指自身 oneself: ~动手, 丰衣足食 ~*dòngshǒu, fēngyī-zúshí* get ample food and clothing by working with one's own hands; be well-fed and well-clothed through one's own work | ~的事情~办。 ~ *de shìqíng ~ bàn.* One should handle his own affairs with his own hands. ❸〈代 pron.〉用在某些名词前, 表示亲近的或关系密切的 one's own; closely related to oneself: 都是~人, 大家就不用客气了。 *Dōu shì ~ rén, dàjiā jiù búyòng kèqi le.* We are friends, so make yourselves at home. | 这事你还是回~单位去解决吧。 *Zhè shì nǐ háishi huí ~ dānwèi qù jiějué ba.* You'd better go back to your unit to get it settled.

² **自觉** zìjué ❶〈动 v.〉自己感觉到 realize; be aware of: 父亲~不久于人世, 赶紧立下遗嘱。 *Fùqīn ~ bùjiǔ yú rénshì, gǎnjǐn lìxià yízhǔ.* Realizing that he would soon pass away, father hastily drew up a will. | 他见没人理他, ~没趣, 悄悄走开了。 *Tā jiàn méi rén lǐ tā, ~ méiqù, qiāoqiāo zǒukāi le.* Feeling neglected by others, he slunk off disappointedly. ❷〈形 adj.〉自己有所认识而主动 consciously; at one's own initiative: 每个学生都要~遵守学校的纪律。 *Měi gè xuésheng dōu yào ~ zūnshǒu xuéxiào de jìlǜ.* Every student should conscientiously observe school discipline. | 社会秩序要靠大家~维护。 *Shèhuì zhìxù yào kào dàjiā ~ wéihù.* Social order should be conscientiously upheld by everyone.

自来水 zìláishuǐ〈名 n.〉由给水系统将水净化、消毒后, 通过管道供应的生活、生产用水 running water; tap water: ~管道 ~*guǎndào* running water piping | ~龙头 ~ *lóngtóu* running water tap | 现在农村居民也喝上了~。 *Xiànzài nóngcūn jūmín yě hēshàngle ~.* Now tap water is also available to people livings in the countryside.

⁴ **自力更生** zìlì-gēngshēng〈成 idm.〉不依靠外力, 靠自己的力量把事情办起来 develop sth. by depending on one's own efforts instead of external forces; regeneration through one's own efforts; rely on one's own efforts: 我们要发扬~、艰苦奋斗的精神。 *Wǒmen yào fāyáng ~, jiānkǔ-fèndòu de jīngshén.* We should carry forward the spirit of self-reliance and arduous struggle. | 我们~办起了这个小厂。 *Wǒmen ~ bànqǐle zhège xiǎo chǎng.* We set up this small factory through our own efforts.

³ **自满** zìmǎn〈形 adj.〉满足于自己已经取得的成绩, 不求进步 complacent; self-satisfied; self-contented; smug: 他刚取得一点儿成绩, 就~自足起来。 *Tā gāng qǔdé yìdiǎnr chéngjì, jiù ~ zìzú qǐlái.* He became complacent and self-satisfied soon after he had made a very small achievement. | 我们一定要克服骄傲~情绪, 才能取得更大的进步。 *Wǒmen yídìng yào kèfú jiāo'ào ~ qíngxù, cái néng qǔdé gèng dà de jìnbù.* We must overcome complacency before we can make greater progress.

² **自然** zìrán ❶ 〈名 n.〉自然界 natural world; nature：大~ dà~ nature｜回归~ huíguī ~ return to nature｜~科学 ~ kēxué natural sciences ❷ 〈动 v.〉不经人力干预；自由发展 naturally; in the ordinary course of events：儿女的婚姻还是顺其~吧。Érnǚ de hūnyīn háishi shùnqí~ ba. Let children's marriage take care of itself. ❸ 〈副 adv.〉天然具有的 natural; native; innate：~美 ~měi natural beauty｜免疫力 ~ miǎnyìlì natural immunity; innate immunity ❹ 〈副 adv.〉理所当然 of course; naturally; certainly：他那么傲气，~没人愿意理他。Tā nàme àoqì, ~ méi rén yuànyì lǐ tā. He is so arrogant that no one wants to get along with him.｜暴饮暴食~要得胃病。Bàoyǐn-bàoshí ~ yào dé wèibìng. Eating and drinking too much will naturally cause gastric disease.

☞ zìran, p. 1332

² **自然** zìran 〈形 adj.〉不拘束；不造作；不勉强 natural; unaffected; at ease; free from affection：他说话的时候，神态非常~。Tā shuōhuà de shíhou, shéntài fēicháng ~. He is quite at ease when he speaks.｜我看他笑得有些不太~。Wǒ kàn tā xiào de yǒuxiē bú tài ~. I thought he had somewhat forced a smile.

☞ zìrán, p. 1332

⁴ **自杀** zìshā 〈动 v.〉自己杀死自己（区别于'他杀'）commit suicide; take one's own life (different from '他杀tāshā')：畏罪~ wèizuì ~ commit suicide to escape punishment｜~未遂 ~ wèisuì an attempted suicide｜警方认定死者是他杀，不是~。Jǐngfāng rèndìng sǐzhě shì tāshā, bú shì ~. The police affirmed that the victim was killed by others rather than himself.

³ **自身** zìshēn 〈代 pron.〉自己；本人（强调不是别人或是别的事物）self; oneself：他不顾~安危，勇敢地跳下水里抢救落水儿童。Tā búgù ~ ānwēi, yǒnggǎn de tiàoxià shuǐ li qiǎngjiù luòshuǐ értóng. Regardless of his own safety, he bravely jumped into the water to rescue the drowning child.｜泥菩萨过河，~难保（比喻自顾不暇）。Ní púsà guò hé, ~ nán bǎo (bǐyù zìgùbùxiá). Like a clay idol fording a river, one is hardly able to save oneself (fig. let alone anyone else; be unable even to fend for oneself).

³ **自始至终** zìshǐ-zhìzhōng 〈成 idm.〉从开始到结束 from beginning to end; from start to finish：他~反对我的意见。Tā ~ fǎnduì wǒ de yìjiàn. He was against my opinion from beginning to end.｜我~都在场，可以为你作证。Wǒ ~ dōu zàichǎng, kěyǐ wèi nǐ zuòzhèng. I can testify for you since I was there from start to finish.

³ **自私** zìsī 〈形 adj.〉只顾自己利益，不顾别人 selfish; self-centered; egotistic：你怎么这么~！Nǐ zěnme zhème ~! How can you be so selfish!｜他这个人太~了。Tā zhège rén tài ~ le. He is too selfish.

⁴ **自私自利** zìsī-zìlì 〈成 idm.〉只考虑自己的私利，不顾别人 selfish：我们要学习他毫无~的精神。Wǒmen yào xuéxí tā háowú ~ de jīngshén. We should learn from his spirit of selflessness.

⁴ **自卫** zìwèi 〈动 v.〉自己保护自己 defend ourselves; self-defense：~反击战 ~ fǎnjīzhàn war of self-defense｜学习武术是为了防身。Xuéxí wǔshù shì wèile fángshēn ~. We learn martial arts to defend oneselves against violence.

² **自我** zìwǒ ❶ 〈代 pron.〉自己（多用在双音节的动词前，表示动作由自己发出又以自己为对象）(used before disyllabic verbs to indicate an act by the self and upon the self) self; oneself：~欣赏 ~ xīnshǎng self-appreciation; self-admiration｜~批评 ~ pīpíng self-criticism｜~介绍 ~ jièshào introduce oneself; self-introduction｜~暴露 ~ bàolù self-betrayal; self-exposure ❷ 〈名 n.〉指人们对自身的把握和认识 be conscious of oneself; be understanding of oneself：追求~ zhuīqiú ~ seek for one's own value｜剖析 ~ pōuxī

self analysis.

³ **自相矛盾** zìxiāng-máodùn 〈成 *idm.*〉比喻自己的言语、行动前后抵触 contradict oneself; be self-contradictory; self-contradiction; be contradictory to each other; be mutually conflicting: 这篇文章里有不少观点~. *Zhè piān wénzhāng li yǒu bù shǎo guāndiǎn ~.* Many standpoints in this article are self-contradictory.

³ **自信** zìxìn ❶〈动 *v.*〉相信自己 have self-confidence; be sure of oneself; believe in oneself: 我~能够胜任这项工作。*Wǒ ~ nénggòu shèngrèn zhè xiàng gōngzuò.* I am sure that I can fulfil the task. | 我看你有点儿盲目~。*Wǒ kàn nǐ yǒudiǎnr mángmù ~.* In my opinion, you are a little bit unrealistically self-confident. ❷〈形 *adj.*〉对自己的行为充满信心 self-confident: 你怎么一点儿~心都没有？*Nǐ zěnme yìdiǎnr ~xīn dōu méiyǒu?* How can you be so unconfident in yourself? | 他也太~了。*Tā yě tài ~ le.* He is too self-confident.

⁴ **自行** zìxíng ❶〈副 *adv.*〉自己（做）by oneself: 参加会议的人数由你们~酌定。*Cānjiā huìyì de rénshù yóu nǐmen ~ zhuódìng.* You can decide on the number of the participants of the meeting by yourselves. | 你可以和我们一起去，可是食宿需要你~解决。*Nǐ kěyǐ hé wǒmen yìqǐ qù, kěshì shísù xūyào nǐ ~ jiějué.* You can go with us, but you have to arrange for board and lodging by yourself. ❷〈副 *adv.*〉自己主动 automatically; of one's own accord: 飞机的起落架会~升降。*Fēijī de qǐluòjià huì ~ shēngjiàng.* The landing gear of a plane will automatically go up and down.

¹ **自行车** zìxíngchē 〈名 *n.*〉(辆liàng) 一种用脚蹬踏的两轮交通工具，也叫 '脚踏车'、'单车' bicycle; bike, also '脚踏车jiǎotàchē' or '单车dānchē': 我每天骑~上下班。*Wǒ měi tiān qí ~ shàng xià bān.* I go to work by bike every day. | 中国是~王国，几乎人人都有~。*Zhōngguó shì ~ wángguó, jīhū rénrén dōu yǒu ~.* China is a kingdom of bicycles, and almost everyone owns one.

² **自学** zìxué ❶〈动 *v.*〉没有老师指导，自己学习有关的课程 study on one's own; study independently; teach oneself: 他没有上过大学，可以说是~成才。*Tā méiyǒu shàngguo dàxué, kěyǐ shuō shì ~ chéngcái.* He has never gone to college, and can be regarded as a successful example of self-education. | 你~汉语，能达到这个水平真不简单。*Nǐ ~ Hànyǔ, néng dádào zhège shuǐpíng zhēn bù jiǎndān.* It's not easy for you to have such proficiency in Chinese by self learning. ❷〈动 *v.*〉泛指自己学习自己的 study on one's own: 今天上午~文件，下午分组讨论。*Jīntiān shàngwǔ ~ wénjiàn, xiàwǔ fēnzǔ tǎolùn.* This morning everyone studies the documents on his own, and we will have group discussion this afternoon.

³ **自言自语** zìyán-zìyǔ 〈成 *idm.*〉自己对自己说话 talk to oneself; speak to oneself; think aloud; soliloquize: 他~地说：'难道是我的错'？*Tā ~ de shuō:* '*nándào shì wǒ de cuò*'？'Can it be my fault?', he talked to himself. | 老年人常常会~. *Lǎoniánrén chángcháng huì ~.* Old people may be used to thinking aloud.

² **自由** zìyóu ❶〈名 *n.*〉在法律规定的范围内，按自己的意志行动的权利 freedom; liberty: 言论~ yánlùn ~ freedom of speech | 人身~ rénshēn ~ freedom of person; personal freedom | 新闻~ xīnwén ~ freedom of press | 宗教信仰~ zōngjiào xìnyǎng ~ freedom of religious belief ❷〈名 *n.*〉哲学上指把人们认识了的事物发展规律，自觉地运用到客观实践中 freedom, consciously apply the law of the development of things one knows to practice: 从必然王国到~王国的飞跃 cóng bìrán wángguó dào ~ wángguó de fēiyuè a leap from the realm of necessity to the realm of freedom ❸〈形 *adj.*〉不受约束的；不受限制的 free; unrestrained; unrestricted: ~活动 ~ huódòng free

activities｜今天的讲座大家可以~参加。 *Jīntiān de jiǎngzuò dàjiā kěyǐ ~ cānjiā.* As for today's lecture, everyone has a free choice to attend.

⁴ **自由市场** zìyóu shìchǎng〈名 n.〉(个 gè)以农副产品贸易为主的个体摊贩市场 free market, market mainly for the selling of farm products：我家附近就有一个、买菜挺方便的。 *Wǒ jiā fùjìn jiù yǒu yí gè ~, mǎi cài tǐng fāngbiàn de.* There is a free market near my home, and it's very convenient to buy vegetables.

³ **自愿** zìyuàn〈动 v.〉自己愿意(不是勉强或被迫) be voluntary; of one's own accord; of one's own free will; on a voluntary basis：我们准备分三个学习小组，大家可以~结合。 *Wǒmen zhǔnbèi fēn sān gè xuéxí xiǎozǔ, dàjiā kěyǐ ~ jiéhé.* We are going to form three study groups, and you can form the one of your own. ｜人们自觉~地为灾区捐款。 *Rénmen zìjué ~ de wèi zāiqū juānkuǎn.* People voluntarily donate money to the disaster area. ｜学校决定举行汉语演讲比赛，欢迎大家~报名。 *Xuéxiào juédìng jǔxíng Hànyǔ yǎnjiǎng bǐsài, huānyíng dàjiā ~ bàomíng.* The school decided to hold a Chinese speech contest, and you are welcome to sign up your name on a voluntary basis.

³ **自治** zìzhì〈动 v.〉(民族、地区、团体等)对自己的事务独立行使一定的权力 autonomy; self-government：民~族~ mínzú ~ autonomy of minority ethnic groups｜区域~ qūyù ~ regional autonomy｜学生~ xuésheng ~ autonomy of students

³ **自治区** zìzhìqū〈名 n.〉中国相当于省一级的行政区划单位，适用于实行民族自治的地方 autonomous region：中国有五个自治区：内蒙古~、广西壮族~、西藏~、宁夏回族~和新疆维吾尔族~。 *Zhōngguó yǒu wǔ gè zìzhìqū: Nèiménggǔ ~, Guǎngxī Zhuàngzú ~, Xīzàng ~, Níngxià Huízú ~ hé Xīnjiāng Wéiwú'ěrzú ~.* There are five autonomous regions in China and they are the Inner Mongolia Autonomous Region, the Guangxi Zhuang Autonomous Region, the Tibet Autonomous Region, the Ningxia Hui Autonomous Region and the Xinjiang Uygur Autonomous Region.

³ **自主** zìzhǔ〈动 v.〉自己做主，不受他人支配 act on one's own; decide for oneself; keep the initiative in one's own hand; stand on one's own feet：~权 ~quán the right of decision-making｜独立~的国家 dúlì ~ de guójiā an independent country｜婚姻~受到法律保护。 *Hūnyīn ~ shòudào fǎlǜ bǎohù.* Freedom of marriage is protected by law.

¹ **字** zì ❶〈名 n.〉(个 gè、行 xíng)文字；记录语言的符号 word; character：汉~ Hàn ~ Chinese characters｜常用~ chángyòng ~ everyday words; words frequently used｜~典 diǎn dictionary ❷〈名 n.〉字的读音 pronunciation (of a word or character)：~正腔圆 ~ zhèng-qiāngyuán sing or speak with a clear and rich tone; pronounce every word correctly and in a sweet, mellow voice｜吐~一定要吐清楚。 *Tǔ ~ yídìng yào tǔ qīngchu.* Every word must be clearly pronounced. ❸〈名 n.〉字的不同形体 form of a written or printed character; printing type：汉字有许多不同的字体，如篆~、楷~、草~等。 *Hànzì yǒu xǔduō bùtóng de zìtǐ, rú zhuàn~, kǎi~, cǎo~ děngděng.* There are many handwriting styles for Chinese characters, such as seal script, regular script and cursive script, etc. ❹〈名 n.〉汉字书法的不同派别 handwriting style：柳(柳公权)~ Liǔ (Liǔ Gōngquán)~ style of calligraphy of Liu Gongquan｜赵(赵孟頫)~ Zhào(Zhào Mèngfǔ)~ style of calligraphy of Zhao Mengfu｜颜(颜真卿)~ Yán (Yán Zhēnqīng)~ Yan style, a calligraphic style created by Yan Zhenqin ❺〈名 n.〉书法作品 works of calligraphy：~画 ~huà calligraphy and painting｜他最近送给了我一幅~。 *Tā zuìjìn sònggěile wǒ yì fú ~.* Recently he presented me with a piece of calligraphy. ❻〈名 n.〉词 word; character：学习汉语必须弄清每个~的涵义。 *Xuéxí Hànyǔ bìxū nòngqīng měi gè ~ de hányì.* You should fully understand the meaning of every character when you study

Chinese. ｜造句的时候要注意用~准确。*Zàojù de shíhou yào zhùyì yòng ~ zhǔnquè.* Try to use the correct word when making sentences. ❼(~儿)〈名 *n.*〉书面凭证 receipt; written pledge：立~为据 *lì ~ wéi jù* give a written pledge ｜我借了你的钱，总得给你留个~儿。*Wǒ jièle nǐ de qián, zǒngděi gěi nǐ liú gè ~.* I have to write you a written pledge since I have borrowed your money. ❽〈名 *n.*〉中国人名的别名 style name：旧时中国的文人除了'名'之外还有'~'，称呼人的是表示尊敬。*Jiùshí Zhōngguó de wénrén chúle 'míng' zhīwài háiyǒu '~', chēnghu rén de ~ shì biǎoshì zūnjìng.* In old China, men of letters had not only a given name but also a style name which was called to show a person's respect for them. ❾〈量 *meas.*〉俗指水表、电表、煤气表等指示的数量 number indicated on an electric meter, water meter, gas meter, etc.：这个月煤气才用了五个~。*Zhège yuè méiqì cái yòngle wǔ gè ~.* Only five cubic meters of coal gas was used this month.

³ **字典** zìdiǎn〈名 *n.*〉(本běn、部bù)以字为单位，按一定的次序排列，每一个字注上读音、释义和用法的工具书 dictionary：《新华~》是一本最常用的~。*'Xīnhuá~' shì yì běn zuì chángyòng de ~.* The Xinhua Dictionary is a most commonly used dictionary. ｜《康熙~》是一部收录汉字最多的~。*'Kāngxī~' shì yí bù shōulù Hànzì zuì duō de ~.* The Kangxi Dictionary contains the largest sum of Chinese characters.

³ **字母** zìmǔ〈名 *n.*〉(个gè)拼音文字或注音符号的最小书写单位 letter; letters of an alphabet：注音~ zhùyīn ~ phonetic alphabet ｜英语有26个~。*Yīngyǔ yǒu èrshíliù gè ~.* There are 26 letters in English.

³ **子** zi ❶〈词尾 *suff.*〉附在名词性、动词性、形容词性语素后面，构成名词 used after a morpheme of noun, adjective or verb to form nouns：车~ chē~ vehicle ｜盘~ pán~ tray; dish; plate ｜袖~ xiù~ sleeve ｜垫~ diàn~ pad; cushion; mat ｜铲~ chǎn~ trowel; shovel; spade ｜刷~ shuā~ brush ｜疯~ fēng~ madman ｜矮~ ǎi~ short person; dwarf ｜胖~ pàng~ fatty; fat person ❷〈词尾 *suff.*〉附在某些量词的后面（语气稍重）used after certain measure words：我可不管你那档~事儿。*Wǒ kě bù guǎn nǐ nà dàng~ shìr.* I will never poke my nose into your affair. ｜我一下~想不起来了。*Wǒ yíxià~ xiǎng bù qǐlái le.* I just can't recall it at the moment.

    ☞ zǐ, p. 1328

☞ zǐ, p. 1328

³ **宗教** zōngjiào〈名 *n.*〉社会意识形态之一，要求人们崇拜信仰超自然的神灵 religion：世界上有许多~，最大的~是伊斯兰教、基督教、天主教和佛教。*Shìjiè shang yǒu xǔduō ~, zuì dà de ~ shì Yīsīlánjiào, Jīdūjiào, Tiānzhǔjiào hé Fójiào.* There are many religions in the world, among which the most major ones are Islamism, Christianity, Catholicism and Buddhism.

³ **宗派** zōngpài〈名 *n.*〉政治、学术、文艺、宗教等方面自成一系的集团（今多用于贬义）faction; sect (usu. derog. political, academic or religious groups)：小~ xiǎo ~ petty factions ｜~主义 ~ zhǔyì sectarianism; factionalism ｜~活动 ~ huódòng factional activities; sectarian activities

⁴ **宗旨** zōngzhǐ〈名 *n.*〉主要的目的或意图；主要的指导思想 aim; purpose：医务人员的~是救死扶伤。*Yīwù rényuán de ~ shì jiùsǐ-fúshāng.* The purpose of medical workers is to heal the wounded and rescue the dying. ｜我们办学的~是培养德才兼备的人才。*Wǒmen bànxué de ~ shì péiyǎng décái-jiānbèi de réncái.* Our aim of running a school is to foster talent of both ability and integrity.

² **综合** zōnghé ❶〈动 *v.*〉将分析过的对象或现象的各个方面、各种因素联系起来作为一个整体加以考察（与'分析'相对）synthesize; sum up (opposite to '分析fēnxī')：~

数据 ~ *shùjù* synthesize data ｜我现在将大家的意见~一下。*Wǒ xiànzài jiāng dàjiā de yìjiàn ~ yíxià.* Now I will sum up your opinions. ❷〈动 *v.*〉将各种不同而又互相关联的事物或现象组合在一起 synthetic; comprehensive; multiple; multi-purpose; composite; all-round：~开发 ~ *kāifā* comprehensive exploitation ｜~利用 ~ *lìyòng* comprehensive utilization; multi-purpose use ｜我们要对城市环境进行~治理。*Wǒmen yào duì chéngshì huánjìng jìnxíng ~ zhìlǐ.* We are going to make a comprehensive improvement of the urban environment.

⁴ **棕色** zōngsè〈形 *adj.*〉像棕毛那样的颜色 brown：他穿着一件~外衣。*Tā chuānzhe yí jiàn ~ wàiyī.* He is wearing a brown coat.

⁴ **踪迹** zōngjì〈名 *n.*〉行动所留下的痕迹 trace; track：可疑的~ *kěyí de* ~ suspicious trace ｜明显的~ *míngxiǎn de* ~ obvious trace ｜罪犯十分狡猾，没有留下任何~。*Zuìfàn shífēn jiǎohuá, méiyǒu liúxià rènhé ~.* The criminal is so cunning that he has left no trace whatsoever.

³ **总** zǒng ❶〈动 *v.*〉汇集；合在一起 assemble; put together; sum up：汇~ *huì* ~ gather; collect ｜这些东西~起来不过50块钱。*Zhèxiē dōngxi ~ qǐlái búguò wǔshí kuài qián.* The total cost of all these things are no more than 50 *yuan*. ❷〈形 *adj.*〉全部的；整体的 general; overall; total：~动员 ~ *dòngyuán* general mobilization ｜~罢工 ~ *bàgōng* general strike ｜我们下星期开始~复习。*Wǒmen xià xīngqī kāishǐ ~ fùxí.* Next week we will come into the period of general review. ｜世界的~趋势是和平与发展。*Shìjiè de ~ qūshì shì hépíng yǔ fāzhǎn.* The general trend of the world is peace and development. ❸〈形 *adj.*〉概括全部的；为首的 chief; head; general：~纲 ~ *gāng* general program; general principles ｜~书记 ~ *shūjì* general secretary ｜~统 ~ *tǒng* president ｜~司令 ~ *sīlìng* commander-in-chief ❹〈副 *adv.*〉一直；一向 always; invariably：他每天~是这个时候起床。*Tā měitiān ~ shì zhège shíhou qǐchuáng.* Every day he invariably gets up at this moment. ｜他~爱跟别人唱反调。*Tā ~ ài gēn biéren chàng fǎndiào.* He always likes to speak or act in opposition to others. ❺〈副 *adv.*〉无论如何；毕竟 anyway; after all; inevitably; sooner or later：现在大家的生活~比过去强多了吧。*Xiànzài dàjiā de shēnghuó ~ bǐ guòqù qiángduō le ba.* After all, our life is now much better than before. ❻〈副 *adv.*〉表示推测或估计 surely; certainly; probably（indicating guess or estimation）：这本辞典~得三年才能编完。*Zhè běn cídiǎn ~ děi sān nián cái néng biān wán.* It will probably take three years to finish the compilation of this dictionary.

⁴ **总的来说** zǒngdeláishuō 总括起来，也说'总的说来'generally speaking; to sum up; to state succinctly, also as '总的说来zǒngdeshuōlái'：~，这场球踢得还不错。*~, zhè chǎng qiú tī de hái búcuò.* General speaking, this time the football match is well done. ｜~，我们这次会议开得很成功。*~, wǒmen zhè cì huìyì kāi de hěn chénggōng.* To sum up, this meeting is a great success.

³ **总得** zǒngděi〈助动 *aux. v.*〉必须；有必要 must; have to; be bound to：过年了，我~回家看看。*Guònián le, wǒ ~ huíjiā kànkan.* The New Year is in, and I must go back home to have a reunion with my family. ｜她帮了我那么大忙，我~谢谢人家。*Tā bāngle wǒ nàme dà máng, wǒ ~ xièxie rénjia.* I am bound to give my thanks to her since she has done me such a great favor.

⁴ **总督** zǒngdū ❶〈名 *n.*〉中国明、清两代官职的名称，在不同的时期有不同的职责 governor（of the Ming and Qing Dynasties）, who assumed different responsibilities in different periods：两广~ *Liǎngguǎng* ~ Governor-General of Guangdong and Guangxi ｜漕运~ *cáoyùn* ~ Governor-General of Grain Transport ❷〈名 *n.*〉近代宗主国驻殖民地

的最高官员 governor-general; viceroy; governor: 澳大利亚~ Àodàlìyà ~ Governor-General of the Commonwealth of Australia

⁴ **总额** zǒng'é 〈名 n.〉总的金额或数额 total; the total amount; the gross amount: 投资~ tóuzī ~ total investment; the gross amount of investment | 销售~ xiāoshòu ~ total sales; total sales volume | 全国居民存款~已经超过十万亿。Quánguó jūmín cúnkuǎn ~ yǐjīng chāoguò shíwàn yì. The total savings of residents throughout the country have surpassed ten trillion yuan. | 今年全国高校招生~是20万名。Jīnnián quánguó gāoxiào zhāoshēng ~ shì èrshí wàn míng. This year universities of the whole country will recruit two hundred thousand new students in total.

³ **总而言之** zǒng'éryánzhī 总括起来说；总之 in short; in a word; in brief; to make a long story short: ~你的论据还缺乏说服力。~ nǐ de lùnjù hái quēfá shuōfúlì. In short, your arguments are not so convincing. | 吃的、穿的、用的，~，这家商场里样样齐全。Chī de, chuān de, yòng de, ~ zhè jiā shāngchǎng li yàngyàng qíquán. Food, clothes and commodities of daily use, in a word, all is available in this shopping mall.

³ **总共** zǒnggòng 〈副 adv.〉一共；合在一起 in all; altogether; sum up; in the aggregate: 我们公司~不到十个人。Wǒmen gōngsī ~ bú dào shí gè rén. Altogether there is less than ten people in our company. | 这项工程~耗资20亿。Zhè xiàng gōngchéng ~ hàozī èrshí yì. This project cost two billion yuan in all.

⁴ **总和** zǒnghé 〈名 n.〉加起来的总量或全部内容 sum; total; sum total: 今年对外贸易的金额超过过去五年的~。Jīnnián duìwài màoyì de jīn'é chāoguò guòqù wǔ nián de ~. The volume of foreign trade in terms of money this year exceeded the total of the previous five years. | 这几家公司的资金~也超不过我们公司。Zhè jǐ jiā gōngsī de zījīn ~ yě chāo bú guò wǒmen gōngsī. The total fund of these companies is no more than that of our company.

⁴ **总计** zǒngjì 〈动 v.〉合起来计算 amount to; total; add up to; grand total: 这本书的发行量~有100万册。Zhè běn shū de fāxíngliàng ~ yǒu yìbǎi wàn cè. This book has a distribution of one million in total. | ~有8亿观众观看了中央电视台的春节联欢晚会。~ yǒu bā yì guānzhòng guānkànle Zhōngyāng Diànshìtái de Chūn Jié Liánhuān Wǎnhuì. The total number of the viewers of the CCTV Spring Festival Gala is eight hundred million.

² **总结** zǒngjié ❶〈动 v.〉对一个阶段的工作、学习等情况进行分析研究，作出有指导性的结论 sum up; summarize: ~工作~ gōngzuò summarize one's work | ~经验教训~ jīngyàn jiàoxùn sum up one's experience and lessons | 班长在会上对这学期的学习情况作了~。Bānzhǎng zài huì shang duì zhè xuéqī de xuéxí qíngkuàng zuòle ~. The monitor summarized our study of this term in the meeting. ❷〈名 n.〉(份fèn)概括出来的结论 summary: 工作~ gōngzuò ~ work summary | 思想~ sīxiǎng ~ ideological summary | 年终~ niánzhōng ~ year-end summary | 这份~写得很全面、很深刻。Zhè fèn ~ xiě de hěn quánmiàn, hěn shēnkè. This summary is quite comprehensive and profound.

² **总理** zǒnglǐ 〈名 n.〉某些国家的政府首脑 premier; chancellor; prime minister: 中国国务院~ Zhōngguó Guówùyuàn ~ premier of the State Council of China | 法国~ Fǎguó ~ French prime minister; prime minister of France

¹ **总是** zǒngshì ❶〈副 adv.〉表示持续；一直；一向 always: 这几天~刮风。Zhè jǐ tiān ~ guāfēng. It has been blowing all these days. | 男孩子~比较淘气的。Nánháizi ~ bǐjiào táoqì de. Boys are always naughty. | 他最近~闷闷不乐。Tā zuìjìn ~ mènmènbúlè. He

Z

has been in low spirits recently. ❷〈副 *adv.*〉表示最后必然如此 be bound to end up in; end in: 谎言~要被拆穿的。 *Huǎngyán ~ yào bèi chāichuān de.* Lies are bound to be exposed. | 经过努力，问题~会得到解决的。 *Jīngguò nǔlì, wèntí ~ huì dédào jiějué de.* Problems are sure to be settled after we make efforts.

⁴ **总数** zǒngshù〈名 *n.*〉加在一起的数目 total; sum total: 我们学校教职员工的~超过一千人。 *Wǒmen xuéxiào jiàozhíyuángōng de ~ chāoguò yìqiān rén.* Our school has a teaching and administrative staff of more than one thousand. | 这家工厂的资产~不到100万。 *Zhè jiā gōngchǎng de zīchǎn ~ bú dào yìbǎi wàn.* The asset of this factory is less than one million *yuan* in total.

⁴ **总司令** zǒngsīlìng 〈名 *n.*〉军队的最高统帅或某一军种、某一战区的最高指挥官 commander-in-chief: 陆海空三军~ *lù-hǎi-kōng sān jūn ~* the commander-in-chief of the three armed forces

³ **总算** zǒngsuàn ❶〈副 *adv.*〉表示某种愿望终于实现 at long last; finally: 他~找到了一份理想的工作。 *Tā ~ zhǎodàole yí fèn lǐxiǎng de gōngzuò.* He finally found an ideal job. | 经过三年苦读，他~得到了博士学位。 *Jīngguò sān nián kǔ dú, tā ~ dédào le bóshì xuéwèi.* After three years of hard study, he finally got the doctor's degree. ❷〈副 *adv.*〉表示大体上还过得去 on the whole; considering everything; all things considered: 这里条件虽差，但我~有了一个栖身之地。 *Zhèlǐ tiáojiàn suī chà, dàn wǒ ~ yǒule yí gè qīshēn zhī dì.* Bad as the conditions here are, I have finally got a shelter to stay. | 我这次考试的成绩不理想，但~门门及格。 *Wǒ zhè cì kǎoshì de chéngjì bù lǐxiǎng, dàn ~ ménmén jígé.* My results in this examination were not good, but I passed all the subjects on the whole.

² **总统** zǒngtǒng〈名 *n.*〉某些共和国的国家元首的名称 president: 印度~ *Yìndù ~* the Indian president

⁴ **总务** zǒngwù ❶〈名 *n.*〉机关、学校、企业等单位中的行政事务 general affairs; general services: ~处 *~chù* general affairs department | ~工作是一项很繁杂的工作。 *~ gōngzuò shì yí xiàng hěn fánzá de gōngzuò.* General service work is very troublesome. ❷〈名 *n.*〉做这种工作的人 person in charge of general affairs: 关于伙食方面的意见你们找~去提。 *Guānyú huǒshí fāngmiàn de yìjiàn nǐmen zhǎo ~ qù tí.* You can make your complaints about food to the person in charge of general affairs.

³ **总之** zǒngzhī ❶〈连 *conj.*〉表示下文是总括性的话 in a word; in short; in brief, indicating the following is a summary remark: 中国、美国、英国、法国，还有俄罗斯，~，联合国安理会的常任理事国都拥有否决权。 *Zhōngguó, Měiguó, Yīngguó, Fǎguó, háiyǒu Éluósī, ~, Liánhéguó Ānlǐhuì de chángrèn lǐshìguó dōu yǒngyǒu fǒujuéquán.* China, the United States, the United Kingdom of Great Britain, France and Russia, in short, all the five permanent members of the Security Council of the United Nations have the veto power. ❷〈连 *conj.*〉表示概括性的结论 in short, in brief, indicating the following is a brief conclusion: 例子我就不多说了，~他是个值得信赖的人。 *Lìzi wǒ jiù bù duō shuō le, ~ tā shì gè zhídé xìnlài de rén.* I will give no more examples. In short, he is a trustworthy person.

⁴ **纵横** zònghéng ❶〈形 *adj.*〉竖和横相互交错 crisscross; in length and breadth; lengthwise and sidewise; vertically and horizontally: 公路~ *gōnglù ~* crisscross highroads | 铁路~ *tiělù ~* crisscross railways | 我们家乡河道~交错，四通八达。 *Wǒmen jiāxiāng hédào ~ jiāocuò, sìtōng-bādá.* In my hometown, the river courses crisscross each other and extend in all directions. ❷〈形 *adj.*〉奔放自如 with great ease;

freely：他的文章笔意～，气势磅礴。*Tā de wénzhāng bǐyì ～, qìshì pángbó.* His articles are written with great ease and are very powerful. ❸〈动 *v.*〉奔驰无阻 move about freely; sweep over; march over unhindered：～天下 ～ *tiānxià* sweep over the world

¹ 走 zǒu ❶〈动 *v.*〉两脚交替向前移动；步行 walk; go：路不远，咱们～去吧。*Lù bù yuǎn, zánmen ～ qù ba.* It is not far from here, and let's walk there. ｜我今天～了20里地。*Wǒ jīntiān ～le yǒu èrshí li dì.* Today I have walked for 20 li. ❷〈动 *v.*〉离开 leave; go away：他～了没多久。*Tā ～le méi duō jiǔ.* He hasn't been away for long. ｜他家已经搬～了。*Tā jiā yǐjīng bān～le.* His family has moved away. ❸〈动 *v.*〉移动；挪动 move：我的手表不～了。*Wǒ de shǒubiǎo bù ～ le.* My watch has stopped. ｜我一错了一步棋。*Wǒ ～cuòle yí bù qí.* I made a bad move. ❹〈动 *v.*〉泄漏 leak; let out; escape：～露了风声 ～lòule fēngshēng divulge a secret; leak information ｜说～了嘴 shuō～le zuǐ make a slip of the tongue ❺〈动 *v.*〉偏离了原来的样子 depart from the original; lose the original shape or flavor：你唱～调儿了。*Nǐ chàng～ diàor le.* You have got out of tune. ｜这茶叶～了味儿了。*Zhè cháyè ～le wèir le.* The tea has lost its original flavor. ❻〈动 *v.*〉〈亲友之间〉交往 visit; call on：～亲戚 ～ *qīnqi* visit a relative ｜有空就到朋友家～～，别老呆在家里。*Yǒukòng jiù dào péngyou jiā ～～, bié lǎo dāi zài jiālǐ.* Visit your friends when you are free; don't always stay at home. ❼〈动 *v.*〉由；通过 through; from：咱们～大门进去。*Zánmen ～ dàmén jìnqù.* Let's get in through the gate. ｜要办成这件事还得～几道手续呢。*Yào bànchéng zhè jiàn shì háiděi ～ jǐ dào shǒuxù ne.* We have to go through several procedures before we can get it finished. ❽〈动 *v.* 书 *lit.*〉跑 run; move：马看花（比喻粗略地观察事物）～mǎ-kànhuā（*bǐyù cūlüè de guānchá shìwù*）look at flowers while riding a horse (*fig.* gain a shallow understanding from a fleeting glance）｜喜讯传来，人们奔～相告。*Xǐxùn chuánlái, rénmen bēn～ xiānggào.* On hearing the good news, people lost no time telling each other. ❾〈动 *v.*〉指人死（婉辞）die; go; leave：她怎么戴着孝？她家谁～了？*Tā zěnme dàizhe xiào? Tā jiā shéi ～ le?* Why does she wear the mourning? Who's died in her family?

² 走道儿 zǒu// dàor 〈动 *v.*〉走路 walk：这孩子刚学会～。*Zhè háizi gāng xuéhuì ～.* The baby has just learned to toddle. ｜他腿脚不太灵便，走起道儿来一瘸一拐的。*Tā tuǐjiǎo bú tài língbiàn, zǒu qǐ dàor lái yì qué yì guǎi de.* His legs and feet are not very nimble, for he walks with a limp.

³ 走访 zǒufǎng 〈动 *v.*〉访问；拜访 interview; have an interview with; pay a visit to; go and see：老师每学期都要～一次学生家长。*Lǎoshī měi xuéqī dōu yào ～ yí cì xuésheng jiāzhǎng.* Every term the teacher pays a visit to the parents of his students. ｜春节里我～了几位老朋友。*Chūnjié li wǒ ～ le jǐ wèi lǎo péngyou.* In the Spring Festival, I visited some of my old friends.

⁴ 走狗 zǒugǒu ❶〈名 *n.* 书 *lit.*〉猎狗 hunting dog：狡兔死，～烹（比喻事成之后杀害有功之人）。*Jiǎotù sǐ, ～ pēng*（*bǐyù shì chéng zhīhòu shāhài yǒu gōng zhī rén*）. Cook the hunting dog after the hare is killed (*fig.* kill the people who have rendered great service after success). ❷〈名 *n.*〉（条tiáo、个gè）比喻受人豢养而帮助作恶的人 running dog; lackey; flunkey; stooge; servile follower：当敌人的～绝不会有好下场。*Dāng dírén de ～ jué bú huì yǒu hǎo xiàchǎng.* Servile followers of the enemy will certainly come to no good end.

⁵ 走后门儿 zǒu hòuménr 〈动 *v.*〉比喻用托情、贿赂等不正当手段，通过内部关系达到某种目的 get in by the back door; practice backdoorism; get sth. done through pull; secure

advantages through pull or influence：他~为女儿找了一份好工作。 *Tā ~ wèi nǚ'ér zhǎole yí fèn hǎo gōngzuò.* He found a good job for his daughter by means of backdoorism. | 要坚决堵住~的不正之风。 *Yào jiānjué dǔzhù ~ de búzhèngzhīfēng.* We must firmly eliminate the malpractice of gaining one's advantages through pull.

³ **走廊** zǒuláng ❶〈名 n.〉(条 tiáo、个 gè)房屋之间有顶的过道:屋檐下高出平地的走道 corridor; passage; passageway：~里不要堆放东西。 *~ li búyào duīfàng dōngxi.* Don't pile things up in the passageway. ❷〈名 n.〉连接两个较大地区的狭长地带 corridor：河西~ Héxī ~ Hexi Corridor; Gansu Corridor | 空中~ kōngzhōng ~ air corridor; air lane

⁴ **走漏** zǒulòu〈动 v.〉泄漏(消息等) leak out; divulge：事关重大,千万不可~风声。 *Shì guān zhòngdà, qiānwàn bù kě ~ fēngshēng.* Since it is of great importance, don't leak it out. | 这条消息准是他~出去的。 *Zhè tiáo xiāoxi zhǔn shì tā ~ chūqù de.* It must be he who leaked the news out.

⁴ **走私** zǒusī〈动 v.〉逃避海关检查,非法运送货物出入国境 smuggle：~船 ~chuán smuggling ships | 最近海关破获了一起~大案。 *Zuìjìn hǎiguān pòhuòle yì qǐ ~ dà'àn.* Recently the customhouse has cleared up a big smuggling case. | 这一带海面~活动十分猖獗。 *Zhè yídài hǎimiàn ~ huódòng shífēn chāngjué.* Smuggling activities in this sea area are very rampant.

³ **走弯路** zǒu wānlù ❶〈动 v.〉走的不是直接通达的路 crooked road; tortuous path; roundabout way; detour：我乘错了车,走了不少弯路。 *Wǒ chéngcuòle chē, zǒule bù shǎo wānlù.* I got on the wrong bus, and took a roundabout course. ❷〈动 v.〉比喻出差错、受挫折 roundabout way, detour, *fig.* make mistakes; be frustrated; suffer setbacks：在导师的指导下,我们的实验少走了不少弯路。 *Zài dǎoshī de zhǐdǎo xià, wǒmen de shíyàn shǎo zǒule bù shǎo wānlù.* Under the guidance of our supervisor, we have avoided many detours in our experiments.

⁴ **走向** zǒuxiàng〈名 n.〉(山脉、矿层、边界线等)延伸的方向 run; trend; alignment：我们已经探明了矿脉的~。 *Wǒmen jījīng tànmíngle kuàngmài de ~.* We have verified up the run of the ore vein. | 通过谈判双方确定了边界的~。 *Tōngguò tánpàn shuāngfāng quèdìng biānjiè de ~.* The two sides have determined the alignment of the boundary line between the two countries through negotiation.

⁴ **奏** zòu ❶〈动 v.〉用乐器表演 play; perform; strike up：独~ dú~ solo | 伴~ bàn~ accompany; to the accompaniment of an instrument | 二重~ èrchóng~ duet | 国歌~ guógē play the national anthem ❷〈动 v.〉取得(功效);建立(功绩) achieve; produce：~效 ~xiào prove effective; be successful; get the desired result; carry true | ~捷 ~jié score a success; win a battle | ~功 ~gōng effective; achieve success ❸〈动 v.〉臣子向君王报告情况或陈述意见 submit a memorial to an emperor：启~ qǐ~ present a memorial to the emperor | 上~ shàng~ report to the throne | 先斩后~(比喻先造成既成事实,然后再上报) xiānzhǎn-hòu~（bǐyù xiān zàochéng jìchéng shìshí, ránhòu zài shàngbào）execute the criminal first and report to the emperor afterwards （*fig.* act first and report afterwards）

⁴ **揍** zòu ❶〈动 v. 口 colloq.〉打(人) beat; hit; strike：这孩子忒淘气,天天挨~。 *Zhè háizi tuī táoqì, tiāntiān ái ~.* The child is so naughty that he gets a beat every day. | 大家把那个坏蛋狠狠地~了一顿。 *Dàjiā bǎ nàge huàidàn hěnhěn de ~le yí dùn.* We beat the scoundrel up. ❷〈动 v. 方 dial.〉打碎 break; smash：我不小心~了一个杯子。 *Wǒ bù xiǎoxīn ~le yí gè bēizi.* I carelessly broke a cup.

³ **租** zū ❶〈动 v.〉租用;出一定的代价暂时使用别人的东西 rent; hire; charter：我在城

里~了一间房。 *Wǒ zài chéng li ~le yì jiān fáng.* I rent a room in town. │我们准备~一辆车到长城旅游。 *Wǒmen zhǔnbèi ~ yí liàng chē dào Chángchéng lǚyóu.* We are going to hire a car to tour the Great Wall. ❷〈动 v.〉出租，收取一定的代价把东西暂时租别人使用 rent out; let out; lease: 这条街的店铺全部~出去了。 *Zhè tiáo jiē de diànpù quánbù ~ chūqù le.* All the shops on both sides of the street have been leased out. ❸〈名 n.〉出租所收取的钱或实物 rent: 房~ *fáng~* house rent │过去他家每年要向地主交五石麦子的地~。 *Guòqù tā jiā měi nián yào xiàng dìzhǔ jiāo wǔ dàn màizi de dì~.* In the past, his family had to give the landowner five *dan* of wheat as land rent every year.

⁴ 租金 zūjīn〈名 n.〉(笔bǐ)租用房屋或物品的钱 rent; rental: ~昂贵 *~ángguì* expensive rent │~低廉 *~dīlián* low rent │租用这个店铺，要预付一年的~。 *Zūyòng zhège diànpù, yào yùfù yì nián de ~.* To rent this shop, you have to pay the rent for a year in advance.

³ 足 zú ❶〈形 adj.〉富裕；充足 enough; ample; sufficient: 丰衣~食 *fēngyī-~shí* ample clothed and well-fed │这里光线不~，拍不好照。 *Zhèlǐ guāngxiàn bù ~, pāi bù hǎo zhào.* The light is so dim that it is impossible to take good photos. │证据不~，不能定罪。 *Zhèngjù bù ~, bù néng dìngzuì.* There is not sufficient evidence to declare them guilty. ❷〈名 n.〉脚 foot: ~球 *~qiú* football │~迹 *~jì* footprint; footmark │手舞~蹈 *shǒuwǔ-~dǎo* dance for joy │画蛇添~（比喻做多余的事,反而有害无益）*huàshé-tiān~*（*bǐyù zuò duōyú de shì, fǎn' ér yǒuhài wúyì*）draw a snake and add feet to it (*fig.* ruin the effect by adding sth. superfluous) ❸〈副 adv.〉完全；够得上某种数量或程度 fully; as much as: 这块石头~有一吨重。 *Zhè kuài shítou ~ yǒu yì dūn zhòng.* The stone weighs as much as one ton. │半小时内~可交卷。 *Bàn xiǎoshí nèi ~ kě jiāo juàn.* It's quite enough to hand in the exam paper with in half an hour. ❹〈副 adv.〉值得 enough; sufficiently: 微不~道 *wēibù~dào* not worth mentioning; insignificant; negligible; trivial │言者无罪，闻者~戒。 *Yán zhě wú zuì, wén zhě ~ jiè.* Blame not the speaker but be warned by his words. ❺〈副 adv.〉尽情地；尽量地 to one's full content; as much as one likes: 考完试后我要~睡上三天。 *Kǎowán shì hòu wǒ yào ~ shuì shàng sān tiān.* After the exam, I will sleep for a good three days.

Z

¹ 足球 zúqiú ❶〈名 n.〉一种球类运动项目 football; soccer: ~比赛 *~bǐsài* football game │~运动员 *~yùndòngyuán* footballer; football player │我爱看~。 *Wǒ ài kàn ~.* I love to watch football games. ❷〈名 n.〉(个gè)足球运动使用的球 football: 我不会踢~。 *Wǒ bú huì tī ~.* I cannot play football.

⁴ 足以 zúyǐ〈副 adv.〉足够；完全可以 enough; sufficiently: 光凭这些证据还不~判刑。 *Guāng píng zhèxiē zhèngjù hái bù ~ pàn xíng.* It's insufficient to pass a sentence according to these evidences alone. │他的工资还不~维持家计。 *Tā de gōngzī hái bù ~ wéichí jiājì.* His salary is insufficient to support his family.

⁴ 族 zú ❶〈名 n.〉家族 clan: 宗~ *~zōng* patriarchal clan │~长 *~zhǎng* patriarch; clan elder; the head of a clan; clan leader │名门望~ *míngmén-wàng~* a distinguished family ❷〈名 n.〉民族 race; nationality; ethnic group: 汉~ *Hàn~* Han ethnic group; Hans; Han people │维吾尔~ *Wéiwú'ěr~* the Uygur ethnic group │斯拉夫~ *Sīlāfū~* Slavdom ❸〈名 n.〉种类；事物具有相同属性的大类 family; class or group of things with common features: 水~ *shuǐ~* aquatic animals │芳香~ *fāngxiāng~* aromatic (things) ❹〈名 n.〉具有某种共同特点的人 people with common features: 工薪~ *gōngxīn~* salariat; salaried sector │追星~ *zhuīxīng~* (mostly young people and children) fan; movie star fan; pop music star fan; football star fan; groupie │打工~ *dǎgōng~* manual workers away from home

³ 阻碍 zǔ'ài ❶〈动 v.〉妨碍通过或发展 hinder; block; impede; obstruct：这辆车停放在胡同口~交通。*Zhè liàng chē tíngfàng zài hútòng kǒu ~ jiāotōng.* The car parked at the alleyway end blocks the traffic. ｜骄傲自满~了他的进步。*Jiāo'ào zìmǎn ~le tā de jìnbù.* His progress was impeded by his arrogance and complacency. ❷〈名 n.〉起阻碍作用的事物 obstacle; hindrance; impediment; block; obstruction：排除~ *páichú ~* remove an obstacle ｜冲破~ *chōngpò ~* break through a barrier ｜在审理这起案件的过程中我们遇到了重重~。*Zài shěnlǐ zhè qǐ ànjiàn de guòchéng zhōng wǒmen yùdàole chóngchóng ~.* When hearing this case, we met with one obstruction after another.

⁴ 阻挡 zǔdǎng〈动 v.〉拦住；使不能通过 obstruct; stop; resist; stem; block：他想干的事，谁也~不住。*Tā xiǎng gàn de shì, shéi yě ~ bú zhù.* No one can stop him from what he wants to do. ｜时代的潮流不可~。*Shídài de cháoliú bùkě ~.* The trend of the times is irresistible.

⁴ 阻拦 zǔlán〈动 v.〉阻止；拦住 stop; obstruct; bar the way; stymie：我们是来执行公务的，任何人不得~。*Wǒmen shì lái zhíxíng gōngwù de, rènhé rén bùdé ~.* We are here to perform official duties, and no body should stand in the way. ｜他开着车往里闯，我想~也拦不住。*Tā kāizhe chē wǎng lǐ chuǎng, wǒ xiǎng ~ yě lán bú zhù.* He drove the car and broke in, and I just couldn't stop him even though I wanted to.

³ 阻力 zǔlì ❶〈名 n.〉阻碍物体运动的作用力 resistance; drag：水的~ *shuǐ de ~* water resistance ｜空气~ *kōngqì ~* air resistance ｜摩擦也会产生~。*Mócā yě huì chǎnshēng ~.* Friction also causes resistance. ❷〈名 n.〉泛指阻碍事物前进发展的外力 obstruction; resistance：冲破~ *chōngpò ~* break through obstruction ｜克服~ *kèfú ~* overcome resistance ｜我们在办案中遇到不小的~。*Wǒmen zài bàn'àn zhōng yùdào bù xiǎo de ~.* We met with great resistance when we were handling the legal case.

⁴ 阻挠 zǔnáo〈动 v.〉阻止或暗中扰乱使不能顺利进行 obstruct; thwart; stand in the way; put a spoke in sb's wheel; stem; hinder：无理~ *wúlǐ ~* obstruct one's way for no reason ｜百般~ *bǎibān ~* obstruct in every possible way ｜这件事如果不是他从中~早就办成了。*Zhè jiàn shì rúguǒ bú shì tā cóngzhōng ~ zǎo jiù bànchéng le.* It would have been settled long ago if he had not placed obstacles in the way.

³ 阻止 zǔzhǐ〈动 v.〉使停止行动；使不能前进 prevent; stop; hinder; hold back：父亲~我同他来往。*Fùqīn ~ wǒ tóng tā láiwǎng.* My father prevented me from having any contact with him. ｜这种恶劣的风气必须严加~。*Zhè zhǒng èliè de fēngqì bìxū yánjiā ~.* We must rigorously put an end to this abominable practice.

² 组 zǔ ❶〈动 v.〉结合构成 form：~词 *~cí* form an expression ｜~阁 *~gé* form a cabinet ｜老师让我们四个人~成一个口语练习小组。*Lǎoshī ràng wǒmen sì gè rén ~chéng yí gè kǒuyǔ liànxí xiǎozǔ.* The teacher asked the four of us to form a group to practice our spoken language. ❷〈名 n.〉由若干人结合的单位 group：汉语教研~ *Hànyǔ jiàoyán~* Chinese teaching and research group ｜领导小~ *lǐngdǎo xiǎo~* leading group ❸〈形 adj.〉合成一组的(文艺作品) set; series; suite; battery：~歌 *~gē* a suite of songs ｜~诗 *~shī* a suite of poems ｜~画 *~huà* a suite of paintings ❹〈量 meas.〉用于成组的人或事物 for groups of people or things：一~词 *yì ~ cí* a group of words ｜分三~进行讨论 *fēn sān ~ jìnxíng tǎolùn* discuss in three groups

³ 组成 zǔchéng〈动 v.〉由部分或个体组合成整体 form; compose; constitute; make up：代表团由各界人士~。*Dàibiǎotuán yóu gèjiè rénshì ~.* The delegation is made up of people from all walks of life. ｜园艺工人用各种花朵~一个美丽的图案。*Yuányì*

gōngrén yòng gèzhǒng huāduǒ ~ yí gè měilì de tú'àn. The gardeners used different kinds of flowers to form a beautiful pattern.

⁴ 组合 zǔhé ❶〈动 *v.*〉组织成为整体 make up; compose; constitute：这套丛书由十位著名作家的优秀作品~而成。*Zhè tào cóngshū yóu shí wèi zhùmíng zuòjiā de yōuxiù zuòpǐn ~ ér chéng.* This collection is composed of the master pieces of ten famous writers. ❷〈名 *n.*〉组织起来的整体 association; combination：商业~ *shāngyè* ~ commercial association｜劳动~ *láodòng* ~ labor association

³ 组长 zǔzhǎng〈名 *n.*〉小组的负责人 group reader; headman; foreman：大家推举我当~。*Dàjiā tuījǔ wǒ dāng ~.* Everyone elected me as group leader.

¹ 组织 zǔzhī ❶〈动 *v.*〉将分散的人或事物结合起来 organize; form：~参观 *cānguān* organize a visit｜~学习 ~ *xuéxí* organize the studying session｜我们几个同学~了一个合唱队。*Wǒmen jǐ gè tóngxué ~le yí gè héchàngduì.* Several of our classmates formed a chorus group.｜红十字会~了大批救援物资送往灾区。*Hóngshízìhuì ~le dàpī jiùyuán wùzī sòng wǎng zāiqū.* The Red Cross collected large quantities of disaster-relief materials to to be sent to the stricken area. ❷〈名 *n.*〉按照一定宗旨或系统建立起来的集体 organization; organized system：党团~ *dǎngtuán* ~ Party and Youth League organizations｜粮农~ *Liángnóng* ~ Food and Agriculture Organization of the United Nations（FAO）｜教科文~ *Jiàokēwén* ~ United Nations Educational, Scientific and Cultural Organization（UNESCO）❸〈名 *n.*〉系统；配合关系 system; coordination：~庞大 ~ *pángdà* a huge organization｜~严密 ~ *yánmì* tightly organized｜~涣散 ~ *huànsàn* loosely organized ❹〈名 *n.*〉机体内组成器官的小单位 tissue：肌肉~ *jīròu* ~ muscle tissue｜结缔~ *jiédì* ~ connective tissue

³ 祖父 zǔfù〈名 *n.*〉父亲的父亲 grandfather：我的~是一位教授。*Wǒ de ~ shì yí wèi jiàoshòu.* My grandfather is a professor.

¹ 祖国 zǔguó〈名 *n.*〉自己的国家 homeland; motherland; one's country; native land; fatherland：保卫~ ~ *bǎowèi* ~ defend one's motherland｜热爱~ ~ *rè'ài* ~ love one's native land｜我终于回到了~的怀抱。*Wǒ zhōngyú huídàole ~ de huáibào.* I finally returned to the embrace of my homeland.

³ 祖母 zǔmǔ〈名 *n.*〉父亲的母亲 grandmother：小时候，慈祥的~每天都要给我讲故事。*Xiǎoshíhou, cíxiáng de ~ měi tiān dōu yào gěi wǒ jiǎng gùshi.* When I was young, my loving grandmother told me stories every day.

³ 祖先 zǔxiān ❶〈名 *n.*〉一个民族或家族的上代，特指年代久远的 ancestry; ancestors; forebears; forefathers：炎帝黄帝是中华民族的~。*Yándì Huángdì shì Zhōnghuá Mínzú de ~.* Emperor Yan and Emperor Huang are the ancestors of the Chinese nation. ❷〈名 *n.*〉演化成现代各类生物的各种古代生物 ancient organisms from which present-day livings or beings are evolved; forefather; ancestor：始祖马是马的~。*Shǐzǔmǎ shì mǎ de ~.* The eohippus is the ancestor of the horse.

² 钻 zuān ❶〈动 *v.*〉用尖形的物体在另一物体上打眼，穿孔 drill; bore：在木板上~了一个洞 *zài mùbǎn shang ~le yí gè dòng* drill a hole in the wood board｜在村口~了一眼井 *zài cūnkǒu ~le yì yǎn jǐng* sink a well at the entrance to the village ❷〈动 *v.*〉进入；穿过 get into; go through; make one's way into：猎手们~进了深山老林。*Lièshǒumen ~jìnle shēnshān lǎolín.* Hunters went deep into the thickly forested mountains.｜通过这个地段，火车要~十来个隧道。*Tōngguò zhège dìduàn, huǒchē yào ~ shí lái gè suìdào.* The train has to pass through about ten tunnels in this area. ❸〈动 *v.*〉深入研究 study intensively; dig into：小伙子挺爱~研的，干一样~一样 *Xiǎohuǒzi tǐng ài ~yán de, gàn*

yí yàng ~ yí yàng. Fond of intense study, the young man always digs into whatever he lays his hands on. ❹〈动 v.〉设法找门路 secure personal gain; curry favor with sb. in authority for personal gain: 这个人到处~营，见缝就~. *Zhège rén dàochù ~yíng, jiàn fèng jiù ~*. This guy always tries to secure his personal gains, making his way into wherever there's room.

² **钻研** zuānyán〈动 v.〉深入研究 study intensively; dig into: ~业务 ~ *yèwù* study professional knowledge intensively; gain professional proficiency |~技术 ~ *jìshù* perfect one's skill; master technique | 他的刻苦~精神值得赞扬. *Tā de kèkǔ ~ jīngshén zhídé zànyáng*. His spirit of studying hard is praiseworthy.

⁴ **钻石** zuànshí ❶〈名 n.〉（颗kē、粒lì、克拉kèlā）经过打磨的金刚石 diamond: 南非盛产~. *Nánfēi shèngchǎn ~*. South Africa is rich in diamonds. | ~非常昂贵，一克拉就值上万美元. *~ fēicháng ángguì, yí kèlā jiù zhí shàng wàn měiyuán*. The diamond is very expensive, one carat of which costs tens of thousands of dollars. ❷〈名 n.〉（粒lì）红宝石、蓝宝石或硬度较高的人造宝石 rubby, sapphire or artificial gem stone: ~轴承 ~ *zhóuchéng* diamond bearings.

¹ **嘴** zuǐ ❶〈名 n.〉（张zhāng）人和动物的口 mouth: 张~吃饭 *zhāng ~ chī fàn* open one's mouth to eat | 咧着~笑 *liězhe ~ xiào* grin | 抿着~乐 *mǐnzhe ~ lè* smile with lips closed; compress one's lips to smile ❷（~儿）〈名 n.〉形状像嘴的东西 anything shaped like a mouth: 壶~ *hú~* the mouth of a pot | 瓶~ *píng~* the mouth of a bottle | 奶~ *nǎi~* nipple (of a feeding bottle) | 烟~ *yān~* cigarette holder ❸〈名 n.〉指吃的东西 food: 喝中药要注意忌~. *Hē zhōngyào yào zhùyì jì ~*. Certain food should be avoided when taking traditional Chinese medicine. | 这只猫忒贪~. *Zhè zhī māo tuī tān ~*. The cat is very greedy for food. ❹〈名 n.〉指话语 speaking; talking; what one says; words: 你别多~! *Nǐ bié duō ~*! Keep your mouth shut! | 他就会耍贫~! *Tā jiù huì shuǎ pín~*! He is particularly garrulous!

嘴巴 zuǐba ❶〈名 n. dial.〉嘴 mouth: 他的~真大，一口能咬半个苹果. *Tā de ~ zhēn dà, yì kǒu néng yǎo bàn gè píngguǒ*. His mouth is so big that he can eat half an apple at a bite. ❷〈名 n. 口 colloq.〉嘴部附近的部位 the part of the face around the mouth: 我给了他一个~. *Wǒ gěile tā yí gè ~*. I slapped him in the face.

³ **嘴唇** zuǐchún〈名 n. 口 colloq.〉唇 lip: 她~上涂了口红. *Tā ~ shang túle kǒuhóng*. Her lips were lipsticked.

¹ **最** zuì ❶〈副 adv.〉用在形容词或动词前，在某个方面超过所有同类的人或事物 most, used before adjectives or verbs to indicate that a certain attribute has surpassed all people or things of the same kind: 中国是世界上人口~多的国家. *Zhōngguó shì shìjiè shang rénkǒu ~ duō de guójiā*. China is the most populous country in the world. | 这些姑娘中她~漂亮. *Zhèxiē gūniang zhōng tā ~ piàoliang*. She is the most beautiful one among these girls. | 晚会上我们的节目~受欢迎. *Wǎnhuì shang wǒmen de jiémù ~ shòu huānyíng*. Our program is the most popular one in the evening party. ❷〈副 adv.〉用在动词前，表示情绪、态度、评价等达到极点 (used before verbs to indicate that one's mood, attitude or assessment, etc. reaches its peak) best; best: 妹妹~爱跳舞. *Mèimei ~ ài tiàowǔ*. My sister likes dancing best. | 我~讨厌说谎的人. *wǒ ~ tǎoyàn shuōhuǎng de rén*. I dislike liars most. | 我~反对在背后议论别人. *Wǒ ~ fǎnduì zài bèihòu yìlùn biéren*. To gossip behind others' back is the last thing that I favor. ❸〈副 adv.〉用在形容词前，表示估计或所能允许的最大限度 (used before adjectives to indicate the estimated limit or limits that can be allowed to reach) most: 这封信~快也

要在下午才能送到。*Zhè fēng xìn ~ kuài yě yào zài xiàwǔ cái néng sòngdào.* This letter will reach its destination this afternoon at the soonest. │ 这种药一天～多只能注射两次。*Zhè zhǒng yào yì tiān ~ duō zhǐnéng zhùshè liǎng cì.* This medicine can be injected twice a day at most. ❹〈副 *adv.*〉用在方位词前，表示方位的极限（used before a noun of locality or a place word）farthest to or nearest（a place）：我的家乡在中国的~北边。*Wǒ de jiāxiāng zài Zhōngguó de ~ běibian.* My hometown is located in the remotest part of northern China. │ 那本书就在书架的~上面。*Nà běn shū jiù zài shūjià de ~ shàngmian.* That book is on the very top of the bookshelf. ❺〈名 *n.*〉居于首位的人或事物 in the first place; incomparable; the best：世界之~ *shìjiè zhī ~* best of the world │ 中国之~ *Zhōngguó zhī ~* best of China

¹ **最初** zuìchū〈名 *n.*〉刚开始的时候；最早的时候 initial; first; originally; at the very beginning; at first：我对她~的印象还不错。*Wǒ duì tā ~ de yìnxiàng hái búcuò.* My first impression of her was quite good. │ 这个村子~只有三户人家。*Zhège cūnzi ~ zhǐyǒu sān hù rénjiā.* Originally there were only three households in the village.

² **最好** zuìhǎo ❶〈形 *adj.*〉最理想的选择；最大的希望 had better; it would be best：你来之前~先给我打个电话。*Nǐ lái zhīqián ~ xiān gěi wǒ dǎ gè diànhuà.* You'd better give me a call before you come. │ 今晚我们要举行篝火晚会，~别下雨。*Jīnwǎn wǒmen yào jǔxíng gōuhuǒ wǎnhuì, ~ bié xiàyǔ.* This evening we are going to have a campfire party, and it would be best if it doesn't rain. ❷〈形 *adj.*〉优点最多的；最令人满意的 best; first-rate：她是我们团~的舞蹈演员。*Tā shì wǒmen tuán ~ de wǔdǎo yǎnyuán.* She is the best dancer in our troupe. │ 秋天是~的旅游季节。*Qiūtiān shì ~ de lǚyóu jìjié.* Autumn is the best season for tourism.

¹ **最后** zuìhòu〈名 *n.*〉次序或时间上在所有别的之后 final; last; ultimate：我住在~一栋楼。*Wǒ zhù zài ~ yí dòng lóu.* I live in the last building. │ 你又是~一个到。*Nǐ yòushì ~ yí gè dào.* Again you are the last to arrive. │ 妈妈~还是不赞成我到外地去工作。*Māma ~ háishi bú zànchéng wǒ dào wàidì qù gōngzuò.* In the end mother still objected to my working away from my hometown.

¹ **最近** zuìjìn ❶〈名 *n.*〉指说话前后不久的日子 recently; lately; of late; soon; in the near future; in the next few days; in a couple of days：我~去了一趟欧洲。*Wǒ ~ qùle yí tàng Ōuzhōu.* Recently I have been to Europe for a visit. │ 他~就要到国外去讲学，你有事儿得赶紧找他。*Tā ~ jiù yào dào guówài qù jiǎngxué, nǐ yǒu shìr děi gǎnjǐn zhǎo tā.* He will lecture abroad in a few days, and you'd better look for him quickly if you have anything to do with him. ❷〈形 *adj.*〉距离最短 nearest：这里生活不太方便，~的超市也要走二十来分钟。*Zhèlǐ shēnghuó bú tài fāngbiàn, ~ de chāoshì yě yào zǒu èrshí lái fēnzhōng.* Life here is not so convenient, and it takes at least twenty minutes to walk to the nearest supermarket.

³ **罪** zuì ❶〈名 *n.*〉犯法行为 crime; guilt：盗窃~ *dàoqiè ~* larceny │ 渎职~ *dúzhí ~* crime of misconduct in office; offence of dereliction of duty │ ~大恶极 *~dà-èjí* fragrance; be guilty of the most heinous crimes ❷〈名 *n.*〉刑罚 penalty; punishment：死~ *sǐ ~* capital offence（or crime）│ 免~ *miǎn~* exempt from punishment │ 畏~潜逃 *wèi ~ qiántáo* abscond to avoid punishment ❸〈名 *n.*〉过失；错误 fault; blame：言者无~ *yán zhě wú ~* blame not the critic │ 负荆请~（表示诚恳地认错，请求责罚）*fùjīng-qǐng~（biǎoshì chéngkěn de rèncuò, qǐngqiú zéfá）* proffer a birch and ask for a flogging; carry a rod on one's back and ask to be punished（apology for wrong-doing; be contrite and ask for pardon）❹〈名 *n.*〉痛苦；苦难 suffering; pain; hardship：他小时候家境贫寒，受过不

少~。 *Tā xiǎoshíhou jiājìng pínhán, shòuguo bù shǎo ~.* When he was young, his family was in a straitened situation, and therefore he endured many hardships. ❺ 〈动 *v.*〉责备；责罚 put the blame on sb.; blame: 怪~ *guài~* blame sb. | ~己诏 *~jǐzhào* an imperial penitential edict

³ **罪恶** zuì'è 〈名 *n.*〉造成严重危害的行为 crime; evil; guilt: 滔天~ *tāotiān~* be guilty of monstrous crime | 不可饶恕的~ *bùkě ráoshù de~* unforgivable crime | 这个~累累的杀人犯终于得到应有的下场。 *Zhège ~ lěilěi de shārénfàn zhōngyú dédào yīngyǒu de xiàchǎng.* The murderer of countless crimes finally came to his deserved end.

⁴ **罪犯** zuìfàn 〈名 *n.*〉(名míng、个gè、伙huǒ)有犯罪行为的人 criminal; offender; culprit; convict: 这所监狱关押着许多重要的~。 *Zhè suǒ jiānyù guānyāguo xǔduō zhòngyào de ~.* Many important criminals were put under detention in this prison. | 经过缜密的侦查，公安人员终于抓获了这伙抢劫银行的~。 *Jīngguò zhēnmì de zhēnchá, gōng'ān rényuán zhōngyú zhuāhuòle zhè huǒ qiǎngjié yínháng de ~.* After a careful investigation, the police finally caught the the bank robbers. .

⁴ **罪名** zuìmíng ❶〈名 *n.*〉(种zhǒng、项xiàng)根据犯罪行为的性质和特征所规定的名称 accusation; charge; crime of which a person is accused: 他的~是过失杀人。 *Tā de ~ shì guòshī shārén.* He was charged with involuntary manslaughter. | 反动政府给他罗织了许多莫须有的~。 *Fǎndòng zhèngfǔ gěi tā luózhīle xǔduō mòxūyǒu de ~.* The reactionary government framed him up with many groundless charges. ❷〈名 *n.*〉坏的名声 an unsavory reputation; be in ill repute; be notorious: 我可不愿意落下一个吝啬鬼的~。 *Wǒ kě bú yuànyì luòxià yí gè lìnsèguǐ de ~.* I just don't want to end up with a reputation of a miser.

³ **罪行** zuìxíng 〈名 *n.*〉(条tiáo)犯罪的行为 crime; guilt; offence: 战争~ *zhànzhēng~* war crime; war offense | 侵略~ *qīnlüè~* crime of aggression | 敌人犯下的一条条~令人发指。 *Dírén fànxià de yì tiáotiáo ~ lìngrén fàzhǐ.* The crimes committed by the enemy got one's hackles up.

⁴ **罪状** zuìzhuàng 〈名 *n.*〉(条tiáo)犯罪的事实和情状 facts about a crime; charges in a indictment: 在证据面前他终于彻底交代了自己的~。 *Zài zhèngjù miànqián tā zhōngyú chèdǐ jiāodàile zìjǐ de ~.* He finally made a clean breast of his crimes before the evidence. | 他被指控的~竟有十条之多。 *Tā bèi zhǐkòng de ~ jìng yǒu shí tiáo zhī duō.* It's unexpected that the indictments against him is as many as ten.

² **醉** zuì ❶〈动 *v.*〉因饮酒过量而神志不清 drunk; intoxicated; turn tipsy: 我喝~了。 *Wǒ hē~ le.* I got drunk. | 这个~鬼又喝得不省人事了。 *Zhège ~guǐ yòu hē de bùxǐngrénshì le.* Again the drunkard has got so tipsy that he is in a coma. ❷〈动 *v.*〉因喜爱而沉迷 be drunk with; indulge in: 他陶~在优美的乐曲中。 *Tā táo~ zài yōuměi de yuèqǔ zhōng.* He is intoxicated by the beautiful music. | 他~心于研究中国文化。 *Tā ~xīn yú yánjiū Zhōngguó wénhuà.* He is deeply engrossed in studying Chinese culture. ❸〈形 *adj.*〉用酒泡制的(食品) liquor-saturated; steeped in liquor: ~蟹 *~xiè* liquor-saturated crab | ~枣 *~zǎo* wine-soaked dates

⁴ **尊** zūn ❶〈动 *v.*〉敬重；推崇 respect; venerate; honor: ~师爱生 *~ shī ài shēng* respect the teacher and love the student; students respecting teachers and teachers loving students | ~老爱幼 *~lǎo ài yòu* respect for the old and love for the young ❷〈形 *adj.*〉地位或辈分高 senior; of senior generation: 目无~长 *mù wú ~zhǎng* with no regard for one's elders and betters | 热烈欢迎各位~贵的客人。 *Rèliè huānyíng gèwèi ~guì de kèrén.* Let's give our welcome to our honored guests. ❸〈形 *adj.* 敬 *pol.*〉称呼与对方有关的

人或事物 a respectful term for your：请问~姓大名。*Qǐng wèn ~ xìng dà míng.* May I know your name？｜改日到~府拜访。*Gǎirì dào ~ fǔ bàifǎng.* I will pay a visit to your residence some other day.❹〈量 *meas.*〉用于神佛塑像 used for Buddha：一~佛像 *yì ~ fóxiàng* a statue of a Buddha｜十八~罗汉 *shíbā ~ luóhàn* eighteen statues of arhats ❺〈量 *meas.*〉用于炮 used for artillery：三~高射炮 *sān ~ gāoshèpào* three anti-aircraft guns

⁴ **尊称** zūnchēng ❶〈名 *n.*〉对人表示尊敬的称呼 a respectful form of address; honorific title：汉语中'您'是'你'的~。*Hànyǔ zhōng 'nín' shì 'nǐ' de ~.* In Chinese, '您nín' is an honorific form for '你nǐ'(you).｜'先生''师傅'是对成年男子的~。*'Xiānsheng' 'shīfu' shì duì chéngnián nánzǐ de ~.* '先生xiānsheng' (Mister) and '师傅shīfu' (Master) are honorific forms of address for male adults.❷〈动 *v.*〉尊敬地称呼 address sb. respectfully：人们都~他为'文学泰斗'。*Rénmen dōu ~ tā wéi 'wénxué tàidǒu'.* People all address him respectfully as the 'eminent scholar ~ literature.'

² **尊敬** zūnjìng ❶〈动 *v.*〉敬重地对待 respect; honor; esteem; venerate; revere：全体师生都很~老校长。*Quántǐ shīshēng dōu hěn ~ lǎo xiàozhǎng.* All the teachers and students of our school are very respectful to our old headmaster.｜他的见义勇为的行动深受人们~。*Tā de jiànyì-yǒngwéi de xíngdòng shēn shòu rénmen ~.* He enjoys people's greatest esteem for his courageous behavior for just cause.❷〈形 *adj.*〉值得敬重的 honorable; distinguished; respectable：~的先生/女士（多用于书信中称呼对方）~ *de xiānsheng / nǚshì （duō yòngyú shūxìn zhōng chēnghū duìfāng）* Honorable Sir / Madam （mostly used in letters to address the other side）｜~的总统阁下 ~ *de zǒngtǒng géxià* Your Excellency Mr. President

⁴ **尊严** zūnyán ❶〈名 *n.*〉值得尊敬的地位或身份 dignity; honor：捍卫民族~ *hànwèi mínzú ~* defend national dignity｜国家~不容侵犯。*Guójiā ~ bùróng qīnfàn.* National dignity is inviolable.｜你这种制造伪证的做法实在有辱律师的~。*Nǐ zhè zhǒng zhìzào wěizhèng de zuòfǎ shízài yǒu rǔ lǜshī de ~.* Your forging evidence brought disgrace to the dignity of a lawyer.❷〈形 *adj.*〉尊贵庄严 dignity, honor：我为能走上这座~的讲坛深感荣幸。*Wǒ wèi néng zǒushàng zhè zuò ~ de jiǎngtán shēn gǎn róngxìng.* I feel greatly honored to be able to step onto this platform of dignity.

³ **尊重** zūnzhòng ❶〈动 *v.*〉敬重；重视 respect; esteem; value; honor：~人才 ~ *réncái* respect people of talent｜~历史 ~ *lìshǐ* respect history｜~事实 ~ *shìshí* cherish facts; face facts｜我~您的决定。*Wǒ ~ nín de juédìng.* I respect your decision.｜我们应当~少数民族的风俗习惯。*Wǒmen yīngdāng ~ shǎoshù mínzú de fēngsú xíguàn.* We should respect the habits and customs of the ethnic minorities.❷〈形 *adj.*〉（言语、行动）庄重 serious; proper：请你放~些！*Qǐng nǐ fàng ~ xiē!* Behave yourself!

² **遵守** zūnshǒu〈动 *v.*〉依照规定行动（与'违反'相对）abide by; observe; comply with; keep （opposite to '违反wéifǎn'）：~纪律 ~ *jìlǜ* observe discipline｜~规定 ~ *guīdìng* abide by regulations｜~诺言 ~ *nuòyán* fulfil one's promise; keep one's word｜他一向~时间，不会迟到的。*Tā yíxiàng ~ shíjiān, bú huì chídào de.* He is always punctual, and will not be late.

⁴ **遵循** zūnxún〈动 *v.*〉依照着去做 follow; abide by; adhere to; comply with：~规律 ~ *guīlǜ* follow laws; adhere to regular patterns｜~方法 ~ *fāngfǎ* abide by established methods｜~教导 ~ *jiàodǎo* follow the instructions; be guided by｜国与国的关系应当~和平共处五项原则。*Guó yǔ guó de guānxì yīngdāng ~ hépíng gòngchǔ wǔ xiàng yuánzé.* The Five Principles of Peaceful Coexistence should be observed in the relations

between countries.

⁴ **遵照** zūnzhào〈动 v.〉遵从；依照 act in accordance with; comply with; conform to; obey：~命令 ~ mìnglìng in obedience to orders｜~指示 ~ zhǐshì in accordance with instructions｜~政策 ~ zhèngcè in accordance with policies｜我一定~大家的意见办理。Wǒ yídìng ~ dàjiā de yìjiàn bànlǐ. I will handle it in accordance with everybody's opinions.

¹ **昨天** zuótiān ❶〈名 n.〉今天的前一天 yesterday：~我们去郊游了。~ wǒmen qù jiāoyóu le. Yesterday we went on an excursion.｜这是~的剩菜，咱们凑合吃吧。Zhè shì ~ de shèng cài, zánmen còuhe chī ba. These are yesterday's leftovers; let's make do with them. ❷〈名 n.〉不远的过去 the past：他还是一个穷学生，今天居然当起老板了。tā háishì yí gè qióng xuésheng, jīntiān jūrán dāngqǐ lǎobǎn le. He was once a poor student, but now is unexpectedly our boss.

⁴ **琢磨** zuómo ❶〈动 v.〉仔细考虑；反复思索 turn sth. over in one's mind; ponder; think over：我师傅正在~一项新技术。Wǒ shīfu zhèngzài ~ yí xiàng xīn jìshù. My master is applying his mind to a new technology.｜这件事我还要好好儿~~。Zhè jiàn shì wǒ hái yào hǎohāor ~ ~. I still need to think it over. ❷〈动 v.〉估计；猜测 estimate：我~今年我们公司能赚一个亿。Wǒ ~ jīnnián wǒmen gōngsī néng zhuàn yí gè yì. I estimate that this year our company will make a profit of a hundred million yuan.｜我~着他今天该到了。Wǒ ~zhe tā jīntiān gāi dào le. I guess he will arrive today.

¹ **左** zuǒ ❶〈名 n.〉人面朝南时向东的一边（与'右'相对）the left side; the left (opposite to '右 yòu')：~手 ~shǒu left hand｜~眼 ~ yǎn left eye｜~顾右盼 ~gù-yòupàn glance right and left; look around｜超市在马路的~边。Chāoshì zài mǎlù de ~bian. The supermarket is on the left side of the street. ❷〈名 n. 书 lit.〉地理上指东方（与'右'相对）geographically means east (opposite to '右'相对)：江~ ~jiāng ~ east of the river｜山~ ~ shān ~ east of the mountain; areas east of the Taihang Mountains, in the past specifically referring to Shandong Province ❸〈名 n. 书 lit.〉较低的地位（与'右'相对）a relatively inferior position (opposite to '右 yòu')：~迁 ~qiān demote ❹〈名 n.〉附近 nearby：~近 ~jìn in the vicinity; nearby; close to｜~邻右舍 ~lín-yòushè neighbors ❺〈形 adj.〉偏邪 queer; unorthodox; heretical：~道旁门 ~dào-pángmén heretical sect; heterodox school; heresy; heterodoxy ❻〈形 adj.〉不一致；相反 different; contrary; opposite：他和我意见相~。Tā hé wǒ yìjiàn xiāng~. He is at variance with me. ❼〈形 adj.〉进步的；革命的；激进的（与'右'相对）progressive; revolutionary; radical (opposite to '右 yòu')：~派 ~pài the Leftists｜他是一位~翼作家。Tā shì yí wèi ~yì zuòjiā. He's a Leftist writer.｜此人一向很~。Cǐ rén yíxiàng hěn ~. He is a consistent Leftist.

² **左边** zuǒbian (~儿)〈名 n.〉靠左的一边（与'右边'相对）the left; the left side (opposite to '右边 yòubian')：~是书店，右边是邮局。~ shì shūdiàn, yòubian shì yóujú. There is a bookstore on the left, and a post office on the right.

² **左右** zuǒyòu ❶〈名 n.〉放在数字后面表示概数 about; or so; or thereabouts：30人~ ~sānshí rén ~ thirty people or so｜50岁~ ~wǔshí suì ~ be about fifty years old｜80公斤~ ~bāshí gōngjīn ~ about eighty kilograms｜100元~ ~yìbǎi yuán ~ one hundred yuan or so; about one hundred yuan｜上午10时~ ~shàngwǔ shí shí ~ around ten o'clock in the morning ❷〈名 n.〉左边和右边 the left and right sides：~逢源 ~féngyuán have one's bread buttered on both sides; gain advantage from both sides; be able to achieve success one way or another｜我是来说合你们的，你这样一口拒绝就让我~为难了。Wǒ shì lái shuōhé nǐmen de, nǐ zhèyàng yìkǒu jùjué jiù ràng wǒ ~wéinán le. I came to bring you

together, and your flat refusal simply put me in an awkward predicament. ❸〈名 *n.*〉旁边；身边跟随或服侍的人 attendant; retinue; entourage：警卫人员不离～。*Jǐngwèi rényuán bù lí ~.* Security guards are always at his side. | 他示意—退下。*Tā shìyì ~ tuì xià.* He motioned to his attendants to clear out. ❹〈动 *v.*〉支配；操纵 master; control; influence：我们决不能为他人所～。*Wǒmen jué bù néng wèi tārén suǒ ~.* We can never be controlled by others. | 敌人已经不能—局势了。*Dírén yǐjīng bù néng ~ júshì le.* The enemy has lost control of the situation. ❺〈副 *adv.* 方 *dial.*〉反正 anyway; anyhow; in any case：～闲着没事，陪我去逛商场吧。*Nǐ ~ xiánzhe méi shì, péi wǒ qù guàng shāngchǎng ba.* Why not go shopping with me since you are free anyway?

¹ **作** zuò ❶〈动 *v.*〉从事某种活动 do; make; engage in certain activity：～报告 ~ *bàogào* give a talk or lecture | 与坏人坏事-斗争 *yǔ huàirén huàishì ~ dòuzhēng* struggle against evildoers and evil deeds ❷〈动 *v.*〉写；创作 write; compose：～文 ~*wén* write a composition | ～曲 ~*qǔ* compose music | ～画 ~*huà* draw a painting | ～词 ~*cí* write words (for a song) ❸〈动 *v.*〉装作 pretend; affect：装腔-势 *zhuāngqiāng-~shì* be affected; be pretentious; strike a pose | 装模-样 *zhuāngmú-~yàng* act with affected manners; be pretentious; be affected; put on a show; put on an act | 他说不收受礼物不过是故-姿态罢了。*Tā shuō bù shōushòu lǐwù búguò shì gù~zītài bàle.* He was just putting on airs by saying that he would not accept any gift. ❹〈动 *v.*〉当作 regard as; take sb. or sth. for：认贼-父 *rèn~zuòfù* regard a thief as one's father; take the foe for one's father; regard the enemy as kith and kin ❺〈动 *v.*〉兴起；出现 rise; grow; get up：狂风大～ *kuángfēng da ~* a violent wind coming up | 突然村外枪声大～。*Tūrán cūn wài qiāngshēng da ~.* Heavy firing suddenly broke out outside the village. | 你一定要振-起来。*Nǐ yídìng yào zhèn~ qǐlái.* You've got to pull yourself together. ❻〈动 *v.*〉发作 feel; have：他的表演实在令人～呕。*Tā de biǎoyǎn shízài lìngrén zuò~.* His performance just made people feel sick. | 我的胸部隐隐~痛。*Wǒ de xiōngbù yǐnyǐn ~tòng.* I felt a dull pain in the chest. ❼〈名 *n.*〉作品 writings; work：大～ *dà~* your writing | 杰～ *jié~* masterpiece | 拙～ *zhuō~* my (poor) writing, painting, etc.; my (poor) work | 这部小说是他的成名之～。*Zhè bù xiǎoshuō shì tā de chéngmíng zhī~.* It is this novel that made him famous.

⁴ **作案** zuò // àn〈动 *v.*〉进行犯罪活动 commit a crime or an offence; take part in a criminal activity：屡次 — *lǚcì ~* commit crimes repeatedly | ～时间 — *shíjiān* time of committing the crime | ~动机 — *dòngjī* motivation of committing a crime | 他已经做了许多次案，是个惯犯了。*Tā yǐjīng zuòle xǔduō cì àn, shì gè guànfàn le.* He has committed crimes for many times and is a hardened criminal.

⁴ **作法** zuòfǎ ❶〈名 *n.*〉作文的方法 technique of writing; art of composition; art of writing a composition：现在有不少介绍文章~的书，但光有~未必能写好文章。*Xiànzài yǒu bù shǎo jièshào wénzhāng ~ de shū, dàn guāng yǒu ~ wèibì néng xiěhǎo wénzhāng.* Now there are many books on skills of writing, but it does not necessarily mean that you can write a good article only with them. ❷〈名 *n.*〉处理事情或制作物品的方法 way of doing or making a thing; course of action; method of work; practice：处理问题每个人都有自己不同的~。*Chǔlǐ wèntí měi gè rén dōu yǒu zìjǐ bùtóng de ~.* Different people have different ways to solve problems.

⁴ **作废** zuòfèi〈动 *v.*〉因失去效用而废弃 become invalid; expire; discard as useless; be nullified; make null and void：这本护照已经—了。*Zhè běn hùzhào yǐjīng ~ le.* This passport has expired. | 你怎么能拿了作了废的月票来蹭车呢？*Nǐ zěnme néng ná zuòfèi*

fèi de yuèpiào lái cèngchē ne? How can you get on the bus with your expived season ticket?

³ **作风** zuòfēng ❶〈名 n.〉生活、工作、思想等方面表现出来的态度 style; style of work; way; attitude：民主 ~ *mínzhǔ* ~ a democratic working style｜官僚主义 ~ *guānliáo zhǔyì* ~ bureaucratic working style; bureaucratic way of doing things; bureaucratic practices｜他那一丝不苟的工作~令人钦佩。*Tā nà yìsībùgǒu de gōngzuò* ~ *lìngrén qīnpèi*. His meticulous working style commands admiration.｜他的生活~不够检点。*Tā de shēnghuó* ~ *bú gòu jiǎndiǎn*. He is rather loose in his life style. ❷〈名 n.〉风格；文风 writing style：他的文章~清秀。*Tā de wénzhāng* ~ *qīngxiù*. His writing style is very refined.

² **作家** zuòjiā〈名 n.〉(位wèi、名míng、个gè)从事文学创作并有相当成就的人 writer：~协会 ~ *xiéhuì* the writer's association｜优秀 ~ *yōuxiù* ~ an outstanding writer｜专业 ~ *zhuānyè* ~ a professional writer｜他是一位著名的青年~。*Tā shì yí wèi zhùmíng de qīngnián* ~. He is a famous young writer.

² **作品** zuòpǐn〈名 n.〉(篇piān、部bù、件jiàn、幅fú)指文学艺术创作的成品 works：文学~ *wénxué* ~ literary works｜电影~ *diànyǐng* ~ movies｜美术~ *měishù* ~ works of fine arts; paintings｜摄影~ *shèyǐng* ~ photos｜每年都有一部他的新~问世。*Měi nián dōu yǒu yí bù tā de xīn* ~ *wènshì*. Every year he will write out a piece of new works.

² **作为** zuòwéi ❶〈动 v.〉当作 regard as; look on as; take as：你可以提出要求,但不能~条件。*Nǐ kěyǐ tíchū yāoqiú, dàn bù néng* ~ *tiáojiàn*. You can make demands but they cannot be taken as conditions.｜我们每个人拿出10万元来~办公司的资金。*Wǒmen měi gè rén náchū shíwàn yuán lái* ~ *bàn gōngsī de zījīn*. Each of us took out one hundred thousand *yuan* as the fund for setting up the company. ❷〈动 v.〉就人的某种身份或事物的某种特性来说 in the role and character of; as：~一个国家公务员,怎能贪赃枉法！ ~ *yí gè guójiā gōngwùyuán, zěnnéng tānzāng-wǎngfǎ*! Being a civil servant of the state, how can you pervert justice for a bribe?｜~学校,首先是教书育人。 ~ *xuéxiào, shǒuxiān shì jiāoshū yùrén*. For a school, teaching and training people come first. ❸〈动 v.〉做出成绩 accomplish; do sth. worthwhile：他的一生毫无~。*Tā de yìshēng háowú* ~. He has acnomplished nothing all his life. ❹〈名 n.〉行为；所作所为 conduct; deed; action：他的~显得很没有教养。*Tā de* ~ *xiǎnde hěn méiyǒu jiàoyǎng*. He seems very ill-bred by his deeds. ❺〈名 n.〉可以做的事 scope for one's abilities or talents：你们年轻人前途无量,可以大有~。*Nǐmen niánqīngrén qiántú wúliàng, kěyǐ dàyǒu* ~. You youngsters have a promising future, and can have full scope for your talents.

² **作文** zuòwén ❶〈动 v.〉写文章(多指学生练习写作) write a composition：~比赛 ~ *bǐsài* composition contest｜~课 ~*kè* composition class ❷〈名 n.〉(篇piān)学生习作的文章 composition：语文老师正在批改学生的~。*Yǔwén lǎoshī zhèngzài pīgǎi xuésheng de* ~. The teacher of the Chinese language is correcting students' compositions.

³ **作物** zuòwù〈名 n.〉农作物的简称 crop：经济~ *jīngjì* ~ cash crop｜油料~ *yóuliào* ~ oil-bearing crop｜粮食~ *liángshi* ~ cereal crops; grain crops｜高产~ *gāochǎn* ~ high-yield crops; highly productive crops｜热带~ *rèdài* ~ tropical crops

¹ **作业** zuòyè ❶〈名 n.〉教师布置给学生的练习题或实验活动 school assignment; assignment given by a teacher to his students：家庭~ *jiātíng* ~ homework｜寒假~ *hánjià* ~ homework for the winter vacation｜他正在实验室做~呢。*Tā zhèngzài shíyànshì zuò* ~ *ne*. He is doing his assignment in the laboratory. ❷〈名 n.〉部队给士兵布置的训练任务；工厂给工人布置的生产活动 work; task; military operation; production; military

drill assignment given by a commander to soldiers; production assignment given by a production unit to workers or staff: 部队正在进行野外~。 *Bùduì zhèngzài jìnxíng yěwài ~.* The troops are carrying out field operations. | 我们采用流水~的方法大大提高了生产效率。 *Wǒmen cǎiyòng liúshuǐ ~ de fāngfǎ dàdà tígāole shēngchǎn xiàolǜ.* We greatly improved our productive efficiency by adopting the streamlining method. ❸〈动 v.〉从事军事训练或生产活动 work; task; military operation; production: 井下~ *jǐngxià ~* operation in the pit; underpit operation | 水上~ *shuǐshàng ~* work on the water | 高空和带电~一定要注意安全。 *Gāokōng ~ hé dàidiàn ~ yídìng yào zhùyì ānquán.* Those who work high above the ground or do live-wire work must pay attention to their own safety.

² **作用** zuòyòng ❶〈动 v.〉对人或事物产生影响 act on; affect; influence: ~力 *~lì* effort; applied force | 反~ *fǎn~* reaction | 我刚刚服的药开始起~了。 *Wǒ gānggāng fú de yào kāishǐ qǐ ~ le.* The medicine I have just taken is now coming to be effective. ❷〈名 n.〉对人或事物产生某种影响的活动 action; function: 心理~ *xīnlǐ ~* psychological effect | 光合~ *guānghé ~* photosynthesis | 治疗~ *zhìliáo ~* therapeutic effect | 化学~ *huàxué ~* chemical action ❸〈名 n.〉对人或事物产生的影响 effect; impact; result: 先锋~ *xiānfēng ~* vanguard role | 模范~ *mófàn ~* exemplary role | 带头~ *dàitóu ~* a leading role; a vanguard role | 消极~ *xiāojí ~* a negative role; a negative effect

³ **作战** zuò//zhàn〈动 v.〉打仗 fight; conduct operations; engage in a battle; do battle: 师长在战场上指挥~，镇定自若。 *Shīzhǎng zài zhànchǎng shang zhǐhuī ~, zhèndìng-zìruò.* The division commander directed the fighting with perfect ease in the battlefield. | 这些战士作起战来个个勇敢。 *Zhèxiē zhànshì zuòqǐ zhàn lái gègè yǒnggǎn.* Every one of these soldiers is very brave in fighting.

² **作者** zuòzhě〈名 n.〉（位wèi、名míng、个gè）文章的撰写人；艺术作品的创作者 author; writer: 《母亲》的~是高尔基。 *'Mǔqīn' de ~ shì Gāo'ěrjī.* Gorky was the author of *Mother*. | 谁是这幅摄影作品的~？ *Shéi shì zhè fú shèyǐng zuòpǐn de ~?* Who took this photograph?

⁴ **作主** zuò//zhǔ〈动 v.〉对某事作出决定 decide; take the responsibility for a decision: 当家~ *dāngjiā ~* be master in one's own house; be the master of one's own affairs | 接受还是不接受这个工作，你完全可以自己~。 *Jiēshòu háishì bù jiēshòu zhège gōngzuò, nǐ wánquán kěyǐ zìjǐ ~.* Whether to accept this job or not, it's totally up to you. | 要支付这么大的款项我可作不了主。 *Yào zhīfù zhème dà de kuǎnxiàng wǒ kě zuò bù liǎo zhǔ.* I simply don't have the right to pay you such a huge sum of money.

¹ **坐** zuò ❶〈动 v.〉将臀部放在椅子、凳子或其他物体上支撑身体 sit; take a seat: 妈妈~在沙发上看电视。 *Māma ~ zài shāfā shang kàn diànshì.* Mother is watching TV on the sofa. | 这个孩子~没~相，站没站相。 *Zhège háizi ~ méi ~ xiàng, zhàn méi zhàn xiàng.* This child doesn't have the right posture of sitting or standing. ❷〈动 v.〉搭乘 take; travel by: 我们去上海是~飞机还是~火车？ *Wǒmen qù Shànghǎi shì ~ fēijī háishì ~ huǒchē?* Do we go to Shanghai by air or by train? | ~公共汽车到学校只有三站路。 *~ gōnggòng qìchē dào xuéxiào zhǐyǒu sān zhàn lù.* It is only three stops from here to the school by bus. ❸〈动 v.〉（建筑物）背对的方向（of a building）have it back towards: ~北朝南的房子冬暖夏凉。 *~ běi cháo nán de fángzi dōng nuǎn xià liáng.* Houses facing south are warm in winter and cool in summer. ❹〈动 v.〉将锅、壶放到火上 put on a fire: 等我~壶水，给你沏杯好茶。 *Děng wǒ ~ hú shuǐ, gěi nǐ qī bēi hǎo chá.* Let me put a kettle of water on the fire, and make a cup of good tea for you. | 炉子上~着

Z

一锅肉呢。*Lúzi shang ~zhe yì guō ròu ne.* A wok of meat is cooked on the stove. ❺〈动 v.〉掌管；主持 take charge of; preside：这副牌该轮到我～庄了。*Zhè fù pái gāi lún dào wǒ ~zhuāng le.* It is my turn to be the banker. | 这项工作由局长亲自～镇。*Zhè xiàng gōngzuò yóu júzhǎng qīnzì ~zhèn.* The director-general took charge of it personally. ❻〈动 v.〉物体向后移或向下沉 recoil; kick back; sink; subside：这种枪的后～力不大。*Zhè zhǒng qiāng de hòu~lì bú dà.* The gun doesn't have much recoil. | 这栋楼有点儿下～了。*Zhè dòng lóu yǒudiǎnr xià ~ le.* This building is beginning to sink a bit. ❼〈动 v.〉生成(疾病) cause disease; develop into a disease：她月子里用冷水～下了这个病。*Tā yuèzi li yòng lěngshuǐ ~xiàle zhège bìng.* She came down with this illness due to her use of cold water in her confinement of childbirth. ❽〈动 v.〉瓜果的植物结实 bear fruit; fructify：去年种的桃树今年开始～果了。*Qùnián zhòng de táoshù jīnnián kāishǐ ~ guǒ le.* The peach trees planted last year has begun to bear fruit now. ❾〈动 v.〉不劳动；不行动 sitting idly without laboring, inaction：～享其成 ~xiǎngqíchéng sit idle and enjoy the fruits of other's work; reap where one has not sown | ～山观虎斗 (比喻坐视别人争斗，等待时机从中渔利) ~ shān guān hǔ dòu (bǐyù zuòshì biéren zhēngdòu, děngdài shíjī cóngzhōngyúlì) sit on top of a mountain to watch two tigers fight (*fig.* watch in safety while others fight, then reap the spoils when both sides are exhausted) ❿(~儿)〈名 n.〉座位 seat; place：你先去给我留个～。*Nǐ xiānqù gěi wǒ liú gè ~.* You go first and reserve a seat for me.

² 坐班 zuò//bān〈动 v.〉按规定的时间在规定的地方上下班 work in one's office during office time; keep office hours：我的工作不需要～。*Wǒ de gōngzuò bù xūyào ~.* I don't have to keep office hours in my job. | 坐了一天班，回家连饭都懒得做了。*Zuòle yì tiān bān, huíjiā lián fàn dōu lǎn de zuò le.* After a whole day's work in the office, I was too tired and lazy to do the cooking when I went back home.

¹ 座 zuò ❶〈量 meas.〉用于山林、岛屿 used for mountains, islands, etc.：一～青山 yí ~ qīng shān a green mountain | 远处有一～白桦林。*Yuǎnchù yǒu yí ~ báihuà lín.* There is a white birch forest in the distance. | 一～～珊瑚礁漂亮极了。*Yí ~~ shānhújiāo piàoliang jí le.* Coral reefs here and there are so pleasant to the eye. ❷〈量 meas.〉用于建筑物 used for buildings：三～高楼 sān ~ gāo lóu three high buildings | 一～高塔 yí ~ gāo tǎ a high tower | 一～宫殿 yí ~ gōngdiàn a palace ❸〈量 meas.〉用于雕塑 used for statues：一～大佛 yí ~ dà fó a huge statue of Buddha | 一～～石雕栩栩如生。*Yí ~ ~ shídiāo xǔxǔ-rúshēng.* Vivid stone carvings came alive into our sight. ❹〈量 meas.〉用于有底座的物体 used for sth. that have an stand, pedestal, or base, etc.：一～大钟 yí ~ dà zhōng a big bell | 一～高炉 yí ~ gāolú a blast furnace ❺〈量 meas.〉用于炮类 used for artillery：几～重炮 jǐ ~ zhòng pào several heavy artillery pieces; several heavy guns ❻(~儿)〈名 n.〉座位 seat; place：餐厅里已经满～了。*Cāntīng li yǐjīng mǎn~ le.* There is no empty seat in the dining room. | 请你给老人让个～。*Qǐng nǐ gěi lǎorén ràng gè ~.* Please make a seat for the old people. ❼(~儿)〈名 n.〉器物的底托 stand; pedestal; base：灯～ dēng~ lampstand | 钟～ zhōng~ a bell pedestal ❽〈名 n.〉星座的简称 constellation：大熊~ Dàxióng~ Ursa Major; the Great Bear | 仙后~ Xiānhòu~ Cassiopeia ❾〈名 n.〉对某些长官的敬称 term of address for a higher-ranking officer; you：处~ chù~ section chief | 局~ jú~ director-general ❿(~儿)〈名 n.〉影剧院、茶馆、饭馆指顾客；人力车、三轮车指乘客 patron (of a cinema, teahouse, or restaurant); passenger (of a rickshaw, or pedicab)：这出戏挺叫~。*Zhè chū xì tǐng jiào~.* This play is a great box-office success. | 今天他一个～也没拉到。*Jīntiān tā yí gè ~ yě méi lādào.* Today he

has not solicited a single passenger.

² **座谈** zuòtán 〈动 v.〉不拘形式的讨论 have an informal discussion; have a discussion meeting: 今天开的是~会，大家想谈什么就谈什么。*Jīntiān kāi de shì ~huì, dàjiā xiǎng tán shénme jiù tán shénme.* Today we just have an imformal discussion, and you can talk whatever you like.

² **座位** zuòwèi 〈名 n.〉供人坐的地方或东西 seat; place: 请你腾个~给这位孕妇。*Qǐng nǐ téng gè ~ gěi zhè wèi yùnfù.* Please make a seat for this pregnant woman. | 这个~不舒服，坐到沙发上去吧。*Zhège ~ bù shūfu, zuò dào shāfā shang qù ba.* This seat is not comfortable. Please be seated on the sofa.

⁴ **座右铭** zuòyòumíng 〈名 n.〉写出来用以激励、警戒自己的格言，因古时一般都放在座位的右边而得名 motto; maxim: '千里之行始于足下'是我的~。*'Qiān lǐ zhī xíng, shǐ yú zú xià' shì wǒ de ~.* It is my motto that a thousand-*li* journey starts with the first step.

¹ **做** zuò ❶〈动 v.〉制作 make; produce; manufacture: ~衣服 ~ *yīfu* make clothes | ~饭 ~ *fàn* do the cooking; prepare a meal | 妈妈给我~了一碗红烧肉。*Māma gěi wǒ ~le yì wǎn hóngshāo ròu.* Mother braised a bowl of pork in brown sauce for me. ❷〈动 v.〉干；从事某项工作或进行某种活动 do; act; engage in: ~实验 ~ *shíyàn* do an experiment; make a test | ~报告 ~ *bàogào* give a report | 她跟妈妈学~针线活。*Tā gēn māma xué ~ zhēnxiànhuó.* She learnt to do needlework from her mother. ❸〈动 v.〉写 write; compose: ~文章 ~ *wénzhāng* write an article | 他在~作业。*Tā zài ~ zuòyè.* He is doing his assignments. ❹〈动 v.〉担任某种工作或职务 be; become: 我爸爸是~翻译的。*Wǒ bàba shì ~ fānyì de.* My father is a translator. | 他在一家公司~过两年部门经理。*Tā zài yì jiā gōngsī ~guo liǎng nián bùmén jīnglǐ.* He was once a department manager in a company for two years. ❺〈动 v.〉用作 be used as; serve as: 这间房间可以~客厅。*Zhè jiān fángjiān kěyǐ ~ kètīng.* This room can be used as a living room. | 你看用这张照片~封面好吗？*Nǐ kàn yòng zhè zhāng zhàopiàn ~ fēngmiàn hǎo ma?* What if we use this photo as the cover? ❻〈动 v.〉结成（某种关系）form or contract a relationship: ~夫妻 ~ *fūqī* be husband and wife; be married | 你留下来给我~伴儿吧。*Nǐ liú xiàlái gěi wǒ ~ bànr ba.* Would you please stay and keep me company? ❼〈动 v.〉举行或举办（某种庆祝、纪念活动）hold a celebration; celebrate: ~满月 ~ *mǎnyuè* host a dinner for relatives and friends when one's baby is one month old; hold a ceremony for a one-month-old baby | ~寿 ~ *shòu* hold a birthday party for an elder ❽〈动 v.〉装出（某种样子）pretend; feign; make believe; do sth. for appearance's sake: ~鬼脸 ~ *guǐliǎn* make faces | ~出一副可怜的样子 ~ *chū yí fù kělián de yàngzi* assume a pitiable look

² **做法** zuòfǎ 〈名 n.〉处理事情或制作物品的方法 way of doing or making a thing; method of work; practice: 我反对这种不顾安全的~。*Wǒ fǎnduì zhè zhǒng búgù ānquán de ~.* I am opposed to this practice of disregarding safety. | 烤鸭的传统~是用果木熏烤。*Kǎoyā de chuántǒng ~ shì yòng guǒmù xūnkǎo.* The traditional method of roasting a duck is to smoke it over the burning wood of fruit trees.

⁴ **做工** Ⅰ zuò//gōng 〈动 v.〉从事体力劳动 do manual work; work: 我父亲在钢铁厂~。*Wǒ fùqīn zài gāngtiěchǎng ~.* My father is a manual worker in a steelworks. | 她给人家做钟点工。*Tā gěi rénjiā zuò zhōngdiǎngōng.* She works as an hour worker for others. Ⅱ zuògōng 〈名 n.〉制作的技术和质量 workmanship: 这套西装的~很不错。*Zhè tào xīzhuāng de ~ hěn búcuò.* This suit is finely made.

² **做客** zuò//kè 〈动 v.〉以客人的身份去拜访别人 be a guest: 欢迎你来我家~。*Huānyíng nǐ lái wǒ jiā ~.* You are welcome to be a guest at my house. | 我到他家做了几

天客，受到了热情地招待。*Wǒ dào tā jiā zuòle jǐ tiān kè, shòudàole rèqíng de zhāodài.* I have been hospitably treated as a guest at his house for a few days.

² **做梦** zuò//mèng ❶〈动 v.〉睡眠时在意识中出现的虚幻景象 have a dream; dream：昨晚我做了一个恶梦。*Zuó wǎn wǒ zuòle yí gè èmèng.* I had a terrible dream last night. ｜祝你做个好梦。*Zhù nǐ zuò gè hǎo mèng.* Have a good dream. ❷〈动 v.〉比喻幻想 daydream; have a pipe dream：凭你的收入要想置房，岂不是白日~。*Píng nǐ de shōurù yào xiǎng zhì fáng, qǐbúshì báirì ~.* Aren't you daydreaming to buy a house with your own salary? ｜他整天都在做发财梦。*Tā zhěngtiān dōu zài zuò fācái mèng.* He is having a pipe dream of a big fortune all day long.

附 录
Appendices

条目调整一览表

An Overview of Adjustments to Entry Listings
(Compared with HSK Vocabulary List)

2 阿拉伯语/阿拉伯文 分列两条 2 阿拉伯语/阿拉伯文 split into separate entries
66、67、68 把 合并为一条 66, 67, 68 把 under one entry
83、84 白 合并为一条 83, 84 白 under one entry
146、147 帮 合并为一条 146, 147 帮 under one entry
153、154 棒 合并为一条 153, 154 棒 under one entry
158、159 包 合并为一条 158, 159 包 under one entry
203、204 报 合并为一条 203, 204 报 under one entry
209 报道/报导 分列两条 209 报道/报导 split into separate entries
267、268、269 本 合并为一条 267, 268, 269 本 under one entry
377、378 遍 合并为一条 377, 378 遍 under one entry
398、399 别 合并为一条 398, 399 别 under one entry
424、425 并 合并为一条 424, 425 并 under one entry
450 伯父/伯伯 分列两条 450 伯父/伯伯 split into separate entries
574、575 才 合并为一条 574, 575 才 under one entry

675、676 差 合并为一条
675, 676 差 under one entry

802、803 成 合并为一条
802, 803 成 under one entry

805 成份/成份 取消成份条,一般写作成分
805 成份/成份 entry for 成份 substituted by more commonly used 成分

880、881 重 合并为一条
880, 881 重 under one entry

947、948 除 合并为一条
947, 948 除 under one entry

1042、1043 刺 合并为一条
1042, 1043 刺 under one entry

1045、1046 次 合并为一条
1045, 1046 次 under one entry

1057 从不/没 分列从不、从没两条
1057 从不/没 split into separate entries for 从不 and 从没

1120、1121 打 合并为一条
1120, 1121 打 under one entry

1194、1195 呆 合并为一条
1194, 1195 呆 under one entry

1200 带儿 并入带条
1200 带儿 incorporated into entry of 带

1205、1206 代 合并为一条
1205, 1206 代 under one entry

1231、1232 单 合并为一条
1231, 1232 单 under one entry

1258、1259、1260 当 合并为一条
1258, 1259, 1260 当 under one entry

1315、1316 到底 合并为一条
1315, 1316 到底 under one entry

1321 倒(是) 并入倒条
1321 倒(是) incorporated into entry of 倒

1325、1326、1327 道 合并为一条
1325, 1326, 1327 道 under one entry

1343 **德语/德文** 分列两条 1343 **德语/德文** split into separate entries	
1358、1359、1360 **等** 合并为一条 1358, 1359, 1360 **等** under one entry	
1374、1375 **滴** 合并为一条 1374, 1375 **滴** under one entry	
1382 **的确良/涤纶** 分列两条 1382 **的确良/涤纶** split into separate entries	
1426、1427、1428 **点** 合并为一条 1426, 1427, 1428 **点** under one entry	
1494、1495、1496、1497 **顶** 合并为一条 1494, 1495, 1496, 1497 **顶** under one entry	
1513 **订购/定购** 取消定购条，一般写作**订购** 1513 **订购/定购** entry for **定购** substituted by more commonly used **订购**	
1514 **订婚/定婚** 取消定婚条，一般写作**订婚** 1514 **订婚/定婚** entry for **定婚** substituted by more commonly used **订婚**	
1515 **订货/定货** 取消定货条，一般写作**订货** 1515 **订货/定货** entry for **定货** substituted by more commonly used **订货**	
1516 **订阅/定阅** 取消定阅条，一般写作**订阅** 1516 **订阅/定阅** entry for **定阅** substituted by more commonly used **订阅**	
1563 **兜儿** 并入兜条 1563 **兜儿** incorporated into entry of **兜**	
1575、1576 **毒** 合并为一条 1575, 1576 **毒** under one entry	
1603、1604 **端** 合并为一条 1603, 1604 **端** under one entry	
1617、1618 **堆** 合并为一条 1617, 1618 **堆** under one entry	
1626、1627、1628 **对** 合并为一条 1626, 1627, 1628 **对** under one entry	
1657、1658、1659 **多** 合并为一条 1657, 1658, 1659 **多** under one entry	
1679 **俄语/俄文** 分列两条 1679 **俄语/俄文** split into separate entries	

1750 **法语/法文** 分列两条 1750 **法语/法文** split into separate entries
1776、1777 **反** 合并为一条 1776, 1777 **反** under one entry
1815、1816 **方** 合并为一条 1815, 1816 **方** under one entry
1854、1855 **非** 合并为一条 1854, 1855 **非** under one entry
1883、1884 **费** 合并成一条 1883, 1884 **费** under one entry
1887 **吩咐/分付** 取消**分付**条, 一般写作**吩咐** 1887 **吩咐/分付** entry for **分付** substituted by more commonly used **吩咐**
1888、1889 **分** 合并为一条 1888, 1889 **分** under one entry
1940、1941 **封** 合并成一条 1940, 1941 **封** under one entry
2016、2017 **副** 合并为一条 2016, 2017 **副** under one entry
2055、2056 **该** 合并为一条 2055, 2056 **该** under one entry
2185 **胳膊/胳臂** 分列两条 2185 **胳膊/胳臂** split into separate entries
2349、2350 **鼓** 合并为一条 2349, 2350 **鼓** under one entry
2404、2405、2406 **怪** 合并为一条 2404, 2405, 2406 **怪** under one entry
2409、2410 **关** 合并为一条 2409, 2410 **关** under one entry
2451、2452、2453、2454 **光** 合并为一条 2451, 2452, 2453, 2454 **光** under one entry
2434、2435 **过** 合并为一条; 分列**过**guo一条 2434, 2435 **过** under one entry; separate entry created for **过** guo
2445、2446 **过去** 合并为一条 2445, 2446 **过去** under one entry

2574 **含义/涵义** 分列两条 2574 **含义/涵义** split into separate entries
2593、2594 **行** 合并为一条 2593, 2594 **行** under one entry
2609、2610、2611 **好** 合并为一条 2609, 2610, 2611 **好** under one entry
2768、2769 **花** 合并为一条 2768, 2769 **花** under one entry
2771 **花费** 分成**花费**huāfèi、**花费**huāfei两条 2771 **花费** split into separate entries for huāfèi and huāfei
2786 **画**儿 并入**画**条 2786 **画**儿 incorporated into entry of **画**
2855、2856 **灰** 合并为一条 2855, 2856 **灰** under one entry
2863、2864 **回** 合并为一条 2863, 2864 **回** under one entry
2883、2884 **会** 合并为一条 2883, 2884 **会** under one entry
2914、2915 **活** 合并为一条 2914, 2915 **活** under one entry
2916 **活**儿 并入**活**条 2916 **活**儿 incorporated into entry of **活**
3028 **脊梁** 读音为jǐliang，按音序排列 3028 **脊梁** reordered by pronunciation as jǐliang
3053 **记录** 分成**记录**jìlù、**纪录**jìlù两条 3053 **记录** split into separate entries for 记录jìlù and 纪录jìlù
3115、3116 **架** 合并为一条 3115, 3116 **架** under one entry
3216、3217 **将** 合并为一条 3216, 3217 **将** under one entry
3283、3284 **角** 合并为一条 3283, 3284 **角** under one entry
3309、3310 **叫** 合并为一条 3309, 3310 **叫** under one entry

3348、3349 节 合并为一条
3348, 3349 节 under one entry

3363、3364 结果 合并成一条
3363, 3364 结果 under one entry

3457 京剧/京戏 分列两条
3457 京剧/京戏 split into separate entries

3525、3526 净 合并为一条
3525, 3526 净 under one entry

3545、3546、3547 就 合并为一条
3545, 3546, 3547 就 under one entry

3572 橘子(桔子) 桔是橘的俗写,删除(桔子)
3572 橘子(桔子) 桔 is the popular form for 橘, under one entry

3595、3596 距离 合并为一条
3595, 3596 距离 under one entry

3611、3612 卷 合并为一条
3611, 3612 卷 under one entry

3704 看作 改为看做,一般写作看做
3704 看作 看作 substituted by more commonly used 看做

3759、3760 可以 合并为一条
3759, 3760 可以 under one entry

3765、3766 刻 合并为一条
3765, 3766 刻 under one entry

3806 空儿 并入空条
3806 空儿 incorporated into entry of 空

3893、3894、3895 来 合并为一条
3893, 3894, 3895 来 under one entry

3902 …来看/来讲 分列两条
3902 …来看/来讲 split into separate entries

3940 老(是) 老并入3939老条,老是单列条
3940 老(是) 老 incorporated into entry of 3939 老, 老是 given separate entry

3944 老大妈/大妈 分列两条
3944 老大妈/大妈 split into separate entries

3945 老大娘/大娘 分列两条
3945 老大娘/大娘 split into separate entries

3946 老大爷/大爷 分列两条
3946 老大爷/大爷 split into separate entries

3998、3999 理 合并为一条
3998, 3999 理 under one entry

4010、4111 里 合并为一条;分列里li一条
4010, 4111 里 under one entry; separate entry created for 里li

4017 礼拜天/礼拜日 分列两条
4017 礼拜天/礼拜日 split into separate entries

4032 利害/厉害 取消利害条,一般写作厉害
4032 利害/厉害 entry for 利害 substituted by more commonly used 厉害

4069 连…都/也… 分列连…都、连…也两条
4069 连…都/也… split into separate entries 连…都 and 连…也

4107、4108 两 合并为一条
4107, 4108 两 under one entry

4345、4346 毛 合并为一条
4345, 4346 毛 under one entry

4385、4386 每 合并为一条
4385, 4386 每 under one entry

4423 米/公尺 米并入米条,公尺单列条
4423 米/公尺 米 incorporated into entry of 米; 公尺 given separate entry

4442、4443 面 合并为一条
4442, 4443 面 under one entry

4569、4570 那 合并为一条
4569, 4570 那 under one entry

4573 那里(那儿) 分列两条
4573 那里(那儿) split into separate entries

4574、4575 那么 合并为一条
4574, 4575 那么 under one entry

4600 男人 分成男人nánrén、男人nánren两条
4600 男人 split into separate entries for nánrén and nánren

4640、4641、4642 能 合并为一条
4640, 4641, 4642 能 under one entry

4650 嗯 分成嗯ńg、嗯ňg、嗯ǹg三条
4650 嗯 split into separate entries for ńg, ňg, and ǹg

4718 **女人** 分成**女人**nǚrén、**女人**nüren两条
4718 **女人** split into separate entries for nǚrén and nüren

4735、4736 **怕** 合并为一条
4735, 4736 **怕** under one entry

4741、4742 **排** 合并为一条
4741, 4742 **排** under one entry

4759、4760 **盘** 合并为一条
4759, 4760 **盘** under one entry

4817、4818 **批** 合并为一条
4817, 4818 **批** under one entry

4844、4845 **偏** 合并为一条
4844, 4845 **偏** under one entry

5019、5020 **气** 合并为一条
5019, 5020 **气** under one entry

5332 **热水瓶/暖水瓶** 分列两条
5332 **热水瓶/暖水瓶** split into separate entries

5335 **人才/人材** 取消**人材**条,一般写作**人才**
5335 **人才/人材** entry for **人材** substituted by more commonly used **人才**

5370、5371 **任** 合并为一条
5370, 5371 **任** under one entry

5399 **日语/日文** 分列两条
5399 **日语/日文** split into separate entries

5424、5425 **如** 合并为一条
5424, 5425 **如** under one entry

5539、5540 **上** 合并为一条;分列**上**shang一条
5539, 5540 **上** under one entry; separate entry created for **上** shang

5623 **身份/身分** 取消**身分**条,一般写作**身份**
5623 **身份/身分** entry for **身分** substituted by more commonly used **身份**

5678、5679、5680 **生** 合并为一条
5678, 5679, 5680 **生** under one entry

5711、5712 **省** 合并为一条
5711, 5712 **省** under one entry

5766、5767 **拾** 合并为一条
5766, 5767 **拾** under one entry

5853 **是的** 取消此条，一般写作似的 5853 **是的** substituted by more commonly used 似的	
5902 **手绢/手帕** 分列两条 5902 **手绢/手帕** split into separate entries	
5991、5992 **双** 合并为一条 5991, 5992 **双** under one entry	
5995 **谁** 一般读作shéi(shuí为**谁**的又音)，按音序排列 5995 **谁** most commonly read as shéi (shuí is an alternate pronunciation); entry ordered by pronunciation	
6016、6017 **顺** 合并为一条 6016, 6017 **顺** under one entry	
6052、6053 **死** 合并为一条 6052, 6053 **死** under one entry	
6134、6135 **锁** 合并为一条 6134, 6135 **锁** under one entry	
6136、6137 **所** 合并为一条 6136, 6137 **所** under one entry	
6170、6171 **摊** 合并为一条 6170, 6171 **摊** under one entry	
6180、6181 **谈话** 合并为一条 6180, 6181 **谈话** under one entry	
6364、6365 **挺** 合并为一条 6364, 6365 **挺** under one entry	
6388、6389 **同** 合并为一条 6388, 6389 **同** under one entry	
6438、6439 **头** 合并为一条 6438, 6439 **头** under one entry	
6466、6467 **土** 合并为一条 6466, 6467 **土** under one entry	
6546 **外面** 分成**外面**wàimiàn、**外面**wàimian两条 4718 **外面** split into separate entries for wàimiàn and wàimian	
6553 **外语/外文** 分列两条 6553 **外语/外文** split into separate entries	
6601、6602 **往** 合并为一条 6601, 6602 **往** under one entry	

6645 **惟独** 按一般写法改为**唯独**   6645 **惟独** corrected to the more common **唯独**
6646 **惟一** 按一般写法改为**唯一**   6646 **惟一** corrected to the more common **唯一**
6672、6673 **喂** 合并为一条   6672, 6673 **喂** under one entry
6817 **吸烟/抽烟** 分列两条   6817 **吸烟/抽烟** split into separate entries
6864、6865、6866 **下** 合并为一条；分列**下**xia一条   6864, 6865, 6866 **下** under one entry; separate entry created for **下** xia
6940 **馅儿** 改为**馅**   6940 **馅儿** changed to **馅**
6987 **想法** 分成**想法**xiǎngfǎ、**想法**xiǎngfa两条   6987 **想法** split into separate entries for xiǎngfǎ and xiǎngfa
6990 **想像** 按一般写法改成**想象**   6990 **想像** corrected to the more common **想象**
7127 **薪金/薪水** 分列两条   7127 **薪金/薪水** split into separate entries
7128、7129 **信** 合并为一条   7128, 7129 **信** under one entry
7144 **星期日/星期天** 分列两条   7144 **星期日/星期天** split into separate entries
7168、7169 **行** 合并为一条   7168, 7169 **行** under one entry
7284、7285 **学** 合并为一条   7284, 7285 **学** under one entry
7330 **押韵/压韵** 取消压韵条，一般写作**押韵**   7330 **押韵/压韵** entry for 压韵 substituted by more commonly used **押韵**
7379 **沿儿** 并入**沿**条   7379 **沿儿** incorporated into entry of **沿**
7457、7458 **要** 合并为一条   7457, 7458 **要** under one entry
7494、7495 **一** 合并为一条   7494, 7495 **一** under one entry

7540、7541 **一下** 合并为一条 7540, 7541 **一下** under one entry
7686 **英语/英文** 分列两条 7686 **英语/英文** split into separate entries
7702 **赢利/盈利** 取消**赢利**条，一般写作**盈利** 7702 **赢利/盈利** entry for **赢利** substituted by more commonly used **盈利**
7711、7712 **硬** 合并为一条 7711, 7712 **硬** under one entry
7794 **有(一)点儿** 分列为**有点儿**yǒudiǎnr和**有一点儿**yǒuyìdiǎnr 7794 **有(一)点儿** split into separate entries for **有点儿**yǒudiǎnr and **有一点儿**yǒuyìdiǎnr
7997、7998 **在** 合并为一条 7997, 7998 **在** under one entry
8030 **早晨/早上** 分列两条 8030 **早晨/早上** split into separate entries
8114、8115 **站** 合并为一条 8114, 8115 **站** under one entry
8119、8120 **张** 合并为一条 8119, 8120 **张** under one entry
8122、8123 **长** 合并为一条 8122, 8123 **长** under one entry
8132 **账/帐** 分列两条 8132 **账/帐** split into separate entries
8160 **照片/相片** 分列为**照片**、**像片**两条，一般写作**像片** 8160 **照片/相片** split into separate entries, with **相片** replaced by the more standard **像片**
8181 **这里/这儿** 分列两条 8181 **这里/这儿** split into separate entries
8215、8216 **镇** 合并为一条 8215, 8216 **镇** under one entry
8255、8256 **正** 合并为一条 8255, 8256 **正** under one entry
8290、8291 **支** 合并为一条 8290, 8291 **支** under one entry
8309、8310 **之** 合并为一条 8309, 8310 **之** under one entry

8329、8330 **直** 合并为一条 8329, 8330 **直** under one entry
8665 **子** 分成**子**zǐ、**子**zi两条 8665 **子** split into separate entries for zǐ and zi
8670 **自悲** 改为**自卑**，应写作**自卑** 8670 **自悲** corrected to **自卑**
8683 **自然** 分成**自然**zìrán、**自然**zìran两条 8683 **自然** split into separate entries for zìrán and zìran
8723 **总（是）** 总并入总条，总是单列条 8723 **总（是）** incorporated into entry of 总 and 总是 respectively
8732 **走道** 改为**走道**儿 8732 **走道** corrected to **走道**儿
8745、8746 **足** 合并为一条 8745, 8746 **足** under one entry
8819 **座**儿 并入座条 8819 **座**儿 incorporated into entry of **座**

汉语拼音方案

Phonetic System of the Chinese Language

（1957年11月1日国务院全体会议第60次会议通过）

(Endorsed at the 60th Meeting of the Plenary Session of
the State Council on November 1, 1957)

（1958年2月11日第一届全国人民代表大会第五次会议批准）

(Approved at the 5th Session of the 1st
National People's Congress on February 11, 1958)

（一）字母表 The Alphabet

字母 Alphabet	A a	B b	C c	D d	E e	F f	G g
名称 Name	ㄚ	ㄅㄝ	ㄘㄝ	ㄉㄝ	ㄜ	ㄝㄈ	ㄍㄝ
	H h	I i	J j	K k	L l	M m	N n
	ㄏㄚ	ㄧ	ㄐㄧㄝ	ㄎㄝ	ㄝㄌ	ㄝㄇ	ㄋㄝ
	O o	P p	Q q	R r	S s	T t	
	ㄛ	ㄆㄝ	ㄑㄧㄡ	ㄚㄦ	ㄝㄙ	ㄊㄝ	
	U u	V v	W w	X x	Y y	Z z	
	ㄨ	ㄇㄝ	ㄨㄚ	ㄒㄧ	ㄧㄚ	ㄗㄝ	

V 只用来拼写外来语、少数民族语言和方言。

The letter v is only used in loan words, ethnic minority languages and dialects.

字母的手写体依照拉丁字母的一般书写习惯。

The letters are written in the same way as the Latin alphabets.

（二）声母表 The Consonants

b	p	m	f		d	t	n	l
ㄅ玻	ㄆ坡	ㄇ摸	ㄈ佛		ㄉ得	ㄊ特	ㄋ讷	ㄌ勒
g	k	h			j	q	x	
ㄍ哥	ㄎ科	ㄏ喝			ㄐ基	ㄑ欺	ㄒ希	
zh	ch	sh	r		z	c	s	
业知	ㄔ蚩	ㄕ诗	ㄖ日		ㄗ资	ㄘ雌	ㄙ思	

在给汉字注音的时候，为了使拼式简短，zh ch sh 可以省作 ẑ ĉ ŝ。

When phonetic notations are given to Chinese characters, zh, ch and sh can be abbreviated as ẑ, ĉ and ŝ to simplify the spelling.

（三）韵母表 The Vowels

	i 丨　　　　衣	u ㄨ　　　　乌	ü ㄩ　　　　迂
a 丫　　　　啊	ia 丨丫　　　呀	ua ㄨㄚ　　　蛙	
o ㄛ　　　　喔		uo ㄨㄛ　　　窝	
e ㄜ　　　　鹅	ie 丨ㄝ　　　耶		üe ㄩㄝ　　　约
ai ㄞ　　　　哀		uai ㄨㄞ　　　歪	
ei ㄟ　　　　欸		uei ㄨㄟ　　　威	
ao ㄠ　　　　熬	iao 丨ㄠ　　　腰		
ou ㄡ　　　　欧	iou 丨ㄡ　　　忧		
an ㄢ　　　　安	ian 丨ㄢ　　　烟	uan ㄨㄢ　　　弯	üan ㄩㄢ　　　冤
en ㄣ　　　　恩	in 丨ㄣ　　　因	uen ㄨㄣ　　　温	ün ㄩㄣ　　　晕
ang ㄤ　　　　昂	iang 丨ㄤ　　　央	uang ㄨㄤ　　　汪	
eng ㄥ　亨的韵母 vowel of 亨	ing 丨ㄥ　　　英	ueng ㄨㄥ　　　翁	
ong (ㄨㄥ)　轰的韵母 vowel of 轰	iong ㄩㄥ　　　雍		

(1) "知、蚩、诗、日、资、雌、思"等七个音节的韵母用i，即：知、蚩、诗、日、资、雌、思等字拼作 zhi, chi, shi, ri, zi, ci, si。

The vowel i is used in the seven syllables of 知, 蚩, 诗, 日, 资, 雌 and 思, and thus they are spelled respectively as zhi, chi, shi, ri, zi, ci and si.

(2) 韵母"ㄦ"写作 er，用作韵尾的时候写成 r。例如："儿童"拼作 ertong，"花儿"拼作 huar。

The vowel "ㄦ" is written as er, but as r when used as a tail vowel, i.e. 儿童 ertong and 花儿 huar.

(3) 韵母"ㄝ"单用的时候写成 ê。

The vowel "ㄝ" is written as ê when used independently.

(4) i 行的韵母，前面没有声母的时候，写成 yi(衣)，ya(呀)，ye(耶)，yao(腰)，you(忧)，yan(烟)，yin(因)，yang(央)，ying(英)，yong(雍)。

The vowels in the i row are written as yi(衣)，ya(呀)，ye(耶)，yao(腰)，you(忧)，

yan(烟),yin(因),yang(央),ying(英)and yong(雍) if no consonants precede them.

u 行的韵母,前面没有声母的时候,写成 wu(乌),wa(蛙),wo(窝),wai(歪),wei(威),wan(弯),wen(温),wang(汪),weng(翁)。

The vowels in the u row are written as wu（乌）,wa（蛙）,wo（窝）,wai（歪）,wei（威）,wan（弯）,wen（温）,wang（汪）and weng（翁）if no consonants precede them.

ü 行的韵母,前面没有声母的时候,写成 yu(迂),yue(约),yuan(冤),yun(晕);ü 上两点省略。

The vowels in the ü row are written as yu(迂),yue(约),yuan(冤)and yun(晕)if no consonants precede them, and the two dots of ü are omitted.

ü 行的韵母跟声母 j,q,x 拼的时候,写成 ju(居),qu(区),xu(虚),ü 上的两点也省略;但是跟声母 n,l 拼的时候,仍然写成 nü(女),lü(吕)。

When the vowels in the ü row are used together with the consonants of j,q and x, they are written as ju(居),qu(区)and xu(虚) with the two dots of ü being omitted; when they are used together with the consonants of n and l, the two dots of ü are retained as in nü(女)and lü(吕).

(5) iou,uei,uen 前面加声母的时候,写成 iu,ui,un。例如 niu(牛),gui(归),lun(论)。

When iou, uei and uen are preceded by consonants, they are written as iu, ui and un, such as in niu(牛),gui(归)and lun(论).

(6) 在给汉字注音的时候,为了使拼式简短,ng 可以省作 ŋ。

When phonetic notations are added to Chinese characters, ng may be abbreviated as ŋ to simplify the spelling.

（四）声调符号 The Symbols of Tones

阴平	阳平	上声	去声
high and level tone	rising tone	falling-rising tone	falling tone
ˉ	´	ˇ	`

声调符号标在音节的主要母音上,轻声不标。例如:

The symbol of each tone is marked on the main vowel of a syllable, but it is omitted when the pronunciation is light. For example:

妈mā	麻má	马mǎ	骂mà	吗ma
(阴平)	(阳平)	(上声)	(去声)	(轻声)
high and level tone	rising tone	falling-rising tone	falling tone	light pronunciation

（五）隔音符号 The Syllable-dividing Mark

a,o,e 开头的音节连接在其他音节后面的时候,如果音节的界限发生混淆,用隔音符号(')隔开。例如:pi'ao(皮袄)。

When a syllable beginning with a, o, e follows another syllable, and the boundary of the two syllables are confusing, the syllable-dividing mark (') is used to separate them, i.e. pi'ao(皮袄).

汉字笔画名称

Names of Writing Strokes of Chinese Characters

一、基本笔画 Basic Strokes：

笔形 Stroke Category	名称 Stroke Name	例字 Example	笔形 Stroke Category	名称 Stroke Name	例字 Example
一	横 héng horizontal stroke	十 shí	、	点 diǎn dot	六 liù
丨	竖 shù vertical stroke	中 zhōng	一	折 zhé bent stroke	了 le
丿	撇 piě leftward-falling stroke	人 rén			

二、变形笔画 Variant Strokes:

笔形 Stroke Category	名称 Stroke Name	例字 Example	笔形 Stroke Category	名称 Stroke Name	例字 Example
╱	提 rightward-rising diagonal stroke	刁 diāo	╲	捺 rightward-falling diagonal stroke	八 bā
┐	横折 horizontal, bent	口 kǒu	㇇	横斜钩 horizontal, slanting into a hook	飞 fēi
㇅	横撇 horizontal, leftward-falling	水 shuǐ	乙	横折弯钩 horizontal, bending into a curve	九 jiǔ
㇀	横钩 horizontal, hooked	买 mǎi	㇌	横撇弯钩 horizontal, leftward-falling, curved hook	阿 ā
ㄥ	横折折 horizontal, bent twice	凹 āo	㇞	横折折折 horizontal, bent three times	凸 tū

笔形 Stroke Category	名称 Stroke Name	例字 Example	笔形 Stroke Category	名称 Stroke Name	例字 Example
乙	横折弯 horizontal, bending into a curve	船 chuán	乃	横折折撇 horizontal, bent twice, leftward-falling	及 jí
㇂	横折提 horizontal, bent, rightward-rising	计 jì	㇄	横折折折钩 horizontal, bent three times, hooked	仍 réng
乛	横折钩 horizontal, bending into a hook	月 yuè	㇙	竖提 vertical, rightward- rising diagonal	长 cháng
亅	竖钩 vertical hook	小 xiǎo	㇄	竖折折钩 vertical, bent twice, hooked	马 mǎ
㇄	竖折 vertical, bent	山 shān	㇜	撇折 leftward-falling, bent	去 qù
㇄	竖弯 vertical, curving	四 sì	㇛	撇点 leftward-falling, dot	女 nǚ
㇄	竖弯钩 vertical, curving into a hook	儿 ér	㇂	斜钩 slanting, hooked	式 shì
㇄	竖折撇 vertical, bending into a leftward slant	专 zhuān	㇆	弯钩 bent, hooked	家 jiā
㇉	竖折折 vertical, bent twice	鼎 dǐng			

汉字常见部首名称

Common Radicals and Components of Chinese Character

部首 Radical	名称 Name	例字 Example
匸	区字框儿 qūzìkuàngr 三框儿 sānkuàngr	巨 jù 医 yī
卜	上字头儿 shàngzìtóur	卡 kǎ 占 zhàn
刂	立刀旁儿 lìdāopángr	创 chuàng 别 bié
冂(冂)	同字框儿 tóngzìkuàngr	内 nèi 周 zhōu
亻	单立人儿 dānlìrénr 单人旁儿 dānrénpángr	化 huà 他 tā
厂	反字旁儿 fǎnzìpángr	斤 jīn 后 hòu
夕	危字头儿 wēizìtóur	负 fù 色 sè
勹	包字头儿 bāozìtóur	句 jù 够 gòu
凤	风字头儿 fēngzìtóur	风 fēng 凰 huáng
亠	六字头儿 liùzìtóur	交 jiāo 变 biàn
冫	两点水儿 liǎngdiǎnshuǐr	冰 bīng 减 jiǎn
丷	兰字头儿 lánzìtóur	半 bàn 关 guān
冖	秃宝盖儿 tūbǎogàir	写 xiě 军 jūn
讠	言字旁儿 yánzìpángr	讨 tǎo 语 yǔ
凵	凶字框儿 xiōngzìkuàngr	击 jī 画 huà
卩	单耳旁儿 dān'ěrpángr	卫 wèi 印 yìn
阝	左耳旁儿(在左) zuǒ'ěrpángr	队 duì 险 xiǎn
阝	右耳旁儿(在右) yòu'ěrpángr	那 nà 邻 lín
厶	私字儿 sīzìr	允 yǔn 台 tái
廴	建之旁儿 jiànzhīpángr	延 yán 建 jiàn
扌	提手旁儿 tíshǒupángr	打 dǎ 抓 zhuā
艹	草字头儿 cǎozìtóur	节 jié 花 huā

部首 Radical	名称 Name	例字 Example
廾	弄字底儿 nòngzìdǐr	开 kāi 异 yì
尢	尤字旁儿 yóuzìpángr	龙 lóng 就 jiù
兀	尧字底儿 yáozìdǐr	元 yuán 光 guāng
弋	式字框儿 shìzìkuàngr	式 shì 贰 èr
⺌	光字头儿 guāngzìtóur	当 dāng 常 cháng
囗	国字框儿 guózìkuàngr	因 yīn 圆 yuán
彳	双人旁儿 shuāngrénpángr 双立人儿 shuānglìrénr	往 wǎng 街 jiē
彡	三撇儿 sānpiěr	形 xíng 须 xū
犭	反犬旁儿 fǎnquǎnpángr 犬犹儿 quǎnyóur	狗 gǒu 独 dú
夂	折文儿 zhéwénr	冬 dōng 备 bèi
饣	食字旁儿 shízìpángr	饭 fàn 饱 bǎo
丬	将字旁儿 jiàngzìpángr	状 zhuàng 将 jiàng
氵	三点水儿 sāndiǎnshuǐr	汗 hàn 汤 tāng
忄	竖心旁儿 shùxīnpángr	怕 pà 怪 guài
宀	宝盖儿 bǎogàir	客 kè 家 jiā
辶	走之儿 zǒuzhīr	边 biān 运 yùn
彐	寻字头儿 xúnzìtóur	归 guī 灵 líng
⺕	录字头儿 lùzìtóur	录 lù
纟	绞丝旁儿 jiǎosīpángr 乱绞丝儿 luànjiǎosīr	红 hóng 给 gěi
幺	幼字旁儿 yòuzìpángr	幻 huàn 幽 yōu
耂	老字头儿 lǎozìtóur	考 kǎo 者 zhě
小	竖心底儿 shùxīndǐr	恭 gōng
牛	牛字旁儿 niúzìpángr	物 wù 特 tè
攵	反文旁儿 fǎnwénpángr	攻 gōng 放 fàng
爫	采字头儿 cǎizìtóur	爱 ài 彩 cǎi

部首 Radical	名称 Name	例字 Example
灬	四点儿 sìdiǎnr 四点底儿 sìdiǎndǐr	然 rán 照 zhào
礻	示字旁儿 shìzìpángr 示补儿 shìbǔr	社 shè 神 shén
罒	四字头儿 sìzìtóur	罗 luó 罢 bà
皿	皿字底儿 mǐnzìdǐr 皿墩儿 mǐndūnr	盆 pén 盒 hé
钅	金字旁儿 jīnzìpángr	针 zhēn 铁 tiě
疒	病字旁儿 bìngzìpángr	疾 jí 痛 tòng
衤	衣字旁儿 yīzìpángr 衣补儿 yībǔr	初 chū 被 bèi
癶	登字头儿 dēngzìtóur	登 dēng 凳 dèng
覀	西字头儿 xīzìtóur	要 yào 票 piào
虍	虎字头儿 hǔzìtóur	虚 xū
𥫗	竹字头儿 zhúzìtóur	笔 bǐ 笑 xiào
𦍌	羊字旁儿 yángzìpángr 撇尾羊儿 piěwěiyángr	差 chà 养 yǎng
𦍋	羊字头儿 yángzìtóur	美 měi 盖 gài
聿	建字里儿 jiànzìlǐr	肆 sì
艮	垦字头儿 kěnzìtóur	良 liáng 艰 jiān
𧾷	足字旁儿 zúzìpángr	跳 tiào 路 lù
雨	雨字头儿 yǔzìtóur	雪 xuě 雷 léi
龺	朝字旁儿 cháozìpángr	朝 cháo
隹	隹字旁儿 zhuīzìpángr	雄 xióng 集 jí

说明 Note：

1　本表仅收录常见的汉字部首。

　　This table is a list of common radicals and components in Chinese characters.

2　单独成字，易于称说的，如山、女、马、车、豆、里等，不收录。

　　Radicals which are themselves independent characters, such as 山, 女, 马, 车, 豆 and 里, are not included.

汉语标点符号用法

Punctuation Usage in Chinese

名称 Name	符号 Mark	主要用法 Primary Use	举例 Example
句号 Period	。	①用在陈述句的末尾 Used at the end of a declarative sentence. ②用在语气舒缓的祈使句末尾 Used at the end of a non-urgent request.	北京是中华人民共和国的首都。 Beijing is the capital of the People's Republic of China. 请您稍等一下。 Please wait a moment.
问号 Question Mark	？	①用在疑问句的末尾 Used at the end of an interrogative sentence. ②用在反问句的末尾 Used at the end of a rhetorical question.	他叫什么名字？ What's his name? 你怎么能这么说呢？ How can you say that?
叹号 Exclamation Point	！	①用在感叹句的末尾 Used at the end of an exclamatory sentence. ②用在语气强烈的祈使句的末尾 Used at the end of an urgent request. ③用在语气强烈的反问句末尾 Used at the end of an emphatic rhetorical question.	为祖国的繁荣昌盛而奋斗！ Strive for the glory of the motherland! 你给我出去！ Get out here! 我哪里比得上他呀！ How could I compare to him!
逗号 Comma	，	用在句子中需要停顿的地方 Used to provide pauses where necessary in a sentence.	我们看得见的星星，绝大多数是恒星。（主谓之间） We could see many stars, the majority of which were fixed stars. (*Subject/predicate*) 应该看到，科学需要一个人贡献出毕生的精力。（动宾之间） As you can see, the sciences require a lifelong devotion. (*Verb/object*) 对于这个城市，他并不陌生。（状语后边）

名称 Name	符号 Mark	主要用法 Primary Use	举例 Example
			As for this city, he was no stranger to it. (*Following an adverbial modifier*) 据说苏州园林有一百多处，我到过的不过十多处。（分句之间，有时用分号） They say there are over a hundred gardens in Suzhou, and I've barely been to a dozen. (*Between separate clauses; sometimes a semicolon will be used instead.*)
顿号 List comma	、	用在句子内部并列词语之间 Used between items in a list.	亚马孙河、尼罗河、密西西比河和长江是世界四大河流。 The Amazon, the Nile, the Mississippi and the Yangtze are the world's four great rivers.
分号 Semicolon	；	①用在复句内部并列分句之间 Used between listed clauses in a complex sentence.	语言，人们用来抒情达意；文字，人们用来记言记事。 Language is used to express one's emotion or ideas, while words are used to record one's speech or events.
		②用在非并列关系（如转折关系、因果关系等）的多重复句的前后两部分之间 Used to indicate non-list relationships (e.g., transitions, causal relationships, etc.)	我国年满 18 周岁的公民，不分民族、种族、性别、职业、家庭出身、宗教信仰、教育程度、财产状况、居住期限，都有选举权和被选举权；但是依照法律被剥夺政治权利的人除外。 All citizens 18 years of age or over, regardless of nationality, race, gender, profession, family background, religious affiliation, degree of education, personal property, or duration of residence, enjoy the right to vote and hold office, with the exception of those who have been stripped of those rights in accordance with the law.
		③用在分行列举的各项之间 Used between independent elements of a sentence.	中华人民共和国的行政区域划分如下： （一）全国分为省、自治区、直辖市； （二）省、自治区分为自治州、县、自治县、市； （三）县、自治县分为乡、民族乡、镇。

名称 Name	符号 Mark	主要用法 Primary Use	举例 Example
			The administrative divisions of the People's Republic of China are divided as follows: 1. The nation is divided into provinces, autonomous regions, and municipalities; 2. Provinces and autonomous regions are divided into autonomous prefectures, counties, autonomous counties, and cities; 3. Counties and autonomous counties are divided into townships, minority townships, and towns.
冒号 Colon	:	①用在称呼语后边，表示提起下文 Used following a personal address to indicate the beginning of the following statement.	同志们，朋友们：现在开会了。 Comrades, friends: let begin the meeting.
		②用在"说、想、是、证明，宣布、指出、透露、例如、如下"等词语后边，表示提起下文 Used after words such as "said," "thought," "is," "proved," "announced," "indicated," "revealed," "for example," "as follows," etc. to indicate the beginning of the following statement.	他十分惊讶地说："啊，原来是你！" Excitedly, he said: "Oh, it's you！"
		③用在总说性话语的后边，表示引起下文的分说 Used following a summation to introduce specifics.	北京紫禁城有四座城门：午门、神武门、东华门和西华门。 The Forbidden City of Beijing has four gates: Wu Men, Shenwu Men, Donghua Men, and Xihua Men.
		④用在需要解释的词语后边，表示引出解释或说明 Used following a word or phrase requiring explanation to indicate that the following text is an explanation or clarification.	外文图书展销会 Foreign-Language Books and Publications Fair 日期：10 月 20 日至 11 月 10 日 Date: October 20 – November 10 时间：上午 8 时至下午 4 时 Time: 8:00 AM – 4:00 PM 地点：北京展览馆 Location: Beijing Exhibition Hall

名称 Name	符号 Mark	主要用法 Primary Use	举例 Example
			主办单位:中国图书进出口总公司 Organized by: the China Publications Import & Export Corporation
		⑤用在总括性话语的前边 Used in front of a summation or generalization.	张华考上了北京大学,在化学系学习;李平进了中等技术学校,读机械制造专业;我在百货公司当售货员:我们都有光明的前途。 Zhang Hua was admitted to Peking University, where he studied in the Chemistry Department; Li Ping entered a secondary vocational school, where he studied mechanical manufacturing; I worked as a sales representative at a department store: we all had bright futures.
引号 Quotation Marks	"" ''	①直接引用的话 Used to indicate a direct quote.	"满招损,谦受益"这句格言,流传到今天至少有两千年了。 The saying "the proud are laid low; the meek are raised high" has been passed down from history and it has been oft-quoted for at least two thousand years.
		②表示需要着重论述的对象 Used to indicate a major topic for discussion.	古人对于写文章有个基本要求,叫做"有物有序"。"有物"就是要有内容,"有序"就是要有条理。 The ancients had one basic requirement of writing — that is "you wu you xu" — "you wu" means to be substantial, and "you xu" means to have a logical structure.
		③表示具有特殊含义的词语 Used to indicate a word with a particular meaning.	这样的"聪明人"还是少一点好。 We're better off without this kind of "genius."
		④引号里面还要用引号时,外面一层用双引号,里面一层用单引号 In cases where quotation marks must be used within quotes, the exterior marks should be double quotes; the interior marks, single quotes.	他站起来问:"老师,'有条不紊'的'紊'是什么意思?" He stood up and asked, "Teacher, what does the 'wen' in 'youtiaobuwen' mean?"

名称 Name	符号 Mark	主要用法 Primary Use	举例 Example
括号 Brackets	（　） ［　］ ｛　｝ 【　】 〔　〕	行文中注释性的文字 Used for explanatory notes within the main body of text.	中国猿人（全名为"中国猿人北京种"，或简称"北京人"）在我国的发现，是对古人类学的一个重大贡献。 The discovery of *Sinanthropus* (full name *Sinanthropus Pekinensis*, or commonly "Peking Man") in China was a major contribution to paleoanthropology.
破折号 Dash	——	①标明解释说明的语句 Indicates an explanatory clause.	迈进金黄色的大门，穿过宽阔的风门厅和衣帽厅，就到了大会堂建筑的枢纽部分——中央大厅。 Entering the golden main gate and passing through the expansive vestibule and doak-room, one arrives at the pivotal part of the Great Hall — the Central Hall.
		②标明话题突然转变 Indicates a sudden change of topic.	"今天好热啊！——你什么时候去的上海？"张强对刚刚进门的小王说。 "It's awfully hot today! — When did you go to Shanghai?" Zhang Qiang asked Xiao Wang as he entered.
		③用在拟声词后，表示声音延长 Used following opoeia-opoeia to indicate a lengthened sound.	"呜——"火车开动了。 And with a "whooooooo—" the train set off.
		④事项列举分承，用在各项之前 When listing elements of something, used preceding each element.	根据研究对象的不同，环境物理学分为以下五个分支学科： ——环境声学； ——环境光学； ——环境热学； ——环境电磁学； ——环境空气动力学。 Based on the differences in the objects of study, environmental physics is broken down into the following five subcategories: — Environmental acoustics; — Environmental optics; — Environmental thermodynamics; — Environmental electromagnetics; — Environmental aerodynamics.

名称 Name	符号 Mark	主要用法 Primary Use	举例 Example
省略号 Ellipses	……	①表示引文的省略 Indicates omitted text in a quoted passage.	她轻轻地哼起了《摇篮曲》:"月儿明,风儿静,树叶儿遮窗棂啊……" She lightly hummed a lullaby: "The moon is bright, the wind is still; the fallen leaves cover the windowsill …"
		②表示列举的省略 Indicates omitted items in a list.	在广州的花市上,牡丹、吊钟、水仙、梅花、菊花、山茶、墨兰……春秋冬三季的鲜花都挤在一起啦! In the flower markets of Guangzhou, peonies, pendant-bells, narcissi, plum blossoms, chrysanthemums, camellia, ink-orchids ... the flowers of spring, autumn and winter jostled together with one another!
		③表示说话断断续续 Indicates dialogue spoken pantingly.	"我……对不起……大家,我……没有……完成……任务。" "I ... am sorry ... everyone, I ... didn't ... finish ... the job."
着重号 Emphatic Marker	.	要求读者特别注意的字、词、句 Indicates a character, word, or sentence to which the reader should pay particular attention.	事业是干出来的,不是吹出来的。 You get things done by *doing them*, not by *talking about them*.
连接号 Hyphen	–	①用在构成一个意义单位的两个相关的名词中间 Used to connect two related nouns into one unit of meaning.	我国秦岭–淮河以北地区属于温带季风气候区,夏季高温多雨,冬季寒冷干燥。 The area to the north of Qinling Mountains-Huaihe River is a part of the temperate/monsoon climate region. Summer is hot and rainy; winter is cold and dry.
	~	②用在相关的时间、地点之间 Used between related times or places.	9:00–21:00 9:00-21:00 北京–广州直达快车 Beijing-Guangzhou direct express
		③用在相关的字母、阿拉伯数字等之间,表示产品型号 Used between related letters and Arabic numerals to indicate a	HAW–4 和 TPC–3 海底光缆 HAW-4 & TPC-3 submarine optical cables

名称 Name	符号 Mark	主要用法 Primary Use	举例 Example
		product model. ④用在几个相关的项目之间，表示递进式发展 Used between several related items to indicate a progression.	人类的发展可以分为古猿——猿人——古人——新人这四个阶段。 Human development can be separated into the four stages of ancient primates→ape man→early man→modern man.
		⑤用在相关的数字之间 Used between related numbers.	亩产 1,000 公斤~1,500 公斤 Output per *mu*: 1,000 kg ~ 1,500 kg
间隔号 Spacing Mark	·	①用以标明外国人和某些少数民族人名内各部分的分界 Used to indicate separate sections of foreign or minority personal names	列奥纳多·达·芬奇 Leonardo da Vinci 爱新觉罗·努尔哈赤 Aisin-Goro Nurhaci
		②用以标明书名与篇（章、卷）名之间的分界 Used to indicate subsections (chapter, book) of a written work.	《中国大百科全书·物理学》 《三国志·蜀志·诸葛亮传》 The Complete Encyclopedia of China, Physics The Annals of the Three Kingdoms, Annals of Shu, The Legend of Zhuge Liang
书名号 Title Brackets	《 》 〈 〉	①标明书名、篇名、报纸名、刊物名等 Used to indicate the title of a book, article, newspaper, or periodical	《红楼梦》 A Dream of Red Mansions 《人民日报》 The People's Daily
		②书名号里边还要用书名时，外面一层用双书名号，里边一层用单书名号 When title brackets are used within another ones, the inside ones should be in single form while the outside ones double form.	《〈中国工人〉发刊词》 Introduction to the China Worker

根据中华人民共和国国家技术监督局 1995 年 12 月 13 日发布的《标点符号的用法》摘编。

Based on *The Use of Punctuation Marks*, promulgated on December 13, 1995 by the National Bureau of Technical Supervision of the People's Republic of China.

汉语中数字的用法
Numeral Usage in Chinese

汉语中汉字数字和阿拉伯数字并用,按照中华人民共和国的国家标准,其正确用法如下:

The usage of Chinese and Arabic numerals in Chinese texts is governed by the national standards of the People's Republic of China. The rules for proper usage are as follows:

一　要求使用汉字的
When to Use Chinese Numerals

1　定型的词、词组、成语、惯用语、缩略语或具有修辞色彩的词语中作为语素的数字必须使用汉字。

In set words, phrases, idiomatic expressions, abbreviations, or in phrases in which the number serves as a morpheme, Chinese numerals must be used.

示例 Examples:

一律　一方面　十滴水　三叶虫　星期五　四氧化三铁　八国联军　二万五千里长征四书五经　五四运动　九三学社　路易十六　十月革命　五局三胜制　二八年华　二十挂零　零点方案　白发三千丈　七上八下　不管三七二十一　相差十万八千里　第一书记　第二轻工业局　一机部三所　第三季度　第四方面军　十三届四中全会

2　中国干支纪年和夏历月日,中国清代和清代以前的历史纪年、各民族的非公历纪年必须使用汉字(可用阿拉伯数字括注公历,以示二者不混用)。

For dates given in the classical (heavenly stems/earthly branches) and lunar calendars, historical dates in the Qing Dynasty and earlier, dates in minority and non-solar calendrical systems, Chinese numerals must be used.　(They may be accompanied by the equivalent dates in the Western calendrical system, given in Arabic numerals to differentiate between the two.)

示例 Examples:

丙寅年十月十五日　腊月二十三日　正月初五　八月十五中秋节　秦文公四十四年(公元前722年)　清咸丰十年九月二十日(公元1860年11月2日)　藏历阳木龙年八月二十六日(1964年10月1日)　日本庆应三年(1867年)

3　含有月日简称表示事件、节日和其他意义的词组必须使用汉字(如果涉及一月、十一月、十二月,应用间隔号"·"将表示月和日的数字隔开,并外加引号,避免歧义。涉及其他月份时,不用间隔号,是否使用引号,视事件的知名度而定)。

For month/day combinations used as a lexeme referring to a certain event, holiday, or other meaningful date, Chinese numerals must be used.　(For dates in January, November, or December, the word separator "·" should be used to separate the month and day, and the date should be placed within quotation marks in order to avoid confusion. Dates for other months need not use separation marks, and quotation marks should be used depending on how well known the event referred to is.)

示例 Examples：

五四运动 五卅运动 七七事变 五一国际劳动节 "一·二八"事变（1月28日）"一二·九"运动（12月9日）

4   相邻的两个数字并列连用表示概数，必须使用汉字，连用的两个数字之间不得用顿号"、"隔开。

When two consecutive numbers are used together to indicate an approximation, Chinese numerals must be used, and the numbers should not be separated by a list comma.

示例 Examples：

二三米 一两个小时 三五天 三四个月 十三四吨 一二十个 四十五六岁 七八十种 二三百架次 一千七八百元 五六万套

5   带有"几"字的数字表示约数，必须使用汉字。

Numerical quantities being estimated with "几" must use Chinese numerals.

示例 Examples：

几千年 十几天 一百几十次 几十万分之一

6   用"多""余""左右""上下""约"等表示的约数一般用汉字。如果文中出现一组具有统计和比较意义的数字，其中既有精确数字，也有用"多""余"等表示的约数时，为保持局部体例上的一致，其约数也可以使用阿拉伯数字。

Quantities being estimated with "over," "more than," "about," "give or take," "approximately," and similar words will usually be written with Chinese numerals. If the approximate figures are occurring alongside precise statistics, Arabic numerals may be used for the sake of consistency.

示例1 Example One：

十余次 一千多件 约三千名会员 三十岁左右 五百吨上下

示例2 Example Two：

该省从机动财力中拿出1 900万元，调拨钢材3 000多吨、水泥2万多吨、柴油1 400吨，用于农田水利建设。

二 要求使用阿拉伯数字的
When to Use Arabic Numerals

1   统计表中的数值，如正负整数、小数、百分比、分数、比例等，必须使用阿拉伯数字。

Numbers appearing in statistical charts or graphs, such as positive and negative integers, decimals, percentages, fractions, ratios etc., must use Arabic numerals.

示例 Examples：

48 –12 5.03 34.05% 1/4 1:500

2   物理量量值必须用阿拉伯数字，并正确使用法定计量单位。

When denoting physical quantities, Arabic numerals must be used, in conjunction with the appropriate units.

示例 Examples：

8 736.80千米　600克　100千克~150千克　12.5平方米　34摄氏度~39摄氏度　0.59安[培]

3 非物理量一般情况下也应使用阿拉伯数字。

Non-physical quantities typically also use Arabic numerals.

示例 Examples：

21.35元　45.6万元　270美元　290亿英镑　48岁　11个月　1 480人　4.6万册　600幅550名

4 公历世纪、年代、年、月、日应使用阿拉伯数字。*

Centuries, decades, years, months, and days in the solar calendar are given in Arabic numerals.

示例 Examples：

公元前8世纪　20世纪80年代　公元前440年　公元7年　1994年10月1日

5 时、分、秒应使用阿拉伯数字。**

Hours, minutes, and seconds should be given in Arabic numerals.

示例 Examples：

4时　15时40分　下午3点40分　14时12分36秒

6 代号、代码和序号必须使用阿拉伯数字。

Code numbers and serial numbers must be written in Arabic numerals.

示例 Examples：

84062部队　国家标准 GB 2312–80　国办发［1987］9号文件　总3147号　国内统一刊号 CN11–1399　21/22次特别快车　HP–3000型电子计算机　85号汽油　维生素B12

7 引文标注中版次、卷次、页码，除古籍应与所据版本一致外，一般均使用阿拉伯数字。

In citations, the edition, volume number and page number, with the exception of classical works, are typically all written with Arabic numerals.

示例1 Example One：

列宁：《新生的中国》，见《列宁全集》，中文2版，第22卷，208页，北京，人民出版社，1990。

示例2 Example Two：

许慎：《说文解字》，四部丛刊本，卷六上，九页。

三　可用汉字数字，也可用阿拉伯数字时，采取局部协调一致的原则
Rules for Cases Where Either Chinese or Arabic Numerals May Be Used

1 整数一至十，如果不是出现在具有统计意义的一组数字中，可以用汉字，但要照顾

到上下文，求得局部体例上的一致。

Whole numbers from one to ten, if not occurring in a group of figures or statistics, may be written with Chinese numerals, as long as this would be consistent in context.

示例1 Example One：

一个人 三本书 四种产品 六条意见 读了十遍 五个百分点

示例2 Example Two：

截至1984年9月，我国高等学校有新闻系6个，新闻专业7个，新闻班1个，新闻教育专职教员274人，在校学生1561人。

2   数值巨大的精确数字，为了便于定位读数或移行，可同时使用"亿""万"作单位。

Large, precise figures may be split into Chinese numeral units (e.g., *yi, wan*) for easier reading.

示例 Example：

11亿3368万2501人

3   阿拉伯数字书写的数值在表示数值的范围时，使用浪纹式连接号"~"。

When Arabic numerals are being used to indicate a range, the numbers should be separated with a wavy line ("~").

示例 Examples：

150千米~200千米 –36℃~–8℃ 2 500元~3 000元

（根据中华人民共和国国家技术监督局1995年12月13日发布的《出版物上数字用法的规定》摘编。文中示例仅提供中文，未译。）

(Based on the *Rules for Numeral Use in Publications* promulgated on December 13, 1995 by the National Bureau of Technical Supervision of the People's Republic of China. This appendix only contains Chinese examples with no English translation.)

---

* 年份一般不用简写。如：1990年不应简作"九〇年"或"90年"。

Years should usually not be shortened; i.e., "1990" should not be written as "九〇年" or "90年."

** 可采用每日24小时计时制，时、分、秒的分隔符为"："。如：04:00（4时）15:40（15时40分）14:12:36（14时12分36秒）

The time of day may be written in 24-hour format, using 时、分、秒 (hours, minutes, and seconds) or the colon to separate units of time, e.g.: 04:00（4时）15:40（15时40分）14:12:36（14时12分36秒）

汉字的结构类型和笔顺规则
Composition and Stroke Order of Chinese Characters

一、汉字形体结构类型
Compositional Categories

1. 上下结构　Upper / Lower　　▟ ▬　　古三
2. 左右结构　Left / Right　　▌ ▐▌　　叫侧
3. 独体结构　Independent　　☐　　木刀
4. 包围结构　Enclosed　　▣　　回图
5. 半包结构　Semi-enclosed

   a. ▛▜▟　同风 司勾 历尼

   b. ▙▟　凶 迁延

   c. ▙　区匹

二、汉字笔顺规则
Rules for Correct Stroke Order of Chinese Characters

1. 基本规则 Basic Rules:

   a. 先横后竖 Horizontal strokes come before vertical strokes:

十　　一 十

土　　一 十 土

   b. 先上后下 Strokes begin from top to bottom:

二　　二

古　　一 十 古 古 古

   c. 先左后右 The left half of a character is written before the right:

仁　　丿 亻 仁 仁

则　　丨 冂 贝 贝 则 则

   d. 先撇后捺 Leftward-falling strokes precede rightward-falling strokes:

八　　丿 八

人　　丿 人

   e. 先中间后两边 The "central" stroke precedes the strokes on the sides:

小　　亅 小 小

水　　亅 刂 才 水